LES LOIS DU TRAVAIL

Service de renouvellement automatique*

- ❑ **5 $ de rabais : Veuillez m'expédier chaque année la nouvelle édition des LOIS DU TRAVAIL. Je bénéficierai ainsi de 5 $ de rabais sur le prix courant des prochaines éditions.**
- ❑ **Faitez-moi parvenir par courriel des informations sur vos nouvelles publications et activités de formation.**

Courriel : ______________________________

Nom : ______________________ N° de client : ______________

Profession : ❑ Avocat ❑ Notaire

❑ Autre, précisez : ______________________

Dénomination sociale : ______________________

Adresse : ______________________________

Ville : ______________________________

Province : ______________ Code postal : ______________

Téléphone : ______________ Télécopieur : ______________

Prière de remplir la fiche en entier.

* Le service de renouvellement automatique n'est pas offert aux étudiants.

2017-2018 - 24e édition

ÉDITIONS YVON BLAIS

75, RUE QUEEN,
BUREAU 4700
MONTRÉAL (QUÉBEC)
H3C 2N6

LES LOIS DU TRAVAIL

2017-2018

24e édition

Lois et règlements du Québec et du Canada

Note de l'éditeur

La présente édition n'a aucune sanction officielle. Pour appliquer et interpréter les lois et les règlements qui y sont contenus, il faut se reporter aux textes officiels.

La présente édition est à jour au 23 juin 2017. Toutefois, les modifications non en vigueur à la date de publication apportées par la *Loi portant exécution de certaines dispositions du budget déposé au Parlement le 22 mars 2017 et mettant en œuvre d'autres mesures* (L.C. 2017, ch. 20), sanctionnée le 22 juin 2017, n'ont pas été intégrées à la présente édition.

Les trames grises indiquent les dispositions non en vigueur.

Les modifications ont été apportées à la suite de l'opération de mise à jour effectuée par le ministère de la Justice en vertu des pouvoirs que lui accorde l'article 3 de la *Loi sur le recueil des lois et des règlements du Québec* (RLRQ, c. R-2.2.0.0.2).

Depuis le 1er octobre 2010, les notes marginales ne sont plus publiées et mises à jour par l'Éditeur officiel. Elles ont été conservées et ajoutées par notre équipe éditoriale.

LES LOIS DU TRAVAIL

2017-2018

24e édition

Lois et règlements
du Québec et du Canada

Édition mise à jour sous la responsabilité
d'Aude Caparos, responsable de publications

ÉDITIONS YVON BLAIS

Catalogage avant publication de Bibliothèque et Archives nationales du Québec et Bibliothèque et Archives Canada

Vedette principale au titre :

Les lois du travail : lois et règlements du Québec et du Canada
Comprend un index.
ISSN 1204-4768
ISBN 978-2-89730-366-2

1. Travail - Droit - Québec (Province) - Législation. 2. Travail - Droit - Canada - Législation. I. Québec (Province). II. Canada. III. Titre.

KEQ642.A3 344.71401'20263 C96-300250-3

Canada Nous reconnaissons l'appui financier du gouvernement du Canada.

Dépôt légal : 3e trimestre 2017
Bibliothèque et Archives nationales du Québec
Bibliothèque et Archives Canada
ISBN : 978-2-89730-366-2

Imprimé aux États-Unis.

THOMSON REUTERS®

Éditions Yvon Blais, une division de Thomson Reuters Canada Limitée

75, rue Queen, bur. 4700
Montréal (Québec)
H3C 2N6

Service à la clientèle
Téléphone : 1-800-363-3047
Télécopieur : 450-263-9256
Site Internet : www.editionsyvonblais.com

TABLE DES MATIÈRES GÉNÉRALE

LES CHARTES ET LES CODES

[C-1] LOI CONSTITUTIONNELLE DE 1982

Loi de 1982 sur le Canada, Annexe B, 1982 (R.-U.), ch. 11, telle que modifiée par TR/84-102; TR/93-54.

PARTIE I — CHARTE CANADIENNE DES DROITS ET LIBERTÉS

Attendu que le Canada est fondé sur des principes qui reconnaissent la suprématie de Dieu et la primauté du droit :

Garantie des droits et libertés

1. Droits et libertés au Canada — La *Charte canadienne des droits et libertés* garantit les droits et libertés qui y sont énoncés. Ils ne peuvent être restreints que par une règle de droit, dans des limites qui soient raisonnables et dont la justification puisse se démontrer dans le cadre d'une société libre et démocratique.

Libertés fondamentales

2. Libertés fondamentales — Chacun a les libertés fondamentales suivantes :

a) la liberté de conscience et de religion;

b) liberté de pensée, de croyance, d'opinion et d'expression, y compris la liberté de la presse et des autres moyens de communication;

c) liberté de réunion pacifique;

d) liberté d'association.

Droits démocratiques

3. Droits démocratiques des citoyens — Tout citoyen canadien a le droit de vote et est éligible aux élections législatives fédérales ou provinciales.

4. (1) Mandat maximal des assemblées — Le mandat maximal de la Chambre des communes et des assemblées législatives est de cinq ans à compter de la date fixée pour le retour des brefs relatifs aux élections générales correspondantes.

(2) Prolongations spéciales — Le mandat de la Chambre des communes ou celui d'une assemblée législative peut être prolongé respectivement par le Parlement ou par la législature en question au-delà de cinq ans en cas de guerre, d'invasion ou d'insurrection, réelles ou appréhendées, pourvu que cette prolongation ne fasse pas l'objet d'une opposition exprimée par les voix de plus du tiers des députés de la Chambre des communes ou de l'assemblée législative.

5. Séance annuelle — Le Parlement et les législatures tiennent une séance au moins une fois tous les douze mois.

Liberté de circulation et d'établissement

6. (1) Liberté de circulation — Tout citoyen canadien a le droit de demeurer au Canada, d'y entrer ou d'en sortir.

(2) **Liberté d'établissement** — Tout citoyen canadien et toute personne ayant le statut de résident permanent au Canada ont le droit :

a) de se déplacer dans tout le pays et d'établir leur résidence dans toute province;

b) de gagner leur vie dans toute province.

(3) **Restriction** — Les droits mentionnés au paragraphe (2) sont subordonnés :

a) aux lois et usages d'application générale en vigueur dans une province donnée, s'ils n'établissent entre les personnes aucune distinction fondée principalement sur la province de résidence antérieure ou actuelle;

b) aux lois prévoyant de justes conditions de résidence en vue de l'obtention des services sociaux publics.

(4) **Programmes de promotion sociale** — Les paragraphes (2) et (3) n'ont pas pour objet d'interdire les lois, programmes ou activités destinés à améliorer, dans une province, la situation d'individus défavorisés socialement ou économiquement, si le taux d'emploi dans la province est inférieur à la moyenne nationale.

Garanties juridiques

7. **Vie, liberté et sécurité** — Chacun a droit à la vie, à la liberté et à la sécurité de sa personne; il ne peut être porté atteinte à ce droit qu'en conformité avec les principes de justice fondamentale.

8. **Fouilles, perquisitions ou saisies** — Chacun a droit à la protection contre les fouilles, les perquisitions ou les saisies abusives.

9. **Détention ou emprisonnement** — Chacun a droit à la protection contre la détention ou l'emprisonnement arbitraires.

10. **Arrestation ou détention** — Chacun a le droit, en cas d'arrestation ou de détention :

a) d'être informé dans les plus brefs délais des motifs de son arrestation ou de sa détention;

b) d'avoir recours sans délai à l'assistance d'un avocat et d'être informé de ce droit;

c) de faire contrôler, par *habeas corpus*, la légalité de sa détention et d'obtenir, le cas échéant, sa libération.

11. **Affaires criminelles et pénales** — Tout inculpé a le droit :

a) d'être informé sans délai anormal de l'infraction précise qu'on lui reproche;

b) d'être jugé dans un délai raisonnable;

c) de ne pas être contraint de témoigner contre lui-même dans toute poursuite intentée contre lui pour l'infraction qu'on lui reproche;

d) d'être présumé innocent tant qu'il n'est pas déclaré coupable, conformément à la loi, par un tribunal indépendant et impartial à l'issue d'un procès public et équitable;

e) de ne pas être privé sans juste cause d'une mise en liberté assortie d'un cautionnement raisonnable;

f) sauf s'il s'agit d'une infraction relevant de la justice militaire, de bénéficier d'un procès avec jury lorsque la peine maximale prévue pour l'infraction dont il est accusé est un emprisonnement de cinq ans ou une peine plus grave;

g) de ne pas être déclaré coupable en raison d'une action ou d'une omission qui, au moment où elle est survenue, ne constituait pas une infraction d'après le droit interne du Canada ou le droit international et n'avait pas de caractère criminel d'après les principes généraux de droit reconnus par l'ensemble des nations;

h) d'une part de ne pas être jugé de nouveau pour une infraction dont il a été définitivement acquitté, d'autre part de ne pas être jugé ni puni de nouveau pour une infraction dont il a été définitivement déclaré coupable et puni;

i) de bénéficier de la peine la moins sévère, lorsque la peine qui sanctionne l'infraction dont il est déclaré coupable est modifiée entre le moment de la perpétration de l'infraction et celui de la sentence.

12. **Cruauté** — Chacun a droit à la protection contre tous traitements ou peines cruels et inusités.

13. **Témoignage incriminant** — Chacun a droit à ce qu'aucun témoignage incriminant qu'il donne ne soit utilisé pour l'incriminer dans d'autres procédures, sauf lors de poursuites pour parjure ou pour témoignages contradictoires.

14. **Interprète** — La partie ou le témoin qui ne peuvent suivre les procédures, soit parce qu'ils ne comprennent pas ou ne parlent pas la langue employée, soit parce qu'ils sont atteints de surdité, ont droit à l'assistance d'un interprète.

Droits à l'égalité

15. (1) **Égalité devant la loi, égalité de bénéfice et protection égale de la loi** — La loi ne fait acception de personne et s'applique également à tous, et tous ont droit à la même protection et au même bénéfice de la loi, indépendamment de toute discrimination, notamment des discriminations fondées sur la race, l'origine nationale ou ethnique, la couleur, la religion, le sexe, l'âge ou les déficiences mentales ou physiques.

(2) **Programmes de promotion sociale** — Le paragraphe (1) n'a pas pour effet d'interdire les lois, programmes ou activités destinés à améliorer la situation d'individus ou de groupes défavorisés, notamment du fait de leur race, de leur origine nationale ou ethnique, de leur couleur, de leur religion, de leur sexe, de leur âge ou de leurs déficiences mentales ou physiques.

Langues officielles du Canada

16. (1) **Langues officielles du Canada** — Le français et l'anglais sont les langues officielles du Canada; ils ont un statut et des droits et privilèges égaux quant à leur usage dans les institutions du Parlement et du gouvernement du Canada.

(2) **Langues officielles du Nouveau-Brunswick** — Le français et l'anglais sont les langues officielles du Nouveau-Brunswick; ils ont un statut et des droits et privilèges égaux quant à leur usage dans les institutions de la Législature et du gouvernement du Nouveau-Brunswick.

(3) **Progression vers l'égalité** — La présente charte ne limite pas le pouvoir du Parlement et des législatures de favoriser la progression vers l'égalité de sta-

tut ou d'usage du français et de l'anglais.

16.1 (1) Communautés linguistiques française et anglaise du Nouveau-Brunswick — La communauté linguistique française et la communauté linguistique anglaise du Nouveau-Brunswick ont un statut et des droits et privilèges égaux, notamment le droit à des institutions d'enseignement distinctes et aux institutions culturelles distinctes nécessaires à leur protection et à leur promotion.

(2) Rôle de la législature et du gouvernement du Nouveau-Brunswick — Le rôle de la législature et du gouvernement du Nouveau-Brunswick de protéger et de promouvoir le statut, les droits et les privilèges visés au paragraphe (1) est confirmé.

TR/93-54

17. (1) Travaux du Parlement — Chacun a le droit d'employer le français ou l'anglais dans les débats et travaux du Parlement.

(2) Travaux de la Législature du Nouveau-Brunswick — Chacun a le droit d'employer le français ou l'anglais dans les débats et travaux de la Législature du Nouveau-Brunswick.

18. (1) Documents parlementaires — Les lois, les archives, les comptes rendus et les procès-verbaux du Parlement sont imprimés et publiés en français et en anglais, les deux versions des lois ayant également force de loi et celles des autres documents ayant même valeur.

(2) Documents de la Législature du Nouveau-Brunswick — Les lois, les archives, les comptes rendus et les procès-verbaux de la Législature du Nouveau-Brunswick sont imprimés et publiés en français et en anglais, les deux versions des lois ayant également force de loi et celles des autres documents ayant même valeur.

19. (1) Procédures devant les tribunaux établis par le Parlement — Chacun a le droit d'employer le français ou l'anglais dans toutes les affaires dont sont saisis les tribunaux établis par le Parlement et dans tous les actes de procédure qui en découlent.

(2) Procédures devant les tribunaux du Nouveau-Brunswick — Chacun a le droit d'employer le français ou l'anglais dans toutes les affaires dont sont saisis les tribunaux du Nouveau-Brunswick et dans tous les actes de procédure qui en découlent.

20. (1) Communications entre les administrés et les institutions fédérales — Le public a, au Canada, droit à l'emploi du français ou de l'anglais pour communiquer avec le siège ou l'administration centrale des institutions du Parlement ou du gouvernement du Canada ou pour en recevoir les services; il a le même droit à l'égard de tout autre bureau de ces institutions là où, selon le cas :

a) l'emploi du français ou de l'anglais fait l'objet d'une demande importante;

b) l'emploi du français et de l'anglais se justifie par la vocation du bureau.

(2) Communications entre les administrés et les institutions du Nouveau-Brunswick — Le public a, au Nouveau-Brunswick, droit à l'emploi du français ou de l'anglais pour communiquer avec tout bureau des institutions de la législature ou du gouvernement ou pour en recevoir les services.

21. Maintien en vigueur de certaines dispositions — Les articles 16 à 20 n'ont pas pour effet, en ce qui a trait à la langue française ou anglaise ou à ces deux langues, de porter atteinte aux droits, privilèges ou obligations qui existent ou sont maintenus aux termes d'une autre disposition de la Constitution du Canada.

22. Droits préservés — Les articles 16 à 20 n'ont pas pour effet de porter atteinte aux droits et privilèges, antérieurs ou postérieurs à l'entrée en vigueur de la présente charte et découlant de la loi ou de la coutume, des langues autres que le français ou l'anglais.

Droits à l'instruction dans la langue de la minorité

23. (1) Langue d'instruction — Les citoyens canadiens :

a) dont la première langue apprise et encore comprise est celle de la minorité francophone ou anglophone de la province où ils résident,

b) qui ont reçu leur instruction, au niveau primaire, en français ou en anglais au Canada et qui résident dans une province où la langue dans laquelle ils ont reçu cette instruction est celle de la minorité francophone ou anglophone de la province,

ont, dans l'un ou l'autre cas, le droit d'y faire instruire leurs enfants, aux niveaux primaire et secondaire, dans cette langue.

(2) Continuité d'emploi de la langue d'instruction — Les citoyens canadiens dont un enfant a reçu ou reçoit son instruction, au niveau primaire ou secondaire, en français ou en anglais au Canada ont le droit de faire instruire tous leurs enfants, aux niveaux primaire et secondaire, dans la langue de cette instruction.

(3) Justification par le nombre — Le droit reconnu aux citoyens canadiens par les paragraphes (1) et (2) de faire instruire leurs enfants, aux niveaux primaire et secondaire, dans la langue de la minorité francophone ou anglophone d'une province :

a) s'exerce partout dans la province où le nombre des enfants des citoyens qui ont ce droit est suffisant pour justifier à leur endroit la prestation, sur les fonds publics, de l'instruction dans la langue de la minorité;

b) comprend, lorsque le nombre de ces enfants le justifie, le droit de les faire instruire dans des établissements d'enseignement de la minorité linguistique financés sur les fonds publics.

[Note : Alinéa 23(1)a) pour le Québec non en vigueur à la date de publication.]

Recours

24. (1) Recours en cas d'atteinte aux droits et libertés — Toute personne, victime de violation ou de négation des droits ou libertés qui lui sont garantis par la présente charte, peut s'adresser à un tribunal compétent pour obtenir la réparation que le tribunal estime convenable et juste eu égard aux circonstances.

(2) Irrecevabilité d'éléments de preuve qui risqueraient de déconsidérer l'administration de la justice — Lorsque, dans une instance visée au paragraphe (1), le tribunal a conclu que des éléments de preuve ont été obtenus dans des conditions qui portent atteinte aux droits ou libertés garantis par la présente charte, ces éléments de preuve sont écartés s'il est établi, eu égard aux circonstances, que leur utilisation est susceptible de déconsidérer l'administration de la justice.

Dispositions générales

25. Maintien des droits et libertés des autochtones — Le fait que la présente charte garantit certains droits et libertés ne porte pas atteinte aux droits ou libertés — ancestraux, issus de traités ou autres — des peuples autochtones du Canada, notamment :

a) aux droits ou libertés reconnus par la Proclamation royale du 7 octobre 1763;

b) aux droits ou libertés existants issus d'accords sur des revendications territoriales ou ceux susceptibles d'être ainsi acquis.

26. Maintien des autres droits et libertés — Le fait que la présente charte garantit certains droits et libertés ne constitue pas une négation des autres droits ou libertés qui existent au Canada.

27. Maintien du patrimoine culturel — Toute interprétation de la présente charte doit concorder avec l'objectif de promouvoir le maintien et la valorisation du patrimoine multiculturel des Canadiens.

28. Égalité de garantie des droits pour les deux sexes — Indépendamment des autres dispositions de la présente charte, les droits et libertés qui y sont mentionnés sont garantis également aux personnes des deux sexes.

29. Maintien des droits relatifs à certaines écoles — Les dispositions de la présente charte ne portent pas atteinte aux droits ou privilèges garantis en vertu de la Constitution du Canada concernant les écoles séparées et autres écoles confessionnelles.

30. Application aux territoires — Dans la présente charte, les dispositions qui visent les provinces, leur législature ou leur assemblée législative visent également le territoire du Yukon, les Territoires du Nord-Ouest ou leurs autorités législatives compétentes.

31. Non-élargissement des compétences législatives — La présente charte n'élargit pas les compétences législatives de quelque organisme ou autorité que ce soit.

Application de la charte

32. (1) Application de la charte — La présente charte s'applique :

a) au Parlement et au gouvernement du Canada, pour tous les domaines relevant du Parlement, y compris ceux qui concernent le territoire du Yukon et les Territoires du Nord-Ouest;

b) à la législature et au gouvernement de chaque province, pour tous les domaines relevant de cette législature.

(2) Restriction — Par dérogation au paragraphe (1), l'article 15 n'a d'effet que trois ans après l'entrée en vigueur du présent article.

33. (1) Dérogation par déclaration expresse — Le Parlement ou la législature d'une province peut adopter une loi où il est expressément déclaré que celle-ci ou une de ses dispositions a effet indépendamment d'une disposition donnée de l'article 2 ou des articles 7 à 15 de la présente charte.

(2) Effet de la dérogation — La loi ou la disposition qui fait l'objet d'une déclaration conforme au présent article et en vigueur a l'effet qu'elle aurait sauf la disposition en cause de la charte.

(3) **Durée de validité** — La déclaration visée au paragraphe (1) cesse d'avoir effet à la date qui y est précisée ou, au plus tard, cinq ans après son entrée en vigueur.

(4) **Nouvelle adoption** — Le Parlement ou une législature peut adopter de nouveau une déclaration visée au paragraphe (1).

(5) **Durée de validité** — Le paragraphe (3) s'applique à toute déclaration adoptée sous le régime du paragraphe (4).

Titre

34. Titre — Titre de la présente partie : *Charte canadienne des droits et libertés*.

. . . . .

PARTIE VII — DISPOSITIONS GÉNÉRALES

52. (1) Primauté de la Constitution du Canada — La Constitution du Canada est la loi suprême du Canada; elle rend inopérantes les dispositions incompatibles de toute autre règle de droit.

(2) **Constitution du Canada** — La Constitution du Canada comprend :

(a) la *Loi de 1982 sur le Canada*, y compris la présente loi;

(b) les textes législatifs et les décrets figurant à l'annexe;

(c) les modifications des textes législatifs et des décrets mentionnés aux alinéas a) ou b).

(3) **Modification** — La Constitution du Canada ne peut être modifiée que conformément aux pouvoirs conférés par elle.

[C-2]
Charte des droits et libertés de la personne

RLRQ, c. C-12 , telle que modifiée par L.Q. 1978, c. 7, art. 112, 113; 1979, c. 63, art. 275; 1980, c. 11, art. 34; 1980, c. 39, art. 61; 1982, c. 17, art. 42; 1982, c. 21, art. 1; L.Q. 1982, c. 61, [art. 6(2), 21 (partie), 25, 30, non en vigueur à la date de publication.]; 1989, c. 51; 1990, c. 4, art. 133, 134; 1992, c. 61, art. 101; 1993, c. 30, art. 17; 1995, c. 27, art. 1–7; 1996, c. 2, art. 117; 1996, c. 10, art. 1–3; 1996, c. 21, art. 34; 1996, c. 43, art. 125–127; 1999, c. 40, art. 46; 2000, c. 8, art. 108; 2000, c. 45, art. 27–31; 2002, c. 6, art. 89; 2002, c. 34, art. 1–5; 2004, c. 31, art. 61; 2005, c. 20, art. 13; 2005, c. 24, art. 24; 2005, c. 34, art. 42; 2006, c. 3, art. 19; 2008, c. 15, art. 1, 2; 2015, c. 15, art. 237; 2016, c. 19, art. 11.

Préambule

Considérant que tout être humain possède des droits et libertés intrinsèques, destinés à assurer sa protection et son épanouissement;

Considérant que tous les êtres humains sont égaux en valeur et en dignité et ont droit à une égale protection de la loi;

Considérant que le respect de la dignité de l'être humain, l'égalité entre les femmes et les hommes et la reconnaissance des droits et libertés dont ils sont titulaires constituent le fondement de la justice, de la liberté et de la paix;

Considérant que les droits et libertés de la personne humaine sont inséparables des droits et libertés d'autrui et du bien-être général;

Considérant qu'il y a lieu d'affirmer solennellement dans une Charte les libertés et droits fondamentaux de la personne afin que ceux-ci soient garantis par la volonté collective et mieux protégés contre toute violation;

À ces causes, Sa Majesté, de l'avis et du consentement de l'Assemblée nationale du Québec, décrète ce qui suit :

2008, c. 15, s. 1

Partie I — Les droits et libertés de la personne

Chapitre I — Libertés et droits fondamentaux

1. Droit à la vie — Tout être humain a droit à la vie, ainsi qu'à la sûreté, à l'intégrité et à la liberté de sa personne.

Personnalité juridique — Il possède également la personnalité juridique.

1982, c. 61, art. 1

2. Droit au secours — Tout être humain dont la vie est en péril a droit au secours.

Secours à une personne dont la vie est en péril — Toute personne doit porter secours à celui dont la vie est en péril, personnellement ou en obtenant du secours, en lui apportant l'aide physique nécessaire et immédiate, à moins d'un risque pour elle ou pour les tiers ou d'un autre motif raisonnable.

3. Libertés fondamentales — Toute personne est titulaire des libertés fondamentales telles la liberté de conscience, la liberté de religion, la liberté d'opinion, la liberté d'expression, la liberté de réunion pacifique et la liberté d'association.

4. Sauvegarde de la dignité — Toute personne a droit à la sauvegarde de sa dignité, de son honneur et de sa réputation.

5. Respect de la vie privée — Toute personne a droit au respect de sa vie privée.

6. Jouissance paisible des biens — Toute personne a droit à la jouissance paisible et à la libre disposition de ses biens, sauf dans la mesure prévue par la loi.

7. Demeure inviolable — La demeure est inviolable.

8. Respect de la propriété privée — Nul ne peut pénétrer chez autrui ni y prendre quoi que ce soit sans son consentement exprès ou tacite.

9. Secret professionnel — Chacun a droit au respect du secret professionnel.

Divulgation de renseignements confidentiels — Toute personne tenue par la loi au secret professionnel et tout prêtre ou autre ministre du culte ne peuvent, même en justice, divulguer les renseignements confidentiels qui leur ont été révélés en raison de leur état ou profession, à moins qu'ils n'y soient autorisés par celui qui leur a fait ces confidences ou par une disposition expresse de la loi.

Devoir du tribunal — Le tribunal doit, d'office, assurer le respect du secret professionnel.

9.1 Exercice des libertés et droits fondamentaux — Les libertés et droits fondamentaux s'exercent dans le respect des valeurs démocratiques, de l'ordre public et du bien-être général des citoyens du Québec.

Rôle de la loi — La loi peut, à cet égard, en fixer la portée et en aménager l'exercice.

1982, c. 61, art. 2

Chapitre I.1 — Droit à l'égalité dans la reconnaissance et l'exercice des droits et libertés

10. Discrimination interdite — Toute personne a droit à la reconnaissance et à l'exercice, en pleine égalité, des droits et libertés de la personne, sans distinction, exclusion ou préférence fondée sur la race, la couleur, le sexe, l'identité ou l'expression de genre, la grossesse, l'orientation sexuelle, l'état civil, l'âge sauf dans la mesure prévue par la loi, la religion, les convictions politiques, la langue, l'origine ethnique ou nationale, la condition sociale, le handicap ou l'utilisation d'un moyen pour pallier ce handicap.

Motif de discrimination — Il y a discrimination lorsqu'une telle distinction, exclusion ou préférence a pour effet de détruire ou de compromettre ce droit.

1977, c. 6, art. 1; 1978, c. 7, art. 112; 1982, c. 61, art. 3; 2016, c. 19, art. 11

10.1 Harcèlement interdit — Nul ne doit harceler une personne en raison de l'un des motifs visés dans l'article 10.

1982, c. 61, art. 4

11. Publicité discriminatoire interdite — Nul ne peut diffuser, publier ou exposer en public un avis, un symbole ou un signe comportant discrimination ni donner une autorisation à cet effet.

12. Discrimination dans formation d'acte juridique — Nul ne peut, par discrimination, refuser de conclure un acte juridique ayant pour objet des biens ou des services ordinairement offerts au public.

13. Clause interdite — Nul ne peut, dans un acte juridique, stipuler une clause comportant discrimination.

Nullité — Une telle clause est sans effet.

1999, c. 40, art. 46

14. Bail d'une chambre dans local d'habitation — L'interdiction visée dans les articles 12 et 13 ne s'applique pas au locateur d'une chambre située dans un local d'habitation, si le locateur ou sa famille réside dans le local, ne loue qu'une seule chambre et n'annonce pas celle-ci, en vue de la louer, par avis ou par tout autre moyen public de sollicitation.

15. Lieux publics accessibles à tous — Nul ne peut, par discrimination, empêcher autrui d'avoir accès aux moyens de transport ou aux lieux publics, tels les établissements commerciaux, hôtels, restaurants, théâtres, cinémas, parcs, terrains de camping et de caravaning, et d'y obtenir les biens et les services qui y sont disponibles.

16. Non-discrimination dans l'embauche — Nul ne peut exercer de discrimination dans l'embauche, l'apprentissage, la durée de la période de probation, la formation professionnelle, la promotion, la mutation, le déplacement, la mise à pied, la suspension, le renvoi ou les conditions de travail d'une personne ainsi que dans l'établissement de catégories ou de classifications d'emploi.

17. Discrimination par association d'employeurs ou de salariés interdite — Nul ne peut exercer de discrimination dans l'admission, la jouissance d'avantages, la suspension ou l'expulsion d'une personne d'une association d'employeurs ou de salariés ou de tout ordre professionnel ou association de personnes exerçant une même occupation.

1994, c. 40, art. 457

18. Discrimination par bureau de placement interdite — Un bureau de placement ne peut exercer de discrimination dans la réception, la classification ou le traitement d'une demande d'emploi ou dans un acte visant à soumettre une demande à un employeur éventuel.

18.1 Renseignements relatifs à un emploi — Nul ne peut, dans un formulaire de demande d'emploi ou lors d'une entrevue relative à un emploi, requérir d'une personne des renseignements sur les motifs visés dans l'article 10 sauf si ces renseignements sont utiles à l'application de l'article 20 ou à l'application d'un programme d'accès à l'égalité existant au moment de la demande.

1982, c. 61, art. 5

18.2 Culpabilité à une infraction — Nul ne peut congédier, refuser d'embaucher ou autrement pénaliser dans le cadre de son emploi une personne du seul fait qu'elle a été déclarée coupable d'une infraction pénale ou criminelle, si cette infraction n'a aucun lien avec l'emploi ou si cette personne en a obtenu le pardon.

1982, c. 61, art. 5; 1990, c. 4, art. 133

19. Égalité de traitement pour travail équivalent — Tout employeur doit, sans discrimination, accorder un traitement ou un salaire égal aux membres de son personnel qui accomplissent un travail équivalent au même endroit.

Différence basée sur expérience non discriminatoire — Il n'y a pas de discrimination si une différence de traitement ou de salaire est fondée sur l'expérience, l'ancienneté, la durée du service, l'évaluation au mérite, la quantité de production ou le temps supplémentaire, si ces critères sont communs à tous les membres du personnel.

Ajustements non discriminatoires — Les ajustements salariaux ainsi qu'un programme d'équité salariale sont, eu égard à la discrimination fondée sur le sexe, réputés non discriminatoires, s'ils sont établis conformément à la *Loi sur l'équité salariale* (chapitre E-12.001).

1996, c. 43, art. 125

20. Distinction fondée sur aptitudes non discriminatoire — Une distinction, exclusion ou préférence fondée sur les aptitudes ou qualités requises par un emploi, ou justifiée par le caractère charitable, philanthropique, religieux, politique ou éducatif d'une institution sans but lucratif ou qui est vouée exclusivement au bien-être d'un groupe ethnique est réputée non discriminatoire.

1982, c. 61, art. 6; 1996, c. 10, art. 1

20.1 Utilisation non discriminatoire — Dans un contrat d'assurance ou de rente, un régime d'avantages sociaux, de retraite, de rentes ou d'assurance ou un régime universel de rentes ou d'assurance, une distinction, exclusion ou préférence fondée sur l'âge, le sexe ou l'état civil est réputée non discriminatoire lorsque son utilisation est légitime et que le motif qui la fonde constitue un facteur de détermination de risque, basé sur des données actuarielles.

État de santé — Dans ces contrats ou régimes, l'utilisation de l'état de santé comme facteur de détermination de risque ne constitue pas une discrimination au sens de l'article 10.

1996, c. 10, art. 2

Chapitre II — Droits politiques

21. Pétition à l'Assemblée — Toute personne a droit d'adresser des pétitions à l'Assemblée nationale pour le redressement de griefs.

22. Droit de voter et d'être candidat — Toute personne légalement habilitée et qualifiée a droit de se porter candidat lors d'une élection et a droit d'y voter.

Chapitre III — Droits judiciaires

23. Audition impartiale par tribunal indépendant — Toute personne a droit, en pleine égalité, à une audition publique et impartiale de sa cause par un tribunal indépendant et qui ne soit pas préjugé, qu'il s'agisse de la détermination de ses droits et obligations ou du bien-fondé de toute accusation portée contre elle.

Huis clos — Le tribunal peut toutefois ordonner le huis clos dans l'intérêt de la morale ou de l'ordre public.

1982, c. 17, art. 42; 1993, c. 30, art. 17

24. Motifs de privation de liberté — Nul ne peut être privé de sa liberté ou de ses droits, sauf pour les motifs prévus par la loi et suivant la procédure prescrite.

24.1 Abus interdits — Nul ne peut faire l'objet de saisies, perquisitions ou fouilles abusives.

1982, c. 61, art. 7

rale et matérielle de la famille et l'éducation de leurs enfants communs.

[Note de l'éditeur : 2002, c. 6, art. 89 a modifié l'article 47 de façon à ce que les conjoints en union civile aient les mêmes droits et obligations qu'avaient auparavant les conjoints mariés seulement. 2002, c. 6, art. 243 prévoit que toute personne tenue par l'effet de 2002, c. 6 à de nouvelles obligations ou restrictions doit s'y conformer avant le 1er octobre 2002 ou, dans le cas où elle doit se départir d'actifs ou se retirer d'un contrat, avant le 1er janvier 2003.]

2002, c. 6, art. 89

48. Protection des personnes âgées — Toute personne âgée ou toute personne handicapée a droit d'être protégée contre toute forme d'exploitation.

Protection de la famille — Telle personne a aussi droit à la protection et à la sécurité que doivent lui apporter sa famille ou les personnes qui en tiennent lieu.

1978, c. 7, art. 113

Chapitre V — Dispositions spéciales et interprétatives

49. Réparation de préjudice pour atteinte illicite à un droit — Une atteinte illicite à un droit ou à une liberté reconnu par la présente Charte confère à la victime le droit d'obtenir la cessation de cette atteinte et la réparation du préjudice moral ou matériel qui en résulte.

Dommages-intérêts punitifs — En cas d'atteinte illicite et intentionnelle, le tribunal peut en outre condamner son auteur à des dommages-intérêts punitifs.

1999, c. 40, art. 46

49.1 Règlement des plaintes — Les plaintes, différends et autres recours dont l'objet est couvert par la *Loi sur l'équité salariale* (chapitre E-12.001) sont réglés exclusivement suivant cette loi.

Entreprise de moins de 10 salariés — En outre, toute question relative à l'équité salariale entre une catégorie d'emplois à prédominance féminine et une catégorie d'emplois à prédominance masculine dans une entreprise qui compte moins de 10 salariés doit être résolue par la Commission des normes, de l'équité, de la santé et de la sécurité du travail en application de l'article 19 de la présente Charte.

1996, c. 43, art. 126; 2015, c. 15, art. 237

50. Droit non supprimé — La Charte doit être interprétée de manière à ne pas supprimer ou restreindre la jouissance ou l'exercice d'un droit ou d'une liberté de la personne qui n'y est pas inscrit.

50.1 Droits garantis — Les droits et libertés énoncés dans la présente Charte sont garantis également aux femmes et aux hommes.

2008, c. 15, art. 2

51. Portée de disposition non augmentée — La Charte ne doit pas être interprétée de manière à augmenter, restreindre ou modifier la portée d'une disposition de la loi, sauf dans la mesure prévue par l'article 52.

52. Dérogation interdite — Aucune disposition d'une loi, même postérieure à la Charte, ne peut déroger aux articles 1 à 38, sauf dans la mesure prévue par ces articles, à moins que cette loi n'énonce expressément que cette disposition s'applique malgré la Charte.

1982, c. 61, art. 16

53. Doute d'interprétation — Si un doute surgit dans l'interprétation d'une disposition de la loi, il est tranché dans le sens indiqué par la Charte.

54. État lié — La Charte lie l'État.

1999, c. 40, art. 46

55. Matières visées — La Charte vise les matières qui sont de la compétence législative du Québec.

56. 1. « tribunal » — Dans les articles 9, 23, 30, 31, 34 et 38, dans le chapitre III de la partie II ainsi que dans la partie IV, le mot « **tribunal** » inclut un coroner, un commissaire-enquêteur sur les incendies, une commission d'enquête et une personne ou un organisme exerçant des fonctions quasi judiciaires.

2. traitement » et « salaire » — Dans l'article 19, les mots « **traitement** » et « **salaire** » incluent les compensations ou avantages à valeur pécuniaire se rapportant à l'emploi.

3. « loi » — Dans la Charte, le mot « **loi** » inclut un règlement, un décret, une ordonnance ou un arrêté en conseil pris sous l'autorité d'une loi.

1989, c. 51, art. 2

PARTIE II — LA COMMISSION DES DROITS DE LA PERSONNE ET DES DROITS DE LA JEUNESSE

Chapitre I — Constitution

57. Constitution — Est constituée la Commission des droits de la personne et des droits de la jeunesse.

Responsabilité — La Commission a pour mission de veiller au respect des principes énoncés dans la présente Charte ainsi qu'à la protection de l'intérêt de l'enfant et au respect des droits qui lui sont reconnus par la *Loi sur la protection de la jeunesse* (chapitre P-34.1); à ces fins, elle exerce les fonctions et les pouvoirs que lui attribuent cette Charte et cette loi.

Responsabilité — La Commission doit aussi veiller à l'application de la *Loi sur l'accès à l'égalité en emploi dans des organismes publics* (chapitre A-2.01). À cette fin, elle exerce les fonctions et les pouvoirs que lui attribuent la présente Charte et cette loi.

1995, c. 27, art. 1, 2; 2000, c. 45, art. 27

58. Composition — La Commission est composée de 13 membres, dont un président et deux vice-présidents.

Membres — Les membres de la Commission sont nommés par l'Assemblée nationale sur proposition du premier ministre. Ces nominations doivent être approuvées par les deux tiers des membres de l'Assemblée.

1989, c. 51, art. 3; 1995, c. 27, art. 3; 2002, c. 34, art. 1

58.1 Choix des membres — Cinq membres de la Commission sont choisis parmi des personnes susceptibles de contribuer d'une façon particulière à l'étude et à la solution des problèmes relatifs aux droits et libertés de la personne, et cinq autres parmi des personnes susceptibles de contribuer d'une façon particulière à l'étude et à la solution des problèmes relatifs à la protection des droits de la jeunesse.

1995, c. 27, art. 3; 2002, c. 34, art. 2

58.2 [Abrogé, 2002, c. 34, art. 3.]

58.3 Mandat — La durée du mandat des membres de la Commission est d'au plus dix ans. Cette durée, une fois fixée, ne peut être réduite.

1995, c. 27, art. 3

59. Traitement — Le gouvernement fixe le traitement et les conditions de travail ou, s'il y a lieu, le traitement additionnel, les honoraires ou les allocations de chacun des membres de la Commission.

Aucune réduction — Le traitement, le traitement additionnel, les honoraires et les allocations, une fois fixés, ne peuvent être réduits.

1989, c. 51, art. 4

60. Fonctions continuées — Les membres de la Commission restent en fonction jusqu'à leur remplacement, sauf en cas de démission.

1989, c. 51, art. 5

61. Comité des plaintes — La Commission peut constituer un comité des plaintes formé de 3 de ses membres qu'elle désigne par écrit, et lui déléguer, par règlement, des responsabilités.

1989, c. 51, art. 5

62. Membre du personnel — La Commission nomme les membres du personnel requis pour s'acquitter de ses fonctions; ils peuvent être destitués par décret du gouvernement, mais uniquement sur recommandation de la Commission.

Enquête — La Commission peut, par écrit, confier à une personne qui n'est pas membre de son personnel soit le mandat de faire une enquête, soit celui de rechercher un règlement entre les parties, dans les termes des paragraphes 1 et 2 du deuxième alinéa de l'article 71, avec l'obligation de lui faire rapport dans un délai qu'elle fixe.

Arbitrage — Pour un cas d'arbitrage, la Commission désigne un seul arbitre parmi les personnes qui ont une expérience, une expertise, une sensibilisation et un intérêt marqués en matière des droits et libertés de la personne et qui sont inscrites sur la liste dressée périodiquement par le gouvernement suivant la procédure de recrutement et de sélection qu'il prend par règlement. L'arbitre agit suivant les règles prévues au titre II du Livre VII du *Code de procédure civile* (chapitre C-25.01), à l'exclusion du chapitre II, compte tenu des adaptations nécessaires.

Restriction — Une personne qui a participé à l'enquête ne peut se voir confier le mandat de rechercher un règlement ni agir comme arbitre, sauf du consentement des parties.

1989, c. 51, art. 5; 2000, c. 8, art. 108; N.I. 2016-01-01 (NCPC)

63. Rémunération ou allocations — Le gouvernement établit les normes et barèmes de la rémunération ou des allocations ainsi que les autres conditions de travail qu'assume la Commission à l'égard des membres de son personnel, de ses mandataires et des arbitres.

1989, c. 51, art. 5

64. Serment — Avant d'entrer en fonction, les membres et mandataires de la Commission, les membres de son personnel et les arbitres prêtent les serments prévus à l'annexe I : les membres de la Commission, devant le Président de l'Assemblée nationale et les autres, devant le président de la Commission.

1989, c. 51, art. 5; 1999, c. 40, art. 46

65. Président et vice-présidents — Le président et les vice-présidents doivent s'occuper exclusivement des devoirs de leurs fonctions.

Responsabilités — Ils doivent tout particulièrement veiller au respect de l'intégralité des mandats qui sont confiés à la Commission tant par la présente Charte que par la *Loi sur la protection de la jeunesse* (chapitre P-34.1).

Désignation des vice-présidents — Le président désigne un vice-président qui est plus particulièrement responsable du mandat confié à la Commission par la présente Charte, et un autre qui est plus particulièrement responsable du mandat confié par la Loi sur la protection de la jeunesse. Il en avise le Président de l'Assemblée nationale qui en informe l'Assemblée.

1989, c. 51, art. 5; 1995, c. 27, art. 4; 2002, c. 34, art. 4

66. Direction et administration — Le président est chargé de la direction et de l'administration des affaires de la Commission, dans le cadre des règlements pris pour l'application de la présente Charte. Il peut, par délégation, exercer les pouvoirs de la Commission prévus à l'article 61, aux deuxième et troisième alinéas de l'article 62 et au premier alinéa de l'article 77.

Présidence — Il préside les séances de la Commission.

1989, c. 51, art. 5

67. Remplaçant — D'office, le vice-président désigné par le gouvernement remplace temporairement le président en cas d'absence ou d'empêchement de celui-ci ou de vacance de sa fonction. Si ce vice-président est lui-même absent ou empêché ou que sa fonction est vacante, l'autre vice-président le remplace. À défaut, le gouvernement désigne un autre membre de la Commission dont il fixe, s'il y a lieu, le traitement additionnel, les honoraires ou les allocations.

1982, c. 61, art. 17; 1989, c. 51, art. 5; 1995, c. 27, art. 5

68. Immunité — La Commission, ses membres, les membres de son personnel et ses mandataires ne peuvent être poursuivis en justice pour une omission ou un acte accompli de bonne foi dans l'exercice de leurs fonctions.

Pouvoirs d'enquête — Ils ont de plus, aux fins d'une enquête, les pouvoirs et l'immunité des commissaires nommés en vertu de la *Loi sur les commissions d'enquête* (chapitre C-37), sauf le pouvoir d'ordonner l'emprisonnement.

1989, c. 51, art. 5; 1995, c. 27, art. 6

69. Siège de la Commission — La Commission a son siège à Québec ou à Montréal selon ce que décide le gouvernement par décret entrant en vigueur sur publication à la *Gazette officielle du Québec*; elle a aussi un bureau sur le territoire de l'autre ville.

Lieu des bureaux — Elle peut établir des bureaux à tout endroit au Québec.

Lieu des séances — La Commission peut tenir ses séances n'importe où au Québec.

1989, c. 51, art. 5; 1996, c. 2, art. 117

70. Régie interne — La Commission peut faire des règlements pour sa régie interne.

1989, c. 51, art. 5

70.1 [Remplacé, 1989, c. 51, art. 5.]

Chapitre II — Fonctions

71. Fonctions — La Commission assure, par toutes mesures appropriées, la promotion et le respect des principes contenus dans la présente Charte.

Responsabilités — Elle assume notamment les responsabilités suivantes :

1° faire enquête selon un mode non contradictoire, de sa propre initiative ou lorsqu'une plainte lui est adressée, sur toute situation, à l'exception de celles prévues à l'article 49.1, qui lui paraît constituer soit un cas de discrimination au sens des articles 10 à 19, y compris un cas visé à l'article 86, soit un cas de violation du droit à la protection contre l'exploitation des personnes âgées ou handicapées énoncé au premier alinéa de l'article 48;

2° favoriser un règlement entre la personne dont les droits auraient été violés ou celui qui la représente, et la personne à qui cette violation est imputée;

3° signaler au curateur public tout besoin de protection qu'elle estime être de la compétence de celui-ci, dès qu'elle en a connaissance dans l'exercice de ses fonctions;

4° élaborer et appliquer un programme d'information et d'éducation, destiné à faire comprendre et accepter l'objet et les dispositions de la présente Charte;

5° diriger et encourager les recherches et publications sur les libertés et droits fondamentaux;

6° relever les dispositions des lois du Québec qui seraient contraires à la Charte et faire au gouvernement les recommandations appropriées;

7° recevoir les suggestions, recommandations et demandes qui lui sont faites touchant les droits et libertés de la personne, les étudier, éventuellement en invitant toute personne ou groupement intéressé à lui présenter publiquement ses observations lorsqu'elle estime que l'intérêt public ou celui d'un groupement le requiert, pour faire au gouvernement les recommandations appropriées;

8° coopérer avec toute organisation vouée à la promotion des droits et libertés de la personne, au Québec ou à l'extérieur;

9° faire enquête sur une tentative ou un acte de représailles ainsi que sur tout autre fait ou omission qu'elle estime constituer une infraction à la présente Charte, et en faire rapport au procureur général et au directeur des poursuites criminelles et pénales.

1989, c. 51, art. 5; 1996, c. 43, art. 127; 2005, c. 34, art. 42

72. Assistance — La Commission, ses membres, les membres de son personnel, ses mandataires et un comité des plaintes doivent prêter leur assistance aux personnes, groupes ou organismes qui en font la demande, pour la réalisation d'objets qui relèvent de la compétence de la Commission suivant le chapitre III de la présente partie, les parties III et IV et les règlements pris en vertu de la présente Charte.

Assistance — Ils doivent, en outre, prêter leur concours dans la rédaction d'une plainte, d'un règlement intervenu entre les parties ou d'une demande qui doit être adressée par écrit à la Commission.

1989, c. 51, art. 5

73. Rapport d'activités — La Commission remet au Président de l'Assemblée nationale, au plus tard le 30 juin, un rapport portant, pour l'année financière précédente, sur ses activités et ses recommandations tant en matière de promotion et de respect des droits de la personne qu'en matière de protection de l'intérêt de l'enfant ainsi que de promotion et de respect des droits de celui-ci.

Dépôt devant l'Assemblée nationale — Ce rapport est déposé devant l'Assemblée nationale si elle est en session ou, si elle ne l'est pas, dans les 30 jours de l'ouverture de la session suivante. Il est publié et distribué par l'Éditeur officiel du Québec, dans les conditions et de la manière que la Commission juge appropriées.

1989, c. 51, art. 5; 1995, c. 27, art. 7; 2002, c. 34, art. 5

Chapitre III — Plaintes

74. Plainte — Peut porter plainte à la Commission toute personne qui se croit victime d'une violation des droits relevant de la compétence d'enquête de la

Commission. Peuvent se regrouper pour porter plainte, plusieurs personnes qui se croient victimes d'une telle violation dans des circonstances analogues.

Plainte écrite — La plainte doit être faite par écrit.

Plainte par un organisme — La plainte peut être portée, pour le compte de la victime ou d'un groupe de victimes, par un organisme voué à la défense des droits et libertés de la personne ou au bien-être d'un groupement. Le consentement écrit de la victime ou des victimes est nécessaire, sauf s'il s'agit d'un cas d'exploitation de personnes âgées ou handicapées prévu au premier alinéa de l'article 48.

1989, c. 51, art. 5

75. Protecteur du citoyen — Toute plainte reçue par le Protecteur du citoyen et relevant de la compétence d'enquête de la Commission lui est transmise à moins que le plaignant ne s'y oppose.

Transmission — La plainte transmise à la Commission est réputée reçue par celle-ci à la date de son dépôt auprès du Protecteur du citoyen.

1989, c. 51, art. 5

76. Prescription de recours civil — La prescription de tout recours civil, portant sur les faits rapportés dans une plainte ou dévoilés par une enquête, est suspendue de la date du dépôt de la plainte auprès de la Commission ou de celle du début de l'enquête qu'elle tient de sa propre initiative, jusqu'à la première des éventualités suivantes :

1° La date d'un règlement entre les parties;

2° la date à laquelle la victime et le plaignant ont reçu notification que la Commission soumet le litige à un tribunal;

3° la date à laquelle la victime ou le plaignant a personnellement introduit l'un des recours prévus aux articles 49 et 80;

4° la date à laquelle la victime et le plaignant ont reçu notification que la Commission refuse ou cesse d'agir.

1989, c. 51, art. 5

77. Refus d'agir — La Commission refuse ou cesse d'agir en faveur de la victime lorsque :

1° la victime ou le plaignant en fait la demande, sous réserve d'une vérification par la Commission du caractère libre et volontaire de cette demande;

2° la victime ou le plaignant a exercé personnellement, pour les mêmes faits, l'un des recours prévus aux articles 49 et 80.

Refus d'agir — Elle peut refuser ou cesser d'agir en faveur de la victime, lorsque :

1° la plainte a été déposée plus de deux ans après le dernier fait pertinent qui y est rapporté;

2° la victime ou le plaignant n'a pas un intérêt suffisant;

3° la plainte est frivole, vexatoire ou faite de mauvaise foi;

4° la victime ou le plaignant a exercé personnellement, pour les mêmes faits, un autre recours que ceux prévus aux articles 49 et 80.

Décision motivée — La décision est motivée par écrit et elle indique, s'il en est, tout recours que la Commission estime opportun; elle est notifiée à la victime et au plaignant.

1989, c. 51, art. 5

78. Éléments de preuve — La Commission recherche, pour toutes situations dénoncées dans la plainte ou dévoilées en cours d'enquête, tout élément de preuve qui lui permettrait de déterminer s'il y a lieu de favoriser la négociation d'un règlement entre les parties, de proposer l'arbitrage du différend ou de soumettre à un tribunal le litige qui subsiste.

Preuve insuffisante — Elle peut cesser d'agir lorsqu'elle estime qu'il est inutile de poursuivre la recherche d'éléments de preuve ou lorsque la preuve recueillie est insuffisante. Sa décision doit être motivée par écrit et elle indique, s'il en est, tout recours que la Commission estime opportun; elle est notifiée à la victime et au plaignant. Avis de sa décision de cesser d'agir doit être donné, par la Commission, à toute personne à qui une violation de droits était imputée dans la plainte.

1989, c. 51, art. 5

79. Entente écrite — Si un règlement intervient entre les parties, il doit être constaté par écrit.

Arbitrage — S'il se révèle impossible, la Commission leur propose de nouveau l'arbitrage; elle peut aussi leur proposer, en tenant compte de l'intérêt public et de celui de la victime, toute mesure de redressement, notamment l'admission de la violation d'un droit, la cessation de l'acte reproché, l'accomplissement d'un acte, le paiement d'une indemnité ou de dommages-intérêts punitifs, dans un délai qu'elle fixe.

1989, c. 51, art. 5; 1999, c. 40, art. 46

80. Refus de négocier — Lorsque les parties refusent la négociation d'un règlement ou l'arbitrage du différend, ou lorsque la proposition de la Commission n'a pas été, à sa satisfaction, mise en oeuvre dans le délai imparti, la Commission peut s'adresser à un tribunal en vue d'obtenir, compte tenu de l'intérêt public, toute mesure appropriée contre la personne en défaut ou pour réclamer, en faveur de la victime, toute mesure de redressement qu'elle juge alors adéquate.

1989, c. 51, art. 5

81. Mesures d'urgence — Lorsqu'elle a des raisons de croire que la vie, la santé ou la sécurité d'une personne visée par un cas de discrimination ou d'exploitation est menacée, ou qu'il y a risque de perte d'un élément de preuve ou de solution d'un tel cas, la Commission peut s'adresser à un tribunal en vue d'obtenir d'urgence une mesure propre à faire cesser cette menace ou ce risque.

1989, c. 51, art. 5

82. Discrimination ou exploitation — La Commission peut aussi s'adresser à un tribunal pour qu'une mesure soit prise contre quiconque exerce ou tente d'exercer des représailles contre une personne, un groupe ou un organisme intéressé par le traitement d'un cas de discrimination ou d'exploitation ou qui y a participé, que ce soit à titre de victime, de plaignant, de témoin ou autrement.

Réintégration — Elle peut notamment demander au tribunal d'ordonner la réintégration, à la date qu'il estime équitable et opportune dans les circonstances, de la personne lésée, dans le poste ou le logement qu'elle aurait occupé s'il n'y avait pas eu contravention.

1989, c. 51, art. 5

83. Consentement préalable — Lorsqu'elle demande au tribunal de prendre des mesures au bénéfice d'une personne en application des articles 80 à 82, la Commission doit avoir obtenu son consentement écrit, sauf dans le cas d'une personne visée par le premier alinéa de l'article 48.

1989, c. 51, art. 5

83.1 [Remplacé, 1989, c. 51, art. 5.]

83.2 [Remplacé, 1989, c. 51, art. 5.]

84. Discrétion de la Commission — Lorsque, à la suite du dépôt d'une plainte, la Commission exerce sa discrétion de ne pas saisir un tribunal, au bénéfice d'une personne, de l'un des recours prévus aux articles 80 à 82, elle le notifie au plaignant en lui en donnant les motifs.

Recours aux frais du plaignant — Dans un délai de 90 jours de la réception de cette notification, le plaignant peut, à ses frais, saisir le Tribunal des droits de la personne de ce recours, pour l'exercice duquel il est substitué de plein droit à la Commission avec les mêmes effets que si celle-ci l'avait exercé.

1982, c. 61, art. 20; 1989, c. 51, art. 5

85. Intervention de la victime — La victime peut, dans la mesure de son intérêt et en tout état de cause, intervenir dans l'instance à laquelle la Commission est partie en application des articles 80 à 82. Dans ce cas, la Commission ne peut se pourvoir seule en appel sans son consentement.

Recours personnels — La victime peut, sous réserve du deuxième alinéa de l'article 111, exercer personnellement les recours des articles 80 à 82 ou se pourvoir en appel, même si elle n'était pas partie en première instance.

Accès au dossier — Dans tous ces cas, la Commission doit lui donner accès à son dossier.

1989, c. 51, art. 5

PARTIE III — LES PROGRAMMES D'ACCÈS À L'ÉGALITÉ

86. Accès à l'égalité — Un programme d'accès à l'égalité a pour objet de corriger la situation de personnes faisant partie de groupes victimes de discrimination dans l'emploi, ainsi que dans les secteurs de l'éducation ou de la santé et dans tout autre service ordinairement offert au public.

Programme non discriminatoire — Un tel programme est réputé non discriminatoire s'il est établi conformément à la Charte.

Programme non discriminatoire — Un programme d'accès à l'égalité en emploi est, eu égard à la discrimination fondée sur la race, la couleur, le sexe ou l'origine ethnique, réputé non discriminatoire s'il est établi conformément à la *Loi sur l'accès à l'égalité en emploi dans des organismes publics* (chapitre A-2.01).

Programme non discriminatoire — Un programme d'accès à l'égalité en emploi établi pour une personne handicapée au sens de la *Loi assurant l'exercice des droits des personnes handicapées en vue de leur intégration scolaire, professionnelle et sociale* (chapitre E-20.1) est réputé non discriminatoire s'il est établi conformément à la *Loi sur l'accès à l'égalité en emploi dans des organismes publics*

1982, c. 61, art. 21; 1989, c. 51, art. 11; 2000, c. 45, art. 28; 2004, c. 31, art. 61

87.

Alinéa non en vigueur — 87

87. Approbation — Tout programme d'accès à l'égalité doit être approuvé par la Commission à moins qu'il ne soit imposé par un tribunal.

1982, c. 61, art. 21 [Non en vigueur à la date de publication.]

Assistance — La Commission, sur demande, prête son assistance à l'élaboration d'un tel programme.

1982, c. 61, art. 21; 1989, c. 51, art. 6, 11

88. Propositions — La Commission peut, après enquête, si elle constate une situation de discrimination prévue par l'article 86, proposer l'implantation, dans un délai qu'elle fixe, d'un programme d'accès à l'égalité.

Recours au tribunal — La Commission peut, lorsque sa proposition n'a pas été suivie, s'adresser à un tribunal et, sur preuve d'une situation visée dans l'article 86, obtenir dans le délai fixé par ce tribunal l'élaboration et l'implantation d'un programme. Le programme ainsi élaboré est déposé devant ce tribunal qui peut, en conformité avec la Charte, y apporter les modifications qu'il juge adéquates.

1982, c. 61, art. 21; 1989, c. 51, art. 7 et 11

89. Surveillance — La Commission surveille l'application des programmes d'accès à l'égalité. Elle peut effectuer des enquêtes et exiger des rapports.

1982, c. 61, art. 21; 1989, c. 51, art. 11

90. Retrait de l'approbation — Lorsque la Commission constate qu'un programme d'accès à l'égalité n'est pas implanté dans le délai imparti ou n'est pas observé, elle peut, s'il s'agit d'un programme qu'elle a approuvé, retirer son approbation ou, s'il s'agit d'un programme dont elle a proposé l'implantation, s'adresser à un tribunal conformément au deuxième alinéa de l'article 88.

Abrogation proposée — 90

90. [Abrogé, 1982, c. 61, art. 25. Non en vigueur à la date de publication.]

1982, c. 61, art. 21; 1989, c. 51, art. 8 et 11

91. Faits nouveaux — Un programme visé dans l'article 88 peut être modifié, reporté ou annulé si des faits nouveaux le justifient.

Accord écrit — Lorsque la Commission et la personne requise ou qui a convenu d'implanter le programme s'entendent, l'accord modifiant, reportant ou annulant le programme d'accès à l'égalité est constaté par écrit.

Désaccord — En cas de désaccord, l'une ou l'autre peut s'adresser au tribunal auquel la Commission s'est adressée en vertu du deuxième alinéa de l'article 88, afin qu'il décide si les faits nouveaux justifient la modification, le report ou l'annulation du programme.

Modification — Toute modification doit être établie en conformité avec la Charte.

1982, c. 61, art. 21; 1989, c. 51, art. 9 et 11

92. Exigences du gouvernement — Le gouvernement doit exiger de ses ministères et organismes dont le personnel est nommé suivant la *Loi sur la fonction publique* (chapitre F-3.1.1) l'implantation de programmes d'accès à l'égalité dans le délai qu'il fixe.

Dispositions applicables — Les articles 87 à 91 ne s'appliquent pas aux programmes visés dans le présent article. Ceux-ci doivent toutefois faire l'objet d'une consultation auprès de la Commission avant d'être implantés.

1982, c. 61, art. 21; 1989, c. 51, art. 10, 11; 2000, c. 45, art. 29

PARTIE IV — CONFIDENTIALITÉ

93. Renseignement ou document confidentiel — Malgré les articles 9 et 83 de la *Loi sur l'accès aux documents des organismes publics et sur la protection des renseignements personnels* (chapitre A-2.1), un renseignement ou un document fourni de plein gré à la Commission et détenu par celle-ci aux fins de l'élaboration, l'implantation ou l'observation d'un programme d'accès à l'égalité visé par la présente Charte ou par la *Loi sur l'accès à l'égalité en emploi dans des organismes publics* (chapitre A-2.01) est confidentiel et réservé exclusivement aux fins pour lesquelles il a été transmis; il ne peut être divulgué ni utilisé autrement, sauf du consentement de celui qui l'a fourni.

Consentement préalable — Un tel renseignement ou document ne peut être révélé par ou pour la Commission devant un tribunal, ni rapporté au procureur général malgré le paragraphe 9° de l'article 71, sauf du consentement de la personne ou de l'organisme de qui la Commission tient ce renseignement ou ce document et de celui des parties au litige.

Programme d'accès à l'égalité — Le présent article n'a pas pour effet de restreindre le pouvoir de contraindre par assignation, mandat ou ordonnance, la communication par cette personne ou cet organisme d'un renseignement ou d'un document relatif à un programme d'accès à l'égalité.

Communication au ministre — En outre, un tel renseignement ou la teneur d'un tel document doit, sur demande, être communiqué par la Commission au ministre responsable de la partie III de la présente Charte et de la *Loi sur l'accès à l'égalité en emploi dans des organismes publics* afin de lui permettre d'évaluer l'application de cette partie et de cette loi.

1989, c. 51, art. 12; 2000, c. 45, art. 30

94. Confidentialité — Rien de ce qui est dit ou écrit à l'occasion de la négociation d'un règlement prévue à l'article 78 ne peut être révélé, même en justice, sauf du consentement des parties à cette négociation et au litige.

1989, c. 51, art. 12

95. Contrôle de confidentialité — Sous réserve de l'article 61 du *Code de procédure pénale* (chapitre C-25.1), un membre ou un mandataire de la Commission ou un membre de son personnel ne peut être contraint devant un tribunal de faire une déposition portant sur un renseignement qu'il a obtenu dans l'exercice de ses fonctions ni de produire un document contenant un tel renseignement, si ce n'est aux fins du contrôle de sa confidentialité.

1989, c. 51, art. 12; 1990, c. 4, art. 134

96. Action civile — Aucune action civile ne peut être intentée en raison ou en conséquence de la publication d'un rapport émanant de la Commission ou de la publication, faite de bonne foi, d'un extrait ou d'un résumé d'un tel rapport.

1989, c. 51, art. 12

PARTIE V — RÉGLEMENTATION

97. Réglementation — Le gouvernement, par règlement :

1° [Abrogé, 1996, c. 10, art. 3.]

2° peut fixer les critères, normes, barèmes, conditions ou modalités concernant l'élaboration, l'implantation ou l'application de programmes d'accès à l'égalité, en établir les limites et déterminer toute mesure nécessaire ou utile à ces fins;

3° édicte la procédure de recrutement et de sélection des personnes aptes à être désignées à la fonction d'arbitre ou nommées à celle d'assesseur au Tribunal des droits de la personne.

Règlement — Le règlement prévu au paragraphe 3°, notamment :

1° détermine la proportionnalité minimale d'avocats que doit respecter la liste prévue au troisième alinéa de l'article 62;

2° détermine la publicité qui doit être faite afin de dresser cette liste;

3° détermine la manière dont une personne peut se porter candidate;

4° autorise le ministre de la Justice à former un comité de sélection pour évaluer l'aptitude des candidats et lui fournir un avis sur eux ainsi qu'à en fixer la composition et le mode de nomination des membres;

5° détermine les critères de sélection dont le comité tient compte, les renseignements qu'il peut requérir d'un candidat ainsi que les consultations qu'il peut faire;

6° prévoit que la liste des personnes aptes à être désignées à la fonction d'arbitre ou nommées à celle d'assesseur au Tribunal des droits de la personne, est consignée dans un registre établi à cette fin au ministère de la Justice.

Remboursement des dépenses — Les membres d'un comité de sélection ne sont pas rémunérés, sauf dans le cas, aux conditions et dans la mesure que peut déterminer le gouvernement. Ils ont cependant droit au remboursement des dépenses faites dans l'exercice de leurs fonctions, aux conditions et dans la mesure que détermine le gouvernement.

1982, c. 61, art. 21; 1989, c. 51, art. 14; 1996, c. 10, art. 3

98. Projet de règlement à la G.O.Q. — Le gouvernement, après consultation de la Commission, publie son projet de règlement à la *Gazette officielle du Québec* avec un avis indiquant le délai après lequel ce projet sera déposé devant la Commission des institutions et indiquant qu'il pourra être pris après l'expiration des 45 jours suivant le dépôt du rapport de cette Commission devant l'Assemblée nationale.

Modification au projet — Le gouvernement peut, par la suite, modifier le projet de règlement. Il doit, dans ce cas, publier le projet modifié à la *Gazette officielle du Québec* avec un avis indiquant qu'il sera pris sans modification à l'expiration des 45 jours suivant cette publication.

1982, c. 61, art. 21; 1982, c. 62, art. 143; 1989, c. 51, art. 15

99. Règlement de la Commission — La Commission, par règlement :

1° peut déléguer à un comité des plaintes constitué conformément à l'article 61, les responsabilités qu'elle indique;

2° prescrit les autres règles, conditions et modalités d'exercice ou termes applicables aux mécanismes prévus aux chapitres II et III de la partie II et aux parties III et IV, y compris la forme et les éléments des rapports pertinents.

Approbation — Un tel règlement est soumis à l'approbation du gouvernement qui peut, en l'approuvant, le modifier.

1982, c. 61, art. 21; 1989, c. 51, art. 15

PARTIE VI — LE TRIBUNAL DES DROITS DE LA PERSONNE

Chapitre I — Constitution et organisation

100. Institution — Est institué le Tribunal des droits de la personne, appelé le **« Tribunal »** dans la présente partie.

1989, c. 51, art. 16

101. Composition — Le Tribunal est composé d'au moins 7 membres, dont le président et les assesseurs, nommés par le gouvernement. Le président est choisi, après consultation du juge en chef de la Cour du Québec, parmi les juges de cette cour qui ont une expérience, une expertise, une sensibilisation et un intérêt marqués en matière des droits et libertés de la personne; les assesseurs le sont parmi les personnes inscrites sur la liste prévue au troisième alinéa de l'article 62.

Mandat — Leur mandat est de 5 ans, renouvelable. Il peut être prolongé pour une durée moindre et déterminée.

Rémunération — Le gouvernement établit les normes et barèmes régissant la rémunération, les conditions de travail ou, s'il y a lieu, les allocations des assesseurs.

1989, c. 51, art. 16

102. Serment — Avant d'entrer en fonction, les membres doivent prêter les serments prévus à l'annexe II; le président, devant le juge en chef de la Cour du Québec et tout autre membre, devant le président.

1989, c. 51, art. 16; 1999, c. 40, art. 46

103. Juge de la Cour du Québec — Le gouvernement peut, à la demande du président et après consultation du juge en chef de la Cour du Québec, désigner comme membre du Tribunal, pour entendre et décider d'une demande ou pour une période déterminée, un autre juge de cette cour qui a une expérience, une expertise, une sensibilisation et un intérêt marqués en matière des droits et libertés de la personne.

1989, c. 51, art. 16

104. Audition — Le Tribunal siège, pour l'instruction d'une demande, par divisions constituées chacune de 3 membres, soit le juge qui la préside et les 2 assesseurs qui l'assistent, désignés par le président. Celui qui préside la division décide seul de la demande.

Demande préliminaire ou incidente — Toutefois, une demande préliminaire ou incidente ou une demande présentée en vertu de l'article 81 ou 82 est entendue et décidée par le président ou par le juge du Tribunal auquel il réfère la demande; cette demande est cependant déférée à une division du Tribunal dans les cas déterminés par son règlement.

1989, c. 51, art. 16; N.I. 2016-01-01 (NCPC)

105. Coopération de la cour — Le greffier et le personnel de la Cour du Québec du district dans lequel une demande est déposée ou dans lequel siège le Tribunal, l'une de ses divisions ou l'un de ses membres, sont tenus de lui fournir les services qu'ils fournissent habituellement à la Cour du Québec elle-même.

Huissiers — Les huissiers sont d'office huissiers du Tribunal et peuvent lui faire rapport, sous leur serment d'office, des significations faites par eux.

1989, c. 51, art. 16; N.I. 2016-01-01 (NCPC)

106. Président — Le président s'occupe exclusivement des devoirs de ses fonctions.

Fonctions — Il doit notamment :

1° favoriser la concertation des membres sur les orientations générales du Tribunal;

2° coordonner et répartir le travail entre les membres qui, à cet égard, doivent se soumettre à ses ordres et directives, et veiller à leur bonne exécution;

3° édicter un code de déontologie, et veiller à son respect. Ce code entre en vigueur le quinzième jour qui suit la date de sa publication à la *Gazette officielle du Québec* ou à une date ultérieure qui y est indiquée.

1989, c. 51, art. 16

107. Remplaçant — Un juge désigné en vertu de l'article 103 remplace le président en cas d'absence, d'empêchement ou de vacance de sa fonction.

1989, c. 51, art. 16

108. Expiration du mandat — Malgré l'expiration de son mandat, un juge décide d'une demande dont il a terminé l'instruction. Si la demande n'a pu faire l'objet d'une décision dans un délai de 90 jours, elle est déférée par le président, du consentement des parties, à un autre juge du Tribunal ou instruite de nouveau.

1989, c. 51, art. 16; N.I. 2016-01-01 (NCPC)

109. Immunité — Sauf sur une question de compétence, aucun pourvoi en contrôle judiciaire prévu au *Code de procédure civile* (chapitre C-25.01) ne peut être exercé ni aucune injonction accordée contre le Tribunal, le président ou un autre membre agissant en sa qualité officielle.

Annulation — Un juge de la Cour d'appel peut, sur demande, annuler sommairement toute décision, ordonnance ou injonction délivrée ou accordée à l'encontre du premier alinéa.

1989, c. 51, art. 16; N.I. 2016-01-01 (NCPC)

110. Règlement — Le président, avec le concours de la majorité des autres membres du Tribunal, peut adopter un règlement jugé nécessaire à l'exercice des fonctions du Tribunal.

1989, c. 51, art. 16; N.I. 2016-01-01 (NCPC)

Chapitre II — Compétence et pouvoirs

111. Emploi, logement, biens et services — Le Tribunal a compétence pour entendre et disposer de toute demande portée en vertu de l'un des articles 80, 81 et 82 et ayant trait, notamment, à l'emploi, au logement, aux biens et services ordinairement offerts au public, ou en vertu de l'un des articles 88, 90 et 91 relativement à un programme d'accès à l'égalité.

Exercice des recours — Seule la Commission peut initialement saisir le Tribunal de l'un ou l'autre des recours prévus à ces articles, sous réserve de la substitution prévue à l'article 84 en faveur d'un plaignant et de l'exercice du recours prévu à l'article 91 par la personne à qui le Tribunal a déjà imposé un programme d'accès à l'égalité.

1989, c. 51, art. 16

111.1 Programme d'accès à l'égalité en emploi — Le Tribunal a aussi compétence pour entendre et disposer de toute demande portée en vertu de l'un des articles 6, 18 ou 19 de la *Loi sur l'accès à l'égalité en emploi dans des organismes publics* (chapitre A-2.01) relativement à un programme d'accès à l'égalité en emploi.

Exercice des recours — Seule la Commission, ou l'un de ses membres, peut initialement saisir le Tribunal des recours prévus à ces articles, sous réserve de l'exercice du recours prévu à l'article 19 de cette loi en cas de désaccord sur des faits nouveaux pouvant justifier la modification, le report ou l'annulation d'un programme d'accès à l'égalité en emploi.

2000, c. 45, art. 31

112. Pouvoirs et immunité — Le Tribunal, l'une de ses divisions et chacun de ses juges ont, dans l'exercice de leurs fonctions, les pouvoirs et l'immunité des commissaires nommés en vertu de la *Loi sur les commissions d'enquête* (chapitre C-37), sauf le pouvoir d'ordonner l'emprisonnement.

1989, c. 51, art. 16

113. C.p.c. applicable — Le Tribunal peut, en s'inspirant du *Code de procédure civile* (chapitre C-25.01), rendre les décisions et ordonnances de procédure et de pratique nécessaires à l'exercice de ses fonctions, à défaut d'une règle prévue à son règlement.

Règlement — Le Tribunal peut aussi, en l'absence d'une disposition applicable à un cas particulier et sur une demande qui lui est adressée, prescrire avec le même effet tout acte ou toute formalité qu'auraient pu prévoir son règlement.

1989, c. 51, art. 16; N.I. 2016-01-01 (NCPC)

Chapitre III — Procédure et preuve

114. Demande écrite et notifiée — Toute demande doit être adressée par écrit au Tribunal et notifiée conformément aux règles du *Code de procédure civile* (chapitre C-25.01), à moins qu'elle ne soit présentée en cours d'audience. Lorsque ce Code prévoit qu'un mode de notification requiert une autorisation, celle-ci peut être obtenue du Tribunal.

Lieu d'introduction de la demande — La demande est déposée au greffe de la Cour du Québec du district judiciaire où se trouve le domicile ou, à défaut, la résidence ou le principal établissement d'entreprise de la personne à qui les conclusions de la demande pourraient être imposées ou, dans le cas d'un programme d'accès à l'égalité, de la personne à qui il est ou pourrait être imposé.

1989, c. 51, art. 16; 1999, c. 40, art. 46; N.I. 2016-01-01 (NCPC)

115. Mémoire du demandeur — Dans les 15 jours du dépôt d'une demande qui n'est pas visée au deuxième alinéa de l'article 104, le demandeur doit déposer un mémoire exposant ses prétentions, que le Tribunal notifie aux intéressés. Chacun de ceux-ci peut, dans les 30 jours de cette notification, déposer son propre mémoire que le Tribunal notifie au demandeur.

Défaut — Le défaut du demandeur peut entraîner le rejet de la demande.

1989, c. 51, art. 16; N.I. 2016-01-01 (NCPC)

116. Parties à la demande — La Commission, la victime, le groupe de victimes, le plaignant devant la Commission, tout intéressé à qui la demande est signifiée et la personne à qui un programme d'accès à l'égalité a été imposé ou pourrait l'être, sont de plein droit des parties à la demande et peuvent intervenir en tout temps avant l'exécution de la décision.

Intérêt d'une partie — Une personne, un groupe ou un organisme autre peut, en tout temps avant l'exécution de la décision, devenir partie à la demande si le Tribunal lui reconnaît un intérêt suffisant pour intervenir; cependant, pour présenter, interroger ou contre-interroger des témoins, prendre connaissance de la preuve au dossier, la commenter ou la contredire, une autorisation du Tribunal lui est chaque fois nécessaire.

1989, c. 51, art. 16

117. Modification — Une demande peut être modifiée en tout temps avant la décision, aux conditions que le Tribunal estime nécessaires pour la sauvegarde des droits de toutes les parties. Toutefois, sauf de leur consentement, aucune modification d'où résulterait une demande entièrement nouvelle, n'ayant aucun rapport avec la demande originale, ne peut être admise.

1989, c. 51, art. 16

118. Récusation d'un membre — Toute partie peut, avant l'audience, ou en tout temps avant décision si elle justifie de sa diligence, demander la récusation d'un membre. Cette demande est adressée au président du Tribunal qui en décide ou la réfère à un juge du Tribunal, notamment lorsque la demande le vise personnellement.

Déclaration écrite — Un membre qui connaît en sa personne une cause valable de récusation, est tenu de la déclarer par un écrit versé au dossier.

1989, c. 51, art. 16; N.I. 2016-01-01 (NCPC)

119. District judiciaire — Le Tribunal siège dans le district judiciaire au greffe duquel a été déposée la demande.

Lieu — Toutefois, le président du Tribunal et celui qui préside la division qui en est saisie peuvent décider, d'office ou à la demande d'une partie, que l'audition aura lieu dans un autre district judiciaire, lorsque l'intérêt public et celui des parties le commandent.

1989, c. 51, art. 16; N.I. 2016-01-01 (NCPC)

120. Date d'audience — D'office ou sur demande, le président ou celui qu'il désigne pour présider l'audience en fixe la date.

Avis d'audience — Le Tribunal doit transmettre, par écrit, à toute partie et à son procureur, à moins qu'elle n'y ait renoncé, un avis d'audience d'un jour s'il s'agit d'une demande visée au deuxième alinéa de l'article 104 et de 10 jours dans les autres cas. Cet avis précise :

1° l'objet de l'audience;

2° le jour, l'heure et le lieu de l'audience;

3° le droit d'y être assisté ou représenté par avocat;

4° le droit de renoncer à une audience orale et de présenter ses observations par écrit;

5° le droit de demander le huis clos ou une ordonnance interdisant ou restreignant la divulgation, la publication ou la diffusion d'un renseignement ou d'un document;

6° le pouvoir du Tribunal d'instruire la demande et de rendre toute décision ou ordonnance, sans autre délai ni avis, malgré le défaut ou l'absence d'une partie ou de son procureur.

1989, c. 51, art. 16; N.I. 2016-01-01 (NCPC)

121. Protection des renseignements — Le Tribunal peut, d'office ou sur demande et dans l'intérêt général ou pour un motif d'ordre public, interdire ou restreindre la divulgation, la publication ou la diffusion d'un renseignement ou d'un document qu'il indique, pour protéger la source de tel renseignement ou document ou pour respecter les droits et libertés d'une personne.

1989, c. 51, art. 16

122. Absence d'une partie ou de son procureur — Le Tribunal peut instruire la demande et rendre toute décision ou ordonnance, même en l'absence d'une partie ou de son procureur qui, ayant été dûment avisé de l'audience, fait défaut de se présenter le jour de l'audience, à l'heure et au lieu de celle-ci, refuse de se faire entendre ou ne soumet pas les observations écrites requises.

Excuse valable — Il est néanmoins tenu de reporter l'audience si l'absent lui a fait connaître un motif valable pour excuser l'absence.

1989, c. 51, art. 16; N.I. 2016-01-01 (NCPC)

123. Preuve utile — Tout en étant tenu de respecter les principes généraux de justice, le Tribunal reçoit toute preuve utile et pertinente à une demande dont il est saisi et il peut accepter tout moyen de preuve.

Règles particulières — Il n'est pas tenu de respecter les règles particulières de la preuve en matière civile, sauf dans la mesure indiquée par la présente partie.

1989, c. 51, art. 16

124. Enregistrement des dépositions — Les dépositions sont enregistrées, à moins que les parties n'y renoncent expressément.

1989, c. 51, art. 16

Chapitre IV — Décision et exécution

125. Décision écrite — Une décision du Tribunal doit être rendue par écrit et déposée au greffe de la Cour du Québec où la demande a été déposée. Elle doit contenir, outre le dispositif, toute interdiction ou restriction de divulguer, publier ou diffuser un renseignement ou un document qu'elle indique et les motifs à l'appui.

Copie ou extrait — Toute personne peut, à ses frais mais sous réserve de l'interdiction ou de la restriction, obtenir copie ou extrait de cette décision.

1989, c. 51, art. 16; N.I. 2016-01-01 (NCPC)

126. Frais de justice — Le Tribunal peut, dans une décision finale, condamner l'une ou l'autre des parties à l'instance, aux frais de justice ou les répartir entre elles dans la proportion qu'il détermine.

1989, c. 51, art. 16; N.I. 2016-01-01 (NCPC)

127. Correction d'une erreur — Le Tribunal peut, sans formalité, rectifier sa décision qui est entachée d'une erreur d'écriture, de calcul ou de quelque autre erreur matérielle, tant qu'elle n'a pas été exécutée ni portée en appel.

1989, c. 51, art. 16

128. Révision ou rétractation — Le Tribunal peut, d'office ou sur demande d'un intéressé, réviser ou rétracter toute décision qu'il a rendue tant qu'elle n'a pas été exécutée ni portée en appel :

1° lorsqu'est découvert un fait nouveau qui, s'il avait été connu en temps utile, aurait pu justifier une décision différente;

2° lorsqu'un intéressé n'a pu, pour des raisons jugées suffisantes, se faire entendre;

3° lorsqu'un vice de fond ou de procédure est de nature à invalider la décision.

Restriction — Toutefois, dans le cas du paragraphe 3°, un juge du Tribunal ne peut réviser ni rétracter une décision rendue sur une demande qu'il a entendue.

1989, c. 51, art. 16

129. Notification aux parties — Le greffier de la Cour du Québec du district où la demande a été déposée fait notifier toute décision finale aux parties à l'instance et à celles que vise le premier alinéa de l'article 116, dès son dépôt au greffe.

Notification présumée — Une décision rendue en présence d'une partie, ou de son procureur, est réputée leur avoir été notifiée dès ce moment.

1989, c. 51, art. 16; N.I. 2016-01-01 (NCPC)

130. Décision exécutoire — Une décision du Tribunal condamnant au paiement d'une somme d'argent devient exécutoire comme un jugement de la Cour du Québec ou de la Cour supérieure, selon la compétence respective de l'une et l'autre cour, et en a tous les effets à la date de son dépôt au greffe de la Cour du Québec ou de celle de son homologation en Cour supérieure.

Homologation — L'homologation résulte du dépôt, par le greffier de la Cour du Québec du district où la décision du Tribunal a été déposée, d'une copie conforme de cette décision au bureau du greffier de la Cour supérieure du district où se trouve le domicile ou, à défaut, la résidence ou le principal établissement d'entreprise de la personne condamnée.

Décision finale — Une décision finale qui n'est pas visée au premier alinéa est exécutoire à l'expiration des délais d'appel, suivant les conditions et modalités qui y sont indiquées, à moins que le Tribunal n'en ordonne l'exécution provisoire dès sa notification ou à une autre époque postérieure qu'il fixe.

Décision exécutoire — Toute autre décision du Tribunal est exécutoire dès sa notification et nonobstant appel, à moins que le tribunal d'appel n'en ordonne autrement.

1989, c. 51, art. 16; 1999, c. 40, art. 46; N.I. 2016-01-01 (NCPC)

131. Outrage au tribunal — Quiconque contrevient à une décision du Tribunal qui lui a été dûment notifiée, et qui n'a pas à être homologuée en Cour supérieure, se rend coupable d'outrage au Tribunal et peut être condamné, avec ou sans emprisonnement pour une durée d'au plus un an, et sans préjudice de tous recours en dommages-intérêts, à une amende n'excédant pas 50 000 $.

Amende — Quiconque contrevient à une interdiction ou à une restriction de divulgation, de publication ou de diffusion imposée par une décision du Tribunal rendue en vertu de l'article 121, est passible de la même sanction sauf quant au montant de l'amende qui ne peut excéder 5 000 $.

1989, c. 51, art. 16; N.I. 2016-01-01 (NCPC)

Chapitre V — Appel

132. Permission d'appeler — Il y a appel à la Cour d'appel, sur permission de l'un de ses juges, d'une décision finale du Tribunal.

1989, c. 51, art. 16

133. Application — Sous réserve de l'article 85, les règles du *Code de procédure civile* (chapitre C-25.01) relatives à l'appel s'appliquent, compte tenu des adaptations nécessaires, à un appel prévu par le présent chapitre.

1989, c. 51, art. 16; N.I. 2016-01-01 (NCPC)

Partie VII — Les dispositions finales

134. Infractions — Commet une infraction :

1° quiconque contrevient à l'un des articles 10 à 19 ou au premier alinéa de l'article 48;

2° un membre ou un mandataire de la Commission ou un membre de son personnel qui révèle, sans y être dûment autorisé, toute matière dont il a eu connaissance dans l'exercice de ses fonctions;

3° quiconque tente d'entraver ou entrave la Commission, un comité des plaintes, un membre ou un mandataire de la Commission ou un membre de son personnel, dans l'exercice de ses fonctions;

4° quiconque enfreint une interdiction ou une restriction de divulgation, de publication ou de diffusion d'un renseignement ou d'un document visé à la partie IV ou à un règlement pris en vertu de l'article 99;

5° quiconque tente d'exercer ou exerce des représailles visées à l'article 82.

1975, c. 6, art. 87; 1982, c. 61, art. 23; 1989, c. 51, art. 18

135. Dirigeant de personne morale, réputé partie à l'infraction — Si une personne morale commet une infraction prévue par l'article 134, tout dirigeant, administrateur, employé ou agent de cette personne morale qui a prescrit ou autorisé l'accomplissement de l'infraction ou qui y a consenti, acquiescé ou participé, est réputé être partie à l'infraction, que la personne morale ait ou non été poursuivie ou déclarée coupable.

1975, c. 6, art. 88; 1989, c. 51, art. 19 et 21; 1999, c. 40, art. 46

136. Poursuite pénale — Une poursuite pénale pour une infraction à une disposition de la présente loi peut être intentée par la Commission.

Propriété des frais — Les frais qui sont transmis à la Commission par le défendeur avec le plaidoyer appartiennent à cette dernière, lorsqu'elle intente la poursuite pénale.

1975, c. 6, art. 89; 1982, c. 61, art. 24; 1989, c. 51, art. 20, 21; 1992, c. 61, art. 101

137. [Abrogé, 1996, c. 10, art. 4.]

138. Application de la Charte — Le ministre de la Justice est chargé de l'application de la présente Charte.

1975, c. 6, art. 99; 1989, c. 51, art. 21; 1996, c. 21, art. 34; 2005, c. 24, art. 24

139. [Cet article a cessé d'avoir effet le 17 avril 1987.]

1982, c. 21, art. 1; R.-U., 1982, c. 11, ann. B, ptie I, art. 33

ANNEXE I — SERMENTS D'OFFICE ET DE DISCRÉTION

(article 64)

« Je, (*désignation de la personne*), déclare sous serment que je remplirai mes fonctions avec honnêteté, impartialité et justice et que je n'accepterai aucune autre somme d'argent ou considération quelconque, pour ce que j'aurai accompli ou accomplirai dans l'exercice de mes fonctions, que ce qui me sera alloué conformément à la loi.

De plus, je déclare sous serment que je ne révélerai et ne laisserai connaître, sans y être dûment autorisé, aucun renseignement ni document dont j'aurai eu connaissance, dans l'exercice de mes fonctions.

1975, c. 6, ann. A; 1989, c. 51, art. 22; 1999, c. 40, art. 46

ANNEXE II — SERMENTS D'OFFICE ET DE DISCRÉTION

(article 102)

« Je, (*désignation de la personne*), déclare sous serment de remplir fidèlement, impartialement, honnêtement et en toute indépendance, au meilleur de ma capacité et de mes connaissances, tous les devoirs de ma fonction, d'en exercer de même tous les pouvoirs.

De plus, je déclare sous serment que je ne révélerai et ne laisserai connaître, sans y être dûment autorisé, aucun renseignement ni document dont j'aurai eu connaissance, dans l'exercice de ma fonction.

1975, c. 6, ann. B; 1989, c. 51, art. 22; 1999, c. 40, art. 46

[C-3]
CHARTE DE LA LANGUE FRANÇAISE

RLRQ, c. C-11, extraits (art. 41-50), telle que modifiée par L.Q. 1977, c. 41, art. 1; 1993, c. 40, art. 13-14; 1997, c. 24, art. 2; 1999, c. 40, art. 45; 2000, c. 57, art. 7-9; 2001, c. 26, art. 83-85; 2002, c. 28, art. 34; 2015, c. 15, art. 237.

TITRE I — LE STATUT DE LA LANGUE FRANÇAISE

. . . .

Chapitre VI — La langue du travail

41. Communications de l'employeur avec personnel — L'employeur rédige dans la langue officielle les communications qu'il adresse à son personnel. Il rédige et publie en français les offres d'emploi ou de promotion.

1977, c. 5, art. 41

42. Offre d'emploi — Lorsqu'une offre d'emploi concerne un emploi dans l'Administration, dans un organisme parapublic ou dans une entreprise qui doit, selon le cas, instituer un comité de francisation, posséder une attestation d'application d'un programme de francisation ou posséder un certificat de francisation, l'employeur qui publie cette offre d'emploi dans un quotidien diffusant dans une langue autre que le français doit la publier simultanément dans un quotidien diffusant en français et ce, dans une présentation au moins équivalente.

1977, c. 5, art. 42; 1993, c. 40, art. 13

43. Rédaction des conventions collectives — Les conventions collectives et leurs annexes doivent être rédigées dans la langue officielle, y compris celles qui doivent être déposées en vertu de l'article 72 du *Code du travail* (chapitre C-27).

1977, c. 5, art. 43

44. Traduction d'une sentence arbitrale — Toute sentence arbitrale faisant suite à l'arbitrage d'un grief ou d'un différend relatif à la négociation, au renouvellement ou à la révision d'une convention collective est, à la demande d'une partie, traduite en français ou en anglais, selon le cas, aux frais des parties.

1977, c. 5, art. 44; 1977, c. 41, art. 1; 1993, c. 40, art. 14

45. Interdiction de congédier ou rétrograder un employé — Il est interdit à un employeur de congédier, de mettre à pied, de rétrograder ou de déplacer un membre de son personnel pour la seule raison que ce dernier ne parle que le français ou qu'il ne connaît pas suffisamment une langue donnée autre que la langue officielle ou parce qu'il a exigé le respect d'un droit découlant des dispositions du présent chapitre.

Recours devant le Tribunal administratif du travail — Le membre du personnel qui se croit victime d'une mesure interdite en vertu du premier alinéa peut, lorsqu'il n'est pas régi par une convention collective, exercer un recours devant le Tribunal administratif du travail. Les dispositions applicables à un recours relatif à l'exercice par un salarié d'un droit lui résultant du *Code du travail* (chapitre C-27) s'appliquent, compte tenu des adaptations nécessaires.

Arbitrage — Lorsque le membre du personnel est régi par une convention collective, il a le droit de soumettre son grief à l'arbitrage au même titre que son association, à défaut par cette dernière de le faire. L'article 17 du *Code du travail* s'applique à l'arbitrage de ce grief, compte tenu des adaptations nécessaires.

1977, c. 5, art. 45; 1997, c. 24, art. 2; 2000, c. 57, art. 7; 2001, c. 26, art. 83; 2015, c. 15, art. 237; N.I. 2016-12-01

46. Interdiction d'exiger une autre langue — Il est interdit à un employeur d'exiger pour l'accès à un emploi ou à un poste la connaissance ou un niveau de connaissance spécifique d'une langue autre que la langue officielle, à moins que l'accomplissement de la tâche ne nécessite une telle connaissance.

Recours devant le Tribunal administratif du travail — La personne qui se croit victime d'une violation du premier alinéa, qu'elle ait ou non un lien d'emploi avec l'employeur, peut, lorsqu'elle n'est pas régie par une convention collective, exercer un recours devant le Tribunal administratif du travail. Les dispositions applicables à un recours relatif à l'exercice par un salarié d'un droit lui résultant de ce code s'appliquent, compte tenu des adaptations nécessaires.

Arbitrage — Lorsque cette personne est régie par une convention collective, elle a le droit de soumettre son grief à l'arbitrage au même titre que son association, à défaut par cette dernière de le faire.

Procédure et délai — Le recours devant le Tribunal doit être introduit dans les 30 jours à compter de la date à laquelle l'employeur a informé le plaignant des exigences linguistiques requises pour un emploi ou un poste ou, à défaut, à compter du dernier fait pertinent de l'employeur invoqué au soutien de la violation du premier alinéa du présent article.

Fardeau de preuve — Il incombe à l'employeur de démontrer au Tribunal ou à l'arbitre que l'accomplissement de la tâche nécessite la connaissance ou un niveau de connaissance spécifique d'une langue autre que le français.

Ordonnance — Le Tribunal ou l'arbitre peut, s'il estime la plainte fondée, rendre toute ordonnance qui lui paraît juste et raisonnable dans les circonstances, notamment la cessation de l'acte reproché, l'accomplissement d'un acte, dont la reprise du processus de dotation de l'emploi ou du poste en cause, ou le paiement au plaignant d'une indemnité ou de dommages-intérêts punitifs.

1977, c. 5, art. 46; 2000, c. 57, art. 8; 2001, c. 26, art. 84; 2015, c. 15, art. 237

47. Médiateur — La personne qui se croit victime d'une violation du premier alinéa de l'article 46 peut, avant d'exercer le recours qui y est prévu, demander par écrit à l'Office québécois de la langue française de soumettre cette question à un médiateur en vue de permettre l'échange de points de vue entre elle et l'employeur et de favoriser le plus rapidement possible une entente écrite.

Participation — Les parties sont tenues de participer à toute réunion à laquelle le médiateur les convoque; celui-ci et les parties peuvent utiliser tout moyen technique, notamment le téléphone, leur permettant de communiquer oralement entre eux. Le demandeur peut être représenté par son association de salariés.

Durée — La médiation ne peut se prolonger au-delà de 30 jours après la date à laquelle elle a été demandée. En outre, le médiateur peut y mettre fin avant l'expiration de ce délai, s'il estime, compte tenu des circonstances, que son intervention n'est pas utile ou indiquée; il en avise alors par écrit les parties.

Suspension du délai — Le délai pour s'adresser au Tribunal administratif ou à un arbitre est suspendu durant la médiation. Il recommence à courir lors de la réception par le demandeur d'un avis mettant fin à la médiation ou, au plus tard, 30 jours après la demande de médiation

1977, c. 5, art. 47; 1977, c. 41, art. 1; 2000, c. 57, art. 9; 2001, c. 26, art. 85; 2002, c. 28, art. 34; 2015, c. 15, art. 237

47.1 Irrecevabilité — À moins que les parties à la médiation n'y consentent, rien de ce qui a été dit ou écrit au cours d'une séance de médiation n'est recevable en preuve, devant un tribunal judiciaire ou devant une personne ou un organisme de l'ordre administratif lorsqu'il exerce des fonctions juridictionnelles.

2000, c. 57, art. 9

47.2 Médiateur non contraignable — Le médiateur ne peut être contraint de divulguer ce qui lui a été révélé ou ce dont il a eu connaissance dans l'exercice de ses fonctions, ni de produire un document confectionné ou obtenu dans cet exercice devant un tribunal judiciaire ou devant une personne ou un organisme de l'ordre administratif lorsqu'il exerce des fonctions juridictionnelles.

Accès interdit — Malgré l'article 9 de la *Loi sur l'accès aux documents des organismes publics et sur la protection des renseignements personnels* (chapitre A-2.1), nul n'a droit d'accès à un document contenu dans le dossier de médiation.

2000, c. 57, art. 9

48. Nullité des actes juridiques — Sont nuls, sauf pour ce qui est des droits acquis des salariés et de leurs associations, les actes juridiques, décisions et autres documents non conformes au présent chapitre. L'usage d'une autre langue que celle prescrite par le présent chapitre ne peut être considéré comme un vice de forme visé par l'article 151 du *Code du travail* (chapitre C-27).

1977, c. 5, art. 48

49. Communications écrites — Une association de salariés utilise la langue officielle dans les communications écrites avec ses membres. Il lui est loisible d'utiliser la langue de son interlocuteur lorsqu'elle correspond avec un membre en particulier.

1977, c. 5, art. 49

50. Présomption — Les articles 41 à 49 de la présente loi sont réputés faire partie intégrante de toute convention collective. Une stipulation de la convention contraire à une disposition de la présente loi est nulle de nullité absolue.

1977, c. 5, art. 50; 1999, c. 40, art. 45

[C-4]
CODE CIVIL DU QUÉBEC

L.Q. 1991, c. 64, extraits (art. 2085-2129; 2186-2197; 2267-2279; 3083-3084; 3118), tel que modifié par L.Q. 2005, c. 44, art. 54(1); 2010, c. 7, art. 168-173; 2013, c. 27, art. 38; 2016, c. 4, art. 227 (A.), 228, 229-233 (A.).

. . . . .

LIVRE CINQUIÈME — DES OBLIGATIONS

. . . . .

TITRE DEUXIÈME — DES CONTRATS NOMMÉS

. . . . .

Chapitre septième — Du contrat de travail

2085. Le contrat de travail est celui par lequel une personne, le salarié, s'oblige, pour un temps limité et moyennant rémunération, à effectuer un travail sous la direction ou le contrôle d'une autre personne, l'employeur.

2086. Le contrat de travail est à durée déterminée ou indéterminée.

2087. L'employeur, outre qu'il est tenu de permettre l'exécution de la prestation de travail convenue et de payer la rémunération fixée, doit prendre les mesures appropriées à la nature du travail, en vue de protéger la santé, la sécurité et la dignité du salarié.

2088. Le salarié, outre qu'il est tenu d'exécuter son travail avec prudence et diligence, doit agir avec loyauté et honnêteté et ne pas faire usage de l'information à caractère confidentiel qu'il obtient dans l'exécution ou à l'occasion de son travail.

Ces obligations survivent pendant un délai raisonnable après cessation du contrat, et survivent en tout temps lorsque l'information réfère à la réputation et à la vie privée d'autrui.

2016, c. 4, art. 228

2089. Les parties peuvent, par écrit et en termes exprès, stipuler que, même après la fin du contrat, le salarié ne pourra faire concurrence à l'employeur ni participer à quelque titre que ce soit à une entreprise qui lui ferait concurrence.

Toutefois, cette stipulation doit être limitée, quant au temps, au lieu et au genre de travail, à ce qui est nécessaire pour protéger les intérêts légitimes de l'employeur.

Il incombe à l'employeur de prouver que cette stipulation est valide.

2090. Le contrat de travail est reconduit tacitement pour une durée indéterminée lorsque, après l'arrivée du terme, le salarié continue d'effectuer son travail durant cinq jours, sans opposition de la part de l'employeur.

2091. Chacune des parties à un contrat à durée indéterminée peut y mettre fin en donnant à l'autre un délai de congé.

Le délai de congé doit être raisonnable et tenir compte, notamment, de la nature de l'emploi, des circonstances particulières dans lesquelles il s'exerce et de la durée de la prestation de travail.

2092. Le salarié ne peut renoncer au droit qu'il a d'obtenir une indemnité en réparation du préjudice qu'il subit, lorsque le délai de congé est insuffisant ou que la résiliation est faite de manière abusive.

2093. Le décès du salarié met fin au contrat de travail.

Le décès de l'employeur peut aussi, suivant les circonstances, y mettre fin.

2094. Une partie peut, pour un motif sérieux, résilier unilatéralement et sans préavis le contrat de travail.

2095. L'employeur ne peut se prévaloir d'une stipulation de non-concurrence, s'il a résilié le contrat sans motif sérieux ou s'il a lui-même donné au salarié un tel motif de résiliation.

2096. Lorsque le contrat prend fin, l'employeur doit fournir au salarié qui le demande un certificat de travail faisant état uniquement de la nature et de la durée de l'emploi et indiquant l'identité des parties.

2097. L'aliénation de l'entreprise ou la modification de sa structure juridique par fusion ou autrement, ne met pas fin au contrat de travail.

Ce contrat lie l'ayant cause de l'employeur.

Chapitre huitième — Du contrat d'entreprise ou de service

Section I — De la nature et de l'étendue du contrat

2098. Le contrat d'entreprise ou de service est celui par lequel une personne, selon le cas l'entrepreneur ou le prestataire de services, s'engage envers une autre personne, le client, à réaliser un ouvrage matériel ou intellectuel ou à fournir un service moyennant un prix que le client s'oblige à lui payer.

2099. L'entrepreneur ou le prestataire de services a le libre choix des moyens d'exécution du contrat et il n'existe entre lui et le client aucun lien de subordination quant à son exécution.

2100. L'entrepreneur et le prestataire de services sont tenus d'agir au mieux des intérêts de leur client, avec prudence et diligence. Ils sont aussi tenus, suivant la nature de l'ouvrage à réaliser ou du service à fournir, d'agir conformément aux usages et règles de leur art, et de s'assurer, le cas échéant, que l'ouvrage réalisé ou le service fourni est conforme au contrat.

Lorsqu'ils sont tenus du résultat, ils ne peuvent se dégager de leur responsabilité qu'en prouvant la force majeure.

N.I. 2015-11-01

Section II — Des droits et obligations des parties

§ 1 — Dispositions générales applicables tant aux services qu'aux ouvrages

2101. À moins que le contrat n'ait été conclu en considération de ses qualités personnelles ou que cela ne soit incompatible avec la nature même du contrat, l'entrepreneur ou le prestataire de services peut s'adjoindre un tiers pour l'exécuter; il conserve néanmoins la direction et la responsabilité de l'exécution.

2102. L'entrepreneur ou le prestataire de services est tenu, avant la conclusion du contrat, de fournir au client, dans la mesure où les circonstances le permettent, toute information utile relativement à la nature de la tâche qu'il s'engage à effectuer ainsi qu'aux biens et au temps nécessaires à cette fin.

2103. L'entrepreneur ou le prestataire de services fournit les biens nécessaires à l'exécution du contrat, à moins que les parties n'aient stipulé qu'il ne fournirait que son travail.

Les biens qu'il fournit doivent être de bonne qualité; il est tenu, quant à ces biens, aux mêmes garanties que le vendeur.

Il y a contrat de vente, et non contrat d'entreprise ou de service, lorsque l'ouvrage ou le service n'est qu'un accessoire par rapport à la valeur des biens fournis.

N.I. 2015-11-01

2104. Lorsque les biens sont fournis par le client, l'entrepreneur ou le prestataire de services est tenu d'en user avec soin et de rendre compte de cette utilisation; si les biens sont manifestement impropres à l'utilisation à laquelle ils sont destinés ou s'ils sont affectés d'un vice apparent ou d'un vice caché qu'il devait connaître, l'entrepreneur ou le prestataire de services est tenu d'en informer immédiatement le client, à défaut de quoi il est responsable du préjudice qui peut résulter de l'utilisation des biens.

2105. Si les biens nécessaires à l'exécution du contrat périssent par force majeure, leur perte est à la charge de la partie qui les fournit.

2106. Le prix de l'ouvrage ou du service est déterminé par le contrat, les usages ou la loi, ou encore d'après la valeur des travaux effectués ou des services rendus.

2107. Si, lors de la conclusion du contrat, le prix des travaux ou des services a fait l'objet d'une estimation, l'entrepreneur ou le prestataire de services doit justifier toute augmentation du prix.

Le client n'est tenu de payer cette augmentation que dans la mesure où elle résulte de travaux, de services ou de dépenses qui n'étaient pas prévisibles par l'entrepreneur ou le prestataire de services au moment de la conclusion du contrat.

2108. Lorsque le prix est établi en fonction de la valeur des travaux exécutés, des services rendus ou des biens fournis, l'entrepreneur ou le prestataire de services est tenu, à la demande du client, de lui rendre compte de l'état d'avancement des travaux, des services déjà rendus et des dépenses déjà faites.

2109. Lorsque le contrat est à forfait, le client doit payer le prix convenu et il ne peut prétendre à une diminution du prix en faisant valoir que l'ouvrage ou le service a exigé moins de travail ou a coûté moins cher qu'il n'avait été prévu.

Pareillement, l'entrepreneur ou le prestataire de services ne peut prétendre à une augmentation du prix pour un motif contraire.

Le prix forfaitaire reste le même, bien que des modifications aient été apportées aux conditions d'exécution initialement prévues, à moins que les parties n'en aient convenu autrement.

§ 2 — Dispositions particulières aux ouvrages

I — Dispositions générales

2110. Le client est tenu de recevoir l'ouvrage à la fin des travaux; celle-ci a lieu lorsque l'ouvrage est exécuté et en état de servir conformément à l'usage auquel on le destine.

La réception de l'ouvrage est l'acte par lequel le client déclare l'accepter, avec ou sans réserve.

2111. Le client n'est pas tenu de payer le prix avant la réception de l'ouvrage.

Lors du paiement, il peut retenir sur le prix, jusqu'à ce que les réparations ou les corrections soient faites à l'ouvrage, une somme suffisante pour satisfaire aux réserves faites quant aux vices ou malfaçons apparents qui existaient lors de la réception de l'ouvrage.

Le client ne peut exercer ce droit si l'entrepreneur lui fournit une sûreté suffisante garantissant l'exécution de ses obligations.

2112. Si les parties ne s'entendent pas sur la somme à retenir et les travaux à compléter, l'évaluation est faite par un expert que désignent les parties ou, à défaut, le tribunal.

2113. Le client qui accepte sans réserve, conserve, néanmoins, ses recours contre l'entrepreneur aux cas de vices ou malfaçons non apparents.

2114. Si l'ouvrage est exécuté par phases successives, il peut être reçu par parties; le prix afférent à chacune d'elles est payable au moment de la délivrance et de la réception de cette partie et le paiement fait présumer qu'elle a été ainsi reçue, à moins que les sommes versées ne doivent être considérées comme de simples acomptes sur le prix.

2115. L'entrepreneur est tenu de la perte de l'ouvrage qui survient avant sa délivrance, à moins qu'elle ne soit due à la faute du client ou que celui-ci ne soit en demeure de recevoir l'ouvrage.

Toutefois, si les biens sont fournis par le client, l'entrepreneur n'est pas tenu de la perte de l'ouvrage, à moins qu'elle ne soit due à sa faute ou à un autre manquement de sa part. Il ne peut réclamer le prix de son travail que si la perte de l'ouvrage résulte du vice propre des biens fournis ou d'un vice du bien qu'il ne pouvait déceler, ou encore si la perte est due à la faute du client.

2116. La prescription des recours entre les parties ne commence à courir qu'à compter de la fin des travaux, même à l'égard de ceux qui ont fait l'objet de réserves lors de la réception de l'ouvrage.

II — Des ouvrages immobiliers

2117. À tout moment de la construction ou de la rénovation d'un immeuble, le client peut, mais de manière à ne pas nuire au déroulement des travaux, vérifier leur état d'avancement, la qualité des matériaux utilisés et celle du travail effectué, ainsi que l'état des dépenses faites.

2118. À moins qu'ils ne puissent se dégager de leur responsabilité, l'entrepreneur, l'architecte et l'ingénieur qui ont, selon le cas, dirigé ou surveillé les travaux, et le sous-entrepreneur pour les travaux qu'il a exécutés, sont solidairement tenus de la perte de l'ouvrage qui survient dans les cinq ans qui suivent la fin des travaux, que la perte résulte d'un vice de conception, de construction ou de réalisation de l'ouvrage, ou, encore, d'un vice du sol.

2119. L'architecte ou l'ingénieur ne sera dégagé de sa responsabilité qu'en prouvant que les vices de l'ouvrage ou de la partie qu'il a réalisée ne résultent ni d'une erreur ou d'un défaut dans les expertises ou les plans qu'il a pu fournir, ni d'un manquement dans la direction ou dans la surveillance des travaux.

L'entrepreneur n'en sera dégagé qu'en prouvant que ces vices résultent d'une erreur ou d'un défaut dans les expertises ou les plans de l'architecte ou de l'ingénieur choisi par le client. Le sous-entrepreneur n'en sera dégagé qu'en prouvant que ces vices résultent des décisions de l'entrepreneur ou des expertises ou plans de l'architecte ou de l'ingénieur.

Chacun pourra encore se dégager de sa responsabilité en prouvant que ces vices résultent de décisions imposées par le client dans le choix du sol ou des matériaux, ou dans le choix des sous-entrepreneurs, des experts ou des méthodes de construction.

2120. L'entrepreneur, l'architecte et l'ingénieur pour les travaux qu'ils ont dirigés ou surveillés et, le cas échéant, le sous-entrepreneur pour les travaux qu'il a exécutés, sont tenus conjointement pendant un an de garantir l'ouvrage contre les malfaçons existantes au moment de la réception, ou découvertes dans l'année qui suit la réception.

2121. L'architecte et l'ingénieur qui ne dirigent pas ou ne surveillent pas les travaux, ne sont responsables que de la perte qui résulte d'un défaut ou d'une erreur dans les plans ou les expertises qu'ils ont fournis.

2122. Pendant la durée des travaux, l'entrepreneur peut, si la convention le prévoit, exiger des acomptes sur le prix du contrat pour la valeur des travaux exécutés et des matériaux nécessaires à la réalisation de l'ouvrage; il est tenu, préalablement, de fournir au client un état des sommes payées aux sous-entrepreneurs, à ceux qui ont fourni ces matériaux et aux autres personnes qui ont participé à ces travaux, et des sommes qu'il leur doit encore pour terminer les travaux.

2123. Au moment du paiement, le client peut retenir, sur le prix du contrat, une somme suffisante pour acquitter les créances des ouvriers, de même que celles des autres personnes qui peuvent faire valoir une hypothèque légale sur l'ouvrage immobilier et qui lui ont dénoncé leur contrat avec l'entrepreneur, pour les travaux faits ou les matériaux ou services fournis après cette dénonciation.

Cette retenue est valable tant que l'entrepreneur n'a pas remis au client une quittance de ces créances.

Il ne peut exercer ce droit si l'entrepreneur lui fournit une sûreté suffisante garantissant ces créances.

2124. Pour l'application des dispositions du présent chapitre, le promoteur immobilier qui vend, même après son achèvement, un ouvrage qu'il a construit ou a fait construire est assimilé à l'entrepreneur.

SECTION III — DE LA RÉSILIATION DU CONTRAT

2125. Le client peut, unilatéralement, résilier le contrat, quoique la réalisation de l'ouvrage ou la prestation du service ait déjà été entreprise.

2126. L'entrepreneur ou le prestataire de services ne peut résilier unilatéralement le contrat que pour un motif sérieux et, même alors, il ne peut le faire à contretemps; autrement, il est tenu de réparer le préjudice causé au client par cette résiliation.

Il est tenu, lorsqu'il résilie le contrat, de faire tout ce qui est immédiatement nécessaire pour prévenir une perte.

2127. Le décès du client ne met fin au contrat que si cela rend impossible ou inutile l'exécution du contrat.

2128. Le décès ou l'inaptitude de l'entrepreneur ou du prestataire de services ne met pas fin au contrat, à moins qu'il n'ait été conclu en considération de ses qualités personnelles ou qu'il ne puisse être continué de manière adéquate par celui qui lui succède dans ses activités, auquel cas le client peut résilier le contrat.

2129. Le client est tenu, lors de la résiliation du contrat, de payer à l'entrepreneur ou au prestataire de services, en proportion du prix convenu, les frais et dépenses actuelles, la valeur des travaux exécutés avant la fin du contrat ou avant la notification de la résiliation, ainsi que, le cas échéant, la valeur des biens fournis, lorsque ceux-ci peuvent lui être remis et qu'il peut les utiliser.

L'entrepreneur ou le prestataire de services est tenu, pour sa part, de restituer les avances qu'il a reçues en excédent de ce qu'il a gagné.

Dans l'un et l'autre cas, chacune des parties est aussi tenue de tout autre préjudice que l'autre partie a pu subir.

. . . . .

Chapitre dixième — Du contrat de société et d'association

SECTION I — DISPOSITIONS GÉNÉRALES

2186. Le contrat de société est celui par lequel les parties conviennent, dans un esprit de collaboration, d'exercer une activité, incluant celle d'exploiter une entreprise, d'y contribuer par la mise en commun de biens, de connaissances ou d'activités et de partager entre elles les bénéfices pécuniaires qui en résultent.

Le contrat d'association est celui par lequel les parties conviennent de poursuivre un but commun autre que la réalisation de bénéfices pécuniaires à partager entre les membres de l'association.

2187. La société ou l'association est formée dès la conclusion du contrat, si une autre époque n'y est indiquée.

2188. La société est en nom collectif, en commandite ou en participation.

Elle peut être aussi par actions; dans ce cas, elle est une personne morale.

2189. La société en nom collectif ou en commandite est formée sous un nom commun aux associés.

Elle doit produire une déclaration d'immatriculation conformément à la *Loi sur la publicité légale des entreprises* (chapitre P-44.1); à défaut de le faire, elle est réputée être une société en participation, sous réserve des droits des tiers de bonne foi.

2010, c. 7, art. 168

2190. (*Abrogé*).

2010, c. 7, art. 169

2191. Lorsque la société constate ou est informée que sa déclaration d'immatriculation est incomplète, inexacte ou irrégulière, celle-ci peut être corrigée par une déclaration de mise à jour produite conformément à la *Loi sur la publicité légale des entreprises* (chapitre P-44.1).

2010, c. 7, art. 170

2192. La correction qui porterait atteinte aux droits des associés ou des tiers est sans effet à leur égard, àmoins qu'ils n'y aient consenti ou que le tribunal n'ait ordonné la production de la déclaration, après avoir entendu les intéressés et modifié, au besoin, la déclaration proposée.

2010, c. 7, art. 170

2193. La correction est réputée faire partie de la déclaration d'immatriculation et avoir pris effet au même moment, à moins qu'une date ultérieure ne soit prévue à la déclaration de mise à jour ou au jugement.

2010, c. 7, art. 170

2194. Tout changement apporté au contenu de la déclaration d'immatriculation de la société doit faire l'objet d'une mise à jour conformément à la *Loi sur la publicité légale des entreprises* (chapitre P-44.1).

2010, c. 7, art. 171

2195. Les déclarations relatives à la société sont opposables aux tiers à compter du moment où les informations qu'elles contiennent sont inscrites au registre des entreprises. Elles font preuve de leur contenu en faveur des tiers de bonne foi.

Les tiers peuvent contredire les mentions d'une déclaration par tous moyens.

2010, c. 7, art. 172; 2010, c. 40, art. 92

2196. Si la déclaration d'immatriculation de la société est incomplète, inexacte ou irrégulière ou si, malgré un changement intervenu dans la société, la mise à jour n'est pas faite, les associés sont responsables, envers les tiers, des obligations de la société qui en résultent; cependant, les commanditaires qui ne sont pas par ailleurs tenus des obligations de la société n'encourent pas cette responsabilité.

2010, c. 7, art. 173

2197. La société en nom collectif ou en commandite doit, dans le cours de ses activités, indiquer sa forme juridique dans son nom même ou à la suite de celui-ci.

À défaut d'une telle mention dans un acte conclu par la société, le tribunal peut, pour statuer sur l'action d'un tiers de bonne foi, décider que la société et les associés seront tenus, à l'égard de cet acte, au même titre qu'une société en participation et ses associés.

. . .

Section V — De l'association

2267. Le contrat constitutif de l'association est écrit ou verbal. Il peut aussi résulter de faits manifestes qui indiquent l'intention de s'associer.

2268. Le contrat d'association régit l'objet, le fonctionnement, la gestion et les autres modalités de l'association.

Il est présumé permettre l'admission de membres autres que les membres fondateurs.

2269. En l'absence de règles particulières dans le contrat d'association, les administrateurs de l'association sont choisis parmi ses membres et les membres fondateurs sont, de plein droit, les administrateurs jusqu'à ce qu'ils soient remplacés.

2270. Les administrateurs agissent à titre de mandataire des membres de l'association.

Ils n'ont pas d'autres pouvoirs que ceux qui leur sont conférés par le contrat d'association ou par la loi, ou qui découlent de leur mandat.

2271. Les administrateurs peuvent ester en justice pour faire valoir les droits et les intérêts de l'association.

2272. Tout membre a le droit de participer aux décisions collectives et le contrat d'association ne peut empêcher l'exercice de ce droit.

Ces décisions, y compris celles qui ont trait à la modification du contrat d'association, se prennent à la majorité des voix des membres, sauf stipulation contraire dudit contrat.

2273. Tout membre, même s'il est exclu de la gestion, et malgré toute stipulation contraire, a le droit de se renseigner sur l'état des affaires de l'association et de consulter les livres et registres de celle-ci.

Il est tenu d'exercer ce droit de manière à ne pas entraver indûment les activités de l'association ou à ne pas empêcher les autres membres d'exercer ce même droit.

2274. En cas d'insuffisance des biens de l'association, les administrateurs et tout membre qui administre de fait les affaires de l'association, sont solidairement ou conjointement tenus des obligations de l'association qui résultent des décisions auxquelles ils ont souscrit pendant leur administration, selon que ces obligations ont été, ou non, contractées pour le service ou l'exploitation d'une entreprise de l'association.

Toutefois, les biens de chacune de ces personnes ne sont affectés au paiement des créanciers de l'association qu'après paiement de leurs propres créanciers.

2275. Le membre qui n'a pas administré l'association n'est tenu des dettes de celle-ci qu'à concurrence de la contribution promise et des cotisations échues.

2276. Un membre peut, malgré toute stipulation contraire, se retirer de l'association, même constituée pour une durée déterminée; le cas échéant, il est tenu au paiement de la contribution promise et des cotisations échues.

Il peut être exclu de l'association par une décision des membres.

2277. Le contrat d'association prend fin par l'arrivée du terme ou l'avènement de la condition apposée au contrat, par l'accomplissement de l'objet du contrat ou par l'impossibilité d'accomplir cet objet.

En outre, il prend fin par une décision des membres.

2278. Lorsque le contrat prend fin, l'association est liquidée par une personne nommée par les administrateurs ou, à défaut, par le tribunal.

2279. Après le paiement des dettes, les biens qui restent sont dévolus conformément aux règles du contrat d'association ou, en l'absence de règles particulières, partagés entre les membres, en parts égales.

Toutefois, les biens qui proviennent des contributions de tiers sont, malgré toute stipulation contraire, dévolus à une association, à une personne morale ou à une fiducie partageant des objectifs semblables à l'association; si les biens ne peuvent être ainsi employés, ils sont dévolus à l'État et administrés par le ministre du Revenu comme des biens sans maître ou, s'ils sont de peu d'importance, partagés également entre les membres.

2005, c. 44, art. 54

. . . . .

LIVRE DIXIÈME — DU DROIT INTERNATIONAL PRIVÉ

. . . . .

TITRE DEUXIÈME — DES CONFLITS DE LOIS

Chapitre premier — Dispositions générales

SECTION I — DISPOSITIONS GÉNÉRALES

3083. L'état et la capacité d'une personne physique sont régis par la loi de son domicile.

L'état et la capacité d'une personne morale sont régis par la loi de l'État en vertu de laquelle elle est constituée, sous réserve, quant à son activité, de la loi du lieu où elle s'exerce.

3084. En cas d'urgence ou d'inconvénients sérieux, la loi du tribunal saisi peut être appliquée à titre provisoire, en vue d'assurer la protection d'une personne ou de ses biens.

. . . . .

Chapitre troisième — Du statut des obligations

. . . . .

SECTION II — DISPOSITIONS PARTICULIÈRES

. . . . .

§ 0.1 — Du changement de la mention du sexe

3084.1 Lorsqu'une modification de la mention du sexe figurant dans l'acte de naissance d'une personne née au Québec mais domiciliée hors du Québec s'avère impossible dans l'État de son domicile, le directeur de l'état civil peut, à la demande de cette personne, apporter la modification de la mention et, s'il y a lieu, des prénoms, à l'acte fait au Québec.

La demande est assujettie aux conditions prévues à la loi du Québec, exception faite des conditions relatives au domicile et à la nationalité.

2013, c. 27, art. 38

. . . . .

§ 4 — Du contrat de travail

3118. Le choix par les parties de la loi applicable au contrat de travail ne peut avoir pour résultat de priver le travailleur de la protection que lui assurent les dispositions impératives de la loi de l'État où il accomplit habituellement son travail, même s'il est affecté à titre temporaire dans un autre État ou, s'il n'accomplit pas habituellement son travail dans un même État, de la loi de l'État où son employeur a son domicile ou son établissement.

En l'absence de désignation par les parties, la loi de l'État où le travailleur accomplit habituellement son travail ou la loi de l'État où son employeur a son domicile ou son établissement sont, dans les mêmes circonstances, applicables au contrat de travail.

. . . . .

[C-5]
CODE DE PROCÉDURE CIVILE

RLRQ, c. C-25.01, extraits (art. 509-515)

.....

LIVRE VI — LES VOIES PROCÉDURALES PARTICULIÈRES

TITRE I — LES MESURES PROVISIONNELLES ET DE CONTRÔLE

Chapitre I — L'injonction

509. Application — L'injonction est une ordonnance de la Cour supérieure enjoignant à une personne ou, dans le cas d'une personne morale, d'une société ou d'une association ou d'un autre groupement sans personnalité juridique, à ses dirigeants ou représentants, de ne pas faire ou de cesser de faire quelque chose ou d'accomplir un acte déterminé.

Injonction — Une telle injonction peut enjoindre a une personne physique de ne pas faire ou de cesser de faire quelque chose ou d'accomplir un acte détermine en vue de protéger une autre personne physique dont la vie, la sante ou la sécurité est menacée. Une telle injonction, dite ordonnance de protection, peut être obtenue, notamment dans un contexte de violences, par exemple de violences basées sur une conception de l'honneur. L'ordonnance de protection ne peut être prononcée que pour le temps et aux conditions déterminées par le tribunal, et pour une durée qui ne peut excéder trois ans.

Ordonnance de protection — L'ordonnance de protection peut également être demandée par une autre personne ou un organisme si la personne menacée y consent ou, à défaut, sur autorisation du tribunal.

Signification — Tout jugement qui prononce une injonction est signifié aux parties et aux autres personnes qui y sont identifiées.

2014, c. 1, art. 509; 2016, c. 12, art. 21

510. Modalités — Une partie peut, en cours d'instance, demander une injonction interlocutoire. Elle peut présenter sa demande même avant le dépôt de sa demande introductive d'instance si elle ne peut déposer cette dernière en temps utile. Cette demande est signifiée à l'autre partie avec un avis de sa présentation.

Injonction provisoire — Dans les cas d'urgence, le tribunal peut y faire droit provisoirement, même avant la signification. L'injonction provisoire ne peut en aucun cas, sans le consentement des parties, excéder 10 jours.

2014, c. 1, art. 510

511. Conditions — L'injonction interlocutoire peut être accordée si celui qui la demande paraît y avoir droit et si elle est jugée nécessaire pour empêcher qu'un préjudice sérieux ou irréparable ne lui soit causé ou qu'un état de fait ou de droit de nature à rendre le jugement au fond inefficace ne soit créé.

Cautionnement — Le tribunal peut assujettir la délivrance de l'injonction à un cautionnement pour compenser les frais et le préjudice qui peut en résulter.

Suspension ou renouvellement — Il peut suspendre ou renouveler une injonction interlocutoire, pour le temps et aux conditions qu'il détermine.

2014, c. 1, art. 511

512. Signification — Si l'injonction interlocutoire est accordée, elle est signifiée à l'autre partie et aux autres personnes identifiées.

Effets — Si la demande introductive d'instance n'a pas été signifiée, elle l'est avec l'injonction; si elle n'a pas été déposée, l'injonction est signifiée sans la demande, mais cette dernière est signifiée dans le délai fixé par le tribunal.

2014, c. 1, art. 512

513. Limites — Une injonction ne peut en aucun cas être prononcée pour empêcher des procédures judiciaires, ni pour faire obstacle à l'exercice d'une fonction au sein d'une personne morale de droit public ou de droit privé, si ce n'est dans les cas prévus à l'article 329 du Code civil.

2014, c. 1, art. 513

514. Appel — L'injonction reste en vigueur malgré l'appel; l'injonction interlocutoire reste en vigueur malgré le jugement au fond qui y met fin si le demandeur se pourvoit en appel.

Suspension — Dans l'un et l'autre cas, un juge de la Cour d'appel peut suspendre l'injonction pour le temps qu'il indique.

2014, c. 1, art. 514

515. Outrage — Lorsqu'il punit un outrage pour contravention à une injonction, le tribunal peut également ordonner de détruire ou d'enlever ce qui a été fait à l'encontre de cette injonction.

2014, c. 1, art. 515

Lois et règlements du Québec

TABLE DES MATIÈRES
LOIS ET RÈGLEMENTS DU QUÉBEC

[QUE-1]
TABLE DES MATIÈRES
LOI SUR L'ACCÈS À L'ÉGALITÉ EN EMPLOI DANS DES ORGANISMES PUBLICS

[QUE-1] Loi sur l'accès à l'égalité en emploi dans des organismes publics

RLRQ, c. A-2.01, telle que modifiée par 2002, c. 75, art. 33; 2004, c. 31, art. 58, 59; 2005, c. 32, art. 308(1°); 2007, c. 3, art. 68; 2011, c. 16, art. 174; 2016, c. 8, art. 47.

Section I — Objet et champ d'application

1. Cadre d'accès à l'égalité en emploi — La présente loi institue un cadre particulier d'accès à l'égalité en emploi pour corriger la situation des personnes faisant partie de certains groupes victimes de discrimination en emploi, soit les femmes, les personnes handicapées au sens de la *Loi assurant l'exercice des droits des personnes handicapées en vue de leur intégration scolaire, professionnelle et sociale* (chapitre E-20.1), les autochtones, les personnes qui font partie d'une minorité visible en raison de leur race ou de la couleur de leur peau et les personnes dont la langue maternelle n'est pas le français ou l'anglais et qui font partie d'un groupe autre que celui des autochtones et celui des personnes qui font partie d'une minorité visible.

2000, c. 45, art. 1; 2004, c. 31, art. 58

2. Organismes visés — La présente loi s'applique aux organismes publics suivants, dès lors qu'ils emploient 100 personnes ou plus pendant une période continue de six mois au cours de chacune de deux années consécutives :

1° un organisme dont le gouvernement ou un ministre nomme la majorité des membres ou des administrateurs ou dont le fonds social fait partie du domaine de l'État, à l'exception des organismes visés à l'article 92 de la *Charte des droits et libertés de la personne* (chapitre C-12);

2° une municipalité, une communauté urbaine, une communauté métropolitaine, une régie intermunicipale, une société intermunicipale de transport, une société de transport en commun, l'Autorité régionale de transport métropolitain, le Réseau de transport métropolitain ou un autre organisme municipal dont le conseil d'administration est formé majoritairement d'élus municipaux, à l'exception de l'Administration régionale crie et de l'Administration régionale Kativik;

3° une commission scolaire visée par la *Loi sur l'instruction publique* (chapitre I-13.3), le Comité de gestion de la taxe scolaire de l'île de Montréal, une institution dont le régime d'enseignement est l'objet d'une entente internationale au sens de la *Loi sur le ministère des Relations internationales* (chapitre M-25.1.1), un collège d'enseignement général et professionnel, un établissement agréé aux fins de subventions en vertu de la *Loi sur l'enseignement privé* (chapitre E-9.1) et un établissement d'enseignement de niveau universitaire visé aux paragraphes 1° à 11° de l'article 1 de la *Loi sur les établissements d'enseignement de niveau universitaire* (chapitre E-14.1);

4° un établissement public visé par la *Loi sur les services de santé et les ser-*

vices sociaux (chapitre S-4.2), un établissement privé visé par cette loi qui fonctionne en ayant recours à des sommes d'argent provenant du fonds consolidé du revenu et une agence visée par cette loi, à l'exception d'un établissement et de l'agence visés par la partie IV.1 de cette loi.

Organismes publics — Est assimilé à un organisme public visé au premier alinéa, la Sûreté du Québec à l'égard de ses membres ainsi qu'une personne nommée par le gouvernement ou un ministre, avec le personnel qu'elle dirige, dans le cadre des fonctions qui lui sont attribuées par la loi, le gouvernement ou le ministre.

2000, c. 45, art. 2; 2002, c. 75, art. 33; 2005, c. 32, art. 308; 2011, c. 16, art. 174; 2016, c. 8, art. 47

SECTION II — ANALYSE

3. Analyse des effectifs — Tout organisme public visé par la présente loi doit procéder à l'analyse de ses effectifs afin de déterminer, pour chaque type d'emploi, le nombre de personnes faisant partie de chacun des groupes visés par la présente loi.

Types d'emploi — Les types d'emploi sont déterminés par l'employeur et appariés aux groupes de base de la Classification nationale des professions du Canada édictée en 1993 par le ministre fédéral de l'Emploi et de l'Immigration.

2000, c. 45, art. 3

4. Analyse des effectifs — L'organisme public peut procéder à l'analyse de ses effectifs par établissement si des disparités dans le nombre de personnes compétentes pour un type d'emploi par zone appropriée de recrutement le justifient.

Personnel temporaire — De même, l'organisme peut ne pas inclure le personnel temporaire ou à temps partiel si les circonstances le justifient.

2000, c. 45, art. 4

5. Rapport — Le rapport d'analyse des effectifs est transmis, après consultation du personnel ou de ses représentants, à la Commission des droits de la personne et des droits de la jeunesse, avec mention du nombre et de la proportion des effectifs que représente, pour chaque type d'emploi, chacun des groupes visés par la présente loi.

Compétence et expérience requises — Le rapport indique également, pour chaque type d'emploi, les compétences et l'expérience requises ainsi que la zone appropriée de recrutement de l'organisme.

2000, c. 45, art. 5

6. Délai — La Commission peut imposer à tout organisme un délai pour la transmission du rapport d'analyse d'effectifs.

Défaut de se conformer — À défaut pour l'organisme de se conformer à ce délai, la Commission peut s'adresser au Tribunal des droits de la personne, lequel peut ordonner à l'organisme de transmettre le rapport dans le délai qu'il fixe.

2000, c. 45, art. 6

7. Comparaison — Afin de déterminer s'il y a sous-représentation d'un groupe visé par la présente loi dans un type d'emploi, la Commission compare la représentation de ce groupe au sein des effectifs concernés de l'organisme avec sa représentation au sein des personnes compétentes ou aptes à acquérir cette compétence dans un délai raisonnable pour ce type d'emploi à l'intérieur de la zone appropriée de recrutement.

Regroupement de types d'emploi — À cette fin, la Commission peut, après consultation de l'organisme, procéder par regroupement de types d'emploi.

2000, c. 45, art. 7

8. Résultat — La Commission avise l'organisme du résultat de cette comparaison par type ou regroupement de types d'emploi.

2000, c. 45, art. 8

9. Établissement d'un programme d'accès à l'égalité en emploi — L'organisme est tenu d'établir un programme d'accès à l'égalité en emploi, pour un type ou regroupement de types d'emploi, dans le cas où la Commission estime que la représentation des personnes à l'emploi de l'organisme faisant partie d'un groupe visé par la présente loi est généralement non conforme à la représentation des personnes compétentes de ce groupe dans la zone de recrutement applicable.

Maintien d'une représentation — Dans le cas contraire, l'organisme doit veiller à maintenir une représentation des personnes à son emploi qui soit conforme à la représentation des personnes faisant partie des groupes visés par la présente loi.

2000, c. 45, art. 9

SECTION III — PROGRAMME D'ACCÈS À L'ÉGALITÉ EN EMPLOI

10. Transmission — Un organisme public visé par la présente loi et tenu d'élaborer un programme d'accès à l'égalité en emploi doit, après consultation du personnel ou de ses représentants, le transmettre à la Commission dans les 12 mois d'un avis de la Commission à cet effet.

2000, c. 45, art. 10

11. Programme distinct — L'organisme peut élaborer un programme distinct applicable à un ou plusieurs établissements si des disparités dans le nombre de personnes compétentes pour un type d'emploi par zone appropriée de recrutement le justifient.

Personnel temporaire — De même, l'organisme peut ne pas inclure le personnel temporaire ou à temps partiel dans ses effectifs si les circonstances le justifient.

2000, c. 45, art. 11

12. Assistance — La Commission, sur demande, prête son assistance à l'élaboration d'un programme d'accès à l'égalité en emploi.

2000, c. 45, art. 12

13. But — Un programme d'accès à l'égalité en emploi vise à augmenter la représentation des personnes faisant partie de chaque groupe qu'il vise et à corriger les pratiques du système d'emploi.

Contenu — Un programme comprend les éléments suivants :

1° une analyse du système d'emploi, plus particulièrement les politiques et pratiques en matière de recrutement, de formation et de promotion;

2° les objectifs quantitatifs poursuivis, par type ou regroupement de types d'emploi, pour les personnes faisant partie de chaque groupe visé;

3° des mesures de redressement temporaires fixant des objectifs de recrutement et de promotion, par type ou regroupement de types d'emploi, pour les personnes faisant partie de chaque groupe visé;

4° des mesures d'égalité de chances et des mesures de soutien, le cas échéant, pour éliminer les pratiques de gestion discriminatoires;

5° l'échéancier pour l'implantation des mesures proposées et l'atteinte des objectifs fixés;

6° des mesures relatives à la consultation et à l'information du personnel et de ses représentants;

7° l'identification de la personne en autorité responsable de la mise en œuvre du programme.

2000, c. 45, art. 13

14. Restrictions — Un programme d'accès à l'égalité en emploi ne peut obliger un organisme :

1° à engager des personnes qui ne sont pas compétentes ou à leur donner une promotion;

2° à engager des personnes ou à leur donner une promotion sans égard au mérite dans le cas où une convention collective ou les pratiques établies exigent que la sélection soit faite au mérite;

3° à porter atteinte d'une manière indue aux intérêts de l'organisme ou des personnes qui n'appartiennent pas à un groupe visé;

4° à créer de nouveaux postes;

5° à exclure l'ancienneté comme critère d'embauche, de promotion, de licenciement, de mise à pied, de rappel au travail ou de redéploiement des effectifs.

2000, c. 45, art. 14

15. Teneur — La Commission vérifie la teneur d'un programme d'accès à l'égalité en emploi en tenant compte des éléments suivants :

1° l'importance des effectifs de l'organisme et le nombre de personnes dans un type ou regroupement de types d'emploi;

2° la disponibilité, pour chaque groupe visé, de personnes compétentes ou aptes à le devenir dans un délai raisonnable dans les effectifs de l'organisme ainsi que dans la zone appropriée de recrutement;

3° la sous-représentation, en nombre et en pourcentage, des personnes faisant partie de chaque groupe visé;

4° l'augmentation ou la réduction prévue des effectifs au cours de la période couverte par l'échéancier;

5° le caractère raisonnable des objectifs quantitatifs poursuivis;

6° les mesures de redressement, les mesures d'égalité des chances et, le cas échéant, les mesures de soutien proposées;

7° les échéanciers du programme d'accès à l'égalité.

Renseignements — À cette fin, la Commission peut exiger d'un organisme tout renseignement ou document et faire les vérifications requises.

2000, c. 45, art. 15

16. Modifications — La Commission peut demander à un organisme de modifier son programme d'accès à l'égalité en emploi si elle estime que :

1° les mesures proposées ne sont pas susceptibles de corriger la situation des personnes faisant partie de chaque groupe visé;

2° les objectifs quantitatifs poursuivis sont insuffisants eu égard à la disponibilité de personnes compétentes faisant partie de chaque groupe visé;

3° les échéanciers pour l'implantation des mesures ou l'atteinte des objectifs quantitatifs ne sont pas raisonnables.

Avis motivé — Elle donne un avis motivé à l'organisme et lui indique le délai dans lequel son programme doit être modifié et lui être soumis de nouveau pour vérification.

2000, c. 45, art. 16

17. Recommandations — Si la Commission estime qu'un organisme est en défaut d'élaborer ou d'implanter un programme d'accès à l'égalité en emploi ou n'a pas modifié son programme conformément à son avis, elle peut lui faire des recommandations.

2000, c. 45, art. 17

18. Ordonnance du Tribunal des droits de la personne — À défaut par un organisme de se conformer à une recommandation de la Commission, celle- ci peut s'adresser au Tribunal des droits de la personne qui peut ordonner à l'organisme, dans le délai qu'il fixe, d'élaborer, de modifier ou d'implanter un programme d'accès à l'égalité en emploi.

Dépôt devant le Tribunal — Le programme est déposé devant ce Tribunal qui peut y apporter les modifications qu'il juge adéquates.

2000, c..45, art. 18

19. Modification, report ou annulation — Un programme d'accès à l'égalité en emploi peut être modifié, reporté ou annulé si des faits nouveaux le justifient, notamment en cas de modification à la structure juridique de l'organisme, par fusion ou autrement.

Accord écrit — Lorsque la Commission et un organisme s'entendent, l'accord modifiant, reportant ou annulant le programme est constaté par écrit.

Désaccord — En cas de désaccord, l'un ou l'autre peut s'adresser au Tribunal des droits de la personne afin qu'il décide si les faits nouveaux justifient la modification, le report ou l'annulation du programme.

2000, c. 45, art. 19

20. Prise de mesures — Tout organisme tenu d'implanter un programme d'accès à l'égalité en emploi doit, à cette fin, prendre les mesures raisonnables pour atteindre les objectifs poursuivis selon l'échéancier prévu.

Rapport — Il fait rapport à la Commission, à tous les trois ans, sur l'implantation de ce programme en faisant état des mesures prises et des résultats obtenus.

2000, c. 45, art. 20

21. Maintien de l'égalité en emploi — Tout organisme doit, après l'atteinte des objectifs d'un programme d'accès à l'égalité en emploi, veiller au maintien de cette égalité.

2000, c. 45, art. 21

SECTION IV — DISPOSITIONS RÉGLEMENTAIRES ET DIVERSES

22. Règlements — Le gouvernement peut, par règlement, après consultation de la Commission des droits de la personne et des droits de la jeunesse :

1° déterminer les critères, normes, barèmes, conditions ou modalités concernant l'élaboration, l'implantation ou l'application de programmes d'accès à l'égalité en emploi visés par la présente loi et en établir les limites;

2° déterminer le contenu des rapports qui doivent être transmis à la Commission;

3° déterminer toute mesure nécessaire ou utile en matière de programme d'accès à l'égalité.

2000, c. 45, art. 22

23. Publication — La Commission des droits de la personne et des droits de la jeunesse publie, à tous les trois ans, la liste des organismes publics assujettis à la présente loi et fait état de leur situation en matière d'égalité en emploi.

2000, c. 45, art. 23

24. Exercice du pouvoir — Tout membre de la Commission désigné par le président peut exercer seul le pouvoir de faire des recommandations à un organisme ou de s'adresser au Tribunal des droits de la personne.

Exercice des fonctions — La Commission peut autoriser un membre de son personnel à exercer tout ou partie des fonctions qui lui sont confiées par la présente loi, sauf celle de s'adresser au Tribunal des droits de la personne, et lui délivrer un certificat à cet effet. Sur demande, la personne autorisée doit s'identifier et exhiber le certificat signé par le président de la Commission.

2000, c. 45, art. 24

25. Coûts — Les coûts liés à la formation de personnes à l'emploi d'un organisme public pour l'élaboration d'un programme d'accès à l'égalité en emploi sont réputés être des dépenses admissibles au sens de l'article 5 de la *Loi favorisant le développement et la reconnaissance des compétences de la main-d'œuvre* (chapitre D-8.3).

2000, c. 45, art. 25; 2007, c. 3, art. 68

26. Modification de structure juridique — La modification de la structure juridique d'un organisme, par fusion ou autrement, n'a aucun effet sur les obligations relatives à un programme d'accès à l'égalité en emploi; le nouvel organisme est lié par ce programme jusqu'à ce qu'une analyse des effectifs démontre qu'il n'est pas tenu d'établir un programme d'accès à l'égalité en emploi ou jusqu'à ce qu'un nouveau programme soit élaboré.

Modification de structure juridique — Dans le cas où plusieurs organismes sont affectés par une modification de structure juridique, le programme d'accès à l'égalité de l'organisme assujetti à un tel programme qui comptait le plus de personnes à son emploi devient le programme du nouvel organisme jusqu'à ce qu'il soit ajusté ou qu'il y soit mis fin conformément à la présente loi.

2000, c. 45, art. 26

SECTION V — DISPOSITIONS TRANSITOIRES ET FINALES

27.–31. (*Omis*).

32. Rapport — Le ministre doit, au plus tard le 1er avril 2006, et par la suite tous les cinq ans, faire au gouvernement un rapport sur la mise en œuvre de la présente loi et sur l'opportunité de la maintenir en vigueur ou de la modifier.

Dépôt à l'Assemblée nationale — Ce rapport est déposé dans les 30 jours suivants à l'Assemblée nationale ou, si elle ne siège pas, dans les 30 jours de la reprise de ses travaux. La commission compétente de l'Assemblée nationale examine ce rapport.

2000, c. 45, art. 32

33. Assujettissement — Aux fins de l'article 2, un organisme public qui a eu à son emploi 100 personnes ou plus pendant une période continue de six mois au cours de chacune des deux années antérieures au 1er avril 2001 est assujetti à la présente loi à compter de cette date.

2000, c. 45, art. 33

33.1 Groupe des personnes handicapées — L'ajout du groupe des personnes handicapées à la présente loi par l'article 58 de la *Loi modifiant la Loi assurant l'exercice des droits des personnes handicapées et d'autres dispositions législatives* (L.Q. 2004, c. 31) ne modifie pas les obligations prévues à la présente loi pour les autres groupes visés.

Rapport d'analyse d'effectifs — Un organisme public visé par la présente loi le 17 décembre 2005 doit transmettre à la Commission des droits de la personne et des droits de la jeunesse son rapport d'analyse d'effectifs concernant le groupe des personnes handicapées dans un délai d'un an de cette date ou dans le délai fixé par la Commission pour l'analyse des effectifs des autres groupes si ce délai est plus long.

2004, c. 31, art. 59

34. Ministre responsable — Le ministre responsable de l'application de la partie III de la *Charte des droits et libertés de la personne* (chapitre C-12) est responsable de l'application de la présente loi.

2000, c. 45, art. 34

35. (*Omis*).

2000, c. 45, art. 35

[QUE-2]
TABLE DES MATIÈRES
LOI SUR LES ACCIDENTS DU TRAVAIL ET LES MALADIES PROFESSIONNELLES

[QUE-2]
LOI SUR LES ACCIDENTS DU TRAVAIL ET LES MALADIES PROFESSIONNELLES

RLRQ, c. A-3.001, telle que modifiée par L.Q. 1985, c. 23, art. 24; 1986, c. 58, art. 112-114; 1986, c. 89, art. 50; 1987, c. 19, art. 13-20; 1987, c. 95, art. 402; 1988, c. 27, art. 2; 1988, c. 46, art. 26; 1988, c. 21, art. 66; 1988, c. 34, art. 1; 1988, c. 51, art. 93-95; 1988, c. 64, art. 587; 1988, c. 66, art. 1; 1989, c. 74, art. 1-13; 1990, c. 4, art. 34-38; 1990, c. 19, art. 11; 1990, c. 57, art. 41; 1991, c. 35, art. 3-6; 1991, c. 43, art. 22; 1992, c. 11, art. 1-3; 5-47; 1992, c. 21, art. 77-82; 1992, c. 44, art. 81; 1992, c. 57, art. 426; 1992, c. 61, art. 36-39; 1992, c. 68, art. 157; 1993, c. 5, art. 1-22; 1993, c. 15, art. 87-89; 1994, c. 12, art. 67; 1994, c. 23, art. 23; 1996, c. 70, art. 1-46; 1997, c. 27, art. 1-31; 1997, c. 43, art. 11-13; 1997, c. 63, art. 128; 1997, c. 73, art. 87-88; 1997, c. 85, art. 2-4; 1998, c. 36, art. 162-163; 1998, c. 39, art. 174; 1999, c. 14, art. 2; 1999, c. 40, art. 4; 1999, c. 83, art. 1; 1999, c. 89, art. 43-44; 53; 2000, c. 8, art. 242; 2000, c. 20, art. 159-166; 2000, c. 29, art. 614-615; 722; 2001, c. 9, art. 122-124; 2001, c. 26, art. 71; 2001, c. 44, art. 24-25; 30; 2001, c. 60, art. 166; 2001, c. 76, art. 136-143; 2002, c. 6, art. 76; 2002, c. 22, art. 29-31; 2002, c. 30, art. 158; 2002, c. 76, art. 27-34; 2002, c. 80, art. 76; 2005, c. 13, art. 71; 76-77; 2005, c. 17, art. 32; 2005, c. 32, art. 231-323; 308(3°); 2006, c. 53, art. 6-14, 16, 17, 26(2°), 27 (1°, 3°), art. 1-5, 15, 18-25, 28, 29 (en vigueur en partie); 2002, c. 24, art. 205-206; 2005, c. 15, art. 137-138; 2005, c. 34, art. 38; art. 86(1°); 2008, c. 21, art. 60; 2009, c. 24, art. 72-73; 2010, c. 7, art. 175; 2011, c. 12, art. 1; 2011, c. 16, art. 83-85; 2009, c. 19, art. 1-11, 22-28; 2011, c. 18, art. 84-86; 2014, c. 18, art. 1; 2015, c. 15, art. 111-117, 237; 2015, c. 20, art. 61; 2016, c. 1, art. 145(1°) [Non en vigueur à la date de publication]; 2016, c. 25, art. 23 [Non en vigueur à la date de publication].

Chapitre I — Objet, interprétation et application

SECTION I — OBJET

1. Objet de la loi — La présente loi a pour objet la réparation des lésions professionnelles et des conséquences qu'elles entraînent pour les bénéficiaires.

Lésions professionnelles — Le processus de réparation des lésions professionnelles comprend la fourniture des soins nécessaires à la consolidation d'une lésion, la réadaptation physique, sociale et professionnelle du travailleur victime d'une lésion, le paiement d'indemnités de remplacement du revenu, d'indemnités pour préjudice corporel et, le cas échéant, d'indemnités de décès.

Retour au travail — La présente loi confère en outre, dans les limites prévues au chapitre VII, le droit au retour au travail du travailleur victime d'une lésion professionnelle.

1985, c. 6, art. 1; 1999, c. 40, art. 4

SECTION II — INTERPRÉTATION

2. Interprétation — Dans la présente loi, à moins que le contexte n'indique un sens différent, on entend par :

« **accident du travail** » : un événement imprévu et soudain attribuable à toute cause, survenant à une personne par le fait ou à l'occasion de son travail et qui entraîne pour elle une lésion professionnelle;

« **bénéficiaire** » : une personne qui a droit à une prestation en vertu de la présente loi;

« **camelot** » : une personne physique qui, moyennant rémunération, effectue la livraison à domicile d'un quotidien ou d'un hebdomadaire;

« **chantier de construction** » : un chantier de construction au sens de la *Loi sur la santé et la sécurité du travail* (chapitre S-2.1);

« **Commission** » : la Commission des normes, de l'équité, de la santé et de la sécurité du travail;

« **conjoint** » : la personne qui, à la date du décès du travailleur :

1° est liée par un mariage ou une union civile au travailleur et cohabite avec lui; ou

2° vit maritalement avec le travailleur, qu'elle soit de sexe différent ou de même sexe, et :

a) réside avec lui depuis au moins trois ans ou depuis un an si un enfant est né ou à naître de leur union; et

b) est publiquement représentée comme son conjoint;

« **consolidation** » : la guérison ou la stabilisation d'une lésion professionnelle à la suite de laquelle aucune amélioration de l'état de santé du travailleur victime de cette lésion n'est prévisible;

« **dirigeant** » : un membre du conseil d'administration d'une personne morale qui exerce également les fonctions de président, de vice-président, de secrétaire ou de trésorier de cette personne morale ;

« **domestique** » : une personne physique, engagée par un particulier moyennant rémunération, qui a pour fonction principale, dans le logement de ce particulier :

1° d'effectuer des travaux ménagers; ou

2° alors qu'elle réside dans ce logement, de garder un enfant, un malade, une personne handicapée ou une personne âgée;

« **emploi convenable** » : un emploi approprié qui permet au travailleur victime d'une lésion professionnelle d'utiliser sa capacité résiduelle et ses qualifications professionnelles, qui présente une possibilité raisonnable d'embauche et dont les conditions d'exercice ne comportent pas de danger pour la santé, la sécurité ou l'intégrité physique du travailleur compte tenu de sa lésion;

« **emploi équivalent** » : un emploi qui possède des caractéristiques semblables à celles de l'emploi qu'occupait le travailleur au moment de sa lésion professionnelle relativement aux qualifications professionnelles requises, au salaire, aux avantages sociaux, à la durée et aux conditions d'exercice;

« **employeur** » : une personne qui, en vertu d'un contrat de travail ou d'un contrat d'apprentissage, utilise les services d'un travailleur aux fins de son établissement;

« **établissement** » : un établissement au sens de la *Loi sur la santé et la sécurité du travail*;

« **Fonds** » : le Fonds de la santé et de la sécurité du travail constitué à l'article

136.1 de la *Loi sur la santé et la sécurité du travail*;

« **lésion professionnelle** » : une blessure ou une maladie qui survient par le fait ou à l'occasion d'un accident du travail, ou une maladie professionnelle, y compris la récidive, la rechute ou l'aggravation;

« **maladie professionnelle** » : une maladie contractée par le fait ou à l'occasion du travail et qui est caractéristique de ce travail ou reliée directement aux risques particuliers de ce travail;

« **personne à charge** » : une personne qui a droit à une indemnité en vertu de la sous-section 2 de la section III du chapitre III;

« **prestation** » : une indemnité versée en argent, une assistance financière ou un service fourni en vertu de la présente loi;

« **professionnel de la santé** » : un professionnel de la santé au sens de la *Loi sur l'assurance maladie* (chapitre A-29);

« **ressource de type familial** » : une ressource de type familial à laquelle s'applique la *Loi sur la représentation des ressources de type familial et de certaines ressources intermédiaires et sur le régime de négociation d'une entente collective les concernant* (chapitre R-24.0.2);

« **ressource intermédiaire** » : une ressource intermédiaire à laquelle s'applique la *Loi sur la représentation des ressources de type familial et de certaines ressources intermédiaires et sur le régime de négociation d'une entente collective les concernant*;

« **travailleur** » : une personne physique qui exécute un travail pour un employeur, moyennant rémunération, en vertu d'un contrat de travail ou d'apprentissage, à l'exclusion :

1° du domestique;

2° de la personne physique engagée par un particulier pour garder un enfant, un malade, une personne handicapée ou une personne âgée, et qui ne réside pas dans le logement de ce particulier;

3° de la personne qui pratique le sport qui constitue sa principale source de revenus;

4° du dirigeant d'une personne morale quel que soit le travail qu'il exécute pour cette personne morale;

5° de la personne physique lorsqu'elle agit à titre de ressource de type familial ou de ressource intermédiaire.

« **travailleur autonome** » : une personne physique qui fait affaires pour son propre compte, seule ou en société, et qui n'a pas de travailleur à son emploi.

« **Tribunal administratif du travail** » ou « **Tribunal** » : le Tribunal administratif du travail institué par la *Loi instituant le Tribunal administratif du travail* (chapitre T-15.1).

1985, c. 6, art. 2; 1997, c. 27, art. 1; 1999, c. 14, art. 2; 1999, c. 40, art. 4; 1999, c. 89, art. 53; 2002, c. 6, art. 76; 2002, c. 76, art. 27; 2006, c. 53, art. 1; 2009, c. 24, art. 72; 2015, c. 15, art. 111

3. Gouvernement lié — La présente loi lie le gouvernement, ses ministères et les organismes mandataires de l'État.

1985, c. 6, art. 3; 1999, c. 40, art. 4

4. Ordre public — La présente loi est d'ordre public.

Dispositions plus avantageuses — Cependant, une convention ou une entente ou un décret qui y donne effet peut prévoir pour un travailleur des dispositions plus avantageuses que celles que prévoit la présente loi.

1985, c. 6, art. 4

5. Location ou prêt de services — L'employeur qui loue ou prête les services d'un travailleur à son emploi demeure l'employeur de ce travailleur aux fins de la présente loi.

Présomption — La personne qui, aux fins de son établissement, utilise un travailleur dont les services lui sont loués ou prêtés est réputée être un employeur, pour l'application de l'article 316, même si elle n'a pas de travailleurs à son emploi.

1985, c. 6, art. 5; 2006, c. 53, art. 2

6. Salaire minimum — Aux fins de la présente loi, la Commission détermine le salaire minimum d'un travailleur d'après celui auquel il peut avoir droit pour une semaine normale de travail en vertu de la *Loi sur les normes du travail* (chapitre N-1.1) et ses règlements.

Salaire minimum — Lorsqu'il s'agit d'un travailleur qui n'occupe aucun emploi rémunéré ou pour lequel aucun salaire minimum n'est fixé par règlement, la Commission applique le salaire minimum prévu par l'article 3 du *Règlement sur les normes du travail* (chapitre N-1.1, r. 3) et la semaine normale de travail mentionnée à l'article 52 de la *Loi sur les normes du travail*, tels qu'ils se lisent au jour où ils doivent être appliqués.

1985, c. 6, art. 6

6.1 Disposition non applicable — Le deuxième alinéa de l'article 40 de la *Loi sur la publicité légale des entreprises* (chapitre P-44.1) ne s'applique pas aux fins de déterminer si une personne est un dirigeant à une date donnée.

2006, c. 53, art. 3; 2010, c. 7, art. 175

SECTION III — APPLICATION

§1 — Application générale

7. Établissement au Québec — La présente loi s'applique au travailleur victime d'un accident du travail survenu au Québec ou d'une maladie professionnelle contractée au Québec et dont l'employeur a un établissement au Québec lorsque l'accident survient ou la maladie est contractée.

1985, c. 6, art. 7; 1996, c. 70, art. 1

8. Accident hors Québec — La présente loi s'applique au travailleur victime d'un accident du travail survenu hors du Québec ou d'une maladie professionnelle contractée hors du Québec si, lorsque l'accident survient ou la maladie est contractée, il est domicilié au Québec et son employeur a un établissement au Québec.

Conditions d'application — Cependant, si le travailleur n'est pas domicilié au Québec, la présente loi s'applique si ce travailleur était domicilié au Québec au moment de son affectation hors du Québec, la durée du travail hors du Québec n'excède pas cinq ans au moment où l'accident est survenu ou la maladie a été contractée et son employeur a alors un établissement au Québec.

1985, c. 6, art. 8; 1996, c. 70, art. 2

8.1 Exceptions à l'entente — Une entente conclue en vertu du premier alinéa de l'article 170 de la *Loi sur la santé et la sécurité du travail* (chapitre S-2.1) peut prévoir des exceptions aux articles 7 et 8, aux conditions et dans la mesure qu'elle détermine.

1996, c. 70, art. 3

§2 — Personnes considérées travailleurs

Travailleur autonome

9. Travailleur autonome — Le travailleur autonome qui, dans le cours de ses affaires, exerce pour une personne des activités similaires ou connexes à celles qui sont exercées dans l'établissement de cette personne est considéré un travailleur à l'emploi de celle-ci, sauf :

1° s'il exerce ces activités :

a) simultanément pour plusieurs personnes;

b) dans le cadre d'un échange de services, rémunérés ou non, avec un autre travailleur autonome exerçant des activités semblables;

c) pour plusieurs personnes à tour de rôle, qu'il fournit l'équipement requis et que les travaux pour chaque personne sont de courte durée; ou

2° s'il s'agit d'activités qui ne sont que sporadiquement requises par la personne qui retient ses services.

1985, c. 6, art. 9

Étudiant

10. Travailleur étudiant — Sous réserve du paragraphe 4° de l'article 11, est considéré un travailleur à l'emploi de l'établissement d'enseignement dans lequel il poursuit ses études ou, si cet établissement relève d'une commission scolaire, de cette dernière, l'étudiant qui, sous la responsabilité de cet établissement, effectue un stage non rémunéré dans un établissement ou un autre étudiant, dans les cas déterminés par règlement.

1985, c. 6, art. 10; 1992, c. 68, art. 157; 2001, c. 44, art. 24

Camelot

10.1 Camelot — Un camelot est considéré un travailleur à l'emploi de la personne qui retient ses services.

2006, c. 53, art. 4

Personnes considérées à l'emploi du gouvernement ou qui participent à des activités de sécurité civile

11. Travailleur à l'emploi du gouvernement — Est considéré un travailleur à l'emploi du gouvernement :

1° la personne, autre qu'un enfant visé dans le paragraphe 3°, qui exécute des travaux compensatoires en vertu du *Code de procédure pénale* (chapitre C-25.1);

2° la personne qui exécute des heures de service communautaire dans le cadre d'une ordonnance de probation ou d'une ordonnance de sursis;

3° l'enfant qui exécute un travail, rend service à la collectivité ou agit comme apprenti, qu'il soit rémunéré ou non, dans le cadre de mesures volontaires prises en vertu de la *Loi sur la protection de la jeunesse* (chapitre P-34.1) ou de mesures de rechange prises en vertu de la (L.R.C., (1985), ch. Y-I) ou en exécution d'une décision rendue par la Cour du Québec en vertu de l'une de ces lois ou du *Code de procédure pénale*;

4° une personne qui exécute un travail dans le cadre d'une mesure ou d'un programme établi en application du titre I de la *Loi sur l'aide aux personnes et aux familles* (chapitre A-13.1.1) ou dans le cadre du Programme alternative jeunesse ou d'un programme spécifique établis en application des chapitres III et IV du titre II de cette loi, sauf si ce travail est exécuté dans le cadre d'une mesure ou d'un programme de subvention salariale sous la responsabilité du ministre de l'Emploi et de la Solidarité sociale.

Modification proposée — 11 (4°)

4° une personne qui exécute un travail dans le cadre d'une mesure ou d'un programme établi en application du titre I de la *Loi sur l'aide aux personnes et aux familles* (chapitre A-13.1.1) ou dans le cadre d'un programme spécifique établi en application du chapitre IV du titre II de cette loi, sauf si ce travail est exécuté dans le cadre d'une mesure ou d'un programme de subvention salariale sous la responsabilité du ministre de l'Emploi et de la Solidarité sociale.

2016, c. 25, art. 23 [Non en vigueur à la date de publication.]

1985, c. 6, art. 11; 1987, c. 19, art. 13; 1988, c. 21, art. 66; 1988, c. 51, art. 93; 1990, c. 4, art. 34; 1991, c. 43, art. 22; 1998, c. 28, art. 12; 1998, c. 36, art. 162; 2001, c. 44, art. 25; 2005, c. 15, art. 137

12. Travailleur à l'emploi d'une autorité responsable — Toute personne qui, lors d'un événement visé à la *Loi sur la sécurité civile* (chapitre S-2.3), assiste bénévolement les effectifs déployés en application de mesures d'intervention ou de rétablissement alors que son aide a été acceptée expressément par l'autorité responsable de ces mesures est considérée un travailleur à l'emploi de cette autorité sous réserve du deuxième alinéa.

Travailleur à l'emploi d'une autorité locale — Toute personne qui, lors d'un état d'urgence local ou national, assiste les effectifs déployés alors que son aide a été acceptée expressément ou requise en vertu de l'article 47 ou 93 de la *Loi sur la sécurité civile*, est considérée un travailleur à l'emploi de l'autorité locale ou du gouvernement qui a déclaré ou pour lequel a été déclaré un état d'urgence.

Travailleur à l'emploi du gouvernement — Toute personne qui participe à une activité de formation, organisée en vertu du paragraphe 7° de l'article 67 de la même loi, est considérée un travailleur à l'emploi du gouvernement.

Droit au retour au travail — Le droit au retour au travail ne s'applique toutefois pas à une personne visée au présent article.

1985, c. 6, art. 12; 1988, c. 46, art. 26; 2001, c. 76, art. 136

Personne qui assiste les membres d'un service municipal de sécurité incendie

12.0.1 Travailleur à l'emploi de l'autorité responsable — Toute personne qui, lors d'un événement visé à l'article 40 de la *Loi sur la sécurité incendie* (chapitre S-3.4), assiste les pompiers d'un service municipal de sécurité incendie, alors que son aide a été acceptée expressément ou requise en vertu du paragraphe 7° du deuxième alinéa de cet article, est considérée un travailleur à l'emploi de l'autorité responsable du service.

Restriction — Le droit au retour au travail ne s'applique toutefois pas à une personne visée au premier alinéa.

2000, c. 20, art. 159; 2001, c. 76, art. 137

Personne incarcérée qui exécute un travail rémunéré dans le cadre d'un programme d'activités

12.1 Travailleur — Est considérée un travailleur à l'emploi d'un Fonds de soutien à la réinsertion sociale constitué dans un établissement de détention en vertu de l'article 74 de la *Loi sur le système correctionnel du Québec* (chapitre S-40.1), la personne incarcérée qui exécute un travail rémunéré dans le cadre d'un programme d'activités.

Dispositions applicables — Les articles 91 à 93 de cette loi s'appliquent aux indemnités dues à une personne incarcérée.

1987, c. 19, art. 14; 1991, c. 43, art. 22; 2002, c. 24, art. 205

Travailleur bénévole

13. Travailleur bénévole — Est considérée un travailleur, la personne qui effectue bénévolement un travail aux fins d'un établissement si son travail est fait avec l'accord de la personne qui utilise ses services et si cette dernière transmet à la Commission une déclaration sur :

1° la nature des activités exercées dans l'établissement;

2° la nature du travail effectué bénévolement;

3° le nombre de personnes qui effectuent bénévolement un travail aux fins de l'établissement ou qui sont susceptibles de le faire dans l'année civile en cours;

4° la durée moyenne du travail effectué bénévolement; et

5° la période, pendant l'année civile en cours, pour laquelle la protection accordée par la présente loi est demandée.

Application de la loi — La présente loi, à l'exception du droit au retour au travail, s'applique aux personnes qui effectuent bénévolement un travail aux fins de cet établissement pour la période indiquée dans cette déclaration.

1985, c. 6, art. 13

14. Protection — La personne qui transmet à la Commission la déclaration prévue par l'article 13 doit, sur demande de la Commission, tenir à jour une liste des travailleurs bénévoles visés par cette déclaration et les informer, au moyen d'un avis affiché dans un endroit facilement accessible de son établissement, qu'ils bénéficient, pour la période qu'elle indique, de la protection accordée par la présente loi, à l'exception du droit au retour au travail.

1985, c. 6, art. 14

Personnes visées dans une entente

15. Usager considéré travailleur — Un usager au sens de la *Loi sur les services de santé et les services sociaux* (chapitre S-4.2) qui effectue un travail en vue de sa rééducation physique, mentale ou sociale sous la responsabilité d'un établissement visé dans cette loi peut être considéré un travailleur à l'emploi de cet établissement, aux conditions et dans la mesure prévues par une entente conclue entre la Commission et le ministre de la Santé et des Services sociaux à cette fin.

Autochtones cris — Il en est de même à l'égard d'un bénéficiaire au sens de la *Loi sur les services de santé et les services sociaux pour les autochtones cris* (chapitre S-5).

1985, c. 6, art. 15; 1985, c. 23, art. 24; 1992, c. 21, art. 77; 1994, c. 23, art. 23

16. Personne visée dans une entente — Une personne qui accomplit un travail dans le cadre d'un projet d'un gouvernement, qu'elle soit ou non un travailleur au sens de la présente loi, peut être considérée un travailleur à l'emploi de ce gouvernement, d'un organisme ou d'une personne morale, aux conditions et dans la mesure prévues par une entente conclue entre la Commission et le gouvernement, l'organisme ou la personne morale concerné.

Dispositions applicables — Les deuxième et troisième alinéas de l'article 170 de la *Loi sur la santé et la sécurité du travail* (chapitre S-2.1) s'appliquent à cette entente.

1985, c. 6, art. 16

17. Employés du gouvernement du Canada — Les employés du gouvernement du Canada visés dans la *Loi sur l'indemnisation des agents de l'État* (L.R.C. (1985), ch. G-5) sont soumis à la présente loi dans la mesure où une entente conclue en vertu de l'article 170 de la *Loi sur la santé et la sécurité du travail* (chapitre S-2.1) prévoit les modalités d'application de cette loi fédérale.

1985, c. 6, art. 17

§3 — Personnes inscrites à la Commission

18. Inscription à la Commission — Le travailleur autonome, le domestique, la ressource de type familial, la ressource intermédiaire, l'employeur, le dirigeant ou le membre du conseil d'administration d'une personne morale peut s'inscrire à la Commission pour bénéficier de la protection accordée par la présente loi.

Exception — Toutefois, un travailleur qui siège comme membre du conseil d'administration de la personne morale qui l'emploie n'a pas à s'inscrire à la Commission pour bénéficier de la protection de la présente loi lorsqu'il remplit ses fonctions au sein de ce conseil d'administration.

1985, c. 6, art. 18; 1999, c. 40, art. 4; 2006, c. 53, art. 5; 2009, c. 24, art. 73

19. Inscription à la Commission — Une association de travailleurs autonomes ou de domestiques peut inscrire ses membres à la Commission et elle est alors considérée leur employeur aux seules fins du chapitre IX.

Inscription à la Commission — Le particulier qui engage un travailleur autonome peut aussi l'inscrire à la Commission et il est alors considéré son employeur aux seules fins des chapitres IX et XIII; dans ce cas, le particulier doit informer le travailleur autonome du fait qu'il bénéficie de la protection accordée par la présente loi et du montant de cette protection.

1985, c. 6, art. 19

20. Droits aux prestations — Une lésion professionnelle subie par une personne inscrite à la Commission donne droit aux prestations prévues par la présente loi comme si cette personne était un travailleur.

1985, c. 6, art. 20

21. Avis — L'inscription à la Commission est faite au moyen d'un avis écrit indiquant le nom et l'adresse de la personne à inscrire, le lieu, la nature et la durée prévue des travaux et le montant pour lequel la protection est demandée.

Montant — Ce montant ne peut être inférieur au revenu brut annuel déterminé sur la base du salaire minimum en vigueur lors de l'inscription et ne peut excéder le maximum annuel assurable établi en vertu de l'article 66.

1985, c. 6, art. 21

22. Liste des membres — L'association de travailleurs autonomes ou de domestiques qui inscrit ses membres à la Commission tient à jour une liste de ceux-ci et du montant de la protection qu'elle a demandée pour chacun d'eux.

Avis public — Elle informe en outre ses membres qu'ils bénéficient de la protection accordée par la présente loi, au moyen d'un avis publié dans les 30 jours de l'inscription dans un journal circulant dans chacune des régions où ils sont domiciliés.

1985, c. 6, art. 22

23. Durée de la protection — La protection accordée à une personne inscrite à la Commission cesse le jour où la Commission reçoit un avis écrit à cet effet de la personne ou de l'association qui a fait l'inscription.

Cotisation non acquittée — Le défaut d'acquitter une cotisation échue met aussi fin à cette protection.

Avis public — Cependant, dans le cas du défaut d'une association qui a inscrit ses membres, la protection accordée à ceux-ci cesse le dixième jour qui suit celui où la Commission fait publier un avis à cet effet, dans un journal circulant dans chacune des régions où ils sont domiciliés; cet avis doit être publié dans les 30 jours du défaut.

1985, c. 6, art. 23

24. Avis au membre — L'association de travailleurs autonomes ou de domestiques qui désire retirer l'inscription d'un de ses membres doit l'en informer par écrit au moins 30 jours à l'avance.

Avis public — Si elle désire retirer l'inscription de plusieurs ou de tous ses membres, elle doit les en informer, dans le même délai, au moyen d'un avis publié dans un journal circulant dans chacune des régions où ils sont domiciliés.

1985, c. 6, art. 24

§4 — Ententes permettant l'application d'un régime particulier

24.1 Mise en œuvre de l'entente — La présente sous-section a pour objet d'autoriser la mise en œuvre de toute entente conclue relativement à une matière visée par la présente loi entre le gouvernement et les Mohawks de Kahnawake représentés par le Conseil Mohawk de Kahnawake et permettant l'application d'un régime particulier.

Normes — L'entente visée au premier alinéa doit prévoir que le régime de Kahnawake contient des normes semblables à celles du régime institué dans cette matière par la présente loi.

2011, c. 12, art. 1; 2014, c. 18, art. 1

24.2 Application — Les dispositions d'une entente visée à l'article 24.1 s'appliquent malgré toute disposition contraire de la présente loi, à moins que l'entente n'en dispose autrement.

2011, c. 12, art. 1; 2014, c. 18, art. 1

24.3 Règlement — Le gouvernement peut, par règlement, prendre toute mesure nécessaire à l'application de la présente sous-section, notamment prévoir les adaptations qu'il convient d'apporter aux dispositions d'une loi ou d'un texte d'application pour tenir compte de l'existence d'une entente.

Règlement — Un règlement pris en vertu du premier alinéa requiert l'assentiment préalable des Mohawks de Kahnawake représentés par le Conseil Mohawk de Kahnawake.

2011, c. 12, art. 1; 2014, c. 18, art. 1

24.4 Dépôt de l'entente — Toute entente visée à l'article 24.1 est déposée par le ministre à l'Assemblée nationale dans les 30 jours de sa signature ou, si elle ne siège pas, dans les 30 jours de la reprise de ses travaux.

Étude de l'entente — La commission compétente de l'Assemblée nationale doit étudier cette entente, de même que tout règlement pris en vertu du premier alinéa de l'article 24.3.

2011, c. 12, art. 1; 2014, c. 18, art. 1

24.5 Publication de l'entente — Toute entente est publiée sur le site Internet du ministère du Travail, du ministère du Conseil exécutif et de la Commission, au plus tard à la date de son entrée en vigueur et jusqu'au cinquième anniversaire de sa cessation d'effet, le cas échéant.

2011, c. 12, art. 1; 2014, c. 18, art. 1

24.6 Entente administrative — La Commission peut conclure avec le Conseil Mohawk de Kahnawake une entente

administrative pour faciliter l'application d'une entente visée à l'article 24.1.
2011, c. 12, art. 1; 2014, c. 18, art. 1

24.7 *(Remplacé)*
2011, c. 12, art. 1; 2014, c. 18, art. 1

24.8 *(Remplacé)*
2011, c. 12, art. 1; 2014, c. 18, art. 1

24.9 *(Remplacé)*
2011, c. 12, art. 1; 2014, c. 18, art. 1

24.10 *(Remplacé)*
2011, c. 12, art. 1; 2014, c. 18, art. 1

24.11 *(Remplacé)*
2011, c. 12, art. 1; 2014, c. 18, art. 1

24.12 *(Remplacé)*
2011, c. 12, art. 1; 2014, c. 18, art. 1

24.13 *(Remplacé)*
2011, c. 12, art. 1; 2014, c. 18, art. 1

Chapitre II — Dispositions générales

25. Exercice des droits — Les droits conférés par la présente loi le sont sans égard à la responsabilité de quiconque.
1985, c. 6, art. 25

26. Défaut de l'employeur — Un travailleur peut exercer les droits que la présente loi lui confère malgré le défaut de son employeur de se conformer aux obligations que celle-ci lui impose.
1985, c. 6, art. 26

27. Négligence du travailleur — Une blessure ou une maladie qui survient uniquement à cause de la négligence grossière et volontaire du travailleur qui en est victime n'est pas une lésion professionnelle, à moins qu'elle entraîne le décès du travailleur ou qu'elle lui cause une atteinte permanente grave à son intégrité physique ou psychique.
1985, c. 6, art. 27

28. Blessure présumée lésion professionnelle — Une blessure qui arrive sur les lieux du travail alors que le travailleur est à son travail est présumée une lésion professionnelle.
1985, c. 6, art. 28

29. Risques particuliers — Les maladies énumérées dans l'annexe I sont caractéristiques du travail correspondant à chacune de ces maladies d'après cette annexe et sont reliées directement aux risques particuliers de ce travail.

Maladie présumée professionnelle — Le travailleur atteint d'une maladie visée dans cette annexe est présumé atteint d'une maladie professionnelle s'il a exercé un travail correspondant à cette maladie d'après l'annexe.
1985, c. 6, art. 29

30. Maladie non prévue à l'annexe — Le travailleur atteint d'une maladie non prévue par l'annexe I, contractée par le fait ou à l'occasion du travail et qui ne résulte pas d'un accident du travail ni d'une blessure ou d'une maladie causée par un tel accident est considéré atteint d'une maladie professionnelle s'il démontre à la Commission que sa maladie est caractéristique d'un travail qu'il a exercé ou qu'elle est reliée directement aux risques particuliers de ce travail.
1985, c. 6, art. 30

31. Lésion considérée professionnelle — Est considérée une lésion professionnelle, une blessure ou une maladie qui survient par le fait ou à l'occasion :

1° des soins qu'un travailleur reçoit pour une lésion professionnelle ou de l'omission de tels soins;

2° d'une activité prescrite au travailleur dans le cadre des traitements médicaux qu'il reçoit pour une lésion professionnelle ou dans le cadre de son plan individualisé de réadaptation.

Disposition non applicable — Cependant, le premier alinéa ne s'applique pas si la blessure ou la maladie donne lieu à une indemnisation en vertu de la *Loi sur l'assurance automobile* (chapitre A-25), de la *Loi visant à favoriser le civisme* (chapitre C-20) ou de la *Loi sur l'indemnisation des victimes d'actes criminels* (chapitre I-6).

1985, c. 6, art. 31

32. Mesures prohibées — L'employeur ne peut congédier, suspendre ou déplacer un travailleur, exercer à son endroit des mesures discriminatoires ou de représailles ou lui imposer toute autre sanction parce qu'il a été victime d'une lésion professionnelle ou à cause de l'exercice d'un droit que lui confère la présente loi.

Grief ou plainte à la Commission — Le travailleur qui croit avoir été l'objet d'une sanction ou d'une mesure visée dans le premier alinéa peut, à son choix, recourir à la procédure de griefs prévue par la convention collective qui lui est applicable ou soumettre une plainte à la Commission conformément à l'article 253.

1985, c. 6, art. 32

33. Interdiction — Un employeur ne peut exiger ni recevoir une contribution d'un travailleur pour une obligation que la présente loi lui impose.

Ordonnance de remboursement — La Commission peut ordonner à l'employeur de rembourser au travailleur cette contribution; sur dépôt au greffe du tribunal compétent par la Commission ou le travailleur concerné, cette ordonnance devient exécutoire comme s'il s'agissait d'un jugement final et sans appel de ce tribunal et en a tous les effets.

Contribution — L'association de travailleurs autonomes ou de domestiques qui inscrit ses membres à la Commission peut, à cette fin, exiger et recevoir de ceux-ci une contribution.

1985, c. 6, art. 33

34. Nouvel employeur — Lorsqu'un établissement est aliéné ou concédé, en tout ou en partie, autrement que par vente sous contrôle de justice, le nouvel employeur assume les obligations qu'avait l'ancien employeur, en vertu de la présente loi, à l'égard du travailleur et, en ce qui concerne le paiement de la cotisation due au moment de l'aliénation ou de la concession, à l'égard de la Commission.

Cotisation due par l'ancien employeur — Aux fins du premier alinéa, la cotisation due par l'ancien employeur à la date de l'aliénation ou de la concession comprend la cotisation qui peut être calculée à partir des salaires versés par l'ancien employeur jusqu'à cette date et du taux qui lui est alors applicable en vertu de l'article 305 même si elle n'a pas fait l'objet d'un avis de cotisation.

Nouvel employeur — Cependant, lorsqu'un établissement est vendu sous contrôle de justice, le nouvel employeur assume les obligations qu'avait l'ancien employeur à l'égard du travailleur en vertu de la présente loi, si ce nouvel employeur exerce dans cet établissement les mêmes activités que celles qui y étaient exercées avant la vente.

1985, c. 6, art. 34; 2006, c. 53, art. 6; N.I. 2016-01-01 (NCPC)

35. Défaut d'un travailleur — Le défaut d'un travailleur de se conformer à la présente loi n'exonère pas l'employeur d'une obligation que lui impose la présente loi.

Défaut d'un employeur — Le défaut d'un employeur de se conformer à la présente loi n'exonère pas le travailleur d'une obligation que lui impose la présente loi.

1985, c. 6, art. 35

36. Accès au dossier — Un bénéficiaire a droit d'accès, sans frais, au dossier intégral que la Commission possède à son sujet ou au sujet du travailleur décédé, selon le cas, de même qu'une personne qu'il autorise expressément à cette fin.

1985, c. 6, art. 36

37. Accès au dossier — Un employeur a droit d'accès, sans frais, au dossier que la Commission possède relativement à sa classification, sa cotisation et l'imputation des coûts qui lui est faite, de même qu'une personne qu'il autorise expressément à cette fin.

1985, c. 6, art. 37

38. Accès au dossier — L'employeur a droit d'accès, sans frais, au dossier que la Commission possède au sujet de la lésion professionnelle dont a été victime le travailleur alors qu'il était à son emploi.

Accès sans frais — Un employeur à qui est imputé, en vertu du premier alinéa de l'article 326 ou du premier ou du deuxième alinéa de l'article 328, tout ou partie du coût des prestations dues en raison d'une lésion professionnelle, de même qu'un employeur tenu personnellement au paiement de tout ou partie des prestations dues en raison d'une lésion professionnelle ont également droit d'accès, sans frais, au dossier que la Commission possède au sujet de cette lésion.

Droit d'accès de l'employeur — Lorsqu'une opération visée à l'article 314.3 est intervenue, un employeur impliqué dans cette opération a également droit d'accès, sans frais, au dossier que la Commission possède au sujet d'une lésion professionnelle dont le coût sert à déterminer sa cotisation à la suite de cette opération.

Délégation du droit — L'employeur peut autoriser expressément une personne à exercer son droit d'accès.

Restriction — Cependant, seul le professionnel de la santé désigné par cet employeur a droit d'accès, sans frais, au dossier médical et au dossier de réadaptation physique que la Commission possède au sujet de la lésion professionnelle dont a été victime ce travailleur.

Avis au travailleur — La Commission avise le travailleur du fait que le droit visé au présent article a été exercé.

1985, c. 6, art. 38; 1992, c. 11, art. 1; 1996, c. 70, art. 4

38.1 Restriction — L'employeur ou la personne qu'il autorise ne doit pas utiliser ou communiquer les informations reçues en vertu de l'article 38 à d'autres fins que l'exercice des droits que la présente loi confère à cet employeur.

1992, c. 11, art. 1

39. Rapport à l'employeur — Le professionnel de la santé fait rapport à l'employeur qui l'a désigné au sujet du dossier médical et de réadaptation physique d'un travailleur auquel la Commission lui donne accès; il peut, à cette occasion, faire à cet employeur un résumé du dossier et lui donner un avis pour lui permettre d'exercer les droits que lui confère la présente loi.

Communication interdite — La personne à qui le professionnel de la santé fait rapport ne doit pas utiliser ou communiquer les informations et l'avis qu'elle reçoit à cette occasion à d'autres fins que l'exercice des droits que la présente loi confère à l'employeur.

1985, c. 6, art. 39

40. Documents informatisés — Lorsque, en vertu de la présente loi, une personne a droit d'accès à un dossier de la Commission qui contient des documents informatisés, la Commission lui en fournit une transcription écrite et intelligible.

1985, c. 6, art. 40

41. Délai — Les renseignements demandés en vertu des articles 36, 37, 38, 39 et 40 doivent être fournis dans un délai raisonnable.

1985, c. 6, art. 41

42. Renseignement de la Régie de l'assurance maladie — La Commission peut, aux fins de l'administration de laprésente loi, obtenir de la Régie de l'assurance maladie du Québec, qui doit le lui fournir, tout renseignement que celle-ci possède au sujet :

1° de l'identification d'un travailleur victime d'une lésion professionnelle;

2° des coûts et des frais d'administration que la Régie récupère de la Commission.

1985, c. 6, art. 42; 1990, c. 57, art. 41; 1999, c. 89, art. 53

42.1 Communication des renseignements — La Commission et Retraite Québec prennent entente pour la communication des renseignements et documents nécessaires à l'application des lois et règlements qu'administre la Commission ainsi que de la *Loi sur le régime de rentes du Québec* (chapitre R-9) et de ses règlements.

Entente — Cette entente doit notamment permettre :

a) la fixation, en application du troisième alinéa de l'article 139.2 de la *Loi sur le régime de rentes du Québec*, de la date à laquelle une demande de rente d'invalidité est présumée faite;

b) l'identification, pour l'application des articles 95.4, 96.1 à 96.3, 101, 105.2, 106.3, 116.3, 139, 148 et 166 de cette loi, des cotisants qui sont bénéficiaires d'une indemnité de remplacement du revenu et des mois ou parties de mois pour lesquels cette indemnité leur est payable;

b.1) l'identification, pour l'application de l'article 105.3 de cette loi, des cotisants dont l'indemnité de remplacement du revenu a été réduite ou annulée et des mois ou parties de mois pour lesquels cette indemnité leur a été payable si, par l'effet de l'article 363, les prestations qui leur ont déjà été fournies au titre de cette indemnité ne peuvent être recouvrées;

c) la détermination des montants de rente d'invalidité ou de rente de retraite qui sont recouvrables par Retraite Québec pour le motif qu'une indemnité de remplacement du revenu était payable au bénéficiaire et, pour les fins de la compensation prévue au troisième alinéa de l'article 144 de la présente loi, la détermination des modalités de demande et de remise de ces montants;

d) l'identification des cotisants qui sont bénéficiaires d'une rente d'invalidité, des mois pour lesquels cette rente leur est payable et du montant de cette rente.

1993, c. 15, , art. 87; 1997, c. 73, art. 87; 2001, c. 9, art. 122 [inopérant]; 2005, c. 13, art. 76; 2008, c. 21, art. 60; 2015, c. 20, art. 61

42.2 Communication de renseignements — La Commission et le ministre de l'Emploi et de la Solidarité sociale prennent entente pour la communication des renseignements nécessaires à l'application de la *Loi sur* *l'assurance parentale* (chapitre A-29.011).

2005, c. 13, art. 77

43. Dispositions applicables — Les articles 38, 208, 215, 219, 229 et 231, le troisième alinéa de l'article 280 et le deuxième alinéa de l'article 296 de la présente loi ainsi que les premier et deuxième alinéas de l'article 13 de la *Loi instituant le Tribunal administratif du travail* (chapitre T-15.1) s'appliquent malgré la *Loi sur l'accès aux documents des organismes publics et sur la protection des renseignements personnels* (chapitre A-2.1).

1985, c. 6, art. 43; 1992, c. 11, art. 2; 1997, c. 27, art. 2; 2015, c. 15, art. 112

Chapitre III — Indemnités

Section I — Indemnité de remplacement du revenu

§1 — Droit à l'indemnité de remplacement du revenu

44. Indemnité de remplacement du revenu — Le travailleur victime d'une lésion professionnelle a droit à une indemnité de remplacement du revenu s'il devient incapable d'exercer son emploi en raison de cette lésion.

Travailleur sans emploi — Le travailleur qui n'a plus d'emploi lorsque se manifeste sa lésion professionnelle a droit à cette indemnité s'il devient incapable d'exercer l'emploi qu'il occupait habituellement.

1985, c. 6, art. 44

45. Montant — L'indemnité de remplacement du revenu est égale à 90 % du revenu net retenu que le travailleur tire annuellement de son emploi.

1985, c. 6, art. 45

46. Durée de l'incapacité — Le travailleur est présumé incapable d'exercer son emploi tant que la lésion professionnelle dont il a été victime n'est pas consolidée.

1985, c. 6, art. 46

47. Durée de l'indemnité — Le travailleur dont la lésion professionnelle est consolidée a droit à l'indemnité de remplacement du revenu prévue par l'article 45 tant qu'il a besoin de réadaptation pour redevenir capable d'exercer son emploi ou, si cet objectif ne peut être atteint, pour devenir capable d'exercer à plein temps un emploi convenable.

1985, c. 6, art. 47

48. Réintégration de l'emploi — Lorsqu'un travailleur victime d'une lésion professionnelle redevient capable d'exercer son emploi après l'expiration du délai pour l'exercice de son droit au retour au travail, il a droit à l'indemnité de remplacement du revenu prévue par l'article 45 jusqu'à ce qu'il réintègre son emploi ou un emploi équivalent ou jusqu'à ce qu'il refuse, sans raison valable, de le faire, mais pendant au plus un an à compter de la date où il redevient capable d'exercer son emploi.

Indemnité réduite — Cependant, cette indemnité est réduite de tout montant versé au travailleur, en raison de sa cessation d'emploi, en vertu d'une loi du Québec ou d'ailleurs, autre que la présente loi.

1985, c. 6, art. 48

49. Indemnité réduite — Lorsqu'un travailleur incapable d'exercer son emploi en raison de sa lésion professionnelle devient capable d'exercer à plein temps un emploi convenable, son indemnité de remplacement du revenu est réduite du revenu net retenu qu'il pourrait tirer de cet emploi convenable.

Emploi non disponible — Cependant, si cet emploi convenable n'est pas disponible, ce travailleur a droit à l'indemnité de remplacement du revenu prévue par l'article 45 jusqu'à ce qu'il occupe cet emploi ou jusqu'à ce qu'il le refuse sans raison valable, mais pendant au plus un an à compter de la date où il devient capable de l'exercer.

Indemnité réduite — L'indemnité prévue par le deuxième alinéa est réduite de tout montant versé au travailleur, en raison de sa cessation d'emploi, en vertu d'une loi du Québec ou d'ailleurs, autre que la présente loi.

1985, c. 6, art. 49

50. Calcul du revenu — Aux fins de déterminer le revenu net retenu que le travailleur pourrait tirer de l'emploi convenable qu'il devient capable d'exercer à plein temps, la Commission évalue le revenu brut annuel que le travailleur pourrait tirer de cet emploi en le situant dans une tranche de revenus et en considérant le revenu inférieur de cette tranche comme étant celui que le travailleur pourrait tirer de cet emploi convenable.

Calcul du revenu — Cependant, si la Commission croit que le revenu brut annuel que le travailleur pourrait tirer de l'emploi convenable qu'il devient capable d'exercer à plein temps est supérieur au maximum annuel assurable établi en vertu de l'article 66, elle considère que ce revenu brut annuel est égal au maximum annuel assurable.

Publication à la *G.O.* — La Commission publie chaque année à la *Gazette officielle du Québec* la table des revenus bruts annuels d'emplois convenables, qui prend effet le 1er janvier de l'année pour laquelle elle est faite.

Table des revenus — Cette table est faite par tranches de revenus dont la première est d'au plus 1 000 $ à partir du revenu brut annuel déterminé sur la base du salaire minimum en vigueur le 1er janvier de l'année pour laquelle la table est faite, la deuxième de 2 000 $ et les suivantes de 3 000 $ chacune jusqu'au maximum annuel assurable établi en vertu de l'article 66 pour cette année.

Revenu arrondi — Le revenu supérieur de la première tranche de revenus est arrondi au plus bas 500 $.

1985, c. 6, art. 50

51. Abandon d'un emploi — Le travailleur qui occupe à plein temps un emploi convenable et qui, dans les deux ans suivant la date où il a commencé à l'exercer, doit abandonner cet emploi selon l'avis du médecin qui en a charge récupère son droit à l'indemnité de remplacement du revenu prévue par l'article 45 et aux autres prestations prévues par la présente loi.

Avis médical — Le premier alinéa ne s'applique que si le médecin qui a charge du travailleur est d'avis que celui-ci n'est pas raisonnablement en mesure d'occuper cet emploi convenable ou que cet emploi convenable comporte un danger pour la santé, la sécurité ou l'intégrité physique du travailleur.

1985, c. 6, art. 51

52. Nouvel emploi — Malgré les articles 46 à 48 et le deuxième alinéa de l'article 49, si un travailleur occupe un nouvel emploi, son indemnité de remplacement du revenu est réduite du revenu net retenu qu'il tire de son nouvel emploi.

1985, c. 6, art. 52

53. Travailleur âgé d'au moins 55 ans — Le travailleur victime d'une maladie professionnelle alors qu'il est âgé d'au moins 55 ans ou celui qui est victime d'une autre lésion professionnelle alors qu'il est âgé d'au moins 60 ans et qui subit, en raison de cette maladie ou de cette autre lésion, une atteinte permanente à son intégrité physique ou psychique qui le rend incapable d'exercer son emploi a droit à l'indemnité de remplacement du revenu prévue par l'article 45 tant qu'il n'occupe pas un nouvel emploi ou un emploi convenable disponible chez son employeur.

Nouvel emploi — Si ce travailleur occupe un nouvel emploi, il a droit à l'indemnité prévue par l'article 52; s'il occupe un emploi convenable chez son employeur ou refuse sans raison valable de l'occuper, il a droit à une indemnité réduite du revenu net retenu qu'il tire ou qu'il pourrait tirer de cet emploi convenable, déterminé conformément à l'article 50.

Remplacement du revenu — Lorsque ce travailleur occupe un emploi convenable disponible chez son employeur et que ce dernier met fin à cet emploi dans les deux ans suivant la date où le travailleur a commencé à l'exercer, celui-ci récupère son droit à l'indemnité de remplacement du revenu prévue par l'article 45 et aux autres prestations prévues par la présente loi.

1985, c. 6, art. 53; 1992, c. 11, art. 3

54. Révision de l'indemnité — Deux ans après la date où un travailleur est devenu capable d'exercer à plein temps un emploi convenable, la Commission révise son indemnité de remplacement du revenu si elle constate que le revenu brut annuel que le travailleur tire de l'emploi qu'il occupe est supérieur à celui, revalorisé, qu'elle a évalué en vertu du premier alinéa de l'article 50.

Méthode de révision — Lorsqu'elle effectue cette révision, la Commission réduit l'indemnité de remplacement du revenu du travailleur à un montant égal à la différence entre l'indemnité de remplacement du revenu à laquelle il aurait droit s'il n'était pas devenu capable d'exercer à plein temps un emploi convenable et le revenu net retenu qu'il tire de l'emploi qu'il occupe.

1985, c. 6, art. 54

55. Fréquence des révisions — Trois ans après la date de cette révision et à tous les cinq ans par la suite, la Commission révise, à la même condition et de la même façon, l'indemnité de remplacement du revenu d'un travailleur jusqu'à ce que ce travailleur tire de l'emploi qu'il occupe un revenu brut annuel égal ou supérieur à celui qui sert de base, à la date de la révision, au calcul de son indemnité de remplacement du revenu ou jusqu'à son soixante-cinquième anniversaire de naissance, selon la première échéance.

1985, c. 6, art. 55

56. Travailleur de 65 ans — L'indemnité de remplacement du revenu est réduite de 25 % à compter du soixante-cinquième anniversaire de naissance du travailleur, de 50 % à compter de la deuxième année et de 75 % à compter de la troisième année suivant cette date.

Travailleur de 64 ans — Cependant, l'indemnité de remplacement du revenu du travailleur qui est victime d'une lésion professionnelle alors qu'il est âgé d'au moins 64 ans est réduite de 25 % à compter de la deuxième année suivant la date du début de son incapacité, de 50 % à compter de la troisième année et de 75 % à compter de la quatrième année suivant cette date.

1985, c. 6, art. 56

57. Fin du droit à l'indemnité — Le droit à l'indemnité de remplacement du revenu s'éteint au premier des événements suivants :

1° lorsque le travailleur redevient capable d'exercer son emploi, sous réserve de l'article 48;

2° au décès du travailleur; ou

3° au soixante-huitième anniversaire de naissance du travailleur ou, si celui-ci est victime d'une lésion professionnelle alors qu'il est âgé d'au moins 64 ans, quatre ans après la date du début de son incapacité d'exercer son emploi.

1985, c. 6, art. 57

58. Indemnité versée au conjoint — Malgré le paragraphe 2° de l'article 57, lorsqu'un travailleur qui reçoit une indemnité de remplacement du revenu décède d'une cause étrangère à sa lésion professionnelle, cette indemnité continue d'être versée à son conjoint pendant les trois mois qui suivent le décès.

1985, c. 6, art. 58

§2 — Paiement par l'employeur

59. Obligation de l'employeur — L'employeur au service duquel se trouve le travailleur lorsqu'il est victime d'une lésion professionnelle lui verse son salaire net pour la partie de la journée de travail au cours de laquelle ce travailleur devient incapable d'exercer son emploi en raison de sa lésion, lorsque celui-ci aurait normalement travaillé pendant cette partie de journée, n'eût été de son incapacité.

Époque du paiement — L'employeur verse ce salaire au travailleur à l'époque où il le lui aurait normalement versé.

1985, c. 6, art. 59

60. Salaire pendant 14 jours — L'employeur au service duquel se trouve le travailleur lorsqu'il est victime d'une lésion professionnelle lui verse, si celui-ci devient incapable d'exercer son emploi en raison de sa lésion, 90 % de son salaire net pour chaque jour ou partie de jour où ce travailleur aurait normalement travaillé, n'eût été de son incapacité, pendant les 14 jours complets suivant le début de cette incapacité.

Époque du paiement — L'employeur verse ce salaire au travailleur à l'époque où il le lui aurait normalement versé si celui-ci lui a fourni l'attestation médicale visée dans l'article 199.

Remboursement par la Commission — Ce salaire constitue l'indemnité de remplacement du revenu à laquelle le travailleur a droit pour les 14 jours complets suivant le début de son incapacité et la Commission en rembourse le montant à l'employeur dans les 14 jours de la réception de la réclamation de celui-ci, à défaut de quoi elle lui paie des intérêts, dont le taux est déterminé suivant les règles établies par règlement. Ces intérêts courent à compter du premier jour de retard et sont capitalisés quotidiennement.

Trop-perçu — Si, par la suite, la Commission décide que le travailleur n'a pas droit à cette indemnité, en tout ou en partie, elle doit lui en réclamer le trop-perçu conformément à la section I du chapitre XIII.

1985, c. 6, art. 60; 1993, c. 5, art. 1

61. Salaire malgré absence — Lorsqu'un travailleur victime d'une lésion professionnelle est de retour au travail, son employeur lui verse son salaire net pour chaque jour ou partie de jour où ce travailleur doit s'absenter de son travail pour recevoir des soins ou subir des examens médicaux relativement à sa lésion ou pour accomplir une activité dans le cadre de son plan individualisé de réadaptation.

Remboursement — La Commission rembourse à l'employeur, sur demande, le salaire qu'il a payé en vertu du premier alinéa, sauf lorsque le travailleur s'est absenté de son travail pour subir un examen médical requis par son employeur.

1985, c. 6, art. 61

62. Calcul des retenues à la source — Aux fins des articles 59 à 61, le salaire net du travailleur est égal à son salaire brut moins les retenues à la source qui sont faites habituellement par son employeur en vertu de

1° la *Loi sur les impôts* (chapitre I-3) et la *Loi de l'impôt sur le revenu* (L.R.C. (1985), ch. 1, (5e suppl.);

2° la *Loi sur l'assurance-emploi* (L.C. 1996, ch. 23); et

3° la *Loi sur le régime de rentes du Québec* (chapitre R-9);

4° la *Loi sur l'assurance parentale* (chapitre A-29.011).

Salaire brut pour une journée — Pour l'application du présent article, le salaire brut pour une journée ou une partie de journée comprend, lorsque le travailleur est visé à l'un des articles 42.11 et 1019.4 de la *Loi sur les impôts*, l'ensemble des pourboires qui, pour cette journée ou partie de journée, auraient été déclarés par le travailleur à son employeur en vertu de cet article 1019.4 ou que son employeur lui aurait attribués en vertu de cet article 42.11.

Calcul du salaire — Aux fins de l'article 60, le salaire brut du travailleur est pris en considération jusqu'à concurrence du maximum annuel assurable établi en vertu de l'article 66.

1985, c. 6, art. 62; 1997, c. 85, art. 2; 2001, c. 9, art. 123

§3 — Calcul de l'indemnité de remplacement du revenu

63. Calcul de l'indemnité de remplacement — Le revenu net retenu que le travailleur tire annuellement de son emploi est égal à son revenu brut annuel d'emploi moins le montant des déductions pondérées par tranches de revenus que la Commission détermine en fonction de la situation familiale du travailleur pour tenir compte de :

1° l'impôt sur le revenu payable en vertu de la *Loi sur les impôts* (chapitre I-3) et de la *Loi de l'impôt sur le revenu* (L.R.C. (1985), ch. 1, (5e suppl.);

2° la cotisation ouvrière payable en vertu de la *Loi sur l'assurance-emploi* (L.C. 1996, ch. 23); et

3° la cotisation payable par le travailleur en vertu de la *Loi sur le régime de rentes du Québec* (chapitre R-9);

4° la cotisation payable par le travailleur en vertu de la *Loi sur l'assurance parentale* (chapitre A-29.011).

Table des indemnités — La Commission publie chaque année à la *Gazette officielle du Québec* la table des indemnités de remplacement du revenu, qui prend effet le 1er janvier de l'année pour laquelle elle est faite.

Contenu — Cette table indique des revenus bruts par tranches de 100 $, des situations familiales et les indemnités de remplacement du revenu correspondantes.

Indemnité — Lorsque le revenu brut d'un travailleur se situe entre deux tranches de revenus, son indemnité de remplacement du revenu est déterminée en fonction de la tranche supérieure.

1985, c. 6, art. 63; 1993, c. 15, art. 88; 1997, c. 85, art. 3; 2001, c. 9, art. 124

64. Méthode de révision d'une indemnité — Lorsque la Commission révise une indemnité de remplacement du revenu, détermine un nouveau revenu brut en vertu de l'article 76 ou revalorise le revenu brut qui sert de base au calcul de cette indemnité, elle applique la table des indemnités de remplacement du revenu qui est alors en vigueur, mais en considérant la situation familiale du travailleur telle qu'elle existait lorsque s'est manifestée la lésion professionnelle dont il a été victime.

1985, c. 6, art. 64

65. Calcul de l'indemnité — Aux fins du calcul de l'indemnité de remplacement du revenu, le revenu brut annuel d'emploi ne peut être inférieur au revenu brut annuel déterminé sur la base du salaire minimum en vigueur lorsque se manifeste la lésion professionnelle ni supérieur au maximum annuel assurable en vigueur à ce moment.

1985, c. 6, art. 65

66. Maximum assurable — Pour l'année 1985, le maximum annuel assurable est de 33 000 $.

Maximum assurable — Pour l'année 1986 et chaque année subséquente, le maximum annuel assurable est obtenu en multipliant le maximum pour l'année 1985 par le rapport entre la somme des rémunérations hebdomadaires moyennes des travailleurs de l'ensemble des activités économiques du Québec établies par Statistique Canada pour chacun des 12 mois précédant le 1er juillet de l'année qui précède celle pour laquelle le maximum annuel assurable est calculé et cette même somme pour chacun des 12 mois précédant le 1er juillet 1984.

Durée — Le maximum annuel assurable est établi au plus haut 500 $ et est applicable pour une année à compter du 1er janvier de chaque année.

Données de Statistique Canada — Pour l'application du présent article, la Commission utilise les données fournies par Statistique Canada au 1er octobre de l'année qui précède celle pour laquelle le maximum annuel assurable est calculé.

Données incomplètes — Si les données fournies par Statistique Canada ne sont pas complètes le 1er octobre d'une année, la Commission peut utiliser celles qui sont alors disponibles pour établir le maximum annuel assurable.

Utilisation d'une nouvelle méthode — Si Statistique Canada applique une nouvelle méthode pour déterminer la rémunération hebdomadaire moyenne pour un mois donné, en modifiant la période ou le champ d'observation visé, et que la somme des rémunérations hebdomadaires moyennes pour une année au cours de laquelle Statistique Canada a appliqué une nouvelle méthode est supérieure ou inférieure de plus de 1 % à la somme des rémunérations hebdomadaires moyennes établies selon les données de l'ancienne méthode, les rémunérations hebdomadaires moyennes à utiliser pour établir la moyenne annuelle pour chacune des années affectées par le changement de méthode sont ajustées par la Commission de façon à tenir compte des données selon la méthode appliquée par Statistique Canada le 19 août 1985.

1985, c. 6, art. 66

67. Calcul du revenu brut — Le revenu brut d'un travailleur est déterminé sur la base du revenu brut prévu par son contrat de travail et, lorsque le travailleur est visé à l'un des articles 42.11 et 1019.4 de la *Loi sur les impôts* (chapitre I-3), sur la base de l'ensemble des pourboires que le travailleur aurait déclarés à son employeur en vertu de cet article 1019.4 ou que son employeur lui aurait attribués en vertu de cet article 42.11, sauf si le travailleur démontre à la Commission qu'il a tiré un revenu brut plus élevé de l'emploi pour l'employeur au service duquel il se trouvait lorsque s'est manifestée sa lésion professionnelle ou du même genre d'emploi pour des employeurs différents pendant les 12 mois précédant le début de son incapacité.

Revenu brut plus élevé — Pour établir un revenu brut plus élevé, le travailleur peut inclure les bonis, les primes, les pourboires, les commissions, les majorations pour heures supplémentaires, les vacances si leur valeur en espèces n'est pas incluse dans le salaire, les rémunérations participatoires, la valeur en espèces de l'utilisation à des fins personnelles d'une automobile ou d'un logement fournis par l'employeur lorsqu'il en a perdu la jouissance en raison de sa lésion professionnelle et les prestations en vertu de la *Loi sur l'assurance parentale* (chapitre A-29.011) ou de la *Loi sur l'assurance-emploi* (L.C. 1996, ch. 23).

1985, c. 6, art. 67; 1997, c. 85, art. 4; 2001, c. 9, art. 125

68. Travailleur saisonnier — Le revenu brut d'un travailleur saisonnier ou d'un travailleur sur appel est celui d'un travailleur de même catégorie occupant un emploi semblable dans la même région, sauf si ce travailleur démontre à la Commission qu'il a tiré un revenu brut plus élevé de tout emploi qu'il a exercé pendant les 12 mois précédant le début de son incapacité.

Revenu brut plus élevé — Le deuxième alinéa de l'article 67 s'applique aux fins d'établir un revenu brut plus élevé.

1985, c. 6, art. 68

69. Travailleur sans emploi — Le revenu brut d'un travailleur qui n'a plus d'emploi lorsque se manifeste sa lésion professionnelle est celui qu'il tirait de l'emploi par le fait ou à l'occasion duquel il a été victime de cette lésion, déterminé conformément à l'article 67.

Revalorisation du revenu — Ce revenu brut est revalorisé au 1er janvier de chaque année depuis la date où le travailleur a cessé d'occuper cet emploi.

1985, c. 6, art. 69

70. Aggravation de la maladie — Le revenu brut d'un travailleur qui subit une récidive, une rechute ou une aggravation est le plus élevé de celui qu'il tire de l'emploi qu'il occupe lors de cette récidive, rechute ou aggravation et du revenu brut qui a servi de base au calcul de son indemnité précédente.

Revenu revalorisé — Aux fins de l'application du premier alinéa, si la récidive, la rechute ou l'aggravation survient plus d'un an après le début de l'incapacité du travailleur, le revenu brut qui a servi de base au calcul de son indemnité précédente est revalorisé.

1985, c. 6, art. 70

71. Travailleur occupant plus d'un emploi — Le revenu brut d'un travailleur qui occupe plus d'un emploi est celui qu'il tirerait de l'emploi le plus rémunérateur qu'il devient incapable d'exercer comme s'il exerçait cet emploi à plein temps.

Revenu minimum — S'il devient incapable d'exercer un seul de ses emplois, son revenu brut est celui qu'il tire de cet emploi et l'article 65 ne s'applique pas dans ce cas en ce qui concerne le revenu minimum d'emploi.

1985, c. 6, art. 71

72. Travailleur autonome — Le revenu brut d'un travailleur autonome visé dans l'article 9 est celui d'un travailleur de même catégorie occupant un emploi semblable dans la même région, sauf si ce travailleur démontre à la Commission qu'il a tiré un revenu brut plus élevé d'un travail visé dans l'article 9 pendant les 12 mois précédant le début de son incapacité.

1985, c. 6, art. 72

73. Calcul du revenu brut — Le revenu brut d'un travailleur victime d'une lésion professionnelle alors qu'il reçoit une indemnité de remplacement du revenu est le plus élevé de celui, revalorisé, qui a servi de base au calcul de son indemnité initiale et de celui qu'il tire de son nouvel emploi.

Nouvelle indemnité — L'indemnité de remplacement du revenu que reçoit ce travailleur alors qu'il est victime d'une lésion professionnelle cesse de lui être versée et sa nouvelle indemnité ne peut excéder celle qui est calculée sur la base du maximum annuel assurable en vigueur lorsque se manifeste sa nouvelle lésion professionnelle.

1985, c. 6, art. 73

74. Montant — Le revenu brut d'une personne inscrite à la Commission est égal au montant pour lequel elle est inscrite.

1985, c. 6, art. 74

75. Méthode de calcul — Le revenu brut d'un travailleur peut être déterminé d'une manière autre que celle que prévoient les articles 67 à 74, si cela peut être plus équitable en raison de la nature particulière du travail de ce travailleur.

Calcul de l'indemnité — Cependant, le revenu brut ainsi déterminé ne peut servir de base au calcul de l'indemnité de remplacement du revenu s'il est inférieur à celui qui résulte de l'application de ces articles.

1985, c. 6, art. 75

76. Détermination d'un revenu plus élevé — Lorsqu'un travailleur est incapable, en raison d'une lésion professionnelle, d'exercer son emploi pendant plus de deux ans, la Commission détermine un revenu brut plus élevé que celui que prévoit la présente sous-section si ce travailleur lui démontre qu'il aurait pu occuper un emploi plus rémunérateur lorsque s'est manifestée sa lésion, n'eût été de circonstances particulières.

Calcul de l'indemnité — Ce nouveau revenu brut sert de base au calcul de l'indemnité de remplacement du revenu due au travailleur à compter du début de son incapacité.

1985, c. 6, art. 76

§4 — Dispositions particulières à certains travailleurs

77. Dispositions applicables — La présente sous-section s'applique au travailleur qui est victime d'une lésion professionnelle alors qu'il agit en tant que personne visée dans l'article 10, 11, 12, 12.0.1, 12.1 ou 13 ou alors qu'il est un étudiant à plein temps.

Dispositions applicables — Les autres dispositions de la section I du présent chapitre qui ne sont pas inconciliables avec la présente sous-section s'appliquent, compte tenu des adaptations nécessaires, aux personnes visées au premier alinéa.

1985, c. 6, art. 77; 1987, c. 19, art. 15; 2000, c. 20, art. 160

78. Travailleurs visés par articles 11, 12, 12.0.1, 12.1 ou 13 — Le travailleur victime d'une lésion professionnelle alors qu'il agit en tant que personne visée dans l'article 11, 12, 12.0.1, 12.1 ou 13 a droit à l'indemnité de remplacement du revenu s'il devient incapable, en raison de cette lésion, d'exercer l'emploi rémunéré qu'il occupe ou le travail pour lequel il est une personne inscrite à la Commission au moment où se manifeste sa lésion.

Emploi non rémunéré — Si ce travailleur n'occupe aucun emploi rémunéré et n'est pas une personne inscrite à la Commission au moment où se manifeste sa lésion, il a droit à l'indemnité de remplacement du revenu s'il devient incapable, en raison de cette lésion, d'exercer l'emploi qu'il occupait habituellement ou, à défaut, l'emploi qu'il aurait pu occuper habituellement compte tenu de sa formation, de son expérience de travail et de la capacité physique et intellectuelle qu'il avait avant que se manifeste sa lésion.

1985, c. 6, art. 78; 1987, c. 19, art. 16; 2000, c. 20, art. 161

79. Travailleur étudiant — Le travailleur victime d'une lésion professionnelle alors qu'il est un étudiant visé dans l'article 10 ou un étudiant à plein temps a droit à l'indemnité de remplacement du revenu s'il devient incapable d'exercer l'emploi rémunéré qu'il occupe ou qu'il aurait occupé, n'eût été de sa lésion, de poursuivre ses études ou d'exercer un emploi en rapport avec l'achèvement de ses études.

1985, c. 6, art. 79

80. Calcul de l'indemnité de remplacement du revenu — L'indemnité de remplacement du revenu d'un étudiant visé dans l'article 10, d'un travailleur qui est un étudiant à plein temps ou d'un enfant visé dans le paragraphe 3° de l'article 11 est :

1° jusqu'à l'âge de 18 ans, de 50 $ par semaine;

2° à compter de l'âge de 18 ans, calculée à partir du revenu brut annuel déterminé sur la base du salaire minimum alors en vigueur; et

3° à compter de l'âge de 21 ans, révisée à la hausse s'il démontre à la Commission qu'il aurait probablement gagné un revenu brut d'emploi plus élevé à la fin des études en cours, s'il n'avait pas été victime d'une lésion professionnelle.

Justification de la demande d'indemnité — Malgré le paragraphe 1° ou 2° du premier alinéa, l'étudiant ou l'enfant peut démontrer à la Commission qu'il a gagné pendant les 12 mois précédant la date de son incapacité un revenu brut d'emploi justifiant une indemnité plus élevée, et l'article 65 ne s'applique pas dans ce cas en ce qui concerne le revenu minimum d'emploi.

Révision — La révision faite en vertu du paragraphe 3° du premier alinéa tient lieu de celle que prévoit l'article 76.

1985, c. 6, art. 80

81. Détermination sur la base du salaire minimum — Le revenu brut d'une personne visée dans le paragraphe 1°, 2° ou 4° de l'article 11, dans l'article 12 ou dans l'article 12.0.1, qui n'occupe aucun emploi rémunéré et qui n'est pas une personne inscrite à la Commission au moment où se manifeste sa lésion professionnelle, est déterminé sur la base du salaire minimum alors en vigueur.

1985, c. 6, art. 81; 2000, c. 20, art. 162

81.1 Revenu minimum d'emploi — L'article 65, en tant qu'il concerne le revenu minimum d'emploi, ne s'applique pas au calcul de l'indemnité de remplacement du revenu à laquelle a droit une personne visée à l'article 12.1 pendant sa période d'incarcération. Il s'applique toutefois, en cas de décès de cette personne, pour déterminer le montant d'une indemnité à laquelle a droit son conjoint ou une autre personne à sa charge.

2009, c. 19, art. 1

[Note de l'éditeur : Cet article s'applique à une maladie professionnelle pour laquelle une réclamation est produite à la Commission de la santé et de la sécurité du travail après le 17 juin 2009, à un accident du travail qui survient après cette date, ainsi qu'à une récidive, rechute ou aggravation reliée à une telle maladie ou à un tel accident. Voir L.Q. 2009, c. 19, art. 29.]

82. Travailleur bénévole — L'indemnité de remplacement du revenu d'un travailleur bénévole visé dans l'article 13 est calculée :

1° selon l'article 80, si ce travailleur est âgé de moins de 18 ans lorsque se manifeste sa lésion professionnelle;

2° à partir du revenu brut annuel déterminé sur la base du salaire minimum en vigueur lorsque se manifeste sa lésion professionnelle, si ce travailleur n'occupe aucun emploi rémunéré pour un employeur et n'est pas une personne inscrite à la Commission.

1985, c. 6, art. 82

SECTION II — INDEMNITÉ POUR PRÉJUDICE CORPOREL

83. Atteinte à l'intégrité physique ou psychique — Le travailleur victime d'une lésion professionnelle qui subit une atteinte permanente à son intégrité physique ou psychique a droit, pour chaque accident du travail ou maladie professionnelle pour lequel il réclame à la Commission, à une indemnité pour préjudice corporel qui tient compte du déficit anatomo-physiologique et du préjudice esthétique qui résultent de cette atteinte et des douleurs et de la perte de jouissance de la vie qui résultent de ce déficit ou de ce préjudice.

1985, c. 6, art. 83; 1999, c. 40, art. 4

84. Calcul du montant — Le montant de l'indemnité pour préjudice corporel est égal au produit du pourcentage, n'excédant pas 100 %, de l'atteinte permanente à l'intégrité physique ou psychique par le montant que prévoit l'annexe II au moment de la manifestation de la lésion professionnelle en fonction de l'âge du travailleur à ce moment.

Calcul du pourcentage — Le pourcentage d'atteinte permanente à l'intégrité physique ou psychique est égal à la somme des pourcentages déterminés suivant le barème des préjudices corporels adopté par règlement pour le déficit anatomo-physiologique, le préjudice esthétique et les douleurs et la perte de jouissance de la vie qui résultent de ce déficit ou de ce préjudice.

Préjudice non inclus — Si un préjudice corporel n'est pas mentionné dans le barème, le pourcentage qui y correspond est établi d'après les préjudices corporels qui y sont mentionnés et qui sont du même genre.

1985, c. 6, art. 84; 1999, c. 40, art. 4

85. Pourcentage additionnel — Le barème des indemnités pour préjudice corporel adopté par règlement doit permettre de déterminer un pourcentage additionnel lorsqu'un travailleur subit, en raison d'un accident du travail ou d'une maladie professionnelle, des déficits anatomo-physiologiques à des organes symétriques ou un déficit anatomo-physiologique à un organe symétrique à celui qui est déjà atteint.

Barème — À cette fin, le barème tient compte de la nature des organes atteints et du caractère anatomique ou fonctionnel des déficits.

1985, c. 6, art. 85; 1999, c. 40, art. 4

86. Montant minimum — Le montant de l'indemnité pour préjudice corporel ne peut être inférieur à 500 $ lorsque le travailleur a subi un déficit anatomo-physiologique.

1985, c. 6, art. 86; 1999, c. 40, art. 4

87. Total des pourcentages excède 100 % — Lorsqu'un travailleur subit, en raison d'un même accident du travail ou d'une même maladie professionnelle, une ou des atteintes permanentes à son intégrité physique ou psychique et que le total des pourcentages de ces atteintes excède 100 %, il a droit de recevoir, en outre du montant de l'indemnité déterminé conformément à l'article 84, une somme égale à 25 % du montant de l'indemnité déterminé sur la base du pourcentage excédentaire.

1985, c. 6, art. 87

88. Détermination médicale — La Commission établit le montant de l'indemnité pour préjudice corporel dès que les séquelles de la lésion professionnelle sont médicalement déterminées.

Séquelles imprévisibles — Lorsqu'il est médicalement impossible de déterminer toutes les séquelles de la lésion deux ans après sa manifestation, la Commission estime le montant minimum de cette indemnité d'après les séquelles qu'il est médicalement possible de déterminer à ce moment.

Ajustements — Elle fait ensuite les ajustements requis à la hausse dès que possible.

1985, c. 6, art. 88; 1999, c. 40, art. 4

89. Nouvelle atteinte — Un travailleur qui, en raison d'une récidive, d'une rechute ou d'une aggravation, subit une nouvelle atteinte permanente à son intégrité physique ou psychique alors que le montant de son indemnité pour préjudice corporel a déjà été établi, a droit à une nouvelle indemnité pour préjudice corporel déterminée en fonction du pourcentage de cette nouvelle atteinte.

Pourcentage excède 100 % — Si le pourcentage total de l'atteinte permanente à son intégrité physique ou psychique, comprenant le pourcentage déjà déterminé et le pourcentage qui résulte de la récidive, de la rechute ou de l'aggravation, excède 100 %, le travailleur a droit de recevoir :

1° le montant de l'indemnité déterminé en fonction d'un pourcentage de 100 % moins celui qui a déjà été déterminé; et

2° un montant égal à 25 % du montant de l'indemnité déterminé sur la base de ce pourcentage total moins 100 %.

Calcul de la nouvelle indemnité — Le montant de la nouvelle indemnité pour préjudice corporel prévu par le premier ou le deuxième alinéa est calculé en fonction de l'annexe II en vigueur au moment de la récidive, la rechute ou l'aggravation et en fonction de l'âge du travailleur à ce moment.

1985, c. 6, art. 89; 1999, c. 40, art. 4

90. Intérêts — La Commission paie au travailleur des intérêts sur le montant de l'indemnité pour préjudice corporel à compter de la date de la réclamation faite pour la lésion professionnelle qui a causé l'atteinte permanente à l'intégrité physique ou psychique du travailleur.

Taux des intérêts — Le taux de ces intérêts est déterminé suivant les règles établies par règlement. Ces intérêts sont capitalisés quotidiennement et font partie de l'indemnité.

1985, c. 6, art. 90; 1993, c. 5, art. 2; 1999, c. 40, art. 4

91. Décès — L'indemnité pour préjudice corporel n'est pas payable en cas de décès du travailleur.

Montant versé au conjoint et enfants — Cependant, si le travailleur décède d'une cause étrangère à sa lésion professionnelle et qu'à la date de son décès, il était médicalement possible de déterminer une séquelle de sa lésion, la Commission estime le montant de l'indemnité qu'elle aurait probablement accordée et en verse un tiers au conjoint du travailleur et l'excédent, à parts égales, aux enfants qui sont considérés personnes à charge.

Personnes à charge — En l'absence de l'un ou de l'autre, la Commission verse le montant de cette indemnité au conjoint ou aux enfants qui sont considérés personnes à charge, selon le cas.

1985, c. 6, art. 91; 1999, c. 40, art. 4

SECTION III — INDEMNITÉS DE DÉCÈS

§1 — Interprétation et application

92. Interprétation — Aux fins de la présente section :

1° un enfant du travailleur comprend une personne à qui le travailleur tenait lieu de mère ou de père lors de son décès;

2º la personne qui tient lieu de mère ou de père au travailleur lors de son décès est considérée la mère ou le père de ce travailleur.

1985, c. 6, art. 92

93. Invalidité — Une personne atteinte d'une invalidité physique ou mentale grave et prolongée est considérée invalide aux fins de la présente section.

Invalidité grave — Une invalidité est grave si elle rend la personne régulièrement incapable de détenir une occupation véritablement rémunératrice.

Invalidité prolongée — Une invalidité est prolongée si elle doit vraisemblablement entraîner le décès ou durer indéfiniment.

1985, c. 6, art. 93

94. Entreprise familiale — Le travailleur qui contribue indirectement aux revenus de sa mère ou de son père par son travail dans l'entreprise familiale est considéré pourvoir à leurs besoins en proportion de sa contribution.

1985, c. 6, art. 94

95. Maladie présumée — Le travailleur qui décède alors qu'il reçoit une indemnité de remplacement du revenu par suite d'une maladie professionnelle pouvant entraîner le décès est présumé décédé en raison de cette maladie.

Autopsie — Cette présomption ne s'applique que si la Commission a la possibilité de faire faire l'autopsie du travailleur.

1985, c. 6, art. 95

96. Présomption de décès — Lorsqu'un travailleur est disparu à la suite d'un événement survenu par le fait ou à l'occasion de son travail et dans des circonstances qui font présumer son décès, la Commission peut considérer que ce travailleur est décédé et que la date de son décès est celle de l'événement.

1985, c. 6, art. 96

97. Droit aux indemnités — Le décès d'un travailleur en raison d'une lésion professionnelle donne droit aux indemnités prévues par la présente section.

1985, c. 6, art. 97

§2 — Indemnités aux personnes à charge

98. Indemnité forfaitaire — Le conjoint du travailleur décédé a droit à une indemnité forfaitaire dont le montant est égal au produit obtenu en multipliant le revenu brut annuel d'emploi du travailleur, déterminé conformément aux articles 63 à 82 et revalorisé le cas échéant, par le facteur prévu par l'annexe III en fonction de l'âge du conjoint à la date du décès du travailleur.

1985, c. 6, art. 98

99. Calcul de l'indemnité — Si le conjoint est invalide à la date du décès du travailleur, il a droit à l'indemnité forfaitaire la plus élevée des deux suivantes :

1º celle qui est déterminée conformément à l'article 98; et

2º celle qui est égale au double du montant prévu par l'annexe II en fonction de son âge à la date du décès du travailleur.

1985, c. 6, art. 99

100. Montant minimum — Le montant de l'indemnité forfaitaire payable au conjoint ne peut être inférieur à 94 569 $.

1985, c. 6, art. 100; 2009, c. 19, art. 2

101. Conjoint du travailleur — Le conjoint du travailleur décédé a droit, outre l'indemnité forfaitaire prévue par les articles 98 à 100, à une indemnité équivalant à 55 % de l'indemnité de remplacement du revenu à laquelle avait droit le travailleur à la date de son décès, le cas échéant, ou à laquelle il aurait eu droit à cette date s'il avait alors été incapable d'exercer son emploi en raison d'une lésion professionnelle.

Rente mensuelle — Cette indemnité est payable sous forme de rente mensuelle, à compter de la date du décès du travailleur, pendant la durée prévue par l'annexe IV, selon l'âge du conjoint à cette date.

1985, c. 6, art. 101

101.1 Enfant d'un travailleur décédé — Si le travailleur décédé n'a pas de conjoint à la date de son décès, mais a un enfant mineur, un enfant majeur dont il pourvoyait à plus de la moitié des besoins ou un enfant majeur âgé de moins de 25 ans qui, à cette date, fréquente à plein temps un établissement d'enseignement, l'enfant a droit à une indemnité forfaitaire dont le montant est égal au produit obtenu en multipliant le revenu brut annuel d'emploi du travailleur, déterminé conformément aux articles 63 à 82 et revalorisé, le cas échéant, par le facteur prévu par l'annexe III en fonction de l'âge du travailleur à la date de son décès. S'il y a plus d'un tel enfant, l'indemnité est divisée en parts égales entre eux.

Montant d'indemnité — Le montant de cette indemnité ne peut être inférieur à 94 569 $.

2009, c. 19, art. 3

102. Enfant mineur — L'enfant mineur du travailleur à la date du décès de celui-ci a droit à une indemnité de 250 $ par mois jusqu'à sa majorité.

Indemnité forfaitaire — Si cet enfant fréquente à plein temps un établissement d'enseignement à la date de sa majorité, il a droit alors à une indemnité forfaitaire de 9 000 $.

1985, c. 6, art. 102; 1992, c. 68, art. 157

103. Calcul du montant — Si l'enfant mineur du travailleur à la date du décès de celui-ci était invalide à cette date et l'est encore à la date de sa majorité, il a droit, à cette dernière date, au lieu de l'indemnité prévue par le deuxième alinéa de l'article 102, à une indemnité forfaitaire de :

1° 50 000 $, si les circonstances ayant causé son invalidité ne lui donnent pas droit à une prestation en vertu de la présente loi, de la *Loi sur les accidents du travail* (chapitre A-3), de la *Loi sur l'assurance automobile* (chapitre A-25), de la *Loi visant à favoriser le civisme* (chapitre C-20) ou de la *Loi sur l'indemnisation des victimes d'actes criminels* (chapitre I-6);

2° 9 000 $, si les circonstances ayant causé son invalidité lui donnent droit à une prestation en vertu de l'une des lois mentionnées au paragraphe 1°.

1985, c. 6, art. 103

104. Enfant majeur — L'enfant majeur du travailleur, qui est âgé de moins de 25 ans à la date du décès de celui-ci et qui, à cette date, fréquente à plein temps un établissement d'enseignement, a droit à une indemnité forfaitaire de 9 000 $.

1985, c. 6, art. 104; 1992, c. 68, art. 157

105. Calcul du montant — L'enfant majeur du travailleur, qui est âgé de moins de 25 ans à la date du décès de celui-ci et qui est invalide à cette date, a droit :

1° au lieu de l'indemnité prévue par l'article 104, à une indemnité forfaitaire égale au montant prévu par l'annexe II en fonction de son âge à cette date, si les circonstances ayant causé son invalidité ne lui donnent pas droit à une prestation en vertu de la présente loi, de la *Loi sur les accidents du travail* (chapitre A-3), de la *Loi sur l'assurance automobile* (chapitre A-25), de la *Loi visant à favoriser le civisme* (chapitre C-20) ou de la *Loi sur l'indemnisation des victimes d'actes criminels* (chapitre I-6);

2° à l'indemnité prévue par l'article 104, si les circonstances ayant causé son invalidité lui donnent droit à une prestation en vertu de l'une des lois mentionnées au paragraphe 1°.

1985, c. 6, art. 105

106. Personne à charge — Une personne, autre qu'une personne à charge visée dans les articles 98 à 105, dont le travailleur pourvoyait à plus de la moitié des besoins à la date de son décès a droit à une indemnité forfaitaire :

1° 6 000 $, si elle est âgée de moins de 35 ans à cette date;

2° égale à 75 % du revenu brut annuel d'emploi du travailleur, déterminé conformément aux articles 63 à 82 et revalorisé le cas échéant, si elle est âgée d'au moins 35 ans à cette date.

1985, c. 6, art. 106

107. Calcul de l'indemnité — Si la personne visée dans l'article 106 est invalide à la date du décès du travailleur, elle a droit, au lieu de l'indemnité prévue par cet article, à :

1° une indemnité forfaitaire égale au montant prévu par l'annexe II en fonction de son âge à cette date, si les circonstances ayant causé son invalidité ne lui donnent pas droit à une prestation en vertu de la présente loi, de la *Loi sur les accidents du travail* (chapitre A-3), de la *Loi sur l'assurance automobile* (chapitre A-25), de la *Loi visant à favoriser le civisme* (chapitre C-20) ou de la *Loi sur l'indemnisation des victimes d'actes criminels* (chapitre I-6);

2° l'indemnité prévue par le paragraphe 1° ou 2° de l'article 106, selon son âge à la date du décès du travailleur, si les circonstances ayant causé son invalidité lui donnent droit à une prestation en vertu de l'une des lois mentionnées au paragraphe 1°.

1985, c. 6, art. 107

108. Personne à charge — Une personne, autre qu'une personne à charge visée dans les articles 98 à 107, dont le travailleur pourvoyait à la moitié ou moins des besoins à la date de son décès a droit à une indemnité forfaitaire de :

1° 6 000 $, si le travailleur pourvoyait à ses besoins dans une proportion de 25 % à 50 %;

2° 3 000 $, si le travailleur pourvoyait à ses besoins dans une proportion de 10 % à moins de 25 %.

1985, c. 6, art. 108

§3 — Autres indemnités de décès

109. Indemnité au conjoint — Le conjoint a droit, au décès du travailleur, à une indemnité de 1 000 $.

Personnes à charge — À défaut de conjoint, la Commission verse cette indemnité aux autres personnes à charge, à parts égales.

1985, c. 6, art. 109

110. Indemnité au père et à la mère — La mère et le père d'un travailleur décédé sans avoir de personne à charge ont droit à une indemnité de 24 587 $ chacun; la part du parent décédé ou déchu de son autorité parentale accroît à l'autre. Si les deux parents sont décédés, l'indemnité est versée à la succession du travailleur décédé, sauf si c'est l'État qui en recueille les biens.

1985, c. 6, art. 110; 2009, c. 19, art. 4

111. Remboursement par la Commission — La Commission rembourse à la personne qui les acquitte, sur production de pièces justificatives :

1° les frais funéraires jusqu'à concurrence de 4 599 $;

2° les frais de transport du corps du travailleur du lieu du décès au funérarium le plus près de la résidence habituelle du défunt, s'il résidait au Québec, ou à un autre endroit approuvé par la Commission.

1985, c. 6, art. 111; 2009, c. 19, art. 5

SECTION IV — AUTRES INDEMNITÉS

112. Indemnité maximale — Le travailleur victime d'une lésion professionnelle a droit, sur production de pièces justificatives, à une indemnité maximale de :

1° 300 $ pour le nettoyage, la réparation ou le remplacement des vêtements endommagés par suite d'un accident du travail;

2° 300 $ par année pour les dommages causés à ses vêtements par une prothèse ou une orthèse au sens de la *Loi sur les laboratoires médicaux, la conservation des organes et des tissus et la disposition des cadavres* (chapitre L-0.2) dont le port est rendu nécessaire en raison d'une lésion professionnelle.

Modification proposée — 112(2°)

2° 300 $ par année pour les dommages causés à ses vêtements par une prothèse ou une orthèse au sens de la *Loi sur les laboratoires médicaux, la conservation des organes et des tissus* (chapitre L-0.2) dont le port est rendu nécessaire en raison d'une lésion professionnelle.

2016, c. 1, art. 145(1°) [Non en vigueur à la date de publication.]

1985, c. 6, art. 112; 2001, c. 60, art. 149; 166; 2009, c. 30, art. 58

113. Prothèse ou orthèse — Un travailleur a droit, sur production de pièces justificatives, à une indemnité pour la réparation ou le remplacement d'une prothèse ou d'une orthèse au sens de la *Loi sur les laboratoires médicaux, la conservation des organes et des tissus et la disposition des cadavres* (chapitre L-0.2) endommagée involontairement lors d'un événement imprévu et soudain attribuable à toute cause, survenant par le fait de son travail, dans la mesure où il n'a pas droit à une telle indemnité en vertu d'un autre régime.

Modification proposée — 113 al. 1

113. Prothèse ou orthèse — Un travailleur a droit, sur production de pièces justificatives, à une indemnité pour la réparation ou le remplacement d'une prothèse ou d'une orthèse au sens de la *Loi sur les laboratoires médicaux, la conservation des organes et des tissus* (chapitre L-0.2) endommagée involontairement lors d'un événement imprévu et soudain attribuable à toute cause, survenant par le fait de son travail, dans la mesure où il n'a pas droit à une telle indemnité en vertu d'un autre régime.

2016, c. 1, art. 145(1°) [Non en vigueur à la date de publication.]

Indemnité maximale — L'indemnité maximale payable pour une monture de lunettes est de 125 $ et elle est de 60 $ pour chaque lentille cornéenne; dans le cas d'une autre prothèse ou orthèse, elle ne peut excéder le montant déterminé en vertu de l'article 198.1.

1985, c. 6, art. 113; 1992, c. 11, art. 5; 2001, c. 60, art. 149, 166; 2009, c. 30, art. 58

114. Franchise — Les indemnités visées au paragraphe 1° de l'article 112 et, s'il s'agit d'une prothèse dentaire ou d'une orthèse oculaire, à l'article 113 sont assujetties à une franchise de 25 $ chacune.

1985, c. 6, art. 114

115. Frais de déplacements — La Commission rembourse, sur production de pièces justificatives, au travailleur et, si son état physique le requiert, à la personne qui doit l'accompagner, les frais de déplacement et de séjour engagés pour recevoir des soins, subir des examens médicaux ou accomplir une activité dans le cadre de son plan individualisé de réadaptation, selon les normes et les montants qu'elle détermine et qu'elle publie à la *Gazette officielle du Québec*.

1985, c. 6, art. 115

116. Participation au régime de retraite — Le travailleur qui, en raison d'une lésion professionnelle, est atteint d'une invalidité visée dans l'article 93 a droit de continuer à participer au régime de retraite offert dans l'établissement où il travaillait au moment de sa lésion.

Cotisations — Dans ce cas, ce travailleur paie sa part des cotisations exigibles, s'il y a lieu, et la Commission assume celle de l'employeur, sauf pendant la période où ce dernier est tenu d'assumer sa part en vertu du paragraphe 2º du premier alinéa de l'article 235.

1985, c. 6, art. 116

SECTION V — REVALORISATION

117. Montants revalorisés — Le montant du revenu brut annuel qui sert de base au calcul de l'indemnité de remplacement du revenu, y compris aux fins de l'article 101, et le montant du revenu brut annuel que la Commission évalue en vertu du premier alinéa de l'article 50 sont revalorisés chaque année à la date anniversaire du début de l'incapacité du travailleur d'exercer son emploi.

1985, c. 6, art. 117

118. Revalorisation le 1er janvier — Toutes les sommes d'argent fixées dans le présent chapitre, à l'exception des articles 50, 63 et 66, dans le chapitre IV et dans les annexes II et V sont revalorisées le 1er janvier de chaque année.

Indemnité de décès — L'indemnité de décès que reçoit un bénéficiaire en vertu du premier alinéa de l'article 102 est aussi revalorisée à cette date.

1985, c. 6, art. 118

119. Méthode du calcul — La revalorisation est faite en multipliant le montant à revaloriser par le rapport entre l'indice des prix à la consommation de l'année courante et celui de l'année précédente.

1985, c. 6, art. 119

120. Calcul de l'indice des prix à la consommation — L'indice des prix à la consommation pour une année est la moyenne annuelle calculée à partir des indices mensuels des prix à la consommation au Canada établis par Statistique Canada pour les 12 mois précédant le 1er novembre de l'année qui précède celle pour laquelle cet indice est calculé.

Données incomplètes — Si les données fournies par Statistique Canada ne sont pas complètes le 1er décembre d'une année, la Commission peut utiliser celles qui sont alors disponibles pour établir l'indice des prix à la consommation.

Nouvelle méthode de calcul — Si Statistique Canada applique une nouvelle méthode pour calculer l'indice mensuel des prix à la consommation en modifiant la période ou le champ d'observation visé et que cette modification entraîne une variation de la moyenne annuelle de plus de 1 %, les indices mensuels à utiliser pour établir la moyenne annuelle pour chacune des années affectées par le changement de méthode sont ajustés par la Commission de façon à tenir compte des données selon la méthode appliquée par Statistique Canada le 19 août 1985.

1985, c. 6, art. 120

121. Moyenne annuelle — Si la moyenne annuelle calculée à partir des indices mensuels des prix à la consommation a plus d'une décimale, seule la première est retenue et elle est augmentée d'une unité si la deuxième est supérieure au chiffre 4.

1985, c. 6, art. 121

122. Rapport entre deux années — Si le rapport entre l'indice des prix à la consommation de l'année courante et celui de l'année précédente a plus de trois décimales, seules les trois premières sont retenues et la troisième est augmentée d'une unité si la quatrième est supérieure au chiffre 4.

1985, c. 6, art. 122

123. Montant arrondi — Le montant obtenu par la revalorisation est arrondi au dollar le plus près, sauf aux fins de l'annexe V.

1985, c. 6, art. 123

SECTION VI — PAIEMENT DES INDEMNITÉS

124. Période du versement — La Commission verse au travailleur l'indemnité de remplacement du revenu à laquelle il a droit à compter du quinzième jour complet suivant le début de l'incapacité du travailleur d'exercer son emploi.

Attestation médicale — Cependant, la Commission verse au travailleur à qui aucun employeur n'est tenu de verser un salaire en vertu de l'article 60 l'indemnité de remplacement du revenu pour chaque jour ou partie de jour où ce travailleur aurait normalement gagné un revenu d'emploi, n'eût été de son incapacité d'exercer son emploi en raison de sa lésion professionnelle, pendant les 14 jours complets suivant le début de cette incapacité, si ce travailleur lui fournit l'attestation médicale visée dans l'article 199.

1985, c. 6, art. 124

125. Rente — L'indemnité de remplacement du revenu est versée sous forme de rente une fois par deux semaines.

1985, c. 6, art. 125

126. Paiement sous forme d'allocation — La Commission peut prélever sur une indemnité de remplacement du revenu et rembourser à l'employeur l'équivalent de ce qu'il paie au travailleur à compter du quinzième jour complet d'incapacité sous forme d'allocation ou d'indemnité, à moins que ce paiement ne soit fait pour combler la différence entre le salaire du travailleur et le montant de l'indemnité à laquelle il a droit.

1985, c. 6, art. 126

127. (*Abrogé*).

1985, c. 6, art. 127; 1988, c. 51, art. 94

128. Indemnité non interrompue — Le retour au travail d'un travailleur à la suite d'un avis médical n'interrompt pas le versement de l'indemnité de remplacement du revenu si son état de santé relatif à sa lésion l'oblige à abandonner son travail dans la journée du retour.

1985, c. 6, art. 128

129. Avance au bénéficiaire — La Commission peut, si elle le croit à propos dans l'intérêt du bénéficiaire ou dans le cas d'un besoin pressant du bénéficiaire, verser une indemnité de remplacement du revenu avant de rendre sa décision sur le droit à cette indemnité si elle est d'avis que la demande apparaît fondée à sa face même.

Rejet de la demande — Si par la suite la Commission rejette la demande ou l'accepte en partie, elle ne peut recouvrer les montants versés en trop de la personne qui les a reçus, sauf si cette personne :

1° a obtenu ces montants par mauvaise foi; ou

2° a droit au bénéfice d'un autre régime public d'indemnisation en raison de la blessure ou de la maladie pour laquelle elle a reçu ces montants.

Recouvrement des montants — Dans le cas du paragraphe 2°, la Commission ne peut recouvrer les montants versés en trop que jusqu'à concurrence du montant auquel a droit cette personne en vertu d'un autre régime public d'indemnisation.

1985, c. 6, art. 129

130. Versement au compte du bénéficiaire — La Commission peut verser une indemnité de remplacement du revenu directement au compte qu'un bénéficiaire possède dans une banque ou une coopérative de services financiers régie par la *Loi sur les coopératives de services financiers* (chapitre C-67.3) si le bénéficiaire y consent.

1985, c. 6, art. 130; 1988, c. 64, art. 587; 2000, c. 29, art. 614

131. Versements de l'indemnité — La Commission peut payer une indemnité de remplacement du revenu en un ou plusieurs versements, équivalant à un capital représentatif de cette indemnité pour une période maximale d'un an, ou selon une périodicité autre que celle que prévoit l'article 125 lorsque :

1° le montant versé selon cette périodicité est minime;

2° le bénéficiaire n'a pas sa résidence au Québec ou cesse d'y résider; ou

3° elle le croit utile à la réadaptation du bénéficiaire, si celui-ci y consent.

Rente — Dans ce dernier cas, la Commission peut aussi verser une partie du capital représentatif de l'indemnité et payer le reliquat sous forme de rente dont elle détermine la périodicité.

1985, c. 6, art. 131

132. Arrêt des versements — La Commission cesse de verser une indemnité de remplacement du revenu à la première des dates suivantes :

1° celle où elle est informée par l'employeur ou le travailleur que ce dernier a réintégré son emploi ou un emploi équivalent;

2° celle où elle reçoit du médecin qui a charge du travailleur un rapport indiquant la date de consolidation de la lésion professionnelle dont a été victime le travailleur et le fait que celui-ci n'en garde aucune limitation fonctionnelle, si ce travailleur n'a pas besoin de réadaptation pour redevenir capable d'exercer son emploi.

Expiration du délai — Cependant, lorsque le délai pour l'exercice du droit au retour au travail du travailleur est expiré à la date de consolidation de sa lésion, la Commission cesse de verser l'indemnité de remplacement du revenu conformément à l'article 48.

1985, c. 6, art. 132

133. Trop-perçu — La Commission doit recouvrer le montant de l'indemnité de remplacement du revenu qu'un travailleur a reçu sans droit depuis la date de consolidation de sa lésion professionnelle, lorsque ce travailleur :

1° a été informé par le médecin qui en a charge de la date de consolidation de sa lésion et du fait qu'il n'en garde aucune limitation fonctionnelle; et

2° a fait défaut d'informer sans délai son employeur conformément au premier alinéa de l'article 274.

1985, c. 6, art. 133

134. Indemnité de décès — La Commission verse au conjoint l'indemnité de décès prévue par les articles 98 à 100 lorsque la décision qui accorde cette indemnité devient finale ou à la fin de la période pendant laquelle elle verse à ce conjoint l'indemnité de décès prévue par l'article 101, selon la dernière échéance.

Versement anticipé — Cependant, la Commission peut, avant la fin de cette période, verser tout ou partie de l'indemnité prévue par les articles 98 à 100 si elle le croit utile à la réadaptation du conjoint et si la décision qui accorde cette indemnité est finale.

1985, c. 6, art. 134

135. Intérêts — La Commission paie des intérêts sur le montant de l'indemnité de décès prévue par les articles 98 à 100 à compter de la date du décès du travailleur.

Taux des intérêts — Le taux de ces intérêts est déterminé suivant les règles établies par règlement. Ces intérêts sont capitalisés quotidiennement et font partie de l'indemnité.

1985, c. 6, art. 135; 1993, c. 5, art. 3

136. Cessation du versement — L'indemnité prévue par l'article 101 cesse d'être versée le mois suivant celui où le conjoint qui y a droit décède.

1985, c. 6, art. 136

137. Indemnité à la gardienne de l'enfant — La Commission verse l'indemnité de décès prévue par le premier alinéa de l'article 102 à la personne qui a la garde de l'enfant qui a droit à cette indemnité.

Cessation du versement — Cette indemnité cesse d'être versée le mois suivant celui où l'enfant qui y a droit décède ou atteint sa majorité.

1985, c. 6, art. 137

138. Période du versement — La Commission verse l'indemnité de décès prévue par le deuxième alinéa de l'article 102 à la fin du trimestre de l'année scolaire au cours duquel l'enfant qui a droit à cette indemnité atteint sa majorité ou à la fin du trimestre suivant la date où l'enfant atteint sa majorité, si cet anniversaire arrive entre deux trimestres.

1985, c. 6, art. 138

139. Période du versement — La Commission verse l'indemnité de décès prévue par l'article 101.1 à l'égard de l'enfant majeur qui fréquente à plein temps un établissement d'enseignement et celle prévue par l'article 104 à la fin du trimestre de l'année scolaire au cours duquel le travailleur est décédé ou à la fin du trimestre suivant la date de ce décès, si ce décès survient entre deux trimestres.

1985, c. 6, art. 139; 2009, c. 19, art. 6

140. Période du versement — La Commission verse l'indemnité visée dans l'article 138 ou 139, si la décision qui accorde cette indemnité est finale, sur réception d'un certificat de l'établissement d'enseignement que fréquente le bénéficiaire attestant que celui-ci était inscrit comme étudiant à plein temps pour le trimestre auquel réfère l'article 138 ou 139, selon le cas, et qu'il a fréquenté assidûment cet établissement pendant ce trimestre.

1985, c. 6, art. 140; 1992, c. 11, art. 6; 1992, c. 68, art. 157

141. Tuteur ou curateur — La Commission doit, si un bénéficiaire est incapable, verser une indemnité à son tuteur ou à son curateur ou, à défaut, à une personne qu'elle désigne; cette personne a les pouvoirs et les devoirs d'un tuteur ou d'un curateur, selon le cas.

Avis au Curateur public — La Commission donne avis au Curateur public de tout paiement qu'elle fait conformément au premier alinéa.

1985, c. 6, art. 141

142. Réduction ou suspension du paiement — La Commission peut réduire ou suspendre le paiement d'une indemnité :

1º si le bénéficiaire :

a) fournit des renseignements inexacts;

b) refuse ou néglige de fournir les renseignements qu'elle requiert ou de donner l'autorisation nécessaire pour leur obtention;

2º si le travailleur, sans raison valable :

a) entrave un examen médical prévu par la présente loi ou omet ou refuse de se soumettre à un tel examen, sauf s'il s'agit d'un examen qui, de l'avis du médecin qui en a charge, présente habituellement un danger grave;

b) pose un acte qui, selon le médecin qui en a charge ou, s'il y a contestation, selon un membre du Bureau d'évaluation médicale, empêche ou retarde sa guérison;

c) omet ou refuse de se soumettre à un traitement médical reconnu, autre qu'une intervention chirurgicale, que le médecin qui en a charge ou, s'il y a contestation, un membre du Bureau d'évaluation médicale, estime nécessaire dans l'intérêt du travailleur;

d) omet ou refuse de se prévaloir des mesures de réadaptation que prévoit son plan individualisé de réadaptation;

e) omet ou refuse de faire le travail que son employeur lui assigne temporairement et qu'il est tenu de faire conformément à l'article 179, alors que son employeur lui verse ou offre de lui verser le salaire et les avantages visés dans l'article 180;

f) omet ou refuse d'informer son employeur conformément à l'article 274.

1985, c. 6, art. 142; 1992, c. 11, art. 7

143. Versement rétroactif — La Commission peut verser une indemnité rétroactivement à la date où elle a réduit ou suspendu le paiement lorsque le motif qui a justifié sa décision n'existe plus.

1985, c. 6, art. 143

144. Incessibilité — Les indemnités versées en vertu de la présente loi sont incessibles, insaisissables et non imposables, sauf l'indemnité de remplacement du revenu qui est saisissable, jusqu'à concurrence de 50 %, pour le paiement d'une dette alimentaire.

Déduction — La Commission doit toutefois, sur demande du ministre de l'Emploi et de la Solidarité sociale, déduire des indemnités payables à une personne en vertu de la présente loi le montant remboursable en vertu de l'article 90 de la *Loi sur l'aide aux personnes et aux familles* (chapitre A-13.1.1). La Commission remet le montant ainsi déduit au ministre de l'Emploi et de la Solidarité sociale.

Déduction — Elle doit également, sur demande de Retraite Québec, déduire de l'indemnité de remplacement du revenu payable à une personne en vertu de la présente loi, les montants de rente d'invalidité ou de la rente de retraite qui ont été versés à cette personne en vertu de la *Loi sur le régime de rentes du Québec* (chapitre R-9) et qui sont recouvrables en vertu de cette loi. Elle remet les montants ainsi déduits à Retraite Québec.

1985, c. 6, art. 144; 1988, c. 51, art. 95; 1992, c. 44, art. 81; 1993, c. 15, art. 89; 1994, c. 12, art. 67; 1997, c. 63, art. 128; 1997, c. 73, art. 88; 1998, c. 36, art. 163; 2001, c. 44, art. 30; 2005, c. 15, art. 138; 2015, c. 20, art. 61

144.1 Déduction — La Commission déduit de l'indemnité de remplacement du revenu à laquelle a droit le travailleur en vertu de la présente loi, le montant reçu, conformément à une ordonnance rendue en vertu du paragraphe 2° de l'article 123.15 de la *Loi sur les normes du travail* (chapitre N-1.1) pour la même période que celle visée par l'indemnité de remplacement du revenu. La Commission remet le montant ainsi déduit à l'employeur qui l'a payé.

Remboursement — La Commission rembourse également à l'employeur le montant qu'il a payé conformément à une ordonnance rendue en vertu du paragraphe 6° de l'article 123.15 de cette loi, jusqu'à concurrence des frais auxquels a droit le travailleur en vertu de la présente loi.

Ordonnance — Le présent article s'applique également lorsqu'une ordonnance qui dispose des mêmes questions que celle visée au premier ou au deuxième alinéa, est rendue en application d'une convention collective.

2002, c. 80, art. 76

Chapitre IV — Réadaptation

Section I — Droit à la réadaptation

145. Droit à la réadaptation — Le travailleur qui, en raison de la lésion professionnelle dont il a été victime, subit une atteinte permanente à son intégrité physique ou psychique a droit, dans la mesure prévue par le présent chapitre, à la réadaptation que requiert son état en vue de sa réinsertion sociale et professionnelle.

1985, c. 6, art. 145

146. Plan de réadaptation — Pour assurer au travailleur l'exercice de son droit à la réadaptation, la Commission prépare et met en œuvre, avec la collaboration du travailleur, un plan individualisé de réadaptation qui peut comprendre, selon les besoins du travailleur, un programme de réadaptation physique, sociale et professionnelle.

Modifications — Ce plan peut être modifié, avec la collaboration du travailleur, pour tenir compte de circonstances nouvelles.

1985, c. 6, art. 146

147. Nouvelle décision — En matière de réadaptation, le plan individualisé constitue la décision de la Commission sur les prestations de réadaptation auxquelles a droit le travailleur et chaque modification apportée à ce plan en vertu du deuxième alinéa de l'article 146 constitue une nouvelle décision de la Commission.

1985, c. 6, art. 147

§1 — Réadaptation physique

148. But de la réadaptation — La réadaptation physique a pour but d'éliminer ou d'atténuer l'incapacité physique du travailleur et de lui permettre de développer sa capacité résiduelle afin de pallier les limitations fonctionnelles qui résultent de sa lésion professionnelle.

1985, c. 6, art. 148

149. Contenu du programme — Un programme de réadaptation physique peut comprendre notamment des soins médicaux et infirmiers, des traitements de physiothérapie et d'ergothérapie, des exercices d'adaptation à une prothèse ou une orthèse et tous autres soins et traitements jugés nécessaires par le médecin qui a charge du travailleur.

1985, c. 6, art. 149

150. Contenu du programme — Un programme de réadaptation physique peut comprendre également les soins à domicile d'un infirmier, d'un garde-malade auxiliaire ou d'un aide-malade, selon que le requiert l'état du travailleur par suite de sa lésion professionnelle, lorsque le médecin qui en a charge le prescrit.

Coût et remboursement des soins — La Commission assume le coût de ces soins et rembourse en outre, selon les normes et les montants qu'elle détermine, les frais de déplacement et de séjour engagés par l'infirmier, le garde-malade auxiliaire ou l'aide-malade.

Coûts du service public — Lorsque ces soins ne peuvent être dispensés par un établissement au sens de la *Loi sur les services de santé et les services sociaux* (chapitre S-4.2) ou au sens de la *Loi sur les services de santé et les services sociaux pour les autochtones cris* (chapitre S-5), selon le cas, la Commission en rembourse le coût au travailleur et en fixe le montant d'après ce qu'il en coûterait pour des services semblables en vertu du régime public.

1985, c. 6, art. 150; 1992, c. 21, art. 78; 1994, c. 23, art. 23

§2 — Réadaptation sociale

151. But de la réadaptation sociale — La réadaptation sociale a pour but d'aider le travailleur à surmonter dans la mesure du possible les conséquences personnelles et sociales de sa lésion professionnelle, à s'adapter à la nouvelle situation qui découle de sa lésion et à redevenir autonome dans l'accomplissement de ses activités habituelles.

1985, c. 6, art. 151

152. Contenu du programme — Un programme de réadaptation sociale peut comprendre notamment :

1° des services professionnels d'intervention psychosociale;

2° la mise en œuvre de moyens pour procurer au travailleur un domicile et un véhicule adaptés à sa capacité résiduelle;

3° le paiement de frais d'aide personnelle à domicile;

4° le remboursement de frais de garde d'enfants;

5° le remboursement du coût des travaux d'entretien courant du domicile.

1985, c. 6, art. 152

153. Adaptation du domicile — L'adaptation du domicile d'un travailleur peut être faite si :

1° le travailleur a subi une atteinte permanente grave à son intégrité physique;

2° cette adaptation est nécessaire et constitue la solution appropriée pour permettre au travailleur d'entrer et de sortir de façon autonome de son domicile et d'avoir accès, de façon autonome, aux biens et commodités de son domicile; et

3° le travailleur s'engage à y demeurer au moins trois ans.

Durée du bail — Lorsque le travailleur est locataire, il doit fournir à la Commission copie d'un bail d'une durée minimale de trois ans.

1985, c. 6, art. 153

154. Frais de déménagement — Lorsque le domicile d'un travailleur visé dans l'article 153 ne peut être adapté à sa capacité résiduelle, ce travailleur peut être remboursé des frais qu'il engage, jusqu'à concurrence de 3 000 $, pour déménager dans un nouveau domicile adapté à sa capacité résiduelle ou qui peut l'être.

Estimations détaillées — À cette fin, le travailleur doit fournir à la Commission au moins deux estimations détaillées dont la teneur est conforme à ce qu'elle exige.

1985, c. 6, art. 154

155. Adaptation du véhicule — L'adaptation du véhicule principal du travailleur peut être faite si ce travailleur a subi une atteinte permanente grave à son intégrité physique et si cette adaptation est nécessaire, du fait de sa lésion professionnelle, pour le rendre capable de conduire lui-même ce véhicule ou pour lui permettre d'y avoir accès.

1985, c. 6, art. 155

156. Estimations préalables — La Commission ne peut assumer le coût des travaux d'adaptation du domicile ou du véhicule principal du travailleur visé dans l'article 153 ou 155 que si celui-ci lui fournit au moins deux estimations détaillées des travaux à exécuter, faites par des entrepreneurs spécialisés et dont la teneur est conforme à ce qu'elle exige, et lui remet copies des autorisations et permis requis pour l'exécution de ces travaux.

1985, c. 6, art. 156

157. Coûts assumés — Lorsque la Commission assume le coût des travaux d'adaptation du domicile ou du véhicule principal d'un travailleur, elle assume aussi le coût additionnel d'assurance et d'entretien du domicile ou du véhicule qu'entraîne cette adaptation.

1985, c. 6, art. 157

158. Aide à domicile — L'aide personnelle à domicile peut être accordée à un travailleur qui, en raison de la lésion professionnelle dont il a été victime, est incapable de prendre soin de lui-même et d'effectuer sans aide les tâches domestiques qu'il effectuerait normalement, si cette aide s'avère nécessaire à son maintien ou à son retour à domicile.

1985, c. 6, art. 158

159. Aide à domicile — L'aide personnelle à domicile comprend les frais d'engagement d'une personne pour aider le travailleur à prendre soin de lui-même et pour effectuer les tâches domestiques que le travailleur effectuerait normalement lui-même si ce n'était de sa lésion.

Conjoint — Cette personne peut être le conjoint du travailleur.

1985, c. 6, art. 159

160. Montant — Le montant de l'aide personnelle à domicile est déterminé selon les normes et barèmes que la Commission adopte par règlement et ne peut excéder 800 $ par mois.

1985, c. 6, art. 160; 1996, c. 70, art. 5

161. Réévaluation — Le montant de l'aide personnelle à domicile est réévalué périodiquement pour tenir compte de l'évolution de l'état de santé du travailleur et des besoins qui en découlent.

1985, c. 6, art. 161

162. Cessation du versement — Le montant de l'aide personnelle à domicile cesse d'être versé lorsque le travailleur :

1º redevient capable de prendre soin de lui-même ou d'effectuer sans aide les tâches domestiques qu'il ne pouvait effectuer en raison de sa lésion professionnelle; ou

2º est hébergé ou hospitalisé dans une installation maintenue par un établissement visé par la *Loi sur les services de santé et les services sociaux* (chapitre S-4.2) ou par un établissement visé par la *Loi sur les services de santé et les services sociaux pour les autochtones cris* (chapitre S-5).

1985, c. 6, art. 162; 1992, c. 21, art. 79; 1994, c. 23, art. 23

163. Fréquence — Le montant de l'aide personnelle à domicile est versé une fois par deux semaines au travailleur.

Rajustement — Ce montant est rajusté ou annulé, selon le cas, à compter de la première échéance suivant l'événement qui donne lieu au rajustement ou à l'annulation.

1985, c. 6, art. 163

164. Garde d'enfants — Le travailleur qui reçoit de l'aide personnelle à domicile, qui accomplit une activité dans le cadre de son plan individualisé de réadaptation ou qui, en raison de sa lésion professionnelle, est hébergé ou hospitalisé dans une installation maintenue par un établissement visé au paragraphe 2° de l'article 162 peut être remboursé des frais de garde d'enfants, jusqu'à concurrence des montants mentionnés à l'annexe V, si :

1° ce travailleur assume seul la garde de ses enfants;

2° le conjoint de ce travailleur est incapable, pour cause de maladie ou d'infirmité, de prendre soin des enfants vivant sous leur toit; ou

3° le conjoint de ce travailleur doit s'absenter du domicile pour se rendre auprès du travailleur lorsque celui-ci est hébergé ou hospitalisé dans une installation maintenue par un établissement ou pour accompagner le travailleur à une activité que celui-ci accomplit dans le cadre de son plan individualisé de réadaptation.

1985, c. 6, art. 164; 1992, c. 21, art. 80

165. Travaux d'entretien — Le travailleur qui a subi une atteinte permanente grave à son intégrité physique en raison d'une lésion professionnelle et qui est incapable d'effectuer les travaux d'entretien courant de son domicile qu'il effectuerait normalement lui-même si ce n'était de sa lésion peut être remboursé des frais qu'il engage pour faire exécuter ces travaux, jusqu'à concurrence de 1 500 $ par année.

1985, c. 6, art. 165

§3 — Réadaptation professionnelle

166. But — La réadaptation professionnelle a pour but de faciliter la réintégration du travailleur dans son emploi ou dans un emploi équivalent ou, si ce but ne peut être atteint, l'accès à un emploi convenable.

1985, c. 6, art. 166

167. Programme de réadaptation — Un programme de réadaptation professionnelle peut comprendre notamment :

1° un programme de recyclage;

2° des services d'évaluation des possibilités professionnelles;

3° un programme de formation professionnelle;

4° des services de support en recherche d'emploi;

5° le paiement de subventions à un employeur pour favoriser l'embauche du travailleur qui a subi une atteinte permanente à son intégrité physique ou psychique;

6° l'adaptation d'un poste de travail;

7° le paiement de frais pour explorer un marché d'emplois ou pour déménager près d'un nouveau lieu de travail;

8° le paiement de subventions au travailleur.

1985, c. 6, art. 167

168. Programme de recyclage — Le travailleur qui, en raison de sa lésion professionnelle, a besoin de mettre à jour ses connaissances pour redevenir capable d'exercer son emploi ou un emploi équivalent peut bénéficier d'un programme de recyclage qui peut être réalisé, autant que possible au Québec, en établissement d'enseignement ou en industrie.

1985, c. 6, art. 168; 1992, c. 68, art. 157

169. Mesure de réadaptation — Si le travailleur est incapable d'exercer son emploi en raison d'une limitation fonctionnelle qu'il garde de la lésion professionnelle dont il a été victime, la Commission informe ce travailleur et son employeur de la possibilité, le cas échéant, qu'une mesure de réadaptation rende ce travailleur capable d'exercer son emploi ou un emploi équivalent avant l'expiration du délai pour l'exercice de son droit au retour au travail.

Élaboration du programme — Dans ce cas, la Commission prépare et met en œuvre, avec la collaboration du travailleur et après consultation de l'employeur, le programme de réadaptation professionnelle approprié, au terme duquel le travailleur avise son employeur qu'il est redevenu capable d'exercer son emploi ou un emploi équivalent.

1985, c. 6, art. 169

170. Emploi disponible — Lorsqu'aucune mesure de réadaptation ne peut rendre le travailleur capable d'exercer son emploi ou un emploi équivalent, la Commission demande à l'employeur s'il a un emploi convenable disponible et, dans l'affirmative, elle informe le travailleur et son employeur de la possibilité, le cas échéant, qu'une mesure de réadaptation rende ce travailleur capable d'exercer cet emploi avant l'expiration du délai pour l'exercice de son droit au retour au travail.

Élaboration du programme — Dans ce cas, la Commission prépare et met en œuvre, avec la collaboration du travailleur et après consultation de l'employeur, le programme de réadaptation professionnelle approprié, au terme duquel le travailleur avise son employeur qu'il est devenu capable d'exercer l'emploi convenable disponible.

1985, c. 6, art. 170

171. Service d'évaluation — Lorsqu'aucune mesure de réadaptation ne peut rendre le travailleur capable d'exercer son emploi ou un emploi équivalent et que son employeur n'a aucun emploi convenable disponible, ce travailleur peut bénéficier de services d'évaluation de ses possibilités professionnelles en vue de l'aider à déterminer un emploi convenable qu'il pourrait exercer.

Évaluation — Cette évaluation se fait notamment en fonction de la scolarité du travailleur, de son expérience de travail, de ses capacités fonctionnelles et du marché du travail.

1985, c. 6, art. 171

172. Programme de formation — Le travailleur qui ne peut redevenir capable d'exercer son emploi en raison de sa lésion professionnelle peut bénéficier d'un programme de formation professionnelle s'il lui est impossible d'accéder autrement à un emploi convenable.

But — Ce programme a pour but de permettre au travailleur d'acquérir les connaissances et l'habileté requises pour exercer un emploi convenable et il peut être réalisé, autant que possible au Québec, en établissement d'enseignement ou en industrie.

1985, c. 6, art. 172; 1992, c. 68, art. 157

173. Services de support — Le travailleur victime d'une lésion professionnelle qui redevient capable d'exercer son emploi peut recevoir des services de support en recherche d'emploi si le délai pour l'exercice de son droit au retour au travail est expiré et son employeur ne le réintègre pas dans son emploi ou dans un emploi équivalent.

Emploi non disponible — Le travailleur incapable d'exercer son emploi en raison de sa lésion professionnelle qui devient capable d'exercer un emploi convenable peut aussi recevoir ces services si cet emploi n'est pas disponible.

1985, c. 6, art. 173

174. Recherche d'emploi — Lorsqu'elle fournit des services de support en recherche d'emploi, la Commission conseille le travailleur dans ses démarches auprès d'employeurs éventuels, l'informe sur le marché du travail et, au besoin, le réfère aux services spécialisés appropriés en vue de l'aider à trouver l'emploi qu'il est devenu capable d'exercer.

1985, c. 6, art. 174

175. Subvention à l'employeur — La Commission peut, aux conditions qu'elle détermine et qu'elle publie à la *Gazette officielle du Québec* 30 jours avant leur mise en application, octroyer à l'employeur qui embauche un travailleur victime d'une lésion professionnelle une subvention pour la période, n'excédant pas un an, pendant laquelle ce travailleur ne peut satisfaire aux exigences normales de l'emploi.

But — Cette subvention a pour but d'assurer au travailleur une période de réadaptation à son emploi, d'adaptation à son nouvel emploi ou de lui permettre d'acquérir une nouvelle compétence professionnelle.

1985, c. 6, art. 175

176. Frais d'adaptation — La Commission peut rembourser les frais d'adaptation d'un poste de travail si cette adaptation permet au travailleur qui a subi une atteinte permanente à son intégrité physique en raison de sa lésion professionnelle d'exercer son emploi, un emploi équivalent ou un emploi convenable.

Remboursement — Ces frais comprennent le coût d'achat et d'installation des matériaux et équipements nécessaires à l'adaptation du poste de travail et ils ne peuvent être remboursés qu'à la personne qui les a engagés après avoir obtenu l'autorisation préalable de la Commission à cette fin.

1985, c. 6, art. 176

177. Remboursement — Le travailleur qui, à la suite d'une lésion professionnelle, redevient capable d'exercer son emploi ou devient capable d'exercer un emploi convenable peut être remboursé, jusqu'à concurrence de 3 000 $, des frais qu'il engage pour :

1° explorer un marché d'emplois à plus de 50 kilomètres de son domicile, si un tel emploi n'est pas disponible dans un rayon de 50 kilomètres de son domicile; et

2° déménager dans un nouveau domicile, s'il obtient un emploi dans un rayon de plus de 50 kilomètres de son domicile actuel, si la distance entre ces deux domiciles est d'au moins 50 kilomètres et si son nouveau domicile est situé à moins de 50 kilomètres de son nouveau lieu de travail.

Estimations — Le travailleur doit fournir à la Commission au moins deux estimations détaillées dont la teneur est conforme à ce qu'elle exige.

1985, c. 6, art. 177

178. Subvention pour un projet — La Commission peut octroyer une subvention, n'excédant pas le maximum annuel assurable établi en vertu de l'article 66, à un travailleur victime d'une lésion professionnelle qui élabore un projet visant à créer et gérer une entreprise qui constitue pour lui un emploi convenable, si ce travailleur demeure incapable d'exercer son emploi en raison de sa lésion.

Étude préalable — Ce projet doit être accompagné d'une étude, dont la forme et la teneur sont conformes à ce que la Commission exige, qui conclut à la faisabilité de l'entreprise projetée et à sa rentabilité à moyen terme et le travailleur doit démontrer sa capacité d'exploiter cette entreprise.

Remboursement — Si le projet est accepté, la Commission rembourse au travailleur les frais qu'il a faits pour obtenir cette étude de faisabilité.

1985, c. 6, art. 178

SECTION II — ASSIGNATION TEMPORAIRE D'UN TRAVAIL

179. Travail temporaire — L'employeur d'un travailleur victime d'une lésion professionnelle peut assigner temporairement un travail à ce dernier, en attendant qu'il redevienne capable d'exercer son emploi ou devienne capable d'exercer un emploi convenable, même si sa lésion n'est pas consolidée, si le médecin qui a charge du travailleur croit que :

1° le travailleur est raisonnablement en mesure d'accomplir ce travail;

2° ce travail ne comporte pas de danger pour la santé, la sécurité et l'intégrité physique du travailleur compte tenu de sa lésion; et

3° ce travail est favorable à la réadaptation du travailleur.

Confirmation du rapport médical — Si le travailleur n'est pas d'accord avec le médecin, il peut se prévaloir de la procédure prévue par les articles 37 à 37.3 de la *Loi sur la santé et la sécurité du travail* (chapitre S-2.1), mais dans ce cas, il n'est pas tenu de faire le travail que lui assigne son employeur tant que le rapport du médecin n'est pas confirmé par une décision finale.

1985, c. 6, art. 179

180. Salaire — L'employeur verse au travailleur qui fait le travail qu'il lui assigne temporairement le salaire et les avantages liés à l'emploi que ce travailleur occupait lorsque s'est manifestée sa lésion professionnelle et dont il bénéficierait s'il avait continué à l'exercer.

1985, c. 6, art. 180

SECTION III — FONCTIONS DE LA COMMISSION

181. Coût de la réadaptation — Le coût de la réadaptation est assumé par la Commission.

Plan individualisé — Dans la mise en œuvre d'un plan individualisé de réadaptation, la Commission assume le coût de la solution appropriée la plus économique parmi celles qui permettent d'atteindre l'objectif recherché.

1985, c. 6, art. 181

182. Services professionnels — La Commission dispense elle-même les services professionnels prévus dans le cadre d'un plan individualisé de réadaptation ou réfère le travailleur aux personnes ou services appropriés.

1985, c. 6, art. 182

183. Suspension du plan — La Commission peut suspendre ou mettre fin à un plan individualisé de réadaptation, en tout ou en partie, si le travailleur omet ou refuse de se prévaloir d'une mesure de réadaptation prévue dans son plan.

Avis au travailleur — À cette fin, la Commission doit donner au travailleur un avis de cinq jours francs l'informant qu'à défaut par lui de se prévaloir d'une mesure de réadaptation, elle appliquera une sanction prévue par le premier alinéa.

1985, c. 6, art. 183

184. Pouvoirs de la Commission — La Commission peut :

1° développer et soutenir les activités des personnes et des organismes qui s'occupent de réadaptation et coopérer avec eux;

2° évaluer l'efficacité des politiques, des programmes et des services de réadaptation disponibles;

3° effectuer ou faire effectuer des études et des recherches sur la réadaptation;

4° prendre toute mesure qu'elle estime utile pour favoriser la réinsertion professionnelle du conjoint d'un travailleur décédé en raison d'une lésion professionnelle;

5° prendre toute mesure qu'elle estime utile pour atténuer ou faire disparaître les conséquences d'une lésion professionnelle.

Comité multidisciplinaire — Aux fins des paragraphes 1°, 2° et 3°, la Commission forme un comité multidisciplinaire.

1985, c. 6, art. 184

185. Mesures de prévention — La Commission peut prendre les mesures pour faciliter la réadaptation d'un travailleur qui a droit à une indemnité de remplacement du revenu en raison de l'exercice de son droit au retrait préventif prévu par la *Loi sur la santé et la sécurité du travail* (chapitre S-2.1) en vue de prévenir une éventuelle récidive, rechute ou aggravation.

1985, c. 6, art. 185

186. Subvention à la création d'emplois — La Commission peut verser une subvention à une personne qui crée des emplois à caractère permanent réservés aux travailleurs qui ont subi une atteinte permanente à leur intégrité physique ou psychique en raison d'une lésion professionnelle.

Maximum — Cette subvention ne peut excéder 4 000 $ pour chacun de ces emplois et n'est pas renouvelable.

Services de consultation — La Commission peut aussi offrir à une personne qui crée des emplois visés dans le premier alinéa des services de consultation professionnelle et rembourser le coût des honoraires et dépenses des professionnels qui dispensent ces services.

1985, c. 6, art. 186

187. Recouvrement — La Commission doit recouvrer tout ou partie d'une subvention qu'elle a versée en vertu du présent chapitre dans la mesure où celle-ci n'a pas été utilisée aux fins pour lesquelles elle a été octroyée.

Dispositions applicables — Les articles 431 à 436 s'appliquent au recouvrement visé dans le premier alinéa.

1985, c. 6, art. 187

Chapitre V — Assistance médicale

188. Assistance médicale — Le travailleur victime d'une lésion professionnelle a droit à l'assistance médicale que requiert son état en raison de cette lésion.

1985, c. 6, art. 188

189. Assistance médicale — L'assistance médicale consiste en ce qui suit :

1° les services de professionnels de la santé;

2° les soins ou les traitements fournis par un établissement visé par la *Loi sur les services de santé et les services sociaux* (chapitre S-4.2) ou la *Loi sur les services de santé et les services sociaux pour les autochtones cris* (chapitre S-5);

3° les médicaments et autres produits pharmaceutiques;

4° les prothèses et orthèses au sens de la *Loi sur les laboratoires médicaux, la conservation des organes et des tissus et la disposition des cadavres* (chapitre L-0.2), prescrites par un professionnel de la santé et disponibles chez un fournisseur agréé par la Régie de l'assurance maladie du Québec ou, s'il s'agit d'un fournisseur qui n'est pas établi au Québec, reconnu par la Commission;

Modification proposée — 189(4°)

4° les prothèses et orthèses au sens de la *Loi sur les laboratoires médicaux, la conservation des organes et des tissus* (chapitre L-0.2), prescrites par un professionnel de la santé et disponibles chez un fournisseur agréé par la *Régie de l'assurance maladie du Québec* ou, s'il s'agit d'un fournisseur qui n'est pas établi au Québec, reconnu par la Commission;

2016, c. 1, art. 145(1°) [Non en vigueur à la date de publication.]

5° les soins, les traitements, les aides techniques et les frais non visés aux paragraphes 1° à 4° que la Commission détermine par règlement, lequel peut prévoir les cas, conditions et limites monétaires des paiements qui peuvent être effectués ainsi que les autorisations préalables auxquelles ces paiements peuvent être assujettis.

1985, c. 6, art. 189; 1992, c. 11, art. 8; 1994, c. 23, art. 23; 1999, c, 89, art. 53; 2001, c. 60, art. 166; 2009, c. 30, art. 58

190. Premiers secours — L'employeur doit immédiatement donner les premiers secours à un travailleur victime d'une lésion professionnelle dans son établissement et, s'il y a lieu, le faire transporter dans un établissement de santé, chez un professionnel de la santé ou à la résidence du travailleur, selon que le requiert son état.

Transport — Les frais de transport de ce travailleur sont assumés par son employeur qui les rembourse, le cas échéant, à la personne qui les a défrayés.

Chantier de construction — Sur un chantier de construction, l'obligation prévue par le premier alinéa s'applique au maître d'œuvre au sens de la *Loi sur la santé et la sécurité du travail* (chapitre S-2.1).

1985, c. 6, art. 190

191. Services de premiers soins — L'employeur ou le maître d'œuvre visé dans le troisième alinéa de l'article 190 doit, dans les cas prévus par règlement, maintenir à ses frais un service de premiers secours et un service de premiers soins comprenant le personnel et l'équipement déterminés par règlement, fournir un local à cette fin et tenir un registre des premiers secours et des premiers soins conformément au règlement.

1985, c. 6, art. 191

192. Choix du professionnel de la santé — Le travailleur a droit aux soins du professionnel de la santé de son choix.

1985, c. 6, art. 192

193. Choix de l'établissement — Le travailleur a droit aux soins de l'établissement de santé de son choix.

Décision de la Commission — Cependant, dans l'intérêt du travailleur, si la Commission estime que les soins requis par l'état de ce dernier ne peuvent être fournis dans un délai raisonnable par l'établissement qu'il a choisi, ce travailleur peut, si le médecin qui en a charge est d'accord, se rendre auprès de l'établissement que lui indique la Commission pour qu'il reçoive plus rapidement les soins requis.

1985, c. 6, art. 193; 1992, c. 21, art. 81

194. Coût — Le coût de l'assistance médicale est à la charge de la Commission.

Réclamation — Aucun montant ne peut être réclamé au travailleur pour une prestation d'assistance médicale à laquelle il a droit en vertu de la présente loi et aucune action à ce sujet n'est reçue par une cour de justice.

1985, c. 6, art. 194

195. Entente sur les soins et traitements — La Commission et le ministre de la Santé et des Services sociaux concluent une entente type au sujet de tout ou partie des soins et des traitements fournis par les établissements visés au paragraphe 2° de l'article 189; cette entente a pour objet la dispensation de ces soins et de ces traitements et précise notamment les montants payables par la Commission pour ceux-ci, les délais applicables à leur prestation par les établissements et les rapports qui doivent être produits à la Commission.

Mise en application — La Commission conclut avec chaque agence visée par la *Loi sur les services de santé et les services sociaux* (chapitre S-4.2) et avec chaque conseil régional institué par la *Loi sur les services de santé et les services sociaux pour les autochtones cris* (chapitre S-5) une entente spécifique qui vise à assurer la mise en application de l'entente type sur leur territoire. Cette entente spécifique doit être conforme aux termes et conditions de l'entente type.

Entente refusée — Un établissement est réputé accepter de se conformer à l'entente spécifique, à moins de notifier son refus à la Commission et à l'agence ou au conseil régional, selon le cas, dans le délai imparti par cette entente, au moyen d'une résolution de son conseil d'administration; dans ce dernier cas, cet établissement est rémunéré selon ce qui est prévu par l'entente type.

Établissement visé — Pour le territoire auquel s'applique la partie IV.2 de la *Loi sur les services de santé et les services sociaux*, l'entente spécifique est conclue par l'établissement ayant son siège sur ce territoire.

1985, c. 6, art. 195; 1992, c. 11, art. 9; 1994, c. 23, art. 23; 1998, c. 39, art. 174; 1999, c. 40, art. 4; 2005, c. 32, art. 308; N.I. 2016-01-01 (NCPC)

196. Paiements par la Régie de l'assurance maladie — Les services rendus par les professionnels de la santé dans le cadre de la présente loi et visés dans le quatorzième alinéa de l'article 3 de la *Loi sur l'assurance maladie* (chapitre A-29), édicté par l'article 488, y compris ceux d'un membre du Bureau d'évaluation médicale, d'un comité des maladies professionnelles pulmonaires ou d'un comité spécial agissant en vertu du chapitre VI, à l'exception des services rendus par un professionnel de la santé à la demande de l'employeur, sont payés à ces professionnels par la Régie de l'assurance maladie du Québec conformément aux ententes intervenues dans le cadre de l'article 19 de la *Loi sur l'assurance maladie*.

1985, c. 6, art. 196; 1992, c. 11, art. 10; 1999, c. 89, art. 43; 53

197. Remboursement — La Commission rembourse à la Régie de l'assurance maladie du Québec le coût des services visés dans l'article 196 et les frais d'administration qui s'y rapportent.

1985, c. 6, art. 197; 1996, c. 70, art. 6; 1999, c. 89, art. 53

198. Remboursement — La Commission et la Régie de l'assurance maladie du Québec concluent une entente qui a pour objet les règles régissant le remboursement des sommes que la Régie débourse pour l'application de la présente loi et la détermination des frais d'administration qu'entraîne le paiement des services visés à l'article 196.

1985, c. 6, art. 198; 1996, c. 70, art. 7; 1999, c. 89, art. 53

198.1 Paiement par la Commission — La Commission acquitte le coût de l'achat, de l'ajustement, de la réparation et du remplacement d'une prothèse ou d'une orthèse visée au paragraphe 4° de l'article 189 selon ce qu'elle détermine par règlement, lequel peut prévoir les cas, conditions et limites monétaires des paiements qui peuvent être effectués ainsi que les autorisations préalables auxquelles ces paiements peuvent être assujettis.

Montant — Dans le cas où une orthèse ou une prothèse possède des caractéristiques identiques à celles d'une orthèse ou d'une prothèse apparaissant à un programme administré par la Régie de l'assurance maladie du Québec en vertu de la *Loi sur l'assurance maladie* (chapitre A-29) ou la *Loi sur la Régie de l'assurance maladie du Québec* (chapitre R-5), le montant payable par la Commission est celui qui est déterminé dans ce programme.

1992, c. 11, art. 11; 1999, c. 89, art. 53

Chapitre VI — Procédure d'évaluation médicale

SECTION I — DISPOSITIONS GÉNÉRALES

199. Diagnostic — Le médecin qui, le premier, prend charge d'un travailleur victime d'une lésion professionnelle doit remettre sans délai à celui-ci, sur le formulaire prescrit par la Commission, une attestation comportant le diagnostic et :

1° s'il prévoit que la lésion professionnelle du travailleur sera consolidée dans les 14 jours complets suivant la date où il est devenu incapable d'exercer son emploi en raison de sa lésion, la date prévisible de consolidation de cette lésion; ou

2° s'il prévoit que la lésion professionnelle du travailleur sera consolidée plus de 14 jours complets après la date où il est devenu incapable d'exercer son emploi en raison de sa lésion, la période prévisible de consolidation de cette lésion.

Choix du médecin — Cependant, si le travailleur n'est pas en mesure de choisir le médecin qui, le premier, en prend charge, il peut, aussitôt qu'il est en mesure de le faire, choisir un autre médecin qui en aura charge et qui doit alors, à la demande du travailleur, lui remettre l'attestation prévue par le premier alinéa.

1985, c. 6, art. 199

200. Rapport sommaire — Dans le cas prévu par le paragraphe 2° du premier alinéa de l'article 199, le médecin qui a charge du travailleur doit de plus expédier à la Commission, dans les six jours de son premier examen, sur le formulaire qu'elle prescrit, un rapport sommaire comportant notamment :

1° la date de l'accident du travail;

2° le diagnostic principal et les renseignements complémentaires pertinents;

3° la période prévisible de consolidation de la lésion professionnelle;

4° le fait que le travailleur est en attente de traitements de physiothérapie ou d'ergothérapie ou en attente d'hospitalisation ou le fait qu'il reçoit de tels traitements ou qu'il est hospitalisé;

5° dans la mesure où il peut se prononcer à cet égard, la possibilité que des séquelles permanentes subsistent.

Rapport sommaire — Il en est de même pour tout médecin qui en aura charge subséquemment.

1985, c. 6, art. 200

201. Information à la Commission — Si l'évolution de la pathologie du travailleur modifie de façon significative la nature ou la durée des soins ou des traitements prescrits ou administrés, le médecin qui a charge du travailleur en informe la Commission immédiatement, sur le formulaire qu'elle prescrit à cette fin.

1985, c. 6, art. 201

202. Rapport à la Commission — Dans les 10 jours de la réception d'une demande de la Commission à cet effet, le médecin qui a charge du travailleur doit fournir à la Commission, sur le formulaire qu'elle prescrit, un rapport qui comporte les précisions qu'elle requiert sur un ou plusieurs des sujets mentionnés aux paragraphes 1° à 5° du premier alinéa de l'article 212.

1985, c. 6, art. 202; 1992, c. 11, art. 12

203. Rapport final — Dans le cas du paragraphe 1° du premier alinéa de l'article 199, si le travailleur a subi une atteinte permanente à son intégrité physique ou psychique, et dans le cas du paragraphe 2° du premier alinéa de cet article, le médecin qui a charge du travailleur expédie à la Commission, dès que la lésion professionnelle de celui-ci est consolidée, un rapport final, sur un formulaire qu'elle prescrit à cette fin.

Contenu — Ce rapport indique notamment la date de consolidation de la lésion et, le cas échéant :

1° le pourcentage d'atteinte permanente à l'intégrité physique ou psychique du travailleur d'après le barème des indemnités pour préjudice corporel adopté par règlement;

2° la description des limitations fonctionnelles du travailleur résultant de sa lésion;

3° l'aggravation des limitations fonctionnelles antérieures à celles qui résultent de la lésion.

Information au travailleur — Le médecin qui a charge du travailleur l'informe sans délai du contenu de son rapport.

1985, c. 6, art. 203; 1999, c. 40, art. 4

204. Désignation du professionnel — La Commission peut exiger d'un travailleur victime d'une lésion professionnelle qu'il se soumette à l'examen du professionnel de la santé qu'elle désigne, pour obtenir un rapport écrit de celui-ci sur toute question relative à la lésion. Le travailleur doit se soumettre à cet examen.

Paiement par la Commission — La Commission assume le coût de cet examen et les dépenses qu'engage le travailleur pour s'y rendre selon les normes et les montants qu'elle détermine en vertu de l'article 115.

1985, c. 6, art. 204; 1992, c. 11, art. 13

205. Approbation de la liste — La liste des professionnels de la santé que la Commission peut désigner aux fins de l'article 204 est soumise annuellement à l'approbation du conseil d'administration de la Commission, qui peut y ajouter ou y retrancher des noms.

Défaut — À défaut par celui-ci d'approuver la liste à la séance suivant celle où elle est déposée, la Commission utilise la liste qui a été déposée.

Nombre insuffisant — Le président du conseil d'administration et chef de la direction peut ajouter à la liste visée au premier ou au deuxième alinéa les noms de professionnels de la santé, autres que ceux qui ont été retranchés par le conseil d'administration, lorsqu'il estime que leur nombre est insuffisant. Dans ce cas, il en informe le conseil d'administration.

Liste en vigueur — La liste des professionnels de la santé que la Commission peut désigner aux fins de l'article

204 pour une année reste en vigueur jusqu'à ce qu'elle soit remplacée.

1985, c. 6, art. 205; 1992, c. 11, art. 13; 2002, c. 76, art. 28

205.1 Rapport complémentaire — Si le rapport du professionnel de la santé désigné aux fins de l'application de l'article 204 infirme les conclusions du médecin qui a charge du travailleur quant à l'un ou plusieurs des sujets mentionnés aux paragraphes 1° à 5° du premier alinéa de l'article 212, ce dernier peut, dans les 30 jours de la date de la réception de ce rapport, fournir à la Commission, sur le formulaire qu'elle prescrit, un rapport complémentaire en vue d'étayer ses conclusions et, le cas échéant, y joindre un rapport de consultation motivé. Le médecin qui a charge du travailleur informe celui-ci, sans délai, du contenu de son rapport.

Transmission au Bureau d'évaluation — La Commission peut soumettre ces rapports, incluant, le cas échéant, le rapport complémentaire au Bureau d'évaluation médicale prévu à l'article 216.

1997, c. 27, art. 3

206. Transmission du rapport — La Commission peut soumettre au Bureau d'évaluation médicale le rapport qu'elle a obtenu en vertu de l'article 204, même si ce rapport porte sur l'un ou plusieurs des sujets mentionnés aux paragraphes 1° à 5° du premier alinéa de l'article 212 sur lequel le médecin qui a charge du travailleur ne s'est pas prononcé.

1985, c. 6, art. 206; 1992, c. 11, art. 13

207. Perte de la rémunération — Malgré l'article 22 de la *Loi sur l'assurance maladie* (chapitre A-29), le médecin qui fait défaut de fournir une attestation ou un rapport dans le délai prescrit, perd le droit d'être rémunéré pour l'examen médical qui aurait dû donner lieu à cette attestation ou à ce rapport.

Refus de paiement — La Régie de l'assurance maladie du Québec, sur réception d'un avis de la Commission établissant le défaut, refuse le paiement de tel examen médical ou se rembourse par compensation ou autrement, selon le cas.

1985, c. 6, art. 207; 1999, c. 89, art. 53

208. Transmission du dossier — Malgré l'article 19 de la *Loi sur les services de santé et les services sociaux* (chapitre S-4.2), l'établissement de santé où un travailleur a été traité expédie à la Commission, dans les six jours d'une demande à cet effet, copie du dossier du travailleur ou de la partie de tel dossier que la Commission requiert et qui est en rapport avec la lésion professionnelle. La Commission rembourse à l'établissement de santé les frais de photocopie.

Défaut de répondre — L'établissement de santé qui fait défaut de répondre à la demande de la Commission dans le délai prescrit perd le droit d'être payé pour les services rendus au travailleur en rapport avec sa lésion professionnelle.

1985, c. 6, art. 208; 2005, c. 32, art. 231

209. Désignation du professionnel — L'employeur qui a droit d'accès au dossier que la Commission possède au sujet d'une lésion professionnelle dont a été victime un travailleur peut exiger que celui-ci se soumette à l'examen du professionnel de la santé qu'il désigne, à chaque fois que le médecin qui a charge de ce travailleur fournit à la Commission un rapport qu'il doit fournir et portant sur un ou plusieurs des sujets mentionnés aux paragraphes 1° à 5° du premier alinéa de l'article 212.

Information à l'employeur — L'employeur qui se prévaut des dispositions du premier alinéa peut demander au professionnel de la santé son opinion sur la relation entre la blessure ou la maladie du travailleur d'une part, et d'autre part, l'accident du travail que celui-ci a subi ou le travail qu'il exerce ou qu'il a exercé.

1985, c. 6, art. 209; 1992, c. 11, art. 14

210. Raisons de la demande — L'employeur qui requiert un examen médical de son travailleur donne à celui-ci les raisons qui l'incitent à le faire.

Coût — Il assume le coût de cet examen et les dépenses qu'engage le travailleur pour s'y rendre.

1985, c. 6, art. 210

211. Obligation du travailleur — Le travailleur victime d'une lésion professionnelle doit se soumettre à l'examen que son employeur requiert conformément aux articles 209 et 210.

1985, c. 6, art. 211

212. Contestation par l'employeur — L'employeur qui a droit d'accès au dossier que la Commission possède au sujet d'une lésion professionnelle dont a été victime un travailleur peut contester l'attestation ou le rapport du médecin qui a charge du travailleur, s'il obtient un rapport d'un professionnel de la santé qui, après avoir examiné le travailleur, infirme les conclusions de ce médecin quant à l'un ou plusieurs des sujets suivants :

1° le diagnostic;

2° la date ou la période prévisible de consolidation de la lésion;

3° la nature, la nécessité, la suffisance ou la durée des soins ou des traitements administrés ou prescrits;

4° l'existence ou le pourcentage d'atteinte permanente à l'intégrité physique ou psychique du travailleur;

5° l'existence ou l'évaluation des limitations fonctionnelles du travailleur.

Rapport à la Commission — L'employeur transmet copie de ce rapport à la Commission dans les 30 jours de la date de la réception de l'attestation ou du rapport qu'il désire contester.

1985, c. 6, art. 212; 1992, c. 11, art. 15; 1997, c. 27, art. 4

212.1 Rapport complémentaire — Si le rapport du professionnel de la santé obtenu en vertu de l'article 212 infirme les conclusions du médecin qui a charge du travailleur quant à l'un ou plusieurs des sujets mentionnés aux paragraphes 1° à 5° du premier alinéa de cet article, ce dernier peut, dans les 30 jours de la date de la réception de ce rapport, fournir à la Commission, sur le formulaire qu'elle prescrit, un rapport complémentaire en vue d'étayer ses conclusions et, le cas échéant, y joindre un rapport de consultation motivé. Le médecin qui a charge du travailleur informe celui-ci, sans délai, du contenu de son rapport.

Transmission au Bureau d'évaluation — La Commission soumet ces rapports, incluant, le cas échéant, le rapport complémentaire au Bureau d'évaluation médicale prévu à l'article 216.

1997, c. 27, art. 5

213. (*Abrogé*).

1985, c. 6, art. 213; 1992, c. 11, art. 16

214. (*Abrogé*).

1985, c. 6, art. 214; 1992, c. 11, art. 16

215. Transmission des rapports — L'employeur et la Commission transmettent, sur réception, au travailleur et au médecin qui en a charge, copies des rapports qu'ils obtiennent en vertu de la présente section.

Transmission des rapports — La Commission transmet sans délai au professionnel de la santé désigné par l'employeur copies des rapports médicaux qu'elle obtient en vertu de la présente section et qui concernent le travailleur de cet employeur.

1985, c. 6, art. 215; 1992, c. 11, art. 17

216. Bureau d'évaluation médicale — Est institué le Bureau d'évaluation médicale.

Liste des professionnels — Le ministre dresse annuellement, après consultation des ordres professionnels concernés et du Comité consultatif du travail et de la main-d'œuvre visé à l'article 12.1 de la *Loi sur le ministère du Travail* (chapitre M-32.2), une liste des professionnels de la santé qui acceptent d'agir comme membres de ce bureau.

Liste en vigueur — La liste des professionnels de la santé qui acceptent d'agir comme membres de ce Bureau pour une année reste en vigueur jusqu'à ce qu'elle soit remplacée.

1985, c. 6, art. 216; 1992, c. 11, art. 18; 2011, c. 16, art. 83

217. Avis au ministre — La Commission soumet sans délai les contestations prévues aux articles 205.1, 206 et 212.1 au Bureau d'évaluation médicale en avisant le ministre de l'objet en litige et en l'informant des noms et adresses des parties et des professionnels de la santé concernés.

1985, c. 6, art. 217; 1992, c. 11, art. 19; 1997, c. 27, art. 6

218. Désignation du membre du Bureau d'évaluation médicale — Le ministre désigne un membre du Bureau d'évaluation médicale parmi les professionnels de la santé dont les noms apparaissent sur la liste visée à l'article 216.

Membres désignés — Toutefois, le ministre ou la personne qu'il désigne à cette fin peut, s'il l'estime opportun en raison de la complexité d'un dossier, désigner plus d'un membre de ce Bureau pour agir.

Information aux parties — Il informe les parties à la contestation, la Commission et les professionnels de la santé concernés des nom et adresse du membre qu'il a désigné.

1985, c. 6, art. 218; 1992, c. 11, art. 20; 1997, c. 27, art. 7

219. Transmission du dossier — La Commission transmet sans délai au membre du Bureau d'évaluation médicale le dossier médical complet qu'elle possède au sujet de la lésion professionnelle dont a été victime un travailleur et qui fait l'objet de la contestation.

1985, c. 6, art. 219; 1992, c. 11, art. 21

220. Étude — Le membre du Bureau d'évaluation médicale étudie le dossier soumis. Il peut, s'il le juge à propos, examiner le travailleur ou requérir de la Commission tout renseignement ou document d'ordre médical qu'elle détient ou peut obtenir au sujet du travailleur.

Examen — Il doit aussi examiner le travailleur si celui-ci le lui demande.

1985, c. 6, art. 220; 1992, c. 11, art. 22

221. Conclusion du membre du Bureau d'évaluation médicale — Le membre du Bureau d'évaluation médicale, par avis écrit motivé, infirme ou confirme le diagnostic et les autres conclusions du médecin qui a charge du travailleur et du professionnel de la santé désigné par la Commission ou l'employeur, relativement aux sujets mentionnés aux paragraphes 1° à 5° du premier alinéa de l'article 212, et y substitue les siens, s'il y a lieu.

Avis — Il peut aussi, s'il l'estime approprié, donner son avis relativement à chacun de ces sujets, même si le médecin qui a charge du travailleur ou le professionnel de la santé désigné par l'employeur ou la Commission ne s'est pas prononcé relativement à ce sujet.

1985, c. 6, art. 221; 1992, c. 11, art. 23

222. Transmission au ministre — Le membre du Bureau d'évaluation médicale rend son avis dans les 30 jours de la date à laquelle le dossier lui a été transmis et l'expédie sans délai au ministre, avec copie à la Commission et aux parties.

1985, c. 6, art. 222; 1992, c. 11, art. 24

223. Immunité — Un membre du Bureau d'évaluation médicale ne peut être poursuivi en justice en raison d'un acte accompli de bonne foi dans l'exercice de ses fonctions.

1985, c. 6, art. 223; 1992, c. 11, art. 25

224. Commission liée — Aux fins de rendre une décision en vertu de la présente loi, et sous réserve de l'article 224.1, la Commission est liée par le diagnostic et les autres conclusions établis par le médecin qui a charge du travailleur relativement aux sujets mentionnés aux paragraphes 1° à 5° du premier alinéa de l'article 212.

1985, c. 6, art. 224; 1992, c. 11, art. 26

224.1 Commission liée — Lorsqu'un membre du Bureau d'évaluation médicale rend un avis en vertu de l'article 221 dans le délai prescrit à l'article 222, la Commission est liée par cet avis et rend une décision en conséquence.

Commission liée — Lorsque le membre de ce Bureau ne rend pas son avis dans le délai prescrit à l'article 222, la Commission est liée par le rapport qu'elle a obtenu du professionnel de la santé qu'elle a désigné, le cas échéant.

Rapport de la contestation — Si elle n'a pas déjà obtenu un tel rapport, la Commission peut demander au professionnel de la santé qu'elle désigne un rapport sur le sujet mentionné aux paragraphes 1° à 5° du premier alinéa de l'article 212 qui a fait l'objet de la contestation; elle est alors liée par le premier avis ou rapport qu'elle reçoit, du membre du Bureau d'évaluation médicale ou du professionnel de la santé qu'elle a désigné, et elle rend une décision en conséquence.

Dossier du travailleur — La Commission verse au dossier du travailleur tout avis ou rapport qu'elle reçoit même s'il ne la lie pas.

1992, c. 11, art. 27

225. Défaut du membre du Bureau d'évaluation médicale — Le membre du Bureau d'évaluation médicale qui fait défaut de rendre son avis dans le délai prescrit ou de l'expédier sans délai n'est pas rémunéré pour le travail qu'il a déjà accompli.

1985, c. 6, art. 225; 1992, c. 11, art. 28

SECTION II — DISPOSITIONS PARTICULIÈRES AUX MALADIES PROFESSIONNELLES PULMONAIRES

226. Maladie pulmonaire — Lorsqu'un travailleur produit une réclamation à la Commission alléguant qu'il est atteint d'une maladie professionnelle pulmonaire, la Commission le réfère, dans les 10 jours, à un comité des maladies professionnelles pulmonaires.

1985, c. 6, art. 226

227. Comités — Le ministre forme au moins quatre comités des maladies professionnelles pulmonaires qui ont pour fonction de déterminer si un travailleur est atteint d'une maladie professionnelle pulmonaire.

Composition — Un comité des maladies professionnelles pulmonaires est composé de trois pneumologues, dont un président qui est professeur agrégé ou titulaire dans une université québécoise.

1985, c. 6, art. 227

228. Mandat — Ces pneumologues sont nommés pour quatre ans par le ministre, à partir d'une liste fournie par l'Ordre des médecins du Québec et après consultation du Comité consultatif du travail et de la main-d'œuvre visé à l'article 12.1 de la *Loi sur le ministère du Travail* (chapitre M-32.2).

Fonctions — Ils demeurent en fonction, malgré l'expiration de leur mandat, jusqu'à ce qu'ils soient nommés de nouveau ou remplacés.

1985, c. 6, art. 228; 2011, c. 16, art. 84

229. Transmission des radiographies — Dans les 10 jours de la demande de la Commission, un établissement au sens de la *Loi sur les services de santé et les services sociaux* (chapitre S-4.2), malgré l'article 19 de cette loi, ou au sens de la *Loi sur les services de santé et les services sociaux pour les autochtones cris* (chapitre S-5), selon le cas, transmet au président du comité des maladies professionnelles pulmonaires que la Commission lui indique, les radiographies des poumons du travailleur que la Commission réfère à ce comité.

1985, c. 6, art. 229; 1992, c. 21, art. 82; 1994, c. 23, art. 23; 2005, c. 32, art. 232

230. Examen — Le Comité des maladies professionnelles pulmonaires à qui la Commission réfère un travailleur examine celui-ci dans les 20 jours de la demande de la Commission.

Rapport écrit — Il fait rapport par écrit à la Commission de son diagnostic dans les 20 jours de l'examen et, si son diagnostic est positif, il fait en outre état dans son rapport de ses constatations quant aux limitations fonctionnelles, au pourcentage d'atteinte à l'intégrité physique et à la tolérance du travailleur à un contaminant au sens de la *Loi sur la santé et la sécurité du travail* (chapitre S-2.1) qui a provoqué sa maladie ou qui risque de l'exposer à une récidive, une rechute ou une aggravation.

1985, c. 6, art. 230

231. Comité spécial — Sur réception de ce rapport, la Commission soumet le dossier du travailleur à un comité spécial composé de trois personnes qu'elle désigne parmi les présidents des comités des maladies professionnelles pulmonaires, à l'exception du président du comité qui a fait le rapport faisant l'objet de l'examen par le comité spécial.

Contenu du dossier — Le dossier du travailleur comprend le rapport du comité des maladies professionnelles pulmonaires et toutes les pièces qui ont servi à ce comité à établir son diagnostic et ses autres constatations.

Conclusions du comité — Le comité spécial infirme ou confirme le diagnostic et les autres constatations du comité des maladies professionnelles pulmonaires faites en vertu du deuxième alinéa de l'article 230 et y substitue les siens, s'il y a lieu; il motive son avis et le transmet à la Commission dans les 20 jours de la date où la Commission lui a soumis le dossier.

1985, c. 6, art. 231

232. Immunité — Un membre d'un comité des maladies professionnelles pulmonaires ou d'un comité spécial ne peut être poursuivi en justice en raison d'un acte accompli de bonne foi dans l'exercice de ses fonctions.

1985, c. 6, art. 232

233. Commission liée — Aux fins de rendre une décision en vertu de la présente loi sur les droits du travailleur qui lui produit une réclamation alléguant qu'il est atteint d'une maladie professionnelle pulmonaire, la Commission est liée par le diagnostic et les autres constatations établis par le comité spécial en vertu du troisième alinéa de l'article 231.

1985, c. 6, art. 233

Chapitre VII — Droit au retour au travail

Section I — Droits du travailleur

234. Application — La présente section s'applique au travailleur qui, à la date où il est victime d'une lésion professionnelle, est lié par un contrat de travail à durée indéterminée ou, dans le cas prévu par l'article 237, à durée déterminée.

Non application — Cependant, elle ne s'applique pas au travailleur visé dans la section II du présent chapitre, sauf en ce qui concerne l'article 243.

1985, c. 6, art. 234

235. Ancienneté accumulée — Le travailleur qui s'absente de son travail en raison de sa lésion professionnelle :

1° continue d'accumuler de l'ancienneté au sens de la convention collective qui lui est applicable et du service continu au sens de cette convention et au sens de la *Loi sur les normes du travail* (chapitre N-1.1);

2° continue de participer aux régimes de retraite et d'assurances offerts dans l'établissement, pourvu qu'il paie sa part des cotisations exigibles, s'il y a lieu, auquel cas son employeur assume la sienne.

Durée d'application — Le présent article s'applique au travailleur jusqu'à l'expiration du délai prévu par le paragraphe 1° ou 2°, selon le cas, du premier alinéa de l'article 240.

1985, c. 6, art. 235

236. Priorité d'emploi — Le travailleur victime d'une lésion professionnelle qui redevient capable d'exercer son emploi a droit de réintégrer prioritairement son emploi dans l'établissement où il travaillait lorsque s'est manifestée sa lésion ou de réintégrer un emploi équivalent dans cet établissement ou dans un autre établissement de son employeur.

1985, c. 6, art. 236

237. Travail à durée déterminée — Le travailleur qui, à la date où il est victime d'une lésion professionnelle, est lié par un contrat de travail à durée déterminée et qui redevient capable d'exercer son emploi avant la date d'expiration de son contrat, a droit de réintégrer son emploi et de l'occuper jusqu'à cette date.

1985, c. 6, art. 237

238. Convention collective applicable — Lorsqu'un employeur lié par une convention collective ne réintègre pas un travailleur qui est redevenu capable d'exercer son emploi pour le motif que ce travailleur aurait été déplacé, suspendu, licencié, congédié ou qu'il aurait autrement perdu son emploi s'il avait été au travail, les dispositions pertinentes de la convention collective s'appliquent comme si ce travailleur avait été au travail lors de ce déplacement, de cette suspension, de ce licenciement, de ce congédiement ou de cette perte d'emploi.

1985, c. 6, art. 238

239. Emploi convenable — Le travailleur qui demeure incapable d'exercer son emploi en raison de sa lésion professionnelle et qui devient capable d'exercer un emploi convenable a droit d'occuper le premier emploi convenable qui devient disponible dans un établissement de son employeur.

Règles de l'ancienneté — Le droit conféré par le premier alinéa s'exerce sous réserve des règles relatives à l'ancienneté prévues par la convention collective applicable au travailleur.

1985, c. 6, art. 239

240. Période d'exercice des droits — Les droits conférés par les articles 236 à 239 peuvent être exercés :

1° dans l'année suivant le début de la période d'absence continue du travailleur en raison de sa lésion professionnelle, s'il occupait un emploi dans un établissement comptant 20 travailleurs ou moins au début de cette période; ou

2° dans les deux ans suivant le début de la période d'absence continue du travailleur en raison de sa lésion professionnelle, s'il occupait un emploi dans un établissement comptant plus de 20 travailleurs au début de cette période.

Absence non interrompue — Le retour au travail d'un travailleur à la suite d'un avis médical n'interrompt pas la période d'absence continue du travailleur si son état de santé relatif à sa lésion l'oblige à abandonner son travail dans la journée du retour.

1985, c. 6, art. 240

241. Révision ou appel — Une demande de révision faite en vertu de l'article 358 ou un recours formé en vertu de l'article 359 qui a pour objet l'incapacité du travailleur d'exercer son emploi en raison de sa lésion professionnelle suspend la période d'absence continue prévue par l'article 240 si la décision finale conclut que le travailleur était capable d'exercer son emploi à l'intérieur de cette période.

1985, c. 6, art. 241; 1997, c. 27, art. 8

242. Rémunération durant l'absence — Le travailleur qui réintègre son emploi ou un emploi équivalent a droit de recevoir le salaire et les avantages aux mêmes taux et conditions que ceux dont il bénéficierait s'il avait continué à exercer son emploi pendant son absence.

Accumulation de service — Le travailleur qui occupe un emploi convenable a droit de recevoir le salaire et les avantages liés à cet emploi, en tenant compte de l'ancienneté et du service continu qu'il a accumulés.

1985, c. 6, art. 242

243. Interdiction — Nul ne peut refuser d'embaucher un travailleur parce que celui-ci a été victime d'une lésion professionnelle, si ce travailleur est capable d'exercer l'emploi visé.

1985, c. 6, art. 243

244. Dispositions à la convention collective — Une convention collective peut prévoir des dispositions relatives à la mise en application du droit au retour au travail prévu par la présente section.

Mise en application — Le droit au retour au travail d'un travailleur est mis en application de la manière prévue par la convention collective qui lui est applicable, si celle-ci contient des dispositions prévues par le premier alinéa ou des dispositions relatives au retour au travail après un accident ou une maladie.

Procédure de griefs — Dans ce cas, le travailleur qui se croit lésé dans l'exercice de son droit au retour au travail peut avoir recours à la procédure de griefs prévue par cette convention.

1985, c. 6, art. 244

245. Absence d'une convention collective — En l'absence d'une convention collective visée dans le deuxième alinéa de l'article 244, les modalités d'application du droit au retour au travail d'un travailleur sont déterminées par le comité de santé et de sécurité formé en vertu de la *Loi sur la santé et la sécurité du travail* (chapitre S-2.1) pour l'ensemble de l'établissement où est disponible l'emploi que le travailleur a droit de réintégrer ou d'occuper.

Désaccord — En cas de désaccord au sein de ce comité ou si le travailleur ou l'employeur est insatisfait des recommandations du comité, le travailleur ou l'employeur peut demander l'intervention de la Commission.

1985, c. 6, art. 245

246. Entente — En l'absence d'une convention collective visée dans le deuxième alinéa de l'article 244 et lorsqu'aucun comité de santé et de sécurité n'est formé pour l'ensemble de l'établissement où est disponible l'emploi que le travailleur a droit de réintégrer ou d'occuper, le travailleur et son employeur s'entendent sur les modalités d'application du droit au retour au travail du travailleur.

Désaccord — En cas de désaccord entre eux, le travailleur ou l'employeur peut demander l'intervention de la Commission.

1985, c. 6, art. 246

SECTION II — DROITS DU TRAVAILLEUR DE LA CONSTRUCTION

247. Chantier de construction — La présente section s'applique au travailleur qui est un salarié au sens de la *Loi sur les relations du travail, la formation professionnelle et la gestion de la main-d'œuvre dans l'industrie de la construction* (chapitre R-20) et qui travaille sur un chantier de construction.

1985, c. 6, art. 247; 1986, c. 89, art. 50

248. Règles relatives à la réintégration — Le travailleur victime d'une lésion professionnelle qui redevient capable d'exercer son emploi a droit de réintégrer son emploi chez l'employeur pour qui il travaillait lorsque s'est manifestée sa lésion, sous réserve des règles relatives à l'embauche et au placement prévues par un règlement concernant le placement des salariés adopté en vertu de la *Loi sur les relations du travail, la formation professionnelle et la gestion de la main-d'œuvre dans l'industrie de la construction* (chapitre R-20).

Délai — Ce droit peut être exercé dans le délai prévu par l'article 240 et l'article 241 s'applique.

1985, c. 6, art. 248; 1986, c. 89, art. 50

249. Certificat de classification — Le travailleur qui, lorsqu'il est victime d'une lésion professionnelle, détient un certificat de classification « A » ou « Apprenti » en vertu d'un règlement concernant le placement des salariés adopté en vertu de la *Loi sur les relations du travail, la formation professionnelle et la gestion de la main-d'œuvre dans l'industrie de la construction* (chapitre R-20) et qui redevient capable d'exercer son emploi a droit au renouvellement de son certificat même s'il n'a pas accumulé, en raison de sa lésion, le nombre d'heures de travail requis en vertu de ce règlement.

Commission de la construction — La Commission de la construction du Québec doit délivrer ce certificat au travailleur.

1985, c. 6, art. 249; 1986, c. 89, art. 50

250. Comité de chantier — Les modalités d'application du droit au retour au travail d'un travailleur visé dans l'article 248 sont déterminées par le comité de chantier formé en vertu de la *Loi sur la santé et la sécurité du travail* (chapitre S-2.1).

Entente — Lorsqu'il n'y a pas de comité de chantier, le travailleur et son employeur s'entendent sur les modalités d'application de ce droit.

1985, c. 6, art. 250

251. Désaccord — En cas de désaccord au sein du comité de chantier ou si le travailleur ou son employeur est insatisfait des recommandations du comité ou s'ils ne s'entendent pas entre eux sur les modalités d'application du droit au retour au travail, ce travailleur ou son employeur peut demander l'intervention de la Commission.

1985, c. 6, art. 251

SECTION III — RECOURS À LA COMMISSION

252. Juridiction exclusive — La Commission a compétence exclusive pour disposer de toute plainte soumise en vertu de l'article 32 et de toute demande d'intervention faite en vertu des articles 245, 246 et 251.

1985, c. 6, art. 252; 1997, c. 27, art. 9

253. Plainte — Une plainte en vertu de l'article 32 doit être faite par écrit dans les 30 jours de la connaissance de l'acte, de la sanction ou de la mesure dont le travailleur se plaint.

Transmission à l'employeur — Le travailleur transmet copie de cette plainte à l'employeur.

1985, c. 6, art. 253

254. Conciliation — Si le travailleur qui soumet une plainte en vertu de l'article 32 y consent, la Commission peut tenter de concilier ce travailleur et son employeur.

1985, c. 6, art. 254

255. Présomption — S'il est établi à la satisfaction de la Commission que le travailleur a été l'objet d'une sanction ou d'une mesure visée dans l'article 32 dans les six mois de la date où il a été victime d'une lésion professionnelle ou de la date où il a exercé un droit que lui confère la présente loi, il y a présomption en faveur du travailleur que la sanction lui a été imposée ou que la mesure a été prise contre lui parce qu'il a été victime d'une lésion professionnelle ou à cause de l'exercice de ce droit.

Fardeau de la preuve — Dans ce cas, il incombe à l'employeur de prouver qu'il a pris cette sanction ou cette mesure à l'égard du travailleur pour une autre cause juste et suffisante.

1985, c. 6, art. 255

256. Ordonnance de la Commission — Si la présomption en faveur du travailleur s'applique, la Commission peut ordonner à l'employeur de réintégrer le travailleur dans son emploi avec tous ses droits et privilèges et de lui verser son salaire et les autres avantages liés à l'emploi jusqu'à ce qu'elle dispose de la plainte.

1985, c. 6, art. 256

257. Ordonnance de la Commission — Lorsque la Commission dispose d'une plainte soumise en vertu de l'article 32, elle peut ordonner à l'employeur de réintégrer le travailleur dans son emploi avec tous ses droits et privilèges, d'annuler une sanction ou de cesser d'exercer des mesures discriminatoires ou de représailles à l'endroit du travailleur et de verser à celui-ci l'équivalent du salaire et des avantages dont il a été privé.

1985, c. 6, art. 257

258. Demande d'intervention — Lorsque la Commission est saisie d'une demande d'intervention en vertu de l'article 245, 246 ou 251, elle s'enquiert auprès des parties des motifs de leur désaccord et tente de les concilier et, si une entente n'est pas possible, elle rend sa décision.

1985, c. 6, art. 258

259. Ordonnance de la Commission — Lorsque la Commission dispose d'une demande d'intervention en vertu de l'article 245, 246 ou 251, elle peut ordonner à l'employeur de réintégrer le travailleur dans son emploi ou dans un emploi équivalent avec tous ses droits et privilèges ou de lui assigner l'emploi qu'il aurait dû lui assigner conformément à l'article 239 et de verser au travailleur l'équivalent du salaire et des avantages dont il a été privé.

1985, c. 6, art. 259

260. Montant — Le montant que la Commission ordonne de verser en vertu de l'article 257 ou 259 est dû pour toute la période comprise entre le moment où l'employeur aurait dû réintégrer ou maintenir le travailleur dans son emploi ou lui assigner un emploi, selon le cas, et celui de l'exécution de l'ordonnance ou du défaut du travailleur d'occuper l'emploi que l'ordonnance désigne après avoir été dûment rappelé par l'employeur.

Déduction — Si le travailleur a occupé un autre emploi pendant cette période, le salaire qu'il a ainsi gagné doit être déduit du montant qui lui est dû.

Déduction — S'il a reçu une indemnité de remplacement du revenu, elle doit être également déduite de ce montant et remboursée à la Commission par l'employeur.

1985, c. 6, art. 260

261. Intérêt — Lorsque la Commission ordonne à l'employeur de verser au travailleur l'équivalent du salaire et des avantages dont celui-ci a été privé, elle peut aussi ordonner le paiement d'un intérêt, à compter du dépôt de la plainte ou de la demande d'intervention, sur le montant dû.

Taux des intérêts — Le taux de cet intérêt est déterminé suivant les règles établies par règlement. Cet intérêt est capitalisé quotidiennement.

1985, c. 6, art. 261; 1993, c. 5, art. 4

262. Délai de la décision — La décision de la Commission doit être rendue dans les 30 jours de la plainte qui lui est soumise ou de la demande d'intervention dont elle est saisie.

Effet — Sous réserve de l'article 263, cette décision a effet immédiatement, malgré qu'elle soit contestée devant le Tribunal administratif du travail.

1985, c. 6, art. 262; 1997, c. 27, art. 10; 2015, c. 15, art. 237

263. Délai d'exécution — L'employeur doit se conformer à une ordonnance rendue par la Commission en vertu de la présente section dans les huit jours de sa notification.

1985, c. 6, art. 263

264. Dépôt au bureau du greffier — Le travailleur concerné peut déposer au bureau du greffier de la Cour supérieure du district où est situé l'établissement de l'employeur :

1° une décision rendue en vertu de l'article 256, dans les 15 jours de sa notification;

2° une décision finale rendue en vertu de l'article 257, 259 ou 261.

Décision exécutoire — Sur ce dépôt, la décision de la Commission devient exécutoire comme s'il s'agissait d'un jugement final et sans appel de la Cour supérieure et en a tous les effets.

1985, c. 6, art. 264

Chapitre VIII — Procédure de réclamation et avis

265. Avis au supérieur — Le travailleur victime d'une lésion professionnelle ou, s'il est décédé ou empêché d'agir, son représentant, doit en aviser son supérieur immédiat, ou à défaut un autre représentant de l'employeur, avant de quitter l'établissement lorsqu'il en est capable, ou sinon dès que possible.

1985, c. 6, art. 265; 1999, c. 40, art. 4

266. Contenu — Cet avis est suffisant s'il identifie correctement le travailleur et s'il décrit dans un langage ordinaire, l'endroit et les circonstances entourant la survenance de la lésion professionnelle.

Communication — L'employeur facilite au travailleur et à son représentant la communication de cet avis.

Formulaires — La Commission peut mettre à la disposition des employeurs et des travailleurs des formulaires à cette fin.

1985, c. 6, art. 266

267. Attestation médicale — Le travailleur victime d'une lésion professionnelle qui le rend incapable d'exercer son emploi au-delà de la journée au cours de laquelle s'est manifestée sa lésion doit remettre à son employeur l'attestation médicale prévue par l'article 199.

Transmission à la Commission — Si aucun employeur n'est tenu de verser un salaire à ce travailleur en vertu de l'article 60, celui-ci remet cette attestation à la Commission.

1985, c. 6, art. 267

268. Réclamation — L'employeur tenu de verser un salaire en vertu de l'article 60 avise la Commission que le travailleur est incapable d'exercer son emploi au-delà de la journée au cours de laquelle s'est manifestée la lésion professionnelle et réclame par écrit le montant qui lui est remboursable en vertu de cet article.

Formulaire — L'avis de l'employeur et sa réclamation se font sur le formulaire prescrit par la Commission.

Contenu — Ce formulaire porte notamment sur :

1º les nom et adresse du travailleur, de même que ses numéros d'assurance sociale et d'assurance maladie;

2º les nom et adresse de l'employeur et de son établissement, de même que le numéro attribué à chacun d'eux par la Commission;

3º la date du début de l'incapacité ou du décès du travailleur;

4º l'endroit et les circonstances de l'accident du travail, s'il y a lieu;

5º le revenu brut prévu par le contrat de travail du travailleur;

6º le montant dû en vertu de l'article 60;

7º les nom et adresse du professionnel de la santé que l'employeur désigne pour recevoir communication du dossier médical que la Commission possède au sujet du travailleur; et

8º si l'employeur conteste qu'il s'agit d'une lésion professionnelle ou la date ou la période prévisible de consolidation de la lésion, les motifs de sa contestation.

1985, c. 6, art. 268; 1999, c. 89, art. 53

269. Transmission à la Commission — L'employeur transmet à la Commission le formulaire prévu par l'article 268, accompagné d'une copie de l'attestation médicale prévue par l'article 199, dans les deux jours suivant :

1º la date du retour au travail du travailleur, si celui-ci revient au travail dans les 14 jours complets suivant le début de son incapacité d'exercer son emploi en raison de sa lésion professionnelle; ou

2º les 14 jours complets suivant le début de l'incapacité du travailleur d'exercer son emploi en raison de sa lésion professionnelle, si le travailleur n'est pas revenu au travail à la fin de cette période.

Transmission au travailleur — Il remet au travailleur copie de ce formulaire dûment rempli et signé.

1985, c. 6, art. 269

270. Réclamation par bénéficiaire — Le travailleur qui, en raison d'une lésion professionnelle, est incapable d'exercer son emploi pendant plus de 14 jours complets ou a subi une atteinte permanente à son intégrité physique ou psychique ou, s'il décède de cette lésion, le bénéficiaire, produit sa réclamation à la Commission, sur le formulaire qu'elle prescrit, dans les six mois de la lésion ou du décès, selon le cas.

Assistance — L'employeur assiste le travailleur ou, le cas échéant, le bénéficiaire, dans la rédaction de sa réclamation et lui fournit les informations requises à cette fin.

Transmission à l'employeur — Le travailleur ou, le cas échéant, le bénéficiaire, remet à l'employeur copie de ce formulaire dûment rempli et signé.

1985, c. 6, art. 270

271. Réclamation à la Commission — Le travailleur victime d'une lésion professionnelle qui ne le rend pas incapable d'exercer son emploi au-delà de la journée au cours de laquelle s'est manifestée sa lésion ou celui à qui aucun employeur n'est tenu de verser un salaire en vertu de l'article 60, quelle que soit la durée de son incapacité, produit sa réclamation à la Commission, s'il y a lieu, sur le formulaire qu'elle prescrit, dans les six mois de sa lésion.

1985, c. 6, art. 271

272. Réclamation à la Commission — Le travailleur atteint d'une maladie professionnelle ou, s'il en décède, le bénéficiaire, produit sa réclamation à la Commission, sur le formulaire qu'elle prescrit, dans les six mois de la date où il est porté à la connaissance du travailleur ou du bénéficiaire que le travailleur est atteint d'une maladie professionnelle ou qu'il en est décédé, selon le cas.

Formulaire — Ce formulaire porte notamment sur les nom et adresse de chaque employeur pour qui le travailleur a exercé un travail de nature à engendrer sa maladie professionnelle.

Transmission aux employeurs — La Commission transmet copie de ce formulaire à chacun des employeurs dont le nom y apparaît.

1985, c. 6, art. 272

273. Association des employeurs — Lorsqu'un employeur dont le nom apparaît sur le formulaire visé dans l'article 272 a disparu, l'association des employeurs qui regroupe les employeurs exerçant des activités économiques semblables à celles de l'employeur disparu peut exercer les droits que la présente loi confère à l'employeur du travailleur relativement à la réclamation pour laquelle ce formulaire a été rempli.

1985, c. 6, art. 273

274. Information à l'employeur — Lorsqu'un travailleur est informé par le médecin qui en a charge de la date de consolidation de la lésion professionnelle dont il a été victime et du fait qu'il en garde quelque limitation fonctionnelle ou qu'il n'en garde aucune, il doit en informer sans délai son employeur.

Information à la Commission — S'il s'agit d'un travailleur visé dans la section II du chapitre VII, celui-ci doit aussi en informer sans délai la Commission de la construction du Québec.

1985, c. 6, art. 274; 1986, c. 89, art. 50

275. Information à la Commission — L'employeur qui est informé par un travailleur selon l'article 274 et qui réintègre ce travailleur dans son emploi ou dans un emploi équivalent doit en informer sans délai la Commission.

1985, c. 6, art. 275

276. Information à la Commission — Le travailleur doit informer sans délai la Commission du fait qu'il a réintégré son emploi ou un emploi équivalent.

1985, c. 6, art. 276

277. Information à la Commission — Dans les cas prévus par les articles 275 et 276, le travailleur visé dans la section II du chapitre VII ou son employeur, selon le cas, doit aussi informer sans délai la Commission de la construction du Québec.

1985, c. 6, art. 277; 1986, c. 89, art. 50

278. Information à la Commission — Un bénéficiaire doit informer sans délai la Commission de tout changement dans sa situation qui peut influer sur un droit que la présente loi lui confère ou sur le montant d'une indemnité.

1985, c. 6, art. 278

279. Assistance — Un travailleur peut requérir l'aide de son représentant ou mandater celui-ci pour donner un avis ou produire une réclamation conformément au présent chapitre.

1985, c. 6, art. 279

280. Registre des accidents — L'employeur inscrit dans un registre les accidents du travail qui surviennent dans son établissement et qui ne rendent pas le travailleur incapable d'exercer son emploi au-delà de la journée au cours de laquelle s'est manifestée sa lésion professionnelle; il présente ce registre au travailleur afin que celui-ci y appose sa signature pour confirmer qu'il a été victime de l'accident et la date de celui-ci.

Registre des premiers soins — Le registre des premiers secours et des premiers soins prévu par règlement peut servir à cette fin.

Consultation — L'employeur met ce registre à la disposition de la Commission et d'une association syndicale représentative des travailleurs de son établissement ou leur en transmet copie, selon qu'elles le requièrent, et il transmet, sur demande, au travailleur ou à son représentant copie de l'extrait qui le concerne.

1985, c. 6, art. 280

Chapitre IX — Financement

Section I — Dispositions générales

281. Perception — La Commission perçoit des employeurs les sommes requises pour l'application de la présente loi.

1985, c. 6, art. 281; 1986, c. 58, art. 112

282. Actif du Fonds — Les sommes perçues et les montants recouvrés par la Commission en application de la présente loi font partie de l'actif du Fonds.

1985, c. 6, art. 282; 2002, c. 76, art. 29

283. Comptes distincts — La Commission tient des comptes distincts pour chaque employeur, mais l'actif du Fonds est indivisible pour le paiement des prestations.

1985, c. 6, art. 283; 1996, c. 70, art. 8; 2002, c. 76, art. 30

284. Mode de financement — La Commission choisit son mode de financement d'après la méthode qu'elle estime appropriée pour lui permettre de faire face à ses dépenses au fur et à mesure de leur échéance et d'éviter que les employeurs soient injustement obérés par la suite à cause des paiements à faire pour des lésions professionnelles survenues auparavant.

1985, c. 6, art. 284; 1988, c. 34, art. 1

284.1 Assurance risque — Dans la détermination de la cotisation des employeurs, la Commission tient compte, conformément aux règles prévues dans le présent chapitre, de l'expérience associée au risque de lésions professionnelles qu'elle assure.

1996, c. 70, art. 9

284.2 Taux personnalisés — La Commission peut conclure, avec un groupe d'employeurs qu'elle estime approprié, une entente déterminant notamment les conditions particulières d'assujettissement de ces employeurs à des taux personnalisés ou à l'ajustement rétrospectif de la cotisation ainsi que les modalités de calcul de ces taux ou de cet ajustement. Elle détermine, par règlement, le cadre à l'intérieur duquel peut être conclue une entente.

Arbitrage des différends — Une telle entente peut déroger aux conditions et modalités prévues dans les règlements utilisés pour fixer la cotisation d'un employeur et doit prévoir, à l'exclusion de tout autre recours prévu à la présente loi, l'arbitrage des différends qu'entraîne son application.

1996, c. 70, art. 9

285. Réserve actuarielle — La Commission évalue à la fin de chaque année le montant de la réserve actuarielle requise compte tenu du mode de financement qu'elle a choisi.

1985, c. 6, art. 285

286. Évaluation et expertise — L'évaluation de la réserve actuarielle et les expertises actuarielles visées aux articles 304, 314 et 454 sont faites par un actuaire membre de l'Institut canadien des actuaires qui a le titre de *« fellow »* ou un statut que cet institut reconnaît comme équivalent.

1985, c. 6, art. 286; 1989, c. 74, art. 1

287. (*Abrogé*).

1985, c. 6, art. 287; 1988, c. 64, art. 587; 2000, c. 29, art. 615; 2002, c. 76, art. 31

288. (*Abrogé*).

1985, c. 6, art. 288; 2002, c. 76, art. 31

289. Salaire brut — Pour l'application du présent chapitre, le **« salaire brut »** d'un travailleur est pris en considération jusqu'à concurrence du maximum annuel assurable établi en vertu de l'article 66.

Calcul — On entend par « salaire brut » toute forme de rémunération provenant de l'employeur et qui fait partie du salaire de base, au sens de l'article 1159.1 de la *Loi sur les impôts* (chapitre I-3), à l'exclusion de ce salaire de base se rapportant à la partie d'une absence pour maladie qui excède 105 jours consécutifs.

1985, c. 6, art. 289; 1993, c. 5, art. 5; 1999, c. 83, art. 1; 2005, c. 38, art. 1

289.1 Calcul — Malgré l'article 289, le salaire brut d'un travailleur qui est au service d'un employeur auquel s'applique la *Loi sur les relations du travail, la formation professionnelle et la gestion de la main-d'œuvre dans l'industrie de la construction* (chapitre R-20) ou qui exécute pour un employeur des travaux visés au paragraphe 9° de l'article 19 de cette loi est pris en considération, pour une semaine de travail, jusqu'à concurrence du maximum annuel assurable établi en vertu de l'article 66 et réparti hebdomadairement.

Partie de semaine — Aux fins du premier alinéa, toute partie de semaine est réputée une semaine complète.

Congé annuel — Est réputée ne pas être une semaine de travail la semaine de congé annuel dont bénéficie, en vertu soit de la convention collective conclue conformément à cette loi, soit du décret adopté conformément à celle-ci, soit encore d'un contrat de travail, le travailleur qui est un salarié auquel s'applique cette loi ou qui exécute des travaux visés au paragraphe 9° de l'article 19 de cette loi.

Restriction — Cependant, le présent article ne s'applique que si l'employeur paie au moins 40 % de ses salaires bruts pour l'année en regard de l'unité dans laquelle il est classé soit à des salariés auxquels s'applique la *Loi sur les relations du travail, la formation professionnelle et la gestion de la main-d'œuvre dans l'industrie de la construction*, pour des travaux visés par cette loi, soit à des travailleurs pour des travaux visés au paragraphe 9º de l'article 19 de cette même loi.

1993, c. 5, art. 5; 1999, c. 40, art. 4

SECTION II — DÉCLARATION DES EMPLOYEURS ET REGISTRE

290. Avis à la Commission — L'employeur qui commence ses activités doit en aviser la Commission de la manière, selon les modalités et dans le délai prévus par règlement.

1985, c. 6, art. 290; 1996, c. 70, art. 10; 2006, c. 53, art. 7

291. Déclaration de renseignements — Pour l'application du présent chapitre, l'employeur déclare à la Commission le montant des salaires bruts de ses travailleurs et les autres renseignements prévus par règlement, de la manière, selon les modalités et dans les délais également prévus par règlement.

Attestation d'exactitude — L'employeur ou son représentant qui a une connaissance personnelle des renseignements transmis atteste leur exactitude lorsque le règlement l'exige.

1985, c. 6, art. 291; 2006, c. 53, art. 7

292. (*Abrogé*).

1985, c. 6, art. 292; 1993, c. 5, art. 6; 1996, c. 70, art. 11; 2006, c. 53, art. 8

293. (*Abrogé*).

1985, c. 6, art. 293; 1992, c. 68, art. 157; 2006, c. 53, art. 8

293.0.1 (*Abrogé*).

2001, c. 76, art. 138; 2006, c. 53, art. 8

293.1 (*Abrogé*).

2000, c. 20, art. 163; 2001, c. 76, art. 139; 2006, c. 53, art. 8

294. (*Abrogé*).

1985, c. 6, art. 294; 1987, c. 19, art. 17; 1993, c. 5, art. 7; 2001, c. 76, art. 140; 2002, c. 24, art. 206; 2006, c. 53, art. 8

294.1 (*Abrogé*).

1996, c. 70, art. 12; 2006, c. 53, art. 8

295. Formulaire — L'employeur utilise le formulaire prescrit par la Commission, le cas échéant, aux fins des articles 290 et 291.

1985, c. 6, art. 295; 2006, c. 53, art. 9

296. Registres — Pour l'application du présent chapitre, la Commission peut, par règlement, exiger d'un employeur qu'il tienne des registres, qu'il constitue des documents ou qu'il conserve certaines pièces justificatives à l'appui des renseignements contenus dans ces registres ou documents selon les normes prescrites par règlement.

Transmission à la Commission — La personne qui tient un tel registre, qui constitue un document ou qui conserve une pièce justificative le met à la disposition de la Commission, lui en transmet copie ou le lui transmet selon qu'elle le requiert.

1985, c. 6, art. 296; 1987, c. 19, art. 18; 1992, c. 68, art. 157; 1996, c. 70, art. 13; 2000, c. 20, art. 164; 2001, c. 76, art. 141; 2002, c. 24, art. 206; 2006, c. 53, art. 10

SECTION III — CLASSIFICATION

297. Unités de classification — La Commission détermine annuellement par règlement des unités de classification qu'elle regroupe en secteurs.

1985, c. 6, art. 297; 1989, c. 74, art. 2; 1996, c. 70, art. 14

298. Classement des employeurs — Aux fins de la cotisation, la Commission classe chaque employeur dans une ou plusieurs unités, conformément aux règles qu'elle détermine par règlement.

1985, c. 6, art. 298; 1996, c. 70, art. 15

299. (*Abrogé*).

1985, c. 6, art. 299; 1996, c. 70, art. 16

300. (*Abrogé*).

1985, c. 6, art. 300; 1989, c. 74, art. 3; 1993, c. 5, art. 8; 1996, c. 70, art. 16

301. (*Abrogé*).

1985, c. 6, art. 301; 1989, c. 74, art. 4; 1996, c. 70, art. 16

302. (*Abrogé*).

1985, c. 6, art. 302; 1996, c. 70, art. 16

303. Avis écrit — La Commission avise par écrit l'employeur de sa classification.

Décision de la Commission — Cet avis constitue une décision de la Commission.

1985, c. 6, art. 303; 1996, c. 70, art. 17

SECTION IV — FIXATION DE LA COTISATION

304. Cotisation annuelle — La Commission fixe annuellement par règlement, en fonction du mode de financement qu'elle a choisi et après expertise actuarielle, le taux de cotisation applicable à chaque unité de classification.

1985, c. 6, art. 304; 1989, c. 74, art. 5; 1996, c. 70, art. 18

304.1 Taux personnalisé — La Commission fixe, conformément à ses règlements, un taux personnalisé de cotisation applicable à l'employeur en regard de chaque unité dans laquelle il est classé, si cet employeur satisfait, pour l'année de cotisation, aux conditions d'assujettissement déterminées par ces règlements.

Ratios d'expérience — Aux fins de la fixation du taux personnalisé, la Commission détermine annuellement par règlement les ratios d'expérience des unités de classification.

1989, c. 74, art. 6; 1996, c. 70, art. 19

305. Cotisation annuelle — La Commission cotise annuellement l'employeur au taux applicable à l'unité dans laquelle il est classé ou, le cas échéant, au taux personnalisé qui lui est applicable.

Entente — Cependant, elle peut prendre entente avec un employeur à l'effet de le cotiser plus d'une fois par année et de prévoir à cette fin des modalités d'application relatives à la transmission ainsi qu'au contenu des déclarations et au paiement de la cotisation autres que celles qui sont prévues par les sections II et V du présent chapitre.

1985, c. 6, art. 305; 1989, c. 74, art. 7; 1996, c. 70, art. 20

306. Calcul du montant — La Commission calcule le montant d'une cotisation à partir des salaires déclarés par l'employeur conformément à l'article 291.

1985, c. 6, art. 306; 2006, c. 53, art. 11; 2009, c. 19, art. 22

307. Cotisation fixée par la Commission — Lorsqu'un employeur ne transmet pas, dans le délai imparti, un avis ou des renseignements requis en vertu des articles 290 ou 291 ou que ces renseignements apparaissent à leur face même inexacts, la Commission peut fixer la cotisation de cet employeur de la manière qu'elle estime appropriée.

1985, c. 6, art. 307; 1993, c. 5, art. 9; 1996, c. 70, art. 21; 2006, c. 53, art. 11

308. Employeur non cotisé — L'employeur qui aurait dû être cotisé pour une année et qui ne l'a pas été demeure tenu de payer à la Commission le montant pour lequel il aurait dû être cotisé pour cette année.

1985, c. 6, art. 308; 1996, c. 70, art. 22

309. (*Abrogé*).

1985, c. 6, art. 309; 1993, c. 5, art. 10; 1996, c. 70, art. 23

310. Modes de cotisations — La Commission peut établir le montant de la cotisation :

1° de l'employeur d'un travailleur autonome visé dans l'article 9, d'après la proportion du prix convenu pour les travaux qu'il effectue qui correspond au coût de la main-d'œuvre;

2° de l'employeur d'un travailleur bénévole ou du gouvernement en tant qu'employeur d'une personne visée dans les articles 11 ou 12, d'après le salaire minimum en vigueur au 31 décembre de l'année au cours de laquelle le travail a été effectué ou l'activité réalisée;

2.1° d'une autorité visée dans l'article 12, autre que le gouvernement, en tant qu'employeur d'une personne qui participe à des activités visées à cet article, d'après le salaire minimum en vigueur au 31 décembre de l'année au cours de laquelle l'activité a été réalisée;

3° de l'employeur d'un étudiant visé dans l'article 10, d'après le montant forfaitaire qu'elle détermine;

3.1° de l'autorité responsable d'un service municipal de sécurité incendie en tant qu'employeur d'une personne visée dans l'article 12.0.1, d'après le salaire minimum en vigueur au 31 décembre de l'année au cours de laquelle l'aide a été apportée;

4° de l'employeur d'une personne incarcérée visée dans l'article 12.1, d'après le salaire minimum en vigueur au 31 décembre de l'année au cours de laquelle le travail a été effectué.

1985, c. 6, art. 310; 1987, c. 19, art. 19; 2000, c. 20, art. 165; 2001, c. 76, art. 142

311. Cotisation supplémentaire — La Commission peut augmenter le taux de cotisation de toutes les unités ou imposer une cotisation supplémentaire à tous les employeurs pour combler un déficit causé par un désastre.

Présomption — La cotisation supplémentaire est réputée à tous égards une cotisation ordinaire.

1985, c. 6, art. 311; 1999, c. 40, art. 4

312. Création d'une réserve — La Commission peut augmenter le taux de cotisation d'une, de plusieurs ou de toutes les unités ou ajouter à la cotisation imposée à un, plusieurs ou tous les employeurs, selon qu'elle le juge équitable, un pourcentage ou un montant additionnel afin de créer une réserve pour supporter les coûts dus en raison :

1° de circonstances qui, à son avis, entraîneraient une augmentation trop considérable du taux de cotisation d'une unité de classification;

2° des maladies professionnelles;

3° des retraits préventifs prévus par l'article 32 de la *Loi sur la santé et la sécurité du travail* (chapitre S-2.1);

4° du défaut de certains employeurs de payer leur cotisation.

1985, c. 6, art. 312; 1996, c. 70, art. 24

312.1 Augmentation des taux de cotisation — La Commission peut, par règlement, augmenter les taux de cotisation applicables aux employeurs appartenant à un secteur d'activités pour lequel une association sectorielle paritaire a été constituée en vertu de la *Loi sur la santé et la sécurité du travail* (chapitre S-2.1), afin de défrayer le coût de la subvention accordée à cette association si ce coût n'est pas inclus dans les taux fixés en vertu de l'article 304.

1992, c. 11, art. 29

313. Montant additionnel — La Commission peut augmenter la cotisation des employeurs d'un montant fixe qu'elle détermine annuellement pour la gestion des dossiers qu'elle tient pour ceux-ci et dont les frais ne sont pas financés au moyen des taux fixés en vertu des articles 304 et 304.1.

1985, c. 6, art. 313; 1989, c. 74, art. 8; 1996, c. 70, art. 25

314. Ajustement rétrospectif — La Commission procède, conformément à ses règlements, à l'ajustement rétrospectif de la cotisation annuelle d'un employeur qui satisfait, pour l'année de cotisation, aux conditions d'assujettissement déterminées par ces règlements.

Coût des prestations — Cet ajustement rétrospectif tient compte des éléments prévus par règlement dont notamment de la prise en charge par l'employeur du coût des prestations.

Primes d'assurance — La Commission détermine annuellement par règlement, après expertise actuarielle, les primes d'assurance nécessaires à l'ajustement définitif de la cotisation annuelle.

1985, c. 6, art. 314; 1989, c. 74, art. 9

314.1 (*Abrogé*).

1989, c. 74, art. 9; 1993, c. 5, art. 11; 1996, c. 70, art. 26

314.2 Paiement — La Commission paie en un seul versement le montant dû à l'employeur au titre de l'ajustement rétrospectif de la cotisation annuelle de celui-ci et, le cas échéant, l'employeur paie le montant dû à la Commission à ce même titre, auquel cas la section V du présent chapitre s'applique.

1989, c. 74, art. 9

314.3 Évaluation des risques — Lorsqu'un employeur est impliqué dans une opération définie par règlement, la Commission peut, dans les cas et aux conditions prévus par ce règlement, déterminer l'expérience dont elle doit tenir compte afin de refléter le risque auquel sont exposés les travailleurs à la suite de cette opération et cotiser l'employeur en conséquence suivant les modalités particulières qu'elle peut également prévoir dans ce règlement.

1996, c. 70, art. 27

314.4 Information par l'employeur — L'employeur impliqué dans une opération visée à l'article 314.3 en informe la Commission selon les normes prévues par règlement.

1996, c. 70, art. 27

SECTION V — PAIEMENT DE LA COTISATION

315. Paiement — L'employeur doit payer à la Commission le montant de sa cotisation de la manière, selon les modalités et dans les délais prévus par règlement.

1985, c. 6, art. 315; 1993, c. 5, art. 12; 1996, c. 70, art. 28; 2006, c. 53, art. 12

315.1 Catégories déterminées par règlement — L'employeur qui est visé au premier alinéa de l'article 1015 de la *Loi sur les impôts* (chapitre I-3) doit payer au ministre du Revenu, aux dates, pour les périodes et selon les modalités prévues à cet article, à titre de versements périodiques à valoir sur la cotisation à payer, le montant déterminé suivant la méthode que la Commission prévoit par règlement.

Catégories déterminées par règlement — Tout autre employeur qui appartient à une catégorie déterminée par règlement de la Commission doit payer au ministre du Revenu, aux dates, pour les périodes et selon les modalités que la Commission détermine par règlement, parmi celles qui sont prévues à l'article 1015 de la *Loi sur les impôts*, à titre de versements périodiques à valoir sur la cotisation à payer, le montant déterminé suivant la méthode que la Commission prévoit par règlement.

Application — Pour l'application du présent article, le ministre du Revenu exerce les pouvoirs que lui confèrent les dispositions de la *Loi sur l'administration fiscale* (chapitre A-6.002) à l'égard de la remise et de l'encaissement de tout montant qui doit être payé en vertu de l'article 1015 de la *Loi sur les impôts*.

2006, c. 53, art. 12; 2009, c. 19, art. 23; 2010, c. 31, art. 175

315.2 Taux provisoire — La Commission peut, aux fins du calcul du montant d'un versement prévu à l'article 315.1, imposer l'utilisation d'un taux provisoire fixé selon la méthode qu'elle estime appropriée.

2006, c. 53, art. 12

315.3 Paiement à l'Agence du revenu du Québec — Lorsque l'employeur paie au ministre du Revenu un montant qui est inférieur à l'ensemble des montants qu'il déclare devoir lui payer à titre d'employeur en vertu d'une loi fiscale au sens de la *Loi sur l'administration fiscale* (chapitre A-6.002) ou de l'article 315.1, ou lui remettre en vertu d'une telle loi fiscale, le montant payé par l'employeur à titre de versements périodiques en vertu de l'article 315.1 est égal à la proportion du montant qu'il paie au ministre du Revenu représentée par le rapport entre le montant qu'il déclare devoir payer au ministre du Revenu à titre de versements périodiques en vertu de cet article 315.1 et l'ensemble des montants qu'il déclare devoir payer au ministre du Revenu à titre d'employeur en vertu d'une loi fiscale ou de l'article 315.1, ou lui remettre en vertu d'une loi fiscale.

2009, c. 19, art. 23; 2010, c. 31, art. 175

315.4 Sommes remises à la Commission — Le ministre du Revenu remet au moins mensuellement à la Commission les montants qui lui ont été payés en vertu de l'article 315.1, déduction faite des frais convenus et compte tenu des ajustements découlant d'ententes.

2009, c. 19, art. 23

315.5 Communication de renseignements — Malgré l'article 174 de la *Loi sur la santé et la sécurité du travail* (chapitre S-2.1), la Commission et le ministre du Revenu prennent entente pour la communication des renseignements et des documents nécessaires à l'application des dispositions concernant le paiement au ministre du Revenu des montants à titre de versements périodiques par les employeurs.

2009, c. 19, art. 23

316. Entrepreneur — La Commission peut exiger de l'employeur qui retient les services d'un entrepreneur le paiement de la cotisation due par cet entrepreneur.

Calcul du montant — Dans ce cas, la Commission peut établir le montant de cette cotisation d'après la proportion du prix convenu pour les travaux qui correspond au coût de la main-d'œuvre, plutôt que d'après les salaires indiqués dans la déclaration faite suivant l'article 291.

Remboursement — L'employeur qui a payé le montant de cette cotisation a droit d'être remboursé par l'entrepreneur concerné et il peut retenir le montant dû sur les sommes qu'il lui doit.

Cotisation due — Lorsqu'un employeur démontre qu'il retient les services d'un entrepreneur, la Commission peut lui indiquer si une cotisation est due par cet entrepreneur.

1985, c. 6, art. 316; 2006, c. 53, art. 13; 2009, c. 19, art. 24

317. Coûts des prestations — La Commission peut prévoir, par règlement, dans quels circonstances et délais et à quelles conditions elle peut déterminer à nouveau la classification, l'imputation du coût des prestations et, à la hausse ou à la baisse, la cotisation, la pénalité et les intérêts payables par un employeur et les normes applicables à cette nouvelle détermination.

Application — Le présent article s'applique malgré toute disposition générale ou spéciale inconciliable.

1985, c. 6, art. 317; 1993, c. 5, art. 13; 1996, c. 70, art. 29

318. Période inférieure à 12 mois — Lorsqu'au début des activités d'un employeur il appert que celles-ci seront exercées pour une période inférieure à 12 mois, la Commission peut obliger cet employeur à lui payer ou à lui garantir le paiement d'une somme suffisante pour couvrir le paiement de la cotisation due pour cette période.

Cotisation — Elle peut recouvrer cette somme comme s'il s'agissait d'une cotisation.

1985, c. 6, art. 318; 1996, c. 70, art. 30

319. Omission — L'employeur qui omet de transmettre des renseignements requis par l'article 291 dans le délai imparti encourt une pénalité de 25 $ par jour que dure l'omission jusqu'à concurrence de 2 500 $.

1985, c. 6, art. 319; 1993, c. 5, art. 14; 1996, c. 70, art. 31; 2006, c. 53, art. 14; 2009, c. 19, art. 25

320. (*Abrogé*).

1985, c. 6, art. 320; 1993, c. 5, art. 15; 1996, c. 70, art. 32

321. Employeur en défaut — Un employeur qui refuse ou néglige de transmettre à la Commission les documents requis par la section II du présent chapitre ou qui néglige ou refuse de payer une cotisation de la manière et dans le délai requis, peut en outre être tenu de payer à la Commission une somme égale au coût des prestations pour une lésion professionnelle dont est victime un de ses travailleurs pendant qu'il est ainsi en défaut.

Somme minimale — Cette somme ne peut être inférieure à 100 $.

Conversion du coût — Aux fins du présent article, la Commission convertit le coût des prestations en un capital représentatif des paiements à échoir et délivre un avis de cotisation en conséquence.

1985, c. 6, art. 321; 2006, c. 53, art. 15

321.1 Défaut de paiement — Lorsqu'un employeur fait défaut d'effectuer un versement périodique dans le délai imparti ou qu'il effectue un versement qui apparaît à sa face même insuffisant, la Commission peut déterminer le montant du versement qui aurait dû être effectué de la manière qu'elle estime appropriée et lui en réclamer le paiement au moyen d'un avis de cotisation.

Pénalité et intérêts — Si, par la suite, l'employeur en défaut effectue son versement périodique, il demeure tenu de la pénalité et des intérêts résultant de son retard.

2006, c. 53, art. 16

321.2 Omission — L'employeur qui omet d'effectuer un versement périodique dans le délai imparti encourt une pénalité d'un montant égal à :

1° 7 % du montant de ce versement, dans le cas où le retard n'excède pas 7 jours;

2° 11 % du montant de ce versement, dans le cas où le retard n'excède pas 14 jours;

3° 15 % du montant de ce versement dans les autres cas.

2006, c. 53, art. 16; 2009, c. 19, art. 26

321.3 Montant inférieur — L'employeur qui effectue un versement périodique dont le montant est inférieur à celui qu'il aurait dû effectuer doit combler la différence et encourt une pénalité d'un montant égal à :

1° 7 % de la différence, dans le cas où il la comble dans les 7 jours de la date à laquelle ce versement est exigible;

2° 11 % de la différence, dans le cas où il la comble dans les 14 jours de la date à laquelle ce versement est exigible;

3° 15 % de la différence dans les autres cas.

2006, c. 53, art. 16; 2009, c. 19, art. 26

322. Employeur en défaut — Lorsqu'un employeur fait défaut de payer une cotisation, la pénalité, des intérêts ou le coût des prestations qu'il est tenu de payer en vertu de l'article 321, la Commission peut, dès l'expiration du délai de paiement, délivrer un certificat qui atteste :

1° les nom et adresse du débiteur;

2° le montant dû;

3° le taux d'intérêt applicable à ce montant jusqu'à parfait paiement; et

4° l'exigibilité de la dette.

Dépôt du certificat — Sur dépôt de ce certificat au greffe du tribunal compétent, la décision de la Commission devient exécutoire comme s'il s'agissait d'un jugement final et sans appel de ce tribunal et en a tous les effets.

1985, c. 6, art. 322; 1993, c. 5, art. 16

323. Paiement d'intérêts — L'employeur et la Commission sont tenus au paiement d'intérêts fixés par règlement dans les cas, aux conditions et suivant les modalités prévus par ce règlement.

Taux — Les taux d'intérêt sont fixés selon les règles établies par ce règlement qui peut prévoir la capitalisation des intérêts.

1985, c. 6, art. 323; 1992, c. 11, art. 30; 1993, c. 5, art. 17; 1996, c. 70, art. 33

323.1 Renonciation — La Commission peut renoncer, en tout ou en partie, à un intérêt, une pénalité ou des frais exigibles d'un employeur.

Annulation — Elle peut également annuler, en tout ou en partie, un intérêt, une pénalité ou des frais exigibles d'un employeur.

Sommaire statistique — Le président du conseil d'administration et chef de la direction de la Commission dépose au conseil d'administration de la Commission un sommaire statistique de ces renonciations ou annulations dans les quatre mois de la fin de l'année financière au cours de laquelle de telles renonciations ou annulations sont faites.

1993, c. 5, art. 18; 2006, c. 53, art. 17

323.2 Personne morale — Lorsqu'un employeur qui est une personne morale a omis de payer une cotisation, ses administrateurs en fonction à la date de l'omission deviennent solidairement débiteurs avec celui-ci de cette cotisation ainsi que des intérêts et pénalités s'y rapportant dans les cas suivants :

1° lorsqu'un avis d'exécution à l'égard de l'employeur est rapporté insatisfait en totalité ou en partie à la suite du dépôt d'un certificat de défaut en vertu de l'article 322;

2° lorsque l'employeur fait l'objet d'une ordonnance de mise en liquidation ou devient failli au sens de la *Loi sur la faillite et l'insolvabilité* (L.R.C. (1985), ch. B-3) et qu'une réclamation est produite;

3° lorsque l'employeur a entrepris des procédures de liquidation ou de dissolution, ou qu'il a fait l'objet d'une dissolution.

2006, c. 53, art. 17; N.I. 2016-01-01 (NCPC)

323.3 Disposition non applicable — L'article 323.2 ne s'applique pas à un administrateur qui a agi avec un degré de soin, de diligence et d'habileté raisonnable dans les circonstances ou qui, dans ces mêmes circonstances, n'a pu avoir connaissance de l'omission visée par cet article.

2006, c. 53, art. 17; N.I. 2016-01-01 (NCPC)

323.4 Dispositions applicables — La Commission cotise un administrateur visé par l'article 323.2 comme s'il s'agissait d'un employeur et les dispositions de la présente section s'appliquent à une telle cotisation en y faisant les adaptations nécessaires.

2006, c. 53, art. 17

323.5 Restriction — La Commission ne peut cotiser un administrateur à l'égard d'un montant visé à l'article 323.2 lorsque l'employeur est tenu de payer ce montant en application de l'article 316.

Restriction — De plus, la Commission ne peut cotiser un administrateur à l'égard d'un montant visé à l'article 323.2 après l'expiration des deux ans qui suivent la date à laquelle celui-ci cesse pour la dernière fois d'être un administrateur de l'employeur.

2006, c. 53, art. 17

324. Hypothèque légale — Les montants dus en vertu du présent chapitre confèrent à la Commission une hypothèque légale sur les biens de l'employeur.

1985, c. 6, art. 324; 1992, c. 57, art. 426; 1999, c. 40, art. 4

325. Décision de la Commission — L'avis de cotisation, y compris le montant de la pénalité et des intérêts imposés à l'employeur, constitue une décision de la Commission.

1985, c. 6, art. 325; 1993, c. 5, art. 19

SECTION VI — IMPUTATION DES COÛTS

326. Imputation du coût des prestations — La Commission impute à l'employeur le coût des prestations dues en raison d'un accident du travail survenu à un travailleur alors qu'il était à son emploi.

Employeurs visés — Elle peut également, de sa propre initiative ou à la demande d'un employeur, imputer le coût des prestations dues en raison d'un accident du travail aux employeurs d'une, de plusieurs ou de toutes les unités lorsque l'imputation faite en vertu du premier alinéa aurait pour effet de faire supporter injustement à un employeur le coût des prestations dues en raison d'un accident du travail attribuable à un tiers ou d'obérer injustement un employeur.

Exposé de motifs — L'employeur qui présente une demande en vertu du deuxième alinéa doit le faire au moyen d'un écrit contenant un exposé des motifs à son soutien dans l'année suivant la date de l'accident.

1985, c. 6, art. 326; 1996, c. 70, art. 34

327. Employeurs de toutes les unités — La Commission impute aux employeurs de toutes les unités le coût des prestations :

1° dues en raison d'une lésion professionnelle visée dans l'article 31;

2° d'assistance médicale dues en raison d'une lésion professionnelle qui ne rend pas le travailleur incapable d'exercer son emploi au-delà de la journée au cours de laquelle s'est manifestée sa lésion.

1985, c. 6, art. 327

328. Employeur visé — Dans le cas d'une maladie professionnelle, la Commission impute le coût des prestations à l'employeur pour qui le travailleur a exercé un travail de nature à engendrer cette maladie.

Travail pour plus d'un employeur — Si le travailleur a exercé un tel travail pour plus d'un employeur, la Commission impute le coût des prestations à tous les employeurs pour qui le travailleur a exercé ce travail, proportionnellement à la durée de ce travail pour chacun de ces employeurs et à l'importance du danger que présentait ce travail chez chacun de ces employeurs par rapport à la maladie professionnelle du travailleur.

Répartition d'une imputation — Lorsque l'imputation à un employeur pour qui le travailleur a exercé un travail de nature à engendrer sa maladie professionnelle n'est pas possible en raison de la disparition de cet employeur ou lorsque cette imputation aurait pour effet d'obérer injustement cet employeur, la Commission impute le coût des prestations imputable à cet employeur aux employeurs d'une, de plusieurs ou de toutes les unités ou à la réserve prévue par le paragraphe 2° de l'article 312.

1985, c. 6, art. 328

329. Travailleur handicapé — Dans le cas d'un travailleur déjà handicapé lorsque se manifeste sa lésion professionnelle, la Commission peut, de sa propre initiative ou à la demande d'un employeur, imputer tout ou partie du coût des prestations aux employeurs de toutes les unités.

Exposé de motifs — L'employeur qui présente une demande en vertu du premier alinéa doit le faire au moyen d'un écrit contenant un exposé des motifs à son soutien avant l'expiration de la troisième année qui suit l'année de la lésion professionnelle.

Intervention du travailleur — Le travailleur visé au premier alinéa peut, à tout moment jusqu'à la fin de l'enquête et de l'audition, intervenir devant le Tribunal dans un recours relatif à l'application du présent article.

1985, c. 6, art. 329; 1996, c. 70, art. 35; 2015, c. 15, art. 113

330. Désastre — La Commission peut imputer le coût des prestations dues à la suite d'un désastre à la réserve prévue par le paragraphe 1° de l'article 312.

1985, c. 6, art. 330

330.1 Coût des prestations — Aux fins de la présente section, le coût des prestations comprend le coût des services d'un professionnel de la santé désigné par la Commission en vertu de la section I du chapitre VI.

1996, c. 70, art. 36

331. Avis écrit — Lorsque la Commission impute le coût des prestations à un employeur, elle l'en avise par écrit.

Décision — Cet avis constitue une décision de la Commission.

1985, c. 6, art. 331

SECTION VII — VÉRIFICATION

331.1 Pouvoirs de la Commission — La Commission ou toute personne qu'elle autorise à procéder à une vérification peut, pour l'application des chapitres IX ou X, pénétrer à toute heure raisonnable dans tout lieu de travail ou établissement d'un employeur. Elle peut alors exiger la communication, pour examen ou reproduction d'extraits, de tout livre, rapport, contrat, fichier, compte, registre, enregistrement, dossier ou document pertinent.

Coopération — Une personne qui a la garde, la possession ou le contrôle des documents visés au premier alinéa doit en donner communication à la personne qui procède à une vérification et lui en faciliter l'examen.

1996, c. 70, art. 37

331.2 Interdiction — Il est interdit d'entraver une vérification.

1996, c. 70, art. 37

331.3 Identification — Sur demande, la personne qui procède à une vérification doit s'identifier et exhiber le certificat délivré par la Commission, qui atteste sa qualité.

1996, c. 70, art. 37

Chapitre X — Dispositions particulières aux employeurs tenus personnellement au paiement des prestations

332. Entreprise de transport — L'employeur qui exploite une entreprise de transport ferroviaire ou maritime, interprovincial ou international, est tenu personnellement au paiement des prestations que la Commission accorde pour :

1° un accident du travail subi par un travailleur à son emploi;

2° une maladie professionnelle contractée par un travailleur qui a exercé dans cette entreprise un travail de nature à engendrer cette maladie.

Dispositions applicables — Le chapitre IX ne s'applique pas à l'employeur tenu personnellement au paiement des prestations, sauf dans la mesure indiquée à l'article 345, et les autres dispositions de la présente loi qui sont compatibles avec le présent chapitre s'appliquent à cet employeur et à ses travailleurs, compte tenu des adaptations nécessaires.

1985, c. 6, art. 332; 2006, c. 53, art. 18

333. Transmission à la Commission — L'employeur tenu personnellement au paiement des prestations transmet à la Commission, dans les 14 jours du début de ses activités, un avis écrit de son identité et des nom et adresse de chacun de ses établissements situés au Québec qui servent à l'exploitation de son entreprise de transport ferroviaire ou maritime, interprovincial ou international.

1985, c. 6, art. 333

334. Contrat d'assurance — L'employeur tenu personnellement au paiement des prestations doit conclure avec une personne morale et maintenir en vigueur un contrat d'assurance, de cautionnement ou de garantie par lequel cette personne s'engage à assumer le paiement des prestations aux bénéficiaires et de la cotisation visée par l'article 343 en cas de défaut de l'employeur.

Preuve du contrat — L'employeur doit produire à la Commission, dans le délai qu'elle indique, d'au moins 30 jours, la preuve d'un contrat qu'il a conclu suivant le premier alinéa. Dans le cas d'une personne morale qui n'est pas régie par la *Loi sur les banques* (L.R.C. (1985), ch. B-1), la *Loi sur les banques d'épargne du Québec* (S.R.C. 1970, ch. B-4), la *Loi sur les coopératives de services financiers* (chapitre C-67.3), la *Loi sur les sociétés de fiducie et les sociétés* *d'épargne* (chapitre S-29.01) ou la *Loi sur les assurances* (chapitre A-32), la Commission peut exiger en outre la preuve que l'état de solvabilité de cette personne est conforme aux normes généralement applicables en la matière.

1985, c. 6, art. 334; 1987, c. 95, art. 402; 1988, c. 27, art. 2; 1988, c. 64, art. 587; 2000, c. 29, art. 722; 2006, c. 53, art. 19

334.1 Lettre de crédit — L'employeur tenu personnellement au paiement des prestations peut produire à la Commission une lettre de crédit irrévocable émise par une personne morale en faveur de la Commission plutôt que de conclure un contrat visé à l'article 334. Cette lettre de crédit doit couvrir, en cas de défaut de l'employeur, le paiement des prestations aux bénéficiaires et de la cotisation visée par l'article 343 qui n'est pas autrement couvert par un contrat conclu conformément à l'article 334. Elle doit en outre permettre son encaissement par la Commission lorsque l'employeur devient assujetti au chapitre IX en vertu de l'article 336 et respecter les autres conditions fixées par la Commission.

Nouvelle lettre de crédit — L'employeur qui se prévaut du premier alinéa doit produire à la Commission une nouvelle lettre de crédit conforme aux exigences du premier alinéa avant le 75e jour qui précède l'échéance de celle qu'il a déjà produite, sauf dans la mesure où, dans le même délai, il produit la preuve de la conclusion d'un contrat visé à l'article 334 qui est applicable à compter de l'échéance de cette lettre de crédit et en vertu duquel une personne s'engage à assumer les obligations de l'employeur qui ne sont pas autrement couvertes par un autre contrat conclu conformément à cet article.

Preuve de solvabilité — Lorsque la personne morale qui émet une lettre de crédit n'est pas régie par l'une ou l'autre des lois énumérées au deuxième alinéa de l'article 334, la Commission peut exiger la preuve que l'état de solvabilité de cette personne est conforme aux normes généralement applicables en la matière.

2006, c. 53, art. 20

335. Fin d'un contrat — Malgré toute disposition inconciliable d'une loi générale ou spéciale, il ne peut être mis fin à un contrat conclu suivant le premier alinéa de l'article 334 moins de 30 jours après que la Commission ait reçu un avis écrit à cet effet de la partie qui entend y mettre fin.

1985, c. 6, art. 335

336. Employeur en défaut — L'employeur qui fait défaut de se conformer à l'obligation prévue par l'article 333 est considéré ne jamais avoir été régi par les dispositions du présent chapitre et est assujetti au chapitre IX.

Demande d'assujettissement — Cet employeur peut toutefois devenir assujetti au présent chapitre s'il transmet à la Commission une demande écrite à cet effet avant l'expiration d'un délai de six mois débutant à la date où il est devenu en défaut de se conformer à l'obligation prévue à l'article 333. Il demeure cependant assujetti au chapitre IX pour toute période antérieure à la date de réception de cette demande par la Commission.

Employeur en défaut — L'employeur qui fait défaut de se conformer aux obligations prévues par les articles 334 et 334.1 cesse d'être régi par les dispositions du présent chapitre et devient assujetti au chapitre IX s'il ne remédie pas à ce défaut dans les 15 jours de la date de la signification d'un avis de défaut que lui adresse la Commission.

1985, c. 6, art. 336; 2006, c. 53, art. 21

337. Détermination d'une quote-part — Lorsqu'un travailleur atteint d'une maladie professionnelle a exercé un travail de nature à engendrer sa maladie pour plus d'un employeur, dont au moins un tenu personnellement au paiement des prestations, la Commission détermine par qui les prestations doivent être payées et établit la quote-part de chacun de ces employeurs proportionnellement à la durée de ce travail pour chacun d'eux et à l'importance du danger que présentait ce travail chez chacun d'eux par rapport à la maladie professionnelle du travailleur.

Versement — Lorsque ce travailleur n'est plus à l'emploi de l'employeur tenu personnellement au paiement des prestations pour qui il a exercé un travail de nature à engendrer sa maladie, cet employeur doit verser chaque année à la Commission ou à l'employeur qui doit payer les prestations, selon le cas, la quote-part que la Commission lui a attribuée, dans les 30 jours de la mise à la poste d'un avis écrit que lui donne la Commission à cet effet.

1985, c. 6, art. 337

338. Employeur en défaut — Si l'employeur visé dans le deuxième alinéa de l'article 337 fait défaut d'effectuer le versement requis à la Commission, celle-ci lui en réclame remboursement comme s'il s'agissait d'une cotisation.

Employeur en défaut — Si cet employeur fait défaut d'effectuer le versement requis à un autre employeur, ce dernier peut lui en réclamer remboursement en exerçant le recours civil approprié.

1985, c. 6, art. 338

339. Entente avec le bénéficiaire — Un employeur tenu personnellement au paiement des prestations peut conclure une entente avec le bénéficiaire relativement au mode de paiement de l'indemnité de remplacement du revenu ou de l'indemnité de décès prévue par l'article 101 ou par le premier alinéa de l'article 102; cette entente ne prend effet qu'avec l'approbation de la Commission.

Défaut d'entente — À défaut d'une entente approuvée par elle, la Commission peut obliger l'employeur à verser cette indemnité selon le mode de paiement qu'elle indique conformément à la section VI du chapitre III.

1985, c. 6, art. 339

340. Dépôt au greffe — Une décision finale qui accorde une indemnité payable par un employeur tenu personnellement au paiement des prestations peut être déposée au greffe du tribunal compétent par la Commission ou le bénéficiaire concerné.

Décision exécutoire — Sur ce dépôt, la décision devient exécutoire comme s'il s'agissait d'un jugement final et sans appel de ce tribunal et en a tous les effets.

1985, c. 6, art. 340

341. Avis de réclamation — La Commission réclame à l'employeur qui est tenu personnellement de payer des prestations à un travailleur le montant des prestations d'assistance médicale et de réadaptation qu'elle a fournies à ce travailleur au moyen d'un avis écrit qui indique :

1° le nom du travailleur;

2° la date, la nature et le montant des prestations fournies; et

3° le droit de l'employeur de demander la révision de cette décision.

Avis de cotisation — Aux fins du paiement, du calcul des intérêts, de l'exigibilité et, le cas échéant, de la contestation, cet avis constitue un avis de cotisation.

1985, c. 6, art. 341

342. Paiement des prestations — La Commission peut, lorsqu'elle le croit nécessaire en vue d'assurer le prompt paiement des prestations, payer au bénéficiaire les prestations dues par un employeur tenu personnellement au paiement des prestations.

Réclamation à l'employeur — La Commission réclame à cet employeur le montant des prestations qu'elle a payées au moyen d'un avis écrit.

Avis — Aux fins du paiement, du calcul des intérêts, de l'exigibilité et, le cas échéant, de la contestation, cet avis constitue un avis de cotisation.

1985, c. 6, art. 342; 2006, c. 53, art. 22

343. Cotisation annuelle — La Commission impose chaque année aux employeurs tenus personnellement au paiement des prestations une cotisation pour pourvoir aux frais qu'elle engage pour l'application du présent chapitre.

Pourcentage — Cette cotisation correspond à un pourcentage du coût des prestations dues par chacun de ces employeurs que la Commission détermine par règlement et qui peut varier en fonction des situations qu'elle détermine également par règlement.

Cotisation minimale — Le règlement peut prévoir une cotisation minimale.

1985, c. 6, art. 343; 2006, c. 53, art. 23

344. Employeur disparu ou insolvable — La Commission paie au bénéficiaire les prestations dues par un employeur tenu personnellement au paiement des prestations lorsque cet employeur et son assureur ou la personne qui s'est portée caution ou garant du paiement des prestations sont disparus ou insolvables.

Cotisation additionnelle — Pour couvrir les sommes qu'elle a payées en vertu du premier alinéa ainsi que les intérêts sur ces sommes, la Commission peut, annuellement, imposer aux employeurs tenus personnellement au paiement des prestations une cotisation additionnelle dont le produit ne peut excéder 25 % du montant des frais requis pour l'application du présent chapitre.

Intérêts — Ces intérêts sont déterminés suivant l'article 323.

Subrogation — Le paiement par un employeur de la cotisation prévue par le deuxième alinéa le subroge, jusqu'à concurrence du montant qu'il a payé, dans les droits de la Commission contre l'employeur et son assureur ou la personne qui s'est portée caution ou garant du paiement des prestations.

1985, c. 6, art. 344

345. Dispositions applicables — La section V du chapitre IX s'applique au paiement d'une cotisation ou d'une cotisation additionnelle imposée à un employeur tenu personnellement au paiement des prestations, à l'exception du deuxième alinéa de l'article 315 et des articles 315.1 à 315.4, 319, 321 à 321.3 et 323.2 à 323.5.

1985, c. 6, art. 345; 1996, c. 70, art. 38; 2006, c. 53, art. 24; 2009, c. 19, art. 7

346. Remboursement — Sous réserve des articles 129 et 363, l'employeur tenu personnellement au paiement des prestations qui a versé à un bénéficiaire une prestation à laquelle celui-ci n'a pas droit ou dont le montant excède celui auquel il a droit peut lui en réclamer remboursement en exerçant le recours civil approprié.

1985, c. 6, art. 346

347. Recours subrogatoire — L'employeur tenu personnellement au paiement des prestations peut exercer le recours subrogatoire conféré à la Commission par l'article 446; l'article 447 s'applique à lui.

1985, c. 6, art. 347

348. Changement de statut — L'employeur tenu personnellement au paiement des prestations peut demander à la Commission de ne plus être régi par le présent chapitre et d'être assujetti au chapitre IX.

Réserve remise à la Commission — La Commission peut, lorsqu'elle a accepté la demande d'un employeur en vertu du premier alinéa, mettre à la charge du Fonds les obligations de cet employeur relativement aux accidents du travail survenus ou aux maladies professionnelles déclarées avant son changement de statut, moyennant la remise, par cet employeur, son assureur ou la personne qui s'est portée caution ou garante, selon le cas, d'une réserve établie pour payer les prestations pour ces accidents du travail et ces maladies professionnelles ainsi que la cotisation visée à l'article 343.

Absence de remise — Lorsque cet employeur choisit de ne pas faire une telle remise, il demeure tenu personnellement au paiement des prestations dues relativement aux accidents du travail survenus ou aux maladies professionnelles déclarées avant son changement de statut et doit conclure un contrat conformément à l'article 334 ou produire à la Commission une lettre de crédit irrévocable conformément à l'article 334.1, afin de couvrir, en cas de défaut de sa part, le paiement des prestations pour ces accidents du travail et ces maladies professionnelles ainsi que la cotisation visée à l'article 343.

Remise obligatoire — L'employeur qui devient assujetti au chapitre IX en vertu de l'article 336 ou qui fait défaut de conclure un contrat ou de produire à la Commission une lettre de crédit irrévocable conformément au troisième alinéa, son assureur ou la personne qui s'est portée caution ou garante, selon le cas, doit, à la demande de la Commission, faire remise d'une réserve dont elle établit le montant afin de mettre à la charge du Fonds les obligations de cet employeur relativement aux accidents du travail survenus ou aux maladies professionnelles déclarées avant son changement de statut ainsi que la cotisation visée à l'article 343.

Avis — Aux fins du paiement, du calcul des intérêts, de l'exigibilité et, le cas échéant, de la contestation, la demande prévue au quatrième alinéa constitue un avis de cotisation.

1985, c. 6, art. 348; 2002, c. 76, art. 32; 2006, c. 53, art. 25

Chapitre XI — Compétence de la Commission, révision et recours devant le Tribunal administratif du travail

349. Compétence exclusive — La Commission a compétence exclusive pour examiner et décider toute question visée dans la présente loi, à moins qu'une disposition particulière ne donne compétence à une autre personne ou à un autre organisme.

1985, c. 6, art. 349; 1997, c. 27, art. 12

350. Immunité — Sauf sur une question de compétence, un pourvoi en contrôle judiciaire prévu au *Code de procédure civile* (chapitre C-25.01) ne peut être exercé, et une mesure provisionnelle ne peut être ordonnée contre la Commission pour un acte fait ou une décision rendue en vertu d'une loi qu'elle administre.

1985, c. 6, art. 350; N.I. 2016-01-01 (NCPC)

351. Équité — La Commission rend ses décisions suivant l'équité, d'après le mérite réel et la justice du cas.

Enquête — Elle peut, par tous les moyens légaux qu'elle juge les meilleurs, s'enquérir des matières qui lui sont attribuées.

1985, c. 6, art. 351; 1997, c. 27, art. 13

352. Prolongation de délai — La Commission prolonge un délai que la présente loi accorde pour l'exercice d'un droit ou relève une personne des conséquences de son défaut de le respecter, lorsque la personne démontre un motif raisonnable pour expliquer son retard.

1985, c. 6, art. 352

353. Procédure — Aucune procédure faite en vertu de la présente loi ne doit être rejetée pour vice de forme ou irrégularité.

1985, c. 6, art. 353; 1999, c. 40, art. 4

354. Décision motivée — Une décision de la Commission doit être écrite, motivée et notifiée aux intéressés dans les plus brefs délais.

1985, c. 6, art. 354

355. Signature non requise — Il n'est pas nécessaire qu'une décision de la Commission soit signée, mais le nom de la personne qui l'a rendue doit y apparaître.

1985, c. 6, art. 355

356. Liaison électronique — La Commission peut, aux conditions qu'elle détermine, autoriser une personne qui doit lui transmettre un avis, un rapport, une déclaration ou quelque autre document à le lui communiquer au moyen d'un support magnétique ou d'une liaison électronique.

1985, c. 6, art. 356

357. Transmission des données — Une transcription écrite et intelligible des données que la Commission a emmagasinées par ordinateur constitue un document de la Commission.

Reproduction — Lorsqu'il s'agit de données qui ont été communiquées à la Commission en vertu de l'article 356, cette transcription doit reproduire fidèlement ces données.

1985, c. 6, art. 357

357.1 Droits éteints — Une opération visée à l'article 314.3 ne fait pas renaître des droits de révision ou de contestation autrement éteints.

Restriction — Un employeur qui fait partie d'un groupe d'employeurs ayant conclu une entente en vertu de l'article 284.2 ne peut demander la révision ni contester une décision concernant le travailleur d'un autre employeur du groupe.

1996, c. 70, art. 39

358. Révision d'une décision — Une personne qui se croit lésée par une décision rendue par la Commission en vertu de la présente loi peut, dans les 30 jours de sa notification, en demander la révision.

Restriction — Cependant, une personne ne peut demander la révision d'une question d'ordre médical sur laquelle la Commission est liée en vertu de l'article 224 ou d'une décision que la Commission a rendue en vertu de la section III du chapitre VII, ni demander la révision du refus de la Commission de reconsidérer sa décision en vertu du premier alinéa de l'article 365.

Restriction — Une personne ne peut demander la révision de l'acceptation ou du refus de la Commission de conclure une entente prévue à l'article 284.2 ni du refus de la Commission de renoncer à un intérêt, une pénalité ou des frais ou d'annuler un intérêt, une pénalité ou des frais en vertu de l'article 323.1.

Restriction — Une personne ne peut demander la révision du taux provisoire fixé par la Commission en vertu de l'article 315.2.

1985, c. 6, art. 358; 1992, c. 11, art. 31; 1996, c. 70, art. 40; 1997, c. 27, art. 14; 2006, c. 53, art. 26

358.1 Demande écrite — La demande de révision doit être faite par écrit. Celle-ci expose brièvement les principaux motifs sur lesquels elle s'appuie ainsi que l'objet de la décision sur laquelle elle porte.

1997, c. 27, art. 15

358.2 Prolongation du délai — La Commission peut prolonger le délai prévu à l'article 358 ou relever une personne des conséquences de son défaut de le respecter, s'il est démontré que la demande de révision n'a pu être faite dans le délai prescrit pour un motif raisonnable.

1997, c. 27, art. 15

358.3 Décision sur dossier — Après avoir donné aux parties l'occasion de présenter leurs observations, la Commission décide sur dossier; elle peut confirmer, infirmer ou modifier la décision, l'ordre ou l'ordonnance rendue initialement et, s'il y a lieu, rendre la décision, l'ordre ou l'ordonnance qui, à son avis, aurait dû être rendu.

Dispositions applicables — Les articles 224.1 et 233 s'appliquent alors à la Commission et celle-ci rend sa décision en conséquence.

1997, c. 27, art. 15

358.4 Révision — La révision est effectuée par le président du conseil d'administration et chef de la direction de la Commission ou par toute personne désignée par celui-ci.

1997, c. 27, art. 15

358.5 Décision écrite — La décision doit être écrite, motivée et notifiée aux parties, avec la mention de leur droit de la contester devant le Tribunal administratif du travail et du délai pour ce faire.

1997, c. 27, art. 15; 2015, c. 15, art. 237

359. Contestation — Une personne qui se croit lésée par une décision rendue à la suite d'une demande faite en vertu de l'article 358 peut la contester devant le Tribunal dans les 45 jours de sa notification.

Sursis de la décision — Lorsque cette contestation vise une décision qui annule le montant d'une indemnité de remplacement du revenu accordée par la Commission, le Tribunal peut ordonner de surseoir à l'exécution de la décision contestée quant à cette conclusion et de continuer à donner effet à la décision initiale, pour la période qu'il indique, si le bénéficiaire lui démontre qu'il y a urgence ou qu'il subirait un préjudice grave du fait que la décision initiale de la Commission cesse d'avoir effet.

Instruction et décision — Sont instruites et décidées d'urgence :

1° la contestation visée au deuxième alinéa;

2° la contestation formée en vertu du présent article portant sur la réduction ou la suspension d'une indemnité établie en vertu du sous-paragraphe *e* du paragraphe 2° de l'article 142.

Sont instruites et décidées en priorité :

1° la contestation formée en vertu du présent article portant sur l'existence d'une lésion professionnelle autre qu'une récidive, rechute ou aggravation, ou sur le fait qu'une personne est un travailleur ou est considérée comme un travailleur;

2° la contestation formée en vertu du présent article portant sur la date ou la période prévisible de consolidation de la lésion professionnelle du travailleur, ou l'existence ou l'évaluation des limitations fonctionnelles de celui-ci.

Instruction et décision — La décision concernant une contestation visée au quatrième alinéa doit-être rendue dans les 90 jours qui suivent le dépôt de l'acte introductif et dans les 60 jours de la prise en délibéré de l'affaire.

1985, c. 6, art. 359; 1992, c. 11, art. 32; 1997, c. 27, art. 16; 2015, c. 15, art. 114

359.1 Contestation — Une personne qui se croit lésée par une décision rendue par la Commission en application de la section III du chapitre VII peut la contester devant le Tribunal administratif du travail dans les 45 jours de sa notification.

1997, c. 27, art. 17; 2015, c. 15, art. 237

360. (*Abrogé*).

1985, c. 6, art. 360; 1992, c. 11, art. 33

361. Exécution de la décision — Une décision de la Commission a effet immédiatement, malgré une demande de révision, sauf s'il s'agit d'une décision qui accorde une indemnité pour dommages corporels ou une indemnité forfaitaire de décès prévue par les articles 98 à 100 et 101.1, le deuxième alinéa de l'article 102 et les articles 103 à 108 et 110, auquel cas la décision a effet lorsqu'elle devient finale.

1985, c. 6, art. 361; 1989, c. 74, art. 10; 1992, c. 11, art. 34; 2009, c. 19, art. 8

362. Exécution de la décision — Une décision rendue en vertu de l'article 358.3 a effet immédiatement, malgré qu'elle soit contestée devant le Tribunal administratif du travail, sauf s'il s'agit d'une décision qui porte sur une indemnité pour dommages corporels, une indemnité forfaitaire de décès prévue par les articles 98 à 100 et 101.1, le deuxième alinéa de l'article 102 et les articles 103 à 108 et 110 ou d'une décision qui est rendue en application des chapitres IX ou X, auquel cas la décision a effet lorsqu'elle devient finale.

1985, c. 6, art. 362; 1992, c. 11, art. 35; 1997, c. 27, art. 18; 2009, c. 19, art. 9; 2015, c. 15, art. 237

362.1 Prise en considération des indemnités — La Commission peut toutefois tenir compte, aux fins d'établir la cotisation d'un employeur pour une année, d'une indemnité pour dommages corporels ou d'une indemnité forfaitaire de décès prévue par les articles 98 à 100 et 101.1, le deuxième alinéa de l'article 102 et les articles 103 à 108 et 110 même si la décision qui les accorde n'est pas devenue finale.

1996, c. 70, art. 41; 2009, c. 19, art. 10

363. Prestations non recouvrées — Lorsque la Commission à la suite d'une décision rendue en vertu de l'article 358.3, ou le Tribunal administratif du travail annule ou réduit le montant d'une indemnité de remplacement du revenu ou d'une indemnité de décès visée dans l'article 101 ou dans le premier alinéa de l'article 102 ou une prestation prévue dans le plan individualisé de réadaptation d'un travailleur, les prestations déjà fournies à un bénéficiaire ne peuvent être recouvrées, sauf si elles ont été obtenues par mauvaise foi ou s'il s'agit du salaire versé à titre d'indemnité en vertu de l'article 60.

1985, c. 6, art. 363; 1997, c. 27, art. 19; 2015, c. 15, art. 237

364. Paiement d'intérêts — Si une décision rendue par la Commission, à la suite d'une demande faite en vertu de l'article 358, ou par le Tribunal administratif du travail reconnaît à un bénéficiaire le droit à une indemnité qui lui avait d'abord été refusée ou augmente le montant d'une indemnité, la Commission lui paie des intérêts à compter de la date de la réclamation.

Taux d'intérêt — Le taux de ces intérêts est déterminé suivant les règles établies par règlement. Ces intérêts se capitalisent quotidiennement et font partie de l'indemnité.

1985, c. 6, art. 364; 1993, c. 5, art. 20; 1996, c. 70, art. 42; 1997, c. 27, art. 20; 2015, c. 15, art. 237

365. Reconsidération — La Commission peut reconsidérer sa décision dans les 90 jours, si celle-ci n'a pas fait l'objet d'une décision rendue en vertu de l'article 358.3, pour corriger toute erreur.

Fait nouveau — Elle peut également, de sa propre initiative ou à la demande d'une partie, si sa décision a été rendue avant que soit connu un fait essentiel, reconsidérer cette décision dans les 90 jours de la connaissance de ce fait.

Reconsidération — Avant de reconsidérer une décision, la Commission en informe les personnes à qui elle a notifié cette décision.

Disposition non applicable — Le présent article ne s'applique pas à une décision rendue en vertu du chapitre IX.

1985, c. 6, art. 365; 1992, c. 11, art. 36; 1996, c. 70, art. 43; 1997, c. 27, art. 21

365.1 (*Abrogé*).

1992, c. 11, art. 36; 1997, c. 27, art. 22

365.2 (*Abrogé*).

1992, c. 11, art. 36; 1997, c. 27, art. 22

366. Dispositions applicables — Les articles 361, 363 et 364 s'appliquent, compte tenu des adaptations nécessaires, à une décision rendue en vertu de l'article 365.

1985, c. 6, art. 366; 1992, c. 11, art. 37; 1997, c. 27, art. 23

366.1 Contribution au Fonds — La Commission contribue au Fonds du Tribunal administratif du travail, visé à l'article 97 de la *Loi instituant le Tribunal administratif du travail* (chapitre T-15.1), pour pourvoir aux dépenses engagées par ce tribunal relativement aux recours instruits devant lui en vertu de la présente loi.

Montant et modalités — Le montant et les modalités de versement de la contribution de la Commission sont déterminés par le gouvernement, après consultation de celle-ci par le ministre.

2015, c. 15, art. 115

Chapitre XII — La Commission des lésions professionnelles (*Abrogé*)

Section I — Institution (Abrogée)

367. (*Abrogé*).

1985, c. 6, art. 367; 1997, c. 27, art. 24; 2015, c. 15, art. 116

368. (*Abrogé*).

1985, c. 6, art. 368; 1997, c. 27, art. 24; 2015, c. 15, art. 116

Section II — Compétence (Abrogée)

369. (*Abrogé*).

1985, c. 6, art. 369; 1997, c. 27, art. 24; 2015, c. 15, art. 116

370. (*Abrogé*).

1985, c. 6, art. 370; 1997, c. 27, art. 24; 2015, c. 15, art. 116

371. (*Abrogé*).

1985, c. 6, art. 371; 1997, c. 27, art. 24; 2015, c. 15, art. 116

372. (*Abrogé*).

1985, c. 6, art. 372; 1997, c. 27, art. 24; 2015, c. 15, art. 116

373. (*Abrogé*).
1985, c. 6, art. 373; 1988, c. 21, art. 66; 1997, c. 27, art. 24; 2015, c. 15, art. 116

374. (*Abrogé*).
1985, c. 6, art. 374; 1997, c. 27, art. 24; 2015, c. 15, art. 116

375. (*Abrogé*).
1985, c. 6, art. 375; 1997, c. 27, art. 24; 2015, c. 15, art. 116

376. (*Abrogé*).
1985, c. 6, art. 376; 1997, c. 27, art. 24; 2015, c. 15, art. 116

SECTION III — FONCTIONS, DEVOIRS ET POUVOIRS (ABROGÉE)

377. (*Abrogé*).
1985, c. 6, art. 377; 1997, c. 27, art. 24; 2015, c. 15, art. 116

378. (*Abrogé*).
1985, c. 6, art. 378; 1997, c. 27, art. 24; 2015, c. 15, art. 116

379. (*Abrogé*).
1985, c. 6, art. 379; 1997, c. 27, art. 24; 2015, c. 15, art. 116

380. (*Abrogé*).
1985, c. 6, art. 380; 1997, c. 27, art. 24; 2015, c. 15, art. 116

381. (*Abrogé*).
1985, c. 6, art. 381; 1997, c. 27, art. 24; 2015, c. 15, art. 116

382. (*Abrogé*).
1985, c. 6, art. 382; 1997, c. 27, art. 24; 2015, c. 15, art. 116

383. (*Abrogé*).
1985, c. 6, art. 383; 1997, c. 27, art. 24; 2015, c. 15, art. 116

384. (*Abrogé*).
1985, c. 6, art. 384; 1997, c. 27, art. 24; 2015, c. 15, art. 116

SECTION IV — NOMINATION DES MEMBRES (ABROGÉE)

385. (*Abrogé*).
1985, c. 6, art. 385; 1997, c. 27, art. 24; 2011, c. 16, art. 84; 2015, c. 15, art. 116

386. (*Abrogé*).
1985, c. 6, art. 386; 1997, c. 27, art. 24; 2015, c. 15, art. 116

SECTION V — RECRUTEMENT ET SÉLECTION DES MEMBRES (ABROGÉE)

387. (*Abrogé*).
1985, c. 6, art. 387; 1997, c. 27, art. 24; 2015, c. 15, art. 116

388. (*Abrogé*).
1985, c. 6, art. 388; 1997, c. 27, art. 24; 2015, c. 15, art. 116

389. (*Abrogé*).
1985, c. 6, art. 388; 1997, c. 27, art. 24; 2015, c. 15, art. 116

390. (*Abrogé*).
1985, c. 6, art. 390; 1997, c. 27, art. 24; 2015, c. 15, art. 116

391. (*Abrogé*).
1985, c. 6, art. 391; 1997, c. 27, art. 24; 2015, c. 15, art. 116

SECTION VI — DURÉE ET RENOUVELLEMENT D'UN MANDAT (ABROGÉE)

392. (*Abrogé*).
1985, c. 6, art. 392; 1997, c. 27, art. 24; 2015, c. 15, art. 116

393. (*Abrogé*).
1985, c. 6, art. 393; 1997, c. 27, art. 24; 2015, c. 15, art. 116

394. (*Abrogé*).

1985, c. 6, art. 394; 1986, c. 58, art. 113; 1997, c. 27, art. 24; 2002, c. 22, art. 29; 2015, c. 15, art. 116

395. (*Abrogé*).

1985, c. 6, art. 395; 1997, c. 27, art. 24; 2002, c. 22, art. 29; 2015, c. 15, art. 116

396. (*Abrogé*).

1985, c. 6, art. 396; 1986, c. 58, art. 114; 1997, c. 27, art. 24; 2015, c. 15, art. 116

SECTION VII — FIN PRÉMATURÉE DE MANDAT ET SUSPENSION (ABROGÉE)

397. (*Abrogé*).

1985, c. 6, art. 397; 1997, c. 27, art. 24; 2015, c. 15, art. 116

398. (*Abrogé*).

1985, c. 6, art. 398; 1992, c. 11, art. 38; 1997, c. 27, art. 24; 2015, c. 15, art. 116

399. (*Abrogé*).

1985, c. 6, art. 399; 1997, c. 27, art. 24; 1997, c. 43, art. 11; 2015, c. 15, art. 116

400. (*Abrogé*).

1985, c. 6, art. 400; 1997, c. 27, art. 24; 1997, c. 43, art. 12; 2002, c. 22, art. 30; 2015, c. 15, art. 116

SECTION VIII — AUTRE DISPOSITION RELATIVE À LA CESSATION DES FONCTIONS (ABROGÉE)

401. (*Abrogé*).

1985, c. 6, art. 401; 1997, c. 27, art. 24; 2015, c. 15, art. 116

SECTION IX — RÉMUNÉRATION ET AUTRES CONDITIONS DE TRAVAIL (ABROGÉE)

402. (*Abrogé*).

1985, c. 6, art. 402; 1992, c. 11, art. 39; 1997, c. 27, art. 24; 2002, c. 22, art. 31; 2015, c. 15, art. 116

403. (*Abrogé*).

1985, c. 6, art. 403; 1997, c. 27, art. 24; 2015, c. 15, art. 116

404. (*Abrogé*).

1985, c. 6, art. 404; 1997, c. 27, art. 24; 2015, c. 15, art. 116

405. (*Abrogé*).

1985, c. 6, art. 405; 1997, c. 27, art. 24; 2002, c. 30, art. 158; 2015, c. 15, art. 116

406. (*Abrogé*).

1985, c. 6, art. 406; 1997, c. 27, art. 24; 2015, c. 15, art. 116

SECTION X — MANDAT ADMINISTRATIF (ABROGÉE)

407. (*Abrogé*).

1985, c. 6, art. 407; 1997, c. 27, art. 24; 2011, c. 16, art. 84; 2015, c. 15, art. 116

408. (*Abrogé*).

1985, c. 6, art. 408; 1997, c. 27, art. 24; 2015, c. 15, art. 116

409. (*Abrogé*).

1985, c. 6, art. 409; 1997, c. 27, art. 24; 2015, c. 15, art. 116

410. (*Abrogé*).

1985, c. 6, art. 410; 1988, c. 21, art. 66; 1997, c. 27, art. 24; 2015, c. 15, art. 116

411. (*Abrogé*).

1985, c. 6, art. 411; 1992, c. 11, art. 40; 1997, c. 27, art. 24; 1997, c. 43, art. 13; 2015, c. 15, art. 116

Section XI — Déontologie et impartialité (Abrogée)

412. (*Abrogé*).
1985, c. 6, art. 412; 1997, c. 27, art. 24; 1999, c. 40, art. 4; 2015, c. 15, art. 116

413. (*Abrogé*).
1985, c. 6, art. 413; 1997, c. 27, art. 24; 2015, c. 15, art. 116

414. (*Abrogé*).
1985, c. 6, art. 414; 1997, c. 27, art. 24; 2015, c. 15, art. 116

415. (*Abrogé*).
1985, c. 6, art. 415; 1992, c. 11, art. 41; 1997, c. 27, art. 24; 2015, c. 15, art. 116

415.1 (*Abrogé*).
1992, c. 11, art. 42; 1997, c. 27, art. 24; 2015, c. 15, art. 116

416. (*Abrogé*).
1985, c. 6, art. 416; 1992, c. 11, art. 43; 1997, c. 27, art. 24; 2015, c. 15, art. 116

417. (*Abrogé*).
1985, c. 6, art. 417; 1997, c. 27, art. 24; 2015, c. 15, art. 116

Section XII — Direction et administration (Abrogée)

418. (*Abrogé*).
1985, c. 6, art. 418; 1997, c. 27, art. 24; 2015, c. 15, art. 116

419. (*Abrogé*).
1985, c. 6, art. 419; 1997, c. 27, art. 24; 2015, c. 15, art. 116

420. (*Abrogé*).
1985, c. 6, art. 420; 1997, c. 27, art. 24; 2015, c. 15, art. 116

421. (*Abrogé*).
1985, c. 6, art. 421; 1997, c. 27, art. 24; 2015, c. 15, art. 116

422. (*Abrogé*).
1985, c. 6, art. 422; 1997, c. 27, art. 24; 2015, c. 15, art. 116

423. (*Abrogé*).
1985, c. 6, art. 423; 1997, c. 27, art. 24; 2015, c. 15, art. 116

424. (*Abrogé*).
1985, c. 6, art. 424; 1997, c. 27, art. 24; 2015, c. 15, art. 116

425. (*Abrogé*).
1985, c. 6, art. 425; 1997, c. 27, art. 24; 2015, c. 15, art. 116

426. (*Abrogé*).
1985, c. 6, art. 426; 1997, c. 27, art. 24; 2015, c. 15, art. 116

427. (*Abrogé*).
1985, c. 6, art. 427; 1997, c. 27, art. 24; 2015, c. 15, art. 116

428. (*Abrogé*).
1985, c. 6, art. 428; 1997, c. 27, art. 24; 2015, c. 15, art. 116

429. (*Abrogé*).
1985, c. 6, art. 429; 1997, c. 27, art. 24; 2015, c. 15, art. 116

429.1 (*Abrogé*).
1997, c. 27, art. 24; 2015, c. 15, art. 116

Section XIII — Séances (Abrogée)

429.2 (*Abrogé*).
1997, c. 27, art. 24; 2015, c. 15, art. 116

429.3 (*Abrogé*).
1997, c. 27, art. 24; 2015, c. 15, art. 116

429.4 (*Abrogé*).
1997, c. 27, art. 24; 2015, c. 15, art. 116

Section XIV — Personnel et ressources matérielles et financières (Abrogée)

429.5 (*Abrogé*).
1997, c. 27, art. 24; 2000, c. 8, art. 242; 2015, c. 15, art. 116

429.6 (*Abrogé*).
1997, c. 27, art. 24; 2015, c. 15, art. 116

429.7 (*Abrogé*).
1997, c. 27, art. 24; 2015, c. 15, art. 116

429.8 (*Abrogé*).
1997, c. 27, art. 24; 2015, c. 15, art. 116

429.9 (*Abrogé*).
1997, c. 27, art. 24; 2015, c. 15, art. 116

429.10 (*Abrogé*).
1997, c. 27, art. 24; 2011, c. 18, art. 84; 2015, c. 15, art. 116

429.11 (*Abrogé*).
1997, c. 27, art. 24; 2015, c. 15, art. 116

429.12 (*Abrogé*).
1997, c. 27, art. 24; 2011, c. 18, art. 85; 2015, c. 15, art. 116

429.12.1 (*Abrogé*).
2011, c. 18, art. 86; 2015, c. 15, art. 116

Section XV — Règles de preuve et de procédure (Abrogée)

429.13 (*Abrogé*).
1997, c. 27, art. 24; 2015, c. 15, art. 116

429.14 (*Abrogé*).
1997, c. 27, art. 24; 2015, c. 15, art. 116

429.15 (*Abrogé*).
1997, c. 27, art. 24; 2015, c. 15, art. 116

429.16 (*Abrogé*).
1997, c. 27, art. 24; 2015, c. 15, art. 116

429.17 (*Abrogé*).
1997, c. 27, art. 24; 2005, c. 17, art. 32; 2015, c. 15, art. 116

429.18 (*Abrogé*).
1997, c. 27, art. 24; 2015, c. 15, art. 116

429.19 (*Abrogé*).
1997, c. 27, art. 24; 2015, c. 15, art. 116

429.20 (*Abrogé*).
1997, c. 27, art. 24; 2015, c. 15, art. 116

429.21 (*Abrogé*).
1997, c. 27, art. 24; 2015, c. 15, art. 116

429.22 (*Abrogé*).
1997, c. 27, art. 24; 2015, c. 15, art. 116

429.23 (*Abrogé*).
1997, c. 27, art. 24; 2015, c. 15, art. 116

429.24 (*Abrogé*).
1997, c. 27, art. 24; 2005, c. 34, art. 38; 2015, c. 15, art. 116

429.25 (*Abrogé*).
1997, c. 27, art. 24; 2015, c. 15, art. 116

429.26 (*Abrogé*).
1997, c. 27, art. 24; 2015, c. 15, art. 116

429.27 (*Abrogé*).
1997, c. 27, art. 24; 2015, c. 15, art. 116

429.28 (*Abrogé*).
1997, c. 27, art. 24; 2015, c. 15, art. 116

429.29 (*Abrogé*).
1997, c. 27, art. 24; 2015, c. 15, art. 116

429.30 (*Abrogé*).
1997, c. 27, art. 24; 2015, c. 15, art. 116

429.31 (*Abrogé*).
1997, c. 27, art. 24; 2015, c. 15, art. 116

429.32 (*Abrogé*).
1997, c. 27, art. 24; 2015, c. 15, art. 116

429.33 (*Abrogé*).
1997, c. 27, art. 24; 2015, c. 15, art. 116

429.34 (*Abrogé*).
1997, c. 27, art. 24; 2015, c. 15, art. 116

429.35 (*Abrogé*).
1997, c. 27, art. 24; 2015, c. 15, art. 116

429.36 (*Abrogé*).
1997, c. 27, art. 24; 2015, c. 15, art. 116

429.37 (*Abrogé*).
1997, c. 27, art. 24; 2015, c. 15, art. 116

429.38 (*Abrogé*).
1997, c. 27, art. 24; 2015, c. 15, art. 116

429.39 (*Abrogé*).
1997, c. 27, art. 24; 2015, c. 15, art. 116

429.40 (*Abrogé*).
1997, c. 27, art. 24; 2015, c. 15, art. 116

429.41 (*Abrogé*).
1997, c. 27, art. 24; 2015, c. 15, art. 116

429.42 (*Abrogé*).
1997, c. 27, art. 24; 2015, c. 15, art. 116

429.43 (*Abrogé*).
1997, c. 27, art. 24; 2015, c. 15, art. 116

SECTION XVI — CONCILIATION (ABROGÉE)

429.44 (*Abrogé*).
1997, c. 27, art. 24; 2015, c. 15, art. 116

429.45 (*Abrogé*).
1997, c. 27, art. 24; 2015, c. 15, art. 116

429.46 (*Abrogé*).
1997, c. 27, art. 24; 2015, c. 15, art. 116

429.47 (*Abrogé*).
1997, c. 27, art. 24; 2015, c. 15, art. 116

429.48 (*Abrogé*).
1997, c. 27, art. 24; 2015, c. 15, art. 116

SECTION XVII — DÉCISION (ABROGÉE)

429.49 (*Abrogé*).
1997, c. 27, art. 24; 2015, c. 15, art. 116

429.50 (*Abrogé*).
1997, c. 27, art. 24; 2015, c. 15, art. 116

429.51 (*Abrogé*).
1997, c. 27, art. 24; 2015, c. 15, art. 116

429.52 (*Abrogé*).
1997, c. 27, art. 24; 2015, c. 15, art. 116

429.53 (*Abrogé*).
1997, c. 27, art. 24; 2015, c. 15, art. 116

429.54 (*Abrogé*).
1997, c. 27, art. 24; 2015, c. 15, art. 116

429.55 (*Abrogé*).
1997, c. 27, art. 24; 2015, c. 15, art. 116

429.56 (*Abrogé*).
1997, c. 27, art. 24; 2015, c. 15, art. 116

429.57 (*Abrogé*).
1997, c. 27, art. 24; 2015, c. 15, art. 116

429.58 (*Abrogé*).
1997, c. 27, art. 24; 2015, c. 15, art. 116

429.59 (*Abrogé*).
1997, c. 27, art. 24; 2015, c. 15, art. 116

Chapitre XIII — Recours

Section I — Recouvrement des prestations

430. Remboursement à la Commission — Sous réserve des articles 129 et 363, une personne qui a reçu une prestation à laquelle elle n'a pas droit ou dont le montant excède celui auquel elle a droit doit rembourser le trop-perçu à la Commission.

1985, c. 6, art. 430

431. Recouvrement — La Commission peut recouvrer le montant de cette dette dans les trois ans du paiement de l'indu ou, s'il y a eu mauvaise foi, dans l'année suivant la date où elle en a eu connaissance.

1985, c. 6, art. 431

432. Mise en demeure — La Commission met en demeure le débiteur par un avis qui énonce le montant et les motifs d'exigibilité de la dette et le droit du débiteur de demander la révision de cette décision.

Interruption de la prescription — Cette mise en demeure interrompt la prescription prévue par l'article 431.

1985, c. 6, art. 432

433. Exigibilité de la dette — La dette est exigible à l'expiration du délai pour demander la révision prévue à l'article 358 ou pour former le recours prévu à l'article 359 ou, si cette demande est faite ou ce recours formé, le jour de la décision finale confirmant la décision de la Commission.

1985, c. 6, art. 433; 1997, c. 27, art. 25

434. Compensation — Si le débiteur est aussi créancier d'une indemnité de remplacement du revenu et que sa dette est exigible, la Commission peut opérer compensation jusqu'à concurrence de 25 % du montant de cette indemnité si le débiteur n'a aucune personne à charge, de 20 % s'il a une personne à charge et de 15 % s'il a plus d'une personne à charge, à moins que le débiteur ne consente à ce qu'elle opère compensation pour plus.

1985, c. 6, art. 434

435. Débiteur en défaut — À défaut du remboursement de la dette par le débiteur, la Commission peut, 30 jours après la date d'exigibilité de la dette ou dès cette date si elle est d'avis que le débiteur tente d'éluder le paiement, délivrer un certificat qui atteste :

1º les nom et adresse du débiteur;

2º le montant de la dette; et

3º date de la décision finale qui établit l'exigibilité de la dette.

1985, c. 6, art. 435

436. Décision exécutoire — Sur dépôt de ce certificat au greffe du tribunal compétent, la décision de la Commission ou du Tribunal administratif du travail devient exécutoire comme s'il s'agissait d'un jugement final et sans appel de ce tribunal et en a tous les effets.

1985, c. 6, art. 436; 1997, c. 27, art. 26; 2015, c. 15, art. 237

437. Remise de la dette — La Commission peut, même après le dépôt du certificat, faire remise de la dette si elle le juge équitable en raison notamment de la bonne foi du débiteur ou de sa situation financière.

Remise non permise — Cependant, la Commission ne peut faire remise d'une dette qu'elle est tenue de recouvrer en vertu du quatrième alinéa de l'article 60 ou de l'article 133.

1985, c. 6, art. 437

Section II — Responsabilité civile

438. Action non permise — Le travailleur victime d'une lésion professionnelle ne peut intenter une action en responsabilité civile contre son employeur en raison de sa lésion.

1985, c. 6, art. 438

439. Action non permise — Lorsqu'un travailleur décède en raison d'une lésion professionnelle, le bénéficiaire ne peut intenter une action en responsabilité civile contre l'employeur de ce travailleur en raison de ce décès.

1985, c. 6, art. 439

440. Immunité — La personne chez qui un étudiant effectue un stage non rémunéré et celle chez qui une personne visée dans l'article 11, 12, 12.0.1 ou 12.1 exécute un travail, participe à une activité de sécurité civile, rend un service à la collectivité ou agit comme apprenti bénéficient de l'immunité accordée par les articles 438 et 439.

1985, c. 6, art. 440; 1987, c. 19, art. 20; 2000, c. 20, art. 166; 2001, c. 76, art. 143

441. Actions permises — Un bénéficiaire ne peut intenter une action en responsabilité civile, en raison d'une lésion professionnelle, contre un employeur assujetti à la présente loi, autre que celui du travailleur lésé, que :

1° si cet employeur a commis une faute qui constitue une infraction au sens du *Code criminel* (L.R.C. (1985), ch. C-46) ou un acte criminel au sens de ce code;

2° pour recouvrer l'excédent de la perte subie sur la prestation;

3° si cet employeur est une personne responsable d'une lésion professionnelle visée dans l'article 31; ou

4° si cet employeur est tenu personnellement au paiement des prestations.

Délai — Malgré les règles relatives à la prescription édictées au Code civil, une action en responsabilité civile pour une faute visée dans le paragraphe 1° du premier alinéa ne peut être intentée que dans les six mois de l'aveu ou du jugement final de déclaration de culpabilité.

1985, c. 6, art. 441; 1999, c. 40, art. 4

442. Professionnel de la santé — Un bénéficiaire ne peut intenter une action en responsabilité civile, en raison de sa lésion professionnelle, contre un travailleur ou un mandataire d'un employeur assujetti à la présente loi pour une faute commise dans l'exercice de ses fonctions, sauf s'il s'agit d'un professionnel de la santé responsable d'une lésion professionnelle visée dans l'article 31.

Administrateur réputé mandataire — Dans le cas où l'employeur est une personne morale, l'administrateur de la personne morale est réputé être un mandataire de cet employeur.

1985, c. 6, art. 442; 1999, c. 40, art. 4

443. Option et avis à la Commission — Un bénéficiaire qui peut intenter une action en responsabilité civile doit faire option et en aviser la Commission dans les six mois de l'accident du travail, de la date où il est médicalement établi et porté à la connaissance du travailleur qu'il est atteint d'une maladie professionnelle ou, le cas échéant, du décès qui résulte de la lésion professionnelle.

Option et avis à la Commission — Cependant, le bénéficiaire qui peut intenter une action en responsabilité civile pour une faute visée dans le paragraphe 1° du premier alinéa de l'article 441 doit faire option et en aviser la Commission au plus tard six mois après la date de l'aveu ou du jugement final de déclaration de culpabilité.

Défaut de faire option — À défaut de faire l'option prévue par le premier ou le deuxième alinéa, le bénéficiaire est réputé renoncer aux prestations prévues par la présente loi.

1985, c. 6, art. 443; 1999, c. 40, art. 4

444. Perception d'une somme inférieure — Si le bénéficiaire visé dans l'article 443 choisit d'intenter une action en responsabilité civile et perçoit une somme inférieure au montant de la prestation prévue par la présente loi, il a droit à une prestation pour la différence.

Réclamation — Ce bénéficiaire doit réclamer cette prestation à la Commission dans les six mois du jugement final rendu sur l'action en responsabilité civile.

1985, c. 6, art. 444

445. Recouvrement — Si le bénéficiaire visé dans l'article 443 choisit de réclamer une prestation en vertu de la présente loi, il a droit de recouvrer de la personne responsable l'excédent de la perte subie sur la prestation.

1985, c. 6, art. 445

446. Subrogation — La réclamation d'un bénéficiaire à la Commission subroge celle-ci de plein droit dans les droits de ce bénéficiaire contre le responsable de la lésion professionnelle jusqu'à concurrence du montant des prestations qu'elle a payées et du capital représentatif des prestations à échoir.

Inopposabilité d'une entente — Une entente ayant pour effet de priver la Commission de tout ou partie de son recours subrogatoire lui est inopposable, à moins qu'elle ne la ratifie.

1985, c. 6, art. 446

447. Interruption de prescription — L'action intentée par le bénéficiaire contre le responsable d'une lésion professionnelle interrompt, en faveur de la Commission, la prescription édictée au Code civil.

1985, c. 6, art. 447; 1999, c. 40, art. 4

SECTION III — RECOURS EN VERTU D'UN AUTRE RÉGIME

448. Cumul d'indemnités non permis — La personne à qui la Commission verse une indemnité de remplacement du revenu ou une rente pour incapacité totale en vertu d'une loi qu'elle administre et qui réclame, en raison d'un nouvel événement, une telle indemnité ou une telle rente en vertu de la *Loi sur l'assurance automobile* (chapitre A-25) ou d'une loi que la Commission administre, autre que celle en vertu de laquelle elle reçoit déjà cette indemnité ou cette rente, n'a pas le droit de cumuler ces deux indemnités pendant une même période.

Versement par la Commission — La Commission continue de verser à cette personne l'indemnité de remplacement du revenu ou la rente pour incapacité totale qu'elle reçoit déjà, s'il y a lieu, en attendant que soient déterminés le droit et le montant des prestations payables en vertu de chacune des lois applicables.

1985, c. 6, art. 448

449. Traitement des réclamations — La Commission et la Société de l'assurance automobile du Québec prennent entente pour établir un mode de traitement des réclamations faites en vertu de la *Loi sur l'assurance automobile* (chapitre A-25) par les personnes visées dans l'article 448.

Entente — Cette entente doit permettre de :

1° distinguer le préjudice qui découle du nouvel événement et celui qui est attribuable à la lésion professionnelle, au préjudice subi par le sauveteur au sens de la *Loi visant à favoriser le civisme* (chapitre C-20) ou à l'acte criminel subi par une victime au sens de la *Loi sur* *l'indemnisation des victimes d'actes criminels* (chapitre I-6), selon le cas;

2º déterminer en conséquence le droit et le montant des prestations payables en vertu de chacune des lois applicables;

3º déterminer les prestations que doit verser chaque organisme et de préciser les cas, les montants et les modalités de remboursement entre eux.

1985, c. 6, art. 449; 1990, c. 19, art. 11; 1999, c. 40, art. 4

450. Décision conjointe — Lorsqu'une personne visée dans l'article 448 réclame une indemnité de remplacement du revenu en vertu de la *Loi sur l'assurance automobile* (chapitre A-25), la Commission et la Société de l'assurance automobile du Québec doivent, dans l'application de l'entente visée à l'article 449, rendre conjointement une décision qui distingue le préjudice attribuable à chaque événement et qui détermine en conséquence le droit aux prestations payables en vertu de chacune des lois applicables.

Lois applicables à l'appel — La personne qui se croit lésée par cette décision peut, à son choix, la contester suivant la présente loi, la *Loi visant à favoriser le civisme* (chapitre C-20) ou la *Loi sur l'indemnisation des victimes d'actes criminels* (chapitre I-6), selon le cas, ou suivant la *Loi sur l'assurance automobile*.

Organismes liés — Le recours formé en vertu de l'une de ces lois empêche le recours en vertu de l'autre et la décision alors rendue lie les deux organismes.

1985, c. 6, art. 450; 1990, c. 19, art. 11; 1997, c. 27, art. 27; 1999, c. 40, art. 4

451. Distinction du préjudice — Lorsqu'une personne à qui la Commission verse une indemnité de remplacement du revenu ou une rente pour incapacité totale en vertu d'une loi qu'elle administre réclame, en raison d'un nouvel événement, une indemnité de remplacement du revenu ou une rente pour incapacité totale en vertu d'une autre loi que la Commission administre, la Commission distingue le préjudice attribuable à chaque événement et détermine en conséquence le droit et le montant des prestations payables en vertu de chacune des lois applicables.

Lois applicables à l'appel — La personne qui se croit lésée par cette décision peut, à son choix, la contester suivant la présente loi ou suivant la *Loi visant à favoriser le civisme* (chapitre C-20) ou la *Loi sur l'indemnisation des victimes d'actes criminels* (chapitre I-6), selon le cas.

Commission liée — Le recours formé en vertu de l'une de ces lois empêche le recours en vertu de l'autre et la décision alors rendue lie la Commission pour l'application de chacune de ces lois.

1985, c. 6, art. 451; 1997, c. 27, art. 28; 1999, c. 40, art. 4

452. Option et avis à la Commission — Si une personne a droit, en raison d'une même lésion professionnelle, à une prestation en vertu de la présente loi et en vertu d'une loi autre qu'une loi du Parlement du Québec, elle doit faire option et en aviser la Commission dans les six mois de l'accident du travail ou de la date où il est médicalement établi et porté à la connaissance du travailleur qu'il est atteint d'une maladie professionnelle ou, le cas échéant, du décès qui résulte de la lésion professionnelle.

Défaut de faire une option — À défaut, elle est présumée renoncer aux prestations prévues par la présente loi.

1985, c. 6, art. 452

453. Droit conservé — Une demande de prestations à la Commission conserve au bénéficiaire son droit de réclamer les bénéfices de la *Loi sur le régime de rentes du Québec* (chapitre R-9) ou de tout autre régime public ou privé d'assurance, malgré l'expiration du délai de réclamation prévu par ce régime.

Délai — Ce délai recommence à courir à compter du jour de la décision finale rendue sur la demande de prestations.

1985, c. 6, art. 453

Chapitre XIV — Règlements

454. Règlements — La Commission peut faire des règlements pour :

1° modifier l'annexe I en y ajoutant une maladie qu'elle reconnaît comme caractéristique d'un travail ou reliée directement aux risques particuliers d'un travail;

2° déterminer les cas où un étudiant est considéré un travailleur;

2.1° déterminer, aux fins de l'article 160, les normes et barèmes de l'aide personnelle à domicile et prévoir la méthode de revalorisation annuelle des montants qui y sont fixés;

3° établir un barème des indemnités pour préjudice corporel comprenant un barème des déficits anatomo-physiologiques, un barème des préjudices esthétiques et un barème des douleurs et de la perte de jouissance de la vie et déterminer les critères et les modalités d'application du barème des indemnités pour préjudice corporel, aux fins du calcul de l'indemnité;

3.1° déterminer les soins, les traitements, les aides techniques et les frais qui font partie de l'assistance médicale visée au paragraphe 5° de l'article 189 et prévoir les cas, conditions et limites monétaires des paiements qui peuvent être effectués ainsi que les autorisations préalables auxquelles ces paiements peuvent être assujettis;

4° déterminer, en fonction des catégories d'établissements et de chantiers de construction qu'elle désigne, le cas où l'employeur ou, sur un chantier de construction, le maître d'œuvre au sens de la *Loi sur la santé et la sécurité du travail* (chapitre S-2.1), doit maintenir un service de premiers secours et un service de premiers soins à ses frais, ceux où il doit fournir un local à cette fin, le personnel et l'équipement que comprend un tel service et le contenu du registre des premiers secours ou des premiers soins;

4.1° déterminer, sous réserve du deuxième alinéa de l'article 198.1, le coût de l'achat, de l'ajustement, de la réparation et du remplacement d'une orthèse et d'une prothèse visées à cet article et prévoir les cas, conditions et limites monétaires des paiements qui peuvent être effectués ainsi que les autorisations préalables auxquelles ces paiements peuvent être assujettis;

4.2° déterminer le cadre d'application de l'article 284.2 aux fins de la conclusion des ententes qui y sont prévues;

4.3° prescrire, aux fins de l'article 290, les normes applicables à l'avis que doit donner à la Commission l'employeur qui commence ses activités;

4.4° déterminer, aux fins de l'article 291, les autres renseignements que l'employeur doit déclarer à la Commission et prescrire les normes applicables à la déclaration des salaires bruts et à la déclaration de ces autres renseignements;

4.5° déterminer, aux fins de l'article 296, les registres qu'un employeur doit tenir, les documents qu'il doit constituer et les pièces justificatives qu'il doit conserver de même que les normes relatives à leur tenue, leur constitution et leur conservation;

5º déterminer, aux fins de l'article 297, des unités de classification et les secteurs qui les regroupent;

5.1º déterminer, aux fins de l'article 298, les règles de classification des employeurs dans des unités;

6º fixer, aux fins de l'article 304, le taux de cotisation applicable à chaque unité de classification;

7º déterminer les conditions d'assujettissement d'un employeur à un taux personnalisé, les éléments dont elle doit tenir compte et la méthode qu'elle doit suivre pour l'établir;

8º déterminer, aux fins de la fixation du taux personnalisé, les ratios d'expérience des unités de classification;

8.1º augmenter les taux de cotisation applicables aux employeurs appartenant à un secteur d'activités pour lequel une association sectorielle paritaire a été constituée en vertu de la *Loi sur la santé et la sécurité du travail* (chapitre S-2.1), afin de défrayer le coût de la subvention accordée à cette association si ce coût n'est pas inclus dans les taux fixés en vertu de l'article 304;

9º déterminer les conditions d'assujettissement d'un employeur à l'ajustement rétrospectif de sa cotisation, les éléments dont elle doit tenir compte et la méthode qu'elle doit suivre pour l'établir et, sans limiter ce qui précède, prévoir, aux fins de cet ajustement, la prise en charge par l'employeur du coût des prestations, les limites de prise en charge qu'il peut choisir, les conditions et modalités d'exercice de ce choix et les cas où la limite applicable est celle déterminée par le règlement;

10º déterminer les primes d'assurance nécessaires à l'ajustement rétrospectif définitif de la cotisation annuelle;

11º fixer le maximum que ne peut excéder la cotisation de l'employeur ajustée rétrospectivement;

12º *(paragraphe abrogé)*;

12.1º définir les opérations visées à l'article 314.3 et prévoir dans quels cas, à quelles conditions et suivant quelles modalités elle détermine l'expérience de l'employeur impliqué dans une telle opération et prévoir les modalités particulières de cotisation qui lui sont applicables;

12.2º déterminer les normes suivant lesquelles l'employeur impliqué dans une opération visée à l'article 314.3 doit informer la Commission;

12.2.1º prescrire, aux fins de l'article 315, les normes applicables au paiement de la cotisation par l'employeur;

12.2.2º déterminer, aux fins de l'article 315.1, les normes applicables aux versements périodiques que l'employeur doit payer au ministre du Revenu et les catégories d'employeurs qui doivent payer de tels versements;

12.3º déterminer dans quels circonstances et délais et à quelles conditions elle peut déterminer à nouveau la classification, l'imputation du coût des prestations et, à la hausse ou à la baisse, la cotisation, la pénalité et les intérêts payables par un employeur et les normes applicables à cette nouvelle détermination;

12.4º déterminer dans quels cas et à quelles conditions plusieurs employeurs peuvent demander d'être regroupés aux fins de fixer leurs taux personnalisés et prévoir des modalités particulières de calcul de leurs taux;

13º déterminer dans quels cas et à quelles conditions plusieurs employeurs peuvent demander d'être considérés comme un seul et même employeur aux fins de l'application de l'ajustement rétrospectif de la cotisation et prévoir des modalités particulières de calcul de cet ajustement;

14° établir, pour l'application des articles 60, 90, 135, 261 et 364, les règles de détermination du taux d'intérêt;

15° déterminer, en application de l'article 323, dans quels cas et suivant quelles conditions et modalités, elle ou l'employeur sont tenus au paiement d'intérêts, les règles pour la détermination des taux d'intérêt applicables et les modalités de paiement de ces intérêts. Ce règlement peut prévoir la capitalisation des intérêts;

16° déterminer, aux fins de l'article 343, les pourcentages permettant de fixer la cotisation des employeurs tenus personnellement au paiement des prestations, déterminer les situations auxquelles ces pourcentages s'appliquent et prévoir, le cas échéant, une cotisation minimale.

Normes — Dans l'exercice des pouvoirs réglementaires prévus aux paragraphes 4.2° à 13°, 15° et 16° du premier alinéa, la Commission peut prévoir des normes qui peuvent différer selon les catégories d'employeurs qu'elle détermine.

Taux personnalisé et ajustement rétrospectif — Dans l'exercice des pouvoirs réglementaires prévus aux paragraphes 7°, 9°, 12.1°, 12.4° et 13° du premier alinéa, la Commission peut prévoir que certains éléments nécessaires à l'établissement du taux personnalisé, de l'ajustement rétrospectif ou de l'expérience d'un employeur seront déterminés après expertise actuarielle dans les cas ou dans les circonstances prévus par ces règlements.

Répartition des cotisations — La Commission peut également, dans l'exercice des pouvoirs réglementaires prévus aux paragraphes 7 et 9, prévoir des règles visant à assurer une répartition équitable des cotisations entre les employeurs assujettis à un mode de fixation de la cotisation ou entre les employeurs assujettis aux différents modes de fixation de la cotisation.

1985, c. 6, art. 454; 1989, c. 74, art. 11; 1992, c. 11, art. 44; 1993, c. 5, art. 21; 1996, c. 70, art. 44; 1999, c. 40, art. 4; 2006, c. 53, art. 27; 2009, c. 19, art. 27

455. Approbation — Un projet de règlement que la Commission adopte en vertu des paragraphes 1°, 2°, 3° à 4.1° et 14° du premier alinéa de l'article 454 est soumis pour approbation au gouvernement.

Entrée en vigueur d'un règlement — Malgré l'article 17 de la *Loi sur les règlements* (chapitre R-18.1), un règlement adopté en vertu des paragraphes 4.2° à 13°, 15° et 16° du premier alinéa de l'article 454 entre en vigueur le jour de sa publication à la *Gazette officielle du Québec* ou à toute date ultérieure qui y est fixée.

1985, c. 6, art. 455; 1989, c. 74, art. 12; 1992, c. 11, art. 45; 1993, c. 5, art. 22; 1996, c. 70, art. 45; 2002, c. 76, art. 33; 2006, c. 53, art. 28

456. Pouvoir du gouvernement — Le gouvernement peut modifier un règlement qui lui est soumis pour approbation par la Commission en vertu de l'article 455.

1985, c. 6, art. 456; 1989, c. 74, art. 13

457. Règlement du gouvernement — Le gouvernement peut adopter lui-même un règlement à défaut par la Commission de l'adopter dans un délai qu'il juge raisonnable.

Publication — Le gouvernement publie alors à la *Gazette officielle du Québecle* projet de règlement qu'il désire adopter avec avis qu'à l'expiration des 60 jours suivant cet avis, il sera adopté par le gouvernement avec ou sans modification.

Publication non requise — Cette publication n'est pas requise si la Commission a déjà fait publier ce projet à la

Gazette officielle du Québec et qu'aucune modification n'y est apportée par le gouvernement.

Entrée en vigueur — Ce règlement entre en vigueur le dixième jour qui suit celui de la publication à la *Gazette officielle du Québec* de son texte définitif avec le décret qui l'a adopté ou à toute date ultérieure fixée dans ce décret.

1985, c. 6, art. 457

Chapitre XV — Dispositions pénales

458. Infraction et peine — L'employeur qui contrevient au premier alinéa des articles 32 ou 33, à l'article 59, au premier ou au deuxième alinéa de l'article 60, au premier alinéa de l'article 61, au premier alinéa de l'article 190, à l'article 191, au premier alinéa de l'article 215, au paragraphe 2° du premier alinéa de l'article 235, au deuxième alinéa de l'article 266, aux articles 268 ou 269, au deuxième alinéa de l'article 270 ou au premier alinéa de l'article 334 commet une infraction et est passible d'une amende d'au moins 500 $ et d'au plus 1 000 $ s'il s'agit d'une personne physique, et d'une amende d'au moins 1 000 $ et d'au plus 2 000 $ s'il s'agit d'une personne morale.

1985, c. 6, art. 458; 1990, c. 4, art. 35

459. Infraction et peine — Le maître d'œuvre au sens de la *Loi sur la santé et la sécurité du travail* (chapitre S-2.1) qui contrevient au premier alinéa de l'article 190 ou à l'article 191 commet une infraction et est passible d'une amende d'au moins 500 $ et d'au plus 1 000 $ s'il s'agit d'une personne physique, et d'une amende d'au moins 1 000 $ et d'au plus 2 000 $ s'il s'agit d'une personne morale.

1985, c. 6, art. 459; 1990, c. 4, art. 35

460. Infraction et peine — L'employeur qui, sans raison valable dont la preuve lui incombe, agit ou omet d'agir, en vue de retarder ou d'empêcher l'exercice du droit au retour au travail que la présente loi confère à un travailleur commet une infraction et est passible d'une amende d'au moins 500 $ et d'au plus 1 000 $ s'il s'agit d'une personne physique, et d'une amende d'au moins 1 000 $ et d'au plus 2 000 $ s'il s'agit d'une personne morale.

1985, c. 6, art. 460; 1990, c. 4, art. 35

461. Infraction et peine — La personne qui contrevient à l'article 14, l'association de travailleurs autonomes ou de domestiques qui contrevient au premier ou au deuxième alinéa de l'article 22 ou au premier ou au deuxième alinéa de l'article 24 ou l'employeur qui contrevient à l'article 275, au premier ou au troisième alinéa de l'article 280, aux articles 290 à 296 ou 333, au deuxième alinéa de l'article 334 ou à l'article 335 ou qui fait défaut de payer tout ou partie d'une cotisation un mois après son échéance commet une infraction et est passible d'une amende d'au moins 300 $ et d'au plus 500 $ s'il s'agit d'une personne physique, et d'une amende d'au moins 500 $ et d'au plus 1 000 $ s'il s'agit d'une personne morale.

1985, c. 6, art. 461; 1990, c. 4, art. 35

462. Infraction et peine — Un professionnel de la santé ou un établissement de santé qui refuse ou néglige de faire une attestation, un avis ou un rapport prévu par les articles 199 à 203 ou 208, le deuxième alinéa de l'article 230 ou le troisième alinéa de l'article 231, ou une personne qui contrevient à l'article 211, à l'article 265, au troisième alinéa de l'article 270 ou aux articles 274, 276, 277 ou 278 commet une infraction et est passible d'une amende d'au moins 300 $ et d'au plus 500 $ s'il s'agit d'une personne physique, et d'une amende d'au moins 500 $ et d'au plus 1 000 $ s'il s'agit d'une personne morale.

1985, c. 6, art. 462; 1990, c. 4, art. 35; 1992, c. 11, art. 46

463. Infraction et peine — Quiconque agit ou omet d'agir, en vue d'obtenir un avantage auquel il sait ne pas avoir droit ou de se soustraire à une obligation que la présente loi lui impose commet une infraction et est passible d'une amende d'au moins 500 $ et d'au plus 2 000 $ s'il s'agit d'une personne physique, et d'une amende d'au moins 2 000 $ et d'au plus 8 000 $ s'il s'agit d'une personne morale.

1985, c. 6, art. 463; 1990, c. 4, art. 35

464. Infraction et peine — Quiconque fait une fausse déclaration ou, sans raison valable dont la preuve lui incombe, entrave ou tente d'entraver une enquête, une vérification, un examen ou une audition de la Commission ou refuse ou fait défaut de se soumettre à une ordonnance ou à une décision de la Commission, commet une infraction et est passible d'une amende d'au moins 300 $ et d'au plus 500 $ s'il s'agit d'une personne physique, et d'une amende d'au moins 500 $ et d'au plus 1 000 $ s'il s'agit d'une personne morale.

1985, c. 6, art. 464; 1990, c. 4, art. 35; 1996, c. 70, art. 46

465. Infraction et peine — Quiconque contrevient à une disposition de la présente loi ou des règlements pour laquelle aucune peine n'est prévue commet une infraction et est passible d'une amende n'excédant pas 300 $ s'il s'agit d'une personne physique et d'une amende n'excédant pas 500 $ s'il s'agit d'une personne morale.

1985, c. 6, art. 465; 1990, c. 4, art. 35

466. Infraction et peine — Quiconque sciemment agit ou omet d'agir, en vue d'aider une personne à commettre une infraction ou conseille à une personne de la commettre, l'y encourage ou l'y incite, est partie à l'infraction et est passible de la même peine que celle qui est prévue pour la personne qui l'a commise, que cette dernière ait été ou non poursuivie ou déclarée coupable.

1985, c. 6, art. 466

467. Première récidive — Dans le cas d'une première récidive, le contrevenant est passible d'une amende dont le montant ne doit pas être inférieur au double de l'amende minimale prévue pour cette infraction.

Récidive additionnelle — Pour toute récidive additionnelle, le montant ne doit pas être inférieur au triple de l'amende minimale prévue pour cette infraction.

1985, c. 6, art. 467; 1990, c. 4, art. 36

468. Dégagement de responsabilité — Un travailleur poursuivi pour une infraction à la présente loi est dégagé de sa responsabilité s'il prouve que cette infraction a été commise malgré son désaccord et à la suite d'instructions formelles de son employeur.

1985, c. 6, art. 468

469. Réputé partie à l'infraction — Si une personne morale commet une infraction, l'administrateur, le dirigeant, l'employé ou le représentant de cette personne morale qui a prescrit ou autorisé l'accomplissement de l'acte ou de l'omission qui constitue l'infraction ou qui y a consenti est réputé avoir participé à l'infraction et est passible de la peine prévue pour cette infraction, que la personne morale ait ou non été poursuivie ou déclarée coupable.

1985, c. 6, art. 469; 1999, c. 40, art. 4

470. (*Abrogé*).

1985, c. 6, art. 470; 1990, c. 4, art. 37; 1992, c. 61, art. 36

471. (*Abrogé*).

1985, c. 6, art. 471; 1992, c. 61, art. 36

472. (*Abrogé*).

1985, c. 6, art. 472; 1992, c. 61, art. 36

473. Poursuite pénale — Une poursuite pénale pour une infraction prévue au présent chapitre peut être intentée par la Commission.

Prescription — La poursuite se prescrit par un an depuis la date de la connaissance par le poursuivant de la perpétration de l'infraction. Toutefois, aucune poursuite ne peut être intentée s'il s'est écoulé plus de cinq ans depuis la date de la perpétration de l'infraction.

1985, c. 6, art. 473; 1990, c. 4, art. 38; 1992, c. 61, art. 37; 2001, c. 26, art. 71

474. Amendes — Les amendes appartiennent au Fonds, sauf lorsque le procureur général ou le directeur des poursuites criminelles et pénales a intenté la poursuite pénale.

Frais — Il en est de même des frais qui sont transmis à la Commission avec le plaidoyer du défendeur.

1985, c. 6, art. 474; 1992, c. 61, art. 38; 2002, c. 76, art. 34; 2005, c. 34, art. 86

Chapitre XVI — Dispositions finales et transitoires

Section I — Dispositions finales

475. (*Omis*).

1985, c. 6, art. 475

Loi sur les accidents du travail

476. (*Omis*).

1985, c. 6, art. 476

477. Renvoi — Sous réserve des articles 478 et 506, tout renvoi dans une loi, un règlement, une proclamation, un arrêté en conseil, un décret, un contrat ou tout autre document à la *Loi sur les accidents du travail* (chapitre A-3) ou à une de ses dispositions est censé être un renvoi à la présente loi ou à la disposition correspondante de la présente loi.

1985, c. 6, art. 477

478. Loi et règlements continués en vigueur — La *Loi sur les accidents du travail* (chapitre A-3), modifiée par les articles 479 à 483, et les règlements adoptés en vertu de celle-ci demeurent en vigueur aux fins du traitement des réclamations faites pour des accidents du travail et des décès qui sont survenus avant le 19 août 1985 et des réclamations faites avant cette date pour des maladies professionnelles, sauf s'il s'agit d'une récidive, d'une rechute ou d'une aggravation visée dans le premier alinéa de l'article 555.

Loi et règlements continués en vigueur — Sous réserve des articles 580 et 581, cette loi, ainsi modifiée, et ces règlements demeurent en vigueur également aux fins de la classification des industries et de la cotisation des employeurs faites pour une année antérieure à l'année 1986.

Loi et règlements continués en vigueur — Cette loi, ainsi modifiée, et ces règlements demeurent en vigueur également aux fins de l'application de la *Loi visant à favoriser le civisme* (chapitre C-20) et de la *Loi sur l'indemnisation des victimes d'actes criminels* (chapitre I-6)

1985, c. 6, art. 478

479.–551. (*Omis*).

Section II — Dispositions transitoires

552. Règlement continué en vigueur — Tout règlement adopté en vertu de la *Loi sur les accidents du travail* (chapitre A-3), dans la mesure où il est conciliable avec la présente loi, demeure en vigueur et constitue un règlement adopté en vertu de celle-ci jusqu'à ce qu'il soit remplacé ou abrogé.

1985, c. 6, art. 552

553. Dispositions applicables — Sous réserve de l'article 555, les dispositions de la présente loi s'appliquent aux accidents du travail et aux décès qui surviennent à compter de la date de leur entrée en vigueur.

Maladies professionnelles — Sous réserve de l'article 555 et du premier alinéa de l'article 576, ces dispositions s'appliquent aux maladies professionnelles pour lesquelles une réclamation est faite à compter de la date de leur entrée en vigueur.

Application — Ces dispositions s'appliquent en outre à la classification et à la cotisation faites pour l'année 1986 et les années subséquentes et à l'imputation faite à compter de la date de leur entrée en vigueur.

1985, c. 6, art. 553

554. Rente conservée — Une personne qui, lors de l'entrée en vigueur du chapitre III, reçoit une rente pour incapacité permanente en vertu de la *Loi sur les accidents du travail* (chapitre A-3) conserve sa rente et cette loi continue de s'appliquer à elle, sauf si elle fait l'option prévue par l'article 562.

1985, c. 6, art. 554

555. Récidive ou rechute — Une personne qui, avant la date de l'entrée en vigueur du chapitre III, a été victime d'un accident du travail ou a produit une réclamation pour une maladie professionnelle en vertu de la *Loi sur les accidents du travail* (chapitre A-3) et qui subit une récidive, une rechute ou une aggravation à compter de cette date devient assujettie à la présente loi.

Remplacement du revenu — Cependant, cette personne n'a pas droit à une indemnité de remplacement du revenu si, lors de la récidive, de la rechute ou de l'aggravation, elle n'occupe aucun emploi et elle :

1° est âgée d'au moins 65 ans; ou

2° reçoit une rente pour incapacité totale permanente, en vertu de la *Loi sur les accidents du travail*, quel que soit son âge.

Indemnité de remplacement du revenu — De même, une personne qui reçoit une assistance financière en vertu d'un programme de stabilisation sociale n'a pas droit à une indemnité de remplacement du revenu.

1985, c. 6, art. 555; 1991, c. 35, art. 3

556. Calcul — Aux fins du calcul de l'indemnité de remplacement du revenu d'une personne visée dans le premier alinéa de l'article 555, le revenu brut de cette personne est celui :

1° qu'elle tire de l'emploi qu'elle occupe lors de la récidive, de la rechute ou de l'aggravation; ou

2° qu'elle a tiré de tout emploi qu'elle a exercé pendant les 12 mois précédant le début de son incapacité d'exercer l'emploi qu'elle occupait habituellement, si elle n'occupe aucun emploi lors de la récidive, de la rechute ou de l'aggravation.

1985, c. 6, art. 556

557. Incapacité permanente — Lorsqu'un taux d'incapacité permanente a déjà été reconnu à une personne visée dans l'article 555 en vertu de la *Loi sur les accidents du travail* (chapitre A-3), en raison de l'accident du travail ou de la maladie professionnelle à l'origine de la récidive, de la rechute ou de l'aggravation subie par cette personne, l'article 89 s'applique aux fins du calcul de l'indemnité pour préjudice corporel, compte tenu des adaptations nécessaires.

1985, c. 6, art. 557; 1999, c. 40, art. 4

558. Droit conservé — Une personne qui, à la date de l'entrée en vigueur du chapitre III, a droit à une indemnité en vertu de la *Loi sur les accidents du travail* (chapitre A-3) en raison du décès d'un travailleur survenu avant cette date conserve son droit à cette indemnité et la *Loi sur les accidents du travail*, à l'exception du paragraphe 2 de l'article 36 et de l'article 49, continue de s'appliquer à cette fin, sauf si elle fait l'option prévue par l'article 559 ou par l'article 562.

1985, c. 6, art. 558

559. Rente viagère — Une personne visée dans l'article 558 qui a droit à une rente viagère en tant que conjoint survivant d'un travailleur décédé peut, si elle est âgée de moins de 65 ans, choisir de recevoir les indemnités prévues par les articles 98, 100 et 101.

Calcul — Aux fins de calcul de ces indemnités :

1° la date de l'option est réputée la date du décès du travailleur;

2° le revenu brut annuel d'emploi du travailleur décédé est le plus élevé de :

a) celui qu'il tirait de l'emploi qu'il occupait à la date de son décès, revalorisé chaque année jusqu'à la date de l'option suivant le pourcentage déterminé conformément à la *Loi sur les accidents du travail* (chapitre A-3) pour chacune de ces années, jusqu'à concurrence du maximum annuel assurable établi en vertu de l'article 66 à la date de l'option;

b) 25 000 $.

Montant revalorisé — Aux fins du présent article, le montant de 25 000 $ qui y est fixé est revalorisé conformément aux articles 118 à 123 et le montant du revenu brut annuel qui sert de base au calcul de l'indemnité prévue par l'article 101 est revalorisé chaque année à la date anniversaire de l'option conformément aux articles 119 à 123.

1985, c. 6, art. 559; 1999, c. 40, art. 4

560. Conjoint ayant un enfant — Lorsqu'un conjoint survivant fait l'option prévue par l'article 559, son enfant qui est mineur à la date de cette option et pour lequel il reçoit, à cette date, une rente mensuelle en vertu de la *Loi sur les accidents du travail* (chapitre A-3) en raison du décès du travailleur a droit, au lieu de cette rente, à l'indemnité prévue par l'article 102.

1985, c. 6, art. 560

561. Personne à charge — Lorsqu'un conjoint survivant fait l'option prévue par l'article 559 et qu'il y a, à la date de cette option, un dépendant ou une personne à charge majeur pour lequel il reçoit une rente mensuelle en vertu de la *Loi sur les accidents du travail* (chapitre A-3) en raison du décès du travailleur, ce dépendant ou cette personne à charge a droit de recevoir sa part de cette rente sous forme de rente mensuelle, revalorisée suivant l'article 41 de cette loi.

Part de la personne à charge — Si la rente mensuelle que reçoit le conjoint en vertu de la *Loi sur les accidents du travail* est due en raison d'un décès survenu après le 31 décembre 1978, la part de cette personne à charge est égale à un pourcentage de l'indemnité visée dans le paragraphe 1 de l'article 35 de cette loi, revalorisée suivant l'article 41 de cette loi.

Calcul du pourcentage — Ce pourcentage est égal à la différence entre le pourcentage établi en vertu du paragraphe 2 de l'article 35 de cette loi, selon le nombre de personnes à charge à la date de l'option, et 55 %, divisée par le nombre des personnes à charge, autres que le conjoint, qui existent à cette date.

Détermination du pourcentage — Ce pourcentage est redéterminé chaque fois qu'une de ces personnes à charge, autres que le conjoint, cesse de l'être, selon le nombre de personnes à charge qui reste, incluant le conjoint.

1985, c. 6, art. 561

562. Rente viagère — Une personne qui reçoit, lors de l'entrée en vigueur du chapitre III, une rente pour incapacité permanente en vertu de la *Loi sur les accidents du travail* (chapitre A-3) ou une personne visée dans l'article 558 qui a droit à une rente viagère en tant que conjoint survivant d'un travailleur décédé peut, si elle est âgée de moins de 65 ans, transmettre à la Commission un avis écrit pour que celle-ci recalcule le montant de sa rente mensuelle selon l'option qu'elle indique entre les deux suivantes :

1° l'option de redistribution, qui permet à cette personne de recevoir une rente mensuelle plus élevée que sa rente actuelle et, sous réserve du deuxième alinéa de l'article 563, cessant dès qu'elle atteint l'âge de 65 ans;

2° l'option de nivellement, qui permet à cette personne de recevoir une rente mensuelle plus élevée que sa rente actuelle jusqu'à ce qu'elle atteigne l'âge de 65 ans et, par la suite, une rente mensuelle moins élevée.

1985, c. 6, art. 562

563. Option de redistribution — Lorsqu'une personne fait l'option de redistribution, le montant de sa nouvelle rente mensuelle est établi en multipliant le montant de la rente mensuelle à laquelle elle a droit en vertu de la *Loi sur les accidents du travail* (chapitre A-3) par le facteur prévu à l'annexe VIII selon son âge à la date de l'option et selon qu'il s'agit d'un travailleur accidenté ou d'un conjoint survivant.

Détermination du montant — Toutefois, si le montant de cette nouvelle rente excède celui de l'indemnité de remplacement du revenu déterminé à partir du maximum annuel assurable établi en vertu de l'article 66, la personne qui fait l'option de redistribution a droit de recevoir, au lieu du montant calculé conformément au premier alinéa, le montant suivant :

1° jusqu'à l'âge de 65 ans, une rente mensuelle égale au montant de l'indemnité de remplacement du revenu déterminé à partir du maximum annuel assurable établi en vertu de l'article 66;

2° à compter de son soixante-cinquième anniversaire de naissance, une rente mensuelle viagère égale à la différence entre :

a) la rente mensuelle à laquelle elle a droit, à la date de l'option, en vertu de la *Loi sur les accidents du travail*; et

b) le montant obtenu en divisant le montant visé dans le paragraphe 1° réduit du montant visé dans le sous-paragraphe apar le facteur, réduit du chiffre 1, prévu à l'annexe VIII selon son âge à la date de l'option.

1985, c. 6, art. 563

564. Option de nivellement — Lorsqu'une personne fait l'option de nivellement, le montant de la nouvelle rente mensuelle qu'elle a droit de recevoir jusqu'à ce qu'elle atteigne l'âge de 65 ans est établi en ajoutant au montant de la rente mensuelle à laquelle elle a droit en vertu de la *Loi sur les accidents du travail* (chapitre A-3) le produit obtenu en multipliant le montant de sa rente de référence par le facteur prévu à l'annexe IX selon son âge à la date de l'option et selon qu'il s'agit d'un travailleur accidenté ou d'un conjoint survivant.

Rente de référence — Le montant de la rente de référence d'une personne est le moindre :

1º du montant de la rente mensuelle à laquelle elle a droit en vertu de la *Loi sur les accidents du travail* à la date de l'option; et

2º de la différence entre :

a) la somme de la rente de retraite à laquelle elle aura droit à son soixantecinquième anniversaire de naissance en vertu de la *Loi sur le régime de rentes du Québec* (chapitre R-9) en vigueur à la date de l'option et de la pension à laquelle elle aurait droit en vertu de la *Loi sur la sécurité de la vieillesse* (L.R.C. (1985), ch. O-9) si elle avait 65 ans à la date de l'option, et

b) le montant de la rente d'invalidité et de la rente de retraite qu'elle reçoit, le cas échéant, en vertu de la *Loi sur le régime de rentes du Québec* et le montant de la rente de conjoint survivant qu'elle reçoit, le cas échéant, en vertu de cette loi si elle est âgée d'au moins 55 ans à la date de l'option ou sinon, le montant de cette dernière rente auquel elle aurait droit si elle avait 55 ans à cette date.

Rente mensuelle — À compter de son soixante-cinquième anniversaire de naissance, la personne qui a fait l'option de nivellement a droit de recevoir une rente mensuelle égale à la rente mensuelle à laquelle elle aurait droit à cette date en vertu de la *Loi sur les accidents du travail*, réduite du montant de sa rente de référence et augmentée du produit visé dans le premier alinéa.

1985, c. 6, art. 564

565. Option de redistribution — Lorsqu'une personne qui fait l'option de redistribution ou l'option de nivellement est le conjoint survivant d'un travailleur décédé après le 31 décembre 1978, le montant de la rente mensuelle à laquelle elle a droit en vertu de la *Loi sur les accidents du travail* (chapitre A-3) est établi, aux fins des articles 563 et 564, à 55 % de l'indemnité visée dans le paragraphe 1 de l'article 35 de cette loi, revalorisée jusqu'à la date de l'option suivant l'article 41 de cette loi.

1985, c. 6, art. 565

566. Personnes à charge — Lorsqu'une personne qui fait l'option de redistribution ou l'option de nivellement est le conjoint survivant d'un travailleur décédé après le 31 décembre 1978, les autres personnes à charge de ce travailleur au sens de la *Loi sur les accidents du travail* (chapitre A-3), pour lesquelles ce conjoint reçoit une rente en vertu de cette loi à la date de l'option, ont droit de recevoir, à compter de cette date, à parts égales, une rente mensuelle déterminée sur la base d'un pourcentage de l'indemnité visée dans le paragraphe 1 de l'article 35 de cette loi, revalorisée jusqu'à la date de l'option suivant l'article 41 de cette loi.

Calcul du pourcentage — Ce pourcentage est égal à la différence entre celui qui est établi en vertu du paragraphe 2 de l'article 35 de la *Loi sur les accidents du travail* selon le nombre de personnes à charge à la date de l'option et 55 %.

Détermination du pourcentage — Ce pourcentage est redéterminé chaque fois qu'une de ces personnes à charge, autres que le conjoint, cesse de l'être, selon le nombre de personnes à charge qui reste, incluant le conjoint.

1985, c. 6, art. 566

567. Nouvelle rente — La nouvelle rente mensuelle à laquelle a droit, avant ou après l'âge de 65 ans, une personne qui fait l'option de redistribution ou l'option de nivellement, ainsi que celle à laquelle a droit une personne à charge visée dans l'article 566 sont revalorisées suivant l'article 41 de la *Loi sur les accidents du travail* (chapitre A-3).

1985, c. 6, art. 567

568. Décès du conjoint — Lorsque décède le conjoint survivant qui a fait une option prévue par l'article 559 ou 562, les personnes qui sont encore, à la date de ce décès, des dépendants ou des personnes à charge du travailleur prédécédé, au sens de la *Loi sur les accidents du travail* (chapitre A-3), ont droit de recevoir, à compter de la date du décès de ce conjoint, la rente mensuelle à laquelle elles auraient droit en vertu de cette loi, comme si ce conjoint n'avait pas fait cette option.

1985, c. 6, art. 568

569. Assistance et information — La Commission doit fournir à une personne qui peut faire l'option prévue par l'article 559 ou 562 l'assistance et l'information nécessaires pour lui permettre de faire un choix éclairé.

1985, c. 6, art. 569

570. Programme de stabilisation — Le travailleur qui bénéficie d'un programme de stabilisation économique, de stabilisation sociale ou d'indemnités de réadaptation de la Commission le 19 août 1985 a droit de continuer d'en bénéficier après cette date, aux conditions et dans la mesure prévues par ce programme.

Droit au programme de stabilisation — Le travailleur qui a été victime d'un accident du travail avant le 19 août 1985 ou qui a produit une réclamation pour maladie professionnelle avant cette date et qui a droit, à cette date, à une rente pour incapacité totale temporaire en raison de cet accident ou de cette maladie a droit de bénéficier d'un programme de stabilisation économique, de stabilisation sociale ou d'indemnités de réadaptation de la Commission aux conditions et dans la mesure prévues par ce programme.

Validité — Ces programmes établis en application des articles 56 et 56.1 de la *Loi sur les accidents du travail* (chapitre A-3) sont et ont toujours été valides malgré tout jugement à l'effet contraire.

Modification — La Commission peut, par règlement, modifier ou remplacer ces programmes conformément aux articles 56.1, 124 et 125 de la *Loi sur les accidents du travail*.

1985, c. 6, art. 570; 1988, c. 66, art. 1; 1991, c. 35, art. 4

570.1 Révision — Une décision de la Commission rendue en application d'un programme de stabilisation économique, de stabilisation sociale ou d'indemnités de réadaptation peut faire l'objet d'une révision et d'une contestation devant le Tribunal administratif du travail comme s'il s'agissait d'une décision rendue en vertu de la présente loi. À cette fin, le chapitre XI s'applique, sauf les articles 351 à 353 et 361 à 366.

Effet immédiat — Malgré une demande de révision ou une contestation devant le Tribunal administratif du travail, la décision de la Commission a effet immédiatement, jusqu'à la décision finale.

Interprétation — Le premier alinéa n'a pas pour effet de permettre une révision ou une contestation devant le Tribunal administratif du travail de toute décision relative à l'incapacité permanente ou à l'incapacité temporaire d'un travailleur rendue en vertu de la *Loi sur les accidents du travail* (chapitre A-3).

1988, c. 66, art. 1; 1991, c. 35, art. 5; 1992, c. 11, art. 47; 1997, c. 27, art. 29; 2015, c. 15, art. 237

570.2 Compensation — Si une décision finale rendue en vertu de la *Loi sur les accidents du travail* (chapitre A-3) rend un travailleur créancier d'un montant payable en vertu de cette loi à titre de rente pour incapacité permanente, la Commission opère compensation du montant qui, en tenant compte de cette décision, a été versé en trop à ce travailleur à titre d'assistance financière en matière de stabilisation sociale ou de stabilisation économique, sur le montant de la rente dont il est créancier.

Application — L'article 570.1 s'applique à la décision de la Commission.

1991, c. 35, art. 6

571. Affaire pendante — Un bureau de révision constitué en vertu de l'article 171 de la *Loi sur la santé et la sécurité du travail* (chapitre S-2.1) pour examiner, entendre et décider, en seconde instance, toute affaire ou question relative aux matières énumérées dans le paragraphe 4 de l'article 63 de la *Loi sur les accidents du travail* (chapitre A-3) devient un bureau de révision constitué en vertu du paragraphe 5 de l'article 63 de cette loi, édicté par l'article 483, et il continue d'examiner, d'entendre et de décider, sans reprise d'instance, toute affaire ou question pendante devant lui le 19 août 1985.

1985, c. 6, art. 571

572. Poursuite pénale — Une poursuite pénale peut être intentée ou continuée pour sanctionner une infraction à une disposition de la *Loi sur les accidents du travail* (chapitre A-3) ou de ses règlements d'application.

1985, c. 6, art. 572; 1992, c. 61, art. 39

573. Choix de l'employeur — Un employeur que la Commission considérait comme étant tenu personnellement au paiement des prestations en vertu de la *Loi sur les accidents du travail* (chapitre A-3) et qui n'est pas visé dans le chapitre X peut choisir d'être assujetti à ce chapitre s'il en avise par écrit la Commission dans les six mois de la date de l'entrée en vigueur du chapitre X.

1985, c. 6, art. 573

574. Remboursement — La Commission peut verser les prestations dues par un employeur qu'elle considérait comme étant tenu personnellement au paiement des prestations en vertu de la *Loi sur les accidents du travail* chapitre A-3) et lui en réclamer le remboursement lorsque la somme pour laquelle cet employeur s'est assuré ou qu'il a déposée à la Commission en vertu de cette loi ne suffit pas à couvrir les prestations qu'il doit payer.

Article déclaratoire — Le présent article est déclaratoire.

1985, c. 6, art. 574

574.1 Obligations de l'employeur — Sauf dans la mesure où la Commission accepte de mettre à la charge du Fonds les obligations d'un employeur qu'elle considérait comme étant tenu personnellement au paiement des prestations en vertu de la *Loi sur les accidents du travail* (chapitre A-3), celui-ci demeure tenu au paiement des prestations pour une rechute, une récidive ou une aggravation d'une blessure ou d'une maladie résultant d'un accident du travail subi par un de ses travailleurs ou d'une maladie professionnelle déclarée par un de ses travailleurs alors qu'il était considéré comme étant tenu personnellement au paiement des prestations.

Article déclaratoire — Le présent article est déclaratoire. Toutefois, il ne peut avoir pour effet d'empêcher un employeur tenu personnellement au paiement des prestations en vertu de la *Loi sur les accidents du travail* de bénéficier d'un jugement final d'un tribunal administratif ou d'un tribunal judiciaire qui conclurait qu'il n'est pas personnellement tenu au paiement des prestations pour une rechute, une récidive ou une aggravation subie par un de ses travailleurs, dans la mesure où cet employeur a contesté une décision de la Commission qui le tenait responsable du paiement de ces prestations avant le 14 novembre 2006.

2006, c. 53, art. 29

574.2 Cotisation de l'employeur — La Commission peut et est réputée avoir toujours eu le pouvoir d'imposer à un employeur qu'elle considérait comme étant tenu personnellement au paiement des prestations en vertu de la *Loi sur les accidents du travail* (chapitre A-3), une cotisation afin de pourvoir aux frais qu'elle engage pour l'application de la présente loi pour une rechute, une récidive ou une aggravation d'une blessure ou d'une maladie résultant d'un accident du travail subi par un de ses travailleurs ou d'une maladie professionnelle déclarée par un de ses travailleurs alors qu'il était considéré comme étant tenu personnellement au paiement des prestations.

Pouvoirs — Aux fins de fixer cette cotisation, la Commission exerce les pouvoirs prévus à l'article 343 en y faisant les adaptations nécessaires.

2006, c. 53, art. 29

575. Règlement continué en vigueur — Le *Règlement sur la nomination des membres du comité d'experts médicaux* (R.R.Q., 1981, c. I-7, r. 1) demeure en vigueur à seule fin de terminer le traitement des réclamations faites par les personnes qui ont droit à une indemnité en vertu de la *Loi sur l'indemnisation des victimes d'amiantose ou de silicose dans les mines et les carrières* (chapitre I-7).

1985, c. 6, art. 575

576. Récidive ou rechute — Une personne qui, avant la date de l'entrée en vigueur de la section I du chapitre III, a reçu une indemnité en vertu de la *Loi sur l'indemnisation des victimes d'amiantose ou de silicose dans les mines et les carrières* (chapitre I-7) et qui subit une récidive, une rechute ou une aggravation après cette date demeure assujettie à cette loi, si elle reçoit une indemnité complémentaire en vertu de celle-ci lors de sa récidive, de sa rechute ou de son aggravation.

Dispositions applicables — Si cette personne ne reçoit pas une telle indemnité à ce moment, elle devient assujettie à la présente loi et les articles 556 et 557 s'appliquent à elle, compte tenu des adaptations nécessaires.

1985, c. 6, art. 576

577. Amiantose ou silicose — Une personne que la Commission ou son bureau de révision a reconnue atteinte d'une incapacité permanente résultant de l'amiantose ou de la silicose et qui a reçu pour ce motif, avant la date de l'entrée en vigueur du chapitre III, une rente en vertu de la *Loi sur les accidents du travail* (chapitre A-3) ou une indemnité en vertu de la *Loi sur l'indemnisation des victimes d'amiantose ou de silicose dans les mines et les carrières* (chapitre I-7) a droit de conserver la rente ou l'indemnité qu'elle a reçue et de continuer à la recevoir, s'il y a lieu, malgré toute décision ou tout jugement postérieur lui déniant le droit à cette rente ou à cette indemnité, à moins que celle-ci n'ait été obtenue par fraude.

Décès d'un travailleur — La personne qui a reçu, avant la date de l'entrée en vigueur du chapitre III, une rente en vertu de la *Loi sur les accidents du travail* par suite du décès d'un travailleur que la Commission ou son bureau de révision a reconnu décédé en raison de l'amiantose ou de la silicose bénéficie des droits prévus au premier alinéa.

Coût de la rente — Le coût de la rente et de l'indemnité visées dans le premier ou le deuxième alinéa est imputé aux employeurs de toutes les unités.

Article déclaratoire — Le présent article est déclaratoire.

1985, c. 6, art. 577

578. Sauveteur — Les dispositions de la présente loi qui sont applicables au sauveteur au sens de la *Loi visant à favoriser le civisme* (chapitre C-20) et à la victime d'un crime au sens de la *Loi sur l'indemnisation des victimes d'actes criminels* (chapitre I-6) s'appliquent à tout préjudice visé dans l'une de ces lois qui survient à compter de la date de l'entrée en vigueur de ces dispositions.

Dispositions non applicables — Les articles 558, 559 et 562 ne s'appliquent pas à une personne qui a droit à une rente en vertu de l'une de ces lois.

1985, c. 6, art. 578; 1999, c. 40, art. 4

579. Commission des affaires sociales — Malgré les articles 494 à 497, la Commission des affaires sociales conserve sa compétence pour entendre tout appel concernant le droit à une compensation, le quantum d'une compensation et le taux de diminution de capacité de travail interjeté, avant ou à compter du 19 août 1985, en vertu de l'article 65 de la *Loi sur les accidents du travail* (chapitre A-3) ou en vertu de l'article 12 de la *Loi sur l'indemnisation des victimes d'amiantose ou de silicose dans les mines et les carrières* (chapitre I-7).

Appels — Les appels visés dans le premier alinéa, y compris ceux qui sont pendants devant la division des accidents du travail de cette Commission, sont entendus par la division de l'indemnisation des sauveteurs et des victimes d'actes criminels.

1985, c. 6, art. 579; 1999, c. 40, art. 4

580. Règlement applicable — Toute affaire ou question relative à la classification des industries et à la cotisation des employeurs faites avant le 1er janvier 1986 pour une année antérieure à 1986 est régie, aux fins de la contestation, par le *Règlement sur la classification des employeurs* (R.R.Q., 1981, c. A-3, r. 5).

1985, c. 6, art. 580

581. Compétence continuée — Malgré l'article 541, le bureau de révision en matière de classification des industries et de cotisation des employeurs, constitué en vertu de l'article 171 de la *Loi sur la santé et la sécurité du travail* (chapitre S-2.1), continue d'exister et conserve sa compétence pour examiner, entendre et décider en dernière instance toute affaire ou question relative à la classification des industries et à la cotisation des employeurs faites avant le 1er janvier 1986 pour une année antérieure à 1986.

Composition du bureau — Cependant, la Commission peut modifier la composition de ce bureau.

1985, c. 6, art. 581; 1999, c. 40, art. 4

582. Dispositions applicables — Les articles 522 et 545 s'appliquent à une décision rendue par un inspecteur à compter du 19 août 1985.

1985, c. 6, art. 582

583. Compétence conservéee — Malgré le paragraphe 3° de l'article 521 et l'article 544, un inspecteur chef régional nommé en vertu de l'article 177 de la *Loi sur la santé et la sécurité du travail* (chapitre S-2.1) conserve sa compétence pour examiner, entendre et décider de toute demande de révision d'un ordre ou d'une décision rendu par un inspecteur, avant le 19 août 1985, en vertu de l'article 19, du chapitre X ou de la section V du chapitre XI de cette loi.

Inspecteur chef — La Commission peut nommer un nouvel inspecteur chef régional, s'il y a lieu, pour exercer la compétence prévue par le premier alinéa.

1985, c. 6, art. 583; 1999, c. 40, art. 4

584. Compétence conservée — Malgré l'article 541, le bureau de révision en matière d'inspection constitué en vertu de l'article 171 de la *Loi sur la santé et la sécurité du travail* (chapitre S-2.1) continue d'exister et conserve sa compétence pour examiner, entendre et décider de toute demande de révision d'une décision rendue par un inspecteur chef régional, mais la Commission peut en modifier la composition.

1985, c. 6, art. 584; 1999, c. 40, art. 4

585. Dispositions applicables — Les articles 227 et 228 de la *Loi sur la santé et la sécurité du travail* (chapitre S-2.1) édictés par l'article 548 s'appliquent à une sanction ou à une mesure imposée à compter du 19 août 1985.

1985, c. 6, art. 585

586. Coût d'un service — Malgré le quatorzième alinéa de l'article 3 de la *Loi sur l'assurance-maladie* (chapitre A-29), édicté par l'article 488, la Commission assume le coût d'un service visé dans cet alinéa tant qu'une entente visée dans le deuxième alinéa de l'article 19 de cette loi, édicté par l'article 489, n'est pas en vigueur relativement à ce service.

Fixation du coût — La Commission fixe ce coût d'après ce qu'il serait convenable et raisonnable de réclamer du travailleur pour un service semblable s'il devait le payer lui-même.

1985, c. 6, art. 586; 1999, c. 89, art. 44; 53

587. Effet rétroactif — L'article 535 a effet depuis le 1er janvier 1981.

1985, c. 6, art. 587

588. Effet rétroactif — L'article 537 a effet depuis le 13 mars 1980 et cesse d'avoir effet à la date de l'entrée en vigueur de l'article 81 de la *Loi sur les archives* (chapitre A-21.1).

1985, c. 6, art. 588

589. Administration de la loi — La Commission des normes, de l'équité, de la santé et de la sécurité du travail est chargée de l'administration de la présente loi.

1985, c. 6, art. 589; 2015, c. 15, art. 117

590. Ministre responsable — Le ministre du Travail est responsable de l'application de la présente loi.

1985, c. 6, art. 590; 1997, c. 27, art. 30

591. (*Abrogé*).

1985, c. 6, art. 591; 2011, c. 16, art. 85

592. Membres des bureaux de révision — Dans les trois mois de la sanction de la *Loi sur les accidents du travail et les maladies professionnelles* (chapitre A-3.001), les membres du conseil d'administration de la Commission dressent, pour l'année en cours, la liste des membres des bureaux de révision prévue par les deuxième et troisième alinéas de l'article 176.2 de la *Loi sur la santé et la sécurité du travail* (chapitre S-2.1), édicté par l'article 543.

1985, c. 6, art. 592

593. Règlement de la Commission — La Commission peut, avant le 19 août 1985, adopter un règlement en vertu du paragraphe 3° de l'article 454 et en vertu du paragraphe 40.1° de l'article 223 de la *Loi sur la santé et la sécurité du travail* (chapitre S-2.1), édicté par le paragraphe 3° de l'article 547.

Approbation — Malgré toute disposition inconciliable, un tel règlement est soumis pour approbation au gouvernement et il entre en vigueur le jour de la publication à la *Gazette officielle du Québec* du décret l'approuvant et de son texte définitif ou à toute date ultérieure fixée dans le décret.

1985, c. 6, art. 593

594. (*Omis*).

1985, c. 6, art. 594

595. (*Cet article a cessé d'avoir effet le 19 août 1990*).

1982, R.-U., c. 11, *ann.* B, *ptie* I, art. 33; 1985, c. 6, art. 595

596. (*Omis*).

1985, c. 6, art. 596

ANNEXE I — MALADIES PROFESSIONNELLES

(*article 29*)

Section I — Maladies causées par des produits ou substances toxiques

	MALADIES	GENRES DE TRAVAIL
1.	Intoxication par les *métaux* et leurs composés toxiques organiques ou inorganiques :	un travail impliquant l'utilisation, la manipulation ou une autre forme d'exposition à ces métaux;
2.	Intoxication par les *halogènes* et leurs composés toxiques organiques ou inorganiques :	un travail impliquant l'utilisation, la manipulation ou une autre forme d'exposition à ces halogènes;
3.	Intoxication par les composés toxiques organiques ou inorganiques du *bore* :	un travail impliquant l'utilisation, la manipulation ou une autre forme d'exposition à ces composés du bore;
4.	Intoxication par le *silicium* et ses composés toxiques organiques ou inorganiques :	un travail impliquant l'utilisation, la manipulation ou une autre forme d'exposition au silicium et à ces composés du silicium;
5.	Intoxication par le *phosphore* et ses composés toxiques organiques ou inorganiques :	un travail impliquant l'utilisation, la manipulation ou une autre forme d'exposition au phosphore ou à ces composés du phosphore;
6.	Intoxication par l'*arsenic* et ses composés toxiques organiques ou inorganiques :	un travail impliquant l'utilisation, la manipulation ou une autre forme d'exposition à l'arsenic ou à ces composés de l'arsenic;
7.	Intoxication par les composés toxiques organiques ou inorganiques du *soufre* :	un travail impliquant l'utilisation, la manipulation ou une autre forme d'exposition à ces composés du soufre;
8.	Intoxication par le *sélénium* et ses composés toxiques organiques ou inorganiques :	un travail impliquant l'utilisation, la manipulation ou une autre forme d'exposition au sélénium ou à ces composés du sélénium;

	MALADIES	GENRES DE TRAVAIL
9.	Intoxication par le *tellure* et ses composés toxiques organiques ou inorganiques :	un travail impliquant l'utilisation, la manipulation ou une autre forme d'exposition au tellure ou à ces composés du tellure;
10.	Intoxication par les composés toxiques organiques ou inorganiques de l'*azote* :	un travail impliquant l'utilisation, la manipulation ou une autre forme d'exposition à ces composés de l'azote;
11.	Intoxication par les composés toxiques organiques ou inorganiques de l'*oxygène* :	un travail impliquant l'utilisation, la manipulation ou une autre forme d'exposition à ces composés de l'oxygène;
12.	Intoxication par les hydrocarbures aliphatiques, alicycliques et aromatiques :	un travail impliquant l'utilisation, la manipulation ou une autre forme d'exposition à ces substances.

Section II — Maladies causées par des agents infectieux

	MALADIES	GENRES DE TRAVAIL
1.	Infection cutanée bactérienne ou à champignon (pyodermite, folliculite bactérienne, panaris, dermatomycose, infection cutanée à candida) :	un travail impliquant le contact avec des tissus ou du matériel contaminé par des bactéries ou des champignons;
2.	Parasitose :	un travail impliquant des contacts avec des humains, des animaux ou du matériel contaminé par des parasites, tels sarcoptes, *scabiei*, *pediculus humanis*;
3.	Anthrax :	un travail impliquant l'utilisation, la manipulation ou une autre forme d'exposition à la laine, au crin, au poil, au cuir ou à des peaux contaminés;
4.	Brucellose :	un travail relié aux soins, à l'abattage, au dépeçage ou au transport d'animaux ou un travail de laboratoire impliquant des contacts avec une brucella;

	MALADIES	GENRES DE TRAVAIL
5.	Hépatite virale :	un travail impliquant des contacts avec des humains, des produits humains ou des substances contaminés;
6.	Tuberculose :	un travail impliquant des contacts avec des humains, des animaux, des produits humains ou animaux ou d'autres substances contaminés;
7.	Verrue aux mains :	un travail exécuté dans un abattoir ou impliquant la manipulation d'animaux ou produits d'animaux en milieu humide (macération).

Section III — Maladies de la peau causées par des agents autres qu'infectieux

	MALADIES	GENRES DE TRAVAIL
1.	Dermite de contact irritative :	un travail impliquant un contact avec des substances telles que solvants, détergents, savons, acides, alcalis, ciments, lubrifiants et autres agents irritants;
2.	Dermite de contact allergique :	un travail impliquant un contact avec des substances telles que nickel, chrome, époxy, mercure, antibiotique et autres allergènes;
3.	Dermatose causée par les végétaux (photodermatose) :	un travail impliquant un contact avec des végétaux;
4.	Dermatose causée par action mécanique (callosités et kératodermies localisées) :	un travail impliquant des frictions, des pressions;
5.	Dermatose causée par le goudron, le brai, le bitume, les huiles minérales, l'anthracène et les composés, produits et résidus de ces substances (photodermatite, folliculite, dyschromie, épithélioma ou lésions paranéoplasiques) :	un travail impliquant l'utilisation ou la manipulation de goudron, de brai, de bitume, d'huiles minérales, d'anthracène ou de leurs composés, produits et résidus;
6.	Dermatose causée par les radiations ionisantes (radiodermites) :	un travail impliquant une exposition à des radiations ionisantes;

	MALADIES	GENRES DE TRAVAIL
7.	Télangiectasie cutanée :	un travail exécuté dans une aluminerie impliquant des expositions répétées à l'atmosphère des salles de cuves;
8.	Dermatose causée par les huiles et les graisses (folliculite chimique) :	un travail impliquant l'utilisation ou la manipulation d'huile et de graisse.

Section IV — Maladies causées par des agents physiques

	MALADIES	GENRES DE TRAVAIL
1.	Atteinte auditive causée par le bruit :	un travail impliquant une exposition à un bruit excessif;
2.	Lésion musculo-squelettique se manifestant par des signes objectifs (bursite, tendinite, ténosynovite) :	un travail impliquant des répétitions de mouvements ou de pressions sur des périodes de temps prolongées;
3.	Maladie causée par le travail dans l'air comprimé :	un travail exécuté dans l'air comprimé;
4.	Maladie causée par contrainte thermique :	un travail exécuté dans une ambiance thermique excessive;
5.	Maladie causée par les radiations ionisantes :	un travail exposant à des radiations ionisantes;
6.	Maladie causée par les vibrations :	un travail impliquant des vibrations;
7.	Rétinite :	un travail impliquant l'utilisation de la soudure à l'arc électrique ou à l'acétylène;
8.	Cataracte causée par les radiations non ionisantes :	un travail impliquant une exposition aux radiations infrarouges, aux micro-ondes ou aux rayons laser.

Section V — Maladies pulmonaires causées par des poussières organiques et inorganiques

	MALADIES	GENRES DE TRAVAIL
1.	Amiantose, cancer pulmonaire ou mésothéliome causé par l'amiante :	un travail impliquant une exposition à la fibre d'amiante;
2.	Bronchopneumapathie causée par la poussière de métaux durs :	un travail impliquant une exposition à la poussière de métaux durs;

	MALADIES	GENRES DE TRAVAIL
3.	Sidérose :	un travail impliquant une exposition aux poussières et fumées ferreuses;
4.	Silicose :	un travail impliquant une exposition à la poussière de silice;
5.	Talcose :	un travail impliquant une exposition à la poussière de talc;
6.	Byssinose :	un travail impliquant une exposition à la poussière de coton, de lin, de chanvre ou de sisal;
7.	Alvéolite allergique extrinsèque :	un travail impliquant une exposition à un agent reconnu comme pouvant causer une alvéolite allergique extrinsèque;
8.	Asthme bronchique :	un travail impliquant une exposition à un agent spécifique sensibilisant.

1985, c. 6, annexe I

ANNEXE II — INDEMNITÉ POUR PRÉJUDICE CORPOREL

(*article 84*)

ÂGE	INDEMNITÉS ($)
18 ans ou moins	50 000
19	49 468
20	48 936
21	48 404
22	47 872
23	47 340
24	46 809
25	46 277
26	45 745
27	45 213
28	44 681
29	44 149
30	43 617
31	43 085
32	42 553
33	42 021
34	41 489
35	40 957
36	40 426
37	39 894
38	39 362
39	38 830
40	38 298
41	37 766
42	37 234
43	36 702
44	36 170
45	35 638
46	35 106
47	34 754
48	34 043
49	33 511
50	32 979
51	32 447
52	31 915
53	31 383

ÂGE	**INDEMNITÉS ($)**
54	30 851
55	30 319
56	29 787
57	29 255
58	28 723
59	28 191
60	27 660
61	27 128
62	26 596
63	26 064
64	25 532
65 ou plus	25 000

1985, c. 6, annexe II; 1999, c. 40, art. 4

ANNEXE III — INDEMNITÉS FORFAITAIRES DE DÉCÈS

(*articles 98 et 101.1*)

ÂGE	FACTEUR
24 ou moins	2,00
25 à 29	2,25
30 à 34	2,50
35 à 39	2,75
40 à 44	3,00
45 à 49	2,75
50 à 54	2,50
55 à 59	2,25
60	2,00
61	1,80
62	1,60
63	1,40
64	1,20
65 ou plus	1,00

1985, c. 6, annexe III; 2009, c. 19, art. 11

ANNEXE IV — INDEMNITÉ TEMPORAIRE AU CONJOINT DU TRAVAILLEUR DÉCÉDÉ

(*article 101*)

ÂGE	DURÉE
34 ou moins	1 an
35 à 44	2 ans
45 à 54	3 ans
55 ou plus	2 ans

1985, c. 6, annexe IV

ANNEXE V — FRAIS DE GARDE D'ENFANTS

(*article 164*)

1° en garderie :

13 $/jour par enfant, moins l'aide accordée par le ministère de la Santé et des Services sociaux;

2° au domicile des enfants ou de la personne qui garde :

1,50 $/heure pour 1 enfant;

1,75 $/heure pour 2 enfants;

2,00 $/heure pour 3 enfants et plus;

ou

20 $/jour (24 heures) pour 1 enfant;

22 $/jour (24 heures) pour 2 enfants;

25 $/jour (24 heures) pour 3 enfants et plus.

1985, c. 6, annexe V; 1985, c. 23, art. 24

ANNEXE VI

(*article 372*)

(Abrogée).

1985, c. 5, annexe VI; 1997, c. 27, art. 31

ANNEXE VII

(*article 373*)

(Abrogée).

1985, c. 5, annexe VII; 1997, c. 27, art. 31

ANNEXE VIII — TABLE DES FACTEURS DE REDISTRIBUTION DE LA RENTE MENSUELLE

(*article 563*)

ÂGE	FACTEUR Travailleur accidenté	Conjoint survivant
10	1.055	—
11	1.057	—
12	1.060	—
13	1.062	—
14	1.065	—
15	1.067	1.102
16	1.070	1.107
17	1.073	1.111
18	1.076	1.115
19	1.080	1.120
20	1.083	1.125
21	1.087	1.130
22	1.091	1.136
23	1.095	1.142
24	1.100	1.148
25	1.104	1.155
26	1.109	1.162
27	1.115	1.169
28	1.120	1.177
29	1.126	1.185
30	1.133	1.194
31	1.140	1.203
32	1.147	1.214
33	1.155	1.224
34	1.163	1.236
35	1.172	1.248
36	1.182	1.262
37	1.193	1.276
38	1.204	1.292
39	1.217	1.308
40	1.230	1.327
41	1.245	1.347
42	1.262	1.369
43	1.280	1.393

ÂGE	FACTEUR	
	Travailleur accidenté	Conjoint survivant
44	1.300	1.419
45	1.322	1.448
46	1.347	1.481
47	1.375	1.517
48	1.406	1.558
49	1.442	1.604
50	1.483	1.656
51	1.530	1.717
52	1.585	1.786
53	1.649	1.868
54	1.726	1.966
55	1.819	2.083
56	1.934	2.227
57	2.079	2.408
58	2.266	2.641
59	2.517	2.953
60	2.870	3.391
61	3.403	4.049
62	4.295	5.149
63	6.084	7.353
64	11.466	13.971

1985, c. 6, annexe VIII

ANNEXE IX — TABLE DES FACTEURS DE NIVELLEMENT DE LA RENTE MENSUELLE (ARTICLE 564)

ÂGE	FACTEUR Travailleur accidenté	Conjoint survivant
10	.052	—
11	.054	—
12	.056	—
13	.058	—
14	.061	—
15	.063	.093
16	.066	.096
17	.068	.100
18	.071	.103
19	.074	.107
20	.077	.111
21	.080	.115
22	.083	.120
23	.087	.124
24	.091	.129
25	.095	.134
26	.099	.139
27	.103	.145
28	.107	.150
29	.112	.156
30	.117	.162
31	.122	.169
32	.128	.176
33	.134	.183
34	.140	.191
35	.147	.199
36	.154	.207
37	.162	.216
38	.170	.226
39	.178	.236
40	.187	.246
41	.197	.257
42	.208	.269
43	.219	.282

ÂGE	FACTEUR Travailleur accidenté	Conjoint survivant
44	.231	.295
45	.244	.309
46	.258	.325
47	.273	.341
48	.289	.358
49	.307	.376
50	.326	.396
51	.346	.417
52	.369	.440
53	.394	.465
54	.421	.491
55	.450	.520
56	.483	.551
57	.519	.585
58	.559	.621
59	.603	.661
60	.652	.705
61	.706	.753
62	.767	.806
63	.836	.864
64	.913	.928

1985, c. 6, annexe IX

Dispositions transitoires

— *Loi modifiant le régime de santé et de sécurité du travail afin notamment de majorer certaines indemnités de décès et certaines amendes et d'alléger les modalités de paiement de la cotisation pour les employeurs*, L.Q. 2009, c. 19, art. 29 :

29. L'article 81.1 de la *Loi sur les accidents du travail et les maladies professionnelles* (chapitre A-3.001), édicté par l'article 1, s'applique à une maladie professionnelle pour laquelle une réclamation est produite à la Commission de la santé et de la sécurité du travail après le 17 juin 2009, à un accident du travail qui survient après cette date, ainsi qu'à une récidive, rechute ou aggravation reliée à une telle maladie ou à un tel accident.

Les articles 100, 110, 111, 139, 361, 362, 362.1 de la *Loi sur les accidents du travail et les maladies professionnelles*, tels que modifiés par les articles 2, 4 à 6 et 8 à 10, l'article 101.1 de cette loi, édicté par l'article 3, de même que le titre de l'annexe III de cette loi, tel que remplacé par l'article 11, s'appliquent à un décès qui survient après le 17 juin 2009.

— *Loi instituant le Tribunal administratif du travail*, RLRQ, c. T-15.1, art. 237-277 : voir [QUE-19].

[QUE-2.1]
CODE DE DÉONTOLOGIE DES ASSESSEURS ET DES CONCILIATEURS DU TRIBUNAL ADMINISTRATIF DU TRAVAIL

édicté en vertu de la *Loi sur les accidents du travail et les maladies professionnelles* (RLRQ, c. A-3.001, art. 426)

RLRQ, c. A-3.001, r. 3, édicté par : Décision, (2000) 132 G.O. II, 6969.
Tel que modifié par : L.Q. 2000, c. 8, art. 242; Décision, (2008) 140 G.O. II, 572; 2015, c. 15, art. 237.

[Le présent règlement fut abrogé implicitement le 4 mai 2017 avec l'entrée en vigueur du Code de déontologie des membres du Tribunal administratif du travail, RLRQ, c. T-15.1, r. 0.1, voir [QUE-19.1] de cet ouvrage]

[QUE-2.2]
RÈGLEMENT SUR LA PREUVE ET LA PROCÉDURE DU TRIBUNAL ADMINISTRATIF DU TRAVAIL

édicté en vertu de la *Loi sur les accidents du travail et les maladies professionnelles* (RLRQ, c. A-3.001, art. 429.21)

RLRQ, c. A-3.001, r. 12, édicté par : D. 217-2000, (2000) 132 G.O. II, 1627. Tel que modifié par : D. 618-2007, (2007) 139 G.O. II, 3404; L.Q. 2015, c. 15, art. 237.

[Le présent règlement fut remplacé implicitement le 4 mai 2017 avec l'entrée en vigueur des Règles de preuve et de procédure du Tribunal administratif du travail, RLRQ, c. T-15.1, r. 1.1, voir [QUE-19.2] de cet ouvrage]

[QUE-3]
TABLE DES MATIÈRES
CODE DU TRAVAIL

[QUE-3]
CODE DU TRAVAIL

RLRQ, c. C-27, tel que modifié par S.R.Q. 1965 (1re sess.), c. 14, art. 76; 1965 (1re sess.), c. 50, art. 1-4; S.Q. 1968, c. 17, art. 97; 1968, c. 23, art. 8; L.Q. 1969, c. 14, art. 18; 1969, c. 20, art. 10; 1969, c. 26, art. 20; 1969, c. 47, art. 2-13; 17-40; 42-43; 1969, c. 48, art. 1-15; 17-36; 1970, c. 9, art. 3; 1970, c. 33, art. 1; 1971, c. 20, art. 66; 1971, c. 44, art. 1; 1971, c. 48, art. 161; 1972, c. 55, art. 173; 1972, c. 60, art. 29; 1973, c. 43, art. 242; 1974, c. 11, art. 2; 1975, c. 76, art. 11; 1977, c. 41, art. 1-41; 43-46; 48-63; 1978, c. 5, art. 14; 1978, c. 15, art. 124; 140; 1978, c. 52, art. 1-4; 1979, c. 32, art. 3; 1979, c. 37, art. 41; 43; 1979, c. 45, art. 149-150; 1980, c. 11, art. 48; 1981, c. 9, art. 24, 34; 1981, c. 23, art. 6; 1982, c. 16, art. 5-7; 1982, c. 37, art. 1-4; 6-10; 12-13; 15-19; 1982, c. 52, art. 115; 1982, c. 53, art. 56; 1982, c. 54, art. 52; 1983, c. 22, art. 1-28; 30-59; 61-93; 1983, c. 55, art. 138; 161; 1984, c. 45, art. 1-9; 33-34; 1984, c. 46, art. 17; 1984, c. 47, art. 26; 1985, c. 6, art. 493; 1985, c. 12, art. 82-95; 99; 1985, c. 27, art. 36; 1985, c. 40, art. 2; 1986, c. 36, art. 1; 1986, c. 89, art. 50; 1986, c. 95, art. 80; 1986, c. 96, art. 79; 1986, c. 108, art. 242-244; 1987, c. 23, art. 97; 1987, c. 85, art. 2; 10; 21; 32; 1988, c. 21, art. 66; 1988, c. 47, art. 3; 1988, c. 73, art. 72; 1988, c. 84, art. 700-701; 1989, c. 53, art. 12; 1990, c. 4, art. 227-233; 235-237; 1990, c. 69, art. 1-4; 1991, c. 76, art. 3-4; 1992, c. 21, art. 128-132; 1992, c. 61, art. 173-181; 1993, c. 6, art. 1-5; 1993, c. 67, art. 110; 1994, c. 6, art. 1-36; 1994, c. 12, art. 66; 1994, c. 18, art. 33; 1994, c. 23, art. 23; 1995, c. 27, art. 18; 1996, c. 2, art. 219; 220-221; 1996, c. 29, art. 43; 1996, c. 30, art. 1-7; 1996, c. 35, art. 18; 1997, c. 47, art. 64; 1998, c. 23, art. 1-4; 1998, c. 46, art. 58; 1998, c. 44, art. 46-47; 1998, c. 46, art. 59; 1999, c. 40, art. 59; 2000, c. 8, art. 110; 242; 2000, c. 28, art. 242; 2000, c. 56, art. 218; 2001, c. 26, art. 1-70; 173; 2001, c. 49, art. 2; 2002, c. 22, art. 32-34; 2002, c. 28, art. 36; 2002, c, 45, art. 269; 2002, c. 68, art. 9; 2002, c. 69, art. 125-126; 2002, c. 80, art. 77-78; 2003, c. 26, art. 1-9; 2004, c. 22, art. 14-15; 2005, c. 32, art. 242-243; 308(10°); 2005, c. 42, art. 19-20; 2005, c. 34, art. 51-52; 2006, c. 58, art. 1-34; 2009, c. 24, art. 89; 2009, c. 32, art. 25-26; 2009, c. 36, art. 71; 2010, c. 3, art. 268-271; 2011, c. 16, art. 86; 129-150; 2011, c. 17, art. 42; Erratum, (2011) 143 G.O. II, 4161; 2011, c. 18, art. 117-119; 2011, c. 30, art. 72; 2011, c. 31, art. 15, 16; 2012, c. 25, art. 43 (non en vigueur); 2013, c. 2, art. 66-69; 2014, c. 9, art. 1-4; 2015, c. 15, art. 126-146, 237; 2016, c. 24, art. 51.

TITRE I — DES RELATIONS DU TRAVAIL

Chapitre I — Définitions

1. Interprétation — Dans le présent code, à moins que le contexte ne s'y oppose, les termes suivants signifient :

a) « **association de salariés** » un groupement de salariés constitué en syndicat professionnel, union, fraternité ou autrement et ayant pour buts l'étude, la sauvegarde et le développement des intérêts économiques, sociaux et éducatifs de ses membres et particulièrement la négociation et l'application de conventions collectives;

b) « **association accréditée** » l'association reconnue par décision du Tribunal comme représentant de l'ensemble ou d'un groupe des salariés d'un employeur;

c) « **association d'employeurs** » un groupement d'employeurs ayant pour buts l'étude et la sauvegarde des intérêts économiques de ses membres et particulièrement l'assistance dans la négociation et l'application de conventions collectives;

d) « **convention collective** » une entente écrite relative aux conditions de travail conclue entre une ou plusieurs associations accréditées et un ou plusieurs employeurs ou associations d'employeurs;

e) « **différend** » une mésentente relative à la négociation ou au renouvellement d'une convention collective ou à sa révision par les parties en vertu d'une clause la permettant expressément;

f) « **grief** » toute mésentente relative à l'interprétation ou à l'application d'une convention collective;

g) « **grève** » la cessation concertée de travail par un groupe de salariés;

h) « **lock-out** » le refus par un employeur de fournir du travail à un groupe de salariés à son emploi en vue de les contraindre à accepter certaines conditions de travail ou de contraindre pareillement des salariés d'un autre employeur;

i) « **Commission** » (*paragraphe supprimé*);

j) « **ministre** » le ministre du Travail;

k) « **employeur** » quiconque, y compris l'État, fait exécuter un travail par un salarié;

l) « **salarié** » une personne qui travaille pour un employeur moyennant rémunération, cependant ce mot ne comprend pas :

1° une personne qui, au jugement du Tribunal, est employée à titre de gérant, surintendant, contremaître ou représentant de l'employeur dans ses relations avec ses salariés;

2° un administrateur ou un dirigeant d'une personne morale, sauf si une personne agit à ce titre à l'égard de son employeur après avoir été désignée par les salariés ou une association accréditée;

3° un fonctionnaire du gouvernement dont l'emploi est d'un caractère confidentiel au jugement du Tribunal ou aux termes d'une entente liant le gouvernement et les associations accréditées conformément au chapitre IV de la *Loi sur la fonction publique* (chapitre F-3.1.1) qui sont parties à une convention collective qui autrement s'appliquerait à ce fonctionnaire; tel est l'emploi d'un conciliateur, d'un médiateur et d'un médiateur arbitre du ministère du Travail, d'un fonctionnaire du Conseil exécutif, du vérificateur général, de la Commission de la fonction publique, du cabinet d'un ministre ou d'un sous-ministre ou d'un fonctionnaire qui, dans un ministère ou un organisme du gouvernement, fait partie du service du personnel ou d'une direction du personnel;

3.1° un fonctionnaire du ministère du Conseil exécutif sauf dans les cas que peut déterminer, par décret, le gouvernement;

3.2° un fonctionnaire du Conseil du trésor sauf dans les cas que peut déterminer, par décret, le gouvernement;

3.3° un fonctionnaire de l'Institut de la statistique du Québec affecté aux fonctions visées à l'article 4 de la *Loi sur l'Institut de la statistique du Québec* (chapitre I-13.011);

4° un procureur aux poursuites criminelles et pénales;

5° un membre de la Sûreté du Québec;

6° un membre du personnel du directeur général des élections;

7° un fonctionnaire du Tribunal affecté aux fonctions visées à l'article 86 ou à l'article 87 de la *Loi instituant le Tribunal administratif du travail* (chapitre T-15.1);

m) (*définition supprimée*);

n) « **exploitation forestière** » ensemble des activités en forêt reliées à l'abattage et à la récolte du bois dont la coupe, le tronçonnement, l'écorçage, le débardage, l'empilement et le chargement, à l'exclusion du transport routier du bois;

o) « **exploitant forestier** » un bénéficiaire d'une garantie d'approvisionnement consentie en vertu de la *Loi sur l'aménagement durable du territoire forestier* (chapitre A-18.1) ou un producteur forestier qui alimente une usine de transformation du bois à partir d'une forêt privée;

p) (*définition supprimée*);

q) (*définition supprimée*);

r) (*définition supprimée*);

s) « **Tribunal** » le Tribunal administratif du travail institué par la *Loi instituant le Tribunal administratif du travail* (chapitre T-15.1).

S.R.Q. 1964, c. 141, art. 1; 1965 (1re sess.), c. 14, art. 76; 1968, c. 17, art. 97; 1969, c. 14, art. 18; 1969, c. 20, art. 10; 1969, c. 47, art. 2; 1969, c. 48, art. 1; 1971, c. 20, art. 66; 1971, c. 48, art. 161; 1972, c. 55, art. 173; 1972, c. 60, art. 29; 1977, c. 41, art. 1; 2; 1978, c. 15, art. 124; 1981, c. 9, art. 34; 1982, c. 37, art. 1; 1982, c. 53, art. 56; 1982, c. 54, art. 52; 1983, c. 22, art. 1; 1983, c. 55, art. 138; 1984, c. 47, art. 26; 1985, c. 12, art. 82; 1986, c. 89, art. 50; 1986, c. 108, art. 242; 1988, c. 73, art. 72; 1990, c. 69, art. 1; 1993, c. 6, art. 1; 1994, c. 12, art. 66; 1994, c. 18, art. 33; 1996, c. 29, art. 43; 1996, c. 35, art. 18; 1998, c. 44, art. 46; 1998, c. 46, art. 58; 1999, c. 40, art. 59; 2001, c. 26, art. 1; 2004, c. 22, art. 14; 2005, c. 34, art. 51; 2006, c. 58, art. 1; 2010, c. 3, art. 268; 2011, c. 16, art. 129; 2013, c. 2, art. 66; 2015, c. 15, art. 126; N.I. 2016-01-01 (NCPC)

2. (*Abrogé*).

S.R.Q. 1964, c. 141, art. 2; 1969, c. 47, art. 3; 1969, c. 48, art. 2; 1977, c. 41, art. 1; 1986, c. 108, art. 243; 2001, c. 26, art. 2; 2013, c. 3, art. 67

Chapitre II — Des associations

Section I — Du droit d'association

3. Droit d'association des salariés — Tout salarié a droit d'appartenir à une association de salariés de son choix et de participer à la formation de cette association, à ses activités et à son administration.

S.R.Q. 1964, c. 141, art. 3; 1977, c. 41, art. 3

4. Policiers municipaux — Les policiers municipaux ne peuvent être membres d'une association de salariés qui n'est pas formée exclusivement de policiers municipaux ou qui est affiliée à une autre organisation.

S.R.Q. 1964, c. 141, art. 4

5. Sollicitation — Personne ne peut, au nom ou pour le compte d'une association de salariés, solliciter, pendant les heures de travail, l'adhésion d'un salarié à une association.

S.R.Q. 1964, c. 141, art. 5

6. Lieu de réunion — Une association de salariés ne doit tenir aucune réunion de ses membres au lieu du travail sauf si elle est accréditée et du consentement de l'employeur.

S.R.Q. 1964, c. 141, art. 6

7. (*Abrogé*).

S.R.Q. 1964, c. 141, art. 7; 2013, c. 3, art. 67

8. (*Abrogé*).

S.R.Q. 1964, c. 141, art. 8; 1969, c. 47, art. 4; 1969, c. 48, art. 3; 1977, c. 41, art. 4; 1979, c. 45, art. 149; 1986, c. 108, art. 244; 2001, c. 26, art. 3; 2010, c. 3, art. 269; 2013, c. 3, art. 67

9. Entreprise minière — Sous réserve de la *Loi sur les terres du domaine de l'État* (chapitre T-8.1), le propriétaire d'une entreprise minière où des salariés sont logés sur des terrains auxquels il est en mesure d'interdire l'accès doit accorder cet accès à tout représentant d'une association de salariés muni d'un permis délivré par le Tribunal conformément aux règlements adoptés à cette fin en vertu de l'article 138.

Gîte et couvert — L'exploitant d'une telle entreprise est tenu de fournir à ce représentant le gîte et le couvert au prix courant pour les salariés.

S.R.Q. 1964, c. 141, art. 9; 1969, c. 47, art. 5; 1969, c. 48, art. 4; 1977, c. 41, art. 1; 1987, c. 23, art. 97; 2001, c. 26, art. 4; 2015, c. 15, art. 237

10. Droit d'association des employeurs — Tout employeur a droit d'appartenir à une association d'employeurs de son choix, et de participer à la formation de cette association, à ses activités et à son administration.

S.R.Q. 1964, c. 141, art. 10; 1977, c. 41, art. 5

11. Mandat de commission scolaire — Une commission scolaire peut donner à une association de commissions scolaires un mandat exclusif pour les fins des articles 52 à 93.

Révocabilité — Ce mandat n'est révocable qu'au temps fixé par l'article 22 pour une demande d'accréditation.

Validité — Il appartient au Tribunal de statuer sur la validité de ce mandat.

Obligations du mandataire — Tant qu'il est en vigueur, les obligations prévues aux articles 53 et 56 incombent exclusivement au mandataire.

1965 (1re sess.), c. 50, art. 1; 1969, c. 47, art. 6; 1977, c. 41, art. 1; 1988, c. 84, art. 700; 1997, c. 47, art. 64; 2001, c. 26, art. 5; 2015, c. 15, art. 237

12. Ingérence dans une association de salariés — Aucun employeur, ni aucune personne agissant pour un employeur ou une association d'employeurs, ne cherchera d'aucune manière à dominer, entraver ou financer la formation ou les activités d'une association de salariés, ni à y participer.

Ingérence dans une association d'employeurs — Aucune association de salariés, ni aucune personne agissant pour le compte d'une telle organisation n'adhérera à une association d'employeurs, ni ne cherchera à dominer, entraver ou financer la formation ou les activités d'une telle association ni à y participer.

S.R.Q. 1964, c. 141, art. 11

13. Intimidation, menaces — Nul ne doit user d'intimidation ou de menaces pour amener quiconque à devenir membre, à s'abstenir de devenir membre ou à cesser d'être membre d'une association de salariés ou d'employeurs.

S.R.Q. 1964, c. 141, art. 12; 1977, c. 41, art. 6

14. Contraintes prohibées — Aucun employeur, ni aucune personne agissant pour un employeur ou une association d'employeurs ne doit refuser d'employer une personne à cause de l'exercice par cette personne d'un droit qui lui résulte du présent code, ni chercher par intimidation, mesures discriminatoires ou de représailles, menace de renvoi ou autre menace, ou par l'imposition d'une sanction ou par quelque autre moyen à contraindre un salarié à s'abstenir ou à cesser d'exercer un droit qui lui résulte du présent code.

Restriction — Le présent article n'a pas pour effet d'empêcher un employeur de suspendre, congédier ou déplacer un salarié pour une cause juste et suffisante dont la preuve lui incombe.

S.R.Q. 1964, c. 141, art. 13; 1983, c. 22, art. 2

14.0.1 Plainte — Toute plainte au Tribunal liée à l'application de l'article 12, de l'article 13 ou, dans le cas du refus d'employer une personne, de l'article 14, doit être déposée dans les 30 jours de la connaissance de la contravention alléguée.

Pouvoirs du Tribunal — Outre les pouvoirs qui lui sont autrement dévolus, le Tribunal peut prononcer la dissolution d'une association de salariés, lorsqu'il lui est prouvé que cette association a participé à une contravention à l'article 12. Lorsque cette association est un syndicat professionnel, le Tribunal transmet une copie authentique de sa décision au registraire des entreprises, qui donne avis de la décision à la *Gazette officielle du Québec*.

2015, c. 15, art. 127

14.1 (*Abrogé*).

1987, c. 85, art. 2; 2001, c. 26, art. 173

15. Pouvoirs du Tribunal — Lorsqu'un employeur ou une personne agissant pour un employeur ou une association d'employeurs congédie, suspend ou déplace un salarié, exerce à son endroit des mesures discriminatoires ou de représailles, ou lui impose toute autre sanction à cause de l'exercice par ce salarié d'un droit qui lui résulte du présent code, le Tribunal peut :

a) ordonner à l'employeur ou à une personne agissant pour un employeur ou une association d'employeurs de réintégrer ce salarié dans son emploi, avec tous ses droits et privilèges, dans les huit jours de la signification de la décision et de lui verser, à titre d'indemnité, l'équivalent du salaire et des autres avantages dont l'a privé le congédiement, la suspension ou le déplacement.

Indemnité — Cette indemnité est due pour toute la période comprise entre le moment du congédiement, de la suspension ou du déplacement et celui de l'exécution de l'ordonnance ou du défaut du salarié de reprendre son emploi après avoir été dûment rappelé par l'employeur.

Déduction — Si le salarié a travaillé ailleurs au cours de la période précitée, le salaire qu'il a ainsi gagné doit être déduit de cette indemnité;

b) ordonner à l'employeur ou à une personne agissant pour un employeur ou une association d'employeurs d'annuler une sanction ou de cesser d'exercer des mesures discriminatoires ou de représailles à l'endroit de ce salarié et de lui verser à titre d'indemnité l'équivalent du salaire et des autres avantages dont l'ont privé la sanction, les mesures discriminatoires ou de représailles.

S.R.Q. 1964, c. 141, art. 14; 1969, c. 47, art. 7; 1977, c. 41, art. 1; 7; 1983, c. 22, art. 3; 2001, c. 26, art. 6; 2015, c. 15, art. 237

16. Plainte — Le salarié qui croit avoir été l'objet d'une sanction ou d'une mesure visée à l'article 15 doit, s'il désire se prévaloir des dispositions de cet article, déposer sa plainte au Tribunal dans les 30 jours de la sanction ou mesure dont il se plaint.

S.R.Q. 1964, c. 141, art. 15; 1969, c. 47, art. 7; 1969, c. 48, art. 5; 1977, c. 41, art. 1; 1983, c. 22, art. 4; 2001, c. 26, art. 7; 2015, c. 15, art. 128

17. Preuve incombant à l'employeur — S'il est établi à la satisfaction du Tribunal que le salarié exerce un droit qui lui résulte du présent code, il y a présomption simple en sa faveur que la sanction lui a été imposée ou que la mesure a été prise contre lui à cause de l'exercice de ce droit et il incombe à l'employeur de prouver qu'il a pris cette sanction ou mesure à l'égard du salarié pour une autre cause juste et suffisante.

S.R.Q. 1964, c. 141, art. 16; 1969, c. 47, art. 7; 1969, c. 48, art. 6; 1977, c. 41, art. 1; 1983, c. 22, art. 5; 1999, c. 40, art. 59; 2001, c. 26, art. 8; 2006, c. 58, art. 2; 2015, c. 15, art. 237

18. (*Abrogé*).

S.R.Q. 1964, c. 141, art. 17; 1983, c. 22, art. 6

19. Quantum de l'indemnité — Sur requête de l'employeur ou du salarié, le Tribunal peut fixer le quantum d'une indemnité et ordonner le paiement d'un intérêt au taux légal à compter du dépôt de la plainte sur les sommes dues en vertu de l'ordonnance.

Pourcentage ajouté — Il doit être ajouté à ce montant une indemnité calculée en appliquant à ce montant, à compter de la même date, un pourcentage égal à l'excédent du taux d'intérêt fixé suivant l'article 28 de la *Loi sur le ministère du Revenu* (chapitre M-31) sur le taux légal d'intérêt.

S.R.Q. 1964, c. 141, art. 18; 1969, c. 47, art. 8; 1969, c. 48, art. 7; 1977, c. 41, art. 1; 8; 1983, c. 22, art. 7; 2001, c. 26, art. 9; 2015, c. 15, art. 237

19.1 (*Abrogé*).

1977, c. 41, art. 8; 1992, c. 61, art. 173; 2001, c. 26, art. 10

20. (*Abrogé*).

S.R.Q. 1964, c. 141, art. 19; 1969, c. 48, art. 8; 1977, c. 41, art. 1; 1983, c. 22, art. 8; 2001, c. 26, art. 10

20.0.1 Modification du statut de salarié — L'employeur qui a l'intention d'apporter, au mode d'exploitation de son entreprise, des changements ayant pour effet de modifier le statut d'un salarié, visé par une accréditation ou une requête en accréditation, en celui d'entrepreneur non salarié doit en prévenir l'association de salariés concernée au moyen d'un avis écrit comportant une description de ces changements.

Demande d'avis au Tribunal — Lorsqu'elle ne partage pas l'avis de l'employeur sur les conséquences de ces changements sur le statut du salarié, l'association peut, dans les 30 jours qui suivent la réception de l'avis, demander au Tribunal de se prononcer sur les conséquences de ces changements sur le statut du salarié. L'association doit transmettre sans délai une copie de cette demande à l'employeur.

Gel des changements — L'employeur ne peut mettre en application les changements visés au premier alinéa avant l'expiration du délai prévu au deuxième alinéa ou, si l'association de salariés a alors demandé l'intervention du Tribunal, avant de s'être entendu avec l'association sur les conséquences de ces changements sur le statut du salarié ou avant la décision du Tribunal, selon la première de ces échéances.

Délai — Le Tribunal doit rendre sa décision dans les 60 jours de la réception de la demande de l'association.

2001, c. 26, art. 11; 2015, c. 15, art. 237

SECTION II — DE CERTAINES OBLIGATIONS DES ASSOCIATIONS ACCRÉDITÉES

20.1 Élection au scrutin secret — Lorsqu'il y a élection à une fonction à l'intérieur d'une association accréditée, elle doit se faire au scrutin secret conformément aux statuts ou règlements de l'association.

Élection annuelle — À défaut de dispositions dans les statuts ou règlements de l'association prévoyant que l'élection doit se faire au scrutin secret, celle-ci doit avoir lieu au scrutin secret des membres de l'association aux intervalles prévus dans les statuts ou règlements ou, à défaut, tous les ans.

1977, c. 41, art. 9

20.2 Vote de grève au scrutin secret — Une grève ne peut être déclarée qu'après avoir été autorisée au scrutin secret par un vote majoritaire des membres de l'association accréditée qui sont compris dans l'unité de négociation et qui exercent leur droit de vote.

Avis de scrutin — L'association doit prendre les moyens nécessaires, compte tenu des circonstances, pour informer ses membres, au moins 48 heures à l'avance, de la tenue du scrutin.

1977, c. 41, art. 9; 1994, c. 6, art. 1

20.3 Signature d'une convention collective — La signature d'une convention collective ne peut avoir lieu qu'après avoir été autorisée au scrutin secret par un vote majoritaire des membres de l'association accréditée qui sont compris dans l'unité de négociation et qui exercent leur droit de vote.

1977, c. 41, art. 9

20.4 Inobservation des articles 20.2 ou 20.3 — L'inobservation des articles 20.2 ou 20.3 ne donne ouverture qu'à l'application du chapitre IX.

1977, c. 41, art. 9; 1992, c. 61, art. 174

20.5 Exigences supérieures des statuts — Les statuts ou règlements d'une association accréditée peuvent comporter des exigences supérieures à celles prévues aux articles 20.1 à 20.3.

1977, c. 41, art. 9

SECTION III — DE L'ACCRÉDITATION DES ASSOCIATIONS DE SALARIÉS

21. Droit à l'accréditation — A droit à l'accréditation l'association de salariés groupant la majorité absolue des salariés d'un employeur ou, dans les cas prévus au paragraphe b de l'article 28 ou aux articles 32 et 37, celle qui obtient, à la suite du scrutin prévu auxdits articles, la majorité absolue des voix des salariés de l'employeur, qui ont droit de vote.

Droit à l'accréditation — A également droit à l'accréditation l'association de salariés qui, dans le cas prévu à l'article 37.1, obtient le plus grand nombre de voix à la suite d'un scrutin.

Groupe distinct — Le droit à l'accréditation existe à l'égard de la totalité des salariés de l'employeur ou de chaque groupe desdits salariés qui forme un groupe distinct aux fins du présent code, suivant l'accord intervenu entre l'employeur et l'association de salariés et constaté par l'agent de relations du travail, ou suivant la décision du Tribunal.

Un seul salarié — Un seul salarié peut former un groupe aux fins du présent article.

S.R.Q. 1964, c. 141, art. 20; 1965 (1re sess.), c. 50, art. 2; 1969, c. 47, art. 9; 1969, c. 48, art. 9; 1970, c. 33, art. 1; 1971, c. 44, art. 1; 1973, c. 43, art. 242; 1977, c. 41, art. 1; 11; 1983, c. 22, art. 9; 2001, c. 26, art. 12; 2014, c. 9, art. 1; 2015, c. 15, art. 237

22. Époque de la demande d'accréditation — L'accréditation peut être demandée :

a) en tout temps, à l'égard d'un groupe de salariés qui n'est pas représenté par une association accréditée et qui n'est pas déjà visé en totalité ou en partie par une requête en accréditation;

b) *(paragraphe supprimé)*;

b.1) sous réserve du paragraphe b.2, après 12 mois de la date d'une accréditation, à l'égard d'un groupe de salariés pour lesquels une convention collective n'a pas été conclue et pour lesquels un différend n'a pas été soumis à l'arbitrage ou ne fait pas l'objet d'une grève ou d'un lock-out permis par le présent code;

b.2) après 12 mois de la décision du Tribunal sur la description de l'unité de négociation rendue en vertu du paragraphe d.1 de l'article 28, à l'égard d'un groupe de salariés pour lesquels une convention collective n'a pas été conclue et pour lesquels un différend n'a pas été soumis à l'arbitrage ou ne fait pas l'objet d'une grève ou d'un lock-out permis par le présent code;

c) après neuf mois de la date d'expiration d'une convention collective ou d'une sentence arbitrale en tenant lieu, à l'égard d'un groupe de salariés pour lesquels une convention collective n'a pas été conclue et pour lesquels un différend n'a pas été soumis à l'arbitrage ou ne fait pas l'objet d'une grève ou d'un lock-out permis par le présent code;

d) du quatre-vingt-dixième au soixantième jour précédant l'expiration d'une sentence arbitrale tenant lieu de convention collective ou la date d'expiration ou de renouvellement d'une convention collective dont la durée est de trois ans ou moins;

e) du cent quatre-vingtième au cent cinquantième jour précédant la date d'expiration ou de renouvellement d'une convention collective dont la durée est de plus de trois ans ainsi que, lorsque cette durée le permet, pendant la période s'étendant du cent quatre-vingtième au cent cinquantième jour précédant le sixième anniversaire de la signature ou du renouvellement de la convention et chaque deuxième anniversaire subséquent, sauf lorsqu'une telle période prendrait fin à 12 mois ou moins du cent quatre-vingtième jour précédant la date d'expiration ou de renouvellement de la convention collective.

S.R.Q. 1964, c. 141, art. 21; 1977, c. 41, art. 12; 1979, c. 32, art. 3; 1983, c. 22, art. 10; 1994, c. 6, art. 2; 2001, c. 26, art. 13; 2003, c. 26, art. 1; 2015, c. 15, art. 237

23. (*Abrogé*).

1969, c. 47, art. 10; 1969, c. 48, art. 10; 1977, c. 41, art. 1; 13; 1978, c. 15, art. 140; 1979, c. 45, art. 150; 1981, c. 9, art. 34; 1981, c. 23, art. 6; 1982, c. 53, art. 56; 1983, c. 55, art. 161; 1994, c. 12, art. 66; 1996, c. 29, art. 43; 1999, c. 40, art. 59; 2000, c. 8, art. 242; 2001, c. 26, art. 14

23.1 (*Abrogé*).

1983, c. 22, art. 11; 1999, c. 40, art. 59; 2001, c. 26, art. 14

24. (*Abrogé*).

1969, c. 48, art. 11; 1977, c. 41, art. 1; 1999, c. 40, art. 59; 2001, c. 26, art. 14

25. Requête en accréditation — L'accréditation est demandée par une association de salariés au moyen d'une requête déposée au Tribunal qui, sur réception, en transmet une copie à l'employeur avec toute information qu'elle juge appropriée.

Formalités — La requête doit être autorisée par résolution de l'association et signée par ses représentants mandatés, indiquer le groupe de salariés qu'elle veut représenter et être accompagnée des formules d'adhésion prévues au paragraphe b du premier alinéa de l'article 36.1 ou de copies de ces formules ainsi que de tout document ou information exigé par un règlement.

Affichage de la requête et de la liste des salariés — L'employeur doit, au plus tard le jour ouvrable suivant celui de sa réception et pendant au moins cinq jours consécutifs, afficher une copie de cette requête et de l'avis d'audience du Tribunal dans un endroit bien en vue. Il doit également, dans les cinq jours de la réception de la copie de la requête, afficher, dans un endroit bien en vue, la liste complète des salariés de l'entreprise visés par la requête avec la mention de la fonction de chacun d'eux. L'employeur doit transmettre sans délai une copie de cette liste à l'association requérante et en tenir une copie à la disposition de l'agent de relations du travail saisi de la requête.

S.R.Q. 1964, c. 141, art. 22; 1969, c. 47, art. 11; 1969, c. 48, art. 12; 1977, c. 41, art. 14; 1983, c. 22, art. 12; 1986, c. 36, art. 1; 2001, c. 26, art. 15; 2006, c. 58, art. 3; 2015, c. 15, art. 237

25.1 (*Abrogé*).

1987, c. 85, art. 10; 2001, c. 26, art. 173

26. Pièces justificatives — Le Tribunal peut exiger de l'association requérante ou accréditée le dépôt de ses statuts et règlements.

S.R.Q. 1964, c. 141, art. 23; 1977, c. 41, art. 15; 2001, c. 26, art. 16; 2015, c. 15, art. 237

27. Publicité — Le Tribunal met une copie de la requête en accréditation à la disposition du public par tout moyen qu'il juge approprié.

S.R.Q. 1964, c. 141, art. 24; 1969, c. 47, art. 12; 1969, c. 48, art. 13; 1977, c. 41, art. 1; 1981, c. 9, art. 34; 1982, c. 53, art. 56; 1994, c. 12, art. 66; 1996, c. 29, art. 43; 2001, c. 26, art. 17; 2015, c. 15, art. 237

27.1 Requête irrecevable — Le dépôt d'une requête à l'égard d'un groupe de salariés qui n'est pas représenté par une association accréditée rend irrecevable une requête déposée à compter du jour qui suit le premier dépôt, à l'égard de la totalité ou d'une partie des salariés visés par la première requête.

Date du dépôt — Aux fins du premier alinéa, une requête est réputée avoir été déposée le jour de sa réception à l'un des bureaux du Tribunal.

1983, c. 22, art. 13; 2001, c. 26, art. 18; 2015, c. 15, art. 237

28. Conditions pour obtenir l'accréditation — En outre, sur réception de la requête, il doit être procédé de la façon suivante :

a) **Accréditation sur-le-champ** — Le Tribunal doit dépêcher sans délai un agent de relations du travail qui doit s'assurer du caractère représentatif de l'association et de son droit à l'accréditation. À cette fin, l'agent de relations du travail procède à la vérification des livres et archives de l'association et de la liste des salariés de l'employeur; il peut, en tout temps, vérifier auprès de toute association, de tout employeur et de tout salarié l'observation du chapitre II et tout fait dont il lui appartient de s'enquérir. S'il vient à la conclusion que l'association jouit du caractère représentatif requis et s'il constate qu'il y a accord entre l'employeur et l'association sur l'unité de négociation et sur les personnes qu'elle vise, il doit l'accréditer sur-le-champ par écrit en indiquant le groupe de salariés qui constitue l'unité de négociation. S'il ne vient pas à la conclusion que l'association jouit du caractère représentatif requis, l'agent de relations du travail doit faire un rapport sommaire de sa vérification au Tribunal et en transmettre une copie aux parties. Il doit, dans ce rapport, mentionner les raisons pour lesquelles il n'a pas accordé l'accréditation.

b) **Pourcentage des salariés membres** — Si l'agent de relations du travail constate qu'il y a accord entre l'employeur et l'association sur l'unité de négociation et sur les personnes qu'elle vise et qu'il y a entre 35 % et 50 % des salariés dans cette unité qui sont membres de l'association de salariés, il procède au scrutin pour s'assurer du caractère représentatif de cette dernière. Il accrédite l'association si elle obtient la majorité absolue des voix des salariés compris dans l'unité de négociation. S'il ne vient pas à la conclusion que l'association jouit du caractère représentatif requis, l'agent de relations du travail doit faire un rapport sommaire de sa vérification au Tribunal et en transmettre une copie aux parties. Il doit, dans ce rapport, mentionner les raisons pour lesquelles il n'a pas accordé l'accréditation.

c) **Désaccord sur l'unité** — Si l'employeur refuse son accord sur l'unité de négociation demandée il doit, par écrit, en expliciter les raisons et proposer l'unité qu'il croit appropriée à l'agent de relations du travail. Celui-ci doit faire un rapport sommaire du désaccord au Tribunal et en transmettre une copie aux parties. Ce rapport doit comporter les raisons explicitées par l'employeur, la description de l'unité que celui-ci croit appropriée et, le cas échéant, la mention qu'il y a entre 35 % et 50 % des salariés dans l'unité de négociation demandée qui sont membres de l'association de salariés. Si l'employeur néglige ou refuse de communiquer les raisons de son désaccord et de proposer l'unité qu'il croit appropriée dans les quinze jours de la réception d'une copie de la requête, il est présumé avoir donné son accord sur l'unité de négociation. L'agent de relations du travail procède alors suivant le paragraphe a ou le paragraphe b, selon le cas.

d) **Accréditation malgré un désaccord** — Si l'agent de relations du travail constate qu'il y a accord entre l'employeur et l'association sur l'unité de négociation, mais non sur certaines personnes visées par la requête, il accrédite néanmoins l'association sur-le-champ si cette dernière jouit du caractère représentatif pour l'unité de négociation demandée, peu importe que les personnes sur lesquelles il n'y a pas accord soient éventuellement, selon la décision du Tribunal, incluses dans l'unité de négociation ou qu'elles en soient exclues. En même temps, l'agent de relations du travail fait un rapport du désaccord visé ci-dessus au Tribunal et en transmet une copie aux parties. Ce désaccord ne peut avoir pour effet d'empêcher la conclusion d'une convention collective.

d.1) **Accréditation sur-le-champ** — L'agent de relations du travail accrédite l'association sur-le-champ même si l'employeur refuse son accord sur une partie de l'unité de négociation, lorsqu'il constate que l'association jouit néanmoins du caractère représentatif et qu'il estime qu'elle conservera son caractère représentatif quelle que soit la décision éventuelle du Tribunal sur la description de l'unité de négociation. En même temps, l'agent de relations du travail fait un rapport du désaccord au Tribunal et en transmet une copie aux parties. Aucun avis de négociation ne peut être donné par l'association accréditée avant la décision du Tribunal sur la description de l'unité de négociation.

e) **Présence d'une association accréditée** — Lorsqu'il y a déjà une association accréditée, ou qu'il y a plus d'une association de salariés requérante, l'agent de relations du travail, s'il constate qu'il y a accord entre l'employeur et toute association en cause sur l'unité de négociation et sur les personnes qu'elle vise, accrédite l'association qui groupe la majorité absolue des salariés ou, à défaut, procède à un scrutin secret suivant les dispositions de l'article 37 et accrédite conséquemment l'association qui a obtenu le plus grand nombre de voix conformément aux dispositions de l'article 37.1. S'il y a désaccord sur l'unité de négociation ou sur les personnes qu'elle vise, l'agent fait un rapport du désaccord au Tribunal et en transmet une copie aux parties.

1969, c. 47, art. 12; 1969, c. 48, art. 14; 1977, c. 41, art. 1, 16; 1983, c. 22, art. 14; 2001, c. 26, art. 19; 2015, c. 15, art. 237

29. Ingérence — L'agent de relations du travail ne peut accréditer une association dès qu'il a des raisons de croire que l'article 12 n'a pas été respecté ou qu'il est informé qu'un tiers ou une partie intéressée a déposé une plainte en vertu de cet article. Toutefois, il peut, de sa propre initiative ou à la demande du Tribunal, effectuer une enquête sur cette contravention appréhendée à l'article 12.

Vérification suspendue — Il peut aussi suspendre la vérification qu'il effectue en vertu de l'article 28.

Pouvoirs d'enquête — Aux fins de l'enquête visée au premier alinéa, l'agent de relations du travail peut :

1° avoir accès à toute heure raisonnable à tout lieu de travail ou établissement d'une partie pour obtenir une information nécessaire à l'application du présent code;

2° exiger tout renseignement nécessaire pour l'application du code, de même que la communication pour examen et reproduction de tout document s'y rapportant.

Identification — Il doit, sur demande, s'identifier et exhiber le certificat délivré par le Tribunal attestant sa qualité.

1969, c. 47, art. 12; 1969, c. 48, art. 14; 1977, c. 41, art. 1; 1983, c. 22, art. 15; 2001, c. 26, art. 20; 2015, c. 15, art. 237

30. Rapports — L'agent de relations du travail doit faire un rapport de toute enquête effectuée de sa propre initiative ou à la demande du Tribunal. Il doit aussi faire un rapport de toute vérification qu'il a suspendue en application de l'article 29.

Transmission — Un tel rapport doit être transmis au président du Tribunal, versé au dossier de l'affaire et transmis aux parties intéressées. Celles-ci peuvent présenter leurs observations par écrit au Tribunal dans les cinq jours de la réception de ce rapport. Ces observations, le cas échéant, sont également versées au dossier de l'affaire.

1969, c. 47, art. 12; 1969, c. 48, art. 14; 1977, c. 41, art. 1; 17; 2001, c. 26, art. 20; 2015, c. 15, art. 237

31. Accréditation interdite — Le Tribunal ne peut accréditer une association de salariés s'il est établi à sa satisfaction que l'article 12 n'a pas été respecté.

Pouvoir du Tribunal — Lorsqu'il a à statuer sur une requête en accréditation, le Tribunal peut soulever d'office le non respect de l'article 12.

1969, c. 48, art. 14; 1977, c. 41, art. 18; 1983, c. 22, art. 16; 2001, c. 26, art. 20; 2015, c. 15, art. 237

32. Décision relative à l'unité de négociation — Lorsqu'il est saisi d'une requête en accréditation, le Tribunal décide de toute question relative à l'unité de négociation et aux personnes qu'il vise; il peut à cette fin modifier l'unité proposée par l'association requérante.

Parties intéressées — Sont seuls parties intéressées quant à l'unité de négociation et aux personnes qu'elle vise, toute association en cause et l'employeur.

Décision du caractère représentatif — Il doit également décider du caractère représentatif de l'association requérante par tout moyen d'enquête qu'il juge opportun et notamment par le calcul des effectifs de l'association requérante ou par la tenue d'un vote au scrutin secret.

Parties intéressées — Sont seuls parties intéressées quant au caractère représentatif d'une association de salariés, tout salarié compris dans l'unité de négociation ou toute association de salariés intéressée.

1969, c. 48, art. 14; 1977, c. 41, art. 1; 1983, c. 22, art. 17; 1999, c. 40, art. 59; 2001, c. 26, art. 21; 2015, c. 15, art. 237

33. (*Abrogé*).

1969, c. 48, art. 14; 1977, c. 41, art. 1; 19; 1992, c. 61, art. 175; 2001, c. 26, art. 22

34. (*Abrogé*).

1969, c. 48, art. 14; 1977, c. 41, art. 20; 2001, c. 26, art. 22

35. Contenu du dossier — Le dossier du Tribunal comprend les rapports produits par l'agent de relations du travail en vertu des articles 28 et 30, les pièces et documents qui ont été déposés, l'enregistrement ou la sténographie des témoignages, le cas échéant, ainsi que la décision du Tribunal. Il ne comprend pas la liste des membres des associations en cause non plus que les pièces ou documents qui identifient l'appartenance d'un salarié à une association de salariés.

1969, c. 48, art. 14; 1977, c. 41, art. 21; 2001, c. 26, art. 23; 2015, c. 15, art. 237

36. Appartenance tenue au secret — L'appartenance d'une personne à une association de salariés ne doit être révélée par quiconque au cours de la procédure d'accréditation ou de révocation d'accréditation sauf au Tribunal, à un membre de son personnel ou au juge d'un tribunal saisi d'un pourvoi en contrôle judiciaire prévu au *Code de procédure civile* (chapitre C-25.01) relatif à une accréditation. Ces personnes ainsi que toute autre personne qui prend connaissance de cette appartenance sont tenues au secret.

1969, c. 48, art. 14; 1977, c. 41, art. 1; 1983, c. 22, art. 18; 2001, c. 26, art. 24; 2015, c. 15, art. 237; N.I. 2016-01-01 (NCPC)

36.1 Conditions pour être reconnu membre d'une association — Aux fins de l'établissement du caractère représentatif d'une association de salariés ou de la vérification du caractère représentatif d'une association accréditée, une personne est reconnue membre de cette association lorsqu'elle satisfait aux conditions suivantes :

a) elle est un salarié compris dans l'unité de négociation visée par la requête;

b) elle a signé une formule d'adhésion dûment datée et qui n'a pas été révoquée avant le dépôt de la requête en accréditation ou la demande de vérification du caractère représentatif;

c) elle a payé personnellement à titre de cotisation syndicale une somme d'au moins 2 $ dans les douze mois précédant soit la demande de vérification du caractère représentatif, soit le dépôt de la requête en accréditation ou sa mise à la poste par poste recommandée;

d) elle a rempli les conditions prévues aux paragraphes a à c soit le ou avant le jour de la demande de vérification du caractère représentatif, soit le ou avant le jour du dépôt de la requête en accréditation.

Condition exigible — Le Tribunal ne doit tenir compte d'aucune autre condition exigible selon les statuts ou règlements de cette association de salariés.

1977, c. 41, art. 22; 2001, c. 26, art. 25; 2015, c. 15, art. 237; N.I. 2016-01-01 (NCPC)

37. Scrutin secret — Le Tribunal doit ordonner un vote au scrutin secret chaque fois qu'une association requérante groupe entre 35 % et 50 % des salariés dans l'unité de négociation appropriée. Seules peuvent briguer les suffrages l'association ou les associations requérantes qui groupent chacune au moins 35 % des salariés visés ainsi que l'association accréditée, s'il y en a une.

Exception — Le présent article ne s'applique pas si l'une des associations groupe la majorité absolue des salariés.

S.R.Q. 1964, c. 141, art. 25; 1969, c. 47, art. 13; 1969, c. 48, art. 15; 1977, c. 41, art. 1; 23; 1983, c. 22, art. 19; 2001, c. 26, art. 26; 2015, c. 15, art. 237

37.1 Nouveau vote — Lorsqu'un vote au scrutin secret ordonné en vertu de la présente section met en présence plus de deux associations de salariés et qu'elles obtiennent ensemble la majorité absolue des voix des salariés qui ont droit de vote sans que l'une d'elle n'obtienne la majorité absolue, le Tribunal doit ordonner la tenue d'un nouveau vote au scrutin secret sans la participation de celle qui a obtenu le plus petit nombre de voix.

Accréditation — Lorsqu'un vote au scrutin secret ordonné en vertu de la présente section met en présence deux associations de salariés, le Tribunal accrédite celle qui a obtenu le plus grand nombre de voix si les deux associations obtiennent ensemble la majorité absolue des voix des salariés qui ont droit de vote.

1983, c. 22, art. 20; 2001, c. 26, art. 27; 2015, c. 15, art. 237

37.2 Règles — Lorsqu'il procède à un scrutin secret ou ordonne la tenue d'un vote au scrutin secret en vertu du présent code ou d'une autre loi, le Tribunal en détermine les règles et peut prendre toute mesure et donner toute instruction qui lui semblent nécessaires en vue de l'efficacité et de la régularité du scrutin.

2006, c. 58, art. 4; 2015, c. 15, art. 237

38. Vote — Tout employeur est tenu de faciliter la tenue du scrutin et tout salarié faisant partie d'un groupe désigné par le Tribunal est tenu de voter, à moins d'une excuse légitime.

S.R.Q. 1964, c. 141, art. 26; 1969, c. 47, art. 13; 1977, c. 41, art. 1; 2001, c. 26, art. 27; 2015, c. 15, art. 237

39. Pouvoirs du Tribunal — De plein droit, au cours de son enquête, et en tout temps sur requête d'une partie intéressée, le Tribunal peut décider si une personne est un salarié ou un membre d'une association, si elle est comprise dans l'unité de négociation, et toutes autres questions relatives à l'accréditation.

S.R.Q. 1964, c. 141, art. 30; 1969, c. 47, art. 17; 1977, c. 41, art. 1; 24; 1983, c. 22, art. 21; 2001, c. 26, art. 27; 2015, c. 15, art. 237

39.1 Délai — La décision concernant une requête en accréditation doit être rendue dans les 60 jours de son dépôt.

Application — L'article 35 de la *Loi instituant le Tribunal administratif du travail* (chapitre T-15.1) ne s'applique pas lorsque la décision est rendue par un agent de relations du travail. Celui-ci permet cependant aux parties intéressées de présenter leurs observations et, s'il y a lieu, de produire des documents pour compléter leur dossier.

S.R.Q. 1964, c. 141, art. 30; 1969, c. 47, art. 17; 1977, c. 41, art. 1; 24; 1983, c. 22, art. 21; 2001, c. 26, art. 27; 2015, c. 15, art. 129

40. Renouvellement d'une requête — Une requête en accréditation ne peut être renouvelée avant trois mois de son rejet par le Tribunal ou d'un désistement produit par une association requérante sauf s'il s'agit d'une requête irrecevable en vertu de l'article 27.1, d'un désistement produit à la suite du regroupement des territoires de municipalités locales ou de ceux de commissions scolaires, d'une intégration de personnel dans une communauté métropolitaine ou de la création d'une société de transport.

S.R.Q. 1964, c. 141, art. 31; 1969, c. 47, art. 18; 1977, c. 41, art. 1; 25; 1983, c. 22, art. 22; 1988, c. 84, art. 701; 1993, c. 67, art. 110; 1996, c. 2, art. 219; 2000, c. 56, art. 218; 2001, c. 26, art. 28; 2015, c. 15, art. 237

41. Révocation de l'accréditation — Le Tribunal peut, au temps fixé au paragraphe b.1, b.2, c, d, ou e de l'article 22, et le cas échéant à l'article 111.3, révoquer l'accréditation d'une association qui :

a) a cessé d'exister, ou

b) ne groupe plus la majorité absolue des salariés qui font partie de l'unité de négociation pour laquelle elle a été accréditée.

Vérification de l'existence de l'association — Malgré le quatrième alinéa de l'article 32, un employeur peut, dans le délai prévu à l'alinéa précédent, demander au Tribunal de vérifier si l'association existe encore ou si elle représente encore la majorité absolue des salariés qui font partie de l'unité de négociation pour laquelle elle a été accréditée.

Rapport sur le caractère représentatif d'une association — Un agent de relations du travail chargé de vérifier le caractère représentatif de l'association envoie une copie de son rapport au requérant, à l'association et à l'employeur. Ceux-ci peuvent contester ce rapport en exposant par écrit leurs motifs au Tribunal dans les dix jours de la réception du rapport.

S.R.Q. 1964, c. 141, art. 32; 1969, c. 47, art. 19; 1969, c. 48, art. 17; 1977, c. 41, art. 1; 26; 1978, c. 52, art. 1; 1983, c. 22, art. 23; 1994, c. 6, art. 3; 2001, c. 26, art. 29; 2015, c. 15, art. 237

42. Suspension des négociations — À la suite d'une requête en accréditation, en révision ou en révocation d'accréditation ou d'une requête portant sur une question relative à l'application de l'article 45, le Tribunal peut ordonner la suspension des négociations et du délai pour l'exercice du droit de grève ou de lock-out et empêcher le renouvellement d'une convention collective.

Dispositions applicables — En ce cas, les conditions de travail prévues dans la convention collective demeurent en vigueur et l'article 60 s'applique jusqu'à la décision du Tribunal.

S.R.Q. 1964, c. 141, art. 33; 1969, c. 47, art. 20; 1969, c. 48, art. 18; 1977, c. 41, art. 27; 1994, c.

6, art. 4; 2001, c. 26, art. 30; 2006, c. 58, art. 5; 2015, c. 15, art. 237

43. Effet de l'accréditation — L'accréditation d'une association de salariés annule de plein droit l'accréditation de toute autre association pour le groupe visé par la nouvelle accréditation.

S.R.Q. 1964, c. 141, art. 34; 1969, c. 47, art. 21

44. Effet de la révocation de l'accréditation — La révocation de l'accréditation empêche le renouvellement de toute convention collective conclue par l'association privée de son accréditation et emporte aussi de plein droit pour cette dernière la déchéance des droits et avantages lui résultant de cette convention collective.

S.R.Q. 1964, c. 141, art. 35; 1969, c. 47, art. 22

45. Accréditation non invalidée par aliénation de l'entreprise — L'aliénation ou la concession totale ou partielle d'une entreprise n'invalide aucune accréditation accordée en vertu du présent code, aucune convention collective, ni aucune procédure en vue de l'obtention d'une accréditation ou de la conclusion ou de l'exécution d'une convention collective.

Nouvel employeur lié — Sans égard à la division, à la fusion ou au changement de structure juridique de l'entreprise, le nouvel employeur est lié par l'accréditation ou la convention collective comme s'il y était nommé et devient par le fait même partie à toute procédure s'y rapportant, aux lieu et place de l'employeur précédent.

Disposition non applicable — Le deuxième alinéa ne s'applique pas dans un cas de concession partielle d'entreprise lorsque la concession n'a pas pour effet de transférer au concessionnaire, en plus de fonctions ou d'un droit d'exploitation, la plupart des autres éléments caractéristiques de la partie d'entreprise visée.

S.R.Q. 1964, c. 141, art. 36; 1969, c. 47, art. 23; 1969, c. 48, art. 19; 2001, c. 26, art. 31; 2003, c. 26, art. 2

45.1 (*Abrogé*).

2001, c. 26, art. 32; 2003, c. 26, art. 3

45.2 Concession partielle d'entreprise — Dans le cas d'une concession partielle d'une entreprise, les règles suivantes s'appliquent :

1° la convention collective visée au deuxième alinéa de l'article 45 qui n'est pas expirée lors de la prise d'effet de la concession est réputée expirer, aux fins des relations du travail entre le nouvel employeur et l'association de salariés concernée, le jour de cette prise d'effet;

2° le nouvel employeur n'est pas lié par l'accréditation ou la convention collective lorsqu'une entente particulière portant sur cette concession comporte une clause à l'effet que les parties renoncent à l'application du deuxième alinéa de l'article 45. Une telle clause lie le Tribunal mais n'affecte pas la portée, chez l'employeur cédant, de l'accréditation de l'association de salariés signataire.

Exception — Le paragraphe 1° du premier alinéa ne s'applique pas dans le cas d'une concession partielle d'entreprise entre employeurs des secteurs public et parapublic au sens du paragraphe 1° de l'article 111.2.

2001, c. 26, art. 32; 2003, c. 26, art. 4; 2015, c. 15, art. 237

45.3 Changement de compétence législative — Lorsqu'une entreprise, dont les relations du travail étaient jusqu'alors régies par le *Code canadien du travail* (L.R.C. (1985), ch. L-2), passe, en ce domaine, sous la compétence législative du Québec, les dispositions suivantes s'appliquent :

1° une accréditation accordée, une convention collective conclue par un syndicat accrédité ainsi qu'une procédure engagée en vertu du *Code canadien du travail* en vue de l'obtention d'une accréditation ou de la conclusion ou de l'exécution d'une convention collective sont réputées être une accréditation accordée, une convention collective conclue et déposée et une procédure engagée en vertu du présent code;

2° l'employeur demeure lié par l'accréditation ou la convention collective, ou encore, dans les circonstances où le deuxième alinéa de l'article 45 aurait été applicable si l'entreprise avait alors été de la compétence législative du Québec, le nouvel employeur devient lié par l'accréditation ou la convention collective comme s'il y était nommé et il devient par le fait même partie à toute procédure s'y rapportant, aux lieux et place de l'employeur précédent;

3° les procédures alors en cours en vue de l'obtention d'une accréditation ou de la conclusion ou de l'exécution d'une convention collective sont continuées et décidées suivant les dispositions du présent code, compte tenu des adaptations nécessaires;

4° les dispositions du troisième alinéa de l'article 45 ou de l'article 45.2, selon le cas, s'appliquent lorsque le passage résulte d'une concession partielle d'entreprise.

2001, c. 26, art. 32; 2003, c. 26, art. 5

46. Décision sur l'application — Il appartient au Tribunal, sur requête d'une partie intéressée, de trancher toute question relative à l'application des articles 45 à 45.3. À cette fin, il peut notamment en déterminer l'applicabilité.

Décision sur l'application — Il peut aussi, sur requête d'une partie intéressée, régler toute difficulté découlant de l'application de ces articles et de leurs effets de la façon qu'il estime la plus appropriée. À cette fin, il peut notamment rendre toute décision nécessaire à la mise en œuvre d'une entente entre les parties intéressées sur la description des unités de négociation et sur la désignation d'une association pour représenter le groupe de salariés visé par l'unité de négociation décrite à cette entente ou sur toute autre question d'intérêt commun.

Plusieurs associations de salariés — À cette même fin et lorsque plusieurs associations de salariés sont mises en présence par l'application des articles 45 et 45.3, le Tribunal peut également :

1° accorder ou modifier une accréditation;

2° accréditer l'association de salariés qui groupe la majorité absolue des salariés ou procéder à un scrutin secret suivant les dispositions de l'article 37 et accréditer conséquemment l'association qui a obtenu le plus grand nombre de voix conformément aux dispositions de l'article 37.1;

3° décrire ou modifier une unité de négociation;

4° fusionner des unités de négociation et, lorsque plusieurs conventions collectives s'appliquent aux salariés du nouvel employeur compris dans une unité de négociation résultant de cette fusion, déterminer la convention collective qui demeure en vigueur et apporter aux dispositions de celle-ci toute modification ou adaptation qu'elle juge nécessaire.

Fusion d'unités de négociation — La fusion d'unités de négociation emporte la fusion, s'il en est, des listes d'ancienneté des salariés qu'elles visaient, selon les règles d'intégration des salariés déterminées par le Tribunal.

Cédant et cessionnaire liés — Lorsqu'une concession d'entreprise survient durant la procédure en vue de l'obtention d'une accréditation, le Tribunal peut décider que l'employeur cédant et le concessionnaire sont successivement liés par l'accréditation.

Pouvoirs du Tribunal — Le Tribunal peut aussi, sur requête d'une partie intéressée déposée au plus tard le trentième jour suivant la prise d'effet d'une concession partielle d'entreprise et lorsqu'il juge que cette concession a été faite dans le but principal d'entraver la formation d'une association de salariés ou de porter atteinte au maintien de l'intégralité d'une association de salariés accréditée :

1° écarter l'application, le cas échéant, du troisième alinéa de l'article 45 et rendre toute décision appropriée pour favoriser l'application du deuxième alinéa du même article;

2° écarter l'application du paragraphe 1° du premier alinéa de l'article 45.2 et déterminer que le nouvel employeur demeure lié, jusqu'à la date prévue de son expiration, par la convention collective visée au deuxième alinéa de l'article 45.

S.R.Q. 1964, c. 141, art. 37; 1969, c. 47, art. 24; 1969, c. 48, art. 20; 1977, c. 41, art. 1; 1990, c. 69, art. 2; 2001, c. 26, art. 33; 2003, c. 26, art. 6; 2015, c. 15, art. 237

46.1 Délai — La décision du Tribunal sur une requête visée au premier alinéa de l'article 46 et portant sur l'applicabilité des articles 45 à 45.3 doit être rendue dans les 90 jours du dépôt de la requête.

2015, c. 15, art. 130

47. Retenue syndicale obligatoire — Un employeur doit retenir sur le salaire de tout salarié qui est membre d'une association accréditée le montant spécifié par cette association à titre de cotisation.

Autre salarié — L'employeur doit, de plus, retenir sur le salaire de tout autre salarié faisant partie de l'unité de négociation pour laquelle cette association a été accréditée, un montant égal à celui prévu au premier alinéa.

Remise — L'employeur est tenu de remettre mensuellement à l'association accréditée les montants ainsi retenus avec un état indiquant le montant prélevé de chaque salarié et le nom de celui-ci.

S.R.Q. 1964, c. 141, art. 38; 1977, c. 41, art. 28

47.1 États financiers — Une association accréditée doit divulguer chaque année à ses membres ses états financiers. Elle doit aussi remettre gratuitement au membre qui en fait la demande une copie de ces états financiers.

1977, c. 41, art. 28

47.2 Égalité de traitement par l'association accréditée — Une association accréditée ne doit pas agir de mauvaise foi ou de manière arbitraire ou discriminatoire, ni faire preuve de négligence grave à l'endroit des salariés compris dans une unité de négociation qu'elle représente, peu importe qu'ils soient ses membres ou non.

1977, c. 41, art. 28

47.2.1 (*Abrogé*).

1987, c. 85, art. 21; 2001, c. 26, art. 173

47.3 Plainte au Tribunal — Si un salarié qui a subi un renvoi ou une mesure disciplinaire, ou qui croit avoir été victime de harcèlement psychologique, selon les articles 81.18 à 81.20 de la *Loi sur les normes du travail* (chapitre N-1.1), croit que l'association accréditée contrevient à cette occasion à l'article 47.2, il doit, s'il désire se prévaloir de cet article, porter plainte et demander par écrit au Tribunal d'ordonner que sa réclamation soit déférée à l'arbitrage.

1977, c. 41, art. 28; 1994, c. 6, art. 5; 2001, c. 26, art. 34; 2002, c. 80, art. 77; 2015, c. 15, art. 131, 237

47.4 (*Abrogé*).

1977, c. 41, art. 28; 1983, c. 22, art. 24; 1994, c. 6, art. 6; 2001, c. 26, art. 35

47.5 Plainte — Toute plainte portée en application de l'article 47.2 doit l'être dans les six mois de la connaissance de l'agissement dont le salarié se plaint.

Autorisation du Tribunal — Si le Tribunal estime que l'association a contrevenu à l'article 47.2, il peut autoriser le salarié à soumettre sa réclamation à un arbitre nommé par le ministre pour décision selon la convention collective comme s'il s'agissait d'un grief. Les articles 100 à 101.10 s'appliquent, compte tenu des adaptations nécessaires. L'association paie les frais encourus par le salarié.

Autre ordonnance — Le Tribunal peut, en outre, rendre toute autre ordonnance qu'il juge nécessaire dans les circonstances.

1977, c. 41, art. 28; 2001, c. 26, art. 36; 2015, c. 15, art. 132, 237

47.6 Inobservation des délais — Si une réclamation est déférée à un arbitre en vertu de l'article 47.5, l'employeur ne peut opposer l'inobservation par l'association de la procédure et des délais prévus à la convention collective pour le règlement des griefs.

1977, c. 41, art. 28

48. (*Abrogé*).

S.R.Q. 1964, c. 141, art. 39; 1969, c. 47, art. 25; 1969, c. 48, art. 21; 1977, c. 41, art. 29

49. (*Abrogé*).

1969, c. 47, art. 26; 1969, c. 48, art. 22; 1977, c. 41, art. 30; 1983, c. 22, art. 25; 1986, c. 95, art. 79; 2001, c. 26, art. 37

50. (*Abrogé*).

1969, c. 47, art. 26; 1969, c. 48, art. 23; 1977, c. 41, art. 1; 31; 2001, c. 26, art. 37

Section IV — Dispositions diverses (Abrogée)

50.1 (*Abrogé*).

1994, c. 6, art. 7; 2001, c. 26, art. 37

50.2 (*Abrogé*).

1994, c. 6, art. 7; 2001, c. 26, art. 37

51. (*Abrogé*).

1969, c. 47, art. 26; 1969, c. 48, art. 24; 1977, c. 41, art. 1; 32; 2001, c. 26, art. 37

51.1 (*Abrogé*).

1977, c. 41, art. 33; 2001, c. 26, art. 37

Chapitre III — De la convention collective

52. Avis de rencontre — L'association accréditée donne à l'employeur, ou celui-ci donne à l'association accréditée, un avis écrit d'au moins huit jours de la date, de l'heure et du lieu où ses représentants seront prêts à rencontrer l'autre partie ou ses représentants pour la conclusion d'une convention collective.

Délai d'avis — L'association accréditée ou l'employeur peut donner cet avis dans les 90 jours précédant l'expiration de la convention, à moins qu'un autre délai n'y soit prévu.

Délai d'avis — L'association accréditée ou l'employeur peut donner cet avis dans les 90 jours précédant l'expiration d'une sentence arbitrale tenant lieu de convention collective.

Délai d'avis — Dans le cas d'une convention collective visée au paragraphe 1° du premier alinéa de l'article 45.2, l'association accréditée ou l'employeur peut donner cet avis dans les 30 jours suivant l'expiration réputée de la convention.

S.R.Q. 1964, c. 141, art. 40; 1969, c. 47, art. 27; 1969, c. 48, art. 25; 1977, c. 41, art. 34; 2003, c. 26, art. 7

52.1 Transmission de l'avis — La partie qui donne un avis en vertu de l'article 52 doit le transmettre à son destinataire par télécopieur, messagerie ou poste recommandée ou le lui faire signifier par un huissier.

1977, c. 41, art. 35; 1994, c. 6, art. 8; N.I. 2016-01-01 (NCPC)

52.2 Avis réputé donné et reçu — Si aucun avis n'est donné suivant l'article 52, l'avis prévu audit article est réputé avoir été reçu le jour de l'expiration de la convention collective ou de la sentence arbitrale en tenant lieu, sauf dans la situation visée au quatrième alinéa de cet article, où il est réputé avoir été reçu le trentième jour suivant l'expiration réputée de la convention.

Avis réputé donné et reçu, délai — Si l'association de salariés nouvellement accréditée n'a pas donné un semblable avis, l'avis est réputé avoir été reçu 90 jours après la date de l'obtention de l'accréditation.

Date d'expiration de la convention collective — En tout temps, le Tribunal peut, sur simple demande de tout intéressé, déterminer la date d'expiration de la convention collective lorsque cette date n'y est pas clairement indiquée.

1977, c. 41, art. 35; 1994, c. 6, art. 9; 2001, c. 26, art. 38; 2003, c. 26, art. 8; 2015, c. 15, art. 237

53. Négociations — La phase des négociations commence à compter du moment où l'avis visé à l'article 52 a été reçu par son destinataire ou est réputé avoir été reçu suivant l'article 52.2.

Diligence et bonne foi — Les négociations doivent commencer et se poursuivre avec diligence et bonne foi.

S.R.Q. 1964, c. 141, art. 41; 1977, c. 41, art. 36; 1994, c. 6, art. 10

53.1 Refus de négocier — L'employeur ou l'association accréditée ne peut refuser de négocier ou retarder la négociation au seul motif qu'il y a désaccord entre les parties sur les personnes visées par l'accréditation.

1983, c. 22, art. 26

54. Avis de désaccord — À toute phase des négociations, l'une ou l'autre des parties peut demander au ministre de désigner un conciliateur pour les aider à effectuer une entente.

Avis à l'autre partie — Avis de cette demande doit être donné le même jour à l'autre partie.

Désignation d'un conciliateur — Sur réception de cette demande, le ministre doit désigner un conciliateur.

S.R.Q. 1964, c. 141, art. 42; 1977, c. 41, art. 36

55. Conciliateur — À toute phase des négociations, le ministre peut, d'office, désigner un conciliateur; il doit alors informer les parties de cette nomination.

S.R.Q. 1964, c. 141, art. 43; 1977, c. 41, art. 36

56. Présence aux réunions — Les parties sont tenues d'assister à toute réunion où le conciliateur les convoque.

S.R.Q. 1964, c. 141, art. 44; 1977, c. 41, art. 36

57. Rapport — Le conciliateur fait rapport au ministre à la demande de ce dernier.

S.R.Q. 1964, c. 141, art. 45; 1977, c. 41, art. 36

57.1 (*Abrogé*).

1983, c. 22, art. 27; 1987, c. 68, art. 39; 1993, c. 6, art. 2

58. Droit à la grève ou au lock-out — Le droit à la grève ou au lock-out est acquis 90 jours après la réception, par son destinataire, de l'avis qui lui a été signifié ou transmis suivant l'article 52.1 ou qu'il est réputé avoir reçu suivant l'article 52.2, à moins qu'une convention collective ne soit intervenue entre les parties ou à moins que celles-ci ne décident d'un commun accord de soumettre leur différend à un arbitre.

S.R.Q. 1964, c. 141, art. 46; 1977, c. 41, art. 36; 1983, c. 22, art. 28; 1994, c. 6, art. 11

58.1 Information au ministre — La partie qui déclare une grève ou un lock-out doit informer, par écrit, le ministre dans les quarante-huit heures qui suivent la déclaration de la grève ou du lock-out, suivant le cas, et indiquer le nombre de salariés compris dans l'unité de négociation concernée.

1977, c. 41, art. 36

58.2 Vote sur les offres patronales — Lorsqu'il estime qu'une telle mesure est de nature à favoriser la négociation ou la conclusion d'une convention collective, le Tribunal peut, à la demande de l'employeur, ordonner à une association accréditée de tenir, à la date ou dans le délai qu'elle détermine, un scrutin secret pour donner à ses membres compris dans l'unité de négociation l'occasion d'accepter ou de refuser les dernières offres que lui a faites l'employeur sur toutes les questions faisant toujours l'objet d'un différend entre les parties.

Restriction — Le Tribunal ne peut ordonner la tenue d'un tel scrutin qu'une seule fois durant la phase des négociations d'une convention collective.

Surveillance du Tribunal — Le scrutin est tenu sous la surveillance du Tribunal.

2001, c. 26, art. 39; 2006, c. 58, art. 6; 2015, c. 15, art. 237

59. Maintien des conditions de travail — À compter du dépôt d'une requête en accréditation et tant que le droit au lock-out ou à la grève n'est pas exercé ou qu'une sentence arbitrale n'est pas intervenue, un employeur ne doit pas modifier les conditions de travail de ses salariés sans le consentement écrit de chaque association requérante et, le cas échéant, de l'association accréditée.

Maintien des conditions de travail — Il en est de même à compter de l'expiration de la convention collective et tant que le droit au lock-out ou à la grève n'est pas exercé ou qu'une sentence arbitrale n'est pas intervenue.

Reconduction des conditions de travail — Les parties peuvent prévoir dans une convention collective que les conditions de travail contenues dans cette dernière vont continuer de s'appliquer jusqu'à la signature d'une nouvelle convention.

S.R.Q. 1964, c. 141, art. 47; 1969, c. 47, art. 28; 1977, c. 41, art. 37; 1994, c. 6, art. 12

60. Défense de conseiller la suspension de travail — Pendant la période visée à l'article 59, il est interdit de conseiller ou d'enjoindre à des salariés de ne pas continuer à fournir leurs services à leur employeur aux mêmes conditions de travail.

S.R.Q. 1964, c. 141, art. 48

61. Subrogation — Une association accréditée est subrogée de plein droit dans tous les droits et obligations résultant d'une convention collective en vigueur conclue par une autre association; cependant elle peut y mettre fin ou la déclarer non avenue par avis écrit transmis à l'employeur et au Tribunal.

S.R.Q. 1964, c. 141, art. 49; 1969, c. 47, art. 29; 1977, c. 41, art. 1; 2001, c. 26, art. 40; 2015, c. 15, art. 237

61.1 Subrogation dans les exploitations forestières — Dans le cas d'une exploitation forestière, une association accréditée est subrogée de plein droit dans tous les droits et obligations résultant d'une convention collective en vigueur conclue par une autre association, y compris le précompte des cotisations syndicales. Cependant, elle ne peut mettre fin à cette convention collective ou la déclarer non avenue lorsque celle-ci est d'une durée de trois ans ou moins.

1977, c. 41, art. 38; 1994, c. 6, art. 13

62. Contenu de la convention — La convention collective peut contenir toute disposition relative aux conditions de travail qui n'est pas contraire à l'ordre public ni prohibée par la loi.

S.R.Q. 1964, c. 141, art. 50 (partie)

63. Restriction — Un employeur ne peut être tenu, en vertu d'une disposition de la convention collective, de renvoyer un salarié pour la seule raison que l'association accréditée a refusé ou différé d'admettre ce salarié comme membre ou l'a suspendu ou exclu de ses rangs, sauf dans les cas suivants :

a) le salarié a été embauché à l'encontre d'une disposition de la convention collective;

b) le salarié a participé, à l'instigation ou avec l'aide directe ou indirecte de son employeur ou d'une personne agissant pour ce dernier, à une activité contre l'association accréditée.

S.R.Q. 1964, c. 141, art. 50 (partie); 1977, c. 41, art. 39

64. Validité — Une convention collective n'est pas invalidée par la nullité d'une ou plusieurs de ses clauses.

S.R.Q. 1964, c. 141, art. 52

65. Durée — Une convention collective doit être d'une durée déterminée d'au moins un an.

Première convention — La durée doit être d'au plus trois ans s'il s'agit d'une première convention collective pour le groupe de salariés visé par l'accréditation.

S.R.Q. 1964, c. 141, art. 53; 1965 (1re sess.), c. 50, art. 3; 1994, c. 6, art. 14

66. Présomption — Est présumée en vigueur pour la durée d'une année, la convention ne comportant pas de terme fixe et certain.

S.R.Q. 1964, c. 141, art. 54

67. Salariés liés — La convention collective lie tous les salariés actuels ou futurs visés par l'accréditation.

Une convention par groupe — L'association accréditée et l'employeur ne doivent conclure qu'une seule convention collective à l'égard du groupe de salariés visé par l'accréditation.

S.R.Q. 1964, c. 141, art. 55; 1969, c. 47, art. 30; 1969, c. 48, art. 26

68. Employeurs liés — La convention collective conclue par une association d'employeurs lie tous les employeurs membres de cette association auxquels elle est susceptible de s'appliquer, y compris ceux qui y adhèrent ultérieurement.

Exception — La convention collective conclue par une association de commissions scolaires ne lie que celles qui lui ont donné le mandat exclusif prévu à l'article 11.

S.R.Q. 1964, c. 141, art. 56; 1965 (1re sess.), c. 50, art. 4; 1988, c. 84, art. 700

69. Recours — L'association accréditée peut exercer tous les recours que la convention collective accorde à chacun des salariés qu'elle représente sans avoir à justifier d'une cession de créance de l'intéressé.

S.R.Q. 1964, c. 141, art. 57; 1969, c. 47, art. 31

70. Cumul des recours — Les recours de plusieurs salariés contre un même employeur peuvent être cumulés dans une seule demande et le total réclamé détermine la compétence tant en première instance qu'en appel.

S.R.Q. 1964, c. 141, art. 58

71. Prescription — Les droits et recours qui naissent d'une convention collective ou d'une sentence qui en tient lieu se prescrivent par six mois à compter du jour où la cause de l'action a pris naissance. Le recours à la procédure de griefs interrompt la prescription.

S.R.Q. 1964, c. 141, art. 59

72. Convention en vigueur sur dépôt — Une convention collective ne prend effet qu'à compter du dépôt, auprès du ministre, de deux exemplaires ou copies conformes à l'original, de cette convention collective et de ses annexes. Il en est de même de toute modification qui est apportée par la suite à cette convention collective.

Effet rétroactif — Ce dépôt a un effet rétroactif à la date prévue dans la convention collective pour son entrée en vigueur ou, à défaut, à la date de la signature de la convention collective.

Effets du défaut de dépôt — À défaut d'un tel dépôt dans les 60 jours de la signature de la convention collective ou de ses modifications, le droit à l'accréditation est dès lors acquis, à l'égard du groupe de salariés pour lesquels cette convention collective ou ces modifications ont été conclues, en faveur de toute autre association, pourvu qu'elle en fasse la demande après l'expiration de ces 60 jours mais avant qu'un tel dépôt ait été fait, et pourvu que l'accréditation lui soit accordée par la suite.

Indication du nombre de salariés — La partie qui fait ce dépôt doit indiquer le nombre de salariés régis par la convention collective et se conformer aux autres dispositions réglementaires établies à cet effet en vertu de l'article 138.

S.R.Q. 1964, c. 141, art. 60; 1969, c. 47, art. 32; 1969, c. 48, art. 27; 1977, c. 41, art. 40; 1994, c. 6, art. 15; 2001, c. 26, art. 41; 2006, c. 58, art. 7

73. Affiliation pendant la convention — Nulle association accréditée ayant conclu une convention collective, nul groupe de salariés régis par une telle convention ou par une sentence arbitrale en ayant l'effet, ne fera de démarches en vue de devenir membre d'une autre association ou de s'y affilier, sauf, selon le cas :

1° dans les 90 jours précédant l'expiration de la sentence arbitrale ou la date d'expiration ou de renouvellement de la convention lorsque la durée de celle-ci est de trois ans ou moins;

2° pendant 180 jours à compter du début de toute période durant laquelle l'accréditation peut être demandée lorsque la durée de la convention est de plus de trois ans.

S.R.Q. 1964, c. 141, art. 61; 1969, c. 47, art. 33; 1977, c. 41, art. 41; 1994, c. 6, art. 16

Chapitre IV — Du règlement des différends et des griefs

Section I — De l'arbitre de différend

74. Demande au ministre — Un différend est soumis à un arbitre sur demande écrite adressée au ministre par les parties.

S.R.Q. 1964, c. 141, art. 62; 1983, c. 22, art. 30

75. Déféré — Le ministre avise les parties qu'il défère le différend à l'arbitrage.

S.R.Q. 1964, c. 141, art. 63; 1983, c. 22, art. 31

76. Les membres doivent être désintéressés — Un arbitre ne doit avoir aucun intérêt pécuniaire dans le différend qui lui est soumis ni avoir agi dans ce différend à titre d'agent d'affaires, de procureur, de conseiller ou de représentant d'une partie.

S.R.Q. 1964, c. 141, art. 64; 1983, c. 22, art. 32

77. Choix de l'arbitre — Dans les dix jours de la réception de l'avis prévu par l'article 75, les parties doivent se consulter sur le choix de l'arbitre; si elles s'entendent, le ministre nomme à ce poste la personne de leur choix. À défaut d'entente, le ministre le nomme d'office.

Nomination — Un arbitre nommé d'office est choisi sur une liste dressée annuellement par le ministre après consultation du Comité consultatif du travail et de la main-d'œuvre visé à l'article 12.1 de la *Loi sur le ministère du Travail* (chapitre M-32.2). Le ministre peut, de la même manière, modifier la liste en cours d'année.

S.R.Q. 1964, c. 141, art. 65; 1977, c. 41, art. 43; 1983, c. 22, art. 33; 1991, c. 76, art. 3; 1994, c. 6, art. 17; 2011, c. 16, art. 86

78. Arbitrage — L'arbitre procède à l'arbitrage avec assesseurs à moins que, dans les quinze jours de sa nomination, il n'y ait entente à l'effet contraire entre les parties.

Assesseur — Chaque partie désigne, dans les quinze jours de la nomination de l'arbitre, un assesseur pour assister ce dernier et la représenter au cours de l'audition du différend et du délibéré. Si une partie ne désigne pas un assesseur dans ce délai, l'arbitre peut procéder en l'absence de l'assesseur de cette partie.

Absence de l'assesseur — Il peut procéder en l'absence d'un assesseur lorsque celui-ci ne se présente pas après avoir été régulièrement convoqué.

S.R.Q. 1964, c. 141, art. 66; 1969, c. 47, art. 34; 1983, c. 22, art. 34

79. Serment — L'arbitre est tenu de rendre sa sentence selon l'équité et la bonne conscience.

Sentence — Pour rendre sa sentence, l'arbitre peut tenir compte, entre autres, des conditions de travail qui prévalent dans des entreprises semblables ou dans des circonstances similaires ainsi que des conditions de travail applicables aux autres salariés de l'entreprise.

S.R.Q. 1964, c. 141, art. 67; 1983, c. 22, art. 35; 1994, c. 6, art. 18

80. Remplacement de l'arbitre — En cas de démission, de refus d'agir ou d'empêchement de l'arbitre, il est remplacé suivant la procédure prévue pour la nomination originale.

Remplacement de l'assesseur — En cas de démission, de refus d'agir ou d'empêchement d'un assesseur, la partie qui l'a désigné lui nomme un remplaçant. L'arbitre peut poursuivre l'arbitrage si la partie ne désigne pas un remplaçant dans le délai qu'il indique.

S.R.Q. 1964, c. 141, art. 68; 1983, c. 22, art. 36; 1999, c. 40, art. 59

81. Procédure — L'arbitre procède en toute diligence à l'instruction du différend selon la procédure et le mode de preuve qu'il juge appropriés.

S.R.Q. 1964, c. 141, art. 69; 1983, c. 22, art. 37

82. Séances — Les séances d'arbitrage sont publiques; l'arbitre peut toutefois, de son chef ou à la demande de l'une des parties, ordonner le huis clos.

S.R.Q. 1964, c. 141, art. 70; 1983, c. 22, art. 38

83. Pouvoirs de l'arbitre — L'arbitre a tous les pouvoirs d'un juge de la Cour supérieure pour la conduite des séances d'arbitrage; il ne peut cependant imposer l'emprisonnement.

S.R.Q. 1964, c. 141, art. 71; 1983, c. 22, art. 39

84. Citation à comparaître des témoins — Sur demande des parties ou à l'initiative de l'arbitre, les témoins sont cités à comparaître par ordre écrit, signé par l'arbitre. Celui-ci peut faire prêter serment.

S.R.Q. 1964, c. 141, art. 72; 1983, c. 22, art. 40; 1994, c. 6, art. 19; N.I. 2016-01-01 (NCPC)

85. Contrainte des témoins — Une personne dûment citée à comparaître devant un arbitre qui refuse de comparaître ou de témoigner peut y être contrainte comme si elle avait été citée à comparaître suivant le *Code de procédure civile* (chapitre C-25.01).

S.R.Q. 1964, c. 141, art. 73; 1983, c. 22, art. 41; 1990, c. 4, art. 227; N.I. 2016-01-01 (NCPC)

86. Indemnité des témoins — Toute personne citée à comparaître pour témoigner devant un arbitre a droit à la même indemnité que les témoins en Cour supérieure et au remboursement de ses frais de déplacement et de séjour.

Frais de déplacement — Cette somme est payable par la partie qui a proposé la citation à comparaître, mais la personne qui bénéficie de son salaire durant cette période n'a droit qu'au remboursement des frais de déplacement et de séjour.

Citation à comparaître par l'arbitre — Lorsqu'une personne est dûment citée à comparaître à l'initiative d'un arbitre, cette somme est payable à parts égales par les parties.

S.R.Q. 1964, c. 141, art. 74; 1994, c. 6, art. 20; 2001, c. 26, art. 42; N.I. 2016-01-01 (NCPC)

87. Notification — L'arbitre peut communiquer ou autrement notifier tout ordre, document ou procédure émanant de lui ou des parties en cause.

S.R.Q. 1964, c. 141, art. 75; 1983, c. 22, art. 42; 1994, c. 6, art. 21; N.I. 2016-01-01 (NCPC)

88. Sentence — La sentence arbitrale doit être motivée et rendue par écrit. Elle doit être signée par l'arbitre.

S.R.Q. 1964, c. 141, art. 76; 1983, c. 22, art. 43

89. Transmission de la sentence — L'arbitre transmet l'original de la sentence au ministre et en expédie, en même temps, une copie à chaque partie.

S.R.Q. 1964, c. 141, art. 77; 1977, c. 41, art. 44; 1983, c. 22, art. 44; 2001, c. 26, art. 43; 2006, c. 58, art. 8

90. Délai — L'arbitre doit rendre sa sentence dans les 60 jours suivant la fin de la dernière séance d'arbitrage.

Délai supplémentaire — En cas d'empêchement de l'arbitre, le ministre peut toutefois, à la demande de l'arbitre ou d'une partie, accorder à l'arbitre un délai supplémentaire d'un nombre de jours précis.

Délai supplémentaire — Lorsqu'il juge que les circonstances et l'intérêt des parties le justifient, le ministre peut aussi, à la demande de l'arbitre, lui accorder un délai supplémentaire n'excédant pas 30 jours, qu'il peut, aux mêmes conditions, prolonger de nouveau.

S.R.Q. 1964, c. 141, art. 78; 1983, c. 22, art. 45; 2001, c. 26, art. 44

91. Décision intérimaire — En tout temps avant sa sentence finale, un arbitre peut rendre toute décision intérimaire qu'il croit juste et utile.

S.R.Q. 1964, c. 141, art. 79; 1983, c. 22, art. 46

91.1 Correction — L'arbitre peut corriger en tout temps une sentence entachée d'erreur d'écriture ou de calcul, ou de toute autre erreur matérielle.

1993, c. 6, art. 3

92. Durée de la sentence — La sentence de l'arbitre lie les parties pour une durée d'au moins un an et d'au plus trois ans. Les parties peuvent cependant convenir d'en modifier le contenu en partie ou en tout.

Étendue de la sentence — Même si la sentence expire à une date antérieure à celle où elle est rendue, elle peut néanmoins couvrir toutes les matières qui n'ont pas fait l'objet d'un accord entre les parties.

S.R.Q. 1964, c. 141, art. 80; 1983, c. 22, art. 47; 2001, c. 26, art. 45

93. Effet de la sentence — La sentence a l'effet d'une convention collective signée par les parties.

Exécution — Elle peut être exécutée sous l'autorité d'un tribunal compétent, sur poursuite intentée par une partie, laquelle n'est pas tenue de mettre en cause la personne pour le bénéfice de laquelle elle agit.

S.R.Q. 1964, c. 141, art. 81

SECTION I.1 — DE LA PREMIÈRE CONVENTION COLLECTIVE

93.1 Négociation d'une première convention collective — Dans le cas de la négociation d'une première convention collective pour le groupe de salariés visé par l'accréditation, une partie peut demander au ministre de soumettre le différend à un arbitre après que l'intervention du conciliateur se sera avérée infructueuse.

1977, c. 41, art. 45; 1983, c. 22, art. 48

93.2 Demande au ministre — La demande au ministre doit être faite par écrit et copie doit en être transmise en même temps à l'autre partie.

1977, c. 41, art. 45

93.3 Arbitre — Même si l'intervention du conciliateur, jusqu'alors infructueuse, s'est poursuivie après la demande d'arbitrage, le ministre peut charger un arbitre de tenter de régler le différend.

1977, c. 41, art. 45; 1983, c. 22, art. 48; 2006, c. 58, art. 9

93.4 Décision du contenu de la convention collective — L'arbitre doit décider de déterminer le contenu de la première convention collective lorsqu'il est d'avis qu'il est improbable que les parties puissent en arriver à la conclusion d'une convention collective dans un délai raisonnable. Il informe alors les parties et le ministre de sa décision.

1977, c. 41, art. 45; 1983, c. 22, art. 49

93.5 Arrêt de la grève ou du lock-out — Si une grève ou un lock-out est en cours à ce moment, il doit prendre fin à compter du moment où l'arbitre informe les parties qu'il a jugé nécessaire de déterminer le contenu de la convention collective pour régler le différend.

Conditions de travail applicables — À partir de ce moment, les conditions de travail applicables aux salariés compris dans l'unité de négociation sont celles dont le maintien est prévu à l'article 59.

1977, c. 41, art. 45; 1983, c. 22, art. 50

93.6 (*Abrogé*).

1977, c. 41, art. 45; 1983, c. 22, art. 51

93.7 Accord des parties — Les parties peuvent, à tout moment, s'entendre sur l'une des questions faisant l'objet du différend.

Consignation de l'accord — L'accord est consigné à la sentence arbitrale, qui ne peut le modifier.

1977, c. 41, art. 45

93.8 (*Abrogé*).

1977, c. 41, art. 45; 1983, c. 22, art. 52

93.9 Dispositions applicables — Les articles 75 à 93 s'appliquent à l'arbitrage prévu à la présente section.

1977, c. 41, art. 45; 1983, c. 22, art. 53; 2001, c. 26, art. 46; 2006, c. 58, art. 10

SECTION II — DES POLICIERS ET POMPIERS (ABROGÉE)

94. (*Abrogé*).

S.R.Q. 1964, c. 141, art. 82; 1969, c. 47, art. 35; 1977, c. 41, art. 46; 1983, c. 22, art. 54; 1993, c. 6, art. 4; 1996, c. 2, art. 221; 1996, c. 30, art. 1; 2016, c. 24, art. 51

95. (*Abrogé*).

S.R.Q. 1964, c. 141, art. 83; 1983, c. 22, art. 55; 1993 c. 6, art. 4; 1996, c. 30, art. 2

96. (*Abrogé*).

S.R.Q. 1964, c. 141, art. 84; 1983, c. 22, art. 56; 1993, c. 6, art. 4; 1996, c. 30, art. 3; 2016, c. 24, art. 51

97. (*Abrogé*).

S.R.Q. 1964, c. 141, art. 85; 1983, c. 22, art. 57; 1993, c. 6, art. 4; 1996, c. 30, art. 3; 2016, c. 24, art. 51

98. (*Abrogé*).

S.R.Q. 1964, c. 141, art. 86; 1983, c. 22, art. 58; 1993, c. 6, art. 4; 1996, c. 30, art. 3; 2016, c. 24, art. 51

99. (*Abrogé*).

S.R.Q. 1964, c. 141, art. 87; 1983, c. 22, art. 59; 1993, c. 6, art. 4; 1996, c. 2, art. 221; 2016, c. 24, art. 51

99.1 (*Abrogé*).

1993, c. 6, art. 4; 2016, c. 24, art. 51

99.1.1 (*Abrogé*).

1996, c. 30, art. 4; 2016, c. 24, art. 51

99.2 (*Abrogé*).

1993, c. 6, art. 4; 2016, c. 24, art. 51

99.3 (*Abrogé*).

1993, c. 6, art. 4; 1994, c. 6, art. 22; 2016, c. 24, art. 51

99.4 (*Abrogé*).

1993, c. 6, art. 4; 1996, c. 30, art. 5; 2016, c. 24, art. 51

99.5 (*Abrogé*).

1993, c. 6, art. 4; 1996, c. 2, art. 221; 1996, c. 30, art. 6; 2016, c. 24, art. 51

99.6 (*Abrogé*).

1993, c. 6, art. 4; 2016, c. 24, art. 51

99.7 (*Abrogé*).

1993, c. 6, art. 4; 1996, c. 30, art. 7; 2016, c. 24, art. 51

99.8 (*Abrogé*).

1993, c. 6, art. 4; 2001, c. 26, art. 47; 2016, c. 24, art. 51

99.9 (*Abrogé*).

1993, c. 6, art. 4; 1994, c. 6, art. 23; 1996, c. 2, art. 221; 2001, c. 26, art. 48; 2006, c. 58, art. 11; 2016, c. 24, art. 51

99.10 (*Abrogé*).

1993, c. 6, art. 4; 1996, c. 2, art. 221; 2016, c. 24, art. 51

99.11 (*Abrogé*).

1993, c. 6, art. 4; 2016, c. 24, art. 51

SECTION III — DE L'ARBITRE DE GRIEF

100. Arbitrage des griefs — Tout grief doit être soumis à l'arbitrage en la manière prévue dans la convention collective si elle y pourvoit et si l'association accréditée et l'employeur y donnent suite; sinon il est déféré à un arbitre choisi par l'association accréditée et l'employeur ou, à défaut d'accord, nommé par le ministre.

Choix de l'arbitre — L'arbitre nommé par le ministre est choisi sur la liste prévue à l'article 77.

Incompatibilité des dispositions — Sauf disposition contraire, les dispositions de la présente section prévalent, en cas d'incompatibilité, sur les dispositions de toute convention collective.

S.R.Q. 1964, c. 141, art. 88; 1969, c. 47, art. 36; 1969, c. 48, art. 28; 1977, c. 41, art. 48; 1983, c. 22, art. 61

100.0.1 Grief — Un grief soumis à l'autre partie dans les quinze jours de la date où la cause de l'action a pris naissance ne peut être rejeté par l'arbitre au seul motif que le délai prévu à la convention collective n'a pas été respecté.

1983, c. 22, art. 62

100.0.2 Grief déféré à l'arbitrage — Lorsque les parties ont réglé un grief avant qu'il ne soit déféré à l'arbitrage et qu'une des parties refuse de donner suite au règlement intervenu, l'autre partie peut déférer le grief à l'arbitrage malgré toute entente à l'effet contraire et malgré l'expiration des délais prévus aux articles 71, 100.0.1 ou à la convention collective.

1983, c. 22, art. 62

100.1 Immunité de l'arbitre — L'arbitre ne peut être poursuivi en justice en raison d'actes accomplis de bonne foi dans l'exercice de ses fonctions.

1977, c. 41, art. 48; 1983, c. 22, art. 63

100.1.1 Entente — L'arbitre procède à l'arbitrage avec assesseurs si, dans les quinze jours de sa nomination, il y a entente à cet effet entre les parties.

Désignation de l'assesseur — En cas d'entente, chaque partie désigne, dans le délai prévu au premier alinéa, un assesseur pour assister l'arbitre et la représenter au cours de l'audition du grief et du délibéré. Si une partie refuse de donner suite à l'entente dans ce délai, l'arbitre peut procéder en l'absence de l'assesseur de cette partie.

Absence — Il peut procéder en l'absence d'un assesseur lorsque celui-ci ne se présente pas après avoir été régulièrement convoqué.

1983, c. 22, art. 64

100.1.2 Remplacement — En cas de démission, de refus d'agir ou d'empêchement de l'arbitre, il est remplacé suivant la procédure prévue pour la nomination originale.

Remplaçant — En cas de démission, de refus d'agir ou d'empêchement d'un assesseur, la partie qui l'a désigné lui nomme un remplaçant. L'arbitre peut poursuivre l'arbitrage si la partie ne désigne pas un remplaçant dans le délai qu'il indique.

1983, c. 22, art. 64; 1999, c. 40, art. 59

100.2 Instruction du grief — L'arbitre doit procéder en toute diligence à l'instruction du grief et, sauf disposition contraire de la convention collective, selon la procédure et le mode de preuve qu'il juge appropriés.

Convocation d'office — À cette fin, il peut, d'office, convoquer les parties pour procéder à l'audition du grief.

Conférence préparatoire — Aux fins prévues à l'article 27 de la *Loi instituant le Tribunal administratif du travail* (chapitre T-15.1), il peut aussi tenir avec elles une conférence préparatoire à l'audition du grief.

1977, c. 41, art. 48; 1983, c. 22, art. 65; 2001, c. 26, art. 49; 2015, c. 15, art. 133

100.2.1 Vice de forme — Aucun grief ne peut être rejeté pour vice de forme ou irrégularité de procédure.

1983, c. 22, art. 66; 1999, c. 40, art. 59

100.3 Sentence : accord ou désistement — Si l'arbitre est informé par écrit du règlement total ou partiel ou du désistement d'un grief dont il a été saisi, il en donne acte et dépose sa sentence conformément à l'article 101.6.

1977, c. 41, art. 48; 1983, c. 22, art. 67

100.4 Séances publiques — Les séances d'arbitrage sont publiques; l'arbitre peut toutefois, de son chef ou à la demande de l'une des parties, ordonner le huis clos.

1977, c. 41, art. 48; 1983, c. 22, art. 68

100.5 Audition des parties — L'arbitre doit donner à l'association accréditée, à l'employeur et au salarié intéressé l'occasion d'être entendus.

Audition en l'absence d'un intéressé — Si un intéressé ci-dessus dûment convoqué par un avis écrit d'au moins cinq jours francs de la date, de l'heure et du lieu où il pourra se faire entendre ne se présente pas ou refuse de se faire entendre, l'arbitre peut procéder à l'audition de l'affaire et aucun recours judiciaire ne peut être fondé sur le fait qu'il a ainsi procédé en l'absence de cet intéressé.

1977, c. 41, art. 48; 1983, c. 22, art. 69

100.6 Citation à comparaître d'un témoin — À la demande d'une partie ou de sa propre initiative, l'arbitre peut citer un témoin à comparaître pour déclarer ce qu'il connaît, pour produire un document ou pour les deux objets à la fois, sauf s'il est d'avis que la demande de citation à comparaître est futile à sa face même. La citation à comparaître doit être signifiée au moins cinq jours francs avant la convocation.

Contrainte — Une personne ainsi citée qui refuse de comparaître, de témoigner ou de produire les documents requis peut y être contrainte comme si elle avait été citée à comparaître suivant le *Code de procédure civile* (chapitre C-25.01).

Serment — L'arbitre peut exiger et recevoir le serment d'un témoin.

Indemnité des témoins et remboursement des frais — Le témoin cité à comparaître a droit à la même indemnité que les témoins en Cour supérieure et au remboursement de ses frais de déplacement et de séjour.

Frais de déplacement et de séjour — Cette somme est payable par la partie qui a proposé la citation à comparaître, mais la personne qui bénéficie de son salaire durant cette période n'a droit qu'au remboursement des frais de déplacement et de séjour.

Citation à comparaître par l'arbitre — Lorsqu'une personne est dûment citée à comparaître à l'initiative d'un arbitre, cette somme est payable à parts égales par les parties.

1977, c. 41, art. 48; 1983, c. 22, art. 70; 1990, c. 4, art. 228; 1999, c. 40, art. 59; 2001, c. 26, art. 50; 2001, c. 26, art. 50; N.I. 2016-01-01 (NCPC)

100.7 Pouvoir d'interroger — L'arbitre peut poser à un témoin les questions qu'il croit utiles.

1977, c. 41, art. 48; 1983, c. 22, art. 71

100.8 Refus de répondre — Un témoin ne peut refuser de répondre pour le motif que sa réponse pourrait tendre à l'incriminer ou à l'exposer à une poursuite, de quelque nature qu'elle puisse être; mais s'il fait une objection en ce sens, sa réponse ne pourra servir contre lui dans une poursuite pénale intentée en vertu d'une loi du Québec.

1977, c. 41, art. 48

100.9 Visite des lieux — À la demande de l'une des parties ou de sa propre initiative, l'arbitre peut visiter les lieux qui se rapportent au grief dont il est saisi. Il doit alors inviter les parties à l'accompagner.

Examen, interrogation — À l'occasion d'une visite des lieux, l'arbitre peut examiner tout bien qui se rapporte au grief. Il peut aussi, à cette occasion, interroger les personnes qui s'y trouvent.

1977, c. 41, art. 48; 1983, c. 22, art. 72; 1999, c. 40, art. 59

100.10 Arbitrage quant au maintien des conditions de travail — Une mésentente relative au maintien des conditions de travail prévu à l'article 59 ou à l'article 93.5, doit être déférée à l'arbitrage par l'association de salariés intéressée comme s'il s'agissait d'un grief.

1977, c. 41, art. 48

100.11 Sentence fondée sur la preuve — L'arbitre doit rendre une sentence à partir de la preuve recueillie à l'enquête.

1977, c. 41, art. 48; 1983, c. 22, art. 73

100.12 Pouvoirs de l'arbitre — Dans l'exercice de ses fonctions l'arbitre peut :

a) interpréter et appliquer une loi ou un règlement dans la mesure où il est nécessaire de le faire pour décider d'un grief;

b) fixer les modalités de remboursement d'une somme qu'un employeur a versée en trop à un salarié;

c) ordonner le paiement d'un intérêt au taux légal à compter du dépôt du grief, sur les sommes dues en vertu de sa sentence.

Indemnité — Il doit être ajouté à ce montant une indemnité calculée en appliquant à ce montant, à compter de la même date, un pourcentage égal à l'excédent du taux d'intérêt fixé suivant l'article 28 de la *Loi sur le ministère du Revenu* (chapitre M-31) sur le taux légal d'intérêt;

d) fixer, à la demande d'une partie, le montant dû en vertu d'une sentence qu'il a rendue;

e) corriger en tout temps une décision entachée d'erreur d'écriture ou de calcul, ou de quelque autre erreur matérielle;

f) en matière disciplinaire, confirmer, modifier ou annuler la décision de l'employeur et, le cas échéant, y substituer la décision qui lui paraît juste et raisonnable, compte tenu de toutes les circonstances de l'affaire. Toutefois, lorsque la convention collective prévoit une sanction déterminée pour la faute reprochée au salarié dans le cas soumis à l'arbitrage, l'arbitre ne peut que confirmer ou annuler la décision de l'employeur ou, le cas échéant, la modifier pour la rendre conforme à la sanction prévue à la convention collective;

g) rendre toute autre décision, y compris une ordonnance provisoire, propre à sauvegarder les droits des parties.

1977, c. 41, art. 48; 1983, c. 22, art. 74; 2001, c. 26, art. 51

100.13 (*Abrogé*).

1977, c. 41, art. 48; 1983, c. 22, art. 75

100.14 (*Abrogé*).

1977, c. 41, art. 48; 1983, c. 22, art. 75

100.15 (*Abrogé*).

1977, c. 41, art. 48; 1983, c. 22, art. 75

100.16 Réouverture d'enquête — L'arbitre peut ordonner de son propre chef la réouverture de l'enquête.

1977, c. 41, art. 48; 1983, c. 22, art. 76

101. Sentence sans appel — La sentence arbitrale est sans appel, lie les parties et, le cas échéant, tout salarié concerné. L'article 51 de la *Loi instituant le Tribunal administratif du travail* (chapitre T-15.1) s'applique à la sentence, compte tenu des adaptations nécessaires.

S.R.Q. 1964, c. 141, art. 89; 1977, c. 41, art. 49; 1983, c. 22, art. 77; 2001, c. 26, art. 52; 2015, c. 15, art. 134

101.1 (*Abrogé*).

1977, c. 41, art. 50; 1983, c. 22, art. 78

101.2 Sentence motivée — La sentence arbitrale doit être motivée et rendue par écrit. Elle doit être signée par l'arbitre.

1977, c. 41, art. 50; 1983, c. 22, art. 79

101.3 Secret du délibéré — L'arbitre et les assesseurs sont tenus de garder le secret du délibéré jusqu'à la date de la sentence.

1977, c. 41, art. 50; 1983, c. 22, art. 80

101.4 (*Abrogé*).

1977, c. 41, art. 50; 1983, c. 22, art. 81

101.5 Délai — À défaut d'un délai fixé à la convention collective, l'arbitre doit rendre sa sentence dans les 90 jours suivant, soit la fin de la dernière séance d'arbitrage, soit le début du délibéré lorsqu'il n'y a pas de séance d'arbitrage, à moins que les parties ne consentent par écrit, avant l'expiration du délai, à accorder un délai supplémentaire d'un nombre de jours précis.

1977, c. 41, art. 50; 1983, c. 22, art. 82; 1994, c. 6, art. 24

101.6 Dépôt de la sentence — L'arbitre doit déposer la sentence en deux exemplaires ou copies conformes à l'original auprès du ministre et transmettre en même temps une copie de la sentence à chacune des parties.

1977, c. 41, art. 50; 1983, c. 22, art. 83; 2001, c. 26, art. 53; 2006, c. 58, art. 12

101.7 Ordonnance du Tribunal — À défaut par l'arbitre de rendre sa sentence dans le délai de l'article 101.5 ou de la déposer et de la transmettre aux parties conformément à l'article 101.6, le Tribunal peut, sur requête d'une partie, rendre l'ordonnance qu'il juge nécessaire pour que la sentence soit rendue, déposée et transmise dans les meilleurs délais.

1977, c. 41, art. 50; 1983, c. 22, art. 84; 1994, c. 6, art. 25; 2001, c. 26, art. 54; 2015, c. 15, art. 237

101.8 Honoraires de l'arbitre — L'arbitre ne peut exiger d'honoraires et de frais à moins qu'il ne rende sa sentence dans un délai conforme à l'article 101.5 et qu'il ne présente aux parties une preuve de l'envoi de la sentence au ministre.

1977, c. 41, art. 50; 1983, c. 22, art. 85; 2001, c. 26, art. 55; 2006, c. 58, art. 13

101.9 Conservation du dossier — L'arbitre doit conserver le dossier de l'arbitrage pendant deux ans à compter du dépôt de la sentence.

1977, c. 41, art. 50; 1983, c. 22, art. 85

101.10 (*Abrogé*).

1977, c. 41, art. 50; 2001, c. 26, art. 56; 2006, c. 58, art. 14

102. Mésentente — Pendant la durée d'une convention collective, toute mésentente autre qu'un grief au sens de l'article 1 ou autre qu'un différend pouvant résulter de l'application de l'article 107, ne peut être réglée que de la façon prévue dans la convention et dans la mesure où elle y pourvoit. Si une telle mésentente est soumise à l'arbitrage, les articles 100 à 101.10 s'appliquent.

S.R.Q. 1964, c. 141, art. 90; 1977, c. 41, art. 51

SECTION IV — DE LA RÉGLEMENTATION

103. Rémunération et frais — Le gouvernement peut, par règlement, déterminer, après consultation du Comité consultatif du travail et de la main-d'œuvre visé à l'article 12.1 de la *Loi sur le ministère du Travail* (chapitre M-32.2), la rémunération et les frais des arbitres de griefs et de différends nommés par le ministre, un ou des modes de détermination de la rémunération et des frais des arbitres choisis par les parties ainsi que les situations auxquelles ce règlement ne s'applique pas.

Paiement — Ce règlement peut également déterminer qui assume le paiement de cette rémunération et de ces frais et, s'il y a lieu, dans quelle proportion.

Règlement des différends — Le gouvernement peut aussi faire tout règlement jugé nécessaire pour donner effet aux dispositions du chapitre IV.

S.R.Q. 1964, c. 141, art. 91; 1977, c. 41, art. 52; 1983, c. 22, art. 86; 1991, c. 76, art. 4; 1994, c. 6, art. 26; 2001, c. 26, art. 57; 2011, c. 16, art. 86

104. Publication — Ces règlements n'entrent en vigueur qu'après publication à la *Gazette officielle du Québec*.

S.R.Q. 1964, c. 141, art. 92; 1968, c. 23, art. 8

Chapitre V — Des grèves et lock-out

105. Policiers et pompiers — Toute grève est interdite en toute circonstance aux policiers et pompiers à l'emploi d'une municipalité ou d'une régie intermunicipale.

Municipalité employeur — Les pompiers à l'emploi d'une entreprise qui assure, par contrat avec une municipalité ou une régie intermunicipale, les services de protection contre l'incendie sur le territoire d'une municipalité sont, pour l'application du présent article, réputés être à l'emploi de la municipalité ou de la régie intermunicipale, selon le cas.

S.R.Q. 1964, c. 141, art. 93; 1983, c. 22, art. 87; 1985, c. 27, art. 36; 1996, c. 2, art. 220

106. Grève interdite — La grève est interdite tant qu'une association des salariés en cause n'a pas été accréditée et n'y a pas acquis droit suivant l'article 58.

S.R.Q. 1964, c. 141, art. 94; 1969, c. 47, art. 37

107. Grève interdite — La grève est prohibée pendant la durée d'une convention collective, à moins que celle-ci ne renferme une clause en permettant la révision par les parties et que les conditions prescrites à l'article 106 n'aient été observées.

S.R.Q. 1964, c. 141, art. 95

108. Ralentissement d'activités — Nulle association de salariés ou personne agissant dans l'intérêt d'une telle association ou d'un groupe de salariés n'ordonnera, n'encouragera ou n'appuiera un ralentissement d'activités destiné à limiter la production.

S.R.Q. 1964, c. 141, art. 96

109. Lock-out — Le lock-out est interdit sauf dans le cas où une association de salariés a acquis droit à la grève.

S.R.Q. 1964, c. 141, art. 97

109.1 Interdiction à l'employeur — Pendant la durée d'une grève déclarée conformément au présent code ou d'un lock-out, il est interdit à un employeur :

a) d'utiliser les services d'une personne pour remplir les fonctions d'un salarié faisant partie de l'unité de négociation en grève ou en lock-out lorsque cette personne a été embauchée entre le jour où la phase des négociations commence et la fin de la grève ou du lock-out;

b) d'utiliser, dans l'établissement où la grève ou le lock-out a été déclaré, les services d'une personne à l'emploi d'un autre employeur ou ceux d'un entrepreneur pour remplir les fonctions d'un salarié faisant partie de l'unité de négociation en grève ou en lock-out;

c) d'utiliser, dans l'établissement où la grève ou le lock-out a été déclaré, les services d'un salarié qui fait partie de l'unité de négociation alors en grève ou en lock-out à moins :

(i) qu'une entente ne soit intervenue à cet effet entre les parties, dans la mesure où elle y pourvoit, et que, dans le cas d'un établissement visé à l'article 111.2, cette entente ait été approuvée par le Tribunal;

(ii) que, dans un service public, une liste n'ait été transmise ou dans le cas d'un établissement visé à l'article 111.2, n'ait été approuvée en vertu du chapitre V.1, dans la mesure où elle y pourvoit;

(iii) que, dans un service public, un décret n'ait été pris par le gouvernement en vertu de l'article 111.0.24.

d) d'utiliser, dans un autre de ses établissements, les services d'un salarié qui fait partie de l'unité de négociation alors en grève ou en lock-out;

e) d'utiliser, dans l'établissement où la grève ou le lock-out a été déclaré, les services d'un salarié qu'il emploie dans un autre établissement;

f) d'utiliser, dans l'établissement où la grève ou le lock-out a été déclaré, les services d'une personne autre qu'un salarié qu'il emploie dans un autre établissement sauf lorsque des salariés de ce dernier établissement font partie de l'unité de négociation alors en grève ou en lock-out;

g) d'utiliser, dans l'établissement où la grève ou le lock-out a été déclaré, les services d'un salarié qu'il emploie dans cet établissement pour remplir les fonctions d'un salarié faisant partie de l'unité de négociation en grève ou en lock-out.

1977, c. 41, art. 53; 1978, c. 52, art. 2; 1982, c. 37, art. 2; 1983, c. 22, art. 88; 1985, c. 12, art. 83; 2011, c. 16, art. 130; 2015, c. 15, art. 237

109.2 Exemption — Au cas de violation par l'association accréditée ou les salariés qu'elle représente, d'une entente, d'une liste ou d'un décret visés aux sous-paragraphes i, ii ou iii du paragraphe c de l'article 109.1, l'employeur est exempté de l'application de l'article 109.1 dans la mesure où cela est nécessaire pour assurer le respect de l'entente, de la liste ou du décret qui a été violé.

1977, c. 41, art. 53; 1978, c. 52, art. 3; 1982, c. 37, art. 3; 1983, c. 22, art. 89

109.3 Protection des biens — L'application de l'article 109.1 ne peut avoir pour effet d'empêcher un employeur de prendre, le cas échéant, les moyens nécessaires pour éviter la destruction ou la détérioration grave de ses biens.

Moyens de conservation — Ces moyens doivent être exclusivement des moyens de conservation et non des moyens visant à permettre la continuation de la production de biens ou services que l'article 109.1 ne permettrait pas autrement.

1977, c. 41, art. 53; 1999, c. 40, art. 59

109.4 Enquête — Sur demande, le ministre peut dépêcher un enquêteur chargé de vérifier si les articles 109.1, 109.2 ou 109.3 sont respectés.

Personnes désignées — L'enquêteur peut visiter les lieux de travail, à toute heure raisonnable, et se faire accompagner d'une personne désignée par l'association accréditée, d'une personne désignée par l'employeur ainsi que de toute autre personne dont il juge la présence nécessaire aux fins de son enquête.

Identification — Sur demande, l'enquêteur doit s'identifier et exhiber le certificat, signé par le ministre, attestant sa qualité.

Rapport d'enquête — Sitôt son enquête terminée, l'enquêteur fait rapport au ministre et envoie une copie de ce rapport aux parties.

Pouvoirs, immunité et privilèges — L'enquêteur est investi, aux fins de son enquête, de tous les pouvoirs, immunité et privilèges d'un commissaire nommé en vertu de la *Loi sur les commissions d'enquête* (chapitre C-37), sauf du pouvoir d'imposer une peine d'emprisonnement.

1977, c. 41, art. 53; 1986, c. 95, art. 80; 1992, c. 61, art. 176

109.5 (*Abrogé*).

1987, c. 85, art. 32; 2001, c. 26, art. 173

110. Maintien de l'emploi — Personne ne cesse d'être un salarié pour l'unique raison qu'il a cessé de travailler par suite de grève ou lock-out.

Interruption de travail — Rien dans le présent code n'empêche une interruption de travail qui ne constitue pas une grève ou un lock-out.

S.R.Q. 1964, c. 141, art. 98

110.1 Recouvrement d'emploi — À la fin d'une grève ou d'un lock-out, tout salarié qui a fait grève ou a été lock-outé a le droit de recouvrer son emploi de préférence à toute autre personne, à moins que l'employeur n'ait une cause juste et suffisante, dont la preuve lui incombe, de ne pas rappeler ce salarié.

Recours — Une mésentente entre l'employeur et l'association accréditée relative au non-rappel au travail d'un salarié qui a fait grève ou qui a été lock-outé doit être déférée à l'arbitre comme s'il s'agissait d'un grief dans les six mois de la date où le salarié aurait dû recouvrer son emploi.

Application — Les articles 47.2 à 47.6 et 100 à 101.10 s'appliquent.

1977, c. 41, art. 54; 1983, c. 22, art. 90

111. (*Abrogé*).

S.R.Q. 1964, c. 141, art. 99; 1965 (1re sess.), c. 50, art. 5; 1982, c. 37, art. 4

Chapitre V.1 — Dispositions particulières applicables aux services publics et aux secteurs public et parapublic

Section I — Du conseil des services essentiels (Abrogée)

111.0.1 (*Abrogé*).

1982, c. 37, art. 6; 2011, c. 16, art. 131

111.0.2 (*Abrogé*).

1982, c. 37, art. 6; 1984, c. 45, art. 1; 2011, c. 16, art. 131

111.0.3 (*Abrogé*).

1982, c. 37, art. 6; 1984, c. 45, art. 2; 1989, c. 53, art. 12; 1995, c. 27, art. 18; 2011, c. 16, art. 131

111.0.4 (*Abrogé*).

1982, c. 37, art. 6; 1984, c. 45, art. 3; 2011, c. 16, art. 131

111.0.5 (*Abrogé*).

1982, c. 37, art. 6; 1984, c. 45, art. 4; 2011, c. 16, art. 131

111.0.6 (*Abrogé*).

1982, c. 37, art. 6; 2011, c. 16, art. 131

111.0.7 (*Abrogé*).

1982, c. 37, art. 6; 1984, c. 45, art. 5; 2011, c. 16, art. 131

111.0.8 (*Abrogé*).

1982, c. 37, art. 6; 1984, c. 45, art. 6; 1985, c. 12, art. 84; 1998, c. 23, art. 1; 2011, c. 16, art. 131

111.0.9 (*Abrogé*).

1982, c. 37, art. 6; 2011, c. 16, art. 131

111.0.10 (*Abrogé*).
1982, c. 37, art. 6; 1985, c. 12, art. 85; 2011, c. 16, art. 131

111.0.10.1 (*Abrogé*).
1993, c. 6, art. 5; 2011, c. 16, art. 131

111.0.11 (*Abrogé*).
1982, c. 37, art. 6; 2011, c. 16, art. 131

111.0.12 (*Abrogé*).
1982, c. 37, art. 6; 1985, c. 12, art. 86; 1985, c. 40, art. 2; 2011, c. 16, art. 131

111.0.13 (*Abrogé*).
1982, c. 37, art. 6; 2000, c. 8, art. 110; 2011, c. 16, art. 131

111.0.14 (*Abrogé*).
1982, c. 37, art. 6; 2011, c. 16, art. 131

SECTION II — DES SERVICES PUBLICS

111.0.15 Dispositions applicables — Les dispositions du présent code s'appliquent aux relations du travail dans un service public, sauf dans la mesure où elles sont inconciliables avec celles de la présente section.
1982, c. 37, art. 6

111.0.16 Interprétation — Dans la présente section, on entend par « service public » :

1° une municipalité et une régie intermunicipale;

1.1° un établissement visé par la *Loi sur les services de santé et les services sociaux* (chapitre S-4.2) qui n'est pas visé au paragraphe 2° de l'article 111.2;

1.2° une agence de la santé et des services sociaux;

2° un établissement et un conseil régional au sens des paragraphes a et f de l'article 1 de la *Loi sur les services de santé et les services sociaux pour les autochtones cris* (chapitre S-5) qui ne sont pas visés au paragraphe 2° de l'article 111.2;

3° une entreprise de téléphone;

4° une entreprise de transport terrestre à itinéraire asservi tels un chemin de fer et un métro, et une entreprise de transport par autobus ou par bateau;

5° une entreprise de production, de transport, de distribution ou de vente de gaz ou d'électricité ainsi qu'une entreprise d'emmagasinage de gaz;

5.1° une entreprise qui exploite ou entretient un système d'aqueduc, d'égout, d'assainissement ou de traitement des eaux;

5.2° un organisme de protection de la forêt contre les incendies reconnu en vertu de l'article 181 de la *Loi sur sur l'aménagement durable du territoire forestier* (chapitre A-18.1);

6° une entreprise d'incinération de déchets ou d'enlèvement, de transport, d'entreposage, de traitement, de transformation ou d'élimination d'ordures ménagères, de déchets biomédicaux, d'animaux morts impropres à la consommation humaine ou de résidus d'animaux destinés à l'équarrissage;

7° une entreprise de services ambulanciers, la Corporation d'urgence-santé et un centre de communication santé visés par la *Loi sur les services préhospitaliers d'urgence* (chapitre S-6.2) et une entreprise de cueillette, de transport ou de distribution du sang ou de ses dérivés ou d'organes humains destinés à la transplantation; ou

8° un organisme mandataire de l'État à l'exception de la Société des alcools du Québec et d'un organisme dont le personnel est nommé selon la *Loi sur la fonction publique* (chapitre F-3.1.1).
1982, c. 37, art. 6; 1983, c. 55, art. 161; 1988, c. 47, art. 3; 1990, c. 69, art. 3; 1992, c. 21, art. 128; 1994, c. 6, art. 27; 1994, c. 23, art. 23; 1996,

c. 2, art. 221; 1998, c. 23, art. 2; 1999, c. 40, art. 59; 2000, c. 8, art. 242; 2002, c. 69, art. 125; 2005, c. 32, art. 308; 2006, c. 58, art. 15; 2010, c. 3, art. 270

111.0.17 Ordonnance sur le maintien des services essentiels — Sur recommandation du ministre, le gouvernement peut, par décret, s'il est d'avis que dans un service public une grève pourra avoir pour effet de mettre en danger la santé ou la sécurité publique, ordonner à un employeur et à une association accréditée de ce service public de maintenir des services essentiels en cas de grève.

Décret — Ce décret entre en vigueur le jour où il est pris ou à toute date ultérieure qui y est indiquée et a effet jusqu'au dépôt d'une convention collective ou de ce qui en tient lieu. Il peut être pris en tout temps avant un tel dépôt. Il est publié à la *Gazette officielle du Québec* et le Tribunal en avise les parties.

Suspension du droit de grève — À compter de la date qui y est indiquée, ce décret suspend l'exercice du droit de grève jusqu'à ce que l'association accréditée en cause se conforme aux exigences des articles 111.0.18 et 111.0.23.

1982, c. 37, art. 6; 1984, c. 45, art. 7; 1990, c. 69, art. 4; 2011, c. 16, art. 132; 2015, c. 15, art. 237

111.0.18 Négociation — Dans un service public visé dans un décret pris en vertu de l'article 111.0.17, les parties doivent négocier les services essentiels à maintenir en cas de grève. Les parties transmettent leur entente au Tribunal.

Aide professionnelle — Le Tribunal peut, de son propre chef ou à la demande d'une des parties, désigner une personne pour les aider à conclure une telle entente.

Transmission de la liste des services essentiels — À défaut d'une entente, une association accréditée doit transmettre à l'employeur et au Tribunal une liste qui détermine quels sont les services essentiels à maintenir dans le service en cause, en cas de grève.

Modification prohibée — La liste ne peut être modifiée par la suite, sauf sur demande du Tribunal. Si une entente intervient entre les parties postérieurement au dépôt de cette liste, l'entente prévaut.

1982, c. 37, art. 6; 2011, c. 16, art. 132; 2015, c. 15, art. 237

111.0.19 Évaluation par le Tribunal — Sur réception d'une entente ou d'une liste, le Tribunal évalue la suffisance des services essentiels qui y sont prévus.

Assistance aux séances — Les parties sont tenues d'assister à toute séance à laquelle le Tribunal les convoque.

Recommandations — Si le Tribunal juge ces services insuffisants, il peut, avant d'en faire rapport au ministre conformément à l'article 111.0.20, faire aux parties les recommandations qu'il juge appropriées afin de modifier l'entente ou la liste. Il peut également ordonner à l'association accréditée de surseoir à l'exercice de son droit à la grève jusqu'à ce qu'elle lui ait fait connaître les suites qu'elle entend donner à ces recommandations.

1982, c. 37, art. 6; 1984, c. 45, art. 8; 2001, c. 26, art. 58; 2011, c. 16, art. 132; 2015, c. 15, art. 237; N.I. 2016-12-01

111.0.20 Services insuffisants — Le Tribunal doit faire rapport au ministre lorsque les services essentiels prévus à une entente ou à une liste sont insuffisants ou ne sont pas rendus lors d'une grève.

Contenu du rapport — Ce rapport doit préciser en quoi les services essentiels prévus ou effectivement rendus sont insuffisants et dans quelle mesure cela constitue un danger pour la santé ou la sécurité publique.

1982, c. 37, art. 6; 2011, c. 16, art. 132; 2015, c. 15, art. 237

111.0.21 Information transmise au public — Le Tribunal doit informer le public du contenu de tout rapport fait au ministre en vertu de l'article 111.0.20.

1982, c. 37, art. 6; 2011, c. 16, art. 132; 2015, c. 15, art. 237

111.0.22 Dérogation prohibée — Nul ne peut déroger aux dispositions d'une entente ou d'une liste.

Liste nulle — Une liste qui prévoit un nombre de salariés supérieur au nombre normalement requis dans le service en cause, est nulle de nullité absolue.

1982, c. 37, art. 6; 1999, c. 40, art. 59

111.0.23 Avis de grève — Sous réserve de l'article 111.0.24, une association accréditée d'un service public peut déclarer une grève pourvu qu'elle en ait acquis le droit suivant l'article 58 et qu'elle ait donné par écrit au ministre et à l'employeur ainsi qu'au Tribunal s'il s'agit d'un service public visé dans un décret pris en vertu de l'article 111.0.17, un avis préalable d'au moins sept jours ouvrables francs indiquant le moment où elle entend recourir à la grève.

Renouvellement — Cet avis de grève ne peut être renouvelé qu'après le jour indiqué dans l'avis précédent comme moment où l'association accréditée entendait recourir à la grève.

Entente préalable à la grève — Dans le cas d'un service public visé dans un décret pris en vertu de l'article 111.0.17, la grève ne peut être déclarée par une association accréditée à moins qu'une entente n'ait été transmise au Tribunal depuis au moins sept jours ou qu'une liste ne lui ait été transmise ainsi qu'à l'employeur dans le même délai.

Délai — Le délai visé au troisième alinéa est calculé sans égard à l'application du quatrième alinéa de l'article 111.0.18.

Interdiction — À moins d'entente entre les parties, l'employeur ne doit pas modifier les conditions de travail des salariés qui rendent les services essentiels.

1982, c. 37, art. 6; 1984, c. 45, art. 9; 2011, c. 16, art. 132; 2015, c. 15, art. 237; N.I. 2016-01-01 (NCPC)

111.0.23.1 Avis de non-recours — L'association accréditée d'un service public doit donner au ministre et à l'employeur ainsi qu'au Tribunal s'il s'agit d'un service public visé dans un décret pris en vertu de l'article 111.0.17, un avis écrit indiquant son intention de ne pas recourir à la grève au moment indiqué à l'avis transmis en vertu de l'article 111.0.23 ou, selon le cas, le moment prévu pour le retour au travail.

Délai — Cet avis doit être donné pendant les heures ouvrables de ce service public.

Maintien des services essentiels — Un employeur n'est pas tenu de permettre l'exécution de la prestation de travail après le moment indiqué à l'avis de grève ou, selon le cas, à l'avis de retour au travail, avant l'expiration d'une période de quatre heures suivant la réception de l'avis donné conformément au deuxième alinéa. Les parties peuvent toutefois convenir d'une période plus courte. S'il s'agit d'un service public visé dans un décret pris en vertu de l'article 111.0.17, les services essentiels doivent être maintenus jusqu'au retour au travail.

1994, c. 6, art. 28; 2011, c. 16, art. 132; 2015, c. 15, art. 237

111.0.24 Suspension de l'exercice du droit de grève — Dans un service public visé dans un décret pris en vertu de l'article 111.0.17, le gouvernement peut, par décret pris sur recommandation du ministre, suspendre l'exercice du droit de grève s'il juge que, lors d'une grève appréhendée ou en cours, les services essentiels prévus ou effectivement rendus sont insuffisants et que cela met en danger la santé ou la sécurité publique.

Effet — Cette suspension a effet jusqu'à ce qu'il soit démontré, à la satisfaction du gouvernement, qu'en cas d'exercice du droit de grève les services essentiels seront maintenus de façon suffisante dans ce service public.

Entrée en vigueur du décret — Un décret pris en vertu du premier alinéa entre en vigueur le jour où il est pris ou à toute date ultérieure qui y est indiquée. Il est publié à la *Gazette officielle du Québec* et dans un journal circulant dans la région où le service public en cause est dispensé.

1982, c. 37, art. 6

111.0.25 Injonction — Seul le procureur général peut requérir une injonction lors du refus de respecter la suspension de l'exercice du droit de grève décrétée en vertu de l'article 111.0.24.

1982, c. 37, art. 6

111.0.26 Lock-out interdit — Le lock-out est interdit dans un service public visé dans un décret pris en vertu de l'article 111.0.17.

1982, c. 37, art. 6

SECTION III — DES SECTEURS PUBLIC ET PARAPUBLIC

111.1 Dispositions applicables — À l'exception de la section I.1 du chapitre IV et de la possibilité de convenir d'une durée de plus de trois ans pour une convention collective, les dispositions du présent code s'appliquent aux relations du travail dans les secteurs public et parapublic, sauf dans la mesure où elles sont inconciliables avec celles de la présente section.

1978, c. 52, art. 4; 1982, c. 37, art. 7; 1994, c. 6, art. 29

111.2 Interprétation — Dans la présente section, on entend par :

1° « secteurs public et parapublic » : Le gouvernement, ses ministères et les organismes du gouvernement dont le personnel est nommé suivant la *Loi sur la fonction publique* (chapitre F-3.1.1), ainsi que les collèges, les commissions scolaires et les établissements visés dans la *Loi sur le régime de négociation des conventions collectives dans les secteurs public et parapublic* (chapitre R-8.2);

2° « établissement » : Un établissement visé par l'article 1 de la *Loi sur le régime de négociation des conventions collectives dans les secteurs public et parapublic* (chapitre R-8.2).

1978, c. 15, art. 140; 1978, c. 52, art. 4; 1982, c. 37, art. 7; 1983, c. 55, art. 161; 1985, c. 12, art. 99; 2000, c. 8, art. 242

111.3 Époque de la demande d'accréditation — Malgré le paragraphe d du premier alinéa de l'article 22, l'accréditation peut être demandée à l'égard d'un groupe de salariés des secteurs public et parapublic entre le deux cent soixante-dixième et le deux cent quarantième jour précédant la date d'expiration d'une convention collective ou de ce qui en tient lieu.

Parties liées par la convention — Cette convention ou ce qui en tient lieu lie les parties pour toute sa durée malgré l'accréditation d'une nouvelle association de salariés. La nouvelle association est liée par cette convention comme si elle y était nommée et devient par le fait même partie à toute procédure s'y rapportant aux lieu et place de l'association précédente.

Délai — La décision sur la demande prévue au premier alinéa doit être rendue dans le délai compris entre la fin de l'époque d'une demande d'accréditation et la date d'expiration d'une convention collective ou de ce qui en tient lieu. Le deuxième alinéa de l'article 39.1 s'applique à cette décision.

1978, c. 52, art. 4; 2001, c. 26, art. 59; 2015, c. 15, art. 135

111.4 Délai pour devenir membre d'une autre association — Nulle association accréditée ayant conclu une convention collective, nul groupe de salariés régis par une telle convention ou ce qui en tient lieu, ne fera de démarches en vue de devenir membre d'une autre association ou de s'y affilier, sauf entre le deux cent soixante-dixième et le cent quatre-vingtième jour précédant la date d'expiration de la convention collective ou de ce qui en tient lieu.

1978, c. 52, art. 4

111.5 (*Abrogé*).

1978, c. 52, art. 4; 1982, c. 37, art. 8

111.6 Négociation conforme — Une convention collective liant un collège, une commission scolaire ou un établissement visé dans la *Loi sur le régime de négociation des conventions collectives dans les secteurs public et parapublic* (chapitre R-8.2) est négociée et agréée conformément à cette loi.

Expiration — Une telle convention collective expire pour l'application du présent code, à la date d'expiration des stipulations négociées et agréées à l'échelle nationale.

Effet continué — Les stipulations d'une telle convention collective qui sont négociées et agréées à l'échelle locale ou régionale continuent d'avoir effet, malgré l'expiration des stipulations négociées et agréées à l'échelle nationale, tant qu'elles n'ont pas été modifiées, abrogées ou remplacées par entente entre les parties.

1978, c. 52, art. 4; 1985, c. 12, art. 87

111.7 Phase des négociations — La phase des négociations commence à compter du cent quatre-vingtième jour précédant la date d'expiration d'une convention collective ou de ce qui en tient lieu.

1978, c. 52, art. 4

111.8 (1) Transmission des propositions d'une association accréditée faisant partie d'un groupement — Une association accréditée des secteurs public et parapublic faisant partie d'un groupement d'associations de salariés visé à l'article 1 de la *Loi sur le régime de négociation des conventions collectives dans les secteurs public et parapublic* (chapitre R-8.2) doit, par l'entremise de son agent négociateur, transmettre par écrit à l'autre partie, au plus tard le cent cinquantième jour précédant la date d'expiration d'une convention collective ou de ce qui en tient lieu, ses propositions sur l'ensemble des matières qui doivent faire l'objet des négociations à l'échelle nationale à l'exclusion des salaires et échelles de salaires.

(2) Transmission des propositions d'une association accréditée ne faisant pas partie d'un groupement — Une association accréditée des secteurs public et parapublic qui ne fait pas partie d'un groupement d'associations de salariés mentionné au premier paragraphe doit, par l'entremise de son agent négociateur, transmettre par écrit à l'autre partie, au plus tard le cent cinquantième jour précédant la date d'expiration d'une convention collective ou de ce qui en tient lieu, ses propositions sur l'ensemble des matières qui doivent faire l'objet des négociations à l'échelle nationale à l'exception des salaires et échelles de salaires.

(3) Transmission des propositions d'une association accréditée par les comités patronaux — Les comités patronaux institués par la *Loi sur le régime de négociation des conventions collectives dans les secteurs public et parapublic* doivent, dans les soixante jours qui suivent la réception de ces propositions, transmettre par écrit, à l'autre partie, leurs propositions sur l'ensemble des matières qui doivent faire l'objet des négociations à l'échelle nationale à l'exception des salaires et échelles de salaires.

(4) Transmission des propositions salariales — Une association de salariés visée dans le paragraphe 1 ou le paragraphe 2 et un comité patronal de négociation visé dans le paragraphe 3, doivent transmettre par écrit à l'autre partie leurs propositions sur les salaires et échelles de salaires, dans les trente jours qui suivent la date de publication du rapport de l'Institut de la statistique du Québec prévu à l'article 4 de la *Loi sur l'Institut de la statistique du Québec* (chapitre I-13.011).

(5) *(paragraphe remplacé).*

1978, c. 52, art. 4; 1982, c. 37, art. 9; 1985, c. 12, art. 88; 99; 1998, c. 44, art. 47; 2005, c. 32, art. 242

111.9 (*Abrogé*).

1978, c. 52, art. 4; 1982, c. 37, art. 10

111.10 Maintien des services — Lors d'une grève des salariés d'un établissement, le pourcentage de salariés à maintenir par quart de travail parmi les salariéés qui seraient habituellement en fonction lors de cette période est d'au moins :

1° 90 % dans le cas d'un établissement qui exploite un centre d'hébergement et de soins de longue durée, un centre de réadaptation, un centre hospitalier de soins psychiatriques, un centre hospitalier spécialisé en neurologie ou en cardiologie ou un centre hospitalier doté d'un département clinique de psychiatrie ou d'un département de santé communautaire, dans le cas d'un établissement à qui une agence confie des fonctions reliées à la santé publique ou dans le cas d'un centre hospitalier de la classe des centres hospitaliers de soins de longue durée ou d'un centre d'accueil;

2° 80 % dans le cas d'un établissement qui exploite un centre hospitalier autre qu'un centre hospitalier visé au paragraphe 1°;

3° 60 % dans le cas d'un établissement qui exploite un centre local de services communautaires;

4° 55 % dans le cas d'un établissement qui exploite un centre de protection de l'enfance et de la jeunesse ou dans le cas d'un centre de services sociaux.

Entente sur le nombre de salariés à maintenir — Dans le cas d'un organisme que le gouvernement a déclaré être assimilé à un établissement en vertu du quatrième alinéa de l'article 1 de la *Loi sur le régime de négociation des conventions collectives dans les secteurs public et parapublic* (chapitre R-8.2), le nombre de salariés à maintenir est déterminé par entente entre les parties ou, à défaut d'entente, par une liste établie suivant l'article 111.10.3. Cette entente ou cette liste doit être approuvée par le Tribunal.

1978, c. 52, art. 4; 1985, c. 12, art. 89; 1985, c. 40, art. 2; 1992, c. 21, art. 129; 2005, c. 32, art. 243; 2011, c. 16, art. 132; 2015, c. 15, art. 237

111.10.1 Négociation — Les parties doivent négocier le nombre de salariés à maintenir par unité de soins et catégories de services parmi les salariés habituellement affectés à ces unités et catégories de services. Leur entente doit, en plus de se conformer à l'article 111.10 dans le cas d'un établissement qui y est visé, permettre d'assurer, le cas échéant, le fonctionnement normal des unités de soins intensifs et des unités d'urgence. Elle doit en outre contenir des dispositions permettant d'assurer le libre accès d'une personne aux services de l'établissement.

Transmission de l'entente — Cette entente est transmise au Tribunal pour approbation.

1982, c. 37, art. 12; 1984, c. 45, art. 33; 1985, c. 12, art. 89; 1985, c. 40, art. 2; 1992, c. 21, art. 130; 2011, c. 16, art. 132; 2015, c. 15, art. 237

111.10.2 Information au Tribunal — Un établissement doit à la demande du Tribunal communiquer à ce dernier le nombre de salariés, par unité de négociation, quart de travail, unités de soins et catégorie de services, qui sont habituellement au travail pour la période indiquée dans la demande.

1982, c. 37, art. 12; 1985, c. 12, art. 89; 1985, c. 40, art. 2; 2011, c. 16, art. 132; 2015, c. 15, art. 237

111.10.3 Défaut d'entente — À défaut d'une entente, une association accréditée doit transmettre au Tribunal pour approbation une liste prévoyant par unité de soins et catégorie de services le nombre de salariés de l'unité de négociation qui sont maintenus en cas de grève.

Liste du nombre de salariés — Parmi les salariés de l'unité de négociation habituellement affectés à une unité ou à une catégorie de services de l'établissement, la liste doit prévoir le maintien d'un nombre de salariés au moins égal au pourcentage prévu par les paragraphes 1° à 4° du premier alinéa de l'article 111.10 qui est applicable à l'établissement.

Contenu — La liste doit en outre permettre d'assurer, le cas échéant, le fonctionnement normal des unités de soins intensifs et des unités d'urgence. Elle doit aussi contenir des dispositions permettant d'assurer le libre accès d'une personne aux services de l'établissement.

Nullité d'une liste — Une liste qui prévoit un nombre de salariés supérieur au nombre habituellement requis dans le service en cause est nulle de nullité absolue.

1982, c. 37, art. 12; 1985, c. 12, art. 89; 1985, c. 40, art. 2; 1992, c. 21, art. 131; 1999, c. 40, art. 59; 2011, c. 16, art. 132; 2015, c. 15, art. 237

111.10.4 Évaluation — Sur réception d'une entente ou d'une liste, le Tribunal évalue la suffisance des services qui y sont prévus à l'aide des critères prévus aux articles 111.10, 111.10.1 et 111.10.3 qui sont applicables.

Désaccord — En cas de désaccord entre les parties il peut, à l'exclusion de toute autre personne, statuer sur la qualification d'un établissement aux fins de l'application des pourcentages prévus par le premier alinéa de l'article 111.10.

Assistance aux séances — Les parties sont tenues d'assister à toute séance où le Tribunal les convoque.

1982, c. 37, art. 12; 1985, c. 12, art. 89; 1985, c. 40, art. 2; 2011, c. 16, art. 132; 2015, c. 15, art. 237

111.10.5 Modification des services — Même dans le cas où une liste ou une entente est conforme aux critères prévus aux articles 111.10, 111.10.1 et 111.10.3, le Tribunal peut, si la situation particulière de l'établissement lui paraît le justifier, augmenter ou modifier les services qui y sont prévus avant de l'approuver.

Recommandations — S'il juge les services insuffisants, il peut faire aux parties les recommandations qu'il juge appropriées en vue de la modification de la liste ou de l'entente ou il peut l'approuver avec modification.

1982, c. 37, art. 12; 1985, c. 12, art. 89; 1985, c. 40, art. 2; 2011, c. 16, art. 132; 2015, c. 15, art. 237

111.10.6 Primauté de l'entente — Une liste approuvée par le Tribunal ne peut être modifiée par la suite sauf sur la demande de ce dernier. Si une entente intervient entre les parties postérieurement au dépôt d'une liste devant le Tribunal, l'entente approuvée par le Tribunal prévaut.

1982, c. 37, art. 12; 1985, c. 12, art. 89; 1985, c. 40, art. 2; 2011, c. 16, art. 132; 2015, c. 15, art. 237

111.10.7 Approbation réputée — Une liste ou une entente est réputée approuvée telle que déposée si dans les 90 jours de sa réception par le Tribunal, ce dernier n'a pas statué sur la suffisance des services qu'elle prévoit.

Modification — Toutefois le Tribunal peut par la suite, modifier le cas échéant une telle liste ou une telle entente afin de la rendre conforme aux dispositions des articles 111.10, 111.10.1 et 111.10.3 qui lui sont applicables.

1985, c. 12, art. 89; 1985, c. 40, art. 2; 1999, c. 40, art. 59; 2011, c. 16, art. 132; 2015, c. 15, art. 237

111.10.8 Dérogation — Nul ne peut déroger aux dispositions d'une entente ou d'une liste approuvée par le Tribunal.

1985, c. 12, art. 89; 1985, c. 40, art. 2; 2011, c. 16, art. 132; 2015, c. 15, art. 237

111.11 Avis préalable d'une grève ou d'un lock-out — Une partie ne peut déclarer une grève ou un lock-out à moins qu'il ne se soit écoulé au moins 20 jours depuis la date où le ministre a reçu l'avis prévu à l'article 50 de la *Loi sur le régime de négociation des conventions collectives dans les secteurs public et parapublic* (chapitre R-8.2) et qu'un avis préalable d'au moins sept jours ouvrables francs n'ait été donné par écrit au ministre et à l'autre partie ainsi qu'au Tribunal dans le cas d'un établissement ou d'un groupe de salariés visé par le deuxième alinéa de l'article 69 de la *Loi sur la fonction publique* (chapitre F-3.1.1), indiquant le moment où elle entend recourir à la grève ou au lock-out.

Délai — Dans les cas où les parties ont conclu une entente sur l'ensemble des stipulations négociées et agréées à l'échelle nationale à l'exception des salaires et échelles de salaires, le délai de 20 jours à l'issue duquel une grève ou un lock-out peut être déclaré court à compter de la date de cette entente.

Avis renouvelé — L'avis de sept jours de grève ou de lock-out ne peut être renouvelé qu'après le jour indiqué dans l'avis précédent comme moment où elle entendait recourir à la grève ou au lock-out.

Interdiction à l'employeur — À moins d'entente entre les parties, l'employeur ne doit pas modifier les conditions de travail des salariés qui rendent les services essentiels.

1978, c. 52, art. 4; 1982, c. 37, art. 13; 1984, c. 45, art. 34; 1985, c. 12, art. 90; 2001, c. 26, art. 60; 2011, c. 16, art. 132; 2015, c. 15, art. 237; N.I. 2016-01-01 (NCPC)

111.12 Approbation préalable — Dans le cas d'un établissement, la grève ne peut être déclarée par une association accréditée à moins qu'une entente ou liste n'ait été approuvée par le Tribunal ou qu'elle soit réputée approuvée en vertu de l'article 111.10.7 et que depuis au moins 90 jours cette liste ou cette entente ait été transmise à l'employeur.

1978, c. 52, art. 4; 1985, c. 12, art. 91; 1985, c. 40, art. 2; 1999, c. 40, art. 59; 2011, c. 16, art. 132; 2015, c. 15, art. 237

111.13 Lock-out — Le lock-out ne peut être décrété par un établissement.

Maintien des services essentiels — Malgré une grève appréhendée, un établissement doit dispenser ses services habituels sans modification des normes applicables à l'accès aux services et à leur prestation.

Contravention — Le Tribunal peut en cas de contravention au présent article, exercer les pouvoirs que lui confère la section IV.

1982, c. 37, art. 15; 1985, c. 12, art. 91; 1985, c. 40, art. 2; 1992, c. 21, art. 132; 2011, c. 16, art. 132; 2015, c. 15, art. 237

111.14 Grève et lock-out interdits — La grève et le lock-out sont interdits à l'égard d'une matière définie comme faisant l'objet de stipulations négociées et agréées à l'échelle locale ou régionale ou d'arrangements locaux suivant la *Loi sur le régime de négociation des conventions collectives dans les secteurs public et parapublic* (chapitre R-8.2) ainsi qu'à l'égard de la détermination des salaires et échelles de salaires prévue par le deuxième alinéa de l'article 52 et par les articles 53 à 55 de cette loi.

1982, c. 37, art. 15; 1985, c. 12, art. 91; 1985, c. 40, art. 2

111.15 (*Remplacé*).

1982, c. 37, art. 15; 1985, c. 12, art. 91

111.15.1 Demande au Tribunal — À défaut d'une entente visée à l'article 69 de la *Loi sur la fonction publique* (chapitre F-3.1.1), une partie peut demander au Tribunal de désigner une personne pour les aider à conclure une telle entente ou de déterminer lui-même les services essentiels à maintenir en cas de grève ainsi que la façon de les maintenir. La partie demanderesse doit en aviser sans délai l'autre partie.

Information et séance — Après l'envoi d'une telle demande, les parties doivent transmettre sans délai au Tribunal toute information pertinente aux services essentiels à maintenir et assister, le cas échéant, à toute séance à laquelle le Tribunal les convoque.

2001, c. 26, art. 61; 2011, c. 16, art. 132; 2015, c. 15, art. 237

111.15.2 Désignation d'une personne — Sur réception d'une demande en vertu de l'article 111.15.1, le Tribunal peut, de sa propre initiative ou à la demande d'une des parties, désigner une personne pour les aider à conclure une entente.

Détermination des services à maintenir — Le Tribunal peut aussi, en tout temps après réception d'une telle demande, déterminer les services essentiels à maintenir en cas de grève ainsi que la façon de les maintenir. Il peut aussi en tout temps, à la demande de l'une des parties, modifier la décision qu'il a ainsi prise.

2001, c. 26, art. 61; 2011, c. 16, art. 132; 2015, c. 15, art. 237

111.15.3 Dérogation interdite — Nul ne peut déroger aux dispositions d'une entente visée à l'article 69 de la *Loi sur la fonction publique* (chapitre F-3.1.1) ou d'une décision prise par le Tribunal en vertu de l'article 111.15.2 du présent code.

2001, c. 26, art. 61; 2011, c. 16, art. 132; 2015, c. 15, art. 237

SECTION IV — POUVOIRS DE REDRESSEMENT

111.16 Enquête — Dans les services publics et les secteurs public et parapublic, le Tribunal peut, de sa propre initiative ou à la demande d'une personne intéressée, faire enquête sur un lock-out, une grève ou un ralentissement d'activités qui contrevient à une disposition de la loi ou au cours duquel les services essentiels prévus à une liste ou une entente ne sont pas rendus.

Rapport sur l'état de la situation — Le Tribunal peut également tenter d'amener les parties à s'entendre ou charger une personne qu'il désigne de

tenter de les amener à s'entendre et de faire rapport sur l'état de la situation.
1985, c. 12, art. 92; 2011, c. 16, art. 132; 2015, c. 15, art. 237

111.17 Ordonnance du Tribunal — S'il estime que le conflit porte préjudice ou est vraisemblablement susceptible de porter préjudice à un service auquel le public a droit ou que les services essentiels prévus à une liste ou à une entente ne sont pas rendus lors d'une grève, le Tribunal peut, après avoir fourni aux parties l'occasion de présenter leurs observations, rendre une ordonnance pour assurer au public un service auquel il a droit, ou exiger le respect de la loi, de la convention collective, d'une entente ou d'une liste sur les services essentiels.

Pouvoirs — Le Tribunal peut :

1° enjoindre à toute personne impliquée dans le conflit ou à toute catégorie de ces personnes qu'elle détermine de faire ce qui est nécessaire pour se conformer au premier alinéa du présent article ou de s'abstenir de faire ce qui y contrevient;

2° exiger de toute personne impliquée dans le conflit de réparer un acte ou une omission fait en contravention de la loi, d'une entente ou d'une liste;

3° ordonner à une personne ou à un groupe de personnes impliquées dans un conflit, compte tenu du comportement des parties, l'application du mode de réparation qu'elle juge le plus approprié, y compris la constitution et les modalités d'administration et d'utilisation d'un fonds au bénéfice des utilisateurs du service auquel il a été porté préjudice; un tel fonds comprend, le cas échéant, les intérêts accumulés depuis sa constitution;

4° ordonner à toute personne impliquée dans le conflit de faire ou de s'abstenir de faire toute chose qu'elle lui paraît raisonnable d'ordonner compte tenu des circonstances dans le but d'assurer le maintien de services au public;

5° ordonner le cas échéant que soit accélérée ou modifiée la procédure de grief et d'arbitrage à la convention collective;

6° ordonner à une partie de faire connaître publiquement son intention de se conformer à l'ordonnance du Tribunal.
1985, c. 12, art. 92; 1998, c. 23, art. 3; 2011, c. 16, art. 132; 2015, c. 15, art. 237

111.18 Action préjudiciable au public — Le Tribunal peut, de la même manière, exercer les pouvoirs que lui confèrent les articles 111.16 et 111.17 si, à l'occasion d'un conflit, il estime qu'une action concertée autre qu'une grève ou un ralentissement d'activités porte préjudice ou est susceptible de porter préjudice à un service auquel le public a droit.
1985, c. 12, art. 92; 2011, c. 16, art. 132; 2015, c. 15, art. 237

111.19 Engagement d'une personne — Le Tribunal peut, plutôt que de rendre une ordonnance, prendre acte de l'engagement d'une personne d'assurer au public le ou les services auxquels il a droit, de respecter la loi, la convention collective, une entente ou une liste sur les services essentiels.

Non respect de l'engagement — Le non respect de cet engagement est réputé constituer une violation d'une ordonnance du Tribunal.
1985, c. 12, art. 92; 2011, c. 16, art. 132; 2015, c. 15, art. 237

111.20 Copie conforme de l'ordonnance ou de l'engagement — Le Tribunal peut déposer ou, à la demande d'une partie intéressée, autoriser le dépôt d'une copie conforme d'une ordonnance rendue suivant les articles 111.0.19, 111.17 et 111.18 ou, le cas échéant, d'un engagement pris en vertu de l'article 111.19 au bureau du greffier de la Cour supérieure du district de Montréal, lorsque le service public ou l'organisme en cause est situé dans les districts de Beauharnois, Bedford, Drummond, Hull, Iberville, Joliette, Labelle, Laval, Longueuil, Mégantic, Montréal, Pontiac, Richelieu, Saint-François, Saint-Hyacinthe ou Terrebonne et, lorsqu'il est situé dans un autre district, au bureau du greffier de la Cour supérieure du district de Québec.

Dépôt — Le dépôt de l'ordonnance ou de l'engagement lui confère alors la même force et le même effet que s'il s'agissait d'un jugement émanant de la Cour supérieure.

Amende — Toute personne qui transgresse ou refuse d'obéir à une ordonnance ou à un engagement dans lequel elle est nommée ou désignée de même que toute personne non désignée qui y contrevient sciemment se rend coupable d'outrage au tribunal et peut être condamnée par le tribunal compétent, selon la procédure prévue aux articles 59 à 61 du *Code de procédure civile* (chapitre C-25.01), à une amende n'excédant pas 50 000 $ avec ou sans emprisonnement pour une durée d'au plus un an. Ces pénalités peuvent être imposées de nouveau jusqu'à ce que le contrevenant se soit conformé à l'ordonnance ou à l'engagement.

1985, c. 12, art. 92; 1998, c. 23, art. 4; 2001, c. 26, art. 62; 2011, c. 16, art. 132, 133; 2015, c. 15, art. 237; N.I. 2016-01-01 (NCPC)

SECTION V — DISPOSITIONS DIVERSES

111.21. Sensibilisation — Le Tribunal doit sensibiliser les parties relativement au maintien des services essentiels lors d'une grève.

Information — Le Tribunal peut aussi informer le public sur toute question relative au maintien des services essentiels.

2011, c. 16, art. 134; 2015, c. 15, art. 237

111.22. Application — Lorsque le Tribunal agit en vertu d'une disposition du présent chapitre, les articles 21 à 23, 35 et 45, les deuxième et troisième alinéas de l'article 46 et les troisième et quatrième alinéas de l'article 51 de la *Loi instituant le Tribunal administratif du travail* (chapitre T-15.1) ne s'appliquent pas.

2011, c. 16, art. 134; 2015, c. 15, art. 136

Chapitre V.2 — Dispositions particulières applicables aux exploitations forestières

111.23. Employeur réputé — L'exploitant forestier est, pour les fins des chapitres II et III, réputé employeur de tous les salariés affectés à l'exploitation forestière des volumes de bois qu'il a achetés sur pied en application de sa garantie d'approvisionnement ou, s'il s'agit d'un producteur forestier qui alimente une usine de transformation de bois à partir d'une forêt privée, de tous les salariés affectés à l'exploitation forestière de cette forêt privée.

Convention d'intégration — Malgré le premier alinéa, lorsque plusieurs bénéficiaires d'une garantie d'approvisionnement doivent conclure une convention d'intégration en vertu des dispositions de l'article 103.7 de la *Loi sur l'aménagement durable du territoire forestier* (chapitre A-18.1), ils doivent déterminer, par entente et dans le délai que fixe le ministre des Ressources naturelles et de la Faune pour faire la preuve de l'existence de cette convention d'intégration, le ou les employeurs réputés, pour les fins des chapitres II et III, des salariés affectés à l'exploitation forestière des volumes de bois qu'ils ont achetés sur pied en application de leurs garanties respectives pour les secteurs d'intervention visés par cette convention d'intégration. Ils peuvent, à cette fin, faire une répartition des responsabilités en fonction de secteurs d'intervention particuliers ou des activités d'exploitation forestière dont ils assument la responsabilité, pourvu que tout salarié puisse identifier son employeur réputé. Dans tous les cas, l'employeur réputé peut être l'un des bénéficiaires désignés pour réaliser la récolte, un regroupement de certains ou l'ensemble des bénéficiaires concernés ou une association d'employeurs.

Entente — L'entente visée au deuxième alinéa est transmise dans le même délai au ministre des Ressources naturelles et de la Faune, au ministre du Travail et au Tribunal. En cas de défaut par les bénéficiaires de conclure une telle entente et d'en transmettre copie dans les délais prévus, le ministre des Ressources naturelles et de la Faune en avise le ministre du Travail qui soumet alors la question au Tribunal, afin qu'il désigne l'employeur réputé après avoir permis aux bénéficiaires concernés de faire valoir leurs observations selon la procédure qu'il indique.

Exceptions — Le présent article ne s'applique pas lorsque l'exploitant forestier ne réalise pas lui-même la récolte du bois acheté sur pied, en application des dispositions de l'article 103.5 ou du paragraphe 2° du troisième alinéa de l'article 103.7 de la *Loi sur l'aménagement durable du territoire forestier*. Il ne s'applique pas non plus aux salariés membres d'une coopérative faisant des travaux d'exploitation forestière.

2013, c. 2, art. 68; 2015, c. 15, art. 237

111.24. Concession partielle d'entreprise — Le changement d'employeur réputé par effet d'une entente ou d'une décision du Tribunal prévues par l'article 111.23 constitue une concession partielle d'entreprise et emporte application des deux premiers alinéas de l'article 45.

Application — L'article 45.2 ne s'applique pas à une telle concession. Toutefois, la convention qui n'est pas expirée lors de la prise d'effet de la concession en application du premier alinéa expire, selon la première échéance, à la date prévue pour son expiration ou 24 mois après la date de la concession

Application — Les dispositions de l'article 46 s'appliquent, compte tenu des adaptations nécessaires, en cas de difficulté découlant de l'application du présent article.

2013, c. 2, art. 68; 2015, c. 15, art. 237

111.25. Lieux de travail — Dans une exploitation forestière, les lieux affectés aux repas des salariés ne sont pas considérés comme lieux de travail et aucune réunion ne peut être tenue dans les lieux affectés au logement des salariés.

2013, c. 2, art. 68

111.26. Obligations de l'exploitant forestier — Sous réserve de la *Loi sur l'aménagement durable du territoire forestier* (chapitre A-18.1), l'exploitant forestier ou le propriétaire du territoire où se fait une exploitation forestière est tenu de permettre le passage et de donner accès au campement des salariés à tout représentant d'une association de salariés muni d'un permis délivré par le Tribunal conformément aux règlements adoptés à cette fin en vertu de l'article 138.

Obligations de l'exploitant forestier — L'exploitant est tenu de fournir à ce représentant le gîte et le couvert au prix fixé pour les salariés par règlement suivant la *Loi sur les normes du travail* (chapitre N-1.1).

Avance de somme — Il doit sur demande écrite d'un salarié lui avancer la somme requise à titre de première cotisation à une association de salariés pourvu que ce salarié ait cette somme à son crédit.

Paiement — L'autorisation écrite donnée par tout salarié de précompter sur son salaire la somme ci-dessus constitue un paiement au sens du paragraphe c du premier alinéa de l'article 36.1; l'employeur est tenu de remettre dans le mois qui suit à l'association indiquée les montants ainsi précomptés avec un bordereau nominatif.

Application — Le présent article ne s'applique pas à l'exploitation forestière effectuée sur sa propriété par un producteur agricole.

2013, c. 2, art. 68; 2015, c. 15, art. 237

Chapitre V.3 — Dispositions particulières applicables aux exploitations agricoles[1]

111.27. Application — Le présent chapitre s'applique aux salariés d'un employeur qui sont affectés à l'exploitation agricole, à moins qu'ils n'y soient ordinairement et continuellement employés au nombre minimal de trois.

Les dispositions des sections II et III du chapitre II, de même que celles des chapitres III à V, ne s'appliquent pas aux salariés visés au premier alinéa.

2014, c. 9, art. 2

111.28. Occasion raisonnable — L'employeur doit donner à une association de salariés de l'exploitation agricole une occasion raisonnable de présenter des observations au sujet des conditions d'emploi de ses membres.

2014, c. 9, art. 2

111.29. Occasion raisonnable — Lorsqu'il s'agit d'établir si une occasion raisonnable a été donnée, sont notamment pertinents les éléments suivants :

1° le moment où les observations sont présentées par rapport aux préoccupations qui peuvent survenir pendant la gestion d'une exploitation agricole, notamment les dates de plantation et de récolte, les conditions atmosphériques, la santé et la sécurité des animaux ainsi que la santé des végétaux;

2° la fréquence et la répétitivité des observations.

2014, c. 9, art. 2

111.30. Observation verbale ou écrite — L'association peut présenter ses observations verbalement ou par écrit. L'employeur est tenu de les examiner et d'échanger avec les représentants de l'association.

Lorsque les observations lui sont présentées par écrit, l'employeur informe l'association de salariés par écrit qu'il les a lues.

La diligence et la bonne foi doivent gouverner la conduite des parties en tout temps.

2014, c. 9, art. 2

111.31. Autorisation de passage et d'accès — L'employeur ou le propriétaire d'une exploitation agricole est tenu de permettre le passage et de donner accès au lieu où sont logés des salariés et auquel il est en mesure d'interdire l'accès à tout représentant d'une

---

[1] Toute accréditation accordée entre le 13 juin 2014 et le 22 octobre 2014 en vertu des dispositions du *Code du travail* (chapitre C-27) à l'égard de salariés visés par le chapitre V.3 de ce code est caduque.

Il en est de même de toute requête en accréditation en cours le 22 octobre 2014 à l'égard de tels salariés ainsi que de tout recours intenté relativement à une telle requête (L.Q. 2014, c. 9, art. 5)

association de salariés muni d'un permis délivré par le Tribunal conformément au règlement adopté à cette fin en vertu de l'article 138.

2014, c. 9, art. 2; 2015, c. 15, art. 237

111.32. Plainte — Une association de salariés, un employeur ou une association d'employeurs qui estime qu'un droit prévu au présent chapitre n'a pas été respecté peut déposer une plainte auprès du Tribunal.

2014, c. 9, art. 2; 2015, c. 15, art. 237

Chapitre V.4 — Pouvoirs généraux du Tribunal

111.33. Outre les pouvoirs que lui attribuent le présent code et la *Loi instituant le Tribunal administratif du travail* (chapitre T-15.1), le Tribunal peut aussi aux fins du présent code :

1° ordonner à une personne, à un groupe de personnes, à une association ou à un groupe d'associations de cesser de faire, de ne pas faire ou d'accomplir un acte pour se conformer au présent code;

2° exiger de toute personne de réparer un acte ou une omission fait en contravention d'une disposition du présent code;

3° ordonner à une personne ou à un groupe de personnes, compte tenu du comportement des parties, l'application du mode de réparation qu'il juge le plus approprié;

4° ordonner de ne pas autoriser ou participer ou de cesser d'autoriser ou de participer à une grève, à un ralentissement d'activités au sens de l'article 108 ou à un lock-out qui contrevient ou contreviendrait au présent code ou de prendre des mesures qu'il juge appropriées pour amener les personnes que représente une association à ne pas y participer ou à cesser d'y participer;

5° ordonner, le cas échéant, que soit accélérée ou modifiée la procédure de grief et d'arbitrage prévue à la convention collective.

Ces pouvoirs ne s'appliquent cependant pas au regard d'une grève, d'un ralentissement d'activités, d'une action concertée autre qu'une grève ou un ralentissement d'activités ou encore d'un lock-out, réels ou appréhendés, dans un service public ou dans les secteurs public et parapublic au sens du chapitre V.1.

2015, c. 15, art. 137

Chapitre VI — Commission des relations du travail (*Abrogé*)

Section I — Institution, objet et compétence (Abrogée)

112. (*Abrogé*).

S.R.Q. 1964, c. 141, art. 100; 1969, c. 47, art. 38; 1999, c. 40, art. 59; 2001, c. 26, art. 63; 2015, c. 15, art. 138

113. (*Abrogé*).

S.R.Q. 1964, c. 141, art. 101; 1969, c. 47, art. 38; 1969, c. 48, art. 29; 1980, c. 11, art. 48; 1988, c. 21, art. 66; 2001, c. 26, art. 63; 2015, c. 15, art. 138

114. (*Abrogé*).

S.R.Q. 1964, c. 141, art. 102; 1969, c. 47, art. 38; 1969, c. 48, art. 29; 1978, c. 15, art. 140; 1983, c. 55, art. 161; 2000, c. 8, art. 242; 2001, c. 26, art. 63; 2011, c. 16, art. 135; 2015, c. 15, art. 138

115. (*Abrogé*).

1969, c. 48, art. 29; 2001, c. 26, art. 63; 2015, c. 15, art. 138

115.1 (*Abrogé*).

2006, c. 58, art. 16; 2011, c. 16, art. 136; 2015, c. 15, art. 138

115.2 (*Abrogé*).

2006, c. 58, art. 16; 2015, c. 15, art. 138

115.2.1 (*Abrogé*).

2011, c. 16, art. 137; 2011, c. 31, art. 15; 2015, c. 15, art. 138

115.3 (*Abrogé*).

2006, c. 58, art. 16; 2011, c. 16, art. 138; 2015, c. 15, art. 138

115.4 (*Abrogé*).

2011, c. 16, art. 139; 2015, c. 15, art. 138

116. (*Abrogé*).

1969, c. 48, art. 29; 1999, c. 40, art. 59; 2001, c. 26, art. 63; 2015, c. 15, art. 138

SECTION II — DEVOIRS ET POUVOIRS (ABROGÉE)

117. (*Abrogé*).

1969, c. 48, art. 29; 1970, c. 9, art. 3; 2001, c. 26, art. 63; 2015, c. 15, art. 138

118. (*Abrogé*).

S.R.Q. 1964, c. 141, art. 103; 1969, c. 47, art. 38; 1969, c. 48, art. 30; 1977, c. 41, art. 1; 1985, c. 6, art. 493; 1990, c. 4, art. 229; 1999, c. 40, art. 59; 2001, c. 26, art. 63; 2006, c. 58, art. 17; 2015, c. 15, art. 138

119. (*Abrogé*).

S.R.Q. 1964, c. 141, art. 104; 1969, c. 47, art. 38; 1969, c. 48, art. 30; 2001, c. 26, art. 63; 2015, c. 15, art. 138

120. (*Abrogé*).

1969, c. 48, art. 30; 1982, c. 16, art. 4; 2001, c. 26, art. 63; 2015, c. 15, art. 138

SECTION III — CONCILIATION PRÉDÉCISIONNELLE ET ACCORDS (ABROGÉE)

121. (*Abrogé*).

1969, c. 48, art. 30; 2001, c. 26, art. 63; 2006, c. 58, art. 19; 2015, c. 15, art. 138

122. (*Abrogé*).

1969, c. 48, art. 30; 1977, c. 41, art. 1; 1992, c. 61, art. 177; 2001, c. 26, art. 63; 2015, c. 15, art. 138

123. (*Abrogé*).

1969, c. 48, art. 30; 1990, c. 4, art. 230; 2001, c. 26, art. 63; 2006, c. 58, art. 20; 2015, c. 15, art. 138

SECTION IV — DÉCISION (ABROGÉE).

124. (*Abrogé*).

1969, c. 48, art. 30; 1994, c. 6, art. 30; 1999, c. 40, art. 59; 2001, c. 26, art. 63; 2011, c. 16, art. 140; 2015, c. 15, art. 138

125. (*Abrogé*).

1969, c. 48, art. 30; 1992, c. 61, art. 178; 2001, c. 26, art. 63; 2015, c. 15, art. 138

126. (*Abrogé*).

1969, c. 48, art. 30; 1992, c. 61, art. 179; 1999, c. 40, art. 59; 2001, c. 26, art. 63; 2015, c. 15, art. 138

127. (*Abrogé*).

1969, c. 48, art. 30; 2001, c. 26, art. 63; 2015, c. 15, art. 138

128. (*Abrogé*).

S.R.Q. 1964, c. 141, art. 105; 1969, c. 47, art. 38; 1969, c. 48, art. 31; 1990, c. 4, art. 231; 1992, c. 61, art. 180; 2001, c. 26, art. 63; 2006, c. 58, art. 21; 2011, c. 16, art. 141; 2015, c. 15, art. 138

129. (*Abrogé*).

S.R.Q. 1964, c. 141, art. 106; 1969, c. 47, art. 38; 1969, c. 48, art. 32; 1977, c. 41, art. 1; 2001, c. 26, art. 63; 2006, c. 58, art. 22; 2015, c. 15, art. 138

SECTION V — RÈGLES DE PREUVE ET DE PROCÉDURE (ABROGÉE)

§1 — Dispositions générales (Abrogée)

130. (*Abrogé*).
S.R.Q. 1964, c. 141, art. 107; 1969, c. 47, art. 38; 1969, c. 48, art. 33; 1977, c. 41, art. 55; 1983, c. 22, art. 91; 1994, c. 6, art. 31; 2001, c. 26, art. 63; 2015, c. 15, art. 138

130.1 (*Abrogé*).
1994, c. 6, art. 32; 2001, c. 26, art. 63; 2015, c. 15, art. 138

131. (*Abrogé*).
S.R.Q. 1964, c. 141, art. 108; 1969, c. 47, art. 38; 1977, c. 41, art. 1; 1994, c. 6, art. 33; 2001, c. 26, art. 63; 2015, c. 15, art. 138

132. (*Abrogé*).
S.R.Q. 1964, c. 141, art. 109; 1969, c. 47, art. 38; 1969, c. 48, art. 34; 2001, c. 26, art. 63; 2006, c. 58, art. 23; 2015, c. 15, art. 138

133. (*Abrogé*).
S.R.Q. 1964, c. 141, art. 110; 1969, c. 47, art. 38; 1969, c. 48, art. 34; 2001, c. 26, art. 63; 2003, c. 26, art. 9; 2015, c. 15, art. 138

134. (*Abrogé*).
S.R.Q. 1964, c. 141, art. 111; 1969, c. 47, art. 38; 1969, c. 48, art. 34; 1994, c. 6, art. 34; 2001, c. 26, art. 63; 2015, c. 15, art. 138

§2 — Dispositions applicables lors de la tenue d'une audition (Abrogée)

135. (*Abrogé*).
S.R.Q. 1964, c. 141, art. 112; 1969, c. 47, art. 38; 1969, c. 48, art. 34; 2001, c. 26, art. 63; 2006, c. 58, art. 24; 2015, c. 15, art. 138

135.1 (*Abrogé*).
1994, c. 6, art. 35; 2001, c. 26, art. 63; 2015, c. 15, art. 138

135.2 (*Abrogé*).
1994, c. 6, art. 35; 2001, c. 26, art. 63; 2015, c. 15, art. 138

136. (*Abrogé*).
S.R.Q. 1964, c. 141, art. 113; 1969, c. 47, art. 38; 1969, c. 48, art. 34; 2001, c. 26, art. 63; 2006, c. 58, art. 25; 2015, c. 15, art. 138

137. (*Abrogé*).
S.R.Q. 1964, c. 141, art. 114; 1969, c. 47, art. 38; 1969, c. 48, art. 34; 2001, c. 26, art. 63; 2006, c. 58, art. 26; 2015, c. 15, art. 138

137.1 (*Abrogé*).
2001, c. 26, art. 63; 2015, c. 15, art. 138

137.2 (*Abrogé*).
2001, c. 26, art. 63; 2015, c. 15, art. 138

137.3 (*Abrogé*).
2001, c. 26, art. 63; 2015, c. 15, art. 138

137.4 (*Abrogé*).
2001, c. 26, art. 63; 2015, c. 15, art. 138

137.5 (*Abrogé*).
2001, c. 26, art. 63; 2015, c. 15, art. 138

137.6 (*Abrogé*).
2001, c. 26, art. 63; 2015, c. 15, art. 138

137.7 (*Abrogé*).
2001, c. 26, art. 63; 2015, c. 15, art. 138

137.8 (*Abrogé*).
2001, c. 26, art. 63; 2015, c. 15, art. 138

137.9 (*Abrogé*).
2001, c. 26, art. 63; 2015, c. 15, art. 138

137.10 (*Abrogé*).
2001, c. 26, art. 63; 2015, c. 15, art. 138

Section VI — Commissaires (Abrogée)

§1 — Nomination (Abrogée)

137.11 (*Abrogé*).
2001, c. 26, art. 63; 2015, c. 15, art. 138

137.11.1 (*Abrogé*).
2006, c. 58, art. 27; 2011, c. 16, art. 142; 2015, c. 15, art. 138

137.12 (*Abrogé*).
2001, c. 26, art. 63; 2015, c. 15, art. 138

137.13 (*Abrogé*).
2001, c. 26, art. 63; 2015, c. 15, art. 138

137.14 (*Abrogé*).
2001, c. 26, art. 63; 2015, c. 15, art. 138

137.15 (*Abrogé*).
2001, c. 26, art. 63; 2015, c. 15, art. 138

137.16 (*Abrogé*).
2001, c. 26, art. 63; 2015, c. 15, art. 138

§2 — Durée du mandat (Abrogée)

137.17 (*Abrogé*).
2001, c. 26, art. 63; 2015, c. 15, art. 138

137.18 (*Abrogé*).
2001, c. 26, art. 63; 2015, c. 15, art. 138

137.19 (*Abrogé*).
2001, c. 26, art. 63; 2002, c. 22, art. 32; 2015, c. 15, art. 138

137.20 (*Abrogé*).
2001, c. 26, art. 63; 2002, c. 22, art. 32; 2015, c. 15, art. 138

137.21 (*Abrogé*).
2001, c. 26, art. 63; 2015, c. 15, art. 138

137.22 (*Abrogé*).
2001, c. 26, art. 63; 2015, c. 15, art. 138

137.23 (*Abrogé*).
2001, c. 26, art. 63; 2015, c. 15, art. 138

137.24 (*Abrogé*).
2001, c. 26, art. 63; 2002, c. 22, art. 33; 2015, c. 15, art. 138

137.25 (*Abrogé*).
2001, c. 26, art. 63; 2015, c. 15, art. 138

137.26 (*Abrogé*).
2001, c. 26, art. 63; 2015, c. 15, art. 138

§3 — Rémunération et autres conditions de travail (Abrogée)

137.27 (*Abrogé*).
2001, c. 26, art. 63; 2002, c. 22, art. 34; 2015, c. 15, art. 138

137.28 (*Abrogé*).
2001, c. 26, art. 63; 2015, c. 15, art. 138

137.29 (*Abrogé*).
2001, c. 26, art. 63; 2015, c. 15, art. 138

137.30 (*Abrogé*).
2001, c. 26, art. 63; 2001, c. 49, art. 2; 2015, c. 15, art. 138

137.31 (*Abrogé*).
2001, c. 26, art. 63; 2015, c. 15, art. 138

§4 — Déontologie et impartialité (Abrogée)

137.32 (*Abrogé*).
2001, c. 26, art. 63; 2015, c. 15, art. 138

137.33 (*Abrogé*).
2001, c. 26, art. 63; 2015, c. 15, art. 138

137.34 (*Abrogé*).
2001, c. 26, art. 63; 2015, c. 15, art. 138

137.35 (*Abrogé*).
2001, c. 26, art. 63; 2015, c. 15, art. 138

137.36 (*Abrogé*).
2001, c. 26, art. 63; 2015, c. 15, art. 138

137.37 (*Abrogé*).
2001, c. 26, art. 63; 2015, c. 15, art. 138

SECTION VII — CONDUITE DES AFFAIRES DE LA COMMISSION (ABROGÉE)

§1 — Régie interne (Abrogée)

137.38 (*Abrogé*).
2001, c. 26, art. 63; 2015, c. 15, art. 138

137.39 (*Abrogé*).
2001, c. 26, art. 63; 2015, c. 15, art. 138

§2 — Mandat administratif (Abrogée)

137.40 (*Abrogé*).
2001, c. 26, art. 63; 2006, c. 58, art. 28; 2011, c. 16, art. 143; 2015, c. 15, art. 138

137.41 (*Abrogé*).
2001, c. 26, art. 63; 2015, c. 15, art. 138

137.42 (*Abrogé*).
2001, c. 26, art. 63; 2015, c. 15, art. 138

137.43 (*Abrogé*).
2001, c. 26, art. 63; 2015, c. 15, art. 138

137.44 (*Abrogé*).
2001, c. 26, art. 63; 2015, c. 15, art. 138

137.45 (*Abrogé*).
2001, c. 26, art. 63; 2015, c. 15, art. 138

137.46 (*Abrogé*).
2001, c. 26, art. 63; 2015, c. 15, art. 138

§3 — Direction et administration (Abrogée)

137.47 (*Abrogé*).
2001, c. 26, art. 63; 2015, c. 15, art. 138

137.48 (*Abrogé*).
2001, c. 26, art. 63; 2015, c. 15, art. 138

137.48.1 (*Abrogé*).
2011, c. 16, art. 144; 2015, c. 15, art. 138

137.49 (*Abrogé*).
2001, c. 26, art. 63; 2006, c. 58, art. 29; 2011, c. 16, art. 145; 2015, c. 15, art. 138

137.50 (*Abrogé*).
2001, c. 26, art. 63; 2015, c. 15, art. 138

137.51 (*Abrogé*).
2001, c. 26, art. 63; 2015, c. 15, art. 138

§4 — Immunités (Abrogée)

137.52 (*Abrogé*).
2001, c. 26, art. 63; 2015, c. 15, art. 138

137.53 (*Abrogé*).
2001, c. 26, art. 63; 2015, c. 15, art. 138

§5 — Personnel et ressources matérielles et financières (Abrogée)

137.54 (*Abrogé*).
2001, c. 26, art. 63; 2015, c. 15, art. 138

137.55 (*Abrogé*).
2001, c. 26, art. 63; 2015, c. 15, art. 138

137.56 (*Abrogé*).
2001, c. 26, art. 63; 2015, c. 15, art. 138

137.57 (*Abrogé*).
2001, c. 26, art. 63; 2015, c. 15, art. 138

137.58 (*Abrogé*).
2001, c. 26, art. 63; 2015, c. 15, art. 138

137.59 (*Abrogé*).
2001, c. 26, art. 63; 2011, c. 18, art. 117; 2015, c. 15, art. 138

137.60 (*Abrogé*).
2001, c. 26, art. 63; 2015, c. 15, art. 138

137.61 (*Abrogé*).
2001, c. 26, art. 63; 2015, c. 15, art. 138

137.62 (*Abrogé*).
2001, c. 26, art. 63; 2005, c. 42, art. 19; 2006, c. 58, art. 30; 2011, c. 18, art. 118; 2015, c. 15, art. 138

137.63 (*Abrogé*).
2001, c. 26, art. 63; 2011, c. 18, art. 119; 2015, c. 15, art. 138

Chapitre VII — De la réglementation

138. Réglementation du gouvernement — Le gouvernement peut faire tout règlement qu'il juge approprié pour donner effet aux dispositions du présent code, et en particulier pour :

a) la délivrance des permis prévus aux articles 9, 111.26 et 111.31;

b) pourvoir à un régime d'accréditation approprié au caractère temporaire et saisonnier des exploitations forestières et des industries de la pêche et de la préparation du poisson et en particulier décider qu'une période de trente jours visée au paragraphe d ou e de l'article 22 se situe à un autre moment;

c) modifier le nombre d'exemplaires ou de copies conformes à déposer suivant l'article 72 et établir la procédure à suivre pour ce dépôt et les renseignements que les parties doivent lui fournir à cette occasion;

d) établir des modalités particulières pour le dépôt d'une convention collective applicable à plusieurs employeurs ou à plusieurs associations accréditées;

e) établir la procédure à suivre pour le dépôt d'une sentence arbitrale et les renseignements que l'arbitre de grief doit fournir sur la durée des étapes de la procédure suivie pour l'arbitrage;

f) (*paragraphe supprimé*);

(i) (*sous-paragraphe supprimé*);

(ii) (*sous-paragraphe supprimé*);

(iii) (*sous-paragraphe supprimé*).

g) (*paragraphe supprimé*);

h) (*paragraphe supprimé*).

S.R.Q. 1964, c. 141, art. 115; 1969, c. 47, art. 38; 1969, c. 48, art. 34; 1977, c. 41, art. 56; 1983, c. 22, art. 92; 1994, c. 6, art. 36; 2001, c. 26, art. 64 (en vigueur en partie); 2006, c. 58, art. 31; 2011, c. 16, art. 146; 2014, c. 9, art. 3; 2015, c. 15, art. 139

Chapitre VIII — Des recours

139. Immunité — Sauf sur une question de compétence, aucun pourvoi en contrôle judiciaire prévu au *Code de procédure civile* (chapitre C-25.01) ne peut être exercé ni aucune injonction accordée contre un arbitre agissant en sa qualité officielle.

S.R.Q. 1964, c. 141, art. 121; 1969, c. 47, art. 39; 1977, c. 41, art. 1; 57; 1982, c. 16, art. 5; 1983, c. 22, art. 93; 1985, c. 12, art. 93; 1990, c. 4, art. 232; 1998, c. 46, art. 59; 2001, c. 26, art. 66; 2011, c. 16, art. 147; 2015, c. 15, art. 140; N.I. 2016-01-01 (NCPC)

139.1 Exception — Sauf sur une question de compétence, l'article 33 du *Code de procédure civile* (chapitre C-25) ne s'applique pas aux arbitres agissant en leur qualité officielle. (*Article inopérant*)

1982, c. 16, art. 6; 2015, c. 15, art. 141

140. Annulation de décision, d'ordonnance ou d'injonction — Un juge de la Cour d'appel peut, sur demande, annuler sommairement une décision, une ordonnance ou une injonction rendu ou prononcé à l'encontre des articles 139 et 139.1.

S.R.Q. 1964, c. 141, art. 122; 1974, c. 11, art. 2; 1979, c. 37, art. 43; 1982, c. 16, art. 7; N.I. 2016-01-01 (NCPC)

140.1 (*Abrogé*)

1982, c. 37, art. 16; 1985, c. 12, art. 94; 2011, c. 16, art. 148; 2015, c. 15, art. 142

Chapitre IX — Dispositions pénales

141. Défaut de reconnaître une association de salariés — Tout employeur qui, ayant reçu l'avis prescrit, fait défaut de reconnaître comme représentants de salariés à son emploi les représentants d'une association de salariés accréditée ou de négocier de bonne foi avec eux une convention collective de travail, commet une infraction et est passible d'une amende de 100 $ à 1 000 $ pour chaque jour ou fraction de jour que dure l'infraction.

Commet l'infraction visée au premier alinéa et est passible de l'amende qui y est prévue tout employeur qui fait défaut de reconnaître comme représentants de salariés à son emploi les représentants d'une association visée au chapitre V.3 ou d'échanger avec eux de bonne foi selon le processus prévu aux dispositions de ce chapitre.

S.R.Q. 1964, c. 141, art. 123; 2014, c. 9, art. 4

142. Grève ou lock-out illégaux — Quiconque déclare ou provoque une grève ou un lock-out contrairement aux dispositions du présent code, ou y participe, est passible pour chaque jour ou partie de jour pendant lequel cette grève ou ce lock-out existe, d'une amende :

1º de 25 $ à 100 $, s'il s'agit d'un salarié;

2º de 1 000 $ à 10 000 $, s'il s'agit d'un dirigeant ou employé d'une association de salariés, ou d'un administrateur, agent ou conseiller d'une association de salariés ou d'un employeur;

3º de 5 000 $ à 50 000 $, s'il s'agit d'un employeur, d'une association de salariés ou d'une union, fédération ou confédération à laquelle est affiliée ou appartient une association de salariés.

S.R.Q. 1964, c. 141, art. 124; 1982, c. 37, art. 17

142.1 Briseurs de grève — Quiconque contrevient à l'article 109.1 commet une infraction et est passible d'une amende d'au plus 1 000 $ pour chaque jour ou partie de jour pendant lequel dure l'infraction.

1977, c. 41, art. 58

143. Intimidation — Quiconque enfreint une disposition des articles 12, 13 ou 14, commet une infraction et est passible d'une amende de cent à mille dollars pour chaque jour ou fraction de jour que dure l'infraction.

S.R.Q. 1964, c. 141, art. 125

143.1 Infraction et peine — Quiconque entrave ou fait obstacle à l'action du Tribunal ou d'une personne nommée par lui, dans l'application du chapitre V.1 ou quiconque les trompe par réticence ou fausse déclaration commet une infraction et est passible, pour chaque jour ou partie de jour pendant lequel dure l'infraction, d'une amende :

1º de 25 $ à 100 $, s'il s'agit d'un salarié;

2º de 100 $ à 500 $, s'il s'agit d'un dirigeant ou employé d'une association de salariés, ou d'un administrateur, agent ou conseiller d'une association de salariés ou d'un employeur;

3º de 500 $ à 1 000 $, s'il s'agit d'un employeur, d'une association de salariés ou d'une union, fédération ou confédération à laquelle est affiliée ou appartient une association de salariés.

1982, c. 37, art. 18; 2011, c. 16, art. 149; 2015, c. 15, art. 237

144. Amende à défaut d'autre peine — Quiconque fait défaut de se conformer à une obligation ou à une prohibition imposée par le présent code, ou par un règlement du gouvernement, ou par un règlement ou une décision du Tribunal rendue en vertu du présent code, commet une infraction et est passible, à moins qu'une autre peine ne soit applicable, d'une amende de 100 $ à 500 $ et de 1 000 $ à 5 000 $ pour chaque récidive.

S.R.Q. 1964, c. 141, art. 126; 1969, c. 47, art. 40; 1977, c. 41, art. 1; 59; 1990, c. 4, art. 233; 2001, c. 26, art. 67; 2015, c. 15, art. 143

145. Complicité — Est partie à toute infraction et passible de la peine prévue au même titre qu'une personne qui la commet toute personne qui aide à la commettre ou conseille de la commettre, et dans le cas où l'infraction est commise par une personne morale ou par une association, est coupable de l'infraction tout administrateur, dirigeant ou gérant qui, de quelque manière, approuve l'acte qui constitue l'infraction ou y acquiesce.

S.R.Q. 1964, c. 141, art. 128; 1999, c. 40, art. 59

146. Conspiration — Si plusieurs personnes forment l'intention commune de commettre une infraction, chacune d'elles est coupable de chaque infraction commise par l'une d'elles dans la poursuite de la commune intention.

S.R.Q. 1964, c. 141, art. 129

146.1 Défaut d'exécution d'une ordonnance — L'employeur qui n'exécute pas l'ordonnance de réintégration et, le cas échéant, de paiement d'une indemnité rendue en vertu de l'article 15 ou par application de l'article 110.1 commet une infraction et est passible d'une amende de 500 $ par jour de retard.

1977, c. 41, art. 60

146.2 Infraction et peine — Une association de salariés ou un employeur qui contrevient à une entente ou à une liste visées aux articles 111.0.18, 111.10, 111.10.1, 111.10.3, 111.10.5, 111.10.7 ou encore à une entente ou à une décision visée à l'article 111.15.3, ou une association de salariés qui ne prend pas les moyens appropriés pour amener les salariés qu'elle représente à se conformer à cette entente ou à cette liste ou encore à cette entente ou à cette décision commet une infraction et est passible d'une amende de 1 000 $ à 10 000 $ pour chaque jour ou partie de jour pendant lequel dure l'infraction.

1982, c. 37, art. 19; 1985, c. 12, art. 95; 2001, c. 26, art. 68

147. (*Abrogé*).

S.R.Q. 1964, c. 141, art. 130; 1990, c. 4, art. 235

148. Poursuite pénale — Une poursuite pénale pour une infraction à une disposition des articles 20.2 ou 20.3, intentée conformément à l'article 10 du *Code de procédure pénale* (chapitre C-25.1), ne peut l'être que par un membre de l'association accréditée compris dans l'unité de négociation.

S.R.Q. 1964, c. 141, art. 131; 1969, c. 47, art. 42; 1969, c. 48, art. 35; 1977, c. 41, art. 61; 1990, c. 4, art. 236; 1992, c. 61, art. 181

149. (*Abrogé*).

S.R.Q. 1964, c. 141, art. 132; 1969, c. 26, art. 20; 1969, c. 47, art. 43; 1975, c. 76, art. 11; 1981, c. 9, art. 24; 1982, c. 52, art. 115; 2002, c. 45, art. 269; 2006, c. 58, art. 32

Chapitre X — De la procédure

150. (*Abrogé*).

S.R.Q. 1964, c. 141, art. 133; 2015, c. 15, art. 144

151. (*Abrogé*).

S.R.Q. 1964, c. 141, art. 134; 1969, c. 48, art. 36; 1977, c. 41, art. 1; 62; 1981, c. 9, art. 34; 1982, c. 53, art. 56; 1994, c. 12, art. 66; 1996, c. 29, art. 43; 1999, c. 40, art. 59; 2001, c. 26, art. 69; 2015, c. 15, art. 144

151.1 Jours fériés — Aux fins du présent code, sont jours fériés :

a) les dimanches;

b) les 1er et 2 janvier;

c) le vendredi saint;

d) le lundi de Pâques;

e) le 24 juin, jour de la fête nationale;

f) le 1er juillet, anniversaire de la Confédération, ou le 2 juillet si le 1er tombe un dimanche;

g) le premier lundi de septembre, fête du travail;

g.1) le deuxième lundi d'octobre;

h) les 25 et 26 décembre;

i) le jour fixé par proclamation du gouverneur-général pour marquer l'anniversaire de naissance du Souverain;

j) tout autre jour fixé par proclamation ou décret du gouvernement comme jour de fête publique ou d'action de grâces.

1977, c. 41, art. 63; 1978, c. 5, art. 14; 1979, c. 37, art. 41; 1984, c. 46, art. 17; N.I. 2016-01-01 (NCPC)

151.2 Jour ouvrable — Si la date fixée pour faire une chose tombe un jour férié, la chose peut être valablement faite le premier jour ouvrable qui suit.

1977, c. 41, art. 63; N.I. 2016-01-01 (NCPC)

151.3 Computation des délais — Dans la computation de tout délai fixé par le présent code, ou imparti en vertu de quelqu'une de ses dispositions :

(1) le jour qui marque le point de départ n'est pas compté, mais celui de l'échéance l'est;

(2) les jours fériés sont comptés; mais lorsque le dernier jour est férié, le délai est prorogé au premier jour ouvrable suivant;

(3) le samedi est assimilé à un jour férié, de même que le 2 janvier et le 26 décembre.

1977, c. 41, art. 63; 2006, c. 58, art. 33; N.I. 2016-01-01 (NCPC)

151.4 Computation des délais — Les jours fériés ne sont pas comptés dans la computation de tout délai fixé par le présent code pour faire une chose, lorsque ce délai n'excède pas dix jours.

1977, c. 41, art. 63; N.I. 2016-01-01 (NCPC)

152. Dénonciateur — Aucune preuve n'est permise pour établir qu'une enquête ou poursuite prévue par le présent code a été intentée à la suite d'une information d'un dénonciateur ou pour découvrir l'identité de ce dernier.

S.R.Q. 1964, c. 141, art. 135; 1990, c. 4, art. 237

Chapitre X.1 — Responsabilité

152.1 Ministre responsable — Le ministre du Travail est responsable de l'application du présent code.

2009, c. 32, art. 25; 2015, c. 15, art. 145

Chapitre XI — (Ce chapitre a cessé d'avoir effet le 17 avril 1987)

153. (*Cet article a cessé d'avoir effet le 17 avril 1987*).

1982, R.-U., c. 11, ann. B, ptie I, art. 33; 1982, c. 21, art. 1

ANNEXE I — RECOURS FORMÉS EN VERTU D'AUTRES LOIS

2001, c. 26, art. 70; 2002, c. 28, art. 36; 2002, c. 68, art. 9; 2002, c. 69, art. 126; 2002, c. 80, art. 78; 2004, c. 22, art. 15; 2005, c. 42, art. 20; 2005, c. 34, art. 52; 2006, c. 58, art. 34; 2009, c. 24, art. 89; 2009, c. 32, art. 26; 2009, c. 36, art. 71; 2010, c. 3, art. 271; 2011, c. 17, art. 42; Erratum, (2011) 143 G.O. II, 4161; 2011, c. 16, art. 150; 2011, c. 30, art. 72; 2011, c. 31, art. 16; 2013, c. 2, art. 69; N.I. 2014-05-01; 2015, c. 15, art. 146

Dispositions transitoires

— *Loi instituant le Tribunal administratif du travail*, RLRQ, c. T-15.1 237-277 : voir [QUE-19].

— *Loi concernant le régime de négociation des conventions collectives et de règlement des différends dans le secteur municipal*, L.Q. 2016, c. 24, art. 55 :

55. Tout arbitrage dont l'instruction en vertu des dispositions du *Code du travail* (chapitre C-27) a débuté le 10 juin 2016 continue d'être régi par les dispositions de ce code, telles qu'elles se lisent à cette date.

L'arbitre qui, à cette date, n'a pas commencé l'instruction du différend dont il était saisi en est dessaisi; tout acte fait après cette date est réputé nul et sans effet.

L'instruction comprend la phase de l'enquête consacrée à l'administration de la preuve, suivie de celle des débats où les parties font leur plaidoirie.

L'article 54 s'applique aux différends visés au deuxième alinéa, sauf s'il y a eu médiation ou conciliation conformément aux dispositions du *Code du travail*, auquel cas l'employeur en avise le ministre au plus tard le 2 décembre 2016. Les règles suivantes s'appliquent alors :

1° le ministre défère le différend visé à l'article 3 à un conseil de règlement des différends, à moins que, dans le même délai, les deux parties ne l'aient avisé qu'elles désirent se soumettre à la médiation prévue à la section II du chapitre II;

2° le ministre défère le différend visé à l'article 37 à un arbitre, à moins que, dans le même délai, les deux parties ne l'aient avisé qu'elles désirent se soumettre à la médiation prévue à la section II du chapitre III ou encore qu'une partie n'ait demandé la nomination d'un mandataire spécial conformément aux dispositions de la section III de ce chapitre.

À défaut par l'employeur de transmettre l'avis prévu au quatrième alinéa dans le délai prescrit, l'association accréditée peut y pourvoir. Le ministre peut agir de son propre chef s'il n'a reçu aucun avis le quinzième jour suivant celui de l'expiration du délai prévu au quatrième alinéa.

[QUE-3.1]
RÈGLEMENT SUR LE DÉPÔT D'UNE SENTENCE ARBITRALE ET LES RENSEIGNEMENTS RELATIFS À LA DURÉE DES ÉTAPES DE LA PROCÉDURE SUIVIE POUR L'ARBITRAGE

édicté en vertu du *Code du travail* (RLRQ, c. C-27, art. 138)

RLRQ, c. C-27, r. 3, tel que modifié par D. 493-85, (1985) 117 G.O. II, 1747; L.Q. 2001, c. 26, art. 205; D. 1188-2015, (2015) 147 G.O. II, 5007.

SECTION I — DÉPÔT D'UNE SENTENCE ARBITRALE

1. Le ministre transmet à l'arbitre de différend ou à l'arbitre de grief, selon le cas, une attestation indiquant la date de réception d'une sentence arbitrale déposée selon les articles 89 et 101.6 du *Code du travail* (chapitre C-27). Une attestation semblable peut être transmise à tout intéressé qui en fait la demande par écrit.

D. 493-85, art. 1; L.Q. 2001, c. 26, art. 205

SECTION II — RENSEIGNEMENTS QUE DOIT FOURNIR L'ARBITRE DE GRIEF

2. L'arbitre de grief doit joindre à la sentence arbitrale qu'il dépose auprès du ministre et aux copies de celle-ci qu'il transmet à chacune des parties, en application de l'article 101.6 du *Code du travail* (chapitre C-27), une déclaration conforme aux dispositions de l'article 3.

D. 493-85, art. 3; D. 1188-2015, art. 1

3. La déclaration visée à l'article 2 est faite à l'aide du formulaire prescrit par le ministre et contient les mentions suivantes :

a) le nom et l'adresse de l'arbitre de grief et s'il y a lieu, de ses assesseurs;

b) le mode et la date de nomination de l'arbitre de grief;

c) la mention de l'article du *Code du travail* (chapitre C-27) en vertu duquel l'arbitre de grief est intervenu;

d) la nature du grief et la date où il a été déposé;

e) les noms et adresse de l'association de salariés et de l'employeur;

f) le secteur dans lequel l'entreprise exerce son activité;

g) la date du règlement ou du désistement du grief et la date du constat par l'arbitre de grief de ce règlement ou désistement avant le début de l'enquête;

h) les dates d'audition;

i) la date de réception des mémoires des parties, le cas échéant;

j) la date des séances de délibéré si l'arbitre de grief est assisté de un ou deux assesseurs;

k) la date où la sentence a été rendue;

l) la date d'expédition de la sentence aux fins de dépôt.

D. 493-85, art. 4; D. 1188-2015, art. 2

[QUE-3.2]

TABLE DES MATIÈRES

RÈGLEMENT SUR L'EXERCICE DU DROIT D'ASSOCIATION CONFORMÉMENT AU CODE DU TRAVAIL

[QUE-3.2]
RÈGLEMENT SUR L'EXERCICE DU DROIT D'ASSOCIATION CONFORMÉMENT AU CODE DU TRAVAIL*

édicté en vertu du *Code du travail* (RLRQ, c. C-27)

RLRQ, c. C-27, r. 4, tel que modifié par D. 272-82, 1981, Suppl., p. 292; (1982) 114 G.O. II, 921; D. 494-85, (1985) 117 G.O. II, 1864; D. 253-87, (1987) 119 G.O. II, 1540; Erratum, (1987) 119 G.O. II, 2063; D. 931-94, (1994) 126 G.O. II, 3574; L.Q. 2015 c. 15, art. 237.

SECTION I — GÉNÉRALITÉS

§1 — Dispositions introductives

1. Dans le présent règlement, **« partie »** signifie toute personne désignée ou reconnue comme telle devant le Tribunal administratif du travail ou cherchant légitimement à être reconnue de droit comme telle.

2015, c. 15, art. 237

2. Sous réserve du *Code du travail* (chapitre C-27), les délais imposés par le présent règlement sont de rigueur. Néanmoins, avec l'accord des parties, le Tribunal peut les proroger pour une raison valable, à l'exception du délai prévu à l'article 43.

2015, c. 15, art. 237

§2 — Règles applicables aux actes de procédure

3. Un document adressé au Tribunal doit être transmis à son bureau de Québec ou à celui de Montréal.

D. 494-85, art. 1; 2015, c. 15, art. 237

3.1 Sur réception d'une requête ou d'une plainte, le Tribunal en transmet une copie aux parties intéressées.

D. 494-85, art. 2; 2015, c. 15, art. 237

4. (*Abrogé*).

D. 494-85, art. 3

5. Les bureaux de Québec et de Montréal desservent les régions administratives décrites à l'annexe I.

6. Le Tribunal peut demander à une partie de produire tout document ou d'exposer par écrit, dans le délai qu'il indique, les faits et ses représentations à l'égard d'une plainte ou d'une requête.

---

* Les nouvelles *Règles de preuve et de procédure du Tribunal administratif du travail*, RLRQ, c. T-15.1, r. 1.1 **[QUE-19.2]** sont entrées en vigueur le 4 mai 2017. Celles-ci prévalent sur toutes autres informations divergentes.

Une partie qui refuse ou néglige de donner suite à cette demande dans le délai imparti est réputée avoir renoncé, le cas échéant, à se faire entendre en audition.

D. 494-85, art. 4; 2015, c. 15, art. 237

7. Le Tribunal peut faire notifier tout document :

a) selon tout mode ordinaire de signification prévu par le *Code de procédure civile* (chapitre C-25.01);

b) par l'envoi, par poste recommandée, de la copie à son destinataire, à la dernière adresse connue de sa résidence ou de son établissement;

c) si les circonstances l'exigent, le Tribunal peut, de sa propre initiative ou sur requête à cet effet, autoriser la notification d'un document par avis public dans les journaux;

d) le Tribunal peut faire notifier tout document par l'intermédiaire d'un agent de relations du travail.

2015, c. 15, art. 237; N.I. 2016-01-01 (NCPC)

§3 — Enquête

8. Toute enquête du Tribunal doit être enregistrée par magnétophone et peut être prise en sténographie. Le Tribunal décide du lieu de l'enquête et peut tenir compte à cet effet de la région de l'entreprise visée.

D. 494-85, art. 5; 2015, c. 15, art. 237

8.1 Une remise ne peut être accordée que pour des motifs sérieux et hors du contrôle de la partie qui la requiert.

Aucune remise n'est accordée du seul fait du consentement des parties.

D. 494-85, art. 6

8.2 La citation à comparaître d'un témoin doit être signifiée au moins cinq jours francs avant la convocation. Toutefois, en cas d'urgence, le Tribunal peut réduire le délai de signification.

D. 494-85, art. 6; 2015, c. 15, art. 237; N.I. 2016-01-01 (NCPC)

Section II — Requête en accréditation et vote

§1 — Requête en accréditation

9. Une requête en accréditation doit être accompagnée d'une copie certifiée conforme de la résolution prévue à l'article 25 du *Code du travail* (chapitre C-27) et contenir les renseignements suivants :

a) le nom de l'association requérante et, le cas échéant, l'organisme auquel elle est affiliée;

b) une description de l'unité de négociation recherchée;

c) le nom de l'employeur et l'adresse du ou des établissements visés.

D. 494-85, art. 7

10. Le Tribunal envoie une copie des requêtes en accréditation à tout organisme qui en fait la demande.

L'employeur doit afficher la liste des salariés prévue à l'article 25 du *Code du travail*, (chapitre C-27) pendant cinq jours.

D. 494-85, art. 8; *Erratum*, (1987) 119 *G.O.* II, 2063; 2015, c. 15, art. 237

11. (*Abrogé*).

D. 494-85, art. 9

§2 — Vote

12. (*Abrogé*).

D. 494-85, art. 9

13. (*Abrogé*).

D. 494-85, art. 10; 2015, c. 15, art. 237; N.I. 2017-05-01

14. (*Abrogé*).
N.I. 2017-05-01

15. (*Abrogé*).
2015, c. 15, art. 237; N.I. 2017-05-01

16. (*Abrogé*).
N.I. 2017-05-01

17. (*Abrogé*).
2015, c. 15, art. 237; N.I. 2017-05-01

18. (*Abrogé*).
N.I. 2017-05-01

19. (*Abrogé*).
D. 494-85, art. 11; N.I. 2017-05-01

20. (*Abrogé*).
D. 494-85, art. 12; N.I. 2017-05-01

21. (*Abrogé*).
D. 494-85, art. 13; N.I. 2017-05-01

22. (*Abrogé*).
N.I. 2017-05-01

23. (*Abrogé*).
2015, c. 15, art. 237; N.I. 2017-05-01

24. (*Abrogé*).
N.I. 2017-05-01

25. (*Abrogé*).
N.I. 2017-05-01

SECTION III — PLAINTES

§1 — *Plainte en vertu de l'article 12 du* Code du travail

26. Toute plainte portée en vertu de l'article 12 du *Code du travail* (chapitre C-27) doit :

a) mentionner le nom et l'adresse du plaignant;

b) mentionner le nom des personnes et de l'employeur ou de l'association de salariés contre qui la plainte est portée;

c) exposer succinctement les faits sur lesquels elle s'appuie.

27. (*Abrogé*).
D. 494-85, art. 14

§2 — *Plainte en vertu des articles 15 et suivants du* Code du travail

28. Toute plainte portée en vertu des articles 15 et suivants du *Code du travail* (chapitre C-27) doit être adressée au Tribunal et contenir :

a) le nom et l'adresse du plaignant;

b) le nom et l'adresse de l'employeur contre qui la plainte est portée;

c) l'indication de la date de la sanction ou de la mesure visée par la plainte;

d) une déclaration du plaignant alléguant qu'il croit avoir été illégalement l'objet de la sanction ou de la mesure visée par la plainte à cause de l'exercice par lui d'un droit qui lui résulte du *Code du travail*.
D. 494-85, art. 15; 2015, c. 15, art. 237

29. (*Abrogé*).
D. 494-85, art. 16

SECTION IV — DEMANDES DIVERSES

§1 — Requête en révocation de l'accréditation en vertu de l'article 41 du Code du travail

30. Lorsqu'une requête en révocation d'accréditation soumise en vertu de l'article 41 du *Code du travail* (chapitre C-27) donne lieu à une vérification du caractère représentatif de l'association, l'article 36.1 du *Code du travail* s'applique, compte tenu des changements nécessaires.

§2 — Requête d'attestation d'association conformément à l'article 60 du Code de procédure civile *(Inopérante)*

31. Une association de salariés qui désire obtenir le certificat prévu par l'article 60 du *Code de procédure civile* (chapitre C-25), doit s'adresser par écrit à la Commission. (*Inopérant*)

N.I. 2016-01-01 (NCPC)

§3 — Requête pour suspendre les négociations en vertu de l'article 42 du Code du travail

32. Lorsqu'une partie désire obtenir la suspension de la négociation collective et des délais de négociation collective et empêcher le renouvellement d'une convention collective en vertu de l'article 42 du *Code du travail* (chapitre C-27), elle doit :

a) s'adresser au Tribunal en exposant les motifs qui donnent ouverture à sa requête;

b) transmettre par poste recommandée une copie de sa requête aux parties et en faire la mention au Tribunal.

D. 494-85, art. 17; 2015, c. 15, art. 237; N.I. 2016-01-01 (NCPC)

33. Toute contestation de telle requête doit être adressée au Tribunal dans les 10 jours de la réception de la copie de la requête.

S'il n'y a pas de contestation dans le délai prévu, le Tribunal dispose immédiatement de la requête.

2015, c. 15, art. 237

34. Il appartient au Tribunal d'apprécier si les faits et circonstances de chaque cas exigent une convocation des parties en audition; l'audition doit être tenue sans délai.

2015, c. 15, art. 237

§4 — Permis d'accès à des campements miniers en vertu de l'article 9 du Code du travail

35. Un permis de passage et d'accès à des campements miniers selon l'article 9 du *Code du travail* (chapitre C-27), doit être demandé par écrit et mentionner le nom du propriétaire de l'entreprise minière ou du concessionnaire, ou le nom du ou des sous-traitants, les motifs pour lesquels il est recherché, pour quel territoire il est demandé, quelle association le requérant représente. Il doit de plus, indiquer s'il y a des salariés logés sur des terrains auxquels le propriétaire est en mesure d'interdire l'accès.

36. Un permis, lorsqu'il est délivré, indique le nom du représentant, le nom de l'association représentée, le territoire visé et sa durée.

Ce permis n'est valable que s'il est contresigné par le représentant.

37. Le Tribunal informe sans délai le propriétaire de l'entreprise minière, le concessionnaire ou le sous-traitant visé par le permis et lui en expédie une copie.

2015, c. 15, art. 237

§5 — Modification

38. Le Tribunal peut permettre à une partie de modifier une requête, une plainte ou ses prétentions au temps et aux conditions qu'il détermine.

Un agent de relations du travail peut également permettre à une partie de modifier au temps et aux conditions qu'il détermine une requête pour autant que cette modification concerne les paragraphes *a*, *b* ou *c* de l'article 9 et que cette modification soit acceptée par les parties.

D. 494-85, art. 18; 2015, c. 15, art. 237

SECTION V — DIVERS

§1 — Appel

39. (*Abrogé*).

D. 494-85, art. 19

§2 — Formules

40. Les parties peuvent utiliser aux fins du *Code du travail* (chapitre C-27) et du présent règlement les formules fournies par le Tribunal. Ces formules sont proposées comme modèles, mais leur usage n'est pas obligatoire.

2015, c. 15, art. 237

§3 — Dossier

41. (*Abrogé*).

D. 494-85, art. 20

42. La convention collective pour dépôt en vertu de l'article 72 du *Code du travail* (chapitre C-27) est acceptée lorsque les conditions suivantes sont remplies :

a) le nom de l'association et celui de l'employeur sont les mêmes que ceux qui apparaissent dans l'accréditation;

b) les exemplaires ou les copies conformes à l'original de la convention collective sont signés par l'association et par l'employeur et les annexes y sont jointes;

c) la convention collective est datée;

d) la convention collective est rédigée dans la langue officielle.

D. 494-85, art. 21; D. 931-94, art. 1

43. Le ministre délivre un certificat attestant le dépôt d'une convention collective; le cas échéant, il avise la partie qui a déposé la convention collective de la raison du refus du dépôt.

L'association accréditée doit faire connaître au ministre, dans les 15 jours ouvrables suivant la délivrance du certificat, son affiliation avec une autre organisation syndicale.

L'employeur doit communiquer dans le même délai au ministre les renseignements suivants :

a) le type de ses activités;

b) le nombre de salariés, par catégorie de personnel, qui sont visés par la convention collective;

c) le nombre de salariés de sexe masculin et de sexe féminin qui sont visés par la convention collective;

d) le nombre de salariés de sexe masculin et de sexe féminin qui sont visés par la convention collective et qui travaillent à temps partiel.

D. 253-87, art. 1

44. Lors du dépôt d'une convention collective identique conclue entre une association d'employeurs et une association de salariés, l'article 72 du *Code du travail* (chapitre C-27) est considéré comme ayant été respecté pour chaque employeur couvert par cette convention, si ce dernier autorise, par écrit, son association à signer et à déposer cette convention et indique son adresse, son numéro de dossier et le nombre de ses salariés intéressés.

ANNEXE I

(*article 5*)

Aux fins de l'article 27 du *Code du travail* (chapitre C-27), les bureaux de Québec et de Montréal desservent respectivement les régions administratives suivantes :

Bureaux de Québec

Région nº 1 :

Bas-Saint-Laurent et Gaspésie

Sous-région 01 : Gaspé

Sous-région 03 : Sainte-Anne-des-Monts

Région nº 2 :

Saguenay — Lac-Saint-Jean

Sous-région 01 : Chicoutimi

Sous-région 04 : Roberval

Région nº 3 :

Québec

Sous-région 01 : Rivière-du-Loup

Sous-région 03 : Québec

Sous-région 04 : Chaudière

Région nº 4 :

Trois-Rivières

Sous-région 01 : Bois-Francs

Sous-région 03 : Mauricie

Région nº 9 :

Côte-Nord

Sous-région 01 : Saguenay

Sous-région 03 : Mingan

Bureaux de Montréal

Région nº 5 :

Cantons de l'Est

Région nº 6 :

Montréal

Sous-région 01 : Granby

Sous-région 02 : Saint-Jean

Sous-région 03 : Beauharnois

Sous-région 04 : Saint-Hyacinthe

Sous-région 06 : Agglomération montréalaise

Sous-région 07 : Richelieu
Sous-région 08 : Joliette
Sous-région 09 : Terrebonne

Région nº 7 :

Outaouais
Sous-région 01 : Hull
Sous-région 03 : Labelle

Région nº 8 :

Nord-Ouest
Sous-région 01 : Rouyn-Noranda
Sous-région 03 : Abitibi

Région nº 10 :

Nouveau-Québec

ANNEXE II

(*Périmée*).

ANNEXE III

(*Périmée*).

[QUE-3.3]
RÈGLEMENT SUR LA RÉMUNÉRATION DES ARBITRES

édicté en vertu du *Code du travail* (RLRQ, c. C-27, art. 103; 2001, c. 26, art. 57)

D. 851-2002, (2002) 134 G.O. II, 4860 [c. C-27, r. 6], tel que modifié par D. 1303-2002, (2002) 134 G.O. II, 7735; D. 505-2004, (2004) 136 G.O. II, 2567; D. 367-2009, (2009) 141 G.O. II, 1712; L.Q. 2011, c. 16, art. 91; 2016, c. 24, art. 53.

1. Le présent règlement s'applique aux arbitres de grief et de différend.

Il ne s'applique pas à l'arbitrage d'un grief impliquant une association de salariés au sens du *Code du travail* (chapitre C-27) et le gouvernement ou un ministère, un organisme du gouvernement dont le personnel est nommé suivant la *Loi sur la Fonction publique* (chapitre F-3.1.1), un collège ou une commission scolaire visés dans la *Loi sur le régime de négociation des conventions collectives dans les secteurs public et parapublic* (chapitre R-8.2).

2. L'arbitre a droit à des honoraires de 140 $ pour chaque heure d'une séance d'arbitrage, pour chaque heure de délibéré avec les assesseurs et, sous réserve de l'article 4, pour chaque heure de délibéré et de rédaction de la sentence.

Il a droit, pour chaque journée d'audience, à une rémunération minimale équivalant à trois heures d'honoraires au taux fixé par le premier alinéa.

D. 367-2009, art. 1

3. L'arbitre de grief a également droit à des honoraires au taux fixé par l'article 2 pour chaque heure d'une conférence préparatoire.

4. Pour le délibéré et la rédaction de la sentence, l'arbitre de grief a droit aux honoraires au taux fixé par l'article 2 pour un maximum de 14 heures pour une journée d'audience, de 22 heures pour deux journées d'audience et, lorsqu'il y a trois journées d'audience ou plus, de 22 heures pour les deux premières journées et de cinq heures pour chaque journée subséquente.

L'arbitre de différend a droit aux honoraires au taux fixé par l'article 2 pour un maximum de 14 heures pour une journée d'audience, de 22 heures pour deux journées d'audience, de 27 heures pour trois journées d'audience et, lorsqu'il y a quatre journées d'audience ou plus, de 27 heures pour les trois premières journées et de trois heures pour chaque journée subséquente.

L'arbitre a droit aux honoraires au taux fixé par l'article 2 pour un maximum de 14 heures s'il ne tient aucune séance d'arbitrage.

5. Pour tous les frais inhérents à l'arbitrage notamment les frais d'ouverture de dossier, les conversations téléphoniques, la correspondance, la rédaction et le dépôt des exemplaires ou des copies de la sentence arbitrale, l'arbitre a également droit à une heure d'honoraires au taux fixé par l'article 2.

6. Les frais de transport, de repas et de logement d'un arbitre lui sont remboursés conformément à la *Directive sur les frais remboursables lors d'un déplacement et d'autres frais inhérents* (C.T. 194603, 2000-03-30).

7. L'arbitre a droit à une allocation de déplacement lorsqu'il exerce ses fonctions à l'extérieur d'un rayon de 80 kilomètres de son bureau.

Le montant de cette allocation correspond au montant obtenu en multipliant le taux de 90 $ par le nombre d'heures nécessaires pour effectuer l'aller et le retour par le moyen de transport le plus rapide.

D. 367-2009, art. 2

8. À titre d'indemnité en cas de désistement ou de règlement total d'un dossier plus de 30 jours avant la date de l'audience, l'arbitre a droit à une heure d'honoraires au taux fixé par l'article 2.

En cas de désistement, de règlement total ou de remise à la demande d'une partie, 30 jours ou moins avant la date de l'audience, l'arbitre a droit à trois heures d'honoraires au taux fixé par l'article 2 mais n'a pas droit aux frais inhérents à l'arbitrage prévus à l'article 5.

9. L'arbitre a droit au remboursement des frais réels de location de salle engagés pour une audience.

10. Sauf dans la mesure prévue aux articles 11, 15, 16 et 17, l'arbitre ne peut réclamer aucun honoraires, frais, allocation ou indemnité autres que ceux fixés par les articles 2 à 9.

11. L'arbitre choisi et rémunéré par les parties ou par l'une d'elles peut réclamer une rémunération différente de celle fixée par les articles 2 à 8. Il ne peut toutefois, pour le délibéré et la rédaction de la sentence, réclamer une rémunération pour un nombre d'heures supérieur à ce que prévoit l'article 4.

Il doit, à cette fin, déclarer au ministre du Travail un tarif de rémunération comprenant le taux horaire qu'il entend réclamer en vertu des articles 2 à 5, le montant des frais, allocations et indemnités visés aux articles 6 à 8 ainsi que les modalités d'application de ce taux horaire et de ces montants.

D. 1303-2002, art. 1

12. Le tarif de rémunération doit être déclaré au moyen du formulaire proposé par le ministère du Travail pendant la période comprise entre le 15 avril et le 15 mai de chaque année.

13. La rémunération prévue au tarif ne peut être réclamée qu'à l'égard du grief ou du différend soumis à l'arbitre à compter du 1er septembre qui suit la période visée à l'article 12.

D. 505-2004, art. 1

14. Le tarif de rémunération demeure en vigueur tant qu'il n'est pas modifié suivant les dispositions de l'article 12. L'article 13 s'applique au tarif de rémunération modifié.

15. L'arbitre dont le nom est inscrit sur la liste des arbitres visée à l'article 77 du *Code du travail* (chapitre C-27) après la période visée à l'article 12 peut néanmoins déclarer son tarif de rémunération dans les 30 jours qui suivent la date de cette inscription.

Malgré les dispositions de l'article 13, la rémunération prévue au tarif déclaré en vertu du premier alinéa ne peut être réclamée qu'à l'égard du grief ou du différend soumis à l'arbitre à compter de la date à laquelle le ministre l'avise que le tarif déclaré a été inscrit sur la liste visée à l'article 18.

16. Lorsqu'il est membre d'un groupement d'arbitres, l'arbitre rémunéré par les parties ou par l'une d'elles peut, dans la mesure prévue au présent article, réclamer, à titre de rémunération, le montant forfaitaire prévu au tarif du groupement à l'égard du grief ou du différend qui lui a été soumis par ce groupement.

Le groupement d'arbitres doit être constitué suivant une forme juridique prévue par la loi et régi par une procédure d'arbitrage accéléré prévoyant notamment un tarif de rémunération commun à tous les membres.

Le tarif doit préciser, parmi les actes rémunérés et les frais visés aux articles 2 à 8, les actes et les frais compris dans le montant forfaitaire qu'il prévoit et les modalités d'application de ce montant.

Le tarif de rémunération doit être déclaré au ministre du Travail par le groupement d'arbitres et les dispositions des articles 12 à 14 s'appliquent, compte tenu des adaptations nécessaires.

Le groupement d'arbitres doit de plus transmettre une copie de son acte constitutif, de la liste de ses membres et de sa procédure d'arbitrage accéléré.

17. L'arbitre de grief agissant à titre de membre du Tribunal d'arbitrage procédure allégée (TAPA) est rémunéré selon le tarif établi par les dispositions de la procédure allégée d'arbitrage de griefs administrée par ce tribunal.

18. Le ministre du Travail dresse la liste des tarifs de rémunération déclarés en vertu des articles 11, 15 et 16, en transmet une copie au Comité consultatif du travail et de la main-d'œuvre visé à l'article 12.1 de la *Loi sur le ministère du Travail* (chapitre M-32.2) et en assure périodiquement la mise à jour et la diffusion notamment auprès des associations d'arbitres, de salariés et d'employeurs les plus représentatives.

Il met une copie de cette liste à la disposition du public par tout moyen qu'il juge approprié.

2011, c. 16, art. 91

19. Sauf disposition contraire à la convention collective, les parties assument conjointement et à parts égales le paiement des honoraires, frais, allocations et indemnités de l'arbitre de grief.

Les parties assument conjointement et à parts égales le paiement des honoraires, frais, allocations et indemnités de l'arbitre lorsqu'il s'agit d'un différend déféré en vertu de l'article 75 du *Code du travail* (chapitre C-27) ou lorsque la convention collective prescrit que le différend est déféré à l'arbitrage.

Le ministre du Travail assume le paiement des honoraires, frais, allocations et indemnités de l'arbitre d'un différend déféré en vertu de l'article 93.3 de ce code.

2016, c. 24, art. 53

20. L'arbitre doit présenter un compte d'honoraires ventilé permettant d'en vérifier le bien-fondé pour chaque jour où des honoraires, frais, allocations ou des indemnités sont réclamés.

21. Le présent règlement remplace le *Règlement sur la rémunération des arbitres* (D. 1486-96, 96-11-27).

22. Les dispositions du *Règlement sur la rémunération des arbitres* (D. 1486-96, 96-11-27) telles qu'elles se lisaient avant d'être remplacées par le présent règlement continuent de s'appliquer à l'égard des griefs et des différends soumis à l'arbitrage avant le 1er décembre 2002.

23. Pour les griefs et différends soumis à compter du 1er décembre 2002, l'arbitre visé à l'article 11 et l'arbitre membre d'un groupement d'arbitres visé à l'article 16 peuvent réclamer une rémunération différente de celle fixée par les articles 2 à 8 dans la mesure où l'arbitre visé à l'article 11 et le groupement d'arbitres transmettent au ministre du Travail, pendant la période du 1er septembre au 30 septembre 2002, leur tarif de rémunération comprenant les éléments mentionnés au deuxième alinéa de l'article 11 et au premier alinéa de l'article 16.

24. (*Omis*).

Dispositions transitoires

— *Loi concernant le régime de négociation des conventions collectives et de règlement des différends dans le secteur municipal*, L.Q. 2016, c. 24, art. 57 :

57. Le *Règlement sur la rémunération des arbitres* (chapitre C-27, r. 6) s'applique, avec les adaptations nécessaires, à la rémunération des membres d'un conseil de règlement des différends ou des arbitres visés par la présente loi, jusqu'à l'entrée en vigueur d'un règlement pris en application de l'article 34 de cette loi.

Entre autres adaptations, ce règlement s'applique comme s'il s'agissait d'un arbitrage déféré en vertu de l'article 75 du *Code du travail*. Dans le cas d'un conseil de règlement des différends, chaque membre a droit à des honoraires comme s'il était l'arbitre unique au dossier. Toutefois, le total des heures consenti pour la rédaction de la décision, conformément au deuxième alinéa de l'article 4 de ce règlement, doit être réparti parmi les trois membres, selon leurs indications.

[QUE-3.4]
CODE DE DÉONTOLOGIE DES COMMISSAIRES DE LA COMMISSION DES RELATIONS DU TRAVAIL

édicté en vertu du *Code du travail* (RLRQ, c. C-27, art. 137.33; art. 137.34)

D. 575-2007, (2007) 139 G.O. II, 2757 [c. C-27, r. 2]

[Le présent règlement fut remplacé implicitement le 4 mai 2017 avec l'entrée en vigueur du Code de déontologie des membres du Tribunal administratif du travail, RLRQ, c. T-15.1, r. 0.1, voir [QUE-19.1] de cet ouvrage]

[QUE-3.5]

RÈGLES DE PREUVE ET DE PROCÉDURE DE LA COMMISSION DES RELATIONS DU TRAVAIL

édicté en vertu du *Code du travail* (RLRQ, c. C-27, art. 138)

Non publiées

[Le présent règlement fut remplacé implicitement le 4 mai 2017 avec l'entrée en vigueur des Règles de preuve et de procédure du Tribunal administratif du travail, RLRQ, c. T-15.1, r. 1.1, voir [QUE-19.2] de cet ouvrage]

[QUE-4]
TABLE DES MATIÈRES
LOI SUR LES DÉCRETS DE CONVENTION COLLECTIVE

[QUE-4]

LOI SUR LES DÉCRETS DE CONVENTION COLLECTIVE

RLRQ, c. D-2, telle que modifiée par L.Q. 1965 (1re sess.), c. 80, art. 1; 1968, c. 23, art. 8; 1968, c. 43, art. 17; 1968, c. 45, art. 61; 1969, c. 49, art. 1-2; 1969, c. 51, art. 59-60; 1969, c. 60, art. 12; 1971, c. 48, art. 161; 1978, c. 7, art. 87-88; 1979, c. 45, art. 160-161; 1981, c. 9, art. 34; 1982, c. 53, art. 30; 56; 1984, c. 45, art. 10-28; 1986, c. 95, art. 128; 1988, c. 51, art. 114; 1989, c. 4, art. 10; 1990, c. 4, art. 371-379; 1990, c. 30, art. 32; 1992, c. 21, art. 147; 1992, c. 44, art. 81; 1992, c. 61, art. 256-258; 1992, c. 68, art. 157; 1994, c. 12, art. 31-34; 1994, c. 23, art. 23; 1996, c. 29, art. 43; 1996, c. 71, art. 1-16; 18-36; 1997, c. 20, art. 13; 1997, c. 63, art. 128; 1997, c. 80, art. 62; 1998, c. 36, art. 179; 1999, c. 40, art. 100; 2001, c. 26, art. 100-101; 2001, c. 44, art. 30; 2005, c. 44, art. 54(11°); 2005, c. 15, art. 153; 2007, c. 3, art. 53-55; art. 68; 2011, c. 10, art. 98(7°); 2011, c. 16, art. 87; 2015, c. 15, art. 237.

INTERPRÉTATION

1. Définitions — Dans la présente loi et son application, à moins que le contexte ne s'y oppose, les termes suivants ont le sens qui leur est ci-après donné :

a) **« exploitation agricole »** : signifie : une ferme mise en valeur par l'exploitant lui-même ou par l'entremise d'employés;

b) **« association accréditée »** : signifie : l'association reconnue, en vertu du *Code du travail* (chapitre C-27), par décision du Tribunal administratif du travail comme représentant de l'ensemble ou d'un groupe de salariés d'un employeur;

b.1) **« association d'employeurs »** : désigne : un groupement d'employeurs ayant pour but l'étude et la sauvegarde des intérêts économiques de ses membres et particulièrement l'assistance dans la négociation et l'application de conventions collectives;

b.2) **« association de salariés »** : signifie : un groupement de salariés constitué en syndicat professionnel, union, fraternité ou autrement et ayant pour buts l'étude, la sauvegarde et le développement des intérêts économiques, sociaux et éducatifs de ses membres et particulièrement la négociation et l'application de conventions collectives;

c) **« comité »** : désigne : le comité paritaire constitué à la suite d'un décret;

d) **« convention collective ou convention »** : désigne : une convention collective au sens du *Code du travail* ou une entente écrite relative aux conditions de travail, fondée sur au moins une convention collective, et conclue entre une ou plusieurs associations accréditées ou un ou plusieurs regroupements d'associations accréditées et un ou plusieurs employeurs ou une ou plusieurs associations d'employeurs;

e) (*définition abrogée*);

f) « **employeur** » : comprend : toute personne, société ou association qui fait exécuter un travail par un salarié;

g) « **employeur professionnel** » : désigne : un employeur qui a à son emploi un ou des salariés visés par le champ d'application d'un décret;

h) « **ministre** » : signifie : le ministre du Travail;

i) « **salaire** » : signifie : la rémunération en monnaie courante et les compensations ou avantages ayant une valeur pécuniaire que détermine un décret, pour le travail qu'il régit;

j) « **salarié** » : signifie : tout apprenti, manœuvre ou ouvrier non spécialisé, ouvrier qualifié ou compagnon, artisan, commis ou employé qui travaille individuellement, en équipe ou en société;

k) (*définition abrogée*);

l) (*définition abrogée*).

S.R.Q. 1964, c. 143, art. 1; 1968, c. 43, art. 17; 1971, c. 48, art. 161; 1981, c. 9, art. 34; 1982, c. 53, art. 56; 1984, c. 45, art. 10; 1989, c. 4, art. 10; 1994, c. 12, art. 31; 1996, c. 29, art. 43; 1996, c. 71, art. 1; 2001, c. 26, art. 100; 2015, c. 15, art. 237

Extension juridique

2. Décret — Il est loisible au gouvernement de décréter qu'une convention collective relative à un métier, à une industrie, à un commerce ou à une profession, lie également tous les salariés et tous les employeurs professionnels du Québec, ou d'une région déterminée du Québec, dans le champ d'application défini dans ce décret.

S.R.Q. 1964, c. 143, art. 2; 1996, c. 71, art. 2

3. Demande — Toute partie à une convention peut demander au gouvernement l'adoption du décret prévu à l'article 2.

S.R.Q. 1964, c. 143, art. 3

4. Demande au ministre — La demande est adressée au ministre accompagnée d'une copie conforme de la convention et, le cas échéant, de la convention collective sur laquelle est fondée l'entente écrite.

Fusion — Un seul décret peut être rendu à la suite de la réception de plusieurs conventions.

S.R.Q. 1964, c. 143, art. 4; 1968, c. 43, art. 17; 1981, c. 9, art. 34; 1982, c. 53, art. 56; 1994, c. 12, art. 32; 1996, c. 71, art. 3

4.1 Renseignements — Le ministre peut exiger des parties à la convention ou de leurs membres tout renseignement ou document qu'il estime nécessaire pour lui permettre d'évaluer la demande.

1996, c. 71, art. 4

4.2 Recevabilité — La demande est recevable si le ministre estime que les dispositions des articles 3, 4 et 4.1 sont respectées et que celle-ci remplit, à première vue, les critères prévus aux articles 6, 9 et 9.1.

Restriction — Le ministre ne peut décider qu'une demande est irrecevable sans au préalable avoir informé le demandeur de son intention et des motifs de sa décision et lui avoir donné l'occasion de présenter ses observations et, s'il y a lieu, de produire des documents pour compléter la demande.

1996, c. 71, art. 4

5. Publication — Le ministre fait publier à la *Gazette officielle du Québec* un avis de la réception de la demande et le projet de décret s'y rapportant. Cet avis doit également être publié dans un journal de langue française et de langue anglaise.

Frais — Les frais de publication de l'avis dans les journaux et les frais de traduction de l'avis et du projet de décret sont assumés par le demandeur.

Objections — L'avis publié dans un journal indique que toute objection doit être formulée dans les 45 jours de sa publication ou dans un délai plus court si le ministre est d'avis que l'urgence de la situation l'impose. L'avis doit alors indiquer le motif justifiant un délai de publication plus court.

S.R.Q. 1964, c. 143, art. 5; 1968, c. 23, art. 8; 1996, c. 71, art. 5

6. Extension de la convention — À l'expiration du délai indiqué à l'avis, le ministre peut recommander au gouvernement de décréter l'extension de la convention, avec les modifications jugées opportunes, s'il estime que :

1° le champ d'application demandé est approprié;

2° les dispositions de la convention :

(a) ont acquis une signification et une importance prépondérantes pour l'établissement des conditions de travail;

(b) peuvent être étendues sans inconvénient sérieux pour les entreprises en concurrence avec des entreprises établies à l'extérieur du Québec;

(c) n'ont pas pour effet de nuire, de façon sérieuse, au maintien et au développement de l'emploi dans le champ d'application visé;

(d) n'ont pas pour effet, lorsqu'elles prévoient une classification des opérations ou différentes catégories de salariés, d'alourdir indûment la gestion des entreprises visées.

Évaluation — Pour l'application du paragraphe 1° du premier alinéa, le ministre tient compte de la nature du travail, des produits et des services, des caractéristiques du marché visé par la demande et du champ d'application des autres décrets.

Conditions particulières — Le ministre tient compte, le cas échéant, des conditions particulières aux diverses régions du Québec.

S.R.Q. 1964, c. 143, art. 6; 1996, c. 71, art. 6

6.1 Paiement des frais — Les articles 4 à 6 s'appliquent à toute demande de modification. Toutefois, les frais de publication et de traduction prévus à l'article 5 sont assumés par le comité.

Dispositions non applicables — Ces articles, à l'exception des articles 4.1 et 5, ne s'appliquent pas lorsque la modification demandée porte sur la désignation, l'addition ou la substitution d'une partie contractante ou vise à corriger une disposition du décret entachée d'une erreur d'écriture ou de calcul ou de quelque autre erreur matérielle.

1996, c. 71, art. 7

6.2 Révision du décret — Le ministre peut, s'il l'estime nécessaire lors d'une demande de modification faite en vertu du premier alinéa de l'article 6.1, réviser, sur la base des critères prévus à l'article 6, les dispositions du décret qui ne sont pas visées par cette demande. Il peut exiger à cette fin tout renseignement ou document qu'il estime nécessaire.

Consultation des parties — Après consultation des parties contractantes ou du comité et publication d'un avis en la manière prévue à l'article 5, le ministre peut recommander au gouvernement de décréter les dispositions ainsi révisées.

1996, c. 71, art. 7

6.3 Décision motivée — Le ministre informe le demandeur par écrit s'il ne recommande pas l'approbation de la demande par le gouvernement en lui indiquant les motifs de sa décision.

1996, c. 71, art. 7

7. Entrée en vigueur du décret — Malgré les dispositions de l'article 17 de la *Loi sur les règlements* (chapitre R-18.1), un décret entre en vigueur à compter du jour de sa publication à la *Gazette officielle du Québec* ou à la date ultérieure qui y est fixée.

S.R.Q. 1964, c. 143, art. 7; 1968, c. 23, art. 8; 1996, c. 71, art. 8

8. Prolongation du décret — Le gouvernement peut en tout temps prolonger le décret.

Abrogation — Après consultation des parties contractantes ou du comité et publication d'un avis en la manière prévue à l'article 5, le gouvernement peut abroger le décret ou, conformément à l'article 6, le modifier.

Dispositions non applicables — Les sections III et IV de la *Loi sur les règlements* (chapitre R-18.1) ne s'appliquent pas au décret de prolongation. Celui-ci entre en vigueur à compter de la date de son édiction et doit être publié à la *Gazette officielle du Québec*.

S.R.Q. 1964, c. 143, art. 8; 1968, c. 23, art. 8; 1996, c. 71, art. 9

Effets du décret

9. Décret — Le décret peut contenir toute disposition :

1° déterminant la participation du comité au développement de stratégies industrielles dans le champ d'application du décret;

2° relative à la participation du comité au développement des compétences de la main-d'œuvre dans le champ d'application du décret.

S.R.Q. 1964, c. 143, art. 9; 1969, c. 51, art. 59; 1969, c. 60, art. 12; 1990, c. 30, art. 32; 1996, c. 71, art. 10; 2007, c. 3, art. 53

9.1 Restriction — Un décret ne peut rendre obligatoire :

1° une disposition de la convention se rapportant aux activités, à l'administration ou au financement d'une association de salariés ou d'employeurs;

2° une hausse salariale applicable à un taux de salaire effectif plus élevé que le taux de salaire prévu à ce décret;

3° l'octroi d'un taux de salaire supérieur au taux du décret;

4° des prix *minima* à être chargés au public pour les services fournis.

1996, c. 71, art. 10

9.2 Majoration du salaire horaire — Tout travail exécuté en plus des heures de la journée ou de la semaine normale de travail entraîne une majoration du salaire horaire effectivement payé à un salarié, à l'exclusion des primes établies sur une base horaire.

1996, c. 71, art. 10

10. Parties contractantes — Le décret peut ordonner que certaines personnes ou associations soient traitées comme parties contractantes.

Association accréditée — La partie contractante syndicale doit nécessairement être une association accréditée ou un regroupement d'associations accréditées.

S.R.Q. 1964, c. 143, art. 10; 1968, c. 45, art. 61; 1984, c. 45, art. 11; 1996, c. 71, art. 10

11. Dispositions d'ordre public — Les dispositions du décret sont d'ordre public.

S.R.Q. 1964, c. 143, art. 11; 1996, c. 71, art. 11

11.1 Conflit d'application — Un double assujettissement ou un conflit de champs d'application peut faire l'objet d'une entente entre les comités et l'employeur professionnel concernés.

Double assujettissement — Il y a double assujettissement lorsque plus d'un décret est susceptible de s'appliquer alternativement aux mêmes salariés d'un employeur professionnel et ce, de façon continuelle.

Conflit d'application — Il y a conflit de champs d'application lorsque plus d'un décret est susceptible de s'appliquer simultanément aux mêmes salariés d'un employeur professionnel.

1996, c. 71, art. 12

11.2 Contenu de l'entente — L'entente doit indiquer le décret qui s'applique aux salariés concernés de l'employeur professionnel et peut également contenir des dispositions visant à régler toute difficulté découlant de l'application du décret convenu.

Copie de l'entente — Le comité chargé de l'application du décret convenu doit transmettre au ministre une copie de cette entente dans les 30 jours suivants.

1996, c. 71, art. 12

11.3 Défaut d'entente — Un double assujettissement ou un conflit de champs d'application peut, à défaut d'entente, être déféré à un arbitre unique par une des parties concernées.

1996, c. 71, art. 12

11.4 Choix de l'arbitre — L'arbitre est choisi par les comités et l'employeur professionnel concernés ou, à défaut d'accord, nommé par le ministre.

Nomination — L'arbitre nommé par le ministre est choisi sur la liste prévue à l'article 77 du *Code du travail* (chapitre C-27).

1996, c. 71, art. 12

11.5 Décision — L'arbitre détermine le décret applicable aux salariés concernés.

Sentence — Pour rendre sa sentence, l'arbitre peut, sous réserve du troisième alinéa, tenir compte, entre autres, des ententes conclues et des sentences rendues dans des circonstances similaires.

Prise en considération — À l'égard d'un double assujettissement, l'arbitre doit fonder sa sentence sur l'activité principale de l'entreprise de l'employeur professionnel au cours des 12 mois précédant la demande d'arbitrage. Il peut, à cette fin, prendre en considération notamment, pour chaque secteur d'activités, les effectifs employés, le volume des produits ou des services et le chiffre d'affaires réalisé.

1996, c. 71, art. 12

11.6 Pouvoirs de l'arbitre — Dans l'exercice de ses fonctions l'arbitre peut :

1° interpréter et appliquer une loi, un règlement ou un décret dans la mesure où il est nécessaire de le faire pour trancher un conflit ou régler un double assujettissement déféré en vertu de l'article 11.3;

2° ordonner le paiement d'un intérêt au taux fixé en vertu de l'article 28 de la *Loi sur l'administration fiscale* (chapitre A-6.002), sur la somme due au salarié en vertu de sa sentence;

3° corriger en tout temps une décision entachée d'une erreur d'écriture ou de calcul, ou de quelque autre erreur matérielle;

4° rendre toute autre décision propre à sauvegarder les droits des parties;

5° régler toute difficulté découlant du double assujettissement ou du conflit de champs d'application.

1996, c. 71, art. 12; 2010, c. 31, art. 175

11.7 Application à l'arbitrage — Les articles 100.0.2 à 101.10, à l'exception des articles 100.1.1, 100.2.1, 100.10 et 100.12, et les articles 139, 139.1 et 140 du *Code du travail* (chapitre C-27) s'appliquent, compte tenu des adaptations nécessaires, à l'arbitrage prévu à l'article 11.3.

1996, c. 71, art. 12

11.8 Parties liées — L'entente conclue en vertu de l'article 11.1 et la sentence arbitrale lient les parties concernées jusqu'à la date d'expiration du décret applicable sauf si les salariés concernés sont dans l'intervalle exclus du champ d'application de ce décret.

1996, c. 71, art. 12

11.9 Dispositions applicables — Sous réserve du deuxième alinéa, le *Règlement sur la rémunération des arbitres* (chapitre C-27, r. 6) s'applique à l'arbitrage prévu à l'article 11.3.

Paiement — Les comités et l'employeur professionnel concernés assument conjointement et en parts égales le paiement des honoraires, des frais et des allocations de l'arbitre.

1996, c. 71, art. 12

12. Interdiction — Il est interdit de payer un salaire inférieur à celui que fixe le décret. Malgré toute stipulation ou entente à l'effet contraire et sans qu'il soit nécessaire d'en demander la nullité, le salarié a droit de recevoir le salaire fixé par le décret.

S.R.Q. 1964, c. 143, art. 12; 1984, c. 45, art. 12

12.1 (*Abrogé*).

1997, c. 20, art. 13; 2007, c. 3, art. 54

13. Conventions plus avantageuses — À moins qu'elles ne soient expressément interdites par le décret, les clauses d'un contrat de travail sont valides et licites, nonobstant les dispositions des articles 9 et 11 ci-dessus, dans la mesure où elles prévoient pour le salarié une rémunération en monnaie courante plus élevée ou des compensations ou avantages plus étendus que ceux fixés par le décret.

S.R.Q. 1964, c. 143, art. 13; 1984, c. 45, art. 13; 1996, c. 71, art. 13

14. Solidarité — Tout employeur professionnel ou tout entrepreneur qui contracte avec un sous-entrepreneur ou sous-traitant, directement ou par intermédiaire, est solidairement responsable avec ce sous-entrepreneur ou sous-traitant et tout intermédiaire, des obligations pécuniaires fixées par la présente loi, un règlement ou un décret et des prélèvements dus à un comité.

Solidarité — Cette solidarité prend fin six mois après la fin des travaux exécutés par ce sous-entrepreneur ou ce sous-traitant, à moins que le salarié n'ait déposé, auprès du comité, une plainte relative à son salaire, qu'une action civile n'ait été intentée, ou qu'un avis n'ait été transmis par le comité suivant l'article 28.1 avant l'expiration de ce délai.

S.R.Q. 1964, c. 143, art. 14; 1996, c. 71, art. 14

14.1 Dette antérieure à une aliénation — L'aliénation ou la concession totale ou partielle d'une entreprise autrement que par vente sous contrôle de justice ou la modification de sa structure juridique par fusion, division ou autrement n'invalide aucune dette qui est antérieure à cette aliénation, concession ou modification et qui découle de l'application de la présente loi, d'un règlement ou d'un décret.

Parties liées — L'ancien employeur et son ayant cause sont liés solidairement à l'égard de cette dette.

1984, c. 45, art. 14; 1996, c. 71, art. 15; N.I. 2016-01-01 (NCPC)

14.2 Continuité des conditions de travail — L'aliénation ou la concession totale ou partielle de l'entreprise ou la modification de sa structure juridique par fusion, division ou autrement n'affecte pas la continuité de l'application des conditions de travail prévues par un décret.

1996, c. 71, art. 15

15. Présomption de légalité — La publication du décret à la *Gazette officielle du Québec* rend non recevable toute contestation soulevant l'incapacité des parties à la convention, l'invalidité de cette dernière et l'insuffisance des avis; et à tous autres égards, elle crée généralement une présomption absolue établissant la légalité de tous les procédés relatifs à son adoption.

S.R.Q. 1964, c. 143, art. 15; 1968, c. 23, art. 8; 1999, c. 40, art. 100

Le comité paritaire : ses droits, privilèges et obligations

16. Observation du décret — Les parties à une convention collective rendue obligatoire doivent constituer un comité chargé de surveiller et d'assurer l'observation du décret. Le comité doit en outre informer et renseigner les salariés et les employeurs professionnels sur les conditions de travail prévues au décret.

Comité existant — Cependant, le gouvernement peut ordonner que l'observation d'un décret soit surveillée et assurée par un comité déjà existant si ce dernier y consent, ou par la Commission des normes, de l'équité, de la santé et de la sécurité du travail.

S.R.Q. 1964, c. 143, art. 16; 1979, c. 45, art. 160; 1996, c. 71, art. 16; 2015, c. 15, art. 237

17. Membres du comité — Le ministre peut en tout temps, aux conditions et pour le terme qu'il juge à propos, adjoindre au comité tels membres, n'excédant pas quatre, qui lui sont désignés en nombre égal par des employeurs et des salariés, non parties à la convention.

S.R.Q. 1964, c. 143, art. 17

18. Règlements — Le comité élabore des règlements pour sa formation, le nombre de ses membres, leur admission et leur remplacement, la nomination de substituts, l'administration des fonds, fixe son siège, détermine le nom sous lequel il sera désigné, et, généralement, prépare tout règlement pour sa régie interne et l'exercice des droits à lui conférés par la loi.

Remplacement des membres — Malgré toutes dispositions relatives au remplacement des membres du comité à ce contraires contenues dans les règlements, la partie à la convention peut, après une période d'un an, remplacer le membre qu'elle a désigné.

S.R.Q. 1964, c. 143, art. 18; 1996, c. 71, art. 18

19. Approbation des règlements — Les règlements prévus à l'article 18 sont transmis au ministre et sont approuvés, avec ou sans modification, par le gouvernement; et avis de cette approbation est donné à la *Gazette officielle du Québec*.

Avis — Cet avis indique le nom sous lequel le comité doit être désigné et l'endroit où est son siège.

Preuve — La publication est une preuve suffisante de la formation et de l'existence du comité et du nom sous lequel il doit être désigné.

Présomption de légalité — La publication de l'avis crée une présomption absolue établissant la légalité de tous les procédés relatifs à la formation et à l'existence du comité.

Amendements — Tout amendement aux règlements du comité doit pareillement être transmis au ministre et n'a d'effet qu'après approbation par le gouvernement, avec ou sans modification.

S.R.Q. 1964, c. 143, art. 19; 1968, c. 23, art. 8; 1996, c. 71, art. 19; 1999, c. 40, art. 100

20. Réglementation — Le gouvernement peut, après consultation du Comité consultatif du travail et de la main-d'œuvre visé à l'article 12.1 de la *Loi sur le ministère du Travail* (chapitre M-32.2), adopter des règlements généraux concernant les règlements qu'un comité paritaire peut adopter.

Entrée en vigueur — Ces règlements généraux entrent en vigueur à la date de leur publication à la *Gazette officielle du Québec*.

Dispositions devenant inopérantes — À compter de la date de cette publication, toute disposition qui est contenue dans un règlement d'un comité paritaire et qui est inconciliable avec les dispositions de ce règlement général, devient inopérante.

1969, c. 49, art. 1; 2011, c. 16, art. 87

21. Abrogation de règlements — Le gouvernement peut, après consultation du Comité consultatif du travail et de la main-d'œuvre visé à l'article 12.1 de la *Loi sur le ministère du Travail* (chapitre M-32.2), abroger tout règlement en vigueur d'un comité paritaire ou toute disposition contenue dans un tel règlement; ce règlement ou, selon le cas, cette disposition cesse d'être en vigueur à compter de l'avis de l'abrogation publié à la *Gazette officielle du Québec*.

1969, c. 49, art. 1; 2011, c. 16, art. 87

22. Pouvoirs corporatifs — À compter de la publication de l'avis prévu à l'article 19, le comité constitue une personne morale.

Du seul fait de sa formation, il peut de droit :

a) **Exercice des recours des salariés** — Exercer les recours qui naissent de la présente loi ou d'un décret en faveur des salariés qui n'ont pas fait signifier de poursuite dans un délai de 15 jours de l'échéance, et ce, nonobstant toute loi à ce contraire, toute opposition ou toute renonciation expresse ou implicite du salarié, et sans être tenu de justifier d'une cession de créance par l'intéressé, de le mettre en demeure, de lui dénoncer la poursuite, ni d'alléguer et de prouver l'absence de poursuite dans ce délai de 15 jours, ni de produire le certificat de qualification;

a.1) **Exercice des recours** — Exercer à l'encontre des administrateurs d'une personne morale les recours qui naissent de la présente loi ou d'un décret en faveur des salariés et qu'ils peuvent exercer envers eux;

b) **Reprise d'instance** — Aux mêmes conditions, reprendre l'instance aux lieu et place de tout salarié qui, ayant fait signifier une telle poursuite, a négligé de procéder pendant 15 jours;

c) **Pourcentage** — Recouvrer de l'employeur professionnel qui viole les dispositions d'un décret relatives au salaire une somme égale à 20 % de la différence entre le salaire obligatoire et celui qui a été effectivement payé;

d) **Compromis** — Effectuer tout règlement, compromis ou transaction jugé convenable dans les cas prévus aux paragraphes ci-dessus;

e) **Secrétaire, inspecteurs et autres employés** — Nommer un directeur général, un secrétaire, des inspecteurs et autres mandataires ou employés, et fixer leurs attributions et rémunérations. Toute personne ayant l'administration des fonds du comité doit fournir un cautionnement par police d'assurance approuvée préalablement par le ministre.

Inspection — Le directeur général, le secrétaire et tout inspecteur peuvent de droit et à toute heure raisonnable pénétrer en tout lieu de travail ou établissement de tout employeur et examiner le système d'enregistrement, le registre obligatoire et la liste de paye de tout employeur, en prendre des copies ou extraits, vérifier auprès de tout employeur et de tout salarié le taux du salaire, la durée du travail, le régime d'apprentissage et l'observance des autres dispositions du décret, requérir même sous serment et privément de tout employeur ou de tout salarié, et même au lieu du travail, les renseignements jugés nécessaires, et, tels renseignements étant consignés par écrit, exiger la signature de l'intéressé;

Identification — Sur demande, le directeur général, le secrétaire ou un inspecteur doit s'identifier et exhiber le certificat, délivré par le comité, attestant sa qualité;

Production de document — Le directeur général, le secrétaire ou un inspecteur peut aussi exiger la production de tout document visé au deuxième alinéa ou de tout document relatif à l'application de la présente loi, d'un décret ou d'un règlement, en faire une copie et la certifier conforme à l'original. Une telle copie est admissible en preuve et a la même force probante que l'original;

f) **Affichage** — Par demande écrite adressée à tout employeur professionnel ou artisan, exiger qu'une copie à lui transmise de toute disposition du décret, ou de toute décision ou règlement, soit affichée et maintenue affichée à un endroit convenable et de la façon prescrite dans la demande;

g) **Système d'enregistrement** — Par règlement approuvé par le gouvernement et publié à la *Gazette officielle du Québec*, rendre obligatoire, pour tout employeur professionnel, un système d'enregistrement de tout travail qu'il régit ou la tenue d'un registre où sont indiqués les nom, adresse et numéro d'assurance sociale de chaque salarié à son emploi, sa qualification, l'heure précise à laquelle le travail a été commencé, a été interrompu, repris et achevé chaque jour, la nature de tel travail et le salaire payé, avec mention du mode et de l'époque de paiement ainsi que tous autres renseignements jugés utiles à l'application du décret;

h) **Rapport mensuel** — Par règlement approuvé par le gouvernement et publié à la *Gazette officielle du Québec*, obliger tout employeur professionnel à lui transmettre un rapport mensuel donnant :

1° les nom, adresse, numéro d'assurance sociale de chaque salarié à son emploi, sa qualification, la nature de son travail, le nombre d'heures de travail régulières et supplémentaires qu'il a effectuées chaque semaine, le total de ces heures, son taux horaire et le total de ses gains;

2° les indemnités payées à chaque salarié à titre de congés annuels et de jours fériés payés, et toute autre indemnité ou avantage ayant une valeur pécuniaire.

Formulaire obligatoire — Ce règlement peut aussi rendre obligatoire l'usage d'un formulaire;

i) **Prélèvement** — Par règlement approuvé par le gouvernement et publié à la *Gazette officielle du Québec*, prélever de l'employeur professionnel seul ou de l'employeur professionnel et du salarié ou du salarié seul, les sommes nécessaires à l'application du décret;

ce prélèvement est soumis aux conditions suivantes :

1° *(sous-paragraphe abrogé)*;

2° **Limite** — Le prélèvement ne doit jamais excéder ½ % de la rémunération du salarié et ½ % de la liste de paye de l'employeur professionnel;

3° **Artisan** — Le règlement peut déterminer la base de calcul du prélèvement dans le cas de l'ouvrier ou artisan qui n'est pas au service d'un employeur professionnel, et déterminer que le prélèvement sera exigible de tels ouvriers ou artisans alors même qu'il n'est exigible que de l'employeur professionnel;

4° **Retenue** — L'employeur professionnel peut être obligé de percevoir le prélèvement imposé aux salariés, au moyen d'une retenue sur le salaire de ces derniers;

5° **Abrogation, modification** — Le gouvernement peut en tout temps, par décret publié à la *Gazette officielle du Québec*, mettre fin au prélèvement, le suspendre, en réduire ou en augmenter le taux;

j) *(paragraphe abrogé);*

k) **Certificat de classification** — Rendre obligatoire le certificat de classification pour les salariés exemptés du certificat de qualification professionnelle délivré en vertu de la *Loi sur la formation et la qualification professionnelles de la main-d'œuvre* (chapitre F-5);

l) **Allocation de présence** — Par règlement approuvé avec ou sans modification par le gouvernement, déterminer le montant de l'allocation de présence à laquelle ont droit ses membres en plus de leurs frais réels de déplacement;

m) **Bénéfices de sécurité sociale** — Si le décret prévoit des bénéfices de sécurité sociale ou l'administration par le comité paritaire d'un fonds de congés payés :

1° percevoir les contributions requises;

2° vérifier les conditions en raison desquelles les bénéfices sont payables;

3° payer les bénéfices;

n) **Administration du fonds** — Prélever, dans la mesure prévue par règlement approuvé avec ou sans modification par le gouvernement et publié à la *Gazette officielle du Québec*, à même les intérêts des fonds gardés en fidéicommis pour les congés payés, le cas échéant, les sommes nécessaires à l'administration du fonds;

o) **Utilisation des fonds non réclamés** — Utiliser pour son administration générale, à concurrence du montant et aux autres conditions prévus par règlement approuvé avec ou sans modification par le gouvernement et publié à la *Gazette officielle du Québec*, les fonds non réclamés gardés en fidéicommis jusqu'à ce que le salarié présente sa réclamation. Les fonds non réclamés doivent cependant, à défaut d'être réclamés par les salariés dans les trois ans qui suivent la date de leur exigibilité, être remis, déduction faite du montant prévu par ce règlement, au ministre du Revenu avec un état de ces fonds indiquant les nom et dernière adresse connue des salariés ainsi que la date de leur remise au ministre du Revenu; la *Loi sur les* *biens non réclamés* (L.Q. 2011, c. 10) s'applique aux fonds ainsi remis au ministre du Revenu;

p) **Stratégies industrielles** — Soutenir, aux conditions et dans la mesure prévues au décret, le développement de stratégies industrielles;

q) **Développement des compétences** — participer, aux conditions et dans la mesure prévues au décret, au développement des compétences de la main-d'œuvre à titre de mutuelle de formation reconnue conformément à l'article 8 de la *Loi favorisant le développement et la reconnaissance des compétences de la main-d'œuvre* (chapitre D-7.1);

r) **Subventions** — utiliser, à titre de mutuelle de formation, les subventions qui lui sont versées à cette fin ou, par règlement approuvé avec ou sans modification par le gouvernement, appliquer les seuls modes de financement suivants :

1° prélever de l'employeur professionnel un montant qui ne peut excéder ½ % de sa masse salariale calculée conformément à l'article 4 de la *Loi favorisant le développement et la reconnaissance des compétences de la main-d'œuvre*; ce règlement ne s'applique pas aux employeurs professionnels exemptés en vertu de cette loi et à ceux exemptés par le règlement du comité;

2° déterminer les droits exigibles, y compris prévoir des exemptions, pour l'utilisation des services offerts à titre de mutuelle de formation.

Fin de prélèvement — Le gouvernement peut en tout temps, par décret publié à la *Gazette officielle du Québec*, mettre fin au prélèvement, le suspendre, en réduire ou en augmenter le taux.

Contrat d'assurance — Tout contrat d'assurance pris pour donner effet au paragraphe m du deuxième alinéa doit être conclu par le comité qui en est le preneur et, le cas échéant, le bénéficiaire de tout montant versé à titre de dividende, de ristourne ou de remboursement de primes. Ces montants doivent apparaître aux états financiers vérifiés visés à l'article 23 et être affectés à la bonification du régime d'assurance.

S.R.Q. 1964, c. 143, art. 20 (partie); 1968, c. 23, art. 8; 1968, c. 45, art. 61; 1969, c. 51, art. 60; 1978, c. 7, art. 87; 1984, c. 45, art. 15; 1986, c. 95, art. 128; 1996, c. 71, art. 20; 1997, c. 80, art. 62; 2005, c. 44, art. 54; 2007, c. 3, art. 68; 2007, c. 3, art. 55 ; 2011, c. 10, art. 98 (7°)

23. Prévisions budgétaires — Le comité doit transmettre au ministre ses prévisions budgétaires annuelles et ses états financiers vérifiés, une copie de la lettre de déclaration du vérificateur externe, un état de la situation de chacun des fonds qu'il administre, tout document relatif à un transfert de fonds et un rapport annuel.

Documents — La forme de ces documents est déterminée par le ministre.

Police d'assurance — Le comité doit également transmettre, le cas échéant, une copie du contrat et de la police d'assurance collective et du régime de retraite.

Double des documents — Le comité doit garder des doubles de ces documents et les exhiber à quiconque en fait la demande pendant les heures ordinaires de bureau.

S.R.Q. 1964, c. 143, art. 21; 1984, c. 45, art. 16; 1996, c. 71, art. 21

23.1 Renseignements — Le ministre peut exiger d'un membre, dirigeant, mandataire ou employé du comité, tout renseignement relatif à l'application de la présente loi, ainsi que la production de tout document s'y rapportant.

Coopération — La personne à qui la demande de renseignements ou de documents est adressée, est tenue d'y répondre dans le délai indiqué.

1996, c. 71, art. 21

24. Plaintes — Le comité doit entendre et considérer toute plainte d'un employeur professionnel ou d'un salarié relative à l'application du décret et consignée par écrit.

Confidentialité — Le comité ne doit pas dévoiler l'identité du salarié concerné par la plainte, sauf si ce dernier y consent.

S.R.Q. 1964, c. 143, art. 22; 1996, c. 71, art. 22

25. Existence de comité — Après qu'un décret cesse d'être en vigueur, le comité continue d'exister et conserve ses pouvoirs pour l'accomplissement des objets pour lesquels il a été formé.

S.R.Q. 1964, c. 143, art. 23

Vérification et enquête

25.1 Vérificateur — Le ministre peut, généralement ou spécialement, désigner une personne pour vérifier les documents transmis en vertu des articles 23 et 23.1.

Pouvoirs — Le vérificateur peut, à toute heure raisonnable, pénétrer dans tout lieu où il a raison de croire que des opérations ou des activités sont exercées par un comité ou pour son compte, exiger tout renseignement ou tout document, examiner ces documents et en tirer copie.

Coopération — La personne à qui la demande de renseignements ou de documents est adressée, est tenue d'y répondre dans le délai indiqué.

1996, c. 71, art. 23

25.2 Immunité — Le vérificateur ne peut être poursuivi en justice pour des actes accomplis de bonne foi dans l'exercice de ses fonctions.

1996, c. 71, art. 23

25.3 Identification — Sur demande, le vérificateur s'identifie et exhibe le document signé par le ministre attestant sa qualité.

1996, c. 71, art. 23

25.4 Interdiction — Il est interdit de faire obstacle à un vérificateur dans l'exercice de ses fonctions.

1996, c. 71, art. 23

26. Enquêteur — Le ministre peut charger une personne qu'il désigne d'enquêter sur toute matière se rapportant à l'administration ou au fonctionnement d'un comité paritaire ou sur la conduite de ses membres. L'enquêteur ainsi désigné est investi des pouvoirs et immunités d'un commissaire nommé en vertu de la *Loi sur les commissions d'enquête* (chapitre C-37), sauf du pouvoir d'imposer l'emprisonnement.

1969, c. 49, art. 2; 1979, c. 45, art. 161; 1982, c. 53, art. 30; 1984, c. 45, art. 17

Mesures correctives

26.1 Demande du ministre — Le ministre peut, même si la vérification ou l'enquête visée aux articles 25.1 et 26 n'est pas terminée :

1° ordonner à un comité d'apporter les correctifs nécessaires dans le délai qu'il fixe;

2° accepter de ce comité un engagement volontaire d'apporter les correctifs appropriés.

1984, c. 45, art. 17; 1992, c. 44, art. 81; 1994, c. 12, art. 33; 1996, c. 71, art. 24

Administration provisoire

26.2 Suspension des pouvoirs — Le ministre peut, après avoir pris connaissance de faits révélés lors de mesures prises pour s'assurer de l'application de la loi et après avoir donné aux membres du comité concerné l'occasion de présenter par écrit leurs observations sur ces faits dans les 15 jours de la réception d'un avis du ministre à cet effet, suspendre à compter de la date qu'il détermine et pour une période d'au plus 120 jours les pouvoirs de ces membres et nommer des administrateurs provisoires pour exercer leurs pouvoirs durant la suspension, si ces faits lui donnent lieu de croire :

1° que le comité n'a pas respecté l'ordre du ministre donné en vertu de l'article 26.1 ou n'a pas respecté un engagement volontaire pris en vertu de cet article;

2° que les membres du comité ont manqué aux obligations que le *Code civil du Québec* (L.Q. 1991, c. 64) impose aux administrateurs d'une personne morale ou à celles que leur impose la présente loi, un règlement pris pour son application ou un décret;

3° qu'il y a eu faute grave, notamment malversation ou abus de confiance d'un ou de plusieurs membres ou autres dirigeants du comité;

4° qu'un ou plusieurs membres ou autres dirigeants du comité ont posé un geste incompatible avec les règles de saine gestion applicables aux administrateurs d'une personne morale;

5° que des pratiques incompatibles avec les objets du comité ont eu cours au sein de celui-ci.

Décision du ministre — Le ministre peut rendre une décision même si la vérification ou l'enquête visée aux articles 25.1 ou 26 n'est pas terminée.

Communication aux membres — La décision motivée du ministre doit être communiquée avec diligence aux membres du comité. Elle doit également faire l'objet d'un avis publié à la *Gazette officielle du Québec.*

1996, c. 71, art. 24

26.3 Dispositions sans effet — Durant l'administration provisoire, est privée d'effet, le cas échéant, toute disposition d'un règlement du comité ou d'une loi qui lui est applicable, qui assujettit à l'autorisation ou à l'approbation de l'assemblée des membres la validité d'un acte fait par le comité.

1996, c. 71, art. 24

26.4 Constatations et recommandations — Les administrateurs provisoires doivent, au moins 30 jours avant la date prévue pour l'expiration de leur mandat, soumettre au ministre un rapport de leurs constatations, accompagné de leurs recommandations. Ce rapport doit contenir tous les renseignements que le ministre requiert.

1996, c. 71, art. 24

26.5 Remèdes appropriés — Le ministre peut, après avoir pris connaissance du rapport des administrateurs provisoires et s'il l'estime justifié en vue de remédier à une situation prévue aux paragraphes 1° à 5° du premier alinéa de l'article 26.2 ou pour en éviter la répétition :

1° prolonger l'administration provisoire pour une période maximale de 90 jours ou y mettre fin, aux conditions qu'il détermine;

2° ordonner, aux conditions qu'il détermine, toute réorganisation de la structure et des activités du comité;

3° déclarer déchus de leurs fonctions un ou plusieurs des membres du comité dont les pouvoirs étaient suspendus et pourvoir à la nomination ou à l'élection de leurs remplaçants.

Prolongation de l'administration — Toute prolongation de l'administration provisoire peut, pour les mêmes motifs, être renouvelée par le ministre pourvu que la durée de chaque renouvellement n'excède pas 90 jours.

Fin de l'administration — Si le rapport des administrateurs provisoires ne conclut pas à l'existence d'une situation prévue aux paragraphes 1° à 5° du premier alinéa de l'article 26.2, le ministre doit alors mettre fin sans délai à l'administration provisoire.

Décision motivée — Toute décision du ministre doit être motivée et communiquée avec diligence aux membres du comité.

1996, c. 71, art. 24

26.6 Compte rendu — Les administrateurs provisoires doivent, à la fin de leur administration, rendre un compte définitif au ministre. Ce compte doit être suffisamment détaillé pour permettre d'en vérifier l'exactitude et être accompagné des livres et pièces justificatives se rapportant à leur administration.

1996, c. 71, art. 24

26.7 Paiement des frais — Les frais, honoraires et déboursés de l'administration provisoire sont à la charge du comité qui en est l'objet, à moins que le ministre n'en décide autrement.

1996, c. 71, art. 24

26.8 Immunité — Les administrateurs provisoires qui agissent dans l'exercice des pouvoirs et fonctions qui leur sont confiés ne peuvent être poursuivis en justice pour un acte accompli de bonne foi dans l'exercice de ces pouvoirs et fonctions.

1996, c. 71, art. 24

26.9 Immunité — Aucun pourvoi en contrôle judiciaire ni procédure visée aux articles 407 et 408 prévus au *Code de procédure civile* (chapitre C-25.01) ne peut être exercé, ni aucune injonction accordée, contre les administrateurs provisoires qui agissent dans l'exercice des pouvoirs et fonctions qui leur sont confiés en vertu de la présente section.

Annulation — Un juge de la Cour d'appel peut, sur demande, annuler sommairement un jugement, une ordonnance ou une injonction rendu ou prononcé à l'encontre du présent article.

1996, c. 71, art. 24; N.I. 2016-01-01 (NCPC)

26.10 Rapport d'activités — Dans le rapport des activités de son ministère qu'il dépose chaque année à l'Assemblée nationale, le ministre doit fournir sous une rubrique particulière un compte rendu de l'application de la présente section.

1996, c. 71, art. 24

27. Liquidateur — À l'extinction du comité, ses biens sont remis au ministre. Celui-ci peut cependant, dès qu'un décret cesse d'être en vigueur, nommer un liquidateur qui exerce dès lors seul tous les devoirs et les pouvoirs du comité paritaire. Le liquidateur fait remise des biens excédentaires au ministre qui peut les affecter à une œuvre similaire désignée par le gouvernement.

S.R.Q. 1964, c. 143, art. 24; 1984, c. 45, art. 18

Exercice des réclamations

28. Prescription Fraude — L'action civile résultant du décret ou de la présente loi se prescrit par un an à compter de chaque échéance. Au cas de fausse inscription dans le registre obligatoire, le système d'enregistrement ou la liste de paye, ou de remise clandestine, ou de toute autre fraude, la prescription ne court à l'encontre des recours du comité qu'à compter de la date où le comité a connu la fraude.

S.R.Q. 1964, c. 143, art. 37; 1984, c. 45, art. 19

28.1 Interruption de la prescription — L'avis du comité expédié à l'employeur professionnel par poste recommandée à l'effet qu'il considère une plainte formulée en vertu de l'article 24 interrompt la prescription à l'égard de tous les salariés de celui-ci pour six mois à compter de sa mise à la poste.

Demande d'arbitrage — Une demande d'arbitrage interrompt également la prescription à l'égard des salariés d'un employeur professionnel jusqu'à la décision finale de l'arbitre nommé en vertu de l'article 11.4.

1984, c. 45, art. 20; 1996, c. 71, art. 25; N.I. 2016-01-01 (NCPC)

Frais, droits, honoraires exigibles

28.2 Règlement du gouvernement — Le gouvernement peut, par règlement, déterminer dans quel cas et de qui, des frais, des droits ou des honoraires peuvent être exigés et en fixer les montants.

1996, c. 71, art. 26

Dispositions générales et pénales

29. Exceptions — La présente loi ne s'applique pas :

a) Aux exploitations agricoles;

b) *(paragraphe abrogé)*;

c) À l'exploitation d'un chemin de fer sous la compétence du Parlement du Canada. Cette dernière exemption ne s'étend pas à la construction ou reconstruction du chemin de fer ou des bâtiments qui en dépendent, ni à l'exploitation des hôtelleries qu'il peut posséder;

d) À un étudiant qui effectue un stage de formation non rémunéré sous la responsabilité d'une commission scolaire ou d'un établissement d'enseignement;

e) À une personne qui effectue un stage de réadaptation non rémunéré sous la responsabilité d'un établissement qui exploite un centre de réadaptation au sens de la *Loi sur les services de santé et les services sociaux* (chapitre S-4.2), d'un centre d'accueil de la classe des centres de réadaptation au sens de la *Loi sur les services de santé et les services sociaux pour les autochtones cris* (chapitre S-5) et des règlements adoptés sous l'autorité de cette loi ou d'un organisme du gouvernement.

S.R.Q. 1964, c. 143, art. 38; 1978, c. 7, art. 88; 1984, c. 45, art. 21; 1992, c. 21, art. 147; 1992, c. 68, art. 157; 1994, c. 23, art. 23; 1999, c. 40, art. 100

30. Renvoi abusif — Tout employeur qui, sans raison valable, dont la preuve lui incombe, congédie, suspend ou déplace un salarié,

a) À l'occasion d'un renseignement fourni aux représentants d'un comité et ayant trait à une convention, à un décret, à un règlement ou à une infraction aux dispositions de la présente loi,

b) À l'occasion d'une plainte, d'une dénonciation ou d'un constat d'infraction à ce sujet ou d'un témoignage dans une poursuite ou requête s'y rapportant,

c) Dans l'intention de le réengager à un emploi inférieur et d'éluder ainsi les dispositions du décret en payant un salaire moindre, –

commet une infraction et est passible d'une amende de 200 $ à 500 $ et, en cas de récidive, d'une amende de 500 $ à 3 000 $.

S.R.Q. 1964, c. 143, art. 39; 1984, c. 45, art. 22; 1990, c. 4, art. 371; 1992, c. 61, art. 256

30.1 Recours auprès du Tribunal administratif du travail — Un salarié qui croit avoir été l'objet d'un congédiement, d'une suspension ou d'un déplacement pour un des motifs prévus aux paragraphes *a*, *b* et *c* de l'article 30 et qui désire faire valoir ses droits doit le faire auprès du Tribunal administratif du travail. Les dispositions applicables à un recours relatif à l'exercice par un salarié d'un droit lui résultant de ce code s'appliquent, compte tenu des adaptations nécessaires.

Délai — Malgré l'article 16 du *Code du travail*, le délai pour soumettre une plainte au Tribunal est de 45 jours. Si la plainte est soumise dans ce délai au comité, le défaut de l'avoir soumise au Tribunal ne peut être opposé au plaignant. Le Tribunal transmet copie de la plainte au comité concerné.

Conciliateur — Le comité peut, avec l'accord des parties, nommer une personne qui tente de régler la plainte à la satisfaction des parties.

1996, c. 71, art. 27; 2001, c. 26, art. 101; 2015, c. 15, art. 237

31. Dommages-intérêts pour renvoi abusif — Tout salarié congédié en violation de l'article 30, ou dans le but de l'obliger à accepter une classification comportant un salaire moindre que celui qu'il reçoit, a droit de réclamer de celui qui l'employait, trois mois de salaire, à titre de dommages-intérêts punitifs. La preuve que le salarié n'est pas dans les conditions prévues pour réclamer ce droit incombe à celui qui l'employait.

S.R.Q. 1964, c. 143, art. 40; 1984, c. 45, art. 23; 1996, c. 71, art. 28

32. Négligence d'un membre du comité — Tout membre d'un comité qui refuse ou néglige de remplir les devoirs de sa charge commet une infraction et est passible d'une amende n'excédant pas 25 $.

S.R.Q. 1964, c. 143, art. 41; 1990, c. 4, art. 376

33. Entraves à l'inspection — Tout employeur professionnel qui ne tient pas le système d'enregistrement, le registre ou la liste de paye obligatoires, tout employeur ou salarié qui refuse ou néglige de fournir aux représentants d'un comité les renseignements prévus au paragraphe e de l'article 22, en la manière y prescrite, ou ne leur accorde pas sur demande, ou retarde à leur accorder, l'accès au lieu du travail, au registre, au système d'enregistrement ou à la liste de paye ou autres documents, tel que prévu audit paragraphe, ou moleste, ou incommode, ou injurie lesdits représentants dans l'exercice de leurs fonctions, ou autrement met obstacle à tel exercice, — commet une infraction et est passible d'une amende de 200 $ à 500 $ et, en cas de récidive, d'une amende de 500 $ à 3 000 $.

S.R.Q. 1964, c. 143, art. 42; 1984, c. 45, art. 24; 1990, c. 4, art. 372

34. Fraude — Quiconque, sciemment, détruit, altère ou falsifie un registre, une liste de paye, le système d'enregistrement ou un document ayant trait à l'application d'un décret, transmet sciemment quelque renseignement ou rapport faux ou inexact, ou attribue à l'emploi d'un salarié une fausse désignation pour payer un salaire inférieur, commet une infraction et est passible d'une amende de pas moins de 200 $ mais n'excédant pas 500 $ pour la première infraction, et d'une amende de pas moins de 500 $ mais n'excédant pas 3 000 $ pour toute récidive.

S.R.Q. 1964, c. 143, art. 43; 1984, c. 45, art. 25; 1990, c. 4, art. 377

35. Certificat de qualification — Tout employeur professionnel ou salarié qui viole un règlement rendant obligatoire le certificat de qualification commet une infraction et est passible d'une amende de 50 $ à 200 $ et, en cas de récidive, d'une amende de 200 $ à 500 $.

S.R.Q., 1964, c. 143, art. 44; 1984, c. 45, art. 26; 1990, c. 4, art. 373; 1996, c. 71, art. 29

36. Remises illégales — Quiconque, au moyen d'avantages ayant une valeur pécuniaire, accorde ou accepte une remise en réduction du salaire rendu obligatoire, ou participe à une semblable remise, commet une infraction et est passible d'une amende de 50 $ à 200 $ et, en cas de récidive, d'une amende de 200 $ à 500 $.

S.R.Q. 1964, c. 143, art. 45; 1984, c. 45, art. 27; 1990, c. 4, art. 374

37. Infraction et peine — Lorsque le décret contient l'interdiction de grève, contre-grève, ralentissement du travail et piquetage, quiconque enfreint, de quelque manière, cette interdiction commet une infraction et est passible d'une amende n'excédant pas 100 $ pour la première infraction, et d'une amende n'excédant pas 1 000 $ pour chaque récidive dans les douze mois.

S.R.Q. 1964, c. 143, art. 46; 1990, c. 4, art. 378

37.1 Infraction — Commet une infraction quiconque fait obstacle ou nuit de quelque manière à un administrateur provisoire, à un enquêteur ou à un vérificateur qui agit dans l'exercice des pouvoirs et fonctions qui lui sont confiés en vertu de la présente loi.

Amende — Une personne déclarée coupable en vertu du présent article est passible d'une amende de 500 $ à 5 000 $ s'il s'agit d'une personne physique ou de 1 000 $ à 10 000 $ s'il s'agit d'une personne morale. En cas de récidive, ces montants sont portés au double.

1996, c. 71, art. 30

38. Autres infractions — Quiconque viole un décret, un règlement rendu obligatoire ou une disposition de la présente loi, dans un cas non prévu aux articles précédents, commet une infraction et est passible d'une amende de 50 $ à 200 $ et, en cas de récidive, d'une amende de 200 $ à 500 $.

S.R.Q. 1964, c. 143, art. 47; 1984, c. 45, art. 28; 1990, c. 4, art. 375; 1996, c. 71, art. 31

39. Aide à l'infraction — Commet une infraction quiconque aide ou, par un encouragement, un conseil, un consentement, une autorisation ou un ordre, amène une autre personne à commettre une infraction visée par la présente loi.

Peine — Une personne déclarée coupable en vertu du présent article est passible de la même peine que celle prévue pour l'infraction qu'elle a aidé ou amené à commettre.

S.R.Q. 1964, c. 143, art. 48; 1996, c. 71, art. 32

39.1 Coupable d'une infraction — Toute personne déclarée coupable d'une infraction prévue à l'article 37.1 ou, lorsqu'elle se rapporte à cette infraction, à l'article 39 ne peut être élue ou nommée membre, dirigeant ou mandataire de tout comité, ni occuper d'autres fonctions dans un tel comité.

Inhabilité — Cette inhabilité vaut pour une période de cinq ans, à moins que la personne n'ait obtenu un pardon.

1996, c. 71, art. 32

La preuve

40. Authenticité — Dans une action civile ou pénale intentée en vertu de la présente loi, tous décrets, règlements et avis sont authentiques et font preuve de leur contenu s'ils ont été publiés à la *Gazette officielle du Québec*, à laquelle il suffit de référer, et dont la cour d'office est tenue de prendre connaissance.

S.R.Q. 1964, c. 143, art. 49; 1968, c. 23, art. 8

41. Preuve *prima facie* — Les registres de délibération d'un comité ou d'un bureau d'examinateurs, et les certificats de qualification et autres documents émanant d'eux, et les copies certifiées par le secrétaire du comité prouvent leur contenu jusqu'à preuve contraire, sans qu'il soit nécessaire de faire la preuve de la signature, ni de la qualité des signataires.

S.R.Q. 1964, c. 143, art. 50

42. Dénonciateur — Aucune preuve n'est permise pour établir qu'une action ou poursuite prévue par la présente loi a été intentée à la suite d'une plainte d'un dénonciateur, ou pour découvrir l'identité de ce dernier.

S.R.Q. 1964, c. 143, art. 51

Procédure

43. Matière jugée d'urgence — Toute poursuite intentée devant les tribunaux civils, en vertu de la présente loi, constitue une matière qui doit être instruite et jugée d'urgence.

S.R.Q. 1964, c. 143, art. 52; 1965 (1re sess.), c. 80, art. 1

44. Cumul — Les recours de plusieurs salariés contre un même employeur professionnel peuvent être cumulés dans une seule demande, soit qu'elle émane à l'instance des salariés ou du comité et le total réclamé détermine la compétence tant en première instance qu'en appel.

S.R.Q. 1964, c. 143, art. 53; 1996, c. 71, art. 33

45. Remise au comité — Après la réception d'une réclamation du comité, un employeur professionnel ne peut acquitter valablement les sommes faisant l'objet de cette réclamation qu'en en faisant remise au comité.

Intérêt — La somme due au salarié porte intérêt, à compter de la réclamation, au taux fixé en vertu de l'article 28 de la *Loi sur l'administration fiscale* (chapitre A-6.002).

S.R.Q. 1964, c. 143, art. 54; 1996, c. 71, art. 34; 2010, c. 31, art. 175

46. Remise au salarié — Le comité remet aux salariés le montant net perçu en exerçant leurs recours, déduction faite du pourcentage prévu au paragraphe c de l'article 22.

Déduction — Le comité doit également, sur demande du ministre de l'Emploi et de la Solidarité sociale, déduire de ce montant celui remboursable en vertu de l'article 90 de la *Loi sur l'aide aux personnes et aux familles* (chapitre A-13.1.1). Le comité remet le montant ainsi déduit au ministre de l'Emploi et de la Solidarité sociale.

S.R.Q. 1964, c. 143, art. 55; 1988, c. 51, art. 114; 1992, c. 44, art. 81; 1994, c. 12, art. 34; 1997, c. 63, art. 128; 1998, c. 36, art. 179; 2001, c. 44, art. 30; 2005, c. 15, art. 153

47. Pourcentage ajouté — Le pourcentage exigible de l'employeur professionnel peut être ajouté au montant de la demande formulée par le comité, et doit également lui être accordé lorsque le comité reprend l'instance au lieu du salarié.

S.R.Q. 1964, c. 143, art. 56; 1996, c. 71, art. 35

48. Annulation de contrats frauduleux — Le comité peut également, si besoin est, joindre à sa poursuite une demande en annulation de tout contrat ou arrangement, ayant pour objet d'enfreindre ou éluder les dispositions de la présente loi ou d'un décret, effectué entre les salariés dont il exerce les recours et l'employeur professionnel ou des tiers, et ce, devant le tribunal compétent à raison du montant réclamé par le comité, et sans être tenu de mettre en cause les salariés.

S.R.Q. 1964, c. 143, art. 57; 1996, c. 71, art. 36

49. Questions suggestives — Lorsqu'un salarié produit comme témoin par un comité est interrogé, les questions peuvent lui être posées de manière à suggérer la réponse désirée si ce salarié est à l'emploi de la partie adverse.

S.R.Q. 1964, c. 143, art. 58; 1965 (1re sess.), c. 80, art. 1

50. Expertise — Au cas de contestation sur la qualification du salarié, la classification des opérations ou la durée du travail, dans une poursuite civile invoquant un décret, le tribunal doit, si demande en est faite par un comité demandeur, ordonner une expertise.

S.R.Q. 1964, c. 143, art. 59

51. (*Abrogé*).

S.R.Q. 1964, c. 143, art. 60; 1984, c. 45, art. 29; 1990, c. 4, art. 379

52. Poursuite pénale — Le comité peut, conformément à l'article 10 du *Code de procédure pénale* (chapitre C-25.1), intenter une poursuite pénale pour une infraction à une disposition de la présente loi.

Propriété de l'amende — L'amende imposée pour sanctionner une telle infraction appartient au comité, lorsqu'il a assumé la conduite de la poursuite.

S.R.Q. 1964, c. 143, art. 61; 1992, c. 61, art. 257

53. (*Abrogé*).

S.R.Q. 1964, c. 143, art. 62; 1984, c. 45, art. 30; 1992, c. 61, art. 258

54. (*Cet article a cessé d'avoir effet le 17 avril 1987*).

1982, R.-U., c. 11, *ann.* B, *ptie* I, art. 33; 1982, c. 21, art. 1

[QUE-5]
TABLE DES MATIÈRES
LOI FAVORISANT LE DÉVELOPPEMENT ET LA RECONNAISSANCE DES COMPÉTENCES DE LA MAIN-D'ŒUVRE

[QUE-5]
LOI FAVORISANT LE DÉVELOPPEMENT ET LA RECONNAISSANCE DES COMPÉTENCES DE LA MAIN-D'ŒUVRE

RLRQ, c. D-8.3, telle que modifiée par 1995, c. 43, art. 1-70; 1995, c. 63, art. 548; 1996, c. 21, art. 70; 1996, c. 29, art. 39-42; 1996, c. 74, art. 53; 1997, c. 20, art. 1-12; 1997, c. 63, art. 69-106; 1997, c. 74, art. 1; 1997, c. 85, art. 17; 1997, c. 96, art. 166; 1999, c. 40, art. 104; 1999, c. 77, art. 42; 2001, c. 44, art. 30; 2002, c. 9, art. 3; 2002, c. 75, art. 33; 2003, c. 2, art. 1; 2005, c. 1, art. 6; 2005, c. 28, art. 195; 2005, c. 38, art. 27; 2007, c. 3, art. 1-29; 2009, c. 15, art. 5-7; 2009, c. 43, art. 3; 2010, c. 31, art. 175; 2013, c. 28, art. 120; 2015, c. 15, art. 237; 2016, c. 7, art. 185-187; 2016, c. 25, art. 2-7.

Chapitre I — Dispositions préliminaires

1. Objet de la loi — La présente loi a pour objet d'améliorer la qualification et les compétences de la main-d'œuvre actuelle et future par l'investissement dans la formation, par l'action concertée des partenaires patronaux, syndicaux et communautaires et des milieux de l'enseignement, ainsi que par le développement des modes de formation et la reconnaissance des compétences des travailleurs en emploi.

Objet de la loi — Elle vise ainsi à favoriser l'emploi de même que l'adaptation, l'insertion en emploi et la mobilité de la main-d'œuvre.

1995, c. 43, art. 1; 2007, c. 3, art. 2; 2016, c. 25, art. 2

2. Gouvernement lié — La présente loi lie le gouvernement, ses ministères et les organismes mandataires de l'État.

Assemblée nationale — Il en est de même de l'Assemblée nationale, d'un organisme dont celle-ci nomme les membres et d'une personne qu'elle désigne pour exercer une fonction en relevant.

1995, c. 43, art. 2; 1999, c. 40, art. 104

Chapitre II — Participation des employeurs

SECTION I — DISPOSITIONS GÉNÉRALES

3. Développement des compétences — Tout employeur, dont la masse salariale à l'égard d'une année civile excède le montant fixé par règlement du gouvernement, est tenu de participer pour cette année au développement des compétences de la main-d'œuvre en consacrant à des dépenses de formation admissibles un montant représentant au moins 1 % de sa masse salariale.

1995, c. 43, art. 3; 2007, c. 3, art. 3

4. Masse salariale — La masse salariale est calculée conformément à l'annexe.

Exception — Ne sont pas pris en compte pour le calcul de la masse salariale les salaires relatifs aux entreprises exemptées de la participation au développement des compétences de la main-d'œuvre par les règlements de la Commission des partenaires du marché du travail.

1995, c. 43, art. 4; 1997, c. 63, art. 69; 2007, c. 3, art. 4

5. Dépenses admissibles — Les dépenses de formation admissibles sont établies selon les règlements de la Commission.

Bénéficiaires — Ces dépenses sont faites par l'employeur au bénéfice de son personnel; elles peuvent aussi être faites au bénéfice de stagiaires ou d'enseignants stagiaires en entreprise.

Soutien à la formation — Elles peuvent être effectuées sous forme de soutien à leur formation, notamment par la fourniture de personnel ou de matériel ou par l'octroi de congés de formation.

Délivrance d'un certificat — Le ministre délivre, à la demande d'un employeur ou d'un organisateur et sur paiement des frais prescrits par règlement de la Commission, un certificat attestant qu'une initiative, une intervention ou une activité projetée peut faire l'objet d'une dépense de formation, le cas échéant.

1995, c. 43, art. 5; 1997, c. 63, art. 70; 2007, c. 3, art. 5; 2016, c. 25, art. 3

6. Affectation des dépenses — Les dépenses au bénéfice du personnel peuvent notamment concerner :

1° la formation dispensée par un établissement d'enseignement reconnu;

2° la formation qui est dispensée par un organisme formateur, y compris un organisme sans but lucratif, un service de formation ou un formateur agréés par le ministre de l'Emploi et de la Solidarité sociale et qui fait l'objet de l'agrément, le cas échéant;

3° la formation organisée par un ordre professionnel régi par le *Code des professions* (chapitre C-26);

4° la formation dispensée dans le cadre d'un plan de formation de l'entreprise, du ministère ou de l'organisme public, établi après consultation d'un comité créé au sein de l'entreprise, du ministère ou de l'organisme, dont la composition obéit aux règles déterminées par règlement de la Commission, le cas échéant;

5° l'élaboration du plan visé au paragraphe 4°, de même que l'évaluation des besoins de formation du personnel.

Assemblée nationale — Pour l'application du paragraphe 4° du premier alinéa, l'Assemblée nationale et une personne qu'elle désigne pour exercer une fonction en relevant sont assimilés à des organismes publics.

1995, c. 43, art. 6; 1997, c. 63, art. 71; 2001, c. 44, art. 30; 2007, c. 3, art. 6

7. Établissements d'enseignement — Sont des établissements d'enseignement reconnus :

1° les écoles, centres de formation professionnelle et centres d'éducation des adultes des commissions scolaires et ceux du Comité de gestion de la taxe scolaire de l'île de Montréal ainsi que les commissions scolaires;

2° les collèges d'enseignement général et professionnel;

3° les établissements régis par la *Loi sur l'enseignement privé* (chapitre E-9.1), à l'égard des services éducatifs qui font l'objet d'un permis délivré en vertu de cette loi;

4° les établissements d'enseignement de niveau universitaire, ainsi que les organismes à qui le pouvoir de décerner des grades, diplômes, certificats ou autres attestations d'études universitaires est conféré par une loi du Parlement à l'égard des programmes d'enseignement universitaires qu'ils dispensent;

5° le Conservatoire de musique et d'art dramatique du Québec;

6° l'Institut de tourisme et d'hôtellerie du Québec et les autres établissements tenus en vertu de la loi par un ministère ou un organisme mandataire de l'État;

7° les établissements dont le régime d'enseignement est l'objet d'une entente internationale au sens de la *Loi sur le ministère des Relations internationales* (chapitre M-25.1.1);

8° les autres établissements mentionnés sur les listes établies par le ministre de l'Éducation, du Loisir et du Sport ou le ministre de l'Enseignement supérieur, de la Recherche, de la Science et de la Technologie en vertu des paragraphes 1° à 3° des premier et deuxième alinéas de l'article 56 de la *Loi sur l'aide financière aux études* (chapitre A-13.3), à l'égard des programmes d'études reconnus par l'un ou l'autre de ces ministres aux fins de l'admissibilité à l'aide financière.

1995, c. 43, art. 7; 1996, c. 21, art. 70; 1997, c. 90, art. 14; 1997, c. 96, art. 166; 1999, c. 40, art. 104; 2002, c. 75, art. 33; 2005, c. 28, art. 195; 2013, c. 28, art. 120

8. Dépenses admises — Sont admis à titre de dépenses au bénéfice du personnel, dans les conditions fixées par règlement de la Commission, les versements effectués par un employeur à une mutuelle de formation reconnue par le ministre ou les dépenses engagées auprès d'une telle mutuelle.

1995, c. 43, art. 8; 1997, c. 20, art. 1; 1997, c. 63, art. 72; 2007, c. 3, art. 7

9. Plan de formation — Sont admises toutes dépenses relatives à la mise en œuvre d'un plan de formation qui fait l'objet d'une entente entre l'employeur et une association ou un syndicat accrédité en vertu d'une loi pour représenter des salariés ou tout groupe de salariés.

1995, c. 43, art. 9

10. (*Abrogé*).

1995, c. 43, art. 10; 1997, c. 63, art. 73; 2007, c. 3, art. 8

11. Report de l'excédent — Lorsque le total des dépenses de formation admissibles d'un employeur applicable à une année est supérieur à l'ensemble du montant de sa participation minimale fixée en application de l'article 3 pour la même année et, le cas échéant, de la partie de ces dépenses qui est prise en considération aux fins de déterminer un montant qui est réputé payé au ministre du Revenu en vertu de la section II.5.1.1 ou II.5.1.2 du chapitre III.1 du titre III du livre IX de la partie I de la *Loi sur les impôts* (chapitre I-3), l'excédent est reporté sur l'année suivante; il devient dès lors une dépense de formation admissible pour cette dernière année.

Dépenses de formation — Lorsque, au cours d'une année, les affaires d'un employeur sont transférées à un autre employeur à la suite d'une liquidation à laquelle s'applique le chapitre VII du titre IX du livre III de la partie I de la Loi sur les impôts, l'excédent du premier employeur est réputé une dépense de formation admissible du second pour l'année.

Dépenses de formation — Les dépenses de formation effectuées par un employeur dans l'année précédant celle où il devient assujetti à la section I et qui auraient été admissibles s'il avait alors été assujetti à la présente loi sont reportées à l'année suivante et deviennent des dépenses de formation admissibles pour cette année.

1995, c. 43, art. 11; 1997, c. 20, art. 2; 2009, c. 15, art. 5

12. Calcul de participation — Les contributions payées au cours d'une année par un employeur de l'industrie de la construction à un fonds de formation administré par la Commission de la construction du Québec en application de la *Loi sur les relations du travail, la formation professionnelle et la gestion de la main-d'œuvre dans l'industrie de la construction* (chapitre R-20) sont prises en compte dans le calcul de sa participation au développement des compétences de la main-d'œuvre pour cette année, à la condition que la Commission de la construction du Québec atteste que des déboursés pour des activités de formation ont été effectués sur ce fonds au cours de la même année.

Dépenses admissibles — À ces fin et condition, ces contributions sont assimilées à des dépenses de formation admissibles.

1995, c. 43, art. 12; 1997, c. 63, art. 74; 2007, c. 3, art. 9

13. Notation de la participation — Il peut être indiqué, dans une note aux états financiers d'un employeur assujetti aux dispositions de la présente section, la mesure dans laquelle ses ressources ont été consacrées au développement des compétences de la main-d'œuvre.

1995, c. 43, art. 13; 2007, c. 3, art. 10

SECTION II — DISPOSITIONS SUPPLÉTIVES

14. Versement au Fonds — Un employeur assujetti aux dispositions de la section I, dont le total des dépenses de formation admissibles applicable à une année est inférieur au montant de la participation minimale fixée en application de l'article 3 pour la même année, est tenu de verser au Fonds de développement et de reconnaissance des compétences de la main-d'œuvre institué par le chapitre III une cotisation égale à la différence entre ces montants.

1995, c. 43, art. 14; 2007, c. 3, art. 11

15. Paiement au ministre — La cotisation au Fonds à l'égard d'une année doit être payée au ministre du Revenu au plus tard le jour où l'employeur doit produire la déclaration prévue par le titre XL du *Règlement sur les impôts* (chapitre I-3, r. 1) à l'égard des paiements requis par l'article 1015 de la *Loi sur les impôts* (chapitre I-3) relativement aux salaires de cette année.

1995, c. 43, art. 15; 2009, c. 15, art. 6

16. Déclaration annuelle — L'employeur assujetti aux dispositions de la section I doit produire annuellement, au moyen du formulaire prescrit, une déclaration à l'égard de la masse salariale sur laquelle doit être calculée sa participation minimale au développement des compétences de la main-d'œuvre et à l'égard de ses dépenses de formation admissibles.

Disposition applicable — Le titre XL du *Règlement sur les impôts* (chapitre I-3, r. 1) s'applique, compte tenu des adaptations nécessaires, à cette déclaration.

1995, c. 43, art. 16; 2007, c. 3, art. 12; 2009, c. 15, art. 7

17. (*Abrogé*).

1995, c. 43, art. 17; 1997, c. 63, art. 75; 2005, c. 1, art. 6

18. Remise au ministre — Le ministre du Revenu remet annuellement au ministre, qui les verse au Fonds, les sommes qu'il est tenu de percevoir au titre de la cotisation prévue à l'article 14 déduction faite des remboursements et des frais de perception convenus.

1995, c. 43, art. 18; 1997, c. 63, art. 76

19. Loi fiscale — La présente section constitue une loi fiscale au sens de la *Loi sur l'administration fiscale* (chapitre A-6.002).

1995, c. 43, art. 19; 2010, c. 31, art. 175

SECTION III — RÉGLEMENTATION

20. Pouvoirs de la Commission — La Commission des partenaires du marché du travail peut, par règlement :

1° définir, au sens du présent chapitre, les dépenses de formation admissibles, y compris prévoir des exclusions, plafonds ou déductions de même qu'appliquer à une catégorie de dépenses un facteur de pondération permettant de comptabiliser celles-ci à un taux supérieur ou inférieur à leur valeur;

2° établir des règles pour le calcul et la justification des dépenses de formation admissibles applicables à une année, y compris en ce qui concerne, s'il y a lieu, celles visées à l'article 9;

3° exempter des employeurs ou des entreprises de l'application du présent chapitre ou d'une partie de celui-ci aux conditions qui y sont prévues, notamment celles relatives à la délivrance d'un certificat, et déterminer s'il y a lieu les inspections et vérifications y afférentes, les droits exigibles, les conditions dans lesquelles l'exemption peut être renouvelée, suspendue ou révoquée de même que les sanctions administratives applicables en cas de manquement aux conditions d'exemption par un employeur ou une entreprise exemptés;

4° déterminer des normes d'éthique et de déontologie applicables aux titulaires d'un agrément ou d'une reconnaissance.

Contenu des règlements — Le contenu des règlements peut varier selon la catégorie d'employeurs, d'entreprises ou de dépenses.

1995, c. 43, art. 20; 1997, c. 20, art. 3; 1997, c. 63, art. 77; 2007, c. 3, art. 14; 2016, c. 25, art. 4

21. Règlements — Un règlement pris en application du paragraphe 1° du premier alinéa de l'article 20 peut notamment :

1° subordonner, s'il y a lieu, l'admissibilité de dépenses de formation concernant d'autres actions que celles énumérées à l'article 6 à l'agrément ou à la reconnaissance par le ministre d'enseignements, de formations, plans, programmes, formateurs, organismes ou mutuelles de formation;

2° indiquer les principes, critères ou facteurs dont le ministre tient compte pour accorder un agrément ou une reconnaissance visés par la section I ou les règlements pris en application du paragraphe 1° du présent article ou les conditions à remplir à cette fin et déterminer, s'il y a lieu, les droits exigibles et la période de validité de l'agrément ou de la reconnaissance;

3° déterminer les conditions que doit remplir le titulaire d'un agrément ou d'une reconnaissance, y compris les documents et renseignements à communiquer au ministre, les inspections y afférentes ainsi que les conditions dans lesquelles l'agrément ou la reconnaissance peut être renouvelé, suspendu ou révoqué;

4° déterminer, s'il y a lieu, des règles relatives à la composition d'un comité visé au paragraphe 4° de l'article 6 et à la désignation de ses membres.

5° déterminer les renseignements qu'un employeur est tenu de communiquer au ministre concernant les dépenses de formation admissibles qu'il a faites et les modalités de cette communication.

1995, c. 43, art. 21; 1997, c. 20, art. 4; 1997, c. 63, art. 78; 2007, c. 3, art. 15

21.1 Règlement de procédure — Un règlement pris en application du paragraphe 4° du premier alinéa de l'article 20 peut notamment :

1° régir ou interdire certaines pratiques reliées à la conduite professionnelle des titulaires d'un agrément ou d'une reconnaissance;

2° établir la procédure d'examen et d'enquête concernant les comportements susceptibles d'être dérogatoires à la présente loi et aux règlements et déterminer les sanctions appropriées.

1997, c. 20, art. 5

21.1.1 Modifications — Le ministre peut, en tout temps, proposer à la Commission les modifications qu'il juge nécessaires d'apporter aux règlements pris en application de l'article 20 afin notamment de favoriser la conformité des activités de formation qu'ils régissent avec l'objet de la présente loi.

2016, c. 25, art. 5

22. Approbation — Les règlements de la Commission pris en application de l'article 20 sont soumis à l'approbation du gouvernement, qui peut les approuver avec ou sans modification. Avant de recommander l'approbation d'un règlement pris en application des paragraphes 1° à 3° du premier alinéa de l'article 20, le ministre de l'Emploi et de la Solidarité sociale prend l'avis du ministre du Revenu qu'il joint à sa recommandation, sauf si le règlement ne porte que sur des objets visés à l'article 21.

1995, c. 43, art. 22; 1996, c. 29, art. 39; 1997, c. 20, art. 6; 1997, c. 63, art. 79; 2001, c. 44, art. 30; 2016, c. 25, art. 6

22.1 (*Abrogé*).

1997, c. 20, art. 7; 1997, c. 63, art. 80

23. (*Abrogé*).

1995, c. 43, art. 23; 1997, c. 63, art. 81; 2007, c. 3, art. 16

SECTION III.1 — RECOURS

23.1 Tribunal administratif — Le refus, la suspension ou la révocation d'un agrément, d'une reconnaissance ou d'une exemption ou l'application d'une sanction administrative en cas de manquement aux conditions d'exemption par un employeur ou une entreprise exemptés peut, dans les 30 jours qui suivent la notification de la décision, faire l'objet d'un recours devant le Tribunal administratif du Québec.

1997, c. 20, art. 8; 2007, c. 3, art. 18

23.2 (*Abrogé*).

1997, c. 20, art. 8; 1997, c. 63, art. 83

SECTION IV — RAPPORT ANNUEL

24. Rapport annuel — Dans le rapport annuel qu'il doit produire en vertu de l'article 15 de la *Loi sur le ministère de l'Emploi et de la Solidarité sociale et sur la Commission des partenaires du marché du travail* (chapitre M-15.001), le ministre fait état de la participation des employeurs au développement des compétences de la main-d'œuvre pour l'année précédente.

1995, c. 43, art. 24; 1996, c. 29, art. 40; 1997, c. 63, art. 84; 2001, c. 44, art. 30; 2007, c. 3, art. 19

25. (*Abrogé*).

1995, c. 43, art. 25; 1997, c. 63, art. 85

Chapitre II.1 — Cadre de développement et de reconnaissance des compétences de la main-d'œuvre

25.1 Objet — Le cadre de développement et de reconnaissance des compétences de la main-d'œuvre vise, par le développement de divers modes de formation, à favoriser l'acquisition, la maîtrise et la reconnaissance des compétences de la main-d'œuvre en milieu de travail, en vue d'accroître l'accès à des métiers et de favoriser la transférabilité des apprentissages.

« métier » — Dans le présent chapitre, le terme « **métier** » comprend aussi une fonction de travail.

2007, c. 3, art. 20

25.2 Référence — La référence pour le développement des modes de formation de même que pour l'acquisition, la maîtrise et la reconnaissance des compétences de la main-d'œuvre en milieu de travail en application du cadre est la norme professionnelle.

2007, c. 3, art. 20

25.3 Norme professionnelle — Une norme professionnelle vise un métier et est divisée en autant de compétences qui sont requises pour l'exercice autonome et la maîtrise de ce métier.

2007, c. 3, art. 20

25.4 Élaboration d'une norme professionnelle — Une norme professionnelle est élaborée par un comité sectoriel de main-d'œuvre. Elle doit répondre à un besoin du marché du travail et faire l'objet d'un consensus sectoriel. Exceptionnellement, une autre organisation reconnue à cette fin par la Commission peut élaborer une telle norme.

Approbation du ministre — La norme professionnelle est approuvée par le ministre, sur recommandation de la Commission, si elle respecte les conditions prévues à la présente loi et les formalités déterminées par le ministre. En outre, sur recommandation de la Commission, le ministre peut désavouer une norme qui ne correspond plus aux besoins du marché du travail.

2007, c. 3, art. 20

25.5 Publication d'un avis — Le ministre rend public, par tout moyen qu'il estime approprié, un avis de l'approbation d'une norme professionnelle, d'une modification à une norme déjà approuvée ou de son désaveu.

2007, c. 3, art. 20

25.6 Stratégies de développement — Pour l'application du cadre, la Commission peut établir des stratégies de développement des compétences en milieu de travail, qui sont proposées aux employeurs comme modes de formation applicables à une ou plusieurs normes professionnelles et qui visent à permettre à des travailleurs d'atteindre la maîtrise d'un métier visé par une norme professionnelle.

Participation — Un comité sectoriel de main-d'œuvre ou un employeur peuvent participer à leur élaboration, dans la mesure convenue avec la Commission.

Conditions et modalités — Ces stratégies peuvent notamment :

1° déterminer les conditions de participation à toute action ou activité permettant l'acquisition ou la maîtrise de compétences d'une norme professionnelle;

2° déterminer les modalités et la nature d'une telle action ou activité;

3° prévoir les conditions à respecter ainsi que les qualités et aptitudes requises pour agir à titre de compagnon, de tuteur, d'entraîneur, de maître de stage ou pour autrement accompagner une personne en apprentissage dans le cadre de telles stratégies;

4° déterminer les conditions de participation d'un employeur;

5° déterminer les conditions de reconnaissance des compétences acquises ou maîtrisées;

6° déterminer toute autre mesure jugée nécessaire pour donner effet aux stratégies ou pour en faciliter l'application.

2007, c. 3, art. 20

25.7 Certificat de qualification professionnelle — Le ministre délivre, sur demande, un certificat de qualification professionnelle à toute personne qui remplit l'une des conditions suivantes à l'égard d'un métier visé par une norme professionnelle :

1° elle s'est conformée, dans le cadre d'une stratégie de développement des compétences en milieu de travail établie en application du cadre, aux conditions de reconnaissance des compétences déterminées pour cette stratégie;

2° elle exerce ou a exercé un tel métier et une organisation ou un comité sectoriel reconnu à cette fin par la Commission pour ce métier confirme qu'elle s'est conformée aux conditions de reconnaissance des compétences déterminées par l'organisme ou le comité pour démontrer qu'une personne maîtrise l'ensemble des compétences composant une norme professionnelle;

3° elle est titulaire d'un certificat de qualification professionnelle délivré hors Québec conformément au Programme des normes interprovinciales Sceau rouge élaboré par le Conseil canadien des directeurs de l'apprentissage ou reconnu en application d'une entente intergouvernementale, à laquelle le gouvernement du Québec est partie, en matière de mobilité de la main-d'œuvre ou de reconnaissance des qualifications, compétences ou expériences de travail.

Attestation de compétence — Le ministre délivre, sur demande, une attestation de compétence à toute personne qui, dans une des situations visées aux paragraphes 1° et 2° du premier alinéa, démontre qu'elle maîtrise une ou plusieurs compétences composant une norme professionnelle.

Limitation des droits exigés — Si une organisation ou un comité sectoriel reconnus conformément au paragraphe 2° du premier alinéa exigent des droits d'une personne qui souhaite faire reconnaître qu'elle maîtrise l'ensemble ou certaines des compétences composant une norme professionnelle, ces droits doivent respecter les limites convenues avec la Commission, lesquelles sont portées à l'attention du ministre. La Commission doit, au plus tard le 1er avril 2011 et par la suite tous les trois ans, faire au ministre un rapport sur l'application du présent alinéa au regard des droits exigés.

Règlement — La Commission peut, par règlement, établir les droits exigibles pour la délivrance d'un certificat ou d'une attestation conformément au présent article. Un tel règlement est soumis à l'approbation du gouvernement.

2007, c. 3, art. 20; 2009, c. 43, art. 3

Chapitre III — Fonds de développement et de reconnaissance des compétences de la main-d'œuvre

Section I — Institution

26. Institution — Est institué le « Fonds de développement et de reconnaissance des compétences de la main-d'œuvre ».

Affectation du Fonds — Le Fonds est affecté au financement de toute initiative répondant aux orientations prioritaires et aux critères d'intervention définis par un plan d'affectation en vue de favoriser la réalisation de l'objet de la présente loi. Une telle initiative peut notamment viser la promotion et le soutien financier ou technique de l'acquisition et du développement des compétences par la main d'œuvre actuelle et future ainsi que la connaissance des besoins de compétences du marché du travail.

Affectation du Fonds — L'affectation du Fonds au financement d'initiatives à l'égard de la main-d'œuvre future doit prendre en considération l'accès à la formation par la main-d'œuvre actuellement en emploi.

1995, c. 43, art. 26; 2007, c. 3, art. 22; 2016, c. 25, art. 7

27. Constitution — Le Fonds est constitué :

1° des sommes remises par le ministre du Revenu à titre de cotisation des employeurs et des intérêts qu'elles produisent;

1.1° des sommes déterminées par le gouvernement, après consultation du ministre des Finances, virées par le ministre sur les crédits alloués à cette fin par le Parlement;

2° des sommes versées par le ministre des Finances en application des articles 36 et 37;

3° des revenus provenant de la perception des droits et frais en application des chapitres II et II.1;

4° des dons, legs et autres contributions versés pour aider à la réalisation des objets du fonds;

5° des sommes perçues en application de sanctions administratives imposées en vertu d'un règlement pris en application du paragraphe 3° de l'article 20.

1995, c. 43, art. 27; 1997, c. 63, art. 86; 2007, c. 3, art. 23; 2016, c. 7, art. 185

28. Sommes requises — Les sommes requises pour la préparation et la diffusion d'informations relatives aux chapitres II à III de la présente loi ainsi que pour la rémunération et les dépenses afférentes aux avantages sociaux et aux autres conditions de travail des personnes affectées par le ministre de l'Emploi et de la Solidarité sociale à l'application des chapitres II et III sont prises sur le Fonds.

Sommes requises — Est aussi prise sur le Fonds la contrepartie qui peut être versée à un organisme en vue de pourvoir aux frais de gestion encourus pour la mise en œuvre de l'un ou l'autre des volets du plan d'affectation.

Montant maximal — La Commission peut, par règlement, déterminer le montant maximal qui peut être pris sur le Fonds à ces fins.

1995, c. 43, art. 28; 1997, c. 20, art. 9; 1997, c. 63, art. 87; 2001, c. 44, art. 30; 2007, c. 3, art. 24

SECTION II — ADMINISTRATION

29. Administration — Le ministre est chargé de l'administration du Fonds et peut prendre toute mesure propre à en assurer l'affectation.

Biens du fonds — Les titres relatifs aux biens qui composent le Fonds sont établis au nom du ministre et ne doivent pas être confondus avec les biens de l'État.

1995, c. 43, art. 29; 1997, c. 63, art. 88

30. Plan d'affectation — La Commission doit chaque année transmettre au ministre, à la date que celui-ci détermine, un plan d'affectation des ressources du Fonds.

Contenu — Ce plan doit être établi selon la forme déterminée par le ministre et contenir les renseignements que celui-ci indique.

Approbation — Il est soumis à l'approbation du ministre.

1995, c. 43, art. 30; 1996, c. 29, art. 41; 1997, c. 63, art. 89

30.1 Sommes virées au Fonds — Outre le plan d'affectation prévu à l'article 30, la Commission doit annuellement préparer, selon la forme et les modalités déterminées par le ministre et le ministre des Finances, un plan d'affectation des sommes virées au Fonds en application du paragraphe 1.1° de l'article 27.

Approbation — Ce plan est soumis à l'approbation conjointe de ces ministres.

2016, c. 7, art. 186

32. Plan d'affectation — Le ministre peut, aux conditions qu'il détermine, confier à toute association d'employeurs ou autre organisme qu'il agrée à cette fin la mise en œuvre de l'un ou l'autre des volets du plan d'affectation.

1995, c. 43, art. 32; 1997, c. 63, art. 91

33. Soutien financier — Le ministre ou un organisme visé à l'article 32 peuvent, dans le cadre du plan d'affectation et des programmes visés à l'article 34, aux conditions qu'ils déterminent, accorder un soutien financier au développement des compétences de la main-d'œuvre au moyen de subventions.

1995, c. 43, art. 33; 1997, c. 63, art. 92; 2007, c. 3, art. 26

34. Admissibilité aux subventions — La Commission peut établir des programmes de subventions qui doivent prévoir les critères d'admissibilité aux subventions, leurs barèmes et limites ainsi que leurs modalités d'attribution.

Approbation — Les barèmes et les limites des subventions sont soumis à l'approbation du ministre.

1995, c. 43, art. 34; 1997, c. 63, art. 93

34.1 Rapport — La Commission soumet annuellement au ministre et au ministre des Finances, selon la forme et les modalités qu'ils déterminent, un rapport sur l'allocation des sommes virées au Fonds en application du paragraphe 1.1° de l'article 27.

Transmission du rapport — Ce rapport est transmis au ministre de l'Éducation, du Loisir et du Sport et au ministre de l'Enseignement supérieur, de la Recherche, de la Science et de la Technologie.

2016, c. 7, art. 187

SECTION III — DISPOSITIONS FINANCIÈRES ET RAPPORTS

35. Placements — Le ministre peut placer toute somme versée au Fonds suivant ce que la Commission détermine par règlement.

Approbation — Un tel règlement est soumis à l'approbation du gouvernement.

1995, c. 43, art. 35; 1997, c. 63, art. 94

36. Emprunt — Le ministre peut, à titre d'administrateur du Fonds, emprunter auprès du ministre des Finances des sommes prises sur le Fonds de financement institué en vertu de la *Loi sur le ministère des Finances* (chapitre M-24.01).

1995, c. 43, art. 36; 1997, c. 63, art. 95; 1999, c. 77, art. 42

37. Avances — Le ministre des Finances peut avancer au Fonds, avec l'autorisation du gouvernement et aux conditions que celui-ci détermine, des sommes prélevées sur le fonds consolidé du revenu.

1995, c. 43, art. 37

38. Restriction — Le Fonds ne peut effectuer de paiements ou assumer des obligations dont le coût dépasse, dans un même exercice financier, les sommes dont il dispose pour l'exercice au cours duquel ces paiements sont effectués ou ces obligations assumées.

Durée d'un engagement — Le présent article n'a pas pour effet d'empêcher un engagement pour plus d'un exercice financier.

1995, c. 43, art. 38

39. (*Abrogé*).

1995, c. 43, art. 39; 1996, c. 29, art. 42; 1997, c. 63, art. 96

40. Exercice financier — L'exercice financier du Fonds se termine le 31 mars de chaque année.

1995, c. 43, art. 40; 1997, c. 20, art. 10

41. Rapport d'activités — Le ministre produit, au plus tard le 30 septembre de chaque année, les états financiers du Fonds ainsi qu'un rapport de ses activités concernant l'application de la présente loi, pour l'exercice financier précédent.

Dépenses d'administration — Dans les états financiers, les dépenses relatives à l'administration de la présente loi doivent être indiquées séparément.

Rapport — Le rapport doit énoncer le nom des bénéficiaires de subventions et les montants attribués à chacun.

1995, c. 43, art. 41; 1996, c. 29, art. 42; 1997, c. 63, art. 97

42. Dépôt — Le ministre dépose le rapport d'activités et les états financiers à l'Assemblée nationale dans les 15 jours de leur réception ou, si elle ne siège pas, dans les 15 jours de la reprise de ses travaux.

1995, c. 43, art. 42

43. Examen annuel — La commission compétente de l'Assemblée nationale examine tous les ans les états financiers et le rapport.

1995, c. 43, art. 43; 1997, c. 63, art. 98

44. Vérification — Les livres et comptes du Fonds sont vérifiés chaque année par le vérificateur général et, en outre, chaque fois que le décrète le gouvernement.

Rapport du vérificateur — Le rapport du vérificateur doit accompagner le rapport d'activités et les états financiers du Fonds.

1995, c. 43, art. 44

Chapitre III.1 — Régime d'apprentissage (*Abrogé*).

44.1 (*Abrogé*).

1997, c. 20, art. 11; 1997, c. 63, art. 99; 2005, c. 28, art. 195; 2007, c. 3, art. 27

44.2 (*Abrogé*).

1997, c. 20, art. 11; 1997, c. 63, art. 100; 2007, c. 3, art. 27

44.3 (*Abrogé*).

1997, c. 20, art. 11; 1997, c. 63, art. 101; 2007, c. 3, art. 27

44.4 (*Abrogé*).

1997, c. 20, art. 11; 1997, c. 63, art. 102; 2007, c. 3, art. 27

Chapitre III.2 — Comités sectoriels de main-d'œuvre

44.5 Reconnaissance par la Commission — La Commission peut reconnaître tout comité sectoriel de main-d'œuvre constitué en personne morale et ayant notamment pour objet d'identifier les besoins en développement de la main-d'œuvre d'un secteur d'activités économiques et de soutenir l'amélioration des compétences de la main-d'œuvre dans ce secteur. Un comité sectoriel ainsi reconnu exerce son mandat dans le cadre de la politique d'intervention sectorielle visée au deuxième alinéa de l'article 17 de la *Loi sur le ministère de l'Emploi et de la Solidarité sociale et sur la Commission des partenaires du marché du travail* (chapitre M-15.001). Il peut également agir à titre de mutuelle de formation s'il est reconnu à ce titre.

Secteur visé — Un seul comité sectoriel de main-d'œuvre peut être reconnu

pour un secteur d'activités économiques.
1997, c. 20, art. 11; 1997, c. 63, art. 103; 2007, c. 3, art. 28

44.6 Participation — Afin de soutenir l'amélioration des compétences de la main-d'œuvre dans son secteur d'activités économiques, un comité sectoriel reconnu peut notamment participer à la mise en œuvre du cadre de développement et de reconnaissance des compétences de la main-d'œuvre dans la mesure prévue au chapitre II.1 ou, en concertation avec les principaux partenaires du secteur, élaborer et mettre en œuvre des stratégies ou plans d'action visant à répondre aux besoins particuliers des entreprises et de la main-d'œuvre de ce secteur.
1997, c. 20, art. 11; 1997, c. 63, art. 104; 2007, c. 3, art. 28

Chapitre IV — Dispositions modificatives

45.–63. (*Omis*).

Chapitre V — Dispositions finales

64. Participation de l'employeur — La participation des employeurs à la formation de la main d'œuvre est applicable à compter de l'année 1996.
1995, c. 43, art. 64

64.1 Prise en compte des contributions — Les contributions payées au cours des années 1995 et 1996 par un employeur de l'industrie de la construction au fonds du Plan de formation établi par l'article 2 du Décret modifiant le Décret de la construction, adopté par le décret 1883-92 du 16 décembre 1992, sont prises en compte dans le calcul de sa participation au développement de la formation de la main-d'œuvre pour l'année 1996.

Relevé des contributions — La Commission de la construction du Québec émet à cette fin, dans les deux premiers mois de l'année 1997, des relevés des contributions payées à ce fonds par les employeurs de l'industrie de la construction au cours de chacune des années 1995 et 1996.

Dépenses de formation admissibles — Pour l'application de l'article 11 de la présente loi, les contributions payées à ce fonds au cours des années 1995 et 1996 sont assimilées à des dépenses de formation admissibles.
1996, c. 74, art. 53

64.2 Prise en compte des contributions — Les contributions payées au cours de l'année 1997 par un employeur de l'industrie de la construction au fonds du Plan de formation établi par l'article 2 du Décret modifiant le Décret de la construction, adopté par le décret 1883-92 du 16 décembre 1992, ou à un fonds de formation institué par une convention collective de travail en vigueur dans un secteur de l'industrie de la construction sont prises en compte dans le calcul de sa participation au développement de la formation de la main-d'œuvre pour l'année 1997.

Relevé des contributions — La Commission de la construction du Québec émet à cette fin, dans les deux premiers mois de l'année 1998, des relevés des contributions payées à ces fonds par les employeurs de l'industrie de la construction au cours de l'année 1997.

Dépenses de formation — Pour l'application de l'article 11, les contributions payées à ces fonds au cours de l'année 1997 sont assimilées à des dépenses de formation admissibles.
1997, c. 74, art. 1

65. Dépenses de formation — Avant le 1er janvier 1996, le gouvernement exerce, en lieu et place de la Société, les pouvoirs réglementaires qui lui sont attribués par le chapitre II concernant les dépenses de formation admissibles, sauf ceux prévus aux paragraphes 2° et 3° de l'article 21.

Avis préalable — Avant de recommander l'adoption d'un tel règlement, le ministre désigné par le gouvernement prend l'avis du ministre du Revenu qu'il joint à sa recommandation.

Règlement — Un tel règlement est réputé être un règlement de la Société.

1995, c. 43, art. 65; 1996, c. 29, art. 42

66. Premier examen — Le premier examen par une commission parlementaire, prévu à l'article 43, a lieu à l'égard des états financiers et du rapport des activités pour l'année financière se terminant en 1998.

1995, c. 43, art. 66; 1997, c. 20, art. 12; 1997, c. 63, art. 105

67. Ministre responsable — Le ministre de l'Emploi et de la Solidarité sociale est chargé de l'application de la présente loi, à l'exception de la section II du chapitre II dont l'application relève du ministre du Revenu.

1995, c. 43, art. 67; 1996, c. 29, art. 42; 1997, c. 63, art. 106; 2001, c. 44, art. 30

68. Rapport quinquennal — Le ministre doit, au plus tard le 22 juin 2013, et par la suite tous les cinq ans, faire au gouvernement un rapport sur la mise en œuvre de la présente loi et sur l'opportunité de la maintenir en vigueur ou de la modifier.

Dépôt — Ce rapport est déposé dans les 15 jours suivants à l'Assemblée nationale ou, si elle ne siège pas, dans les 15 jours de la reprise de ses travaux. La commission compétente de l'Assemblée nationale examine ce rapport.

1995, c. 43, art. 68; 2007, c. 3, art. 29

69. (*Omis*).

1995, c. 43, art. 69

ANNEXE — MASSE SALARIALE

(*article 4*)

1. La masse salariale à l'égard d'une année est l'ensemble des montants dont chacun représente le salaire qu'un employeur verse, alloue, confère ou paie à un employé, qu'il est réputé lui verser ou qu'il verse à son égard.

2. Dans la présente annexe, l'expression :

« **employé** » : signifie un employé au sens de l'article 1 de la *Loi sur les impôts* (chapitre I-3) qui se présente au travail à un établissement de son employeur situé au Québec ou à qui le salaire, s'il n'est pas requis de se présenter à un établissement de son employeur, est versé d'un tel établissement situé au Québec;

« **établissement** » : comprend un établissement au sens du chapitre III du titre II du livre I de la partie I de la *Loi sur les impôts* ;

« **salaire** » : signifie le salaire de base, au sens de l'article 1159.1 de la *Loi sur les impôts*.

3. Pour l'application de la présente annexe, les règles suivantes s'appliquent :

1° un employé qui se présente au travail à un établissement de son employeur désigne :

(a) relativement à un salaire qui n'est pas décrit au sous-paragraphe b, un employé qui se présente au travail à cet établissement pour la période habituelle de paie de l'employé à laquelle se rapporte ce salaire;

(b) relativement à un salaire qui est versé, alloué, conféré ou payé à titre de boni, d'augmentation avec effet rétroactif ou de paie de vacances, qui est versé à un fiduciaire ou à un dépositaire à l'égard de l'employé ou qui ne se rapporte pas à une période habituelle de paie de l'employé, un employé qui se présente au travail habituellement à cet établissement;

2° lorsque, au cours d'une période habituelle de paie d'un employé, celui-ci se présente au travail à un établissement au Québec de son employeur ainsi qu'à un établissement de celui-ci à l'extérieur du Québec, cet employé est réputé pour cette période, relativement à un salaire qui n'est pas décrit au sous-paragraphe b du sous-paragraphe 1° :

(a) sauf si le sous-paragraphe b s'applique, ne se présenter au travail qu'à cet établissement au Québec;

(b) ne se présenter au travail qu'à cet établissement à l'extérieur du Québec, lorsque, au cours de cette période, il se présente au travail principalement à un tel établissement de son employeur;

3° lorsqu'un employé se présente au travail habituellement à un établissement au Québec de son employeur ainsi qu'à un établissement de celui-ci à l'extérieur du Québec, cet employé est réputé, relativement à un salaire décrit au sous-paragraphe b du sous-paragraphe 1°, ne se présenter au travail habituellement qu'à cet établissement au Québec.

4. Pour l'application de la présente annexe, lorsqu'un employé n'est pas requis de se présenter au travail à un établissement de son employeur et que son salaire ne lui est pas versé d'un tel établissement situé au Québec, cet employé est réputé se présenter au travail à un établissement de son employeur situé au Québec pour une période de paie si, en fonction de l'endroit où il se rapporte principalement au travail, de l'endroit où il exerce principalement ses fonctions du lieu principal de résidence de l'employé, de l'établissement d'où s'exerce la supervision de l'employé, de la nature des fonctions exercées par l'employé ou de tout autre critère semblable, l'on peut raisonnablement considérer qu'il est, pour cette période de paie, un employé de cet établissement.

5. Pour l'application de la présente annexe, lorsqu'un employé d'un établissement, situé ailleurs qu'au Québec, d'un employeur rend un service au Québec à un autre employeur qui n'est pas l'employeur de l'employé, ou pour le bénéfice d'un tel autre employeur, un montant que l'on peut raisonnablement considérer comme le salaire gagné par l'employé pour rendre le service est réputé un salaire versé par l'autre employeur, dans la période de paie au cours de laquelle le salaire est versé à l'employé, à un employé de l'autre employeur qui se présente au travail à un établissement de cet autre employeur situé au Québec si les conditions suivantes sont satisfaites :

1° au moment où le service est rendu, l'autre employeur a un établissement situé au Québec;

2° le service rendu par l'employé est, à la fois :

(a) exécuté par l'employé dans le cadre habituel de l'exercice de ses fonctions auprès de son employeur;

(b) rendu à l'autre employeur, ou pour son bénéfice, dans le cadre des activités régulières et courantes d'exploitation d'une entreprise par l'autre employeur;

(c) de la nature de ceux qui sont rendus par des employés d'employeurs qui exploitent le même genre d'entreprise que l'entreprise visée au sous-paragraphe b;

3° le montant n'est pas inclus par ailleurs dans la masse salariale de l'autre employeur déterminée conformément à la présente annexe.

6. Le paragraphe 5 ne s'applique pas à l'égard d'une période de paie d'un autre employeur y visé si le ministre est d'avis qu'une réduction de la cotisation payable en vertu de la présente loi par les employeurs visés à ce paragraphe n'est pas l'un des buts ou des résultats escomptés de la conclusion ou du maintien en vigueur :

1° soit de l'entente en vertu de laquelle le service est rendu par l'employé visé à ce paragraphe 5 à l'autre employeur ou pour son bénéfice;

2° soit de toute autre entente affectant le montant des salaires versés par l'autre employeur dans la période de paie pour l'application de la présente annexe et que le ministre considère comme liée à l'entente de fourniture de services visée au sous-paragraphe 1°.

[1995, c. 43, ann.; 1995, c. 63, art. 548; 1997, c. 85, art. 17; 2002, c. 9, art. 3; 2003, c. 2, art. 1; 2005, c. 38, art. 27]

1995, c. 43, annexe; 1995, c. 63, a. 56; 1997, c. 85, a. 17; 2002, c. 9, a. 3; 2007, c. 3, a. 1; 2008, c. 18, a. 24.

[QUE-5.1]
RÈGLEMENT SUR LES DÉPENSES DE FORMATION ADMISSIBLES

édicté en vertu de la *Loi favorisant le développement de la formation de la main-d'œuvre* (RLRQ, c. D-8.3, art. 20(1° et 2°)

D. 1586-95, (1995) 127 G.O. II, 5311 [c. D-8.3, r. 3], tel que modifié par D. 58-97, (1997) 129 G.O. II, 791; Erratum, (1997) 129 G.O. II, 2553; D. 765-97, (1997) 129 G.O. II, 3647; L.Q. 2004, c. 31, art. 72; D. 1060-2007, (2007) 139 G.O. II, 5402; D. 1145-2014, (2014) 146 G.O. II, 4781.

1. Aux fins de la *Loi favorisant le développement et la reconnaissance des compétences de la main-d'oeuvre* (chapitre D-8.3), sont admissibles, conformément aux conditions prévues à l'article 5 de la Loi, les dépenses de formation suivantes :

1° le coût d'une formation engagé par un employeur, pour un de ses employés, auprès d'un établissement d'enseignement reconnu au sens de l'article 7 de la Loi, d'un organisme formateur, y compris un organisme sans but lucratif et un service de formation multi-employeurs, ou d'un formateur agréés par le ministre de l'Emploi et de la Solidarité sociale conformément à la Loi :

2° le remboursement par un employeur des frais de formation assumés par un de ses employés auprès d'un établissement d'enseignement reconnu, d'un organisme formateur, y compris un organisme sans but lucratif, ou d'un formateur agréés;

3° les dépenses décrites aux paragraphes 1° ou 2° lorsqu'elles sont effectuées auprès d'un établissement d'enseignement qui n'est pas reconnu ou auprès d'un organisme formateur, y compris un organisme sans but lucratif, ou un formateur qui ne sont pas agréés par le ministre, pourvu que ces dépenses répondent aux conditions prévues au paragraphe 4° de l'article 6 de la Loi;

4° le salaire d'un employé qui dispense au personnel de son employeur une formation à l'occasion d'une activité organisée par un service de formation agréé par le ministre conformément à la Loi;

4.1° le salaire d'un employé qui dispense au personnel d'autres employeurs une formation à l'occasion d'une activité organisée par un service de formation multi-employeurs agréé par le ministre conformément à la Loi;

5° le salaire d'un employé qui dispense au personnel de son employeur une formation qui répond aux conditions prévues au paragraphe 4° de l'article 6 de la Loi;

6° le coût engagé par un employeur, y compris sous forme de remboursement à un de ses employés, pour la participation d'un employé à une formation organisée par un ordre professionnel régi par le *Code des professions* (chapitre C-26) lorsque l'employé est membre de cet ordre;

7° le salaire d'un employé pour la période durant laquelle celui-ci est en formation, y compris pour un congé de formation à temps partiel, à la condition que la formation soit dispensée conformément aux paragraphes 1° à 4° de l'article 6 de la Loi et, pour l'entraînement à la tâche ainsi que pour les activités d'apprentissage individuel par l'entremise des technologies de l'information, à la condition que l'apprentissage des tâches ou des compétences faisant l'objet de la formation soit d'une durée spécifique établie dans le cadre d'un plan de formation de même que, au regard de ces dernières activités, à la condition qu'un accompagnement soit offert au participant pour la durée de l'apprentissage ou qu'une interaction soit possible avec l'organisateur de l'activité pour cette durée;

8° le supplément de salaire payé par un employeur pour assurer le remplacement d'un employé en formation pour la portion qui excède le salaire de ce dernier;

9° le salaire d'un employé en congé de formation payé pour un retour aux études à temps plein dans un établissement d'enseignement reconnu ou celui de l'employé d'un établissement d'enseignement reconnu ou d'un institut affilié à un tel établissement en congé à des fins de recherche ou de perfectionnement;

10° le salaire d'un employé prêté à un établissement d'enseignement reconnu à des fins de formation de même que le temps consacré par un représentant de l'employeur ou des travailleurs à un comité paritaire de formation;

11° les frais engagés pour le soutien pédagogique dans le cadre d'un contrat conclu entre un employeur et un établissement d'enseignement reconnu, un organisme formateur, y compris un organisme sans but lucratif, ou un formateur agréés à cette fin par le ministre;

12° le salaire et les frais engagés par un employeur pour l'élaboration d'un plan global ou spécifique de formation, ceux d'un plan de développement des ressources humaines, y compris le salaire et les frais engagés pour la détermination des besoins des employés et l'identification de la formation manquante ainsi que l'évaluation et la reconnaissance de leurs acquis et de leurs compétences;

13° le salaire et les frais engagés par un employeur pour l'élaboration ou l'adaptation d'une formation ou d'une stratégie de développement des compétences en milieu de travail conformément au cadre de développement et de reconnaissance des compétences de la main-d'œuvre de même que pour leur évaluation, y compris celle de leurs impacts;

14° le salaire et les frais engagés par un employeur pour la préparation des stages, de l'apprentissage ainsi que les frais de formation du superviseur d'un stagiaire, de l'accompagnateur d'un enseignant stagiaire en entreprise ou de la personne qui accompagne un employé en apprentissage conformément au paragraphe 3° du troisième alinéa de l'article 25.6 de la Loi;

15° le salaire d'un stagiaire, du superviseur d'un stagiaire, de l'accompagnateur d'un enseignant stagiaire en entreprise, d'un employé en apprentissage et de la personne qui l'accompagne conformément au paragraphe 3° du troisième alinéa de l'article 25.6 de la Loi, pour le temps consacré exclusivement aux activités de supervision, d'encadrement ou d'accompagnement;

16° les frais de déplacement, d'hébergement, de repas et les frais de garde d'enfants payés par l'employeur conformément à sa politique et à ses barèmes, pour chaque participant à une formation, à un apprentissage ou à un stage qui constitue une dépense admissible et, le cas échéant, ceux d'un employé chargé de la formation, ceux du superviseur d'un stagiaire, de l'accompagnateur d'un enseignant stagiaire en entreprise ou de la personne qui accompagne un employé en apprentissage conformément au paragraphe 3° du troisième alinéa de l'article 25.6 de la Loi;

17° le salaire engagé par un employeur pour la création ou la traduction de matériel pédagogique ou didactique;

17.1° les frais engagés par un employeur pour la création, la traduction ou la location de matériel pédagogique ou didactique, le coût d'acquisition de tel matériel et les frais d'utilisation des technologies de l'information au prorata de leur utilisation aux fins d'une formation visée aux paragraphes 1° à 4° du premier alinéa de l'article 6 de la Loi;

18° les frais de location engagés par un employeur, sauf s'il existe entre l'employeur et le locateur un lien de dépendance au sens de l'article 18 de la *Loi sur les impôts* (chapitre I-3), pour un local ou un équipement pour la période durant laquelle le local ou l'équipement est consacré à de la formation dispensée conformément à l'article 6 de la Loi;

19° (*paragraphe supprimé*);

20° (*paragraphe supprimé*);

21° (*paragraphe supprimé*);

22° (*paragraphe supprimé*);

23° le salaire et les frais engagés par un employeur à l'égard d'une activité de formation dispensée à un employé dans le cadre d'un colloque, congrès ou séminaire, y compris les frais de séjour au prorata de la durée de la formation et les frais de déplacement, à la condition que le coût de cette activité soit indiqué séparément dans le coût de l'inscription à l'événement et que l'employeur puisse justifier de la conformité de l'activité à l'objet de la loi;

24° le salaire et les frais engagés par un employeur à l'égard d'une activité de formation organisée par un ordre professionnel et dispensée à un employé qui n'est pas membre de cet ordre aux conditions prévues au paragraphe 23°;

25° (*paragraphe supprimé*);

26° le salaire et les frais engagés par un employeur pour la participation d'un employé à une formation organisée par une association dont l'un des buts est d'assurer le perfectionnement de ses membres ou du personnel de ses membres à la condition que cette formation soit conforme à l'objet de la Loi et qu'elle soit dispensée par un spécialiste dans le domaine.

D. 58-97, art. 1; *Erratum*, (1997) 129 *G.O.* II, 2553; D. 765-97, art. 1; L.Q. 2004, c. 31, art. 72; D. 1060-2007, art. 1

2. (*Abrogé*).

D. 58-97, art. 2; D. 765-97, art. 2; D. 1060-2007, art. 2

3. L'employeur doit fournir annuellement au ministre, au moyen du formulaire que la Commission met à sa disposition, les informations générales requises sauf s'il est titulaire d'un certificat de qualité des initiatives de formation.

D. 1060-2007, art. 3

4. L'employeur doit être en mesure de justifier les dépenses de formation admissibles ou admises qu'il fait de même que d'en fournir la preuve. Il doit conserver les pièces justificatives concernant ces dépenses pendant six ans après la dernière année à laquelle elles se rapportent.

Pour une dépense à titre de salaire, cette justification comprend le nom de l'employé à qui un salaire est versé à titre de dépense de formation admissible de même que le montant total du salaire versé pour le temps pour lequel son salaire constitue une telle dépense.

Pour une dépense concernant de la formation dispensée conformément au paragraphe 4° du premier alinéa de l'article 6 de la Loi, l'employeur doit notamment conserver la preuve d'une consultation tenue sur le plan de formation de son entreprise. Il doit en outre être en mesure de démontrer qu'il peut délivrer annuellement des attestations de formation à tout employé ayant participé à une telle formation, à défaut pour l'établissement d'enseignement, l'organisme ou le formateur ayant dispensé la formation de délivrer une attestation précisant l'objet de l'activité de formation à laquelle l'employé a participé.

Pour une dépense conforme à l'article 12 de la Loi, l'employeur doit conserver le relevé visé à l'article 85.4.1 de la *Loi sur les relations du travail, la formation professionnelle et la gestion de la main-d'oeuvre dans l'industrie de la construction* (chapitre R-20).

D. 58-97, art. 3; D. 1060-2007, art. 4

5. (*Remplacé*).

D. 1060-2007, art. 4

6. (*Remplacé*).

D. 1060-2007, art. 4

7. Aux fins du calcul des dépenses que l'employeur effectue conformément à la Loi et au présent règlement :

1° le mot **« employé »** a le sens que lui donne le paragraphe 2 de l'annexe de la Loi;

2° « apprenti » (*définition supprimée*);

3° les mots **« stagiaire »** ou **« enseignant stagiaire en entreprise »** désignent une personne participant à un stage dans le cadre d'un programme d'enseignement offert par un établissement d'enseignement reconnu à l'exception de l'École du Barreau du Québec;

3.1° le mot **« stagiaire »** comprend également la personne placée chez un employeur dans le cadre d'une formation professionnelle ou d'une formation préparatoire à l'emploi offerte par un organisme communautaire agréé par le ministre à titre d'organisme formateur;

3.2° le mot « **formation** » comprend une formation en santé et sécurité du travail à la condition que celle-ci soit indissociable des compétences à acquérir pour l'exercice d'un emploi;

4° le salaire d'un employé est le revenu calculé conformément aux chapitres I et II du titre II du livre III de la partie I de la *Loi sur les impôts* (chapitre I-3), mais ne comprend pas les jetons de présence d'un administrateur ni un avantage visé à la section II du chapitre II de ce titre;

4.1° une dépense admissible à titre de salaire comprend les cotisations versées par l'employeur à l'égard d'un employé pour ce salaire et prévues à la *Loi sur les accidents du travail et les maladies professionnelles* (chapitre A-3.001), la *Loi sur l'assurance parentale* (chapitre A-29.011), la *Loi sur le régime de rentes du Québec* (chapitre R-9) et la *Loi sur l'assurance-emploi* (L.C. 1996, ch. 23);

5° aux fins des paragraphes 4°, 4.1°, 5°, 7°, 10°, 12°, 13°, 14°, 15°, 17°, 23°, 24° et 26° de l'article 1, le salaire correspond au produit obtenu en multipliant le nombre d'heures où l'employé ou le stagiaire, selon le cas, participe à l'activité de formation pendant l'année par le salaire qu'il reçoit, calculé sur une base horaire;

6° lorsque les conditions du contrat d'emploi d'un employé ne permettent pas de calculer son traitement ou salaire sur une base horaire, ce dernier est réputé être égal au quotient obtenu en divisant par 1950, soit l'équivalent de 52 semaines de 37 heures et demi, son traitement ou son salaire calculé sur une base annuelle;

7° le coût pour un employeur d'un plan de formation ou d'un plan de développement des ressources humaines est celui qu'il a engagé pour la formation de ses employés et, le cas échéant, de stagiaires ou d'enseignants stagiaires en entreprise ou celui qui est attribuable à la formation planifiée pour eux;

8° ne doit pas être comptabilisée toute partie d'une dépense visée aux paragraphes 1° à 3° et 6° de l'article 1 correspondant au montant payé ou à payer par le formateur, dans le cadre de la formation qu'il dispense, au bénéfice de l'employeur ou d'une personne avec qui l'employeur a un lien de dépendance au sens de l'article 18 de la *Loi sur les impôts* pour l'utilisation de locaux, d'installations ou de matériel ou encore pour la contrepartie de l'aliénation d'un bien, sauf si cette contrepartie se rapporte à la partie du bien qui a été consommée dans le cadre de la formation;

9° (*paragraphe supprimé*);

10° (*paragraphe supprimé*);

10.1° (*paragraphe supprimé*);

11° (*paragraphe supprimé*);

12° lorsque le formateur a un lien de dépendance, au sens de l'article 18 de la *Loi sur les impôts*, avec l'employeur, le montant visé aux paragraphes 1°, 2°, 3°, 11°, 12°, 13° et 14° de l'article 1 est limité à la partie des activités que l'on peut attribuer aux salaires, aux frais de déplacement, d'hébergement, de repas et les frais de garde engagés par le formateur à l'égard des employés chargés de la formation et aux frais décrits au paragraphe 17° de l'article 1 engagés par le formateur relativement à l'activité de formation;

13° le montant d'une dépense de formation admissible doit être diminué du montant de toute aide gouvernementale reçue ou à recevoir à son égard à la fin de l'année. Une aide gouvernementale désigne une aide qui provient d'un gouvernement, d'une municipalité ou d'un autre organisme public, que ce soit sous forme de subvention, de prime, de prêt à remboursement conditionnel, de crédit d'impôt, d'allocation d'investissement ou sous toute autre forme; la présente disposition ne s'applique pas à :

a) une entreprise adaptée titulaire d'un certificat délivré en application du Programme de subventions aux entreprises adaptées géré par Emploi-Québec;

a.1) une entreprise d'insertion accréditée par Emploi-Québec;

b) la personne titulaire d'un permis de centre de la petite enfance ou de garderie délivré en vertu, respectivement, de l'article 7 ou de l'article 11 de la *Loi sur les services de garde éducatifs à l'enfance* (chapitre S-4.1.1) ou agréée à titre de bureau coordonnateur de la garde en milieu familial conformément à l'article 40 de cette loi;

c) un service d'ambulance titulaire d'un permis délivré en vertu de la *Loi sur les services préhospitaliers d'urgence* (chapitre S-6.2) et la Corporation d'urgences-santé de la région de Montréal-Métropolitain;

14° une dépense de formation admissible ne peut être déclarée pour une année antérieure à celle pour laquelle l'activité de formation a été réalisée.

D. 58-97, art. 4; D. 765-97, art. 3; D. 1060-2007, art. 5; N.I. 2014-12-01; D. 1145-2014, art. 1

8. (*Omis*).

Annexe 1

(*article 7, 9º-10º*)

1. (*Abrogée*).

[D. 58-97, art. 5; D. 1067-2007, art. 6]

[QUE-6]
TABLE DES MATIÈRES
Loi sur l'équité salariale

[QUE-6]
LOI SUR L'ÉQUITÉ SALARIALE

RLRQ, c. E-12.001, telle que modifiée par L.Q. 1998, c. 36, art. 180; 1999, c. 40, art. 121; 1999, c. 89, art. 53; 2000, c. 8, art. 124; 242; 2000, c. 29, art. 651; 2001, c. 26, art. 108-118; 2004, c. 26, art. 1; 2004, c. 31, art. 64; 2006, c. 6, art. 1-9; 2005, c. 15, art. 154; 2005, c. 28, art. 195; 2007, c. 3, art. 68; 2009, c. 9, art. 1-45; 2013, c. 28, art. 203(3°); 2015, c. 15, art. 157-166, 237.

Chapitre I — Objet et champ d'application

1. Correction des écarts salariaux — La présente loi a pour objet de corriger les écarts salariaux dus à la discrimination systémique fondée sur le sexe à l'égard des personnes qui occupent des emplois dans des catégories d'emplois à prédominance féminine.

Appréciation — Ces écarts s'apprécient au sein d'une même entreprise, sauf s'il n'y existe aucune catégorie d'emplois à prédominance masculine.

1996, c. 43, art. 1

2. Prédominance de la loi — La présente loi a effet malgré toute disposition d'une entente, d'un contrat individuel de travail, d'une convention collective au sens du paragraphe d de l'article 1 du *Code du travail* (chapitre C-27), d'un décret adopté en vertu de la *Loi sur les décrets de convention collective* (chapitre D-2), de toute convention collective conclue en vertu de la *Loi sur les relations du travail, la formation professionnelle et la gestion de la main-d'œuvre dans l'industrie de la construction* (chapitre R-20) ou de toute entente relative à des conditions de travail, y compris un règlement du gouvernement qui y donne effet.

1996, c. 43, art. 2

3. Gouvernement lié — La présente loi lie le gouvernement, ses ministères, ses organismes et les mandataires de l'État.

Application — Pour l'application de la présente loi :

1° le Conseil du trésor est réputé l'employeur dans l'entreprise de la fonction publique et celle du secteur parapublic;

2° l'entreprise de la fonction publique est constituée des ministères du gouvernement ainsi que des organismes et des personnes dont le personnel est nommé suivant la *Loi sur la fonction publique* (chapitre F-3.1.1), à l'exception de l'Assemblée nationale;

3° l'entreprise du secteur parapublic est constituée des collèges, des commissions scolaires et des établissements visés par la *Loi sur le régime de négociation des conventions collectives dans les secteurs public et parapublic* (chapitre R-8.2).

1996, c. 43, art. 3; 1999, c. 40, art. 121; 2000, c. 8, art. 124; 242; 2006, c. 6, art. 1

4. Employeur visé — La présente loi s'applique à tout employeur dont l'entreprise compte 10 salariés ou plus. La date à compter de laquelle elle s'applique, pour une entreprise qui atteint ce nombre de salariés au cours d'une année, est le 1er janvier de l'année suivante. Le nombre de salariés d'une entreprise est calculé de la manière prévue par l'article 6.

Déclaration — Toutefois, quel que soit le nombre de salariés de l'entreprise, tout employeur doit, dans les cas et aux conditions prévus par un règlement du ministre pris après consultation de la Commission et du Comité consultatif des partenaires, produire une déclaration relative à l'application de la présente loi dans son entreprise.

Interprétation — Est un employeur quiconque fait exécuter un travail par un salarié.

Interprétation — Dans la présente loi, à moins que le contexte n'indique un sens différent, le mot « Commission » désigne la Commission des normes, de l'équité, de la santé et de la sécurité du travail.

1996, c. 43, art. 4; 2009, c. 9, art. 1; 2015, c. 15, art. 157

5. Seule entreprise présumée — Pour l'application de la présente loi, une fédération au sens de la *Loi sur les coopératives de services financiers* (chapitre C-67.3) et les caisses qui en sont membres sont, sur avis transmis à la Commission des normes, de l'équité, de la santé et de la sécurité du travail, réputées constituer une seule entreprise. La fédération est alors l'employeur de tous les salariés des caisses qui en sont membres. Elle doit informer les salariés et les associations accréditées au sens du *Code du travail* (chapitre C-27) qui représentent les salariés de ces caisses de la transmission de cet avis ou de sa révocation.

1996, c. 43, art. 5; 2000, c. 29, art. 651; 2015, c. 15, art. 237

6. Nombre de salariés — Pour l'application de la présente loi, le nombre de salariés d'une entreprise est la moyenne du nombre de ses salariés.

Moyenne — Cette moyenne est établie en fonction du nombre de salariés inscrits sur le registre de l'employeur par période de paie au cours d'une année civile.

1996, c. 43, art. 6; 2009, c. 9, art. 2

7. Assujettissement à la loi — Dès que la loi s'applique à un employeur en vertu du premier alinéa de l'article 4, toute personne à qui elle impose des obligations y demeure assujettie, aux mêmes conditions, malgré tout changement du nombre de salariés de l'entreprise.

1996, c. 43, art. 7; 2009, c. 9, art. 2

8. Salarié — Est un salarié toute personne physique qui s'oblige à exécuter un travail moyennant rémunération, sous la direction ou le contrôle d'un employeur, à l'exception :

1° d'un étudiant qui travaille au cours de l'année scolaire dans un établissement choisi par une institution d'enseignement en vertu d'un programme, reconnu par le ministère de l'Éducation, du Loisir et du Sport ou par le ministère de l'Enseignement supérieur, de la Recherche, de la Science et de la Technologie, qui intègre l'expérience pratique à la formation théorique ou d'un étudiant qui travaille dans l'institution d'enseignement où il étudie dans un domaine relié à son champ d'étude;

2° d'un étudiant qui travaille durant ses vacances;

3° d'un stagiaire dans un cadre de formation professionnelle reconnu par la loi;

4° (*paragraphe abrogé*);

5° d'une personne qui réalise une activité dans le cadre d'une mesure ou d'un programme d'aide à l'emploi établi en application du titre I de la *Loi sur l'aide* *aux personnes et aux familles* (chapitre A-13.1.1) et à l'égard de qui les dispositions relatives au salaire minimum prévues à la *Loi sur les normes du travail* (chapitre N-1.1) ne s'appliquent pas;

6° d'un cadre supérieur;

7° d'un policier ou d'un pompier.

1996, c. 43, art. 8; 1998, c. 36, art. 180; 2004, c. 31, art. 64; 2005, c. 28, art. 195; 2005, c. 15, art. 154; 2013, c. 28, art. 203(3°)

9. Travailleur autonome — La présente loi ne s'applique pas à un travailleur autonome, à savoir la personne physique qui fait affaire pour son propre compte, seule ou en société, et qui n'a pas de salarié à son emploi.

Salarié — Est considéré être un salarié à l'emploi d'une personne le travailleur autonome qui, dans le cours de ses affaires, exerce pour celle-ci des activités similaires ou connexes à celles de l'entreprise de cette personne, sauf :

1° s'il exerce ces activités :

a) simultanément pour plusieurs personnes;

b) dans le cadre d'un échange de services, rémunérés ou non, avec un autre travailleur autonome exerçant des activités semblables;

c) pour plusieurs personnes à tour de rôle, qu'il fournit l'équipement requis et que les travaux pour chaque personne sont de courte durée; ou

2° s'il s'agit d'activités qui ne sont que sporadiquement requises par la personne qui retient ses services.

1996, c. 43, art. 9

Chapitre II — Modalités d'application

Section I — Dispositions applicables aux entreprises de 100 salariés ou plus

§1 — Dispositions générales

10. Programme d'équité — L'employeur dont l'entreprise compte 100 salariés ou plus doit établir, conformément à la présente loi, un programme d'équité salariale applicable à l'ensemble de son entreprise.

Programme distinct — Sauf pour les établissements qui ont fait l'objet d'une entente en vertu du deuxième alinéa de l'article 11, un employeur peut s'adresser à la Commission pour obtenir l'autorisation d'établir un programme distinct applicable à un ou plusieurs établissements, si des disparités régionales le justifient.

1996, c. 43, art. 10

11. Demande d'une association — Sur demande d'une association accréditée qui représente des salariés de l'entreprise, l'employeur doit établir un programme d'équité salariale applicable à ces salariés dans l'ensemble de son entreprise ou un ou plusieurs programmes applicables à ces salariés en fonction de l'autorisation obtenue en vertu du deuxième alinéa de l'article 10.

Programmes distincts — En outre, l'employeur et une association accréditée qui représente des salariés de l'entreprise peuvent convenir d'établir un ou des programmes distincts applicables à ces salariés dans un ou plusieurs des établissements de l'entreprise qui n'ont pas fait l'objet d'une autorisation en vertu du deuxième alinéa de l'article 10. Une telle entente peut aussi être conclue entre l'employeur et plusieurs associations accréditées. Dans l'un ou l'autre de ces cas, l'employeur peut alors établir un programme distinct applicable aux autres salariés.

Secteur parapublic — Dans l'entreprise du secteur parapublic, il ne peut toutefois y avoir qu'un seul programme d'équité salariale pour l'ensemble des salariés représentés par des associations accréditées. Pour les salariés de l'entreprise de ce secteur qui ne sont pas représentés par des associations accréditées, deux programmes sont établis, l'un pour les collèges et les commissions scolaires, l'autre pour les établissements.

1996, c. 43, art. 11; 2004, c. 26, art. 1; 2006, c. 6, art. 2; 2009, c. 9, art. 3

12. Modalités communes — Des employeurs peuvent élaborer des modalités communes d'établissement d'un programme d'équité salariale applicable à chacune des entreprises. L'élaboration de ces modalités communes doit se faire avec l'accord des comités d'équité salariale de chacune des entreprises.

Responsabilité de l'employeur — Chaque employeur demeure responsable, dans son entreprise, de l'établissement du programme d'équité salariale conformément aux autres conditions prévues à la présente loi.

1996, c. 43, art. 12

12.1 Reconnaissance d'un regroupement d'employeurs — Un regroupement d'employeurs peut s'adresser à la Commission afin d'être reconnu, pour l'application de la présente loi, comme l'employeur d'une entreprise unique.

Caractéristiques — Pour accorder cette reconnaissance, la Commission s'assure que les entreprises concernées possèdent un ensemble de caractéristiques similaires ou communes permettant une application des dispositions de la loi conforme à l'objectif qu'elles poursuivent. À cette fin, elle peut notamment en examiner les activités, les catégories d'emplois et les structures salariales.

Délais — Lorsque des délais différents s'appliquent au sein des entreprises concernées, la Commission fixe le délai dans lequel le programme d'équité salariale doit être complété, les ajustements salariaux déterminés ou le maintien de l'équité salariale évalué dans l'entreprise unique.

Dispositions applicables — Les dispositions de la présente loi relatives à l'employeur s'appliquent au regroupement d'employeurs reconnu comme l'employeur d'une entreprise unique. Chaque employeur du regroupement demeure responsable du versement des ajustements au sein de sa propre entreprise, lesquels sont dus à compter de la date qui y est applicable si celle-ci diffère de celle fixée par la Commission pour l'entreprise unique. En cas de recours, le délai supplémentaire, consenti par la Commission, s'ajoute au délai de prescription des ajustements prévus à l'article 103.1.

2009, c. 9, art. 4

13. Conformité au règlement — Lorsque dans une entreprise il n'existe pas de catégories d'emplois à prédominance masculine, le programme d'équité salariale est établi conformément au règlement de la Commission.

Recours — Il peut aussi être établi en ayant recours à au moins deux catégories d'emplois à prédominance masculine existant dans une entreprise possédant des caractéristiques similaires à celles de l'entreprise concernée.

Approbation de la Commission — Le recours à ces catégories d'emplois est soumis à l'approbation de la Commission, sauf s'il fait l'objet d'une entente au sein du comité d'équité salariale ou qu'il a lieu dans le cadre d'un programme conjoint d'équité salariale prévu à l'article 32. Plusieurs employeurs peuvent se regrouper pour rechercher cette approbation auprès de la Commission.

1996, c. 43, art. 13; 2009, c. 9, art. 5

14. Affichage — Un employeur doit, à la demande de la Commission, afficher dans des endroits visibles et facilement accessibles aux salariés ou distribuer aux salariés tout document d'information relatif à l'équité salariale qu'elle lui fournit.

Support technologique — Un affichage prévu par la présente loi peut être effectué au moyen d'un support faisant appel aux technologies de l'information.

1996, c. 43, art. 14; 2009, c. 9, art. 6

14.1 Conservation des renseignements — L'employeur doit, jusqu'à ce que le programme d'équité salariale soit complété, conserver les renseignements utiles à cette fin.

Période — Par ailleurs, il doit conserver pendant une période de cinq ans à compter de l'affichage prévu au deuxième alinéa de l'article 76, les renseignements utilisés pour compléter ce programme ainsi que le contenu de tout affichage effectué.

2009, c. 9, art. 7

15. Interdiction — L'employeur, l'association accréditée ou un membre d'un comité d'équité salariale ne doit pas, dans l'établissement du programme d'équité salariale, agir de mauvaise foi ou de façon arbitraire ou discriminatoire, ni faire preuve de négligence grave à l'endroit des salariés de l'entreprise.

1996, c. 43, art. 15

§2 — Participation des salariés à un comité d'équité salariale

16. Représentation — Un employeur doit permettre la participation des salariés à l'établissement d'un programme d'équité salariale en instituant un comité d'équité salariale au sein duquel ils sont représentés.

1996, c. 43, art. 16

17. Composition — Un comité d'équité salariale est formé d'au moins trois membres.

Représentants des salariés — Au moins les deux tiers des membres du comité d'équité salariale représentent les salariés. Ces membres doivent, pour au moins la moitié d'entre eux, être des femmes.

Représentants de l'employeur — Les autres membres du comité représentent l'employeur et sont désignés par celui-ci.

1996, c. 43, art. 17

18. Participation des femmes — Lorsque tous les salariés visés par un programme d'équité salariale sont représentés par une association accréditée, celle-ci désigne leurs représentants au sein du comité d'équité salariale. Elle peut convenir avec l'employeur de l'application de modalités de participation des salariés différentes de celles prévues à la présente sous-section, sous réserve que les membres représentant les salariés soient, pour au moins la moitié d'entre eux, des femmes.

1996, c. 43, art. 18

19. Association inexistante — Lorsqu'un programme d'équité salariale ne vise que des salariés qui ne sont pas représentés par une association accréditée, ceux-ci désignent leurs représentants au sein du comité d'équité salariale.

1996, c. 43, art. 19

19.1 Représentation de tous les salariés — Dans l'entreprise de la fonction publique et dans celle du secteur parapublic, une association accréditée ou, selon le cas et dans le cadre de l'article 21.1, un groupement d'associations de salariés, qui représente des salariés d'une catégorie d'emplois visée par un programme d'équité salariale représente aussi, aux fins de ce programme et jusqu'à ce qu'il soit complété, tous les salariés de cette catégorie d'emplois qui ne sont pas visés par une accréditation.

Ajustements salariaux — Les ajustements salariaux et les modalités de versement de ces ajustements prévus à un tel programme sont les seuls qui puissent être applicables à l'ensemble de ces salariés.

2006, c. 6, art. 3

20. Désignation des membres — Lorsque les salariés visés par un programme d'équité salariale sont représentés par plus d'une association accréditée ou lorsque certains de ces salariés ne sont pas ainsi représentés, les membres représentant les salariés au sein du comité d'équité salariale sont désignés comme suit :

1° chaque association accréditée qui représente des salariés désigne un membre;

2° les salariés qui ne sont pas représentés par une association accréditée désignent un membre;

3° lorsque les salariés représentés par une même association accréditée ou lorsque les salariés qui ne sont pas représentés par une association accréditée forment la majorité des salariés visés par le programme, cette association ou les salariés non représentés désignent une majorité de membres représentant les salariés.

Membres supplémentaires — L'employeur peut accorder à une association accréditée visée au paragraphe 1° et aux salariés visés au paragraphe 2° du premier alinéa le droit de désigner plus d'un membre. Dans la détermination du nombre de membres supplémentaires, l'employeur doit, tout en respectant les dispositions du paragraphe 3° du premier alinéa, tenir compte de la proportion du nombre de salariés représentés par cette association accréditée et du nombre de ceux qui ne sont pas représentés par une association accréditée.

1996, c. 43, art. 20

20.1 Association accréditée — Dans l'entreprise de la fonction publique et dans celle du secteur parapublic, une association regroupant des salariés qui ne sont pas représentés par une association accréditée et qui est reconnue, aux fins de relations de travail, par décret du gouvernement et un organisme représentatif visé à l'article 432 de la *Loi sur les services de santé et les services sociaux* (chapitre S-4.2) sont assimilés à une association accréditée aux fins de la désignation des membres du comité d'équité salariale chargé d'établir le programme d'équité salariale applicable aux salariés qui ne sont pas représentés par une association accréditée.

Application de l'article 19.1 — L'article 19.1 s'applique, compte tenu des adaptations nécessaires, à ces associations et organismes ainsi qu'aux salariés qu'ils représentent.

2006, c. 6, art. 4

21. Nombre maximum — Les membres représentant les salariés au sein d'un comité d'équité salariale ne peuvent, en application du premier alinéa de l'article 20, excéder le nombre 12.

Entente entre l'employeur et les salariés — Lorsque, en application du premier alinéa de l'article 20, ce nombre excéderait 12, les modalités de désignation de ces 12 membres sont déterminées par entente entre l'employeur et les salariés ou, à défaut d'entente, par la Commission sur demande de l'employeur, d'une association accréditée ou d'un salarié non représenté par une telle association. Dans la détermination de ces modalités, la Commission doit tenir compte notamment de la proportion du nombre de salariés représentés par une association accréditée et du nombre de ceux qui ne sont pas représentés par une association accréditée, ainsi que de la présence de catégories d'emplois à prédominance féminine ou masculine parmi ces salariés.

1996, c. 43, art. 21

21.1 Composition du comité — Le comité d'équité salariale chargé d'établir le programme d'équité salariale pour l'ensemble des salariés représentés par des associations accréditées, visé au troisième alinéa de l'article 11, est composé de 16 membres dont 11 représentent les salariés et cinq représentent l'employeur.

Désignation des membres — Les membres qui représentent les salariés sont désignés comme suit :

1° deux par chaque association de salariés ou groupement d'associations de salariés suivants : la Centrale des syndicats du Québec (CSQ), la Confédération des syndicats nationaux (CSN), la Fédération des infirmières et infirmiers du Québec (FIIQ) et la Fédération des travailleurs et travailleuses du Québec (FTQ);

2° un par l'Alliance du personnel professionnel et technique de la santé et des services sociaux (APTS);

3° un par les associations de salariés ou groupements de telles associations qui représentent des salariés visés par une accréditation dans les collèges et les commissions scolaires, qui ne sont pas visés aux paragraphes 1° et 2°, qui ne font pas partie d'associations ou de groupements visés à ces paragraphes et qui n'y sont pas affiliés;

4° un par les associations de salariés ou groupements de telles associations qui représentent des salariés visés par une accréditation dans un établissement visé par la *Loi sur le régime de négociation des conventions collectives dans les secteurs public et parapublic* (chapitre R-8.2), qui ne sont pas visés aux paragraphes 1° et 2°, qui ne font pas partie d'associations ou de groupements visés à ces paragraphes et qui n'y sont pas affiliés.

2006, c. 6, art. 5; 2009, c. 9, art. 8

22. Demande à la Commission — Une association accréditée ou un salarié non représenté par une telle association peut s'adresser à la Commission afin qu'elle détermine si le nombre de ses représentants au sein du comité d'équité salariale est conforme aux dispositions de l'article 20.

1996, c. 43, art. 22

23. Réunion des salariés — L'employeur doit permettre la tenue, sur les lieux de travail, d'une réunion des salariés qui ne sont pas représentés par une association accréditée afin qu'ils puissent désigner leurs représentants au sein du comité d'équité salariale.

Modalités de désignation — La Commission peut aussi autoriser d'autres modalités de désignation des représentants des salariés qui ne sont pas représentés par une association accréditée.

1996, c. 43, art. 23; 2006, c. 6, art. 6

24. Emplois à prédominance féminine — La désignation des représentants des salariés au sein d'un comité d'équité salariale doit être effectuée de manière à favoriser une représentation des principales catégories d'emplois à prédominance féminine et des principales catégories d'emplois à prédominance masculine.

1996, c. 43, art. 24

25. Vote — L'ensemble des représentants des salariés et l'ensemble des représentants de l'employeur ont droit respectivement à un seul vote au sein du comité d'équité salariale.

Décision de l'employeur — Si, sur une question donnée, il n'y a pas de décision majoritaire au sein des représentants des salariés, l'employeur décide seul de cette question.

1996, c. 43, art. 25

26. Formation requise — L'employeur doit fournir au salarié membre d'un comité d'équité salariale qui participe à l'établissement d'un programme d'équité salariale la formation requise pour ce faire.

Coûts — Les coûts liés à cette formation sont réputés être des dépenses admissibles au sens de l'article 5 de la *Loi favorisant le développement et la reconnaissance des compétences de la main-d'œuvre* (chapitre D-8.3).

1996, c. 43, art. 26; 2007, c. 3, art. 68

27. Règles de fonctionnement — Le comité d'équité salariale doit établir ses propres règles de fonctionnement, dont celles relatives à la tenue de ses réunions.

1996, c. 43, art. 27

28. Absence aux fins de réunions — Un salarié qui est membre du comité d'équité salariale peut, sans perte de salaire, s'absenter de son travail le temps nécessaire pour participer à la formation et aux réunions du comité, ainsi que pour effectuer toute tâche requise par le comité. Il est alors réputé être au travail et doit être rémunéré au taux normal.

1996, c. 43, art. 28

29. Renseignements — L'employeur est tenu de divulguer aux membres du comité d'équité salariale l'information nécessaire à l'établissement du programme d'équité salariale. Il doit, en outre, faciliter la collecte des renseignements nécessaires.

Confidentialité — Les membres du comité sont tenus d'assurer la confidentialité de l'information et des renseignements ainsi obtenus.

1996, c. 43, art. 29

30. Programme établi par l'employeur — À défaut par l'association accréditée ou par les salariés de désigner leurs représentants au sein d'un comité d'équité salariale, l'employeur établit seul le programme d'équité salariale applicable à ses salariés.

Avis à la Commission — Il doit alors transmettre à la Commission un avis à l'effet que l'association ou les salariés ne participent pas ou ne participent plus à un tel comité et lui indiquer qu'il élabore seul le programme applicable à ces salariés. Il doit en outre afficher, dans des endroits visibles et facilement accessibles aux salariés, une copie de cet avis.

1996, c. 43, art. 30

30.1 Formation du comité — La Commission peut, sur demande de l'employeur, d'une association accréditée ou d'un salarié non représenté par une telle association, autoriser une composition du comité d'équité salariale différente de celle prévue dans la présente sous-section, lorsque des difficultés sérieuses sont rencontrées dans la formation du comité ou qu'une association ou les salariés n'y participent pas ou n'y participent plus.

Autorisation — Une telle autorisation ne peut toutefois être accordée lorsque l'employeur a affiché l'avis transmis à la Commission, conformément au deuxième alinéa de l'article 30.

2009, c. 9, art. 9

SECTION II — DISPOSITIONS APPLICABLES AUX ENTREPRISES DE 50 SALARIÉS OU PLUS MAIS DE MOINS DE 100

31. Entreprise de plus de 50 salariés — Un employeur dont l'entreprise compte 50 salariés ou plus mais moins de 100 salariés doit établir, conformément à la présente loi, un programme d'équité salariale applicable à l'ensemble de son entreprise.

Programme distinct — Sauf pour les établissements qui ont fait l'objet d'une entente en vertu du deuxième alinéa de l'article 32, un employeur peut s'adresser à la Commission pour obtenir l'autorisation d'établir un programme distinct applicable à un ou plusieurs établissements, si des disparités régionales le justifient.

Comité d'équité salariale — Il peut choisir d'instituer un comité d'équité salariale conformément aux articles 16 à 29.

1996, c. 43, art. 31

32. Programme conjoint — Sur demande d'une association accréditée qui représente des salariés de l'entreprise, l'employeur et cette association établissent conjointement un programme d'équité salariale applicable à ces salariés dans l'ensemble de son entreprise ou un ou plusieurs programmes applicables à ces salariés en fonction de l'autorisation obtenue en vertu du deuxième alinéa de l'article 31.

Programmes distincts — En outre, l'employeur et une association accréditée qui représente des salariés de l'entreprise peuvent convenir d'établir un ou des programmes distincts applicables à ces salariés dans un ou plusieurs des établissements de l'entreprise qui n'ont pas fait l'objet d'une autorisation en vertu du deuxième alinéa de l'article 31. Une telle entente peut aussi être conclue entre l'employeur et plusieurs associations accréditées. Dans l'un ou l'autre de ces cas, l'employeur peut alors établir un programme distinct applicable aux salariés non représentés par l'association accréditée.

Obligations — Dans l'établissement conjoint du programme d'équité salariale, l'employeur et l'association accréditée ont les mêmes obligations que celles imposées à un comité d'équité salariale au chapitre IV.

Disposition applicable — L'article 29 s'applique compte tenu des adaptations nécessaires.

1996, c. 43, art. 32; 2009, c. 9, art. 10

33. Dispositions applicables — Les articles 12 à 15 s'appliquent compte tenu des adaptations nécessaires.

1996, c. 43, art. 33

SECTION III — DISPOSITIONS APPLICABLES AUX ENTREPRISES DE MOINS DE 50 SALARIÉS

34. Entreprise de moins de 50 salariés — Un employeur dont l'entreprise compte moins de 50 salariés doit déterminer les ajustements salariaux nécessaires afin d'accorder, pour un travail équivalent, la même rémunération aux salariés qui occupent des emplois dans des catégories d'emplois à prédominance féminine que celle accordée aux salariés qui occupent des emplois dans des catégories d'emplois à prédominance masculine. À ces fins, l'employeur doit s'assurer que sa démarche est exempte de discrimination fondée sur le sexe.

Programme d'équité salariale — Il peut choisir d'établir un programme d'équité salariale aux mêmes conditions que celles applicables aux entreprises de 50 salariés ou plus. En ce cas, il doit aviser la Commission et afficher une copie de cet avis dans un endroit visible et accessible aux salariés.

1996, c. 43, art. 34

35. Endroits d'affichage — Un employeur doit afficher, à l'expiration du délai prévu à l'article 37 et pendant 60 jours, dans des endroits visibles et facilement accessibles aux salariés :

1º un sommaire de la démarche suivie;

2º la liste des catégories d'emplois à prédominance féminine identifiées dans l'entreprise;

3º la liste des catégories d'emplois à prédominance masculine ayant servi de comparateur;

4º pour chacune des catégories d'emplois à prédominance féminine, le pourcentage ou le montant des ajustements à verser et les modalités de leur versement ou un avis qu'aucun ajustement salarial n'est requis.

Renseignements — Cet affichage doit être daté et comprendre également des renseignements sur les droits prévus à l'article 76 et sur les recours prévus à l'article 99.

Modalités d'affichage — L'employeur informe les salariés de l'affichage, par un mode de communication susceptible de les joindre, en indiquant notamment la date de l'affichage, sa durée et par quels moyens ils peuvent en prendre connaissance.

1996, c. 43, art. 35; 2009, c. 9, art. 11

36. Dispositions applicables — Les articles 12 à 15 s'appliquent compte tenu des adaptations nécessaires.

Dispositions applicables — Les dispositions relatives aux modalités de versement des ajustements salariaux prévues aux articles 70 à 74 s'appliquent à cet employeur.

1996, c. 43, art. 36

SECTION IV — DÉLAIS APPLICABLES

37. Ajustements salariaux — Les ajustements salariaux requis pour atteindre l'équité salariale doivent avoir été déterminés ou un programme d'équité salariale doit avoir été complété dans un délai de quatre ans à compter de l'assujettissement de l'employeur.

1996, c. 43, art. 37; 2009, c. 9, art. 12

38. Entreprise sans prédominance masculine — Lorsque dans une entreprise il n'existe pas de catégories d'emplois à prédominance masculine, les ajustements salariaux doivent avoir été déterminés ou le programme d'équité salariale doit être complété soit dans le délai prévu à l'article 37, soit dans un délai de deux ans de l'entrée en vigueur du règlement de la Commission pris en vertu, selon le cas, des paragraphes 1º ou 2º du premier alinéa de l'article 114, selon la plus éloignée de ces échéances.

1996, c. 43, art. 38

39. (*Abrogé*).

1996, c. 43, art. 39; 2009, c. 9, art. 13

SECTION V — CHANGEMENTS DANS UNE ENTREPRISE ET MAINTIEN DE L'ÉQUITÉ SALARIALE (ABROGÉE)

40. (*Abrogé*).

1996, c. 43, art. 40; 2006, c. 6, art. 7; 2009, c. 9, art. 14

41. (*Abrogé*).

1996, c. 43, art. 41; 2009, c. 9, art. 14

42. (*Abrogé*).

1996, c. 43, art. 42; 2009, c. 9, art. 14

43. (*Abrogé*).

1996, c. 43, art. 43; 2009, c. 9, art. 14

Chapitre III — Comité sectoriel d'équité salariale

44. Constitution — Une association sectorielle paritaire, une ou plusieurs associations d'employeurs et une ou plusieurs associations de salariés, un comité paritaire ou tout autre regroupement reconnu par la Commission, y compris un regroupement régional, peuvent, avec l'approbation de celle-ci, constituer un comité sectoriel d'équité salariale pour un secteur d'activités.

1996, c. 43, art. 44

45. Composition — Le comité sectoriel est composé d'un nombre égal de représentants d'employeurs et de représentants de salariés. La Commission prête assistance à ce comité.

1996, c. 43, art. 45

46. Mandat — Le comité sectoriel a pour mandat de faciliter les travaux des comités d'équité salariale ou, à défaut, des employeurs, dans l'établissement de programmes d'équité salariale, en développant les éléments suivants :

1° l'identification des principales catégories d'emplois à prédominance féminine et des principales catégories d'emplois à prédominance masculine;

2° la description de la méthode et des outils d'évaluation de ces catégories d'emplois;

3° l'élaboration d'une démarche d'évaluation.

Élément optionnel — Il peut également développer tout autre élément relatif à un programme d'équité salariale.

Application sans discrimination — Ces éléments doivent être exempts de discrimination fondée sur le sexe.

1996, c. 43, art. 46

46.1 Approbation — Le comité sectoriel peut soumettre à l'approbation de la Commission les éléments développés en vertu de l'article 46.

Éléments approuvés — Dans un tel cas, les éléments approuvés par la Commission ne peuvent faire l'objet d'un recours auprès de celle-ci.

2009, c. 9, art. 15

46.2 Transmission de documents — Le comité sectoriel transmet aux comités d'équité salariale ou, à défaut, aux employeurs et aux associations accréditées visées à l'article 32, les documents relatifs aux éléments prévus à l'article 46.

Avis — Il joint à ces documents un avis indiquant les éléments approuvés par la Commission, le cas échéant.

2009, c. 9, art. 15

47. Établissement d'un programme — Les éléments développés en vertu de l'article 46 peuvent être utilisés pour la détermination des ajustements salariaux ou l'établissement d'un programme d'équité salariale dans une entreprise de ce secteur. Ce programme doit toutefois être complété conformément aux autres conditions prévues par la présente loi.

1996, c. 43, art. 47; 2009, c. 9, art. 16

48. Documents requis — La Commission fournit, sur demande d'un comité d'équité salariale ou, en l'absence d'un tel comité, d'un employeur ou d'une association accréditée visée à l'article 32, les documents relatifs aux éléments prévus à l'article 46 qu'elle a approuvés.

1996, c. 43, art. 48

49. (*Abrogé*).

1996, c. 43, art. 49; 2009, c. 9, art. 17

Chapitre IV — Programme d'équité salariale

Section I — Dispositions générales

50. Contenu du programme — Un programme d'équité salariale comprend :

1º l'identification des catégories d'emplois à prédominance féminine et des catégories d'emplois à prédominance masculine, au sein de l'entreprise;

2º la description de la méthode et des outils d'évaluation de ces catégories d'emplois et l'élaboration d'une démarche d'évaluation;

3º l'évaluation de ces catégories d'emplois, leur comparaison, l'estimation des écarts salariaux et le calcul des ajustements salariaux;

4º les modalités de versement des ajustements salariaux.

1996, c. 43, art. 50

51. Application sans discrimination — L'employeur doit s'assurer que chacun des éléments du programme d'équité salariale, ainsi que l'application de ces éléments, sont exempts de discrimination fondée sur le sexe.

1996, c. 43, art. 51

52. Prédominance féminine — Lorsqu'il y a établissement de plus d'un programme d'équité salariale dans une entreprise et qu'aucune catégorie d'emplois à prédominance masculine n'a été identifiée dans le cadre d'un programme, la comparaison des catégories d'emplois à prédominance féminine visées par ce programme doit être effectuée avec l'ensemble des catégories d'emplois à prédominance masculine de l'entreprise.

1996, c. 43, art. 52

Section II — Identification des catégories d'emplois

53. Identification — Le comité d'équité salariale ou, à défaut, l'employeur doit identifier les catégories d'emplois à prédominance féminine et les catégories d'emplois à prédominance masculine.

1996, c. 43, art. 53

54. Groupes de salariés — Aux fins d'identifier les catégories d'emplois à prédominance féminine et les catégories d'emplois à prédominance masculine, doivent être regroupés les emplois, occupés par des salariés, qui ont les caractéristiques communes suivantes :

1º des fonctions ou des responsabilités semblables;

2º des qualifications semblables;

3º la même rémunération, soit un même taux ou une même échelle de salaire.

Rémunération — La rémunération d'une catégorie d'emplois est le taux maximum de salaire ou le maximum de l'échelle de salaire des emplois qui y sont regroupés.

Catégorie d'emplois — Une catégorie d'emplois peut être constituée d'un seul emploi.

1996, c. 43, art. 54

55. Prédominance — Une catégorie d'emplois peut être considérée à prédominance féminine ou masculine dans l'un ou l'autre des cas suivants :

1º elle est couramment associée aux femmes ou aux hommes en raison de stéréotypes occupationnels;

2º au moins 60 % des salariés qui occupent les emplois en cause sont du même sexe;

3º l'écart entre le taux de représentation des femmes ou des hommes dans cette catégorie d'emplois et leur taux de représentation dans l'effectif total de l'employeur est jugé significatif;

4º l'évolution historique du taux de représentation des femmes ou des hommes dans cette catégorie d'emplois, au sein de l'entreprise, révèle qu'il s'agit d'une catégorie d'emplois à prédominance féminine ou masculine.

1996, c. 43, art. 55; 2009, c. 9, art. 18

SECTION III — MÉTHODE D'ÉVALUATION DES CATÉGORIES D'EMPLOIS

56. Comparaison des catégories d'emplois — La méthode d'évaluation des catégories d'emplois retenue par le comité d'équité salariale ou, à défaut, par l'employeur doit permettre une comparaison des catégories d'emplois à prédominance féminine avec des catégories d'emplois à prédominance masculine.

Particularités — Elle doit mettre en évidence tant les caractères propres aux catégories d'emplois à prédominance féminine que ceux propres aux catégories d'emplois à prédominance masculine.

1996, c. 43, art. 56

57. Méthode d'évaluation — La méthode d'évaluation doit tenir compte, pour chaque catégorie d'emplois, des facteurs suivants :

1º les qualifications requises;

2º les responsabilités assumées;

3º les efforts requis;

4º les conditions dans lesquelles le travail est effectué.

1996, c. 43, art. 57

58. Démarche d'évaluation — Le comité d'équité salariale ou, à défaut, l'employeur détermine les outils et élabore une démarche d'évaluation des catégories d'emplois.

1996, c. 43, art. 58

SECTION IV — ÉVALUATION DES CATÉGORIES D'EMPLOIS, ESTIMATION DES ÉCARTS SALARIAUX ET CALCUL DES AJUSTEMENTS SALARIAUX

59. Mode d'évaluation — Le comité d'équité salariale ou, à défaut, l'employeur doit évaluer chaque catégorie d'emplois à prédominance féminine et chaque catégorie d'emplois à prédominance masculine suivant la méthode d'évaluation retenue.

1996, c. 43, art. 59

60. Écarts salariaux — Le comité d'équité salariale ou, à défaut, l'employeur doit comparer les catégories d'emplois à prédominance féminine et les catégories d'emplois à prédominance masculine, aux fins d'estimer les écarts salariaux entre elles.

1996, c. 43, art. 60

61. Estimation — L'estimation des écarts salariaux entre une catégorie d'emplois à prédominance féminine et une catégorie d'emplois à prédominance masculine peut être effectuée sur une base globale ou individuelle ou suivant toute autre méthode d'estimation des écarts salariaux prévue par règlement de la Commission ou autorisée par celle-ci, sur demande présentée par le comité d'équité salariale ou, à défaut, par l'employeur.

1996, c. 43, art. 61; 2009, c. 9, art. 19

62. Comparaison — L'estimation sur une base globale doit être effectuée par la comparaison de chaque catégorie d'emplois à prédominance féminine avec la courbe salariale de l'ensemble des catégories d'emplois à prédominance masculine.

1996, c. 43, art. 62

63. Comparaison — L'estimation sur une base individuelle doit être effectuée par la méthode de comparaison par paire en comparant une catégorie d'emplois à prédominance féminine avec une catégorie d'emplois à prédominance masculine de même valeur.

Moyenne des rémunérations — Aux fins de l'application de la méthode de comparaison par paire, lorsqu'il existe plusieurs catégories d'emplois à prédominance masculine ayant la même valeur mais des rémunérations différentes, la comparaison s'effectue en utilisant la moyenne des rémunérations de ces catégories d'emplois.

Estimation de la rémunération — Lorsque la méthode de comparaison par paire ne peut s'appliquer à une catégorie d'emplois à prédominance féminine, l'estimation de sa rémunération doit être établie en proportion de celle de la catégorie d'emplois à prédominance masculine dont la valeur est la plus proche.

1996, c. 43, art. 63

64. Restriction — Une méthode ne peut pas être utilisée si elle a pour effet d'exclure de la comparaison une catégorie d'emplois à prédominance féminine.

1996, c. 43, art. 64

65. Estimation des écarts — Aux fins de l'estimation des écarts salariaux, la rémunération d'une catégorie d'emplois comprend la rémunération flexible, si cette rémunération n'est pas également accessible aux catégories d'emplois comparées.

Rémunération flexible — La rémunération flexible comprend notamment les rémunérations basées sur la compétence, le rendement et les formules d'intéressement liées à la performance de l'entreprise.

1996, c. 43, art. 65

66. Catégories d'emplois comparés — Lorsque les avantages à valeur pécuniaire ne sont pas également accessibles aux catégories d'emplois comparées, leur valeur doit être déterminée et elle doit, aux fins de l'estimation des écarts salariaux, être incluse dans la rémunération.

Avantages pécuniaires — Les avantages à valeur pécuniaire comprennent, outre les indemnités et les primes :

1° les éléments du temps chômé et payé tels les congés de maladie, les congés sociaux et parentaux, les vacances et jours fériés, les périodes de repos ou de repas ou tout autre élément de même nature;

2° les régimes de retraite et de prévoyance collective, tels les caisses de retraite, les régimes d'assurance maladie ou d'invalidité et tout autre régime collectif;

3° les avantages hors salaire, tels la fourniture et l'entretien d'outils ou d'uniformes ou d'autres vêtements, sauf lorsqu'ils sont exigés en vertu de la *Loi sur la santé et la sécurité du travail* (chapitre S-2.1) ou lorsque ces uniformes ou vêtements sont requis par l'emploi, le stationnement, les allocations pour repas, la fourniture de véhicules, le paiement de cotisations professionnelles, les congés payés pour études, le remboursement des frais de scolarité, les prêts à taux réduit ou toute autre forme d'avantages.

1996, c. 43, art. 66; 1999, c. 89, art. 53

67. Estimation des écarts salariaux — Ne sont pas prises en compte, aux fins de l'estimation des écarts salariaux, les différences entre les catégories d'emplois fondées sur l'un ou l'autre des critères suivants :

1º l'ancienneté, sauf si l'application de ce critère a des effets discriminatoires selon le sexe;

2º une affectation à durée déterminée notamment dans le cadre d'un programme de formation, d'apprentissage ou d'initiation au travail;

3º la région dans laquelle le salarié occupe son emploi, sauf si l'application de ce critère a des effets discriminatoires selon le sexe;

4º une pénurie de main-d'œuvre qualifiée;

5º le salaire d'une personne qui, à la suite d'un reclassement ou d'une rétrogradation, lui est temporairement appliqué pour éviter qu'elle soit désavantagée en raison de son intégration à un nouveau taux de salaire ou à une nouvelle échelle salariale, pourvu que l'écart entre son salaire et celui applicable aux salariés de sa catégorie d'emplois se résorbe à l'intérieur d'un délai raisonnable;

5.1º le salaire d'une personne handicapée qui lui est appliqué à la suite d'un accommodement particulier;

6º l'absence d'avantages à valeur pécuniaire justifiée par le caractère temporaire, occasionnel ou saisonnier d'un emploi.

1996, c. 43, art. 67; 2009, c. 9, art. 20

68. Calcul des ajustements — Le comité d'équité salariale ou, à défaut, l'employeur doit effectuer le calcul des ajustements salariaux destinés à corriger les écarts salariaux.

1996, c. 43, art. 68

SECTION V — MODALITÉS DE VERSEMENT DES AJUSTEMENTS SALARIAUX

69. Modalités — L'employeur doit prévoir les modalités de versement des ajustements salariaux après consultation du comité d'équité salariale ou de l'association accréditée visée à l'article 32.

1996, c. 43, art. 69

70. Étalement — Les ajustements salariaux peuvent être étalés sur une période maximale de quatre ans.

Versements annuels — Lorsqu'il y a étalement, les versements doivent être annuels et le montant de chacun doit être égal.

1996, c. 43, art. 70

71. Date de paiement des premiers ajustements — L'employeur doit payer les premiers ajustements salariaux à la date où le programme d'équité salariale doit être complété ou, s'il s'agit d'un employeur dont l'entreprise compte moins de 50 salariés, à la date où les ajustements salariaux doivent être déterminés.

Intérêts — À défaut par l'employeur de verser les ajustements salariaux dans les délais applicables, ces ajustements portent intérêt au taux légal à compter du moment où ils auraient dû être versés.

1996, c. 43, art. 71

72. Étalement des ajustements — La Commission peut, aux conditions qu'elle détermine, autoriser un employeur qui lui démontre son incapacité de verser les ajustements salariaux à prolonger d'un maximum de trois ans la période d'étalement de ces ajustements.

Nouvelles modalités — Par ailleurs, la Commission peut, lorsqu'elle a des motifs raisonnables de croire que la situation financière de l'employeur s'est améliorée, exiger le versement de ces ajustements ou établir de nouvelles modalités.

Demande de renseignements — Elle peut à ces fins requérir de l'employeur tout document ou renseignement, notamment les résultats de toute démarche effectuée auprès d'une institution financière en vue d'obtenir un prêt.

1996, c. 43, art. 72

73. Interdiction — Un employeur ne peut, pour atteindre l'équité salariale, diminuer la rémunération des salariés qui occupent des emplois dans l'entreprise. Aux fins du présent article, la rémunération comprend la rémunération flexible et les avantages à valeur pécuniaire.

1996, c. 43, art. 73

74. Imputation aux conventions collectives — Les ajustements salariaux des catégories d'emplois à prédominance féminine ainsi que leurs modalités de versement, établis conformément à la présente loi, sont réputés faire partie intégrante de la convention collective ou des conditions de travail applicables aux salariés qui occupent des emplois dans ces catégories.

1996, c. 43, art. 74; 2006, c. 6, art. 8

SECTION VI — AFFICHAGE

75. Étapes complétées — Le comité d'équité salariale ou, à défaut, l'employeur doit, lorsque les étapes du programme d'équité salariale prévues aux paragraphes 1° et 2° de l'article 50 sont complétées, en afficher les résultats pendant 60 jours dans des endroits visibles et facilement accessibles aux salariés visés par ce programme, accompagnés de renseignements sur les droits prévus à l'article 76 et sur les délais pour les exercer.

Étapes complétées — Il doit faire de même lorsque les étapes du programme d'équité salariale prévues aux paragraphes 3° et 4° de l'article 50 sont complétées. Cet affichage doit comprendre la méthode d'estimation des écarts. Les résultats de ces étapes doivent être accompagnés d'une copie de ceux déjà affichés en vertu du premier alinéa.

Affichage — Un affichage prévu au présent article doit être daté. Le comité d'équité salariale ou, à défaut, l'employeur en informe les salariés, par un mode de communication susceptible de les joindre, en indiquant notamment la date de cet affichage, sa durée et par quels moyens ils peuvent en prendre connaissance.

1996, c. 43, art. 75; 2009, c. 9, art. 21

76. Renseignements additionnels — Tout salarié peut par écrit, dans les 60 jours qui suivent la date d'un affichage prévu aux articles 35 ou 75, demander des renseignements additionnels ou présenter ses observations au comité d'équité salariale ou, à défaut, à l'employeur.

Nouvel affichage — Le comité d'équité salariale ou, à défaut, l'employeur doit, dans les 30 jours suivant le délai prévu au premier alinéa, procéder à un nouvel affichage d'une durée de 60 jours précisant, selon le cas, les modifications apportées ou qu'aucune modification n'est nécessaire. Cet affichage doit être daté et, en l'absence d'un comité d'équité salariale, être accompagné de renseignements sur les recours prévus à la présente loi ainsi que sur les délais pour les exercer.

1996, c. 43, art. 76; 2009, c. 9, art. 22

Chapitre IV.1 — Maintien de l'équité salariale

76.1 Évaluation périodique — L'employeur doit, après qu'un programme d'équité salariale a été complété ou que des ajustements salariaux ont été déterminés en vertu de la section III du chapitre II, évaluer périodiquement le maintien de l'équité salariale dans son entreprise.

Période — Cette évaluation et les affichages prévus au présent chapitre doivent être effectués, en vue de déterminer si des ajustements salariaux sont requis, tous les cinq ans à compter de la date à laquelle a eu lieu l'affichage fait en vertu du deuxième alinéa de l'article 76 ou, s'il n'a pas eu lieu dans le délai prévu, à compter de la date à laquelle il devait avoir lieu.

Programmes complétés — Lorsque des programmes d'équité salariale ont été complétés ou que des ajustements salariaux ont été déterminés à des dates différentes au sein d'une même entreprise, il peut être procédé à l'évaluation du maintien de l'équité salariale et aux affichages prévus au présent chapitre selon les délais propres à chacun de ceux-ci ou simultanément pour une partie ou pour l'ensemble de ceux-ci. Dans le cas d'évaluations faites simultanément, le délai pour ce faire est celui qui échoit en premier.

2009, c. 9, art. 23

76.2 Évaluation du maintien — Sans égard à la taille de son entreprise, l'employeur décide si le maintien de l'équité salariale est évalué :

1° par lui seul;

2° par un comité de maintien de l'équité salariale;

3° conjointement par lui et l'association accréditée.

Dispositions applicables — Les articles 17 à 30.1 s'appliquent au comité de maintien de l'équité salariale compte tenu des adaptations nécessaires. L'article 29 s'applique, compte tenu des adaptations nécessaires, lorsqu'il y a évaluation conjointe du maintien de l'équité salariale par l'employeur et l'association accréditée.

2009, c. 9, art. 23

76.3 Affichage — Le comité de maintien de l'équité salariale ou, à défaut, l'employeur doit, lorsqu'il a évalué le maintien de l'équité salariale, en afficher pendant 60 jours les résultats dans des endroits visibles et facilement accessibles aux salariés. L'affichage doit inclure les éléments suivants :

1° un sommaire de la démarche retenue pour l'évaluation du maintien de l'équité salariale;

2° la liste des événements ayant généré des ajustements;

3° la liste des catégories d'emplois à prédominance féminine qui ont droit à des ajustements;

4° le pourcentage ou le montant des ajustements à verser;

5° sa date ainsi que les renseignements sur les droits prévus à l'article 76.4 et sur les délais pour les exercer.

Information — Le comité de maintien de l'équité salariale ou, à défaut, l'employeur informe les salariés de l'affichage, par un mode de communication susceptible de les joindre, en indiquant notamment la date de l'affichage, sa durée et par quels moyens ils peuvent en prendre connaissance.

2009, c. 9, art. 23

76.4 Renseignements additionnels — Tout salarié peut, par écrit, dans les 60 jours qui suivent la date de l'affichage prévu à l'article 76.3, demander des renseignements additionnels ou présenter ses observations au comité de maintien de l'équité salariale ou, à défaut, à l'employeur.

Nouvel affichage — Le comité de maintien de l'équité salariale ou, à défaut, l'employeur doit, dans les 30 jours suivant le délai prévu au premier alinéa, procéder à un nouvel affichage d'une durée de 60 jours. Cet affichage doit être daté et préciser, selon le cas, les modifications apportées ou qu'aucune modification n'est nécessaire. Dans le cas où l'évaluation du maintien de l'équité salariale est faite par l'employeur seul, l'affichage doit être accompagné de renseignements sur les recours prévus à la présente loi ainsi que sur les délais pour les exercer.

2009, c. 9, art. 23

76.5 Ajustements salariaux — Sous réserve du troisième alinéa de l'article 101, les ajustements salariaux s'appliquent à compter de la date à laquelle l'affichage prévu au deuxième alinéa de l'article 76.4 doit avoir lieu.

Intérêt — À défaut d'être versés, ils portent intérêt au taux légal à compter de cette date.

2009, c. 9, art. 23

76.6 Ajustements salariaux — Les ajustements salariaux des catégories d'emplois à prédominance féminine, établis conformément au présent chapitre, sont réputés faire partie intégrante de la convention collective ou des conditions de travail applicables aux salariés qui occupent des emplois dans ces catégories.

2009, c. 9, art. 23

76.7 Modalités — Des employeurs peuvent élaborer des modalités communes d'une évaluation du maintien de l'équité salariale applicable à chacune des entreprises. L'élaboration de ces modalités communes doit se faire avec l'accord des comités de maintien de l'équité salariale de chacune des entreprises, s'il en est, ou de l'association accréditée si le maintien de l'équité salariale est évalué conjointement.

Responsabilité — Chaque employeur demeure responsable, dans son entreprise, de l'évaluation du maintien de l'équité salariale conformément aux autres conditions prévues au présent chapitre.

Dispositions applicables. — Un comité sectoriel de maintien de l'équité salariale pour un secteur d'activités peut par ailleurs être constitué. Les dispositions du chapitre III s'appliquent à ce comité en tenant compte des adaptations nécessaires.

2009, c. 9, art. 23

76.8 Conservation de renseignements — L'employeur doit conserver pendant une période de cinq ans à compter de l'affichage prévu au deuxième alinéa de l'article 76.4, les renseignements utilisés pour évaluer le maintien de l'équité salariale ainsi que le contenu de tout affichage effectué.

2009, c. 9, art. 23

76.9 Agissements prohibés — L'employeur, l'association accréditée, l'agent négociateur nommé en vertu de la *Loi sur le régime de négociation des conventions collectives dans les secteurs public et parapublic* (chapitre R-8.2) ou un membre d'un comité de maintien de l'équité salariale ne doit pas, en regard du maintien de l'équité salariale, agir de mauvaise foi ou de façon arbitraire ou discriminatoire, ni faire preuve de négligence grave à l'endroit des salariés de l'entreprise.

2009, c. 9, art. 23

Chapitre IV.2 — Changements dans une entreprise

76.10 Obligations continuées — Si, avant qu'un programme d'équité salariale ou une évaluation du maintien de l'équité salariale ait été complété, une association est accréditée en vertu du *Code du travail* (chapitre C-27) pour représenter des salariés de l'entreprise, les obligations relatives à l'établissement de ce programme ou de cette évaluation demeurent inchangées.

Demande de l'association — L'employeur peut, sur demande de cette association, choisir d'établir un programme d'équité salariale applicable aux salariés qu'elle représente.

2009, c. 9, art. 23

76.11 Aliénation de l'entreprise — L'aliénation de l'entreprise ou la modification de sa structure juridique n'a aucun effet sur les obligations relatives aux ajustements salariaux, à un programme d'équité salariale ou à l'évaluation du maintien de l'équité salariale. Le nouvel employeur est lié par ces ajustements, ce programme ou cette évaluation.

Modification d'un entreprise — Lorsque plusieurs entreprises sont affectées par une modification de structure juridique par fusion ou autrement, les modalités d'application de la présente loi qui tiennent compte de la taille de l'entreprise sont, pour l'entreprise qui résulte de cette modification, déterminées en fonction de l'entreprise qui comptait le plus grand nombre de salariés.

2009, c. 9, art. 23

Chapitre V — Fonctions et pouvoirs de la Commission

Section I — Constitution et organisation (Abrogée)

77. (*Abrogé*).
1996, c. 43, art. 77; 2015, c. 15, art. 159

78. (*Abrogé*).
1996, c. 43, art. 78; 2015, c. 15, art. 159

79. (*Abrogé*).
1996, c. 43, art. 79; 2015, c. 15, art. 159

80. (*Abrogé*).
1996, c. 43, art. 80; 2015, c. 15, art. 159

81. (*Abrogé*).
1996, c. 43, art. 81; 2015, c. 15, art. 159

82. (*Abrogé*).
1996, c. 43, art. 82; 2015, c. 15, art. 159

83. (*Abrogé*).
1996, c. 43, art. 83; 2015, c. 15, art. 159

84. (*Abrogé*).
1996, c. 43, art. 84; 2015, c. 15, art. 159

85. (*Abrogé*).
1996, c. 43, art. 85; 2015, c. 15, art. 159

86. (*Abrogé*).
1996, c. 43, art. 86; 2015, c. 15, art. 159

87. (*Abrogé*).
1996, c. 43, art. 87; 2000, c. 8, art. 242; 2015, c. 15, art. 159

88. (*Abrogé*).
1996, c. 43, art. 88; 2015, c. 15, art. 159

89. (*Abrogé*).
1996, c. 43, art. 89; 2015, c. 15, art. 159

89.1 (*Abrogé*).

2009, c. 9, art. 24; 2015, c. 15, art. 159

90. (*Abrogé*).

1996, c. 43, art. 90; 2015, c. 15, art. 159

90.1 (*Abrogé*).

2009, c. 9, art. 25; 2015, c. 15, art. 159

91. (*Abrogé*).

1996, c. 43, art. 91; 2009, c. 9, art. 26; 2015, c. 15, art. 159

92. (*Abrogé*).

1996, c. 43, art. 92; 2009, c. 9, art. 27; 2015, c. 15, art. 159

SECTION II — FONCTIONS ET POUVOIRS (SUPPRIMÉE)

93. Responsabilités — Pour l'application de la présente loi, la Commission a pour fonctions :

1° de surveiller l'établissement des programmes d'équité salariale, la détermination d'ajustements salariaux en vertu de la section III du chapitre II et l'évaluation du maintien de l'équité salariale;

2° de donner son avis au ministre, à la demande de ce dernier ou de sa propre initiative, sur toute question relative à l'équité salariale, après avoir consulté, si elle l'a estimé opportun, les organismes les plus représentatifs d'employeurs, de salariés et de femmes;

3° d'autoriser un employeur à établir un programme distinct applicable à un ou plusieurs établissements si des disparités régionales le justifient;

3.1° d'approuver le recours à des catégories d'emploi à prédominance masculine existant dans une entreprise possédant des caractéristiques similaires à celles de l'entreprise concernée, conformément au troisième alinéa de l'article 13;

4° de déterminer les modalités de désignation des membres représentant les salariés au sein du comité d'équité salariale ou du comité de maintien de l'équité salariale, conformément au deuxième alinéa de l'article 21;

5° de déterminer, sur demande d'une association accréditée ou d'un salarié non représenté par une telle association, si le nombre de représentants des salariés au sein d'un comité d'équité salariale ou du comité de maintien de l'équité salariale est conforme aux dispositions de l'article 20 et, le cas échéant, de fixer le nombre de représentants des salariés qui peuvent être désignés;

5.1° d'autoriser des modalités de désignation de représentants à un comité d'équité salariale ou à un comité de maintien de l'équité salariale, autres que celles prévues au premier alinéa de l'article 23;

5.2° d'autoriser, conformément à l'article 30.1, une composition du comité d'équité salariale ou du comité de maintien de l'équité salariale différente de celle prévue à la sous-section 2 de la section I du chapitre II;

6° de faire enquête selon un mode non contradictoire, soit de sa propre initiative, soit à la suite d'un différend en vertu des articles 96 ou 98 ou à la suite d'une plainte en vertu des articles 96.1, 97, 99, 100, 101 ou 107 et, éventuellement, de déterminer des mesures pour s'assurer que les dispositions de la présente loi sont respectées;

7° de faire enquête, selon un mode non contradictoire, à la suite d'une plainte en vertu de l'article 19 de la *Charte des droits et libertés de la personne* (chapitre C-12) portée par un salarié d'une entreprise qui compte moins de 10 salariés, alléguant discrimination salariale entre une catégorie d'emplois à prédominance féminine et une catégorie d'emplois à prédominance masculine;

8° de prêter assistance aux entreprises dans l'établissement des programmes d'équité salariale ou l'évaluation du maintien de l'équité salariale, en développant des outils permettant d'en faciliter l'implantation;

9° de développer des outils facilitant l'atteinte de l'équité salariale dans les entreprises qui comptent moins de 50 salariés;

10° de favoriser la constitution de comités sectoriels d'équité salariale, de les assister dans leurs travaux et d'approuver, le cas échéant, les éléments d'un programme d'équité salariale ou d'une évaluation du maintien de l'équité salariale développés par ces comités;

11° de favoriser la concertation au sein des entreprises dans la réalisation de programmes d'équité salariale ou l'évaluation du maintien de l'équité salariale, ainsi que la participation des personnes visées par ces programmes ou cette évaluation;

12° d'aider à la formation des membres des comités d'équité salariale ou de maintien de l'équité salariale;

13° de diffuser l'information destinée à faire comprendre et accepter l'objet et les dispositions de la présente loi;

14° d'effectuer des recherches et des études sur toute question relative à l'équité salariale, notamment en consultant toute personne concernée par les milieux de travail où il n'existe pas de catégorie d'emplois à prédominance masculine.

Renseignements — La Commission doit s'assurer que les renseignements obtenus dans le cadre de ses activités visant l'information et l'assistance aux entreprises ne soient pas utilisés aux fins d'une enquête ou dans le traitement d'une plainte ou d'un différend.

1996, c. 43, art. 93; 2006, c. 6, art. 9; 2009, c. 9, art. 28

94. Pouvoirs — Pour l'exercice des fonctions et pouvoirs que lui attribue la présente loi, la Commission peut :

1° former des comités et déterminer leurs attributions ainsi que leurs règles de fonctionnement;

2° s'adjoindre des experts à partir d'une liste dressée par le ministre après consultation d'organismes les plus représentatifs d'employeurs, de salariés et de femmes;

3° confier à une personne qui n'est pas membre de son personnel le mandat de faire une enquête avec l'obligation de lui faire un rapport dans le délai qu'elle fixe;

4° conclure une entente avec un ministère ou un organisme du gouvernement du Québec ainsi qu'avec toute personne, association, société ou organisme, notamment aux fins de l'administration du règlement pris par le ministre en application du deuxième alinéa de l'article 4;

5° exiger tout renseignement utile.

1996, c. 43, art. 94; 2009, c. 9, art. 29; 2015, c. 15, art. 161

95. Rapport ou information — La Commission peut, à l'expiration du délai prévu à l'article 37 ou 76.1, exiger d'un employeur qu'il lui transmette, dans le délai qu'elle fixe, un rapport faisant état des mesures qu'il a prises pour, selon le cas, atteindre l'équité salariale ou en assurer le maintien.

Renseignements au rapport — Ce rapport doit être établi selon la forme déterminée par règlement de la Commission et contenir les renseignements prévus par celui-ci.

1996, c. 43, art. 95; 2009, c. 9, art. 30

Chapitre V.I — Comité consultatif des partenaires

95.1 Comité consultatif — Le ministre forme, par arrêté publié à la *Gazette officielle du Québec*, un Comité consultatif des partenaires ayant pour fonction de donner son avis sur toute question qu'il lui soumet ou que la Commission lui soumet relativement à l'application de la présente loi.

Membres — Le comité consultatif est formé d'un nombre égal de membres représentant les employeurs et les salariés. Parmi ces derniers, au moins deux représentent les salariés non syndiqués et au moins deux représentent les salariés syndiqués. Les membres sont nommés après consultation d'organismes que le ministre considère représentatifs des employeurs et des salariés.

Modalités — L'arrêté peut prévoir les modalités de consultation du comité consultatif ainsi que ses règles de fonctionnement.

2009, c. 9, art. 31

95.2 Séances — Les séances du comité sont convoquées et présidées par le vice-président de la Commission chargé des questions relatives à la présente loi. La Commission assume le secrétariat du comité. Le secrétaire désigné par la Commission veille à la confection et à la conservation des procès-verbaux et avis du comité.

2009, c. 9, art. 31; 2015, c. 15, art. 162

95.3 Rémunération — Les membres du comité ne sont pas rémunérés, sauf dans les cas, aux conditions et dans la mesure que peut déterminer l'arrêté du ministre. Ils ont cependant droit au remboursement des dépenses faites dans l'exercice de leurs fonctions, aux conditions et dans la mesure que détermine l'arrêté.

2009, c. 9, art. 31

95.4 Avis — La Commission requiert l'avis du comité consultatif :

1° sur tout règlement qu'elle entend prendre en vertu de la présente loi;

2° sur les outils qu'elle entend proposer pour faciliter l'atteinte ou le maintien de l'équité salariale;

3° sur les difficultés d'application de la présente loi qu'elle identifie;

4° sur toute autre question qu'elle juge pertinente de lui soumettre ou que détermine le ministre.

Avis — L'avis du comité consultatif ne lie pas la Commission.

2009, c. 9, art. 31; 2015, c. 15, art. 163

Chapitre VI — Recours

Section I — Pouvoirs d'intervention de la Commission

96. Mésentente — Lorsque les représentants des salariés et les représentants des employeurs au sein d'un comité d'équité salariale ou de maintien de l'équité salariale ne peuvent en arriver à une entente relativement à l'application de la présente loi, l'une de ces parties soumet le différend par écrit à la Commission.

1996, c. 43, art. 96; 2009, c. 9, art. 32

96.1 Plainte — À défaut d'un comité d'équité salariale dans une entreprise qui compte 100 salariés ou plus, un salarié visé par un programme d'équité salariale ou l'association accréditée qui représente des salariés d'une telle entreprise peut porter plainte à la Commission dans les 60 jours qui suivent l'expiration du délai prévu au deuxième alinéa de l'article 76 pour procéder au nouvel affichage

Plainte — Un salarié d'une telle entreprise ou l'association accréditée qui y représente des salariés peut, même en présence d'un comité d'équité salariale, porter plainte à la Commission lorsqu'un programme d'équité salariale n'a pas été complété.

2009, c. 9, art. 33

97. Plainte — Un salarié ou une association accréditée représentant des salariés d'une entreprise qui compte 50 salariés ou plus mais moins de 100 salariés et qui n'est pas visé par un programme d'équité salariale prévu à l'article 32 peut, en l'absence d'un comité d'équité salariale, dans les 60 jours qui suivent l'expiration du délai prévu au deuxième alinéa de l'article 76 pour procéder au nouvel affichage, porter plainte à la Commission s'il est d'avis que l'employeur n'a pas établi le programme d'équité salariale conformément à la présente loi.

Plainte — Un salarié d'une telle entreprise ou l'association accréditée qui y représente des salariés peut, même en présence d'un comité d'équité salariale, porter plainte à la Commission lorsqu'un programme d'équité salariale n'a pas été complété.

1996, c. 43, art. 97; 2009, c. 9, art. 34

98. Mésentente — Lorsqu'une association accréditée visée à l'article 32 ou au paragraphe 3° du premier alinéa de l'article 76.2 et un employeur ne peuvent en arriver à une entente relativement à l'application de la présente loi, l'une de ces parties soumet le différend par écrit à la Commission.

1996, c. 43, art. 98; 2015, c. 15, art. 164

99. Plainte — Un salarié ou une association accréditée représentant des salariés d'une entreprise qui compte moins de 50 salariés peut, après l'expiration du délai prévu à l'article 37, porter plainte à la Commission s'il est d'avis que l'employeur n'a pas déterminé les ajustements salariaux requis.

Preuve par l'employeur — Il appartient à l'employeur de démontrer que la rémunération qu'il accorde aux salariés faisant partie d'une catégorie d'emplois à prédominance féminine est au moins égale à celle qu'il accorde, pour un travail équivalent, aux salariés faisant partie d'une catégorie d'emplois à prédominance masculine. Le cas échéant, la Commission détermine les mesures qui doivent être prises par l'employeur et fixe leur délai de réalisation.

Recours — Le recours prévu au premier alinéa ne peut être exercé lorsque l'employeur a procédé à l'évaluation du maintien de l'équité salariale dans son entreprise conformément au chapitre IV.1.

Disposition applicable — Dans le cas où l'employeur a choisi d'établir un programme d'équité salariale, l'article 96.1 s'applique compte tenu des adaptations nécessaires.

1996, c. 43, art. 99; 2009, c. 9, art. 35

100. Plainte — Un salarié, visé par une évaluation du maintien de l'équité salariale faite par l'employeur seul, ou une association accréditée représentant de tels salariés peut, dans les 60 jours qui suivent l'expiration du délai prévu au deuxième alinéa de l'article 76.4 pour procéder au nouvel affichage, porter plainte à la Commission s'il est d'avis que l'employeur n'a pas évalué le maintien de l'équité salariale conformément à la présente loi.

Plainte — Un salarié ou une association accréditée représentant des salariés d'une entreprise peut porter plainte à la Commission lorsqu'une évaluation du maintien de l'équité salariale et les affichages qui doivent s'ensuivre n'ont pas eu lieu.

1996, c. 43, art. 100; 2009, c. 9, art. 36

101. Plainte — Un salarié peut déposer à la Commission une plainte pour un manquement prévu à l'article 15 ou 76.9 dans les 60 jours de ce manquement ou de la date où les salariés ont pu en prendre connaissance.

Mesure requise — La Commission détermine les mesures qui doivent être prises pour rétablir le salarié dans ses droits et, le cas échéant, toute mesure requise pour que l'équité salariale soit atteinte ou maintenue, selon le cas, conformément à la présente loi.

Ajustements salariaux — Malgré l'article 76.5, en cas de manquement de l'employeur à l'article 76.9, la Commission peut déterminer que des ajustements salariaux sont dus à compter de la date de ce manquement.

1996, c. 43, art. 101; 2009, c. 9, art. 37

101.1 Nouveau délai — Un employeur peut s'adresser à la Commission pour qu'elle fixe un nouveau délai dans lequel le programme d'équité salariale doit être complété, les ajustements salariaux déterminés ou le maintien de l'équité salariale évalué, lorsqu'une plainte ou un différend porté en vertu de la présente loi a pour effet de compromettre sa capacité à respecter les délais que la présente loi lui impose.

Nouveau délai — Le nouveau délai ainsi fixé n'a aucune incidence sur la date de versement des ajustements mais il s'ajoute au délai de prescription des ajustements prévu à l'article 103.1.

2009, c. 9, art. 38

102. Enquête — À la suite d'une plainte ou d'un différend, la Commission fait enquête en vue de favoriser un règlement entre les parties.

1996, c. 43, art. 102

102.1 Information — La Commission ne doit pas dévoiler pendant l'enquête l'identité du salarié concerné par une plainte, sauf si ce dernier y consent. Elle doit cependant informer l'employeur de la date de cette plainte, de sa teneur et de la disposition en vertu de laquelle elle a été portée. Elle en informe également l'association accréditée, l'agent négociateur ou le membre d'un comité d'équité salariale ou de maintien de l'équité salariale visé par une plainte pour un manquement prévu à l'article 15 ou 76.9.

2009, c. 9, art. 39

102.2 Conciliateur — La Commission peut en tout temps au cours de l'enquête, si les parties y consentent, charger un conciliateur de les rencontrer et de tenter d'en arriver à un accord. Le conciliateur ne peut avoir auparavant agi comme enquêteur au cours de cette enquête.

Preuve — À moins que les parties n'y consentent, rien de ce qui a été dit ou écrit au cours d'une séance de conciliation n'est recevable en preuve.

Divulgation de renseignements — Un conciliateur ne peut être contraint de divulguer ce qui lui a été révélé ou ce dont il a eu connaissance dans l'exercice de ses fonctions ni de produire des notes personnelles ou un document fait ou obtenu dans cet exercice devant un tribunal ou devant un organisme ou une personne exerçant des fonctions judiciaires ou devant une personne ou un organisme de l'ordre administratif lorsqu'il exerce des fonctions juridictionnelles.

Accès au document — Malgré l'article 9 de la *Loi sur l'accès aux documents des organismes publics et sur la protection des renseignements personnels* (chapitre A-2.1), nul n'a droit d'accès à un tel document, à moins que ce document ne serve à motiver l'accord entre les parties.

2009, c. 9, art. 39

103. Accord — Tout accord est constaté par écrit et les documents auxquels il réfère y sont annexés, le cas échéant. Il est signé par le conciliateur et les parties, lie ces dernières et règle la plainte ou le différend qu'il vise.

Mesures requises — S'il se révèle impossible d'en arriver à un tel accord, la Commission détermine les mesures qui doivent être prises pour que l'équité salariale soit atteinte ou maintenue conformément à la présente loi et fixe leur délai de réalisation.

1996, c. 43, art. 103; 2009, c. 9, art. 40

103.1 Plainte — À l'occasion d'une plainte portée en vertu des dispositions du deuxième alinéa de l'article 96.1, du deuxième alinéa de l'article 97, de l'article 99 ou du deuxième alinéa de l'article 100, la Commission ne peut déterminer des ajustements salariaux ni imposer l'utilisation de renseignements antérieurs à la date qui précède de cinq ans celle à laquelle la plainte a été portée.

Plainte — À l'occasion d'une plainte portée en vertu des dispositions de l'article 100 concernant le maintien de l'équité salariale, la Commission ne peut déterminer des ajustements salariaux antérieurs à la date prévue au premier alinéa de l'article 76.5.

Enquête — À l'occasion d'une enquête menée par la Commission, de sa propre initiative en vertu du paragraphe 6º de l'article 93, concernant des ajustements salariaux déterminés, un programme d'équité salariale complété ou une évaluation du maintien de l'équité salariale complétée, la Commission ne peut déterminer des ajustements salariaux ni imposer l'utilisation de renseignements qui soient antérieurs à la date qui précède d'un an celle à laquelle l'enquête a débuté. Dans les autres cas où elle enquête de sa propre initiative, ce délai est de cinq ans.

2009, c. 9, art. 40

104. Demande au Tribunal administratif du travail — Lorsqu'une partie est insatisfaite des mesures que détermine la Commission, elle peut saisir le Tribunal administratif du travail dans un délai de 90 jours de la décision de la Commission.

Demande écrite — La demande doit être faite par écrit. Elle doit exposer brièvement les motifs sur lesquels elle s'appuie ainsi que l'objet de la mesure sur laquelle elle porte.

Intervention de la Commission — La Commission peut intervenir devant le Tribunal administratif du travail à tout moment sur une question mettant en cause sa compétence ou concernant l'interprétation de la loi, ou à la demande du Tribunal administratif du travail lorsqu'un salarié n'est pas syndiqué ou que la plainte est portée contre l'association accréditée ou un membre d'un comité d'équité salariale ou de maintien de l'équité salariale si le salarié n'est pas représenté.

Avis — Lorsqu'elle désire intervenir, la Commission transmet à chacune des parties et au Tribunal administratif du travail un avis motivant son intervention.

1996, c. 43, art. 104; 2001, c. 26, art. 107; 2009, c. 9, art. 41; 2015, c. 15, art. 237

105. Demande au Tribunal administratif du travail — Lorsque les mesures que détermine la Commission ne sont pas, à sa satisfaction, appliquées dans le délai imparti, elle en saisit le Tribunal administratif du travail.

1996, c. 43, art. 105; 2001, c. 26, art. 108; 2015, c. 15, art. 237

106. Manquement à la loi — Lorsque la Commission constate, après avoir fait enquête de sa propre initiative, qu'une disposition de la présente loi n'est pas respectée, elle peut en saisir le Tribunal administratif du travail.

1996, c. 43, art. 106; 2001, c. 26, art. 108; 2015, c. 15, art. 237

107. Motifs de représailles — La Commission peut, à la demande d'un salarié ou de sa propre initiative, s'adresser au Tribunal administratif du travail pour qu'une mesure soit prise contre quiconque exerce envers un salarié des représailles pour le motif :

1º qu'il exerce un droit lui résultant de la présente loi;

2º qu'il fournit des renseignements à la Commission en application de la présente loi;

3º qu'il témoigne dans une poursuite s'y rapportant.

Demande à la Commission — La demande d'un salarié prévue au premier alinéa doit être adressée à la Commission dans les 30 jours des représailles.

Réintégration — La Commission peut notamment demander au Tribunal administratif du travail la réintégration, à la date que celle-ci estime équitable et opportune dans les circonstances, du salarié dans le poste qu'il aurait occupé s'il n'y avait pas eu représailles.

Consentement écrit — Lorsque la Commission demande ainsi au Tribunal administratif du travail de prendre des mesures au bénéfice d'un salarié, elle doit avoir obtenu son consentement par écrit.

1996, c. 43, art. 107; 2001, c. 26, art. 109; 2015, c. 15, art. 237

108. Présomption de représailles — S'il est établi à la satisfaction du Tribunal administratif du travail que le salarié a exercé un des droits prévus au premier alinéa de l'article 107, il y a présomption en sa faveur que les représailles dont il a fait l'objet lui ont été imposées à cause de l'exercice de ce droit et il incombe à la personne qui a exercé les représailles de prouver qu'elle a exercé celles-ci pour une cause juste et suffisante.

Durée — La présomption qui résulte de l'application du premier alinéa s'applique pour une période d'au moins six mois à compter de la date à laquelle le salarié a exercé ce droit.

1996, c. 43, art. 108; 2001, c. 26, art. 110; 2015, c. 15, art. 237

109. Notification du salarié — Lorsque la Commission ne s'adresse pas au Tribunal administratif du travail, en vertu de l'article 107, elle le notifie au salarié en lui donnant les motifs.

Demande au Tribunal administratif du travail — Le salarié peut saisir le Tribunal administratif du travail dans un délai de 90 jours de la réception de cette notification.

1996, c. 43, art. 109; 2001, c. 26, art. 111; 2015, c. 15, art. 237

110. Employeur insatisfait — Lorsqu'un employeur est insatisfait de la décision de la Commission rendue en vertu de l'article 72, il peut en saisir le Tribunal administratif du travail.

1996, c. 43, art. 110; 2001, c. 26, art. 112; 2015, c. 15, art. 237

110.1 Transmission d'une copie — Sur réception de toute demande, le Tribunal administratif du travail en transmet une copie à la Commission.

2009, c. 9, art. 42; 2015, c. 15, art. 237

111. Demande de cessation d'occuper — La Commission refuse ou cesse d'agir en faveur du salarié ou du plaignant, lorsqu'il en fait la demande, sous réserve d'une vérification par la Commission du caractère libre et volontaire de cette demande.

Motifs — Elle peut refuser ou cesser d'agir en sa faveur lorsque :

1° le salarié ou le plaignant n'a pas un intérêt suffisant;

2° la plainte est frivole, vexatoire ou faite de mauvaise foi.

Décision motivée — La décision est motivée par écrit et elle indique, s'il en est, tout recours que la Commission estime opportun; elle est notifiée au salarié ou au plaignant. Dans un délai de 90 jours de la réception de cette notification, le salarié ou le plaignant peut saisir le Tribunal administratif du travail.

1996, c. 43, art. 111; 2001, c. 26, art. 113; 2015, c. 15, art. 237

SECTION II — COMPÉTENCE DU TRIBUNAL ADMINISTRATIF DU TRAVAIL

112. Compétence — Le Tribunal administratif du travail a compétence pour entendre et disposer de toute demande qui lui est adressée relativement à l'application de la présente loi.

1996, c. 43, art. 112; 2001, c. 26, art. 115; 2015, c. 15, art. 237

113. Décisions sans appel — Les décisions du Tribunal administratif du travail sont sans appel.

1996, c. 43, art. 113; 2001, c. 26, art. 116; 2015, c. 15, art. 237

Chapitre VII — Dispositions réglementaires

114. Pouvoirs réglementaires — La Commission peut par règlement :

1° aux fins de la détermination des ajustements salariaux dans une entreprise qui compte moins de 50 salariés où il n'existe pas de catégorie d'emplois à prédominance masculine, établir des catégories d'emplois types à partir des catégories d'emplois identifiées dans des entreprises où des ajustements salariaux ont déjà été déterminés et prévoir des normes ou des facteurs de pondération applicables à l'estimation des écarts salariaux entre ces catégories en tenant compte notamment des caractéristiques propres aux entreprises dont les catégories d'emplois sont ainsi comparées;

2° aux fins de l'établissement d'un programme d'équité salariale dans une entreprise où il n'existe pas de catégorie d'emplois à prédominance masculine, établir des catégories d'emplois types à partir des catégories d'emplois identifiées dans des entreprises où un tel programme a déjà été complété, déterminer des méthodes d'évaluation de ces catégories d'emplois ainsi que des méthodes d'estimation des écarts salariaux entre des catégories d'emplois types et des catégories d'emplois d'une entreprise et prévoir des normes ou des facteurs de pondération applicables à ces écarts en tenant compte notamment des caractéristiques propres aux entreprises dont les catégories d'emplois sont ainsi comparées;

3° déterminer, pour l'application de l'article 61, les autres méthodes d'estimation des écarts salariaux;

4° déterminer la forme des rapports prévus aux articles 95 et 120 et le contenu de celui prévu à l'article 120;

5° préciser les éléments que doit inclure un affichage prévu par la présente loi ou en déterminer de nouveaux;

6° préciser les renseignements que doit conserver un employeur en vertu de l'article 14.1 ou 76.8.

Approbation — Un règlement de la Commission pris en vertu de la présente loi est soumis à l'approbation du gouvernement qui peut, en l'approuvant, le modifier.

1996, c. 43, art. 114; 2009, c. 9, art. 43; 2015, c. 15, art. 165

Chapitre VII.1 — Financement

114.1. Dépenses engagées — Les dépenses engagées pour l'application de la présente loi sont assumées sur les cotisations perçues en application du chapitre III.1 de la *Loi sur les normes du travail* (chapitre N-1.1).

2015, c. 15, art. 166

Chapitre VIII — Dispositions pénales

115. Infraction et peine — Commet une infraction et est passible d'une amende quiconque :

1° contrevient à une disposition du deuxième alinéa de l'article 4, du premier alinéa de l'article 10, des articles 14, 14.1, 15, 16 ou 23, du deuxième alinéa de l'article 29, du premier alinéa de l'article 31, des articles 34, 35, 71, 73 ou 75, du deuxième alinéa de l'article 76, de l'article 76.1 ou 76.3, du deuxième alinéa de l'article 76.4 ou des articles 76.8 ou 76.9;

2° omet de fournir un rapport, un renseignement ou un document exigé en vertu de la présente loi ou fournit un faux renseignement;

3° tente d'exercer ou exerce des représailles visées à l'article 107;

4° tente d'entraver ou entrave la Commission, un membre ou un mandataire de la Commission ou un membre de son personnel, dans l'exercice de ses fonctions.

Montant de l'amende — Les montants minimums et maximums de l'amende sont :

1° pour l'employeur dont l'entreprise compte moins de 50 salariés, d'au moins 1 000 $ et d'au plus 15 000 $;

2° pour l'employeur dont l'entreprise compte 50 salariés ou plus mais moins de 100, d'au moins 2 000 $ et d'au plus 30 000 $;

3° pour l'employeur dont l'entreprise compte 100 salariés ou plus, d'au moins 3 000 $ et d'au plus 45 000 $;

4° pour toute autre personne, d'au moins 1 000 $ et d'au plus 15 000 $.

Récidive — En cas de récidive, les montants prévus au deuxième alinéa sont portés au double.

1996, c. 43, art. 115; 2009, c. 9, art. 44

116. Partie à l'infraction — Commet une infraction quiconque aide ou, par un encouragement, un conseil, un consentement, une autorisation ou un ordre, amène une autre personne à commettre une infraction visée à la présente loi.

Peine similaire — Une personne déclarée coupable en vertu du présent article est passible de la même peine que celle prévue à l'article 115.

1996, c. 43, art. 116

117. Montant de l'amende — Dans la détermination du montant de l'amende, le tribunal tient compte notamment du préjudice en cause et des avantages tirés de l'infraction.

1996, c. 43, art. 117

118. Poursuite pénale — Une poursuite pénale pour une infraction à la présente loi peut être intentée par la Commission.

1996, c. 43, art. 118

Chapitre IX — Dispositions applicables aux programmes d'équité salariale ou de relativité salariale complétés ou en cours

119. Exigences du programme — Un programme d'équité salariale ou de relativité salariale complété avant le 21 novembre 1996 est réputé être établi conformément à la présente loi, s'il comprend :

1° une identification des catégories d'emplois et une indication de la proportion de femmes dans chacune de ces catégories;

2° une description de la méthode et des outils d'évaluation des catégories d'emplois retenus et l'élaboration d'une démarche d'évaluation qui a tenu compte, à titre de facteurs, des qualifications, des responsabilités, des efforts ainsi que des conditions dans lesquelles le travail est effectué;

3° un mode d'estimation des écarts salariaux.

Comparaison des catégories d'emplois — Le programme doit, en outre, avoir permis la comparaison de chacune des catégories d'emplois à prédominance féminine à des catégories d'emplois à prédominance masculine.

Discrimination interdite — L'employeur doit s'être assuré que chacun des éléments du programme d'équité salariale ou de relativité salariale, ainsi que l'application de ces éléments, sont exempts de discrimination fondée sur le sexe.

Conditions requises — Il en est de même pour un programme d'équité salariale ou de relativité salariale en cours le 21 novembre 1996, s'il remplit en outre à cette date l'une ou l'autre des conditions suivantes :

1° le programme est complété pour au moins 50 % des catégories d'emplois à prédominance féminine en cause;

2° l'évaluation des catégories d'emplois est débutée.

1996, c. 43, art. 119

120. Information du rapport — Un employeur dont le programme d'équité salariale ou de relativité salariale a été complété avant le 21 novembre 1996 doit transmettre à la Commission, dans les 12 mois du 21 novembre 1997, un rapport faisant état de ce programme et contenant les informations visées à l'article 119.

Réalisation du programme — Il en est de même pour l'employeur dont le programme d'équité salariale ou de relativité salariale est en cours le 21 novembre 1996. Dans ce cas, le rapport doit en outre faire état du degré de réalisation du programme.

Affichage du rapport — L'employeur doit afficher et, le cas échéant, transmettre à une association accréditée qui représente des salariés dans l'entreprise, le rapport qu'il a transmis à la Commission. Un salarié ou une association accréditée de l'entreprise peut dans les 90 jours de l'affichage transmettre à la Commission ses observations ou ses commentaires sur le rapport de l'employeur.

Évaluation du programme — À partir des informations contenues au rapport, des observations ou commentaires reçus et des vérifications qu'elle effectue, la Commission détermine si le programme remplit les conditions prévues à l'article 119.

1996, c. 43, art. 120

121. Correctifs — Si la Commission en vient à la conclusion que le programme d'équité salariale ou de relativité salariale ne remplit pas les conditions prévues à l'article 119, elle doit indiquer à l'employeur dans quelle mesure ces conditions ne sont pas rencontrées et déterminer les correctifs appropriés. L'employeur peut en saisir le Tribunal administratif du travail dans un délai de 90 jours de la décision de la Commission.

1996, c. 43, art. 121; 2001, c. 26, art. 117; 2015, c. 15, art. 237

122. Versements des ajustements — Un employeur dont le programme d'équité salariale ou de relativité salariale en cours rencontre les conditions de l'article 119 doit compléter celui-ci dans les délais prévus à l'article 37 et procéder aux versements des ajustements salariaux. Les articles 70, 71, 73 et 74 s'appliquent alors compte tenu des adaptations nécessaires.

1996, c. 43, art. 122

123. Versement — Un employeur dont le programme d'équité salariale ou de relativité salariale est complété et rencontre les conditions de l'article 119 doit, si les ajustements salariaux n'ont pas encore été effectués, procéder au versement de ceux-ci.

Délai — Les articles 70, 71, 73 et 74 s'appliquent alors compte tenu des adaptations nécessaires. Les premiers ajustements doivent cependant être versés dans les trois mois de la décision de la Commission des normes, de l'équité, de la santé et de la sécurité du travail ou du Tribunal administratif du travail.

1996, c. 43, art. 123; 2001, c. 26, art. 118; 2015, c. 15, art. 237

124. Maintien de l'équité — Un employeur dont le programme d'équité salariale ou de relativité salariale rencontre les conditions de l'article 119 doit maintenir cette équité. Les dispositions de la section V du chapitre II et de la section I du chapitre VI s'appliquent alors, compte tenu des adaptations nécessaires.

1996, c. 43, art. 124

Chapitre X — Dispositions modificatives, transitoires et finales

125.–127. (*Omis*).

128. Plaintes pendantes — Les plaintes pendantes à la Commission des droits de la personne et des droits de la jeunesse relatives à la violation de l'article 19 de la *Charte des droits et libertés de la personne* (chapitre C-12) pour le motif de discrimination salariale fondée sur le sexe avant le 21 novembre 1997 sont étudiées et réglées conformément aux dispositions alors applicables de cette Charte.

1996, c. 43, art. 128

129. Transmission des plaintes — La Commission des droits de la personne et des droits de la jeunesse doit, sur réception d'une plainte relative à une matière qui relève de la compétence de la Commission, transmettre le dossier à cette dernière qui en est alors saisie de plein droit.

1996, c. 43, art. 129

130. Mise en œuvre de la loi — Le ministre doit, au plus tard le 28 mai 2019, faire au gouvernement un rapport sur la mise en œuvre de la présente loi et sur l'opportunité de la maintenir en vigueur ou de la modifier.

Dépôt du rapport — Ce rapport est déposé par le ministre dans les 15 jours suivants à l'Assemblée nationale ou, si elle ne siège pas, dans les 15 jours de la reprise de ses travaux.

1996, c. 43, art. 130; 2009, c. 9, art. 45

131. Sommes requises — Les sommes requises pour l'application de la présente loi pour l'exercice financier 1996-1997 sont prises sur les crédits du ministère du Travail.

1996, c. 43, art. 131

132. Responsabilité de la Commission — La Commission des normes, de l'équité, de la santé et de la sécurité du travail est responsable de l'administration de la présente loi.

1996, c. 43, art. 132; 2015, c. 15, art. 237

133. Ministre responsable — Le ministre du Travail est responsable de l'application de la présente loi.

1996, c. 43, art. 133

134. (*Omis*).

1996, c. 43, art. 134

Dispositions transitoires

— *Loi modifiant la Loi sur l'équité salariale*, L.Q. 2009, c. 9, art. 46-58 :

46. Dans une entreprise où la *Loi sur l'équité salariale* (chapitre E-12.001) s'appliquait le 12 mars 2009 et dans laquelle, à cette date, les ajustements requis pour atteindre l'équité salariale n'avaient pas été déterminés ou un programme d'équité salariale n'avait pas été complété dans le délai prescrit, selon le cas, par l'article 37, 38 ou 39 de cette loi tel qu'il se lisait alors, l'affichage prévu à l'article 35 ou au deuxième alinéa de l'article 75 de cette loi, tels que modifiés par les articles 11 et 21 de la présente loi, doit avoir débuté au plus tard le 31 décembre 2010.

47. À défaut de pouvoir déterminer le nombre de ses salariés au moment de son assujettissement, l'employeur visé par l'article 46 doit, pour identifier les modalités d'application qui lui incombent au regard du chapitre II de la *Loi sur l'équité salariale*, utiliser les renseignements postérieurs les plus anciens qu'il possède.

Les renseignements en date du 1er février 2009 sont les seuls utilisés pour déterminer les ajustements salariaux requis pour atteindre l'équité salariale ou pour établir un programme d'équité salariale.

Malgré le deuxième alinéa :

1° lorsque, à cette date, il a été procédé à l'identification des catégories d'emploi, l'établissement du programme d'équité salariale ou la détermination des ajustements salariaux se poursuit sur la base des informations et renseignements utilisés pour procéder à cette identification;

2° lorsque, à cette date, à l'égard de la majorité des salariés de l'entreprise, des ajustements salariaux requis pour atteindre l'équité salariale ont été déterminés ou qu'un ou plusieurs programmes d'équité salariale ont été complétés, les informations ou renseignements contemporains à ceux alors utilisés le sont pour faire de même à l'égard des autres salariés de l'entreprise.

48. Sous réserve de l'article 53, le nouveau délai prévu à l'article 46 n'a aucune incidence sur la date du paiement des ajustements salariaux et les obligations déterminées à cette fin par l'article 71 de la *Loi sur l'équité salariale* demeurent inchangées.

Par ailleurs, le calcul du montant des ajustements à payer ne peut tenir compte de l'étalement qui aurait pu être fait en vertu des dispositions de l'article 70 de la *Loi sur l'équité salariale*, sauf si l'employeur est dans une situation prévue au troisième alinéa de l'article 47 de la présente loi ou qu'il y est autorisé, dans la mesure prévue par l'article 72 de la *Loi sur l'équité salariale*.

Lorsque des anciens salariés de l'entreprise ont droit à des ajustements salariaux, l'employeur doit prendre des moyens raisonnables pour qu'ils en soient avisés.

49. Dans une entreprise où des ajustements salariaux requis pour atteindre l'équité salariale ont été déterminés ou encore où un programme d'équité salariale a été complété avant le 12 mars 2009, une évaluation du maintien de l'équité salariale doit être entreprise concernant les catégories d'emplois qu'ils visent et l'affichage prévu à l'article 76.3 de la *Loi sur l'équité salariale* doit avoir débuté au plus tard le 31 décembre 2010.

Une évaluation du maintien de l'équité salariale doit aussi être entreprise concernant les catégories d'emplois visées par un programme d'équité salariale établi ou des ajustements salariaux déterminés conformément aux dispositions du troisième alinéa de l'article 47 et l'affichage prévu à l'article 76.3 de la *Loi sur l'équité salariale* doit avoir débuté au plus tard le 31 décembre 2011. Dans ce cas, les articles 52 à 54 de la présente loi doivent se lire en remplaçant « 2011 » par « 2012 ».

Malgré l'article 76.5 de la *Loi sur l'équité salariale*, les ajustements salariaux déterminés en application du présent article s'appliquent à compter du 31 décembre 2010.

50. Dans une entreprise où la *Loi sur l'équité salariale* s'appliquait le 12 mars 2009 et dans laquelle, à cette date, n'était pas échu le délai pour déterminer des ajustements requis pour atteindre l'équité salariale ou pour compléter un programme d'équité salariale, le comité d'équité salariale ou, à défaut, l'employeur détermine ces ajustements ou complète ce programme dans le délai qui lui était alors imparti.

51. Le délai de quatre ans prévu par l'article 37 de la *Loi sur l'équité salariale*, tel que modifié par l'article 12 de la présente loi, débute le 1er janvier 2010 pour l'employeur qui n'était pas assujetti à la *Loi sur l'équité salariale* mais dont l'entreprise comptait 10 salariés et plus pour l'année 2008.

52. Une plainte en vertu du deuxième alinéa de l'article 96.1, du deuxième alinéa de l'article 97 ou de l'article 99 de la *Loi sur l'équité salariale*, telle que modifiée par la présente loi, ne peut être portée à l'encontre d'un employeur visé par l'article 46 de la présente loi qu'à compter du 1er janvier 2011.

Il en va de même d'une plainte en vertu du deuxième alinéa de l'article 100 de la *Loi sur l'équité salariale*, tel que remplacé par l'article 36 de la présente loi, à l'encontre d'un employeur visé par l'article 49 de la présente loi.

53. Les ajustements découlant des plaintes visées par l'article 52 ne peuvent en aucun cas être étalés. À l'intérêt prévu au deuxième alinéa de l'article 71 de la *Loi sur l'équité salariale*, doit être ajoutée une indemnité calculée en appliquant aux ajustements, à compter de la date à laquelle ils auraient dû être versés, un pourcentage égal à l'excédent du taux d'intérêt fixé suivant le premier alinéa de l'article 28 de la *Loi sur l'administration fiscale* (chapitre A-6.002) sur le taux légal.

L'article 103.1 de la *Loi sur l'équité salariale* ne s'applique, à l'égard des plaintes visées par l'article 52, qu'à celles portées après le 30 mai 2011 contre un employeur visé par l'article 46 ou 49. L'indemnité prévue au premier alinéa n'est pas applicable aux ajustements versés dans le délai fixé par la Commission en application de l'article 12.1 ou 101.1 de la *Loi sur l'équité salariale*.

54. L'examen d'une plainte alléguant que l'équité salariale n'est pas maintenue dans une entreprise, portée en vertu des dispositions de l'article 100 de la *Loi sur l'équité salariale* après le 11 mars 2009 et pendante le 28 mai 2009, est suspendu jusqu'au 1er janvier 2011. La plainte est ensuite examinée, s'il y a lieu, en vertu des dispositions de l'article 100, remplacé par l'article 36 de la présente loi.

55. Une plainte alléguant que l'employeur n'a pas déterminé les ajustements salariaux requis ou qu'il n'a pas complété un programme d'équité salariale, portée avant le 28 mai 2009, continue d'être régie par les dispositions de la *Loi sur l'équité salariale* en vigueur avant cette date.

56. L'article 46 s'applique aux municipalités et aux offices municipaux d'habitation visés par l'article 176.27 de la *Loi sur l'organisation territoriale municipale* (chapitre O-9) qui n'ont pas complété un programme d'équité salariale ou déterminé des ajustements salariaux dans le délai prescrit par l'article 176.28 de cette loi.

Les articles 47 à 55 s'appliquent également à ces municipalités et à ces offices municipaux, compte tenu des adaptations nécessaires.

57. Le délai d'affichage, prévu au deuxième alinéa de l'article 76 de la *Loi sur l'équité salariale*, remplacé par le paragraphe 2° de l'article 22 de la présente loi, s'applique à un affichage en cours à la date de l'entrée en vigueur de la présente loi, compte tenu du temps déjà écoulé avant cette date.

58. Le délai pour porter plainte à la Commission, prévu au premier alinéa de l'article 96.1 de la *Loi sur l'équité salariale*, édicté par l'article 33 de la présente loi, au premier alinéa de l'article 97 de la *Loi sur l'équité salariale*, modifié par le paragraphe 1° de l'article 34 de la présente loi, et au premier alinéa de l'article 100 de la *Loi sur l'équité salariale*, remplacé par l'article 36 de la présente loi, s'applique aux situations en cours à la date de l'entrée en vigueur de la présente loi, compte tenu du temps déjà écoulé avant cette date.

— *Loi instituant le Tribunal administratif du travail*, RLRQ, c. T-15.1, art. 237-277 : voir [QUE-19].

[QUE-6.1]
RÈGLEMENT CONCERNANT LA DÉCLARATION DE L'EMPLOYEUR EN MATIÈRE D'ÉQUITÉ SALARIALE

édicté en vertu de la *Loi sur l'équité salariale* (RLRQ, c. E-12.001, art. 4)

RLRQ, c. E-12.001, r. 1, édicté par : A.M., 2011-001, (2011) 143 G.O. II, 709; A.M., 2015-001, (2015) 147 G.O. II, 1771.

1. Sont assujettis à l'obligation de produire une déclaration en matière d'équité salariale, les employeurs suivants :

1° l'employeur immatriculé en application de la *Loi sur la publicité légale des entreprises* (chapitre P-44.1) qui, en vertu de cette loi, est assujetti à l'obligation de produire une déclaration de mise à jour annuelle pour l'année en cours et a déclaré employer 11 personnes ou plus dans sa déclaration de mise à jour annuelle précédente ou dans tout autre document tenant lieu de dernière mise à jour annuelle en vertu de cette loi;

2° le Conseil du trésor, en tant qu'employeur réputé dans l'entreprise de la fonction publique et dans l'entreprise du secteur parapublic en vertu de l'article 3 de la *Loi sur l'équité salariale* (chapitre E-12.001);

3° l'employeur inscrit au Fichier central des organismes et personnes morales de droit public prévu par (D. 1870-93), sauf s'il est dans l'entreprise de la fonction publique ou dans l'entreprise du secteur parapublic;

4° le regroupement d'employeurs reconnu comme l'employeur d'une entreprise unique par la Commission de l'équité salariale en application de l'article 12.1 de la *Loi sur l'équité salariale*;

5° tout employeur immatriculé en application de la *Loi sur la publicité légale des entreprises* qui, n'ayant pas 11 personnes ou plus à son emploi ou étant exempté de l'obligation de produire une déclaration de mise à jour annuelle, a déjà produit une déclaration sur l'équité salariale dans laquelle il s'est déclaré assujetti à la *Loi sur l'équité salariale*.

Dans le présent règlement on entend par :

1° « **déclaration en matière d'équité salariale** », la déclaration d'un employeur relative à l'application de la *Loi sur l'équité salariale* dans son entreprise, prévue au deuxième alinéa de l'article 4 de la *Loi sur l'équité salariale*;

2° « **déclaration de mise à jour annuelle** », la déclaration prévue par l'article 45 de la *Loi sur la publicité légale des entreprises*.

A.M., 2015-001, art. 1

2. L'employeur visé par le paragraphe 1° ou 5° du premier alinéa de l'article 1 produit sa déclaration en matière d'équité salariale au cours de la période qui s'applique à lui pour déposer sa déclaration de mise à jour annuelle, prévue par l'article 3 du *Règlement d'application de la Loi sur la publicité légale des entreprises* (chapitre P-44.1, r. 1).

3. L'employeur visé par le paragraphe 2°, 3° ou 4° du premier alinéa de l'article 1 produit sa déclaration en matière d'équité salariale dans un délai de six mois à compter du 1er mars de chaque année.

4. La déclaration en matière d'équité salariale est produite à l'aide du formulaire prescrit par le ministre du Travail et comprend une attestation à l'effet que les renseignements fournis sont exacts.

Outre les renseignements d'identification utiles, la déclaration en matière d'équité salariale contient les renseignements permettant de déterminer si l'employeur est assujetti à la *Loi sur l'équité salariale* (chapitre E-12.001) et, le cas échéant, dans quel délai il doit compléter tout programme d'équité salariale, déterminer des ajustements salariaux ou évaluer le maintien de l'équité salariale. La déclaration sur l'équité salariale de l'employeur assujetti contient également les renseignements suivants :

1° le secteur d'activité de l'entreprise;

2° une mention précisant si l'ensemble des programmes d'équité salariale à compléter ou les ajustements salariaux à déterminer dans l'entreprise l'ont été et, si tel est le cas, la date du dernier affichage en faisant foi;

3° une mention précisant si l'ensemble des évaluations du maintien de l'équité salariale à effectuer dans l'entreprise l'ont été et, si tel est le cas, la date du dernier affichage en faisant foi.

5. (*Omis*).

[QUE-6.2]

TABLE DES MATIÈRES

RÈGLEMENT SUR L'ÉQUITÉ SALARIALE DANS LES ENTREPRISES OÙ IL N'EXISTE PAS DE CATÉGORIES D'EMPLOIS À PRÉDOMINANCE MASCULINE

[QUE-6.2]
RÈGLEMENT SUR L'ÉQUITÉ SALARIALE DANS LES ENTREPRISES OÙ IL N'EXISTE PAS DE CATÉGORIES D'EMPLOIS À PRÉDOMINANCE MASCULINE

édicté en vertu de la *Loi sur l'équité salariale* (RLRQ, c. E-12.001, art. 13 et 114, 1° et 2°)

RLRQ, c. E-12.001, r. 2, édicté par : D. 315-2005, (2005) 137 G.O. II, 1425.

SECTION I — IDENTIFICATION DES CATÉGORIES D'EMPLOIS TYPES

1. En l'absence de catégories d'emplois à prédominance masculine au sein d'une entreprise assujettie à la Loi, le comité d'équité salariale ou, à défaut, l'employeur doit, pour toute la durée de cette absence, retenir aux fins de l'identification des catégories d'emplois à prédominance masculine de l'entreprise, les catégories d'emplois types suivantes :

Catégories d'emplois types	Description de fonctions
Contremaître	Annexe I
Préposé à la maintenance	Annexe II

SECTION II — RÉMUNÉRATION DES CATÉGORIES D'EMPLOIS TYPES

2. Le comité d'équité salariale ou, à défaut, l'employeur doit déterminer, à partir des descriptions de fonctions prévues aux annexes I et II, le taux horaire de rémunération qu'il attribuerait à chacune des catégories d'emplois identifiées en application de l'article 1 si elles étaient présentes dans son entreprise. À cette fin, le comité d'équité salariale ou, à défaut, l'employeur doit prendre en considération les facteurs suivants : le secteur d'activité, la taille de l'entreprise et la région où elle œuvre.

3. L'attribution des taux horaires de rémunération par le comité d'équité salariale ou, à défaut, par l'employeur doit respecter les normes suivantes :

1° le taux horaire de rémunération attribué à chacune des catégories d'emplois identifiées en application de l'article 1 ne peut être inférieur au taux horaire de salaire minimum fixé par règlement du gouvernement en vertu de l'article 40 de la *Loi sur les normes du travail* (chapitre N-1.1);

2° le taux horaire de rémunération attribué à la catégorie d'emplois « préposé à la maintenance » doit correspondre à 60 % du taux horaire de rémunération attribué à la catégorie d'emplois « contremaître ».

4. Aux fins de l'estimation des écarts salariaux, la rémunération flexible prévue à l'article 65 de la Loi ou la valeur d'un avantage à valeur pécuniaire prévu à l'article 66 de la Loi doit être ajoutée au taux horaire de rémunération attribué conformément aux articles 2 et 3 dans les cas où, à la fois :

1° la rémunération flexible ou l'avantage à valeur pécuniaire est déjà accessible dans l'entreprise;

2° la catégorie d'emplois visée bénéficierait vraisemblablement de cette rémunération flexible ou de cet avantage à valeur pécuniaire si la catégorie d'emplois existait dans l'entreprise.

SECTION III — RÉALISATION DE L'EXERCICE D'ÉQUITÉ SALARIALE

5. Une fois le taux horaire de rémunération de chacune des catégories d'emplois attribué conformément aux articles 2 et 3, le comité d'équité salariale ou, à défaut, l'employeur doit compléter l'exercice d'équité salariale conformément aux dispositions de la Loi.

6. (*Omis*).

Annexe I — Description de fonctions

Titre : Contremaître

Appellations connexes : gérant
chef d'équipe
superviseur
coordonnateur

Sommaire descriptif :

Sous l'autorité d'un cadre, il organise, coordonne et supervise les activités et le travail du personnel d'un service, d'une unité administrative de travail, de production ou autre.

Fonctions et responsabilités caractéristiques :

1. Organise, coordonne et supervise les activités du service. Assigne les tâches;

2. Établit des méthodes de travail pour respecter les échéanciers et coordonne des activités conjointes avec d'autres services;

3. Résout des problèmes reliés au travail et soumet des recommandations pour améliorer le rendement, la qualité ou autres mesures de performance;

4. Recommande des mesures de gestion du personnel telles embauches et promotions et assure la formation.

Qualifications, efforts et conditions liés à l'emploi :

Aux fins de l'attribution du taux horaire de rémunération et de l'évaluation de la catégorie d'emplois, ces fonctions et responsabilités caractéristiques doivent être appréciées en tenant compte des conditions dans lesquelles le travail serait effectué, des qualifications et des efforts qui seraient requis pour occuper un tel emploi dans l'entreprise. L'appréciation de ces facteurs doit refléter les pratiques organisationnelles et les façons de faire de l'entreprise.

ANNEXE II — DESCRIPTION DE FONCTIONS

Titre : Préposé à la maintenance

Appellations connexes : concierge
homme à tout faire
journalier

Sommaire descriptif :

Effectue des travaux de maintenance générale en menuiserie, en peinture, en plomberie, en électricité, et autres qui ne requièrent pas les services d'une personne spécialisée.

Fonctions et responsabilités caractéristiques :

1. Effectue des réparations mineures et routinières sur des installations, de la quincaillerie, du mobilier et autres;

2. Inspecte les lieux afin de s'assurer du fonctionnement adéquat de différents systèmes (éclairage, chauffage, ventilation, ou autres) et procède à des ajustements simples;

3. Entretient les aires publiques (corridors, escaliers, salles de bain, ou autres) en effectuant des tâches de nettoyage telles balayage, cirage et autres;

4. Entretient les aires extérieures en effectuant des tâches telles la tonte de gazon, le déneigement et autres.

Qualifications, efforts et conditions liés à l'emploi :

Aux fins de l'attribution du taux horaire de rémunération et de l'évaluation de la catégorie d'emplois, ces fonctions et responsabilités caractéristiques doivent être appréciées en tenant compte des conditions dans lesquelles le travail serait effectué, des qualifications et des efforts qui seraient requis pour occuper un tel emploi dans l'entreprise. L'appréciation de ces facteurs doit refléter les pratiques organisationnelles et les façons de faire de l'entreprise.

[QUE-7]
LOI SUR LA FÊTE NATIONALE

RLRQ, c. F-1.1, telle que modifiée par L.Q. 1979, c. 45, art. 166; 1981, c. 9, art. 34; 1982, c. 53, art. 57; 1983, c. 43, art. 6; 1984, c. 27, art. 64-65; 1986, c. 58, art. 37; 1990, c. 4, art. 421; 1990, c. 73, art. 67-69; 1992, c. 26, art. 17; 1992, c. 44, art. 81; 1994, c. 12, art. 42; 1996, c. 29, art. 43; 1997, c. 85, art. 29; 2002, c. 80, art. 79-81; 2007, c. 4, art. 1.

1. Fête nationale — Le 24 juin, jour de la Saint-Jean-Baptiste, est le jour de la fête nationale.

1978, c. 5, art. 1

2. Jour férié et chômé — Le 24 juin est un jour férié et chômé.

25 juin jour chômé — Toutefois, lorsque cette date tombe un dimanche, le 25 juin est, à l'égard du salarié pour qui le dimanche n'est pas normalement un jour ouvrable, un jour chômé pour l'application des articles 4 à 6, lesquels doivent alors se lire en substituant ce jour au 24 juin.

1978, c. 5, art. 2; 1984, c. 27, art. 64; 1990, c. 73, art. 67; 2007, c. 4, art. 1

3. (*Abrogé*).

1978, c. 5, art. 3; 1990, c. 73, art. 68

4. Calcul de l'indemnité — L'employeur doit verser au salarié une indemnité égale à 1/20 du salaire gagné au cours des quatre semaines complètes de paie précédant la semaine du 24 juin, sans tenir compte des heures supplémentaires. Toutefois, l'indemnité du salarié rémunéré en tout ou en partie à commission doit être égale à 1/60 du salaire gagné au cours des 12 semaines complètes de paie précédant la semaine du 24 juin.

Calcul de l'indemnité — Toutefois, dans le cas d'un salarié qui est visé à l'un des articles 42.11 et 1019.4 de la *Loi sur les impôts* (chapitre I-3), cette indemnité se calcule sur le salaire augmenté des pourboires attribués en vertu de cet article 42.11 ou déclarés en vertu de cet article 1019.4.

1978, c. 5, art. 4; 1979, c. 45, art. 166; 1983, c. 43, art. 6; 1990, c. 73, art. 69; 1997, c. 85, art. 29; 2002, c. 80, art. 79

5. Congé compensatoire — Dans un établissement ou dans un service où, en raison de la nature des activités, le travail n'est pas interrompu le 24 juin, l'employeur, en plus de verser au salarié occupé le 24 juin le salaire correspondant au travail effectué, doit lui verser l'indemnité prévue à l'article 4 ou lui accorder un congé compensatoire d'une journée. Dans ce dernier cas, le congé doit être pris le jour ouvrable précédant ou suivant le 24 juin.

1978, c. 5, art. 5; 1979, c. 45, art. 166

6. Congé compensatoire — L'employeur doit accorder un congé compensatoire d'une durée égale à une journée normale de travail lorsque le 24 juin tombe un jour qui n'est pas normalement ouvrable pour le salarié.

Congé compensatoire — Si le salarié est rémunéré au temps ou au rendement ou sur une autre base, l'employeur doit lui accorder un congé compensatoire ou lui verser l'indemnité prévue à l'article 4.

Congé compensatoire — Le congé compensatoire doit, dans tous les cas, être pris le jour ouvrable précédant ou suivant le 24 juin. Toutefois, si le salarié est en congé annuel à ce moment, le congé est pris à une date convenue entre l'employeur et le salarié.

1978, c. 5, art. 6; 1979, c. 45, art. 166; 1984, c. 27, art. 65

7. (*Abrogé*).

1978, c. 5, art. 7; 2002, c. 80, art. 80

8. Ordre public — La présente loi est d'ordre public.

Interprétation — Toutefois, elle ne doit pas être interprétée de manière à prohiber une entente comportant pour le salarié:

a) une indemnité supérieure à celles prévues aux articles 4, 5 et 6 ou un congé compensatoire d'une plus longue durée que ceux prévus aux articles 5 et 6;

b) (*paragraphe abrogé*).

1978, c. 5, art. 8; 2002, c. 80, art. 81

9. Infraction et peine — Quiconque fait défaut de se conformer à une disposition de la présente loi commet une infraction et est passible d'une amende de 325 $ à 700 $.

Dispositions applicables — Les articles 139 à 147 de la *Loi sur les normes du travail* (chapitre N-1.1) s'appliquent compte tenu des adaptations nécessaires.

1978, c. 5, art. 9; 1979, c. 45, art. 166; 1986, c. 58, art. 37; 1990, c. 4, art. 421; 1992, c. 26, art. 17

10.–15. (*Omis*).

16. Convention collective — Toute disposition relative au 24 juin contenue dans une convention collective en vigueur en vertu du *Code du travail* (chapitre C-27) le 8 juin 1978 continue d'avoir effet jusqu'à l'expiration de cette convention collective.

Décret — Il en va de même dans le cas d'un décret en vigueur en vertu de la *Loi sur les décrets de convention collective* (chapitre D-2) ou de la *Loi sur les relations du travail dans l'industrie de la construction* le 8 juin 1978.

1978, c. 5, art. 16

17. Champ d'application — La présente loi s'applique au gouvernement, à ses ministères et à ses organismes.

1978, c. 5, art. 17

17.1 Dispositions applicables — Pour l'application de la présente loi, l'article 5 et les articles 98 à 123 de la *Loi sur les normes du travail* (chapitre N-1.1) s'appliquent, compte tenu des adaptations nécessaires.

1979, c. 45, art. 166

17.2 Ministre responsable — Le ministre du Travail est chargé de l'application de la présente loi.

1979, c. 45, art. 166; 1981, c. 9, art. 34; 1982, c. 53, art. 57; 1992, c. 44, art. 81; 1994, c. 12, art. 42; 1996, c. 29, art. 43

18. (*Omis*).

1978, c. 5, art. 18

19. (*Cet article a cessé d'avoir effet le 17 avril 1987*).

1982, c. 11, R.-U., *ann.* B, *ptie* I, art. 33; 1982, c. 21, art. 1

[QUE-8]
TABLE DES MATIÈRES
LOI SUR LA FORMATION ET LA QUALIFICATION PROFESSIONNELLES DE LA MAIN-D'ŒUVRE

[QUE-8]
Loi sur la formation et la qualification professionnelles de la main-d'œuvre

RLRQ, c. F-5, telle que modifiée par L.Q. 1979, c. 2, art. 29; 1980, c. 5, art. 12; 1981, c. 9, art. 34; 1982, c. 53, art. 32-35; 57; 1986, c. 95, art. 142; 1988, c. 35, art. 19; 1990, c. 4, , art. 437; 1992, c. 44, art. 81; 1992, c. 44, art. 55-56; 81; 1992, c. 61, art. 317; 1994, c. 12, art. 43; 1996, c. 29,, art. 23; 1997, c. 63, art. 107; 1998, c. 46, art. 60; 2001, c. 44, art. 30; 2002, c. 80, art. 82; 2007, c. 3, art. 57-59; 2006, c. 58, art. 63; 2009, c. 43, art. 4-5; 2015, c. 15, art. 237.

Chapitre I — Interprétation

1. Interprétation — Dans la présente loi, les expressions suivantes signifient :

a) « **adulte** » : une personne sur le marché du travail et âgée d'au moins 16 ans;

b) « **apprenti** » : un adulte inscrit au ministère de l'Emploi et de la Solidarité sociale, en conformité des règlements édictés en vertu de la présente loi ou inscrit conformément à un programme établi en vertu du chapitre II.1, en vue d'apprendre un métier ou une profession selon un programme approuvé par le ministre;

c) « **apprentissage** » : un mode de formation professionnelle dont le programme est destiné à qualifier un apprenti et comporte une période de formation pratique chez un employeur et généralement des cours dans des matières techniques et professionnelles pertinentes;

d) *(définition abrogée)*;

e) *(définition abrogée)*;

f) « **certificat de qualification** » : un certificat délivré par le ministre et attestant le niveau de qualification acquise dans un métier ou une profession, dont l'exercice est réglementé en vertu de la présente loi ou qui est visé par un programme établi en vertu du chapitre II.1;

g) *(définition abrogée)*;

h) *(définition abrogée)*;

i) *(définition abrogée)*;

j) *(définition abrogée)*;

k) *(définition abrogée)*;

l) *(définition abrogée)*;

m) *(définition abrogée)*;

n) « **formation professionnelle** » : la formation ayant pour objet de permettre à tout adulte d'acquérir la compétence requise pour l'exercice d'un métier ou d'une profession;

o) « **jury d'examen** » : un organisme constitué en vertu de la présente loi en vue d'apprécier la qualification professionnelle des adultes dans un métier ou une profession;

o.1) *(définition abrogée)*;

o.2) *(définition abrogée)*;

p) « **ministre** » : le ministre de l'Emploi et de la Solidarité sociale, sauf lorsqu'une disposition identifie un autre ministre;

q) « **profession** » : une occupation déterminée dont on peut tirer ses moyens d'existence, qu'elle soit un métier ou une fonction;

r) *(définition abrogée)*;

s) « **règlement** » : un règlement adopté en vertu de l'article 30 de la présente loi;

t) « **artisan** » : une personne physique qui, faisant affaires pour son propre compte, exerce un métier ou une profession.

1969, c. 51, art. 1; 1979, c. 2, art. 29; 1980, c. 5, art. 12; 1981, c. 9, art. 34; 1982, c. 53, art. 32; 57; 1988, c. 35, art. 19; 1992, c. 44, art. 55; 81; 1994, c. 12, art. 43; 1996, c. 29, art. 23; 1997, c. 63, art. 107; 1998, c. 46, art. 60; 2001, c. 44, art. 30; 2002, c. 80, art. 82

Chapitre II — Commissions de formation professionnelle de la main-d'œuvre (*Abrogé*)

2. (*Abrogé*).

1969, c. 51, art. 2; 1992, c. 44, art. 56

3. (*Abrogé*).

1969, c. 51, art. 3; 1992, c. 44, art. 56

4. (*Abrogé*).

1969, c. 51, art. 4; 1992, c. 44, art. 56

5. (*Abrogé*).

1969, c. 51, art. 5; 1986, c. 95, art. 142; 1992, c. 44, art. 56

6. (*Abrogé*).

1969, c. 51, art. 6; 1992, c. 44, art. 56

7. (*Abrogé*).

1969, c. 51, art. 7; 1992, c. 44, art. 56

8. (*Abrogé*).

1969, c. 51, art. 8; 1992, c. 44, art. 56

9. (*Abrogé*).

1969, c. 51, art. 9; 1992, c. 44, art. 56

10. (*Abrogé*).

1969, c. 51, art. 10; 1992, c. 44, art. 56

11. (*Abrogé*).

1969, c. 51, art. 11 (ptie); 1992, c. 44, art. 56

12. (*Abrogé*).

1969, c. 51, art. 12 (ptie); 1992, c. 44, art. 56

13. (*Abrogé*).

1969, c. 51, art. 13; 1992, c. 44, art. 56

14. (*Abrogé*).

1969, c. 51, art. 14; 1992, c. 44, art. 56

15. (*Abrogé*).

1969, c. 51, art. 15; 1982, c. 53, art. 33; 1992, c. 44, art. 56; 81

16. (*Abrogé*).

1969, c. 51, art. 16; 1992, c. 44, art. 56

17. (*Abrogé*).

1969, c. 51, art. 17; 1990, c. 4, art. 437; 1992, c. 44, art. 56

18. (*Abrogé*).

1969, c. 51, art. 18; 1992, c. 44, art. 56

19. (*Abrogé*).

1969, c. 51, art. 19; 1992, c. 44, art. 56

20. (*Abrogé*).

1969, c. 51, art. 20; 1992, c. 44, art. 56

21. (*Abrogé*).

1969, c. 51, art. 21; 1992, c. 44, art. 56

22. (*Abrogé*).

1969, c. 51, art. 22; 1982, c. 53, art. 34; 1992, c. 44, art. 56

23. (*Abrogé*).

1969, c. 51, art. 23; 1992, c. 44, art. 56

24. (*Abrogé*).

1969, c. 51, art. 24; 1982, c. 53, art. 35; 1992, c. 44, art. 56

25. (*Abrogé*).

1969, c. 51, art. 25; 1992, c. 44, art. 56; 1992, c. 61, art. 317

26. (*Abrogé*).

1969, c. 51, art. 26; 1992, c. 44, art. 56

27. (*Abrogé*).

1969, c. 51, art. 27; 1972, c. 60, art. 49; 1978, c. 57, art. 92; 1979, c. 45, art. 150; 1979, c. 63, art. 329; 1986, c. 89, art. 50; 1988, c. 84, art. 701; 1992, c. 44, art. 56

28. (*Abrogé*).

1969, c. 51, art. 28; 1992, c. 44, art. 56

29. (*Abrogé*).

1969, c. 51, art. 29; 1992, c. 44, art. 56

Chapitre II.1 — Programmes de formation et de qualification professionnelles

29.1 Programmes de formation et de qualification — Le ministre peut établir des programmes de formation et de qualification professionnelles à l'égard d'un métier ou d'une profession dont l'exercice n'est pas réglementé en vertu de la présente loi. Ces programmes peuvent notamment déterminer :

1º les activités comprises dans ce métier ou cette profession et les compétences à maîtriser pour son exercice;

2º les conditions d'admission à l'apprentissage, aux examens ou aux évaluations et les conditions d'obtention du certificat de qualification;

3º les matières d'examens ou les méthodes d'évaluation et les certificats de qualification auxquels ils conduisent;

4º les droits exigibles pour la passation des examens, les évaluations, la délivrance et le renouvellement des certificats de qualification et du carnet de l'apprenti;

4.1º toute mesure pour donner effet à une entente intergouvernementale, à laquelle le gouvernement du Québec est partie, en matière de mobilité de la main-d'œuvre ou de reconnaissance des qualifications, compétences ou expériences de travail dans des métiers ou professions;

5º toute autre mesure connexe ou supplétive jugée nécessaire pour donner effet à ces programmes.

Contenu du programme — Lorsqu'une loi ou un règlement a pour effet de rendre obligatoire l'obtention d'un certificat de qualification pour exercer un métier ou une profession visé par un tel programme, le ministre rend public, par tout moyen qu'il estime approprié, le contenu de ce programme.

1988, c. 35, art. 20; 2007, c. 3, art. 58; 2009, c. 43, art. 4

29.2 Administration du programme — Le Programme des normes interprovinciales Sceau rouge, élaboré par le Conseil canadien des directeurs de l'apprentissage et visant à faciliter la mobilité des travailleurs qualifiés au Canada, est administré au Québec par le ministre qui peut :

1º demander à ce conseil d'approuver la désignation des métiers à l'égard desquels s'applique le programme, notamment des métiers dont l'exercice est réglementé en vertu de la présente loi ou de la *Loi sur les relations du travail, la formation professionnelle et la gestion de la main-d'œuvre dans l'industrie de la construction* (chapitre R-20);

2º administrer des examens pour les métiers désignés;

3º délivrer des certificats ou apposer des sceaux sur des certificats existants;

4º fixer les droits exigibles;

5º déterminer toute autre mesure connexe nécessaire pour donner effet à ce programme.

2009, c. 43, art. 5

Chapitre III — Règlements

30. Réglementation — Le gouvernement peut édicter des règlements conciliables avec les dispositions de la présente loi, afin d'en assurer une application efficace. Il peut notamment :

a) déterminer les qualifications que requiert l'exercice des métiers ou professions;

b) rendre obligatoires l'apprentissage et le certificat de qualification pour pouvoir exercer un métier ou une profession déterminés;

c) déterminer les conditions d'admission à l'apprentissage, d'admission aux examens de qualification, d'obtention et de renouvellement du certificat de qualification et généralement les conditions d'admission à l'exercice des métiers ou professions;

d) déterminer le nombre de personnes à admettre à l'apprentissage dans un métier ou une profession par rapport au nombre des salariés qualifiés dans une entreprise ou dans un territoire donné, et déterminer, après consultation avec les parties intéressées, le taux du salaire minimum de l'apprenti par rapport au salaire du salarié qualifié;

e) (*paragraphe abrogé*);

f) (*paragraphe abrogé*);

g) déterminer les matières d'examens de qualification et les certificats auxquels ils conduisent;

h) fixer les droits exigibles pour la passation des examens et la délivrance ou le renouvellement du certificat de qualification;

i) (*paragraphe abrogé*);

j) (*paragraphe abrogé*);

k) (*paragraphe abrogé*);

l) généralement, adopter toute autre disposition connexe ou supplétive visant à l'application efficace de la présente loi et au bon fonctionnement des organismes qu'elle institue, y compris toute disposition d'exception favorisant l'application d'ententes intergouvernementales en matière de mobilité de la main-d'œuvre ou de reconnaissance des qualifications, compétences ou expériences de travail dans des métiers ou professions.

Publication — Un tel règlement n'est pas soumis à l'obligation de publication et au délai d'entrée en vigueur prévus aux articles 8 et 17 de la *Loi sur les règlements* (chapitre R-18.1), lorsqu'il est édicté pour favoriser l'application d'une entente intergouvernementale.

1969, c. 51, art. 30; 1983, c. 54, art. 40; 1985, c. 21, art. 65; 1988, c. 41, art. 88; 1992, c. 44, art. 57; 1996, c. 74, art. 12

31. Publication de projet de règlement — Tout règlement visé par les paragraphes a, b, c et d du premier alinéa de l'article 30 est précédé d'un projet qui doit être publié à la *Gazette officielle du Québec*, avec un avis spécifiant que toute objection à son adoption doit être formulée dans les 30 jours.

Enquête — Le ministre peut ordonner la tenue d'une enquête sur le bien-fondé de toute objection formulée à la suite de cet avis.

1969, c. 51, art. 31; 1996, c. 74, art. 13

32. Entrée en vigueur de règlement — Après expiration du délai, ou, le cas échéant, après la tenue de l'enquête précitée, le gouvernement adopte le règlement. Un avis à cet effet est publié à la *Gazette officielle du Québec*, accompagné du texte des modifications, s'il en est. Ce règlement entre en vigueur le jour de cette publication ou à toute date ultérieure fixée à cette fin par le règlement ou par le décret d'adoption.

1969, c. 51, art. 32

Chapitre IV — Jurys d'examen et comités consultatifs

33. (*Abrogé*).

1969, c. 51, art. 33; 1982, c. 53, art. 36; 1992, c. 44, art. 59

34. (*Abrogé*).

1969, c. 51, art. 34; 1970, c. 42, art. 17; 1979, c. 77, art. 27; 1982, c. 53, art. 37; 1984, c. 36, art. 44; 1985, c. 21, art. 67; 1985, c. 23, art. 24; 1988, c. 41, art. 88; 89;; 1992, c. 44, art. 59, 81

35. (*Abrogé*).

1969, c. 51, art. 35; 1970, c. 42, art. 17; 1979, c. 77, art. 27; 1981, c. 9, art. 34; 1982, c. 53, art. 57; 1984, c. 36, art. 44; 1985, c. 21, art. 67; 1985, c. 23, art. 24; 1988, c. 41, art. 88; 89;; 1992, c. 44, art. 59, 81

36. (*Abrogé*).

1969, c. 51, art. 36; 1992, c. 44, art. 59

37. (*Abrogé*).

1969, c. 51, art. 37; 1992, c. 44, art. 59

38. (*Abrogé*).

1969, c. 51, art. 38; 1982, c. 53, art. 38; 1992, c. 44, art. 59

39. (*Abrogé*).

1969, c. 51, art. 39; 1992, c. 44, art. 59

40. (*Abrogé*).

1969, c. 51, art. 40; 1992, c. 44, art. 59

41. Institution de comités, jurys — Le ministre peut instituer :

a) (*paragraphe abrogé*);

b) des jurys d'examen;

c) (*paragraphe abrogé*);

d) des comités consultatifs pour des fins spécifiques qu'il détermine.

1969, c. 51, art. 41; 1982, c. 53, art. 39; 1992, c. 44, art. 60; 1996, c. 29, art. 24; 1998, c. 46, art. 62

Chapitre V — Généralités

41.1 Contestation — Une personne qui se croit lésée par une décision rendue en application d'un règlement édicté en vertu du premier alinéa de l'article 30 peut, lorsqu'un tel recours est prévu dans ce règlement, la contester devant le Tribunal administratif du travail.

Décision du Tribunal — Le Tribunal peut également rendre toute décision en matière d'attestation d'expérience d'un salarié ou d'un artisan lorsqu'un tel règlement lui attribue cette fonction.

1998, c. 46, art. 63; 2006, c. 58, art. 63; 2015, c. 15, art. 237

42. Certificat de qualification requis — Aucun employeur ne peut utiliser les services d'un salarié qui n'a pas obtenu le certificat de qualification exigé pour exercer un métier ou une profession visés au paragraphe b de l'article 30 et un tel salarié ne peut exercer ce métier ou cette profession.

Artisan sans certificat de qualification — Un artisan qui n'a pas obtenu le certificat de qualification exigé pour exercer un métier ou une profession visés au paragraphe b de l'article 30 ne peut exercer ce métier ou cette profession.

1969, c. 51, art. 42; 1979, c. 2, art. 30; 1996, c. 74, art. 14

43. Collaboration — Les comités paritaires constitués en vertu de la *Loi sur les décrets de convention collective* (chapitre D-2), la Commission de la construction du Québec et la Commission des normes, de l'équité, de la santé et de la sécurité du travail doivent, à la demande conjointe du ministre et du ministre du Travail, collaborer de la manière qu'ils indiquent à l'application des normes de qualification professionnelle de la main-d'œuvre et leur faire rapport de la manière qu'ils prescrivent.

Pouvoirs des employés des comités — Tout employé d'un comité paritaire, de la Commission de la construction du Québec ou de la Commission des normes, de l'équité, de la santé et de la sécurité du travail agissant en vertu du présent article a les mêmes pouvoirs que s'il agissait en vertu de la *Loi sur les décrets de convention collective*, de la *Loi sur les relations du travail, la formation professionnelle et la gestion de la main-d'œuvre dans l'industrie de la construction* (chapitre R-20) ou de la *Loi sur les normes du travail* (chapitre N-1.1).

1969, c. 51, art. 43; 1979, c. 45, art. 149; 150; 1982, c. 53, art. 40; 1986, c. 89, art. 50; 1994, c. 12, art. 44; 1996, c. 29, art. 25; 1998, c. 46, art. 64; 2015, c. 15, art. 237

44. Ententes autorisées — Le gouvernement peut autoriser le ministre à conclure avec le gouvernement du Canada et avec tout gouvernement provincial, ainsi qu'avec tout organisme qui dépend de l'un ou de l'autre, des ententes pour aider à la formation et à la qualification professionnelles de la main-d'œuvre.

1969, c. 51, art. 44

45. (*Abrogé*).

1969, c. 51, art. 45; 1980, c. 5, art. 13; 1992, c. 44, art. 61; 1996, c. 29; 1997, c. 63, art. 108; 2002, c. 80, art. 83

45.1 Délégation des pouvoirs — Le ministre peut autoriser par écrit, généralement ou spécialement, une personne à exercer tout ou partie des pouvoirs qui lui sont conférés par la présente loi.

1982, c. 53, art. 41

Chapitre VI — Dispositions pénales et autres sanctions

46. (*Abrogé*).

1969, c. 51, art. 47; 1990, c. 4, art. 438; 1992, c. 61, art. 319

47. Infraction et peine : personnes — Commet une infraction et est passible d'une amende d'au moins 325 $ et d'au plus 700 $ par jour ou fraction de jour que dure l'infraction, quiconque :

a) (*paragraphe abrogé*);

b) utilise, en vue d'obtenir un emploi, un certificat de qualification délivré au nom d'une autre personne;

c) délivre un certificat de qualification à une personne autre que celle qui a réussi l'examen ou l'évaluation, en vue de lui permettre d'obtenir un emploi;

d) (*paragraphe abrogé*);

e) fait une fausse entrée dans un livre ou falsifie un document prescrit par la présente loi, fait ou signe une déclaration fausse, ou fait usage d'une telle entrée, d'un tel document ou d'une telle déclaration;

f) contrevient à toute autre disposition de la présente loi ou d'un règlement adopté par le gouvernement en vertu de l'article 30.

Infraction et peine : personnes morales — Dans le cas d'une personne morale qui se rend coupable de quelqu'une des infractions précitées, les peines sont du double de celles qui sont spécifiées aux paragraphes b, c, e et f ci-dessus.

Récidive — Pour toute récidive, les individus et les personnes morales sont passibles, respectivement, du double des peines édictées aux deux alinéas précédents.

1969, c. 51, art. 48; 1986, c. 58, art. 40; 1990, c. 4, art. 439; 1991, c. 33, art. 54; 1992, c. 44, art. 62; 1999, c. 40, art. 141; 2007, c. 3, art. 59

48. (*Abrogé*).

1969, c. 51, art. 49; 1990, c. 4, art. 440; 1992, c. 44, art. 63

49. (*Abrogé*).

1969, c. 51, art. 50; 1986, c. 58, art. 41; 1990, c. 4, art. 441; 1991, c. 33, art. 55; 1992, c. 44, art. 63

50. Preuve d'information défendue — Aucune preuve n'est permise pour établir qu'une enquête ou une poursuite a été intentée à la suite d'une information ou pour en identifier l'auteur.

1969, c. 51, art. 51; 1990, c. 4, art. 442

51. Copie fait preuve — Dans toute poursuite prise en vertu de la présente loi, il n'est pas nécessaire de produire l'original d'un livre, d'un registre, d'une ordonnance ou d'un document quelconque en la possession du ministre. Une copie ou un extrait certifié conforme fait preuve de la teneur de l'original et le certificat apposé à cette copie ou à cet extrait fait preuve jusqu'à preuve du contraire de la signature et de l'autorité du ministre.

1969, c. 51, art. 52; 1981, c. 9, art. 34; 1982, c. 53, art. 57; 1992, c. 44, art. 81; 1994, c. 12, art. 45; 1996, c. 29, art. 27

51.1 Poursuite pénale — Une poursuite pénale pour une infraction prévue au paragraphe e du premier alinéa de l'article 47 se prescrit par un an depuis la connaissance par le poursuivant de la perpétration de l'infraction. Toutefois, aucune poursuite ne peut être intentée s'il s'est écoulé plus de cinq ans depuis la date de la perpétration de l'infraction.

1992, c. 61, art. 320

52. Action civile — En outre des poursuites pénales ci-dessus, une action civile peut être intentée pour recouvrer les droits payables en vertu de la présente loi et des règlements.

1969, c. 51, art. 53

Chapitre VII — Dispositions finales

53. Application de la loi — Le ministre de l'Emploi et de la Solidarité sociale est chargé de l'application de la présente loi.

1969, c. 51, art. 57; 1981, c. 9, art. 34; 1982, c. 53, art. 57; 1992, c. 44, art. 81; 1994, c. 12, art. 46; 1996, c. 29, art. 28; 1997, c. 63, art. 109; 2001, c. 44, art. 30

54. (*Cet article a cessé d'avoir effet le 17 avril 1987*).

1982, R.-U., c. 11, *ann.* B, *ptie* I, art. 33; 1982, c. 21, art. 1

[QUE-9]
TABLE DES MATIÈRES
LOI SUR LES HEURES ET LES JOURS D'ADMISSION DANS LES ÉTABLISSEMENTS COMMERCIAUX

[QUE-9]
Loi sur les heures et les jours d'admission dans les établissements commerciaux

RLRQ, c. H-2.1, telle que modifiée par L.Q. 1990, c. 73, art. 72; 1992, c. 21, art. 170; 1992, c. 26, art. 18; 1992, c. 55, art. 1-13; 1992, c. 61, art. 323; 1994, c. 16, art. 23-24; 1994, c. 23, art. 23; 1999, c. 8, art. 20; 2000, c. 10, art. 22; 2001, c. 26, art. 128; 2003, c. 29, art. 135; 2006, c. 8, art. 31; 2006, c. 47, art. 1-8; 2007, c. 4, art. 2.

Section I — Champ d'application

1. Établissements visés — La présente loi s'applique à tout établissement commercial où des produits sont offerts en vente au détail à qui que ce soit du public, y compris des membres d'un club, d'une coopérative ou d'un autre groupe de consommation.

Établissement commercial — Est assimilé à un établissement commercial, tout espace ou étal dans les marchés, notamment dans les halles et les marchés aux puces.

1990, c. 30, art. 1

Section II — Heures et jours d'admission

2. Heures d'admission — Sous réserve des articles 3 à 14, le public ne peut être admis dans un établissement commercial qu'entre :

1° 8 h 00 et 17 h 00, le samedi et le dimanche et qu'entre 8 h 00 et 21 h 00, les autres jours de la semaine;

2° 8 h 00 et 17 h 00, les 24 et 31 décembre;

3° 13 h 00 et 17 h 00, le 26 décembre s'il tombe un samedi ou un dimanche et qu'entre 13 h 00 et 21 h 00, s'il tombe un autre jour de la semaine.

1990, c. 30, art. 2; 1992, c. 55, art. 1; 2006, c. 47, art. 1

3. Interdiction — Sous réserve des articles 4.1 à 14, le public ne peut être admis dans un établissement commercial :

1° le 1er janvier;

2° le 2 janvier;

3° le dimanche de Pâques;

4° le 24 juin;

5° le 1er juillet;

6° le premier lundi de septembre;

7° le 25 décembre;

8° (*paragraphe supprimé*).

1990, c. 30, art. 3; 1990, c. 73, art. 72; 1992, c. 26, art. 18; 1992, c. 55, art. 2; 2006, c. 47, art. 2; 2007, c. 4, art. 2

3.1 Heures d'admission — Sous réserve des articles 3, 4.1, 6 et 12 à 14, le public ne peut être admis dans un établissement d'alimentation qu'entre :

1° 8 h 00 et 20 h 00, le samedi et le dimanche, ou 8 h 00 et 21 h 00, les autres jours de la semaine;

2° 8 h 00 et 17 h 00, les 24 et 31 décembre;

3° 13 h 00 et 20 h 00, le 26 décembre, si ce jour tombe un samedi ou un dimanche, ou 13 h 00 et 21 h 00, s'il tombe un autre jour de la semaine.

Définition — Un « **établissement d'alimentation** » est un établissement qui n'offre principalement en vente, en tout temps, que les produits ou un ensemble des produits suivants : des denrées alimentaires ou des boissons alcooliques pour consommation ailleurs que sur les lieux de l'établissement.

2006, c. 47, art. 3

4. (*Abrogé*).

1990, c. 30, art. 4; 1992, c. 55, art. 3

4.1. Règlement — Le gouvernement peut, par règlement, modifier les heures ou les jours prévus aux articles 2, 3 ou 3.1 ou déterminer des périodes d'admission particulières à des établissements commerciaux qui peuvent varier selon les critères qu'il fixe au règlement et avoir préséance sur les articles 5 à 10.

2006, c. 47, art. 4

5. Admission en dehors des périodes légales d'admission — Le public peut être admis dans un établissement commercial également en dehors des périodes légales d'admission, pourvu que l'établissement n'offre principalement en vente, en tout temps, que les produits alimentaires ou un ensemble des produits alimentaires suivants: des repas, des denrées alimentaires ou des boissons alcooliques pour consommation sur place ou des repas ou plats cuisinés pour consommation ailleurs que sur les lieux de l'établissement.

1990, c. 30, art. 5; 1992, c. 55, art. 4; 2006, c. 47, art. 5

6. Admission en dehors des périodes légales d'admission — Le public peut être admis dans un établissement d'alimentation également en dehors des périodes légales d'admission pourvu qu'au plus quatre personnes en assurent alors le fonctionnement.

1990, c. 30, art. 6; 1992, c. 55, art. 5; 2006, c. 47, art. 6

7. Restriction — Le public peut être admis dans un établissement commercial également en dehors des périodes légales d'admission, pourvu que :

1° l'établissement n'offre principalement en vente, en tout temps, que les produits ou un ensemble des produits suivants : des produits pharmaceutiques, hygiéniques ou sanitaires, des journaux, des périodiques, des livres, du tabac ou des objets requis pour l'usage du tabac et pourvu qu'au plus 4 personnes assurent le fonctionnement de l'établissement en dehors des périodes légales d'admission;

2° l'établissement n'offre principalement en vente, en tout temps, que les produits ou un ensemble des produits suivants : de l'huile à moteur, du combustible, des journaux, des périodiques, des livres, du tabac ou des objets requis pour l'usage du tabac.

« personnes » — Pour l'application du paragraphe 1° du premier alinéa, le mot « personnes » exclut les professionnels régis par la *Loi sur la pharmacie* (chapitre P-10) et les personnes affectées exclusivement à la préparation des médicaments.

1990, c. 30, art. 7; 1992, c. 55, art. 6; 2006, c. 47, art. 7

8. Ventes autorisées en dehors des périodes légales d'admission — Le public peut être admis dans un établissement commercial également en dehors des périodes légales d'admission, pourvu que n'y soient offerts en vente, principalement et en tout temps :

1° que des oeuvres d'art ou de l'artisanat ou les deux à la fois;

2° que des fleurs ou des produits d'horticulture non comestibles ou les deux à la fois;

3° que des antiquités.

1990, c. 30, art. 8; 1992, c. 55, art. 7; 2006, c. 47, art. 7

9. Produits accessoires — Le public peut être admis dans un établissement commercial également en dehors des périodes légales d'admission, pourvu que n'y soient offerts en vente, principalement et en tout temps, que des denrées alimentaires ou d'autres produits, à titre d'accessoires à des services rendus en exécution d'un contrat de louage de biens ou de services.

1990, c. 30, art. 9; 1992, c. 55, art. 8; 2006, c. 47, art. 7

10. Lieu des établissements — Le public peut être admis dans un établissement commercial également en dehors des périodes légales d'admission, pourvu que l'établissement soit situé dans l'un ou l'autre des endroits suivants :

1° un lieu d'activités sportives ou un centre culturel et pourvu que n'y soient offerts en vente, principalement et en tout temps, que des produits se rapportant à l'activité exercée;

1.1° une installation maintenue par un établissement qui exploite un centre hospitalier ou un centre d'hébergement et de soins de longue durée au sens de la *Loi sur les services de santé et les services sociaux* (chapitre S-4.2);

2° un centre hospitalier au sens de la *Loi sur les services de santé et les services sociaux pour les autochtones cris* (chapitre S-5);

3° une aérogare.

1990, c. 30, art. 10; 1992, c. 21, art. 170; 1992, c. 55, art. 9; 1994, c. 23, art. 23; 2006, c. 47, art. 7

11. (*Abrogé*).

1990, c. 30, art. 11; 1992, c. 55, art. 10

12. Demande d'une municipalité — Le ministre peut, sur demande écrite d'une municipalité locale dont le territoire est situé près des limites territoriales du Québec, autoriser, pour la période qu'il détermine, que le public soit admis également en dehors des périodes légales d'admission dans les établissements commerciaux situés sur ce territoire.

Décision du ministre — Le ministre, aux fins de donner son autorisation, tient compte des heures et des jours d'admission du public dans les établissements commerciaux situés dans les zones adjacentes à ce territoire.

Révocation — Le ministre peut révoquer cette autorisation; il donne avis à la *Gazette officielle du Québec* de l'autorisation et, le cas échéant, de sa révocation.

1990, c. 30, art. 12; 1992, c. 55, art. 11; 2006, c. 47, art. 7

13. Zone touristique — Le ministre peut, sur demande écrite d'une municipalité locale, autoriser, pour la période et la zone qu'il détermine, que le public soit admis également en dehors des périodes légales d'admission, dans les établissements commerciaux situés dans une zone touristique sur le territoire de cette municipalité.

Demande d'avis — Avant d'accorder cette autorisation, le ministre demande l'avis du ministre responsable de l'application de la *Loi sur les établissements d'hébergement touristique* (chapitre E-14.2) quant au caractère touristique de la zone et quant à la période visée dans la demande.

Autorisation — Le ministre donne avis de l'autorisation à la *Gazette officielle du Québec*.

1990, c. 30, art. 13; 1992, c. 55, art. 11; 1994, c. 16, art. 23; 2000, c. 10, art. 22; 2006, c. 47, art. 7

14. Événement spécial — Le ministre peut, sur demande écrite, autoriser que le public soit admis dans les établissements commerciaux également en dehors des périodes légales d'admission lorsque se tient un événement spécial, tel un festival, une foire, un salon ou une exposition.

1990, c. 30, art. 14; 1992, c. 55, art. 11; 2006, c. 47, art. 7

15. Dispositions prépondérantes — Les articles 12, 13 et 14 prévalent sur toute autre disposition de la présente section.

1990, c. 30, art. 15

SECTION III — INSPECTION

16. Inspecteur — Le ministre ou une municipalité locale peut autoriser toute personne à agir comme inspecteur afin de vérifier l'application de la présente loi.

Fonctions — Toute personne ainsi autorisée à agir comme inspecteur ou tout agent de la paix peut, dans l'exercice de ses fonctions :

1° pénétrer à toute heure raisonnable dans un établissement commercial et en faire l'inspection;

2° examiner et tirer copie des livres, registres, comptes, dossiers ou autres documents relatifs aux activités de cet établissement;

3° exiger tout renseignement relatif à l'application de la présente loi ainsi que la production de tout document s'y rapportant.

Communication — Toute personne qui a la garde, la possession ou le contrôle de ces livres, registres, comptes, dossiers ou autres documents doit, sur demande, en donner communication à la personne qui procède à l'inspection.

1990, c. 30, art. 16

17. Identification — Une personne qui procède à une inspection doit, sur demande, s'identifier et exhiber un certificat attestant sa qualité ou, selon le cas, exhiber son insigne.

1990, c. 30, art. 17

18. Interdiction — Il est interdit d'entraver l'action d'une personne qui procède à une inspection, de la tromper par réticence ou fausse déclaration, de refuser de lui fournir un renseignement ou un document qu'elle a le droit d'exiger ou d'examiner en vertu de la présente loi ou de cacher ou de détruire un tel renseignement ou document.

1990, c. 30, art. 18

SECTION IV — DISPOSITIONS PÉNALES

19. Exploitant d'un établissement — Dans la présente section, l'exploitant d'un établissement commercial comprend son mandataire qui en assure la direction et la personne à l'emploi de l'exploitant comprend toute personne à l'emploi de cet exploitant ou de ce mandataire, quel que soit le mode de sa rémunération.

1990, c. 30, art. 19

20. Admission interdite — L'exploitant d'un établissement commercial ou la personne à son emploi ne peut y admettre qui que ce soit du public à une heure ou un jour où le public ne peut l'être.

1990, c. 30, art. 20

21. Présence interdite — L'exploitant d'un établissement commercial ou la personne à son emploi ne peut y tolérer la présence de qui que ce soit du public plus de 30 minutes après l'heure où le public ne peut plus y être admis.

1990, c. 30, art. 21

22. Annonce interdite — L'exploitant d'un établissement commercial ne peut annoncer ou faire annoncer que le public peut y être admis à une heure ou un jour où le public ne peut l'être.

1990, c. 30, art. 22

23. Infraction et peine — L'exploitant d'un établissement commercial qui contrevient à l'une des dispositions de l'article 20 commet une infraction et est passible d'une amende minimale de 1 500 $ et, en cas de récidive, d'une amende minimale de 3 000 $ ou, s'il s'agit de l'exploitant d'un établissement défini à l'article 3.1, d'une amende minimale de 6 000 $ pour une première récidive et de 9 000 $ pour toute récidive additionnelle.

Amende — Dans la détermination du montant de l'amende, le tribunal peut tenir compte des avantages et des revenus retirés de l'exploitation de l'établissement.

1990, c. 30, art. 23; 2006, c. 47, art. 7

24. Infraction et peine — L'exploitant d'un établissement commercial qui contrevient à l'une des dispositions des articles 18, 21 ou 22, de même que la personne à son emploi qui contrevient à l'une de celles des articles 18, 20 ou 21 commet une infraction et est passible d'une amende de 500 $ à 1 500 $ ou, en cas de récidive, de 1 500 $ à 3 000 $.

1990, c. 30, art. 24

25. Infraction et peine — Lorsqu'il y a contravention à une disposition de l'un des articles 18 ou 20, l'exploitant qui a ordonné, autorisé ou conseillé la contravention ou qui y a consenti, commet une infraction et est passible, dans le cas de la contravention à une des dispositions de l'article 18, de l'amende prévue à l'article 24 et, dans le cas de la contravention à une des dispositions de l'article 20, de l'amende prévue à l'article 23.

1990, c. 30, art. 25

26. Exploitant non propriétaire — Lorsqu'il y a contravention à une disposition de l'un des articles 20 ou 22 et que l'exploitant de l'établissement commercial n'est pas le propriétaire de l'immeuble où est situé cet établissement, le propriétaire de cet immeuble qui a ordonné, autorisé ou conseillé la contravention ou qui y a consenti commet une infraction et est passible, dans le cas de la contravention à l'une des dispositions de l'article 20, de l'amende prévue à l'article 23 et, dans le cas de la contravention à l'une des dispositions de l'article 22, de l'amende prévue à l'article 24.

1990, c. 30, art. 26

27. Poursuites pénales — Les poursuites pénales pour la sanction d'une infraction à une disposition de la présente loi peuvent être intentées par la municipalité devant une cour municipale.

Propriété de l'amende — Appartiennent à la municipalité et font partie de son fonds général, l'amende et les frais imposés par la cour municipale pour sanctionner une infraction à une disposition de la présente loi, sauf la partie des frais remis par le percepteur à un autre poursuivant qui a supporté des dépenses reliées à la poursuite et sauf les frais remis au défendeur en vertu de l'article 223 du *Code de procédure pénale* (chapitre C-25.1).

1990, c. 30, art. 27; 1992, c. 61, art. 323

SECTION V — DISPOSITIONS DIVERSES, TRANSITOIRES ET FINALES

28. Disposition sans effet — Est sans effet toute disposition d'un bail ou d'une autre convention par laquelle un exploitant s'oblige à admettre le public dans son établissement commercial :

1° avant 8 h 30, du lundi au samedi;

2º après 18 h 00, les lundi, mardi et mercredi;

3º après 21 h 00, les jeudi et vendredi;

4º après 17 h 00, le samedi;

5º le dimanche.

Délai d'application — Le premier alinéa cesse de s'appliquer le 18 décembre 1997. Toutefois, à l'égard d'un bail ou d'une autre convention qui lie l'exploitant le 18 décembre 1992, le premier alinéa cesse de s'appliquer à la date d'expiration de ce bail ou de cette convention si celle-ci est postérieure au 18 décembre 1997.

1990, c. 30, art. 28; 1992, c. 55, art. 12

28.1 (*Abrogé*).

1992, c. 55, art. 13; 2001, c. 26, art. 128

29. Autorisation continuée en vigueur — Une autorisation accordée par le ministre en vertu de l'article 5.3 de la *Loi sur les heures d'affaires des établissements commerciaux* (chapitre H-2) demeure en vigueur pour la période qui y est mentionnée.

1990, c. 30, art. 29

30. Délai de conformité — L'exploitant d'un établissement commercial qui, en vertu de la *Loi sur les heures d'affaires des établissements commerciaux* (chapitre H-2) était soumis à une norme moins restrictive que ce qui est prévu à la présente loi, a jusqu'au 1er janvier 1991 pour se conformer à la présente loi.

1990, c. 30, art. 30

31.–34. (*Omis*).

35. Renvoi — Dans toute loi spéciale concernant une municipalité ainsi que dans tout règlement, décret, arrêté, contrat ou autre document, un renvoi à la *Loi sur les heures d'affaires des établissements commerciaux* (chapitre H-2) constitue, compte tenu du contexte, un renvoi à la présente loi.

1990, c. 30, art. 35

36. Exploitation — Malgré les dispositions de la présente loi, un permis délivré en vertu de la *Loi sur les permis d'alcool* (chapitre P-9.1) ne peut être exploité que conformément à cette loi.

1990, c. 30, art. 36

37. Dispositions prépondérantes — Les dispositions de la présente loi prévalent sur celles de toute autre loi générale ou spéciale en matière municipale et sur tout règlement municipal.

1990, c. 30, art. 37

38. Ministre responsable — Le ministre du Développement économique, de l'Innovation et de l'Exportation est chargé de l'application de la présente loi.

1990, c. 30, art. 38; 1994, c. 16, art. 24; 1999, c. 8, art. 20; 2003, c. 29, art. 135; 2006, c. 8, art. 31

39. (*Omis*).

1990, c. 30, art. 39

[QUE-10]
TABLE DES MATIÈRES
LOI SUR LA JUSTICE ADMINISTRATIVE

[QUE-10]
Loi sur la justice administrative

RLRQ, c. J-3, telle que modifiée par L.Q., 1997, c. 20, art. 16; 1997, c. 43, art. 868-874; 1997, c. 49, art. 10-11; 1997, c. 57, art. 59-60; 1997, c. 63, art. 138; 1997, c. 64, art. 20; 1997, c. 75, art. 56-60; 1998, c. 36, art. 196-199; 1998, c. 39, art. 195; 1998, c. 40, art. 172; 1999, c. 24, art. 45; 1999, c. 32, art. 32; 1999, c. 36, art. 158, ; 1999, c. 40, art. 166, 1999, c. 45, art. 5; 1999, c. 50, art. 68; 1999, c. 89, art. 53; 2000, c. 9, art. 48; 2000, c. 10, art. 22; 2000, c. 26, art. 64; 2000, c. 49, art. 28; 2000, c. 53, art. 65; 2000, c. 56, art. 164-165; 220; 2001, c. 9, art. 130; 2001, c. 14, art. 24; 2001, c. 24, art. 107; 2001, c. 29, art. 18-20; 2001, c. 38, art. 98; 2001, c. 44, art. 27; 2001, c. 60, art. 147; 166; 2001, c. 68, art. 67; 2002, c. 22, art. 1-28 [Non en vigueur en partie.]; 2002, c. 30, art. 160; 2002, c. 69, art. 127-129; 2002, c. 74, art. 81; 2002, c. 81, art. 19; 2003, c. 23, art. 72; 2004, c. 20, art. 191; 2004, c. 31, art. 67-70 [Non en vigueur en partie.]; 2004, c. 37, art. 82; 2005, c. 1, art. 305-306; 2005, c. 6, art. 222; 2006, c. 3 , art. 35; 2005, c. 15, art. 155-158; 2005, c. 17, art. 1-30; 2005, c. 47, art. 143; 2006, c. 31, art. 104; 2005, c. 32, art. 244-246; 2005, c. 34, art. 55; 2006, c. 41, art. 7; 2007, c. 3, art. 68; 2008, c. 14, art. 116; 2009, c. 31, art. 29; 2009, c. 48, art. 25; 2009, c. 24, art. 92-93; 2006, c. 23, art. 125; 2009, c. 30, art. 49-50; 2008, c. 18, art. 88; 2009, c. 52, art. 594; 2010, c. 7, art. 213-214; 2009, c. 45, art. 6; 2009, c. 21, art. 31; 2010, c. 34, art. 99-101; 2010, c. 39, art. 22-23; 2011, c. 20, art. 52; 2010, c. 30, art. 125; 2011, c. 18, art. 163-165; 2011, c. 21, art. 235; 2011, c. 27, art. 33-34; 2012, c. 21, art. 18; 2013, c. 26, art. 132; 2015, c. 1, art. 156-157; 2015, c. 15, art. 169-171; 2015, c. 20, art. 61; 2015, c. 23, art. 47; 2015, c. 25, art. 1 (art. 41-42) [Non en vigueur à la date de publication.]; 2015, c. 26, art. 24-28 [art. 24, 25 et 27 non en vigueur à la date de publication.]; 2015, c. 35, art. 7 (art. 79); 2016, c. 1, art. 119-120 [Non en vigueur à la date de publication.]; 2016, c. 3, art. 108 [Non en vigueur à la date de publication.]; 2016, c. 23, art. 63; 2016, c. 28, art. 64; 2016, c. 35, art. 23 (art. 223); 2017, c. 4, art. 249 [Non en vigueur à la date de publication.].

1. Objet — La présente loi a pour objet d'affirmer la spécificité de la justice administrative et d'en assurer la qualité, la célérité et l'accessibilité, de même que d'assurer le respect des droits fondamentaux des administrés.

Règles de procédure — Elle établit les règles générales de procédure applicables aux décisions individuelles prises à l'égard d'un administré. Ces règles de procédure diffèrent selon que les décisions sont prises dans l'exercice d'une fonction administrative ou d'une fonction juridictionnelle. Elles sont, s'il y a lieu, complétées par des règles particulières établies par la loi ou sous l'autorité de celle-ci.

Tribunal administratif — La présente loi institue également le Tribunal administratif du Québec et le Conseil de la justice administrative.

1996, c. 54, art. 1

Titre I — Règles générales applicables à des décisions individuelles prises à l'égard d'un administré

Chapitre I — Règles propres aux décisions qui relèvent de l'exercice d'une fonction administrative

2. Équité — Les procédures menant à une décision individuelle prise à l'égard d'un administré par l'Administration gouvernementale, en application des normes prescrites par la loi, sont conduites dans le respect du devoir d'agir équitablement.

1996, c. 54, art. 2

3. Administration gouvernementale — L'Administration gouvernementale est constituée des ministères et organismes gouvernementaux dont le gouvernement ou un ministre nomme la majorité des membres et dont le personnel est nommé suivant la *Loi sur la fonction publique* (chapitre F-3.1.1).

1996, c. 54, art. 3; 2000, c. 8, art. 242

4. Responsabilité — L'Administration gouvernementale prend les mesures appropriées pour s'assurer :

1° que les procédures sont conduites dans le respect des normes législatives et administratives, ainsi que des autres règles de droit applicables, suivant des règles simples, souples et sans formalisme et avec respect, prudence et célérité, conformément aux normes d'éthique et de discipline qui régissent ses agents, et selon les exigences de la bonne foi;

2° que l'administré a eu l'occasion de fournir les renseignements utiles à la prise de la décision et, le cas échéant, de compléter son dossier;

3° que les décisions sont prises avec diligence, qu'elles sont communiquées à l'administré concerné en termes clairs et concis et que les renseignements pour communiquer avec elle lui sont fournis;

4° que les directives à l'endroit des agents chargés de prendre la décision sont conformes aux principes et obligations prévus au présent chapitre et qu'elles peuvent être consultées par l'administré.

1996, c. 54, art. 4

5. Mesures préalables — L'autorité administrative ne peut prendre une ordonnance de faire ou de ne pas faire ou une décision défavorable portant sur un permis ou une autre autorisation de même nature, sans au préalable :

1° avoir informé l'administré de son intention ainsi que des motifs sur lesquels celle-ci est fondée;

2° avoir informé celui-ci, le cas échéant, de la teneur des plaintes et oppositions qui le concernent;

3° lui avoir donné l'occasion de présenter ses observations et, s'il y a lieu, de produire des documents pour compléter son dossier.

Urgence — Il est fait exception à ces obligations préalables lorsque l'ordonnance ou la décision est prise dans un contexte d'urgence ou en vue d'éviter qu'un préjudice irréparable ne soit causé aux personnes, à leurs biens ou à l'environnement et que, de plus, la loi autorise l'autorité à réexaminer la situation ou à réviser la décision.

1996, c. 54, art. 5

6. Décision défavorable — L'autorité administrative qui, en matière d'indemnité ou de prestation, s'apprête à prendre une décision défavorable à l'administré, est tenue de s'assurer que celui-ci a eu l'information appropriée pour communiquer avec elle et que son dossier contient les renseignements utiles à la prise de décision. Si elle constate que tel n'est pas le cas ou que le dossier est incomplet, elle retarde sa décision le temps nécessaire pour communiquer avec l'administré et lui donner l'occasion de fournir les renseignements ou les documents pertinents pour compléter son dossier.

Révision de la décision — Elle doit aussi, lorsqu'elle communique la décision, informer, le cas échéant, l'administré de son droit d'obtenir, dans le délai indiqué, que la décision soit révisée par l'autorité administrative.

1996, c. 54, art. 6

7. Complément d'information — Lorsqu'une situation est réexaminée ou une décision révisée à la demande de l'administré, l'autorité administrative donne à ce dernier l'occasion de présenter ses observations et, s'il y a lieu, de produire des documents pour compléter son dossier.

1996, c. 54, art. 7

8. Recours autres que judiciaires — L'autorité administrative motive les décisions défavorables qu'elle prend et indique, le cas échéant, les recours autres que judiciaires prévus par la loi, ainsi que les délais de recours.

1996, c. 54, art. 8

Chapitre II — Règles propres aux décisions qui relèvent de l'exercice d'une fonction juridictionnelle

9. Débat loyal — Les procédures menant à une décision prise par le Tribunal administratif du Québec ou par un autre organisme de l'ordre administratif chargé de trancher des litiges opposant un administré à une autorité administrative ou à une autorité décentralisée sont conduites, de manière à permettre un débat loyal, dans le respect du devoir d'agir de façon impartiale.

1996, c. 54, art. 9

10. Audition — L'organisme est tenu de donner aux parties l'occasion d'être entendues.

Audiences publiques — Les audiences sont publiques. Toutefois, le huis clos peut être ordonné, même d'office, lorsque cela est nécessaire pour préserver l'ordre public.

1996, c. 54, art. 10

11. Règles de conduite — L'organisme est maître, dans le cadre de la loi, de la conduite de l'audience. Il doit mener les débats avec souplesse et de façon à faire apparaître le droit et à en assurer la sanction.

Moyens de preuve — Il décide de la recevabilité des éléments et des moyens de preuve et il peut, à cette fin, suivre les règles ordinaires de la preuve en matière civile. Il doit toutefois, même d'office, rejeter tout élément de preuve obtenu dans des conditions qui portent atteinte aux droits et libertés fondamentaux et dont l'utilisation est susceptible de déconsidérer l'administration de la justice. L'utilisation d'une preuve obtenue par la violation du droit au respect du secret professionnel est réputée déconsidérer l'administration de la justice.

1996, c. 54, art. 11

12. **Mesures favorables aux parties** — L'organisme est tenu :

1º de prendre des mesures pour délimiter le débat et, s'il y a lieu, pour favoriser le rapprochement des parties;

2º de donner aux parties l'occasion de prouver les faits au soutien de leurs prétentions et d'en débattre;

3º si nécessaire, d'apporter à chacune des parties, lors de l'audience, un secours équitable et impartial;

4º de permettre à chacune des parties d'être assistée ou représentée par les personnes habilitées par la loi à cet effet.

1996, c. 54, art. 12

13. **Communication de la décision** — Toute décision rendue par l'organisme doit être communiquée en termes clairs et concis aux parties et aux autres personnes indiquées dans la loi.

Décision écrite — La décision terminant une affaire doit être écrite et motivée, même si elle a été portée oralement à la connaissance des parties.

1996, c. 54, art. 13

TITRE II — LE TRIBUNAL ADMINISTRATIF DU QUÉBEC

Chapitre I — Institution

14. **Constitution** — Est institué le « Tribunal administratif du Québec ».

Fonction — Il a pour fonction, dans les cas prévus par la loi, de statuer sur les recours formés contre une autorité administrative ou une autorité décentralisée.

Compétence — Sauf disposition contraire de la loi, il exerce sa compétence à l'exclusion de tout autre tribunal ou organisme juridictionnel.

1996, c. 54, art. 14

15. **Pouvoir** — Le Tribunal a le pouvoir de décider toute question de droit ou de fait nécessaire à l'exercice de sa compétence.

Contestation d'une décision — Lorsqu'il s'agit de la contestation d'une décision, il peut confirmer, modifier ou infirmer la décision contestée et, s'il y a lieu, rendre la décision qui, à son avis, aurait dû être prise en premier lieu.

1996, c. 54, art. 15

16. **Siège** — Le siège du Tribunal est situé sur le territoire de la Ville de Québec, à l'endroit déterminé par le gouvernement; un avis de l'adresse du siège est publié à la *Gazette officielle du Québec*.

1996, c. 54, art. 16; 2000, c. 56, art. 220

17. **Sections** — Le Tribunal comporte quatre sections :

— la section des affaires sociales;

— la section des affaires immobilières;

— la section du territoire et de l'environnement;

— la section des affaires économiques.

1996, c. 54, art. 17

Chapitre II — Compétence d'attribution des sections

Section I — La section des affaires sociales

18. Responsabilité — La section des affaires sociales est chargée de statuer sur des recours portant sur des matières de sécurité ou soutien du revenu, d'aide et d'allocations sociales, de protection des personnes dont l'état mental présente un danger pour elles-mêmes ou pour autrui, de services de santé et de services sociaux, de régime de rentes, d'indemnisation et d'immigration, lesquels sont énumérés à l'annexe I.

1996, c. 54, art. 18; 1997, c. 75, art. 56; 1998, c. 36, art. 196

19. Commission d'examen — En outre, la section des affaires sociales est désignée comme étant une commission d'examen au sens des articles 672.38 et suivants du *Code criminel* (L.R.C. (1985), ch. C-46), chargée de rendre ou de réviser des décisions concernant les accusés qui font l'objet d'un verdict de non-responsabilité criminelle pour cause de troubles mentaux ou qui ont été déclarés inaptes à subir leur procès.

Exercice — Dans l'exercice de cette fonction, la section des affaires sociales agit suivant les dispositions du *Code criminel.*

Attributions du président — Les attributions conférées au président d'une telle commission sont exercées par le vice-président responsable de la section ou par un autre membre de la section que désigne le gouvernement.

1996, c. 54, art. 19

20. Mesures d'aide financière — En matière de sécurité ou soutien du revenu, d'aide et d'allocations sociales, la section des affaires sociales est chargée de statuer sur les recours visés à l'article 1 de l'annexe I, portant notamment sur des décisions relatives à des mesures d'aide financière.

1996, c. 54, art. 20; 1998, c. 36, art. 197

21. Instruction — Ces recours sont instruits et décidés par une formation de deux membres dont un seul est avocat ou notaire.

Médecin — L'autre membre doit être médecin dans le cas des recours formés :

1º en vertu de l'article 28 de la *Loi sur les prestations familiales* (chapitre P-19.1), contre une décision déterminant, en vertu de l'article 11 de cette loi, si un enfant est atteint d'un handicap au sens du règlement du gouvernement;

2º en vertu de l'article 118 de la *Loi sur l'aide aux personnes et aux familles* (chapitre A-13.1.1) contre une décision portant sur l'évaluation des contraintes temporaires pour le motif prévu au paragraphe 1º du premier alinéa de l'article 53 de cette loi ou sur l'évaluation des contraintes sévères à l'emploi visées à l'article 70 de cette loi;

3º en vertu de l'article 16.4 de la *Loi sur la Société de l'assurance automobile du Québec* (chapitre S-11.011) concernant l'adaptation d'un véhicule routier pour en permettre la conduite ou l'accès à une personne handicapée;

4º en vertu de l'article 1029.8.61.41 de la *Loi sur les impôts* (chapitre I-3), contre une décision déterminant, en vertu de l'article 1029.8.61.19 de cette loi, si un enfant a, selon les règles prévues au règlement édicté en vertu de cet article, une déficience ou un trouble de développement qui le limite de façon importante dans les activités de la vie quotidienne pendant une période prévisible d'au moins un an.

1996, c. 54, art. 21; 1997, c. 49, art. 10; 1997, c. 57, art. 59; 1998, c. 36, art. 198; 2005, c. 1, art. 305; 2005, c. 15, art. 155

22. Maintien d'une garde — En matière de protection des personnes dont l'état mental présente un danger pour elles-mêmes ou pour autrui, la section des affaires sociales est chargée de statuer sur les recours visés à l'article 2 de l'annexe I, portant sur le maintien d'une garde ou les décisions prises à l'égard d'une personne sous garde en vertu de la *Loi sur la protection des personnes dont l'état mental présente un danger pour elles-mêmes ou pour autrui* (chapitre P-38.001).

1996, c. 54, art. 22; 1997, c. 75, art. 57

22.1 Instruction — Ces recours sont instruits et décidés par une formation de trois membres composée d'un avocat ou notaire, d'un psychiatre et d'un travailleur social ou psychologue.

1997, c. 75, art. 57; 2005, c. 17, art. 1

23. Accusé non responsable — En matière de mesures visant un accusé qui fait l'objet d'un verdict de non-responsabilité criminelle pour cause de troubles mentaux ou qui a été déclaré inapte à subir son procès, la section des affaires sociales est chargée de statuer sur les cas visés à l'article 2.1 de l'annexe I.

1996, c. 54, art. 23; 1997, c. 75, art. 57

24. Services de santé et sociaux — En matière de services de santé et de services sociaux, d'éducation et de sécurité routière, la section des affaires sociales est chargée de statuer sur les recours visés à l'article 3 de l'annexe I, portant notamment, en matière de services de santé et de services sociaux, sur des décisions relatives à l'accès aux documents ou renseignements concernant un bénéficiaire, à l'admissibilité d'une personne à un programme d'assurance maladie, à l'évacuation et au relogement de certaines personnes, aux permis d'établissements de santé et de services sociaux, de banques d'organes, de laboratoires ou d'autres services et aux certificats d'entreprises adaptées, ou concernant un professionnel de la santé ou les membres du conseil d'administration d'un établissement.

1996, c. 54, art. 24; 1999, c. 89, art. 53; 2002, c. 22, art. 1; 2004, c. 31, art. 67; 72

25. Instruction — Les recours visés aux paragraphes 0.1°, 2°, 2.2°,7°, 10° et 12° de l'article 3 de l'annexe I sont instruits et décidés par une formation de deux membres dont l'un est avocat ou notaire et l'autre médecin.

Instruction — Les recours visés aux paragraphes 1°, 2.1.1°, 2.1.2°, 2.3°, 3°, 5°, 6°, 8°, 9°, 11°, 12.1°, 13° et 14° de l'article 3 de l'annexe I sont instruits et décidés par un membre seul qui est avocat ou notaire.

Modification proposée — 25 al. 2

Les recours visés aux paragraphes 1°, 2.1.1°, 2.1.2°, 2.3°, 3°, 5°, 6°, 8°, 9°, 11°, 12.1°, 13°, 14° et 15° de l'article 3 de l'annexe I sont instruits et décidés par un membre seul qui est avocat ou notaire.

2015, c. 25, art. 1 (art. 41) [Non en vigueur à la date de publication.]

Modification proposée — 25 al. 2

Les recours visés aux paragraphes 0.2°, 1°, 2.1.1°, 2.1.2°, 2.3°, 3°, 5°, 6°, 8°, 9°, 11°, 12.1°, 13° et 14° de l'article 3 de l'annexe I sont instruits et décidés par un membre seul qui est avocat ou notaire.

2016, c. 1, art. 119 [Non en vigueur à la date de publication.]

Instruction et décision — Les recours visés aux paragraphes 2.1° et 5.1° de l'article 3 de l'annexe I sont instruits et décidés par une formation de deux membres dont l'un est avocat ou notaire et l'autre une personne ayant une bonne connaissance du milieu de l'éducation.

Avocat ou notaire — Les recours visés au paragraphe 8.1° de l'article 3 de l'annexe I sont instruits et décidés par un membre seul qui est avocat ou notaire. Toutefois, lorsque le recours porte sur une décision fondée sur l'un ou l'autre des motifs prévus au paragraphe 1° de l'article 67 de la *Loi sur les services préhospitaliers d'urgence* (chapitre S-6.2), il doit être instruit et décidé par une formation de deux membres dont l'un est avocat ou notaire et l'autre médecin.

1996, c. 54, art. 25; 1997, c. 43, art. 868; 2001, c. 29, art. 18; 2002, c. 22, art. 2; 2002, c. 69, art. 127; 2004, c. 31, art. 68; 2005, c. 32, art. 244; 2009, c. 24, art. 92; 2009, c. 30, art. 49-50; 2010, c. 39, art. 49-50; 2010, c. 34, art. 99; 2015, c. 1, art. 156

26. Régime des rentes — En matière de régime des rentes, la section des affaires sociales est chargée de statuer sur les recours visés à l'article 4 de l'annexe I, portant sur des décisions prises par Retraite Québec, notamment quant à une demande de prestation ou au partage de gains.

1996, c. 54, art. 26; 2012, c. 21, art. 18; 2015, c. 20, art. 61

27. Instruction — Ces recours sont instruits et décidés par un membre seul qui est avocat ou notaire.

Médecin — Toutefois, les recours formés en vertu de l'article 188 de la *Loi sur le régime de rentes du Québec* (chapitre R-9), contre une décision fondée sur l'état d'invalidité d'une personne, sont instruits et décidés par une formation de deux membres dont l'un est avocat ou notaire et l'autre médecin.

1996, c. 54, art. 27; 2002, c. 22, art. 3

28. Indemnisation — En matière d'indemnisation, la section des affaires sociales est chargée de statuer sur les recours visés à l'article 5 de l'annexe I, portant notamment sur des décisions relatives au droit à une indemnité ou au montant de celle-ci.

1996, c. 54, art. 28

29. Instruction — Ces recours sont instruits et décidés par une formation de deux membres dont l'un est avocat ou notaire et l'autre médecin.

1996, c. 54, art. 29

30. Immigration — En matière d'immigration, la section des affaires sociales est chargée de statuer sur les recours visés à l'article 6 de l'annexe I, portant sur des décisions prises par le ministre responsable de l'application de la *Loi sur l'immigration au Québec* (chapitre I-0.2) quant à un engagement ou un certificat de sélection ou d'acceptation.

Modification proposée — 30

30. Immigration — En matière d'immigration, la section des affaires sociales est chargée de statuer sur les recours visés à l'article 6 de l'annexe I, portant sur des décisions prises par le ministre responsable de l'application de la *Loi sur l'immigration au Québec* (chapitre I-0.2) relativement à un engagement à titre de garant, à une décision de sélection à titre temporaire ou à titre permanent, à la reconnaissance à titre de consultant en immigration ou à une sanction administrative pécuniaire.

2016, c. 3, art. 108 [Non en vigueur à la date de publication.]

1996, c. 54, art. 30

31. Instruction — Ces recours sont instruits et décidés par un membre seul qui est avocat ou notaire.

1996, c. 54, art. 31

Section II — La section des affaires immobilières

32. Affaires immobilières — La section des affaires immobilières est chargée de statuer sur des recours portant notamment sur l'exactitude, la présence ou l'absence d'une inscription au rôle d'évaluation foncière ou au rôle de la valeur locative, les exemptions ou remboursements de taxes foncières ou d'affaires, la fixation des indemnités découlant de l'imposition de réserves pour fins publiques ou de l'expropriation d'immeubles ou de droits réels immobiliers ou de dommages causés par des travaux publics ou sur la valeur ou le prix d'acquisition de certains biens, lesquels sont énumérés à l'annexe II.

1996, c. 54, art. 32

33. Instruction — Ces recours sont instruits et décidés par une formation de deux membres dont l'un est avocat ou notaire et l'autre évaluateur agréé.

Instruction — Toutefois, les recours formés en vertu de la *Loi sur la fiscalité municipale* (chapitre F-2.1) et portant sur une unité d'évaluation ou sur un établissement d'entreprise dont la valeur foncière ou locative inscrite au rôle est inférieure à la valeur fixée par règlement du gouvernement, sont instruits et décidés par un membre seul qui est avocat, notaire ou évaluateur agréé.

1996, c. 54, art. 33; 1999, c. 40, art. 166

Section III — La section du territoire et de l'environnement

34. Décisions ou ordonnances — La section du territoire et de l'environnement est chargée de statuer sur des recours portant notamment sur des décisions ou ordonnances prises quant à l'utilisation, au lotissement ou à l'aliénation d'un lot, à son inclusion ou à son exclusion d'une zone agricole, à l'enlèvement du sol arable, à l'émission, au dépôt, au dégagement ou au rejet de contaminants dans l'environnement, à l'exercice d'une activité susceptible de modifier la qualité de l'environnement ou à l'installation de certaines publicités commerciales le long des routes, lesquels sont énumérés à l'annexe III.

1996, c. 54, art. 34

35. Instruction — Ces recours sont instruits et décidés par une formation de deux membres dont un seul est avocat ou notaire.

1996, c. 54, art. 35

Section IV — La section des affaires économiques

36. Permis ou certificats — La section des affaires économiques est chargée de statuer sur des recours portant sur des décisions relatives, notamment, aux permis, certificats, ou autorisations nécessaires à l'exercice d'un métier ou d'une activité professionnelle, économique, industrielle ou commerciale, lesquels sont énumérés à l'annexe IV.

1996, c. 54, art. 36

37. Instruction — Ces recours sont instruits et décidés par une formation de deux membres dont un seul est avocat ou notaire.

1996, c. 54, art. 37

Chapitre III — Composition

Section I — Nomination des membres

38. Tribunal — Le Tribunal est composé de membres indépendants et impartiaux nommés durant bonne conduite par le gouvernement qui en détermine le nombre en tenant compte des besoins du Tribunal.

1996, c. 54, art. 38; 2005, c. 17, art. 2

39. Section — L'acte de nomination détermine la section à laquelle le membre est affecté.

1996, c. 54, art. 39

39.1 Lieu de résidence — Le gouvernement peut déterminer le lieu de résidence d'un membre.

2005, c. 17, art. 3

40. Affaires sociales — À la section des affaires sociales, au moins dix membres doivent être médecins, dont au moins quatre psychiatres, au moins deux doivent être des travailleurs sociaux et au moins deux autres doivent être psychologues.

1996, c. 54, art. 40; 2005, c. 17, art. 4

SECTION II — RECRUTEMENT ET SÉLECTION DES MEMBRES

41. Expérience requise — Seule peut être membre du Tribunal la personne qui, outre les qualités requises par la loi, possède une expérience pertinente de dix ans à l'exercice des fonctions du Tribunal.

1996, c. 54, art. 41

42. Règlement du gouvernement — Les membres sont choisis parmi les personnes déclarées aptes suivant la procédure de recrutement et de sélection établie par règlement du gouvernement. Un tel règlement peut notamment :

1º déterminer la publicité qui doit être faite pour procéder au recrutement, ainsi que les éléments qu'elle doit contenir;

2º déterminer la procédure à suivre pour se porter candidat;

3º autoriser la formation de comités de sélection chargés d'évaluer l'aptitude des candidats et de fournir un avis sur eux;

4º fixer la composition des comités et le mode de nomination de leurs membres en assurant, le cas échéant, la représentation des milieux intéressés;

5º déterminer les critères de sélection dont le comité tient compte;

6º déterminer les renseignements que le comité peut requérir d'un candidat et les consultations qu'il peut effectuer.

1996, c. 54, art. 42

43. Conseil exécutif — Le nom des personnes déclarées aptes est consigné dans un registre au ministère du Conseil exécutif.

1996, c. 54, art. 43

44. Déclaration d'aptitude — La déclaration d'aptitude est valide pour une période de 18 mois ou pour toute autre période fixée par règlement du gouvernement.

1996, c. 54, art. 44

45. Rémunération — Les membres d'un comité de sélection ne sont pas rémunérés, sauf dans les cas, aux conditions et dans la mesure que peut déterminer le gouvernement.

Remboursement des dépenses — Ils ont cependant droit au remboursement des dépenses faites dans l'exercice de leurs fonctions, aux conditions et dans la mesure que détermine le gouvernement.

1996, c. 54, art. 45

SECTION III — DURÉE ET RENOUVELLEMENT D'UN MANDAT (ABROGÉE)

46. (*Abrogé*).

1996, c. 54, art. 46; 2005, c. 17, art. 5

47. (*Abrogé*).
1996, c. 54, art. 47; 2005, c. 17, art. 5

48. (*Abrogé*).
1996, c. 54, art. 48; 2002, c. 22, art. 4; 2005, c. 17, art. 5

49. (*Abrogé*).
1996, c. 54, art. 49; 2002, c. 22, art. 4; 2005, c. 17, art. 5

50. (*Abrogé*).
1996, c. 54, art. 50; 2005, c. 17, art. 5

SECTION IV — FIN DES FONCTIONS ET SUSPENSION

51. Restriction — La fonction de membre ne peut prendre fin que par l'admission à la retraite ou la démission du membre, ou s'il est destitué ou autrement démis de ses fonctions dans les conditions visées à la présente section.
1996, c. 54, art. 51; 2005, c. 17, art. 7

52. Démission — Pour démissionner, le membre doit donner au ministre un préavis écrit dans un délai raisonnable et en transmettre copie au président du Tribunal.
1996, c. 54, art. 52

53. Destitution — Le gouvernement peut destituer un membre lorsque le Conseil de la justice administrative le recommande, après enquête tenue à la suite d'une plainte portée en application de l'article 182.

Suspension — Il peut pareillement suspendre le membre avec ou sans rémunération pour la période que le Conseil recommande.
1996, c. 54, art. 53

54. Congédiement — En outre, le gouvernement peut démettre un membre pour l'un des motifs suivants :

1° la perte d'une qualité requise par la loi pour exercer ses fonctions;

2° son incapacité permanente qui, de l'avis du gouvernement, l'empêche de remplir de manière satisfaisante les devoirs de sa charge; l'incapacité permanente est établie par le Conseil de la justice administrative, après enquête faite sur demande du ministre ou du président du Tribunal.
1996, c. 54, art. 54

SECTION V — AUTRE DISPOSITION RELATIVE À LA CESSATION DES FONCTIONS

55. Membre en surnombre — Tout membre admis à la retraite ou qui a démissionné peut, avec l'autorisation du président du Tribunal et pour la période que celui-ci détermine, continuer à exercer ses fonctions pour terminer les affaires qu'il a déjà commencé à entendre et sur lesquelles il n'a pas encore statué; il est alors, pendant la période nécessaire, un membre en surnombre.
1996, c. 54, art. 55; 2005, c. 17, art. 8

SECTION VI — RÉMUNÉRATION ET AUTRES CONDITIONS DE TRAVAIL

56. Règlement du gouvernement — Le gouvernement détermine par règlement :

1° le mode, les normes et barèmes de la rémunération des membres ainsi que la façon d'établir le pourcentage annuel de la progression du traitement des membres jusqu'au maximum de l'échelle salariale et de l'ajustement de la rémunération des membres dont le traitement est égal à ce maximum;

2° les conditions et la mesure dans lesquelles les dépenses faites par un membre dans l'exercice de ses fonctions lui sont remboursées.

Avantages sociaux — Il peut pareillement déterminer d'autres conditions de travail pour tous les membres ou pour certains d'entre eux, y compris leurs avantages sociaux autres que le régime de retraite.

Temps plein ou partiel — Les dispositions réglementaires peuvent varier selon qu'il s'agit d'un membre à temps plein ou à temps partiel ou selon que le membre occupe une charge administrative au sein du Tribunal.

Entrée en vigueur — Les règlements entrent en vigueur le quinzième jour qui suit la date de leur publication à la *Gazette officielle du Québec* ou à une date ultérieure qui y est indiquée.

1996, c. 54, art. 56; 2002, c. 22, art. 5

57. Rémunération — Le gouvernement fixe, conformément au règlement, la rémunération, les avantages sociaux et les autres conditions de travail des membres.

1996, c. 54, art. 57

58. Réduction — La rémunération d'un membre ne peut être réduite une fois fixée, si ce n'est pour tenir compte de la rente de retraite du secteur public québécois qui lui est versée.

Suppression — Néanmoins, la cessation d'exercice d'une charge administrative au sein du Tribunal entraîne la suppression de la rémunération additionnelle afférente à cette charge.

1996, c. 54, art. 58; 2005, c. 17, art. 9

59. Régime de retraite — Le régime de retraite des membres à temps plein est déterminé en application de la *Loi sur le régime de retraite du personnel d'encadrement* (chapitre R-12.1) ou de la *Loi sur le régime de retraite des fonctionnaires* (chapitre R-12), selon le cas.

1996, c. 54, art. 59; 2002, c. 30, art. 160

60. Fonctionnaire — Le fonctionnaire nommé membre du Tribunal cesse d'être fonctionnaire.

1996, c. 54, art. 60; 2005, c. 17, art. 10

SECTION VII — MANDAT ADMINISTRATIF

61. Président et vice-président — Le gouvernement désigne, parmi les membres du Tribunal qui sont avocats ou notaires, un président et des vice-présidents dont il détermine le nombre.

Désignation — L'acte de désignation d'un vice-président détermine les sections dont il est responsable.

1996, c. 54, art. 61

62. Exclusivité des fonctions — Le président et les vice-présidents doivent exercer leurs fonctions à temps plein.

1996, c. 54, art. 62

63. Suppléance — Le ministre désigne le vice-président chargé d'assurer la suppléance du président ou d'un vice-président.

Suppléance — Si ce vice-président est lui-même absent ou empêché, le ministre charge un autre vice-président de la suppléance.

1996, c. 54, art. 63

64. Mandat administratif — Le mandat administratif du président ou d'un vice-président est d'une durée fixe déterminée par l'acte de désignation ou de renouvellement.

1996, c. 54, art. 64

65. Restriction — Le mandat administratif du président ou d'un vice-président ne peut prendre fin avant terme que si le membre renonce à cette charge administrative, si sa fonction de membre prend fin ou s'il est révoqué ou autrement démis de sa charge administrative dans les conditions visées à la présente section.

1996, c. 54, art. 65; 2005, c. 17, art. 11

66. Révocation — Le gouvernement peut révoquer le président ou un vice-président de sa charge administrative lorsque le Conseil de la justice administrative le recommande, après enquête faite sur demande du ministre pour un manquement ne concernant que l'exercice de ses attributions administratives.

1996, c. 54, art. 66

67. Congédiement — En outre, le gouvernement peut démettre le président ou un vice-président de sa charge administrative pour perte d'une qualité requise par la loi pour exercer cette charge.

1996, c. 54, art. 67

Chapitre IV — Devoirs et pouvoirs des membres

68. Assermentation — Avant d'entrer en fonction, le membre prête serment en affirmant solennellement ce qui suit : « Je (...) jure que j'exercerai et accomplirai impartialement et honnêtement, au meilleur de ma capacité et de mes connaissances, les pouvoirs et les devoirs de ma charge. ».

Lieu de l'assermentation — Cette obligation est exécutée devant le président du Tribunal. Ce dernier doit prêter serment devant un juge de la Cour du Québec.

Écrit — L'écrit constatant le serment est transmis au ministre.

1996, c. 54, art. 68

69. Conflit d'intérêts — Un membre ne peut, sous peine de déchéance de sa charge, avoir un intérêt direct ou indirect dans une entreprise susceptible de mettre en conflit son intérêt personnel et les devoirs de sa charge, sauf si un tel intérêt lui échoit par succession ou donation pourvu qu'il y renonce ou en dispose avec diligence.

1996, c. 54, art. 69

70. Incompatibilité des fonctions — Outre le respect des prescriptions relatives aux conflits d'intérêts ainsi que des règles de conduite et des devoirs imposés par le Code de déontologie pris en application de la présente loi, un membre ne peut poursuivre une activité ou se placer dans une situation incompatibles, au sens de ce code, avec l'exercice de ses fonctions.

1996, c. 54, art. 70

71. Exercice exclusif — Les membres à temps plein sont tenus à l'exercice exclusif de leurs fonctions, sauf les exceptions qui suivent.

1996, c. 54, art. 71

72. Consultation — Tout membre peut exécuter tout mandat que lui confie par décret le gouvernement après consultation du président du Tribunal.

1996, c. 54, art. 72

73. Activités didactiques — Tout membre peut, avec le consentement écrit du président du Tribunal, exercer des activités didactiques pour lesquelles il peut être rémunéré.

1996, c. 54, art. 73

74. Pouvoirs et immunité — Le Tribunal et ses membres sont investis des pouvoirs et de l'immunité des commissaires nommés en vertu de la *Loi sur les commissions d'enquête* (chapitre C-37), sauf du pouvoir d'ordonner l'emprisonnement.

Ordonnances — Ils ont en outre tous les pouvoirs nécessaires à l'exercice de leurs fonctions; ils peuvent notamment rendre toutes ordonnances qu'ils estiment propres à sauvegarder les droits des parties.

Immunité — Ils ne peuvent être poursuivis en justice en raison d'un acte accompli de bonne foi dans l'exercice de leurs fonctions.

1996, c. 54, art. 74

Chapitre V — Fonctionnement

Section I — Direction et administration du Tribunal

75. Responsabilité du président — Outre les attributions qui peuvent lui être dévolues par ailleurs, le président est chargé de l'administration et de la direction générale du Tribunal.

Fonctions — Il a notamment pour fonctions :

1º de favoriser la participation des membres à l'élaboration d'orientations générales du Tribunal en vue de maintenir un niveau élevé de qualité et de cohérence des décisions;

2º de coordonner et de répartir le travail des membres du Tribunal qui, à cet égard, doivent se soumettre à ses ordres et directives;

3º de veiller au respect de la déontologie;

4º de promouvoir le perfectionnement des membres quant à l'exercice de leurs fonctions;

5º d'évaluer périodiquement les connaissances et habiletés des membres dans l'exercice de leurs fonctions ainsi que leur contribution dans le traitement des dossiers du Tribunal et dans l'atteinte des objectifs visés par la présente loi;

6º de désigner un membre pour coordonner les activités du Tribunal dans une ou plusieurs régions et, lorsque le volume des recours le justifie, déterminer son lieu de résidence dans l'une d'entre elles.

1996, c. 54, art. 75; 2005, c. 17, art. 12

76. Déontologie — Le président doit édicter un code de déontologie applicable aux conciliateurs et veiller à son respect.

Entrée en vigueur — Ce code entre en vigueur le quinzième jour qui suit la date de sa publication à la *Gazette officielle du Québec* ou à une date ultérieure qui y est indiquée.

1996, c. 54, art. 76

77. Affectation temporaire — Pour la bonne expédition des affaires du Tribunal, le président peut, après consultation des vice-présidents responsables des sections concernées, affecter temporairement un membre auprès d'une autre section.

1996, c. 54, art. 77

78. Plan de gestion — À chaque année, le président présente au ministre un plan dans lequel il expose ses objectifs de gestion pour assurer l'accessibilité au Tribunal ainsi que la qualité et la célérité de son processus décisionnel et fait état des résultats obtenus dans l'année antérieure.

Renseignements mensuels — Il y indique également, outre ceux qui lui sont demandés par le ministre, les renseignements suivants, compilés par le Tribunal pour chaque section sur une base mensuelle et portant sur :

1º le nombre de jours où des audiences ont été tenues et le nombre d'heures qui y ont été consacrées en moyenne;

2º le nombre de remises accordées;

3º la nature des affaires dans lesquelles une séance de conciliation a été tenue, leur nombre, ainsi que le nombre d'entre elles où un accord est intervenu entre les parties;

4º la nature des affaires entendues, leur nombre, ainsi que les endroits et dates où elles l'ont été;

5° la nature des affaires prises en délibéré, leur nombre, ainsi que le temps consacré aux délibérés;

6° le nombre de décisions rendues;

7° le temps consacré aux instances à partir du dépôt de la requête introductive jusqu'au début de l'instruction ou jusqu'à ce que la décision soit rendue.

1996, c. 54, art. 78

79. **Délégation** — Le président peut déléguer tout ou partie de ses attributions aux vice-présidents.

1996, c. 54, art. 79

80. **Vice-présidents** — Les vice-présidents assistent et conseillent le président dans l'exercice de ses fonctions et exercent leurs fonctions administratives sous l'autorité de ce dernier.

1996, c. 54, art. 80

81. **Fonctions** — Outre les attributions qui peuvent lui être dévolues par ailleurs ou déléguées par le président, un vice-président a notamment pour fonctions :

1° de veiller à la distribution des affaires et à la fixation des séances de la section dont il est responsable; à cet égard, les membres sont soumis à ses ordres et directives;

2° de participer à l'affectation temporaire d'un membre auprès d'une autre section.

1996, c. 54, art. 81

SECTION II — SÉANCES

82. **Assignation** — Le président, le vice-président responsable de la section ou tout membre désigné par l'un d'eux détermine quels membres sont appelés à siéger à l'une ou l'autre des séances.

Affaire complexe — Le président peut, lorsqu'il l'estime utile en raison de la complexité ou de l'importance d'une affaire, prévoir une formation composée d'un nombre de membres supérieur à celui prévu au chapitre II sans excéder cinq membres.

Formation d'un membre — Il peut aussi, lorsqu'il l'estime utile prévoir une formation d'un seul membre pour entendre et décider des recours qu'il indique et qui, en raison de leur nature et des faits, ne soulèvent pas de difficultés particulières et ne nécessitent pas une double expertise.

Responsabilité — Dans tous les cas, un membre seul est appelé à siéger lorsqu'il y a lieu de décider des mesures relatives à la gestion des recours ou des questions qui sont incidentes à ceux-ci.

1996, c. 54, art. 82; 1997, c. 43, art. 869; 2005, c. 17, art. 13

83. **Présidence** — Les séances sont présidées par le président, le vice-président responsable de la section concernée ou un membre désigné par l'un d'eux parmi les membres.

1996, c. 54, art. 83

84. **Lieu des séances** — Le Tribunal peut siéger à tout endroit du Québec. Lorsqu'il tient une audience dans une localité où siège un tribunal judiciaire, le greffier de ce tribunal accorde au Tribunal l'usage d'un local destiné aux tribunaux judiciaires, à moins qu'il ne soit occupé par des séances de ces tribunaux.

1996, c. 54, art. 84

85. **Évaluation foncière** — En matière d'évaluation foncière, le Tribunal peut siéger dans le territoire de la municipalité locale dont le rôle est visé lorsque le litige porte sur une unité d'évaluation ou sur un établissement d'entreprise dont la valeur foncière ou locative inscrite au rôle est égale ou inférieure à la valeur fixée par règlement du gouvernement.

Regroupement de territoires — Toutefois, le président du Tribunal, en collaboration avec le vice-président responsable de la section des affaires immobilières, peut regrouper les territoires de plusieurs municipalités locales dans un rayon de 100 kilomètres et désigner celui où le Tribunal doit siéger.

Séance hors territoire — Avec le consentement du requérant, le Tribunal peut siéger en dehors du territoire de la municipalité locale ou des limites fixées.

1996, c. 54, art. 85; 1999, c. 40, art. 166

Section III — Personnel et ressources matérielles et financières

86. Nomination — Le secrétaire du Tribunal ainsi que les autres membres du personnel du Tribunal sont nommés suivant la *Loi sur la fonction publique* (chapitre F-3.1.1).

Immunité — Ils ne peuvent être poursuivis en justice en raison d'un acte accompli de bonne foi dans l'exercice de leurs fonctions.

1996, c. 54, art. 86; 2000, c. 8, art. 242

87. Secrétaire — Le secrétaire a la garde des dossiers du Tribunal.

1996, c. 54, art. 87

88. Authenticité des documents — Les documents émanant du Tribunal sont authentiques lorsqu'ils sont signés ou, s'il s'agit de copies, lorsqu'elles sont certifiées conformes par un membre du Tribunal ou par le secrétaire.

1996, c. 54, art. 88

89. Droit d'accès aux dossiers — Malgré l'article 9 de la *Loi sur l'accès aux documents des organismes publics et sur la protection des renseignements personnels* (chapitre A-2.1), seule une personne autorisée par le Tribunal a droit d'accès, pour cause, à un dossier de la section des affaires sociales contenant des renseignements relatifs à la santé physique ou mentale d'une personne ou contenant des renseignements que le Tribunal estime d'un caractère confidentiel et dont la divulgation serait de nature à porter préjudice à une personne.

Confidentialité — Une personne autorisée à prendre connaissance d'un tel dossier est tenue de respecter son caractère confidentiel. Si une copie ou un extrait lui a été remis, elle doit le détruire dès qu'il ne lui est plus utile.

1996, c. 54, art. 89

90. Banque de jurisprudence — Le Tribunal constitue une banque de jurisprudence et s'assure, en collaboration avec la Société québécoise d'information juridique, de l'accessibilité de tout ou partie de l'ensemble des décisions qu'il a rendues.

Personnes visées — Il omet le nom des personnes visées par une décision rendue par la section des affaires sociales.

1996, c. 54, art. 90

91. Reprise de possession — Les parties doivent reprendre possession des pièces qu'elles ont produites et des documents qu'elles ont transmis une fois l'instance terminée.

Destruction — À défaut, ces pièces et documents peuvent être détruits à l'expiration d'un délai de 1 an après la date de la décision définitive du Tribunal ou de l'acte mettant fin à l'instance, à moins que le président n'en décide autrement.

1996, c. 54, art. 91

92. Tarif des frais — Le gouvernement peut, par règlement, déterminer le tarif des droits, honoraires et autres frais afférents aux recours instruits devant le Tribunal de même que les catégories de personnes qui peuvent en être exemptées.

1996, c. 54, art. 92

93. Exercice financier — L'exercice financier du Tribunal se termine le 31 mars.

1996, c. 54, art. 93

94. Prévisions budgétaires — Le président du Tribunal soumet chaque année au ministre les prévisions budgétaires du Tribunal pour l'exercice financier suivant, selon la forme, la teneur et à l'époque déterminées par ce dernier. Ces prévisions sont soumises à l'approbation du gouvernement.

Prévisions budgétaires — Les prévisions budgétaires du Tribunal présentent, relativement au fonds du Tribunal administratif du Québec, les éléments mentionnés aux paragraphes 1º à 5º du deuxième alinéa de l'article 47 de la *Loi sur l'administration financière* (chapitre A-6.001) et, le cas échéant, l'excédent visé par l'article 52 de cette loi.

Prévisions budgétaires — Malgré le troisième alinéa de l'article 47 de la *Loi sur l'administration financière*, les prévisions budgétaires du Tribunal n'ont pas à être préparées conjointement avec le ministre des Finances et le président du Conseil du trésor.

Prévisions budgétaires — Les prévisions budgétaires du Tribunal, approuvées par le gouvernement, sont transmises au ministre des Finances, qui intègre les éléments relatifs au fonds du Tribunal au budget des fonds spéciaux.

1996, c. 54, art. 94; 2011, c. 18, art. 163

95. Vérification — Les livres et comptes du Tribunal sont vérifiés chaque année par le Vérificateur général et chaque fois que le décrète le gouvernement.

1996, c. 54, art. 95

96. Rapport d'activités — Le Tribunal transmet au ministre, au plus tard le 30 juin de chaque année, un rapport de ses activités pour l'exercice financier précédent.

Dépôt devant l'Assemblée nationale — Le ministre dépose ce rapport devant l'Assemblée nationale dans les 30 jours de sa réception si elle est en session ou, si elle ne l'est pas, dans les 30 jours de l'ouverture de la session suivante.

Désignation interdite — Ce rapport ne doit nommément désigner aucune personne visée dans les affaires portées devant le Tribunal.

1996, c. 54, art. 96

97. Sommes requises — Les sommes requises pour l'application du présent titre sont portées au débit du fonds du Tribunal administratif du Québec.

Fonds — Ce fonds est constitué des sommes suivantes :

1º les sommes virées par le ministre et prélevées sur les crédits alloués annuellement à cette fin par l'Assemblée nationale;

2º les sommes versées par la Commission des normes, de l'équité, de la santé et de la sécurité du travail, Retraite Québec et la Société de l'assurance automobile du Québec ainsi que les sommes virées par le ministre responsable de l'application de la *Loi sur l'aide aux personnes et aux familles* (chapitre A-13.1.1); le montant et les modalités de versement ou de virement sont déterminés, pour chacun, par le gouvernement;

3º les sommes perçues en application du tarif des droits, honoraires et autres frais afférents aux recours instruits devant le Tribunal;

4º les sommes virées par le ministre des Finances en application du premier alinéa de l'article 54 de la *Loi sur l'administration financière* (chapitre A-6.001).

Comptabilité — Malgré l'article 51 de la *Loi sur l'administration financière*, la comptabilité du fonds n'a pas à être distinctement tenue des livres et des comptes du Tribunal.

1996, c. 54, art. 97; 1998, c. 36, art. 209; 2005, c. 15, art. 156; 2011, c. 18, art. 164; 2015, c. 15, art. 237; 2015, c. 20, art. 61

98. Application — L'article 53, le deuxième alinéa de l'article 54 de même que l'article 56 de la *Loi sur l'administration financière* (chapitre A-6.001) ne s'appliquent pas au fonds du Tribunal.

1996, c. 54, art. 98; 2011, c. 18, art. 165

Chapitre VI — Règles de preuve et de procédure

Section I — Objet

99. Règles de base — Le présent chapitre édicte des règles de base qui complètent les règles générales du chapitre II du titre I propres aux décisions qui relèvent de l'exercice d'une fonction juridictionnelle.

1996, c. 54, art. 99

Section II — Dispositions générales

100. Audition préalable — Le Tribunal ne peut statuer sur une affaire sans que les parties aient été entendues ou appelées.

Exception — Il est dispensé de cette obligation envers une partie pour faire droit à une requête non contestée. Il l'est également lorsque toutes les parties consentent à ce qu'il procède sur dossier, sous réserve de pouvoir les appeler pour les entendre.

Absence non motivée — En outre, si une partie appelée ne se présente pas au temps fixé pour l'audience sans avoir valablement justifié son absence ou, s'étant présentée, refuse de se faire entendre, le Tribunal peut néanmoins procéder et rendre une décision.

1996, c. 54, art. 100

101. Parties à l'instance — Sont parties à l'instance, outre la personne et l'autorité administrative ou l'autorité décentralisée directement intéressées, toute personne ainsi désignée par la loi.

1996, c. 54, art. 101

102. Représentation — Les parties peuvent se faire représenter par une personne de leur choix devant la section des affaires sociales, s'il s'agit d'un recours portant sur l'indemnisation des sauveteurs et des victimes d'actes criminels, d'un recours formé en vertu de l'article 65 de la *Loi sur les accidents du travail* (chapitre A-3) ou d'un recours formé en vertu de l'article 12 de la *Loi sur l'indemnisation des victimes d'amiantose ou de silicose dans les mines et les carrières* (chapitre I-7); néanmoins le professionnel radié, déclaré inhabile à exercer sa profession ou dont le droit d'exercer des activités professionnelles a été limité ou suspendu en application du *Code des professions* (chapitre C-26) ou d'une loi professionnelle ne peut agir comme représentant.

Représentation — Le ministre de l'Emploi et de la Solidarité sociale ou un organisme qui est son délégataire dans l'application de la *Loi sur l'aide aux personnes et aux familles* (chapitre A-13.1.1) peut se faire représenter par une personne de son choix devant la section des affaires sociales, s'il s'agit d'un recours exercé en vertu de cette loi ou de la présente loi en matière de sécurité ou soutien du revenu, d'aide et d'allocations sociales.

Représentation — Le requérant peut, devant la section des affaires sociales s'il s'agit d'un recours en matière d'immigration, se faire représenter par un parent ou par un organisme sans but lucratif voué à la défense ou aux intérêts des immigrants, s'il ne peut se présenter lui-même du fait qu'il ne se trouve pas au Québec. Dans ce dernier cas, le mandataire doit fournir au Tribunal un mandat écrit, signé par la personne qu'il représente, indiquant la gratuité du mandat.

1996, c. 54, art. 102; 1997, c. 63, art. 138; 1998, c. 36, art. 209; 2001, c. 44, art. 27; 2002, c. 22, art. 6; 2005, c. 15, art. 157; 2005, c. 17, art. 14

103. Services d'un avocat — Lorsqu'il est saisi d'un recours formé en vertu de l'article 21 de la *Loi sur la protection des personnes dont l'état mental présente un danger pour elles-mêmes ou pour autrui* (chapitre P-38.001), le Tribunal doit s'assurer que l'occasion a été fournie au requérant de retenir les services d'un avocat.

1996, c. 54, art. 103; 1997, c. 75, art. 58

104. Assistance — Les membres du personnel du Tribunal prêtent assistance à toute personne qui la requiert pour la formulation d'une requête, d'une intervention ou de tout autre acte de procédure adressés au Tribunal.

1996, c. 54, art. 104

105. Vice de procédure — Le Tribunal peut accepter une procédure même si elle est entachée d'un vice de forme ou d'une irrégularité.

1996, c. 54, art. 105

106. Prolongation du délai — Le Tribunal peut relever une partie du défaut de respecter un délai prescrit par la loi si cette partie lui démontre qu'elle n'a pu, pour des motifs raisonnables, agir plus tôt et si, à son avis, aucune autre partie n'en subit de préjudice grave.

1996, c. 54, art. 106; 2005, c. 17, art. 15

107. Exécution d'une décision — Un recours formé devant le Tribunal ne suspend pas l'exécution de la décision contestée, à moins qu'une disposition de la loi ne prévoie le contraire ou que, sur requête instruite et jugée d'urgence, un membre du Tribunal n'en ordonne autrement en raison de l'urgence ou du risque d'un préjudice sérieux et irréparable.

Suspension — Si la loi prévoit que le recours suspend l'exécution de la décision ou si le Tribunal rend une telle ordonnance, le recours est instruit et jugé d'urgence.

1996, c. 54, art. 107

108. Absence de dispositions — En l'absence de dispositions applicables à un cas particulier, le Tribunal peut y suppléer par toute procédure compatible avec la loi ou ses règles de procédure.

1996, c. 54, art. 108

109. Règles de procédure — Le Tribunal peut, par règlement adopté à la majorité de ses membres, édicter des règles de procédure précisant les modalités d'application des règles établies par le présent chapitre ou par les lois particulières en vertu desquelles les recours sont formés.

Règles différentes — Ces règles de procédure peuvent différer selon les sections ou, dans le cas de la section des affaires sociales, selon les matières auxquelles elles s'appliquent.

Approbation — Le règlement est soumis à l'approbation du gouvernement.

1996, c. 54, art. 109; 2005, c. 17, art. 16

SECTION III — PROCÉDURE INTRODUCTIVE ET PRÉLIMINAIRE

110. Requête au Tribunal — Le recours au Tribunal est formé par requête déposée au secrétariat du Tribunal dans les 30 jours qui suivent la notification au requérant de la décision contestée ou qui suivent les faits qui y donnent ouverture; ce délai est cependant de 60 jours lorsque le recours concerne des matières traitées par la section des affaires sociales. Aucun délai n'est applicable dans le cas d'un recours résultant du défaut de l'autorité administrative de disposer d'une demande de révision dans le délai fixé par la loi.

Dépôt — Cette requête peut également être déposée dans tout greffe de la Cour du Québec, auquel cas le greffier transmet sans délai la requête au secrétaire du Tribunal.

1996, c. 54, art. 110; 2005, c. 17, art. 17

111. Contenu — La requête indique la décision qui fait l'objet du recours ou les faits qui y donnent ouverture, expose sommairement les motifs invoqués au soutien du recours et mentionne les conclusions recherchées.

Renseignements — Elle contient tout autre renseignement exigé par les règles de procédure du Tribunal et indique, le cas échéant, le nom, l'adresse, ainsi que le numéro de téléphone et de télécopieur du représentant du requérant.

1996, c. 54, art. 111

112. Règles applicables — Les règles relatives aux avis prévus par les articles 76 et 77 du *Code de procédure civile* (chapitre C-25.01) s'appliquent, compte tenu des adaptations nécessaires, à une demande présentée au Tribunal.

1996, c. 54, art. 112; 2005, c. 34, art. 55; N.I. 2016-01-01 (NCPC)

113. Transmission de copies — Sur réception de la requête, le secrétaire du Tribunal en transmet copie à la partie contre laquelle le recours est formé et aux personnes indiquées à la loi.

1996, c. 54, art. 113

114. Copie du dossier — L'autorité administrative dont la décision est contestée est tenue, dans les 30 jours de la réception de la copie de la requête, de transmettre au secrétaire du Tribunal et au requérant copie du dossier relatif à l'affaire ainsi que le nom, l'adresse et le numéro de téléphone et de télécopieur de son représentant.

Documents — L'organisme municipal responsable de l'évaluation est tenu dans le même délai de transmettre la demande de révision et la proposition ou la décision de l'évaluateur, les documents qui lui sont remis à l'occasion de cette révision et ceux auxquels sa proposition ou sa décision réfère et, le cas échéant, tout certificat de l'évaluateur émis depuis la date du dépôt de la requête introductive du recours.

Accès au dossier — L'accès au dossier ainsi transmis demeure régi par la loi applicable à l'autorité administrative qui l'a transmis.

1996, c. 54, art. 114; 2002, c. 22, art. 7

114.1 Indemnité — Le défaut par une autorité administrative de transmettre la copie du dossier dans le délai prévu à l'article 114 donne ouverture, sur demande du requérant, à la fixation par le Tribunal d'une indemnité qui lui apparaît juste et raisonnable compte tenu des circonstances de l'affaire et de la durée du retard.

2005, c. 17, art. 18

115. Rejet d'un recours — Le Tribunal peut, sur requête, rejeter un recours qu'il juge abusif ou dilatoire ou l'assujettir à certaines conditions.

1996, c. 54, art. 115

116. Suspension de l'instance — Lorsque le Tribunal constate, à l'examen de la requête et de la décision contestée, que l'organe concerné a omis de prendre position sur certaines questions alors que la loi l'obligeait à le faire, il peut, si la date de l'audience n'est pas fixée, suspendre l'instance pour une période qu'il fixe afin que l'autorité administrative ou l'autorité décentralisée puisse agir.

Maintien de la contestation — Si, à l'expiration du délai, la contestation est maintenue, le Tribunal l'entend comme s'il s'agissait du recours sur la décision originale.

1996, c. 54, art. 116

117. Renvoi à la Cour du Québec — Lorsque, au cours d'une instance devant la section des affaires sociales, il se pose une question concernant le titre III de la *Loi sur le régime de rentes du Québec* (chapitre R-9), le Tribunal doit, sous réserve des exceptions visées à l'article 76 de cette loi, ordonner le renvoi de l'affaire à la Cour du Québec pour qu'elle statue sur la question soulevée. Dans ce cas, le secrétaire du Tribunal en avise sans délai le ministre du Revenu.

Renvoi au Tribunal — Dans les cas où la décision de la cour ne termine pas le litige, l'affaire est renvoyée au Tribunal.

1996, c. 54, art. 117

118. Jonction des affaires — Plusieurs affaires dans lesquelles les questions en litige sont en substance les mêmes ou dont les matières pourraient être convenablement réunies, qu'elles soient mues ou non entre les mêmes parties, peuvent être jointes par ordre du président du Tribunal ou du vice-président responsable de la section concernée, dans les conditions qu'il fixe.

Révocation — L'ordonnance rendue en vertu du premier alinéa peut être révoquée par le Tribunal lorsqu'il entend l'affaire, s'il est d'avis que les fins de la justice seront ainsi mieux servies.

1996, c. 54, art. 118

Ajout proposé — 118.1

118.1 Affaire prête pour l'audition — Une affaire doit être prête à être entendue par le Tribunal dans les 180 jours suivant le dépôt de la requête introductive du recours ou, en matière d'expropriation, du dépôt de l'offre de l'expropriant ou de la réclamation détaillée de l'exproprié.

Convocation — À l'expiration de ce délai, le Tribunal peut convoquer les parties à une conférence de gestion ou à une séance de conciliation.

2002, c. 22, art. 8 [Non en vigueur à la date de publication.]

119. Urgence — Doit être instruit et jugé d'urgence :

1° un recours formé en vertu de l'article 68 de la *Loi sur l'assurance médicaments* (chapitre A-29.01), portant sur le retrait de la reconnaissance par le ministre d'un fabricant ou d'un grossiste en médicaments;

2° un recours formé en vertu de l'article 53.13 de la *Loi sur l'expropriation* (chapitre E-24), portant sur une indemnité provisionnelle;

3° (*paragraphe abrogé*);

4° un recours formé en vertu de l'article 21 de la *Loi sur la protection des personnes dont l'état mental présente un danger pour elles-mêmes ou pour autrui* (chapitre P-38.001) concernant une personne gardée en établissement de santé ou de services sociaux;

5° un recours formé en vertu de l'article 21.1 de la *Loi sur la protection du territoire et des activités agricoles* (chapitre P-41.1), portant sur une ordonnance de la Commission de protection du territoire agricole du Québec;

5.0.1° un recours formé en vertu du premier alinéa de l'article 139 de la *Loi sur la publicité légale des entreprises* (chapitre P-44.1) portant sur l'annulation d'une inscription ou du dépôt au registre des entreprises de l'un des documents mentionnés à l'article 132 de cette loi, la rectification ou la suppression d'une information inexacte qui figure à ce registre, le remplacement ou la modification d'un nom utilisé ou le refus d'immatriculer ou de déposer à ce registre une déclaration ou un document au motif que le nom déclaré n'est pas conforme aux dispositions de l'un des paragraphes 1° à 6° du premier alinéa ou du deuxième alinéa de l'article 17 de cette loi;

5.0.2° un recours formé en vertu du deuxième alinéa de l'article 139 de la *Loi sur la publicité légale des entreprises* portant sur le remplacement, la modification ou l'annulation d'un nom, la radiation d'une immatriculation, le refus d'immatriculer, la révocation de la radiation d'une immatriculation, le refus de déposer au registre des entreprises une déclaration ou un document transféré en application d'une entente conclue conformément à l'un des articles 117 ou 118 de cette loi ou le refus d'inscrire à ce registre un nom utilisé;

5.0.3° un recours formé en vertu de l'article 105.1 de la *Loi sur les services de garde éducatifs à l'enfance* (chapitre S-4.1.1) portant sur une ordonnance interdisant à une personne d'offrir ou de fournir tout service de garde dans des conditions de nature à compromettre la santé ou la sécurité des enfants;

5.1° un recours formé en vertu de l'article 57 de la *Loi sur les services préhospitaliers d'urgence* (chapitre S-6.2), portant sur la suspension, la révocation, le non-renouvellement ou le refus de cession ou de transport d'un permis d'exploitation de services ambulanciers ou sur le refus de cession ou de transport de la propriété d'actions;

5.2° un recours formé en vertu de l'article 346.0.16 de la *Loi sur les services de santé et les services sociaux* (chapitre S-4.2), portant sur le refus de délivrer une attestation temporaire ou un certificat de conformité ou sur la révocation ou le non-renouvellement, selon le cas, d'une telle attestation ou d'un tel certificat;

6° un recours formé en vertu de l'article 453 de la *Loi sur les services de santé et les services sociaux* (chapitre S-4.2) ou en vertu de l'article 182.1 de la *Loi sur les services de santé et les services sociaux pour les autochtones cris* (chapitre S-5), portant sur la décision d'évacuer et de reloger des personnes hébergées dans une installation où des activités sont exercées sans permis;

7° un recours formé en vertu de l'article 202.6.11 du *Code de la sécurité routière* (chapitre C-24.2) à la suite d'une décision de suspendre un permis ou le droit d'en obtenir un pour une période de 30 ou de 60 jours pour un excès de vitesse ou de 90 jours pour présence d'alcool dans l'organisme;

8° un recours formé en vertu de l'article 209.14 du *Code de la sécurité routière* à la suite d'une décision de refuser la remise en possession d'un véhicule routier.

1996, c. 26, art. 85; 1996, c. 54, art. 119; 1997, c. 75, art. 59; 2001, c. 29, art. 19; 2001, c. 60, art. 166; 2002, c. 22, art. 9; 2002, c. 69, art. 128; 2005, c. 32, art. 245; 2008, c. 14, art. 116 ; 2010, c. 7, art. 213; 2010, c. 39, art. 22; 2010, c. 34, art. 100; 2011 c. 27, art. 33

SECTION III.1 — CONFÉRENCE DE GESTION

119.1 Convocation à une conférence de gestion — Si les circonstances d'une affaire le justifient, notamment lorsque l'une des parties ne respecte pas un délai prescrit par la loi, le président du Tribunal, le vice-président responsable de la section concernée ou le membre désigné par l'un d'eux peut, d'office ou sur demande de l'une des parties, convier celles-ci à une conférence de gestion pour :

1° convenir avec elles d'une entente sur le déroulement de l'instance précisant leurs engagements et fixant le calendrier des échéances à respecter à l'intérieur du délai prévu;

2° déterminer, à défaut d'entente entre les parties, le calendrier des échéances lequel s'impose aux parties;

3° décider des moyens propres à simplifier ou à accélérer le déroulement de l'instance et à abréger l'audience, notamment préciser les questions en litige ou admettre quelque fait ou document;

4° inviter les parties à participer à une séance de conciliation.

Entente — L'entente prévue au paragraphe 1° porte, notamment, sur les modalités et le délai de communication des pièces, des déclarations écrites pour valoir témoignage et des déclarations sous serment détaillées ainsi que sur les expertises.

2002, c. 22, art. 10; N.I. 2016-01-01 (NCPC)

119.2 Procès-verbal — Un procès-verbal de la conférence est dressé et signé par le membre qui l'a tenue.

2002, c. 22, art. 10

119.3 Défaut — Si une partie fait défaut de participer à une conférence, le Tribunal constate le défaut et rend les décisions qu'il juge appropriées.

2002, c. 22, art. 10

Ajout proposé — 119.4

119.4 Calendrier des échéances — En matière de fiscalité municipale, lorsque le recours porte sur une unité d'évaluation ou sur un lieu d'affaires dont la valeur foncière ou locative inscrite au rôle est égale ou supérieure à celle fixée par règlement du gouvernement, de même qu'en matière d'expropriation, les parties doivent produire un calendrier des échéances.

Délai de production — En matière de fiscalité municipale, ce calendrier doit être produit dans les trois mois suivant l'introduction du recours, alors qu'en matière d'expropriation, il doit l'être dans les trois mois suivant le dépôt de l'offre de l'expropriant ou de la réclamation détaillée de l'exproprié.

Dépôt de rapports — En matière de fiscalité municipale, lorsque le recours porte sur une unité d'évaluation ou sur un lieu d'affaires dont la valeur foncière ou locative inscrite au rôle est inférieure à celle fixée par règlement du gouvernement, l'organisme municipal responsable de l'évaluation doit, au plus tard trois mois après le dépôt de la requête introductive du recours, déposer le rapport de l'évaluateur relatif à l'affaire et en avoir transmis copie à l'autre partie. Cette dernière est tenue, le cas échéant, de déposer le rapport de son expertise dans les deux mois qui suivent.

2002, c. 22, art. 10 [Non en vigueur à la date de publication.]

119.5 Défaut — Le membre peut, si les parties ne respectent pas les échéances fixées, rendre les décisions appropriées, y compris la forclusion. Il peut, sur demande, relever la partie défaillante de son défaut, s'il estime que l'intérêt de la justice le requiert.

2002, c. 22, art. 10

SECTION IV — CONCILIATION

119.6 Séance de conciliation — Sur réception par le Tribunal d'une copie d'un dossier en matière d'indemnité ou de prestation, le président du Tribunal, le vice-président responsable de la section concernée ou le membre désigné par l'un d'eux doit, si la matière et les circonstances d'une affaire le permettent, offrir aux parties la tenue d'une séance de conciliation par un membre ou un membre du personnel choisi par le président du Tribunal ou la personne qu'il désigne.

2005, c. 17, art. 19

120. Suspension de l'instance — S'il le considère utile et si la matière et les circonstances d'une affaire le permettent, le président du Tribunal, le vice-président responsable de la section concernée, le membre désigné par l'un d'eux ou l'un des membres appelés à siéger dans cette affaire peut, avec le consentement des parties, à tout moment avant le délibéré, présider une séance de conciliation ou permettre la tenue d'une telle séance par un membre du personnel choisi par le président du Tribunal ou la personne qu'il désigne.

Convocation à une séance de conciliation — Dans le cas d'un recours portant sur une décision réclamant des prestations indûment reçues en matière de sécurité du revenu, d'un recours portant sur une décision fondée sur l'état d'invalidité d'une personne en matière de régime de rentes ou d'un recours en matière d'indemnisation en vertu de la *Loi sur l'assurance automobile* (chapitre A-25), le président du Tribunal ou le vice-président responsable de la section concernée peut convoquer les parties à une première séance de conciliation et désigner le conciliateur. Les parties sont tenues d'y participer.

1996, c. 54, art. 120; 2002, c. 22, art. 11

121. But — La conciliation a pour but d'aider les parties à communiquer, à négocier, à identifier leurs intérêts, à évaluer leurs positions et à explorer des solutions mutuellement satisfaisantes.

Instance continuée — Elle ne suspend pas le déroulement de l'instance.

1996, c. 54, art. 121; 2002, c. 22, art. 12

121.1 Règles et calendrier — Le conciliateur définit, après consultation auprès des parties, les règles applicables et les mesures propres à faciliter le déroulement de la conciliation, de même que le calendrier des rencontres.

Tenue — La conciliation a lieu à huis clos, sans frais, sans formalités ni écrit préalable.

Participants — Elle est tenue en présence des parties et de leurs représentants. Le conciliateur peut, si les parties y consentent, les rencontrer séparément. Peuvent également y participer les personnes dont la présence est considérée utile au règlement du litige par le conciliateur ou les parties.

2002, c. 22, art. 12

121.2 Modification du calendrier — Le membre du Tribunal qui préside une séance de conciliation peut, s'il le juge nécessaire, modifier le calendrier des échéances.

Inhabilité — Il ne peut cependant, si aucun accord n'intervient, entendre par la suite aucune demande relative au litige.

2002, c. 22, art. 12

122. Recevabilité en preuve — À moins que les parties n'y consentent, rien de ce qui a été dit ou écrit au cours d'une séance de conciliation n'est recevable en preuve devant un tribunal judiciaire ou devant une personne ou un organisme de l'ordre administratif lorsqu'il exerce des fonctions juridictionnelles. Les parties doivent en être informées par le conciliateur.

1996, c. 54, art. 122; 2002, c. 22, art. 13

123. Confidentialité — Le conciliateur ne peut être contraint de divulguer ce qui lui a été révélé ou ce dont il a eu connaissance dans l'exercice de ses fonctions, ni de produire un document confectionné ou obtenu dans cet exercice devant un tribunal judiciaire ou devant une personne ou un organisme de l'ordre administratif lorsqu'il exerce des fonctions juridictionnelles.

Accès aux documents — Malgré l'article 9 de la *Loi sur l'accès aux documents des organismes publics et sur la protection des renseignements personnels* (chapitre A-2.1), nul n'a droit d'accès à un document contenu dans le dossier de conciliation.

1996, c. 54, art. 123

124. Accord écrit — Tout accord est constaté par écrit. Il est signé par le conciliateur et les parties et, le cas échéant, par leurs représentants et lie ces dernières.

Accord exécutoire — L'accord intervenu à la suite d'une séance de conciliation présidée par un membre du Tribunal met fin à l'instance et devient exécutoire comme une décision du Tribunal alors que celui, intervenu à la suite d'une séance de conciliation tenue par un membre du personnel, a les mêmes effets s'il est entériné par le Tribunal.

1996, c. 54, art. 124; 2002, c. 22, art. 14

SECTION V — CONFÉRENCE PRÉPARATOIRE

125. Convocation — S'il le considère utile et si les circonstances d'une affaire le permettent, le président du Tribunal, le vice-président responsable de la section concernée ou le membre désigné par l'un d'eux peut convoquer les parties à une conférence préparatoire.

1996, c. 54, art. 125

126. Objets — La conférence préparatoire a pour objet :

1º de définir les questions à débattre lors de l'audience;

2º d'évaluer l'opportunité de clarifier et préciser les prétentions des parties, ainsi que les conclusions recherchées;

3º d'assurer l'échange entre les parties de toute preuve documentaire;

4º de planifier le déroulement de la procédure et de la preuve lors de l'audience;

5º d'examiner la possibilité pour les parties d'admettre certains faits ou d'en faire la preuve par déclaration sous serment;

6º d'examiner toute autre question pouvant simplifier ou accélérer le déroulement de l'audience.

1996, c. 54, art. 126

127. Procès-verbal — Un procès-verbal de la conférence préparatoire est dressé, signé par les parties et le membre qui les a convoquées.

Déroulement de l'instance — Les ententes et décisions qui y sont rapportées gouvernent pour autant le déroulement de l'instance, à moins que le Tribunal, lorsqu'il entend l'affaire, ne permette d'y déroger pour prévenir une injustice.

1996, c. 54, art. 127

SECTION VI — AUDIENCE

128. Période d'audience — Dans la mesure du possible, le Tribunal favorise la tenue de l'audience à une date et à une heure où les parties et, s'il y a lieu, leurs témoins peuvent être présents sans inconvénient majeur pour leurs occupations ordinaires.

1996, c. 54, art. 128; 2002, c. 22, art. 15

129. Avis — Un avis est transmis aux parties dans un délai raisonnable avant l'audience ou dans celui fixé à la loi, mentionnant :

1° l'objet, la date, l'heure et le lieu de l'audience;

2° le droit des parties d'y être assistées ou représentées, et précisant les catégories de personnes habilitées par la loi à le faire devant le Tribunal;

3° le pouvoir du Tribunal de procéder, sans autre avis ni délai, malgré le défaut d'une partie de se présenter au temps et au lieu fixés, s'il n'est pas justifié valablement.

1996, c. 54, art. 129

130. Admission d'un journaliste — Tout journaliste qui démontre sa qualité est admis, sans autre formalité, à une audience à huis clos, à moins que le Tribunal ne juge que sa présence peut causer un préjudice à une personne dont les intérêts peuvent être touchés par l'instance.

Informations restreintes — Ce journaliste ne peut publier ou diffuser aucune information permettant d'identifier les personnes concernées, à moins d'y être autorisé par la loi ou le Tribunal.

1996, c. 54, art. 130

131. Publication interdite — Le Tribunal peut, d'office ou sur demande d'une partie, interdire ou restreindre la divulgation, la publication ou la diffusion de renseignements ou de documents qu'il indique, lorsque cela est nécessaire pour préserver l'ordre public ou si le respect de leur caractère confidentiel le requiert pour assurer la bonne administration de la justice.

1996, c. 54, art. 131

132. Citation à comparaître — La partie qui désire citer un témoin à comparaître le fait au moyen d'une citation délivrée par un membre ou l'avocat qui la représente et la signifie selon les règles de procédure du Tribunal.

Interrogatoire — Toute partie peut interroger et contre-interroger les témoins dans la mesure nécessaire pour assurer une procédure équitable.

1996, c. 54, art. 132; 2002, c. 22, art. 16

133. Témoignage — Aucun témoin ne peut refuser, sans raison valable, de répondre aux questions qui lui sont légalement posées par le Tribunal ou par les parties.

Restriction — Toutefois, il ne peut être contraint à répondre dans les cas et aux conditions prévus par les articles 282 à 284 du *Code de procédure civile* (chapitre C-25.01).

1996, c. 54, art. 133; N.I. 2016-01-01 (NCPC)

134. Ajournement — Le Tribunal peut ajourner l'audience, aux conditions qu'il détermine, s'il est d'avis que l'ajournement ne causera pas de retard déraisonnable à l'instance et n'entraînera pas un déni de justice, notamment en vue de favoriser un règlement à l'amiable.

1996, c. 54, art. 134

135. Garde des dépositions — En matière d'expropriation, de même qu'en matière de fiscalité municipale lorsque le recours porte sur une unité d'évaluation ou sur un établissement d'entreprise dont la valeur foncière ou locative inscrite au rôle est égale ou supérieure à celle fixée par le gouvernement, les dépositions sont conservées par la prise en sténographie ou par un enregistrement, selon la manière autorisée par le Tribunal, à moins que les parties ne renoncent à leur droit d'en appeler de la décision. Le cas échéant, la renonciation doit être écrite ou consignée au procès-verbal.

Garde des dépositions — Dans le cas des autres recours entendus par la section des affaires immobilières ou de ceux entendus en matière de protection du territoire agricole, les dépositions ne sont conservées que si le requérant le demande par écrit.

1996, c. 54, art. 135; 1999, c. 40, art. 166

136. Remplaçant — Lorsque, par suite d'un empêchement, un membre ne peut poursuivre une audition, un autre membre désigné par le président du Tribunal ou par le vice-président responsable de la section concernée peut, avec le consentement des parties, poursuivre cette audition et s'en tenir, quant à la preuve testimoniale déjà produite, aux notes et au procès-verbal de l'audience ou, le cas échéant, aux notes sténographiques ou à l'enregistrement de l'audition.

Remplaçant — La même règle s'applique pour la poursuite d'une audition après la cessation de fonction d'un membre siégeant à l'audience.

1996, c. 54, art. 136

SECTION VII — PREUVE

137. Moyen pertinent — Toute partie peut présenter tout moyen pertinent de droit ou de fait pour la détermination de ses droits et obligations.

1996, c. 54, art. 137

138. Recevabilité de la preuve — Le Tribunal peut subordonner la recevabilité de la preuve à des règles de communication préalable.

1996, c. 54, art. 138

139. Preuve non pertinente — Le Tribunal peut refuser de recevoir toute preuve qui n'est pas pertinente ou qui n'est pas de nature à servir les intérêts de la justice.

1996, c. 54, art. 139

140. Connaissance du droit — Outre les faits dont la notoriété rend l'existence raisonnablement incontestable, le Tribunal doit, dans les domaines relevant de sa compétence, prendre connaissance d'office du droit en vigueur au Québec. Sauf dispositions contraires de la loi, doivent cependant être allégués les textes d'application d'une loi qui ne sont pas publiés à la *Gazette officielle du Québec* ou d'une autre manière prévue par la loi.

1996, c. 54, art. 140

141. Connaissance des faits — Un membre prend connaissance d'office des faits généralement reconnus, des opinions et des renseignements qui ressortissent à sa spécialisation ou à celle de la section à laquelle il est affecté.

1996, c. 54, art. 141

142. Évaluation de la preuve — Le Tribunal ne peut retenir, dans sa décision, un élément de preuve que si les parties ont été à même d'en commenter ou d'en contredire la substance.

Observations des parties — Sauf pour les faits qui doivent être admis d'office en application de l'article 140, le Tribunal ne peut fonder sa décision sur les moyens de droit ou de fait relevés d'office par un membre sans avoir au préalable invité les parties à présenter leurs observations, sauf celles d'entre elles qui ont renoncé à exposer leurs prétentions.

1996, c. 54, art. 142

SECTION VIII — RÉCUSATION D'UN MEMBRE

143. Avis — Tout membre qui connaît en sa personne une cause valable de récusation est tenu de la déclarer dans un écrit versé au dossier et d'en aviser les parties.

1996, c. 54, art. 143

144. Demande de récusation — Toute partie peut, à tout moment avant la décision et à la condition d'agir avec diligence, demander la récusation d'un membre saisi de l'affaire si elle a des motifs sérieux de croire qu'il existe une cause de récusation.

Demande au président — La demande de récusation est adressée au président du Tribunal. Sauf si le membre se récuse, la demande est décidée par le président, le vice-président responsable de la section concernée ou par un autre membre désigné par l'un d'eux.

1996, c. 54, art. 144

SECTION IX — DÉCISION

145. Motifs de désaccord — Lorsqu'une affaire est entendue par plus d'un membre, la décision est prise à la majorité des membres qui l'ont entendue. Si l'un d'eux est dissident, les motifs de son désaccord doivent y être consignés.

Opinions partagées — Lorsque les opinions se partagent également sur une question, celle-ci est déférée au président, au vice-président responsable de la section concernée ou à un membre désigné par l'un d'eux parmi les membres pour qu'il en décide selon la loi.

1996, c. 54, art. 145

146. Prise en délibéré — Dans toute affaire, de quelque nature qu'elle soit, la décision doit être rendue dans les trois mois de sa prise en délibéré, à moins que le président du Tribunal, pour des motifs sérieux, n'ait prolongé ce délai.

Défaut d'un membre — Lorsqu'un membre saisi d'une affaire ne rend pas sa décision dans le délai de trois mois ou, le cas échéant, dans le délai tel que prolongé, le président peut, d'office ou sur demande d'une des parties, dessaisir ce membre de cette affaire.

Prolongation du délai — Avant de prolonger le délai ou de dessaisir le membre qui n'a pas rendu sa décision dans les délais requis, le président doit tenir compte des circonstances et de l'intérêt des parties.

1996, c. 54, art. 146

147. Quorum — Toute affaire entendue par le membre dessaisi est décidée par les autres membres qui ont siégé à l'audience s'ils sont en nombre suffisant pour constituer le quorum ou, à défaut, entendue de nouveau.

1996, c. 54, art. 147

148. Cessation des fonctions — Toute affaire entendue par un membre et sur laquelle il n'a pas encore été statué au moment où il cesse d'exercer ses fonctions obéit aux mêmes règles que celles prévues à l'article 147.

1996, c. 54, art. 148

149. Preuve testimoniale — Le président, un vice-président ou tout membre appelé à entendre une affaire par application du deuxième alinéa de l'article 145, ou des articles 147 ou 148 peut, quant à la preuve testimoniale et du consentement des parties, s'en tenir aux notes et au procès-verbal de l'audience ou, le cas échéant, aux notes sténographiques ou à l'enregistrement de l'audition, sous réserve, dans le cas où il les juge insuffisants, de rappeler un témoin ou de requérir toute autre preuve.

1996, c. 54, art. 149

150. Signature de la minute — Lorsque, en cas d'empêchement ou de cessation de fonction, un membre ne peut signer la minute d'une décision prononcée à l'audience, un autre membre désigné par le président du Tribunal ou par le vice-président responsable de la section concernée peut signer cette minute.

1996, c. 54, art. 150

151. Huis clos, non-publication — Toute ordonnance de huis clos, de non-publication, de non-divulgation ou de non-diffusion prononcée par le Tribunal au cours d'une affaire est expressément mentionnée dans la décision.

1996, c. 54, art. 151

152. Décision — Une copie de la décision doit être transmise à chacune des parties et aux autres personnes indiquées dans la loi.

1996, c. 54, art. 152

153. Rectification — La décision entachée d'une erreur d'écriture ou de calcul ou de quelque autre erreur matérielle peut être rectifiée, sur dossier et sans autre formalité, par le membre qui l'a rendue.

Rectification — Si le membre est empêché ou a cessé d'exercer ses fonctions, un autre membre désigné par le président du Tribunal ou par le vice-président responsable de la section concernée peut, sur demande d'une partie, rectifier la décision.

1996, c. 54, art. 153

154. Révision ou révocation — Le Tribunal peut, sur demande, réviser ou révoquer toute décision qu'il a rendue :

1° lorsqu'est découvert un fait nouveau qui, s'il avait été connu en temps utile, aurait pu justifier une décision différente;

2° lorsqu'une partie n'a pu, pour des raisons jugées suffisantes, se faire entendre;

3° lorsqu'un vice de fond ou de procédure est de nature à invalider la décision.

Exception — Dans le cas visé au paragraphe 3°, la décision ne peut être révisée ou révoquée par les membres qui l'ont rendue.

1996, c. 54, art. 154

155. Requête au Tribunal — Le recours en révision ou en révocation est formé par requête déposée au secrétariat du Tribunal dans un délai raisonnable à partir de la décision visée ou de la connaissance du fait nouveau susceptible de justifier une décision différente. La requête indique la décision visée et les motifs invoqués à son soutien. Elle contient tout autre renseignement exigé par les règles de procédure du Tribunal et indique, le cas échéant, le nom, l'adresse, ainsi que le numéro de téléphone et de télécopieur du représentant du requérant.

Transmission — Le secrétaire du Tribunal transmet copie de la requête aux autres parties qui peuvent y répondre, par écrit, dans un délai de 30 jours de sa réception.

Audition — Le Tribunal procède sur dossier; il peut cependant, s'il le juge approprié ou si l'une des parties le demande, les entendre.

1996, c. 54, art. 155

156. Décision exécutoire — Une décision du Tribunal est exécutoire suivant les conditions et modalités qui y sont indiquées pourvu que les parties en aient reçu copie ou en aient autrement été avisées.

Exécution forcée — L'exécution forcée d'une telle décision se fait par le dépôt de celle-ci au greffe du tribunal compétent et selon les règles prévues au *Code de procédure civile* (chapitre C-25.01).

Règles d'exécution — Toutefois, l'exécution d'une décision statuant sur un recours formé selon les dispositions de la *Loi sur l'expropriation* (chapitre E-24) se fait suivant les règles prévues à cette loi.

1996, c. 54, art. 156; N.I. 2016-01-01 (NCPC)

157. Outrage au tribunal — Commet un outrage au tribunal toute personne qui contrevient à une décision ou à une ordonnance exécutoire.

1996, c. 54, art. 157

158. Immunité — Sauf sur une question de compétence, aucun pourvoi en contrôle judiciaire prévu au *Code de procédure civile* (chapitre C-25.01) ne peut être exercé, ni aucune injonction accordée contre le Tribunal ou un de ses membres agissant en sa qualité officielle.

Procédure sommaire — Tout juge de la Cour d'appel peut, sur demande, annuler par procédure sommaire les jugements, ordonnances ou injonctions prononcés à l'encontre du présent article.

1996, c. 54, art. 158; N.I. 2016-01-01 (NCPC)

Section X — Appel

159. Appel à la Cour du Québec — Les décisions rendues par le Tribunal dans les matières traitées par la section des affaires immobilières, de même que celles rendues en matière de protection du territoire agricole, peuvent, quel que soit le montant en cause, faire l'objet d'un appel à la Cour du Québec, sur permission d'un juge, lorsque la question en jeu en est une qui devrait être soumise à la Cour.

1996, c. 54, art. 159

160. Permission d'appeler — La demande pour permission d'appeler doit être faite au greffe de la Cour du Québec du lieu où est situé le bien et être accompagnée d'une copie de la décision et des pièces de la contestation, si elles ne sont pas reproduites dans la décision.

Délai — Elle doit être faite dans les 30 jours de la décision. Ce délai est de rigueur; il ne peut être prolongé que si la partie démontre qu'elle était dans l'impossibilité d'agir.

1996, c. 54, art. 160; N.I. 2016-01-01 (NCPC)

161. Signification — La demande pour permission d'appeler, accompagnée d'un avis de présentation, doit être signifiée à la partie adverse et produite au greffe de la Cour du Québec. Elle doit préciser les conclusions recherchées et le demandeur doit y énoncer sommairement les moyens qu'il prévoit utiliser.

1996, c. 54, art. 161; N.I. 2016-01-01 (NCPC)

162. Suspension de l'exécution — La demande pour permission d'appeler ne suspend pas l'exécution. Toutefois, un juge de la Cour du Québec peut, sur demande, suspendre cette exécution si le demandeur démontre qu'il lui en résulterait un préjudice grave et qu'il a produit une demande pour permission d'appeler.

1996, c. 54, art. 162; N.I. 2016-01-01 (NCPC)

163. Inscription en appel — Si la demande pour permission d'appeler est accordée, le jugement qui autorise l'appel tient lieu de l'inscription en appel. Le greffier de la Cour du Québec transmet sans délai copie de ce jugement au Tribunal, ainsi qu'aux parties et à leur procureur.

Appel incident — De la même manière et dans les mêmes délais, l'intimé peut former un appel ou un appel incident.

Suspension de l'exécution — Sauf si l'exécution provisoire est ordonnée, l'appel suspend l'exécution de la décision.

1996, c. 54, art. 163

164. Décision sans appel — La Cour du Québec connaît de l'appel selon la preuve faite devant le Tribunal, sans nouvelle enquête. Sa décision est sans appel.

1996, c. 54, art. 164

Titre III — Le conseil de la justice administrative et la déontologie

Chapitre I — Institution et organisation

165. Constitution — Est institué le « Conseil de la justice administrative ».

1996, c. 54, art. 165

166. Siège — Le Conseil a son siège sur le territoire de la Ville de Québec. Un avis de l'adresse du siège est publié à la *Gazette officielle du Québec*.

1996, c. 54, art. 166; 2000, c. 56, art. 220

167. Composition — Le Conseil est formé des membres suivants :

1° le président du Tribunal administratif du Québec;

2° un membre du Tribunal administratif du Québec choisi après consultation de l'ensemble de ses membres et qui n'en est pas vice-président;

3° le président du Tribunal administratif du travail;

4° un membre du Tribunal administratif du travail choisi après consultation de l'ensemble de ses membres et qui n'en est pas vice-président;

5° (*remplacé*);

6° (*remplacé*);

7° le président de la Régie du logement;

8° un membre de la Régie du logement choisi après consultation de l'ensemble de ses régisseurs et qui n'en est pas vice-président;

Ajout proposé — 8.1°-8-2°

8.1° le président en chef du Bureau des présidents des conseils de discipline;

8.2° un président de conseil de discipline choisi après consultation de l'ensemble des présidents qui composent le Bureau des présidents des conseils de discipline et qui n'en est pas président en chef adjoint;

2015, c. 26, art. 24 [Non en vigueur à la date de publication.]

9° neuf autres personnes qui ne sont pas membres de l'un de ces organismes, dont deux seulement sont avocats ou notaires et sont choisis après consultation de leur ordre professionnel.

1996, c. 54, art. 167; 2002, c. 22, art. 17; 2015, c. 15, art. 169

168. Nominations — Les membres visés aux paragraphes 2°, 4°, 8° et 9° de l'article 167 sont nommés par le gouvernement qui désigne, parmi ceux qui ne sont pas membres de l'un des organismes mentionnés aux paragraphes 1° à 8°, le président du Conseil.

Modification proposée — 168 al. 1

Les membres visés aux paragraphes 2°, 4°, 8°, 8.2° et 9° de l'article 167 sont nommés par le gouvernement qui désigne, parmi ceux qui ne sont pas membres de l'un des organismes mentionnés aux paragraphes 1° à 8.2°, le président du Conseil.

2015, c. 26, art. 25 [Non en vigueur à la date de publication.]

Mandat — Leur mandat est de 3 ans et il ne peut être renouvelé consécutivement qu'une fois.

Fonctions continuées — Ils demeurent en fonction jusqu'à ce qu'ils soient remplacés ou nommés de nouveau.

Fonctions continuées — Tout membre peut, à la fin de son mandat, continuer à exercer ses fonctions pour terminer les affaires qu'il a déjà commencé à entendre et sur lesquelles il n'a pas encore statué.

1996, c. 54, art. 168; 2002, c. 22, art. 18; L.Q. 2015, c. 15, art. 170

169. Vacance — Toute vacance survenant en cours de mandat est comblée suivant les règles de composition et pour la durée prévues aux articles 167 et 168.

1996, c. 54, art. 169

170. Assermentation — Les membres du Conseil doivent, pour y siéger, avoir prêté serment en affirmant solennellement ce qui suit : « Je (...) jure que je ne révélerai et ne ferai connaître, sans y être autorisé par la loi, quoi que ce soit dont j'aurai eu connaissance dans l'exercice de ma charge et que j'exercerai celle-ci impartialement et honnêtement, au meilleur de ma capacité et de mes connaissances. ».

Réception du serment — Cette obligation est exécutée devant le président du Conseil. Ce dernier doit prêter le serment devant un juge de la Cour du Québec.

1996, c. 54, art. 170

171. Rémunération — Les membres du Conseil ne sont pas rémunérés, sauf dans les cas, aux conditions et dans la mesure que peut déterminer le gouvernement.

Remboursement des dépenses — Ils ont cependant droit au remboursement des dépenses faites dans l'exercice de leurs fonctions, aux conditions et dans la mesure que détermine le gouvernement.

1996, c. 54, art. 171

171.1 Président — Le président est chargé de l'administration du Conseil. En cas d'absence ou d'empêchement, il est remplacé par le membre que le ministre désigne.

2002, c. 22, art. 19

172. Secrétaire — Le secrétaire du Tribunal agit comme secrétaire du Conseil.

1996, c. 54, art. 172

173. Réunions — Le Conseil se réunit aussi souvent que nécessaire, à la demande du président, de la majorité des membres ou du ministre.

Séances — Il peut tenir ses séances à tout endroit du Québec. Les séances sont publiques, à moins que le Conseil ne prononce le huis clos lorsque cela est nécessaire pour préserver l'ordre public.

1996, c. 54, art. 173

174. Authenticité des documents — Les procès-verbaux des séances du Conseil ou de l'un de ses comités, approuvés par leurs membres et signés par le président de la séance ou le secrétaire, sont authentiques.

Authenticité des documents — Il en est de même des documents émanant du Conseil ou faisant partie de ses archives lorsqu'ils sont signés, ainsi que de leurs copies lorsqu'elles sont certifiées conformes par le président du Conseil ou le secrétaire.

1996, c. 54, art. 174

175. Régie interne — Le Conseil peut établir des règles pour sa régie interne, former des comités et en déterminer les attributions.

1996, c. 54, art. 175

176. Rapport du Conseil — Le Conseil fournit au ministre tout rapport ou renseignement qu'il requiert sur ses activités.

1996, c. 54, art. 176

Chapitre II — Fonctions et pouvoirs

177. Responsabilités — Outre celles qui lui sont confiées par la loi, le Conseil exerce les fonctions suivantes à l'égard du Tribunal administratif du Québec ou de ses membres :

1º (*paragraphe abrogé*);

2º édicter un code de déontologie applicable aux membres du Tribunal;

3º recevoir et examiner toute plainte formulée contre un membre en application du chapitre IV;

4º faire enquête, à la demande du ministre ou du président du Tribunal, en vue de déterminer si un membre est atteint d'une incapacité permanente;

5º faire enquête, à la demande du ministre, sur tout manquement invoqué pour révoquer le président ou un vice-président du Tribunal de sa charge administrative dans le cas prévu à l'article 66;

6º (*paragraphe abrogé*).

Rapport et recommandations — Le Conseil peut également faire rapport au ministre sur toute question que ce dernier lui soumet et lui faire des recommandations quant à l'administration de la justice administrative par les organismes de l'Administration dont les présidents sont membres du Conseil.

1996, c. 54, art. 177; 2002, c. 22, art. 20; 2005, c. 17, art. 21

178. Publication — Le Conseil publie annuellement à la *Gazette officielle du Québec* la liste des ministères et des organismes qui constituent l'Administration gouvernementale au sens de l'article 3, de même que les organismes et autorités décentralisées visés par l'article 9.

1996, c. 54, art. 178

179. Règles de preuve — Le Conseil peut, par règlement, édicter des règles de preuve et de procédure applicables à la conduite de ses enquêtes. Ce règlement est soumis à l'approbation du gouvernement.

1996, c. 54, art. 179

Chapitre III — Déontologie

179.1 Obligations des membres — Les membres du Tribunal doivent exercer utilement leurs fonctions, maintenir leur compétence et agir avec diligence. Ils doivent éviter de se placer dans une situation qui porte atteinte à cet exercice et avoir un comportement pleinement compatible avec les exigences d'honneur, de dignité et d'intégrité qui s'attachent à l'exercice des fonctions juridictionnelles.

2005, c. 17, art. 22

180. Code de déontologie — Le Conseil édicte par règlement, après consultation du président, des vice-présidents et des membres du Tribunal, un code de déontologie qui leur est applicable.

Approbation — Ce code est soumis à l'approbation du gouvernement.

1996, c. 54, art. 180

181. Règles de conduite — Le code de déontologie énonce les règles de conduite et les devoirs des membres envers le public, les parties, leurs témoins et les personnes qui les représentent; il indique, notamment, les comportements dérogatoires à l'honneur, à la dignité ou à l'intégrité des membres. Il peut en outre déterminer les activités ou situations incompatibles avec la charge qu'ils occupent, leurs obligations concernant la révélation de leurs intérêts ainsi que les fonctions qu'ils peuvent exercer à titre gratuit.

Maintien des compétences — Il énonce en outre des règles concernant le maintien des compétences des membres dans l'exercice de leurs fonctions.

Règles particulières — Ce code de déontologie peut prévoir des règles particulières pour les membres à temps partiel.

1996, c. 54, art. 181; 2005, c. 17, art. 23

Chapitre IV — Plaintes

182. Manquements — Toute personne peut porter plainte au Conseil contre un membre du Tribunal pour un manquement au code de déontologie, à un devoir imposé par la présente loi ou aux prescriptions relatives aux conflits d'intérêts ou aux fonctions incompatibles.

1996, c. 54, art. 182

183. Exposé de motifs — La plainte doit être écrite et exposer sommairement les motifs sur lesquels elle s'appuie.

Transmission — Elle est transmise au siège du Conseil.

1996, c. 54, art. 183

184. Plainte par un membre — Lorsque la plainte est portée par un membre du Conseil, ce membre ne peut participer à l'examen de la plainte.

Plainte contre un président membre — Lorsque la plainte est portée contre l'un des présidents membres du Conseil, ce dernier ne peut participer aux séances du Conseil, tant qu'une décision finale n'a pas été rendue sur cette plainte, et doit y être remplacé, durant cette période, par le vice-président de l'organisme dont le président visé est membre.

1996, c. 54, art. 184; 2015, c. 26, art. 26

184.1 Copie au membre — Le Conseil transmet une copie de la plainte au membre qui en fait l'objet et peut lui demander des explications.

2002, c. 22, art. 21

184.2 Comité — Sauf si la plainte est portée par le ministre, le Conseil constitue un comité, formé de cinq de ses membres, chargé d'examiner la recevabilité des plaintes.

Membres — Deux d'entre eux sont choisis parmi les membres du Conseil visés au paragraphe 9° de l'article 167; les autres le sont parmi les membres représentant chacun des organismes de l'Administration dont le président est membre du Conseil.

Quorum — Le quorum du comité est de trois membres.

Modification proposée — 184.2

184.2 Comité — Sauf si la plainte est portée par le ministre, le Conseil constitue un comité, formé de sept de ses membres, chargé d'examiner la recevabilité des plaintes.

Membres — Trois d'entre eux sont choisis parmi les membres du Conseil visés au paragraphe 9° de l'article 167; les autres le sont parmi les membres représentant chacun des organismes de l'Administration dont le président est membre du Conseil.

Quorum — Le quorum du comité est de cinq membres.

2015, c. 26, art. 27 [Non en vigueur à la date de publication.]

2002, c. 22, art. 21; 2005, c. 17, art. 24; 2015, c. 15, art. 171

184.3 Renseignements — Le comité peut requérir de toute personne les renseignements qu'il estime nécessaires et prendre connaissance du dossier pertinent même s'il est confidentiel en vertu de l'article 89.

2005, c. 17, art. 24

185. Rejet — Le comité peut rejeter toute plainte manifestement non fondée.

Décision motivée — Il transmet copie de sa décision motivée au plaignant et au Conseil.

1996, c. 54, art. 185; 2005, c. 17, art. 25

186. Recevabilité — Le Conseil, si la plainte a été considérée recevable ou si elle est portée par le ministre, en transmet copie au membre et, s'il y a lieu, au ministre.

Comité d'enquête — Le Conseil constitue un comité d'enquête, formé de trois membres, chargé de faire enquête sur la plainte et de statuer sur celle-ci au nom du Conseil.

Composition — Deux d'entre eux sont choisis parmi les membres du Conseil visés aux paragraphes 3º à 9º de l'article 167, dont l'un au moins n'exerce pas une profession juridique et n'est pas membre de l'un des organismes de l'Administration dont le président est membre du Conseil. Le troisième est le membre du Conseil visé au paragraphe 2º ou choisi à partir d'une liste établie par le président du Tribunal après consultation de l'ensemble de ses membres. En ce dernier cas, si le comité juge la plainte fondée, ce membre participe également aux délibérations du Conseil pour déterminer la sanction.

Plainte contre le président — Si la plainte est portée contre un président ou un vice-président de l'un des organismes de l'Administration dont le président est membre du Conseil, le troisième membre du comité est choisi parmi les membres du Conseil ou parmi les noms inscrits sur les listes établies par les présidents de ces organismes. Il ne doit toutefois pas être membre de l'organisme dont le président ou le vice-président fait l'objet de la plainte.

1996, c. 54, art. 186; 2002, c. 22, art. 22; 2005, c. 17, art. 26; 2015, c. 26, art. 28

187. Président — Le Conseil désigne parmi les membres du comité qui sont avocats ou notaires un président; ce dernier convoque les séances du comité.

1996, c. 54, art. 187

188. Immunité — Aux fins d'une enquête, le comité d'enquête et ses membres sont investis des pouvoirs et de l'immunité des commissaires nommés en vertu de la *Loi sur les commissions d'enquête* (chapitre C-37), sauf du pouvoir d'ordonner l'emprisonnement.

1996, c. 54, art. 188

189. Suspension — Le Conseil, si un motif impérieux le requiert, peut, après consultation du comité d'enquête, suspendre le membre pour la durée de l'enquête.

1996, c. 54, art. 189

190. Audition — Après avoir donné au membre qui fait l'objet de la plainte, au ministre et au plaignant l'occasion d'être entendus, le comité statue sur la plainte.

Réprimande ou suspension — S'il estime que la plainte est fondée, il peut recommander soit la réprimande, soit la suspension avec ou sans rémunération pour la durée qu'il détermine, soit la destitution.

Rapport d'enquête — Le comité transmet au Conseil son rapport d'enquête et ses conclusions motivées accompagnées, le cas échéant, de ses recommandations quant à la sanction.

1996, c. 54, art. 190

191. Conclusions — Le Conseil transmet ensuite copie du rapport d'enquête et des conclusions du comité au membre qui fait l'objet de la plainte, au plaignant et au ministre.

1996, c. 54, art. 191

192. Réprimande ou suspension — Si le comité a jugé que la plainte est fondée, le Conseil, selon la recommandation du comité, soit adresse une réprimande au membre et en avise le ministre et le plaignant, soit transmet au ministre la recommandation de suspension ou de destitution et en avise le membre et le plaignant.

Destitution — Lorsque la sanction recommandée est la destitution d'un membre, le Conseil peut immédiatement le suspendre pour une période de 30 jours.

1996, c. 54, art. 192

Chapitre V — Incapacité permanente d'un membre et manquement dans l'exercice d'une charge administrative

193. Comité d'enquête — Sur demande du ministre, dont il transmet copie au membre du Tribunal en cause, le Conseil constitue un comité d'enquête chargé, soit :

1° de déterminer, en son nom, si le membre est atteint d'une incapacité permanente qui l'empêche de remplir les devoirs de sa charge;

2° d'examiner le manquement invoqué pour révoquer le président ou un vice-président de sa charge administrative.

Incapacité — Dans un cas portant sur l'incapacité d'un membre, le Conseil agit également sur demande du président du Tribunal.

1996, c. 54, art. 193

194. Immunité — La formation du comité et sa présidence obéissent aux mêmes règles que celles prévues aux deuxième et troisième alinéas de l'article 186 et à l'article 187; le comité et ses membres sont investis des pouvoirs et de l'immunité prévus à l'article 188.

1996, c. 54, art. 194; 2002, c. 22, art. 23

195. Suspension — Le Conseil, si un motif impérieux le requiert, peut, après consultation du comité d'enquête, suspendre le membre, le président ou le vice-président en cause pour la durée de l'enquête.

1996, c. 54, art. 195

196. Conclusions motivées — Après avoir donné au membre, au président ou au vice-président en cause et à la personne ayant fait une demande d'enquête l'occasion d'être entendus, le comité transmet ses conclusions motivées au Conseil.

Révocation de charge — S'il estime qu'il y a eu manquement dans l'exercice d'une charge administrative, le comité peut recommander la révocation de cette charge. Dans ce cas, il transmet au Conseil sa recommandation et son rapport d'enquête.

1996, c. 54, art. 196

197. Conclusions du comité — Le Conseil transmet au membre, au président ou au vice-président en cause et à la personne ayant fait une demande d'enquête copie des conclusions du comité.

Rapport d'enquête — Le cas échéant, il leur transmet en outre la recommandation et le rapport d'enquête du comité.

1996, c. 54, art. 197

198. Sommes requises — Les sommes requises pour l'application du présent titre sont prises sur les sommes accordées annuellement par l'Assemblée nationale.

1996, c. 54, art. 198

Dispositions finales

199. Ministre responsable — Le ministre de la Justice est responsable de l'application de la présente loi.

1996, c. 54, art. 199

200. Mise en œuvre de la loi — Le ministre doit, au plus tard le 1er avril 2003, faire au gouvernement un rapport sur la mise en œuvre de la présente loi et sur l'opportunité, le cas échéant, de la modifier.

Dépôt devant l'Assemblée nationale — Ce rapport est déposé dans les quinze jours suivants devant l'Assemblée nationale si elle siège ou, si elle ne siège pas, dans les quinze jours de la reprise de ses travaux.

Étude du rapport — Dans l'année qui suit la date de ce dépôt, la commission compétente de l'Assemblée nationale procède à l'étude du rapport et elle entend à ce sujet les observations des personnes et organismes intéressés.

1996, c. 54, art. 200

Ajout proposé — 200.1

200.1 Mise en œuvre du délai — Le ministre doit, au plus tard le 1er avril 2006, faire au gouvernement un rapport sur la mise en œuvre du délai de 180 jours prévu à l'article 118.1 de la loi ainsi que sur l'opportunité, le cas échéant, de proposer les modifications qu'il juge utiles.

Indicateurs — Le ministre établit les indicateurs lui permettant d'évaluer les résultats de la mise en œuvre de ce délai.

Dispositions applicables — Les deuxième et troisième alinéas de l'article 200 s'appliquent à ce rapport.

2002, c. 22, art. 24 [Non en vigueur à la date de publication.]

201. (*Omis*).

1996, c. 54, art. 201

ANNEXE I — LA SECTION DES AFFAIRES SOCIALES

ARTICLE 1 — En matière de sécurité ou soutien du revenu, d'aide et d'allocations sociales, la section des affaires sociales connaît des recours suivants :

1° Les recours contre les décisions concernant le droit à une allocation, formés en vertu de l'article 20 de la *Loi sur les allocations d'aide aux familles* (chapitre A-17);

1.1° les recours formés en vertu de l'article 40 de la *Loi sur l'assurance parentale* (chapitre A-29.011);

2° les recours formés en vertu de l'article 48 de la *Loi assurant l'exercice des droits des personnes handicapées en vue de leur intégration scolaire, professionnelle et sociale* (chapitre E-20.1);

2.1° les recours contre les décisions concernant le droit à une prestation, formés en vertu de l'article 28 de la *Loi sur les prestations familiales* (chapitre P-19.1);

3° les recours formés en vertu des articles 112 ou 118 de la *Loi sur l'aide aux personnes et aux familles* (chapitre A-13.1.1) ou de l'article 18 de la *Loi sur l'Office de la sécurité du revenu des chasseurs et piégeurs cris* (chapitre O-2.1);

4° (*paragraphe abrogé*);

5° les recours contre les décisions concernant l'exonération d'un paiement, formés en vertu de l'article 517 de la *Loi sur les services de santé et les services sociaux* (chapitre S-4.2) et les recours contre les décisions concernant l'exonération d'un paiement ou le paiement d'une allocation de dépenses, formés en vertu de l'article 162 de la *Loi sur les services de santé et les services sociaux pour les autochtones cris* (chapitre S-5);

6° les recours formés en vertu de l'article 16.4 de la *Loi sur la Société de l'assurance automobile du Québec* (chapitre S-11.011);

7° les recours contre les décisions relatives au droit de recevoir un montant au titre d'un paiement de soutien aux enfants en vertu de la section II.11.2 du chapitre III.1 du titre III du livre IX de la partie I de la *Loi sur les impôts* (chapitre I-3) formés en vertu de l'article 1029.8.61.41 de cette loi.

ARTICLE 2 — En matière de protection des personnes dont l'état mental présente un danger pour elles-mêmes ou pour autrui, la section des affaires sociales connaît des recours formés en vertu de l'article 21 de la *Loi sur la protection des personnes dont l'état mental présente un danger pour elles-mêmes ou pour autrui* (chapitre P-38.001).

ARTICLE 2.1 — En matière de mesures visant un accusé qui fait l'objet d'un verdict de non-responsabilité criminelle pour cause de troubles mentaux ou qui a été déclaré inapte à subir son procès, la section des affaires sociales connaît des cas soumis à une commission d'examen en vertu des articles 672.38 et suivants du *Code criminel* (L.R.C. (1985), ch. C-46).

ARTICLE 3 — En matière de services de santé et de services sociaux, d'éducation et de sécurité routière, la section des affaires sociales connaît des recours suivants :

0.1° les recours formés en vertu de l'article 35 de la *Loi sur les activités cliniques et de recherche en matière de procréation assistée* (chapitre A-5.01);

Ajout proposé — Annexe I,3(0.2°)

0.2° les recours formés en vertu de l'article 30 de la *Loi sur les activités funéraires* (2016, chapitre 1);

2016, c. 1, art. 120(1°) [Non en vigueur à la date de publication.]

1° les recours formés par les fabricants ou les grossistes en médicaments en vertu de l'article 68 de la *Loi sur l'assurance médicaments* (chapitre A-29.01);

2° les recours contre les décisions de la Régie de l'assurance maladie du Québec, formés en vertu des articles 18.4, 38.2, 38.3 ou 50 de la *Loi sur l'assurance maladie* (chapitre A-29);

2.1° les recours formés en vertu de l'article 83.4 de la *Charte de la langue française* (chapitre C-11);

2.1.1° les recours formés en vertu de l'article 202.6.11 du *Code de la sécurité routière* (chapitre C-24.2);

2.1.2° les recours formés en vertu de l'article 209.14 du *Code de la sécurité routière*;

2.2° les recours formés en vertu du paragraphe 1° de l'article 560 du *Code de la sécurité routière*;

2.3° les recours formés en vertu de l'article 121.1 de la *Loi sur l'enseignement privé* (chapitre E-9.1);

3° les recours formés en vertu de l'article 20 de la *Loi assurant l'exercice des droits des personnes handicapées en vue de leur intégration scolaire, professionnelle et sociale* (chapitre E-20.1);

4° (*paragraphe abrogé*);

5° les recours formés en vertu de l'article 44 de la *Loi assurant l'exercice des droits des personnes handicapées en vue de leur intégration scolaire, professionnelle et sociale*;

5.1° les recours formés en vertu de l'article 34.7 de la *Loi sur l'instruction publique* (chapitre I-13.3);

6° les recours contre les décisions relatives aux permis, formés en vertu de l'article 41 de la *Loi sur les laboratoires médicaux, la conservation des organes et des tissus et la disposition des cadavres* (chapitre L-0.2);

Modification proposée — Annexe I,3(6°)

6° les recours contre les décisions relatives aux permis, formés en vertu de l'article 41 de la *Loi sur les laboratoires médicaux, la conservation des organes et des tissus* (chapitre L-0.2);

2016, c. 1, art. 120(2°) [Non en vigueur à la date de publication.]

7° les recours formés en vertu de l'article 120 de la *Loi sur la santé et la sécurité du travail* (chapitre S-2.1);

8° les recours formés en vertu des articles 104, 105.1 ou 105.2 de la *Loi sur les services de garde éducatifs à l'enfance* (chapitre S-4.1.1);

8.1° les recours formés en vertu des articles 57 ou 73 de la *Loi sur les services préhospitaliers d'urgence* (chapitre S-6.2);

9° les recours formés en vertu de l'article 27 de la *Loi sur les services de santé et les services sociaux* (chapitre S-4.2) ou du septième alinéa de l'article 7 de la *Loi sur les services de santé et les services sociaux pour les autochtones cris* (chapitre S-5);

10° les recours formés par des médecins, des dentistes ou des pharmaciens en vertu de l'article 132 de la *Loi sur les services de santé et les services sociaux pour les autochtones cris*;

11° les recours en contestation ou en annulation d'élection ou de nomination formés en vertu des articles 148, 530.16, 530.67 ou 530.97 de la *Loi sur les services de santé et les services sociaux* ou des articles 48 ou 59 de la *Loi sur les services de santé et les services sociaux pour les autochtones cris*;

12° les recours formés par des médecins ou des dentistes en vertu des articles 205 ou 252 de la *Loi sur les services de santé et les services sociaux*, par des pharmaciens en vertu de l'article 253 de cette loi ou par des sages-femmes en vertu de l'article 259.8 de cette loi;

12.0.1° (*paragraphe abrogé*);

12.1° les recours formés par les requérants ou les titulaires d'une attestation temporaire ou d'un certificat de conformité en vertu de l'article 346.0.16 de la *Loi sur les services de santé et les services sociaux*;

13° les recours contre les décisions relatives aux permis, formés en vertu de l'article 450 de la *Loi sur les services de santé et les services sociaux* ou de l'article 148 de la *Loi sur les services de santé et les services sociaux pour les autochtones cris*;

14° les recours formés en vertu de l'article 453 de la *Loi sur les services de santé et les services sociaux* ou de l'article 182.1 de la *Loi sur les services de santé et les services sociaux pour les autochtones cris*.

Ajout proposé — Annexe I,3(15°)

15° les recours formés en vertu de l'article 27 de la *Loi favorisant l'accès aux services de médecine de famille et de médecine spécialisée* (chapitre A-2.2).

2016, c. 25, art. 1 [Non en vigueur à la date de publication.]

ARTICLE 4 — En matière de régime des rentes, la section des affaires sociales connaît des recours suivants :

1° les recours contre les décisions rendues par Retraite Québec, formés en vertu de l'article 188 de la *Loi sur le régime de rentes du Québec* (chapitre R-9);

2° (*paragraphe abrogé*);

ARTICLE 5 — En matière d'indemnisation, la section des affaires sociales connaît des recours suivants :

1° les recours contre les décisions concernant le taux de diminution de capacité de travail, formés en vertu de l'article 65 de la *Loi sur les accidents du travail* (chapitre A-3) pour l'application de la *Loi visant à favoriser le civisme* (chapitre C-20) et de la *Loi sur l'indemnisation des victimes d'actes criminels* (chapitre I-6);

2° les recours contre les décisions concernant le droit à une compensation ou le quantum d'une compensation, formés en vertu de l'article 65 de la *Loi sur les accidents du travail* pour l'application de la *Loi visant à favoriser le civisme* et de la *Loi sur l'indemnisation des victimes d'actes criminels*;

2.1° les recours contre les décisions concernant la recevabilité d'une demande d'un proche d'une victime d'un acte criminel visé à l'article 5.1 de la *Loi sur l'indemnisation des victimes d'actes criminels* pour les services de réadaptation psychothérapeutique, formés en vertu de l'article 65 de la *Loi sur les accidents du travail* pour l'application de la *Loi sur l'indemnisation des victimes d'actes criminels*;

3° les recours formés en vertu de l'article 65 de la *Loi sur les accidents du travail* ou de l'article 12 de la *Loi sur l'indemnisation des victimes d'amiantose ou de silicose dans les mines et les carrières* (chapitre I-7) en application de l'article 579 de la *Loi sur les accidents du travail et les maladies professionnelles* (chapitre A-3.001);

4° les recours formés en vertu de l'article 83.49 de la *Loi sur l'assurance automobile* (chapitre A-25);

5° les recours contre les décisions concernant l'indemnisation des victimes d'immunisation, formés en vertu de l'article 76 de la *Loi sur la santé publique* (chapitre S-2.2);

5.1° les recours contre les décisions concernant l'indemnisation des victimes formés en vertu de l'article 54.7 de la *Loi sur Héma-Québec et sur le Comité de biovigilance* (chapitre H-1.1);

6° les recours contre les décisions concernant le droit du réclamant à une prestation ou le montant de celle-ci, formés en vertu de l'article 138 de la *Loi sur l'aide et l'indemnisation des victimes d'actes criminels* (chapitre A-13.2.1) pour l'application de cette loi et de la *Loi visant à favoriser le civisme*, à l'égard d'une demande en révision logée le (*indiquer ici la date de l'entrée en vigueur du chapitre 54 des lois de 1993*) ou après cette date.

ARTICLE 6 — En matière d'immigration, la section des affaires sociales connaît des recours contre les décisions du ministre responsable de l'application de la *Loi sur l'immigration au Québec* (chapitre I-0.2), formés en vertu de l'article 17 de cette loi.

Modification proposée — Annexe I,6

ARTICLE 6 — En matière d'immigration, la section des affaires sociales connaît des recours contre les décisions du ministre responsable de l'application de la *Loi sur l'immigration au Québec* (chapitre I-0.2), formés en vertu de l'article 72 de cette loi.

2016, c. 3, art. 109 [Non en vigueur à la date de publication.]

1996, c. 54, annexe I; 1997, c. 43, art. 871; 1997, c. 49, art. 11; 1997, c. 57, art. 60; 1997, c. 58, art. 177; 1997, c. 75, art. 60; 1998, c. 36, art. 199; 1998, c. 39, art. 175; 1999, c. 24, art. 45; 1999, c. 45, art. 5; 1999, c. 89, art. 53; 2001, c. 9, art. 130; 2001, c. 24, art. 107; 2001, c. 29, art. 20; 2001, c. 60, art. 147; 166; 2002, c. 22, art. 25; 2002, c. 69, art. 129; 2002, c. 81, art. 19; 2004, c. 20, art. 191; 2004, c. 31, art. 69–71; 2005, c. 1, art. 306; 2005, c. 17, art. 27; 2005, c. 47, art. 143; 2005, c. 16, art. 14; 2005, c. 15, art. 158; 2005, c. 32, art. 246; 2006, c. 41, art. 7; 2009, c. 24, art. 93; 2009, c. 30, art. 50; 58; 2009, c. 45, art. 6; 2010, c. 39, art. 23; 2010, c. 34, art. 101; 2011, c. 27, art. 34; 2015, c. 1, art. 157; 2015, c. 20, art. 61; 2016, c. 28, art. 64

ANNEXE II — LA SECTION DES AFFAIRES IMMOBILIÈRES

ARTICLE 1 — La section des affaires immobilières connaît des recours suivants :

1° les recours formés en vertu de l'article 117.7 de la *Loi sur l'aménagement et l'urbanisme* (chapitre A-19.1);

2° les recours formés en vertu de l'article 20 du *Code d'éthique et de déontologie des membres de l'Assemblée nationale* (chapitre C-23.1) pour déterminer le prix ou l'indemnité découlant de l'acquisition d'un immeuble appartenant à un député;

3° (*paragraphe abrogé*);

3.0.1° (*paragraphe abrogé*);

3.1° (*paragraphe abrogé*);

3.2° (*paragraphe abrogé*);

3.3° les recours formés en vertu de l'article 104 de la *Loi sur la Communauté métropolitaine de Montréal* (chapitre C-37.01);

3.4° les recours formés en vertu de l'article 97 de la *Loi sur la Communauté métropolitaine de Québec* (chapitre C-37.02);

3.5° les recours formés en vertu de l'article 74 de la *Loi sur les compétences municipales* (chapitre C-47.1);

3.6° les recours formés, en vertu de l'article 107 de la *Loi sur les compétences municipales* (chapitre C-47.1), pour fixer l'indemnité visant à réparer le préjudice causé lorsqu'une municipalité régionale de comté exerce sa compétence en matière de cours d'eau;

4° les recours formés en vertu de la *Loi sur l'expropriation* (chapitre E-24) pour déterminer le montant des indemnités découlant de l'imposition des réserves pour fins publiques et de l'expropriation d'immeubles ou de droits réels immobiliers;

5° les recours formés en vertu du chapitre X de la *Loi sur la fiscalité municipale* (chapitre F-2.1);

6° (*paragraphe abrogé*);

7° (*paragraphe abrogé*);

8° (*paragraphe abrogé*);

9° les recours formés en vertu de l'article 13 de la *Loi sur le régime des eaux* (chapitre R-13) pour évaluer et fixer les dommages subis;

10° les recours formés en vertu des articles 45, 137 ou 191.29 de la *Loi sur le régime des terres dans les territoires de la Baie James et du Nouveau-Québec* (chapitre R-13.1) pour déterminer l'indemnité découlant d'une expropriation;

11° (*paragraphe abrogé*);

12º les recours formés en vertu des articles 184 et 192 de l'annexe C de la *Charte de la Ville de Montréal* (chapitre C-11.4);

13º les recours formés en vertu des articles 56 et 86 de l'annexe C de la *Charte de la Ville de Québec* (chapitre C-11.5);

14º les recours formés en vertu de l'article 13 de la *Loi concernant la reconstruction et le réaménagement de territoires affectés par les pluies diluviennes survenues les 19 et 20 juillet 1996 dans la région du Saguenay-Lac-Saint-Jean* (L.Q. 1997, c. 60);

15º les recours formés en vertu de l'article 9 de la *Loi concernant la Ville de Varennes* (L.Q. 1997, c. 106);

16º les recours formés en vertu de l'article 9 de la *Loi concernant la Ville de Saint-Basile-le-Grand* (L.Q. 1999, c. 97);

17º les recours formés en vertu de l'article 9 de la *Loi concernant la Ville de Contrecœur* (L.Q. 2002, c. 95);

18º les recours formés en vertu de l'article 10 de la *Loi concernant la Ville de Brownsburg-Chatham, la Ville de Lachute et la Municipalité de Wentworth-Nord* (L.Q. 2004, c. 46).

1996, c. 54, annexe II; 1997, c. 43, art. 872; 2000, c. 56, art. 164; 2001, c. 68, art. 67; 2002, c. 22, art. 26; 2005, c. 6, art. 222; 2005, c. 17, art. 28; 2006, c. 31, art. 104; 2010, c. 30, art. 125; 2011, c. 21, art. 235

ANNEXE III — LA SECTION DU TERRITOIRE ET DE L'ENVIRONNEMENT

ARTICLE 1 — La section du territoire et de l'environnement connaît des recours suivants :

0.1° les recours contre les décisions de la Commission de protection du territoire agricole, formés en vertu de l'article 34 de la *Loi sur l'acquisition de terres agricoles par des non-résidents* (chapitre A-4.1);

1° (*paragraphe abrogé*);

1.1° (*paragraphe abrogé*);

1.2° les recours contre les décisions ou ordonnances de la Communauté métropolitaine de Montréal ou, en cas de délégation, d'un directeur de service ou d'un fonctionnaire formés en vertu des articles 159.2 ou 159.14 de la *Loi sur la Communauté métropolitaine de Montréal* (chapitre C-37.01);

1.3° les recours contre les décisions ou ordonnances de la Ville de Québec ou, en cas de délégation, du comité exécutif ou d'un directeur de service formés en vertu de l'article 104 de la *Charte de la Ville de Québec* (chapitre C-11.5);

1.4° les recours contre les décisions ou ordonnances de la Ville de Gatineau ou, en cas de délégation, du comité exécutif ou d'un directeur de service formés en vertu de l'article 66 de la *Charte de la Ville de Gatineau* (chapitre C-11.1);

Ajout proposé — Annexe III,1(1.5°)

1.5° les recours formés en vertu de l'article 193 de la *Loi sur les hydrocarbures* (2016, chapitre 35, article 23);

2016, c. 35, art. 23 (art. 223) [Non en vigueur à la date de publication.]

2° les recours contre les décisions ou ordonnances de la Commission de protection du territoire agricole du Québec, formés en vertu de l'article 21.1 de la *Loi sur la protection du territoire et des activités agricoles* (chapitre P-41.1);

2.1° les recours contre les décisions prises par le ministre des Transports, formés en vertu de l'article 10.1 de la *Loi sur la publicité le long des routes* (chapitre P-44);

3° les recours contre les décisions ou ordonnances rendues par le ministre du Développement durable, de l'Environnement et des Parcs, formés en vertu de l'article 9 de la *Loi concernant la délimitation du domaine hydrique de l'État et la protection de milieux humides le long d'une partie de la rivière Richelieu* (L.Q. 2009, c. 31), des articles 24 et 64 de la *Loi sur la conservation du patrimoine naturel* (chapitre C-61.01), des articles 31.100, 96 ou 96.1 de la *Loi sur la qualité de l'environnement* (chapitre Q-2) ou de l'article 68 de la *Loi sur les pesticides* (chapitre P-9.3);

Modification proposée — Annexe III,1(3°)

3° les recours contre les décisions ou ordonnances rendues par le ministre du Développement durable, de l'Environnement et des Parcs, formés en vertu de l'article 9 de la *Loi concernant la délimitation du domaine hydrique de l'État et la protection de milieux humides le long d'une partie de la rivière Richelieu* (L.Q. 2009, c. 31), des articles 24 et 64 de la *Loi sur la conservation du patrimoine naturel* (chapitre C-61.01), des articles 31.100, 118.12 ou 118.13 de la *Loi sur la qualité de l'environnement* (chapitre Q-2) ou de l'article 68 de la *Loi sur les pesticides* (chapitre P-9.3);

2017, c. 4, art. 249 [Entrera en vigueur le 23 mars 2018.]

Ajout proposé — Annexe III,1(3.1°)

3.1° les recours formés en vertu de l'article 84.10 de la *Loi sur le régime des eaux* (chapitre R-13);

2017, c. 4, art. 249 [Entrera en vigueur le 23 mars 2018.]

4° les recours contre les décisions du ministre prises en vertu des articles 12, 14, 17, 23 et 25 de la *Loi sur la sécurité des barrages* (chapitre S-3.1.01);

5° (*paragraphe abrogé*);

6° les recours formés en vertu de l'article 27 de la *Loi sur la voirie* (chapitre V-9).

Ajout proposé — Annexe III,1(7°)

7° les recours formés en vertu des articles 30 ou 31 de la *Loi visant l'augmentation du nombre de véhicules automobiles zéro émission au Québec afin de réduire les émissions de gaz à effet de serre et autres polluants* (chapitre A-33.02);

2016, c. 23, art. 63 [Non en vigueur à la date de publication.]

1996, c. 26, art. 85; 1996, c. 54, annexe III; 1997, c. 43, art. 873; 1999, c. 36, art. 158; 2000, c. 9, art. 48; 2000, c. 56, art. 165; 2001, c. 14, art. 24; 2002, c. 22, art. 27; 2002, c. 74, art. 81; 2005, c. 17, art. 29; 2006, c. 3, art. 35; 2009, c. 31, art. 29; 2009, c. 21, art. 31; 2011, c. 20, art. 52

ANNEXE IV — LA SECTION DES AFFAIRES ÉCONOMIQUES

ARTICLE 1 — La section des affaires économiques connaît des recours formés en vertu :

1° de l'article 13.2 de la *Loi sur les agents de voyages* (chapitre A-10);

1.1° de l'article 48 de la *Loi sur l'aquaculture commerciale* (chapitre A-20.2);

2° de l'article 45 de la *Loi sur les arrangements préalables de services funéraires et de sépulture* (chapitre A-23.001);

3° (*paragraphe abrogé*);

4° de l'article 366 de la *Loi sur les assurances* (chapitre A-32);

4.0.1° de l'article 17 de la *Loi sur le Bureau d'accréditation des pêcheurs et des aides-pêcheurs du Québec* (chapitre B-7.1);

4.0.0.1° de l'article 34 de la *Loi sur le bien-être et la sécurité de l'animal* (chapitre B-3.1);

4.1° (*paragraphe abrogé*);

5° de l'article 154 de la *Loi sur le cinéma* (chapitre C-18.1);

6° du paragraphe 2° de l'article 560 du *Code de la sécurité routière* (chapitre C-24.2);

7° de l'article 485 de la *Loi sur les sociétés par actions* (chapitre S-31.1);

7.1° de l'article 25.1 de la *Loi sur les coopératives de services financiers* (chapitre C-67.3);

8° de l'article 26 de la *Loi sur le développement des entreprises québécoises dans le domaine du livre* (chapitre D-8.1);

9° de l'article 15 de la *Loi sur les établissements d'hébergement touristique* (chapitre E-14.2);

9.1° (*paragraphe abrogé*);

10° (*paragraphe abrogé*);

11° de l'article 26 de la *Loi sur les matériaux de rembourrage et les articles rembourrés* (chapitre M-5);

12° de l'article 22 de la *Loi sur les mesureurs de bois* (chapitre M-12.1);

13° des articles 36.14 et 36.16 de la *Loi sur le ministère de l'Agriculture, des Pêcheries et de l'Alimentation* (chapitre M-14);

13.1° de l'article 191.1 de la *Loi sur la mise en marché des produits agricoles, alimentaires et de la pêche* (chapitre M-35.1);

14º de l'article 21 de la *Loi sur les pêcheries commerciales et la récolte commerciale de végétaux aquatiques* (chapitre P-9.01);

14.1º de l'article 51.1 de la *Loi sur les producteurs agricoles* (chapitre P-28);

15º de l'article 17 de la *Loi sur les produits alimentaires* (chapitre P-29);

15.1º (*paragraphe abrogé*);

15.2º (*paragraphe abrogé*);

16º de l'article 339 de la *Loi sur la protection du consommateur* (chapitre P-40.1);

17º de l'article 55.35 de la *Loi sur la protection sanitaire des animaux* (chapitre P-42);

17.1º de l'article 139 de la *Loi sur la publicité légale des entreprises* (chapitre P-44.1);

18º de l'article 35 de la *Loi sur le Fonds d'aide aux actions collectives* (chapitre F-3.2.0.1.1);

19º de l'article 36 de la *Loi sur le recouvrement de certaines créances* (chapitre R-2.2);

19.1º de l'article 40.1 de la *Loi sur la Régie des alcools, des courses et des jeux* (chapitre R-6.1);

20º (*paragraphe abrogé*);

20.1º de l'article 243 de la *Loi sur les régimes complémentaires de retraite* (chapitre R-15.1);

20.2º de l'article 22.3 de la *Loi sur les régimes supplémentaires de rentes* (chapitre R-17);

20.2.1º de l'article 112 de la *Loi sur les régimes volontaires d'épargne-retraite* (chapitre R-17.0.1);

20.3º de l'article 52.13 de la *Loi sur la sécurité civile* (chapitre S-2.3);

21º de l'article 53.1 de la *Loi sur la sécurité dans les sports* (chapitre S-3.1);

22º de l'article 36 de la *Loi sur la Société des alcools du Québec* (chapitre S-13);

22.1º de l'article 5.7 de la *Loi sur les sociétés agricoles et laitières* (chapitre S-23);

22.2º de l'article 18 de la *Loi sur les sociétés d'horticulture* (chapitre S-27);

23º de l'article 251 de la *Loi sur les sociétés de fiducie et les sociétés d'épargne* (chapitre S-29.01);

24º de l'article 22 de la *Loi sur la transformation des produits marins* (chapitre T-11.01);

24.1º de l'article 85 de la *Loi concernant les services de transport par taxi* (chapitre S-6.01);

25º de l'article 51 de la *Loi sur les transports* (chapitre T-12);

26º (*paragraphe abrogé*);

27º (*paragraphe abrogé*);

28º de l'article 23.1 de la *Loi favorisant le développement et la reconnaissance des compétences de la main-d'œuvre* (chapitre D-8.3);

29º de l'article 38 de la *Loi concernant les propriétaires et exploitants de véhicules lourds* (chapitre P-30.3);

30º (*paragraphe supprimé*);

31º de l'article 37 de la *Loi sur la sécurité privée* (chapitre S-3.5);

32º de l'article 34 de la *Loi sur les mesures de transparence dans les industries minière, pétrolière et gazière* (chapitre M-11.5).

1996, c. 54, annexe IV; 1997, c. 20, art. 16; 1997, c. 43, art. 873; 1997, c. 64, art. 20; 1998, c. 40, art. 172; 1999, c. 32, art. 32; 1999, c. 50, art. 68; 2000, c. 10, art. 22; 2000, c. 26, art. 64; 2000, c. 49, art. 28; 2000, c. 53, art. 65; 2001, c. 38, art. 98; 2002, c. 22, art. 28; 2003, c. 23, art. 72; 2004, c. 37, art. 82; 2005, c. 17, art. 30; 2005, c. 39, art. 52; 2005, c. 10, art. 68; 2007, c. 3, art. 68; 2009, c. 48, art. 25; 2006, c. 23, art. 125; 2008, c. 18, art. 88; 2009, c. 52, art. 594; 2010, c. 7, art. 214; 2013, c. 26, art. 132; 2015, c. 23, art. 47; 2015, c. 35, art. 7 (art. 79)

Dispositions transitoires

— *Loi instituant le Tribunal administratif du travail*, RLRQ, c. T-15.1, art. 237-277 : voir [QUE-19].

[QUE-11]
TABLE DES MATIÈRES
LOI SUR LE MINISTÈRE DE L'EMPLOI ET DE LA SOLIDARITÉ SOCIALE ET SUR LA COMMISSION DES PARTENAIRES DU MARCHÉ DU TRAVAIL

[QUE-11]
Loi sur le ministère de l'Emploi et de la Solidarité sociale et sur la Commission des partenaires du marché du travail

RLRQ, c. M-15.001, telle que modifiée par L.Q. 1997, c. 91, art. 58-59; 1998, c. 36, art. 202-205; 1999, c. 8, art. 20; 1999, c. 40, art. 343; 1999, c. 43, art. 12; 1999, c. 77, art. 44; 2000, c. 8, art. 160; 242; 2000, c. 15, art. 112-113; 2001, c. 44, art. 28; 30; 2002, c. 51, art. 25-27; 2002, c. 80, art. 84; 2003, c. 19, art. 250; 2003, c. 29, art. 150-152; 2005, c. 13, art. 79; 2005, c. 15, art. 159-161; 2005, c. 28, art. 195; 196; 2006, c. 8, art. 31; 2006, c. 22, art. 177; 2007, c. 3, art. 30-49; 2009, c. 26, art. 109; 2011, c. 18, art. 179-183; 2013, c. 4, art. 2-6; 2013, c. 28, art. 166; 2014, c. 16, art. 78; 2015, c. 8, art. 234; 2016, c. 15, art. 23 [Non en vigueur à la date de publication]; 2016, c. 25, art. 9-21; 2016, c. 29, art. 24-25.

Chapitre I — Responsabilités du ministre

1. Ministre responsable — Le ministère de l'Emploi et de la Solidarité sociale est dirigé par le ministre de l'Emploi et de la Solidarité sociale nommé en vertu de la *Loi sur l'exécutif* (chapitre E-18).

1997, c. 63, art. 1; 2001, c. 44, art. 28

2. Responsabilités — Le ministre anime et coordonne les actions de l'État dans les domaines de la main-d'œuvre, de l'emploi, de la sécurité du revenu et des allocations sociales ainsi qu'en matière de services aux citoyens et aux entreprises.

Concertation — En concertation avec les autres ministres concernés, les interventions du ministre en matière de main-d'œuvre et d'emploi concernent, en particulier, l'information sur le marché du travail, le placement et les volets relevant d'une politique active du marché du travail; ces interventions se font notamment par la prestation des services publics d'emploi dans des centres locaux.

Guichet multiservice — En matière de services aux citoyens et aux entreprises, le ministre a pour mission de leur offrir, sur tout le territoire du Québec, un guichet multiservice afin de leur permettre un accès simplifié à des services publics. Dans ce cadre, le ministre:

1º veille à ce que soit développée, de façon à en assurer l'efficacité, une prestation intégrée des services et assure une présence gouvernementale dans toutes les régions du Québec, en fonction des orientations déterminées par le gouvernement;

2º offre des services de renseignements aux citoyens et aux entreprises et assure leur aiguillage quant à la prestation de services qui peuvent leur être rendus;

3º s'assure que le ministère fournisse, à titre de porte d'entrée principale, les services utiles à la création et à l'exploitation d'entreprises en facilitant l'accessibilité aux formalités notamment d'enregistrement, de modification et de déclaration;

4° utilise de façon optimale les technologies de l'information dans la prestation des services tout en se préoccupant du choix des citoyens et des entreprises quant à leur mode de livraison;

5° favorise l'accessibilité des documents publics aux citoyens et aux entreprises, en tenant compte des dispositions de la *Loi sur l'accès aux documents des organismes publics et sur la protection des renseignements personnels* (chapitre A-2.1);

6° encourage la concertation et le partenariat dans la prestation des services;

7° propose à toute personne, ministère ou organisme avec qui il peut conclure des ententes, des moyens visant à faciliter le développement de la prestation de services aux citoyens et aux entreprises.
1997, c. 63, art. 2; 2013, c. 4, art. 2; 2016, c. 25, art. 9

3. Politiques — Le ministre élabore et propose au gouvernement, sous réserve du paragraphe 4° du premier alinéa de l'article 77.1 de la *Loi sur l'administration publique* (chapitre A-6.01), des politiques et mesures relatives aux domaines de sa compétence, en vue notamment :

1° de susciter l'emploi de la main-d'œuvre disponible;

2° de promouvoir le développement de la main-d'œuvre;

3° d'améliorer l'offre de main-d'œuvre et d'influer sur la demande de main-d'œuvre, de façon à favoriser l'équilibre entre l'offre et la demande de main-d'œuvre sur le marché du travail;

4° d'assurer un niveau de vie décent à chaque personne et à chaque famille.

Objectifs — Les stratégies et les objectifs en matière de main-d'œuvre et d'emploi sont définis en collaboration avec la Commission des partenaires du marché du travail.

Exécution — Le ministre voit à la mise en œuvre de ces politiques et mesures, en surveille l'application et en coordonne l'exécution.

Fonctions — Il est également chargé de l'application des lois qui relèvent de lui et il exerce toute autre fonction que lui attribue le gouvernement.
1997, c. 63, art. 3; 2013, c. 4, art. 3

3.1 Plan d'action — Le ministre prépare annuellement, en collaboration avec la Commission des partenaires du marché du travail, un plan d'action en matière de main-d'œuvre et d'emploi qui est soumis à l'approbation du gouvernement. Ce plan détermine les objectifs de résultats établis à court et à moyen terme, les moyens retenus pour les atteindre ainsi que les paramètres de répartition des budget afférents aux services publics d'emploi.

Approbation — Le ministre peut également approuver, avec ou sans modification, les plans d'action régionaux en matière de main-d'œuvre et d'emploi que lui transmet la Commission. Il rend sa décision dans les meilleurs délais.
2016, c. 25, art. 10

3.2 Frais exigibles — Sur recommandation du ministre, le gouvernement peut, par règlement, prévoir les frais exigibles de toute personne pour l'utilisation d'un service offert par le ministère en matière de main-d'œuvre et d'emploi.

Consultation — Le ministre doit, avant de faire sa recommandation, consulter la Commission des partenaires du marché du travail.
2016, c. 25, art. 10

4. Participation — Dans les domaines de sa compétence, le ministre facilite la concertation et la participation des groupes et des milieux gouvernementaux, patronaux, syndicaux, communautaires, de l'enseignement et de l'économie concernés, en vue de l'élaboration et de la mise en œuvre de mesures susceptibles de satisfaire aux besoins des personnes.

Coordination — Dans ces domaines, le ministre voit à la coordination et à l'harmonisation des interventions nationales, sectorielles, régionales et locales.

Concertation — Le ministre peut plus spécifiquement former, pour le territoire de la région métropolitaine de recensement et pour tout autre territoire délimité par le gouvernement, une table de concertation sur les questions relatives à la politique du marché du travail; le ministre en détermine la composition et le mandat.

1997, c. 63, art. 4

5. Méthode d'exercice — Pour l'exercice de ses attributions, le ministre peut notamment :

1º effectuer ou faire effectuer les études et recherches qu'il juge nécessaires à la poursuite des activités du ministère;

2º recueillir, compiler, analyser et diffuser les renseignements disponibles relatifs à la main-d'œuvre, à l'emploi, au marché du travail, à la sécurité du revenu et aux allocations sociales, ainsi qu'aux activités de son ministère et des organismes qui relèvent de lui;

3º conclure, conformément à la loi, des ententes avec un gouvernement autre que celui du Québec, l'un de ses ministères, une organisation internationale ou un organisme de ce gouvernement ou de cette organisation, dont des ententes avec le gouvernement du Canada visant la mise en œuvre de mesures en matière de main-d'œuvre et d'emploi;

4º conclure avec toute personne, association, société ou tout organisme des ententes dans les domaines de sa compétence.

1997, c. 63, art. 5; 2007, c. 3, art. 31

5.0.1 Pouvoirs — Dans l'exercice des fonctions ou des activités qui lui sont confiées par entente conclue en application de la présente loi, le ministre est investi de tous les pouvoirs qui sont rattachés à l'exercice de celles-ci.

Désignations — Lorsque la fonction ou l'activité confiée au ministre est exercée par un officier public, celui-ci devient membre du personnel du ministère si l'entente le prévoit. Dans le cas contraire, le ministre désigne les personnes chargées d'exercer la fonction ou l'activité et fait publier les désignations à la *Gazette officielle du Québec*.

2013, c. 4, art. 4

5.1 Incessibilité et insaisissabilité — L'aide financière accordée par le ministre à une personne physique dans le cadre de mesures relatives aux domaines de sa compétence est, sous réserve d'une disposition contraire prévue à la *Loi sur l'aide aux personnes et aux familles* (chapitre A-13.1.1), incessible et insaisissable.

2002, c. 51, art. 25; 2005, c. 15, art. 159

6. Délégation — Une entente conclue par le ministre peut prévoir la délégation à un organisme, dans la mesure et aux conditions qui y sont prévues, de l'exercice de fonctions qui sont attribuées au ministre par une loi qui relève de lui.

Pouvoirs des membres — Un membre du personnel d'un tel organisme, affecté à l'administration d'une loi qui relève du ministre, a les mêmes obligations, possède les mêmes pouvoirs et a accès aux mêmes renseignements qu'un membre du personnel du ministère qui exerce des fonctions semblables.

1997, c. 63, art. 6

7. Transfert de personnel — Une entente conclue avec le gouvernement du Canada ou entre le ministre et un organisme peut prévoir le transfert au ministère de membres du personnel de ce gouvernement ou de cet organisme ainsi que les modalités de ce transfert. Une telle entente est soumise à l'approbation du gouvernement.

Modalités — Les modalités d'intégration des employés visés à cette entente peuvent déroger aux dispositions de la *Loi sur la fonction publique* (chapitre F-3.1.1), à l'exception de celles des articles 64 à 69 de cette loi. Ces employés deviennent employés du gouvernement et fonctionnaires au sens de cette loi à compter de la date de leur intégration.

Pouvoir du Conseil du trésor — Pour l'application d'une telle entente, le Conseil du trésor peut établir toute règle, norme ou politique relative au classement, à la détermination du taux de traitement, à la permanence ou à toute autre condition de travail applicable à ces employés.

1997, c. 63, art. 7; 2002, c. 51, art. 26; 2007, c. 3, art. 32

7.1 Délégation de fonctions — Le ministre peut, par entente, déléguer à la Commission des partenaires du marché du travail, dans la mesure et aux conditions qui y sont prévues, l'exercice de fonctions qui lui sont attribuées par la présente loi ou par une loi dont l'application relève de lui et qui sont relatives à l'intervention sectorielle, au développement et à la reconnaissance des compétences de la main-d'œuvre, à l'administration de la *Loi favorisant le développement et la reconnaissance des compétences de la main-d'œuvre* (chapitre D-8.3), y compris l'administration du Fonds de développement et de reconnaissance des compétences de la main-d'œuvre.

Contenu de l'entente — L'entente doit notamment prévoir le mode d'établissement du niveau de ressources humaines, financières, matérielles et informationnelles que le ministre met à la disposition de la Commission pour l'exercice des fonctions déléguées, de même que des mécanismes de suivi, d'évaluation et de reddition de comptes.

Exercice des fonctions — Dans le cadre de l'exercice des fonctions ainsi déléguées, le président de la Commission est considéré faire partie du ministère aux fins de l'exercice des pouvoirs administratifs nécessaires à ces fonctions.

Résiliation — L'entente peut être résiliée unilatéralement par le ministre.

2007, c. 3, art. 33

8. Échange de renseignements — Une entente en matière de sécurité du revenu et d'allocations sociales peut permettre l'échange de renseignements personnels obtenus en vertu d'une loi dont l'application relève du ministre et de ceux obtenus en vertu d'une loi équivalente administrée par un autre gouvernement, ministère ou organisme et nécessaires aux fins de vérifier l'admissibilité d'une personne aux programmes visés par ces lois ou pour prévenir, détecter ou réprimer toute infraction à l'une de ces lois.

Exigence préalable — Une telle entente est soumise pour avis à la Commission d'accès à l'information selon les modalités prévues à l'article 70 de la *Loi sur l'accès aux documents des organismes publics et sur la protection des renseignements personnels* (chapitre A-2.1).

1997, c. 63, art. 8; 2006, c. 22, art. 177

9. Échange de renseignements — Une entente avec le gouvernement du Canada peut permettre l'échange de renseignements personnels, y compris par appariement de fichiers, aux fins de faciliter l'exécution d'une entente relative à la mise en œuvre de mesures en matière de main-d'œuvre et d'emploi conclue avec ce gouvernement.

Exigence préalable — Ces renseignements sont échangés conformément à la *Loi sur l'accès aux documents des organismes publics et sur la protection des renseignements personnels* (chapitre A-2.1).

1997, c. 63, art. 9; 2006, c. 22, art. 177

10. Mesures d'application — Malgré toute disposition législative ou réglementaire, lorsqu'une entente en matière de sécurité du revenu et d'allocations sociales, visée au paragraphe 3º de l'article 5, étend les bénéfices de lois ou de règlements édictés en vertu de celles-ci à une personne visée dans cette entente, le gouvernement peut, par règlement, pour lui donner effet, prendre les mesures nécessaires à son application.

1997, c. 63, art. 10

11. Résident hors Québec — Malgré toute disposition législative ou réglementaire, le ministre peut permettre à une personne qui ne réside pas au Québec, au sens d'une loi dont l'application relève de lui, de bénéficier, aux conditions qu'il détermine, des services assurés en vertu de cette loi.

1997, c. 63, art. 11

12. Admissibilité — Un programme établi par le ministre dans les domaines de sa compétence peut prévoir des critères d'admissibilité basés sur l'âge d'une personne.

1997, c. 63, art. 12

13. Prix du bien ou du service — Le ministre peut conclure un contrat en vue de la fixation du prix d'un bien ou d'un service lorsqu'il assume en tout ou en partie le coût de sa fourniture dans le cadre d'un programme dont il est responsable.

Prestation — Une prestation ou un autre avantage relatif à un type de bien ou de service qui fait l'objet d'un tel contrat est accordé aux conditions prévues au programme.

1997, c. 63, art. 13

14. Enquête — Dans l'exercice de ses fonctions, le ministre peut, par lui-même ou une personne qu'il désigne, enquêter sur toute matière de sa compétence.

1997, c. 63, art. 14

14.1 (*Abrogé*).

1998, c. 36, art. 202; 2005, c. 15, art. 160

15. Rapport d'activités — Le ministre dépose à l'Assemblée nationale un rapport des activités du ministère, pour chaque exercice financier, dans les six mois de la fin de cet exercice ou, si l'Assemblée ne siège pas, dans les 30 jours de la reprise de ses travaux. Ce rapport doit comporter un volet relatif aux interventions du ministre en matière de main-d'œuvre et d'emploi, lequel fait notamment état des résultats du plan d'action annuel visé à l'article 3.1.

1997, c. 63, art. 15; 2016, c. 25, art. 11

Chapitre II — Commission des partenaires du marché du travail

16. Constitution — Est instituée la « Commission des partenaires du marché du travail ».

1997, c. 63, art. 16

17. Fonctions — La Commission a pour fonction de participer à l'élaboration des politiques, orientations stratégiques et mesures gouvernementales dans les domaines de la main-d'œuvre et de l'emploi, en particulier celles visant à favoriser l'équilibre entre l'offre et la demande de main-d'œuvre sur le marché du travail, ainsi qu'à la prise de décisions relatives aux mesures et programmes relevant du ministre dans ces domaines. À ce titre, la Commission :

1° définit les besoins en développement de la main-d'œuvre actuelle et future en regard de la réalité du marché du travail;

1.1° formule des recommandations aux ministères visés aux paragraphes 2° à 5° du troisième alinéa de l'article 21 en vue de répondre aux besoins du marché du travail;

2° conseille le ministre sur les orientations générales de la politique du marché du travail;

3° participe avec le ministre à l'élaboration de stratégies et d'objectifs en matière de main-d'œuvre et d'emploi;

4° collabore avec le ministre à la détermination des critères de répartition de l'ensemble des ressources afférentes aux mesures, programmes et fonds de main-d'œuvre et d'emploi;

5° collabore avec le ministre à l'identification des cibles d'intervention des services publics d'emploi;

6° examine les plans d'action régionaux en matière de main-d'œuvre et d'emploi qui lui ont été soumis par les conseils régionaux des partenaires du marché du travail et les transmet au ministre pour approbation, avec sa recommandation;

7° examine tout plan ou toute proposition qui lui est soumis au nom de l'industrie de la construction en matière de main-d'œuvre et d'emploi;

8° collabore avec le ministre à la préparation du plan d'action annuel visé à l'article 3.1, en assure le suivi, en évalue périodiquement les résultats et, le cas échéant, recommande au ministre les correctifs à apporter afin d'atteindre les objectifs de ce plan.

Formation de la main-d'œuvre — La Commission exerce, en outre, les attributions prévues par la *Loi favorisant le développement et la reconnaissance des compétences de la main-d'œuvre* (chapitre D-8.3). Elle est par ailleurs responsable d'élaborer une politique d'intervention sectorielle qu'elle soumet à l'approbation du ministre.

Fonctions déléguées — Elle exerce de plus les fonctions qui lui sont déléguées en vertu de l'article 7.1.

1997, c. 63, art. 17; 2007, c. 3, art. 34; 2016, c. 25, art. 12

17.0.1 Rapport — Lorsque la Commission lui formule des recommandations en vue de répondre aux besoins du marché du travail, un ministère visé à l'un des paragraphes 2° à 5° du troisième alinéa de l'article 21 fait rapport à celle-ci, selon les modalités dont ils conviennent, des actions qu'il a prises ou qu'il entend prendre pour y donner suite. S'il ne donne pas suite à une recommandation, le ministère fait état des motifs de sa décision.

Rapport — Le rapport annuel de gestion de la Commission fait état des recommandations, des suites apportées par le ministère et, selon le cas, du rapport ou des motifs visés au premier alinéa.

2016, c. 25, art. 13

17.1 Ententes — La Commission peut conclure avec toute personne, association, société ou organisme des ententes pour l'exercice de ses attributions.

2007, c. 3, art. 35

17.2 Droit d'ester — La Commission peut ester en justice tant en demande qu'en défense.

Dispositions applicables — Les articles 80, 81 et 180 du *Code de procédure civile* (chapitre C-25.01) s'appliquent à la Commission, compte tenu des adaptations nécessaires.

2007, c. 3, art. 35; N.I. 2016-01-01 (NCPC)

17.3 Immunité — Les membres de la Commission ne peuvent être poursuivis en justice en raison d'actes accomplis de bonne foi dans l'exercice de leurs fonctions.

2007, c. 3, art. 35

18. Responsabilités — Dans l'exercice de ses attributions, la Commission favorise :

1º la concertation entre les partenaires des milieux patronaux, syndicaux, communautaires, de l'enseignement et de l'économie, ainsi que la mise en place de comités de main-d'œuvre dans les entreprises, de comités sectoriels de main-d'œuvre ou d'autres comités auxquels participent l'un ou l'autre de ces partenaires;

2º la participation aux activités de développement de la main-d'œuvre des établissements publics d'enseignement, des établissements régis par la *Loi sur l'enseignement privé* (chapitre E-9.1) et des établissements d'enseignement de niveau universitaire;

3º le développement d'initiatives diverses dans les domaines de la main-d'œuvre et de l'emploi;

4º dans le cadre des politiques gouvernementales, l'équité à l'égard des personnes ou des groupes défavorisés sur le marché du travail.

1997, c. 63, art. 18

19. (*Abrogé*).

1997, c. 63, art. 19; 2016, c. 25, art. 14

20. (*Abrogé*).

1997, c. 63, art. 20; 2016, c. 25, art. 14

21. Composition de la Commission — La Commission est composée des membres suivants, nommés par le gouvernement :

1º un président, choisi après consultation de la Commission;

2º six membres représentant la main-d'œuvre québécoise, choisis après recommandation des associations de salariés les plus représentatives;

3º six membres représentant les entreprises, choisis après recommandation des associations d'employeurs les plus représentatives;

4º trois membres choisis après consultation des organismes communautaires les plus représentatifs œuvrant dans les domaines de la main-d'œuvre et de l'emploi, dont un choisi particulièrement pour représenter les jeunes;

5º un membre issu du milieu de l'enseignement secondaire, un membre issu du milieu de l'enseignement collégial et un membre issu du millieu de l'enseignement universitaire, choisis après consultation d'organismes des milieux concernés.

Parité — Ces nominations doivent tendre à une parité entre les hommes et les femmes

Membres d'office — Le sous-ministre de l'Emploi et de la Solidarité sociale ainsi que le secrétaire général de la Commission sont d'office membres de la Commission.

Membres sans droit de vote — Sont aussi membres de la Commission, mais sans y avoir droit de vote, les personnes suivantes :

1º (*paragraphe abrogé*);

2º le sous-ministre de l'Éducation, du Loisir et du Sport ou un sous-ministre associé ou adjoint du ministère de l'Éducation, du Loisir et du Sport désigné par le sous-ministre;

2.1º le sous-ministre de l'Enseignement supérieur, de la Recherche, de la Science et de la Technologie ou un sous-ministre associé ou adjoint de ce ministère désigné par le sous-ministre;

3º le sous-ministre du ministère du Développement économique, de l'Innovation et de l'Exportation ou un sous-ministre associé ou adjoint de ce ministère désigné par ce sous-ministre;

4º le sous-ministre des Affaires municipales, des Régions et de l'Occupation du territoire ou un sous-ministre associé ou adjoint du ministère des Affaires municipales, des Régions et de l'Occupation du territoire désigné par le sous-ministre;

5º le sous-ministre du ministère de l'Immigration et des Communautés culturelles ou un sous-ministre associé ou adjoint de ce ministère désigné par ce sous-ministre;

6º le président de la Commission de la construction du Québec ou une personne qu'il désigne.

Séance — En outre, le ministre peut participer à toute séance de la Commission.

1997, c. 63, art. 21; 1997, c. 91, art. 58; 1998, c. 36, art. 203; 1999, c. 8, art. 20; 1999, c. 43, art. 12; 2001, c. 44, art. 28; 2003, c. 19, art. 250; 2003, c. 29, art. 150; 2005, c. 28, art. 196; 2006, c. 8, art. 31; 2007, c. 3, art. 36; 2009, c. 26, art. 109; 2013, c. 28, art. 166; 2016, c. 25, art. 15

22. Nomination — Après avoir consulté la Commission, le ministre en nomme le secrétaire général parmi les sous-ministres associés ou adjoints en fonction au ministère et ayant une responsabilité en matière de main-d'œuvre ou d'emploi.

Fonctions et pouvoirs — Le secrétaire général assiste la Commission dans l'exercice de ses fonctions et pouvoirs, y compris ceux prévus par la *Loi favorisant le développement et la reconnaissance des compétences de la main-d'œuvre* (chapitre D-8.3).

Mandat — Le secrétaire général peut également exercer tout mandat que lui confie le ministre ou la Commission en lien avec les fonctions de cette dernière.

1997, c. 63, art. 22; 2016, c. 25, art. 16

23. Mandat — Le mandat des membres de la Commission nommés par le gouvernement est d'au plus trois ans.

Fonctions continuées — À l'expiration de leur mandat, ils demeurent en fonction jusqu'à ce qu'ils soient remplacés ou nommés de nouveau.

Fin d'un mandat — Le mandat d'un membre visé à l'un ou l'autre des paragraphes 2º à 5º du premier alinéa de l'article 21 prend fin dès que le secrétaire général de la Commission reçoit de l'association ou de l'organisme qu'il représente un avis à l'effet que ce membre n'a plus qualité pour le représenter.

1997, c. 63, art. 23

24. Président de la Commission — Le président de la Commission en préside les réunions, est chargé d'assurer la liaison entre la Commission et le ministre et assume les autres fonctions qui peuvent lui être assignées par la Commission.

Intérim — En cas d'absence ou d'empêchement du président, les autres membres de la Commission visés au premier alinéa de l'article 21 désignent parmi eux un membre chargé d'assurer l'intérim pour la durée qu'ils déterminent.

1997, c. 63, art. 24

25. Remboursement des dépenses — Les membres de la Commission nommés par le gouvernement ne sont pas rémunérés, sauf dans les cas, aux conditions et dans la mesure que peut déterminer le gouvernement. Ils ont cependant droit au remboursement des dépenses faites dans l'exercice de leurs fonctions, aux conditions et dans la mesure que détermine le gouvernement.

1997, c. 63, art. 25

26. Conflit d'intérêts — Un membre de la Commission qui a un intérêt direct ou indirect dans une entreprise qui met en conflit son intérêt personnel et les devoirs de sa charge doit, sous peine de déchéance de celle-ci, le dénoncer par écrit au président ou, dans le cas de ce dernier, au secrétaire et s'abstenir de participer à toute délibération et à toute décision portant sur l'entreprise dans laquelle il a cet intérêt ou à toute partie de séance de la Commission au cours de laquelle son intérêt est débattu.

1997, c. 63, art. 26

27. Séances — La Commission peut tenir ses séances à tout endroit au Québec.

Quorum — Le quorum aux séances de la Commission est constitué de la majorité des membres ayant droit de vote.

Règles de fonctionnement — La Commission peut établir des règles pour son fonctionnement, notamment concernant la constitution d'un comité exécutif.

1997, c. 63, art. 27

28. Authenticité des documents — Les procès-verbaux des séances de la Commission approuvés par celle-ci et certifiés conformes par le président ou par le secrétaire général sont authentiques. Il en est de même des documents ou des copies émanant de la Commission ou faisant partie de ses archives lorsqu'ils sont signés ou certifiées conformes par l'une de ces personnes.

1997, c. 63, art. 28

29. Rapport d'activités — La Commission doit transmettre au ministre les données, rapports ou autres renseignements qu'il requiert sur ses activités, dans le délai et suivant la forme qu'il détermine.

1997, c. 63, art. 29

Chapitre III — Emploi-Québec (*Abrogé*)

30. (*Abrogé*).

1997, c. 63, art. 30; 2007, c. 3, art. 37; 2016, c. 25, art. 17

30.1 (*Abrogé*).

2007, c. 3, art. 38; 2016, c. 25, art. 17

31. (*Abrogé*).

1997, c. 63, art. 31; 2007, c. 3, art. 39; 2016, c. 25, art. 17

32. (*Abrogé*).

1997, c. 63, art. 32; 2007, c. 3, art. 40; 2016, c. 25, art. 17

33. (*Abrogé*).

1997, c. 63, art. 33; 2001, c. 44, art. 28; 2007, c. 3, art. 41; 2016, c. 25, art. 17

34. (*Abrogé*).

1997, c. 63, art. 34; 2007, c. 3, art. 42; 2016, c. 25, art. 17

35. (*Abrogé*).

1997, c. 63, art. 35; 2007, c. 3, art. 43; 2016, c. 25, art. 17

36. (*Abrogé*).

1997, c. 63, art. 36; 2007, c. 3, art. 44; 2016, c. 25, art. 17

Chapitre IV — Conseils régionaux des partenaires du marché du travail

37. Régions visées — Un conseil régional des partenaires du marché du travail est institué par le gouvernement dans chacune des régions qu'il délimite.

1997, c. 63, art. 37

38. Fonctions — Un conseil régional a pour fonctions :

1° de définir la problématique du marché du travail dans sa région en fonction des orientations générales de la politique du marché du travail, notamment en procédant à l'estimation des besoins de développement de la main-d'œuvre et en recourant à l'expertise de comités consultatifs;

2° de soumettre annuellement à la Commission pour examen un plan d'action régional en matière de main-d'œuvre et d'emploi qui comporte, notamment, les éléments relatifs aux services publics d'emploi prévus aux plans d'action locaux pour l'économie et l'emploi élaborés dans sa région, accompagné de son avis sur ces éléments, notamment quant à leur harmonisation avec les orientations, stratégies et objectifs nationaux, sectoriels et régionaux;

3° d'adapter aux réalités de la région les mesures, programmes et fonds de main-d'œuvre et d'emploi dans la mesure où les conditions de leur mise en œuvre le permettent;

4° d'identifier des stratégies et des objectifs régionaux en matière de main-d'œuvre et d'emploi;

5° de proposer à la Commission des critères de répartition des ressources afférentes aux mesures, programmes et fonds de main-d'œuvre et d'emploi allouées au niveau régional;

6° d'identifier des dossiers susceptibles de faire l'objet par le ministre d'ententes spécifiques régionales en matière de main-d'œuvre et d'emploi avec toute municipalité régionale de comté concernée;

7° de promouvoir auprès de toute municipalité régionale de comté concernée la prise en compte des stratégies et des objectifs régionaux en matière de main-d'œuvre et d'emploi.

Application — Pour l'application des paragraphes 6° et 7° du premier alinéa, une municipalité locale dont le territoire n'est pas compris dans celui d'une municipalité régionale de comté est assimilée à une municipalité régionale de comté. Il en est de même pour un organisme compétent visé à l'article 21.5 de la Loi sur le ministère des Affaires municipales, des Régions et de l'Occupation du territoire (chapitre M-22.1), à l'égard du territoire ou de la communauté qu'il représente.

1997, c. 63, art. 38; 2003, c. 29, art. 151; 2006, c. 8, art. 17; 2009, c. 26, art. 109; 2015, c. 8, art. 234; 2016, c. 25, art. 18

39. Responsabilités — Dans l'exercice de ses attributions, un conseil régional favorise :

1° des interventions à l'égard des personnes ou des groupes défavorisés sur le marché du travail dans sa région, notamment la conclusion d'ententes à cet égard avec des organismes communautaires œuvrant dans les domaines de la main-d'œuvre et de l'emploi;

2° la concertation entre les partenaires patronaux, syndicaux et sociaux et les milieux de l'enseignement et de l'économie, notamment la création de comités consultatifs;

3° la mise en œuvre de programmes d'aide à l'emploi, de développement de la main-d'œuvre ou de développement local.

1997, c. 63, art. 39

40. Composition — Un conseil régional est composé des membres suivants, nommés par le ministre :

1° six membres représentant la main-d'œuvre, choisis après recommandation d'associations de salariés représentatives de la région;

2° six membres représentant les entreprises, choisis après recommandation d'associations d'employeurs représentatives de la région;

3° six membres, deux choisis après consultation d'organismes communautaires œuvrant dans la région dans le domaine de la main-d'œuvre et de l'emploi et quatre issus des milieux de la formation, dont un des commissions scolaires et un autre des établissements d'enseignement collégial, choisis après consultation d'organismes des milieux concernés;

4° un membre représentatif de la réalité du développement local de la région, choisi après consultation des membres visés aux paragraphes 1° à 3°.

Parité — Ces nominations doivent tendre à une parité entre les hommes et les femmes.

Représentant régional — Est également membre du conseil régional et agit à titre de secrétaire un représentant régional du ministère désigné par le sous-ministre parmi le personnel cadre.

Membres du conseil — Sont aussi membres du conseil régional, mais sans y avoir droit de vote, les personnes suivantes :

1° un représentant du ministère de l'Éducation, du Loisir et du Sport et du ministère de l'Enseignement supérieur, de la Recherche, de la Science et de la Technologie désigné conjointement par le sous-ministre de chacun de ces ministères;

2° le directeur régional du ministère du Développement économique, de l'Innovation et de l'Exportation ou un représentant régional de ce ministère désigné par le sous-ministre de ce ministère;

3° le directeur régional de la Commission de la construction du Québec ou un représentant qu'il désigne.

1997, c. 63, art. 40; 1997, c. 91, art. 59; 1999, c. 8, art. 20; 2003, c. 29, art. 152; 2005, c. 28, art. 195; 2006, c. 8, art. 31; 2007, c. 3, art. 45; 2016, c. 25, art. 19

41. Mandat — Le mandat des membres d'un conseil régional nommés par le ministre est d'au plus trois ans.

Fonctions continuées — À l'expiration de leur mandat, ils demeurent en fonction jusqu'à ce qu'ils soient remplacés ou nommés de nouveau.

Fin du mandat — Le mandat d'un membre prend fin dès que le ministre reçoit de l'association ou de l'organisme qu'il représente un avis à l'effet que ce membre n'a plus qualité pour le représenter.

1997, c. 63, art. 41

42. Président — Les membres d'un conseil régional visés au premier alinéa de l'article 40 élisent parmi eux un président pour la durée qu'ils déterminent.

Responsabilités — Le président d'un conseil régional en préside les réunions et assume les autres fonctions qui lui sont assignées par le conseil.

Intérim — En cas d'absence ou d'empêchement du président, les membres du conseil visés au premier alinéa de l'article 40 désignent parmi eux un membre chargé d'assurer l'intérim pour la durée qu'ils déterminent.

1997, c. 63, art. 42

43. Remboursement des dépenses — Les membres d'un conseil régional nommés par le ministre ne sont pas rémunérés, sauf dans les cas, aux conditions et dans la mesure que peut déterminer le gouvernement. Ils ont cependant droit au remboursement des dépenses faites dans l'exercice de leurs fonctions, aux conditions et dans la mesure que détermine le gouvernement.

1997, c. 63, art. 43

44. Conflit d'intérêts — Un membre d'un conseil régional qui a un intérêt direct ou indirect dans une entreprise qui met en conflit son intérêt personnel et les devoirs de sa charge doit, sous peine de déchéance de celle-ci, le dénoncer par écrit au président ou, dans le cas de ce dernier, au secrétaire et s'abstenir de participer à toute délibération et à toute décision portant sur l'entreprise dans laquelle il a cet intérêt ou à toute partie de séance du conseil régional au cours de laquelle son intérêt est débattu.

1997, c. 63, art. 44

45. Séances — Un conseil régional peut tenir ses séances à tout endroit dans sa région. Il peut y inviter toute personne afin de l'assister dans ses délibérations.

Quorum — Le quorum aux séances d'un conseil régional est constitué de la majorité des membres.

Règles de fonctionnement — Un conseil régional établit des règles pour son fonctionnement.

1997, c. 63, art. 45; 2016, c. 25, art. 20

45.1 Comités d'évaluation — Le ministre invite des représentants des conseils régionaux des partenaires du marché du travail à faire partie de comités d'évaluation mis en place aux fins de combler un poste de directeur régional ou un poste de directeur local au sein du ministère.

2016, c. 25, art. 21

46. Rapport d'activités — Un conseil régional doit transmettre au ministre les données, rapports ou autres renseignements qu'il requiert sur ses activités, dans le délai et suivant la forme qu'il détermine.

1997, c. 63, art. 46

Chapitre V — Organisation du ministère

47. Sous-ministre — Le gouvernement nomme, conformément à la *Loi sur la fonction publique* (chapitre F-3.1.1), une personne au titre de sous-ministre de l'Emploi et de la Solidarité sociale.

1997, c. 63, art. 47; 2001, c. 44, art. 28

48. Administration — Sous la direction du ministre, le sous-ministre administre le ministère.

Responsabilités — Il exerce, en outre, toute autre fonction que lui assigne le gouvernement ou le ministre.

1997, c. 63, art. 48

49. Autorité — Dans l'exercice de ses fonctions, le sous-ministre a l'autorité du ministre.

1997, c. 63, art. 49

50. Délégation — Le sous-ministre peut, par écrit et dans la mesure qu'il indique, déléguer à un fonctionnaire ou titulaire d'un emploi au ministère ou à toute autre personne d'un organisme l'exercice de ses fonctions visées par la présente loi.

Subdélégation — Il peut, dans l'acte de délégation, autoriser la subdélégation des fonctions qu'il indique; le cas échéant, il identifie le fonctionnaire ou le titulaire d'un emploi à qui cette subdélégation peut être faite.

1997, c. 63, art. 50; 2007, c. 3, art. 46

51. Personnel — Le personnel du ministère est constitué des fonctionnaires nécessaires à l'exercice des fonctions du ministre; ceux-ci sont nommés conformément à la *Loi sur la fonction publique* (chapitre F-3.1.1).

Responsabilités — Le ministre détermine les devoirs de ces fonctionnaires pour autant qu'il n'y est pas pourvu par la loi ou par le gouvernement.

1997, c. 63, art. 51; 2000, c. 8, art. 242

52. Signature — La signature du ministre ou du sous-ministre donne autorité à tout document provenant du ministère.

Signature requise — Aucun acte, document ou écrit n'engage le ministre ni ne peut lui être attribué, s'il n'est signé par lui, par le sous-ministre, par un membre du personnel du ministère ou par un titulaire d'un emploi ou par toute autre personne d'un organisme, mais dans le cas de ces trois derniers, uniquement dans la mesure déterminée par le gouvernement.

Personnel du ministère — Un membre du personnel d'un organisme est, dans la mesure où il est affecté à l'administration d'un programme que le ministre a délégué par entente à cet organisme, assimilé à un membre du personnel du ministère aux fins du deuxième alinéa.

1997, c. 63, art. 52; 2007, c. 3, art. 47

53. Appareil automatique — Le gouvernement peut permettre, aux conditions qu'il fixe, que la signature du ministre ou du sous-ministre soit apposée au moyen d'un appareil automatique sur les documents qu'il détermine.

Fac-similé — Il peut également permettre qu'un fac-similé de cette signature soit gravé, lithographié ou imprimé sur les documents qu'il détermine. Le fac-similé doit alors être authentifié par le contreseing d'une personne autorisée par le ministre.

1997, c. 63, art. 53

53.1 Délégation de pouvoir — Le ministre peut, par écrit, déléguer généralement ou spécialement à un membre du personnel du ministère ou à un titulaire d'un emploi le pouvoir de désigner une personne pour agir à titre de réviseur en vertu de l'article 109 de la *Loi sur l'aide aux personnes et aux familles* (chapitre A-13.1.1), le pouvoir d'autoriser une personne à agir à titre de vérificateur en vertu de l'article 120 de cette loi ou en vertu de l'article 88.1 de la *Loi sur l'assurance parentale* (chapitre A-29.011), ainsi que le pouvoir de nommer une personne pour agir à titre d'enquêteur en vertu de l'article 122 de la *Loi sur l'aide aux personnes et aux familles* ou de l'article 88.3 de la *Loi sur l'assurance parentale* ou en vertu de l'article 14 de la présente loi.

1998, c. 36, art. 204; 2005, c. 13, art. 79; 2005, c. 15, art. 161

54. Certificat — Il n'est pas nécessaire qu'une décision rendue ou qu'un certificat délivré en vertu d'une loi dont l'application relève du ministre soit signé, mais le nom de la personne qui l'a rendue ou qui l'a délivré doit y apparaître.

1997, c. 63, art. 54

55. Authenticité des documents — Un document ou une copie d'un document provenant du ministère ou faisant partie de ses archives, signé ou certifiée conforme par une personne visée au deuxième alinéa de l'article 52, est authentique.

1997, c. 63, art. 55

56. Certification — Une transcription écrite et intelligible d'une décision, d'un certificat ou de toute autre donnée emmagasinés par le ministère sur ordinateur ou sur tout autre support informatique constitue un document du ministère et fait preuve de son contenu lorsqu'elle est certifiée conforme par une personne visée au deuxième alinéa de l'article 52.

1997, c. 63, art. 56

57. Date d'expédition — Une décision rendue ou un certificat délivré en vertu d'une loi dont l'application relève du ministre est présumé avoir été fait et expédié à la date qui y est indiquée.

1997, c. 63, art. 57

57.1 Direction de l'état civil — Le ministre est responsable de la direction de l'état civil et il nomme le directeur de l'état civil.

2013, c. 4, art. 5

57.2 Directeur de l'état civil — Le directeur de l'état civil est un officier public membre du personnel du ministère. Il exerce les fonctions prévues par la loi et s'occupe exclusivement du travail et des devoirs relatifs à l'exercice de ses fonctions. Cependant, il peut également, à la demande du ministre de la Justice et à la place de celui-ci, accorder les dispenses prévues aux articles 63 et 67 du *Code civil du Québec* (L.Q. 1991, c. 64) de même que les autorisations prévues à l'article 366 de ce code.

Ajout proposé — 57.2 al. 2

De plus, le directeur de l'état civil peut exercer les pouvoirs que le ministre de la Sécurité publique lui délègue en vertu de la *Loi sur l'immatriculation des armes à feu* (2016, chapitre 15). Il n'exerce toutefois pas ces pouvoirs à titre d'officier public.

2016, c. 15, art. 23 [Non en vigueur à la date de publication.]

Défaut de désignation — À défaut de désignation faite en vertu de l'article 151 du *Code civil du Québec*, le ministre désigne, en cas d'absence ou d'empêchement du directeur de l'état civil, une personne parmi les fonctionnaires du ministère pour en exercer les fonctions et fait publier cette désignation à la *Gazette officielle du Québec*.

2013, c. 4, art. 5

57.3 Information au procureur général — Le directeur de l'état civil doit informer, dans les plus brefs délais, le procureur général lorsque des dossiers sont susceptibles de soulever des questions d'intérêt général ou de requérir l'intervention du ministre de la Justice ou du procureur général.

2013, c. 4, art. 5

57.4 Politique d'examen et de traitement des plaintes — Le ministre doit se doter d'une politique d'examen et de traitement des plaintes qui lui sont formulées à l'égard de la prestation des services qu'il rend et de l'application des mesures ou des programmes qui relèvent de sa compétence.

2013, c. 4, art. 5

57.5 Unité administrative — Le ministre désigne une unité administrative distincte des unités chargées de la prestation des services ou de l'application des mesures ou des programmes qui relèvent de sa compétence pour exercer des fonctions de traitement des plaintes.

2013, c. 4, art. 5

57.6 Plainte — Toute plainte reçue par cette unité administrative doit être traitée avec célérité et faire l'objet d'une vérification et d'une analyse, sauf si elle est manifestement non fondée, notamment si elle ne porte pas sur l'une des matières prévues à la présente loi.

2013, c. 4, art. 5

57.7 Résultat de la vérification — La personne qui a formulé une plainte doit être informée du résultat de la vérification effectuée, de même que des modalités de recours, s'il en est.

Confidentialité — Le premier alinéa n'a pas pour effet de permettre la divulgation d'un renseignement confidentiel.

2013, c. 4, art. 5

57.8 Rapport annuel de gestion — Dans le rapport annuel de gestion du ministère, le ministre fait état, notamment, de la politique visée à l'article 57.4, du nombre et de la nature des plaintes qui lui ont été formulées, des moyens mis en place pour y remédier, des suites qui leur ont été données et des constatations sur la satisfaction des personnes ayant formulé une plainte.

2013, c. 4, art. 5

Chapitre VI — Fonds de développement du marché du travail

58. Constitution — Est institué, au ministère de l'Emploi et de la Solidarité sociale, le Fonds de développement du marché du travail.

Responsabilités — Ce fonds est affecté au financement de la mise en œuvre et de la gestion des mesures et programmes relevant du ministre dans les domaines de la main-d'œuvre et de l'emploi, ainsi que de la prestation des services publics d'emploi.

1997, c.,63, art. 58; 2001, c. 44, art. 28

59. (*Abrogé*).

1997, c. 63, art. 59; 2011, c. 18, art. 179

60. Sommes allouées — Les sommes suivantes sont portées au crédit du fonds :

1º les sommes versées par le ministre sur les crédits alloués à cette fin par le Parlement;

2º les sommes perçues pour la prestation de services publics d'emploi, à l'exception de celles qui se rattachent à l'administration de la *Loi favorisant le développement et la reconnaissance des compétences de la main-d'œuvre* (chapitre D-8.3);

3º les sommes virées par le ministre des Finances en application des articles 53 et 54 de la *Loi sur l'administration financière* (chapitre A-6.001);

3.1º les amendes perçues en application de l'article 141.1 de la *Loi sur les normes du travail* (chapitre N-1.1);

3.2º les sommes versées par la Société du Plan Nord en vertu d'une entente qui en prévoit l'affectation, conformément à l'article 21 de la *Loi sur la Société du Plan Nord* (chapitre S-16.011);

4º les dons, legs et autres contributions versés pour aider à la réalisation des objets du fonds.

Affectation — Les sommes visées au paragraphe 3.1º du premier alinéa sont affectées à la mise en œuvre et à la gestion de mesures d'aide au reclassement.

1997, c. 63, art. 60; 2002, c. 80, art. 84; 2007, c. 3, art. 48; 2011, c. 18, art. 180; 2014, c. 16, art. 78

61. (*Abrogé*).

1997, c. 63, art. 61; 2000, c. 15, art. 112; 2001, c. 44, art. 28; 2011, c. 18, art. 181

62. (*Abrogé*).

1997, c. 63, art. 62; 2011, c. 18, art. 181

63. (*Abrogé*).

1997, c. 63, art. 63; 1999, c. 77, art. 44; 2001, c. 44, art. 28; 2011, c. 18, art. 181

64. (*Abrogé*).

1997, c. 63, art. 64; 2011, c. 18, art. 181

65. Surplus — Les surplus accumulés par le fonds qui excèdent 20 000 000 $ sont virés au fonds général aux dates et dans la mesure que détermine le gouvernement.

1997, c. 63, art. 65; 2011, c. 18, art. 182

66. (*Abrogé*).

1997, c. 63, art. 66; 2000, c. 8, art. 160; 2000, c. 15, art. 113; 2011, c. 18, art. 183

67. (*Abrogé*).

1997, c. 63, art. 67; 2011, c. 18, art. 183; 2011, c. 18, art. 183

68. (*Abrogé*).

1997, c. 63, art. 68; 1999, c. 40, art. 343; 2011, c. 18, art. 183

Chapitre VI.1 — Fonds des biens et des services

68.1 Institution — Est institué, au sein du ministère de l'Emploi et de la Solidarité sociale, le Fonds des biens et des services.

Financement — Le Fonds est affecté au financement:

1º des biens et des services fournis sous l'autorité du ministre qui sont liés aux fonctions du directeur de l'état civil;

2º des activités liées à la réalisation de la mission prévue au troisième alinéa de l'article 2;

3º des activités de fourniture de biens ou de services afférentes notamment à des produits ou à des services liés au savoir-faire du ministère.

2013, c. 4, art. 6

68.2 Crédits du Fonds — Les sommes suivantes sont portées au crédit du Fonds:

1º les sommes perçues pour la réalisation des objets visés au deuxième alinéa de l'article 68.1, à l'exception de celles payables au registraire des entreprises;

1.1º les sommes virées par le ministre en vertu de l'article 68.2.1;

2º les sommes virées par un ministre sur les crédits alloués à cette fin par le Parlement;

3º les autres sommes auxquelles le ministre a droit conformément à une loi, un règlement, un décret, un arrêté ou une entente en contrepartie des services rendus par le ministre;

4º les sommes virées par le ministre des Finances en application des articles 53 et 54 de la *Loi sur l'administration financière* (chapitre A-6.001);

5º les dons et les legs, ainsi que les autres contributions versées pour aider à la réalisation des objets du Fonds;

6º les revenus générés par les sommes portées au crédit du Fonds.

2013, c. 4, art. 6; 2016, c. 29, art. 24

68.2.1 Virement — Sur les sommes portées au crédit du fonds général, le ministre vire au fonds une partie des sommes perçues en application de la *Loi sur la publicité légale des entreprises* (chapitre P-44.1), dans la mesure, aux dates et selon les modalités déterminées par le gouvernement, sur recommandation conjointe du ministre et du ministre des Finances.

2016, c. 29, art. 25

68.3 Débit du Fonds — Sont portées au débit du Fonds les sommes requises pour le paiement de tout coût relatif à un investissement et de toute dépense nécessaires pour la réalisation des objets visés au deuxième alinéa de l'article 68.1.

2013, c. 4, art. 6

68.4 Surplus accumulés — Les surplus accumulés par le Fonds ne peuvent être virés au fonds général qu'aux dates et que dans la mesure déterminées par le gouvernement.

2013, c. 4, art. 6

Chapitre VII — Dispositions modificatives

69.–128. (*Omis*).

Chapitre VIII — Dispositions transitoires et diverses

129. Droits et obligations — Le gouvernement acquiert les droits et assume les obligations de la Société québécoise de développement de la main-d'œuvre.

1997, c. 63, art. 129

130. Gérance des programmes — Les programmes gérés par la Société le 31 mars 1998 continuent d'être gérés par le ministre. Le gouvernement ou le ministre, selon celui qui a donné son approbation, peut modifier ou mettre fin à ces programmes.

1997, c. 63, art. 130

131. Dossiers et documents — Les dossiers et autres documents de la Société deviennent ceux du ministère de l'Emploi et de la Solidarité sociale.

1997, c. 63, art. 131; 2001, c. 44, art. 28

132. Affaires continuées — Les affaires engagées devant la Société sont continuées par le ministre, sans autre formalité.

1997, c. 63, art. 132

133. Partie à une instance — Le procureur général devient partie à toute instance à laquelle la Société était partie le 31 mars 1998, sans reprise d'instance.

1997, c. 63, art. 133

134. Fin des mandats — Le mandat des membres du conseil d'administration de la Société, y compris celui du président, ainsi que celui des vice-présidents de la Société prennent fin le 1er avril 1998.

Fin des mandats — Le mandat des membres des conseils régionaux établis en vertu de l'article 36 de la *Loi sur la Société québécoise de développement de la main-d'œuvre* (chapitre S-22.001) prend fin le 1er avril 1998.

1997, c. 63, art. 134

135. Transfert d'employés — Les employés de la Société, en fonction le 16 décembre 1997, visés à un décret du gouvernement deviennent les employés du ministère ou d'un autre ministère, aux conditions et selon les modalités prévues à un tel décret. Les employés ainsi transférés sont réputés avoir été nommés conformément à la *Loi sur la fonction publique* (chapitre F-3.1.1).

Politique du Conseil du trésor — Le Conseil du trésor peut établir toute règle, norme ou politique relative au classement, à la détermination du taux de traitement, à la permanence ou à toute autre condition de travail applicable aux employés visés au premier alinéa.

1997, c. 63, art. 135; 2000, c. 8, art. 242

136. Intégration des employés — Sous réserve de l'article 137, les modalités d'intégration des employés visés à une entente conclue en vertu de l'article 7 peuvent déroger aux dispositions de la *Loi sur la fonction publique* (chapitre F-3.1.1), à l'exception de celles des articles 64 à 69 de cette loi. Ces employés deviennent employés du gouvernement et fonctionnaires au sens de cette loi à compter de la date de leur intégration.

Politique du Conseil du trésor — Pour l'application d'une telle entente, le Conseil du trésor peut établir toute règle, norme ou politique relative au classement, à la détermination du taux de traitement, à la permanence ou à toute autre condition de travail applicable à ces employés.

Régimes de retraite — Le gouvernement peut, lors de l'intégration de ces employés, conclure avec le gouvernement du Canada ou l'organisme concerné tout accord relatif aux régimes de retraite.

1997, c. 63, art. 136

137. Reconnaissance d'une association accréditée — Dans le cas où les employés intégrés à la fonction publique en vertu d'une entente visée à l'article 7 ou en application de l'article 135 étaient représentés par une association accréditée au sens du *Code du travail* (chapitre C-27) ou par un agent négociateur au sens de la *Loi sur les relations de travail dans la fonction publique* (L.R.C. (1985), ch. P-35) et dans le but de faciliter l'intégration de ces employés, le gouvernement peut, aux conditions et dans la mesure qu'il détermine, pour une période temporaire qu'il fixe, reconnaître cette association accréditée ou cet agent négociateur à titre de représentant exclusif de ces employés aux fins de l'interprétation ou de l'application d'une convention collective visée au deuxième alinéa du présent article ou de toute mesure prise en application du deuxième alinéa de l'article 135 ou du deuxième alinéa de l'article 136. Cette reconnaissance peut prévoir des dispositions concernant le paiement de la cotisation syndicale.

Conditions de travail — Ces employés sont régis par les conventions collectives et les autres conditions de travail applicables aux employés régis par la *Loi sur la fonction publique* (chapitre F-3.1.1), sous réserve de toute règle, norme ou politique établie en vertu du deuxième alinéa de l'article 135 ou du deuxième alinéa de l'article 136 et sous réserve des dispositions du premier alinéa du présent article.

1997, c. 63, art. 137

138. Interprétation — À moins que le contexte n'indique un sens différent, dans toute loi non visée par les articles 69 à 128 ainsi que dans les règlements, décrets, arrêtés, proclamations, ordonnances, contrats, ententes, accords ou autres documents :

1° une référence au ministre d'État de l'Emploi et de la Solidarité ou au ministre de la Sécurité du revenu est une référence au ministre de l'Emploi et de la Solidarité;

2° une référence au sous-ministre ou au ministère de la Sécurité du revenu est une référence au sous-ministre ou au ministère de l'Emploi et de la Solidarité;

3° une référence au ministre désigné par le gouvernement aux fins de l'article 13 de la *Loi sur certaines fonctions relatives à la main-d'œuvre et à l'emploi* (chapitre F-3.1.1.1) est une référence au ministre de l'Emploi et de la Solidarité;

4° une référence à la Société québécoise de développement de la main-d'œuvre est une référence au ministre de l'Emploi et de la Solidarité ou à la Commission des partenaires du marché du travail, selon leurs fonctions respectives;

5° un renvoi à la *Loi sur le ministère de la Sécurité du revenu* (chapitre M-19.2.1) ou à la *Loi sur certaines fonctions relatives à la main-d'œuvre et à l'emploi* est un renvoi à la *Loi sur le ministère de l'Emploi et de la Solidarité et instituant la Commission des partenaires du marché du travail* (chapitre M-15.001) ou à la disposition correspondante de cette loi.

1997, c. 63, art. 138

139. Dispositions continuées en vigueur — Un règlement, arrêté ou ordonnance édicté en vertu de la *Loi sur le ministère de la Sécurité du revenu* (chapitre M-19.2.1) ou de la *Loi sur certaines fonctions relatives à la main-d'œuvre et à l'emploi* (chapitre F-3.1.1.1) demeure en vigueur jusqu'à ce qu'il soit remplacé ou abrogé.

1997, c. 63, art. 139

140. Règlement des partenaires du marché du travail — Un règlement de la Société québécoise de développement de la main-d'œuvre pris en application de l'article 24 de la *Loi sur la Société québécoise de développement de la main-d'œuvre* (chapitre S-22.001) est réputé être un règlement de la Commission des partenaires du marché du travail pris en application de l'article 36.

1997, c. 63, art. 140

141. Règlements des partenaires du marché du travail — Les règlements de la Société pris en application de la *Loi favorisant le développement de la formation de la main-d'œuvre* (chapitre D-8.3) et ceux du gouvernement pris en application de l'article 65 de cette loi sont réputés être des règlements de la Commission des partenaires du marché du travail.

1997, c. 63, art. 141

142. Aide financière — L'aide financière et les subventions accordées par la Société sont réputées être de l'aide financière et des subventions accordées par le ministre.

1997, c. 63, art. 142

143. Agréments ou reconnaissances — Les agréments ou reconnaissances délivrés par la Société en application de la *Loi favorisant le développement de la formation de la main-d'œuvre* (chapitre D-8.3) sont réputés être des agréments ou reconnaissances délivrés par le ministre.

1997, c. 63, art. 143

144. (*Omis*).

1997, c. 63, art. 144

145. Régime de retraite des employés transférés — Au cours de l'exercice financier 1998-1999, le ministre verse à la Commission administrative des régimes de retraite et d'assurances, après approbation du Conseil du trésor, les sommes requises pour compenser certains coûts occasionnés par un accord relatif aux régimes de retraite d'employés du gouvernement du Canada transférés au ministère dans le cadre de l'Entente de principe Canada-Québec relative au marché du travail. Ces sommes sont prises sur le Fonds de développement du marché de travail. La Commission affecte ces sommes de la façon déterminée par le ministre.

1997, c. 63, art. 145; 1998, c. 36, art. 205

146. Transfert des crédits — Les crédits accordés pour l'exercice financier 1998-1999 à la Société québécoise de développement de la main-d'œuvre de même que les sommes qui se trouvent dans un fonds géré par la Société le 31 mars 1999 sont transférés au Fonds de développement du marché du travail.

1997, c. 63, art. 146

147. Transfert des crédits — Les crédits accordés pour l'exercice financier 1997-1998 au ministère de la Sécurité du revenu pour les mesures d'aide à l'emploi ainsi que pour la gestion interne et le soutien sont transférés au Fonds de développement du marché du travail dans la mesure que détermine le gouvernement.

1997, c. 63, art. 147

148. Ministre responsable — Le ministre de l'Emploi et de la Solidarité sociale est chargé de l'application de la présente loi.

1997, c. 63, art. 148; 2001, c. 44, art. 30

149. Effet — L'article 7 cesse d'avoir effet le 1er janvier 2008 en ce qu'il concerne une entente avec un organisme.

1997, c. 63, art. 149; 2002, c. 51, art. 27; 2007, c. 3, art. 49

150. (*Omis*).

1997, c. 63, art. 150

[QUE-12]
TABLE DES MATIÈRES
LOI SUR LE MINISTÈRE DU TRAVAIL

[QUE-12]
Loi sur le ministère du Travail

RLRQ, c. M-32.2, telle que modifiée par 2000, c. 8, art. 242; 2001, c. 26, art. 136-137; 2002, c. 80, art. 85; 2011, c. 16, art. 82.

Chapitre I — Organisation du ministère

1. Ministre responsable — Le ministère du Travail est dirigé par le ministre du Travail nommé en vertu de la *Loi sur l'exécutif* (chapitre E-18).

1996, c. 29, art. 1

2. Sous-ministre — Le gouvernement nomme, conformément à la *Loi sur la fonction publique* (chapitre F-3.1.1), une personne au titre de sous-ministre du Travail.

1996, c. 29, art. 2

3. Administration — Sous la direction du ministre, le sous-ministre administre le ministère.

Fonctions — Il exerce, en outre, toute autre fonction que lui assigne le gouvernement ou le ministre.

1996, c. 29, art. 3

4. Autorité — Dans l'exercice de ses fonctions, le sous-ministre a l'autorité du ministre.

1996, c. 29, art. 4

5. Délégation — Le sous-ministre peut, par écrit et dans la mesure qu'il indique, déléguer à un fonctionnaire ou au titulaire d'un emploi l'exercice de ses fonctions visées par la présente loi.

Subdélégation — Il peut, dans l'acte de délégation, autoriser la subdélégation des fonctions qu'il indique; le cas échéant, il identifie le fonctionnaire ou le titulaire d'un emploi à qui cette subdélégation peut être faite.

1996, c. 29, art. 5

6. Personnel — Le personnel du ministère est constitué des fonctionnaires nécessaires à l'exercice des fonctions du ministre; ceux-ci sont nommés conformément à la *Loi sur la fonction publique* (chapitre F-3.1.1).

Devoirs — Le ministre détermine les devoirs de ces fonctionnaires pour autant qu'il n'y est pas pourvu par la loi ou par le gouvernement.

1996, c. 29, art. 6; 2000, c. 8, art. 242

7. Signature — La signature du ministre ou du sous-ministre donne autorité à tout document provenant du ministère.

Engagement — Aucun acte, document ou écrit n'engage le ministre ni ne peut lui être attribué, s'il n'est signé par lui, par le sous-ministre, par un membre du personnel du ministère ou par un titulaire d'un emploi, mais dans le cas de ces deux derniers, uniquement dans la mesure déterminée par le gouvernement.

1996, c. 29, art. 7

8. Appareil automatique — Le gouvernement peut permettre, aux conditions qu'il fixe, que la signature du ministre ou du sous-ministre soit apposée au moyen d'un appareil automatique sur les documents qu'il détermine.

Fac-similé — Il peut également permettre qu'un fac-similé de cette signature soit gravé, lithographié ou imprimé sur les documents qu'il détermine. Le fac-similé doit alors être authentifié par le contreseing d'une personne autorisée par le ministre.

1996, c. 29, art. 8

8.1 Délégation de pouvoirs — Le ministre peut, par écrit, déléguer généralement ou spécialement à un membre du personnel du ministère ou au titulaire d'un emploi l'exercice des pouvoirs qui lui sont attribués par la présente loi ou par une loi qui relève de lui.

2001, c. 26, art. 136

9. Authenticité — Un document ou une copie d'un document provenant du ministère ou faisant partie de ses archives, signé ou certifié conforme par une personne visée au deuxième alinéa de l'article 7, est authentique.

1996, c. 29, art. 9

Chapitre II — Fonctions et pouvoirs du ministre

10. Gestion — Le ministre exerce ses fonctions dans les domaines des relations du travail, des normes du travail, de la gestion des conditions de travail, de la santé et de la sécurité du travail ainsi que de la sécurité des bâtiments et d'équipements et installations destinés à l'usage du public.

1996, c. 29, art. 10

11. Politiques — Le ministre élabore et propose au gouvernement des politiques et mesures relatives aux domaines de sa compétence, en vue notamment :

1° de favoriser l'établissement ou le maintien de relations harmonieuses entre employeurs et salariés ou les associations qui les représentent;

2° d'adapter les régimes de relations du travail et les normes du travail à l'évolution des besoins des personnes, du marché du travail et de l'économie;

3° de faciliter la gestion de la main-d'oeuvre et des conditions de travail;

4° de promouvoir l'évolution des modes d'organisation du travail en fonction des besoins des personnes, du marché du travail et de l'économie;

5° de favoriser la protection de la santé, de la sécurité et de l'intégrité physique des travailleurs;

6° de favoriser la qualité des travaux de construction des bâtiments et d'équipements et installations destinés à l'usage du public ainsi que la sécurité des personnes qui y ont accès.

Application — Le ministre voit à la mise en oeuvre de ces politiques et mesures, en surveille l'application et en coordonne l'exécution.

Fonctions — Il est également chargé de l'application des lois qui relèvent de lui et il exerce toute autre fonction que lui attribue le gouvernement.

Étude — Le ministre effectue aussi ou fait effectuer, en collaboration avec les organismes concernés, et rend disponible à tous les cinq ans une étude sur l'évolution des conditions de travail au Québec.

1996, c. 29, art. 11; 2002, c. 80, art. 85

12. Élaboration des politiques — Le ministre doit favoriser la participation de représentants ou porte-parole des employeurs et des travailleurs à l'élaboration des politiques et mesures qui les concernent dans les domaines de sa compétence.

1996, c. 29, art. 12

12.1 Comité consultatif — Le ministre constitue le Comité consultatif du travail et de la main-d'œuvre ayant pour fonction de donner son avis sur toute question qu'il lui soumet relativement aux sujets qui relèvent de sa compétence. Le comité doit aussi donner son avis à tout autre ministre sur toute question reliée au travail ou à la main-d'œuvre que le ministre du Travail lui soumet, à la demande de cet autre ministre, relativement à un sujet qui relève de la compétence de celui-ci.

Pouvoir du comité — Le comité peut également entreprendre l'étude de toute question qui relève du domaine du travail et de la main-d'œuvre et, sur approbation du ministre, faire effectuer les études et les recherches qu'il juge utiles ou nécessaires pour la poursuite de ses fins.

2011, c. 16, art. 82

12.2 Politique — Le Comité consultatif du travail et de la main-d'œuvre doit diffuser la politique générale qu'il prend notamment en considération aux fins de l'avis qu'il donne au ministre concernant la liste des arbitres visée à l'article 77 du *Code du travail* (chapitre C-27) et de celui qu'il lui donne en vertu du présent article. Cette politique peut comprendre des critères d'appréciation relatifs à la compétence et à la conduite des arbitres.

Plaintes — Le ministre étudie les plaintes qu'il reçoit concernant la rémunération et les frais réclamés par les arbitres de cette liste ainsi que celles concernant la conduite et la compétence de ces arbitres.

Règlement de la plainte — Le ministre tente de régler la plainte à la satisfaction du plaignant et de l'arbitre. Si aucun règlement n'intervient, le ministre peut requérir l'avis du comité visé au premier alinéa avant de se prononcer sur la plainte.

2011, c. 16, art. 82

12.3 Opinions et suggestions — Le Comité consultatif du travail et de la main-d'œuvre peut solliciter des opinions et des suggestions du public sur toute question dont il entreprend ou poursuit l'étude et soumettre des recommandations sur cette question aux ministres visés à l'article 12.1.

2011, c. 16, art. 82

12.4 Comités spéciaux — Le Comité consultatif du travail et de la main-d'œuvre peut former des comités spéciaux pour l'étude de questions particulières et les charger de recueillir les renseignements pertinents et de faire rapport au comité de leurs constatations et de leurs recommandations.

Composition des comités spéciaux — Ces comités sont composés de membres du comité choisis en nombre égal dans chacune des catégories de membres visées aux paragraphes 2° et 3° du premier alinéa de l'article 12.6.

Membres temporaires — Le ministre peut, à la demande du Comité consultatif du travail et de la main-d'œuvre, adjoindre à tout comité spécial ainsi formé, à titre de membres temporaires, des personnes qui ne font pas partie du Comité consultatif du travail et de la main-d'œuvre. Ces personnes ne reçoivent aucun traitement à ce titre; elles peuvent être indemnisées de ce qu'il leur en coûte pour assister aux séances et recevoir une allocation de présence et des honoraires fixés par le gouvernement.

2011, c. 16, art. 82

12.5 Bonne foi des membres — Les membres du Comité consultatif du travail et de la main-d'œuvre ne peuvent être poursuivis en justice en raison d'un acte accompli de bonne foi dans l'exercice de leurs fonctions visées à l'article 12.2, à l'article 77 du *Code du travail* (chapitre C-27) et à l'article 216 de la *Loi sur les accidents du travail et les maladies professionnelles* (chapitre A-3.001).

2011, c. 16, art. 82

12.6 Composition du comité — Le Comité consultatif du travail et de la main-d'œuvre se compose des membres suivants, nommés par le ministre :

1° le président;

2° six personnes choisies parmi celles qui sont recommandées par les associations de salariés les plus représentatives;

3° six personnes choisies parmi celles qui sont recommandées par les associations d'employeurs les plus représentatives.

Sous-ministre — Le sous-ministre du Travail ou son délégué est aussi, d'office, membre du comité, mais il n'a pas droit de vote.

2011, c. 16, art. 82

12.7 Durée du mandat — Les membres du Comité consultatif du travail et de la main-d'œuvre autres que le président et le sous-ministre du Travail ou son délégué sont nommés pour trois ans; le président est nommé pour cinq ans.

2011, c. 16, art. 82

12.8 Expiration du mandat — Les membres du Comité consultatif du travail et de la main-d'œuvre demeurent en fonction malgré l'expiration de leur mandat, jusqu'à ce qu'ils soient nommés de nouveau ou remplacés.

2011, c. 16, art. 82

12.9 Vacance — Toute vacance survenant au cours de la durée du mandat d'un membre du Comité consultatif du travail et de la main-d'œuvre autre que le sous-ministre du Travail ou son délégué est comblée en suivant le mode de nomination prescrit pour la nomination du membre à remplacer.

2011, c. 16, art. 82

12.10 Rôle du président — Le président du Comité consultatif du travail et de la main-d'œuvre en dirige les activités; il prépare l'ordre du jour des séances, qu'il convoque et préside, coordonne les travaux du comité et en assure la continuité, veille à la préparation des dossiers, fournit aux membres du comité les renseignements relatifs aux questions à étudier et assure la liaison entre le comité et le ministre du Travail ou tout autre ministre visé à l'article 12.1.

Honoraires et allocations — Le ministre fixe les honoraires, les allocations ou le traitement du président ou, suivant le cas, son traitement additionnel s'il y a lieu.

2011, c. 16, art. 82

12.11 Absence du président — En cas d'absence du président à une séance du Comité consultatif du travail et de la main-d'œuvre, il est remplacé alternativement par l'un des membres visés aux paragraphes 2° et 3° du premier alinéa de l'article 12.6, désigné à cette fin par les membres du comité présents à la séance.

2011, c. 16, art. 82

12.12 Remboursement des dépenses — Les membres du Comité consultatif du travail et de la main-d'œuvre autres que le président et le sous-ministre du Travail ou son délégué ne sont pas rémunérés. Ils ont cependant droit au remboursement des dépenses faites dans l'exercice de leurs fonctions, aux conditions et dans la mesure que détermine le ministre.

2011, c. 16, art. 82

13. Activités — Aux fins de l'exercice de ses fonctions et de l'application des lois qui relèvent de lui, le ministre peut notamment :

1° en tout temps, désigner une personne pour favoriser l'établissement ou le maintien de relations harmonieuses entre un employeur et ses salariés ou l'association qui les représente. Cette personne fait rapport au ministre;

2º effectuer ou faire effectuer et diffuser les études, recherches et analyses qu'il juge utiles, y compris des analyses comparatives sur l'évolution, à l'extérieur du Québec, des objets qui sont de sa compétence;

3º recueillir, compiler, analyser et diffuser les renseignements disponibles relatifs aux relations du travail, aux normes du travail, à l'organisation du travail, au marché du travail, aux conditions de travail ainsi qu'à toute autre activité de son ministère et des organismes qui relèvent de son autorité;

4º conclure, conformément à la loi, des ententes avec tout gouvernement, ministère ou organisme.

1996, c. 29, art. 13

14. Enquête — Dans l'exercice de ses fonctions, le ministre peut, par lui-même ou une personne qu'il désigne, enquêter sur toute matière de sa compétence.

1996, c. 29, art. 14

15. Discrétion — Un conciliateur, un médiateur, un médiateur-arbitre du ministère du Travail de même que toute personne désignée par le ministre pour aider les parties à résoudre une mésentente ne peuvent être contraints de divulguer ce qui leur a été révélé ou ce dont ils ont eu connaissance dans l'exercice de leurs fonctions ni de produire un document fait ou obtenu dans cet exercice devant un tribunal ou un arbitre ou devant un organisme ou une personne exerçant des fonctions judiciaires ou quasi judiciaires.

Interdiction — Malgré l'article 9 de la *Loi sur l'accès aux documents des organismes publics et sur la protection des renseignements personnels* (chapitre A-2.1), nul n'a droit d'accès à un tel document.

1996, c. 29, art. 15

16. Rapport d'activités — Le ministre dépose à l'Assemblée nationale un rapport des activités du ministère du Travail, pour chaque exercice financier, dans les six mois de la fin de cet exercice ou, si l'Assemblée ne siège pas, dans les 30 jours de la reprise de ses travaux.

1996, c. 29, art. 16

Chapitre II.1 — Tarification

16.1 Règlement — Le gouvernement peut déterminer, par règlement, le tarif des droits, honoraires ou autres frais afférents aux demandes déposées au ministère du Travail ou aux services rendus par celui-ci et qui sont relatifs à l'application de la présente loi ou de toute autre loi. Ce règlement peut aussi :

1º prévoir que les droits, honoraires et frais peuvent varier en fonction des demandes ou services ou en fonction des catégories ou sous-catégories de personnes;

2º déterminer les personnes ou les catégories ou sous-catégories de personnes qui sont exemptées du paiement de ces droits, honoraires et frais ainsi que les demandes ou services visés par cette exemption;

3º prescrire, pour les demandes ou services qu'il désigne, les modalités de paiement de ces droits, honoraires et frais.

2001, c. 26, art. 137

Chapitre III — Dispositions modificatives

17.–43. (*Omis*).

Chapitre IV — Dispositions transitoires et finales

44. Références — À moins que le contexte n'indique un sens différent, dans toute loi non visée par les articles 17 à 43 ainsi que dans les règlements, décrets, arrêtés, proclamations, ordonnances, contrats, ententes, accords ou autres documents :

1º une référence au ministre, au sous-ministre ou au ministère de l'Emploi est, selon la matière visée, une référence au ministre, au sous-ministre ou au ministère du Travail ou au ministre désigné par le gouvernement en vertu de l'article 13 de la *Loi sur certaines fonctions relatives à la main-d'oeuvre et à l'emploi* (chapitre F-3.1.1.1);

2º un renvoi à la *Loi sur le ministère de l'Emploi* (chapitre M-15.01) est, selon la matière visée, un renvoi à la *Loi sur le ministère du Travail* (chapitre M-32.2), à la *Loi sur certaines fonctions relatives à la main-d'oeuvre et à l'emploi* ou à la disposition correspondante de l'une ou l'autre de ces lois.

1996, c. 29, art. 44

45. Règlements continués en vigueur — Un règlement, un arrêté ou une ordonnance édicté en vertu de la *Loi sur le ministère de l'Emploi* (chapitre M-15.01) demeure en vigueur jusqu'à ce qu'il soit remplacé ou abrogé.

1996, c. 29, art. 45

46. (*Omis*).

1996, c. 29, art. 46

c) de sexe différent ou de même sexe, qui vivent maritalement depuis au moins un an;

4° « convention » : un contrat individuel de travail, une convention collective au sens du paragraphe de l'article 1 du *Code du travail* (chapitre C-27) ou toute autre entente relative à des conditions de travail, y compris un règlement du gouvernement qui y donne effet;

5° « décret » : un décret adopté en vertu de la *Loi sur les décrets de convention collective* (chapitre D-2);

6° « domestique » : un salarié employé par une personne physique et dont la fonction principale est d'effectuer des travaux ménagers dans le logement de cette personne, y compris le salarié dont la fonction principale est d'assumer la garde ou de prendre soin d'un enfant, d'un malade, d'une personne handicapée ou d'une personne âgée et d'effectuer dans le logement des travaux ménagers qui ne sont pas directement reliés aux besoins immédiats de la personne gardée;

7° « employeur » : quiconque fait effectuer un travail par un salarié;

8° « ministre » : le ministre du Travail;

9° « salaire » : la rémunération en monnaie courante et les avantages ayant une valeur pécuniaire dus pour le travail ou les services d'un salarié;

10° « salarié » : une personne qui travaille pour un employeur et qui a droit à un salaire; ce mot comprend en outre le travailleur partie à un contrat en vertu duquel :

(i) il s'oblige envers une personne à exécuter un travail déterminé dans le cadre et selon les méthodes et les moyens que cette personne détermine;

(ii) il s'oblige à fournir, pour l'exécution du contrat, le matériel, l'équipement, les matières premières ou la marchandise choisis par cette personne, et à les utiliser de la façon qu'elle indique;

(iii) il conserve, à titre de rémunération, le montant qui lui reste de la somme reçue conformément au contrat, après déduction des frais d'exécution de ce contrat;

11° « semaine » : une période de sept jours consécutifs s'étendant de minuit au début d'un jour donné à minuit à la fin du septième jour;

12° « service continu » : la durée ininterrompue pendant laquelle le salarié est lié à l'employeur par un contrat de travail, même si l'exécution du travail a été interrompue sans qu'il y ait résiliation du contrat, et la période pendant laquelle se succèdent des contrats à durée déterminée sans une interruption qui, dans les circonstances, permette de conclure à un non-renouvellement de contrat.

Absence temporaire ou permanente — Les personnes visées au paragraphe 3° du premier alinéa continuent de cohabiter malgré l'absence temporaire de l'une d'elles. Il en va de même si l'une d'elles est tenue de loger en permanence dans un autre lieu en raison de son état de santé ou de son incarcération, sauf si le salarié cohabite avec un autre conjoint au sens de ce paragraphe.

1979, c. 45, art. 1; 1981, c. 9, art. 34; 1990, c. 73, art. 1; 1992, c. 44, art. 81; 1994, c. 12, art. 49; 1996, c. 29, art. 43; 1999, c. 14, art. 15; 2002, c. 6, art. 144; 2008, c. 30, art. 1; 2015, c. 15, art. 173

Chapitre II — Le champ d'application

2. Application de la loi — La présente loi s'applique au salarié quel que

[QUE-13] LOI SUR LES NORMES DU TRAVAIL

RLRQ, c. N-1.1, telle que modifiée par L.Q. 1979, c. 37, art. 43; 1979, c. 45, art. 29; 39 (en vigueur en partie); 1980, c. 5, art. 1-2; 4-11; 14; 1980, c. 11, art. 127; 1981, c. 9, art. 34; 1981, c. 23, art. 56-58; 1982, c. 8, art. 38; 1982, c. 9, art. 38; 1982, c. 12, art. 1-7; 1982, c. 58, art. 57-58; 1983, c. 15, art. 1; 1983, c. 22, art. 103-104; 1983, c. 24, art. 88; 1983, c. 43, art. 9-12; 1983, c. 55, art. 161; 1985, c. 21, art. 74; 1986, c. 58, art. 65-66; 1986, c. 89, art. 50; 1986, c. 95, art. 202-203; 1988, c. 41, art. 88; 1988, c. 51, art. 120; 1988, c. 84, art. 700; 1989, c. 38, art. 251; 274; 1990, c. 4, art. 609-612; 1990, c. 73, art. 1-65; 71; 1991, c. 33, art. 87-88; 1991, c. 37, art. 173; 1992, c. 21, art. 192; 1992, c. 26, art. 1-16; 1992, c. 44, art. 81; 1992, c. 61, art. 416; 421; 1992, c. 68, art. 157; 1993, c. 51, art. 43; 1994, c. 12, art. 49-50; 1994, c. 16, art. 50; 1994, c. 46, art. 2-10; 1995, c. 16, art. 1-3; 1995, c. 18, art. 95; 1995, c. 63, art. 280-281; 1996, c. 2, art. 744; 1996, c. 29, art. 43; 1986, c. 81, art. 1; 1997, c. 2, art. 1-2; 1997, c. 10, art. 1-3; 1997, c. 14, art. 313; 1997, c. 20, art. 15; 1997, c. 45, art. 1; 1997, c. 63, art. 128; 1997, c. 72, art. 1-7; 1997, c. 85, art. 362-368; 1998, c. 36, art. 184; 1998, c. 37, art. 529; 1999, c. 14, art. 15; 1999, c. 24, art. 21-22; 1999, c. 40, art. 196; 1999, c. 52, art. 1-12; 1999, c. 57, art. 1-4; 1999, c. 8, art. 2-3; 2000, c. 8, art. 239; 242; 2000, c. 15, art. 138; 2000, c. 56, art. 218; 2001, c. 26, art. 138-150; 2001, c. 44, art. 30; 2001, c. 47, art. 1-5; 2002, c. 6, art. 144-145; 2002, c. 9, art. 144; 2002, c. 75, art. 33; 2002, c. 80, art. 1-75; 2003, c. 2, art. 303; 2005, c. 13, art. 82-87; 2005, c. 28, art. 195; 2005, c. 32, art. 308; 2005, c. 38, art. 347-348; 2006, c. 58, art. 66; 2005, c. 15, art. 165; 2007, c. 3, art. 64; 2006, c. 58, art. 66; 2005, c. 15, art. 165; 2007, c. 3, art. 69; 2007, c. 36, art. 1-13; 2008, c. 30, art. 1-7; 2009, c. 15, art. 474-475; 2009, c. 25, art. 108; 2009, c. 58, art. 89; 2010, c. 21, art. 1-3; 2010, c. 31, art. 148; 2010, c. 38, art. 4-8; 2011, c. 17, art. 55-57; 2011, c. 18, art. 260; 2013, c. 26, art. 133-134; 2013, c. 28, art. 203(4°); 2014, c. 3, art. 2-4; 2015, c. 15, art. 173-183; 2016, c. 34, art. 43-45; 2017, c. 10, art. 27-28; 2017, c. 11, art. 147-149.

Chapitre I — Définitions

1. Interprétation — Dans la présente loi, à moins que le contexte n'indique un sens différent, on entend par :

1° « accouchement » : la fin d'une grossesse par la mise au monde d'un enfant viable ou non, naturellement ou par provocation médicale légale;

2° « Commission » : la Commission des normes, de l'équité, de la santé et de la sécurité du travail;

3° « conjoints » : les personnes :

a) qui sont liées par un mariage ou une union civile et qui cohabitent;

b) de sexe différent ou de même sexe, qui vivent maritalement et sont les père et mère d'un même enfant;

soit l'endroit où il exécute son travail. Elle s'applique aussi :

1° au salarié qui exécute, à la fois au Québec et hors du Québec, un travail pour un employeur dont la résidence, le domicile, l'entreprise, le siège ou le bureau se trouve au Québec;

2° au salarié, domicilié ou résidant au Québec, qui exécute un travail hors du Québec pour un employeur visé dans le paragraphe 1°;

3° (*paragraphe abrogé*).

État lié — La présente loi lie l'État.

1979, c. 45, art. 2; 1990, c. 73, art. 2; 1999, c. 40, art. 196; 2002, c. 80, art. 1

3. Application de la loi — La présente loi ne s'applique pas :

1° (*paragraphe abrogé*);

2° au salarié dont la fonction exclusive est d'assumer la garde ou de prendre soin d'un enfant, d'un malade, d'une personne handicapée ou d'une personne âgée, dans le logement de cette personne, y compris, le cas échéant, d'effectuer des travaux ménagers qui sont directement reliés aux besoins immédiats de cette personne, lorsque cette fonction est exercée de manière ponctuelle, sauf si l'employeur poursuit au moyen de ce travail des fins lucratives, ou encore est fondée uniquement sur une relation d'entraide familiale ou d'entraide dans la communauté;

3° au salarié régi par la *Loi sur les relations du travail, la formation professionnelle et la gestion de la main-d'œuvre dans l'industrie de la construction* (chapitre R-20), sauf les normes visées au deuxième alinéa de l'article 79.1, aux articles 79.7 à 79.16, 81.1 à 81.20 et, lorsqu'ils sont relatifs à l'une de ces normes, les deuxième, troisième et quatrième alinéas de l'article 74, le paragraphe 6° de l'article 89, la section IX du chapitre IV, les sections I, II et II.1 du chapitre V et le chapitre VII;

4° au salarié visé dans les sous-paragraphes i, ii et iii du paragraphe 10° de l'article 1 si le gouvernement détermine par règlement en vertu d'une autre loi, la rémunération de ce salarié ou le tarif qui lui est applicable;

5° à un étudiant qui travaille au cours de l'année scolaire dans un établissement choisi par un établissement d'enseignement et en vertu d'un programme d'initiation au travail approuvé par le ministère de l'Éducation, du Loisir et du Sport ou le ministère de l'Enseignement supérieur, de la Recherche, de la Science et de la Technologie;

6° à un cadre supérieur, sauf les normes visées au deuxième alinéa de l'article 79.1, aux articles 79.7 à 79.16, 81.1 à 81.20 et, lorsqu'ils sont relatifs à l'une de ces normes, les deuxième, troisième et quatrième alinéas de l'article 74, le paragraphe 6° de l'article 89, la section IX du chapitre IV, les sections I, II et II.1 du chapitre V et le chapitre VII.

1979, c. 45, art. 3; 1980, c. 5, art. 1; 1985, c. 21, art. 74; 1986, c. 89, art. 50; 1988, c. 41, art. 88; 1990, c. 73, art. 3; 1992, c. 68, art. 157; 1993, c. 51, art. 43; 1994, c. 16, art. 50; 2002, c. 80, art. 2; 2005, c. 28, art. 195; 2007, c. 36, art. 1; 2013, c. 28, art. 203(4°)

3.1 Dispositions applicables — Malgré l'article 3, les sections V.2 et VI.1 du chapitre IV, les articles 122.1 et 123.1 et la section II.1 du chapitre V s'appliquent à tout salarié et à tout employeur.

Dispositions applicables — Il en va de même des paragraphes 7° et 10° à 13° du premier alinéa de l'article 122 et, lorsqu'ils sont relatifs à ces recours, des autres articles de la section II du chapitre V.

1982, c. 12, art. 1; 1990, c. 73, art. 4; 2002, c. 80, art. 3; 2011, c. 17, art. 55; 2014, c. 3, art. 2; N.I. 2014-07-01; 2016, c. 34, art. 43; 2017, c. 10, art. 27; 2017, c. 11, art. 147

Chapitre III — Fonctions et pouvoirs de la Commission

4. (*Abrogé*).

1979, c. 45, art. 4; 2015, c. 15, art. 175

5. Fonctions — La Commission surveille la mise en œuvre et l'application des normes du travail. Elle exerce en particulier les fonctions suivantes :

1° informer et renseigner la population en ce qui a trait aux normes du travail;

1.1° informer et renseigner les salariés et les employeurs sur leurs droits et leurs obligations prévus à la présente loi;

2° surveiller l'application des normes du travail et, s'il y a lieu, transmettre ses recommandations au ministre;

3° recevoir les plaintes des salariés et les indemniser dans la mesure prévue par la présente loi et les règlements;

4° (*paragraphe abrogé*);

5° tenter d'amener les employeurs et les salariés à s'entendre quant à leurs mésententes relatives à l'application de la présente loi et des règlements.

Fonctions — La Commission surveille également le respect des obligations prévues au deuxième alinéa de l'article 45, à l'article 47 lorsque le deuxième alinéa de l'article 45 s'applique et à l'article 48 de la *Loi sur les régimes volontaires d'épargne-retraite* (chapitre R-17.0.1).

1979, c. 45, art. 5; 1990, c. 73, art. 5; 2002, c. 80, art. 4; 2013, c. 26, art. 133

6. (*Abrogé*).

1979, c. 45, art. 6; 1999, c. 40, art. 196; 2015, c. 15, art. 175

6.1 (*Abrogé*).

1994, c. 46, art. 1; 2010, c. 21, art. 1; 2015, c. 15, art. 175

6.2 (*Abrogé*).

1997, c. 2, art. 1; 2000, c. 15, art. 138; 2001, c. 26, art. 138

7. (*Abrogé*).

1979, c. 45, art. 7; 2015, c. 15, art. 175

8. (*Abrogé*).

1979, c. 45, art. 8; 1990, c. 73, art. 6; 2015, c. 15, art. 175; 2015, c. 15, art. 175

9. (*Abrogé*).

1979, c. 45, art. 9; 2015, c. 15, art. 175

10. (*Abrogé*).

1979, c. 45, art. 10; 2015, c. 15, art. 175

10.1 (*Abrogé*).

1992, c. 26, art. 1; 1999, c. 52, art. 1; 2015, c. 15, art. 175

10.2 (*Abrogé*).

1992, c. 26, art. 1; 1999, c. 40, art. 196; 1999, c. 52, art. 2; 2015, c. 15, art. 175

11. (*Abrogé*).

1979, c. 45, art. 11; 2015, c. 15, art. 175

12. (*Abrogé*).

1979, c. 45, art. 12; 1992, c. 26, art. 2; 1999, c. 52, art. 3; 2015, c. 15, art. 175

13. (*Abrogé*).

1979, c. 45, art. 13; 1992, c. 26, art. 3; 1999, c. 52, art. 4; 2015, c. 15, art. 175

14. (*Abrogé*).

1979, c. 45, art. 14; 1992, c. 26, art. 4

15. (*Abrogé*).

1979, c. 45, art. 15; 2015, c. 15, art. 175

16. (*Abrogé*).

1979, c. 45, art. 16; 2015, c. 15, art. 175

17. (*Abrogé*).

1979, c. 45, art. 17; 2015, c. 15, art. 175

18. (*Abrogé*).
1979, c. 45, art. 18; 1992, c. 26, art. 5; 1999, c. 52, art. 5; 2015, c. 15, art. 175

19. (*Abrogé*).
1979, c. 45, art. 19; 1992, c. 26, art. 6; 1999, c. 52, art. 6; 2015, c. 15, art. 175

20. (*Abrogé*).
1979, c. 45, art. 20; 1983, c. 55, art. 161; 2000, c. 8, art. 242; 2015, c. 15, art. 175

21. (*Abrogé*).
1979, c. 45, art. 21; 1992, c. 26, art. 7; 1999, c. 52, art. 7; 2015, c. 15, art. 175

22. (*Abrogé*).
1979, c. 45, art. 22; 1992, c. 26, art. 8; 1999, c. 52, art. 8; 2015, c. 15, art. 175

23. (*Abrogé*).
1979, c. 37, art. 43; 1979, c. 45, art. 23; 2015, c. 15, art. 175

24. (*Abrogé*).
1979, c. 45, art. 24; 1992, c. 26, art. 9; 1999, c. 52, art. 9; 2015, c. 15, art. 175

25. (*Abrogé*).
1979, c. 45, art. 25; 2015, c. 15, art. 175

26. (*Abrogé*).
1979, c. 45, art. 26; 1990, c. 73, art. 7; 2015, c. 15, art. 175

27. (*Abrogé*).
1979, c. 45, art. 27; 2015, c. 15, art. 175

28. (*Abrogé*).
1979, c. 45, art. 28; 2015, c. 15, art. 175

28.1 Fonds du Tribunal administratif du travail — La Commission contribue au Fonds du Tribunal administratif du travail, visé à l'article 97 de la *Loi instituant le Tribunal administratif du travail* (chapitre T-15.1), pour pourvoir aux dépenses engagées par ce tribunal relativement aux recours instruits devant lui en vertu des sections II à III du chapitre V de la présente loi.

Versement — Le montant et les modalités de versement de la contribution de la Commission sont déterminés par le gouvernement, après consultation de la Commission par le ministre.

2001, c. 26, art. 139; 2006, c. 58, art. 66; 2015, c. 15, art. 176

29. Réglementation — La Commission peut, par règlement :

1º (*paragraphe supprimé*);

2º constituer des comités pour l'examen des questions qu'elle détermine;

3º rendre obligatoire, pour un employeur ou pour une catégorie d'employeurs qu'elle indique, un système d'enregistrement ou la tenue d'un registre où peuvent être indiqués les nom et résidence de chacun de ses salariés, son emploi, l'heure à laquelle le travail a commencé, a été interrompu, repris et achevé chaque jour, la nature de ce travail et le salaire payé, avec mention du mode et de l'époque du paiement ainsi que tout autre renseignement jugé utile à l'application de la présente loi ou d'un règlement;

3.1º obliger un employeur ou tout employeur d'une catégorie d'employeurs de l'industrie du vêtement qu'elle indique et qui, n'eût été de l'expiration de l'un des décrets mentionnés au troisième alinéa de l'article 39.0.2, seraient visés par l'un de ceux-ci, à lui transmettre, selon la procédure, la fréquence et pendant la période qu'elle détermine, un rapport contenant les mentions prévues au paragraphe 3º qu'elle indique et tout autre renseignement jugé utile à l'application de la présente loi ou d'un règlement;

4º (*paragraphe abrogé*);

5º (*paragraphe abrogé*);

Disposition non en vigueur — 29(6°)

6° déterminer la nature des créances qui donnent droit aux versements qu'elle est autorisée à faire en application de l'article 112, les conditions d'admissibilité à ces versements, leur montant et les modalités de leur paiement au salarié;

7° fixer les taux, n'excédant pas 1 %, de la cotisation prévue à l'article 39.0.2.

1979, c. 45, art. 29; 1983, c. 43, art. 9; 1990, c. 73, art. 8; 1994, c. 46, art. 2; 1999, c. 57, art. 1; 2002, c. 80, art. 5; 2015, c.15, art. 177

29.1 (*Abrogé*).

1990, c. 73, art. 9; 1994, c. 46, art. 3

29.2 (*Abrogé*).

1990, c. 73, art. 9; 1994, c. 46, art.3

30. (*Abrogé*).

1979, c. 45, art. 30; 1986, c. 89, art. 50; 1988, c. 84, art. 700; 1990, c. 73, art. 10; 1992, c. 21, art. 192; 1992, c. 68, art. 157; 1994, c. 46, art. 3

31. (*Abrogé*)

1979, c. 45, art. 31; 2015, c. 15, art. 175

32. Approbation de règlement — Les règlements visés dans les paragraphes 3° à 7° de l'article 29 sont transmis au ministre et soumis à l'approbation du gouvernement.

1979, c. 45, art. 32; 1994, c. 46, art. 4

33. (*Abrogé*).

1979, c. 45, art. 33; 1997, c. 72, art. 1

34. (*Abrogé*).

1979, c. 45, art. 34; 1997, c. 72, art. 1

35. Approbation d'un règlement — Le gouvernement peut approuver avec ou sans modification un règlement visé dans les paragraphes 3° à 7° de l'article 29.

1979, c. 45, art. 35; 1997, c. 72, art. 2

36. (*Abrogé*).

1979, c. 45, art. 36; 1997, c. 72, art. 3

37. (*Abrogé*).

1979, c. 45, art. 37; 1997, c. 72, art. 3

38. (*Abrogé*).

1979, c. 45, art. 38; 1997, c. 72, art. 3

39. Pouvoirs de la Commission — La Commission peut :

1° établir le salaire payé à un salarié par un employeur;

2° établir des formulaires à l'usage des employeurs et des salariés;

3° établir ou compléter le certificat de travail prévu par l'article 84 lorsque l'employeur refuse ou néglige de le faire;

4° percevoir ou recevoir les sommes dues à un salarié en vertu de la présente loi ou d'un règlement et lui en faire remise;

5° accepter pour un salarié qui y consent ou pour un groupe de salariés visés dans une réclamation et dont la majorité y consent, un paiement partiel en règlement des sommes que lui doit son employeur;

Disposition non en vigueur — 39(6°)

6° verser les sommes qu'elle juge dues par un employeur à un salarié en vertu de la présente loi ou d'un règlement jusqu'à concurrence du salaire minimum en tenant compte, le cas échéant, des majorations qui y sont prévues;

7° (*paragraphe abrogé*);

8° intenter en son propre nom et pour le compte d'un salarié, le cas échéant, une poursuite visant à recouvrer des sommes dues par l'employeur en vertu de la présente loi ou d'un règlement et ce, malgré toute loi à ce contraire, une opposition ou renonciation expresse ou implicite du salarié et sans être tenue de justifier d'une cession de créance du salarié;

9º intervenir en son propre nom et pour le compte d'un salarié, le cas échéant, dans une procédure relative à l'insolvabilité de l'employeur;

10º intervenir à tout moment dans une instance relative à l'application de la présente loi, à l'exception du chapitre III.1, ou d'un règlement;

11º autoriser un mode de versement du salaire autre que celui que prévoit l'article 42;

12º autoriser l'étalement des heures de travail sur une base autre qu'une base hebdomadaire aux conditions prévues à l'article 53;

13º élaborer et diffuser des documents d'information portant sur les normes du travail et mettre ceux-ci à la disposition de toute personne ou organisme intéressé, particulièrement les employeurs et les salariés;

14º exiger d'un employeur qu'il remette au salarié tout document d'information relatif aux normes du travail qu'elle lui fournit, qu'il l'affiche dans un endroit visible et facilement accessible à l'ensemble de ses salariés ou qu'il en diffuse le contenu;

15º si elle l'estime nécessaire, indiquer à l'employeur la manière dont il est tenu de remettre, d'afficher ou de diffuser un document d'information qu'elle lui fournit;

16º transmettre à l'autorité compétente d'un État une demande d'exécution d'une décision ordonnant le paiement d'une somme d'argent en vertu de la présente loi.

1979, c. 45, art. 39; 1990, c. 73, art. 11; 1994, c. 46, art. 5; 2002, c. 80, art. 6; 2010, c. 21, art. 2

39.0.0.1 [2]**Conditions** — La Commission veille à l'exécution des décisions rendues hors du Québec en vertu d'une loi poursuivant des objectifs similaires à la présente loi, lorsque les conditions suivantes sont réunies :

1º l'État dans lequel a été rendue la décision est reconnu par décret du gouvernement, sur recommandation du ministre du Travail et, selon le cas, du ministre responsable des Affaires intergouvernementales canadiennes ou du ministre des Relations internationales, comme comportant une législation substantiellement semblable à la présente loi et offrant la réciprocité pour l'exécution de décisions en matière de normes d'emploi;

2º la demande en est faite à la Commission par l'autorité compétente de l'État concerné, accompagnée d'une copie certifiée conforme de la décision, d'une attestation affirmant que la décision n'est plus susceptible de recours ordinaire et qu'elle est définitive ou exécutoire, ainsi que des coordonnées au Québec de la résidence, du domicile, de l'établissement d'entreprise, du siège ou du bureau de l'employeur visé et des autres débiteurs visés par la décision, le cas échéant;

---

[2] IL EST ORDONNÉ, en conséquence, sur recommandation de la ministre du Travail et du ministre responsable des Affaires intergouvernementales canadiennes et de la Francophonie canadienne :
QUE l'Alberta, la Colombie-Britannique, l'Île-du-Prince-Édouard, le Manitoba, le Nouveau-Brunswick, la Nouvelle-Écosse, l'Ontario, la Saskatchewan, Terre-Neuve et Labrador, le Yukon, le Nunavut et les Territoires du Nord-Ouest soient reconnus comme États comportant une législation substantiellement semblable à la *Loi sur les normes du travail* et offrant la réciprocité pour l'exécution de décisions en matière de normes d'emploi. Voir D. 496-2011, (2011) 143 *G.O.* II, 1889.

3º la décision ordonne le paiement d'une somme d'argent et elle est, de l'avis de la Commission, compatible avec l'ordre public.

2010, c. 21, art. 3

39.0.0.2 Dépôt — Sur réception d'une demande conforme aux conditions prévues par l'article 39.0.0.1, la Commission dépose la copie certifiée conforme de la décision et l'attestation qui l'accompagne au greffe de la Cour supérieure du district où l'employeur ou un autre débiteur visé a sa résidence, son domicile, son établissement d'entreprise, son siège ou son bureau.

Effets — Cette décision équivaut, à compter de la date de son dépôt au greffe, à un jugement rendu par la Cour supérieure du Québec et en a tous les effets.

2010, c. 21, art. 3

39.0.0.3 Opposition à l'exécution — L'employeur ou un autre débiteur visé peut s'opposer à l'exécution de la décision de la manière prévue au *Code de procédure civile* (chapitre C-25.01), pour un motif prévu à ce code ou aux paragraphes 1º à 5º de l'article 3155 du *Code civil du Québec* (L.Q. 1991, c. 64).

2010, c. 21, art. 3; N.I. 2016-01-01 (NCPC)

Chapitre III.0.1 — Comité consultatif sur les normes du travail

39.0.0.4. Comité consultatif — Le ministre forme, par arrêté publié à la *Gazette officielle du Québec*, un Comité consultatif sur les normes du travail ayant pour fonction de donner son avis sur toute question qu'il lui soumet ou que la Commission lui soumet relativement à l'application de la présente loi.

Composition — Le comité consultatif est formé d'un nombre de membres déterminé par arrêté du ministre, dont au moins une personne provenant de chacun des groupes suivants :

1° les salariés non syndiqués;

2° les salariés syndiqués;

3° les employeurs du milieu de la grande entreprise;

4° les employeurs du milieu de la petite et de la moyenne entreprise;

5° les employeurs du milieu coopératif;

6° les femmes;

7° les jeunes;

8° la famille;

9° les communautés culturelles.

Consultation — Les membres sont nommés après consultation d'organismes que le ministre considère représentatifs de ces groupes.

Modalités de consultation — L'arrêté peut prévoir les modalités de consultation du comité consultatif ainsi que ses règles de fonctionnement.

2015, c. 15, art. 179

39.0.0.5. Séances — Les séances du comité sont convoquées et présidées par le vice-président chargé des questions relatives à la présente loi. La Commission assume le secrétariat du comité. Le secrétaire désigné par la Commission veille à la confection et à la conservation des procès-verbaux et avis du comité.

2015, c. 15, art. 179

39.0.0.6. Rémunération — Les membres du comité ne sont pas rémunérés, sauf dans les cas, aux conditions et dans la mesure que peut déterminer l'arrêté du ministre. Ils ont cependant droit au remboursement des dépenses faites dans l'exercice de leurs fonctions, aux conditions et dans la mesure que détermine l'arrêté.

2015, c. 15, art. 179

39.0.0.7. Avis — La Commission requiert l'avis du comité consultatif :

1° sur tout règlement qu'elle entend prendre en vertu de la présente loi;

2° sur les outils qu'elle entend proposer pour faciliter l'application de la présente loi;

3° sur les difficultés d'application de la présente loi qu'elle identifie;

4° sur toute autre question qu'elle juge pertinente de lui soumettre ou que détermine le ministre.

Avis — L'avis du comité consultatif ne lie pas la Commission.

2015, c. 15, art. 179

Chapitre III.1 — Cotisation

Section I — Interprétation

39.0.1 Interprétation — Dans le présent chapitre, à moins que le contexte n'indique un sens différent, on entend par :

« **employeur assujetti** » : quiconque verse une rémunération assujettie à l'exception des entités suivantes :

1° une communauté métropolitaine;

2° une municipalité;

3° une société de transport en commun visée à l'article 1 de la *Loi sur les sociétés de transport en commun* (chapitre S-30.01);

4° une commission scolaire;

5° le Comité de gestion de la taxe scolaire de l'île de Montréal;

6° une fabrique;

7° une corporation de syndics pour la construction d'églises;

8° une institution ou organisme de bienfaisance dont l'objet est de venir en aide gratuitement et directement à des personnes physiques dans le besoin;

9° une institution religieuse;

10° un établissement d'enseignement;

11° une garderie;

12° la Commission de la construction du Québec;

13° un comité paritaire constitué en vertu de la *Loi sur les décrets de convention collective* (chapitre D-2);

14° le gouvernement, ses ministères et les organismes et personnes dont la loi ordonne que le personnel soit nommé suivant la *Loi sur la fonction publique* (chapitre F-3.1.1) ou dont le fonds social appartient en totalité au gouvernement;

15° un organisme institué par une loi de l'Assemblée nationale ou par une décision du gouvernement, du Conseil du trésor ou d'un ministre et dont les crédits de fonctionnement sont pris à même le fonds consolidé du revenu, apparaissent en tout ou en partie dans le budget de dépenses soumis à l'Assemblée nationale ou sont financés en totalité par un budget de transfert d'un ministère;

15.1° l'Agence du revenu du Québec;

16° le lieutenant-gouverneur, l'Assemblée nationale ainsi qu'une personne que désigne l'Assemblée nationale pour exercer une fonction relevant de l'Assemblée nationale;

« **rémunération** » : si le salarié est un employé au sens de l'article 1 de la *Loi sur les impôts* (chapitre I-3), son salaire de base, au sens de l'article 1159.1 de cette loi, et si le salarié n'est pas un tel employé, son salaire. Cette expression comprend également les sommes payées pour délai-congé et lors de la résiliation du contrat de travail;

« rémunération assujettie » : la rémunération versée à un salarié à l'exception de :

1° la rémunération versée à un salarié en vertu de la *Loi sur les relations du travail, la formation professionnelle et la gestion de la main-d'œuvre dans l'industrie de la construction* (chapitre R-20);

2° la rémunération versée à un domestique;

2.1° la rémunération versée à un salarié dont la fonction exclusive est d'assumer la garde ou de prendre soin d'un enfant, d'un malade, d'une personne handicapée ou d'une personne âgée, dans le logement de cette personne, y compris, le cas échéant, d'effectuer des travaux ménagers qui sont directement reliés aux besoins immédiats de cette personne, sauf si l'employeur poursuit au moyen de ce travail des fins lucratives;

3° la rémunération versée par un employeur régi par un décret quant à la rémunération qui fait l'objet d'un prélèvement par un comité paritaire;

4° la rémunération versée par un établissement, un conseil régional ou une famille d'accueil visés respectivement dans les paragraphes a, f et o de l'article 1 de la *Loi sur les services de santé et les services sociaux pour les autochtones cris* (chapitre S-5) dans la proportion des sommes d'argent qu'ils reçoivent en vertu de cette loi;

5° la rémunération versée par un établissement, une agence ou une ressource de type familial visés dans la *Loi sur les services de santé et les services sociaux* (chapitre S-4.2) dans la proportion des sommes d'argent qu'ils reçoivent en vertu de cette loi;

6° 50 % de la rémunération gagnée par un salarié à l'aide d'un camion, d'un tracteur, d'une chargeuse, d'une débusqueuse ou d'un équipement lourd de même nature, fourni par le salarié et à ses frais;

7° l'excédent du total de la rémunération versée à un salarié pour l'année ou du montant déterminé au paragraphe 6° lorsque celui-ci est applicable à l'égard du salarié, sur un montant égal au maximum annuel assurable déterminé pour l'année en vertu de l'article 66 de la *Loi sur les accidents du travail et les maladies professionnelles* (chapitre A-3.001);

8° la rémunération versée à un salarié exclu totalement de l'application de la présente loi par l'article 3.

Règles applicables — Pour l'application du présent chapitre, les règles suivantes s'appliquent :

1° un renvoi dans le présent chapitre à un salaire, une rémunération ou une rémunération assujettie, qu'un employeur verse, ou a versé, est un renvoi à un salaire, une rémunération ou une rémunération assujettie, que cet employeur verse, alloue, confère ou paie, ou a versé, alloué, conféré ou payé;

2° un salarié est réputé travailler au Québec lorsque l'établissement de l'employeur où le salarié se présente au travail y est situé ou, s'il n'est pas requis de se présenter au travail à un établissement de l'employeur, lorsque l'établissement de l'employeur d'où il reçoit sa rémunération est situé au Québec. Le mot « établissement » comprend un établissement au sens du chapitre III du titre II du livre I de la partie I de la *Loi sur les impôts* (chapitre I-3);

3º un salarié qui se présente au travail à un établissement de son employeur désigne :

a) relativement à une rémunération assujettie qui n'est pas décrite au sous-paragraphe b, un salarié qui se présente au travail à cet établissement pour la période habituelle de paie du salarié à laquelle se rapporte cette rémunération assujettie;

b) relativement à une rémunération assujettie qui est versée à titre de boni, d'augmentation avec effet rétroactif ou de paie de vacances, qui est versée à un fiduciaire ou à un dépositaire à l'égard du salarié ou qui ne se rapporte pas à une période habituelle de paie du salarié, un salarié qui se présente au travail habituellement à cet établissement;

4º lorsque, au cours d'une période habituelle de paie d'un salarié, celui-ci se présente au travail à un établissement au Québec de son employeur ainsi qu'à un établissement de celui-ci à l'extérieur du Québec, ce salarié est réputé pour cette période, relativement à une rémunération assujettie qui n'est pas décrite au sous-paragraphe b du paragraphe 3º :

a) sauf si le sous-paragraphe b s'applique, ne se présenter au travail qu'à cet établissement au Québec;

b) ne se présenter au travail qu'à cet établissement à l'extérieur du Québec, lorsque, au cours de cette période, il se présente au travail principalement à un tel établissement de son employeur;

5º lorsqu'un salarié se présente au travail habituellement à un établissement au Québec de son employeur ainsi qu'à un établissement de celui-ci à l'extérieur du Québec, ce salarié est réputé, relativement à une rémunération assujettie décrite au sous-paragraphe b du paragraphe 3º, ne se présenter au travail habituellement qu'à cet établissement au Québec;

6º lorsqu'un salarié n'est pas requis de se présenter au travail à un établissement de son employeur et que sa rémunération ne lui est pas versée d'un tel établissement situé au Québec, ce salarié est réputé se présenter au travail à un établissement de son employeur situé au Québec pour une période de paie si, en fonction de l'endroit où il se rapporte principalement au travail, de l'endroit où il exerce principalement ses fonctions, du lieu principal de résidence du salarié, de l'établissement d'où s'exerce la supervision du salarié, de la nature des fonctions exercées par le salarié ou de tout autre critère semblable, l'on peut raisonnablement considérer qu'il est, pour cette période de paie, un salarié de cet établissement;

7º lorsqu'un salarié d'un établissement, situé ailleurs qu'au Québec, d'un employeur rend un service au Québec à un autre employeur qui n'est pas l'employeur du salarié, ou pour le bénéfice d'un tel autre employeur, un montant que l'on peut raisonnablement considérer comme la rémunération gagnée par le salarié pour rendre le service est réputé une rémunération versée par l'autre employeur, dans la période de paie au cours de laquelle la rémunération est versée au salarié, à un salarié de l'autre employeur qui se présente au travail à un établissement de l'autre employeur situé au Québec si les conditions suivantes sont satisfaites :

a) au moment où le service est rendu, l'autre employeur a un établissement situé au Québec;

b) le service rendu par le salarié est, à la fois :

(i) exécuté par le salarié dans le cadre habituel de l'exercice de ses fonctions auprès de son employeur;

(ii) rendu à l'autre employeur, ou pour son bénéfice, dans le cadre des activités régulières et courantes d'exploitation d'une entreprise par l'autre employeur;

(iii) de la nature de ceux qui sont rendus par des salariés d'employeurs qui exploitent le même genre d'entreprise que l'entreprise visée au sous-paragraphe ii;

c) le montant n'est pas inclus par ailleurs dans une rémunération assujettie versée par l'autre employeur qui est déterminée pour l'application du présent chapitre;

8º le paragraphe 7º ne s'applique pas à l'égard d'une période de paie d'un autre employeur y visé si le ministre du Revenu est d'avis qu'une réduction de la cotisation payable en vertu du présent chapitre par les employeurs visés à ce paragraphe 7º n'est pas l'un des buts ou des résultats escomptés de la conclusion ou du maintien en vigueur :

a) soit de l'entente en vertu de laquelle le service est rendu par le salarié visé à ce paragraphe 7º à l'autre employeur ou pour son bénéfice;

b) soit de toute autre entente affectant le montant d'une rémunération assujettie versée par l'autre employeur dans la période de paie pour l'application du présent chapitre et que le ministre du Revenu considère comme liée à l'entente de fourniture de services visée au sous-paragraphe a.

1994, c. 46, art. 6; 1995, c. 63, art. 280; 1996, c. 2, art. 744; 1997, c. 85, art. 362; 1999, c. 40, art. 196; 2000, c. 8, art. 239, 242; 2000, c. 56, art. 218; 2002, c. 9, art. 144; 2002, c. 75, art. 33; 2002, c. 80, art. 7; 2003, c. 2, art. 303; 2005, c. 32, art. 308; 2005, c. 38, art. 347; 2010, c. 31, art. 148

SECTION II — COTISATION ET PAIEMENT

39.0.2 Cotisation d'un employeur — Tout employeur assujetti doit, à l'égard d'une année civile, payer au ministre du Revenu une cotisation égale au produit obtenu en multipliant, par le taux fixé par le règlement pris en application du paragraphe 7º de l'article 29, la rémunération assujettie qu'il verse dans l'année et celle qu'il est réputé verser à l'égard de l'année à son salarié travaillant au Québec, ou à son égard.

Cotisation supplémentaire — Tout employeur assujetti qui serait régi par un décret visé au troisième alinéa, n'eût été de son expiration, doit, à l'égard d'une année civile, payer au ministre du Revenu une cotisation supplémentaire égale au produit obtenu en multipliant, par le taux fixé à cette fin par le règlement pris en application du paragraphe 7º de l'article 29, la partie de tout montant visé au premier alinéa sur lequel il doit payer la cotisation qui y est prévue et qui, n'eût été de l'expiration du décret, serait visée au paragraphe 3º de la définition de l'expression « rémunération assujettie » prévue au premier alinéa de l'article 39.0.1.

Décrets visés — Pour l'application du deuxième alinéa, les décrets visés sont :

1º le *Décret sur l'industrie de la chemise pour hommes et garçons* (R.R.Q., 1981, c. D-2, r. 11);

2º le *Décret sur l'industrie de la confection pour dames* (R.R.Q., 1981, c. D-2, r. 26);

3º le *Décret sur l'industrie de la confection pour hommes* (R.R.Q., 1981, c. D-2, r. 27);

4º le *Décret sur l'industrie du gant de cuir* (R.R.Q., 1981, c. D-2, r. 32).

Cotisation de l'employeur — Pour l'application du présent chapitre, la cotisation d'un employeur assujetti désigne la cotisation prévue au premier alinéa et, le cas échéant, celle prévue au deuxième alinéa.

1994, c. 46, art. 6; 1995, c. 63, art. 281; 1997, c. 85, art. 363; 1999, c. 57, art. 2; 2005, c. 38, art. 348

39.0.3 Délai — Le paiement au ministre du Revenu de la cotisation prévue à l'article 39.0.2 à l'égard d'une année civile doit être effectué au plus tard le jour où l'employeur assujetti doit produire la déclaration prévue au titre XL du *Règlement sur les impôts* (chapitre I-3, r. 1) à l'égard des paiements requis par l'article 1015 de la *Loi sur les impôts* (chapitre I-3) relativement aux salaires qu'il verse dans cette année.

Formulaire — L'employeur doit produire au ministre du Revenu, avec son paiement, le formulaire prescrit.

1994, c. 46, art. 6; 1997, c. 14, art. 313; 2009, c. 15, art. 474

39.0.4 Déclaration annuelle — L'employeur assujetti doit produire annuellement une déclaration au moyen du formulaire prescrit à l'égard des rémunérations assujetties sur lesquelles il est tenu de verser une cotisation en vertu de l'article 39.0.2. Le titre XL du *Règlement sur les impôts* (chapitre I-3, r. 1) s'applique, compte tenu des adaptations nécessaires, à cette déclaration.

1994, c. 46, art. 6; 2009, c. 15, art. 475

SECTION III — DISPOSITIONS DIVERSES

39.0.5 Remise à la Commission — Le ministre du Revenu remet annuellement à la Commission les sommes qu'il est tenu de percevoir au titre de la cotisation prévue à l'article 39.0.2, déduction faite des remboursements et des frais de perception convenus.

1994, c. 46, art. 6

39.0.6 Loi fiscale — Le présent chapitre constitue une loi fiscale au sens de la *Loi sur l'administration fiscale* (chapitre A-6.002).

Préséance — Les dispositions applicables en vertu du présent article ont préséance sur celles des articles 115 et 144 de la présente loi.

1994, c. 46, art. 6; 2010, c. 31, art. 175

Chapitre IV — Les normes du travail

SECTION I — LE SALAIRE

39.1 (*Abrogé*).

1990, c. 73, art. 12; 1999, c. 40, art. 196; 2002, c. 80, art. 8

40. Salaire minimum — Le gouvernement fixe par règlement le salaire minimum payable à un salarié.

Salaire — Un salarié a droit de recevoir un salaire au moins équivalent à ce salaire minimum.

1979, c. 45, art. 40; 2002, c. 80, art. 9

40.1 (*Abrogé*).

1997, c. 20, art. 15; 2007, c. 3, art. 64

41. Avantage à valeur pécuniaire — Aucun avantage ayant une valeur pécuniaire ne doit entrer dans le calcul du salaire minimum.

1979, c. 45, art. 41

41.1 Taux de salaire inférieur — Un employeur ne peut accorder à un salarié un taux de salaire inférieur à celui consenti aux autres salariés qui effectuent les mêmes tâches dans le même établissement, pour le seul motif que ce salarié travaille habituellement moins d'heures par semaine.

Salarié non visé — Le premier alinéa ne s'applique pas à un salarié qui gagne un taux de plus de deux fois le salaire minimum.

1990, c. 73, art. 13

42. Paiement en espèces — Le salaire doit être payé en espèces sous enveloppe scellée ou par chèque. Le paiement peut être fait par virement bancaire si une convention écrite ou un décret le prévoit.

Présomption — Un salarié est réputé ne pas avoir reçu paiement du salaire qui lui est dû si le chèque qui lui est remis n'est pas encaissable dans les deux jours ouvrables qui suivent sa réception.

1979, c. 45, art. 42; 1980, c. 5, art. 2

43. Paiement à intervalles réguliers — Le salaire doit être payé à intervalles réguliers ne pouvant dépasser seize jours, ou un mois dans le cas des cadres ou des travailleurs visés dans les sous-paragraphes i, ii et iii du paragraphe 10° de l'article 1. Cependant, toute somme excédant le salaire habituel telle une prime ou une majoration pour des heures supplémentaires, gagnée pendant la semaine qui précède le versement du salaire, peut être payée lors du versement régulier subséquent ou, le cas échéant, au moment prévu par une disposition particulière d'une convention collective ou d'un décret.

Exception — Malgré le premier alinéa, l'employeur peut payer un salarié dans le mois qui suit son entrée en fonction.

1979, c. 45, art. 43; 1990, c. 73, art. 14

44. Paiement en mains propres — Le salarié doit recevoir son salaire en mains propres sur les lieux du travail et pendant un jour ouvrable, sauf dans le cas où le paiement est fait par virement bancaire ou est expédié par la poste.

Paiement à un tiers — Le salaire peut aussi être remis à un tiers sur demande écrite du salarié.

1979, c. 45, art. 44

45. Paiement un jour férié et chômé — Si le jour habituel de paiement du salaire tombe un jour férié et chômé, le salaire est versé au salarié le jour ouvrable qui précède ce jour.

1979, c. 45, art. 45

46. Bulletin de paie — L'employeur doit remettre au salarié, en même temps que son salaire, un bulletin de paie contenant des mentions suffisantes pour lui permettre de vérifier le calcul de son salaire. Ce bulletin de paie doit contenir en particulier, le cas échéant, les mentions suivantes :

1° le nom de l'employeur;

2° le nom du salarié;

3° l'identification de l'emploi du salarié;

4° la date du paiement et la période de travail qui correspond au paiement;

5° le nombre d'heures payées au taux normal;

6° le nombre d'heures supplémentaires payées ou remplacées par un congé avec la majoration applicable;

7° la nature et le montant des primes, indemnités, allocations ou commissions versées;

8° le taux du salaire;

9° le montant du salaire brut;

10° la nature et le montant des déductions opérées;

11° le montant du salaire net versé au salarié;

12° le montant des pourboires déclarés par le salarié conformément à l'article 1019.4 de la *Loi sur les impôts* (chapitre I-3);

13° le montant des pourboires qu'il a attribués au salarié en vertu de l'article 42.11 de la *Loi sur les impôts*.

Exemption — Le gouvernement peut, par règlement, exiger toute autre mention qu'il juge utile. Il peut aussi exempter une catégorie d'employeurs de l'application de l'une ou l'autre des mentions ci-dessus.

1979, c. 45, art. 46; 1983, c. 43, art. 10; 1990, c. 73, art. 15; 1997, c. 85, art. 364

47. Signature — Lors du paiement du salaire, il ne peut être exigé aucune formalité de signature autre que celle qui établit que la somme remise au salarié correspond au montant du salaire net indiqué sur le bulletin de paie.

1979, c. 45, art. 47

48. Acceptation du bulletin de paie — L'acceptation par le salarié d'un bulletin de paie n'emporte pas renonciation au paiement de tout ou partie du salaire qui lui est dû.

1979, c. 45, art. 48

49. Retenue sur salaire — Un employeur peut effectuer une retenue sur le salaire uniquement s'il y est contraint par une loi, un règlement, une ordonnance d'un tribunal, une convention collective, un décret ou un régime complémentaire de retraite à adhésion obligatoire.

Retenue — L'employeur peut également effectuer une retenue sur le salaire si le salarié y consent par écrit et pour une fin spécifique mentionnée dans cet écrit.

Retenue révoquée — Le salarié peut révoquer cette autorisation en tout temps, sauf lorsqu'elle concerne une adhésion à un régime d'assurance collective ou à un régime complémentaire de retraite. L'employeur verse à leur destinataire les sommes ainsi retenues.

1979, c. 45, art. 49; 1989, c. 38, art. 274; 2002, c. 80, art. 10

50. Pourboire — Le pourboire versé directement ou indirectement par un client appartient en propre au salarié qui a rendu le service et il ne doit pas être confondu avec le salaire qui lui est par ailleurs dû. L'employeur doit verser au salarié au moins le salaire minimum prescrit sans tenir compte des pourboires qu'il reçoit.

Pourboire — Si l'employeur perçoit le pourboire, il le remet entièrement au salarié qui a rendu le service. Le mot pourboire comprend les frais de service ajoutés à la note du client mais ne comprend pas les frais d'administration ajoutés à cette note.

Partage ou convention de partage — L'employeur ne peut imposer un partage des pourboires entre les salariés. Il ne peut non plus intervenir de quelque manière que ce soit dans l'établissement d'une convention de partage des pourboires. Une telle convention doit résulter du seul consentement libre et volontaire des salariés qui ont droit aux pourboires.

Calcul de l'indemnité — Toutefois, une indemnité prévue à l'un des articles 58, 62, 74, 76, 80, 81, 81.1 et 83 se calcule, dans le cas d'un salarié qui est visé à l'un des articles 42.11 et 1019.4 de la *Loi sur les impôts* (chapitre I-3), sur le salaire augmenté des pourboires attribués en vertu de cet article 42.11 ou déclarés en vertu de cet article 1019.4.

1979, c. 45, art. 50; 1983, c. 43, art. 11; 1997, c. 85, art. 365; 2002, c. 80, art. 11

50.1 Frais reliés à l'utilisation d'une carte de crédit — Un employeur ne peut exiger d'un salarié de payer les frais reliés à l'utilisation d'une carte de crédit.

1997, c. 85, art. 366; 2002, c. 80, art. 12

50.2 Obligation de l'employeur — Un employeur ne peut refuser de recevoir une déclaration écrite faite conformément à l'article 1019.4 de la *Loi sur les impôts* (chapitre I-3).

1997, c. 85, art. 366

51. Frais pour chambre et pension — Le montant maximum qui peut être exigé par un employeur pour la chambre et la pension d'un de ses salariés est celui que le gouvernement fixe par règlement.

1979, c. 45, art. 51

51.0.1 Interdiction — Malgré l'article 51, un employeur ne peut exiger un montant pour la chambre et la pension de son domestique qui loge ou prend ses repas à la résidence de cet employeur.

1997, c. 72, art. 4

51.1 Interdiction — Un employeur ne peut, directement ou indirectement, se faire rembourser par un salarié la cotisation prévue au chapitre III.1.

1994, c. 46, art. 7

SECTION II — LA DURÉE DU TRAVAIL

52. Semaine de travail — Aux fins du calcul des heures supplémentaires, la semaine normale de travail est de 40 heures, sauf dans les cas où elle est fixée par règlement du gouvernement.

1979, c. 45, art. 52; 1997, c. 45, art. 1; 2002, c. 80, art. 13

53. Étalement des heures de travail — Un employeur peut, avec l'autorisation de la Commission, étaler les heures de travail de ses salariés sur une base autre qu'une base hebdomadaire, à condition que la moyenne des heures de travail soit équivalente à la norme prévue dans la loi ou les règlements.

Étalement des heures de travail — Une convention collective ou un décret peuvent prévoir, aux mêmes conditions, un étalement des heures de travail sur une base autre qu'une base hebdomadaire sans que l'autorisation prévue par le premier alinéa soit nécessaire.

1979, c. 45, art. 53

54. Application de la durée de la semaine de travail — La durée de la semaine normale déterminée à l'article 52 ne s'applique pas, pour le calcul des heures supplémentaires aux fins de la majoration du salaire horaire habituel, aux salariés suivants :

1° (*paragraphe abrogé*);

2° un étudiant employé dans une colonie de vacances ou dans un organisme à but non lucratif et à vocation sociale ou communautaire, tel un organisme de loisirs;

3° un cadre d'une entreprise;

4° un salarié qui travaille en dehors de l'établissement et dont les heures de travail sont incontrôlables;

5° un salarié affecté à la mise en conserve, à l'empaquetage et à la congélation des fruits et légumes, pendant la période des récoltes;

6° un salarié dans un établissement de pêche, de transformation ou de mise en conserve du poisson;

7° un travailleur agricole;

8° (*paragraphe abrogé*);

9° au salarié dont la fonction exclusive est d'assumer la garde ou de prendre soin d'un enfant, d'un malade, d'une personne handicapée ou d'une personne âgée, dans le logement de cette personne, y compris, le cas échéant, d'effectuer des travaux ménagers qui sont directement reliés aux besoins immédiats de cette personne, sauf si l'employeur poursuit au moyen de ce travail des fins lucratives.

Assujettissement — Le gouvernement peut toutefois, par règlement, assujettir les catégories de salariés visées aux paragraphes 2° et 5° à 7° et 9° à la durée de la semaine normale qu'il détermine.

1979, c. 45, art. 54; 1986, c. 95, art. 202; 1990, c. 73, art. 16; 1999, c. 40, art. 196; 2002, c. 80, art. 14

55. Heures supplémentaires — Tout travail exécuté en plus des heures de la semaine normale de travail entraîne une majoration de 50 % du salaire horaire habituel que touche le salarié à l'exclusion des primes établies sur une base horaire.

Heures supplémentaires remplacées par un congé — Malgré le premier alinéa, l'employeur peut, à la demande du salarié ou dans les cas prévus par une convention collective ou un décret, remplacer le paiement des heures supplémentaires par un congé payé d'une durée équivalente aux heures supplémentaires effectuées, majorée de 50 %.

Modalités d'utilisation du congé — Sous réserve d'une disposition d'une convention collective ou d'un décret, ce congé doit être pris dans les 12 mois suivant les heures supplémentaires effectuées à une date convenue entre l'employeur et le salarié; sinon elles doivent alors être payées. Cependant, lorsque le contrat de travail est résilié avant que le salarié ait pu bénéficier du congé, les heures supplémentaires doivent être payées en même temps que le dernier versement du salaire.

1979, c. 45, art. 55; 1990, c. 73, art. 17

56. Congés annuels et jours fériés — Aux fins du calcul des heures supplémentaires, les congés annuels et les jours fériés, chômés et payés sont assimilés à des jours de travail.

1979, c. 45, art. 56

57. Périodes de travail — Un salarié est réputé au travail dans les cas suivants :

1° lorsqu'il est à la disposition de son employeur sur les lieux du travail et qu'il est obligé d'attendre qu'on lui donne du travail;

2° sous réserve de l'article 79, durant le temps consacré aux pauses accordées par l'employeur;

3° durant le temps d'un déplacement exigé par l'employeur;

4° durant toute période d'essai ou de formation exigée par l'employeur.

1979, c. 45, art. 57; 2002, c. 80, art. 15

58. Indemnité — Un salarié qui se présente au lieu du travail à la demande expresse de son employeur ou dans le cours normal de son emploi et qui travaille moins de trois heures consécutives, a droit, hormis le cas de force majeure, à une indemnité égale à trois heures de son salaire horaire habituel sauf si l'application de l'article 55 lui assure un montant supérieur.

Exception — La présente disposition ne s'applique pas dans le cas où la nature du travail ou les conditions d'exécution du travail requièrent plusieurs présences du salarié dans une même journée et pour moins de trois heures à chaque présence, tel un brigadier scolaire ou un chauffeur d'autobus.

Exception — Elle ne s'applique pas non plus lorsque la nature du travail ou les conditions d'exécution font en sorte qu'il est habituellement effectué en entier à l'intérieur d'une période de trois heures, tel un surveillant dans les écoles ou un placier.

1979, c. 45, art. 58

59. (*Abrogé*).

1979, c. 45, art. 59; 2002, c. 80, art. 16

59.0.1 Durée maximale de travail — Un salarié peut refuser de travailler :

1° plus de quatre heures au-delà de ses heures habituelles quotidiennes de travail ou plus de 14 heures de travail par période de 24 heures, selon la période la plus courte, ou, pour un salarié dont les heures quotidiennes de travail sont variables ou effectuées de manière non continue, plus de 12 heures de travail par période de 24 heures;

2° sous réserve de l'article 53, plus de 50 heures de travail par semaine ou, pour un salarié qui travaille dans un endroit isolé ou qui effectue des travaux sur le territoire de la région de la Baie James, plus de 60 heures de travail par semaine.

Exceptions — Le présent article ne s'applique pas lorsqu'il y a danger pour la vie, la santé ou la sécurité des travailleurs ou de la population, en cas de risque de destruction ou de détérioration grave de biens meubles ou immeubles ou autre cas de force majeure, ou encore si ce refus va à l'encontre du code de déontologie professionnelle du salarié.

2002, c. 80, art. 17

SECTION III — LES JOURS FÉRIÉS, CHÔMÉS ET PAYÉS

59.1 Salariés non visés — La présente section ne s'applique pas à un salarié qui, en vertu d'une convention collective ou d'un décret, bénéficie d'un nombre de jours chômés et payés, en sus de la fête nationale, au moins égal au nombre de jours auxquels ont droit ceux à qui la présente section s'applique; la présente section ne s'applique pas non plus à un autre salarié du même établissement qui bénéficie d'un nombre de jours chômés et payés, en sus de la fête nationale, au moins égal à celui prévu dans cette convention ou ce décret.

Calcul de l'indemnité — Toutefois, malgré toute disposition contraire de la convention collective ou du décret, l'indemnité pour un jour chômé et payé se calcule, dans le cas d'un salarié visé à l'un des articles 42.11 et 1019.4 de la *Loi sur les impôts* (chapitre I-3), sur le salaire augmenté des pourboires attribués en vertu de cet article 42.11 ou déclarés en vertu de cet article 1019.4.

1990, c. 73, art. 18; 2002, c. 80, art. 18

60. Jours fériés et chômés — Les jours suivants sont des jours fériés et chômés :

1° le 1er janvier;

2° le Vendredi saint ou le lundi de Pâques, au choix de l'employeur;

3° le lundi qui précède le 25 mai;

4° le 1er juillet ou, si cette date tombe un dimanche, le 2 juillet;

5° le 1er lundi de septembre;

6° le deuxième lundi d'octobre;

7° le 25 décembre.

1979, c. 45, art. 60; 1990, c. 73, art. 18; 1992, c. 26, art. 10; 1995, c. 16, art. 1; 2002, c. 80, art. 19

61. (*Abrogé*).

1979, c. 45, art. 61; 1990, c. 73, art. 19

62. Calcul de l'indemnité — Pour chaque jour férié et chômé, l'employeur doit verser au salarié une indemnité égale à 1/20 du salaire gagné au cours des quatre semaines complètes de paie précédant la semaine du congé, sans tenir compte des heures supplémentaires. Toutefois, l'indemnité du salarié rémunéré en tout ou en partie à commission doit être égale à 1/60 du salaire gagné au cours des 12 semaines complètes de paie précédant la semaine du congé.

1979, c. 45, art. 62; 1990, c. 73, art. 20; 2002, c. 80, art. 20

63. Congé compensatoire — Si un salarié doit travailler l'un des jours indiqués à l'article 60, l'employeur, en plus de verser au salarié occupé ce jour férié le salaire correspondant au travail effectué, doit lui verser l'indemnité prévue par l'article 62 ou lui accorder un congé compensatoire d'une journée. Dans ce cas, le congé doit être pris dans les trois semaines précédant ou suivant ce jour, sauf si une convention collective ou un décret prévoient une période plus longue.

1979, c. 45, art. 63

64. Congé compensatoire — Si un salarié est en congé annuel l'un des jours fériés prévus par l'article 60, l'employeur doit lui verser l'indemnité prévue par l'article 62 ou lui accorder un congé compensatoire d'une journée à une date convenue entre l'employeur et l'intéressé ou fixée par une convention collective ou un décret.

1979, c. 45, art. 64

65. Condition — Pour bénéficier d'un jour férié et chômé, un salarié ne doit pas s'être absenté du travail, sans l'autorisation de l'employeur ou sans une raison valable, le jour ouvrable qui précède ou qui suit ce jour.

1979, c. 45, art. 65; 1990, c. 73, art. 21; 2002, c. 80, art. 21

SECTION IV — LES CONGÉS ANNUELS PAYÉS

66. Droit au congé annuel — L'année de référence est une période de douze mois consécutifs pendant laquelle un salarié acquiert progressivement le droit au congé annuel.

Année de référence — Cette période s'étend du 1er mai de l'année précédente au 30 avril de l'année en cours, sauf si une convention ou un décret fixent une autre date pour marquer le point de départ de cette période.

1979, c. 45, art. 66

67. Moins d'un an de service continu — Un salarié qui, à la fin d'une année de référence, justifie de moins d'un an de service continu chez le même employeur pendant cette période, a droit à un congé continu dont la durée est déterminée à raison d'un jour ouvrable pour chaque mois de service continu sans que la durée totale de ce congé excède deux semaines.

1979, c. 45, art. 67

68. Un an de service continu — Un salarié qui, à la fin d'une année de référence, justifie d'un an de service continu chez le même employeur pendant cette période, a droit à un congé annuel d'une durée minimale de deux semaines continues.

1979, c. 45, art. 68; 1990, c. 73, art. 22

68.1 Congé supplémentaire — Le salarié visé à l'article 68 a également droit, s'il en fait la demande, à un congé annuel supplémentaire sans salaire d'une durée égale au nombre de jours requis pour porter son congé annuel à trois semaines.

Restriction — Ce congé supplémentaire peut ne pas être continu à celui prévu à l'article 68 et, malgré les articles 71 et 73, il ne peut être fractionné, ni remplacé par une indemnité compensatoire.

1997, c. 10, art. 1

69. Cinq ans de service continu — Un salarié qui, à la fin d'une année de référence, justifie de cinq ans de service continu chez le même employeur, a droit à un congé annuel d'une durée minimale de trois semaines continues.

1979, c. 45, art. 69; 1990, c. 73, art. 23

70. Période du congé — Le congé annuel doit être pris dans les 12 mois qui suivent la fin de l'année de référence, sauf si une convention collective ou un décret permettent de le reporter à l'année suivante.

Exception — Malgré le premier alinéa, l'employeur peut, à la demande du salarié, permettre que le congé annuel soit pris, en tout ou en partie, pendant l'année de référence.

Report ou indemnité — En outre, si, à la fin des 12 mois qui suivent la fin d'une année de référence, le salarié est absent pour cause de maladie, de don d'organes ou de tissus à des fins de greffe, d'accident ou d'acte criminel ou est absent ou en congé pour raisons familiales ou parentales, l'employeur peut, à la demande du salarié, reporter à l'année suivante le congé annuel. À défaut de reporter le congé annuel, l'employeur doit dès lors verser l'indemnité afférente au congé annuel à laquelle le salarié a droit.

Réserviste des Forces canadiennes — De même, si le salarié est un réserviste des Forces canadiennes et qu'à la fin des 12 mois qui suivent la fin d'une année de référence il est absent pour l'un des motifs prévus à l'article 81.17.1, l'employeur peut soit reporter à l'année suivante le congé annuel, soit dès lors verser l'indemnité afférente à ce congé.

Continuation de période d'assurance salaire, maladie ou invalidité — Malgré toute stipulation à l'effet contraire dans une convention, un décret ou un contrat, une période d'assurance salaire, maladie ou invalidité interrompue par un congé pris conformément au premier alinéa se continue, s'il y a lieu, après ce congé, comme si elle n'avait pas été interrompue.

1979, c. 45, art. 70; 1980, c. 5, art. 4; 2002, c. 80, art. 22; 2007, c. 36, art. 2; 2008, c. 30, art. 2; 2010, c. 38, art. 4

71. Congé fractionné — Le congé annuel peut être fractionné en deux périodes si le salarié en fait la demande. Cependant, l'employeur peut refuser cette demande s'il ferme son établissement pour une période égale ou supérieure à celle du congé annuel du salarié.

Durée minimale — Malgré l'article 69, pour l'employeur qui, avant le 29 mars 1995, fermait son établissement pour la période de congés annuels, le congé annuel d'un salarié visé à cet article peut être fractionné par l'employeur en deux périodes, dont l'une est celle de cette période de fermeture. L'une de ces périodes doit toutefois être d'une durée minimale de deux semaines continues.

Congé fractionné — Le congé annuel peut aussi être fractionné en plus de deux périodes à la demande du salarié si l'employeur y consent.

Exception — Le congé dont la durée est d'une semaine ou moins ne peut être fractionné.

1979, c. 45, art. 71; 1982, c. 58, art. 57; 1990, c. 73, art. 24; 1995, c. 16, art. 2

71.1 Prévision à la convention — Malgré les articles 68, 69 et 71, une disposition particulière d'une convention collective ou d'un décret peut prévoir le fractionnement du congé annuel en deux périodes ou plus ou l'interdire.

1995, c. 16, art. 3

72. Date du congé connue — Un salarié a le droit de connaître la date de son congé annuel au moins quatre semaines à l'avance.

1979, c. 45, art. 72

73. Indemnité compensatoire interdite — Il est interdit à l'employeur de remplacer le congé visé dans les articles 67, 68 et 69 par une indemnité compensatoire, sauf si une disposition particulière est prévue dans une convention collective ou un décret.

Indemnité compensatrice — À la demande du salarié, la troisième semaine de congé peut cependant être remplacée par une indemnité compensatrice si l'établissement ferme ses portes pour deux semaines à l'occasion du congé annuel.

1979, c. 45, art. 73; 1982, c. 58, art. 58

74. Indemnité afférente au congé annuel — L'indemnité afférente au congé annuel du salarié visé dans les articles 67 et 68 est égale à 4 % du salaire brut du salarié durant l'année de référence. Dans le cas du salarié visé dans l'article 69, l'indemnité est égale à 6 % du salaire brut du salarié durant l'année de référence.

Absence d'un salarié — Si un salarié est absent pour cause de maladie, de don d'organes ou de tissus à des fins de greffe ou d'accident, en application du premier alinéa de l'article 79.1, ou en congé de maternité ou de paternité durant l'année de référence et que cette absence a pour effet de diminuer son indemnité de congé annuel, il a alors droit à une indemnité équivalente, selon le cas, à deux ou trois fois la moyenne hebdomadaire du salaire gagné au cours de la période travaillée. Le salarié visé dans l'article 67 et dont le congé annuel est inférieur à deux semaines a droit à ce montant dans la proportion des jours de congé qu'il a accumulés.

Indemnité supérieure — Le gouvernement peut, par règlement, déterminer une indemnité supérieure à celle prévue au présent article pour un salarié en congé de maternité ou de paternité.

Indemnité maximale — Malgré les deuxième et troisième alinéas, l'indemnité de congé annuel ne doit pas excéder l'indemnité à laquelle le salarié aurait eu droit s'il n'avait pas été absent ou en congé pour un motif prévu au deuxième alinéa.

1979, c. 45, art. 74; 1980, c. 5, art. 5; 1983, c. 22, art. 103; 1990, c. 73, art. 25; 71; 2002, c. 80, art. 23; 2007, c. 36, art. 3; 2010, c. 38, art. 5

74.1 Réduction du congé annuel interdite — Un employeur ne peut réduire la durée du congé annuel d'un salarié visé à l'article 41.1 ni modifier le mode de calcul de l'indemnité y afférente, par rapport à ce qui est accordé aux autres salariés qui effectuent les mêmes tâches dans le même établissement, pour le seul motif qu'il travaille habituellement moins d'heures par semaine.

1990, c. 73, art. 26

75. Versement de l'indemnité — Sous réserve d'une disposition d'une convention collective ou d'un décret, un salarié doit toucher l'indemnité afférente au congé annuel en un seul versement avant le début de ce congé.

Travailleur agricole — Toutefois, dans le cas d'un travailleur agricole engagé sur une base journalière, cette indemnité peut être ajoutée à son salaire et lui être versée selon les mêmes modalités.

1979, c. 45, art. 75; 1990, c. 73, art. 27; 2002, c. 80, art. 24

76. Contrat de travail résilié — Lorsque le contrat de travail est résilié avant qu'un salarié ait pu bénéficier de la totalité du congé auquel il avait droit, il doit recevoir en plus de l'indemnité compensatrice déterminée conformément à l'article 74 et afférente au congé dont il n'a pas bénéficié, une indemnité égale à 4 % ou 6 %, selon le cas, du salaire brut gagné pendant l'année de référence en cours.

1979, c. 45, art. 76

77. Personnes exemptées du congé — Les articles 66 à 76 ne s'appliquent pas aux personnes suivantes :

1º (*paragraphe abrogé*);

2º un étudiant employé dans une colonie de vacances ou dans un organisme à but non lucratif et à vocation sociale ou communautaire, tel un organisme de loisirs;

3° un agent immobilier au sens de la *Loi sur le courtage immobilier* (chapitre C-73.1), entièrement rémunéré à commission;

4° un représentant d'un courtier ou d'un conseiller visé à l'article 56 de la *Loi sur les instruments dérivés* (chapitre I-14.01) ou à l'article 149 de la *Loi sur les valeurs mobilières* (chapitre V-1.1), entièrement rémunéré à commission;

5° un représentant au sens de la *Loi sur la distribution de produits et services financiers* (chapitre D-9.2), entièrement rémunéré à commission;

6° (*paragraphe abrogé*);

7° un stagiaire dans le cadre d'un programme de formation professionnelle reconnu par une loi.

Dispositions applicables — Le gouvernement peut toutefois, par règlement, rendre les articles 66 à 76 totalement ou partiellement applicables aux salariés visés au paragraphe 2° du premier alinéa.

1979, c. 45, art. 77; 1980, c. 5, art. 6; 1986, c. 95, art. 203; 1989, c. 48, art. 251; 1990, c. 73, art. 28; 1991, c. 37, art. 173; 1998, c. 37, art. 529; 2002, c. 80, art. 25; 2009, c. 25, art. 108; 2009, c. 58, art. 89

SECTION V — LES REPOS

78. Repos hebdomadaire — Sous réserve de l'application du paragraphe 12° de l'article 39 ou de l'article 53, un salarié a droit à un repos hebdomadaire d'une durée minimale de 32 heures consécutives.

Travailleur agricole — Dans le cas d'un travailleur agricole, ce jour de repos peut être reporté à la semaine suivante si le salarié y consent.

1979, c. 45, art. 78; 2002, c. 80, art. 26

79. Période de repas — Sauf une disposition contraire d'une convention collective ou d'un décret, l'employeur doit accorder au salarié, pour le repas, une période de trente minutes sans salaire au-delà d'une période de travail de cinq heures consécutives.

Période rémunérée — Cette période doit être rémunérée si le salarié n'est pas autorisé à quitter son poste de travail.

1979, c. 45, art. 79

SECTION V.0.1 — LES ABSENCES POUR CAUSE DE MALADIE, DE DON D'ORGANES OU DE TISSUS À DES FINS DE GREFFE, D'ACCIDENT OU D'ACTE CRIMINEL

79.1 Période maximale — Un salarié peut s'absenter du travail pendant une période d'au plus 26 semaines sur une période de 12 mois pour cause de maladie, de don d'organes ou de tissus à des fins de greffe ou d'accident.

Acte criminel — Un salarié peut toutefois s'absenter du travail pendant une période d'au plus 104 semaines s'il subit un préjudice corporel grave à l'occasion ou résultant directement d'un acte criminel le rendant incapable d'occuper son poste habituel. En ce cas, la période d'absence débute au plus tôt à la date à laquelle l'acte criminel a été commis ou, le cas échéant, à l'expiration de la période prévue au premier alinéa, et se termine au plus tard 104 semaines après la commission de l'acte criminel.

Lésion professionnelle — Toutefois, le présent article ne s'applique pas s'il s'agit d'une lésion professionnelle au sens de la *Loi sur les accidents du travail et les maladies professionnelles* (chapitre A-3.001).

2002, c. 80, art. 27; 2007, c. 36, art. 5; 2010, c. 38, art. 7

79.1.1 Cause probable — Le deuxième alinéa de l'article 79.1 s'applique si les circonstances entourant l'événement permettent de tenir pour probable que le préjudice corporel grave subi par le salarié résulte de la commission d'un acte criminel.

Exclusion — Toutefois, un salarié ne peut bénéficier de cette période d'absence si les circonstances permettent de tenir pour probable qu'il a été partie à l'acte criminel ou a contribué au préjudice par sa faute lourde.

2007, c. 36, art. 6

79.1.2 Conditions d'application — Le deuxième alinéa de l'article 79.1 s'applique si le salarié a subi le préjudice dans les circonstances suivantes :

1° en procédant ou en tentant de procéder, de façon légale, à l'arrestation d'un contrevenant ou d'un présumé contrevenant ou en prêtant assistance à un agent de la paix procédant à une arrestation;

2° en prévenant ou en tentant de prévenir, de façon légale, la perpétration d'une infraction ou de ce que cette personne croit être une infraction, ou en prêtant assistance à un agent de la paix qui prévient ou tente de prévenir la perpétration d'une infraction ou de ce qu'il croit être une infraction.

2007, c. 36, art. 6

79.2 Avis à l'employeur. — Pour l'application de l'article 79.1, le salarié doit justifier de trois mois de service continu et l'absence est sans salaire. Il doit en outre aviser l'employeur le plus tôt possible de son absence et des motifs de celle-ci. L'employeur peut demander au salarié, si les circonstances le justifient eu égard notamment à la durée de l'absence ou au caractère répétitif de celle-ci, de lui fournir un document attestant ces motifs.

Reprise du travail — Si l'employeur y consent, le salarié peut, au cours de la période d'absence prévue au deuxième alinéa de l'article 79.1, reprendre son travail à temps partiel ou de manière intermittente.

2002, c. 80, art. 27; 2007, c. 36, art. 7

79.3 Assurances collectives et régimes de retraite — La participation du salarié aux régimes d'assurance collective et de retraite reconnus à son lieu de travail ne doit pas être affectée par l'absence du salarié, sous réserve du paiement régulier des cotisations exigibles relativement à ces régimes et dont l'employeur assume sa part habituelle.

Avantage — Le gouvernement détermine, par règlement, les autres avantages dont un salarié peut bénéficier pendant la période d'absence.

2002, c. 80, art. 27; 2007, c. 36, art. 8

79.4 Réintégration du salarié — À la fin de la période d'absence, l'employeur doit réintégrer le salarié dans son poste habituel, avec les mêmes avantages, y compris le salaire auquel il aurait eu droit s'il était resté au travail. Si le poste habituel du salarié n'existe plus à son retour, l'employeur doit lui reconnaître tous les droits et privilèges dont il aurait bénéficié au moment de la disparition du poste s'il avait alors été au travail.

Congédiement, suspension ou déplacement — Le premier alinéa n'a pas pour effet d'empêcher un employeur de congédier, de suspendre ou de déplacer un salarié si les conséquences, selon le cas, de la maladie, de l'accident ou de l'acte criminel ou le caractère répétitif des absences constituent une cause juste et suffisante, selon les circonstances.

2002, c. 80, art. 27; 2007, c. 36, art. 9

79.5 Licenciements ou mises à pied — Lorsque l'employeur effectue des licenciements ou des mises à pied qui auraient inclus le salarié s'il était demeuré au travail, celui-ci conserve les mêmes droits que les salariés effectivement licenciés ou mis à pied en ce qui a trait notamment au retour au travail.

2002, c. 80, art. 27

79.6 Avantage — La présente section n'a pas pour effet de conférer à un salarié un avantage dont il n'aurait pas bénéficié s'il était resté au travail.

2002, c. 80, art. 27

SECTION V.1 — LES ABSENCES ET LES CONGÉS POUR RAISONS FAMILIALES OU PARENTALES

79.7 Obligations familiales — Un salarié peut s'absenter du travail, sans salaire, pendant 10 journées par année pour remplir des obligations reliées à la garde, à la santé ou à l'éducation de son enfant ou de l'enfant de son conjoint, ou en raison de l'état de santé de son conjoint, de son père, de sa mère, d'un frère, d'une sœur ou de l'un de ses grands-parents.

Fractionnement — Ce congé peut être fractionné en journées. Une journée peut aussi être fractionnée si l'employeur y consent.

Avis à l'employeur — Le salarié doit aviser l'employeur de son absence le plus tôt possible et prendre les moyens raisonnables à sa disposition pour limiter la prise et la durée du congé.

2002, c. 80, art. 29

79.8 Maladie ou accident — Un salarié peut s'absenter du travail pendant une période d'au plus 12 semaines sur une période de 12 mois lorsque sa présence est requise auprès de son enfant, de son conjoint, de l'enfant de son conjoint, de son père, de sa mère, du conjoint de son père ou de sa mère, d'un frère, d'une sœur ou de l'un de ses grands-parents en raison d'une grave maladie ou d'un grave accident.

Prolongation — Toutefois, si un enfant mineur du salarié est atteint d'une maladie grave, potentiellement mortelle, attestée par un certificat médical, le salarié a droit à une prolongation de son absence, laquelle se termine au plus tard 104 semaines après le début de celle-ci.

2002, c. 80, art. 29; 2005, c. 13, art. 82; 2007, c. 36, art. 10

79.9 Prolongation — Un salarié a droit à une prolongation de la période d'absence prévue au premier alinéa de l'article 79.8, laquelle se termine au plus tard 104 semaines après le début de celle-ci, si sa présence est requise auprès de son enfant mineur qui a subi un préjudice corporel grave à l'occasion ou résultant directement d'un acte criminel le rendant incapable d'exercer ses activités régulières.

2007, c. 36, art. 11

79.10 Disparition d'un enfant mineur — Un salarié peut s'absenter du travail pendant une période d'au plus 52 semaines si son enfant mineur est disparu. Si l'enfant est retrouvé avant l'expiration de cette période d'absence, celle-ci prend fin à compter du onzième jour qui suit.

2007, c. 36, art. 11

79.11 Décès par suicide — Un salarié peut s'absenter du travail pendant une période d'au plus 52 semaines si son conjoint ou son enfant décède par suicide.

2007, c. 36, art. 11

79.12 Décès résultant d'un acte criminel — Un salarié peut s'absenter du travail pendant une période d'au plus 104 semaines si le décès de son conjoint ou de son enfant se produit à l'occasion ou résulte directement d'un acte criminel.

2007, c. 36, art. 11

79.13 Préjudice corporel grave — Les articles 79.9 à 79.12 s'appliquent si les circonstances entourant l'événement permettent de tenir pour probable, selon le cas, que le préjudice corporel grave résulte de la commission d'un acte criminel, que le décès résulte d'un tel acte ou d'un suicide ou que la personne disparue est en danger.

Exclusion — Toutefois, un salarié ne peut bénéficier de ces dispositions si les circonstances permettent de tenir pour probable que lui-même ou, dans le cas de l'article 79.12, la personne décédée, s'il s'agit du conjoint ou d'un enfant majeur, a été partie à l'acte criminel ou a contribué au préjudice par sa faute lourde.

2007, c. 36, art. 11

79.14 Dispositions applicables — Les articles 79.9 et 79.12 s'appliquent si le préjudice ou le décès survient dans l'une des situations décrites à l'article 79.1.2.

2007, c. 36, art. 11

79.15 Reprise du travail — La période d'absence prévue aux articles 79.9 à 79.12 débute au plus tôt à la date à laquelle l'acte criminel ayant causé le préjudice corporel grave a été commis ou à la date du décès ou de la disparition et se termine au plus tard, selon le cas, 52 ou 104 semaines après cette date. Si l'employeur y consent, le salarié peut toutefois, au cours de la période d'absence, reprendre son travail à temps partiel ou de manière intermittente.

Nouvel événement. — Toutefois, si, au cours de cette période de 52 ou 104 semaines, un nouvel événement survient à l'égard du même enfant et qu'il donne droit à une nouvelle période d'absence, c'est la période la plus longue qui s'applique à compter de la date du premier événement.

2007, c. 36, art. 11

79.16 Dispositions applicables — L'article 79.2, le premier alinéa de l'article 79.3 et les articles 79.4, 79.5 et 79.6 s'appliquent aux périodes d'absences prévues par les articles 79.8 à 79.12, compte tenu des adaptations nécessaires.

2007, c. 36, art. 11

80. Absence du travail — Un salarié peut s'absenter du travail pendant une journée, sans réduction de salaire, à l'occasion du décès ou des funérailles de son conjoint, de son enfant ou de l'enfant de son conjoint, de son père, de sa mère, d'un frère ou d'une sœur. Il peut aussi s'absenter pendant quatre autres journées à cette occasion, mais sans salaire.

1979, c. 45, art. 80; 1990, c. 73, art. 31; 2002, c. 80, art. 30

80.1 Absence du travail — Un salarié peut s'absenter du travail pendant une journée, sans salaire, à l'occasion du décès ou des funérailles d'un gendre, d'une bru, de l'un de ses grands-parents ou de l'un de ses petits-enfants de même que du père, de la mère, d'un frère ou d'une sœur de son conjoint.

1990, c. 73, art. 32

80.2 Avis à l'employeur — Dans les cas visés aux articles 80 et 80.1, le salarié doit aviser l'employeur de son absence le plus tôt possible.

1990, c. 73, art. 32

81. Absence du travail — Un salarié peut s'absenter du travail pendant une journée, sans réduction de salaire, le jour de son mariage ou de son union civile.

Absence du travail — Un salarié peut aussi s'absenter du travail, sans salaire, le jour du mariage ou de l'union civile de l'un de ses enfants, de son père, de sa mère, d'un frère, d'une sœur ou d'un enfant de son conjoint.

Avis à l'employeur — Le salarié doit aviser l'employeur de son absence au moins une semaine à l'avance.

1979, c. 45, art. 81; 1990, c. 73, art. 33; 2002, c. 6, art. 145

81.1 Naissance ou adoption — Un salarié peut s'absenter du travail pendant cinq journées, à l'occasion de la naissance de son enfant, de l'adoption d'un enfant ou lorsque survient une interruption de grossesse à compter de la vingtième semaine de grossesse. Les deux premières journées d'absence sont rémunérées si le salarié justifie de 60 jours de service continu.

Congé fractionné — Ce congé peut être fractionné en journées à la demande du salarié. Il ne peut être pris après l'expiration des 15 jours qui suivent l'arrivée de l'enfant à la résidence de son père ou de sa mère ou, le cas échéant, l'interruption de grossesse.

Avis à l'employeur — Le salarié doit aviser l'employeur de son absence le plus tôt possible.

1990, c. 73, art. 34; 2002, c. 80, art. 31; 2005, c. 13, art. 83

81.2 Congé de paternité — Un salarié a droit à un congé de paternité d'au plus cinq semaines continues, sans salaire, à l'occasion de la naissance de son enfant.

Période — Le congé de paternité débute au plus tôt la semaine de la naissance de l'enfant et se termine au plus tard 52 semaines après la semaine de la naissance.

1990, c. 73, art. 34; 2002, c. 80, art. 32

81.2.1 Avis écrit — Le congé de paternité peut être pris après un avis écrit d'au moins trois semaines à l'employeur indiquant la date prévue du début du congé et celle du retour au travail.

Exception — Ce délai peut toutefois être moindre si la naissance de l'enfant survient avant la date prévue de celle-ci.

2008, c. 30, art. 3

81.3 Grossesse — Une salariée peut s'absenter du travail sans salaire pour un examen médical relié à sa grossesse ou pour un examen relié à sa grossesse et effectué par une sage-femme.

Avis à l'employeur — La salariée avise son employeur le plus tôt possible du moment où elle devra s'absenter.

1990, c. 73, art. 34; 1999, c. 24, art. 21

81.4 Congé de maternité — La salariée enceinte a droit à un congé de maternité sans salaire d'une durée maximale de 18 semaines continues, sauf si, à sa demande, l'employeur consent à un congé de maternité d'une période plus longue.

Répartition du congé — La salariée peut répartir le congé de maternité à son gré avant ou après la date prévue pour l'accouchement. Toutefois, lorsque le congé de maternité débute la semaine de l'accouchement, cette semaine n'est pas prise en compte aux fins du calcul de la période maximale de 18 semaines continues.

1990, c. 73, art. 34; 2002, c. 80, art. 33

81.4.1 Accouchement retardé — Si l'accouchement a lieu après la date prévue, la salariée a droit à au moins deux semaines de congé de maternité après l'accouchement.

2002, c. 80, art. 34

81.5 Début du congé — Le congé de maternité débute au plus tôt la seizième semaine précédant la date prévue pour l'accouchement et se termine au plus tard 18 semaines après la semaine de l'accouchement.

1990, c. 73, art. 34; 2002, c. 80, art. 35; 2005, c. 13, art. 84

81.5.1 Congé de maternité spécial — Lorsqu'il y a danger d'interruption de grossesse ou un danger pour la santé de la mère ou de l'enfant à naître, occasionné par la grossesse et exigeant un arrêt de travail, la salariée a droit à un congé de maternité spécial, sans salaire, de la durée indiquée au certificat médical qui atteste du danger existant et qui indique la date prévue de l'accouchement.

Présomption — Le cas échéant, ce congé est réputé être le congé de maternité prévu à l'article 81.4 à compter du début de la quatrième semaine précédant la date prévue de l'accouchement.

2002, c. 80, art. 36

81.5.2 Interruption de grossesse — Lorsque survient une interruption de grossesse avant le début de la vingtième semaine précédant la date prévue de l'accouchement, la salariée a droit à un congé de maternité spécial, sans salaire, d'une durée n'excédant pas trois semaines, à moins qu'un certificat médical n'atteste du besoin de prolonger le congé.

Durée maximale — Si l'interruption de grossesse survient à compter de la vingtième semaine de grossesse, la salariée a droit à un congé de maternité sans salaire d'une durée maximale de 18 semaines continues à compter de la semaine de l'événement.

2002, c. 80, art. 36

81.5.3 Avis à l'employeur — En cas d'interruption de grossesse ou d'accouchement prématuré, la salariée doit, le plus tôt possible, donner à l'employeur un avis écrit l'informant de l'événement survenu et de la date prévue de son retour au travail, accompagné d'un certificat médical attestant de l'événement.

2002, c. 80, art. 36

81.6 Avis à l'employeur — Le congé de maternité peut être pris après un avis écrit d'au moins trois semaines à l'employeur indiquant la date du début du congé et celle du retour au travail. Cet avis doit être accompagné d'un certificat médical attestant de la grossesse et de la date prévue pour l'accouchement. Dans un tel cas, le certificat médical peut être remplacé par un rapport écrit signé par une sage-femme.

Réduction du délai d'avis — L'avis peut être de moins de trois semaines si le certificat médical atteste du besoin de la salariée de cesser le travail dans un délai moindre.

1990, c. 73, art. 34; 1999, c. 24, art. 22

81.7 (*Abrogé*).

1990, c. 73, art. 34; 2002, c. 80, art. 37

81.8 Certificat médical — À partir de la sixième semaine qui précède la date prévue pour l'accouchement, l'employeur peut exiger par écrit de la salariée enceinte encore au travail un certificat médical attestant qu'elle est en mesure de travailler.

Refus — Si la salariée refuse ou néglige de lui fournir ce certificat dans un délai de huit jours, l'employeur peut l'obliger à se prévaloir aussitôt de son congé de maternité en lui faisant parvenir par écrit un avis motivé à cet effet.

1990, c. 73, art. 34

81.9 Certificat médical — Malgré l'avis prévu à l'article 81.6, la salariée peut revenir au travail avant l'expiration de son congé de maternité. Toutefois, l'employeur peut exiger de la salariée qui revient au travail dans les deux semaines suivant l'accouchement un certificat médical attestant qu'elle est en mesure de travailler.

1990, c. 73, art. 34; 2002, c. 80, art. 38

81.10 Congé parental — Le père et la mère d'un nouveau-né et la personne qui adopte un enfant ont droit à un congé parental sans salaire d'au plus 52 semaines continues.

1990, c. 73, art. 34; 1997, c. 10, art. 2; 1999, c. 52, art. 10; 2002, c. 80, art. 39; 2005, c. 13, art. 85

81.11 Début du congé — Le congé parental peut débuter au plus tôt la semaine de la naissance du nouveau-né ou, dans le cas d'une adoption, la semaine où l'enfant est confié au salarié dans le cadre d'une procédure d'adoption ou la semaine où le salarié quitte son travail afin de se rendre à l'extérieur du Québec pour que l'enfant lui soit confié. Il se termine au plus tard 70 semaines après la naissance ou, dans le cas d'une adoption, 70 semaines après que l'enfant lui a été confié.

Fin du congé parental — Toutefois, le congé parental peut, dans les cas et aux conditions prévus par règlement du gouvernement, se terminer au plus tard 104 semaines après la naissance ou, dans le cas d'une adoption, 104 semaines après que l'enfant a été confié au salarié.

1990, c. 73, art. 34; 1997, c. 10, art. 3; 2002, c. 80, art. 40

81.12 Avis à l'employeur — Le congé parental peut être pris après un avis d'au moins trois semaines à l'employeur indiquant la date du début du congé et celle du retour au travail. Ce délai peut toutefois être moindre si la présence du salarié est requise auprès de l'enfant nouveau-né ou nouvellement adopté ou, le cas échéant, auprès de la mère, en raison de leur état de santé.

1990, c. 73, art. 34; 2002, c. 80, art. 41

81.13 Avis de réduction du congé — Un salarié peut se présenter au travail avant la date mentionnée dans l'avis prévu par les articles 81.2.1, 81.6 et 81.12 après avoir donné à l'employeur un avis écrit d'au moins trois semaines de la nouvelle date de son retour au travail.

Retour au travail — Si l'employeur y consent, le salarié peut reprendre son travail à temps partiel ou de manière intermittente pendant son congé parental.

1990, c. 73, art. 34; 2002, c. 80, art. 42; 2008, c. 30, art. 4

81.14 Présomption de démission — Le salarié qui ne se présente pas au travail à la date de retour fixée dans l'avis donné à son employeur est présumé avoir démissionné.

1990, c. 73, art. 34; 2002, c. 80, art. 43

81.14.1 Fractionnement du congé — Sur demande du salarié, le congé de maternité, de paternité ou parental peut être fractionné en semaines si son enfant est hospitalisé ou si le salarié peut s'absenter en vertu des articles 79.1 et 79.8 à 79.12 et dans les cas déterminés par règlement, aux conditions et suivant la durée et les délais qui y sont prévus.

2005, c. 13, art. 86; 2007, c. 36, art. 12

81.14.2 Suspension du congé — Lorsque l'enfant est hospitalisé au cours du congé de maternité, de paternité ou parental, celui-ci peut être suspendu, après entente avec l'employeur, pour permettre le retour au travail du salarié pendant la durée de cette hospitalisation.

Prolongation du congé — En outre, le salarié qui fait parvenir à l'employeur, avant la date d'expiration de son congé, un avis accompagné d'un certificat médical attestant que l'état de santé de son enfant ou, dans le cas du congé de maternité, l'état de santé de la salariée l'exige, a droit à une prolongation du congé de la durée indiquée au certificat médical.

2005, c. 13, art. 86

81.15 Assurances collectives et régimes de retraite — La participation du salarié aux régimes d'assurance collective et de retraite reconnus à son lieu de travail ne doit pas être affectée par l'absence du salarié, sous réserve du paiement régulier des cotisations exigibles relativement à ces régimes et dont l'employeur assume sa part habituelle.

Autres avantages — Le gouvernement détermine, par règlement, les autres avantages dont un salarié peut bénéficier pendant le congé de maternité, de paternité ou parental.

1990, c. 73, art. 34; 2002, c. 80, art. 44

81.15.1 Réintégration du salarié — À la fin d'un congé de maternité, de paternité ou parental, l'employeur doit réintégrer le salarié dans son poste habituel, avec les mêmes avantages, y compris le salaire auquel il aurait eu droit s'il était resté au travail.

Poste aboli — Si le poste habituel du salarié n'existe plus à son retour, l'employeur doit lui reconnaître tous les droits et privilèges dont il aurait bénéficié au moment de la disparition du poste s'il avait alors été au travail.

2002, c. 80, art. 44

81.16 (*Abrogé*).

1990, c. 73, art. 34; 2002, c. 80, art. 45

81.17 Dispositions applicables — Les articles 79.5 et 79.6 s'appliquent au congé de maternité, de paternité ou parental, compte tenu des adaptations nécessaires.

1990, c. 73, art. 34; 2002, c. 80, art. 46

SECTION V.1.1 — LES ABSENCES DES SALARIÉS RÉSERVISTES

81.17.1 Motifs d'absence — Le salarié qui est aussi un réserviste des Forces canadiennes peut s'absenter du travail, sans salaire, pour l'un des motifs suivants:

1° s'il justifie de 12 mois de service continu, pour prendre part à une opération des Forces canadiennes à l'étranger, y compris la préparation, l'entraînement, le repos et le déplacement à partir du lieu de sa résidence ou vers ce lieu, pour une période maximale de 18 mois;

2° pour prendre part à une opération des Forces canadiennes au Canada visant à :

a) fournir de l'aide en cas de sinistre majeur, au sens de la *Loi sur la sécurité civile* (chapitre S-2.3);

b) prêter assistance au pouvoir civil, sur demande du procureur général du Québec en application de la *Loi sur la défense nationale* (L.R.C. (1985), ch. N-5);

c) intervenir dans toute autre situation d'urgence désignée par le gouvernement;

3° pour prendre part à l'entraînement annuel pour la durée prévue par règlement ou, à défaut, pour une période d'au plus 15 jours;

4° pour prendre part à toute autre opération des Forces canadiennes, dans les cas, aux conditions et pour la durée prévus par règlement.

2008, c. 30, art. 5

81.17.2 Exceptions — L'article 81.17.1 ne s'applique pas si l'absence du salarié représente soit un danger pour la vie, la santé ou la sécurité des autres travailleurs ou de la population, soit un risque de destruction ou de détérioration grave de certains biens ou dans un cas de force majeure, ou encore si cette absence va à l'encontre du code de déontologie professionnelle du salarié.

2008, c. 30, art. 5

81.17.3 Avis écrit — Pour bénéficier du droit prévu à l'article 81.17.1, le salarié doit aviser l'employeur par écrit au moins quatre semaines à l'avance de la date du début de l'absence, du motif de celle-ci et de sa durée. Ce délai peut toutefois être moindre si le salarié a un motif sérieux de ne pas le respecter, auquel cas il doit aviser l'employeur dès qu'il est en mesure de le faire.

Retour au travail — Le salarié peut retourner au travail avant la date prévue après avoir donné à l'employeur un avis écrit d'au moins trois semaines de la nouvelle date de son retour au travail.

2008, c. 30, art. 5

81.17.4 Documents — Le salarié fournit à l'employeur, sur demande, tout document justifiant son absence.

2008, c. 30, art. 5

81.17.5 Absence — Le salarié qui s'absente pour l'un des motifs prévus à l'article 81.17.1 pour une période supérieure à 12 semaines ne peut s'absenter à nouveau pour l'un de ces motifs avant l'expiration d'une période de 12 mois à compter de la date de son retour au travail.

2008, c. 30, art. 5

81.17.6 Dispositions applicables — Les articles 79.4, 79.5 et 79.6 s'appliquent au salarié qui s'absente pour l'un des motifs prévus à l'article 81.17.1.

2008, c. 30, art. 5

SECTION V.2 — LE HARCÈLEMENT PSYCHOLOGIQUE

81.18 Définition — Pour l'application de la présente loi, on entend par « harcèlement psychologique » une conduite vexatoire se manifestant soit par des comportements, des paroles, des actes ou des gestes répétés, qui sont hostiles ou non désirés, laquelle porte atteinte à la dignité ou à l'intégrité psychologique ou physique du salarié et qui entraîne, pour celui-ci, un milieu de travail néfaste.

Conduite grave — Une seule conduite grave peut aussi constituer du harcèlement psychologique si elle porte une telle atteinte et produit un effet nocif continu pour le salarié.

2002, c. 80, art. 47

81.19 Droit du salarié — Tout salarié a droit à un milieu de travail exempt de harcèlement psychologique.

Devoir de l'employeur — L'employeur doit prendre les moyens raisonnables pour prévenir le harcèlement psychologique et, lorsqu'une telle conduite est portée à sa connaissance, pour la faire cesser.

2002, c. 80, art. 47

81.20 Convention collective — Les dispositions des articles 81.18, 81.19, 123.7, 123.15 et 123.16 sont réputées faire partie intégrante de toute convention collective, compte tenu des adaptations nécessaires. Un salarié visé par une telle convention doit exercer les recours qui y sont prévus, dans la mesure où un tel recours existe à son égard.

Médiation — En tout temps avant le délibéré, une demande conjointe des parties à une telle convention peut être présentée au ministre en vue de nommer une personne pour entreprendre une médiation.

Salariés non régis par une convention collective — Les dispositions visées au premier alinéa sont aussi réputées faire partie des conditions de travail de tout salarié nommé en vertu de la *Loi sur la fonction publique* (chapitre F-3.1.1) qui n'est pas régi par une convention collective. Ce salarié doit exercer le recours en découlant devant la Commission de la fonction publique selon les règles de procédure établies conformément à cette loi. La Commission de la fonction publique exerce à cette fin les pouvoirs prévus aux articles 123.15 et 123.16 de la présente loi.

Membres et dirigeants d'organismes — Le troisième alinéa s'applique également aux membres et dirigeants d'organismes.

2002, c. 80, art. 47

SECTION VI — L'AVIS DE CESSATION D'EMPLOI OU DE MISE À PIED ET LE CERTIFICAT DE TRAVAIL

82. Avis de fin du contrat — Un employeur doit donner un avis écrit à un salarié avant de mettre fin à son contrat de travail ou de le mettre à pied pour six mois ou plus.

Délai — Cet avis est d'une semaine si le salarié justifie de moins d'un an de service continu, de deux semaines s'il justifie d'un an à cinq ans de service continu, de quatre semaines s'il justifie de cinq à dix ans de service continu et de huit semaines s'il justifie de dix ans ou plus de service continu.

Nullité d'avis de cessation d'emploi — L'avis de cessation d'emploi donné à un salarié pendant la période où il a été mis à pied est nul de nullité absolue, sauf dans le cas d'un emploi dont la durée n'excède habituellement pas six mois à chaque année en raison de l'influence des saisons.

Droits acquis — Le présent article n'a pas pour effet de priver un salarié d'un droit qui lui est conféré par une autre loi.

1979, c. 45, art. 82; 1980, c. 5, art. 7; 1990, c. 73, art. 36; 1999, c. 40, art. 196

82.1 Salariés non visés — L'article 82 ne s'applique pas à l'égard d'un salarié :

1º qui ne justifie pas de trois mois de service continu;

2º dont le contrat pour une durée déterminée ou pour une entreprise déterminée expire;

3º qui a commis une faute grave;

4º dont la fin du contrat de travail ou la mise à pied résulte d'un cas de force majeure.

1990, c. 73, art. 36

83. Indemnité compensatrice — L'employeur qui ne donne pas l'avis prévu à l'article 82 ou qui donne un avis d'une durée insuffisante doit verser au salarié une indemnité compensatrice équivalente à son salaire habituel, sans tenir compte des heures supplémentaires, pour une période égale à celle de la durée ou de la durée résiduaire de l'avis auquel il avait droit.

Moment du versement — Cette indemnité doit être versée au moment de la cessation d'emploi ou de la mise à pied prévue pour plus de six mois ou à l'expiration d'un délai de six mois d'une mise à pied pour une durée indéterminée ou prévue pour une durée inférieure à six mois mais qui excède ce délai.

Salarié rémunéré à commission — L'indemnité du salarié en tout ou en partie rémunéré à commission est établie à partir de la moyenne hebdomadaire de son salaire durant les périodes complètes de paie comprises dans les trois mois précédant sa cessation d'emploi ou sa mise à pied.

1979, c. 45, art. 83; 1990, c. 73, art. 36; 2002, c. 80, art. 48

83.1 Droit de rappel — Dans le cas d'un salarié qui bénéficie d'un droit de rappel au travail pendant plus de six mois en vertu d'une convention collective, l'employeur n'est tenu de verser l'indemnité compensatrice qu'à compter de la première des dates suivantes :

1º à l'expiration du droit de rappel du salarié;

2º un an après la mise à pied.

Exception — Le salarié visé au premier alinéa n'a pas droit à l'indemnité compensatrice :

1° s'il est rappelé au travail avant la date où l'employeur est tenu de verser cette indemnité et s'il travaille par la suite pour une durée au moins égale à celle de l'avis prévu dans l'article 82;

2° si le non-rappel au travail résulte d'un cas de force majeure.

1990, c. 73, art. 36

83.2 Détermination de normes différentes — Le gouvernement peut, par règlement, déterminer des normes différentes de celles qui sont visées aux articles 82 à 83.1 à l'égard des salariés régis par la *Loi sur la fonction publique* (chapitre F-3.1.1) qui, sans être des salariés permanents, bénéficient d'un droit de rappel en vertu de leurs conditions de travail.

1990, c. 73, art. 36

84. Certificat de travail — À l'expiration du contrat de travail, un salarié peut exiger que son employeur lui délivre un certificat de travail faisant état exclusivement de la nature et de la durée de son emploi, du début et de la fin de l'exercice de ses fonctions ainsi que du nom et de l'adresse de l'employeur. Le certificat ne peut faire état de la qualité du travail ou de la conduite du salarié.

1979, c. 45, art. 84

SECTION VI.0.1 — L'AVIS DE LICENCIEMENT COLLECTIF

84.0.1 Définition — Constitue un licenciement collectif régi par la présente section une cessation de travail du fait de l'employeur, y compris une mise à pied pour une durée de six mois ou plus, qui touche au moins 10 salariés d'un même établissement au cours d'une période de deux mois consécutifs.

2002, c. 80, art. 49

84.0.2 Salariés non visés — N'est pas considéré comme étant un salarié visé par un licenciement collectif un salarié :

1° qui ne justifie pas de trois mois de service continu;

2° dont le contrat pour une durée déterminée ou pour une entreprise déterminée expire;

3° visé à l'article 83 de la *Loi sur la fonction publique* (chapitre F-3.1.1);

4° qui a commis une faute grave;

5° visé à l'article 3.

2002, c. 80, art. 49

84.0.3 Exceptions — La présente section ne s'applique pas :

1° à la mise à pied de salariés pour une durée indéterminée, mais effectivement inférieure à six mois;

2° à l'égard d'un établissement dont les activités sont saisonnières ou intermittentes;

3° à l'égard d'un établissement affecté par une grève ou un lock-out au sens du *Code du travail* (chapitre C-27).

2002, c. 80, art. 49

84.0.4 Avis — Tout employeur doit, avant de procéder à un licenciement collectif pour des raisons d'ordre technologique ou économique, en donner avis au ministre de l'Emploi et de la Solidarité sociale, dans les délais minimaux suivants :

1° huit semaines, lorsque le nombre de salariés visés par le licenciement est au moins égal à 10 et inférieur à 100;

2° 12 semaines, lorsque le nombre de salariés visés par le licenciement est au moins égal à 100 et inférieur à 300;

3° 16 semaines, lorsque le nombre de salariés visés par le licenciement est au moins égal à 300.

Avis — Un employeur qui donne l'avis prévu au premier alinéa n'est pas dispensé de donner l'avis prévu à l'article 82.

2002, c. 80, art. 49

84.0.5 Force majeure ou événement imprévu — En cas de force majeure ou lorsqu'un événement imprévu empêche un employeur de respecter les délais d'avis prévus à l'article 84.0.4, ce dernier doit donner un avis de licenciement collectif au ministre aussitôt qu'il est en mesure de le faire.

2002, c. 80, art. 49

84.0.6 Transmission et affichage de l'avis — Un employeur doit transmettre une copie de l'avis de licenciement collectif à la Commission et à l'association accréditée représentant les salariés visés par le licenciement. Il doit afficher cet avis dans un endroit visible et facilement accessible dans l'établissement concerné.

2002, c. 80, art. 49

84.0.7 Procédure — L'avis de licenciement collectif doit être transmis au ministre à l'endroit déterminé par règlement et contenir les renseignements qui y sont prévus.

2002, c. 80, art. 49

84.0.8 Consentement — Pendant le délai prévu à l'article 84.0.4, un employeur ne peut modifier le salaire d'un salarié visé par le licenciement collectif et, le cas échéant, les régimes d'assurance collective et de retraite reconnus à son lieu de travail sans le consentement écrit de ce salarié ou de l'association accréditée qui le représente.

2002, c. 80, art. 49

84.0.9 Comité d'aide au reclassement — À la demande du ministre, l'employeur et l'association accréditée ou, en l'absence d'une telle association, les représentants choisis par les salariés visés par le licenciement collectif doivent participer sans délai à la constitution d'un comité d'aide au reclassement et collaborer à la réalisation de la mission de ce comité.

Composition — Ce comité est composé d'un nombre égal de représentants de chaque partie ou du nombre de représentants convenu entre les parties. Chaque partie n'a droit qu'à un seul vote.

2002, c. 80, art. 49

84.0.10 Mission — Le comité d'aide au reclassement a pour mission de fournir aux salariés visés par le licenciement collectif toute forme d'aide convenue entre les parties afin de minimiser les impacts du licenciement et de favoriser le maintien ou la réintégration en emploi de ces salariés.

Devoirs — Il est notamment chargé d'évaluer la situation et les besoins des salariés visés par le licenciement, d'élaborer un plan de reclassement visant le maintien ou la réintégration en emploi de ces salariés et de veiller à la mise en œuvre de ce plan.

2002, c. 80, art. 49

84.0.11 Contribution financière de l'employeur — La contribution financière de l'employeur aux coûts de fonctionnement du comité d'aide au reclassement et aux activités de reclassement est convenue entre l'employeur et le ministre.

Montant — À défaut d'entente, la contribution financière de l'employeur est fixée, par salarié visé par le licenciement collectif, à un montant déterminé par règlement du gouvernement.

Réclamation — En cas de défaut de l'employeur d'assumer sa contribution financière, celle-ci peut être réclamée par le ministre devant le tribunal compétent.

2002, c. 80, art. 49

84.0.12 Exemption — Sur demande, le ministre peut, aux conditions qu'il détermine et après avoir donné aux parties intéressées l'occasion de présenter leurs observations, exempter de l'application de tout ou partie des dispositions des articles 84.0.9 à 84.0.11 un employeur qui, dans l'établissement visé par un licenciement collectif, offre aux salariés visés par ce licenciement des mesures d'aide au reclassement qui sont équivalentes ou supérieures à celles prévues par la présente section.

2002, c. 80, art. 49

84.0.13 Indemnité — L'employeur qui ne donne pas l'avis prévu à l'article 84.0.4 ou qui donne un avis d'une durée insuffisante doit verser à chaque salarié licencié une indemnité équivalente à son salaire habituel, sans tenir compte des heures supplémentaires, pour une période égale à celle de la durée ou de la durée résiduaire du délai d'avis auquel l'employeur était tenu.

Moment du versement — Cette indemnité doit être versée au moment du licenciement ou à l'expiration d'un délai de six mois d'une mise à pied pour une durée indéterminée ou prévue pour une durée inférieure à six mois mais qui excède ce délai.

Exception — L'employeur qui est dans l'une des situations visées à l'article 84.0.5 n'est toutefois pas tenu de verser une indemnité.

2002, c. 80, art. 49

84.0.14 Indemnités — Les indemnités prévues aux articles 83 et 84.0.13 ne peuvent être cumulées par un même salarié. Celui-ci reçoit, toutefois, la plus élevée des indemnités auxquelles il a droit.

2002, c. 80, art. 49

84.0.15 Exception — Les articles 84.0.9 à 84.0.12 ne s'appliquent pas lorsque le nombre de salariés visés par le licenciement est inférieur à 50.

2002, c. 80, art. 49

SECTION VI.1 — LA RETRAITE

84.1 Maintien au travail — Un salarié a le droit de demeurer au travail malgré le fait qu'il ait atteint ou dépassé l'âge ou le nombre d'années de service à compter duquel il serait mis à la retraite suivant une disposition législative générale ou spéciale qui lui est applicable, suivant le régime de retraite auquel il participe, suivant la convention, la sentence arbitrale qui en tient lieu ou le décret qui le régit, ou suivant la pratique en usage chez son employeur.

Exception — Toutefois, et sous réserve de l'article 122.1 ce droit n'a pas pour effet d'empêcher un employeur ou son agent de congédier, suspendre ou déplacer ce salarié pour une cause juste et suffisante.

1982, c. 12, art. 2

SECTION VI.2 — LE TRAVAIL DES ENFANTS

84.2 Interdiction — Il est interdit à un employeur de faire effectuer par un enfant un travail disproportionné à ses capacités ou susceptible de compromettre son éducation ou de nuire à sa santé ou à son développement physique ou moral.

1997, c. 72, art. 5; 1999, c. 52, art. 11

84.3 Enfant de moins de 14 ans — Il est interdit à un employeur de faire effectuer un travail par un enfant de moins de 14 ans sans avoir, au préalable, obtenu le consentement écrit du titulaire de l'autorité parentale sur cet enfant ou du tuteur de celui-ci.

Consentement — L'employeur doit conserver le consentement comme s'il s'agissait d'une mention au système d'enregistrement ou au registre visé au paragraphe 3° de l'article 29.

1997, c. 72, art. 5; 1999, c. 52, art. 11

84.4 Heures de classe — Il est interdit à un employeur de faire effectuer un travail, durant les heures de classe, par un enfant assujetti à l'obligation de fréquentation scolaire.

1999, c. 52, art. 11

84.5 Heures de travail — Un employeur qui fait effectuer un travail par un enfant assujetti à l'obligation de fréquentation scolaire doit faire en sorte que les heures de travail soient telles que cet enfant puisse être à l'école durant les heures de classe.

1999, c. 52, art. 11

84.6 Exception — Il est interdit à un employeur de faire effectuer un travail par un enfant, entre 23 heures, un jour donné, et 6 heures le lendemain, sauf s'il s'agit d'un enfant qui n'est plus assujetti à l'obligation de fréquentation scolaire ou dans le cas de la livraison de journaux ou dans tout autre cas déterminé par règlement du gouvernement.

1999, c. 52, art. 11

84.7 Exception — Un employeur qui fait effectuer un travail par un enfant doit faire en sorte que les heures de travail soient telles, compte tenu du lieu de résidence familiale de cet enfant, que celui-ci puisse être à cette résidence entre 23 heures, un jour donné, et 6 heures le lendemain, sauf s'il s'agit d'un enfant qui n'est plus assujetti à l'obligation de fréquentation scolaire ou dans les cas, circonstances, périodes ou conditions déterminés par règlement du gouvernement.

1999, c. 52, art. 11

SECTION VII — DIVERSES AUTRES NORMES DU TRAVAIL

85. Vêtements — Lorsqu'un employeur rend obligatoire le port d'un vêtement particulier, il doit le fournir gratuitement au salarié payé au salaire minimum. Dans le cas d'un salarié visé à l'un des articles 42.11 et 1019.4 de la *Loi sur les impôts* (chapitre I-3), le salaire minimum se calcule sur le salaire augmenté des pourboires attribués en vertu de cet article 42.11 ou déclarés en vertu de cet article 1019.4 et doit au moins être équivalent au salaire minimum qui ne vise pas une catégorie particulière de salariés.

Vêtements — L'employeur ne peut exiger une somme d'argent d'un salarié pour l'achat, l'usage ou l'entretien d'un vêtement particulier qui aurait pour effet que le salarié reçoive moins que le salaire minimum. Dans le cas d'un salarié visé à l'un des articles 42.11 et 1019.4 de la *Loi sur les impôts*, le salaire minimum se calcule sur le salaire augmenté des pourboires attribués en vertu de cet article 42.11 ou déclarés en vertu de cet article 1019.4 et la somme d'argent exigée de ce salarié ne peut avoir pour effet qu'il reçoive moins que le salaire minimum qui ne vise pas une catégorie particulière de salariés.

Vêtements — L'employeur ne peut exiger d'un salarié qu'il paie pour un vêtement particulier qui l'identifie comme étant un salarié de son établissement. En outre, l'employeur ne peut exiger d'un salarié l'achat de vêtements ou d'accessoires dont il fait le commerce.

1979, c. 45, art. 85; 1990, c. 73, art. 37; 2002, c. 80, art. 50

85.1 Matériel obligatoire — Lorsqu'un employeur rend obligatoire l'utilisation de matériel, d'équipement, de matières premières ou de marchandises pour l'exécution du contrat, il doit les fournir gratuitement au salarié payé au salaire minimum.

Matériel obligatoire — L'employeur ne peut exiger une somme d'argent d'un salarié pour l'achat, l'usage ou l'entretien de matériel, d'équipement, de matières premières ou de marchandises qui aurait pour effet que le salarié reçoive moins que le salaire minimum.

Frais — Un employeur ne peut exiger d'un salarié une somme d'argent pour payer des frais reliés aux opérations et aux charges sociales de l'entreprise.

2002, c. 80, art. 51

85.2 Frais de déplacement ou de formation obligatoires — Un employeur est tenu de rembourser au salarié les frais raisonnables encourus lorsque, sur demande de l'employeur, le salarié doit effectuer un déplacement ou suivre une formation.

2002, c. 80, art. 51

86. (*Abrogé*).

1979, c. 45, art. 86; 2002, c. 80, art. 52

86.1 Statut de salarié — Un salarié a droit au maintien de son statut de salarié lorsque les changements que l'employeur apporte au mode d'exploitation de son entreprise n'ont pas pour effet de modifier ce statut en celui d'entrepreneur non salarié.

Plainte à la Commission — Lorsque le salarié est en désaccord avec l'employeur sur les conséquences de ces changements sur son statut de salarié, il peut adresser, par écrit, une plainte à la Commission des normes, de l'équité, de la santé et de la sécurité du travail. Sur réception de la plainte, celle-ci fait enquête et le premier alinéa de l'article 102 et les articles 103, 104, 106 à 110 s'appliquent, compte tenu des adaptations nécessaires.

Refus de la Commission — En cas de refus de la Commission de donner suite à la plainte, le salarié peut, dans les 30 jours de la décision rendue en application de l'article 107, ou, le cas échéant, de l'article 107.1, demander par écrit à la Commission de déférer sa plainte au Tribunal administratif du travail.

Tribunal administratif du travail — À la fin de l'enquête et si la Commission accepte de donner suite à la plainte, elle défère sans délai la plainte au Tribunal administratif du travail afin que celui-ci se prononce sur les conséquences de ces changements sur le statut du salarié.

Décision — Le Tribunal administratif du travail doit rendre sa décision dans les 60 jours du dépôt de la plainte à ses bureaux.

2002, c. 80, art. 53; 2015, c. 15, art. 237

87. Document — L'employeur doit remettre au salarié tout document d'information relatif aux normes du travail fourni par la Commission.

Document — Il doit également, sur demande de la Commission et selon ses indications, remettre au salarié, afficher ou diffuser tout document relatif aux normes du travail qu'elle lui fournit.

1979, c. 45, art. 87; 1990, c. 73, art. 38; 2002, c. 80, art. 54

SECTION VII.1 — DISPARITÉS DE TRAITEMENT

87.1 Interdiction — Une convention ou un décret ne peuvent avoir pour effet d'accorder à un salarié visé par une norme du travail, uniquement en fonction de sa date d'embauche et au regard d'une matière sur laquelle porte cette norme prévue aux sections I à V.1, VI et VII du présent chapitre, une condition de travail moins avantageuse que celle accordée à d'autres salariés qui effectuent les mêmes tâches dans le même établissement.

Interdiction — Il en est de même au regard d'une matière correspondant à l'une de celles visées par le premier alinéa lorsqu'une norme du travail portant sur cette matière a été fixée par règlement.

1999, c. 85, art. 2; 2002, c. 80, art. 55

87.2 Condition non dérogatoire — Une condition de travail fondée sur l'ancienneté ou la durée du service n'est pas dérogatoire à l'article 87.1.

1999, c. 85, art. 2

87.3 Fusion ou réorganisation d'une entreprise — Pour l'application de l'article 87.1, ne sont pas prises en compte les conditions de travail appliquées à un salarié à la suite d'un accommodement particulier pour une personne handicapée, ni celles qui sont temporairement appliquées à un salarié à la suite d'un reclassement ou d'une rétrogradation, d'une fusion d'entreprises ou de la réorganisation interne d'une entreprise.

Prise en considération — De même, ne sont pas pris en compte le salaire et les règles y afférentes qui sont temporairement appliqués à un salarié pour éviter qu'il soit désavantagé en raison de son intégration à un nouveau taux de salaire, à une échelle salariale dont l'amplitude a été modifiée ou à une nouvelle échelle, pourvu que :

1º ce taux de salaire ou cette échelle salariale soit établi pour être applicable, sous réserve des situations prévues au premier alinéa, à l'ensemble des salariés qui effectuent les mêmes tâches dans le même établissement;

2º l'écart entre le salaire appliqué au salarié et le taux ou l'échelle établi pour être applicable à l'ensemble de ces salariés se résorbe progressivement, à l'intérieur d'un délai raisonnable.

1999, c. 85, art. 2

SECTION VIII — LES RÈGLEMENTS

88. Réglementation — Le gouvernement peut faire des règlements pour exempter de l'application totale ou partielle de la section I du chapitre IV, pour le temps et aux conditions qu'il détermine, une ou plusieurs catégories de salariés qu'il désigne, notamment les cadres, les salariés à commission, les salariés des exploitations forestières, des scieries et des travaux publics, les gardiens, les salariés au pourboire, les salariés visés dans les sous-paragraphes i, ii et iii du paragraphe 10º de l'article 1, les étudiants employés dans une colonie de vacances ou dans un organisme à but non lucratif et à vocation sociale ou communautaire, tel un organisme de loisirs et les stagiaires dans un cadre de formation ou d'intégration professionnelle reconnu par une loi.

Normes différentes — Le gouvernement peut aussi, le cas échéant, fixer des normes différentes de celles que prévoit la section I du chapitre IV pour les salariés visés au premier alinéa.

1979, c. 45, art. 88; 1990, c. 73, art. 39; 2002, c. 80, art. 56

89. Réglementation — Le gouvernement peut fixer, par règlement, des normes du travail portant sur les matières suivantes :

1º le salaire minimum qui peut être établi au temps ou au rendement ou sur une autre base;

2º le bulletin de paye;

3º le montant maximum qui peut être exigé du salarié pour la chambre et la pension;

4º la semaine normale d'un salarié, notamment celle :

a) (*sous-paragraphe abrogé*);

b) de diverses catégories de gardiens;

c) du salarié occupé dans le commerce de l'alimentation au détail;

d) du salarié occupé dans les exploitations forestières;

e) du salarié occupé dans les scieries;

f) du salarié occupé dans les travaux publics;

g) du salarié qui travaille dans un endroit isolé, inaccessible par une route carrossable et qu'aucun système régulier de transport ne relie au réseau routier du Québec;

h) de diverses catégories de salariés effectuant sur le territoire de la région de la Baie James des travaux réalisés sous la responsabilité de Hydro-Québec, de la Société d'énergie de la Baie James ou de la Société de développement de la Baie James;

i) des catégories de salariés visés aux paragraphes 2º, 6º et 7º du premier alinéa de l'article 54;

5º (*paragraphe abrogé*);

6º les autres avantages dont un salarié peut bénéficier pendant l'absence pour cause de maladie, de don d'organes ou de tissus à des fins de greffe, d'accident ou d'acte criminel, le congé de maternité, de paternité ou parental, lesquels peuvent varier selon la nature du congé ou, le cas échéant, la durée de celui-ci;

6.1º les cas et les conditions dans lesquels un congé parental peut se terminer au plus tard 104 semaines après la naissance ou, dans le cas d'une adoption, 104 semaines après que l'enfant a été confié au salarié;

6.1.1º les autres cas, conditions, délais et la durée suivant lesquels un congé de maternité, de paternité ou parental peut être fractionné en semaines;

6.2º les modalités de transmission de l'avis de licenciement collectif et les renseignements qu'il doit contenir;

6.3º le montant de la contribution financière de l'employeur aux coûts de fonctionnement du comité d'aide au reclassement et aux activités de reclassement;

7º (*paragraphe abrogé*);

8º (*paragraphe abrogé*).

1979, c. 45, art. 89; 1980, c. 11, art. 127; 1981, c. 23, art. 56; 1983, c. 15, art. 1; 1990, c. 73, art. 40; 2002, c. 80, art. 57; 2005, c. 13, art. 87; 2007, c. 36, art. 13; 2010, c. 38, art. 8

89.1 Interdiction non applicable — Le gouvernement peut, par règlement, déterminer les cas où l'interdiction prévue à l'article 84.6 n'est pas applicable.

Interdiction non applicable — Il peut aussi, de la même manière, déterminer les cas, circonstances, périodes ou conditions où l'obligation prévue à l'article 84.7 n'est pas applicable.

1997, c. 72, art. 6; 1999, c. 52, art. 12

90. Réglementation — Le gouvernement peut, par règlement, soustraire de l'application totale ou partielle de la présente loi et des règlements certains établissements ou catégories d'établissements à vocation de rééducation physique, mentale ou sociale et, le cas échéant, fixer des normes du travail qui sont applicables aux personnes qui y travaillent.

1979, c. 45, art. 90; 1990, c. 73, art. 41; 2002, c. 80, art. 58

90.1 Catégories de salariés ou d'employeurs — Le gouvernement peut, par règlement, soustraire de l'application de la section VI.1 et de l'article 122.1 certaines catégories de salariés ou d'employeurs.

Réglementation rétroactive — Un règlement adopté en vertu du premier alinéa peut l'être pour avoir effet à une date d'au plus six mois antérieure à celle de son adoption.

1982, c. 12, art. 3

91. Normes différentes — Les normes visées dans les articles 88 à 90 peuvent varier selon la branche d'activité et le genre de travail.

Résidence chez l'employeur — Elles peuvent aussi varier suivant que le salarié réside ou non chez son employeur.

1979, c. 45, art. 91; 1980, c. 5, art. 8; 1981, c. 23, art. 57; 1990, c. 73, art. 42

92. (*Abrogé*).

1979, c. 45, art. 92; 1997, c. 72, art. 7

SECTION VIII.1 — NORMES DU TRAVAIL DANS L'INDUSTRIE DU VÊTEMENT

92.1 Responsabilités — Le gouvernement peut fixer, par règlement, après consultation des associations de salariés et des associations d'employeurs les plus représentatives de l'industrie du vêtement, pour l'ensemble des employeurs et des salariés de l'industrie du vêtement qui, n'eût été de l'expiration de l'un des décrets mentionnés au troisième alinéa de l'article 39.0.2, seraient visés par l'un de ceux-ci, des normes du travail portant sur les matières suivantes :

1° le salaire minimum qui peut être établi au temps, au rendement ou sur une autre base;

2° la semaine normale de travail;

3° les jours fériés, chômés et payés et l'indemnité afférente à ces jours, qui peut être établie au rendement ou sur une autre base;

4° la durée du congé annuel du salarié, établie en fonction de son service continu chez le même employeur, le fractionnement d'un tel congé et l'indemnité qui est afférente au congé;

5° la durée de la période de repas, avec ou sans salaire;

6° le nombre de jours d'absence du salarié, avec ou sans salaire, en raison des événements familiaux visés aux articles 80 et 80.1.

Disposition analogue — Ce règlement peut aussi comporter toute disposition analogue à celles qui figurent, au regard d'une matière qu'il vise, dans les sections I à V.1 du chapitre IV.

Dispositions applicables — Pour l'application de la présente loi, les articles 63 à 66, 71.1, 73, 75 à 77 et 80.2 doivent se lire, compte tenu des adaptations nécessaires, en tenant compte des dispositions édictées en application des premier et deuxième alinéas.

1999, c. 57, art. 3; 2001, c. 47, art. 1

92.2 (*Abrogé*).

1999, c. 57, art. 3; 2001, c. 47, art. 2

92.3 Programme de surveillance — La Commission se dote d'un programme adapté de surveillance pour l'application des normes du travail applicables à l'industrie du vêtement.

1999, c. 57, art. 3; 2001, c. 47, art. 3

92.4 (*Abrogé*).

1999, c. 57, art. 3; 2001, c. 47, art. 4

SECTION IX — L'EFFET DES NORMES DU TRAVAIL

93. Normes d'ordre public — Sous réserve d'une dérogation permise par la présente loi, les normes du travail contenues dans la présente loi et les règlements sont d'ordre public.

Disposition nulle — Une disposition d'une convention ou d'un décret qui déroge à une norme du travail est nulle de nullité absolue.

1979, c. 45, art. 93; 1999, c. 40, art. 196

94. Condition de travail plus avantageuse — Malgré l'article 93, une convention ou un décret peut avoir pour effet d'accorder à un salarié une condition de travail plus avantageuse qu'une norme prévue par la présente loi ou les règlements.

1979, c. 45, art. 94; 1980, c. 5, art. 9

95. Sous-entrepreneur — Un employeur qui passe un contrat avec un sous-entrepreneur ou un sous-traitant, directement ou par un intermédiaire, est solidairement responsable avec ce sous-entrepreneur, ce sous-traitant et cet intermédiaire, des obligations pécuniaires fixées par la présente loi ou les règlements.

1979, c. 45, art. 95; 1994, c. 46, art. 8

96. Aliénation d'entreprise — L'aliénation ou la concession totale ou partielle d'une entreprise n'invalide aucune réclamation civile qui découle de l'application de la présente loi ou d'un règlement et qui n'est pas payée au moment de cette aliénation ou concession. L'ancien employeur et le nouveau sont liés solidairement à l'égard d'une telle réclamation.

1979, c. 45, art. 96; 2002, c. 80, art. 59

97. Aliénation d'entreprise — L'aliénation ou la concession totale ou partielle de l'entreprise, la modification de sa structure juridique, notamment, par fusion, division ou autrement n'affecte pas la continuité de l'application des normes du travail.

1979, c. 45, art. 97

Chapitre V — Les recours

Section I — Les recours civils

98. Réclamation de salaire — Lorsqu'un employeur fait défaut de payer à un salarié le salaire qui lui est dû, la Commission peut, pour le compte de ce salarié, réclamer de cet employeur le salaire impayé.

1979, c. 45, art. 98; 1990, c. 73, art. 43

99. Réclamation d'autres avantages — Dans le cas où un employeur fait défaut de payer les autres avantages pécuniaires qui résultent de l'application de la présente loi ou d'un règlement, la Commission peut réclamer ces avantages sur la base du salaire horaire habituel du salarié et de ses pourboires déclarés et attribués en vertu des articles 42.11 et 1019.4 de la *Loi sur les impôts* (chapitre I-3).

1979, c. 45, art. 99; 1983, c. 43, art. 12; 2002, c. 80, art. 60

100. (*Abrogé*).

1979, c. 45, art. 100; 1990, c. 73, art. 44

101. Règlement d'une réclamation nul — Tout règlement d'une réclamation entre un employeur et un salarié qui comporte une réduction du montant réclamé est nul de nullité absolue.

1979, c. 45, art. 101; 1999, c. 40, art. 196

102. Plainte — Sous réserve des articles 123 et 123.1, un salarié qui croit avoir été victime d'une atteinte à un droit conféré par la présente loi ou un règlement peut adresser, par écrit, une plainte à la Commission. Une telle plainte peut aussi être adressée, pour le compte d'un salarié qui y consent par écrit, par un organisme sans but lucratif de défense des droits des salariés.

Salarié lié à une convention collective ou un décret — Si un salarié est assujetti à une convention collective ou à un décret, le plaignant doit alors démontrer à la Commission qu'il a épuisé les recours découlant de cette convention ou de ce décret, sauf lorsque la plainte porte sur une condition de travail interdite par l'article 87.1; dans ce dernier cas, le plaignant doit plutôt démontrer à la Commission qu'il n'a pas utilisé ces recours ou que, les ayant utilisés, il s'en est désisté avant qu'une décision finale n'ait été rendue.

1979, c. 45, art. 102; 1982, c. 12, art. 4; 1990, c. 73, art. 45; 1999, c. 85, art. 3

103. Identité du salarié — La Commission ne doit pas dévoiler pendant l'enquête l'identité du salarié concerné par une plainte, sauf si ce dernier y consent.

1979, c. 45, art. 103; 1990, c. 73, art. 46

104. Enquête — Sur réception d'une plainte, la Commission fait enquête avec diligence.

1979, c. 45, art. 104

105. Enquête — La Commission peut également faire enquête de sa propre initiative.

1979, c. 45, art. 105

106. Plainte frivole — La Commission peut refuser de poursuivre une enquête si elle constate que la plainte est frivole ou faite de mauvaise foi.

1979, c. 45, art. 106

107. Refus d'enquête — Lorsque la Commission refuse de poursuivre une enquête aux termes de l'article 106 ou lorsqu'elle constate que la plainte n'est pas fondée, elle avise le plaignant de sa décision par poste recommandée, lui en donne les motifs et l'informe de son droit de demander une révision de cette décision.

1979, c. 45, art. 107; 1990, c. 73, art. 47; 1992, c. 26, art. 11; N.I. 2016-01-01 (NCPC)

107.1 Révision de décision — Le plaignant peut, par écrit, demander une révision de la décision visée à l'article 107 dans les 30 jours de sa réception.

Décision finale — La Commission doit rendre une décision finale, par poste recommandée, dans les 30 jours de la réception de la demande du plaignant.

1990, c. 73, art. 48; 1992, c. 26, art. 12; N.I. 2016-01-01 (NCPC)

108. Pouvoirs d'enquête — La Commission ou une personne qu'elle désigne généralement ou spécialement à cette fin, est investie, aux fins d'une enquête visée dans les articles 104 et 105 des pouvoirs et de l'immunité accordés aux commissaires nommés en vertu de la *Loi sur les commissions d'enquête* (chapitre C-37), sauf celui d'imposer l'emprisonnement.

Personne autorisée à enquêter — La Commission peut autoriser généralement ou spécialement une personne à enquêter sur une question relative à la présente loi ou à un règlement. Cette personne doit, sur demande, produire un certificat signé par le président attestant sa qualité.

1979, c. 45, art. 108

109. Enquête — À l'occasion d'une enquête, la Commission ou une personne qu'elle désigne à cette fin peut :

1° pénétrer à une heure raisonnable en tout lieu du travail ou établissement d'un employeur et en faire l'inspection; celle-ci peut comprendre l'examen de registres, livres, comptes, pièces justificatives et autres documents;

2° exiger une information relative à l'application de la présente loi ou d'un règlement, de même que la production d'un document qui s'y rapporte.

1979, c. 45, art. 109

110. Force probante — Un document prévu par l'article 109 qui a fait l'objet d'un examen par la Commission ou par une personne qu'elle désigne, ou qui leur a été produit, peut être copié ou photocopié. Une copie ou photocopie de ce document certifié conforme à l'original par le président ou cette personne est admissible en preuve et a la même force probante que l'original.

1979, c. 45, art. 110

111. Mise en demeure — Lorsque, à la suite d'une enquête, la Commission est d'avis qu'une somme d'argent est due à un salarié, conformément à la présente loi ou aux règlements, elle met l'employeur en demeure par écrit de payer cette somme à la Commission dans les 20 jours de l'envoi de cette mise en demeure.

Copie au salarié — La Commission envoie en même temps au salarié un avis indiquant le montant réclamé en sa faveur.

1979, c. 45, art. 111; 1990, c. 73, art. 49; 1992, c. 26, art. 13; 2008, c. 30, art. 6

Disposition non en vigueur — 112

112. Somme versée au salarié — À défaut par l'employeur de payer cette somme dans le délai fixé à l'article 111, la Commission peut, de son propre chef, dans les cas prévus par règlement adopté en vertu du paragraphe 6º de l'article 29, la verser au salarié dans la mesure prévue par le paragraphe 6º de l'article 39.

Subrogation — La Commission est dès lors subrogée dans tous les droits du salarié jusqu'à concurrence de la somme ainsi payée.

1979, c. 45, art. 112

113. Recours exercé par Commission — La Commission peut exercer pour le compte d'un salarié l'action appropriée à l'expiration du délai prévu par l'article 111.

Recours — Elle peut aussi exercer à l'encontre des administrateurs d'une personne morale les recours que peut exercer un salarié envers eux.

1979, c. 45, art. 113; 1990, c. 73, art. 50; 1992, c. 26, art. 14

114. Montant forfaitaire — La Commission peut, lorsqu'elle exerce les recours prévus par les articles 112 et 113, réclamer en sus de la somme due en vertu de la présente loi ou d'un règlement, un montant égal à 20 % de cette somme. Ce montant appartient en entier à la Commission.

Taux d'intérêt — La somme due au salarié porte intérêt, à compter de l'envoi de la mise en demeure visée dans l'article 111, au taux fixé en vertu de l'article 28 de la *Loi sur l'administration fiscale* (chapitre A-6.002).

1979, c. 45, art. 114; 1990, c. 73, art. 51; 2008, c. 30, art. 7; 2010, c. 31, art. 175

115. Prescription — Une action civile intentée en vertu de la présente loi ou d'un règlement se prescrit par un an à compter de chaque échéance.

Travailleurs forestiers — Cette prescription ne court qu'à partir du premier mai suivant la date d'exécution du travail quant aux salariés occupés dans les exploitations forestières.

1979, c. 45, art. 115

116. Prescription interrompue — Un avis d'enquête de la Commission, expédié à l'employeur par poste recommandée, suspend la prescription à l'égard de tous ses salariés pour six mois à compter de sa mise à la poste.

1979, c. 45, art. 116; 1990, c. 73, art. 52; 1992, c. 26, art. 15; N.I. 2016-01-01 (NCPC)

117. (*Abrogé*).

1979, c. 45, art. 117; 1994, c. 46, art. 9

118. Fraude — Au cas de fausse inscription dans le registre obligatoire ou dans le système d'enregistrement ou au cas de remise clandestine ou de toute autre fraude, la prescription ne court à l'encontre des recours de la Commission qu'à compter de la date où cette dernière a connu la fraude.

1979, c. 45, art. 118

119. Recours cumulés — Les recours de plusieurs salariés contre un même employeur ou les administrateurs d'une même personne morale peuvent être cumulés dans une seule demande, qu'elle soit formulée par un salarié ou par la Commission, et le total réclamé détermine la compétence du tribunal tant en première instance qu'en appel.

1979, c. 45, art. 119; 1992, c. 26, art. 16

119.1 Instruction d'urgence — Toute poursuite intentée devant les tribunaux civils, en vertu de la présente loi, constitue une matière qui doit être instruite et jugée d'urgence.

1990, c. 73, art. 53

120. Sommes remises à la Commission — Après la réception d'une mise en demeure de la Commission, un employeur ne peut acquitter valablement les sommes faisant l'objet de cette réclamation qu'en en faisant remise à la Commission. Cette disposition ne s'applique pas dans le cas d'une action intentée par le salarié lui-même.

1979, c. 45, art. 120

121. Remise au salarié — Sous réserve de l'article 112 et du premier alinéa de l'article 114, la Commission remet au salarié le montant perçu en exerçant son recours.

Déduction — La Commission doit toutefois, sur demande du ministre de l'Emploi et de la Solidarité sociale, déduire de ce montant celui remboursable en vertu de l'article 90 de la *Loi sur l'aide aux personnes et aux familles* (chapitre A-13.1.1). La Commission remet le montant ainsi déduit au ministre de l'Emploi et de la Solidarité sociale.

1979, c. 45, art. 121; 1988, c. 51, art. 120; 1992, c. 44, art. 81; 1994, c. 12, art. 50; 1997, c. 63, art. 128; 1998, c. 36, art. 184; 2001, c. 44, art. 30; 2005, c. 15, art. 165

SECTION II — RECOURS À L'ENCONTRE D'UNE PRATIQUE INTERDITE

122. Congédiement interdit — Il est interdit à un employeur ou à son agent de congédier, de suspendre ou de déplacer un salarié, d'exercer à son endroit des mesures discriminatoires ou des représailles ou de lui imposer toute autre sanction :

1° à cause de l'exercice par ce salarié d'un droit, autre que celui visé à l'article 84.1, qui lui résulte de la présente loi ou d'un règlement;

1.1° en raison d'une enquête effectuée par la Commission dans un établissement de cet employeur;

2° pour le motif que ce salarié a fourni des renseignements à la Commission ou à l'un de ses représentants sur l'application des normes du travail ou qu'il a témoigné dans une poursuite s'y rapportant;

3° pour la raison qu'une saisie en mains tierces a été pratiquée à l'égard du salarié ou peut l'être;

3.1° pour le motif que le salarié est un débiteur alimentaire assujetti à la *Loi facilitant le paiement des pensions alimentaires* (chapitre P-2.2);

4° pour la raison qu'une salariée est enceinte;

5º dans le but d'éluder l'application de la présente loi ou d'un règlement;

6º pour le motif que le salarié a refusé de travailler au-delà de ses heures habituelles de travail parce que sa présence était nécessaire pour remplir des obligations reliées à la garde, à la santé ou à l'éducation de son enfant ou de l'enfant de son conjoint, ou en raison de l'état de santé de son conjoint, de son père, de sa mère, d'un frère, d'une sœur ou de l'un de ses grands-parents, bien qu'il ait pris les moyens raisonnables à sa disposition pour assumer autrement ces obligations;

7º en raison d'une dénonciation faite par un salarié d'un acte répréhensible au sens de la *Loi concernant la lutte contre la corruption* (chapitre L-6.1) ou de sa collaboration à une vérification ou à une enquête portant sur un tel acte;

8º en raison de l'exercice par ce salarié d'un droit qui lui résulte de la *Loi sur les régimes volontaires d'épargne-retraite* (chapitre R-17.0.1);

9º dans le but d'éluder l'application de la *Loi sur les régimes volontaires d'épargne-retraite*;

10º en raison d'une communication faite par un salarié à l'inspecteur général de la Ville de Montréal ou de sa collaboration à une inspection menée par ce dernier en application des dispositions de la section VI.0.1 du chapitre II de la *Charte de la Ville de Montréal* (chapitre C-11.4);

11º en raison de la divulgation d'un acte répréhensible faite de bonne foi par le salarié ou de sa collaboration à une vérification ou à une enquête portant sur un tel acte, conformément à la *Loi facilitant la divulgation d'actes répréhensibles à l'égard des organismes publics* (chapitre D-11.1) ou au chapitre VII.2 de la *Loi sur les services de garde éducatifs à l'enfance* (chapitre S-4.1.1);

12º en raison d'un signalement fait par un salarié ou de sa collaboration à l'examen d'un signalement ou d'une plainte en application des dispositions de la *Loi visant à lutter contre la maltraitance envers les aînés et toute autre personne majeure en situation de vulnérabilité* (2017, c. 10);

13º pour le motif que le salarié a transmis au syndic d'un ordre professionnel une information selon laquelle un professionnel a commis une infraction visée à l'article 116 du *Code des professions* (Chapitre C-26).

Salariée enceinte déplacée — Un employeur doit, de son propre chef, déplacer une salariée enceinte si les conditions de travail de cette dernière comportent des dangers physiques pour elle ou pour l'enfant à naître. La salariée peut refuser ce déplacement sur présentation d'un certificat médical attestant que ces conditions de travail ne présentent pas les dangers allégués.

1979, c. 45, art. 122; 1980, c. 5, art. 10; 1982, c. 12, art. 5; 1990, c. 73, art. 55; 1995, c. 18, art. 95; 2002, c. 80, art. 61; 2011, c. 17, art. 56; 2014, c. 3, art. 3; 2013, c. 26, art. 134; N.I. 2014-07-01; N.I. 2016-01-01 (NCPC); 2016, c. 34, art. 44; 2017, c. 10, art. 28; 2017, c. 11, art. 148

122.1 Mise à la retraite interdite — Il est interdit à un employeur ou à son agent de congédier, suspendre ou mettre à la retraite un salarié, d'exercer à son endroit des mesures discriminatoires ou des représailles pour le motif qu'il a atteint ou dépassé l'âge ou le nombre d'années de service à compter duquel il serait mis à la retraite suivant une disposition législative générale ou spéciale qui lui est applicable, suivant le régime de retraite auquel il participe, suivant la convention, la sentence arbitrale qui en tient lieu ou le décret qui le régit, ou suivant la pratique en usage chez son employeur.

1982, c. 12, art. 6; 2002, c. 80, art. 62

122.2 (*Abrogé*).

1990, c. 73, art. 56; 2002, c. 80, art. 63

123. Plainte à la Commission — Un salarié qui croit avoir été victime d'une pratique interdite en vertu de l'article 122 et qui désire faire valoir ses droits doit le faire auprès de la Commission des normes, de l'équité, de la santé et de la sécurité du travail dans les 45 jours de la pratique dont il se plaint.

Plainte au Tribunal administratif du travail — Si la plainte est soumise dans ce délai au Tribunal administratif du travail, le défaut de l'avoir soumise à la Commission des normes, de l'équité, de la santé et de la sécurité du travail ne peut être opposé au plaignant.

1979, c. 45, art. 123; 1990, c. 73, art. 57; 2001, c. 26, art. 140; 2002, c. 80, art. 64; 2015, c. 15, art. 237

123.1 Plainte pour mise à la retraite — L'article 123 s'applique à un salarié qui croit avoir été congédié, suspendu ou mis à la retraite pour le motif énoncé à l'article 122.1.

Délai — Cependant, le délai pour soumettre une telle plainte est alors porté à 90 jours.

1982, c. 12, art. 7; 2001, c. 26, art. 141; 2002, c. 80, art. 65

123.2 Présomption — La présomption qui résulte de l'application du deuxième alinéa de l'article 123.4 continue de s'appliquer pour au moins 20 semaines après le retour au travail du salarié à la fin d'un congé de maternité, d'un congé de paternité ou d'un congé parental.

1990, c. 73, art. 58; 2002, c. 80, art. 66

123.3 Nomination d'une personne pour régler la plainte — La Commission peut, avec l'accord des parties, nommer une personne qui tente de régler la plainte à la satisfaction des parties.

Éligibilité — Seule une personne n'ayant pas déjà agi dans ce dossier à un autre titre peut être nommée à cette fin par la Commission.

Information confidentielle — Toute information, verbale ou écrite, recueillie par la personne visée au premier alinéa doit demeurer confidentielle. Cette personne ne peut être contrainte de divulguer ce qui lui a été révélé ou ce dont elle a eu connaissance dans l'exercice de ses fonctions ni de produire un document fait ou obtenu dans cet exercice devant un tribunal ou devant un organisme ou une personne exerçant des fonctions judiciaires ou quasi judiciaires, sauf en matière pénale, lorsque le tribunal estime cette preuve nécessaire pour assurer une défense pleine et entière. Malgré l'article 9 de la *Loi sur l'accès aux documents des organismes publics et sur la protection des renseignements personnels* (chapitre A-2.1), nul n'a droit d'accès à un tel document.

1990, c. 73, art. 58; 1992, c. 61, art. 416

123.4 Règlement — Si aucun règlement n'intervient à la suite de la réception de la plainte par la Commission des normes, de l'équité, de la santé et de la sécurité du travail, cette dernière défère sans délai la plainte au Tribunal administratif du travail.

Dispositions applicables — Les dispositions du *Code du travail* (chapitre C-27) et de la *Loi instituant le Tribunal administratif du travail* (chapitre T-15.1) qui sont applicables à un recours relatif à l'exercice par un salarié d'un droit lui résultant de ce code s'appliquent, compte tenu des adaptations nécessaires.

Exception — Le Tribunal administratif du travail ne peut toutefois ordonner la réintégration d'un domestique ou d'une personne dont la fonction exclusive est d'assumer la garde ou de prendre soin d'un enfant, d'un malade, d'une personne handicapée ou d'une personne âgée dans le logement de l'employeur.

2002, c. 80, art. 67; 2015, c. 15, art. 180, 237

123.5 Salarié non visé par une accréditation — La Commission peut, dans une instance relative à la présente section, représenter un salarié qui ne fait pas partie d'un groupe de salariés visé par une accréditation accordée en vertu du *Code du travail* (chapitre C-27).

2002, c. 80, art. 67

SECTION II.1 — RECOURS EN CAS DE HARCÈLEMENT PSYCHOLOGIQUE

123.6 Plainte à la Commission — Le salarié qui croit avoir été victime de harcèlement psychologique peut adresser, par écrit, une plainte à la Commission. Une telle plainte peut aussi être adressée, pour le compte d'un ou de plusieurs salariés qui y consentent par écrit, par un organisme sans but lucratif de défense des droits des salariés.

2002, c. 80, art. 68

123.7 Délai — Toute plainte relative à une conduite de harcèlement psychologique doit être déposée dans les 90 jours de la dernière manifestation de cette conduite.

2002, c. 80, art. 68

123.8 Enquête par la Commission — Sur réception d'une plainte, la Commission fait enquête avec diligence.

Dispositions applicables — Les articles 103 à 110 s'appliquent à cette enquête, compte tenu des adaptations nécessaires.

2002, c. 80, art. 68

123.9 Refus de la Commission — En cas de refus de la Commission de donner suite à la plainte, le salarié ou, le cas échéant, l'organisme, sur consentement écrit du salarié, peut, dans les 30 jours de la décision rendue en application de l'article 107 ou, le cas échéant, de l'article 107.1, demander par écrit à la Commission de déférer sa plainte au Tribunal administratif du travail.

2002, c. 80, art. 68; 2015, c. 15, art. 237

123.10 Médiation — La Commission peut en tout temps, au cours de l'enquête et avec l'accord des parties, demander au ministre de nommer une personne pour entreprendre avec elles une médiation. La Commission peut, sur demande du salarié, l'assister et le conseiller pendant la médiation.

2002, c. 80, art. 68

123.11 Contrat de travail — Si le salarié est encore lié à l'employeur par un contrat de travail, il est réputé au travail pendant les séances de médiation.

2002, c. 80, art. 68

123.12 Tribunal administratif du travail — À la fin de l'enquête, si aucun règlement n'intervient entre les parties concernées et si la Commission accepte de donner suite à la plainte, elle la défère sans délai au Tribunal administratif du travail.

2002, c. 80, art. 68; 2015, c. 15, art. 237

123.13 Représentation — La Commission des normes, de l'équité, de la santé et de la sécurité du travail peut, dans une instance relative à la présente section, représenter un salarié devant le Tribunal administratif du travail.

2002, c. 80, art. 68; 2015, c. 15, art. 237

123.14 Dispositions applicables — Les dispositions de la *Loi instituant le Tribunal administratif du travail* (chapitre T-15.1) relatives au Tribunal administratif du travail, à ses membres, à leurs décisions et à l'exercice de leur compétence, de même que l'article 100.12 du *Code du travail* (chapitre C-

27), s'appliquent, compte tenu des adaptations nécessaires.

2002, c. 80, art. 68; 2015, c. 15, art. 181

123.15 Décisions — Si le Tribunal administratif du travail juge que le salarié a été victime de harcèlement psychologique et que l'employeur a fait défaut de respecter ses obligations prévues à l'article 81.19, il peut rendre toute décision qui lui paraît juste et raisonnable, compte tenu de toutes les circonstances de l'affaire, notamment :

1° ordonner à l'employeur de réintégrer le salarié;

2° ordonner à l'employeur de payer au salarié une indemnité jusqu'à un maximum équivalant au salaire perdu;

3° ordonner à l'employeur de prendre les moyens raisonnables pour faire cesser le harcèlement;

4° ordonner à l'employeur de verser au salarié des dommages et intérêts punitifs et moraux;

5° ordonner à l'employeur de verser au salarié une indemnité pour perte d'emploi;

6° ordonner à l'employeur de financer le soutien psychologique requis par le salarié, pour une période raisonnable qu'il détermine;

7° ordonner la modification du dossier disciplinaire du salarié victime de harcèlement psychologique.

2002, c. 80, art. 68; 2015, c. 15, art. 237

123.16 Lésion professionnelle — Les paragraphes 2°, 4° et 6° de l'article 123.15 ne s'appliquent pas pour une période au cours de laquelle le salarié est victime d'une lésion professionnelle, au sens de la *Loi sur les accidents du travail et les maladies professionnelles* (chapitre A-3.001), qui résulte du harcèlement psychologique.

Lésion professionnelle — Lorsque le Tribunal administratif du travail estime probable, en application de l'article 123.15, que le harcèlement psychologique ait entraîné chez le salarié une lésion professionnelle, il réserve sa décision au regard des paragraphes 2°, 4° et 6°.

2002, c. 80, art. 68; 2015, c. 15, art. 237

SECTION III — RECOURS À L'ENCONTRE D'UN CONGÉDIEMENT FAIT SANS UNE CAUSE JUSTE ET SUFFISANTE

124. Plainte de congédiement — Le salarié qui justifie de deux ans de service continu dans une même entreprise et qui croit avoir été congédié sans une cause juste et suffisante peut soumettre sa plainte par écrit à la Commission des normes, de l'équité, de la santé et de la sécurité du travail ou la mettre à la poste à l'adresse de la Commission des normes, de l'équité, de la santé et de la sécurité du travail dans les 45 jours de son congédiement, sauf si une procédure de réparation, autre que le recours en dommages-intérêts, est prévue ailleurs dans la présente loi, dans une autre loi ou dans une convention.

Défaut — Si la plainte est soumise dans ce délai au Tribunal administratif du travail, le défaut de l'avoir soumise à la Commission des normes, de l'équité, de la santé et de la sécurité du travail ne peut être opposé au plaignant.

1979, c. 45, art. 124; 1990, c. 73, art. 59; 2001, c. 26, art. 142; 2002, c. 80, art. 69; 2015, c. 15, art. 237

125. Médiation — Sur réception de la plainte, la Commission des normes, de l'équité, de la santé et de la sécurité du travail peut, avec l'accord des parties, nommer une personne qui tente de régler la plainte à la satisfaction des intéressés. Les deuxième et troisième alinéas de l'article 123.3 s'appliquent aux fins du présent article.

Motifs du congédiement — La Commission des normes, de l'équité, de la santé et de la sécurité du travail peut exiger de l'employeur un écrit contenant les motifs du congédiement du salarié. Elle doit, sur demande, fournir une copie de cet écrit au salarié.

1979, c. 45, art. 125; 1990, c. 73, art. 60; 2001, c. 26, art. 143; 2015, c. 15, art. 237

126. Tribunal administratif du travail — Si aucun règlement n'intervient à la suite de la réception de la plainte par la Commission des normes, de l'équité, de la santé et de la sécurité du travail, cette dernière défère sans délai la plainte au Tribunal administratif du travail.

1979, c. 45, art. 126; 1983, c. 22, art. 104; 1990, c. 73, art. 61; 2001, c. 26, art. 144; 2002, c. 80, art. 70; 2015, c. 15, art. 237

126.1 Représentation — La Commission des normes, de l'équité, de la santé et de la sécurité du travail peut, dans une instance relative à la présente section, représenter un salarié qui ne fait pas partie d'un groupe de salariés visé par une accréditation accordée en vertu du *Code du travail* (chapitre C-27).

1997, c. 2, art. 2; 2001, c. 26, art. 145; 2015, c. 15, art. 237

127. Dispositions applicables — Les dispositions de la *Loi instituant le Tribunal administratif du travail* (chapitre T-15.1) relatives au Tribunal administratif du travail, à ses membres, à leurs décisions et à l'exercice de leur compétence, de même que l'article 100.12 du *Code du travail* (chapitre C-27), s'appliquent, compte tenu des adaptations nécessaires.

1979, c. 45, art. 127; 1990, c. 73, art. 61; 2001, c. 26, art. 146; 2015, c. 15, art. 182

128. Pouvoirs du Tribunal administratif du travail — Si le Tribunal administratif du travail juge que le salarié a été congédié sans cause juste et suffisante, il peut :

1° ordonner à l'employeur de réintégrer le salarié;

2° ordonner à l'employeur de payer au salarié une indemnité jusqu'à un maximum équivalant au salaire qu'il aurait normalement gagné s'il n'avait pas été congédié;

3° rendre toute autre décision qui lui paraît juste et raisonnable, compte tenu de toutes les circonstances de l'affaire.

Domestique — Cependant dans le cas d'un domestique ou d'une personne dont la fonction exclusive est d'assumer la garde ou de prendre soin d'un enfant, d'un malade, d'une personne handicapée ou d'une personne âgée, le Tribunal administratif du travail ne peut qu'ordonner le paiement au salarié d'une indemnité correspondant au salaire et aux autres avantages dont l'a privé le congédiement.

1979, c. 45, art. 128; 1981, c. 23, art. 58; 1990, c. 73, art. 62; 2001, c. 26, art. 147; 2002, c. 80, art. 71; 2015, c. 15, art. 237

129. (*Abrogé*).

1979, c. 45, art. 129; 1990, c. 73, art. 63; 2001, c. 26, art. 148

130. Décision sans appel — La décision du Tribunal administratif du travail en vertu de la présente section est sans appel. Elle lie l'employeur et le salarié.

1979, c. 45, art. 130; 1990, c. 73, art. 64; 2001, c. 26, art. 149; 2015, c. 15, art. 237

131. Transmission à la Commission — Le Tribunal administratif du travail transmet sans délai à la Commission une copie conforme de sa décision.

1979, c. 45, art. 131; 1990, c. 73, art. 64; 2001, c. 26, art. 150; 2015, c. 15, art. 237

132. (*Remplacé*).

1979, c. 45, art. 132; 1990, c. 73, art. 64

133. (*Remplacé*).
1979, c. 45, art. 133; 1990, c. 73, art. 64

134. (*Remplacé*).
1979, c. 45, art. 134; 1990, c. 73, art. 64

135. (*Remplacé*).
1979, c. 45, art. 135; 1990, c. 73, art. 64

Chapitre VI — La faillite (*Abrogé*)

136. (*Abrogé*).
1979, c. 45, art. 136; 2002, c. 80, art. 72

137. (*Abrogé*).
1979, c. 45, art. 137; 1999, c. 40, art. 196; 2002, c. 80, art. 72

138. (*Abrogé*).
1979, c. 45, art. 138; 2002, c. 80, art. 72

Chapitre VII — Dispositions pénales

139. Infraction et peine — Commet une infraction et est passible d'une amende de 600 $ à 1 200 $ et pour toute récidive, d'une amende de 1 200 $ à 6 000 $, l'employeur qui :

1° sciemment, détruit, altère ou falsifie :

(a) un registre;

(b) le système d'enregistrement; ou

(c) un document ayant trait à l'application de la présente loi ou d'un règlement;

2° omet, néglige ou refuse de tenir un document visé au paragraphe 1°.
1979, c. 45, art. 139; 1986, c. 58, art. 65; 1990, c. 4, art. 609; 1991, c. 33, art. 87; 1997, c. 85, art. 367

140. Infraction et peine — Commet une infraction et est passible d'une amende de 600 $ à 1 200 $ et, pour toute récidive, d'une amende de 1 200 $ à 6 000 $, quiconque :

1° entrave de quelque façon que ce soit, l'action de la Commission ou d'une personne autorisée par elle, dans l'exercice de ses fonctions;

2° la trompe par réticence ou fausse déclaration;

3° refuse de lui fournir un renseignement ou un document qu'elle a le droit d'obtenir en vertu de la présente loi;

4° cache un document ou un bien qui a rapport à une enquête;

5° est partie à une convention ayant pour objet de stipuler une condition de travail inférieure à une norme du travail adoptée en vertu de la présente loi ou des règlements; ou

6° contrevient à toute autre disposition de la présente loi ou d'un règlement à l'exception des paragraphes 7°, 10°, 11° et 13° du premier alinéa de l'article 122.
1979, c. 45, art. 140; 1986, c. 58, art. 66; 1990, c. 4, art. 610; 1991, c. 33, art. 88; 1997, c. 85, art. 368; 2011, c. 17, art. 57; 2014, c. 3, art. 4; N.I. 2014-07-01; 2016, c. 34, art. 45; 2017, c. 11, art. 149

141. Complicité — Quiconque tente de commettre une infraction visée dans les articles 139 et 140, aide ou incite une autre personne à commettre une infraction à la présente loi ou à un règlement commet une infraction et est passible des peines prévues pour une telle infraction.
1979, c. 45, art. 141

141.1 Infraction et amende — Commet une infraction et est passible d'une amende de 1 500 $ par semaine ou partie de semaine de défaut ou de retard l'employeur qui ne donne pas l'avis requis par l'article 84.0.4 ou qui donne un avis d'une durée insuffisante.

Amendes — Les amendes perçues en application du premier alinéa sont portées au crédit du Fonds de développement du marché du travail institué en vertu de l'article 58 de la *Loi sur le ministère de l'Emploi et de la Solidarité sociale et sur la Commission des partenaires du marché du travail* (chapitre M-15.001).

2002, c. 80, art. 73; 2007, c. 3, art. 69; 2011, c. 18, art. 260

142. Personne morale — Si une personne morale commet une infraction, un dirigeant, administrateur, employé ou agent de cette personne morale, qui a prescrit ou autorisé l'accomplissement de l'infraction ou qui y a consenti ou acquiescé, est réputé être partie à l'infraction.

1979, c. 45, art. 142; 1999, c. 40, art. 196

143. (*Abrogé*).

1979, c. 45, art. 143; 1990, c. 4, art. 611; 1992, c. 61, art. 418

144. Poursuite pénale — Une poursuite pénale pour la sanction d'une infraction à une disposition de la présente loi se prescrit par un an depuis la date de la connaissance par le poursuivant de la perpétration de l'infraction. Toutefois, aucune poursuite ne peut être intentée s'il s'est écoulé plus de cinq ans depuis la date de la perpétration de l'infraction.

1979, c. 45, art. 144; 1992, c. 61, art. 419

145. (*Abrogé*).

1979, c. 45, art. 145; 1992, c. 61, art. 420

145.1. Poursuite pénale — Une poursuite pénale pour une infraction à une disposition de la présente loi peut être intentée par la Commission.

2015, c. 15, art. 183

146. Preuve permise — Aucune preuve n'est permise pour établir qu'une action ou poursuite prévue par la présente loi a été intentée à la suite d'une plainte d'un dénonciateur ou pour découvrir l'identité de ce dernier.

1979, c. 45, art. 146

147. Application — La Commission peut désigner parmi les membres de son personnel les personnes chargées de l'application de la présente loi.

1979, c. 45, art. 147; 1990, c. 4, art. 612; 1992, c. 61, art. 421

Chapitre VIII — Les dispositions diverses, transitoires et finales

148. (*Omis*).

1979, c. 45, art. 148

149. Interprétation — Dans une loi, un règlement, une ordonnance ou une proclamation ainsi que dans un arrêté en conseil, un contrat ou tout autre document, un renvoi à la *Loi sur le salaire minimum* est réputé être un renvoi à la présente loi ou à la disposition équivalente de la présente loi.

1979, c. 45, art. 149; 1999, c. 40, art. 196

150. (*Omis*).

1979, c. 45, art. 150

151. Règlement continué en vigueur — Les règlements et les résolutions adoptés par la Commission du salaire minimum demeurent en vigueur à moins d'incompatibilité avec la présente loi, jusqu'à leur abrogation, leur modification ou leur remplacement par un règlement ou une résolution de la Commission des normes du travail.

1979, c. 45, art. 151

152. Ordonnance continuée en vigueur — Les ordonnances adoptées par la Commission du salaire minimum concernant des matières qui peuvent faire l'objet d'un règlement en vertu des articles 88 et 89 continuent d'être en vigueur, pour les matières qui peuvent faire l'objet d'un règlement, jusqu'à leur abrogation, leur modification ou leur remplacement par un règlement adopté en vertu desdits articles. Elles ont, aux fins de la présente loi, la même valeur et le même effet qu'un règlement adopté en vertu de la présente loi.

Exception — Malgré l'article 52, le salarié visé dans le sous-paragraphe b du paragraphe 4° de l'article 89 ne bénéficie d'une semaine normale qu'à compter de l'entrée en vigueur du règlement la fixant.

1979, c. 45, art. 152

153. Succession — La Commission des normes du travail succède à la Commission du salaire minimum et, à cette fin, elle acquiert les droits de cet organisme et en assume les obligations.

1979, c. 45, art. 153

154. Affaires continuées — Les affaires pendantes devant la Commission du salaire minimum, ainsi que les cas non encore prescrits en vertu des dispositions qui étaient prévues par la *Loi sur le salaire minimum* (chapitre S-1) lors de son remplacement sont continués et décidés par la Commission des normes du travail, sans reprise d'instance suivant la présente loi.

1979, c. 45, art. 154

155. Secrétaire et personnel de la Commission — Le secrétaire et les membres du personnel de la Commission du salaire minimum, en fonction le 15 avril 1980, deviennent sans autre formalité, secrétaire et membres du personnel de la Commission des normes du travail.

1979, c. 45, art. 155

156. Commissaire à temps partiel — Malgré l'article 8, un commissaire de la Commission du salaire minimum qui devient membre à temps partiel de la Commission des normes du travail peut, en donnant un avis à la Commission administrative des régimes de retraite et d'assurances, continuer à contribuer au régime de retraite qui lui est applicable sur la base du traitement qu'il recevrait, s'il exerçait ses fonctions à temps complet.

1979, c. 45, art. 156; 1983, c. 24, art. 88

157. Effet d'une convention collective — Sauf en ce qui concerne le salaire minimum et le congé de maternité qui s'appliquent à compter du 16 avril 1980, une convention collective en vigueur en vertu du *Code du travail* (chapitre C-27) le 16 avril 1980, continue d'avoir effet jusqu'à la date de son expiration, même si elle ne contient pas l'une ou l'autre des normes du travail adoptées en vertu de la présente loi ou si l'une de ses dispositions contrevient à l'une de ces normes.

Effet d'une convention collective — Il en va de même d'une convention collective négociée suivant le *Code du travail* et qui est signée dans les quatre-vingt-dix jours qui suivent le 16 avril 1980 et d'un décret dont l'adoption, la prolongation ou le renouvellement survient dans les mêmes délais.

Application — Le premier alinéa s'applique, en l'adaptant, à un décret en vigueur le 16 avril 1980, jusqu'à la date de son expiration, de sa prolongation ou de son renouvellement.

1979, c. 45, art. 157; 1980, c. 5, art. 11

158. Application de la loi — La présente loi s'applique au salarié qui exerce des fonctions qui n'étaient pas assujetties à une ordonnance adoptée en vertu de la *Loi sur le salaire minimum* (chapitre S-1), à compter de l'entrée en vigueur d'un règlement adopté en vertu du deuxième alinéa de l'article 88 et du paragraphe 4° de l'article 89 qui le concerne.

Congé de maternité — Cependant, les dispositions relatives au congé de maternité s'appliquent à compter du 16 avril 1980.

1979, c. 45, art. 158

158.1 Conditions minimales de travail — Le gouvernement peut établir, par règlement, des conditions minimales de travail portant sur les matières énumérées à l'article 92.1 et applicables, jusqu'à l'entrée en vigueur du règlement pris en vertu de cet article mais pour une période n'excédant pas 42 mois à compter du 1er juillet 2000, aux salariés qui exécutent des travaux qui, s'ils avaient été exécutés avant cette date, auraient été compris dans les champs d'application de l'un des décrets mentionnés au troisième alinéa de l'article 39.0.2. Les conditions minimales de travail portant sur les matières énumérées aux paragraphes 1°, 2° et 4° du premier alinéa de l'article 92.1 peuvent varier selon les facteurs prévus à l'un ou l'autre de ces décrets pour ces matières. En outre, les heures de la semaine normale de travail peuvent être réparties selon les modalités prévues à l'un ou l'autre de ces décrets.

Harmonisation des conditions — Le gouvernement peut également prévoir, par règlement, toute disposition qu'il juge opportune afin de favoriser l'harmonisation des conditions minimales de travail applicables à ces salariés lorsque celles-ci varient d'un décret à l'autre, notamment la variation de la durée de l'année de référence prévue à l'article 66, ainsi que toute disposition analogue à celles qui figurent, au regard d'une matière visée par ce règlement, dans les sections I à V.1 du chapitre IV.

Dispositions applicables — Pour l'application de la présente loi, ces conditions minimales de travail sont réputées des normes du travail et les articles 63 à 66, 71.1, 73, 75 à 77 et 80.2 doivent se lire, compte tenu des adaptations nécessaires, en tenant compte des dispositions édictées en application des premier et deuxième alinéas.

1999, c. 57, art. 4; 2001, c. 47, art. 5

158.2 Recours à un arbitre — Lorsqu'en raison de la nature des travaux exécutés par le salarié, une difficulté survient dans l'application des conditions minimales de travail édictées en application de l'article 158.1, la Commission peut soumettre la difficulté à un arbitre unique comme s'il s'agissait d'un double assujettissement en vertu de la *Loi sur les décrets de convention collective* (chapitre D-2). À cette fin, les dispositions des articles 11.4 à 11.9 de cette loi s'appliquent, compte tenu des adaptations nécessaires.

1999, c. 57, art. 4

158.3 Soins dans le logement d'une personne — Sous réserve du paragraphe 2° de l'article 3 et sauf si l'employeur poursuit au moyen de ce travail des fins lucratives, les dispositions de la présente loi s'appliquent à l'égard d'un salarié dont la fonction exclusive est d'assumer la garde ou de prendre soin d'un enfant, d'un malade, d'une personne handicapée ou d'une personne âgée, dans le logement de cette personne, y compris, le cas échéant, d'effectuer des travaux ménagers qui sont directement reliés aux besoins immédiats de cette personne, à compter du 1er juin 2004.

Salaire minimum — Malgré le premier alinéa, le gouvernement peut, avant le 1er juin 2004, fixer par règlement le salaire minimum payable à ce salarié, lequel peut varier selon la situation du salarié ou de l'employeur, ou selon la nature de la garde. Ce règlement peut aussi, le cas échéant, prévoir une hausse graduelle de ce salaire minimum, lequel doit atteindre celui payable aux autres salariés visés par la présente loi au plus tard le 30 juin 2006.

Indemnités — Le gouvernement peut également, par règlement, prévoir les règles applicables au paiement à ce salarié des indemnités afférentes aux jours fériés, chômés et payés et au congé annuel.

2002, c. 80, art. 74

159.–168. (*Omis*).

169. Sommes requises — Le gouvernement peut autoriser le ministre des Finances à verser ou à avancer à la Commission les sommes requises pour le paiement des traitements, allocations et indemnités ou avantages sociaux du secrétaire de la Commission, de ses membres et de son personnel et des autres dépenses nécessaires à l'application de la présente loi. La Commission doit, pour rembourser ces sommes, faire remise au ministre des Finances à même ses revenus.

1979, c. 45, art. 169

170. Ministres responsables — Le ministre est chargé de l'application de la présente loi à l'exception du chapitre III.1 dont l'application relève du ministre du Revenu et des articles 84.0.1 à 84.0.7 et 84.0.9 à 84.0.12 dont l'application relève du ministre de l'Emploi et de la Solidarité sociale.

1979, c. 45, art. 170; 2002, c. 80, art. 75

170.1 Effet — Les articles 33 à 38 et 88 à 92 ont effet à compter du 20 mars 1980.

1980, c. 5, art. 14

171. (*Omis*).

1979, c. 45, art. 171

172. (*Cet article a cessé d'avoir effet le 17 avril 1987*).

1982, R.-U., c. 11, *ann.* B, *ptie* I, art. 33; 1982, c. 21, art. 1

ANNEXE I

(*Abrogée*).

[1979, c. 45, annexe I; 1982, c. 8, art. 38; 1982, c. 9, art. 38; 1986, c. 81, art. 1; 1990, c. 73, art. 65]

Dispositions transitoires

— *Loi instituant le Tribunal administratif du travail*, RLRQ, c. T-15.1, art. 237-277 : voir [QUE-19].

[QUE-13.1]
TABLE DES MATIÈRES
RÈGLEMENT SUR LES NORMES DU TRAVAIL

[QUE-13.1]
RÈGLEMENT SUR LES NORMES DU TRAVAIL

édicté en vertu de la *Loi sur les normes du travail* (RLRQ, c. N-1.1)

RLRQ, c. N-1.1, r. 3, édicté par : R.R.Q., 1981, c. N-1.1, r. 3. Tel que modifié par : D. 1394-86, (1986) 118 G.O. II, 3972; D. 1340-87, (1987) 119 G.O. II, 5543; D. 1316-88, (1988) 120 G.O. II, 4772; D. 1468-89, (1989) 121 G.O. II, 5027; D. 1288-90, (1990) 122 G.O. II, 3472; D. 1201-91, (1991) 123 G.O. II, 5046; D. 1292-92, (1992) 124 G.O. II, 5822; D. 1237-93, (1993) 125 G.O. II, 6512; D. 1375-94, (1994) 126 G.O. II, 5679; D. 1209-95, (1995) 127 G.O. II, 4115; D. 1150-96, (1996) 128 G.O. II, 5345; D. 1224-96, (1996) 128 G.O. II, 5599; D. 1193-97, (1997) 129 G.O. II, 5859; D. 1148-98, (1998) 130 G.O. II, 5095; D. 815-2000, (2000) 132 G.O. II, 4391; D. 1457-2000, (2000) 132 G.O. II, 7704; D. 959-2002, (2002) 134 G.O. II, 5901; D. 638-2003, (2003) 135 G.O. II, 2774; D. 327-2004, (2004) 136 G.O. II, 1647; D. 525-2004, (2004) 136 G.O. II, 2567; D. 306-2006, (2006) 138 G.O. II, 1513 A; D. 283-2007, (2007) 139 G.O. II, 1789; D. 311-2008, (2008) 140 G.O. II, 1587; D. 449-2009, (2009) 141 G.O. II, 1788; D. 318-2010, (2010) 142 G.O. II, 1338; D. 394-2011, (2011) 143 G.O. II, 1419; D. 365-2012, (2012) 144 G.O. II, 1750; D. 350-2013, (2013) 145 G.O. II, 1334; Avis, (2013) 145 G.O. I, 441; D. 343-2014, (2014) 146 G.O. I, 1374; Avis, (2014) 146 G.O. I, 299; D. 206-2015, (2015) 147 G.O. II, 711; Avis, (2015) 147 G.O. I, 375; D. 285-2016, (2016) 148 G.O. II, 1779; Avis, (2016) 148 G.O. I, 455; D. 384-2017, (2017) 149 G.O. II, 1244; Avis, (2017) 149 G.O. I, 469.

SECTION I — DÉFINITIONS ET INTERPRÉTATION

1. Dans le présent règlement, à moins que le contexte n'indique un sens différent, on entend par :

« **certificat médical** » : (*définition abrogée*);

« **congé de maternité** » : (*définition abrogée*);

« **endroit isolé** » : un endroit inaccessible par une route carrossable et qu'aucun système régulier de transport ne relie au réseau routier du Québec;

« **exploitation forestière** » :

1º une entreprise effectuant la coupe, l'écorçage, le tronçonnement, le transport, le chargement du bois à bord des camions, des bateaux ou wagons de chemin de fer, les usines ou établissements où l'on fait le sciage ou le façonnage du bois exclusivement pour fins des exploitations forestières, exclusion faite des travaux de transformation du bois sorti de la forêt;

2º une entreprise effectuant en forêt la construction et l'entretien des chemins, camps, écluses, piliers, facilités de chargement et de flottage;

3º une entreprise effectuant des travaux d'amélioration, d'éclaircis, de reboisement, de drainage et d'irrigation du sol, en forêt;

4º une entreprise de flottage du bois;

5º une entreprise de protection de la forêt;

6º une entreprise chargée du déboisement en vue de la construction de chemins, d'autoroutes, de barrages, de lignes de transmission, ou de tout autre travail du même genre en forêt;

7º l'entreprise d'un traiteur, d'un entrepreneur, d'un sous-traitant ou d'un intermédiaire exerçant ses activités en forêt pour le bénéfice d'une des entreprises ci-dessus mentionnées;

8º l'entreprise d'un locataire qui a obtenu à bail des droits exclusifs de chasse ou de pêche d'une partie du territoire du domaine de l'État;

9º l'entreprise d'une association mandatée par le ministre des Ressources naturelles et de la Faune en vue de gérer la faune sur un territoire du domaine de l'État;

10º l'entreprise d'un pourvoyeur de chasse ou de pêche;

« salarié au pourboire » : salarié qui reçoit habituellement des pourboires et qui travaille :

1º dans un établissement qui offre contre rémunération de l'hébergement à des touristes, y compris un établissement de camping;

2º dans un local où des boissons alcooliques sont vendues pour consommation sur place;

3º pour une entreprise qui vend, livre ou sert des repas pour consommation à l'extérieur;

4º dans un restaurant, sauf s'il s'agit d'un lieu où l'activité principale consiste à fournir des services de restauration à des clients qui commandent ou choisissent les produits à un comptoir de service et qui paient avant de manger;

« scierie » : établissement où l'on fait l'une des opérations suivantes : le sciage, le débitage, le rabotage et toutes opérations connexes telles que le séchage, l'empilement et la livraison mais ne comprend pas l'assemblage du bois;

« travaux sur le territoire de la région de la Baie James » : travaux effectués sur le territoire de la région de la Baie James et réalisés sous la responsabilité d'Hydro-Québec, de la Société d'énergie de la Baie James ou de la Société de développement de la Baie James.

D. 1288-90, art. 1; D. 638-2003, art. 1

SECTION II — SALAIRE MINIMUM

2. Le salaire minimum établi à la présente section ne s'applique pas aux salariés suivants :

1º l'étudiant employé dans un organisme à but non lucratif et à vocation sociale ou communautaire, tel une colonie de vacances ou un organisme de loisirs;

2º le stagiaire dans un cadre de formation professionnelle reconnu par une loi;

3º le stagiaire dans un cadre d'intégration professionnelle prévu à l'article 61 de la *Loi assurant l'exercice des droits des personnes handicapées en vue de leur intégration scolaire, professionnelle et sociale* (chapitre E-20.1);

4º le salarié entièrement rémunéré à commission qui travaille dans une activité à caractère commercial en dehors de l'établissement et dont les heures de travail sont incontrôlables;

5º (*paragraphe abrogé*);

6° (*cessation d'effet*).

D. 638-2003, art. 2; D. 525-2004, art. 1

3. Sous réserve de l'article 4 et sauf dans la mesure prévue à l'article 4.1, le salaire minimum payable à un salarié est de 11,25 $ l'heure.

D. 1394-86, art. 1; D. 1340-87, art. 1; D. 1316-88, art. 1; D. 1468-89, art. 1; D. 1288-90, art. 2; D. 1201-91, art. 1; D. 1292-92, art. 1; D. 1237-93, art. 1; D. 1375-94, art. 1; D. 1209-95, art. 1; D. 1150-96, art. 1; D. 1193-97, art. 1; D. 1148-98, art. 1; D. 1457-2000, art. 1; D. 959-2002, art. 1; D. 638-2003, art. 3; D. 327-2004, art. 1; D. 525-2004, art. 2; D. 306-2006, art. 1; D. 283-2007, art. 1; D. 311-2008, art. 1; D. 449-2009, art. 1; D. 318-2010, art. 1; D. 394-2011, art. 1; D. 365-2012, art. 1; D. 350-2013, art. 1; D. 343-2014, art. 1; D. 206-2015, art. 1; D. 285-2016, art. 1; D. 384-2017, art. 1

4. Le salaire minimum payable au salarié au pourboire est de 9,45 $ l'heure.

D. 1394-86, art. 1; D. 1340-87, art. 2; D. 1316-88, art. 2; D. 1468-89, art. 2; D. 1288-90, art. 3; D. 1201-91, art. 2; D. 1292-92, art. 2; D. 1237-93, art. 2; D. 1375-94, art. 2; D. 1209-95, art. 2; D. 1150-96, art. 2; D. 1193-97, art. 2; D. 1148-98, art. 2; D. 1457-2000, art. 2; D. 959-2002, art. 2; D. 638-2003, art. 4; D. 327-2004, art. 2; D. 306-2006, art. 1; D. 283-2007, art. 1; D. 311-2008, art. 2; D. 449-2009, art. 2; D. 318-2010, art. 2; D. 394-2011, art. 2; D. 365-2012, art. 2; D. 350-2013, art. 2; D. 343-2014, art. 2; D. 206-2015, art. 2; D. 285-2016, art. 2; D. 384-2017, art. 2

4.1 Le salaire minimum payable au salarié affecté exclusivement, durant une période de paie, à des opérations non mécanisées reliées à la cueillette de framboises ou de fraises est établi au rendement selon les règles suivantes :

1° pour le salarié affecté à la cueillette de framboises : un montant de 3,33 $ du kilogramme;

2° pour le salarié affecté à la cueillette de fraises : un montant de 0,89 $ du kilogramme.

Toutefois, le salarié ne peut, sur une base horaire et pour des motifs hors de son contrôle et liés à l'état des champs ou des fruits, gagner moins que le salaire minimum prévu à l'article 3.

D. 525-2004, art. 3; D. 306-2006, art. 2; D. 283-2007, art. 2; D. 311-2008, art. 3; D. 449-2009, art. 3; D. 318-2010, art. 3; D. 394-2011, art. 3; D. 365-2012, art. 3; D. 350-2013, art. 3; D. 343-2014, art. 3; D. 206-2015, art. 3; D. 285-2016, art. 3; D. 384-2017, art. 3

5. (*Abrogé*).

D. 1394-86, art. 1; D. 1340-87, art. 3; D. 1316-88, art. 3; D. 1468-89, art. 3; D. 1288-90, art. 4; D. 1201-91, art. 3; D. 1292-92, art. 3; D. 1237-93, art. 3; D. 1375-94, art. 3; D. 1209-95, art. 3; D. 1150-96, art. 3; D. 1193-97, art. 3; D. 1148-98, art. 3; D. 1457-2000, art. 3; D. 959-2002, art. 3; D. 638-2003, art. 5

SECTION III — MONTANTS MAXIMUMS POUVANT ÊTRE EXIGÉS POUR LES REPAS ET L'HÉBERGEMENT

[Intertitre remplacé, D. 365-2012, art. 4.]

6. Lorsque l'employeur, en raison des conditions de travail du salarié, doit lui fournir les repas ou l'hébergement, ou lorsqu'il veille à ce que lui soit fourni l'hébergement, il ne peut être exigé de ce salarié un montant supérieur à :

1° de 2,15 $ par repas, jusqu'à concurrence de 28,00 $ par semaine;

2° de 26,93 $ par semaine pour une chambre;

3° 48,45 $ par semaine pour un logement lorsque la chambre héberge quatre salariés ou moins et 32,32 $ lorsque la chambre héberge cinq salariés ou plus.

Pour l'application du présent article, on entend par :

1° « chambre » : une pièce dans une habitation qui contient un lit et une commode pour chacun des salariés hébergés et qui permet l'accès à une toilette et à une douche ou à un bain;

2º « logement » : une habitation qui contient au moins une chambre et qui permet minimalement l'accès à une laveuse et à une sécheuse, ainsi qu'à une cuisine qui doit être équipée d'un réfrigérateur, d'une cuisinière et d'un four à micro-ondes.

Aucuns frais reliés à l'hébergement, autres que les montants prévus au premier alinéa, ne peuvent être exigés du salarié, notamment pour l'accès à une pièce supplémentaire.

À chaque hausse du taux général du salaire minimum, les montants prévus à l'article 6 sont augmentés du pourcentage correspondant à la hausse du taux général du salaire minimum, sans toutefois qu'il excède celui correspondant à l'indice des prix à la consommation.

L'indice des prix à la consommation pour une année est la moyenne annuelle calculée à partir des indices mensuels des prix à la consommation au Canada, établis par Statistique Canada en vertu de la *Loi sur la statistique* (L.R.C. (1985), ch. S-19), pour les 12 mois de l'année civile précédant la hausse du taux général du salaire minimum par rapport aux 12 mois de l'année civile antérieure à cette dernière.

Si le pourcentage calculé en vertu du quatrième alinéa comporte plus de deux décimales, les deux premières seulement sont retenues et la deuxième est augmentée d'une unité si la troisième est égale ou supérieure à cinq.

Le ministre publie le résultat de l'augmentation à la *Gazette officielle du Québec*.

D. 1292-92, art. 4; D. 1224-96, art. 1; D. 365-2012, art. 5; Avis, (2013) 145 G.O. I, 441; Avis, (2014) 146 G.O. I, 299; Avis, (2015) 147 G.O. I, 375; Avis, (2016) 148 G.O. I, 455; Avis, (2017) 149 G.O. I, 469

7. L'article 6 ne s'applique pas au salarié qui travaille dans un établissement visé au paragraphe a du premier alinéa de l'article 1 de la *Loi sur les services de santé et les services sociaux pour les autochtones cris* (chapitre S-5).

SECTION IV — SEMAINE NORMALE

8. (*Abrogé*).

D. 1209-95, art. 4; D. 1193-97, art. 4; D. 638-2003, art. 5

9. La semaine normale de travail du gardien qui fait la garde d'une propriété pour le compte d'une entreprise de gardiennage est de 44 heures.

La semaine normale de travail de tout autre gardien est de 60 heures.

10. La semaine normale de travail du salarié occupé dans une exploitation forestière est de 47 heures.

11. La semaine normale de travail du salarié occupé dans une scierie est de 47 heures.

12. La semaine normale de travail du salarié qui travaille dans un endroit isolé est de 55 heures.

13. La semaine normale de travail du salarié qui effectue des travaux sur le territoire de la région de la Baie James est de 55 heures.

SECTION V — JOURS FÉRIÉS, CHÔMÉS ET PAYÉS (ABROGÉE)

14. (*Abrogé*).

D. 638-2003, art. 5

Section VI — Congé de maternité (Abrogée)

§1 — Conditions d'admissibilité

15. (*Abrogé*).

D. 638-2003, art. 5

16. (*Abrogé*).

D. 638-2003, art. 5

§2 — Durée du congé

17. (*Abrogé*).

D. 638-2003, art. 5

18. (*Abrogé*).

D. 638-2003, art. 5

19. (*Abrogé*).

D. 638-2003, art. 5

20. (*Abrogé*).

D. 638-2003, art. 5

21. (*Abrogé*).

D. 638-2003, art. 5

22. (*Abrogé*).

D. 959-2002, art. 4; D. 638-2003, art. 5

23. (*Abrogé*).

D. 638-2003, art. 5

§3 — Avis

24. (*Abrogé*).

D. 638-2003, art. 5

25. (*Abrogé*).

D. 638-2003, art. 5

26. (*Abrogé*).

D. 638-2003, art. 5

27. (*Abrogé*).

D. 638-2003, art. 5

28. (*Abrogé*).

D. 638-2003, art. 5

§4 — Retour au travail

29. (*Abrogé*).

D. 638-2003, art. 5

30. (*Abrogé*).

D. 638-2003, art. 5

31. (*Abrogé*).

D. 638-2003, art. 5

32. (*Abrogé*).

D. 638-2003, art. 5

33. (*Abrogé*).

D. 638-2003, art. 5

34. (*Abrogé*).

D. 638-2003, art. 5

35. (*Abrogé*).

D. 638-2003, art. 5

Section VI.0.1 — L'avis de licenciement collectif

35.0.1 L'avis de licenciement collectif qui doit être donné par l'employeur au ministre, conformément à l'article 84.0.4 de la *Loi sur les normes du travail* (chapitre N-1.1), doit être transmis par la poste au ministère de l'Emploi et de la Solidarité sociale, à la Direction générale des opérations d'Emploi-Québec.

Cet avis prend effet à compter de la date de sa mise à la poste.

D. 638-2003, art. 6

35.0.2 L'avis de licenciement collectif doit contenir les renseignements suivants :

1º le nom et l'adresse de l'employeur ou de l'établissement visé;

2º le secteur d'activités;

3º le nom et l'adresse des associations de salariés, le cas échéant;

4º le motif du licenciement collectif;

5º la date prévue du licenciement collectif;

6º le nombre de salariés possiblement visés par le licenciement collectif.

D. 638-2003, art. 6

SECTION VI.1 — LE TRAVAIL DE NUIT DES ENFANTS

35.1 L'interdiction à un employeur de faire effectuer un travail par un enfant, entre 23 heures, un jour donné, et 6 heures le lendemain, n'est pas applicable dans le cas d'un travail effectué à titre de créateur ou d'interprète, dans les domaines de production artistique suivants : la scène y compris le théâtre, le théâtre lyrique, la musique, la danse et les variétés, le film, le disque et les autres modes d'enregistrement du son, le doublage et l'enregistrement d'annonces publicitaires.

D. 815-2000, art. 1

35.2 L'obligation d'un employeur qui fait effectuer un travail par un enfant, de faire en sorte que les heures de travail soient telles, compte tenu du lieu de résidence familiale de cet enfant, que celui-ci puisse être à cette résidence entre 23 heures, un jour donné, et 6 heures le lendemain, n'est pas applicable dans les cas, circonstances, périodes ou conditions suivants :

1º un travail effectué à titre de créateur ou d'interprète, dans les domaines de production artistique suivants : la scène y compris le théâtre, le théâtre lyrique, la musique, la danse et les variétés, le film, le disque et les autres modes d'enregistrement du son, le doublage et l'enregistrement d'annonces publicitaires;

2º un travail effectué pour un organisme à vocation sociale ou communautaire, tels une colonie de vacances ou un organisme de loisirs, si les conditions de travail de l'enfant impliquent qu'il loge à l'établissement de l'employeur et s'il n'est pas tenu de fréquenter l'école ce lendemain.

D. 815-2000, art. 1

SECTION VII — DISPOSITIONS TRANSITOIRES ET FINALES

36. (*Abrogé*).

D. 1394-86, art. 2

37. (*Abrogé*).

D. 1394-86, art. 2

38. (*Abrogé*).

D. 1468-89, art. 4

39. (*Abrogé*).

D. 1394-86, art. 4

39.1 Le paragraphe 6º de l'article 2 cesse d'avoir effet le 1er janvier 2011.

D. 525-2004, art. 4; D. 283-2007, art. 3; D. 318-2010, art. 4

ANNEXE I

(*article 38*)

(*Abrogée*).

D. 1468-89, art. 5

[QUE-13.2]
RÈGLEMENT SUR LES TAUX DE COTISATION

édicté en vertu de la *Loi sur les normes du travail* (RLRQ, c. N-1.1, art. 29, art. 39.0.2; 1999, c. 57, art. 1-2)

RLRQ, c. N-1.1, r. 5, édicté par : D. 680-2000, (2000) 132 G.O. II, 3489. Tel que modifié par : D. 1334-2003, (2003) 135 G.O. II, 5671; L.Q. 2015, c. 15, art. 235 [Non en vigueur à la date de publication.].

1. Le taux de la cotisation prévue au premier alinéa de l'article 39.0.2 de la *Loi sur les normes du travail* (chapitre N-1.1) est de 0,08 %.

Modification proposée — 1

1. Le taux de la cotisation prévue au premier alinéa de l'article 39.0.2 de la *Loi sur les normes du travail* (chapitre N-1.1) est de 0,07 %.

2015, c. 15, art. 235 [Entrera en vigueur le 1er janvier 2017.]

2. (*Abrogé*).

D. 1334-2003, art. 1

3. (*Omis*).

4. (*Omis*).

[QUE-13.3]
RÈGLEMENT SUR LA TENUE D'UN SYSTÈME D'ENREGISTREMENT OU D'UN REGISTRE

édicté en vertu de la *Loi sur les normes du travail* (RLRQ, c. N-1.1, art. 29)

RLRQ, c. N-1.1, r. 6, édicté par : R.R.Q., 1981, c. N-1.1, r. 6. Tel que modifié par : D. 901-99, (1999) 131 G.O. II, 3845; D. 679-2000, (2000) 132 G.O. II, 3485; D. 693-2002, (2002) 134 G.O. II, 3468; D. 524-2004, (2004) 136 G.O. II, 2664.

1. Un employeur doit tenir un système d'enregistrement ou un registre où sont indiqués pour chacun de ses salariés, ses nom, prénoms, résidence et numéro d'assurance sociale, l'identification de son emploi et la date de son entrée au service de l'employeur ainsi que les renseignements suivants, le cas échéant, pour chaque période de paie :

a) le nombre d'heures de travail par jour;

b) le total des heures de travail par semaine;

c) le nombre d'heures supplémentaires payées ou remplacées par un congé avec la majoration applicable;

d) le nombre de jours de travail par semaine;

e) le taux du salaire;

f) la nature et le montant des primes, indemnités, allocations ou commissions versées;

g) le montant du salaire brut;

h) la nature et le montant des déductions opérées;

i) le montant du salaire net versé au salarié;

j) la période de travail qui correspond au paiement;

k) la date du paiement;

l) l'année de référence;

m) la durée de ses vacances;

n) la date de départ pour son congé annuel payé;

o) la date à laquelle le salarié a bénéficié d'un jour férié, chômé et payé ou d'un autre jour de congé, y compris les congés compensatoires afférents aux jours fériés, chômés et payés;

p) le montant des pourboires déclarés par le salarié conformément à l'article 1019.4 de la *Loi sur les impôts* (chapitre I-3);

q) le montant des pourboires attribués au salarié par l'employeur en vertu de l'article 42.11 de la *Loi sur les impôts*;

r) si le salarié est âgé de moins de 18 ans, sa date de naissance.

D. 901-99, art. 1; D. 679-2000, art. 2

1.1 (*Abrogé*).

D. 679-2000, art. 3; D. 524-2004, art. 2

2. Le système d'enregistrement ou le registre se rapportant à une année doit être conservé durant une période de 3 ans.

3. (*Abrogé*).

D. 679-2000, art. 4; D. 524-2004, art. 3

ANNEXE I

(*Abrogée*). [D. 679-2000, annexe I; D. 524-2004, art. 4].

[QUE-14]

TABLE DES MATIÈRES

LOI SUR LES RELATIONS DU TRAVAIL, LA FORMATION PROFESSIONNELLE ET LA GESTION DE LA MAIN-D'ŒUVRE DANS L'INDUSTRIE DE LA CONSTRUCTION

[QUE-14]
LOI SUR LES RELATIONS DU TRAVAIL, LA FORMATION PROFESSIONNELLE ET LA GESTION DE LA MAIN-D'ŒUVRE DANS L'INDUSTRIE DE LA CONSTRUCTION

RLRQ, c. R-20, telle que modifiée par L.Q. 1968, c. 23, art. 8; 1968, c. 45, art. 1-25; 28; 30-35; 37-45; 49-59; 69; 1969, c. 51, art. 98-99; 1970, c. 35, art. 1-4; 1971, c. 46, art. 1-3; 1972, c. 10, art. 1-4; 1973, c. 28, art. 1-12, 15, 17; 1974, c. 38, art. 1-3; 1975, c. 19, art. 12-16; 1975, c. 50, art. 1-7; 1975, c. 51, art. 1-17;19-21; 23; 25; 28-30; 32 (en vigueur en partie); 1975, c. 83, art. 84; 1977, c. 41, art. 73; 1978, c. 15, art. 133; 1978, c. 41, art. 28; 1978, c. 58, art. 1-13; 1979, c. 2, art. 16-24; 1979, c. 63, art. 313-318; 1980, c. 23, art. 1-4; 1981, c. 9, art. 34; 1982, c. 53, art. 56; 1983, c. 13, art. 1-7; 10; 1983, c. 15, art. 1; 1979, c. 37, art. 43; 1983, c. 13, art. 8-9; 1983, c. 22, art. 106-107; 1983, c. 55, art. 161; 1993, c. 61, art. 29; 1984, c. 27, art. 89; 1985, c. 12, art. 99; 1986, c. 58, art. 90-100; 1986, c. 89, art. 2-27; 50; 1986, c. 95, art. 296-298; 1987, c. 110, art. 1-12; 1988, c. 35, art. 1-18; 1988, c. 51, art. 125; 1989, c. 38, art. 319; 1990, c. 4, art. 777-787; 1990, c. 85, art. 122; 1991, c. 33, art. 120-129; 1991, c. 74, art. 162; 1991, c. 76, art. 5-6; 1992, c. 21, art. 298; 1992, c. 42, art. 1-54; 1992, c. 44, art. 81; 1992, c. 61, art. 529-538; 1993, c. 51, art. 72; 1993, c. 61, art. 1-11; 13-62; 64-66; 70; 1994, c. 12, art. 51-57; 1994, c. 16, art. 50; 1994, c. 23, art. 23; 1995, c. 8, art. 1-44; 1995, c. 27, art. 41; 1995, c. 43, art. 52-57; 1995, c. 51, art. 50; 1995, c. 62, art. 1; 1996, c. 2, art. 888; 1996, c. 29, art. 43, 117; 1996, c. 74, art. 32-52; 1997, c. 63, art. 128; 1997, c. 74, art. 2-3; 1997, c. 85, art. 395-399; 1998, c. 36, art. 192; 1998, c. 46, art. 83-124; 1999, c. 13, art. 8-11; 1999, c. 40, art. 257; 1999, c. 82, art. 26; 2000, c. 8, art. 184-185, 242; 2000, c. 56, art. 218, 220; 2001, c. 26, art. 158-167; 2001, c. 44, art. 30; 2001, c. 79, art. 3-; 2005, c. 28, art. 195; 2005, c. 42, art. 1-18; 2006, c. 22, art. 177; 2005, c.15, art. 171; 2005, c. 34, art. 85; 2007, c. 3, art. 66-68; 2006, c. 58, art. 35-50; 2006, c. 58, art. 35-50; 2005, c. 22, art. 52; 2005, c. 28, art. 195; 2009, c. 16, art. 7-8; 2009, c. 57, art. 9-16; Avis, (2010) 142 G.O. I, 1428; 2010, c. 7, art. 241; 2011, c. 12, art. 4; 2011, c. 18, art. 55-57; 2011, c. 17, art. 59-62; 2011, c. 16, art. 88; 2011, c. 30, art. 1-47, 48 (en vigueur en partie), 49-70, 73-87; Avis, (2012) 144 G.O. I, 31; Avis, (2012) 144 G.O. I, 1335; 2012, c. 25, art. 69 (non en vigueur), 70, 71-74 (non en vigueur), 97-99; Erratum, (2013) 145 G.O. I, 74; 2013, c. 16, art. 115, 124; 149-157 (non en vigueur); Avis, (2013) 145 G.O. I, 1242; Erratum, (2013) 145 G.O. I, 1340; 2013, c. 23, art. 137-139; 2014, c. 18, art. 4-6; Avis, (2014) 146 G.O. I, 1151; 2015, c. 15, art. 190-197, 237; Avis, (2015) 147 G.O. I, 1143; Avis, (2016) 148 G.O. I, 1180; 2016, c. 17, art. 113.

Chapitre I — Définitions

1. Interprétation — Dans la présente loi, à moins que le contexte n'indique un sens différent, les expressions et mots suivants signifient :

a) « **association** » : un syndicat professionnel représentant des salariés de la construction ou tout groupement de salariés de la construction non constitué en personne morale, un conseil de métiers, un conseil provincial de métiers ou une union, fédération ou confédération de tels syndicats, groupements ou conseils, ayant pour but l'étude, la défense et le développement des intérêts économiques, sociaux et éducatifs de ses membres et dont la compétence s'étend à l'ensemble du Québec pour tous les métiers et emplois de la construction;

b) « **association représentative** » : une association à qui la Commission a délivré le certificat prévu à l'article 34;

c) « **association d'employeurs** » : l'Association des entrepreneurs en construction du Québec;

c.1) « **associations d'entrepreneurs** » : l'Association des professionnels de la construction et de l'habitation du Québec inc., l'Association de la construction du Québec, l'Association des constructeurs de routes et grands travaux du Québec, la Corporation des maîtres électriciens du Québec et la Corporation des maîtres mécaniciens en tuyauterie du Québec;

c.2) « **association sectorielle d'employeurs** » : pour le secteur résidentiel, l'Association des professionnels de la construction et de l'habitation du Québec inc., pour le secteur institutionnel et commercial et le secteur industriel, l'Association de la construction du Québec et, pour le secteur génie civil et voirie, l'Association des constructeurs de routes et grands travaux du Québec;

d) « **Commission** » : la Commission de la construction du Québec;

e) (*définition supprimée*);

e.1) « **Comité sur la formation** » : le Comité sur la formation professionnelle dans l'industrie de la construction;

f) « **construction** » : les travaux de fondation, d'érection, d'entretien, de rénovation, de réparation, de modification et de démolition de bâtiments et d'ouvrages de génie civil exécutés sur les lieux mêmes du chantier et à pied d'œuvre, y compris les travaux préalables d'aménagement du sol;

En outre, le mot « **construction** » comprend l'installation, la réparation et l'entretien de machinerie et d'équipement, le travail exécuté en partie sur les lieux mêmes du chantier et en partie en atelier, le déménagement de bâtiments, les déplacements des salariés, le dragage, le gazonnement, la coupe et l'émondage des arbres et arbustes ainsi que l'aménagement de terrains de golf, mais uniquement dans les cas déterminés par règlements;

g) « **convention collective** » : une entente écrite relative aux conditions de travail conclue pour un secteur entre les parties négociatrices de ce secteur;

h) (*définition abrogée*);

i) « **différend** » : une mésentente relative à la négociation ou au renouvellement d'une convention collective ou à sa révision par les parties en vertu d'une clause le permettant expressément;

i.1) **« donneur d'ouvrage »** : une entreprise cliente d'un employeur ou une association regroupant de telles entreprises, reconnue par le ministre aux fins de la consultation prévue par l'article 42, après consultation du ministre du Développement économique, de l'Innovation et de l'Exportation;

j) **« employeur »** : quiconque, y compris le gouvernement du Québec, fait exécuter un travail par un salarié;

k) **« employeur professionnel »** : un employeur dont l'activité principale est d'effectuer des travaux de construction et qui emploie habituellement des salariés pour un genre de travail qui fait l'objet d'une convention collective;

k.1) **« entrepreneur autonome »** : une personne ou une société titulaire d'une licence d'entrepreneur spécialisé délivrée en vertu de la *Loi sur le bâtiment* (chapitre B-1.1) et qui, pour autrui et sans l'aide d'un salarié à son emploi, exécute elle-même ou, selon le cas, dont un administrateur, un actionnaire détenant au moins une action avec droit de vote ou un associé exécute lui- même au bénéfice de la personne morale ou de la société :

i. des travaux de construction visés à la présente loi, si cette licence est relative aux sous-catégories « Entrepreneur de machineries lourdes » ou « Entrepreneur en excavation et terrassement »;

ii. des travaux d'entretien, de réparation et de rénovation mineure visés à la présente loi, si cette licence est relative à toute autre sous-catégorie;

Modification proposée — k.1)

k.1) **« entrepreneur autonome »** : une personne ou une société titulaire, lorsque requis, d'une licence d'entrepreneur spécialisé délivrée en vertu de la *Loi sur le bâtiment* (chapitre B-1.1) et qui, pour autrui et sans l'aide d'un salarié à son emploi, exécute elle-même ou, selon le cas, dont un seul administrateur, un seul actionnaire détenant au moins une action avec droit de vote ou un seul associé exécute lui-même au bénéfice de la personne ou de la société des travaux de construction;

2013, c. 16, art. 149 [Entrera en vigueur par décret.]

l) **« exploitation agricole »** : une ferme mise en valeur habituellement par l'exploitant lui-même ou par l'entremise de moins de trois salariés embauchés de façon continue;

m) **« grève »** : la cessation concertée de travail par un groupe de salariés;

n) **« grief »** : toute mésentente portant sur l'un des sujets mentionnés à l'article 62;

o) **« lock-out »** : le refus par un employeur de fournir du travail à un groupe de salariés qu'il emploie en vue de les contraindre à accepter certaines conditions de travail ou de contraindre pareillement des salariés d'un autre employeur;

p) **« ministre »** : le ministre du Travail;

p.1) **« occupation »** : une activité qui n'est pas comprise dans un métier au sens d'un règlement adopté en vertu du paragraphe 2º de l'article 123.1;

q) « **salaire** » : la rémunération en monnaie courante et les indemnités ou avantages ayant une valeur pécuniaire que détermine une convention collective;

r) « **salarié** » : tout apprenti, manœuvre, ouvrier non spécialisé, ouvrier qualifié, compagnon ou commis, qui travaille pour un employeur et qui a droit à un salaire;

s) « **salarié permanent** » : tout salarié qui fait habituellement des travaux d'entretien de bâtiments ou d'ouvrages de génie civil et tout salarié qui, depuis au moins 6 mois, travaille à la production dans un établissement;

t) « **régime complémentaire d'avantages sociaux** » : un régime de sécurité sociale établi par une convention collective ou par un règlement visant à donner effet à une clause d'une convention collective, notamment un régime complémentaire de retraite, d'assurance-vie, maladie ou salaire et tout autre régime d'assurance ou de prévoyance collective;

u) (*définition abrogée*);

v) « **secteur génie civil et voirie** » : le secteur de la construction d'ouvrages d'intérêt général d'utilité publique ou privée, y compris les installations, les équipements et les bâtiments physiquement rattachés ou non à ces ouvrages, notamment la construction de routes, aqueducs, égouts, ponts, barrages, lignes électriques et gazoducs;

w) « **secteur industriel** » : le secteur de la construction de bâtiments, y compris les installations et les équipements physiquement rattachés ou non à ces bâtiments, réservés principalement à la réalisation d'une activité économique par l'exploitation des richesses minérales, la transformation des matières premières et la production de biens;

x) « **secteur institutionnel et commercial** » : le secteur de la construction de bâtiments, y compris les installations et les équipements physiquement rattachés ou non à ces bâtiments, réservés principalement à des fins institutionnelles ou commerciales ainsi que toute construction qui ne peut être comprise dans les secteurs résidentiel, industriel ou génie civil et voirie;

y) « **secteur résidentiel** » : le secteur de la construction de bâtiments ou d'ensembles de bâtiments contigus, y compris les installations et les équipements physiquement rattachés ou non à ces bâtiments, dont au moins 85 % de la superficie, excluant celle de tout espace de stationnement, est réservée à l'habitation et dont le nombre d'étages au-dessus du sol, excluant toute partie de sous-sol et vu de toute face du bâtiment ou de l'ensemble de bâtiments, n'excède pas six dans le cas de bâtiments neufs ou huit dans les autres cas.

Dispositions non applicables — Les paragraphes *v* à *y* du premier alinéa ne s'appliquent pas à la détermination du champ d'application de la présente loi.

1968, c. 45, art. 1; 1970, c. 35, art. 1; 1971, c. 46, art. 1; 1973, c. 28, art. 1; 1975, c. 19, art. 12; 1975, c. 51, art. 1; 1979, c. 2, art. 16; 1981, c. 9, art. 34; 1982, c. 53, art. 56; 1986, c. 89, art. 2, 50; 1988, c. 35, art. 1; 1989, c. 38, art. 319; 1991, c. 74, art. 162; 1992, c. 42, art. 1; 1993, c. 61, art. 1; 1994, c. 12, art. 51; 1995, c. 8, art. 1; 1996, c. 29, art. 43; 1999, c. 13, art. 8; 1999, c. 40, art. 257; 2011, c. 30, art. 1; 2014, c. 18, art. 4

1.1 « construction » — Le mot « **construction** » défini au paragraphe *f* du premier alinéa de l'article 1 comprend et a toujours compris les travaux de pose de revêtements souples faisant partie intégrante de bâtiments.

1995, c. 8, art. 2

Chapitre II — Commission de la construction du Québec, Comité sur la formation professionnelle dans l'industrie de la construction et Comité sur les avantages sociaux de l'industrie de la construction

[Intertitre remplacé, 2011, c. 30, art. 2.]

SECTION I — COMMISSION

§1 — *Constitution et administration*

[Intertitre modifié, 2011, c. 30, art. 3.]

2. Constitution — Est instituée la « Commission de la construction du Québec ».

1975, c. 51, art. 2; 1986, c. 89, art. 3

3. Personne morale — La Commission est une personne morale.

Pouvoirs — Outre les pouvoirs que la présente loi lui confère, la Commission peut :

1º acquérir, posséder, améliorer, prendre à bail et aliéner, à titre onéreux, tout bien;

2º emprunter;

3º hypothéquer ou céder ses biens pour assurer le paiement des obligations ou valeurs qu'elle émet;

4º accepter toute donation, legs ou autre libéralité à titre entièrement gratuit et inconditionnel.

1975, c. 51, art. 2; 1986, c. 89, art. 3; 1992, c. 42, art. 2; 1999, c. 40, art. 257

3.1 Siège — La Commission a son siège à l'endroit déterminé par le gouvernement. Un avis de la situation ou de tout changement de la situation du siège est publié à la *Gazette officielle du Québec*. Elle peut tenir ses séances à tout endroit au Québec.

1986, c. 89, art. 3

3.2 Conseil d'administration — La Commission est composée d'un conseil d'administration formé de 15 membres dont un président.

Nomination — Sauf le président, les membres sont nommés de la façon suivante :

1º un, après consultation de l'association d'employeurs;

2º quatre, après consultation des associations d'entrepreneurs;

3º cinq, après consultation des associations représentatives;

4º quatre membres indépendants, en tenant compte des profils de compétence et d'expérience approuvés par le conseil d'administration.

Membre indépendant — Dans la présente loi, on entend par « **membre indépendant** » un membre qui n'a pas, de manière directe ou indirecte, de relations ou d'intérêts, par exemple de nature financière, commerciale, professionnelle ou philanthropique, susceptibles de nuire à la qualité de ses décisions eu égard aux intérêts de la Commission.

Membre indépendant — Un membre est réputé ne pas être indépendant :

1º s'il est ou a été, au cours des trois années précédant la date de sa nomination, à l'emploi de la Commission;

2º s'il est a l'emploi du gouvernement, d'un organisme du gouvernement au sens de l'articles 4 de la *Loi sur le vérificateur général* (chapitre V.5.01);

3º s'il est ou a été, au cours des trois années précédant la date de sa nomination, membre, à l'emploi, dirigeant ou autrement représentant d'une association visée par l'un des paragraphes *a* à *c*.2 du premier alinéa de l'article 1 ou d'une association de salariés affiliée à une association représentative;

4º si un membre de sa famille immédiate fait partie de la haute direction de la Commission.

Gouvernement — Le gouvernement peut adopter une politique concernant les situations qu'il entend examiner pour déterminer si un membre se qualifie comme indépendant. Il peut y préciser le sens qu'il entend donner à l'expression « membre de sa famille immédiate ».

Dénonciation écrite — Un membre indépendant doit dénoncer par écrit au conseil d'administration et au ministre toute situation susceptible d'affecter son statut.

1986, c. 89, art. 3; 1992, c. 44, art. 81; 1993, c. 51, art. 72; 1993, c. 61, art. 2; 1994, c. 12, art. 52; 1994, c. 16, art. 50; 1995, c. 8, art. 3; 2005, c. 28, art. 195; 2011, c. 30, art. 4; 2013, c. 16, art. 115, 124

3.3 Durée du mandat — Le président est nommé par le gouvernement pour au plus cinq ans. Les autres membres du conseil le sont pour au plus trois ans.

Fonctions continuées — À la fin de leur mandat, ils demeurent en fonction jusqu'à ce qu'ils soient remplacés ou nommés de nouveau.

Renouvellement de mandat — Les mandats des membres du conseil sont renouvelables. Toutefois, les mandats des membres indépendants ne peuvent l'être que deux fois, consécutivement ou non.

1986, c. 89, art. 3; 2011, c. 30, art. 5

3.4 Vacance — Une vacance parmi les membres du conseil d'administration est comblée en suivant le mode prescrit pour la nomination de la personne à remplacer.

1986, c. 89, art. 3

3.5 Absence du président — En cas d'absence ou d'empêchement du président, celui des membres que désigne le gouvernement le remplace et en exerce tous les pouvoirs.

Absence d'un membre — En cas d'empêchement d'un membre autre que le président, le gouvernement peut nommer, en suivant le mode prescrit pour la nomination de ce membre, une autre personne pour assurer l'intérim, aux conditions qu'il détermine.

1986, c. 89, art. 3; 1999, c. 40, art. 257

3.6 Fonctions du président — Le président veille à l'exécution des décisions du conseil et est responsable de l'administration et de la direction de la Commission dans le cadre de ses règlements et ses orientations.

Directeur général — Il est d'office directeur général de la Commission et exerce ses fonctions à plein temps.

1986, c. 89, art. 3

3.7 Rémunération du président — Le gouvernement fixe la rémunération et les autres conditions de travail du président.

Rémunération des membres — Les autres membres ne sont pas rémunérés sauf dans les cas, aux conditions et dans la mesure que peut déterminer le gouvernement.

Remboursement des dépenses — Ils ont cependant droit au remboursement des dépenses faites dans l'exercice de leurs fonctions aux conditions et dans la mesure que détermine le gouvernement.

Sommes requises — Les sommes requises pour l'application du présent article sont à la charge de la Commission.

1986, c. 89, art. 3

3.8 Conflit d'intérêts — Le président ne peut, sous peine de déchéance de sa charge, avoir un intérêt direct ou indirect dans une entreprise qui met en conflit son intérêt personnel et celui de la Commission.

Exception — Toutefois, cette déchéance n'a pas lieu si cet intérêt lui échoit par succession ou par donation pourvu qu'il y renonce ou en dispose avec toute la diligence possible.

Conflit d'intérêts — Tout membre du conseil d'administration, autre que le président, qui a un intérêt direct ou indirect dans une entreprise qui met en conflit son intérêt personnel et celui de la Commission doit, sous peine de déchéance de sa charge, dénoncer par écrit son intérêt au président et s'abstenir de siéger au conseil et de participer à toute délibération ou décision lorsqu'une question portant sur l'entreprise dans laquelle il a cet intérêt est débattue.

1986, c. 89, art. 3

3.9 Quorum — Le quorum aux séances du conseil d'administration est d'au moins la majorité des membres nommés dont le président.

Vote — Le président n'a pas droit de vote sauf en cas d'égalité des voix.

1986, c. 89, art. 3

3.10 (*Abrogé*).

1986, c. 89, art. 3; 2011, c. 30, art. 6

3.11 (*Abrogé*).

1986, c. 89, art. 3; 1993, c. 61, art. 3; 1994, c. 12, art. 53; 2011, c. 30, art. 6

3.12 (*Abrogé*).

1986, c. 89, art. 3; 1992, c. 44, art. 81; 1993, c. 51, art. 72; 1994, c. 12, art. 54; 1994, c. 16, art. 50; 2005, c. 28, art. 195; 2011, c. 30, art. 6

§1.1 — Comités du conseil d'administration

[Intertitre ajouté, 2011, c. 30, art. 7.]

3.13 Constitution de comités — Le conseil d'administration doit constituer un Comité de gouvernance et d'éthique ainsi qu'un Comité de vérification.

Constitution de comités — Il peut également constituer d'autres comités pour l'étude de questions particulières ou pour faciliter le bon fonctionnement de la Commission.

2011, c. 30, art. 7

3.14 Fonctions — Le Comité de gouvernance et d'éthique a notamment pour fonctions :

1º d'élaborer des règles de gouvernance et un code d'éthique pour la conduite des affaires de la Commission;

2º d'élaborer un code d'éthique applicable aux membres du conseil d'administration, aux dirigeants nommés par la Commission et aux employés de celle-ci, sous réserve des dispositions d'un règlement pris en vertu des articles 3.0.1 et 3.0.2 de la *Loi sur le ministère du Conseil exécutif* (chapitre M-30);

3º d'élaborer des profils de compétence et d'expérience pour la nomination des membres indépendants du conseil d'administration; ces profils doivent inclure une expérience de gestion pertinente à la fonction;

4º d'élaborer les critères d'évaluation des membres du conseil d'administration, autres que le président;

5º d'élaborer des critères pour l'évaluation du fonctionnement du conseil d'administration;

6º d'élaborer un programme d'accueil et de formation continue pour les membres du conseil d'administration.

Évaluation — Le Comité effectue l'évaluation visée au paragraphe 5º du premier alinéa conformément aux critères approuvés par le conseil d'administration.

2011, c. 30, art. 7

3.15 Composition — Le Comité de gouvernance et d'éthique est composé de cinq membres désignés parmi ceux du conseil d'administration, de la façon suivante :

1º trois parmi les membres indépendants de la Commission, dont un est désigné président;

2º un parmi ceux provenant de l'association d'employeurs et des associations d'entrepreneurs;

3º un parmi ceux provenant des associations représentatives.

2011, c. 30, art. 7

3.16 Fonctions — Le Comité de vérification a notamment pour fonctions :

1º d'approuver le plan annuel de vérification interne;

2º de s'assurer qu'un plan visant une utilisation optimale des ressources de la Commission soit mis en place et d'en assurer le suivi;

3º de veiller à ce que des mécanismes de contrôle interne soient mis en place et de s'assurer qu'ils soient adéquats et efficaces;

4º de s'assurer que soit mis en place un processus de gestion des risques;

5º de réviser toute activité susceptible de nuire à la bonne situation financière de la Commission et qui est portée à son attention par le vérificateur interne ou un dirigeant;

6º d'examiner les états financiers avec le vérificateur général;

7º de recommander au conseil d'administration l'approbation des états financiers.

Devoirs du comité — Le Comité doit aviser par écrit le conseil d'administration dès qu'il découvre des opérations ou des pratiques de gestion qui ne sont pas saines ou qui ne sont pas conformes aux lois, aux règlements ou aux politiques de la Commission.

2011, c. 30, art. 7

3.17 Composition — Le Comité de vérification est composé de quatre membres désignés parmi ceux du conseil d'administration, de la façon suivante :

1º deux parmi les membres indépendants de la Commission, dont un est désigné président;

2º un parmi ceux provenant de l'association d'employeurs et des associations d'entrepreneurs;

3º un parmi ceux provenant des associations représentatives.

2011, c. 30, art. 7

3.18 Quorum — Le quorum aux séances du Comité de gouvernance et d'éthique et du Comité de vérification est de trois membres, dont le président.

Égalité de voix — En cas d'égalité des voix, le président a un vote prépondérant.

2011, c. 30, art. 7

§2 — Fonctions et pouvoirs

4. Fonction de la Commission — La Commission a pour fonction d'administrer la présente loi et notamment :

1° de veiller à l'application de la convention collective conclue en vertu de la présente loi;

2° de vérifier et contrôler l'application de la présente loi et de ses règlements et notamment le respect des normes relatives à l'embauche et à la mobilité de la main-d'œuvre dans l'industrie de la construction;

3° de s'assurer de la compétence de la main-d'œuvre dans l'industrie de la construction;

4° d'organiser et surveiller la tenue du scrutin d'adhésion syndicale ou conclure une entente avec toute personne en vue de la mandater à cette fin et de constater la représentativité des associations visées à l'article 28;

5° de veiller, dans le cadre des politiques relatives à la main-d'œuvre dans l'industrie de la construction approuvées par le gouvernement, à l'application des mesures et des programmes relatifs à la formation professionnelle des salariés et des employeurs qui exécutent eux-mêmes des travaux de construction;

6° d'administrer des régimes complémentaires d'avantages sociaux conformément à la présente loi;

7° de maintenir un service de vérification des livres de comptabilité des entrepreneurs afin de contrôler et vérifier l'encaissement des cotisations et des prélèvements prévus par la présente loi ou par une convention collective conclue en vertu de la présente loi;

8° d'administrer le Fonds d'indemnisation des salariés de l'industrie de la construction institué par la section I du chapitre VIII.1;

9° d'administrer le Fonds de formation des salariés de l'industrie de la construction institué par la section II du chapitre VIII.1;

10° d'administrer le Service de référence de main-d'œuvre de l'industrie de la construction prévu par l'article 107.7.

Collaboration — Dans l'exercice de ses fonctions, la Commission doit collaborer à la réalisation des engagements du gouvernement du Québec dans le cadre d'ententes intergouvernementales en matière de mobilité de la main-d'œuvre ou de reconnaissance mutuelle des qualifications, compétences et expériences de travail dans des métiers et occupations de l'industrie de la construction; elle doit aussi viser l'élimination de tout travail non déclaré ou exécuté en contravention à la présente loi, collaborer aux efforts de prévention et de lutte contre la corruption dans la mesure que détermine la loi et, à la demande du ministre du Revenu, collaborer à l'application des lois fiscales dans l'industrie de la construction.

1975, c. 51, art. 2; 1979, c. 2, art.17; 1986, c. 89, art. 3; 1988, c. 35, art. 18; 1992, c. 42, art. 3; 1993, c. 61, art. 4; 1995, c. 8, art. 4; 1997, c. 85, art. 395; 2011, c. 17, art. 59; 2011, c. 30, art. 8

4.1 Personnel — La Commission peut nommer le personnel nécessaire à l'exécution de ses fonctions selon le plan d'effectifs qu'elle établit par règlement.

Rémunération — Elle fixe les attributions de son personnel et, sous réserve de l'article 5, sa rémunération.

1986, c. 89, art. 3; 1988, c. 35, art. 2; 2000, c. 8, art. 184

5. Conditions de travail — Les conditions de travail du personnel de la Commission sont déterminées à l'échelle provinciale.

Normes et barèmes de rémunération — Sous réserve des dispositions d'une convention collective, la Commission détermine, par règlement, les normes et barèmes de rémunération, les avantages sociaux et les autres conditions de travail des membres de son personnel conformément aux conditions définies par le gouvernement.

Fonctionnaires — Si des fonctionnaires du gouvernement sont affectés à la Commission, le président exerce à leur égard les pouvoirs d'un dirigeant d'organisme au sens de la *Loi sur la fonction publique* (chapitre F-3.1.1).

Congé sans solde — Les fonctionnaires embauchés par la Commission bénéficient d'un congé sans solde pour la période durant laquelle ils sont à l'emploi de la Commission.

1975, c. 51, art. 2; 1978, c. 15, art. 133; 1983, c. 55, art. 161; 1986, c. 89, art. 50; 1988, c. 35, art. 3; 2000, c. 8, art. 185

6. Procès-verbaux — Sont authentiques les procès-verbaux des séances approuvés par la Commission et certifiés conformes par le président ou le secrétaire. Il en est de même des documents ou des copies émanant de la Commission ou faisant partie de ses archives, lorsqu'ils sont signés par le président ou le secrétaire de la Commission.

1975, c. 51, art. 2; 1986, c. 89, art. 50

7. Enquêtes — Dans l'exercice de ses pouvoirs, la Commission peut, par elle-même ou une personne qu'elle désigne, enquêter sur toute matière de sa compétence.

Pouvoirs de commissaires — La Commission, pour ses enquêtes, a les pouvoirs et les immunités d'un commissaire nommé en vertu de la *Loi sur les commissions d'enquête* (chapitre C-37), sauf le pouvoir d'imposer une peine d'emprisonnement.

1975, c. 51, art. 2; 1986, c. 89, art. 50; 1992, c. 61, art. 529

7.1 Pouvoirs de la Commission — La Commission ou toute personne qu'elle autorise à cette fin peut :

1º pénétrer à toute heure raisonnable dans un lieu où s'effectuent des travaux de construction ou dans un établissement d'un employeur;

2º exiger tout renseignement relatif à l'application de la présente loi ou de ses règlements ainsi qu'à celle de la *Loi sur le bâtiment* (chapitre B-1.1) ou de ses règlements en ce qui concerne la qualification des entrepreneurs et des constructeurs-propriétaires, de même que la communication pour examen ou reproduction de tout document s'y rapportant.

Identification — Toute personne autorisée à exercer les pouvoirs prévus au premier alinéa doit, sur demande, s'identifier et exhiber le certificat délivré par la Commission, attestant sa qualité.

1986, c. 89, art. 4; 1995, c. 8, art. 5

7.2 Coopération — Toute personne concernée par des travaux de construction doit prendre les moyens nécessaires pour permettre à la Commission et à toute personne qu'elle autorise à cette fin d'exercer les pouvoirs prévus à l'article 7.1.

1988, c. 35, art. 4

7.3 Certificat de compétence — La Commission peut, dans l'exercice des pouvoirs prévus à l'article 7.1, demander à toute personne qui exécute ou fait exécuter des travaux de construction de lui démontrer, d'une part, qu'elle est titulaire d'une licence appropriée délivrée en vertu de la *Loi sur le bâtiment* (chapitre B-1.1) et, s'il y a lieu, d'un certificat de compétence ou d'une preuve d'exemption approprié délivré en vertu de la présente loi et, d'autre part, que toute personne dont elle utilise les services pour l'exécution de travaux de construction ou qu'elle affecte à des travaux de construction est titulaire d'un tel certificat de compétence ou preuve d'exemption ou, s'il y a lieu, d'une telle licence.

Licence restreinte — Elle peut aussi, de la même manière, demander à toute personne qui exécute ou fait exécuter des travaux de construction en vertu, soit d'un contrat visé à l'article 3 de la *Loi sur les contrats des organismes publics* (chapitre C-65.1), soit d'un contrat public visé à l'article 65.4 de la *Loi sur le bâtiment*, de lui démontrer à la fois qu'elle est autorisée en application du chapitre V.2 de la *Loi sur les contrats des organismes publics* dans la mesure où elle doit l'être et que la licence dont elle était titulaire ne comportait aucune restriction aux fins de l'obtention d'un contrat public à la date où elle a présenté une soumission pour ce contrat, lorsqu'il a fait l'objet d'un appel d'offres, ou à la date d'adjudication de ce contrat dans les autres cas.

Modification proposée — 7.3 al. 2

Elle peut aussi, de la même manière, demander à toute personne qui exécute ou fait exécuter des travaux de construction en vertu d'un contrat visé à l'article 3 de la *Loi sur les contrats des organismes publics* (chapitre C-65.1) de lui démontrer qu'elle est autorisée en application du chapitre V.2 de cette loi dans la mesure où elle doit l'être.

2012, c. 25, art. 69 [Entrera en vigueur par décret.]

Demande écrite — La Commission formule sa demande par écrit et fixe un délai pour s'y conformer.

1995, c. 8, art. 6; 1997, c. 85, art. 396; 2012, c. 25, art. 97

7.4 Renseignement au client — La personne visée par une demande prévue à l'article 7.3 doit en informer sans délai son client.

Défaut — Si elle fait défaut de s'y conformer dans le délai fixé, la Commission peut, après avoir permis à toute personne intéressée informée de cette demande de lui communiquer son point de vue, ordonner la suspension des travaux dans la mesure qu'elle indique.

Suspension des travaux — La Commission rend sa décision par écrit, en transmet copie à toute personne intéressée qui a fait valoir son point de vue et en affiche une copie dans un endroit en vue sur le lieu des travaux visés.

1995, c. 8, art. 6

7.4.1 Travaux interdits — Nul ne peut exécuter ou faire exécuter des travaux de construction en contravention à une décision rendue en vertu de l'article 7.4.

1998, c. 46, art. 83

7.5 Reprise des travaux — La Commission peut autoriser la reprise des travaux de construction qui ont été suspendus dès que la personne qui entend les exécuter ou les faire exécuter démontre, selon le cas:

1° qu'elle est titulaire d'une licence appropriée délivrée en vertu de la *Loi sur le bâtiment* (chapitre B-1.1) et, s'il y a lieu, d'un certificat de compétence ou d'une preuve d'exemption approprié délivré en vertu de la présente loi;

2° que toute personne dont elle entend utiliser les services pour l'exécution de ces travaux ou qu'elle entend affecter à ces travaux soit titulaire d'un tel certificat de compétence ou preuve d'exemption ou, s'il y a lieu, d'une licence visée au paragraphe 1°;

3° qu'elle est autorisée, lorsqu'elle doit l'être, en application du chapitre V.2 de la *Loi sur les contrats des organismes publics* (chapitre C-65.1) ou qu'il lui est permis de poursuivre l'exécution d'un contrat public conformément à l'article 21.19 de cette loi.

1995, c. 8, art. 6; 2012, c. 25, art. 70

7.5.1 Preuve d'exemption — Pour l'application des articles 7.3 et 7.5, la personne qui établit bénéficier d'une exemption prévue dans un règlement édicté en vertu du deuxième alinéa de l'article 123 est réputée titulaire d'une preuve d'exemption.

1996, c. 74, art. 30

7.6 Exercice des pouvoirs — Les pouvoirs prévus aux articles 7.3 à 7.5 peuvent être exercés par tout membre de son personnel que la Commission autorise à cette fin. Cette personne doit, sur demande, s'identifier et exhiber le certificat visé au deuxième alinéa de l'article 7.1.

1995, c. 8, art. 6

7.7 Demande de révision — Toute personne qui se croit lésée par une décision rendue en vertu de l'article 7.4 peut, dans les 10 jours de sa notification, en demander la révision au Tribunal administratif du travail.

Instruction — La demande de révision est instruite et décidée d'urgence.

1995, c. 8, art. 6; 1998, c. 46, art. 84; 2006, c. 58, art. 35; 2015, c. 15, art. 237

7.8 Dépôt de la décision — La Commission peut déposer une copie conforme d'une décision rendue en vertu de l'article 7.4, à l'expiration du délai pour en demander la révision, ou d'une décision finale du Tribunal administratif du travail, s'il y a eu révision, au bureau du greffier de la Cour supérieure du district où est situé le lieu visé par la décision.

Décision exécutoire — Sur ce dépôt, la décision devient exécutoire comme un jugement final et sans appel de la Cour supérieure et en a tous les effets.

1995, c. 8, art. 6; 1998, c. 46, art. 85; 2006, c. 58, art. 36; 2015, c. 15, art. 237

7.9 Renseignements au ministre — La Commission doit transmettre au ministre, à sa demande, les données statistiques, rapports ou autres renseignements concernant l'application des articles 7.3 à 7.8 dans le délai et suivant la forme qu'il détermine.

1995, c. 8, art. 6

7.10 Immunité — La Commission de même que toute personne visée aux articles 7.1 ou 7.6 ne peuvent être poursuivies en justice en raison d'actes officiels accomplis de bonne foi dans l'exercice de leurs fonctions.

1995, c. 8, art. 6

8. Année financière — L'année financière de la Commission est l'année civile.

Dépenses — Les dépenses encourues par la Commission pour son administration sont à la charge de la Commission.

1975, c. 51, art. 2; 1986, c. 89, art. 50

8.1 Contribution à un fonds — La Commission de la construction du Québec contribue au Fonds du Tribunal administratif du travail, visé à l'article 97 de la *Loi instituant le Tribunal administratif du travail* (chapitre T-15.1), pour pourvoir aux dépenses engagées par ce tribunal relativement aux plaintes, aux contestations et aux recours qui lui sont soumis en vertu de la présente loi.

Versement de la contribution — Le montant et les modalités de versement de la contribution de la Commission de la construction du Québec sont déterminés par le gouvernement.

2005, c. 42, art. 1; 2006, c. 58, art. 37; 2015, c. 15, art. 190

9. Rapport annuel — La Commission doit, au plus tard le 30 juin de chaque année, soumettre au ministre un rapport de ses activités pour l'année financière précédente.

Utilisation des fonds — Ce rapport doit faire état de l'utilisation faite de tout fonds de formation administré par la Commission en vertu du paragraphe 9º de l'article 4, le cas échéant, et contenir, à cet égard, les renseignements que le ministre indique.

Contenu du rapport — Il peut également contenir toute proposition en vue de favoriser la réalisation, dans l'industrie de la construction, de l'objet de la *Loi favorisant le développement et la reconnaissance des compétences de la main-d'œuvre* (chapitre D-8.3) en tenant compte de la participation au développement des compétences de la main-d'œuvre qu'elle impose aux employeurs.

Dépôt — Le ministre dépose ce rapport à l'Assemblée nationale dans les 15 jours de sa réception ou, si elle ne siège pas, dans les 15 jours de la reprise de ses travaux.

1975, c. 51, art. 2; 1986, c. 89, art. 50; 1995, c. 43, art. 52; 2007, c. 3, art. 66

10. Budget — La Commission doit, au moins deux mois avant le début de chaque année financière, préparer son budget.

Approbation — Avant le début du mois qui précède le début de l'année financière, ce budget est transmis, pour approbation, au Comité sur les avantages sociaux de l'industrie de la construction et au Comité sur la formation. Si ces derniers ne l'ont pas approuvé le 31 décembre, le budget entre automatiquement en vigueur le 1er janvier.

1975, c. 51, art. 2; 1986, c. 89, art. 5; 50; 2011, c. 30, art. 9

11. Vérification des comptes — Les comptes de la Commission sont vérifiés par le vérificateur général une fois l'an et en outre, chaque fois que le décrète le gouvernement.

Examen des livres — La Commission doit permettre, par le vérificateur général, l'examen de tout livre comptable relatif à tout régime complémentaire d'avantages sociaux qu'elle administre ou fait administrer en vertu de la présente loi.

1975, c. 19, art. 13; 1975, c. 51, art. 2; 1986, c. 89, art. 50; 1993, c. 61, art. 5

12. (*Abrogé*).

1975, c. 51, art. 2; 1980, c. 23, art. 1; 1983, c. 13, art. 1; 1986, c. 89, art. 50; 2011, c. 30, art. 10

13. Cautionnement — La Commission doit fournir un cautionnement par police d'assurance pour l'administration des fonds qui lui sont confiés et transmettre cette dernière au ministre.

1975, c. 51, art. 2; 1986, c. 89, art. 50; 1999, c. 40, art. 257

14. Bureau régional et plaintes — La Commission :

a) doit établir un bureau dans chaque région où elle l'estime nécessaire pour la bonne exécution de son mandat;

b) doit considérer toute plainte écrite d'un employeur ou d'un salarié relative à l'exécution de son mandat.

1975, c. 51, art. 2; 1986, c. 89, art. 50

15. Règlements de régie interne — La Commission peut adopter des règlements pour sa régie interne et pour toutes les fins de l'exécution de son mandat.

Approbation — Ces règlements sont soumis à l'approbation du gouvernement.

1975, c. 51, art. 2; 1986, c. 89, art. 50

§3 — Unité autonome de vérification

15.1 Unité autonome de vérification — Une unité autonome de vérification est instituée au sein de la Commission.

2011, c. 17, art. 60

15.2 Fonction — L'unité autonome est chargée d'effectuer, dans l'industrie de la construction, des vérifications menées sous la coordination des commissaires associés aux vérifications nommés suivant l'article 8 de la *Loi concernant la lutte contre la corruption* (chapitre L-6.1).

2011, c. 17, art. 60; 2013, c. 23, art. 137

15.3 Personnel de la Commission — Les membres du personnel de la Commission affectés à l'unité autonome y exercent leurs fonctions de manière exclusive. Ils peuvent exercer les pouvoirs prévus aux articles 7, 7.1 et 7.3, aux paragraphes *e* et *f* du premier alinéa de l'article 81 et à l'article 81.0.1.

2011, c. 17, art. 60

15.4 Administration de l'unité autonome — L'administration de l'unité autonome relève du président de la Commission, en sa qualité de directeur général de la Commission. Il peut toutefois déléguer tout ou partie de cette fonction à un membre du personnel de la Commission.

Président de la Commission — Le président de la Commission ne rend compte de l'administration de l'unité autonome qu'au commissaire à la lutte contre la corruption.

2011, c. 17, art. 60

15.5 Entente — Une entente de fonctionnement relative à l'unité autonome est conclue entre le ministre de la Sécurité publique, le ministre du Travail, le commissaire à la lutte contre la corruption et la Commission. Cette entente prévoit notamment les mesures destinées à assurer, au sein de la Commission et y compris à l'égard des membres du conseil d'administration de la Commission, la confidentialité des activités de l'unité autonome ainsi qu'à définir la collaboration que les membres du personnel de la Commission non affectés à cette unité doivent lui offrir.

2011, c. 17, art. 60

15.6 Financement — Les dépenses relatives aux activités de l'unité autonome, y compris les traitements, allocations, indemnités et avantages sociaux du personnel qui y est affecté, sont financées sur les crédits accordés au commissaire à la lutte contre la corruption. Ce financement est assuré conformément aux modalités déterminées par l'entente prévue à l'article 15.5.

2011, c. 17, art. 60

15.7 Calcul du délai de prescription — Aux fins du calcul de tout délai de prescription dont la présente loi détermine qu'il commence à courir à compter de la connaissance d'un fait par la Commission, un fait à la connaissance d'un membre de l'unité autonome est présumé ne pas être à la connaissance de la Commission, sauf si cette dernière en a été informée par un commissaire associé aux vérifications nommé suivant l'article 8 de la *Loi concernant la lutte contre la corruption* (chapitre L-6.1).

2011, c. 17, art. 60; 2013, c. 23, art. 138

SECTION II — COMITÉ MIXTE (ABROGÉE)

[Intertitre abrogé, 2011, c. 30, art. 11.]

16. (*Abrogé*).

1975, c. 51, art. 2; 1983, c. 13, art. 2; 1986, c. 89, art. 50; 1993, c. 61, art. 6; 2011, c. 30, art. 11

17. (*Abrogé*).

1975, c. 51, art. 2; 1983, c. 13, art. 3; 1986, c. 89, art. 50; 1987, c. 110, art. 1; 1993, c. 61, art. 7; 1995, c. 8, art. 7; 2011, c. 30, art. 11

18. (*Abrogé*).

1975, c. 51, art. 2; 1986, c. 89, art. 50; 2011, c. 30, art. 11

SECTION III — COMITÉ SUR LA FORMATION PROFESSIONNELLE DANS L'INDUSTRIE DE LA CONSTRUCTION

18.1 Formation du Comité — Le ministre procède à la formation du Comité sur la formation professionnelle dans l'industrie de la construction.

1986, c. 89, art. 6

18.2 Avis à la Commission — Le Comité sur la formation donne à la Commission des avis sur toute question relative à la formation professionnelle dans l'industrie de la construction en tenant compte notamment des besoins qualitatifs et quantitatifs des employeurs et des salariés de cette industrie.

Développement de la main-d'œuvre — Il lui fait aussi toute proposition destinée à favoriser la réalisation, dans l'industrie de la construction, de l'objet de la *Loi favorisant le développement et la reconnaissance des compétences de la main-d'œuvre* (chapitre D-8.3) en tenant compte de la participation au développement des compétences de la main-d'œuvre qu'elle impose aux employeurs.

Utilisation d'un fonds — Le Comité détermine également les règles générales d'utilisation d'un fonds de formation administré par la Commission en vertu du paragraphe 9° de l'article 4.

1986, c. 89, art. 6; 1988, c. 35, art. 18; 1995, c. 43, art. 53; 2007, c. 3, art. 67

18.3 Composition — Le Comité sur la formation est composé de 12 membres.

1986, c. 89, art. 6; 1993, c. 61, art. 8; 1995, c. 8, art. 8; 2011, c. 30, art. 12

18.4 Président — Le président est désigné par le président de la Commission parmi son personnel.

Désignation — L'association d'employeurs et les associations d'entrepreneurs désignent chacune un membre, à l'exception des corporations visées par le paragraphe *c*.1 du premier alinéa de l'article 1, qui n'en désignent qu'un seul pour les deux.

Désignation — Le ministre de l'Éducation, du Loisir et du Sport désigne un membre.

Désignation — Les associations représentatives désignent cinq membres.

Désignation — Chaque association représentative désigne un membre. Si les cinq postes auxquels ont droit les associations représentatives ne se trouvent pas ainsi comblés, ceux-ci sont comblés à tour de rôle par les associations, selon l'ordre de leur degré de représentativité, jusqu'à ce que tous les postes aient été comblés.

1986, c. 89, art. 6; 1992, c. 42, art. 4; 1993, c. 61, art. 9; 1995, c. 8, art. 9; 2011, c. 30, art. 13

18.5 Substitut — Un substitut est désigné pour remplacer chaque membre du Comité sur la formation. Le substitut n'assiste aux séances qu'en l'absence du membre qu'il remplace.

1986, c. 89, art. 6

18.6 Transmission au ministre — Le nom des membres et de leurs substituts doivent être transmis au ministre dans les trente jours de la délivrance du certificat visé à l'article 34.

1986, c. 89, art. 6

18.7 Durée du mandat — Les membres et les substituts demeurent en fonction jusqu'à ce qu'ils aient été remplacés ou nommés de nouveau.

1986, c. 89, art. 6

18.8 Remplaçant — Celui qui a désigné le membre ou le substitut dont le poste devient vacant transmet au ministre le nom de son remplaçant.

1986, c. 89, art. 6

18.9 Quorum — Le quorum aux séances du Comité sur la formation est constitué du président, de trois membres représentant l'association d'employeurs et les associations d'entrepreneurs et de trois membres représentant les associations représentatives.

1986, c. 89, art. 6; 1993, c. 61, art. 10; 1995, c. 8, art. 10

18.10 Vote — Pour valoir, une décision ou un avis doit être approuvé à la majorité. Le président siège sans droit de vote.

1986, c. 89, art. 6; 1995, c. 43, art. 54

18.10.1 Commission liée — Les décisions du Comité sur les règles générales d'utilisation d'un fonds de formation administré par la Commission lient cette dernière.

1995, c. 43, art. 55

18.11 Procès-verbaux — Les procès-verbaux des séances sont dressés par un membre du personnel de la Commission.

1986, c. 89, art. 6

18.12 Régie interne — Le Comité sur la formation peut adopter des règles pour sa régie interne. Ces règles sont soumises à l'approbation de la Commission. Il peut également former tout sous-comité provincial ou régional sur des métiers, des occupations ou sur un secteur de l'industrie de la construction et qui peut être composé de personnes qui ne sont pas membres du Comité sur la formation.

Sous-comité — L'article 18.14 s'applique aux membres du sous-comité.

1986, c. 89, art. 6

18.13 Emploi non rémunéré — Aucun membre du Comité sur la formation, à l'exception du président, ne peut détenir un emploi rémunéré à la Commission.

1986, c. 89, art. 6

18.14 Rémunération — Les membres et les substituts ne sont pas rémunérés sauf dans les cas, aux conditions et dans la mesure que peut déterminer le gouvernement.

Remboursement des dépenses — Ils ont cependant droit au remboursement des dépenses faites dans l'exercice de leurs fonctions aux conditions et dans la mesure que peut déterminer le gouvernement.

Sommes requises — Les sommes requises pour l'application du présent article sont à la charge de la Commission.

1986, c. 89, art. 6

SECTION III.1 — COMITÉ SUR LES AVANTAGES SOCIAUX DE L'INDUSTRIE DE LA CONSTRUCTION

18.14.1 Formation — Le ministre procède à la formation du Comité sur les avantages sociaux de l'industrie de la construction.

2011, c. 30, art. 14

18.14.2 Fonction — Le Comité sur les avantages sociaux de l'industrie de la construction a pour fonction de définir le contenu des régimes complémentaires d'avantages sociaux.

2011, c. 30, art. 14

18.14.3 Composition — Le Comité sur les avantages sociaux de l'industrie de la construction est composé de 11 membres.

2011, c. 30, art. 14

18.14.4 Comité — Le Comité sur les avantages sociaux de l'industrie de la construction est présidé par le président de la Commission ou par une personne qu'il désigne parmi le personnel de la Commission.

Désignation — L'association d'employeurs et les associations sectorielles d'employeurs désignent chacune un membre, à l'exception de l'Association de la construction du Québec qui en désigne deux.

Désignation — Les associations représentatives désignent cinq membres.

Désignation — Chaque association représentative désigne un membre. Si les cinq postes auxquels ont droit les associations représentatives ne se trouvent pas ainsi comblés, ceux-ci sont comblés à tour de rôle par les associations, selon l'ordre de leur degré de représentativité, jusqu'à ce que tous les postes aient été comblés.

2011, c. 30, art. 14

18.14.5 Règlement — Le Comité sur les avantages sociaux de l'industrie de la construction peut faire tout règlement pour donner effet à une clause d'une convention collective visant la création ou la modification d'un régime complémentaire d'avantages sociaux. Seule une clause expresse d'une convention collective peut modifier le montant des cotisations ou des contributions affectées aux régimes complémentaires d'avantages sociaux ou modifier ou abolir toute clause expresse d'une convention collective en regard de ce régime.

Règlement — Le Comité peut établir par règlement les modalités nécessaires pour transférer à un autre régime toute somme provenant du patrimoine d'un régime complémentaire de retraite applicable à l'industrie de la construction pour un groupe de salariés assujettis jusque-là à une convention collective conclue en vertu de la présente loi. Il peut aussi établir par règlement les modalités nécessaires pour maintenir un régime d'avantages sociaux en faveur de salariés :

1° qui ne sont plus assujettis à une convention collective conclue en vertu de la présente loi;

2° qui exécutent temporairement des travaux non visés par la présente loi, mais dans la mesure où leur participation à ce régime n'est pas interdite par une convention collective ou un décret qui les vise;

3° visés par une convention collective ou un décret qui prévoit expressément leur participation à ce régime.

Règlement — Le règlement détermine alors le montant des cotisations et contributions à ce régime.

2011, c. 30, art. 14

18.14.6 Pouvoirs — Le Comité sur les avantages sociaux de l'industrie de la construction peut, conformément à la loi, conclure une entente avec toute personne ou association pour permettre le transfert réciproque, en tout ou en partie, de sommes accumulées au crédit d'un bénéficiaire d'un régime complémentaire d'avantages sociaux qu'elle administre. Il peut établir par règlement les modalités nécessaires pour donner effet à une telle entente.

2011, c. 30, art. 14

18.14.7 Application — À l'exception de ses articles 15 et 20, la *Loi sur les règlements* (chapitre R-18.1) ne s'applique pas à un règlement pris en vertu de l'article 18.14.5 ou 18.14.6.

2011, c. 30, art. 14

18.14.8 Quorum — Le quorum aux séances du Comité sur les avantages sociaux de l'industrie de la construction est constitué du président, de trois membres représentant l'association d'employeurs et les associations sectorielles d'employeurs et de trois membres représentant les associations représentatives.

2011, c. 30, art. 14

18.14.9 Règles — Le Comité sur les avantages sociaux de l'industrie de la construction peut adopter des règles pour sa régie interne.

2011, c. 30, art. 14

18.14.10 Rémunération — Les membres du Comité sur les avantages sociaux de l'industrie de la construction ne sont pas rémunérés sauf dans les cas, aux conditions et dans la mesure que peut déterminer le gouvernement.

Remboursement des dépenses — Ils ont cependant droit au remboursement des dépenses faites dans l'exercice de leurs fonctions aux conditions et dans la mesure que peut déterminer le gouvernement.

Sommes requises — Les sommes requises pour l'application du présent article sont à la charge de la Commission.

2011, c. 30, art. 14

18.14.11 Application — Les articles 18.10, 18.11 et 18.13 s'appliquent au Comité sur les avantages sociaux de l'industrie de la construction en faisant les adaptations nécessaires.

2011, c. 30, art. 14

Section IV — Autres comités

18.15 Formation des comités — La Commission peut former tout comité pour donner suite aux dispositions d'une convention collective.

Dépenses de fonctionnement — Lorsqu'un tel comité s'occupe de la gestion d'un fonds institué par une convention collective, les dépenses reliées au fonctionnement du comité sont à la charge du fonds.

1997, c. 74, art. 2

Chapitre III — Champ d'application et dispositions diverses

Section I — Champ d'application et exécution de travaux de construction

19. Application et exclusion — La présente loi s'applique aux employeurs et aux salariés de l'industrie de la construction; toutefois, elle ne s'applique pas :

1° aux exploitations agricoles et aux travaux de construction d'une serre destinée à la production agricole lorsqu'ils sont exécutés par les salariés habituels du serriculteur ou par ceux du fabricant de la serre, de son ayant cause ou d'une personne dont l'activité principale est d'effectuer de tels travaux et qui en est chargée à titre exclusif par ce fabricant ou ayant cause;

2° aux travaux d'entretien et de réparation exécutés par des salariés permanents et par des salariés qui les remplacent temporairement, embauchés directement par un employeur autre qu'un employeur professionnel;

3° aux travaux de construction de canalisations d'eau, d'égouts, de pavages et de trottoirs et à d'autres travaux du même genre exécutés par les salariés des communautés métropolitaines et des municipalités;

4° aux travaux de construction qui se rattachent directement à l'exploration ou à l'exploitation d'une mine et qui sont exécutés par les salariés des entreprises minières et aux travaux relatifs à un parc à résidus miniers;

5° aux travaux de construction qui se rattachent directement à l'exploitation de la forêt et qui sont exécutés par les salariés des entreprises d'exploitation forestière, ainsi qu'aux travaux de construction d'un chemin forestier visés par règlement du gouvernement, aux conditions et modalités qui y sont prévues;

6° aux travaux de construction de lignes de transport de force exécutés par les salariés d'Hydro-Québec;

7° (*paragraphe abrogé*);

8° aux travaux d'entretien, de rénovation, de réparation et de modification exécutés par des salariés permanents embauchés directement par des communautés métropolitaines et des municipalités, par des salariés permanents embauchés directement par les commissions scolaires et collèges visés dans la *Loi sur le régime de négociation des conventions collectives dans les secteurs public et parapublic* (chapitre R-8.2) et par des salariés permanents embauchés directement par les établissements publics visés dans la *Loi sur les services de santé et les services sociaux* (chapitre S-4.2) ou dans la *Loi sur les services de santé et les services sociaux pour les autochtones cris* (chapitre S-5), de même que par des salariés qu'ils embauchent directement pour remplacer temporairement ces salariés permanents;

9° aux travaux suivants, exécutés pour une personne physique, agissant pour son propre compte et à ses fins personnelles et exclusivement non lucratives :

(i) d'entretien, de réparation, de rénovation et de modification d'un logement qu'elle habite;

(ii) de construction d'un garage ou d'une remise annexe à un logement qu'elle habite, qu'il lui soit contigu ou non;

10° aux travaux de construction relatifs aux gouttières, aux portes de garage, aux systèmes d'aspirateur central et à l'aménagement paysager, y compris les cours, entrées ou trottoirs en asphalte ou en béton, lorsque ces travaux sont exécutés au regard d'une maison unifamiliale isolée par une personne qui n'est pas un employeur professionnel ou par un salarié qui n'exécute pas habituellement des travaux de construction autres que ceux visés par le présent paragraphe;

11° au transport d'une matière en vrac effectué par un exploitant de véhicules lourds inscrit au Registre du camionnage en vrac en vertu de la *Loi sur les transports* (chapitre T-12), lorsque le seul camion apparaissant au registre au nom de l'exploitant est conduit par celui-ci ou, dans le cas d'une personne morale, par l'administrateur ou actionnaire principal de cette personne morale, ou encore par une personne qui remplace cet exploitant ou cet administrateur ou actionnaire principal en raison d'une inaptitude de fait de celui-ci;

12° au marquage du revêtement d'une voie publique ou privée;

13° à la réalisation ou à la restauration d'une production artistique originale de recherche ou d'expression ou à son intégration à l'architecture d'un bâtiment ou d'un ouvrage de génie civil ou à leurs espaces intérieurs et extérieurs, lorsque ces travaux sont exécutés par une personne qui, sans être un salarié habituel d'un employeur professionnel, est :

(i) soit un artiste professionnel membre, à ce titre, d'une association reconnue dans le domaine des arts visuels ou des métiers d'art en vertu de la *Loi sur le statut professionnel des artistes des arts vi-*

suels, des métiers d'art et de la littérature et sur leurs contrats avec les diffuseurs (chapitre S-32.01);

(ii) soit un restaurateur professionnel membre d'une association de restaurateurs reconnue à cette fin par le ministre, après consultation auprès du ministre de la Culture et des Communications; le ministre publie à la *Gazette officielle du Québec* le nom de toute association de restaurateurs qu'il reconnaît;

14° aux travaux bénévoles de construction visés par règlement du gouvernement, aux conditions et modalités qui y sont prévues.

Entrepreneur autonome — Dans la présente loi et ses règlements, un entrepreneur autonome est réputé être un employeur.

Abrogation proposée — 19 al. 2

Lors de l'entrée en vigueur par décret de L.Q. 2013, c. 16, art 150, l'art. 19 al. 2 sera abrogé.

2013, c. 16, art. 150 [Entrera en vigueur par décret.]

Employeur professionnel — Un employeur professionnel ne peut directement ou par intermédiaire retenir les services d'un entrepreneur autonome pour l'exécution de travaux de construction, à l'exception d'un entrepreneur autonome compris dans les sous-catégories « Entrepreneur de machineries lourdes » ou « Entrepreneur en excavation et terrassement ».

Abrogation proposée — 19 al. 3

Lors de l'entrée en vigueur par décret de L.Q. 2013, c. 16, art 150, l'art. 19 al. 3 sera abrogé.

2013, c. 16, art. 150 [Entrera en vigueur par décret.]

Entrepreneur non compris dans les sous-catégories — Une personne autre qu'un employeur professionnel peut retenir les services d'un entrepreneur autonome qui n'est pas compris dans les sous-catégories « Entrepreneur de machineries lourdes » ou « Entrepreneur en excavation et terrassement », seulement pour l'exécution de travaux d'entretien, de réparation et de rénovation mineure.

Abrogation proposée — 19 al. 4

Lors de l'entrée en vigueur par décret de L.Q. 2013, c. 16, art 150, l'art. 19 al. 4 sera abrogé.

2013, c. 16, art. 150 [Entrera en vigueur par décret.]

Interdiction — Une personne autre qu'un employeur professionnel ne peut simultanément faire exécuter sur un même chantier des travaux d'entretien, de réparation et de rénovation mineure par plus d'un entrepreneur autonome de quelque sous-catégorie que ce soit, sauf des sous-catégories « Entrepreneur de machineries lourdes » ou « Entrepreneur en excavation et terrassement ».

Abrogation proposée — 19 al. 5

Lors de l'entrée en vigueur par décret de L.Q. 2013, c. 16, art 150, l'art. 19 al. 5 sera abrogé.

2013, c. 16, art. 150 [Entrera en vigueur par décret.]

Rémunération minimum — L'entrepreneur autonome doit exiger une rémunération au moins égale, sur une base horaire, à la rémunération en monnaie courante et aux indemnités ou avantages ayant une valeur pécuniaire déterminés par une convention collective pour un salarié exécutant de semblables travaux, à l'exclusion des avantages relatifs à un régime complémentaire d'avantages sociaux.

Abrogation proposée — 19 al. 6

Lors de l'entrée en vigueur par décret de L.Q. 2013, c. 16, art 150, l'art. 19 al. 6 sera abrogé.

2013, c. 16, art. 150 [Entrera en vigueur par décret.]

Attestation d'adhésion — La personne qui exécute des travaux de construction à titre d'entrepreneur autonome ou à titre de représentant désigné de l'entrepreneur autonome doit avoir en sa possession une attestation d'adhésion de cet entrepreneur à l'association d'employeurs.

Abrogation proposée — 19 al. 7

Lors de l'entrée en vigueur par décret de L.Q. 2013, c. 16, art 150, l'art. 19 al. 7 sera abrogé.

2013, c. 16, art. 150 [Entrera en vigueur par décret.]

1968, c. 45, art. 2; 1970, c. 35, art. 2; 1973, c. 28, art. 2; 1978, c. 41, art. 28; 1979, c. 2, art. 18; 1985, c. 12, art. 99; 1986, c. 89, art. 7, 50; 1988, c. 35, art. 5; 1990, c. 85, art. 122; 1992, c. 21, art. 298; 1992, c. 42, art. 5; 1993, c. 61, art. 11; 1994, c. 23, art. 23; 1995, c. 8, art. 11; 1996, c. 2, art. 888; 1998, c. 46, art. 87; 1999, c. 40, art. 257; 1999, c. 82, art. 26; 2000, c. 56, art. 218; 2001, c. 79, art. 3; 2005, c. 42, art. 2; 2011, c. 30, art. 15; 2016, c. 17, art. 113

Ajout proposé — 19.0.1-19.0.3

19.0.1 Les restrictions suivantes s'appliquent aux travaux de construction exécutés par un entrepreneur autonome sauf pour l'exécution de travaux de construction en excavation ou terrassement exécutés par l'entrepreneur autonome à l'aide d'une machinerie lourde ou d'un équipement lourd dont il est le propriétaire ou le crédit-preneur :

1° l'entrepreneur autonome ne peut exécuter des travaux de construction autres que des travaux d'entretien, de réparation ou de rénovation mineure;

2° un employeur professionnel ne peut directement ou par intermédiaire retenir les services d'un entrepreneur autonome pour l'exécution de travaux de construction;

3° une personne autre qu'un employeur professionnel ne peut directement ou par intermédiaire retenir les services d'un entrepreneur autonome sauf pour l'exécution de travaux d'entretien, de réparation et de rénovation mineure;

4° une personne autre qu'un employeur professionnel ne peut directement ou par intermédiaire faire exécuter simultanément sur un même chantier des travaux d'entretien, de réparation et de rénovation mineure par plus d'un entrepreneur autonome;

5° l'entrepreneur autonome doit exiger une rémunération au moins égale, sur une base horaire, à la rémunération en monnaie courante et aux indemnités ou avantages ayant une valeur pécuniaire déterminés par une convention collective pour un salarié exécutant de semblables travaux, à l'exclusion des avantages relatifs à un régime complémentaire d'avantages sociaux;

6° la personne qui exécute des travaux de construction à titre d'entrepreneur autonome doit avoir en sa possession une attestation d'adhésion de cet entrepreneur à l'association d'employeurs.

2013, c. 16, art. 151 [Entrera en vigueur par décret.]

19.0.2 Les restrictions prévues aux paragraphes 1° à 5° de l'article 19.0.1 ne s'appliquent pas aux travaux de construction sur un chantier si l'entrepreneur autonome satisfait à l'ensemble des conditions suivantes pour ce chantier :

1° il est une personne morale ou une société;

2° il exige en coûts de main-d'œuvre pour, selon le cas, l'administrateur, l'actionnaire ou l'associé qui exécute ces travaux, une rémunération au moins égale, sur une base horaire, à la rémunération en monnaie courante, aux cotisations, aux contributions, au prélèvement et aux indemnités ou avantages ayant une valeur pécuniaire, déterminés par la présente loi, ses règlements ou une convention collective prise en vertu de la présente loi, pour un salarié exécutant de semblables travaux;

3° il inscrit dans ses livres de comptabilité et ses registres les mêmes renseignements et applique les mêmes retenues ou déductions à la source pour les travaux de cet administrateur, de cet actionnaire ou de cet associé, que ceux prévus par la présente loi, ses règlements ou une convention collective prise en vertu de la présente loi qui incombent à un employeur pour un salarié à son emploi exécutant de semblables travaux, à l'exception de la cotisation syndicale;

4° il transmet à la Commission un rapport mensuel visé au paragraphe *b* du premier alinéa de l'article 82 pour toutes les heures de travail consacrées à ces travaux par cet administrateur, cet actionnaire ou cet associé, et y joint toutes les sommes correspondant à celles exigibles d'un employeur pour un salarié à son emploi exécutant de semblables travaux, à l'exception de la cotisation syndicale;

5° il satisfait, eu égard aux travaux exécutés par cet administrateur, cet actionnaire ou cet associé, aux autres obligations prévues par la présente loi, ses règlements ou une convention collective prise en vertu de la présente loi qui incombent à un employeur pour un salarié à son emploi exécutant de semblables travaux à moins que le contexte ne s'y oppose.

2013, c. 16, art. 151 [Entrera en vigueur par décret.]

19.0.3 Dans la présente loi et ses règlements, un entrepreneur autonome est réputé être un employeur, sous réserve du deuxième alinéa. De plus, lorsque l'entrepreneur autonome est une personne morale ou une société, l'administrateur, l'actionnaire ou l'associé qui exécute lui-même au bénéfice de la personne morale ou de la société des travaux de construction n'est assujetti, aux fins de ces travaux, qu'aux seules obligations, conditions et restrictions applicables à l'entrepreneur autonome.

Aux fins des recours civils pris en vertu de la présente loi, l'entrepreneur autonome qui exécute sur un chantier des travaux de construction en contravention avec la restriction prévue au paragraphe 1° de l'article 19.0.1 est réputé pour ce chantier être salarié de la personne qui a retenu ses services pour l'exécution de ces travaux.

La présomption prévue au deuxième alinéa n'empêche pas qu'une poursuite pénale soit intentée contre l'entrepreneur autonome qui exécute des travaux de construction en contravention avec la restriction prévue au paragraphe 1° de l'article 19.0.1, ni contre la personne qui a retenu ses services pour l'exécution de ces travaux.

2013, c. 16, art. 151 [Entrera en vigueur par décret.]

19.1 Personne morale ou société — Pour chaque personne morale ou société, un seul administrateur ou actionnaire détenant au moins une action avec droit de vote de la personne morale ou un seul associé peut exécuter luimême, à titre de représentant de la personne morale ou de la société, des travaux de construction. Il doit alors être désigné à ce titre auprès de la Commission.

Restriction — Le représentant désigné ne doit pas être un salarié de la personne morale ou de la société qui le désigne pendant la durée de sa désignation.

Salarié — Une personne qui n'est pas le représentant désigné et qui exécute elle-même des travaux de construction au bénéfice de la personne morale ou de la société est réputée être son salarié aux fins de la présente loi et de ses règlements.

Représentant — Le représentant est désigné selon les conditions et les modalités que la Commission détermine par règlement.

Employeur — Le représentant désigné est réputé être un employeur pour l'application des articles 85.5 et 85.6.

Modification proposée — 19.1

19.1 **Personne morale ou société** — Pour chaque personne morale ou société, titulaire, lorsque requis, d'une licence délivrée en vertu de la *Loi sur le bâtiment* (chapitre B-1.1) un seul administrateur ou actionnaire détenant au moins une action avec droit de vote de la personne morale ou un seul associé peut exécuter lui-même, à titre de représentant de la personne morale ou de la société, des travaux de construction. Il doit alors être désigné à ce titre auprès de la Commission.

Restriction — Le représentant désigné ne doit pas être un salarié de la personne morale ou de la société qui le désigne pendant la durée de sa désignation.

Salarié — Une personne qui n'est pas le représentant désigné et qui exécute elle-même des travaux de construction au bénéfice de la personne morale ou de la société est réputée être son salarié aux fins de la présente loi et de ses règlements; toutefois cette présomption ne s'applique pas à l'administrateur, à l'actionnaire ou à l'associé qui est entrepreneur autonome.

Représentant — Le représentant est désigné selon les conditions et les modalités que la Commission détermine par règlement. Le représentant désigné de l'entrepreneur autonome est sujet aux obligations, conditions et restrictions prévues aux articles 19.0.1 à 19.0.3 pour l'entrepreneur autonome.

Employeur — Le représentant désigné est réputé être un employeur pour l'application des articles 85.5 et 85.6.

2013, c. 16, art. 152 [Entrera en vigueur par décret.]

1992, c. 42, art. 6; 1999, c. 40, art. 257

19.2 **Interdiction** — Nul ne peut exécuter des travaux de construction à moins qu'il ne soit un employeur, un salarié, un entrepreneur autonome ou un représentant désigné en vertu de l'article 19.1.

Ajout proposé — 19.2 al. 2

Aux fins des recours civils prévus dans la présente loi, tout individu qui exécute sur un chantier des travaux de construction pour le compte d'autrui sans être employeur, salarié, entrepreneur autonome ou représentant désigné, est présumé être à l'emploi de la personne responsable de l'execution de l'ensemble des travaux de ce chantier, à moins que cette personne ne démontre qu'elle a confié, par contrat, la responsabilité de l'exécution des travaux effectués par cet individu à un entrepreneur titulaire de la licence requise par la *Loi sur le bâtiment* (chapitre B.1.1) ou à un employeur enregistré auprès de la Commission, lequel entrepreneur ou employeur est alors présumé être l'employeur de cet individu pour l'exécution des travaux effectués par celui-ci, à moins qu'il ne fasse lui-même pareille démonstration.

Pour l'application du deuxième alinéa, le propriétaire de l'immeuble sur lequel sont effectués les travaux de l'individu visé au deuxième alinéa est présumé être responsable de l'exécution de l'ensemble des travaux sur ce chantier à moins qu'il ne démontre qu'il en a confié, par contrat, la responsabilité à une autre personne.

Les présomptions prévues aux deuxième et troisième alinéas n'empêchent pas qu'une poursuite pénale soit intentée contre un individu qui exécute des travaux de construction en contravention avec le premier alinéa, ni contre la personne qui en a retenu les services.

2013, c. 16, art. 153 [Entrera en vigueur par décret.]

1992, c. 42, art. 6

20. Règlements — Le gouvernement peut, par règlement, déterminer les cas visés au deuxième alinéa du paragraphe *f* de l'article 1.

1970, c. 35, art. 2; 1973, c. 28, art. 3

SECTION I.1 — ENTENTES PERMETTANT L'APPLICATION D'UN RÉGIME PARTICULIER

20.1 Mise en œuvre de l'entente — La présente section a pour objet d'autoriser la mise en œuvre de toute entente conclue relativement à une matière visée par la présente loi entre le gouvernement et les Mohawks de Kahnawake représentés par le Conseil Mohawk de Kahnawake et permettant l'application d'un régime particulier.

Normes — L'entente visée au premier alinéa doit prévoir que le régime de Kahnawake contient des normes semblables à celles du régime institué dans cette matière par la présente loi.

2014, c. 18, art. 5

20.2 Application — Les dispositions d'une entente visée à l'article 20.1 s'appliquent malgré toute disposition contraire de la présente loi, à moins que l'entente n'en dispose autrement.

2014, c. 18, art. 5

20.3 Règlement — Le gouvernement peut, par règlement, prendre toute mesure nécessaire à l'application de la présente section, notamment prévoir les adaptations qu'il convient d'apporter aux dispositions d'une loi ou d'un texte d'application pour tenir compte de l'existence d'une entente.

Règlement — Un règlement pris en vertu du premier alinéa requiert l'assentiment préalable des Mohawks de Kahnawake représentés par le Conseil Mohawk de Kahnawake.

2014, c. 18, art. 5

20.4 Dépôt de l'entente — Toute entente visée à l'article 20.1 est déposée par le ministre à l'Assemblée nationale dans les 30 jours de sa signature ou, si elle ne siège pas, dans les 30 jours de la reprise de ses travaux.

Étude de l'entente — La commission compétente de l'Assemblée nationale doit étudier cette entente, de même que tout règlement pris en vertu du premier alinéa de l'article 20.3.

2014, c. 18, art. 5

20.5 Publication de l'entente — Toute entente est publiée sur le site Internet du ministère du Travail, du ministère du Conseil exécutif et de la Commission, au plus tard à la date de son entrée en vigueur et jusqu'au cinquième anniversaire de sa cessation d'effet, le cas échéant.

2014, c. 18, art. 5

20.6 Entente administrative — La Commission peut conclure avec le Conseil Mohawk de Kahnawake une entente administrative pour faciliter l'application d'une entente visée à l'article 20.1.

2014, c. 18, art. 5

SECTION II — COMMISSION DES RELATIONS DU TRAVAIL

21. Difficulté d'interprétation — Toute difficulté d'interprétation ou d'application des paragraphes *v* à *y* du premier alinéa de l'article 1, de l'article 19 ou des règlements pris en vertu de l'article 20 doit être déférée au Tribunal administratif du travail.

Règlement des conflits — Le Tribunal administratif du travail est également chargé, sur demande de toute partie intéressée, d'entendre et de régler les conflits de compétence relatifs à l'exercice d'un métier ou d'une occupation.

1970, c. 35, art. 2; 1984, c. 27, art. 89; 1995, c. 8, art. 12; 1998, c. 46, art. 89; 1999, c. 13, art. 9; 2001, c. 26, art. 158; 2006, c. 58, art. 39; 2015, c. 15, art. 237

21.0.1 (*Remplacé*).

1998, c. 46, art. 89; 2006, c. 58, art. 39

21.0.2 (*Remplacé*).

1998, c. 46, art. 89; 2000, c. 56, art. 220; 2006, c. 58, art. 39

21.0.3 (*Remplacé*).

1998, c. 46, art. 89; 2006, c. 58, art. 39

21.0.4 (*Remplacé*).

1998, c. 46, art. 89; 2006, c. 58, art. 39

21.0.5 (*Remplacé*).

1998, c. 46, art. 89; 2006, c. 58, art. 39

21.0.6 (*Remplacé*).

1998, c. 46, art. 89; 2006, c. 58, art. 39

21.0.7 (*Remplacé*).

1998, c. 46, art. 89; 2006, c. 58, art. 39

21.1 (*Remplacé*).

1984, c. 27, art. 89; 1995, c. 8, art. 13; 1998, c. 46, art. 89; 2006, c. 58, art. 39

21.1.0.1 (*Remplacé*).

1998, c. 46, art. 89; 2006, c. 58, art. 39

21.1.1 (*Remplacé*).

1995, c. 8, art. 13; 1998, c. 46, art. 90; 2006, c. 58, art. 39

21.1.2 (*Remplacé*).

1995, c. 8, art. 13; 1998, c. 46, art. 90; 2006, c. 58, art. 39

21.1.3 (*Remplacé*).

1995, c. 8, art. 13; 1998, c. 46, art. 91; 2006, c. 58, art. 39

21.1.4 (*Remplacé*).

1998, c. 46, art. 92; 2006, c. 58, art. 39

21.2 (*Remplacé*).

1984, c. 27, art. 89; 1998, c. 46, art. 93; 2001, c. 26, art. 159; 2006, c. 58, art. 39

22. Visite d'un chantier — Un membre du Tribunal administratif du travail peut, sur demande ou de sa propre initiative, s'il le croit utile pour décider d'une affaire, visiter à toute heure raisonnable un chantier de construction ou tout autre lieu qui se rapporte à l'affaire. Il doit alors en informer le responsable des lieux et inviter les parties à l'accompagner.

Examen et interrogatoire — À l'occasion d'une visite des lieux, le membre peut examiner tout bien meuble ou immeuble qui se rapporte à la question dont il doit disposer. Il peut aussi, à cette occasion, interroger les personnes qui s'y trouvent.

Coopération — Toute personne responsable des lieux de la visite est tenue d'en donner l'accès pour permettre au membre d'exercer ses pouvoirs.

1970, c. 35, art. 2; 1983, c. 13, art. 4; 1984, c. 27, art. 89; 1998, c. 46, art. 94; 2005, c. 42, art. 3; 2006, c. 58, art. 39; 2015, c. 15, art. 191

23. Exercice des fonctions — Nul ne doit faire obstacle ou nuire de quelque manière à un membre du Tribunal administratif du travail agissant dans l'exercice de ses fonctions.

1970, c. 35, art. 2; 1984, c. 27, art. 89; 1995, c. 8, art. 14; 1998, c. 46, art. 95; 2006, c. 58, art. 39; 2015, c. 15, art. 192

23.1 (*Remplacé*).

1995, c. 8, art. 15; 1998, c. 46, art. 96; 2006, c. 58, art. 39

23.2 (*Remplacé*).

1995, c. 8, art. 15; 1998, c. 46, art. 97; 2006, c. 58, art. 39

23.3 (*Remplacé*).

1998, c. 46, art. 98; 2006, c. 58, art. 39

23.4 (*Remplacé*).

1998, c. 46, art. 98; 2006, c. 58, art. 39

24. Effet de la décision — Lorsqu'elle vise à régler un conflit de compétence relatif à l'exercice d'un métier ou d'une occupation, la décision du Tribunal administratif du travail doit tenir compte de ses incidences éventuelles sur l'efficience de l'organisation du travail. La décision lie les parties et les associations de salariés parties au conflit aux fins de l'assignation future de travaux de même nature sur d'autres chantiers.

1970, c. 35, art. 2; 1984, c. 27, art. 89; 1998, c. 46, art. 99; 2006, c. 58, art. 39; 2011, c. 30, art. 16; 2015, c. 15, art. 237

25. (*Remplacé*).

1970, c. 35, art. 2; 1973, c. 28, art. 4; 2006, c. 58, art. 39

25.1 (*Remplacé*).

1998, c. 46, art. 100; 2000, c. 8, art. 242; 2006, c. 58, art. 39

25.2 (*Remplacé*).

1998, c. 46, art. 100; 2006, c. 58, art. 39

25.3 (*Remplacé*).

1998, c. 46, art. 100; 2006, c. 58, art. 39

25.4 (*Remplacé*).

1998, c. 46, art. 100; 2006, c. 58, art. 39

25.5 (*Remplacé*).

1998, c. 46, art. 100; 2006, c. 58, art. 39

25.6 (*Remplacé*).

1998, c. 46, art. 100; 2006, c. 58, art. 39

25.7 (*Remplacé*).

1998, c. 46, art. 100; 1999, c. 40, art. 257; 2001, c. 44, art. 30; 2006, c. 58, art. 39

25.8 (*Remplacé*).

1998, c. 46, art. 100; 2006, c. 58, art. 39

25.9 (*Remplacé*).

1998, c. 46, art. 100; 2006, c. 58, art. 39

25.10 (*Remplacé*).

1998, c. 46, art. 100; 2006, c. 58, art. 39

SECTION III — DISPOSITIONS DIVERSES

26. (1) Infractions empêchant d'occuper une fonction —

Toute personne déclarée coupable, au Canada ou ailleurs, de voies de faits simples, de méfait, de voies de fait causant des lésions corporelles, de vol, d'intimidation, d'intimidation de personnes associées au système judiciaire, d'infraction à l'encontre de la liberté d'association, de harcèlement criminel, de menaces, de menaces et représailles, de rédaction non autorisée de document, de commissions secrètes, de trafic de substances en vertu de la *Loi réglementant certaines drogues et autres substances* (L.C. 1996, ch. 19), d'importation, d'exportation ou de production en vertu de cette loi, de complot pour commettre un de ces actes, d'un acte criminel prévu aux articles 467.11 à 467.13 du *Code criminel* (L.R.C. (1985), ch. C-

46) ou, s'ils sont reliés aux activités que la personne exerce dans l'industrie de la construction, d'une infraction à une loi fiscale ou d'un acte criminel autre que les actes énumérés au paragraphe 2 ne peut occuper une fonction de direction ou de représentation dans ou pour une association visée par l'un des paragraphes *a* à *c*.2 du premier alinéa de l'article 1 ou une association de salariés affiliée à une association représentative, ni être élue ou nommée comme délégué de chantier, ni être membre du conseil d'administrationde la Commission ou d'un comité formé en application de la présente loi.

Durée de l'inhabilité — À moins que la personne déclarée coupable ne bénéficie d'un pardon en vertu de la *Loi sur le casier judiciaire* (L.R.C. (1985), ch. C-47), l'inhabilité prévue ci-dessus subsiste cinq ans après le terme d'emprisonnement fixé par la sentence; s'il y a eu condamnation à une amende seulement ou si la sentence a été suspendue, l'inhabilité subsiste durant cinq ans à compter de la condamnation.

(2) Autres infractions rendant inhabiles — Toute personne déclarée coupable, au Canada ou ailleurs, de meurtre, de tentative de meurtre, d'homicide involontaire coupable, de vol qualifié, d'extorsion, d'incendie criminel, de vol avec effraction, de fraude, d'enlèvement, de voies de fait graves, ou de complot pour commettre un de ces actes ne peut occuper une fonction de direction ou de représentation dans ou pour une association visée par l'un des paragraphes *a* à *c*.2 du premier alinéa de l'article 1 ou une association de salariés affiliée à une association représentative ni être élue ou nommée délégué de chantier, ni être membre du conseil d'administration de la Commission ou d'un comité formé en application de la présente loi.

(3) (*Paragraphe supprimé*).

1975, c. 50, art. 1; 1990, c. 4, art. 777; 2011, c. 18, art. 55; 2011, c. 30, art. 17

27. Conditions de travail — Les conditions de travail des salariés de l'industrie de la construction sont régies par convention collective.

Exceptions au chapitre C-27 — Une association de salariés de l'industrie de la construction ne peut être accréditée en vertu des articles 21 à 47.6 du *Code du travail* (chapitre C-27), ni conclure une convention collective en vertu dudit code.

Application — L'article 47.2 de ce code s'applique toutefois à une telle association, compte tenu des adaptations nécessaires. S'il est d'avis que l'association qui le représente a contrevenu à cet article, le salarié peut, dans les six mois, porter plainte au Tribunal administratif du travail et demander qu'il exerce les pouvoirs prévus à l'article 47.5 de ce code. En outre des pouvoirs que ce code et la *Loi instituant le Tribunal administratif du travail* (chapitre T-15.1) lui confient, le Tribunal peut permettre au salarié de choisir, dans les 30 jours de sa décision, une nouvelle association représentative conformément à la procédure prévue par règlement pris en vertu de l'article 35.2 de la présente loi.

1968, c. 45, art. 3; 1977, c. 41, art. 73; 1993, c. 61, art. 13; 2011, c. 30, art. 18; 2015, c. 15, art. 193

Chapitre IV — Associations représentatives

28. Demande de constatation de représentativité — Seuls la Centrale des syndicats démocratiques (CSD-CONSTRUCTION), la Confédération des syndicats nationaux (CSN-CONSTRUCTION), le Conseil provincial du Québec des métiers de la construction

(International), la Fédération des travailleurs et travailleuses du Québec (FTQ-Construction) et le Syndicat québécois de la construction (SQC) peuvent faire constater leur représentativité en présentant à la Commission une demande à cette fin au cours des cinq premiers jours du 13e mois qui précède la date d'expiration d'une convention collective prévue à l'article 47.

1968, c. 45, art. 4; 1973, c. 28, art. 5; 1975, c. 51, art. 3; 1978, c. 58, art. 1; 1980, c. 23, art. 2; 1986, c. 89, art. 8, 50; 1987, c. 110, art. 2; 3; 1993, c. 61, art. 14; 1996, c. 74, art. 31; 1998, c. 46, art. 101; 1999, c. 13, art. 10; 2005, c. 42, art. 4; 2011, c. 30, art. 19

29. Publication du nom des associations — La Commission doit, au plus tard le dernier jour du treizième mois qui précède la date d'expiration d'une convention collective prévue à l'article 47, faire publier à la *Gazette officielle du Québec* et dans un quotidien de langue française le nom des associations mentionnées à l'article 28 qui ont présenté une demande à la Commission.

1968, c. 45, art. 5; 1973, c. 28, art. 5; 1975, c. 51, art. 3; 1978, c. 58, art. 2; 1986, c. 89, art. 50; 1987, c. 110, art. 2; 4; 1993, c. 61, art. 14; 1996, c. 74, art. 32

30. Préparation de la liste des salariés — La Commission doit dresser une liste de tous les salariés :

a) ttitulaires d'un certificat de compétence-compagnon, d'un certificat de compétence-occupation ou d'un certificat de compétence-apprenti délivré par la Commission;

b) ayant effectué au moins 300 heures de travail au Québec au cours des 12 premières des 15 périodes mensuelles précédant le mois au cours duquel débute le scrutin prévu à l'article 32 selon les rapports mensuels transmis par les employeurs; et

c) (*paragraphe abrogé*).

Présomption — Cette liste établit de façon non contestable le nom des seuls salariés pouvant se prévaloir de l'article 32.

Transmission — La Commission transmet à chaque salarié dont le nom apparaît sur la liste établie suivant le présent article un document qui l'identifie comme votant aux fins de l'article 32.

Liste aux associations — Cette liste est transmise aux associations visées à l'article 29 au plus tard 15 jours avant la tenue du scrutin prévu à l'article 32.

1968, c. 45, art. 6; 1973, c. 28, art. 5; 1975, c. 51, art. 3; 1978, c. 58, art. 3; 1986, c. 89, art. 9; 50; 1987, c. 110, art. 2; 5; 1993, c. 61, art. 15; 2011, c. 30, art. 20

31. Publicité et sollicitation — Aucune publicité sous quelque forme que ce soit et aucune sollicitation ne peuvent être faites auprès des salariés en vue d'obtenir leur adhésion à une association de salariés sauf pour une période débutant le premier jour du 12e mois qui précède la date d'expiration de la convention collective prévue à l'article 47 et se terminant le jour qui précède celui du début de la période de vote.

Endroit — Toute telle publicité et toute telle sollicitation doivent être faites en dehors du lieu de travail.

Contravention — Quiconque contrevient au présent article commet une contravention et est passible des peines prévues aux articles 115 et 119.11.

1968, c. 45, art. 7; 1973, c. 28, art. 5; 1975, c. 51, art. 3; 1987, c. 110, art. 2, 6; 1992, c. 61, art. 530; 1993, c. 61, art. 16; 2011, c. 30, art. 21

32. Choix par les salariés — Au cours du 11e mois qui précède la date d'expiration d'une convention collective prévue à l'article 47, tout salarié dont le nom apparaît sur la liste dressée suivant l'article 30 peut, conformément au présent article, faire connaître à la Commission le choix qu'il fait d'une des associations dont le nom a été publié suivant l'article 29.

Scrutin secret — Ce choix s'exprime par voie de scrutin secret tenu sous la surveillance d'un représentant de la Commission, dont les modalités sont prévues par règlement du gouvernement.

Période de vote — La période de vote débute le premier jour ouvrable du onzième mois qui précède la date d'expiration d'une convention collective prévue à l'article 47 et se termine 20 jours après. Le dépouillement commence le jour ouvrable suivant la période de vote, avec tous les bulletins reçus au moment où débute ce dépouillement.

Président — La Commission doit désigner un président du scrutin indépendant pour surveiller le bon déroulement du scrutin. Un représentant de la Commission agit comme directeur du scrutin, auquel est adjoint le personnel nécessaire au scrutin.

Litige — Tout litige relatif au scrutin est soumis pour décision au président du scrutin dans un délai de 30 jours de la fin du scrutin. Sa décision est définitive.

Choix — Un salarié qui, ayant le droit de faire connaître son choix, ne l'a pas exprimé suivant le présent article est réputé, pour l'application des articles 33, 35 et 38, avoir choisi l'association en faveur de laquelle il a déjà fait connaître son choix dans les cas prévus par la présente loi, à la condition que le nom de cette association soit publié suivant l'article 29.

Qualification — Une personne qui ne peut se qualifier comme membre indépendant au sens du quatrième alinéa de l'article 3.2 ne peut être désignée pour agir à titre de président du scrutin.

1975, c. 51, art. 3; 1978, c. 58, art. 4; 1980, c. 23, art. 3; 1986, c. 89, art. 50; 1987, c. 110, art. 2; 7; 1993, c. 61, art. 17; 1996, c. 74, art. 33; 2011, c. 30, art. 22; 2015, c. 15, art. 194

33. Liste du choix — La Commission doit dresser une liste indiquant le choix exprimé par les salariés suivant l'article 32.

1975, c. 51, art. 3; 1986, c. 89, art. 50

34. Critères de représentativité — La Commission constate le degré de représentativité d'une association conformément aux critères établis à l'article 35.

Certificat — Elle délivre à chaque association dont le nom a été publié suivant l'article 29 un certificat établissant son degré de représentativité et la liste des salariés qui ont adhéré à cette association suivant l'article 32.

Effet du certificat — Ce certificat prend effet le premier jour du huitième mois précédant la date d'expiration d'une convention collective prévue à l'article 47.

1975, c. 51, art. 3; 1978, c. 58, art. 5; 1986, c. 89, art. 50; 1987, c. 110, art. 8; 1993, c. 61, art. 18; 1995, c. 8, art. 16

35. Représentativité d'associations de salariés — La représentativité d'une association de salariés correspond au pourcentage que représente le nombre de salariés qui ont fait, conformément à l'article 32, leur choix en faveur de cette association par rapport au nombre total de salariés qui ont fait leur choix.

1975, c. 51, art. 3; 1978, c. 58, art. 6

35.1 (*Abrogé*).

1993, c. 61, art. 19; 1995, c. 8, art. 17

35.2 Choix d'une association — Un salarié dont le nom n'apparaît pas sur la liste dressée suivant l'article 30 peut, au cours du mois visé au premier alinéa de l'article 32, faire connaître à la Commission, selon la procédure établie par règlement du gouvernement, le choix qu'il fait d'une des associations dont le nom a été publié suivant l'article 29.

Pour l'application de l'article 38, le salarié qui ne se prévaut pas de ce droit est réputé maintenir le dernier choix qu'il a exprimé de l'une de ces associations.

Transmission de la liste — La Commission doit dresser une liste de tous les salariés qui peuvent faire un choix en vertu du présent article. Cette liste est transmise aux associations visées à l'article 29 au plus tard 15 jours avant la tenue du scrutin prévu à l'article 32.

1996, c. 74, art. 34; 2011, c. 30, art. 23

35.3 Présomption de choix — Les présomptions de choix ou de maintien du choix d'une association de salariés édictées par le troisième alinéa de l'article 32 et par l'article 35.2 ne sont applicables, à l'égard d'une association mentionnée à l'article 28 dont le nom n'a pas été publié suivant l'article 29 aux fins du plus récent scrutin tenu suivant le deuxième alinéa de l'article 32, que jusqu'au dernier jour du neuvième mois précédant la date d'expiration d'une convention collective prévue à l'article 47.

Choix d'une association — Le salarié qui, jusqu'à cette date, est réputé avoir choisi une association dont le nom n'a pas ainsi été publié ou maintenir son choix d'une telle association doit, selon la procédure établie par règlement du gouvernement et au cours du mois visé au premier alinéa de l'article 32 ou à toute autre époque prévue à ce règlement, faire connaître à la Commission le choix qu'il fait d'une des associations dont le nom a été publié suivant l'article 29.

1996, c. 74, art. 34; 2011, c. 30, art. 24

35.4 Information à l'association — La Commission informe l'association représentative choisie de tout choix effectué par un salarié en vertu des articles 35.2 et 35.3.

1996, c. 74, art. 34

36. Carte aux salariés — La Commission fait parvenir à chaque salarié dont le nom figure sur la liste visée à l'article 33 ou qui lui a fait connaître son choix suivant les articles 35.2 ou 35.3 une carte d'allégeance syndicale portant mention, notamment :

a) de son nom;

b) de son numéro d'identification;

c) du nom de l'association représentative qu'il a choisie;

d) des dates d'entrée en vigueur et d'échéance de la carte.

Effet — Cette carte prend effet à compter du premier jour du huitième mois précédant la date d'expiration de la convention collective prévue à l'article 47.

1975, c. 51, art. 3; 1978, c. 58, art. 7; 1986, c. 89, art. 50; 1987, c. 110, art. 2; 9; 1993, c. 61, art. 20; 1996, c. 74, art. 35; 2011, c. 30, art. 25

36.1 Émission d'une carte — La Commission peut en tout temps émettre une carte d'allégeance syndicale à une personne qui désire commencer à travailler à titre de salarié dans l'industrie de la construction et qui lui communique, selon la procédure que la Commission établit par règlement, le choix qu'elle fait d'une des associations dont le nom a été publié suivant l'article 29.

Effet du document — Dans ce cas, la carte d'allégeance syndicale que lui délivre la Commission et qui porte mention de ce choix prend effet le jour de sa délivrance et la Commission en informe l'association représentative choisie.

1996, c. 74, art. 36; 2011, c. 30, art. 26

37. Mention du nom de l'association — Sous réserve du premier alinéa de l'article 35.3, la mention, sur une carte d'allégeance syndicale, du nom de l'association représentative choisie par un salarié ou qu'il est réputé avoir choisie suivant le présent chapitre est réputée correspondre au dernier choix qu'il a effectivement fait d'une association représentative, jusqu'à ce que cette carte soit remplacée pour tenir compte d'un nouveau choix exprimé par le salarié.

1975, c. 51, art. 3; 1978, c. 58, art. 8; 1986, c. 89, art. 10; 1987, c. 110, art. 2, 10; 1993, c. 61, art. 20; 1996, c. 74, art. 37; 2011, c. 30, art. 27

38. Déduction de cotisation syndicale — Le fait qu'un salarié ait manifesté son choix suivant le présent chapitre autorise l'employeur à précompter sur la paie de ce salarié la cotisation syndicale et oblige l'employeur à remettre cette cotisation à la Commission en même temps que son rapport mensuel.

Remise — La Commission remet les cotisations ainsi reçues aux associations représentatives, avec un bordereau nominatif.

1975, c. 51, art. 3; 1986, c. 89, art. 50; 1996, c. 74, art. 38

39. Mention obligatoire du nom de l'association — Un employeur ne peut utiliser, à titre de salarié, pour l'exécution de travaux de construction, les services d'une personne assujettie à l'application de la présente loi ou l'affecter, à titre de salarié, à des travaux de construction, à moins que cette personne ne soit titulaire d'une carte d'allégeance syndicale portant la mention, toujours valide suivant le présent chapitre, du nom de l'une des associations mentionnées à l'article 28.

1975, c. 51, art. 3; 1978, c. 58, art. 9; 1986, c. 89, art. 50; 1996, c. 74, art. 39; 2011, c. 30, art. 28

40. Cotisation — Tout employeur de l'industrie de la construction est tenu d'adhérer à l'association d'employeurs et de transmettre sa cotisation à la Commission en même temps que son rapport mensuel.

Remise à l'association — La Commission remet à l'association d'employeurs les cotisations ainsi reçues avec un bordereau nominatif. La cotisation peut comporter une partie commune pour l'ensemble des secteurs, d'après la base choisie par l'association d'employeurs, et une partie spécifique à un secteur, d'après la base choisie par l'association sectorielle d'employeurs du secteur. Le cas échéant, la partie spécifique est remise au secteur concerné.

1975, c. 51, art. 32; 1986, c. 89, art. 50; 1993, c. 61, art. 70; 1995, c. 62, art. 1; 2011, c. 30, art. 29

41. Agents patronaux — L'association d'employeurs et les associations sectorielles d'employeurs sont les agents patronaux aux fins de la négociation, de la conclusion et de l'application de conventions collectives en vertu de la présente loi.

Agent patronal unique — L'association d'employeurs est l'agent patronal unique au regard des matières mentionnées à l'article 61.1. À cet égard, elle reçoit ses mandats des associations sectorielles d'employeurs. Elle leur fournit aussi un soutien en matière de relations du travail.

Délégation de pouvoirs — Chaque association sectorielle d'employeurs est, pour son secteur, l'agent patronal unique au regard des matières autres que celles mentionnées à l'article 61.1. Chacune peut toutefois mandater l'association d'employeurs pour remplir ce rôle en totalité ou en partie pour son secteur.

Condition applicable aux membres d'une association — Une condition de travail qui n'affecte que les membres d'une des associations représentatives doit, pour être négociée, avoir été acceptée par l'association intéressée.

1968, c. 45, art. 8; 1973, c. 28, art. 5; 1975, c. 51, art. 3; 1993, c. 61, art. 21; 1995, c. 8, art. 18

41.1 Remise des cotisations — L'association d'employeurs doit, dans la proportion et selon la répartition qu'elle détermine, distribuer aux associations sectorielles d'employeurs une partie des cotisations que la Commission lui a remises en vertu de l'article 40.

Informations — Elle doit aussi, au sujet de ses membres qui ont droit de participer aux assemblées et aux scrutins tenus par les associations sectorielles d'employeurs, fournir à celles-ci toutes les informations pertinentes à ces fins.

1995, c. 8, art. 19

41.2 Statuts et règlements — Toute association sectorielle d'employeurs doit transmettre à la Commission une copie certifiée conforme de ses statuts et règlements ainsi que de toute modification qui leur est apportée.

Contenu — Ces statuts et règlements doivent au moins prévoir :

1° le mode de convocation des assemblées où il sera question de relations du travail;

2° que tous les employeurs membres de l'association d'employeurs qui, au cours de la période et dans les rapports visés au deuxième alinéa de l'article 44.1, ont déclaré des heures de travail comme ayant été effectuées dans le secteur concerné ont droit de participer à ces assemblées et aux scrutins tenus en vertu de la présente loi et qu'ils ont le droit de s'y exprimer librement sans encourir de sanction;

3° le type de majorité requise lors de ces scrutins ainsi que, si l'association sectorielle le juge approprié, un mécanisme permettant de déterminer, en fonction du nombre d'heures de travail déclarées comme ayant été effectuées dans le secteur, la valeur relative du vote exprimé par chaque membre de l'association d'employeurs qui participe à un scrutin;

4° que tout dirigeant chargé de la gestion financière de l'association sectorielle doit déposer à la Commission un cautionnement d'un montant déterminé par cette dernière;

5° que tout membre de l'association d'employeurs qui a le droit de participer aux assemblées et aux scrutins tenus par l'association sectorielle a le droit d'obtenir gratuitement, à la fin de chaque année financière, un état détaillé des revenus et dépenses de l'association sectorielle.

1995, c. 8, art. 19

Chapitre V — Négociations

41.3 Association représentative — Toute association représentative a le droit de participer à la négociation pour la conclusion d'une convention collective applicable aux salariés qu'elle représente.

2011, c. 30, art. 30

41.4 Participation — En outre de la règle prévue par l'article 42.1, la participation des associations représentatives se fait de la manière prévue par un protocole conclu entre elles.

Avis — Un avis de la conclusion de ce protocole doit être donné au ministre par l'ensemble des associations représentatives au moins six mois avant la date prévue par l'article 42 pour donner l'avis de négociation. À défaut, le ministre nomme un arbitre pour décider du protocole applicable.

Application — Les articles 75 à 77, 79 à 81, 83, 88 à 91.1 et 139 à 140 du *Code du travail* (chapitre C-27) s'appliquent à l'arbitrage du protocole, compte tenu des adaptations nécessaires.

Décision de l'arbitre — Aux fins de rendre sa décision, l'arbitre s'inspire de protocoles auparavant conclus ou décidés, le cas échéant. Les parties peuvent en tout temps convenir de modifier le contenu de la décision de l'arbitre.

2011, c. 30, art. 30

42. Avis de négociation de convention — Une ou plusieurs associations représentatives peuvent, conformément à ce que détermine le protocole prévu par l'article 41.4, aviser par écrit une association sectorielle d'employeurs, ou une association sectorielle d'employeurs peut aviser par écrit une ou plusieurs associations représentatives, que ses ou leurs représentants sont prêts à négocier pour la conclusion d'une convention collective applicable dans le secteur de cette association sectorielle.

Délai — Cet avis peut être donné au plus tard le premier jour du septième mois qui précède la date d'expiration de la convention collective prévue à l'article 47.

Avis aux autres associations — Toute autre association représentative et l'association d'employeurs doivent en être informées sans délai.

Consultation — Dès la réception ou l'envoi d'un avis, l'association sectorielle d'employeurs du secteur institutionnel et commercial, du secteur industriel ou du secteur génie civil et voirie doit consulter les donneurs d'ouvrage afin de recueillir leurs commentaires sur la convention à renouveler ainsi que leurs suggestions. L'association n'est toutefois pas liée par les commentaires et suggestions recueillis.

Début des négociations — Les négociations doivent commencer entre les associations de salariés représentatives et, selon leurs rôles respectifs, l'association sectorielle d'employeurs ou l'association d'employeurs, et elles doivent se poursuivre avec diligence et bonne foi. À ces fins, ces associations peuvent convenir d'une structure et de modalités de négociation.

1968, c. 45, art. 9; 1973, c. 28, art. 5; 1975, c. 51, art. 4; 1987, c. 110, art. 2; 11; 1993, c. 61, art. 22; 1995, c. 8, art. 20; 2011, c. 30, art. 31

42.1 Droit d'être présent — Une association représentative a le droit d'être présente lors des séances de négociations et de soumettre des demandes relatives au contenu de la convention collective. Elle a également le droit d'être présente et de soumettre des demandes lors des séances relatives à l'établissement d'une structure et de modalités de négociation.

1978, c. 58, art. 10; 1987, c. 110, art. 12; 1993, c. 61, art. 23

43. Conciliateur — Au cours des négociations, l'une des parties peut demander au ministre de désigner un conciliateur pour les aider à conclure une entente.

Avis — Avis de cette demande doit être donné le même jour à l'autre partie.

Désignation — Sur réception de cette demande, le ministre doit désigner un conciliateur.

1968, c. 45, art. 10; 1983, c. 13, art. 5

43.1 Désignation d'office — Au cours des négociations, le ministre peut d'office désigner un conciliateur; il doit alors informer les parties de cette nomination.

1983, c. 13, art. 5

43.2 Réunions — Les parties sont tenues d'assister à toute réunion où le conciliateur les convoque.

1983, c. 13, art. 5

43.3 Rapport — Le conciliateur fait rapport au ministre à la demande de ce dernier.

1983, c. 13, art. 5

43.4 Médiateur — À la demande d'une partie aux négociations, le ministre nomme un médiateur pour aider les parties à régler leur différend.

Médiation — Toutefois, la médiation ne peut commencer avant le soixantième jour précédant l'expiration de la convention collective.

1993, c. 61, art. 24

43.5 Délai — Le médiateur a 60 jours pour amener les parties à s'entendre. Le ministre peut, une seule fois et à la demande du médiateur, prolonger la période de médiation d'au plus 30 jours.

1993, c. 61, art. 24

43.6 Réunions — Les parties sont tenues d'assister à toute réunion où le médiateur les convoque.

1993, c. 61, art. 24

43.7 Entente de principe — Dès qu'une entente de principe sur ce qui pourrait constituer une convention collective intervient entre une association sectorielle d'employeurs et au moins trois associations représentatives à un degré de plus de 50 %, le médiateur donne acte de cette entente de principe dans un rapport qu'il remet à chacune des parties et au ministre.

Défaut d'entente — À défaut d'une telle entente de principe à l'expiration de la période de médiation, le médiateur remet aux parties un rapport dans lequel il indique les matières qui ont fait l'objet d'un accord entre les associations visées au premier alinéa ainsi que leurs positions respectives sur celles faisant encore l'objet d'un différend. Il remet copie du rapport au ministre, avec ses commentaires, et, 10 jours plus tard, il rend le rapport public.

1993, c. 61, art. 24; 1995, c. 8, art. 21; 1996, c. 74, art. 40; 2011, c. 30, art. 32

44. Entente tenant lieu de convention — Pour être considérée comme convention collective applicable dans un secteur, une entente relative à des conditions de travail autres que celles portant sur les matières mentionnées à l'article 61.1 doit être conclue par au moins trois associations représentatives à un degré de plus de 50 % et par l'association sectorielle d'employeurs du secteur.

Clauses à l'entente — Au regard des matières mentionnées à l'article 61.1, font également partie d'une telle convention collective les clauses d'une entente conclue conformément au troisième alinéa ou, à défaut d'entente, les clauses, portant sur ces matières, de la dernière convention collective applicable dans le secteur. Dans ce dernier cas, ces clauses font partie de la nouvelle convention collective jusqu'à ce qu'elles soient, le cas échéant, renouvelées ou révisées conformément à la loi.

Exigences préalables — Pour faire partie de la convention collective applicable dans un secteur ou pour y avoir effet, une entente relative à des conditions de travail portant sur une ou des matières mentionnées à l'article 61.1 doit être conclue par au moins trois associations représentatives à un degré de plus de 50 % et par l'association d'employeurs, mandatée à cette fin par au moins deux associations sectorielles d'employeurs représentatives à un degré de plus de 50 %.

Absence d'entente — Une entente visée au deuxième alinéa peut être conclue même en l'absence d'entente sur les conditions de travail spécifiques à un secteur, auquel cas, l'article 48 s'applique comme s'il s'agissait d'une modification à la convention collective. Le dépôt peut être effectué par l'association d'employeurs ou une association représentative qui a conclu cette entente.

1968, c. 45, art. 11; 1973, c. 28, art. 6; 1975, c. 51, art. 5; 1993, c. 61, art. 25; 1995, c. 8, art. 22; 2011, c. 30, art. 33

44.1 Entente sectorielle — Une association représentative peut conclure une entente sectorielle visée au premier alinéa de l'article 44 si elle y est autorisée par la majorité de ses membres qui exercent leur droit de vote lors d'un scrutin secret.

Scrutin secret — L'association sectorielle d'employeurs peut conclure une telle entente si elle y est autorisée lors d'un scrutin secret qu'elle doit tenir pour les employeurs membres de l'association d'employeurs qui, dans les rapports mensuels qu'ils ont transmis à la Commission au cours des 12 premiers des 15 mois civils complets précédant le mois durant lequel a lieu ce scrutin, ont déclaré des heures comme ayant été effectuées dans son secteur. L'autorisation lui est donnée si, à l'occasion de ce scrutin, ceux qui sont favorables à l'entente constituent une majorité aux termes des statuts et règlements de l'association sectorielle d'employeurs ou, à défaut de disposition à cet égard dans les statuts et règlements, si ceux qui sont favorables à l'entente constituent la majorité de ceux qui ont exercé leur droit de vote.

1993, c. 61, art. 26; 1995, c. 8, art. 23

44.2 Autorisation préalable — Une association représentative peut conclure une entente visée au deuxième alinéa de l'article 44 si elle y est autorisée par la majorité de ses membres qui exercent leur droit de vote lors d'un scrutin secret.

Scrutin secret — Une association sectorielle d'employeurs peut mandater l'association d'employeurs pour conclure une telle entente si elle y est autorisée lors d'un scrutin secret qu'elle doit tenir pour les employeurs membres de l'association d'employeurs qui, dans les rapports mensuels qu'ils ont transmis à la Commission au cours des 12 premiers des 15 mois civils complets précédant le mois durant lequel a lieu ce scrutin, ont déclaré des heures comme ayant été effectuées dans son secteur. L'autorisation lui est donnée si, à l'occasion de ce scrutin, ceux qui sont favorables à l'entente constituent une majorité aux termes des statuts et règlements de l'association sectorielle d'employeurs ou, à défaut de disposition à cet égard dans les statuts et règlements, si ceux qui sont favorables à l'entente constituent la majorité de ceux qui ont exercé leur droit de vote.

Vote distinct — Lorsqu'une association représentative ou une association sectorielle d'employeurs tient un seul scrutin pour la conclusion d'une entente en vertu du présent article et d'une entente en vertu de l'article 44.1, elle doit tenir un vote distinct pour chacune de ces ententes.

1993, c. 61, art. 26; 1995, c. 8, art. 24

44.3 Constat par la Commission — Au cours du neuvième mois précédant la date d'expiration des conventions collectives, la Commission constate le degré de représentativité de chaque association sectorielle d'employeurs aux fins de la conclusion d'une entente ou d'une demande d'arbitrage portant sur une ou des matières mentionnées à l'article 61.1 et elle délivre à chacune d'elles un certificat établissant son degré de représentativité.

Certificat de représentativité — Ce certificat prend effet le premier jour du huitième mois précédant la date d'expiration des conventions collectives.

Représentativité d'une association — La représentativité d'une association sectorielle d'employeurs correspond au pourcentage que représente, selon les rapports mensuels transmis à la Commission par les employeurs au cours des douze premiers des quinze mois civils complets précédant le mois visé au premier alinéa, le nombre d'heures de travail déclarées comme ayant été effectuées dans son secteur par rapport au nombre total d'heures de travail déclarées comme ayant été effectuées dans l'ensemble de l'industrie.

1993, c. 61, art. 26; 1995, c. 8, art. 25

45. Arbitre — Lorsque les parties en conviennent par écrit, un différend est déféré à un arbitre ou à un conseil d'arbitrage composé de trois membres, dont un président.

Recours à l'arbitrage — S'il porte sur une ou des matières mentionnées à l'article 61.1, l'entente relative à l'arbitrage doit être conclue par au moins trois associations représentatives à un degré de plus de 50 % et par l'association d'employeurs, mandatée à cette fin par au moins deux associations sectorielles d'employeurs représentatives à un degré de plus de 50 %. S'il porte sur d'autres matières, l'entente relative à l'arbitrage doit être conclue par au moins trois associations représentatives à un degré de plus de 50 % et par l'association sectorielle d'employeurs du secteur concerné.

Nomination et honoraires — L'entente peut pourvoir à la nomination de l'arbitre ou des membres du conseil d'arbitrage, déterminer les honoraires et les frais auxquels ils auront droit et prévoir la répartition de ces honoraires et frais entre les parties à l'entente. Une copie de l'entente doit être transmise au ministre sans délai.

Décision du ministre — Le ministre peut décider de toute question visée au troisième alinéa qui n'est pas réglée par l'entente et il en informe sans délai les parties. Sa décision lie les parties et doit être exécutée comme si elle faisait partie de l'entente.

1968, c. 45, art. 12; 1973, c. 28, art. 6; 1975, c. 51, art. 5; 1979, c. 2, art. 19; 1993, c. 61, art. 27; 1995, c. 8, art. 26; 1998, c. 46, art. 102; 2011, c. 30, art. 34

45.0.1 Différend — L'arbitre ou le conseil d'arbitrage peut, s'il le juge approprié, tenter d'amener les parties à régler leur différend, en totalité ou en partie, par entente.

1998, c. 46, art. 103

45.0.2 Conseil d'arbitrage — Toute décision d'un conseil d'arbitrage est prise à la majorité de ses membres, dont le président.

1998, c. 46, art. 103

45.0.3 Dispositions applicables — Sous réserve de l'article 45.0.2 de la présente loi, les articles 76, 79 à 91.1, la deuxième phrase de l'article 92 et les articles 93 et 139 à 140 du *Code du travail* (chapitre C-27) s'appliquent à l'arbitrage d'un différend et à l'égard de l'arbitre, du conseil d'arbitrage et de ses membres, compte tenu des adaptations nécessaires, et l'article 78 de ce code s'applique à l'arbitrage par un arbitre.

Sentence arbitrale — L'arbitre ou le président du conseil d'arbitrage doit toutefois transmettre au ministre trois exemplaires ou copies conformes à l'original de la sentence arbitrale et de ses annexes.

1998, c. 46, art. 103; 2001, c. 26, art. 160; 2006, c. 58, art. 40

45.1 Matières concernées — Seules les matières qui n'ont pas fait l'objet d'une entente entre les parties sont soumises à l'arbitrage.

Arbitre — L'arbitre ou le conseil d'arbitrage a compétence exclusive pour déterminer ces matières. S'il y a eu médiation, il se fonde à cette fin sur le rapport du médiateur.

1993, c. 61, art. 28; 1998, c. 46, art. 104

45.2 Sentence — L'arbitre ou le conseil d'arbitrage consigne à sa sentence les stipulations relatives aux matières qui ont fait l'objet d'une entente constatée par le rapport du médiateur.

Stipulations — Les parties peuvent, à tout moment, s'entendre sur une matière faisant l'objet du différend et les stipulations correspondantes sont également consignées à la sentence arbitrale.

Modifications — Il ne peut modifier ces stipulations sauf en vue de faire les adaptations nécessaires pour les rendre compatibles avec une disposition de la sentence.

Méthode — Pour rendre sa sentence, l'arbitre ou le conseil d'arbitrage doit aussi, si les parties lui en font la demande, recourir clause par clause à la méthode de la « meilleure offre finale ».

1993, c. 61, art. 28; 1998, c. 46, art. 105

45.3 Effet — La sentence arbitrale ne peut avoir d'effet rétroactif.

1993, c. 61, art. 28; 1998, c. 46, art. 106

45.4 Grève et lock-out — La grève et le lock-out sont interdits dans un secteur à moins qu'il n'y ait eu une médiation et qu'il ne se soit écoulé au moins 21 jours depuis l'expiration de celle-ci.

Grève autorisée — À compter de cette échéance, la grève est permise à la condition qu'elle soit déclarée pour la totalité des salariés œuvrant dans le Secteur et qu'elle ait été autorisée, à la suite d'un scrutin secret, par la majorité des membres votants d'au moins trois associations représentatives à un degré de plus de 50 %.

Lock-out — À compter de la même échéance, le lock-out est permis à condition qu'il soit déclaré par l'association sectorielle d'employeurs du secteur pour la totalité des employeurs effectuant ou faisant effectuer des travaux de construction dans le secteur et qu'il ait été autorisé à la suite d'un scrutin secret et selon les conditions et modalités applicables à la conclusion d'une entente visée au premier alinéa de l'article 44.

Grève ou lock-out — Une grève ou un lock-out débute le jour du dépôt auprès du ministre d'un avis à cet effet par chacune des associations ayant acquis le droit de grève conformément au deuxième alinéa ou, selon le cas, par l'association sectorielle visée au troisième alinéa. Une copie de l'avis doit être transmise aux parties et à la Commission.

Grève et lock-out interdits — Toutefois, la grève et le lock-out sont interdits dans un secteur à compter du jour qui suit celui où les parties à un différend dans ce secteur ont convenu de le déférer à l'arbitrage.

Exception — Ils sont également interdits en tout temps à l'égard d'une matière visée à l'article 61.1.

1993, c. 61, art. 28; 1995, c. 8, art. 27; 1998, c. 46, art. 107; 2011, c. 30, art. 35

46. Convention applicable à tous les métiers et emplois — Toute convention collective conclue en vertu de la présente loi doit fixer les conditions de travail applicables à tous les métiers et emplois pour le secteur qu'elle vise; sous réserve du chapitre VI.1, une seule convention peut être conclue à l'égard d'un secteur.

Nullité d'entente — Toute entente fixant des conditions de travail applicables à des métiers et emplois de l'industrie de la construction est nulle de nullité absolue si elle n'a pas été conclue conformément à la présente loi.

1968, c. 45, art. 13; 1973, c. 28, art. 7; 1975, c. 51, art. 6; 1993, c. 61, art. 29; 1995, c. 8, art. 28; 1999, c. 40, art. 257

Chapitre VI — Entrée en vigueur et portée des conventions collectives

47. Secteur visé — Une convention collective est conclue pour chaque secteur de l'industrie de la construction par les parties négociatrices de ce secteur, en vertu de la présente loi. Cette convention s'applique à l'ensemble du secteur visé.

Date d'expiration — La date d'expiration d'une convention collective est le 30 avril de tous les quatre ans, à partir du 30 avril 2013.

Expiration réputée — Pour l'application du chapitre IV et des articles 42 et 44.3, une convention collective est réputée expirer à chacune de ces dates, qu'elle ait été conclue ou non.

1968, c. 45, art. 14; 1973, c. 28, art. 8; 1975, c. 51, art. 7; 1993, c. 61, art. 31; 1995, c. 8, art. 29; 2011, c. 30, art. 36

48. Dépôt au greffe — Une association sectorielle d'employeurs doit, dans les 10 jours de la conclusion d'une convention collective pour son secteur, déposer auprès du ministre trois exemplaires ou copies conformes à l'original de cette convention et de ses annexes et faire paraître un avis de ce dépôt dans deux quotidiens de circulation générale au Québec. À défaut, ce dépôt et cette publication peuvent être faits par une association représentative.

Copie d'une convention collective — Le ministre transmet sans délai à la Commission un exemplaire ou une copie conforme de toute convention collective et de ses annexes déposé en vertu du premier alinéa, accompagné d'un certificat attestant ce dépôt.

Transmission de la convention — L'association sectorielle d'employeurs doit également transmettre un exemplaire ou une copie conforme de la convention collective et de ses annexes à l'association d'employeurs.

Copie aux membres — L'association représentative et l'association d'employeurs doivent faire parvenir copie de la convention collective à leurs membres.

Effet — Une convention collective ne prend effet qu'à compter de son dépôt.

Effet rétroactif — Le dépôt a un effet rétroactif à la date prévue dans la convention collective pour son entrée en vigueur. Toutefois, cette date ne peut en aucun cas être antérieure à la date de la signature de la convention collective.

Modification — Le présent article s'applique également à toute modification qui est apportée à la convention collective.

1968, c. 23, art. 8; 1968, c. 45, art. 15; 1969, c. 51, art. 98; 1973, c. 28, art. 9; 1973, c. 29, art. 1; 1992, c. 42, art. 7; 1993, c. 61, art. 32; 1995, c. 8, art. 30; 1998, c. 46, art. 108; 2001, c. 26, art. 161; 2006, c. 58, art. 41

48.1 Admissibilité en preuve — Dans toute poursuite prise en vertu de la présente loi, une copie d'une convention collective imprimée sous l'autorité de la Commission et portant mention de sa conformité à l'exemplaire ou à la copie conforme reçu par la Commission en vertu de l'article 48 par le président ou une personne qu'il désigne est admissible en preuve et a la même force probante que l'original.

1998, c. 46, art. 109

49. (*Abrogé*).

1968, c. 45, art. 16; 1973, c. 28, art. 10; 1975, c. 51, art. 8; 1993, c. 61, art. 33

50. Clauses exécutoires — Les clauses de la convention collective sont exécutoires, à compter de la date prévue dans la convention collective pour son entrée en vigueur ou à défaut, à la date de sa signature, pour tous les employeurs et tous les salariés, actuels et futurs, lorsqu'ils exécutent ou font exécuter des travaux de construction dans le secteur visé.

1968, c. 45, art. 17; 1973, c. 29, art. 2; 1993, c. 61, art. 34

51. (*Abrogé*).

1968, c. 45, art. 18; 1973, c. 28, art. 11; 1974, c. 38, art. 1; 1975, c. 51, art. 9; 1993, c. 61, art. 35

52. Conclusion présumée — Une convention collective déposée conformément à l'article 48 est présumée avoir été conclue de la manière prévue à la présente loi.

1968, c. 23, art. 8; 1968, c. 45, art. 19; 1993, c. 61, art. 36

53. Effet du dépôt — Le dépôt conformément à l'article 48 rend obligatoires toutes les clauses de la convention collective.

1968, c. 45, art. 20; 1993, c. 61, art. 37

53.1 Décisions d'assignation de travaux — Lorsqu'une convention collective prévoit la création de comités de résolution des conflits de compétence, toute personne ou association concernée par une décision d'assignation de travaux rendue par un tel comité doit s'y conformer à l'égard du chantier visé par cette décision sans délai jusqu'à ce que le Tribunal administratif du travail rende, le cas échéant, une décision relativement à ce conflit de compétence.

2005, c. 42, art. 5; 2006, c. 58, art. 43; 2011, c. 30, art. 37; 2015, c. 15, art. 237

54. Obligation solidaire — Le salaire dû par un sous-entrepreneur est une obligation solidaire entre ce sous-entrepreneur et l'entrepreneur avec qui il a contracté, et entre ce sous-entrepreneur, le sous-entrepreneur avec qui il a contracté, l'entrepreneur et tout sous-entrepreneur intermédiaire.

Fin de la solidarité — Lorsque l'employeur est titulaire de la licence requise en vertu de la *Loi sur le bâtiment* (chapitre B-1.1), cette solidarité prend fin six mois après la fin des travaux exécutés par cet employeur, à moins que le salarié n'ait déposé, auprès de la Commission, une plainte relative à son salaire, qu'une action civile n'ait été intentée, ou qu'une réclamation n'ait été transmise par la Commission suivant le troisième alinéa du paragraphe 1° de l'article 122 avant l'expiration de ce délai.

Étendue de la solidarité — Cette solidarité s'étend aussi au client qui a contracté directement ou par intermédiaire avec un entrepreneur qui n'est pas titulaire de la licence requise en vertu de la *Loi sur le bâtiment*, à l'égard du salaire dû par cet entrepreneur et par chacun de ses sous-entrepreneurs.

1968, c. 45, art. 21; 1992, c. 42, art. 8; 1993, c. 61, art. 38; 1995, c. 8, art. 31

54.1 (*Remplacé*).

1992, c. 42, art. 9; 1993, c. 61, art. 39; 1995, c. 8, art. 31

55. (*Abrogé*).

1968, c. 45, art. 22; 1974, c. 38, art. 2; 1993, c. 61, art. 40

56. Grève et lock-out prohibés — La grève et le lock-out sont prohibés dans un secteur pendant la durée de la convention collective.

1968, c. 45, art. 23; 1993, c. 61, art. 41

57. Grève ou ralentissement de travail interdits — Nulle association de salariés, nul dirigeant, délégué, agent d'affaires ou représentant d'une telle association ou nul salarié ne doit ordonner, encourager ou appuyer une grève ou un ralentissement de travail pendant la durée d'une convention collective ou y prendre part.

Exception — Ne constitue pas un ordre, un encouragement, un appui ou une participation à une grève ou à un ralentissement de travail visé dans le premier alinéa, le fait pour une association de salariés, un dirigeant, délégué, agent d'affaires ou représentant d'une telle association d'exercer un droit ou une fonction visé dans la *Loi sur la santé et la sécurité du travail* (chapitre S-2.1).

1968, c. 45, art. 24; 1975, c. 50, art. 2; 1979, c. 63, art. 313; 1986, c. 95, art. 296; 1993, c. 61, art. 42

58. Lock-out interdit — Nulle association d'employeurs, nul employeur, nul administrateur, dirigeant ou représentant d'une telle association ou d'un employeur ne doit ordonner, encourager ou appuyer un lock-out pendant la durée d'une convention collective ou y prendre part.

1975, c. 50, art. 2; 1986, c. 95, art. 297; 1993, c. 61, art. 42

58.1 Pouvoirs de la Commission — En cas de grève, de ralentissement de travail ou de lock-out contraire aux dispositions de la présente loi, le Tribunal administratif du travail peut, sur requête de toute partie intéressée, exercer les pouvoirs prévus par l'article 111.33 du *Code du travail* (chapitre C-27), compte tenu des adaptations nécessaires.

2011, c. 30, art. 38; 2015, c. 15, art. 195

59. (*Abrogé*).

1975, c. 50, art. 2; 1986, c. 89, art. 11

60. Maintien de l'emploi — Nul ne cesse d'être un salarié pour l'unique raison qu'il a cessé de travailler par suite d'une grève ou lock-out.

1968, c. 45, art. 25

60.1 Conditions maintenues — À compter de son expiration, les conditions de travail contenues dans une convention collective sont maintenues tant qu'une des parties n'a pas exercé son droit à la grève ou au lock-out.

Conditions maintenues — Toutefois, les parties peuvent prévoir dans la convention collective que les conditions de travail contenues dans cette dernière vont continuer de s'appliquer jusqu'à l'entrée en vigueur de la nouvelle convention collective.

Conditions maintenues — Les conditions de travail portant sur les matières mentionnées à l'article 61.1 continuent de s'appliquer jusqu'à ce qu'elles soient renouvelées ou révisées conformément à la loi.

1993, c. 61, art. 43

Chapitre VI.1 — Ententes particulières

60.2 Projet de grande importance — Une association sectorielle d'employeurs et au moins trois associations représentatives à un degré de plus de 50 % peuvent conclure une entente particulière sur les conditions de travail qui seront applicables pour la réalisation d'un projet de construction de grande importance dans le secteur de cette association sectorielle d'employeurs. Sauf au regard des matières mentionnées à l'article 61.1, ces conditions de travail peuvent être différentes de celles qui sont applicables dans le secteur concerné.

Interprétation — Aux fins du présent chapitre, l'expression « projet de construction de grande importance » désigne un projet de construction à la réalisation duquel, selon les prévisions agréées par les parties à l'entente, au moins 500 salariés seront employés simultanément à un moment donné des travaux.

1995, c. 8, art. 32; 2011, c. 30, art. 39

60.3 Dispositions applicables — À l'exception des articles 42, 43 à 45.3, 46 et 47 et du troisième alinéa de l'article 48 et à moins que le contexte ne s'y oppose, les dispositions de la présente loi qui concernent une convention collective ou son application s'appliquent, compte tenu des adaptations nécessaires, à une entente particulière. Une telle entente ne peut toutefois être conclue après qu'un premier appel d'offres ait été effectué pour l'exécution de travaux de construction relatifs au projet de construction de grande importance.

Application restreinte — Si, à la date du dépôt d'une entente particulière suivant l'article 48, il existe une convention collective applicable dans le secteur concerné par l'entente, l'entente particulière devient alors une annexe à cette convention collective. Sinon, elle devient une annexe à cette convention collective d'application restreinte jusqu'à la prise d'effet d'une convention collective dans le secteur concerné, auquel cas elle devient alors une annexe à cette convention collective.

Salariés visés — L'application des clauses d'une entente particulière est limitée, pour la période qui y est déterminée, aux seuls salariés et employeurs qui exécutent ou font exécuter des travaux de construction pour la réalisation du projet de construction de grande importance visé par l'entente.

1995, c. 8, art. 32

Chapitre VII — Contenu des conventions collectives

61. Contenu de la convention collective — La convention collective doit contenir des clauses concernant la classification des emplois, la rémunération, le bulletin de paie, la durée du travail, les heures supplémentaires, les jours fériés, les congés payés, le délai-congé, le régime complémentaire de sécurité sociale et la procédure applicable pour sa modification.

Sécurité syndicale — Elle doit aussi contenir des clauses concernant la sécurité syndicale, y compris le précompte des cotisations, les délégués syndicaux, la procédure de règlement des griefs et l'exercice des recours des salariés contre les mesures disciplinaires prises par l'employeur.

Ancienneté — Elle peut aussi contenir notamment des clauses concernant l'ancienneté, les mesures relatives à la main-d'œuvre, la mobilité de la main-d'œuvre, les mouvements de main-d'œuvre, les travaux par roulement, les travaux de nuit et les travaux du dimanche ainsi que les majorations de salaire, les primes, les indemnités et allocations diverses, les tableaux d'affichage, les vestiaires et les outils. Elle peut aussi contenir des clauses instituant une procédure destinée à prévenir ou régler un conflit de compétence relatif à l'exercice d'un métier ou d'une occupation avant que le Tribunal administratif du travail n'en soit saisi. Cette procédure doit être conforme au devoir d'agir équitablement et assurer une résolution rapide des conflits de compétence. Elle doit notamment prévoir que toute entente, recommandation ou décision soit consignée par écrit et motivée.

Clauses de la convention — Elle peut également contenir toute clause relative aux conditions de travail dans un secteur, qui n'est pas contraire à l'ordre public ni prohibée par la loi.

1968, c. 45, art. 28; 1969, c. 51, art. 99; 1975, c. 51, art. 10; 1992, c. 42, art. 10; 1993, c. 61, art. 45; 1995, c. 8, art. 33; 1998, c. 46, art. 110; 2006, c. 58, art. 44; 2011, c. 30, art. 40; 2015, c. 15, art. 237

61.1 Clauses communes — Les clauses portant sur les matières suivantes doivent être communes aux conventions collectives de chacun des secteurs :

1° la sécurité syndicale, y compris le précompte des cotisations syndicales;

2° la représentation syndicale;

3° la procédure de règlement des griefs;

4° l'exercice des recours à l'encontre des mesures disciplinaires;

5° l'arbitrage;

6° le régime complémentaire d'avantages sociaux de base;

7° (*paragraphe supprimé*).

1993, c. 61, art. 46; 2011, c. 30, art. 41

61.2 Interdiction — Une clause d'une convention collective ne peut :

1° accorder une préférence à une association représentative ou à une association sectorielle d'employeurs;

2° porter atteinte à un droit d'un salarié sur la base d'une discrimination en rapport avec son allégeance syndicale;

3° porter sur une agence de placement, le placement ou la référence de main-d'œuvre;

4° limiter le libre choix de l'employeur de requérir les services d'un salarié;

4.1° limiter le libre choix d'un salarié quant aux moyens d'offrir ses services à un employeur;

5° introduire des clauses discriminatoires à l'endroit de quelque employeur ou de quelque association ou groupement de salariés ou d'employeurs;

5.1° introduire une disposition incompatible avec un engagement du gouvernement du Québec dans le cadre d'une entente intergouvernementale en matière de mobilité de la main-d'œuvre;

5.2° introduire une disposition qui impose à la Commission une obligation ou une modalité d'exécution d'une obligation qui n'est pas prévue par la loi;

6° contenir toute autre disposition contraire à la loi.

1993, c. 61, art. 46; 1995, c. 8, art. 34; 2005, c. 42, art. 6; 2011, c. 30, art. 42

61.3 Clause non écrite — Toute clause d'une convention collective contraire aux dispositions de la présente loi est réputée non écrite.

1993, c. 61, art. 46

61.4 Recours au Tribunal administratif du travail — Sur requête du procureur général ou de toute partie intéressée, le Tribunal administratif du travail peut déterminer dans quelle mesure une clause d'une convention collective est contraire à une disposition de la présente loi.

Signification de la requête — Le requérant doit signifier cette requête aux autres parties intéressées.

1993, c. 61, art. 46; 2001, c. 26, art. 162; 2015, c. 15, art. 237

62. Arbitrage des griefs — Tout grief portant sur un sujet visé au deuxième alinéa de l'article 61 ou sur l'ancienneté, la mobilité de la main-d'œuvre, les mouvements de main-d'œuvre, le tableau d'affichage ou le harcèlement psychologique doit être déféré à un arbitre unique. Cet arbitre est choisi par les parties au moment des négociations; à défaut d'entente, il est nommé par la Commission parmi les personnes dont les noms apparaissent sur la liste dressée annuellement en vertu du deuxième alinéa de l'article 77 du *Code du travail* (chapitre C-27).

Recours à l'arbitrage — Toute association visée par l'un ou l'autre des paragraphes *b*, *c* ou *c*.2 du premier alinéa de l'article 1 peut aussi, de la même manière et après autorisation de la Commission, avoir recours à l'arbitrage pour faire statuer sur toute difficulté que pose l'interprétation d'une clause portant sur un autre sujet prévu à l'article 61.

Prescription — Tout recours prévu par le deuxième alinéa suspend la prescription de toute action civile pouvant se fonder sur la clause soumise à l'arbitrage, jusqu'à ce que la sentence arbitrale soit rendue.

Sentence arbitrale — La Commission tient compte de toute sentence arbitrale rendue en vertu du deuxième alinéa dans l'application qu'elle fait d'une convention collective.

1968, c. 45, art. 30; 1975, c. 51, art. 11; 1983, c. 22, art. 106; 1986, c. 89, art. 50; 1991, c. 76, art. 5; 1993, c. 61, art. 47; 1995, c. 8, art. 35; 2005, c. 42, art. 7; 2011, c. 30, art. 43

63. Motifs de récusation d'un arbitre — L'arbitre ne doit avoir aucun intérêt dans un grief qui lui est soumis, ni avoir agi à titre d'agent d'affaires, de procureur, de conseiller ou de représentant d'une des parties dans la négociation de la convention collective donnant ouverture au grief, dans l'application de cette convention ou dans la négociation de son renouvellement.

1968, c. 45, art. 31; 1975, c. 51, art. 12

64. Déclaration de l'arbitre — L'arbitre qui connaît cause valable de récusation en sa personne est tenu, sans attendre qu'elle soit proposée, de la déclarer par écrit versé au dossier.

Déclaration des parties — La partie qui sait cause de récusation contre l'arbitre doit faire de même sans délai.

Renonciation — Les parties peuvent renoncer par écrit versé au dossier à leur droit de récusation, mais celui en qui existe cause de récusation peut s'abstenir de siéger même si la récusation n'est pas proposée.

1975, c. 51, art. 12

65. Requête en récusation — Une partie peut adresser au Tribunal administratif du travail une requête en récusation, avec avis de trois jours signifié à l'autre partie et à la personne dont on demande la récusation. À l'expiration de ce délai, le Tribunal administratif du travail décide de la requête à moins que la personne dont on demande la récusation n'ait consenti à se récuser par un écrit versé à l'un des bureaux du Tribunal administratif du travail.

Suspension de l'enquête — Depuis la signification de la requête en récusation et jusqu'à ce qu'il en soit décidé, l'arbitre doit suspendre l'enquête sur le grief dont il est saisi.

Effet des décisions — Si la récusation est jugée valable, l'arbitre est aussitôt dessaisi de ce grief; si elle est jugée non valable, l'arbitre peut également refuser d'entendre ce grief.

Vacances — Toute vacance créée par le retrait volontaire ou par la récusation prononcée par le Tribunal administratif du travail est remplie suivant la procédure établie pour la nomination initiale.

1975, c. 51, art. 12; 2001, c. 26, art. 163; 2015, c. 15, art. 237

66. Immunité — Aucune personne agissant à titre d'arbitre des griefs ne peut être poursuivie en justice en raison d'actes officiels accomplis de bonne foi dans l'exercice de ses fonctions.

1975, c. 51, art. 12

67. Instruction du grief — L'arbitre doit procéder en toute diligence à l'instruction du grief et, sauf disposition contraire de la convention collective, selon la procédure et le mode de preuve qu'il juge appropriés. Dans tous les cas, il doit donner au salarié, à son association et à l'employeur l'occasion d'être entendus.

1975, c. 51, art. 12; 1993, c. 61, art. 48

68. Témoins — À la demande d'une partie, l'arbitre des griefs peut, s'il le juge utile, assigner par écrit des témoins.

Refus de comparaître — Une personne ainsi assignée qui refuse de comparaître ou de témoigner peut y être contrainte comme si elle avait été citée à comparaître suivant le *Code de procédure civile* (chapitre C-25.01).

Indemnités et allocations — Le témoin assigné a droit aux mêmes indemnités et allocations que les témoins en Cour supérieure et au remboursement des frais de déplacement et de séjour encourus à cette fin. Ces indemnités et allocations sont payables par la partie qui a proposé cette assignation, mais la personne qui bénéficie de son salaire durant cette période n'a droit qu'au remboursement des frais de déplacement et de séjour.

Serment — L'arbitre des griefs peut exiger et recevoir le serment d'un témoin qui bénéficie alors de l'immunité prévue au deuxième alinéa de l'article 11 de la *Loi sur les commissions d'enquête* (chapitre C-37).

1975, c. 51, art. 12; 1990, c. 4, art. 778; 1999, c. 40, art. 257; N. I. 2016-01-01 (NCPC)

69. Visite des lieux — À la demande de l'une des parties, l'arbitre peut, s'il le croit utile, visiter les lieux de travail qui se rapportent au grief dont il est saisi.

Invitation des parties — Si la demande est accueillie, l'arbitre doit inviter les parties à l'accompagner.

Examen des biens — À l'occasion d'une visite des lieux de travail, l'arbitre peut examiner tout bien. Il peut aussi à cette occasion, si les parties présentes y consentent, interroger les personnes qui s'y trouvent.

1975, c. 51, art. 12; 1999, c. 40, art. 257

70. Décision de l'arbitre — À moins que la convention collective ne contienne une clause contraire, l'arbitre doit rendre une décision à partir de la seule preuve recueillie à l'enquête.

1975, c. 51, art. 12; 1993, c. 61, art. 49

71. Cassation de décision d'employeurs — À moins que la convention collective ne contienne une clause contraire, l'arbitre peut, en matière disciplinaire, casser ou modifier la décision de l'employeur et rendre toute ordonnance complémentaire jugée nécessaire en raison d'un tel changement.

1975, c. 51, art. 12; 1993, c. 61, art. 49

72. Accord des parties — En tout temps, les parties peuvent s'entendre sur l'une des questions faisant l'objet du grief; un tel accord lie l'arbitre.

Consignation de l'accord — L'accord est consigné à la décision arbitrale qui ne peut alors porter sur ce point.

1975, c. 51, art. 12

73. Décision motivée — La décision arbitrale doit être motivée et rendue par écrit.

1975, c. 51, art. 12

74. Délai pour rendre décision — À défaut d'un délai fixé à la convention collective, l'arbitre doit rendre sa décision dans les 60 jours de sa nomination à moins que les parties consentent au préalable et par écrit à accorder un délai supplémentaire d'un nombre de jours précis.

Décision par le Tribunal administratif du travail — Au-delà de cette période, le Tribunal administratif du travail peut, sur requête d'une partie, rendre l'ordonnance qu'il juge nécessaire pour qu'une telle décision soit rendue dans les meilleurs délais et soit déposée.

1975, c. 51, art. 12; 1993, c. 61, art. 50; 2001, c. 26, art. 164; 2015, c. 15, art. 237

75. Décision sans appel — La décision arbitrale est sans appel et lie les parties. L'arbitre doit déposer la décision en deux exemplaires ou copies conformes à l'original à la Commission et transmettre en même temps une copie de la décision à chacune des parties. La décision arbitrale prend effet dès son dépôt.

Ordonnance pour dépôt de décision — À défaut par l'arbitre de déposer la décision ou de la transmettre aux parties, le Tribunal administratif du travail peut, sur requête d'une partie, rendre l'ordonnance qu'il juge nécessaire pour que la décision soit déposée ou transmise aux parties dans les meilleurs délais.

1975, c. 51, art. 12; 1986, c. 89, art. 50; 2001, c. 26, art. 165; 2015, c. 15, art. 237

76. Certification — Le secrétaire de la Commission peut certifier conforme toute décision arbitrale qui a été déposée selon l'article 75.

1975, c. 51, art. 12; 1986, c. 88, art. 50

77. Homologation de décision — Sur présentation au bureau du greffier de la Cour supérieure du district du lieu de l'entreprise en cause d'une copie authentique de la décision arbitrale, le tribunal peut, sur demande de l'association, de l'employeur ou de l'intéressé, homologuer la décision, l'intimé étant tenu aux frais de justice; la décision devient alors exécutoire comme tout autre jugement. Durant les vacances judiciaires ou hors session, un juge de la Cour supérieure a la même compétence que le tribunal aux fins du présent article.

Jugement sans appel — Le jugement homologuant la décision arbitrale est sans appel et la décision homologuée est exécutoire à l'expiration des 15 jours suivant la date du jugement.

1975, c. 51, art. 12; 1999, c. 40, art. 257; N. I. 2016-01-01 (NCPC)

78. Plaintes — Sous réserve de l'article 107.5, la Commission est seule habilitée à recevoir les plaintes se rapportant à l'application d'une norme relative à la référence, à l'embauche ou à la mobilité de la main-d'œuvre.

1968, c. 45, art. 32; 1970, c. 35, art. 4; 1971, c. 46, art. 2; 1973, c. 28, art. 12; 1975, c. 51, art. 13; 1979, c. 2, art. 20; 1986, c. 89, art. 12; 1993, c. 61, art. 51; 2011, c. 30, art. 44

79. (*Abrogé*).

1971, c. 46, art. 2; 1975, c. 51, art. 14; 1979, c. 63, art. 314

80. (*Abrogé*).

1971, c. 46, art. 2; 1975, c. 51, art. 15; 1979, c. 63, art. 315; 1986, c. 89, art. 13; 1995, c. 8, art. 36

80.1 Décision — Le Tribunal administratif du travail statue sur tout recours formé à l'encontre d'une décision de la Commission de la construction du Québec :

1º refusant la délivrance ou le renouvellement d'un certificat de compétence-compagnon, d'un certificat de compétence-occupation ou d'un certificat de compétence-apprenti et d'un carnet d'apprentissage;

2º délivrant ou renouvelant un certificat de compétence-compagnon, un certificat de compétence-occupation ou un certificat de compétence-apprenti ou un carnet d'apprentissage que son titulaire n'estime pas approprié;

3º refusant de remettre en vigueur un certificat de compétence-compagnon, un certificat de compétence-occupation ou un certificat de compétence-apprenti et un carnet d'apprentissage annulés suivant une disposition d'un règlement visé à l'article 123.1;

4º refusant à un employeur l'autorisation d'utiliser dans une région les services d'un salarié;

5º refusant la demande d'un employeur de délivrer à un salarié un certificat de compétence-occupation ou un certificat de compétence-apprenti et un carnet d'apprentissage;

6º refusant ou annulant une exemption à l'obligation d'être titulaire d'un certificat de compétence-compagnon, d'un certificat de compétence-occupation ou d'un certificat de compétence-apprenti et d'un carnet d'apprentissage ou soumettant la délivrance d'une telle exemption à des conditions que la personne ayant fait la demande n'estime pas appropriées;

7º refusant à un salarié la délivrance d'une carte visée à l'article 36;

8° refusant à un salarié de l'admettre à un examen;

9° classant un salarié dans l'apprentissage à un niveau que celui-ci estime inapproprié.

Employeur — Seul l'employeur peut contester devant le Tribunal administratif du travail une décision visée aux paragraphes 4° et 5° du premier alinéa et, dans les cas prévus au paragraphe 6° du premier alinéa, lorsque l'employeur doit en vertu de la présente loi ou de ses règlements formuler lui-même la demande de délivrance d'une exemption.

1986, c. 89, art. 13; 1988, c. 35, art. 18; 1995, c. 8, art. 37; 1996, c. 74, art. 41; 1998, c. 46, art. 111; 2006, c. 58, art. 46; 2011, c. 30, art. 45; 2015, c. 15, art. 237

80.2 Recours au Tribunal administratif du travail — L'entrepreneur condamné pour une infraction entraînant une restriction à sa licence aux fins de l'obtention d'un contrat public et qui est visée à un règlement pris en vertu des paragraphes 8.2° et 8.3° du premier alinéa de l'article 123 peut, dans les 30 jours de la condamnation, s'adresser au Tribunal administratif du travail afin que celui-ci ordonne à la Commission de ne pas considérer cette infraction pour l'application du règlement.

Ordonnance — L'ordonnance ne peut être rendue que si l'entrepreneur démontre, à l'égard des faits ayant entraîné la condamnation :

1° soit qu'il a commis l'infraction en raison d'une mauvaise interprétation, faite de bonne foi, d'une disposition d'une convention collective ou d'une disposition législative ou réglementaire relative au champ d'application de la présente loi;

2° soit qu'il n'entendait pas éluder son obligation de déclarer les heures réellement travaillées ni ses obligations en vertu d'une loi fiscale.

Avis de la demande — Un avis de la demande doit être transmis à la Commission dans le même délai.

Abrogation proposée — 80.2

Lors de l'entrée en vigueur par décret de L.Q. 2012, c. 25, art. 71, l'art. 80.2 sera abrogé.

2012, c. 25, art. 71 [Entrera en vigueur par décret.]

1997, c. 85, art. 397; 1998, c. 46, art. 112; 2006, c. 58, art. 47; 2015, c. 15, art. 237

80.3 Contestation — Une personne qui se croit lésée par une décision de la Commission rendue en application d'un règlement édicté en vertu du premier alinéa de l'article 123.1 peut, lorsqu'un tel recours est prévu dans ce règlement, la contester devant le Tribunal administratif du travail.

1998, c. 46, art. 113; 2006, c. 58, art. 48; 2015, c. 15, art. 237

81. Pouvoirs de la Commission — En vue d'assurer la mise à exécution d'une convention collective, la Commission peut :

a) exercer les recours qui naissent de la présente loi ou d'une convention collective en faveur des salariés qui n'ont pas fait signifier de poursuite dans un délai de 15 jours de l'échéance, et ce, nonobstant toute loi à ce contraire, toute opposition ou toute renonciation expresse ou implicite du salarié, et sans être tenue de justifier d'une cession de créance par l'intéressé, de le mettre en demeure, de lui dénoncer la poursuite, ni d'alléguer et de prouver l'absence de poursuite dans ce délai de 15 jours, ni de produire le certificat de compétence-compagnon;

a.1) exercer à l'encontre des administrateurs d'une personne morale les recours qui naissent de la présente loi ou d'une convention collective en faveur des salariés et qu'ils peuvent exercer envers eux;

b) aux mêmes conditions, reprendre l'instance au lieu et place de tout salarié qui, ayant fait signifier une telle poursuite, a négligé de procéder pendant 15 jours;

c) recouvrer tant de l'employeur que du salarié qui violent les clauses d'une convention collective relatives à la rémunération en monnaie courante et aux indemnités ou avantages ayant une valeur pécuniaire, et de chacun d'eux, une somme égale à 20 % de la différence entre le montant obligatoire et celui effectivement payé;

c.1) recouvrer tant du salarié visé au paragraphe *c* qui exécute des travaux de construction sans être titulaire du certificat de compétence ou bénéficiaire d'une exemption requis pour les travaux qu'il exécute que de son employeur, une somme supplémentaire égale à 20 % de la différence entre le montant obligatoire et celui effectivement payé;

c.2) recouvrer de l'employeur qui omet de lui transmettre le rapport mensuel visé au paragraphe *b* du premier alinéa de l'article 82 les sommes correspondant aux indemnités, contributions, cotisations et prélèvements qui auraient dû être transmises avec ce rapport, et un montant supplémentaire égal à 20 % de ces sommes, dans le cas d'une première omission, et à 40 % de ces sommes dans les autres cas; le montant ainsi réclamé peut être établi au moyen d'une expertise basée sur l'étendue des travaux faisant l'objet du contrat exécuté par l'employeur ou par tout autre moyen de preuve permettant d'établir les heures de travail nécessaires à la réalisation de ces travaux;

Modification proposée — 81 al. 1, par. c.2)

c.2) recouvrer de l'employeur qui omet de lui transmettre le rapport mensuel visé au paragraphe *b* du premier alinéa de l'article 82 ou qui lui transmet un rapport mensuel erroné, faux ou incomplet, en omettant notamment d'y inscrire toutes les heures effectuées par ses salariés, les sommes correspondant aux indemnités, contributions, cotisations et prélèvements qui auraient dû être transmises avec le rapport exact, véridique ou complet, et un montant supplémentaire égal à 20 % de ces sommes, dans le cas d'une première omission ou fausse inscription, et à 40 % de ces sommes dans les autres cas; le montant ainsi réclamé peut être établi au moyen d'une expertise basée sur l'étendue des travaux faisant l'objet du contrat exécuté par l'employeur ou par tout autre moyen de preuve permettant d'établir les heures de travail nécessaires à la réalisation de ces travaux;

2013, c. 16, art. 154 [Entrera en vigueur par décret.]

Ajout proposé — 81 al. 1, par. c.3)

c.3) lorsqu'elle constate l'exécution de travaux de construction sur un immeuble dont le propriétaire, en contravention avec l'article 81.0.1, refuse ou néglige de lui communiquer soit l'identité de la personne responsable de l'exécution de l'ensemble des travaux de construction, soit l'identité des employeurs qui exécutent ou font exécuter ces travaux, ou soit l'identité des salariés qui exécutent ces travaux, recouvrer de ce propriétaire les sommes correspondant aux indemnités, contributions, cotisations et prélèvements autrement exigibles d'un employeur en vertu du paragraphe *c*.2 et un montant supplémentaire égal à 20 % de ces sommes; le montant ainsi réclamé peut être établi au moyen d'une expertise basée sur l'étendue des travaux exécutés sur l'immeuble du propriétaire ou par tout autre moyen de preuve permettant d'établir les heures de travail nécessaires à la réalisation de ces travaux;

2013, c. 16, art. 154 [Entrera en vigueur par décret.]

d) effectuer tout règlement, compromis ou transaction jugé convenable dans les cas prévus aux paragraphes *a* à *c*.2;

Modification proposée — 81 al. 1, par. d)

d) effectuer tout règlement, compromis ou transaction jugé convenable dans les cas prévus aux paragraphes *a* à *c*.3;

2013, c. 16, art. 154 [Entrera en vigueur par décret.]

e) à toute heure raisonnable, examiner le système d'enregistrement, le registre obligatoire et la liste de paie de tout employeur, en prendre des copies ou extraits, vérifier auprès de tout employeur et de tout salarié le taux du salaire, la durée du travail et l'observance des autres clauses d'une convention collective;

f) à toute heure raisonnable et même au lieu du travail, requérir de tout employeur ou de tout salarié les renseignements jugés nécessaires ou exiger de ces personnes qu'elles fournissent ces renseignements par écrit à la Commission dans un délai de 10 jours francs suivant la remise d'une demande écrite à cet effet ou suivant le jour où cette demande leur est laissée par tout moyen approprié;

g) par demande écrite adressée à tout employeur, exiger qu'une copie qu'elle lui transmet de l'échelle des salaires rendus obligatoires, ou de toute décision ou règlement, soit affichée et maintenue affichée à un endroit convenable et de la façon prescrite dans la demande;

h) par résolution, accorder à tout salarié d'après la preuve jugée suffisante d'aptitudes physiques ou mentales restreintes un certificat l'autorisant à travailler à des conditions déterminées et différentes de celles prévues par une convention collective.

Identification — Sur demande, toute personne autorisée par la Commission à exercer les pouvoirs prévus aux paragraphes *e* ou *f* doit s'identifier et exhiber le certificat, délivré par la Commission, attestant sa qualité.

Recours — La Commission peut exercer les recours visés aux paragraphes *a* et *b* du premier alinéa contre toute personne tenue de payer au salarié le salaire qui lui est dû.

1971, c. 46, art. 2; 1975, c. 51, art. 16; 1979, c. 2, art. 21; 1986, c. 89, art. 14, 50; 1986, c. 95, art. 298; 1988, c. 35, art. 6; 1993, c. 61, art. 52; 1995, c. 8, art. 38; 1996, c. 74, art. 42; 1998, c. 46, art. 114; 2011, c. 18, art. 56

81.0.1 Renseignements nécessaires — Malgré toute autre disposition de la présente loi, la Commission peut, au moyen d'une demande écrite à cet effet, requérir de toute personne visée à l'article 7.2 et de toute association qu'elles lui fournissent, par écrit ou de la manière indiquée par la Commission, dans un délai de 10 jours francs de l'expédition de cette demande, tout renseignement et copie de tout document conforme à l'original jugés nécessaires pour assurer l'exercice des fonctions de la Commission.

1988, c. 35, art. 7

81.1 Reproduction de documents — Un document qui a fait l'objet d'un examen par la Commission ou qui lui a été produit peut être reproduit. Toute copie de ce document certifiée conforme à l'original par le président ou par une personne qu'il désigne est admissible en preuve et a la même force probante que l'original.

1983, c. 13, art. 6; 1986, c. 89, art. 50; 1988, c. 35, art. 8

81.2 Recouvrement des sommes — La Commission verse dans un fonds prévu au paragraphe 8º de l'article 4 qu'elle détermine, les sommes qu'elle recouvre en vertu des paragraphes *c*.1 et *c*.2 de l'article 81, à l'exception des sommes suivantes :

1º celles correspondant aux cotisations syndicales, qui sont remises aux associations représentatives selon les pourcentages établis en vertu de l'article 35;

2º celles correspondant à la cotisation patronale, qui sont remises à l'association d'employeurs;

3º celles correspondant au prélèvement et au montant supplémentaire que la Commission recouvre en vertu du paragraphe *c*.2 de l'article 81, qu'elle conserve.

Modification proposée — 81.2

81.2 Recouvrement des sommes — La Commission verse dans un fonds prévu au paragraphe 8º de l'article 4 qu'elle détermine, les sommes qu'elle recouvre en vertu des paragraphes *c*.1 et *c*.3 de l'article 81, à l'exception des sommes suivantes :

1º celles correspondant aux cotisations syndicales, qui sont remises aux associations représentatives selon les pourcentages établis en vertu de l'article 35;

2º celles correspondant à la cotisation patronale, qui sont remises à l'association d'employeurs ou à l'association sectorielle d'employeurs selon le cas;

3º celles correspondant au prélèvement et au montant supplémentaire que la Commission recouvre en vertu du paragraphe *c*.2 ou *c*.3 de l'article 81, qu'elle conserve.

2013, c. 16, art. 155 [Entrera en vigueur par décret.]

1988, c. 35, art. 9; 1995, c. 8, art. 39

82. Pouvoirs additionnels — La Commission peut, de plus, par règlement approuvé par le gouvernement et publié à la *Gazette officielle du Québec* :

a) rendre obligatoire, pour tout employeur, un système d'enregistrement des travaux de construction ou la tenue d'un registre où sont indiqués les nom, prénoms et adresse de chaque salarié à son emploi, sa compétence, l'heure précise à laquelle le travail a été commencé, a été interrompu, repris et achevé chaque jour, la nature de tel travail et le salaire payé, avec mention du mode et de l'époque de paiement ainsi que tous autres renseignements jugés utiles à l'application d'une convention collective;

Ajout proposé — 82 al. 1, par. a.1)

a.1) imposer à tout employeur ou entrepreneur autonome, un délai de conservation de tout document jugé utile à l'application de la présente loi, de ses règlements ou d'une convention collective;

2013, c. 16, art. 156 [Entrera en vigueur par décret.]

b) obliger tout employeur à lui transmettre un rapport mensuel de la manière qu'elle le prescrit et comportant notamment les renseignements suivants : nom, prénoms et adresse de chacun de ses salariés, sa compétence, nombre d'heures de travail normales et supplémentaires effectuées chaque semaine, la nature de ce travail et le salaire payé, les congés payés, les cotisations de sécurité sociale et toute autre mention jugée utile, et notamment les heures effectuées par son représentant désigné ou par l'entrepreneur autonome;

b.0.1) obliger une catégorie d'employeurs à transmettre les rapports mensuels et tout document ou renseignement exigible en vertu de la présente loi ou de ses règlements par voie télématique ou sur support informatique, ainsi que déterminer les conditions et modalités alors applicables;

b.0.2) prévoir les renseignements que les personnes concernées par des travaux de construction doivent transmettre aux fins d'évaluer la taille et l'importance de ces travaux;

b.1) (*paragraphe abrogé*);

c) prélever de l'employeur seul ou de l'employeur et du salarié ou du salarié seul les sommes nécessaires à son administration et fixer un montant minimum qu'un employeur est tenu de verser par période mensuelle; ce prélèvement est soumis aux conditions suivantes :

(1) l'état estimatif des revenus et des dépenses doit être soumis au gouvernement, en même temps que le règlement fixant la méthode et le taux du prélèvement ou lorsqu'il y a lieu de modifier la méthode ou le taux en vigueur;

(2) sauf si le total de ces montants est inférieur au montant minimum qu'un employeur peut être tenu de verser par période mensuelle, le prélèvement ne doit jamais excéder 1 % de la rémunération du salarié et 1 % de la liste de paie de l'employeur et, dans le cas de l'entrepreneur autonome, 1 % de sa rémunération à ce titre;

(3) le règlement peut déterminer la base de calcul du prélèvement;

(4) l'employeur peut être obligé de percevoir le prélèvement imposé aux salariés au moyen d'une retenue sur le salaire de ces derniers;

d) (*paragraphe supprimé*);

e) (*paragraphe supprimé*);

f) percevoir des employeurs et des salariés toute contribution ou cotisation imposée par une convention collective.

Après l'expiration d'une convention collective, l'employeur et le salarié restent tenus au paiement de telle contribution ou cotisation et la Commission continue de la percevoir;

g) confier à la Caisse de dépôt et placement du Québec toute somme perçue en excédent de tout montant nécessaire pour couvrir les frais d'administration, le paiement des prestations dues en vertu du régime complémentaire d'avantages sociaux qu'elle administre, le paiement des primes d'assurance et l'acquittement des frais de même nature, selon les modalités établies par le gouvernement, après avis de la Commission et de la Caisse de dépôt et placement du Québec;

h) obliger tout employeur et toute personne morale ou société visée à l'article 19.1 à lui transmettre, dans le délai et suivant la forme qu'elle détermine, un avis écrit comportant son identification, les nom et adresse de chacun de ses établissements, les nom, prénoms, adresse et compétence de son représentant désigné en vertu de l'article 19.1, s'il y a lieu, et toute autre mention qu'elle juge utile pour l'application de la présente loi et ses règlements;

i) déterminer les conditions à satisfaire et les droits exigibles pour l'émission d'une lettre d'état de situation ainsi que les renseignements que peut contenir une telle lettre relativement à des travaux de construction exécutés sur un chantier ou aux fins d'une soumission.

Dispositions applicables — Les paragraphes *a* et *b* du premier alinéa continuent de s'appliquer malgré l'expiration d'une convention collective.

Modification proposée — 82 al. 2

Les paragraphes *a*, *a*.1 et *b* du premier alinéa continuent de s'appliquer malgré l'expiration d'une convention collective.

2013, c. 16, art. 156 [Entrera en vigueur par décret.]

1971, c. 46, art. 2; 1973, c. 29, art. 3; 1975, c. 19, art. 14; 1975, c. 51, art. 17; 1979, c. 2, art. 22; 1986, c. 89, art. 15; 50; 1988, c. 35, art. 10; 1992, c. 42, art. 11; 1993, c. 61, art. 53; 1995, c. 8, art. 40; 1998, c. 46, art. 115; 1999, c. 13, art. 11; 1999, c. 40, art. 257; 2011, c. 30, art. 46

82.1 Prélèvement et cotisation — Tout employeur est responsable envers la Commission du paiement du prélèvement et de toute cotisation obligatoires sur le salaire d'un salarié même s'il omet de retenir ce prélèvement ou cette cotisation.

1992, c. 42, art. 12

82.2 Intérêt — Les sommes prélevées en vertu du paragraphe *c* de l'article 82, de même que celles des contributions ou cotisations perçues en vertu du paragraphe *f* de l'article 82, portent intérêt, à compter de leur exigibilité, au taux fixé par règlement adopté en vertu de l'article 28 de la *Loi sur l'administration fiscale* (chapitre A-6.002).

Calcul — Aux fins du calcul des intérêts, toute partie d'un mois est considérée comme un mois complet.

Restriction — Les intérêts ne sont pas capitalisés.

1992, c. 42, art. 12; 2010, c. 31, art. 175

83. Infraction et peine — Commet une infraction et est passible d'une amende de 448 $ à 895 $ dans le cas d'un individu et de 1 794 $ à 5 601 $ dans le cas de toute autre personne :

1° tout employeur ou salarié qui refuse ou néglige de fournir à la Commission ou à toute personne autorisée par celle-ci les renseignements prévus au paragraphe *a* de l'article 82;

2° tout employeur qui n'accorde pas sur demande à la Commission ou à toute personne autorisée par celle-ci, ou retarde à lui accorder l'accès au registre, au système d'enregistrement ou à la liste de paye prévu au paragraphe *a* de l'article 82;

3° toute personne qui n'accorde pas à la Commission ou à toute personne autorisée par celle-ci, ou retarde à lui accorder l'accès à un lieu où s'effectuent des travaux de construction ou à un établissement d'un employeur.

1971, c. 46, art. 2; 1975, c. 51, art. 19; 1986, c. 58, art. 90; 1986, c. 89, art. 50; 1988, c. 35, art. 11; 1990, c. 4, art. 779; 1992, c. 42, art. 13; 1995, c. 51, art. 50; 2009, c. 57, art. 9; Avis, (2010) 142 G.O. I, 1428; Avis, (2012) 144 G.O. I, 31; Avis, (2012) 144 G.O. I, 1335; *Erratum*, (2013) 145 G.O. I, 74; Avis, (2013) 145 G.O. I, 1242; Avis, (2014) 146 G.O. I, 1151; Avis, (2015) 147 G.O. I, 1143; Avis, (2016) 148 G.O. I, 1180

83.1 Infraction et peine — Un salarié ou un employeur qui fait défaut de se conformer à une demande de la Commission en vertu du paragraphe *f* de l'article 81 commet une infraction et est passible, pour chaque jour que dure l'infraction d'une amende de 448 $ à 895 $ dans le cas d'un individu et de 1 794 $ à 5 601 $ dans le cas de toute autre personne.

1988, c. 35, art. 11; 1990, c. 4, art. 779; 1991, c. 33, art. 119; 1992, c. 42, art. 14; 1995, c. 51, art. 50; 2009, c. 57, art. 9; Avis, (2010) 142 G.O. I, 1428; Avis, (2012) 144 G.O. I, 31; Avis, (2012) 144 G.O. I, 1335; Avis, (2013) 145 G.O. I, 1242; Avis, (2014) 146 G.O. I, 1151; Avis, (2015) 147 G.O. I, 1143; Avis, (2016) 148 G.O. I, 1180

83.2 Infraction et peine — Toute personne ou toute association qui fait défaut de se conformer à une demande de la Commission en vertu de l'article 81.0.1 commet une infraction et est passible, pour chaque jour que dure l'infraction d'une amende de 448 $ à 895 $ dans le cas d'un individu et de 1 794 $ à 5 601 $ dans le cas de toute autre personne ou d'une association.

1988, c. 35, art. 11; 1990, c. 4, art. 779; 1991, c. 33, art. 120; 1992, c. 42, art. 15; 1995, c. 51, art. 50; 2009, c. 57, art. 9; Avis, (2010) 142 G.O. I, 1428; Avis, (2012) 144 G.O. I, 31; Avis, (2012) 144 G.O. I, 1335; Avis, (2013) 145 G.O. I, 1242; Avis, (2014) 146 G.O. I, 1151; Avis, (2015) 147 G.O. I, 1143; Avis, (2016) 148 G.O. I, 1180

84. Infractions et peines — Quiconque moleste, incommode ou injurie un membre ou un employé de la Commission dans l'exercice de ses fonctions, ou autrement met obstacle à tel exercice, commet une infraction et est passible d'une amende de 1 455 $ à 5 601 $.

1971, c. 46, art. 2; 1975, c. 51, art. 20; 1986, c. 58, art. 91; 1986, c. 89, art. 50; 1988, c. 35, art. 12; 1990, c. 4, art. 780; 1991, c. 33, art. 121; 2009, c. 57, art. 10; Avis, (2010) 142 G.O. I, 1428; Avis, (2012) 144 G.O. I, 31; Avis, (2012) 144 G.O. I, 1335; Avis, (2013) 145 G.O. I, 1242; Avis, (2014) 146 G.O. I, 1151; Avis, (2015) 147 G.O. I, 1143; Avis, (2016) 148 G.O. I, 1180

85. Unité de négociation — Les salariés de la Commission autorisés à exercer les pouvoirs prévus par les articles 7, 7.1 et 7.3, par les paragraphes *e* et *f* du premier alinéa de l'article 81 et par l'article 81.0.1 constituent une unité de négociation pour les fins de l'accréditation qui peut être accordée en vertu du *Code du travail* (chapitre C-27).

Association accréditée — L'association accréditée pour représenter les salariés visés par le premier alinéa ne peut être affiliée à une association représentative ou à une organisation à laquelle une telle association ou tout autre groupement de salariés de la construction est affilié ou autrement lié, ni conclure une entente de service avec l'un d'eux.

1971, c. 46, art. 2; 1975, c. 51, art. 21; 1986, c. 89, art. 50; 2011, c. 17, art. 61; 2011, c. 30, art. 47

85.0.1 Autorisation d'exercice — Un salarié de la Commission doit, pour être autorisé à exercer un pouvoir visé par l'article 85, satisfaire aux conditions suivantes :

1° être de bonnes mœurs;

2° ne pas avoir été reconnu coupable, en quelque lieu que ce soit, d'une infraction pour un acte ou une omission qui constitue une infraction au *Code criminel* (L.R.C. (1985), ch. C-46) ou une infraction visée à l'article 183 de ce code créée par l'une des lois qui y sont énumérées, ayant un lien avec l'emploi.

2011, c. 17, art. 62

Chapitre VII.1 — Formation professionnelle

85.1 Objectif — La formation professionnelle a pour objet d'assurer une maind'œuvre compétente et polyvalente en tenant compte notamment des besoins qualitatifs et quantitatifs des employeurs et des salariés de l'industrie de la construction.

Objets — Elle a aussi pour objet de favoriser l'emploi de même que l'adaptation, le réemploi et la mobilité de la main-d'œuvre.

1986, c. 89, art. 16; 1988, c. 35, art. 18; 1995, c. 43, art. 56

85.2 Ministre responsable — Le ministre élabore et propose au gouvernement les politiques et mesures relatives à la main-d'œuvre dans l'industrie de la construction.

1986, c. 89, art. 16; 1992, c. 44, art. 81; 1994, c. 12, art. 54

85.3 Programmes de formation — La Commission élabore des programmes relatifs à la formation professionnelle après consultation du Comité sur la formation et les soumet à l'approbation du ministre.

1986, c. 89, art. 16; 1992, c. 44, art. 81; 1994, c. 12, art. 54

85.4 Avis au ministre — La Commission donne au ministre de l'Éducation, du Loisir et du Sport des avis sur toute question relative à la formation professionnelle dispensée dans des établissements d'enseignement après consultation du Comité sur la formation.

1986, c. 89, art. 16; 1993, c. 51, art. 72; 1994, c. 16, art. 50; 2005, c. 28, art. 195

85.4.1 Relevé des contributions — Dans les deux premiers mois d'une année, la Commission émet, pour l'application de la *Loi favorisant le développement et la reconnaissance des compétences de la main-d'œuvre* (chapitre D-8.3), des relevés des contributions payées par les employeurs au cours de l'année précédente aux fins d'un fonds de formation qu'elle administre.

Déboursés — Elle atteste aussi, dans ces relevés, que des déboursés pour des activités de formation ont ou non été effectués sur ce fonds au cours de l'année précédente.

1995, c. 43, art. 57; 2007, c. 3, art. 68

85.5 Certificats de compétence — Un employeur et un salarié doivent être titulaires d'un certificat de compétence-compagnon, d'un certificat de compétence-occupation ou d'un certificat de compétence-apprenti et d'un carnet d'apprentissage, délivrés par la Commission, ou bénéficier d'une exemption, et avoir en leur possession ce certificat ou une preuve d'exemption pour exécuter eux-mêmes des travaux de construction.

1986, c. 89, art. 16; 1988, c. 35, art. 18; 1996, c. 74, art. 43

85.6 Certificat obligatoire — Pour exécuter eux-mêmes des travaux relatifs à un métier, un employeur et un salarié doivent être titulaires d'un certificat de compétence-compagnon, d'un certificat de compétence-apprenti et d'un carnet d'apprentissage, délivrés par la Commission et correspondant à ce métier, ou bénéficier d'une exemption correspondant à ce métier et avoir en leur possession ce certificat ou une preuve d'exemption.

1986, c. 89, art. 16; 1988, c. 35, art. 18; 1996, c. 74, art. 44

85.7 Contenu — Un certificat de compétence ou une preuve d'exemption doit notamment contenir les renseignements suivants concernant son titulaire :

1° son nom;

2° son adresse et la région de son domicile;

3° sa date de naissance;

4° son numéro d'identification;

5° son métier ou son occupation, s'il s'agit d'un certificat de compétence.

Contenu — Ce certificat ou cette preuve indique ses dates d'entrée en vigueur et d'échéance et doit comporter toute autre information requise en vertu d'une loi.

al. en partie non en vigueur — 85.7, al. 2

La partie du deuxième alinéa qui comprend les mots « une photo du salarié ainsi que » n'est pas en vigueur. À l'entrée en vigueur de cette partie de l'alinéa, le deuxième alinéa de l'article 85.7 se lira comme suit :

Ce certificat ou cette preuve indique ses dates d'entrée en vigueur et d'échéance et doit comporter une photo du salarié ainsi que toute autre information requise en vertu d'une loi.

2011, c. 30, art. 48 [En vigueur en partie.]

Chapitre VIII — Dispositions spéciales

86. « Syndicat », « union » — Aux fins du présent article, on entend par « syndicat » ou « union » tout syndicat, union ou association de salariés affilié à une association représentative ou toute association représentative ne comportant pas de tels syndicat, union ou association affiliés.

Droit de représentation — Tout syndicat ou union a le droit d'être représenté par un délégué de chantier dans le chantier dont l'employeur emploie au moins sept salariés et plus, membres de ce syndicat ou de cette union, sous réserve des dispositions suivantes :

1. Élection — Scrutin secret. Le délégué de chantier doit être élu, au scrutin secret, à la majorité des membres du syndicat ou de l'union déjà à l'emploi de l'employeur et parmi ces membres.

Chantier. Aux fins du présent article, le chantier est constitué de l'ensemble des travaux effectués par un employeur pour un même projet.

Délégués supplémentaires. Chaque augmentation subséquente de cinquante salariés membres du syndicat ou de l'union chez un même employeur donne aux salariés le droit d'élire un délégué supplémentaire.

Déclaration. Aux fins de l'exercice des fonctions de la Commission, la personne élue doit remettre une déclaration à son syndicat ou à son union, en la forme que la Commission détermine, selon laquelle elle ne contrevient pas à l'article 26 en agissant comme délégué de chantier. Le syndicat ou l'union doit transmettre sans délai cette déclaration à la Commission, de la manière prévue par celle-ci.

2. Reconnaissance — Avis à l'employeur. L'employeur doit reconnaître le délégué de chantier ainsi élu comme représentant du groupe de salariés membres du syndicat ou de l'union concerné après que ce syndicat ou cette union l'a avisé par écrit de l'élection du délégué et qu'il a transmis à la Commission la déclaration visée au quatrième alinéa du paragraphe 1.

3. Fonctions et rémunération du délégué de chantier —

a) **Travail raisonnable** — Le délégué de chantier est un salarié de l'employeur et à ce titre, il doit fournir une somme de travail raisonnable compte tenu de ses fonctions syndicales.

b) **Enquêtes sur litiges** — En sa qualité de délégué de chantier, il peut, pendant les heures de travail, sans diminution de salaire mais seulement après avoir avisé le représentant de l'employeur, enquêter sur les litiges concernant l'application de la convention collective et en discuter avec l'employeur.

c) **Entente sur temps alloué** — Le temps alloué pour les

activités syndicales du délégué fait l'objet d'une entente entre l'employeur et ce dernier, compte tenu du nombre de salariés que représente le délégué mais ne peut excéder trois heures par jour ouvrable.

d) **Absence plus longue** — Lorsque par exception, le délégué doit s'absenter de son poste de travail pour une période plus longue que celle fixée à l'entente, il doit justifier cette prolongation d'absence auprès de son employeur.

e) **Durée prévue par l'entente** — Sous réserve d'une justification en vertu du sous-paragraphe *d*, le délégué n'a pas droit au paiement de son salaire pour ses activités syndicales au-delà de la durée prévue par l'entente.

f) **Fonctions** — Sur un chantier, le délégué doit se limiter à l'exécution de son travail pour l'employeur et de ses fonctions de délégué de chantier prévues par la loi.

4. Priorité d'emploi — **Conditions**. Le délégué de chantier jouit de la priorité d'emploi sur son chantier à l'égard de tous les salariés si les deux conditions suivantes sont satisfaites :

a) au moins sept salariés membres de son syndicat ou de son union sont toujours employés par l'employeur sur le chantier;

b) il y a du travail à exécuter dans son métier, sa spécialité ou son occupation.

5. Formation syndicale — **Absence sans solde**. Si le délégué et son syndicat ou son union décident que le délégué a besoin d'une période de formation afin de bien remplir ses nouvelles fonctions, celui-ci pourra s'absenter, sans solde, de son travail pour assister aux cours pertinents. La durée de cette absence devra être négociée entre les parties, en tenant compte des particularités de l'industrie.

Autorisation. Le délégué doit préalablement obtenir l'autorisation de l'employeur, laquelle ne doit jamais être refusée sans motif raisonnable.

6. Préavis de mise à pied — **Préavis ou indemnité**. Lorsqu'un employeur désire mettre à pied pour une période de plus de cinq jours un délégué de chantier, il doit lui donner un préavis de trois jours ouvrables. Ce préavis doit également être transmis, par écrit, au syndicat ou à l'union du délégué, dans ce même délai. À défaut de ce faire, l'employeur doit verser une indemnité égale à quatre heures de salaire au taux de salaire effectif, non majoré, pour chaque jour de défaut, jusqu'à concurrence de trois jours ouvrables.

1975, c. 50, art. 3; 1986, c. 89, art. 17; 1993, c. 61, art. 54; 2005, c. 42, art. 8

87. Délégué de chantier — Est réputée non écrite toute clause d'une convention collective relative à la fonction de délégué de chantier, à l'exception d'une clause concernant la fonction de délégué de chantier en matière de santé et de sécurité au travail.

Recours prévus — Cependant, tout différend quant à l'application des paragraphes 2, 4, 5 et 6 de l'article 86 donne ouverture aux recours prévus dans la convention collective qui régit le travailleur concerné comme si ces dispositions étaient contenues dans la convention.

1975, c. 50, art. 3; 1979, c. 63, art. 316; 1993, c. 61, art. 55

88. Obligation d'installer des matériaux — Sous réserve de la *Loi sur la santé et la sécurité du travail* (chapitre S-2.1) et de l'application d'une clause d'une convention collective relative au travail dans des conditions dangereuses :

a) aucun salarié ne peut refuser d'installer ou de manutentionner des matériaux que son employeur lui ordonne d'installer ou de manutentionner;

b) aucune association ou personne agissant pour une association ne peut obliger ou tenter de forcer un salarié à ne pas installer ni manutentionner des matériaux que son employeur lui demande d'installer ou de manutentionner;

c) les paragraphes *a* et *b* ne peuvent être interprétés comme permettant à l'employeur d'obliger un salarié à installer les matériaux dans l'exécution des travaux qui ne relèvent pas de la famille des métiers ou emplois à laquelle il appartient.

1975, c. 50, art. 3; 1979, c. 63, art. 317; 1993, c. 61, art. 55; 2005, c. 42, art. 9

89. Santé et sécurité — Est réputée non écrite toute clause d'une convention collective relative aux matières visées dans les paragraphes *a* et *b* de l'article 88, à l'exception d'une clause concernant la santé et la sécurité du travail.

1975, c. 50, art. 3; 1979, c. 63, art. 318; 1993, c. 61, art. 55

90. Clause nulle — Toute entente relative à l'utilisation de matériaux portant l'étiquette syndicale est nulle de nullité absolue.

1975, c. 50, art. 3; 1999, c. 40, art. 257

90.1 (*Abrogé*).

1993, c. 61, art. 56; 1995, c. 8, art. 41

91. Inhabilité — L'inhabilité visée à l'article 26 donne lieu au pourvoi en contrôle judiciaire prévu au paragraphe 4 du premier alinéa de l'article 529 du *Code de procédure civile* (chapitre C-25.01), à la suite d'une demande présentée par tout salarié, toute association, par la Commission ou par le procureur général.

(*Alinéa inopérant*)

Dommages-intérêts punitifs — Le montant des dommages-intérêts punitifs auxquels peut être condamné le défendeur est celui prévu à l'article 117 et non celui prévu à l'article 840 du *Code de procédure civile*.

Charge réputée vacante — Nonobstant l'article 533 dudit Code, la charge qu'occupait le défendeur est réputée vacante à compter du jugement sur la demande, nonobstant appel.

1975, c. 50, art. 3; 1992, c. 61, art. 531; 2005, c. 42, art. 10; N. I. 2016-01-01 (NCPC)

92. (1) Administration — La Commission administre les régimes complémentaires d'avantages sociaux. Elle continue la gestion de ces régimes qui demeurent en vigueur, même pour la période qui suit l'expiration d'une convention collective.

(2) Frais d'administration — La Commission peut retenir, à même les sommes qu'elle reçoit en la matière, les montants nécessaires pour acquitter ses frais d'administration, pour effectuer le paiement des prestations dues en vertu d'un régime qu'elle administre, le paiement des primes d'assurance et l'acquittement de frais de même nature. Elle confie à la Caisse de dépôt et placement du Québec le surplus annuel des sommes reçues selon les modalités déterminées par le gouvernement après avis de la Commission et de la Caisse de dépôt et placement du Québec.

(3) (*paragraphe supprimé*).

(3.1) (*paragraphe supprimé*).

(4) (*paragraphe supprimé*).

(5) Régime complémentaire — Sous réserve de l'article 11 et du paragraphe 2 du présent article, la Commission peut conclure une entente avec toute personne en vue de la mandater pour l'administration d'un régime complémentaire d'avantages sociaux.

(6) (*paragraphe supprimé*).

1975, c. 19, art. 15; 1979, c. 2, art. 23; 1986, c. 89, art. 50; 1988, c. 35, art. 13; 1989, c. 38, art. 319; 1993, c. 61, art. 57; 1995, c. 8, art. 42; 1996, c. 74, art. 45; 2011, c. 30, art. 49

92.1 Frais d'administration — La Commission peut retenir, à même les sommes qu'elle perçoit relativement aux fins visées au paragraphe 9° de l'article 4, les montants nécessaires pour acquitter ses frais d'administration et les autres dépenses engendrées par des activités imputables à ces fins.

1992, c. 42, art. 16

93. Demande de réexamen — Toute personne qui se croit lésée par une décision de la Commission quant à son admissibilité à un régime d'avantages sociaux ou quant au montant d'une prestation peut, dans les 60 jours de sa réception, en demander le réexamen à la Commission.

Décision de la Commission — La Commission rend sa décision en réexamen dans les 60 jours de la demande. La décision en réexamen peut, dans les 60 jours de sa réception, être contestée devant le Tribunal administratif du travail; la décision de ce dernier est définitive.

Demande au Tribunal administratif du travail — À défaut d'une décision initiale quant à son admissibilité ou quant au montant d'une prestation, ou d'une décision en réexamen dans les 90 jours de la demande visée, la personne concernée peut adresser sa demande au Tribunal administratif du travail, dans les 60 jours du délai prescrit.

1975, c. 19, art. 15; 1986, c. 89, art. 50; 2001, c. 26, art. 166; 2011, c. 30, art. 50; 2015, c. 15, art. 237

93.1 Comptabilité — Toute association visée par l'un des paragraphes *a*, *b*, *c* ou *c*.2 du premier alinéa de l'article 1 et toute association de salariés affiliée à une association représentative doit tenir et diviser sa comptabilité de manière à ce que chaque genre de services et avantages accordés aux membres puisse être administré séparément et faire l'objet de caisses ou fonds distincts.

États financiers — Une telle association doit faire vérifier ses états financiers chaque année selon les principes comptables généralement reconnus et en transmettre gratuitement copie à tous ses membres. Elle doit aussi en transmettre copie au ministre, accompagnée de la déclaration dont le contenu est fixé par arrêté du ministre. La déclaration est publiée sur le site Internet du ministère du Travail. Le ministre peut exiger de l'association tout renseignement qu'il juge utile à la suite de son examen de la déclaration et des états financiers, ainsi que soumettre ces derniers à une nouvelle vérification.

2011, c. 30, art. 51

Chapitre VIII.1 — Fonds

Section I — Fonds d'indemnisation

93.2 Institution — Est institué le « Fonds d'indemnisation des salariés de l'industrie de la construction ».

Affectation — Ce fonds est affecté exclusivement à l'indemnisation des salariés ayant subi une perte de salaire, selon les conditions et modalités prévues par règlement.

2011, c. 30, art. 51

93.3 Constitution — Le Fonds d'indemnisation des salariés de l'industrie de la construction est constitué des cotisations versées par les employeurs, déterminées par règlement de la Commission, des sommes recouvrées à la suite d'un recours exercé en vertu de la présente loi, des intérêts produits par les sommes d'argent le constituant et de l'accroissement de son actif.

Insuffisance de l'actif — Toute insuffisance de l'actif est comblée par un emprunt de la Commission. Cet emprunt doit être remboursé sur le Fonds.

2011, c. 30, art. 51

93.4 Administration — Le Fonds d'indemnisation des salariés de l'industrie de la construction est administré par la Commission. Celle-ci tient à l'égard des sommes constituant le Fonds une comptabilité distincte; les coûts d'administration et de fonctionnement du Fonds sont défrayés sur les sommes qui le constituent.

Actif du Fonds — L'actif du Fonds ne fait pas partie des actifs de la Commission et ne peut servir à assumer l'exécution de ses autres obligations.

2011, c. 30, art. 51

93.5 Indemnisation — La Commission indemnise un salarié selon les règles prescrites par règlement.

2011, c. 30, art. 51

SECTION II — FONDS DE FORMATION DES SALARIÉS DE L'INDUSTRIE DE LA CONSTRUCTION

93.6 Institution — Est institué le « Fonds de formation des salariés de l'industrie de la construction ».

Affectation — Ce fonds est affecté exclusivement à la promotion et au financement des activités de perfectionnement des salariés de l'industrie de la construction et comporte deux volets :

1° le volet du secteur institutionnel et commercial, du secteur industriel et du secteur génie civil et voirie, affecté à la promotion et au financement des activités de perfectionnement des salariés de ces secteurs;

2° le volet du secteur résidentiel, affecté à la promotion et au financement des activités de perfectionnement des salariés de ce secteur.

2011, c. 30, art. 51

93.7 Constitution — Le Fonds de formation des salariés de l'industrie de la construction est constitué des cotisations versées par les employeurs, déterminées par règlement de la Commission, des intérêts produits par les sommes d'argent le constituant et de l'accroissement de son actif.

Sommes — Ces sommes sont portées au volet prévu par l'article 93.6 correspondant aux fins pour lesquelles elles sont versées.

Insuffisance de l'actif — Toute insuffisance de l'actif est comblée par un emprunt de la Commission. Cet emprunt doit être remboursé sur le Fonds.

2011, c. 30, art. 51

93.8 Administration — Sous réserve de l'article 18.10.1, le Fonds de formation des salariés de l'industrie de la construction est administré par la Commission. Celle-ci tient à l'égard des sommes le constituant une comptabilité distincte, par volet; les coûts d'administration et de fonctionnement du Fonds sont défrayés sur les sommes qui le constituent.

Actif du Fonds — L'actif du Fonds ne fait pas partie des actifs de la Commission et ne peut servir à assumer l'exécution de ses autres obligations.

2011, c. 30, art. 51

Chapitre IX — Liberté syndicale

94. Droit des salariés — Tout salarié a droit d'appartenir à une association de salariés de son choix et de participer à ses activités et à son administration mais il ne peut appartenir qu'à une seule association de salariés.

1968, c. 45, art. 33; 1972, c. 10, art. 1; 1973, c. 28, art. 15; 1975, c. 51, art. 23

95. (1) Déclaration — Tout syndicat professionnel représentant des salariés de la construction ou tout groupement de salariés de la construction non constitué en personne morale qui fait affaires au Québec doit déposer à la Commission une déclaration faite par écrit, et signée par le président lorsque son siège est au Québec ou lorsque la personne qui dirige l'association au Québec y a un établissement, ou par son dirigeant au Québec dans les autres cas.

(2) Contenu de la déclaration — Cette déclaration doit contenir les mentions suivantes :

a) le nom du syndicat ou du groupement;

b) l'adresse de son siège et, si ce dernier est à l'extérieur du Québec, l'adresse de son établissement au Québec;

c) le nom, l'adresse et la citoyenneté de chaque dirigeant et représentant résidant au Québec, le poste occupé par chacun d'eux au sein du syndicat ou groupement et la manière selon laquelle il a été élu ou nommé;

d) le nom et l'adresse de toute union, fédération, confédération, conseil de métiers, conseil provincial de métiers ou fédération de tels conseils auquel il est affilié ou avec lequel il a conclu un contrat de services;

e) le statut juridique de l'association.

(3) Copie des statuts et règlements — Cette déclaration doit être accompagnée d'une copie certifiée conforme des statuts et des règlements du syndicat ou groupement.

(4) Délai — La déclaration doit être faite dans les 60 jours qui suivent le commencement des activités.

(5) Déclaration des changements — Chaque fois qu'il y a quelque changement dans les sujets visés au paragraphe 2 du présent article, une déclaration doit en être faite de la même manière dans les 60 jours qui suivent ce changement.

(6) Entrée dans registre — La Commission entre chaque déclaration dans un registre qu'elle tient à cet effet.

1975, c. 51, art. 25; 1986, c. 89, art. 50; 1999, c. 40, art. 257

96. (1) Transmission à la Commission — Les statuts de tout syndicat ou groupement mentionné au paragraphe 1 de l'article 95 et toute modification auxdits statuts doivent être transmis à la Commission.

(2) Normes — Les statuts doivent répondre aux normes minimales suivantes :

a) l'élection des personnes occupant une fonction de direction, la grève, l'acceptation ou le rejet d'un projet de convention collective et la fixation de la cotisation ne peuvent être décidés qu'au scrutin secret par la majorité des membres présents à une assemblée dûment convoquée;

b) tout membre a le droit d'exprimer sa dissidence lors de toute assemblée syndicale ou de tout vote sans encourir aucune sanction;

c) tout dirigeant chargé de la gestion financière du syndicat ou groupement doit déposer à la Commission, un cautionnement d'un montant déterminé par ce dernier;

d) tout membre a droit d'obtenir gratuitement de son syndicat ou groupement, à la fin de chaque année financière, un état détaillé, en français, des revenus et dépenses de son syndicat ou groupement;

e) le mode de convocation des assemblées doit y être prévu.

1975, c. 51, art. 25; 1986, c. 89, art. 50

97. (*Abrogé*).

1975, c. 51, art. 25; 1986, c. 89, art. 50; 2011, c. 30, art. 52

98. Sollicitation interdite — Personne ne peut, au nom ou pour le compte d'une association de salariés, solliciter, pendant les heures de travail, l'adhésion d'un salarié à une association.

1968, c. 45, art. 34

99. Réunions — Une association de salariés ne doit tenir aucune réunion de ses membres au lieu du travail sans le consentement de l'employeur.

1968, c. 45, art. 35

100. Ingérence dans une association de salariés — Aucun employeur, ni aucune personne agissant pour un employeur ou une association d'employeurs, ne doit chercher d'aucune manière à dominer, entraver ou financer la formation ou les activités d'une association de salariés, ni à y participer.

Ingérence dans une association d'employeurs — Aucune association de salariés, ni aucune personne agissant pour le compte d'une telle association, ne doit adhérer à une association d'employeurs, ni ne doit chercher à dominer, entraver ou financer la formation ou les activités d'une telle association, ni à y participer.

1968, c. 45, art. 37

101. Intimidation interdite — Nul ne doit intimider une personne ou exercer à son égard des mesures discriminatoires, des représailles ou toute menace ou contrainte ayant pour but ou pour effet de porter atteinte à sa liberté syndicale, de la pénaliser en raison de son choix ou de son adhésion syndical, de la contraindre à devenir membre, à s'abstenir de devenir membre ou à cesser d'être membre d'une association ou du bureau d'une association, de la pénaliser pour avoir exercé un droit lui résultant de la présente loi ou de l'inciter à renoncer à l'exercice d'un tel droit.

Intimidation exercée par une personne — Contrevient au premier alinéa la personne qui, pour les fins ou raisons mentionnées à cet alinéa, notamment :

a) refuse d'embaucher, licencie ou menace de licencier une personne;

b) impose une mesure disciplinaire à un salarié, diminue sa charge de travail, le rétrograde, lui refuse l'avancement auquel il aurait normalement droit ou use de favoritisme à son égard dans tout mouvement de main-d'œuvre ou dans la répartition du travail.

Interprétation — En outre, intimide une personne celui qui exerce des pressions de quelque façon que ce soit sur un tiers pour l'inciter à adopter l'un des comportements prohibés par le premier alinéa.

1968, c. 45, art. 38; 1975, c. 50, art. 4; 2005, c. 42, art. 11; 2011, c. 30, art. 53

101.1 Embauche — Une association de salariés ne peut, à l'égard des salariés qu'elle représente, agir de manière arbitraire ou discriminatoire dans les références qu'elle fait à des fins d'embauche.

2011, c. 30, art. 54

102. Discrimination — Une association de salariés ne peut exercer des mesures discriminatoires contre un salarié pour la seule raison qu'il s'abstient d'adhérer à une association.

1968, c. 45, art. 39; 2005, c. 42, art. 12

103. (*Abrogé*).

1968, c. 45, art. 40; 2011, c. 30, art. 55

104. Discrimination — Il est interdit à une association de salariés de refuser d'accepter comme membre un salarié parce que ce dernier n'a pas été embauché par l'entremise de cette association.

1968, c. 45, art. 41; 2011, c. 30, art. 56

105. Plainte — Une personne intéressée peut soumettre au Tribunal administratif du travail une plainte portant sur l'application des dispositions du présent chapitre dans les 15 jours qui suivent la date à laquelle a eu lieu le fait ou la connaissance du fait dont elle se plaint.

1968, c. 45, art. 42; 1983, c. 13, art. 7; 1983, c. 22, art. 107; 1991, c. 76, art. 6; 2001, c. 26, art. 167; 2005, c. 42, art. 13; 2015, c. 15, art. 237

106. Fardeau de la preuve — Si le plaignant établit à la satisfaction du Tribunal administratif du travail qu'il exerce un droit lui résultant du présent chapitre, il incombe à la personne ou à l'association visée par la plainte, suivant le cas, de prouver qu'elle avait un motif juste et suffisant de faire ce qui lui est reproché.

1968, c. 45, art. 43; 2005, c. 42, art. 13; 2015, c. 15, art. 237

107. Dispositions applicables — Les dispositions qui sont applicables à un recours relatif à l'exercice par un salarié d'un droit lui résultant du *Code du travail* (chapitre C-27) s'appliquent, compte tenu des adaptations nécessaires, au regard d'une plainte soumise au Tribunal administratif du travail en vertu de l'article 105 de la présente loi.

Ordonnance — L'ordonnance de versement d'une indemnité visée au paragraphe *a* de l'article 15 du *Code du travail* peut aussi s'appliquer à toute personne ou association autre que l'employeur. Le Tribunal administratif du travail peut aussi ordonner le paiement de dommages-intérêts punitifs par les personnes ou associations qui auraient contrevenu à une disposition du présent chapitre, ordonner à une association représentative ou de salariés de réintégrer un salarié dans ses rangs avec le maintien des avantages dont il a été privé illégalement et rendre toute autre ordonnance qu'il estime appropriée.

1968, c. 45, art. 44; 2005, c. 42, art. 13; 2015, c. 15, art. 196

Chapitre IX.1 — Référence de main-d'œuvre

SECTION I — PERMIS

107.1 Permis — Nul ne peut fournir un service de référence de main-d'œuvre dans l'industrie de la construction s'il n'est titulaire d'un permis délivré à cette fin par le Bureau des permis de service de référence de main-d'œuvre.

Titulaire de permis — Seule une association visée par l'un des paragraphes *a* à *c*.2 du premier alinéa de l'article 1 ou une association de salariés affiliée à une association représentative peut être titulaire d'un tel permis.

Agir pour l'association — Est réputé agir pour une telle association, le dirigeant, l'employé, le représentant, l'agent d'affaires ou le délégué de chantier qui exerce des activités de référence de main-d'œuvre.

2011, c. 30, art. 57

107.2 Service de référence — Le titulaire d'un permis de service de référence de main-d'œuvre peut participer au Service de référence qu'administre la Commission en application du paragraphe 10° du premier alinéa de l'article 4, dans la mesure prévue par règlement du gouvernement pris en vertu du paragraphe 8.6° du premier alinéa de l'article 123.

2011, c. 30, art. 57

107.3 Conditions — L'association qui demande un permis de service de référence de main-d'œuvre doit satisfaire aux conditions suivantes :

1° aucun de ses dirigeants ou représentants à quelque titre que ce soit n'a été, au cours des cinq années précédant la demande, déclaré coupable d'une infraction visée à l'article 26 ou d'une infraction pénale ou criminelle qui, de l'avis du Bureau des permis de service de référence de main-d'œuvre, a un lien avec les relations de travail, la formation professionnelle et la gestion de la main-d'œuvre dans l'industrie de la construction;

2° elle satisfait aux autres conditions prévues par règlement du gouvernement pris en vertu du paragraphe 8.7° du premier alinéa de l'article 123.

2011, c. 30, art. 57

SECTION II — BUREAU DES PERMIS DE SERVICE DE RÉFÉRENCE DE MAIN-D'ŒUVRE

107.4 Bureau institué — Est institué, au sein du ministère du Travail, le Bureau des permis de service de référence de main-d'œuvre.

2011, c. 30, art. 57

107.5 Fonctions — Le Bureau des permis de service de référence de main-d'œuvre a pour fonctions, conformément au règlement pris en vertu du paragraphe 8.7° du premier alinéa de l'article 123 :

1° d'administrer le régime de délivrance des permis de service de référence de main-d'œuvre;

2° de recevoir et traiter toute plainte en lien avec la référence de main-d'œuvre.

Transmission d'information — Il transmet de plus à la Commission toute information qu'il juge pertinente lorsqu'il croit qu'une infraction prévue par la présente loi relative à du placement ou de la référence de main-d'œuvre a été commise.

2011, c. 30, art. 57

107.6 Dépenses assumées — La Commission assume les dépenses du Bureau des permis de service de référence de main-d'œuvre, y compris le salaire de son personnel.

Détermination des montants — Le montant et les modalités de versement des sommes devant être versées par la Commission sont déterminés par le gouvernement.

2011, c. 30, art. 57

SECTION III — SERVICE DE RÉFÉRENCE DE MAIN-D'ŒUVRE DE L'INDUSTRIE DE LA CONSTRUCTION

107.7 Administration du Service de référence — La Commission administre un Service de référence de main-d'œuvre de l'industrie de la construction visant à fournir des candidats salariés qualifiés pour répondre aux besoins de main-d'œuvre des employeurs.

Inscription au Service de référence — Tout salarié titulaire d'un certificat de compétence ou d'une exemption valides est d'office inscrit au Service de référence de main-d'œuvre de l'industrie de la construction. Il est tenu d'informer le Service de ses disponibilités et de mettre à jour cette information selon les conditions et modalités prévues par règlement du gouvernement.

Employeur — Dans les dispositions de la présente section, le mot **« employeur »** désigne l'employeur visé par règlement du gouvernement pris en vertu du paragraphe 8.6° du premier alinéa de l'article 123, en fonction des situations que ce règlement détermine.

2011, c. 30, art. 57

107.8 Fonctionnement du Service de référence — Le fonctionnement du Service de référence de main-d'œuvre de l'industrie de la construction est déterminé par règlement du gouvernement pris en vertu du paragraphe 8.6° du premier alinéa de l'article 123. Il comporte, en outre de ce que prévoit le règlement, les modalités suivantes :

1° tout employeur ayant des besoins de main-d'œuvre pour effectuer des travaux de construction doit en faire la déclaration au Service;

2° hormis la Commission, seules les associations titulaires d'un permis de service de référence de main-d'œuvre peuvent prendre connaissance des besoins de main-d'œuvre déclarés au Service et y répondre en fournissant, par la voie du Service, les coordonnées de candidats qualifiés.

2011, c. 30, art. 57

107.9 Déclaration de besoin de main-d'œuvre — Aucun employeur ne peut embaucher de candidats salariés s'il n'a préalablement fait une déclaration de besoin de main-d'œuvre pour un nombre égal ou supérieur au nombre de candidats embauchés, conformément au paragraphe 1° de l'article 107.8.

Candidature référée — L'employeur qui a déclaré un besoin de main-d'œuvre n'est pas tenu d'embaucher un candidat référé par le Service de référence de main-d'œuvre de l'industrie de la construction. Il ne peut toutefois demander qu'une association visée par l'article 107.1 lui réfère un candidat, qu'elle soit détentrice d'un permis ou non.

2011, c. 30, art. 57

107.10 Numéro d'embauche — Avant d'embaucher un candidat, un employeur doit obtenir un numéro d'embauche de la Commission pour chaque candidat, selon les conditions et modalités prévues par règlement.

Vérification de la demande — Sur réception de la demande de numéro d'embauche de l'employeur, la Commission vérifie la demande et lui octroie un numéro d'embauche si les conditions prévues par règlement sont satisfaites.

2011, c. 30, art. 57

107.11 Avis — Un employeur doit aviser la Commission de l'embauche, du licenciement, de la mise à pied ou du départ de tout salarié, selon les conditions et modalités prévues par règlement de la Commission pris en application du paragraphe 13° du premier alinéa de l'article 123.1.

2011, c. 30, art. 57

Chapitre X — Sécurité syndicale

108. Choix de l'association sauvegardé — Toute clause de sécurité syndicale ayant pour effet de priver un salarié du droit d'appartenir à l'association de salariés représentative de son choix est interdite.

1968, c. 45, art. 45

Chapitre X.1 — Appel en matière de placement (*Abrogé*)

Section I — Appel au Tribunal du travail (Abrogée)

108.1 (*Abrogé*).

1978, c. 58, art. 11; 1986, c. 89, art. 18; 1993, c. 61, art. 58

108.2 (*Abrogé*).

1978, c. 58, art. 11; 1986, c. 89, art. 50; 1993, c. 61, art. 58

108.3 (*Abrogé*).

1978, c. 58, art. 11; 1986, c. 80, art. 50; 1993, c. 61, art. 58

108.4 (*Abrogé*).

1978, c. 58, art. 11; 1993, c. 61, art. 58

Section II — Appel au commissaire au placement (Abrogée)

108.5 (*Abrogé*).

1978, c. 58, art. 11; 1986, c. 89, art. 19

108.6 (*Abrogé*).

1978, c. 58, art. 11; 1986, c. 89, art. 19

108.7 (*Abrogé*).

1978, c. 58, art. 11; 1986, c. 89, art. 19

108.8 (*Abrogé*).

1978, c. 58, art. 11; 1986, c. 89, art. 19

108.9 (*Abrogé*).

1978, c. 58, art. 11; 1986, c. 89, art. 19

108.10 (*Abrogé*).

1978, c. 58, art. 11; 1986, c. 89, art. 19

108.11 (*Abrogé*).

1978, c. 58, art. 11; 1986, c. 89, art. 19

108.12 (*Abrogé*).

1978, c. 58, art. 11; 1986, c. 89, art. 19

108.13 (*Abrogé*).

1978, c. 58, art. 11; 1986, c. 89, art. 19

108.14 (*Abrogé*).

1978, c. 58, art. 11; 1986, c. 89, art. 19

108.15 (*Abrogé*).

1978, c. 58, art. 11; 1986, c. 89, art. 19

108.16 (*Abrogé*).

1978, c. 58, art. 11; 1986, c. 89, art. 19

108.17 (*Abrogé*).

1978, c. 58, art. 11; 1979, c. 37, art. 43; 1986, c. 89, art. 19

Chapitre XI — Procédure

109. Chapitre D-2, dispositions applicables — Les articles 40 à 50 de la *Loi sur les décrets de convention collective* (chapitre D-2) s'appliquent compte tenu des adaptations nécessaires. Pour l'application du présent article, les articles 44, 45, 47 et 48 de cette loi doivent se lire en y supprimant le mot « professionnel » après le mot « employeur ».

1968, c. 45, art. 49; 1980, c. 23, art. 4; 1986, c. 89, art. 20; 1998, c. 46, art. 116

109.1 Poursuite pénale — Une poursuite pénale pour une infraction à une disposition du paragraphe 4 de l'article 122 se prescrit par un an depuis la date de la connaissance par le poursuivant de la perpétration de l'infraction. Toutefois, aucune poursuite ne peut être intentée s'il s'est écoulé plus de cinq ans depuis la date de la perpétration de l'infraction.

1980, c. 23, art. 4; 1983, c. 13, art. 8; 1986, c. 89, art. 50; 1992, c. 61, art. 532

109.2 (*Abrogé*).

1980, c. 23, art. 4; 1986, c. 89, art. 21; 1990, c. 4, art. 781; 1992, c. 61, art. 533

110. Recours des salariés exercés par association — Toute association de salariés peut exercer, à l'égard des sujets mentionnés au deuxième alinéa de l'article 61 ou à l'article 62, les recours que la convention collective accorde à chacun des salariés qu'elle représente, sans avoir à justifier d'une cession de créance de l'intéressé.

Plaintes — Il en est de même au regard des plaintes visées à l'article 105.

1968, c. 45, art. 50; 1993, c. 61, art. 59; 2005, c. 42, art. 14

111. Prescription — Les droits et recours qui naissent d'une décision arbitrale rendue conformément à l'article 73 se prescrivent par six mois à compter du jour où la cause d'action a pris naissance. Le recours à la procédure de règlement des griefs interrompt la prescription.

1968, c. 45, art. 51; 2011, c. 30, art. 58

Chapitre XII — Dispositions pénales

111.1 Infraction et peine — Quiconque contrevient à l'article 7.4.1 commet une infraction et est passible, pour chaque jour ou partie de jour que dure l'infraction, d'une amende de 1 120 $ à 2 241 $ dans le cas d'une personne physique et de 2 241 à 4 480 $ dans le cas d'une personne morale.

Récidive — En cas de récidive, les amendes sont portées au double.

1998, c. 46, art. 117; 1999, c. 40, art. 257; Avis, (2010) 142 G.O. I, 1428; Avis, (2012) 144 G.O. I, 31; Avis, (2012) 144 G.O. I, 1335; Avis, (2013) 145 G.O. I, 1242; Avis, (2014) 146 G.O. I, 1151; Avis, (2015) 147 G.O. I, 1143; Avis, (2016) 148 G.O. I, 1180

112. Infraction et peine — Toute association représentative qui fait défaut de négocier conformément à l'article 42, commet une infraction et est passible d'une amende de 196 $ à 1 568 $ pour chaque jour ou fraction de jour que dure l'infraction.

1968, c. 45, art. 52; 1986, c. 58, art. 92; 1991, c. 33, art. 122; Avis, (2010) 142 G.O. I, 1428; Avis, (2012) 144 G.O. I, 31; Avis, (2012) 144 G.O. I, 1335; Avis, (2013) 145 G.O. I, 1242; Avis, (2014) 146 G.O. I, 1151; Avis, (2015) 147 G.O. I, 1143; Avis, (2016) 148 G.O. I, 1180

113. Grève et lock-out illégaux — Quiconque ordonne, encourage ou appuie une grève, un ralentissement de travail ou un lock-out contrairement aux dispositions de la présente loi ou y participe est passible, s'il s'agit d'un employeur, d'une association, d'un membre du bureau ou d'un représentant d'une association, d'une amende de 7 842 $ à 78 411 $ pour chaque jour ou partie de jour pendant lequel cette grève, ce lock- out ou ce ralentissement existe et dans tous autres cas, d'une amende de 56 $ à 196 $ pour chaque jour ou partie de jour.

1968, c. 45, art. 53; 1972, c. 10, art. 2; 1975, c. 50, art. 5; 1986, c. 58, art. 93; 1991, c. 33, art. 123; Avis, (2010) 142 G.O. I, 1428; Avis, (2012) 144 G.O. I, 31; Avis, (2012) 144 G.O. I, 1335; Avis, (2013) 145 G.O. I, 1242; Avis, (2014) 146 G.O. I, 1151; Avis, (2015) 147 G.O. I, 1143-1144; Avis, (2016) 148 G.O. I, 1180

113.1 Intimidation ou menace — Quiconque use d'intimidation ou de menace dans le but de provoquer une entrave, un ralentissement ou un arrêt des activités sur un chantier commet une infraction et est passible d'une amende de 1 120 $ à 11 202 $ pour chaque jour ou partie de jour que dure l'infraction.

2009, c. 57, art. 11; Avis, (2010) 142 G.O. I, 1428; Avis, (2012) 144 G.O. I, 31; Avis, (2012) 144 G.O. I, 1335; Avis, (2013) 145 G.O. I, 1242; Avis, (2014) 146 G.O. I, 1151; Avis, (2015) 147 G.O. I, 1144; Avis, (2016) 148 G.O. I, 1180

113.2 Infraction et amende — Commet une infraction et est passible d'une amende de 1 518 $ à 15 146 $ quiconque impose à un employeur l'embauche de salariés déterminés ou d'un nombre déterminé de salariés.

Récidive — En cas de récidive, les amendes sont portées au double.

2011, c. 30, art. 59; Avis, (2013) 145 G.O. I, 1242; Avis, (2014) 146 G.O. I, 1151; Avis, (2015) 147 G.O. I, 1144; Avis, (2016) 148 G.O. I, 1180

114. (*Abrogé*).

1968, c. 45, art. 54; 1986, c. 58, art. 94; 1988, c. 35, art. 14

115. (1) Offre de récompense ou d'avantages — Tout employeur ou représentant d'employeur qui offre, donne, tente d'offrir ou de donner à un représentant syndical, un agent d'affaires ou un délégué de chantier, dans l'exercice de leur fonction, un prêt, une récompense, un avantage ou un bénéfice de quelque nature que ce soit ou

(2) **Acceptation de récompense ou d'avantages** — Tout représentant syndical, agent d'affaires ou délégué de chantier qui, dans l'exercice de ses fonctions, accepte, obtient, tente d'accepter ou d'obtenir d'un employeur ou d'un représentant d'un employeur, un prêt, une récompense, un avantage ou un bénéfice de quelque nature que ce soit

commet une infraction et est passible d'une amende de 1 680 $ à 15 655 $.

1975, c. 50, art. 6; 1986, c. 58, art. 95; 1991, c. 33, art. 124; 2009, c. 57, art. 12; Avis, (2010) 142 G.O. I, 1428; 2011, c. 30, art. 60; Avis, (2012) 144 G.O. I, 31; Avis, (2012) 144 G.O. I, 1335; Avis, (2013) 145 G.O. I, 1242; Avis, (2014) 146 G.O. I, 1151; Avis, (2015) 147 G.O. I, 1144; Avis, (2016) 148 G.O. I, 1180

115.1 Infraction et peine — Commet une infraction et est passible d'une amende de 448 $ à 895 $ dans le cas d'un individu et de 1 120 $ à 2 241 $ dans le cas d'une association, pour chaque jour ou partie de jour que dure l'infraction :

1° toute personne qui fait une fausse déclaration en vertu du quatrième alinéa du paragraphe 1 de l'article 86;

2° toute association qui donne à l'employeur l'avis visé au paragraphe 2 de l'article 86 sans avoir préalablement transmis à la Commission la déclaration visée au quatrième alinéa du paragraphe 1 de l'article 86;

3° tout délégué de chantier qui contrevient au sous-paragraphe *f* du paragraphe 3 de l'article 86.

2005, c. 42, art. 15; 2009, c. 57, art. 13; Avis, (2010) 142 G.O. I, 1428; Avis, (2012) 144 G.O. I, 31; Avis, (2012) 144 G.O. I, 1335; Avis, (2013) 145 G.O. I, 1242; Avis, (2014) 146 G.O. I, 1151; Avis, (2015) 147 G.O. I, 1144; Avis, (2016) 148 G.O. I, 1180

116. Infraction et peine — Toute personne qui contrevient au paragraphe *a* ou *b* de l'article 88 est passible d'une amende de 784 $ à 15 655 $ pour chaque jour ou partie de jour que dure l'infraction.

1975, c. 50, art. 6; 1986, c. 58, art. 96; 1991, c. 33, art. 125; Avis, (2010) 142 G.O. I, 1428; Avis, (2012) 144 G.O. I, 31; Avis, (2012) 144 G.O. I, 1335; Avis, (2013) 145 G.O. I, 1242; Avis, (2014) 146 G.O. I, 1151; Avis, (2015) 147 G.O. I, 1144; Avis, (2016) 148 G.O. I, 1180

117. Infraction et peine — Toute personne qui contrevient à l'article 26 est passible d'une amende d'au moins 1 568 $ pour chaque jour ou partie de jour que dure l'infraction.

1975, c. 50, art. 6; 1986, c. 58, art. 97; 1990, c. 4, art. 782; 1991, c. 33, art. 126; Avis, (2010) 142 G.O. I, 1428; Avis, (2012) 144 G.O. I, 31; Avis, (2012) 144 G.O. I, 1335; Avis, (2013) 145 G.O. I, 1242; Avis, (2014) 146 G.O. I, 1151; Avis, (2015) 147 G.O. I, 1144; Avis, (2016) 148 G.O. I, 1180

118. Tentative de commettre des infractions — Quiconque tente de commettre une des infractions prévues dans la présente loi, ou aide, ou incite quelqu'un à commettre ou tenter de commettre une telle infraction commet une infraction et est passible de la peine prévue pour une telle infraction.

1968, c. 45, art. 55; 1983, c. 13, art. 9; 1992, c. 61, art. 535

119. Infraction et peine — Quiconque contrevient aux articles 101 à 102 commet une infraction et est passible d'une amende de 1 590 $ à 15 875 $.

1972, c. 10, art. 3; 1986, c. 58, art. 98; 1990, c. 4, art. 783; 1991, c. 33, art. 127; 1995, c. 51, art. 50; 2005, c. 42, art. 16; 2009, c. 57, art. 14; Avis, (2010) 142 G.O. I, 1428; 2011, c. 30, art. 61; Avis, (2012) 144 G.O. I, 31; Avis, (2012) 144 G.O. I, 1335; Avis, (2013) 145 G.O. I, 1242; Avis, (2015) 147 G.O. I, 1144; Avis, (2016) 148 G.O. I, 1180

119.0.1 Infraction et peine — Commet une infraction et est passible d'une amende de 1 054 $ à 2 108 $ dans le cas d'une personne physique et de 2 137 $ à 4 274 $ dans les autres cas :

1° l'association visée par l'article 107.1 qui réfère de la main-d'œuvre ou offre ou fournit, directement ou indirectement, un service de référence de main-d'œuvre autrement que par la participation au Service de référence de main-d'œuvre de l'industrie de la construction;

2° le représentant syndical, le délégué de chantier ou tout autre représentant d'une association visée par le paragraphe 1° qui, directement ou indirectement, réfère de la main-d'œuvre ou offre ou fournit un service de référence de main-d'œuvre autrement que par l'intermédiaire de sa participation au Service de référence de main-d'œuvre de l'industrie de la construction;

3° toute autre personne qui offre ou fournit un service de référence de main-d'œuvre dans l'industrie de la construction.

2011, c. 30, art. 62; Avis, (2013) 145 G.O. I, 1242; Avis, (2014) 146 G.O. I, 1151; Avis, (2015) 147 G.O. I, 1144; Avis, (2016) 148 G.O. I, 1180

119.0.2 Infraction et peine — Commet une infraction et est passible d'une amende de 1 054 $ à 2 108 $ l'employeur qui contrevient au paragraphe 1° de l'article 107.8, à l'article 107.9, au premier alinéa de l'article 107.10 ou à l'article 107.11.

2011, c. 30, art. 62; Avis, (2013) 145 G.O. I, 1242; Avis, (2014) 146 G.O. I, 1151; Avis, (2015) 147 G.O. I, 1144; Avis, (2016) 148 G.O. I, 1180

119.0.3 Infraction et peine — Commet une infraction et est passible d'une amende de 1 054 $ à 2 108 $ dans le cas d'une personne physique et de 2 137 $ à 4 274 $ dans les autres cas quiconque entrave les activités du Service de référence de main-d'œuvre de l'industrie de la construction, exerce des pressions indues ou use d'intimidation ou de menace à l'égard d'un responsable de ce service ou d'un employé affecté à ses activités.

2012, c. 29, art. 1; Avis, (2013) 145 G.O. I, 1242; Avis, (2014) 146 G.O. I, 1151; Avis, (2015) 147 G.O. I, 1144; Avis, (2016) 148 G.O. I, 1180

119.0.4 Récidive — En cas de récidive pour une infraction prévue par les articles 119.0.1 à 119.0.3, le montant de l'amende est porté au double.

2012, c. 29, art. 1

119.1 Infraction et peine — Commet une infraction et est passible d'une amende de 225 $ à 448 $ dans le cas d'un individu et de 895 $ à 1 794 $ dans le cas de toute autre personne:

1° quiconque exécute lui-même des travaux de construction sans être titulaire soit d'un certificat de compétence-compagnon, soit d'un certificat de compétence-occupation, soit d'un certificat de compétence-apprenti, délivré par la Commission, ou sans bénéficier d'une exemption ou sans avoir en sa possession ce certificat ou une preuve d'exemption;

2° quiconque exécute lui-même des travaux relatifs à un métier sans être titulaire soit d'un certificat de compétence-compagnon ou d'un certificat de compétence-apprenti correspondant à ce métier, délivré par la Commission, ou sans bénéficier d'une exemption ou sans avoir en sa possession ce certificat ou une preuve d'exemption;

3° quiconque utilise les services d'un salarié ou l'affecte à des travaux de construction sans que ce dernier soit titulaire soit d'un certificat de compétence-compagnon, soit d'un certificat de compétence-occupation, soit d'un certificat de compétence-apprenti, délivré par la Commission, ou sans qu'il bénéficie d'une exemption ou sans qu'il ait en sa possession ce certificat ou une preuve d'exemption;

4° quiconque utilise les services d'un salarié ou l'affecte à l'exécution de travaux relatifs à un métier sans que ce dernier soit titulaire soit d'un certificat de compétence-compagnon ou d'un certificat de compétence-apprenti correspondant à ce métier, délivré par la Commission, ou sans qu'il bénéficie d'une exemption ou sans qu'il ait en sa possession ce certificat ou une preuve d'exemption;

5° (*paragraphe abrogé*);

6° (*paragraphe abrogé*);

7° quiconque exécute lui-même des travaux de construction et refuse, omet ou néglige d'exhiber à une personne autorisée par la Commission son certificat de compétence-compagnon, son certificat de compétence-occupation, son certificat de compétence- apprenti, délivré par la Commission, ou, le cas échéant, sa preuve d'exemption;

8° quiconque utilise un certificat de compétence-compagnon, un certificat de compétence-occupation, un certificat de compétence-apprenti ou un carnet d'apprentissage ou une preuve d'exemption d'une autre personne;

9° quiconque altère ou falsifie un certificat de compétence-compagnon, un certificat de compétence-occupation, un certificat de compétence-apprenti, un carnet d'apprentissage ou une preuve d'exemption;

10° quiconque fait une fausse déclaration, falsifie un document ou fait usage d'un document falsifié pour l'obtention d'un certificat de compétence-compagnon, d'un certificat de compétence-occupation, d'un certificat de compétence-apprenti, d'un carnet d'apprentissage, d'une exemption ou d'une carte visée à l'article 36;

11° quiconque exécute des travaux de construction autrement qu'à titre d'employeur, de salarié, d'entrepreneur autonome ou de représentant désigné, contrairement à l'article 19.2.

Modification proposée — 119.1 al. 1, par. 11°

11° quiconque exécute des travaux de construction autrement qu'à titre d'employeur, de salarié, d'entrepreneur autonome ou de représentant désigné, contrairement au premier alinéa de l'article 19.2.

2013, c. 16, art. 157 [Entrera en vigueur par décret.]

Poursuite pénale — Une poursuite pénale intentée contre un membre d'une société réputé, en vertu du troisième alinéa de l'article 19.1, être un salarié de cette société, n'empêche pas qu'une poursuite pénale soit également intentée, relativement aux mêmes faits, contre tout autre membre de cette société à titre d'employeur du membre réputé être un salarié.

1978, c. 58, art. 12; 1986, c. 89, art. 22; 1988, c. 35, art. 15, 18; 1990, c. 4, art. 784; 1992, c. 42, art. 17; 1995, c. 51, art. 50; 1996, c. 74, art. 46; 1998, c. 46, art. 118; Avis, (2010) 142 G.O. I, 1428; Avis, (2012) 144 G.O. I, 31; Avis, (2012) 144 G.O. I, 1335; Avis, (2013) 145 G.O. I, 1242; Avis, (2014) 146 G.O. I, 1151; Avis, (2015) 147 G.O. I, 1144; Avis, (2016) 148 G.O. I, 1180

119.2 Suspension du certificat — Lorsqu'une personne est déclarée coupable d'une infraction prévue à l'un ou l'autre des articles 83, 83.1, 83.2, 84 et 111.1 ou à l'un ou l'autre des paragraphes 1° et 7° à 11° de l'article 119.1, en outre de la peine prévue pour cette infraction, son certificat de compétence, son exemption ou la carte qui lui a été délivrée en vertu de l'article 36 ou son droit d'obtenir, selon le cas, la délivrance ou le renouvellement d'un tel certificat, exemption ou carte est suspendu pour une période d'un à trois mois si cette personne a été déclarée coupable d'une infraction à l'une ou l'autre de ces dispositions au cours des deux années précédentes.

Période de suspension — La période de suspension prévue au premier alinéa est portée à une durée de trois à six mois si le certificat de compétence, l'exemption ou la carte de la personne déclarée coupable ou son droit d'obtenir, selon le cas, la délivrance ou le renouvellement d'un tel certificat, exemption ou carte a déjà fait l'objet d'une suspension au cours des deux années précédentes, à l'occasion d'une déclaration de culpabilité à l'une ou l'autre des infractions visées au premier alinéa.

1992, c. 42, art. 18; 1996, c. 74, art. 47; 1998, c. 46, art. 119

119.3 Période supplémentaire — Quiconque exécute des travaux de construction pendant une période de suspension de son certificat de compétence, de son exemption, ou de la carte qui lui a été délivrée en vertu de l'article 36 ou de son droit d'obtenir, selon le cas, la délivrance ou le renouvellement d'un tel certificat, exemption ou carte commet une infraction et est passible d'une amende de 895 $ à 1 794 $ et son certificat de compétence, son exemption ou la carte qui lui a été délivrée en vertu de l'article 36 ou son droit d'obtenir, selon le cas, la délivrance ou le renouvellement d'un tel certificat, exemption ou carte est suspendu pour une période supplémentaire de six à 12 mois.

1992, c. 42, art. 18; 1995, c. 51, art. 50; 1996, c. 74, art. 47; Avis, (2010) 142 G.O. I, 1428; Avis, (2012) 144 G.O. I, 31; Avis, (2012) 144 G.O. I, 1335; Avis, (2013) 145 G.O. I, 1242; Avis, (2014) 146 G.O. I, 1151; Avis, (2015) 147 G.O. I, 1144; Avis, (2016) 148 G.O. I, 1180

119.4 Suspension d'un salarié — Quiconque utilise les services d'un salarié ou l'affecte à des travaux de construction pendant une période de suspension du certificat de compétence de ce salarié, de son exemption ou de la carte qui lui a été délivrée en vertu de l'article 36 ou de son droit d'obtenir, selon le cas, la délivrance ou le renouvellement d'un tel certificat, exemption ou carte commet une infraction et est passible d'une amende de 895 $ à 1 794 $ dans le cas d'un individu et de 2 241 $ à 4 480 $ dans le cas de toute autre personne.

1992, c. 42, art. 18; 1995, c. 51, art. 50; 1996, c. 74, art. 48; Avis, (2010) 142 G.O. I, 1428; Avis, (2010) 142 G.O. I, 1428; Avis, (2012) 144 G.O. I, 31; Avis, (2012) 144 G.O. I, 1335; Avis, (2013) 145 G.O. I, 1242; Avis, (2014) 146 G.O. I, 1151; Avis, (2015) 147 G.O. I, 1144; Avis, (2016) 148 G.O. I, 1180

119.5 Confiscation du certificat — Dans les cas prévus aux articles 119.2 ou 119.3, le tribunal, outre la sentence qu'il impose, détermine la durée de la suspension et ordonne, le cas échéant, la confiscation du certificat de compétence, de l'exemption ou de la carte délivrée en vertu de l'article 36 pour que ce document soit remis à la Commission. Il ne peut surseoir au prononcé de cette partie de la sentence.

1992, c. 42, art. 18; 1996, c. 74, art. 49

119.6 (*Abrogé*).

1998, c. 46, art. 120; Avis, (2010) 142 G.O. I, 1428; 2011, c. 30, art. 63

119.7 Infraction et amende — Quiconque contrevient aux dispositions d'un règlement pris pour l'application du paragraphe *b* ou *h* du premier alinéa de l'article 82 commet une infraction et est passible d'une amende de 422 $ à 1 686 $ dans le cas d'un individu et de 1 054 $ à 5 269 $ dans le cas de toute autre personne ou d'une association.

2011, c. 18, art. 57; Avis, (2013) 145 G.O. I, 1242; Erratum, (2013) 145 G.O. I, 1340; Avis, (2014) 146 G.O. I, 1151; Avis, (2015) 147 G.O. I, 1144; Avis, (2016) 148 G.O. I, 1180

119.8 Infraction et amende — Commet une infraction et est passible d'une amende de 527 $ à 2 108 $:

1° quiconque falsifie un registre de dépouillement;

2° quiconque détruit un bulletin de vote avant la fin des délais de conservation de celui-ci;

3° quiconque contrefait un document émanant de la Commission en lien avec un scrutin;

4° quiconque entrave le travail d'un membre du personnel d'un scrutin;

5° quiconque imprime ou utilise un faux bulletin de vote ou altère ou contrefait un bulletin de vote;

6° quiconque, afin d'être admis à voter ou de faire un choix d'association dont le nom a été publié suivant l'article 29 ou de permettre à quelqu'un de voter ou de faire ce choix d'association, fait une fausse déclaration, établit son identité en présentant un faux document ou usurpe l'identité d'un tiers.

2011, c. 30, art. 64; Avis, (2013) 145 G.O. I, 1242; Avis, (2014) 146 G.O. I, 1151; Avis, (2015) 147 G.O. I, 1144; Avis, (2016) 148 G.O. I, 1180

119.9 Infraction et amende — Commet une infraction et est passible, s'il s'agit d'une personne physique, d'une amende de 2 108 $ à 10 539 $ ou, s'il s'agit d'une personne morale, d'une amende de 5 269 $ à 31 616 $ quiconque viole le choix d'association dont le nom a été publié suivant l'article 29, porte atteinte à la liberté de vote ou de choix d'association, empêche une opération relative à ce vote ou ce choix d'association ou change les résultats de ce vote ou de ce choix d'association.

2011, c. 30, art. 64; Avis, (2013) 145 G.O. I, 1242; Avis, (2014) 146 G.O. I, 1151; Avis, (2015) 147 G.O. I, 1144; Avis, (2016) 148 G.O. I, 1180

119.10 Infraction et amende — Commet une infraction et est passible d'une amende de 2 108 $ à 10 539 $:

1° l'association qui, par elle-même ou par l'intermédiaire d'une autre personne, en vue d'influencer le vote d'un salarié, obtient son vote ou son choix d'association dont le nom a été publié suivant l'article 29, ou l'incite à s'abstenir de voter ou de faire son choix en lui promettant ou en lui accordant quelque don, prêt, charge, emploi ou autre avantage;

2° la personne qui, en vue d'obtenir ou parce qu'elle a obtenu un don, prêt, charge, emploi ou autre avantage, s'engage à s'abstenir de voter ou de faire un choix d'association dont le nom a été publié suivant l'article 29.

2011, c. 30, art. 64; Avis, (2013) 145 G.O. I, 1242; Avis, (2014) 146 G.O. I, 1151; Avis, (2015) 147 G.O. I, 1144; Avis, (2016) 148 G.O. I, 1180

119.11 Inhabilité — Toute personne physique déclarée coupable, en vertu d'un jugement définitif, d'une infraction visée à l'un ou l'autre des articles 113.2, 115, 119, 119.0.1 et 119.8 à 119.10 est inhabile à diriger ou à représenter, à quelque titre que ce soit, une association visée par l'un des paragraphes *a* à *c*.2 du premier alinéa de l'article 1 ou une association de salariés affiliée à une association représentative durant les cinq années qui suivent le prononcé de la sentence.

2011, c. 30, art. 64

120. Infractions et peines — Quiconque viole une prescription de la présente loi ou d'un règlement adopté sous son autorité, ou encore une prescription d'une convention collective portant sur une matière autre que celles visées au premier alinéa de l'article 62 et au paragraphe *c* du premier alinéa de l'article 81, commet une infraction et est passible, si aucune autre peine n'est prévue pour cette infraction,

a) dans le cas d'un individu, d'une amende d'au moins 196 $ à 951 $;

b) dans le cas de toute autre personne ou d'une association, d'une amende d'au moins 728 $ à 3 137 $;

c) pour une première récidive, d'une amende dont le montant ne doit pas être inférieur ni supérieur au double des amendes prévues aux paragraphes *a* ou *b*, selon le cas;

d) pour toute récidive additionnelle, d'une amende dont le montant ne doit pas être inférieur ou supérieur au triple des amendes prévues aux paragraphes *a* ou *b*, selon le cas.

1968, c. 45, art. 56; 1975, c. 50, art. 7; 1975, c. 51, art. 28; 1986, c. 58, art. 99; 1988, c. 35, art. 16; 1990, c. 4, art. 785; 1991, c. 33, art. 128; 1993, c. 61, art. 60; 1996, c. 74, art. 50; Avis, (2010) 142 G.O. I, 1428; 2011, c. 30, art. 65; Avis, (2012) 144 G.O. I, 31; Avis, (2012) 144 G.O. I, 1335; Avis, (2013) 145 G.O. I, 1242; Avis, (2014) 146 G.O. I, 1151; Avis, (2015) 147 G.O. I, 1144; Avis, (2016) 148 G.O. I, 1180

121. Enquête sur plainte écrite — La Commission doit faire enquête chaque fois qu'une plainte écrite lui signale qu'une infraction a été commise à la présente loi.

1972, c. 10, art. 4; 1974, c. 38, art. 3; 1992, c. 61, art. 536; 1996, c. 74, art. 51; 2005, c. 42, art. 17

121.1 (*Abrogé*).

1986, c. 89, art. 23; 1990, c. 4, art. 786; 1992, c. 61, art. 537

122. (1) Prescription — L'action civile résultant d'une convention collective ou de la présente loi se prescrit par 12 mois à compter de chaque échéance. Au cas d'absence ou de fausse inscription dans le registre obligatoire, le système d'enregistrement ou la liste de paye, de remise clandestine, d'omission de tenir le registre obligatoire ou la liste de paye ou de transmettre à la Commission le rapport mensuel obligatoire, la prescription ne court à l'encontre des recours de la Commission qu'à compter de la date où la Commission a connaissance des faits qui donnent lieu à l'action civile.

Dates d'échéance — Aux fins des recours de la Commission relatifs à la perception des indemnités, des congés et des contributions ou cotisations des employeurs et des salariés aux régimes complémentaires d'avantages sociaux, la date d'échéance mentionnée ci- dessus est le 1er décembre suivant pour toutes les indemnités ou contributions exigibles à compter du 1er janvier jusqu'au 30 avril précédent, et le 1er juillet suivant pour toutes celles exigibles à compter du 1er mai jusqu'au 31 décembre précédent.

Interruption de la prescription — Cependant, une réclamation transmise par la Commission à un employeur, par lettre envoyée par poste recommandée, interrompt la prescription pour le montant de la réclamation et dans ce cas, l'action se prescrit de nouveau par six mois, à compter de la mise à la poste de cette lettre; aucune lettre subséquente adressée pour la même réclamation n'a l'effet d'interrompre la prescription.

(2) **Congédiement illégal. Peine** — Tout employeur qui, sans raison valable, dont la preuve lui incombe, congédie, suspend ou met à pied un salarié :

a) à l'occasion d'un renseignement fourni aux représentants à la Commission et ayant trait à une convention collective, à une entente, à un règlement ou à une infraction aux dispositions de la présente loi;

b) à l'occasion d'une plainte, d'une dénonciation ou d'une poursuite pénale à ce sujet ou d'un témoignage dans une poursuite ou requête s'y rapportant;

c) dans l'intention de le réengager à un emploi inférieur et d'éluder ainsi une clause d'une convention collective en payant un salaire moindre,

commet une infraction et est passible d'une amende de 1 120 $ à 2 801 $ et, en cas de récidive, d'une amende de 1 794 $ à 5 601 $.

(3) **Dommages pouvant être réclamés** — Tout salarié congédié, suspendu ou mis à pied en violation du paragraphe 2, ou dans le but de l'obliger à accepter une classification comportant un salaire moindre que celui qu'il reçoit, a droit de réclamer de celui qui l'employait, à titre de dommages-intérêts punitifs, l'équivalent de trois mois de salaire. La preuve que le salarié n'est pas dans les conditions prévues pour réclamer ce droit incombe à celui qui l'employait.

(4) **Infraction et peine** — Quiconque, sciemment, détruit, altère ou falsifie un registre, une liste de paye, le système d'enregistrement ou un document ayant trait à l'application de la présente loi, d'une convention collective ou d'un règlement, transmet sciemment quelque renseignement ou rapport faux ou inexact, ou attribue à l'emploi d'un salarié une fausse désignation pour payer un salaire inférieur, commet une infraction et est passible :

a) dans le cas d'un individu, d'une amende de 895 $ à 1 794 $;

b) dans le cas de toute autre personne ou d'une association, d'une amende de 1 794 $ à 3 584 $;

c) pour une première récidive, d'une amende égale au double des amendes prévues aux sous-paragraphes *a* ou *b*, selon le cas;

d) pour toute autre récidive, d'une amende égale au triple des amendes prévues aux sous-paragraphes *a* ou *b*, selon le cas.

(5) **Infraction et peine** — Quiconque, au moyen d'avantages ayant une valeur pécuniaire, accorde ou accepte une remise en réduction du salaire rendu obligatoire, ou participe à une semblable remise, commet une infraction et est passible des amendes prévues à l'article 119.1.

(6) **Force probante de copies certifiées** — Dans toute action civile prise en vertu de la présente loi, il n'est pas nécessaire de produire l'original d'un livre, d'un registre, d'une ordonnance ou d'un document quelconque en la possession de la Commission, mais une copie ou un extrait dûment certifié par une personne désignée par la Commission fait preuve de la teneur de l'original et le certificat apposé à cette copie ou à cet extrait établit, jusqu'à preuve du contraire, la signature et l'autorité de l'employé de la Commission qui l'a donnée.

Copies certifiées — La Commission désigne les personnes qui peuvent délivrer des copies certifiées conformes de documents, lors d'une poursuite pénale.

(7) **Responsabilité** — Il en est de même, lorsqu'après jugement rendu contre une personne morale, l'avis d'exécution est rapporté insatisfait en tout ou en partie si les administrateurs sont poursuivis dans l'année du jugement reconnaissant l'exigibilité du salaire.

Avis d'exécution insatisfait — Il en est de même, lorsqu'après jugement rendu contre une personne morale, le bref d'exécution est rapporté insatisfait en tout ou en partie si les administrateurs sont poursuivis dans l'année du jugement reconnaissant l'exigibilité du salaire.

(8) **Remboursement de salaire perdu** — Dans les cas visés au paragraphe 7, la Commission rembourse au salarié le salaire qu'il a perdu.

Déduction — La Commission doit toutefois, sur demande du ministre de l'Emploi et de la Solidarité sociale, déduire de ce remboursement le montant remboursable en vertu de l'article 90 de la *Loi sur l'aide aux personnes et aux familles* (chapitre A-13.1.1). La Commission remet le montant ainsi déduit au ministre de l'Emploi et de la Solidarité sociale.

1968, c. 45, art. 57; 1971, c. 46, art. 3; 1975, c. 19, art. 16; 1975, c. 51, art. 29; 1975, c. 83, art. 84; 1983, c. 13, art. 10; 1986, c. 58, art. 100; 1986, c. 89, art. 50; 1988, c. 35, art. 17; 1988, c. 51, art. 125; 1990, c. 4, art. 787; 1991, c. 33, art. 129; 1992, c. 42, art. 19; 1992, c. 44, art. 81; 1992, c. 61, art. 538; 1993, c. 61, art. 61; 1994, c. 12, art. 55; 1995, c. 51, art. 50; 1997, c. 63, art. 128; 1998, c. 36, art. 192; 1998, c. 46, art. 121; 2001, c. 44, art. 30; 2005, c. 15, art. 171; 2009, c. 57, art. 15; Avis, (2010) 142 G.O. I, 1428; 2010, c. 7, art. 241; Avis, (2012) 144 G.O. I, 31; Avis, (2012) 144 G.O. I, 46; Avis, (2013) 145 G.O. I, 1242; Avis, (2014) 146 G.O. I, 1151; Avis, (2015) 147 G.O. I, 1144; N.I. 2016-01-01 (NCPC); Avis, (2016) 148 G.O. I, 1180

122.1 Indexation annuelle — Une amende prévue par la présente loi est indexée annuellement selon l'augmentation en pourcentage de la moyenne de l'indice des prix à la consommation au Canada, publié par Statistique Canada en vertu de la *Loi sur la statistique* (L.R.C. (1985), ch. S-19), pour les 12 mois de l'année précédente par rapport aux 12 mois de l'année antérieure à cette dernière.

Décimales — Si l'amende ainsi indexée comporte des décimales, celle-ci est augmentée au dollar le plus près si les décimales sont égales ou supérieures à 50; si elles sont inférieures à 50, elle est réduite au dollar le plus près.

Publication à la *G.O.* — La Commission publie à la *Gazette officielle du Québec* le résultat des indexations faites en vertu du présent article.

2009, c. 57, art. 16

Chapitre XIII — Réglementation

123. Règlements du gouvernement — Le gouvernement peut, par règlement :

1° (*paragraphe abrogé*);

2° (*paragraphe abrogé*);

3° (*paragraphe abrogé*);

4° (*paragraphe abrogé*);

5° (*paragraphe abrogé*);

6° (*paragraphe abrogé*);

7° (*paragraphe abrogé*);

8° autoriser la Commission à utiliser pour son administration une partie des sommes qu'elle perçoit au titre d'avantages sociaux et une partie ou la totalité des fonds ou des intérêts des fonds gardés en fidéicommis pour les congés payés, les avantages sociaux ou à quelqu'autre titre;

8.1° déterminer, sous réserve du sixième alinéa de l'article 109.2 et des paragraphes 11° et 12° de l'article 123.1, dans quels cas et de qui des frais, des droits ou des honoraires peuvent être exigés et en fixer les montants;

8.2° déterminer les cas, les conditions, les modalités et la durée où une licence délivrée en vertu de la *Loi sur le bâtiment* (chapitre B-1.1) comporte une restriction aux fins de l'obtention d'un contrat public visé à l'article 65.4 de cette loi;

8.3° déterminer la nature, le nombre ainsi que toute particularité relative aux infractions à la présente loi ou à ses règlements, commises par un entrepreneur ou, dans le cas d'une personne morale, par ses administrateurs ou, dans le cas d'une société, par ses associés, entraînant une restriction, aux fins de l'obtention d'un contrat public, à la licence délivrée à cet entrepreneur;

Abrogation proposée — 123, al. 1, par. 8.2°-8.3°

Lors de l'entrée en vigueur par décret de L.Q. 2012, c. 25, art. 72(1°), les par. 8.2° et 8.3° du premier alinéa de l'art. 123 seront abrogés.

2012, c. 25, art. 72(1°) [Entrera en vigueur par décret.]

8.4° (*paragraphe abrogé*);

8.5° déterminer, après consultation du Comité consultatif du travail et de la main-d'œuvre visé à l'article 12.1 de la *Loi sur le ministère du Travail* (chapitre M-32.2), la rémunération, les allocations et les frais des arbitres de griefs nommés par la Commission, un ou des modes de détermination de la rémunération, des allocations et des frais des arbitres de griefs choisis par les parties ainsi que les situations auxquelles ce règlement ne s'applique pas. Ce règlement peut également déterminer qui, et s'il y a lieu dans quel cas et dans quelle proportion, en assume le paiement;

8.6° déterminer des modalités de fonctionnement du Service de référence de main-d'œuvre de l'industrie de la construction, de même que les conditions, restrictions ou interdictions applicables à son utilisation par les employeurs ou les catégories d'employeurs qu'il détermine, les salariés et les titulaires de permis de service de référence de main-d'œuvre;

8.7° prévoir la délivrance de permis de service de référence de main-d'œuvre et, plus particulièrement, déterminer des catégories de permis, leur durée et toute condition, restriction ou interdiction relative à leur délivrance, à l'exercice des activités qu'ils permettent et à leur renouvellement, les sanctions applicables en cas de défaut de respect de ces conditions, restrictions et interdictions, les recours pouvant être exercés devant le Tribunal administratif du travail et, le cas échéant, tout élément de procédure particulier à ces recours;

9° généralement, adopter toute autre disposition connexe ou supplétive jugée nécessaire pour donner effet aux dispositions de la présente loi autres que celles relatives à la formation professionnelle.

Exemption du certificat — Le gouvernement peut aussi, pour donner effet à une entente intergouvernementale en matière de mobilité de la main-d'œuvre ou de reconnaissance mutuelle des qualifications, compétences ou expériences de travail dans des métiers et occupations de l'industrie de la construction, prendre des règlements pour exempter, aux conditions qu'il détermine, certaines personnes de l'obligation d'être titulaires d'un certificat de compétence ou d'une exemption délivré par la Commission ou pour pourvoir aux conditions de délivrance, par la Commission, d'un tel certificat; ces règlements peuvent notamment prévoir des adaptations aux dispositions de la présente loi et des règlements ainsi que des règles particulières de gestion. De tels règlements ne sont pas soumis à l'obligation de publication et au délai d'entrée en vigueur prévus aux articles 8 et 17 de la *Loi sur les règlements* (chapitre R-18.1).

Variation des dispositions des règlements — Les dispositions d'un règlement pris en vertu des paragraphes 8.2° et 8.3° du premier alinéa peuvent varier en fonction du volume d'activités de l'entrepreneur, ou en fonction du nombre d'heures de travail qu'il a rapportées à la Commission, à titre d'employeur, au cours d'une période de référence.

Abrogation proposée — 123, al. 4

Lors de l'entrée en vigueur par décret de L.Q. 2012, c. 25, art. 72(2°), le dernier alinéa de l'art. 123 sera abrogé.

2012, c. 25, art. 72(2°) [Entrera en vigueur par décret.]

1968, c. 23, art. 8; 1968, c. 45, art. 58; 1973, c. 28, art. 17; 1975, c. 51, art. 30; 1986, c. 89, art. 24; 1992, c. 42, art. 20; 1993, c. 61, art. 62; 1996, c. 74, art. 52; 1997, c. 85, art. 398; 1998, c. 46, art. 122; 2005, c. 42, art. 18; 2005, c. 22, art. 52; 2006, c. 58, art. 49; 2009, c. 16, art. 7; 2011, c. 12, art. 4; 2011, c. 16, art. 88; 2011, c. 30, art. 66; 2014, c. 18, art. 6; 2015, c. 15, art. 237

123.1 Règlements de la Commission — La Commission peut, par règlement :

1° déterminer les compétences que requiert l'exercice des métiers;

2° déterminer les activités comprises dans un métier;

3° rendre obligatoire l'apprentissage pour l'exercice d'un métier;

4° rendre obligatoire de la formation pour l'exercice d'une occupation;

5° déterminer les conditions d'admission à l'apprentissage et aux différents types d'examens, d'obtention, de renouvellement, d'annulation et de remise en vigueur d'un certificat de compétence-apprenti et d'un carnet d'apprentissage;

6° déterminer les conditions d'obtention et de renouvellement d'un certificat de compétence-compagnon correspondant à un métier ou à une partie des activités d'un métier, le cas échéant;

7° déterminer les conditions d'obtention et de renouvellement d'un certificat de compétence-occupation;

8° déterminer les cas où une personne peut être tenue de subir un examen d'évaluation de sa compétence, de suivre des cours de formation professionnelle complémentaire, limiter l'exercice du métier ou de l'occupation, selon le cas, pendant une période de recyclage, impartir une limite de temps pour suivre une formation professionnelle complémentaire requise et déterminer les conditions d'annulation et de remise en vigueur d'un certificat de compétence-compagnon et d'un certificat de compétence-occupation;

9° prévoir les cas où elle peut et ceux où elle doit accorder une exemption à l'obligation de détenir un certificat de compétence-compagnon, un certificat de compétence-occupation ou un certificat de compétence-apprenti et un carnet d'apprentissage et déterminer, selon les cas, les critères applicables à la délivrance et à l'annulation d'une telle exemption ainsi que les conditions auxquelles la délivrance d'une telle exemption est soumise;

10° déterminer la durée de l'apprentissage, le nombre d'apprentis par rapport au nombre de compagnons à l'emploi d'un employeur ou sur un chantier de même que les modalités d'application de ces ratios et le taux de salaire de l'apprenti par rapport à celui du compagnon;

11º déterminer les droits exigibles pour la passation des différents types d'examens et pour la délivrance et le renouvellement d'un certificat de compétence-compagnon, d'un certificat de compétence-occupation, d'un certificat de compétence-apprenti et d'un carnet d'apprentissage, ainsi que pour l'ouverture, l'analyse ou le traitement du dossier de formation ou de qualification d'un salarié;

12º déterminer les droits exigibles pour la délivrance d'une exemption à l'obligation de détenir un certificat de compétence-compagnon, un certificat de compétence-occupation ou un certificat de compétence-apprenti et un carnet d'apprentissage;

13º établir des règles de gestion des bassins de main-d'œuvre, de priorité régionale en matière d'embauche et de gestion de la mobilité de la main-d'œuvre ainsi que les cas d'exception à ces règles et, à ces fins, délimiter le territoire du Québec en régions et définir et délimiter des zones limitrophes;

13.1º établir les conditions et les modalités de fonctionnement du Fonds d'indemnisation des salariés de l'industrie de la construction, dont les cotisations que doivent verser les employeurs selon leur catégorie, les cas donnant ouverture à l'indemnisation, la procédure d'indemnisation et les règles d'administration et de placement des montants le constituant, ainsi que prévoir des indemnités maximales, notamment le montant maximal pouvant être versé à un salarié concernant un employeur et celui pouvant être versé à l'ensemble des salariés concernant un employeur;

13.2º établir les conditions et les modalités de fonctionnement du Fonds de formation des salariés de l'industrie de la construction, autres que les règles générales d'utilisation déterminées en application du troisième alinéa de l'article 18.2, dont les cotisations que doivent verser les employeurs selon leur catégorie ainsi que les règles d'administration et de placement des montants le constituant;

14º généralement, adopter toute autre disposition connexe ou supplétive jugée nécessaire pour donner effet aux dispositions du présent article et celles de la présente loi relatives à la formation professionnelle.

Rapport — Un règlement pris en vertu du paragraphe 2º du premier alinéa doit faire l'objet d'un rapport au ministre tous les cinq ans. Le rapport porte sur l'opportunité de réviser ce règlement et contient notamment les renseignements exigés par le ministre. Il est accompagné, s'il y a lieu, d'un projet de règlement le modifiant ou le remplaçant.

Examen ou recommandation d'un comité — Un règlement pris en vertu du paragraphe 9º du premier alinéa peut, au regard de travaux décrits au paragraphe 13º du premier alinéa de l'article 19 exécutés par une personne qui n'y est pas visée ou de travaux impliquant l'utilisation de techniques anciennes, subordonner la délivrance d'exemptions à l'examen ou à la recommandation d'un comité qu'il institue à cette fin, préciser les attributions, la composition et le fonctionnement de ce comité ainsi que la durée du mandat de ses membres et déterminer les critères dont le comité doit tenir compte.

Variation de certaines dispositions — Les dispositions des règlements pris en vertu du présent article peuvent varier selon les secteurs, les régions, les zones limitrophes ou l'appartenance de personnes à un groupe cible; elles peuvent aussi varier pour faciliter la reconnaissance des qualifications, compétences et expériences de travail ainsi que la mobilité et l'embauche de personnes pour donner effet à une entente intergouvernementale, à laquelle le gouvernement du Québec est partie, en matière de mobilité de la main-d'œuvre ou de reconnaissance mutuelle des qualifications, compétences et expériences de travail dans des métiers et occupations de l'industrie de la construction.

Normes différentes — Ces règlements peuvent aussi prévoir des normes différentes à l'égard des femmes, des autochtones, des personnes qui font partie d'une minorité visible en raison de leur race ou de la couleur de leur peau et des immigrants en vue de favoriser leur accès, leur maintien et l'augmentation de leur nombre sur le marché du travail dans l'industrie de la construction.

1986, c. 89, art. 24; 1995, c. 8, art. 43; 2001, c. 79, art. 4; 2009, c. 16, art. 8; 2011, c. 30, art. 67

123.2 Transmission au ministre — Un règlement de la Commission visé à l'article 123.1 est transmis au ministre, qui le recommande au gouvernement pour approbation.

Modification — Le gouvernement peut modifier le règlement soumis pour approbation en vertu du premier alinéa.

Défaut de la Commission — À défaut par la Commission d'adopter ou de modifier un règlement visé à l'article 123.1 dans un délai que le gouvernement juge raisonnable, ce dernier peut, sur recommandation du ministre, édicter lui-même ce règlement.

1986, c. 89, art. 24; 1992, c. 44, art. 81; 1993, c. 61, art. 64; 1994, c. 12, art. 56

123.3 Consultation — La Commission doit soumettre au Comité sur la formation, aux fins de consultation, tout règlement qu'elle peut adopter en vertu de l'article 123.1, avant son adoption.

Commentaires — Le Comité doit transmettre ses commentaires à la Commission dans les 30 jours. À l'expiration de ce délai, la Commission peut adopter le règlement.

1979, c. 2, art. 24; 1986, c. 89, art. 25; 2011, c. 30, art. 68

Chapitre XIII.1 — Communication de renseignements

123.4 Renseignements d'un organisme — La Commission peut, aux fins de l'application de la présente loi et de ses règlements, obtenir d'un organisme visé à la *Loi sur l'accès aux documents des organismes publics et sur la protection des renseignements personnels* (chapitre A-2.1) qui doit lui fournir, conformément à cette loi, tout renseignement et document qu'il possède au sujet de l'exécution de travaux de construction et des personnes qui les exécutent ou les font exécuter.

1992, c. 42, art. 21; 1992, c. 44, art. 81; 1993, c. 61, art. 65

123.4.1 Entente avec un gouvernement — La Commission peut, conformément à la loi, conclure une entente avec un gouvernement au Canada ou à l'étranger ou l'un de ses ministères ou organismes en vue de l'application de la présente loi et de ses règlements ou d'une loi dont l'application relève de ce gouvernement, ministère ou organisme.

Échange de renseignements — Une telle entente peut permettre l'échange de renseignements personnels pour prévenir, détecter ou réprimer toute infraction à l'une de ces lois.

1993, c. 61, art. 65; 2006, c. 22, art. 177

123.4.2 Données portant sur les licences restreintes — La Commission recueille et tient à jour les données nécessaires à l'application d'un règlement pris en vertu des paragraphes 8.2° et 8.3° du premier alinéa de l'article 123, des dispositions de la *Loi sur le bâ-*

timent (chapitre B-1.1) portant sur les licences restreintes aux fins de l'obtention d'un contrat public ainsi que des articles 21.26 à 21.28 de la *Loi sur les contrats des organismes publics* (chapitre C-65.1).

Modification proposée — 123.4.2

La Commission recueille et tient à jour les données nécessaires à l'application des articles 21.26 à 21.28 de la *Loi sur les contrats des organismes publics* (chapitre C-65.1).

2012, c. 25, art. 73 [Entrera en vigueur par décret.]

1997, c. 85, art. 399; 2012, c. 25, art. 98

123.4.3 Renseignements relatifs à une condamnation — Le directeur des poursuites criminelles et pénales doit communiquer à la Commission les renseignements nécessaires à l'application des dispositions visées à l'article 123.4.2, relatifs à une condamnation pour une infraction à la présente loi ou à un règlement adopté sous son autorité.

1997, c. 85, art. 399; 2005, c. 34, art. 85

123.4.4 Communication des renseignements — La Commission doit communiquer à la Régie du bâtiment du Québec, à une Corporation mandataire visée à l'article 129.3 de la *Loi sur le bâtiment* (chapitre B-1.1) et aux commissaires associés aux vérifications nommés conformément à l'article 8 de la *Loi concernant la lutte contre la corruption* (chapitre L-6.1), qui exercent la fonction prévue au paragraphe 1.1° de l'article 10 de cette loi, les renseignements qu'elle détient à l'égard d'un entrepreneur ou, dans le cas d'une personne morale, à l'égard de l'un de ses administrateurs ou, dans le cas d'une société, à l'égard de ses associés et qui sont nécessaires à l'application des dispositions de la *Loi sur le bâtiment* portant sur les licences restreintes aux fins de l'obtention d'un contrat public et à l'application du chapitre V.2 de la *Loi sur les contrats des organismes publics* (chapitre C-65.1).

Modification proposée — 123.4.4

La Commission doit communiquer au commissaire associé aux vérifications nommé conformément à la *Loi concernant la lutte contre la corruption* (chapitre L-6.1) les renseignements qu'elle détient à l'égard d'un entrepreneur ou, dans le cas d'une personne morale, à l'égard de l'un de ses administrateurs ou, dans le cas d'une société, à l'égard de ses associés et qui sont nécessaires à l'application des dispositions du chapitre V.2 de la *Loi sur les contrats des organismes publics* (chapitre C-65.1).

2012, c. 25, art. 74 [Entrera en vigueur par décret.]

1997, c. 85, art. 399; 1998, c. 46, art. 123; 1999, c. 40, art. 257; 2012, c. 25, art. 99; 2013, c. 23, art. 139

123.5 Immunité — Nul ne peut être l'objet d'une poursuite fondée sur un renseignement ou un document qu'il a fourni de bonne foi à la Commission en vertu du présent chapitre.

1992, c. 42, art. 21

Chapitre XIV — Dispositions finales

124. Dispositions non applicables — Les dispositions du *Code du travail* (chapitre C-27), de la *Loi sur les décrets de convention collective* (chapitre D-2) et de la *Loi sur la formation et la qualification professionnelles de la main- d'œuvre* (chapitre F-5) ne s'appliquent pas dans l'industrie de la construction, à moins d'une disposition expresse à l'effet contraire.

Dispositions applicables — Toutefois, les dispositions de la *Loi instituant* *le Tribunal administratif du travail* (chapitre T-15.1) et du *Code du travail* (chapitre C-27) relatives au Tribunal administratif du travail, à ses membres et à ses agents de relations du travail et les dispositions pertinentes de règlements pris en vertu de ces lois s'appliquent dans l'industrie de la construction au regard de toute requête, plainte ou autre recours soumis à ce tribunal en vertu de la présente loi.

1968, c. 45, art. 59; 1986, c. 89, art. 26; 2006, c. 58, art. 50; 2015, c. 15, art. 197

125. Hydro-Québec — Nonobstant la présente loi, les dispositions du *Code du travail* (chapitre C-27) s'appliquent à Hydro-Québec et à ses salariés sur les chantiers Manicouagan, Outardes, Gentilly et Témiscamingue Chute I pour la durée des travaux en cours.

1968, c. 45, art. 69; 1983, c. 15, art. 1

126. (*Abrogé*).

1978, c. 58, art. 13; 1993, c. 61, art. 66

126.0.1 Accès aux femmes — La Commission doit élaborer, après consultation de la Commission des droits de la personne et des droits de la jeunesse, des mesures visant à favoriser l'accès, le maintien et l'augmentation du nombre des femmes sur le marché du travail dans l'industrie de la construction.

Rapport au ministre — Elle doit transmettre au ministre, à sa demande, tout rapport ou autre renseignement concernant l'application du premier alinéa dans le délai et suivant la forme qu'il détermine.

1995, c. 8, art. 44; 1995, c. 27, art. 41

126.0.2 Employé non salarié — Des frais de 0,075 $ par heure de travail sont payables à la Commission par toute personne qui lui transmet des contributions et des cotisations aux régimes complémentaires d'avantages sociaux à l'égard d'un employé qui n'est pas un salarié assujetti à la présente loi.

Frais payables — Des frais de 0,075 $ par heure de travail sont payables à la Commission par l'employé visé au premier alinéa; ces frais peuvent être acquittés au moyen d'une retenue sur le salaire de cet employé.

Effet — Le présent article prend effet le 26 février 1995. Il conserve son effet jusqu'à l'entrée en vigueur d'un règlement du gouvernement portant sur de semblables frais, pris en vertu du paragraphe 8.1° de l'article 123.

1995, c. 8, art. 44

126.0.3 (*Abrogé*).

1997, c. 74, art. 3; 2011, c. 30, art. 69

126.0.4 Délégation de pouvoirs — Le ministre peut déléguer, généralement ou spécialement, à un membre du personnel de son ministère ou à une personne qu'il désigne, l'exercice des pouvoirs qui lui sont attribués par la présente loi.

1998, c. 46, art. 124

126.0.5 Étude — Le ministre effectue ou fait effectuer, en collaboration avec la Commission, et rend disponible tous les cinq ans une étude sur l'évolution de l'industrie de la construction au Québec.

2011, c. 30, art. 70

126.1 Ministre responsable — Le ministre du Travail est chargé de l'application de la présente loi.

1986, c. 89, art. 27; 1994, c. 12, art. 57; 1996, c. 29, art. 43

127. (*Cet article a cessé d'avoir effet le 17 avril 1987*).

1982, R.-U., c. 11, *ann.* B, *ptie* I, art. 33; 1982, c. 21, art. 1

Dispositions transitoires

— *Loi concernant la lutte contre la corruption*, L.Q. 2011, c. 17, art. 66-72 :

66. Malgré l'article 5, le commissaire à la lutte contre la corruption en fonction le 12 juin 2011 devient, aux mêmes conditions et pour la durée non écoulée de son mandat, le commissaire visé par la présente loi.

67. Une équipe de vérification ou une équipe d'enquête désignée par (D. 114-2011) constitue une équipe désignée par le gouvernement au sens de la présente loi.

68. Sous réserve des droits prévus par le *Code du travail* (chapitre C-27), l'association accréditée pour représenter l'ensemble des salariés de la Commission de la construction du Québec le *(31 août 2011 ou avant par décret)* continue de représenter l'ensemble des salariés de la Commission qui ne sont pas visés par l'article 85 de la *Loi sur les relations du travail, la formation professionnelle et la gestion de la main-d'œuvre dans l'industrie de la construction* (chapitre R-20), tel qu'il se lit le *(1er septembre 2011 ou avant par décret).*

La convention collective applicable le *(31 août 2011 ou avant par décret)* continue de s'appliquer à ces salariés jusqu'à ce qu'elle soit remplacée.

69. Malgré l'entrée en vigueur de l'article 61, l'association accréditée pour représenter l'ensemble des salariés de la Commission de la construction du Québec le *(31 août 2011 ou avant par décret)* représente également les salariés visés par l'article 85 de la *Loi sur les relations du travail, la formation professionnelle et la gestion de la main-d'œuvre dans l'industrie de la construction*, tel qu'il se lit le *(1er septembre 2011 ou avant par décret)*, sauf en ce qui concerne la conclusion d'une convention collective.

L'association cesse toutefois de représenter les salariés visés par cet article 85 dès qu'une autre association est accréditée pour les représenter conformément aux dispositions du *Code du travail* ou, à défaut, le *(1er mars 2012 ou avant par décret).*

70. La convention collective applicable à l'ensemble des salariés de la Commission de la construction du Québec le *(31 août 2011 ou avant par décret)* continue de s'appliquer aux salariés visés par l'article 85 de la Loi sur les relations du travail, la formation professionnelle et la gestion de la main-d'œuvre dans l'industrie de la construction, tel qu'il se lit le *(1er septembre 2011 ou avant par décret)*, jusqu'à ce qu'elle soit remplacée par une convention collective conclue entre l'employeur et l'association nouvellement accréditée pour représenter ces salariés.

Toutefois, si aucune association n'est accréditée pour représenter ces salariés le *(1er mars 2012 ou avant par décret)*, la convention collective cesse de s'appliquer à ces salariés même si elle n'est pas remplacée.

71. L'association accréditée pour représenter les salariés visés par l'article 85 de la *Loi sur les relations du travail, la formation professionnelle et la gestion de la main-d'œuvre dans l'industrie de la construction*, tel qu'il se lit le *(1er septembre 2011 ou avant par décret)*, succède, le cas échéant, aux droits et obligations de l'association accréditée qui, le *(31 août 2011 ou avant par décret)*, représentait ces salariés.

Le premier alinéa ne s'applique pas à l'égard des droits et des obligations envers une organisation à laquelle est affiliée l'association à laquelle il est succédé.

Les actifs de l'association à laquelle il est succédé sont transférés, en proportion des salariés qu'elle ne représente plus, à l'association qui lui succède.

72. La Commission des relations du travail peut, sur requête, trancher toute difficulté relative à l'application des articles 68 à 71 de la présente loi, notamment celle résultant de la règle prévue par le troisième alinéa de l'article 71.

Les dispositions du *Code du travail* relatives à la Commission des relations du travail, à ses commissaires, à leurs décisions et à l'exercice de leurs compétences s'appliquent, compte tenu des adaptations nécessaires.

— *Loi éliminant le placement syndical et visant l'amélioration du fonctionnement de l'industrie de la construction*, L.Q. 2011, c. 30, art. 73-87 :

73. Malgré le paragraphe 5° du deuxième alinéa de l'article 3.2 de la *Loi sur les relations du travail, la formation professionnelle et la gestion de la main-d'œuvre dans l'industrie de la construction* (chapitre R-20), tel qu'il se lit le 2 mai 2012, le gouvernement n'a pas à tenir compte des profils de compétence et d'expérience pour la nomination des premiers membres indépendants.

74. Malgré le deuxième alinéa de l'article 3.3 de la *Loi sur les relations du travail, la formation professionnelle et la gestion de la main-d'œuvre dans l'industrie de la construction*, le mandat des membres autres que le président qui ne sont pas remplacés ou nommés de nouveau prend fin lors de la formation du premier conseil d'administration qui a lieu après l'entrée en vigueur de l'article 4.

75. Le mandat des membres du Comité mixte de la construction prend fin.

76. Le premier règlement du gouvernement pris en vertu de chacune des nouvelles dispositions des articles 32, 35.2 et 35.3 et des paragraphes 8.6° et 8.7° du premier alinéa de l'article 123 de la *Loi sur les relations du travail, la formation professionnelle et la gestion de la main-d'œuvre dans l'industrie de la construction* n'est pas soumis a l'obligation de publication prévue à l'article 8 de la *Loi sur les règlements* (chapitre R.18.1). Malgre l'article 17 de cette loi, il entre en vigueur à la date de sa publication a la *Gazette officielle du Québec*.

Le premier règlement pris en application du paragraphe 8.6° du premier alinéa de l'article 123 de la *Loi sur les relations du travail, la formation professionnelle et la gestion de la main-d'œuvre dans l'industrie de la construction* doit toutefois faire l'objet d'une étude par la commission compétente de l'Assemblée nationale avant son adoption par le gouvernement.

Préalablement à l'étude prévue par le deuxième alinéa, le ministre du Travail forme un comité de travail composé notamment de représentants d'associations qu'il juge représentatives de l'industrie de la construction, de la Commission de la construction du Québec et du ministère du Travail qui en assume la direction et le secrétariat. Ce comité doit, dans le délai que le ministre indique, transmettre un rapport formulant des recommandations concernant les normes à prévoir dans le règlement visé par le deuxième alinéa et toute autre question que lui soumet le ministre.

77. Un règlement pris en application du paragraphe 1, 3 ou 3.1 de l'article 92 de la *Loi sur les relations du travail, la formation professionnelle et la gestion de la main-d'œuvre dans l'industrie de la construction* continue de s'appliquer jusqu'à ce qu'il soit remplacé par un règlement pris en application de l'article 18.14.5 ou 18.14.6 de cette loi.

78. Les dispositions de l'article 93 de la *Loi sur les relations du travail, la formation professionnelle et la gestion de la main-d'œuvre dans l'industrie de la construction* s'appliquent aux demandes en cours dès leur entrée en vigueur.

79. Les règles relatives au Fonds spécial d'indemnisation prévues dans les conventions collectives conclues en vertu de la *Loi sur les relations du travail, la formation professionnelle et la gestion de la main-d'œuvre dans l'industrie de la construction* et en vigueur le 31 décembre 2011 continuent de s'appliquer jusqu'à l'entrée en vigueur d'un règlement pris en vertu du paragraphe 13.1° du premier alinéa de l'article 123.1 de cette loi.

80. Les règles relatives au Fonds de formation de l'industrie de la construction et au Plan de formation du secteur résidentiel prévues dans les conventions collectives conclues en vertu de la *Loi sur les relations du travail, la formation professionnelle et la gestion de la main-d'œuvre dans l'industrie de la construction* et en vigueur le 31 décembre 2011 continuent de s'appliquer jusqu'à l'entrée en vigueur d'un règlement pris en vertu du paragraphe 13.2° du premier alinéa de l'article 123.1 de cette loi.

81. Les sommes qui constituent le Fonds de formation de l'industrie de la construction constitué en vertu des conventions collectives du secteur institutionnel et commercial, du secteur industriel et du secteur génie civil et voirie sont transférées au Fonds de formation des salariés de l'industrie de la construction institué par l'article 93.6 de la *Loi sur les relations du travail, la formation professionnelle et la gestion de la main-d'œuvre dans l'industrie de la construction* et sont portées à son volet du secteur institutionnel et commercial, du secteur industriel et du secteur génie civil et voirie.

Les dossiers et autres documents du Fonds de formation de l'industrie de la construction constitué en vertu des conventions collectives du secteur institutionnel et commercial, du secteur industriel et du secteur génie civil et voirie deviennent ceux de la Commission de la construction du Québec.

82. Les sommes qui constituent le Plan de formation du secteur résidentiel constitué en vertu de la convention collective du secteur résidentiel sont transférées au Fonds de formation des salariés de l'industrie de la construction institué par l'article 93.6 de la *Loi sur les relations du travail, la formation professionnelle et la gestion de la main-d'œuvre dans l'industrie de la construction* et sont portées à son volet du secteur résidentiel.

Les dossiers et autres documents du Plan de formation du secteur résidentiel constitué en vertu de la convention collective du secteur résidentiel deviennent ceux de la Commission de la construction du Québec.

83. Toute entente de gestion, de collaboration ou autre conclue avant le 31 décembre 2011 entre la Commission de la construction du Québec et le Fonds de formation de l'industrie de la construction (FFIC) ou le Comité de gestion du Plan de formation du secteur résidentiel relativement au Fonds de formation de l'industrie de la construction ou au Plan de formation du secteur résidentiel institués en vertu des conventions collectives de l'industrie de la construction prend fin le 31 janvier 2012.

84. Les sommes qui constituent le Fonds spécial d'indemnisation constitué en vertu des conventions collectives conclues conformément à la *Loi sur les relations du travail, la formation professionnelle et la gestion de la main-d'œuvre dans l'industrie de la construction* sont transférées au Fonds d'indemnisation des salariés de l'industrie de la construction institué par l'article 93.2 de la *Loi sur les relations du travail, la formation professionnelle et la gestion de la main-d'œuvre dans l'industrie de la construction.*

85. Le premier rapport prévu par le deuxième alinéa de l'article 123.1 de la *Loi sur les relations du travail, la formation professionnelle et la gestion de la main-d'œuvre dans l'industrie de la construction* est transmis au plus tard le 2 décembre 2013.

86. Toute association visée par l'article 107.1 de la *Loi sur les relations du travail, la formation professionnelle et la gestion de la main-d'œuvre dans l'industrie de la construction* doit, jusqu'à l'entrée en vigueur de cet article, transmettre à la Commission un rapport faisant mention de toute référence qu'elle fait de ses membres à un employeur.

Le rapport est transmis hebdomadairement et comporte les renseignements suivants :

1° le nom de l'employeur demandeur, la date de la demande, le nombre de personnes demandées et les qualifications recherchées;

2° une copie de la liste de candidats référés transmise à l'employeur;

3° tout autre renseignement exigé par la Commission.

L'association qui fait défaut de se conformer aux dispositions du présent article commet une infraction et est passible, pour chaque infraction, des peines prévues à l'article 119.0.1 de la *Loi sur les relations du travail, la formation professionnelle et la gestion de la main-d'œuvre dans l'industrie de la construction.*

86.1 Tout employeur doit, lors de la transmission d'un avis d'embauche en application des dispositions du *Règlement sur l'embauche et la mobilité des salariés de l'industrie de la construction* (chapitre R-20, r. 6.1) et suivant la manière prévue par la Commission, indiquer le nom de l'association visée par l'article 107.1 de la *Loi sur les relations du travail, la formation professionnelle et la gestion de la main-d'œuvre dans l'industrie de la construction* et de son représentant qui, le cas échéant, lui a référé le candidat embauché.

L'obligation prévue par le premier alinéa s'applique jusqu'à l'entrée en vigueur de l'article 107.1.

87. Les modifications apportées par la présente loi à la *Loi sur les relations du travail, la formation professionnelle et la gestion de la main-d'œuvre dans l'industrie de la construction* n'affectent pas la validité des conventions collectives conclues en vertu de cette loi et en vigueur le 2 décembre 2011.

— *Loi instituant le Tribunal administratif du travail*, RLRQ, c. T-15.1, art. 237-277 : voir [QUE-19].

[QUE-14.1]
TABLE DES MATIÈRES
RÈGLEMENT SUR LE SERVICE DE RÉFÉRENCE DE MAIN-D'ŒUVRE DE L'INDUSTRIE DE LA CONSTRUCTION

[QUE-14.1]
RÈGLEMENT SUR LE SERVICE DE RÉFÉRENCE DE MAIN-D'ŒUVRE DE L'INDUSTRIE DE LA CONSTRUCTION

édicté en vertu de la *Loi sur les relations du travail, la formation professionnelle et la gestion de la main-d'œuvre dans l'industrie de la construction* (RLRQ, c. R-20, art. 123, 1er al., par. 8.6°)

D. 1205-2012, (2012) 145 G.O. II, 8

SECTION I — DÉCLARATION

1. La déclaration de besoin de main-d'œuvre que l'employeur doit faire au Service de référence de main-d'œuvre en application des dispositions du paragraphe 1° de l'article 107.8 de la *Loi sur les relations du travail, la formation professionnelle et la gestion de la main-d'œuvre dans l'industrie de la construction* (chapitre R-20), comporte les mentions suivantes :

1° son nom et ses coordonnées;

2° le nom de la personne responsable de la demande et ses coordonnées;

3° le nombre de salariés requis;

4° le métier ou l'occupation des salariés requis et, s'il y a lieu, leur spécialité ou l'activité qu'ils doivent pouvoir exercer;

5° s'il s'agit d'un métier, le statut de compagnon ou d'apprenti s'il y a lieu;

6° la région et la sous-région où doit s'effectuer principalement le travail;

7° la date prévue de l'embauche et, si elle est déterminée, sa durée.

L'employeur peut également indiquer tout autre élément pertinent tels la période d'apprentissage dans le cas d'un apprenti, une formation spécifique, le secteur d'activité ou le chantier pour lequel des travaux sont requis.

Dans le présent règlement, on entend par :

1° « Service de référence de main-d'œuvre » ou « Service », le Service de référence de main-d'œuvre qu'administre la Commission de la construction du Québec en application de l'article 107.7 de la Loi;

2° « employeur », un employeur au sens du paragraphe j du premier alinéa de l'article 1 de la Loi.

2. La déclaration est transmise suivant la manière prévue par la Commission.

3. Une demande de numéro d'embauche, formulée conformément aux dispositions du *Règlement sur l'embauche et la mobilité des salariés dans l'industrie de la construction* (chapitre R-20, r. 6.1) tient lieu de déclaration de besoin de main-d'œuvre pour l'employeur qui embauche directement un salarié sans qu'une référence du Service ne lui soit nécessaire.

SECTION II — FONCTIONNEMENT GÉNÉRAL DU SERVICE DE RÉFÉRENCE

§1 — Information aux associations titulaires de permis aux fins de leur participation au Service de référence et communications avec les employeurs

4. Dans les meilleurs délais, dès la réception d'une déclaration de besoin de main-d'œuvre conforme aux dispositions de l'article 1, la Commission en avise toute association titulaire d'un permis de référence l'autorisant à référer des salariés visés par cette déclaration et rend cette dernière disponible.

La Commission doit également en aviser toute association titulaire d'un permis de référence autorisée à référer des salariés du métier ou de l'occupation visé dans une autre région lorsqu'il est prévisible que l'employeur pourra recourir à des salariés hors région. Ces associations sont alors autorisées à référer des salariés hors région pour les seules fins de cette déclaration de besoin de main-d'œuvre.

5. Les associations titulaires de permis peuvent requérir des compléments d'information concernant la déclaration de besoin de main-d'œuvre en transmettant une demande à cet effet au Service, suivant la manière prévue par la Commission.

Le Service transmet cette demande de complément d'information sans délai à l'employeur et, si elle est reçue à l'intérieur du délai prévu par l'article 12, transmet la réponse de l'employeur à l'association titulaire de permis d'où est provenue la demande.

L'employeur peut aussi communiquer, suivant la manière prévue par la Commission, avec les associations titulaires de permis afin de préciser sa demande.

6. L'employeur met à jour sa déclaration de besoin de main-d'œuvre dans les meilleurs délais et modifie ou précise les besoins ou les critères qui y sont mentionnés. Les articles 4 et 5 s'appliquent alors.

§2 — Réponse de la Commission à l'employeur

7. La Commission transmet dans les meilleurs délais à l'employeur une liste des salariés répondant aux critères mentionnés dans sa déclaration en application du premier alinéa de l'article 1. Un salarié ne peut être référé plus d'une fois au cours d'une journée, sauf si tous les salariés pouvant être référés l'ont déjà été.

La liste contient un nombre de salariés au moins égal à celui demandé par l'employeur lorsque ceux-ci sont disponibles en nombre suffisant. Les femmes répondant aux critères énoncés dans la déclaration en application du premier alinéa de l'article 1 sont toutes référées, alors que les hommes sont référés selon les ratios suivants :

1° au plus 10 pour une demande d'un salarié;

2° au plus 20 pour une demande de deux à cinq salariés;

3° au plus 30 pour une demande de six à dix salariés;

4° au plus 40 pour une demande de 11 à 20 salariés;

5° au plus 50 pour une demande de 21 à 35 salariés;

6° au plus un nombre équivalent à 150 % du nombre demandé pour toute demande supérieure à 35 salariés.

Le Service doit être accessible et disponible en tout temps selon les modalités que la Commission détermine.

8. La Commission offre aussi un service de référence personnalisé par lequel elle s'assure de l'intérêt des salariés par un contact personnel avec ceux-ci.

Ce service peut être offert à l'employeur lorsqu'il n'a pas réussi à combler ses besoins à partir des listes transmises en application des articles 7 et 13.

L'employeur qui est dans une situation visée par le deuxième alinéa peut également demander que la Commission lui transmette une nouvelle liste conforme aux dispositions de l'article 7.

9. Toute liste de salariés transmise par la Commission en application de la présente sous-section présente en premier lieu les femmes et ensuite les hommes.

Les femmes et les hommes sont classés selon le nombre d'heures travaillées au cours des 10 années civiles précédant celle au cours de laquelle est faite la demande, en ordre décroissant.

10. En cas d'insuffisance du nombre de salariés répondant à l'ensemble des critères énoncés dans la déclaration de l'employeur en application du premier alinéa de l'article 1, la Commission réfère des salariés d'une autre sous-région ou, en conformité avec les règles applicables, d'une autre région. Hormis la sous-région ou la région de provenance, ces salariés doivent répondre aux critères mentionnés dans la déclaration de l'employeur en application du premier alinéa de l'article 1.

Ces salariés sont présentés sur la liste à la suite des salariés de la sous-région visée. L'article 9 s'applique à la présentation et au classement de ces salariés, compte tenu des adaptations nécessaires.

11. Le nom de chaque salarié figurant sur la liste est accompagné en outre des coordonnées permettant de le joindre, du nom de la ville où est situé son domicile et des informations permettant à l'employeur de valider le respect des critères mentionnés dans sa déclaration en application du premier alinéa de l'article 1. Il peut être accompagné de tout autre renseignement pertinent dont la diffusion est autorisée par le salarié.

§3 — Réponse des associations titulaires de permis

12. L'association titulaire de permis peut répondre à la demande de l'employeur dans les 48 heures de la réception de l'avis prévu par l'article 4.

13. L'association titulaire de permis qui répond à la demande transmet à la Commission, suivant la manière prévue par cette dernière, la liste des salariés qu'elle réfère. Le nom du représentant de l'association y apparaît, ainsi que ses coordonnées.

Les ratios maximums prévus par le deuxième alinéa de l'article 7 s'appliquent pour l'ensemble des salariés référés par l'association titulaire de permis.

14. Sous réserve du deuxième alinéa, les salariés référés doivent répondre à l'ensemble des critères mentionnés par l'employeur dans sa déclaration en application du premier alinéa de l'article 1. Ils doivent également, dans la mesure où l'association titulaire de permis possède l'information pertinente, répondre aux critères mentionnés par l'employeur dans sa déclaration en application du deuxième alinéa de cet article.

En cas d'insuffi sance du nombre de salariés répondant aux critères énoncés dans la déclaration de l'employeur en application de l'article 1, l'association titulaire de permis peut référer des salariés d'une autre sous-région ou, si elle y est autorisée en application du deuxième alinéa de l'article 4, d'une autre région. Hormis la sous-région ou la région de provenance, ces salariés doivent répondre aux critères mentionnés dans la déclaration de l'employeur en application de l'article 1, conformément à ce que prévoit le premier alinéa.

15. Le nom de chaque salarié figurant sur la liste d'une association titulaire de permis est accompagné des coordonnées permettant de le joindre, du nom de la ville où est situé son domicile et des informations permettant à l'employeur de valider le respect des critères mentionnés dans sa déclaration en application du premier alinéa de l'article 1. Il peut être accompagné de tout autre renseignement pertinent dont la diffusion est autorisée par le salarié.

16. La Commission transmet à l'employeur copie des listes reçues dans le délai prévu par l'article 12, dans les meilleurs délais au fur et à mesure de leur réception. La Commission confirme la transmission à l'employeur d'une liste à l'association titulaire de permis dont elle provient. Une liste reçue hors délai n'est pas transmise.

La Commission ne valide pas les renseignements figurant sur ces listes.

17. Après la confirmation que sa liste a été transmise à l'employeur, une association titulaire de permis peut communiquer avec la personne responsable de la demande.

L'employeur peut également communiquer avec les associations titulaires de permis afin d'obtenir des précisions sur un salarié référé.

En aucun temps, une communication prévue par le présent article entre une association titulaire de permis ou son représentant et un employeur ou sa personne responsable ne peut permettre la référence de salariés autres que ceux figurant sur la liste transmise en application de l'article 13.

18. L'employeur avec qui une association titulaire de permis communique en vertu du premier alinéa de l'article 17 doit, lors de la transmission d'un avis d'embauche en application des dispositions du *Règlement sur l'embauche et la mobilité des salariés dans l'industrie de la construction*, indiquer le nom de cette association titulaire de permis et de son représentant.

SECTION III — SITUATIONS D'URGENCE

19. Dans la présente section, on entend par « situation d'urgence », une situation lors de laquelle des travaux doivent être exécutés sans délai pour éviter des dommages matériels à l'employeur ou au donneur d'ouvrage ou un danger pour la santé ou la sécurité du public.

Le besoin pressant d'un salarié ou l'application potentielle ou avérée d'une clause contractuelle de pénalité, notamment pour retard dans la livraison des travaux, ne constitue pas une situation d'urgence au sens de la présente section.

20. L'existence d'une situation d'urgence suspend l'application des sections I et II.

21. En situation d'urgence, l'employeur communique avec les associations titulaires de permis de son choix afin de les informer de la situation et de ses besoins de main-d'œuvre.

Toute association titulaire de permis peut alors lui référer des salariés selon les modalités dont ils conviennent.

22. Dans les 24 heures de la référence, toute association titulaire de permis transmet au Service une liste des salariés référés. Cette liste mentionne le nom de l'employeur ainsi que le fait que ce dernier a déclaré être en situation d'urgence.

23. Dans les 48 heures de la situation d'urgence, l'employeur transmet au Service un rapport indiquant les renseignements suivants :

1° la date de la situation d'urgence, son lieu, sa nature et ses conséquences prévisibles sur les biens matériels de l'employeur ou du donneur d'ouvrage ou encore sur la santé ou la sécurité du public;

2° les associations titulaires de permis qu'il a contactées et le nom et les coordonnées de leurs représentants;

3° l'identité des salariés embauchés et, pour chacun des salariés, son métier, son occupation et, s'il y a lieu, sa spécialité ou l'activité qu'il peut exercer, ainsi que le nom de l'association titulaire de permis qui l'a référé.

Le rapport transmis dans le délai prescrit tient lieu de la déclaration que doit faire l'employeur en vertu des dispositions du paragraphe 1° de l'article 107.8 de la Loi.

24. Le Service peut requérir de toute association titulaire de permis visée par l'article 22 ou identifiée en application du paragraphe 2° de l'article 23, un rapport circonstancié de ses activités en lien avec la situation d'urgence, dans la forme et le délai qu'il indique. Il peut également, de la même manière, requérir de l'employeur ou de l'association titulaire de permis toute précision qu'il estime nécessaire à la suite de la réception d'un rapport.

SECTION IV — DISPONIBILITÉ DES SALARIÉS

25. Tout salarié met à jour ses disponibilités aux fins des activités du Service en les communiquant aux coordonnées que la Commission détermine.

La mise à jour de ses disponibilités par un salarié lui permet notamment de faire connaître au Service son désir d'être référé même s'il travaille ou, à l'inverse, son désir de ne pas l'être même s'il ne travaille pas.

Lorsqu'un salarié a exprimé son désir d'être référé même s'il travaille, la Commission précise que le salarié est « en emploi » à l'occasion de toute référence qu'elle fait de lui en vertu de l'article 7 ou 8.

SECTION V — RAPPORT

26. La Commission doit, au plus tard le 31 mars de chaque année, soumettre au ministre du Travail un rapport des activités du Service de référence pour l'année civile précédente.

Le rapport présente une analyse du fonctionnement du Service, incluant la participation des associations titulaires de permis et la collaboration des employeurs et des salariés, des informations relatives aux situations d'urgence, ainsi que des commentaires sur les communications entre les employeurs et les associations titulaires de permis. Il peut également contenir toute proposition en vue d'améliorer le fonctionnement du Service.

27. (*Omis*).

[QUE-15]
TABLE DES MATIÈRES
LOI SUR LA SANTÉ ET LA SÉCURITÉ DU TRAVAIL

[QUE-15]
LOI SUR LA SANTÉ ET LA SÉCURITÉ DU TRAVAIL

RLRQ, c. S-2.1, telle que modifiée par L.Q. 1975, c. 53, art. 132; 1980, c. 11, art. 128; 1983, c. 38, art. 81; 1983, c. 41, art. 205; 1983, c. 55, art. 161; 1984, c. 47, art. 209; 1985, c. 6, art. 477; 521-550; 1985, c. 21, art. 82; 1985, c. 23, art. 24; 1985, c. 30, art. 146; 1986, c. 95, art. 301-302; 1986, c. 89, art. 50; 1987, c. 68, art. 110; 1988, c. 61, art. 3; 1988, c. 41, art. 88; 1988, c. 61, art. 1-4; 1990, c. 4, art. 801; 1990, c. 31, art. 8; 1992, c. 11, art. 48-76; 1992, c. 21, art. 300-332; 1992, c. 57, art. 692; 1992, c. 61, art. 546-550; 1992, c. 68, art. 157; 1993, c. 51, art. 50; 1994, c. 12, art. 67; 1994, c. 16, art. 50; 1994, c. 23, art. 23; 1996, c. 60, art. 85; 1996, c. 70, art. 47-48; 1997, c. 27, art. 34-49; 1997, c. 43, art. 669-670; 1997, c. 63, art. 128; 1997, c. 85, art. 412; 1998, c. 36, art. 193; 1998, c. 39, art. 188; 1999, c. 40, art. 261; 1999, c. 87, art. 1; 1999, c. 89, art. 53; 2000, c. 8, art. 242; 2001, c. 9, art. 141-142; 2001, c. 26, art. 168-169; 2001, c. 44, art. 30; 2001, c. 60, art. 167; 2002, c. 38, art. 10; 2002, c. 76, art. 1-26; 2005, c. 7, art. 73; 2005, c. 13, art. 91-92; 2005, c. 28, art. 195; 2005, c. 32, art. 308; D. 374-2006, (2006) 138 G.O. II, 1947; 2005, c. 15, art. 172; 2005, c. 34, art. 86; 2006, c. 29, art. 40-41; 2011, c. 12, art. 2-3; 2011, c. 19, art. 37-38; 2009, c. 19, art. 17-21; 2012, c. 25, art. 75-77 [Art. 75 non en vigueur à la date de publication]; 2013, c. 23, art. 140; 2013, c. 28, art. 203(7º); 2014, c. 17, art.32; 2014, c. 18, art. 7; 2015, c. 13, art. 1-13; 2015, c. 15, art. 207-219, 237.

Chapitre I — Définitions

1. Interprétation — Dans la présente loi et les règlements, à moins que le contexte n'indique un sens différent, on entend par :

« accident » : un accident du travail au sens de la *Loi sur les accidents du travail et les maladies professionnelles* (chapitre A-3.001);

« agence » : une agence visée par la *Loi sur les services de santé et les services sociaux* (chapitre S-4.2), l'établissement visé à la partie IV.2 de cette loi et le conseil régional au sens de la *Loi sur les services de santé et les services sociaux pour les autochtones cris* (chapitre S-5);

« association accréditée » : une association accréditée au sens du *Code du travail* (chapitre C-27);

« association d'employeurs » : un groupement d'employeurs, une association de groupements d'employeurs ou une association regroupant des employeurs et des groupements d'employeurs, ayant pour buts l'étude, la sauvegarde et le développement des intérêts économiques de ses membres et particulièrement l'assistance dans la négociation et l'application de conventions collectives;

« association sectorielle » : une association sectorielle paritaire de santé et de sécurité du travail constituée en vertu de l'article 98 ou l'association sectorielle paritaire de la construction constituée en vertu de l'article 99;

« **association syndicale** » : un groupement de travailleurs constitué en syndicat professionnel, union, fraternité ou autrement ou un groupement de tels syndicats, unions, fraternités ou autres groupements de travailleurs constitués autrement, ayant pour buts l'étude, la sauvegarde et le développement des intérêts économiques, sociaux et éducatifs de ses membres et particulièrement la négociation et l'application de conventions collectives;

« **centre hospitalier** » : un centre hospitalier au sens de la *Loi sur les services de santé et les services sociaux* ou au sens de la *Loi sur les services de santé et les services sociaux pour les autochtones cris*;

« **centre local de services communautaires** » : un centre local de services communautaires au sens de la *Loi sur les services de santé et les services sociaux* ou au sens de la *Loi sur les services de santé et les services sociaux pour les autochtones cris*;

« **chantier de construction** » : un lieu où s'effectuent des travaux de fondation, d'érection, d'entretien, de rénovation, de réparation, de modification ou de démolition de bâtiments ou d'ouvrages de génie civil exécutés sur les lieux mêmes du chantier et à pied d'œuvre, y compris les travaux préalables d'aménagement du sol, les autres travaux déterminés par règlement et les locaux mis par l'employeur à la disposition des travailleurs de la construction à des fins d'hébergement, d'alimentation ou de loisirs;

« **comité de chantier** » : un comité formé en vertu de l'article 204;

« **comité de santé et de sécurité** » : un comité formé en vertu des articles 68, 69 ou 82;

« **commissaire du travail** » : (*définition abrogée*);

« **commissaire général du travail** » : (*définition abrogée*);

« **Commission** » : la Commission des normes, de l'équité, de la santé et de la sécurité du travail instituée par l'article 137;

« **Commission des lésions professionnelles** » : (*définition abrogée*)

« **contaminant** » : une matière solide, liquide ou gazeuse, un micro-organisme, un son, une vibration, un rayonnement, une chaleur, une odeur, une radiation ou toute combinaison de l'un ou l'autre généré par un équipement, une machine, un procédé, un produit, une substance ou une matière dangereuse et qui est susceptible d'altérer de quelque manière la santé ou la sécurité des travailleurs;

« **convention** » : un contrat individuel de travail, une convention collective au sens du paragraphe d de l'article 1 du *Code du travail* et du paragraphe g de l'article 1 de la *Loi sur les relations du travail, la formation professionnelle et la gestion de la main-d'œuvre dans l'industrie de la construction* (chapitre R-20) ou une autre entente relative à des conditions de travail, y compris un règlement du gouvernement qui y donne effet;

« **décret** » : un décret au sens du paragraphe h de l'article 1 de la *Loi sur les relations du travail, la formation professionnelle et la gestion de la main-d'œuvre dans l'industrie de la construction* ou un décret adopté en vertu de la *Loi sur les décrets de convention collective* (chapitre D-2);

« **directeur de santé publique** » : un directeur de santé publique au sens de la *Loi sur les services de santé et les services sociaux* ou au sens de la *Loi sur les services de santé et les services sociaux pour les autochtones cris*;

« **employeur** » : une personne qui, en vertu d'un contrat de travail ou d'un contrat d'apprentissage, même sans rémunération, utilise les services d'un travailleur; un établissement d'enseignement est réputé être l'employeur d'un étudiant, dans les cas où, en vertu d'un règlement, l'étudiant est réputé être un travailleur ou un travailleur de la construction;

« **établissement** » : l'ensemble des installations et de l'équipement groupés sur un même site et organisés sous l'autorité d'une même personne ou de personnes liées, en vue de la production ou de la distribution de biens ou de services, à l'exception d'un chantier de construction; ce mot comprend notamment une école, une entreprise de construction ainsi que les locaux mis par l'employeur à la disposition du travailleur à des fins d'hébergement, d'alimentation ou de loisirs, à l'exception cependant des locaux privés à usage d'habitation;

« **Fonds** » : le Fonds de la santé et de la sécurité du travail constitué à l'article 136.1;

« **inspecteur** » : une personne nommée en vertu de l'article 177;

« **lieu de travail** » : un endroit où, par le fait ou à l'occasion de son travail, une personne doit être présente, y compris un établissement et un chantier de construction;

« **maître d'œuvre** » : le propriétaire ou la personne qui, sur un chantier de construction, a la responsabilité de l'exécution de l'ensemble des travaux;

« **maladie professionnelle** » : une maladie professionnelle au sens de la *Loi sur les accidents du travail et les maladies professionnelles*;

« **matière dangereuse** » : une matière qui, en raison de ses propriétés, constitue un danger pour la santé, la sécurité ou l'intégrité physique d'un travailleur, y compris un produit dangereux;

« **ministre** » : le ministre désigné par le gouvernement en vertu de l'article 336;

« **produit dangereux** » : un produit, un mélange, une matière ou une substance visés à la sous-section 5 de la section II du chapitre III et déterminés par un règlement pris en vertu de la présente loi;

« **rayonnement** » : la transmission d'énergie sous forme de particules ou d'ondes électromagnétiques, avec ou sans production d'ions lors de son interaction avec la matière;

« **règlement** » : un règlement adopté conformément à la présente loi;

« **représentant à la prévention** » : une personne désignée en vertu des articles 87 ou 88;

« **travailleur** » : une personne qui exécute, en vertu d'un contrat de travail ou d'un contrat d'apprentissage, même sans rémunération, un travail pour un employeur, y compris un étudiant dans les cas déterminés par règlement, à l'exception :

1° d'une personne qui est employée à titre de gérant, surintendant, contremaître ou représentant de l'employeur dans ses relations avec les travailleurs;

2° d'un administrateur ou dirigeant d'une personne morale, sauf si une personne agit à ce titre à l'égard de son employeur après avoir été désignée par les travailleurs ou une association accréditée.

« **Tribunal administratif du travail** » : le Tribunal administratif du travail institué par la *Loi instituant le Tribunal administratif du travail* (chapitre T-15.1).

1979, c. 63, art. 1; 1985, c. 6, art. 477; 521; 1986, c. 89, art. 50; 1988, c. 61, art. 1; 1992, c. 21, art. 300; 1992, c. 68, art. 157; 1994, c. 23, art. 23; 1997, c. 27, art. 34; 1998, c. 39, art. 188; 1999, c. 40, art. 261; 2001, c. 26, art. 168; 2001, c. 60, art. 167; 2002, c. 38, art. 10; 2002, c. 76, art. 1;

2005, c. 32, art. 308; 2015, c. 13, art. 1; 2015, c. 15, art. 207

Chapitre II — Champ d'application

SECTION I — DISPOSITIONS GÉNÉRALES

2. Objet de la loi — La présente loi a pour objet l'élimination à la source même des dangers pour la santé, la sécurité et l'intégrité physique des travailleurs.

Participation du travailleur et des employeurs — Elle établit les mécanismes de participation des travailleurs et de leurs associations, ainsi que des employeurs et de leurs associations à la réalisation de cet objet.

1979, c. 63, art. 2

3. Moyens et équipements de protection — La mise à la disposition des travailleurs de moyens et d'équipements de protection individuels ou collectifs, lorsque cela s'avère nécessaire pour répondre à leurs besoins particuliers, ne doit diminuer en rien les efforts requis pour éliminer à la source même les dangers pour leur santé, leur sécurité et leur intégrité physique.

1979, c. 63, art. 3

4. Ordre public — La présente loi est d'ordre public et une disposition d'une convention ou d'un décret qui y déroge est nulle de nullité absolue.

Convention ou décret plus avantageux — Cependant une convention ou un décret peut prévoir pour un travailleur, une personne qui exerce une fonction en vertu de la présente loi ou une association accréditée des dispositions plus avantageuses pour la santé, la sécurité ou l'intégrité physique du travailleur.

1979, c. 63, art. 4; 1999, c. 40, art. 261

5. Interprétation — Rien dans la présente loi ou les règlements ne doit être interprété comme diminuant les droits d'un travailleur ou d'une association accréditée en vertu d'une convention, d'un décret, d'une loi, d'un règlement, d'un arrêté en conseil ou d'une ordonnance.

1979, c. 63, art. 5

6. Gouvernement lié — La présente loi lie le gouvernement, ses ministères et les organismes mandataires de l'État.

1979, c. 63, art. 6; 1999, c. 40, art. 261

7. Personne à son propre compte — Une personne physique faisant affaires pour son propre compte, qui exécute, pour autrui et sans l'aide de travailleurs, des travaux sur un lieu de travail où se trouvent des travailleurs, est tenue aux obligations imposées à un travailleur en vertu de la présente loi et des règlements.

Obligations — De plus, elle doit alors se conformer aux obligations que cette loi ou les règlements imposent à un employeur en ce qui concerne les produits, procédés, équipements, matériels, contaminants ou matières dangereuses.

1979, c. 63, art. 7

8. Disposition applicable — Le premier alinéa de l'article 7 s'applique également à l'employeur et aux personnes visées dans les paragraphes 1° et 2° de la définition du mot « travailleur » à l'article 1 qui exécutent un travail sur un lieu de travail.

1979, c. 63, art. 8

8.01 Les dispositions du chapitre VIII.1 et les articles 167, 170, 172 et 173 ne visent pas la *Loi sur les normes du travail* (chapitre N-1.1) ni la *Loi sur l'équité salariale* (chapitre E-12.001).

2015, c. 15, art. 208

8.1 Primauté de la loi — La présente loi et ses règlements d'application prévalent sur toute disposition incompatible de la *Loi sur les véhicules hors route* (chapitre V-1.2) et de ses règlements d'application.

1996, c. 60, art. 85

SECTION II — ENTENTES PERMETTANT L'APPLICATION D'UN RÉGIME PARTICULIER

8.2 Mise en œuvre de l'entente — La présente section a pour objet d'autoriser la mise en œuvre de toute entente conclue relativement à une matière visée par la présente loi entre le gouvernement et les Mohawks de Kahnawake représentés par le Conseil Mohawk de Kahnawake et permettant l'application d'un régime particulier.

Normes — L'entente visée au premier alinéa doit prévoir que le régime de Kahnawake contient des normes semblables à celles du régime institué dans cette matière par la présente loi.

2011, c. 12, art. 3; 2014, c. 18, art. 7

8.3 Application — Les dispositions d'une entente visée à l'article 8.2 s'appliquent malgré toute disposition contraire de la présente loi, à moins que l'entente n'en dispose autrement

2011, c. 12, art. 3; 2014, c. 18, art. 7

8.4 Règlement — Le gouvernement peut, par règlement, prendre toute mesure nécessaire à l'application de la présente section, notamment prévoir les adaptations qu'il convient d'apporter aux dispositions d'une loi ou d'un texte d'application pour tenir compte de l'existence d'une entente.

Règlement — Un règlement pris en vertu du premier alinéa requiert l'assentiment préalable des Mohawks de Kahnawake représentés par le Conseil Mohawk de Kahnawake.

2011, c. 12, art. 3; 2014, c. 18, art. 7

8.5 Dépôt de l'entente — Toute entente visée à l'article 8.2 est déposée par le ministre à l'Assemblée nationale dans les 30 jours de sa signature ou, si elle ne siège pas, dans les 30 jours de la reprise de ses travaux.

Étude de l'entente — La commission compétente de l'Assemblée nationale doit étudier cette entente, de même que tout règlement pris en vertu du premier alinéa de l'article 8.4.

2011, c. 12, art. 3; 2014, c. 18, art. 7

8.6 Publication de l'entente — Toute entente est publiée sur le site Internet du ministère du Travail, du ministère du Conseil exécutif et de la Commission, au plus tard à la date de son entrée en vigueur et jusqu'au cinquième anniversaire de sa cessation d'effet, le cas échéant.

2011, c. 12, art. 3; 2014, c. 18, art. 7

8.7 Entente administrative — La Commission peut conclure avec le Conseil Mohawk de Kahnawake une entente administrative pour faciliter l'application d'une entente visée à l'article 8.2.

2011, c. 12, art. 3; 2014, c. 18, art. 7

8.8 (*Remplacé*)

2011, c. 12, art. 3; 2014, c. 18, art. 7

8.9 (*Remplacé*)

2011, c. 12, art. 3; 2014, c. 18, art. 7

8.10 (*Remplacé*)

2011, c. 12, art. 3; 2014, c. 18, art. 7

8.11 (*Remplacé*)

2011, c. 12, art. 3; 2014, c. 18, art. 7

8.12 (*Remplacé*)

2011, c. 12, art. 3; 2014, c. 18, art. 7

Chapitre III — Droits et obligations

SECTION I — LE TRAVAILLEUR

§1 — Droits généraux

9. **Conditions de travail** — Le travailleur a droit à des conditions de travail qui respectent sa santé, sa sécurité et son intégrité physique.

1979, c. 63, art. 9

10. **Droits** — Le travailleur a notamment le droit conformément à la présente loi et aux règlements :

1° à des services de formation, d'information et de conseil en matière de santé et de sécurité du travail, particulièrement en relation avec son travail et son milieu de travail, et de recevoir la formation, l'entraînement et la supervision appropriés;

2° de bénéficier de services de santé préventifs et curatifs en fonction des risques auxquels il peut être exposé et de recevoir son salaire pendant qu'il se soumet à un examen de santé en cours d'emploi exigé pour l'application de la présente loi et des règlements.

1979, c. 63, art. 10

11. **Personnes visées** — Les personnes visées dans les paragraphes 1° et 2° de la définition du mot « travailleur » à l'article 1 jouissent des droits accordés au travailleur par les articles 9, 10 et 32 à 48.

1979, c. 63, art. 11

§2 — Droit de refus

12. **Refus d'exécuter un travail** — Un travailleur a le droit de refuser d'exécuter un travail s'il a des motifs raisonnables de croire que l'exécution de ce travail l'expose à un danger pour sa santé, sa sécurité ou son intégrité physique ou peut avoir l'effet d'exposer une autre personne à un semblable danger.

1979, c. 63, art. 12

13. **Exception** — Le travailleur ne peut cependant exercer le droit que lui reconnaît l'article 12 si le refus d'exécuter ce travail met en péril immédiat la vie, la santé, la sécurité ou l'intégrité physique d'une autre personne ou si les conditions d'exécution de ce travail sont normales dans le genre de travail qu'il exerce.

1979, c. 63, art. 13

14. **Travail suspendu** — Jusqu'à ce qu'une décision exécutoire soit rendue ordonnant au travailleur de reprendre le travail, l'employeur ne peut, sous réserve de l'article 17 et du deuxième alinéa de l'article 19, faire exécuter le travail par un autre travailleur ou par une personne qui travaille habituellement hors de l'établissement et le travailleur qui exerce son droit de refus est réputé être au travail lorsqu'il exerce ce droit.

1979, c. 63, art. 14

15. **Avis de refus** — Lorsqu'un travailleur refuse d'exécuter un travail, il doit aussitôt en aviser son supérieur immédiat, l'employeur ou un représentant de ce dernier; si aucune de ces personnes n'est présente au lieu de travail, le travailleur doit utiliser les moyens raisonnables pour que l'une d'entre elles soit avisée sans délai.

1979, c. 63, art. 15

16. **Représentant à la prévention convoqué** — Dès qu'il est avisé, le supérieur immédiat ou, le cas échéant, l'employeur ou son représentant, convoque le représentant à la prévention pour procéder à l'examen de la situation et des corrections qu'il entend apporter.

Représentant de l'association accréditée — S'il n'y a pas de représentant à la prévention ou s'il n'est pas disponible, le représentant à la prévention est remplacé par un représentant de l'association accréditée dont le travailleur est membre s'il y a en a une et s'il est disponible, ou, à défaut, par un autre travailleur désigné par celui qui refuse d'exécuter un travail.

1979, c. 63, art. 16

17. Exécution du travail — Si le travailleur persiste dans son refus d'exécuter le travail alors que le supérieur immédiat ou, le cas échéant, l'employeur ou son représentant, et le représentant à la prévention ou la personne qui l'a remplacé sont d'avis qu'il n'existe pas de danger justifiant ce refus ou que ce refus repose sur des motifs qui sont acceptables dans le cas particulier du travailleur mais ne justifient pas un autre travailleur de refuser d'exécuter le travail, l'employeur peut, malgré l'article 14, faire exécuter le travail par un autre travailleur. Ce travailleur peut accepter de le faire après avoir été informé que le droit de refus a été exercé et des motifs pour lesquels il a été exercé.

1979, c. 63, art. 17

18. Intervention de l'inspecteur — Après l'examen de la situation, l'intervention de l'inspecteur peut être requise par :

1° le travailleur qui persiste dans son refus d'exécuter le travail;

2° le représentant à la prévention ou la personne qui l'a remplacé s'il croit que l'exécution du travail expose le travailleur à un danger pour sa santé, sa sécurité ou son intégrité physique ou a l'effet d'exposer une autre personne à un semblable danger; ou

3° l'employeur ou son représentant s'il croit que l'exécution du travail n'expose pas le travailleur à un danger pour sa santé, sa sécurité ou son intégrité physique ou n'a pas l'effet d'exposer une autre personne à un semblable danger ou que les corrections apportées ont fait disparaître le danger.

1979, c. 63, art. 18

19. Décision de l'inspecteur — L'inspecteur détermine dans les plus brefs délais s'il existe ou non un danger justifiant le travailleur à refuser d'exécuter son travail. Il peut ordonner au travailleur de reprendre le travail. Il peut également prescrire des mesures temporaires et exiger que les corrections nécessaires soient apportées dans les délais qu'il détermine.

Exécution du travail — Si, de l'avis de l'inspecteur, le refus de travailler repose sur des motifs qui sont acceptables dans le cas particulier du travailleur mais ne justifient pas un autre travailleur de refuser d'exécuter le travail, l'employeur peut, malgré l'article 14, faire exécuter le travail par un autre travailleur qui peut accepter de le faire après avoir été informé du fait que le droit de refus a été exercé et des motifs pour lesquels il a été exercé.

Décision motivée et écrite — La décision de l'inspecteur doit être motivée et confirmée par écrit. Elle est transmise par poste recommandée au travailleur, au représentant à la prévention ou à la personne qui l'a remplacé et à l'employeur ou à son représentant.

1979, c. 63, art. 19; N.I. 2016-01-01 (NCPC)

20. Décision de l'inspecteur — La décision de l'inspecteur peut faire l'objet d'une demande de révision et d'une contestation devant le Tribunal administratif du travail conformément aux articles 191.1 à 193.

Effet — La décision de l'inspecteur a effet immédiatement, malgré une demande de révision.

1979, c. 63, art. 20; 1985, c. 6, art. 522; 1997, c. 27, art. 35; 2015, c. 15, art. 237

21. (*Remplacé*).

1979, c. 63, art. 21; 1985, c. 6, art. 522

22. (*Remplacé*).

1979, c. 63, art. 22; 1985, c. 6, art. 522

23. (Remplacé).

1979, c. 63, art. 23; 1985, c. 6, art. 522

24. Décision finale — Une décision finale s'applique tant que les circonstances ne sont pas changées.

1979, c. 63, art. 24

25. Disponibilité du travailleur — L'employeur peut exiger que le travailleur qui a exercé son droit de refus demeure disponible sur les lieux de travail et l'affecter temporairement à une autre tâche qu'il est raisonnablement en mesure d'accomplir.

1979, c. 63, art. 25

26. Présence de l'inspecteur — Dans le cas où l'exercice du droit de refus a pour conséquence qu'au moins deux autres travailleurs ne peuvent exercer leur travail, l'inspecteur doit être présent sur les lieux au plus six heures après que son intervention a été requise.

Exécution du travail — Si l'inspecteur n'est pas présent dans ce délai, l'employeur peut, malgré l'article 14, faire exécuter le travail par un autre travailleur qui peut accepter de le faire après avoir été informé du fait que le droit de refus a été exercé et des motifs pour lesquels il a été exercé.

1979, c. 63, art. 26

27. Refus d'exécuter un travail — Lorsque plusieurs travailleurs refusent d'exécuter un travail en raison d'un même danger, leurs cas peuvent être examinés ensemble et faire l'objet d'une décision qui les vise tous.

1979, c. 63, art. 27

28. Présomption — Lorsque l'exercice du droit de refus a pour résultat de priver de travail d'autres travailleurs de l'établissement, ces travailleurs sont réputés être au travail pendant toute la durée de l'arrêt de travail.

Disponibilité des travailleurs — L'employeur peut cependant affecter ces travailleurs à une autre tâche qu'ils sont raisonnablement en mesure d'accomplir ou exiger qu'ils demeurent disponibles sur les lieux du travail pendant toute la période ainsi rémunérée.

1979, c. 63, art. 28

29. Représentant à la prévention — L'employeur doit permettre au représentant à la prévention ou, le cas échéant, à la personne qui l'a remplacé d'exercer les fonctions qui lui sont dévolues par les articles 16, 18, 21 et 23.

Présomption — Le représentant à la prévention ou la personne qui l'a remplacé est réputé être au travail lorsqu'il exerce les fonctions qui lui sont ainsi dévolues.

1979, c. 63, art. 29

30. Interdiction à l'employeur — L'employeur ne peut congédier, suspendre ou déplacer un travailleur, exercer à son endroit des mesures discriminatoires ou de représailles ou lui imposer toute autre sanction pour le motif que ce travailleur a exercé le droit visé dans l'article 12.

Exception — Toutefois, dans les 10 jours d'une décision finale, l'employeur peut congédier, suspendre ou déplacer le travailleur ou lui imposer une autre sanction si le droit a été exercé de façon abusive.

1979, c. 63, art. 30; 1985, c. 6, art. 523

31. Interdiction à l'employeur — L'employeur ne peut congédier, suspendre ou déplacer le représentant à la prévention ou la personne qui l'a remplacé, exercer à son endroit des mesures discriminatoires ou de représailles ou lui imposer toute autre sanction pour le motif que le représentant à la prévention ou la personne qui l'a remplacé a exercé une fonction qui lui est dévolue par la présente loi.

Exception — Toutefois, dans les 10 jours d'une décision finale portant sur l'exercice par un travailleur de son droit de refus, l'employeur peut congédier, suspendre ou déplacer le représentant à la prévention ou la personne qui l'a remplacé ou lui imposer une autre sanction si la fonction a été exercée de façon abusive.

1979, c. 63, art. 31; 1985, c. 6, art. 523

§3 — Retrait préventif

32. Travailleur exposé à un contaminant — Un travailleur qui fournit à l'employeur un certificat attestant que son exposition à un contaminant comporte pour lui des dangers, eu égard au fait que sa santé présente des signes d'altération, peut demander d'être affecté à des tâches ne comportant pas une telle exposition et qu'il est raisonnablement en mesure d'accomplir, jusqu'à ce que son état de santé lui permette de réintégrer ses fonctions antérieures et que les conditions de son travail soient conformes aux normes établies par règlement pour ce contaminant.

1979, c. 63, art. 32

33. Certificat du médecin responsable — Le certificat visé dans l'article 32 peut être délivré par le médecin responsable des services de santé de l'établissement dans lequel travaille le travailleur ou par un autre médecin.

Avis au médecin du travailleur — Si le certificat est délivré par le médecin responsable, celui-ci doit, à la demande du travailleur, aviser le médecin qu'il désigne.

Consultation entre médecins — S'il est délivré par un autre médecin que le médecin responsable, ce médecin doit consulter, avant de délivrer le certificat, le médecin responsable ou, à défaut, le directeur de santé publique de la région dans laquelle se trouve l'établissement, ou le médecin que ce dernier désigne.

1979, c. 63, art. 33; 1992, c. 21, art. 301; 2001, c. 60, art. 167

34. Règlement de la Commission — La Commission peut par règlement :

1° identifier les contaminants à l'égard desquels un travailleur peut exercer le droit que lui reconnaît l'article 32;

2° déterminer les critères d'altération à la santé associés à chacun de ces contaminants et permettant l'exercice de ce droit;

3° préciser les critères du retrait d'un travailleur de son poste de travail et de sa réintégration;

4° déterminer la forme et la teneur du certificat visé dans l'article 32.

1979, c. 63, art. 34

35. Cessation de travail — Si l'affectation n'est pas effectuée immédiatement, le travailleur peut cesser de travailler jusqu'à ce que l'affectation soit faite ou que son état de santé et que les conditions de son travail lui permettent de réintégrer ses fonctions conformément à l'article 32.

1979, c. 63, art. 35

36. Rémunération — Le travailleur a droit, pendant les cinq premiers jours ouvrables de cessation de travail, d'être rémunéré à son taux de salaire régulier et de recevoir également de son employeur, lorsque le travailleur est visé à l'un des articles 42.11 et 1019.4 de la *Loi sur les impôts* (chapitre I-3), une rémunération égale à l'ensemble des pourboires qui pourraient raisonnablement être considérés comme attribuables à ces jours et que le travailleur aurait déclarés à son employeur en vertu de cet article 1019.4 ou que son employeur lui aurait attribués en vertu de cet article 42.11.

Indemnité de remplacement du revenu — À la fin de cette période, il a droit à l'indemnité de remplacement du revenu à laquelle il aurait droit en vertu de la *Loi sur les accidents du travail et les maladies professionnelles* (chapitre A-3.001) comme s'il devenait alors incapable d'exercer son emploi en raison d'une lésion professionnelle au sens de cette loi.

Loi applicable — Pour disposer d'un tel cas, la Commission applique la *Loi sur les accidents du travail et les maladies professionnelles* dans la mesure où elle est compatible avec la présente loi et sa décision peut faire l'objet d'une demande de révision et d'une contestation devant le Tribunal administratif du travail conformément à cette loi.

1979, c. 63, art. 36; 1985, c. 6, art. 524; 1997, c. 27, art. 36; 1997, c. 85, art. 412; 2015, c. 15, art. 237

37. Demande au comité de santé et de sécurité — Si le travailleur croit qu'il n'est pas raisonnablement en mesure d'accomplir les tâches auxquelles il est affecté par l'employeur, il peut demander au comité de santé et de sécurité, ou à défaut de comité, au représentant à la prévention et à l'employeur d'examiner et de décider la question en consultation avec le médecin responsable des services de santé de l'établissement ou, à défaut de médecin responsable, avec le directeur de santé publique de la région où se trouve l'établissement.

Absence de comité — S'il n'y a pas de comité ni de représentant à la prévention, le travailleur peut adresser sa demande directement à la Commission.

Décision — La Commission rend sa décision dans les 20 jours de la demande et cette décision a effet immédiatement, malgré une demande de révision.

1979, c. 63, art. 37; 1985, c. 6, art. 525; 1992, c. 21, art. 302; 2001, c. 60, art. 167

37.1 Révision — Une personne qui se croit lésée par une décision rendue en vertu de l'article 37 peut, dans les 10 jours de sa notification, en demander la révision par la Commission conformément aux articles 358.1 à 358.5 de la *Loi sur les accidents du travail et les maladies professionnelles* (chapitre A-3.001).

1985, c. 6, art. 525; 1997, c. 27, art. 37

37.2 Procédure urgente — La Commission doit procéder d'urgence sur une demande de révision faite en vertu de l'article 37.1.

Effet immédiat — La décision rendue par la Commission sur cette demande a effet immédiatement, malgré qu'elle soit contestée devant le Tribunal administratif du travail.

1985, c. 6, art. 525; 1997, c. 27, art. 38; 2015, c. 15, art. 237

37.3 Contestation — Une personne qui se croit lésée par une décision rendue par la Commission à la suite d'une demande faite en vertu de l'article 37.1 peut, dans les 10 jours de sa notification, la contester devant la Tribunal administratif du travail.

Recours — Le recours formé en vertu du présent article est instruit et décidé d'urgence.

1985, c. 6, art. 525; 1992, c. 11, art. 48; 1997, c. 27, art. 39; 2015, c. 15, art. 209

38. Avantages liés à l'emploi — Si le travailleur a été affecté à d'autres tâches, il conserve tous les avantages liés à l'emploi qu'il occupait avant cette affectation.

Réintégration — À la fin de l'affectation, l'employeur doit réintégrer le travailleur dans son emploi régulier.

Avantages sociaux — Le travailleur continue de bénéficier des avantages sociaux reconnus à son lieu de travail, sous réserve du paiement des cotisations exigibles dont l'employeur assume sa part.

1979, c. 63, art. 38

39. Avantages conservés — Si le travailleur a cessé de travailler, il conserve tous les avantages liés à l'emploi qu'il occupait avant sa cessation de travail, sous réserve des premier et deuxième alinéas de l'article 36.

Dispositions applicables — Les deuxième et troisième alinéas de l'article 38 s'appliquent, compte tenu des adaptations nécessaires, au travailleur qui a cessé de travailler.

Durée des avantages liés à l'emploi — Le travailleur ne conserve les avantages visés dans le présent article que pendant un an suivant la date de cessation de travail, sauf dans le cas où les conditions de son travail ne sont pas conformes aux normes établies par règlement pour ce contaminant.

1979, c. 63, art. 39; 1985, c. 6, art. 526

§4 — Retrait préventif de la travailleuse enceinte

40. Travailleuse enceinte — Une travailleuse enceinte qui fournit à l'employeur un certificat attestant que les conditions de son travail comportent des dangers physiques pour l'enfant à naître ou, à cause de son état de grossesse, pour elle-même, peut demander d'être affectée à des tâches ne comportant pas de tels dangers et qu'elle est raisonnablement en mesure d'accomplir.

Certificat — La forme et la teneur de ce certificat sont déterminées par règlement et l'article 33 s'applique à sa délivrance.

1979, c. 63, art. 40

41. Cessation de travail — Si l'affectation demandée n'est pas effectuée immédiatement, la travailleuse peut cesser de travailler jusqu'à ce que l'affectation soit faite ou jusqu'à la date de son accouchement.

On entend par : « **accouchement** », la fin d'une grossesse par la mise au monde d'un enfant viable ou non, naturellement ou par provocation médicale légale.

1979, c. 63, art. 41

42. Articles applicables — Les articles 36 à 37.3 s'appliquent, compte tenu des adaptations nécessaires, lorsqu'une travailleuse exerce le droit que lui accordent les articles 40 et 41.

1979, c. 63, art. 42; 1985, c. 6, art. 527

42.1 Assurance parentale — Une travailleuse n'est pas indemnisée en vertu des articles 40 à 42 à compter de la quatrième semaine précédant celle de la date prévue pour l'accouchement, telle qu'inscrite dans le certificat visé à l'article 40, si elle est admissible aux prestations payables en vertu de la *Loi sur l'assurance parentale* (chapitre A-29.011). La travailleuse est présumée y être admissible dès ce moment.

Modification de la date — Toutefois, la date prévue pour l'accouchement peut être modifiée lorsque la Commission est informée par le médecin traitant de la travailleuse, au plus tard quatre semaines avant la date prévue au certificat mentionné au premier alinéa, d'une nouvelle date prévue pour l'accouchement.

2001, c. 9, art. 141 [inopérant]; 2005, c. 13, art. 91; D. 374-2006, art. 1

43. Avantages liés à l'emploi — La travailleuse qui exerce le droit que lui accordent les articles 40 et 41 conserve tous les avantages liés à l'emploi qu'elle occupait avant son affectation à d'autres tâches ou avant sa cessation de travail.

Réintégration — À la fin de son affectation ou de sa cessation de travail, l'employeur doit réintégrer la travailleuse dans son emploi régulier.

Avantages sociaux — La travailleuse continue de bénéficier des avantages sociaux reconnus à son lieu de travail, sous réserve du paiement des cotisations exigibles dont l'employeur assume sa part.

1979, c. 63, art. 43

44. Paiements temporaires de la Commission — Sur réception d'une demande d'une travailleuse, la Commission peut faire des paiements temporaires si elle est d'avis qu'elle accordera probablement l'indemnité.

Montants irrécouvrables — Si la Commission vient à la conclusion que la demande ne doit pas être accordée, les montants versés à titre de paiements temporaires ne sont pas recouvrables.

1979, c. 63, art. 44

45. Imputation du coût — Le coût relatif au paiement de cette indemnité est imputé à l'ensemble des employeurs.

1979, c. 63, art. 45; 1985, c. 6, art. 528

46. Dangers pour l'allaitement de l'enfant — Une travailleuse qui fournit à l'employeur un certificat attestant que les conditions de son travail comportent des dangers pour l'enfant qu'elle allaite peut demander d'être affectée à des tâches ne comportant pas de tels dangers et qu'elle est raisonnablement en mesure d'accomplir.

Certificat — La forme et la teneur de ce certificat sont déterminées par règlement et l'article 33 s'applique à sa délivrance.

1979, c. 63, art. 46

47. Cessation de travail — Si l'affectation demandée n'est pas effectuée immédiatement, la travailleuse peut cesser de travailler jusqu'à ce que l'affectation soit faite ou jusqu'à la fin de la période de l'allaitement.

1979, c. 63, art. 47

48. Dispositions applicables — Les articles 36 à 37.3, 43, 44 et 45 s'appliquent, compte tenu des adaptations nécessaires, lorsqu'une travailleuse exerce le droit que lui accordent les articles 46 et 47.

1979, c. 63, art. 48; 1985, c. 6, art. 529

§5 — Obligations

49. Obligations du travailleur — Le travailleur doit :

1° prendre connaissance du programme de prévention qui lui est applicable;

2° prendre les mesures nécessaires pour protéger sa santé, sa sécurité ou son intégrité physique;

3° veiller à ne pas mettre en danger la santé, la sécurité ou l'intégrité physique des autres personnes qui se trouvent sur les lieux de travail ou à proximité des lieux de travail;

4° se soumettre aux examens de santé exigés pour l'application de la présente loi et des règlements;

5° participer à l'identification et à l'élimination des risques d'accidents du travail et de maladies professionnelles sur le lieu de travail;

6° collaborer avec le comité de santé et de sécurité et, le cas échéant, avec le comité de chantier ainsi qu'avec toute personne chargée de l'application de la présente loi et des règlements.

1979, c. 63, art. 49

SECTION II — L'EMPLOYEUR

§1 — Droits généraux

50. Droits de l'employeur — L'employeur a notamment le droit, conformément à la présente loi et aux règlements, à des services de formation, d'information et de conseil en matière de santé et de sécurité du travail.

1979, c. 63, art. 50

§2 — Obligations générales

51. Obligations de l'employeur — L'employeur doit prendre les mesures nécessaires pour protéger la santé et assurer la sécurité et l'intégrité physique du travailleur. Il doit notamment :

1° s'assurer que les établissements sur lesquels il a autorité sont équipés et aménagés de façon à assurer la protection du travailleur;

2° désigner des membres de son personnel chargés des questions de santé et de sécurité et en afficher les noms dans des endroits visibles et facilement accessibles au travailleur;

3° s'assurer que l'organisation du travail et les méthodes et techniques utilisées pour l'accomplir sont sécuritaires et ne portent pas atteinte à la santé du travailleur;

4° contrôler la tenue des lieux de travail, fournir des installations sanitaires, l'eau potable, un éclairage, une aération et un chauffage convenable et faire en sorte que les repas pris sur les lieux de travail soient consommés dans des conditions hygiéniques;

5° utiliser les méthodes et techniques visant à identifier, contrôler et éliminer les risques pouvant affecter la santé et la sécurité du travailleur;

6° prendre les mesures de sécurité contre l'incendie prescrites par règlement;

7° fournir un matériel sécuritaire et assurer son maintien en bon état;

8° s'assurer que l'émission d'un contaminant ou l'utilisation d'une matière dangereuse ne porte atteinte à la santé ou à la sécurité de quiconque sur un lieu de travail;

9° informer adéquatement le travailleur sur les risques reliés à son travail et lui assurer la formation, l'entraînement et la supervision appropriés afin de faire en sorte que le travailleur ait l'habileté et les connaissances requises pour accomplir de façon sécuritaire le travail qui lui est confié;

10° afficher, dans des endroits visibles et facilement accessibles aux travailleurs, les informations qui leur sont transmises par la Commission, l'agence et le médecin responsable, et mettre ces informations à la disposition des travailleurs, du comité de santé et de sécurité et de l'association accréditée;

11° fournir gratuitement au travailleur tous les moyens et équipements de protection individuels choisis par le comité de santé et de sécurité conformément au paragraphe 4° de l'article 78 ou, le cas échéant, les moyens et équipements de protection individuels ou collectifs déterminés par règlement et s'assurer que le travailleur, à l'occasion de son travail, utilise ces moyens et équipements;

12° permettre aux travailleurs de se soumettre aux examens de santé en cours d'emploi exigés pour l'application de la présente loi et des règlements;

13° communiquer aux travailleurs, au comité de santé et de sécurité, à l'association accréditée, au directeur de santé publique et à la Commission, la liste des matières dangereuses utilisées dans l'établissement et des contaminants qui peuvent y être émis;

14º collaborer avec le comité de santé et de sécurité ou, le cas échéant, avec le comité de chantier ainsi qu'avec toute personne chargée de l'application de la présente loi et des règlements et leur fournir tous les renseignements nécessaires;

15º mettre à la disposition du comité de santé et de sécurité les équipements, les locaux et le personnel clérical nécessaires à l'accomplissement de leurs fonctions.

1979, c. 63, art. 51; 1992, c. 21, art. 303; 2001, c. 60, art. 167; 2005, c. 32, art. 308

51.1 Respect des obligations — La personne qui, sans être un employeur, utilise les services d'un travailleur aux fins de son établissement doit respecter les obligations imposées à un employeur par la présente loi.

2009, c. 19, art. 17

52. Registre sur les postes de travail — L'employeur dresse et maintient à jour, conformément aux règlements, un registre des caractéristiques concernant les postes de travail identifiant notamment les contaminants et matières dangereuses qui y sont présents et un registre des caractéristiques concernant le travail exécuté par chaque travailleur à son emploi.

Consultation du registre — L'employeur doit mettre ces registres à la disposition des membres du comité de santé et de sécurité et du représentant à la prévention.

1979, c. 63, art. 52

53. Exécution d'un travail — L'employeur ne peut faire exécuter un travail :

1º par un travailleur qui n'a pas atteint l'âge déterminé par règlement pour exécuter ce travail;

2º au-delà de la durée maximale quotidienne ou hebdomadaire fixée par règlement;

3º par une personne qui n'a pas subi les examens de santé ou qui ne détient pas un certificat de santé exigés par les règlements pour effectuer un tel travail.

1979, c. 63, art. 53

54. Construction d'un établissement — Dans les cas déterminés par règlement, un employeur ou un propriétaire ne peut entreprendre la construction d'un établissement ni modifier des installations ou équipements à moins d'avoir préalablement transmis à la Commission des plans et devis d'architecte ou d'ingénieur attestant de leur conformité aux règlements, conformément aux modalités et dans les délais prescrits par règlement. Une copie des plans et devis doit être transmise au comité de santé et de sécurité et s'il n'y a pas de comité, au représentant à la prévention.

1979, c. 63, art. 54

55. Avis d'ouverture d'un établissement — Lorsqu'un employeur prend possession d'un établissement, il doit transmettre à la Commission un avis d'ouverture d'établissement, dans les délais et selon les modalités prévus par règlement. Lorsqu'il quitte un établissement, il doit de la même manière transmettre un avis de fermeture.

1979, c. 63, art. 55

56. Édifice utilisé par plusieurs employeurs — Lorsqu'un même édifice est utilisé par plusieurs employeurs, le propriétaire doit faire en sorte que, dans les parties qui ne sont pas sous l'autorité d'un employeur, les mesures nécessaires pour protéger la santé et assurer la sécurité des travailleurs soient prises.

1979, c. 63, art. 56

57. Établissement éloigné — Dans un établissement ou chantier de construction considéré comme éloigné au sens des règlements, l'employeur doit maintenir les conditions de vie déterminées par règlement.

1979, c. 63, art. 57

§3 — Le programme de prévention

58. Programme de prévention — L'employeur dont un établissement appartient à une catégorie identifiée à cette fin par règlement doit faire en sorte qu'un programme de prévention propre à cet établissement soit mis en application, compte tenu des responsabilités du comité de santé et de sécurité, s'il y en a un.

1979, c. 63, art. 58

59. Objectif — Un programme de prévention a pour objectif d'éliminer à la source même les dangers pour la santé, la sécurité et l'intégrité physique des travailleurs.

Contenu — Il doit notamment contenir, en outre du programme de santé visé dans l'article 113 et de tout élément prescrit par règlement :

1° des programmes d'adaptation de l'établissement aux normes prescrites par les règlements concernant l'aménagement des lieux de travail, l'organisation du travail, l'équipement, le matériel, les contaminants, les matières dangereuses, les procédés et les moyens et équipements de protection collectifs;

2° des mesures de surveillance de la qualité du milieu de travail et des mesures d'entretien préventif;

3° les normes d'hygiène et de sécurité spécifiques à l'établissement;

4° les modalités de mise en œuvre des autres règles relatives à la santé et à la sécurité du travail dans l'établissement qui doivent inclure au minimum le contenu des règlements applicables à l'établissement;

5° l'identification des moyens et équipements de protection individuels qui, tout en étant conformes aux règlements, sont les mieux adaptés pour répondre aux besoins des travailleurs de l'établissement;

6° des programmes de formation et d'information en matière de santé et de sécurité du travail.

Contenu — Les éléments visés dans les paragraphes 5° et 6° du deuxième alinéa sont déterminés par le comité de santé et de sécurité, s'il y en a un, conformément aux paragraphes 3° et 4° de l'article 78.

1979, c. 63, art. 59

60. Transmission du programme — L'employeur doit transmettre au comité de santé et de sécurité, s'il y en a un, le programme de prévention et toute mise à jour de ce programme; il doit aussi transmettre à la Commission ce programme et sa mise à jour, avec les recommandations du comité, le cas échéant, selon les modalités et dans les délais prescrits par règlement.

Modification du programme — La Commission peut ordonner que le contenu d'un programme soit modifié ou qu'un nouveau programme lui soit transmis dans le délai qu'elle détermine. Elle peut également accepter que les programmes d'adaptation de l'établissement aux normes prescrites par les règlements prévoient des délais d'adaptation autres que les délais de mise en application que peuvent prévoir les règlements adoptés en vertu du deuxième alinéa de l'article 223.

1979, c. 63, art. 60; 1985, c. 6, art. 530

61. Programme modifié transmis au comité de santé et de sécurité — L'employeur transmet au comité de santé et de sécurité, à l'association accréditée, au représentant à la prévention, au médecin responsable et à l'association sectorielle une copie du programme de prévention tel que modifié, s'il y a lieu, suite à l'ordonnance de la Commission en vertu du deuxième alinéa de l'article 60.

1979, c. 63, art. 61

§4 — Accidents

62. Rapport écrit — L'employeur doit informer la Commission par le moyen de communication le plus rapide et, dans les 24 heures, lui faire un rapport écrit selon la forme et avec les renseignements exigés par règlement, de tout événement entraînant, selon le cas :

1° le décès d'un travailleur;

2° pour un travailleur, la perte totale ou partielle d'un membre ou de son usage ou un traumatisme physique important;

3° des blessures telles à plusieurs travailleurs qu'ils ne pourront pas accomplir leurs fonctions pendant un jour ouvrable;

4° dommages matériels de 150 000 $ et plus.

Comité de santé et de sécurité informé — L'employeur informe également le comité de santé et de sécurité et le représentant à la prévention.

Lieux de l'accident — Les lieux doivent demeurer inchangés pour le temps de l'enquête de l'inspecteur, sauf pour empêcher une aggravation des effets de l'événement ou si l'inspecteur autorise un changement.

Copie du rapport transmis au comité de santé et de sécurité — Copie du rapport de l'employeur doit être transmise dans les plus brefs délais au comité de santé et de sécurité, au représentant à la prévention et à l'association accréditée.

1979, c. 63, art. 62; 1985, c. 6, art. 531; 2009, c. 19, art. 18

62.0.1 Montant des dommages matériels — Le montant des dommages matériels prévu au paragraphe 4° du premier alinéa de l'article 62 est revalorisé le 1er janvier de chaque année selon la méthode prévue aux articles 119 à 123 de la *Loi sur les accidents du travail et les maladies professionnelles* (chapitre A-3.001).

2009, c. 19, art. 19

§5 — Information concernant les produits dangereux

62.1 Étiquette obligatoire — Sauf dans les cas prévus par règlement, un employeur ne peut permettre l'utilisation, la manutention, le stockage ou l'entreposage d'un produit dangereux sur un lieu de travail, à moins qu'il ne soit pourvu d'une étiquette et d'une fiche de données de sécurité conformes aux dispositions de la présente sous-section et des règlements et que le travailleur exposé à ce produit, ou susceptible de l'être, n'ait reçu la formation et l'information requises pour accomplir de façon sécuritaire le travail qui lui est confié.

Entreposage — Un employeur peut toutefois stocker ou entreposer sur un lieu de travail un produit dangereux non pourvu d'une telle étiquette ou d'une telle fiche ou permettre sa manutention à ces fins dans les conditions prévues par règlement s'il effectue, avec diligence, les démarches nécessaires afin que ce produit soit pourvu d'une telle étiquette et d'une telle fiche et si le travailleur reçoit, dans les plus brefs délais, la formation et l'information relatives à la manutention, au stockage et à l'entreposage contenues dans le programme prévu à l'article 62.5.

Application — Malgré les articles 10 et 11, l'obligation de formation prévue au présent article ne s'applique pas aux personnes visées au paragraphe 2° de la définition du mot « travailleur » prévue à l'article 1.

1988, c. 61, art. 2; 2015, c. 13, art. 3

62.2 Fabrication — L'employeur qui fabrique un produit dangereux doit, dans les cas prévus par règlement, l'étiqueter ou l'identifier au moyen d'une affiche, le cas échéant, et élaborer une fiche de données de sécurité pour celui-ci.

Normes — L'étiquette, l'affiche et la fiche de données de sécurité doivent respecter les normes déterminées par règlement.

1988, c. 61, art. 2; 2015, c. 13, art. 3

62.3 (*Remplacé*)

1988, c. 61, art. 2; 2015, c. 13, art. 3

62.4 Langue française — L'étiquette, l'affiche et la fiche de données de sécurité d'un produit dangereux doivent être en langue française. Le texte français peut être assorti d'une ou plusieurs traductions.

1988, c. 61, art. 2; 2015, c. 13, art. 4

62.5 Programme d'information — En outre des obligations qui lui sont faites en vertu de l'article 51, un employeur doit appliquer un programme de formation et d'information concernant les produits dangereux dont le contenu minimum est déterminé par règlement.

Formation et information — Il doit également s'assurer que la formation et l'information reçues par un travailleur, aux périodes et dans les cas visés par règlement, procurent à celui-ci les compétences requises pour accomplir de façon sécuritaire le travail qui lui est confié.

Comité responsable — Le programme de formation et d'information est établi par le comité de santé et de sécurité. La procédure prévue à l'article 79 s'applique en cas de désaccord au sein du comité.

Personnes responsables — En l'absence de comité de santé et de sécurité, le programme de formation et d'information est établi par l'employeur, en consultation avec l'association accréditée ou, à défaut de celle-ci, avec les travailleurs ou leur représentant, le cas échéant, au sein de l'établissement.

Mise à jour — Ce programme doit être mis à jour selon les modalités prévues par règlement.

Programme de prévention — Il est intégré au programme de prévention lorsqu'un tel programme doit être mis en application dans l'établissement.

1988, c. 61, art. 2; 2015, c. 13, art. 5

62.6 Responsabilité de l'employeur — Sous réserve des cas prévus par règlement, l'employeur doit pour tout produit dangereux qui est présent sur un lieu de travail :

1° transmettre copie de la fiche de données de sécurité concernant ce produit au comité de santé et de sécurité, au représentant à la prévention ou, à défaut de comité de santé et de sécurité et de représentant à la prévention, à l'association accréditée ou, à défaut également de celle-ci, au représentant des travailleurs au sein de l'établissement;

2° conserver et rendre facilement accessible à tout travailleur, sur le lieu de travail, la fiche de données de sécurité concernant ce produit, conformément aux règlements;

3° sous réserve de l'article 62.7, révéler, sur demande, les sources de renseignements relatifs aux données toxicologiques ayant servi à l'élaboration de la fiche de données de sécurité qu'il possède à tout travailleur intéressé de l'établissement, au comité de santé et de sécurité ou au représentant à la prévention, ou, à défaut de comité de santé et de sécurité et de représentant à la prévention, à l'association accréditée ou, à défaut également de celle-ci, au représentant des travailleurs au sein de l'établissement.

Consultation du comité Aux fins du paragraphe 2° du premier alinéa, l'employeur doit consulter le comité de santé et de sécurité ou, en l'absence d'un tel comité, l'association accréditée ou, à défaut de celle-ci, les travailleurs ou leur représentant, le cas échéant, sur le meilleur moyen de rendre les fiches de données de sécurité accessibles sur le lieu de travail.

1988, c. 61, art. 2; 2015, c. 13, art. 6

62.7 Employeur exempté — L'employeur tenu de divulguer sur une étiquette ou une fiche de données de sécurité des renseignements qu'il estime confidentiels peut demander d'être exempté de cette obligation à l'égard des renseignements prévus par règlement.

1988, c. 61, art. 2; 2015, c. 13, art. 7

62.8 Demande d'exemption — La demande d'exemption est présentée selon les modalités déterminées par règlement. Elle contient les renseignements et est accompagnée des documents et du montant des frais déterminés par règlement.

1988, c. 61, art. 2

62.9 Renseignements — L'employeur qui présente une demande d'exemption n'a pas à divulguer les renseignements qui en font l'objet jusqu'à ce qu'une décision finale soit rendue.

1988, c. 61, art. 2

62.10 Organisme compétent — Le gouvernement désigne, par décret, l'organisme qui a compétence exclusive pour connaître et disposer d'une demande d'exemption.

1988, c. 61, art. 2

62.11 Renseignements supplémentaires — L'organisme examine la demande suivant la procédure déterminée par règlement et peut exiger, dans le délai qu'il fixe, les renseignements supplémentaires qu'il juge nécessaires.

Décision — Il rend sa décision suivant les critères d'appréciation déterminés par règlement.

1988, c. 61, art. 2

62.12 Rejet — Si l'organisme rejette en tout ou en partie la demande d'exemption, il ordonne au demandeur de divulguer dans le délai et selon les modalités qu'il détermine les renseignements faisant l'objet de cette demande. Le demandeur doit se conformer à la décision de l'organisme.

Décision finale — En cas de décision finale faisant droit à une demande, le demandeur, pour une période de trois ans, est soustrait à l'obligation de divulguer les renseignements qui en font l'objet.

1988, c. 61, art. 2

62.13 Appel — L'employeur, un travailleur de l'établissement, un membre du comité de santé et de sécurité, un représentant à la prévention, une association accréditée représentant un travailleur de l'établissement ou toute autre personne intéressée peut, dans le délai prévu par règlement, interjeter appel de la décision rendue sur la demande d'exemption de divulgation.

1988, c. 61, art. 2

62.14 Organisme compétent — Le gouvernement désigne, par décret, l'organisme qui a compétence exclusive pour connaître et disposer d'un appel visé à l'article 62.13.

1988, c. 61, art. 2

62.15 Dépôt de la demande — L'appel est formé par le dépôt, auprès de l'organisme d'appel, d'une demande écrite contenant un exposé détaillé des motifs d'appel.

Documents pertinents — Cette demande est présentée selon les modalités déterminées par règlement. Elle contient les renseignements et est accompagnée des documents et frais déterminés par règlement.

1988, c. 61, art. 2

62.16 Procédure — L'organisme d'appel connaît et dispose de l'appel conformément à la procédure déterminée par règlement.

Critères d'appréciation — Il rend ses décisions suivant les critères d'appréciation déterminés par règlement.

1988, c. 61, art. 2

62.17 Décision de l'organisme d'appel — L'organisme d'appel peut confirmer ou infirmer la décision portée devant lui et rendre toute décision qui aurait dû être rendue en premier lieu.

Renseignements — S'il juge que des renseignements sont nécessaires pour assurer la santé et la sécurité des travailleurs, l'organisme d'appel peut aussi, dans une décision faisant droit à une demande d'exemption, ordonner que ces renseignements soient divulgués à une personne qu'il désigne. La personne visée par une telle décision doit s'y conformer dans le délai et selon les modalités qui y sont spécifiées.

Divulgation interdite — Il est interdit à la personne à qui des renseignements sont ainsi divulgués de les divulguer à une autre personne ou de permettre à une autre personne d'y avoir accès.

1988, c. 61, art. 2

62.18 Demande unique — Un employeur ne peut présenter une nouvelle demande d'exemption à l'égard des renseignements pour lesquels une exemption a été refusée.

1988, c. 61, art. 2

62.19 Organisme du Parlement du Canada — Le gouvernement peut, pour l'application des articles 62.10 et 62.14, désigner par décret un organisme constitué à des fins similaires par le Parlement du Canada.

Pouvoirs — Cet organisme exerce alors les pouvoirs et fonctions qui lui sont attribués par sa loi constitutive selon les règles et les modalités prévues par cette loi sous réserve des dispositions d'un règlement adopté par le gouvernement en vertu de l'article 223.1. Toutefois, les personnes mentionnées à l'article 62.13 peuvent interjeter appel d'une demande d'exemption.

1988, c. 61, art. 2

62.20 Divulgation d'information — Malgré les articles 62.9 et 62.12, un employeur est tenu de divulguer toute l'information qu'il possède concernant un produit dangereux :

1° à la Commission, si elle lui en fait la demande;

2° à un médecin qui lui en fait la demande aux fins de poser un diagnostic ou de traiter une personne dans une situation qu'il estime urgente;

3° à un infirmier qui lui en fait la demande aux fins de donner les premiers secours dans une situation d'urgence.

Confidentialité — Les personnes qui obtiennent une information en vertu du présent article sont tenues d'en assurer la confidentialité.

1988, c. 61, art. 2; 2015, c. 13, art. 8

62.21 Chapitre A-2.1, art. 9, non applicable — L'article 9 de la *Loi sur* *l'accès aux documents des organismes publics et sur la protection des renseignements personnels* (chapitre A-2.1) ne s'applique pas à l'égard des renseignements visés par l'exemption obtenue en application de l'article 62.7.

1988, c. 61, art. 2; 2015, c. 13, art. 9

SECTION III — LE FOURNISSEUR

63. Matière dangereuse — Nul ne peut fabriquer, fournir, vendre, louer, distribuer ou installer un produit, un procédé, un équipement, un matériel, un contaminant ou une matière dangereuse à moins que ceux-ci ne soient sécuritaires et conformes aux normes prescrites par règlement.

1979, c. 63, art. 63

64. Avis à la Commission — Sauf à des fins de recherche dans un laboratoire affecté exclusivement à ces fins ou sur un lieu de travail lorsque la Commission le permet, nul ne peut fabriquer, fournir, vendre, louer, distribuer ou installer un contaminant ou une matière dangereuse autres que ceux compris dans la liste dressée en vertu du paragraphe 3° de l'article 223, à moins d'en avoir préalablement avisé la Commission conformément au règlement.

Contenu — L'avis doit inclure pour chaque agent biologique ou chimique ou chacun de leurs mélanges les renseignements exigés par règlement.

1979, c. 63, art. 64

65. Expertise de la matière dangereuse — L'inspecteur peut faire effectuer une expertise sur un produit, un procédé, un équipement, un matériel, un contaminant ou une matière dangereuse afin de déterminer les dangers pour la santé ou la sécurité qu'il peut présenter pour un travailleur. Le coût de cette expertise peut être réclamé d'un ou plusieurs fabricants, fournisseurs ou utilisateurs qui doivent le payer.

1979, c. 63, art. 65

66. Fabrication prohibée ou restreinte — Lorsque la Commission est d'avis qu'un produit, un procédé, un équipement, un matériel, un contaminant ou une matière dangereuse peut mettre en danger la santé ou la sécurité d'un travailleur, elle peut ordonner que sa fabrication, sa fourniture, son utilisation ou toute activité susceptible d'émettre ce contaminant soit prohibée ou restreinte aux conditions qu'elle détermine.

1979, c. 63, art. 66

67. Étiquetage d'une matière dangereuse — Un fournisseur doit voir à ce qu'une matière dangereuse qu'il fournit soit étiquetée conformément aux règlements; en l'absence de règlement, l'étiquette doit indiquer au moins la composition de la matière dangereuse, les dangers de son utilisation et les mesures à prendre en cas d'urgence. Il n'est pas nécessaire de mentionner les secrets de fabrication.

1979, c. 63, art. 67

Chapitre IV — Les comités de santé et de sécurité

68. Comité de santé et de sécurité — Un comité de santé et de sécurité peut être formé au sein d'un établissement groupant plus de vingt travailleurs et appartenant à une catégorie identifiée à cette fin par règlement.

1979, c. 63, art. 68

69. Avis de formation — Un comité de santé et de sécurité est formé sur avis écrit transmis à l'employeur par une association accréditée ou, s'il n'y en a pas, par au moins dix pour cent des travailleurs ou, dans le cas d'un établissement groupant moins de quarante travailleurs, par au moins quatre d'entre eux, ou sur semblable avis transmis par l'employeur à une association accréditée ou, s'il n'y en a pas, à l'ensemble des travailleurs. Une copie de cet avis doit être transmise à la Commission.

Intervention de la Commission — Lorsqu'elle le juge opportun, la Commission peut exiger la formation d'un comité de santé et de sécurité, quel que soit le nombre de travailleurs dans l'établissement.

1979, c. 63, art. 69

70. Nombre de membres — Le nombre de membres d'un comité est déterminé par règlement compte tenu de la catégorie à laquelle appartient l'établissement.

1979, c. 63, art. 70

71. Désignation — Au moins la moitié des membres du comité représentent les travailleurs et sont désignés selon l'article 72.

Désignation — Les autres membres du comité sont désignés par l'employeur.

1979, c. 63, art. 71

72. Représentants des travailleurs — Les représentants des travailleurs au sein du comité sont désignés parmi les travailleurs de l'établissement.

Désignation — Ils sont désignés par l'association accréditée lorsqu'elle représente l'ensemble des travailleurs de l'établissement.

Désignation — Lorsque plusieurs associations accréditées représentent l'ensemble des travailleurs de l'établissement, elles peuvent, par entente, désigner les représentants des travailleurs. Si elles ne s'entendent pas, la désignation des représentants est déterminée selon les modalités déterminées par règlement.

Désignation — Dans les autres cas, la désignation des représentants est déterminée selon les modalités déterminées par règlement.

1979, c. 63, art. 72

73. Vote — L'ensemble des représentants des travailleurs et l'ensemble des représentants de l'employeur ont droit respectivement à un seul vote au sein du comité.

1979, c. 63, art. 73

74. Réunion — Le comité de santé et de sécurité se réunit au moins une fois par trois mois, sous réserve des règlements.

Réunion — Les réunions se tiennent durant les heures régulières de travail, sauf en cas de décision contraire du comité.

Règles de fonctionnement — À défaut par le comité d'établir ses propres règles de fonctionnement, il doit appliquer celles qui sont établies par règlement.

1979, c. 63, art. 74

75. Médecin responsable — Le médecin responsable des services de santé de l'établissement peut participer, sans droit de vote, aux réunions du comité.

1979, c. 63, art. 75

76. Présomption — Les représentants des travailleurs sont réputés être au travail lorsqu'ils participent aux réunions et travaux du comité.

1979, c. 63, art. 76

77. Absence du travail — Les représentants des travailleurs doivent aviser leur supérieur immédiat, ou leur employeur ou son représentant, lorsqu'ils s'absentent de leur travail pour participer aux réunions et travaux du comité.

1979, c. 63, art. 77

78. Fonctions — Les fonctions du comité de santé et de sécurité sont :

1° de choisir conformément à l'article 118 le médecin responsable des services de santé dans l'établissement;

2° d'approuver le programme de santé élaboré par le médecin responsable en vertu de l'article 112;

3° d'établir, au sein du programme de prévention, les programmes de formation et d'information en matière de santé et de sécurité du travail;

4° de choisir les moyens et équipements de protection individuels qui, tout en étant conformes aux règlements, sont les mieux adaptés aux besoins des travailleurs de l'établissement;

5° de prendre connaissance des autres éléments du programme de prévention et de faire des recommandations à l'employeur;

6° de participer à l'identification et à l'évaluation des risques reliés aux postes de travail et au travail exécuté par les travailleurs de même qu'à l'identification des contaminants et des matières dangereuses présents dans les postes de travail aux fins de l'article 52;

7° de tenir des registres des accidents du travail, des maladies professionnelles et des événements qui auraient pu en causer;

8° de transmettre à la Commission les informations que celle-ci requiert et un rapport annuel d'activités conformément aux règlements;

9° de recevoir copie des avis d'accidents et d'enquêter sur les événements qui ont causé ou qui auraient été susceptibles de causer un accident du travail ou une maladie professionnelle et soumettre les recommandations appropriées à l'employeur et à la Commission;

10° de recevoir les suggestions et les plaintes des travailleurs, de l'association accréditée et de l'employeur relatives à la santé et à la sécurité du travail, les prendre en considération, les conserver et y répondre;

11° de recevoir et d'étudier les rapports d'inspections effectuées dans l'établissement;

12° de recevoir et d'étudier les informations statistiques produites par le médecin responsable, l'agence et la Commission;

13° d'accomplir toute autre tâche que l'employeur et les travailleurs ou leur association accréditée lui confient en vertu d'une convention.

1979, c. 63, art. 78; 1992, c. 21, art. 304; 2005, c. 32, art. 308

79. Cas de désaccord — En cas de désaccord au sein du comité de santé et de sécurité quant aux décisions que celui-ci doit prendre conformément aux paragraphes 1° à 4° de l'article 78, les représentants des travailleurs adressent par écrit leurs recommandations aux représentants des employeurs qui sont tenus d'y répondre par écrit en expliquant les points de désaccord.

Litige soumis à la Commission — Si le litige persiste, il peut être soumis par l'une ou l'autre des parties à la Commission dont la décision est exécutoire.

1979, c. 63, art. 79

80. Affichage des noms des membres — L'employeur doit afficher les noms des membres du comité de santé et de sécurité dans autant d'endroits de l'établissement visibles et facilement accessibles aux travailleurs qu'il est raisonnablement nécessaire pour assurer leur information.

1979, c. 63, art. 80

81. Interdiction à l'employeur — L'employeur ne peut congédier, suspendre ou déplacer un travailleur, exercer à son endroit des mesures discriminatoires ou de représailles ou lui imposer toute autre sanction pour le motif qu'il est membre d'un comité de santé et de sécurité.

Exception — Toutefois, l'employeur peut congédier, suspendre ou déplacer ce travailleur ou lui imposer une autre sanction s'il a exercé une fonction au sein d'un comité de santé et de sécurité de façon abusive.

1979, c. 63, art. 81; 1985, c. 6, art. 532

82. Entente sur formation de comités de santé et de sécurité — Au sein d'un établissement visé dans l'article 68, l'employeur et l'association accréditée ou les associations accréditées peuvent s'entendre sur la formation de plusieurs comités de santé et de sécurité et le nombre des membres de chaque comité. Copie de l'entente est transmise à la Commission.

1979, c. 63, art. 82

83. Droits et fonctions des comités — Ces comités de santé et de sécurité et leurs membres jouissent alors des mêmes droits et exercent les mêmes fonctions que ceux des comités formés en vertu de l'article 68, à l'exception du choix du médecin responsable des services de santé et de l'approbation du programme de santé élaboré par ce médecin responsable.

1979, c. 63, art. 83

84. Représentants des travailleurs — La désignation des représentants des travailleurs au sein des comités de santé et de sécurité est faite par l'association accréditée ou, s'il y a plusieurs associations accréditées, selon les modalités convenues entre elles.

1979, c. 63, art. 84

85. Comité pour l'ensemble de l'établissement — Les représentants des travailleurs au sein de chaque comité de santé et de sécurité désignent les représentants des travailleurs au sein du comité de santé et de sécurité formé pour l'ensemble de l'établissement. Ce comité a pour fonctions de choisir le médecin responsable des services de santé de l'établissement, d'approuver le programme de santé élaboré par le médecin responsable et d'exercer les autres fonctions que lui confient les comités de santé et de sécurité de l'établissement.

1979, c. 63, art. 85

86. Responsabilités de chaque comité — Le programme de prévention propre à l'établissement prévu par l'article 58 tient compte des responsabilités de chaque comité de santé et de sécurité formé au sein de l'établissement.

1979, c. 63, art. 86

Chapitre V — Le représentant à la prévention

87. Représentant à la prévention — Lorsqu'il existe un comité de santé et de sécurité dans un établissement, une ou des personnes sont désignées parmi les travailleurs de cet établissement pour exercer les fonctions de représentant à la prévention.

Membre du comité de santé et de sécurité — Ces personnes sont membres d'office du comité de santé et de sécurité.

1979, c. 63, art. 87

88. Désignation d'un représentant — Quel que soit le nombre de travailleurs d'un établissement appartenant à une catégorie d'établissements au sein desquels un comité de santé et de sécurité peut être formé selon le règlement adopté en vertu du paragraphe 22° de l'article 223, une ou des personnes sont désignées parmi les travailleurs de cet établissement pour exercer les fonctions de représentant à la prévention sur avis écrit transmis à l'employeur par une association accréditée ou, s'il n'y en a pas, par au moins dix pour cent des travailleurs.

Avis à la Commission — Une copie de cet avis doit être transmise à la Commission.

1979, c. 63, art. 88

89. Désignation — Dans le cas des articles 87 et 88, le représentant à la prévention est désigné de la même manière que sont désignés les représentants des travailleurs au sein du comité de santé et de sécurité.

1979, c. 63, art. 89

90. Fonctions — Le représentant à la prévention a pour fonctions :

1° de faire l'inspection des lieux de travail;

2° de recevoir copie des avis d'accidents et d'enquêter sur les événements qui ont causé ou auraient été susceptibles de causer un accident;

3° d'identifier les situations qui peuvent être source de danger pour les travailleurs;

4° de faire les recommandations qu'il juge opportunes au comité de santé et de sécurité ou, à défaut, aux travailleurs ou à leur association accréditée et à l'employeur;

5° d'assister les travailleurs dans l'exercice des droits qui leur sont reconnus par la présente loi et les règlements;

6° d'accompagner l'inspecteur à l'occasion des visites d'inspection;

7° d'intervenir dans les cas où le travailleur exerce son droit de refus;

8° de porter plainte à la Commission;

9° de participer à l'identification et à l'évaluation des caractéristiques concernant les postes de travail et le travail exécuté par les travailleurs de même qu'à l'identification des contaminants et des matières dangereuses présents dans les postes de travail aux fins de l'article 52.

1979, c. 63, art. 90; 1985, c. 6, art. 533

91. Absence du travail — Le représentant à la prévention peut s'absenter de son travail, sans perte de salaire, le temps nécessaire pour participer à des programmes de formation dont le contenu et la durée sont approuvés par la Commission.

Frais de séjour — Les frais d'inscription, de déplacement et de séjour sont assumés par la Commission conformément aux règlements.

1979, c. 63, art. 91

92. Absence du travail — Le représentant à la prévention peut s'absenter de son travail le temps nécessaire pour exercer les fonctions visées dans les paragraphes 2°, 6° et 7° de l'article 90.

Exercice des fonctions — Le comité de santé et de sécurité détermine, compte tenu des règlements, le temps que peut consacrer le représentant à la prévention à l'exercice de ses autres fonctions. S'il y a mésentente au sein du comité, le représentant peut consacrer à ces fonctions le temps minimum fixé par règlement.

1979, c. 63, art. 92

93. Absence du travail — Le représentant à la prévention doit aviser son supérieur immédiat, ou son employeur ou son représentant, lorsqu'il s'absente de son travail pour exercer ses fonctions.

1979, c. 63, art. 93

94. Coopération de l'employeur — L'employeur doit coopérer avec le représentant à la prévention, lui fournir les instruments ou appareils dont il peut avoir raisonnablement besoin et lui permettre de remplir ses fonctions.

1979, c. 63, art. 94

95. Instruments nécessaires au représentant — La Commission peut fixer, par règlement, les instruments ou appareils nécessaires à l'exercice des fonctions du représentant à la prévention selon les catégories d'établissement.

1979, c. 63, art. 95

96. Présomption — Le représentant à la prévention est réputé être au travail lorsqu'il exerce les fonctions qui lui sont dévolues.

1979, c. 63, art. 96

97. Interdiction à l'employeur — L'employeur ne peut congédier, suspendre ou déplacer le représentant à la prévention, exercer à son endroit des mesures discriminatoires ou de représailles ou lui imposer toute autre sanction pour le motif qu'il exerce les fonctions de représentant à la prévention.

Exception — Toutefois, l'employeur peut congédier, suspendre ou déplacer le représentant à la prévention ou lui imposer une autre sanction s'il a exercé à ce titre une fonction de façon abusive.

1979, c. 63, art. 97; 1985, c. 6, art. 534

Chapitre VI — Les associations sectorielles

98. Association sectorielle paritaire de santé et de sécurité — Une ou plusieurs associations d'employeurs et une ou plusieurs associations syndicales appartenant au même secteur d'activités peuvent conclure une entente constituant une association sectorielle paritaire de santé et de sécurité du travail. Une seule association sectorielle peut être constituée pour un secteur d'activités.

Conseil d'administration — L'association sectorielle est administrée par un conseil d'administration composé d'un nombre égal de représentants des associations d'employeurs et de représentants des associations syndicales.

Entente — L'entente doit contenir tous les éléments prescrits par règlement notamment une procédure de résolution des désaccords. L'entente entre en vigueur sur approbation de la Commission.

1979, c. 63, art. 98

99. Association sectorielle paritaire de la construction — Les associations représentatives au sens de la *Loi sur les relations du travail, la formation professionnelle et la gestion de la main-d'œuvre dans l'industrie de la construction* (chapitre R-20) et l'Association des entrepreneurs en construction du Québec concluent une entente constituant l'association sectorielle paritaire de la construction.

Conseil d'administration — L'association sectorielle est administrée par un conseil d'administration composé d'un nombre égal de représentants de l'Association des entrepreneurs en construction du Québec et de représentants des associations représentatives.

Entente — L'entente doit contenir tous les éléments prescrits par règlement notamment une procédure de résolution des désaccords. L'entente entre en vigueur sur approbation de la Commission.

Absence d'entente — En l'absence d'une telle entente, la Commission en établit les termes et prévoit la composition de l'association sectorielle.

1979, c. 63, art. 99; 1986, c. 89, art. 50

99.1 Personne morale — Une association sectorielle est une personne morale.

1985, c. 6, art. 535; 1999, c. 40, art. 261

100. Subvention — La Commission accorde à une association sectorielle une subvention annuelle selon les conditions et critères déterminés par règlement.

Demande d'information — La Commission peut exiger en tout temps d'une association sectorielle les informations nécessaires sur l'utilisation des montants accordés.

Assistance technique — La Commission fournit, en outre, une assistance technique aux conditions et de la manière qu'elle détermine.

1979, c. 63, art. 100

101. Objet — L'association sectorielle a pour objet de fournir aux employeurs et aux travailleurs appartenant au secteur d'activités qu'elle représente des services de formation, d'information, de recherche et de conseil.

Fonctions — Elle peut notamment :

1° aider à la formation et au fonctionnement des comités de santé et de sécurité et des comités de chantier;

2° concevoir et réaliser des programmes de formation et d'information pour les comités de santé et de sécurité et les comités de chantier;

3° faire des recommandations relatives aux règlements et normes de santé et de sécurité du travail;

4° collaborer avec la Commission et les directeurs de santé publique à la préparation de dossiers ou d'études sur la santé des travailleurs et sur les risques auxquels ils sont exposés;

5° élaborer des guides de prévention particuliers aux activités des établissements;

6° donner son avis sur les qualifications requises des inspecteurs;

7° adopter des règlements de régie interne;

8° acquérir ou louer des biens ainsi que les équipements nécessaires;

9° conclure des arrangements avec d'autres organismes privés ou publics pour l'utilisation ou l'échange de locaux, d'équipements ou de services;

10° former, parmi les membres de son conseil d'administration ou en faisant appel à d'autres personnes, les comités qu'elle juge nécessaire à la poursuite de ses objectifs et pour la conduite de ses affaires, et définir leur mandat;

11° embaucher le personnel administratif et spécialisé nécessaire à la poursuite de ses objectifs.

1979, c. 63, art. 101; 1992, c. 21, art. 305; 1999, c. 40, art. 261; 2001, c. 60, art. 167

102. Rapport annuel — Une association sectorielle transmet à la Commission les informations que celle-ci requiert et un rapport annuel d'activités conformément aux règlements.

1979, c. 63, art. 102

103. Droit d'intervention — Une association sectorielle n'a aucun droit d'intervention ni de consultation au niveau des relations de travail.

Cotisation — Elle ne possède aucun pouvoir de cotisation.

1979, c. 63, art. 103

Chapitre VII — Les associations syndicales et les associations d'employeurs

104. Subvention de la Commission — La Commission peut accorder annuellement à une association syndicale ou à une association d'employeurs une subvention pour la formation et l'information de ses membres dans les domaines de la santé et de la sécurité du travail.

1979, c. 63, art. 104

105. Subvention de la Commission — La Commission peut, en outre, accorder une subvention à une association syndicale ou à une association d'employeurs pour permettre à celles-ci de participer à la constitution et au fonctionnement d'une association sectorielle ou aux travaux de la Commission.

1979, c. 63, art. 105

106. Demande de renseignements — La Commission peut en tout temps exiger d'une association syndicale ou d'une association d'employeurs des renseignements sur l'utilisation des montants accordés.

1979, c. 63, art. 106

Chapitre VIII — La santé au travail

Section I — Les programmes de santé et le contrat type

107. Programmes de santé et contrat type — La Commission élabore :

1º des programmes de santé au travail devant s'appliquer sur les territoires ou aux établissements ou catégories d'établissements qu'elle détermine;

2º un contrat type indiquant le contenu minimum des contrats devant intervenir entre la Commission et les agences aux fins de la mise en application des programmes de santé.

Entente avec ministre de la Santé et des Services sociaux — Un projet de programme de santé ou de contrat type doit être soumis, pour entente, au ministre de la Santé et des Services sociaux.

1979, c. 63, art. 107; 1985, c. 23, art. 24; 1992, c. 21, art. 306; 2005, c. 32, art. 308

108. Entrée en vigueur — Un programme de santé et le contrat type visés dans l'article 107 entrent en vigueur sur approbation du gouvernement.

1979, c. 63, art. 108

109. Contrat avec les agences — La Commission conclut avec chaque agence un contrat aux termes duquel cette dernière s'engage à assurer les services nécessaires à la mise en application des programmes de santé au travail sur son territoire ou aux établissements ou catégories d'établissements qui y sont identifiés.

Autre territoire — Toutefois, à la demande de la Commission, le ministre de la Santé et des Services sociaux peut permettre exceptionnellement qu'une agence prenne pareils engagements à l'égard d'un territoire, autre que le sien, délimité dans le contrat.

Personne responsable — Une agence désigne, dans le contrat, toute personne qui exploite un centre hospitalier ou un centre local de services communautaires et qui dispense, parmi les services visés au premier alinéa, ceux que l'agence ne peut fournir elle-même; cette personne est liée par le contrat.

Contenu du contrat — Le contrat doit être conforme aux dispositions du contrat type; il peut également prévoir les priorités en matière de santé au travail applicables au territoire ou aux établissements ou catégories d'établissements qui y sont identifiés.

Dépôt — Ce contrat est déposé par l'agence auprès du ministre de la Santé et des Services sociaux.

1979, c. 63, art. 109; 1992, c. 21, art. 307; 2005, c. 32, art. 308

110. Budget — La Commission établit chaque année un budget pour l'application du présent chapitre. Elle attribue une partie de ce budget à chaque agence conformément au contrat intervenu avec cette dernière.

Administration du budget — L'agence s'assure que le budget qui lui est attribué sert exclusivement à rémunérer le personnel professionnel, technique et clérical qui rend les services prévus au contrat conclu en vertu de l'article 109, à l'exception des professionnels de la santé au sens de la *Loi sur l'assurance maladie* (chapitre A-29), et à couvrir les coûts reliés aux examens et analyses de même qu'à la fourniture de locaux et des équipements requis pour l'exécution de ces services, le tout conformément à la *Loi sur les services de santé et les services sociaux* (chapitre S-4.2) ou à la *Loi sur les services de santé et les services sociaux pour les autochtones cris* (chapitre S-5), selon le cas.

1979, c. 63, art. 10; 1992, c. 21, art. 308; 1994, c. 23, art. 23; 1999, c. 89, art. 53; 2005, c. 32, art. 308

111. Rémunération du médecin — Le médecin responsable des services de santé d'un établissement choisi conformément à l'article 118 de même que les autres professionnels de la santé au sens de la *Loi sur l'assurance maladie* (chapitre A-29) qui y fournissent des services dans le cadre des programmes visés dans le présent chapitre sont rémunérés par la Régie de l'assurance maladie du Québec, selon le mode d'honoraires fixes, d'honoraires forfaitaires, du salariat, de la vacation ou de la vacation spécifique conformément aux ententes conclues en vertu de l'article 19 de cette loi.

1979, c. 63, art. 111; 1999, c. 89, art. 53

SECTION II — LE PROGRAMME DE SANTÉ SPÉCIFIQUE À UN ÉTABLISSEMENT

112. Programme de santé — Le médecin responsable des services de santé d'un établissement doit élaborer un programme de santé spécifique à cet établissement. Ce programme est soumis au comité de santé et de sécurité pour approbation.

1979, c. 63, art. 112

113. Contenu — Le programme de santé spécifique à un établissement doit notamment prévoir, compte tenu des programmes de santé visés dans l'article 107 applicables à l'établissement et du contrat intervenu en vertu de l'article 109, les éléments suivants :

1° les mesures visant à identifier les risques pour la santé auxquels s'expose le travailleur dans l'exécution de son travail et à assurer la surveillance et l'évaluation de la qualité du milieu de travail;

2° les activités d'information du travailleur, de l'employeur ainsi que, le cas échéant, du comité de santé et de sécurité et de l'association accréditée sur la nature des risques du milieu de travail et des moyens préventifs qui s'imposent;

3° les mesures visant à identifier et à évaluer les caractéristiques de santé nécessaires à l'exécution d'un travail;

4° les mesures visant à identifier les caractéristiques de chaque travailleur de l'établissement afin de faciliter son affectation à des tâches qui correspondent à ses aptitudes et de prévenir toute atteinte à sa santé, sa sécurité ou son intégrité physique;

5º les mesures de surveillance médicale du travailleur en vue de la prévention et du dépistage précoce de toute atteinte à la santé pouvant être provoquée ou aggravée par le travail;

6º les examens de santé de pré-embauche et les examens de santé en cours d'emploi prévus par règlement;

7º le maintien d'un service adéquat de premiers soins pour répondre aux urgences;

8º l'établissement et la mise à jour d'une liste des travailleurs exposés à un contaminant ou une matière dangereuse à partir des registres tenus par l'employeur.

1979, c. 63, art. 113; 1992, c. 21, art. 309; 2015, c. 13, art. 10

114. Copie du programme à la Commission — Une copie du programme de santé spécifique à l'établissement doit être transmise à la Commission ainsi qu'au directeur de santé publique.

1979, c. 63, art. 114; 1992, c. 21, art. 310; 2001, c. 60, art. 167

115. Services de santé — Les services de santé pour les travailleurs d'un établissement sont fournis dans l'établissement.

Services de santé — Ils peuvent également être fournis dans une installation maintenue par une personne qui exploite un centre hospitalier ou un centre local de services communautaires. Ils peuvent enfin être fournis ailleurs lorsque le directeur de santé publique croit que cela est nécessaire en raison de la non-disponibilité des autres locaux.

1979, c. 63, art. 115; 1992, c. 21, art. 311; 2001, c. 60, art. 167

116. (*Abrogé*).

1979, c. 63, art. 116; 1992, c. 21, art. 312

SECTION III — LE MÉDECIN RESPONSABLE DES SERVICES DE SANTÉ D'UN ÉTABLISSEMENT

117. Responsable des services de santé — Un médecin peut être nommé responsable des services de santé d'un établissement si sa demande d'exercer sa profession aux fins de l'application du présent chapitre a été acceptée, conformément à la *Loi sur les services de santé et les services sociaux* (chapitre S-4.2) ou, selon le cas, à la *Loi sur les services de santé et les services sociaux pour les autochtones cris* (chapitre S-5), par une personne qui exploite un centre hospitalier ou un centre local de services communautaires et qui est désignée dans le contrat conclu en vertu de l'article 109.

1979, c. 63, art. 117; 1992, c. 21, art. 313; 1994, c. 23, art. 23

118. Choix du médecin — Le comité de santé et de sécurité choisit le médecin responsable. S'il n'y a pas accord entre les représentants de l'employeur et ceux des travailleurs au sein du comité, la Commission désigne le médecin responsable après consultation du directeur de santé publique.

Médecin désigné — S'il n'y a pas de comité, le directeur de santé publique désigne le médecin responsable.

1979, c. 63, art. 118; 1992, c. 21, art. 314; 2001, c. 60, art. 167

119. Mandat — La nomination d'un médecin responsable par un comité est valable pour quatre ans. Une nomination faite par la Commission ou le directeur de santé publique est valable pour deux ans.

1979, c. 63, art. 119; 1992, c. 21, art. 315; 2001, c. 60, art. 167

120. Requête pour démettre un médecin — Les représentants des travailleurs ou les représentants de l'employeur sur le comité de santé et de sécurité, le comité lui-même ou, s'il n'y a pas de comité, une association accréditée ou l'employeur, ou, s'il n'y a pas d'association accréditée, dix pour cent des travailleurs peuvent adresser une requête au Tribunal administratif du Québec afin de démettre de ses fonctions auprès d'un établissement le médecin qui y est responsable des services de santé.

Appel — De même, un médecin dont une personne qui exploite un centre hospitalier ou un centre local de services communautaires n'a pas accepté la demande visée dans l'article 117 ou à l'égard de qui, elle n'a pas renouvelé son acceptation peut, dans les 60 jours de la notification de cette décision, la contester devant le Tribunal administratif du Québec. Un médecin peut également, dans les 150 jours du dépôt de sa demande et si aucune décision ne lui a été transmise dans ce délai, saisir le Tribunal comme s'il s'agissait de la contestation d'une décision défavorable.

Motifs — Une requête en vertu du présent article doit être fondée sur le défaut de qualification, l'incompétence scientifique, la négligence ou l'inconduite du médecin responsable.

1979, c. 63, art. 120; 1992, c. 21, art. 316; 1997, c. 43, art. 669

121. (*Abrogé*).

1979, c. 63, art. 121; 1997, c. 43, art. 670

122. Ressources professionnelles, techniques et financières — Le médecin responsable des services de santé d'un établissement procède, en collaboration avec le directeur de santé publique, à l'évaluation des ressources professionnelles, techniques et financières requises pour les fins de la mise en application du programme de santé spécifique à l'établissement.

Application du programme de santé — Il voit également à la mise en application du programme de santé spécifique de l'établissement.

1979, c. 63, art. 122; 1992, c. 21, art. 317; 2001, c. 60, art. 167

123. Rapport d'activités et de déficience des conditions de santé — Tout en respectant le caractère confidentiel du dossier médical et des procédés industriels, le médecin responsable doit signaler à la Commission, à l'employeur, aux travailleurs, à l'association accréditée, au comité de santé et de sécurité et au directeur de santé publique toute déficience dans les conditions de santé, de sécurité ou de salubrité susceptible de nécessiter une mesure de prévention. Il doit leur transmettre, sur demande, un rapport de ses activités.

1979, c. 63, art. 123; 1992, c. 21, art. 318; 2001, c. 60, art. 167

124. Information au travailleur — Le médecin responsable informe le travailleur de toute situation l'exposant à un danger pour sa santé, sa sécurité ou son intégrité physique ainsi que de toute altération à sa santé.

1979, c. 63, art. 124

125. Visite des lieux de travail — Le médecin responsable doit visiter régulièrement les lieux de travail et prendre connaissance des informations nécessaires à la réalisation de ses fonctions.

1979, c. 63, art. 125

126. Accès au lieu de travail — Le médecin responsable ou la personne qu'il désigne a accès à toute heure raisonnable du jour ou de la nuit à un lieu de travail et il peut se faire accompagner d'un expert.

Accès aux informations nécessaires — Il a de plus accès à toutes les informations nécessaires à la réalisation de ses fonctions notamment aux registres visés dans l'article 52. Il peut utiliser un appareil de mesure sur un lieu de travail.

1979, c. 63, art. 126

SECTION IV — LE DIRECTEUR DE SANTÉ PUBLIQUE

127. Directeur de santé publique — Le directeur de santé publique est responsable de la mise en application sur le territoire desservi par l'agence du contrat visé dans l'article 109; il doit notamment :

1° voir à l'application des programmes de santé spécifiques aux établissements;

2° collaborer avec le comité d'examen des titres du conseil des médecins, dentistes et pharmaciens et avec le conseil d'administration de la personne qui exploite un centre hospitalier ou un centre local de services communautaires pour l'étude des candidatures des médecins désirant œuvrer dans le domaine de la médecine du travail conformément à la présente loi et à ses règlements et à la *Loi sur les services de santé et les services sociaux* (chapitre S-4.2) et à ses règlements ou, selon le cas, à la *Loi sur les services de santé et les services sociaux pour les autochtones cris* (chapitre S-5) et à ses règlements;

3° coordonner l'utilisation des ressources du territoire pour faire effectuer les examens, analyses et expertises nécessaires à la réalisation des programmes de santé;

4° colliger les données sur l'état de santé des travailleurs et sur les risques à la santé auxquels ils sont exposés;

5° s'assurer de la conservation du dossier médical d'un travailleur pendant une période d'au moins vingt ans après la fin de l'emploi du travailleur ou 40 ans après le début de l'emploi, selon la plus longue durée;

6° effectuer des études épidémiologiques;

7° évaluer les programmes de santé spécifiques aux établissements et faire les recommandations appropriées à la Commission, aux médecins responsables et aux comités de santé et de sécurité concernés;

8° transmettre à la Commission les données statistiques sur l'état de santé des travailleurs et tout renseignement qu'elle peut exiger conformément à la présente loi ou les règlements;

9° visiter les établissements du territoire et prendre connaissance des informations nécessaires à la réalisation de ses fonctions.

1979, c. 63, art. 127; 1984, c. 47, art. 209; 1992, c. 21, art. 320; 1994, c. 23, art. 23; 2001, c. 60, art. 167; 2005, c. 32, art. 308

128. Droits — Le directeur de santé publique ou la personne qu'il désigne jouit des droits visés dans l'article 126.

1979, c. 63, art. 128; 1992, c. 21, art. 321; 2001, c. 60, art. 167

129. Confidentialité du dossier médical — Sous réserve du paragraphe 5° de l'article 127, la conservation et le caractère confidentiel du dossier médical du travailleur sont assurés conformément à la *Loi sur les services de santé et les services sociaux* (chapitre S-4.2) et aux règlements adoptés en vertu de cette loi concernant le dossier d'un usager ou, selon le cas, conformément à la *Loi sur les services de santé et les services sociaux pour les autochtones cris* (chapitre S-5) et aux règlements adoptés en vertu de cette loi concernant le dossier d'un bénéficiaire.

Communication du dossier — Le médecin doit, sur demande, communiquer ce dossier médical au travailleur ou, avec l'autorisation écrite de ce dernier, à toute personne désignée par le travailleur.

1979, c. 63, art. 129; 1992, c. 21, art. 322; 1994, c. 23, art. 23

SECTION V — LA RECONNAISSANCE DE CERTAINS SERVICES DE SANTÉ

130. Demande de reconnaissance des services de santé — Dans les 90 jours de l'entrée en vigueur du règlement qui détermine que les services de santé doivent être fournis aux travailleurs de l'établissement, l'employeur peut présenter une demande de reconnaissance des services de santé qui existaient dans son établissement le 20 juin 1979 et qui ont été maintenus jusqu'à la date de la présentation de la demande.

Demande à l'agence — Cette demande est adressée à l'agence de la région dans laquelle se trouve l'établissement.

Assentiment des représentants des travailleurs — Elle ne peut être présentée par l'employeur que s'il a obtenu l'assentiment des représentants des travailleurs au sein du comité de santé et de sécurité ou, s'il y a plusieurs comités, du comité pour l'ensemble de l'établissement, ou, à défaut de comité, de la ou des associations accréditées ou, à défaut d'association accréditée, de la majorité des travailleurs de l'établissement.

1979, c. 63, art. 130; 1992, c. 21, art. 323; 2005, c. 32, art. 308

131. Recommandation — Si, après examen de la situation, le directeur de santé publique est d'avis que les services offerts dans l'établissement sont équivalents aux services de santé prévus par la présente loi et les règlements, il peut recommander au conseil d'administration de l'agence de reconnaître ces services et, s'il y a lieu, les conditions de cette reconnaissance.

1979, c. 63, art. 131; 1992, c. 21, art. 324; 2001, c. 60, art. 167; 2005, c. 32, art. 308

132. Examen annuel — Le directeur de santé publique examine annuellement la situation et il recommande au conseil d'administration de l'agence d'annuler la reconnaissance ou de la renouveler et, s'il y a lieu, les conditions de ce renouvellement.

1979, c. 63, art. 132; 1992, c. 21, art. 325; 2001, c. 60, art. 167; 2005, c. 32, art. 308

133. Rémunération du personnel de santé — À l'exception des professionnels de la santé au sens de la *Loi sur l'assurance maladie* (chapitre A-29), le personnel œuvrant dans les services de santé reconnus par l'agence est rémunéré par l'employeur. L'employeur assume également les coûts reliés aux examens et analyses de même qu'à la fourniture des locaux et de l'équipement.

1979, c. 63, art. 133; 1992, c. 21, art. 326; 1999, c. 89, art. 53; 2005, c. 32, art. 308

134. Personnel intégré à un centre hospitalier — À l'exception des professionnels de la santé au sens de la *Loi sur l'assurance maladie* (chapitre A-29), le personnel œuvrant dans les services de santé visés dans l'article 130 est intégré à celui d'une personne qui exploite un centre hospitalier ou un centre local de services communautaires lorsque :

1° les services de santé de l'établissement ne sont pas reconnus par l'agence ou la reconnaissance n'est pas renouvelée;

2° le membre du personnel travaillait dans une proportion de cinquante pour cent de son temps à des tâches directement reliées à la santé au travail; et

3° il y a impossibilité pour le membre du personnel d'être replacé adéquatement à l'intérieur de l'établissement en fonction de ses qualifications professionnelles et des besoins de l'établissement.

1979, c. 63, art. 134; 1992, c. 21, art. 327; 1999, c. 89, art. 53; 2005, c. 32, art. 308

135. Responsabilité du ministre — Le ministre de la Santé et des Services sociaux est responsable de l'intégration du personnel à celui d'une personne qui exploite un centre hospitalier ou un centre local de services communautaires dans les cas prévus par l'article 134. Il utilise notamment les ressources internes au secteur des Affaires sociales pour favoriser la meilleure intégration du personnel.

1979, c. 63, art. 135; 1985, c. 23, art. 24; 1992, c. 21, art. 328

136. Avis de l'employeur — L'employeur qui n'entend pas présenter une demande de reconnaissance des services de santé visés dans l'article 130 doit en aviser le ministre de la Santé et des Services sociaux dans les 90 jours de l'entrée en vigueur du règlement prévu par l'article 130.

Cessation des services de santé — En tout temps, après l'expiration des 90 jours de l'entrée en vigueur de ce règlement, l'employeur qui n'entend plus maintenir les services de santé qui ont fait l'objet d'une reconnaissance de la part d'une agence doit donner un préavis de quatre mois au ministre de la Santé et des Services sociaux.

Intégration du personnel — Dans ces cas, le personnel œuvrant dans les services de santé de l'établissement affecté par la décision de l'employeur est intégré à celui d'une personne qui exploite un centre hospitalier ou un centre local de services communautaires conformément aux articles 134 et 135.

1979, c. 63, art. 136; 1985, c. 23, art. 24; 1992, c. 21, art. 329; 2005, c. 32, art. 308

Chapitre VIII.1 — Le fonds de la santé et de la sécurité du travail

136.1 Transfert — La Commission transfère au Fonds de la santé et de la sécurité du travail les sommes en sa possession le 31 décembre 2002 y compris ses valeurs mobilières à la Caisse de dépôt et placement du Québec, à l'exception des sommes qu'elle détient en dépôt conformément aux lois qu'elle administre.

2002, c. 76, art. 2

136.2 Objet — Le Fonds, constitué à titre de patrimoine fiduciaire d'utilité sociale, est affecté :

1° au versement des sommes ou prestations auxquelles peut avoir droit toute personne en vertu des lois que la Commission administre;

2° à l'atteinte de toute autre fin prévue par ces lois.

2002, c. 76, art. 2

136.3 Fiduciaire — La Commission est fiduciaire du Fonds.

Présomption — Elle est réputée avoir accepté sa charge et les obligations s'y rattachant à compter du 1er janvier 2003.

Obligation — Elle agit dans le meilleur intérêt du but poursuivi par le Fonds.

2002, c. 76, art. 2

136.4 Dispositions applicables — Les articles 1260 à 1262, 1264 à 1266, 1270, 1274, 1278, 1280, 1293, 1299, 1306 à 1308, 1313 et 1316 sont les seules dispositions des Titres sixième et septième du Livre quatrième du *Code civil du Québec* (L.Q. 1991, c. 64) qui s'appliquent au Fonds et à la Commission en sa qualité de fiduciaire, compte tenu des adaptations nécessaires.

2002, c. 76, art. 2

136.5 Transfert des sommes perçues — La Commission transfère au Fonds, au fur et à mesure, toute somme qu'elle perçoit, à l'exception de celles qu'elle détient en dépôt conformément aux lois qu'elle administre.

2002, c. 76, art. 2

136.6 Dépôt — Les sommes transférées au Fonds par la Commission sont déposées dans une banque régie par la *Loi sur les banques* (L.C. 1991, ch. 46) ou une coopérative de services financiers régie par la *Loi sur les coopératives de services financiers* (chapitre C-67.3).

2002, c. 76, art. 2

136.7 Caisse de dépôt et placement du Québec — Les sommes du Fonds qui ne sont pas requises immédiatement sont déposées à la Caisse de dépôt et placement du Québec.

2002, c. 76, art. 2

136.8 Administration — Les dépenses relatives à l'administration du Fonds sont à sa charge.

Dépenses de la Commission — Le Fonds est également tenu au paiement des dépenses que la Commission peut lui réclamer relativement à l'application des lois qu'elle administre, à l'exception de celles qui sont payées sur les sommes qu'elle détient en dépôt.

2002, c. 76, art. 2; 2009, c. 19, art. 20

136.9 Fiduciaire — Lorsque la Commission prélève une somme sur le Fonds, elle agit en qualité de fiduciaire.

2002, c. 76, art. 2

136.10 Prévisions budgétaires — La Commission doit, au moins trois mois avant le 31 décembre de chaque année, fournir au Fonds des prévisions budgétaires pour l'exercice financier de l'année suivante.

2002, c. 76, art. 2

136.11 Exercice financier — L'exercice financier du Fonds se termine le 31 décembre de chaque année.

2002, c. 76, art. 2

136.12 Rapport — La Commission doit, avant le 30 juin de chaque année, faire au ministre un rapport des activités du Fonds pour l'exercice financier précédent. Ce rapport doit contenir tous les renseignements prescrits par le ministre.

Dépôt du rapport — Le ministre doit, dans les 15 jours suivant la réception du rapport, le déposer devant l'Assemblée nationale, si elle est en session, ou, si elle ne l'est pas, dans les 15 jours de la reprise de ses travaux.

2002, c. 76, art. 2

136.13 Vérification des livres et comptes — Les livres et les comptes du Fonds sont vérifiés annuellement par le vérificateur général et, en outre, chaque fois que le décrète le gouvernement.

Certificat — Le certificat du vérificateur général doit accompagner le rapport visé à l'article 136.12.

2002, c. 76, art. 2

Chapitre IX — La Commission des normes, de l'équité, de la santé et de la sécurité du travail

Section I — Constitution

137. Institution — Un organisme est institué sous le nom de « Commission des normes, de l'équité, de la santé et de la sécurité du travail ».

1979, c. 63, art. 137; 2015, c. 15, art. 210

138. Personne morale — La Commission est une personne morale.

1979, c. 63, art. 138; 1999, c. 40, art. 261

139. Siège — La Commission a son siège à l'endroit déterminé par le gouvernement; un avis de la situation ou de tout changement du siège est publié à la *Gazette officielle du Québec*.

1979, c. 63, art. 139

140. Conseil d'administration — La Commission est administrée par un conseil d'administration composé de quinze membres dont un président du conseil et chef de la direction.

1979, c. 63, art. 140; 1992, c. 11, art. 49

141. Nomination des membres et du président — Les membres du conseil d'administration de la Commission sont nommés par le gouvernement. À l'exception du président du conseil d'administration et chef de la direction, ils sont désignés de la façon suivante :

1° sept membres sont choisis à partir des listes fournies par les associations syndicales les plus représentatives; et

2° sept membres sont choisis à partir des listes fournies par les associations d'employeurs les plus représentatives.

Consultation préalable — Le président du conseil d'administration et chef de la direction est nommé après consultation des associations syndicales et des associations d'employeurs les plus représentatives.

1979, c. 63, art. 141; 1992, c. 11, art. 50

141.1 (*Abrogé*).

1992, c. 11, art. 51; 2002, c. 76, art. 3

142. Vice-président — Le gouvernement nomme en outre des vice-présidents.

Fonctions — Un des vice-présidents est chargé exclusivement des questions relatives à la *Loi sur l'équité salariale* (chapitre E-12.001). Un autre vice-président est également chargé des questions relatives à la *Loi sur les normes du travail* (chapitre N-1.1).

Nomination — Le vice-président chargé des questions relatives à la *Loi sur l'équité salariale* est nommé après consultation du Comité consultatif du travail et de la main-d'œuvre.

1979, c. 63, art. 142; 2015, c. 15, art. 211

143. Durée des mandats — Le président du conseil d'administration et chef de la direction et les vice-présidents sont nommés pour au plus cinq ans. Les mandats sont renouvelables.

1979, c. 63, art. 143; 1992, c. 11, art. 52; 2002, c. 76, art. 4

144. Mandat des autres membres — Les membres du conseil d'administration, autres que le président du conseil d'administration et chef de la direction, sont nommés pour au plus deux ans. Les mandats sont renouvelables en suivant la procédure de nomination prévue par l'article 141.

1979, c. 63, art. 144; 1992, c. 11, art. 53

145. Nomination d'un observateur — Le ministre responsable de l'application de la présente loi nomme un observateur auprès du conseil d'administration de la Commission.

Participation aux réunions — Cet observateur participe aux réunions du conseil d'administration, sans droit de vote.

1979, c. 63, art. 145; 1985, c. 6, art. 536; 1985, c. 23, art. 24; 1999, c. 87, art. 1; 2002, c. 76, art. 5

146. Fonctions exclusives — Le président du conseil d'administration et chef de la direction, et les vice-présidents doivent s'occuper exclusivement des devoirs de leurs fonctions.

1979, c. 63, art. 146; 1992, c. 11, art. 54; 2002, c. 76, art. 6

147. Fonctions continuées — Les membres du conseil d'administration de la Commission de même que les vice-présidents demeurent en fonction, malgré l'expiration de leur mandat, jusqu'à ce qu'ils soient remplacés ou nommés de nouveau.

1979, c. 63, art. 147; 1992, c. 11, art. 55; 2002, c. 76, art. 7

148. Vacance — Une vacance survenant au cours de la durée du mandat d'un membre du conseil d'administration de la Commission ou d'un vice-président est comblée par le gouvernement conformément aux articles 141 à 144.

1979, c. 63, art. 148; 1992, c. 11, art. 56; 2002, c. 76, art. 8

149. Traitement — Le gouvernement fixe le traitement et, s'il y a lieu, le traitement additionnel, les honoraires ou les allocations de chaque membre du conseil d'administration de la Commission et des vice-présidents de même que les indemnités auxquelles ils ont droit.

Traitement — Les traitements, honoraires, allocations, indemnités et autres dépenses d'opération de la Commission sont à la charge de cette dernière.

1979, c. 63, art. 149; 1992, c. 11, art. 57; 2002, c. 76, art. 9

150. Séances — Le conseil d'administration de la Commission peut tenir ses séances à tout endroit au Québec.

1979, c. 63, art. 150

151. Quorum — Le quorum des séances du conseil d'administration de la Commission est de huit membres dont le président du conseil d'administration et chef de la direction ou, dans le cas prévu par l'article 155, son remplaçant.

Égalité des voix — En cas d'égalité des voix, le président du conseil d'administration et chef de la direction a un vote prépondérant.

1979, c. 63, art. 151; 1992, c. 11, art. 58

152. Conflit d'intérêt — Le président du conseil d'administration et chef de la direction et les vice-présidents ne peuvent, sous peine de déchéance de leur charge, avoir un intérêt direct ou indirect dans une activité mettant en conflit leur intérêt personnel et celui de la Commission.

Exception — Toutefois, cette déchéance n'a pas lieu si un tel intérêt leur échoit par succession ou par donation pourvu qu'ils y renoncent ou en disposent avec toute la diligence possible.

Conflit d'intérêt — Les autres membres du conseil d'administration de la Commission doivent dénoncer leur intérêt direct sur toute question mettant en conflit leur intérêt personnel et celui de la Commission.

Devoirs imposés à la Commission — Les membres du conseil d'administration ne sont pas en conflit d'intérêts du seul fait qu'ils doivent aussi accomplir les devoirs imposés à la Commission en vertu de l'article 136.3.

1979, c. 63, art. 15; 1992, c. 11, art. 59; 2002, c. 76, art. 10

153. Abstention — Un membre doit s'abstenir de voter sur les décisions du conseil d'administration de la Commission en vertu desquelles un contrat ou un autre avantage peut lui être accordé ou être accordé à une entreprise dans laquelle il est intéressé.

1979, c. 63, art. 153

154. Président du conseil d'administration — Le président du conseil d'administration et chef de la direction préside les réunions du conseil et voit à son bon fonctionnement. Il est responsable de l'administration et de la direction de la Commission et des relations de la Commission avec le gouvernement.

1979, c. 63, art. 154; 1992, c. 11, art. 60

154.1 (*Abrogé*).

1992, c. 11, art. 60; 2002, c. 76, art. 11

154.2 (*Abrogé*).

1992, c. 11, art. 60; 2002, c. 76, art. 11

155. Empêchement du président — En cas d'absence ou d'empêchement du président du conseil d'administration et chef de la direction ou de l'un des vice-présidents, le ministre nomme un remplaçant pour la durée de l'absence ou de l'empêchement.

1979, c. 63, art. 155; 1992, c. 11, art. 61; 1999, c. 40, art. 261; 2002, c. 76, art. 12

156. Comité administratif — Un comité administratif est formé :

1° du président du conseil d'administration et chef de la direction;

2° d'une personne désignée par les représentants des travailleurs au sein du conseil d'administration et choisie parmi ces représentants;

3° d'une personne désignée par les représentants des employeurs au sein du conseil d'administration et choisie parmi ces représentants.

1979, c. 63, art. 156; 1992, c. 11, art. 62

157. Nomination — Le secrétaire ainsi que les autres fonctionnaires de la Commission sont nommés suivant la *Loi sur la fonction publique* (chapitre F-3.1.1).

1979, c. 63, art. 157; 1983, c. 55, art. 161; 2000, c. 8, art. 242

158. (*Abrogé*).

1979, c. 63, art. 158; 1983, c. 38, art. 81; 1985, c. 6, art. 537; 1992, c. 57, art. 692

158.1 Résolutions — La Commission délivre, sur demande, dans ses bureaux régionaux, copies des résolutions du conseil d'administration.

1985, c. 6, art. 538

159. Décision du conseil d'administration — Une décision du conseil d'administration ou du comité administratif signée par tous les membres a la même valeur que si elle a été prise en séance ordinaire.

1979, c. 63, art. 159

160. Pouvoirs d'enquête — Pour l'exercice de ses pouvoirs, la Commission ou une personne qu'elle désigne peut enquêter sur toute matière de sa compétence. La Commission ou la personne désignée est investie des pouvoirs et de l'immunité des commissaires nommés en vertu de la *Loi sur les commissions d'enquête* (chapitre C-37), sauf de celui d'imposer l'emprisonnement.

Divulgation de renseignements — La personne désignée pour faire enquête ne peut divulguer les renseignements obtenus au cours de cette enquête, sauf dans l'exécution de ses fonctions ou avec l'autorisation de la Commission ou d'un tribunal ou encore sur l'ordre d'un coroner dans l'exercice de ses fonctions.

1979, c. 63, art. 160; 1983, c. 41, art. 205

161. Immunité — La Commission, les commissaires, les membres de son conseil d'administration, ses vice-présidents et fonctionnaires ne peuvent être poursuivis en justice en raison d'actes accomplis par eux de bonne foi dans l'exercice de leurs fonctions.

Pouvoirs et immunité — Les commissaires ont de plus, aux fins d'une enquête, les pouvoirs et l'immunité des commissaires nommés en vertu de la *Loi sur les commissions d'enquête* (chapitre C-37), sauf le pouvoir d'ordonner l'emprisonnement.

1979, c. 63, art. 161; 1992, c. 11, art. 63; 2002, c. 76, art. 13; 2015, c. 15, art. 212

SECTION I.0.1 — DÉCISION INDIVIDUELLES EN MATIÈRES D'ÉQUITÉ SALARIALE

161.0.1. Décision individuelle — Les décisions individuelles en application de la *Loi sur l'équité salariale* (chapitre E-12.001) sont prises par le vice-président chargé des questions relatives à la *Loi sur l'équité salariale* en application de l'article 142 et deux commissaires.

Nomination — Les commissaires sont nommés par le gouvernement après consultation d'organismes que le ministre considère représentatifs des employeurs, des salariés et des femmes.

2015, c. 15, art. 213

161.0.2. Durée du mandat — Le mandat des commissaires est d'au plus cinq ans. À l'expiration de leur mandat, ils demeurent en fonction jusqu'à ce qu'ils soient remplacés ou nommés de nouveau.

2015, c. 15, art. 213

161.0.3. Fonctions à plein temps — Les commissaires doivent s'occuper exclusivement des devoirs de leurs fonctions et les exercer à plein temps.

2015, c. 15, art. 213

161.0.4. Rémunération et avantages — Le gouvernement détermine la rémunération, les avantages sociaux et les autres conditions des commissaires.

2015, c. 15, art. 213

161.0.5. Quorum — Le quorum des séances tenues en vertu de la présente section est constitué du vice-président chargé des questions relatives à la *Loi sur l'équité salariale* (chapitre E-12.001) et d'un commissaire. En cas d'égalité des voix, le vice-président a voix prépondérante. Le vice-président ou un commissaire que le vice-président désigne peut exercer seul les pouvoirs conférés à la Commission en vertu de la section I du chapitre VI de la *Loi sur l'équité salariale*.

2015, c. 15, art. 213

161.0.6. Intérim — En cas d'absence ou d'empêchement d'agir d'un commissaire, le ministre peut nommer une autre personne pour assurer l'intérim aux conditions qu'il détermine.

2015, c. 15, art. 213

161.0.7. Commissaire additionnel — Le gouvernement peut, lorsqu'il juge que l'expédition des affaires de cette section l'exige et après consultation du président de la Commission et du vice-président, nommer tout commissaire additionnel pour le temps qu'il détermine; il fixe, suivant le cas, son traitement, ses avantages sociaux, son traitement additionnel, ses honoraires ou ses allocations.

2015, c. 15, art. 213

SECTION I.1 — DÉCLARATION DE SERVICES ET PLAN STRATÉGIQUE

161.1 Déclaration — La Commission rend publique une déclaration contenant ses objectifs quant au niveau des services offerts et quant à la qualité de ses services.

Contenu — La déclaration porte notamment sur la diligence avec laquelle les services devraient être rendus et fournit une information claire sur leur nature et leur accessibilité.

2002, c. 76, art. 14

161.2 Devoirs — La Commission doit :

1º s'assurer de connaître les attentes de sa clientèle;

2º simplifier le plus possible les règles et les procédures qui régissent la prestation de services;

3º développer chez les membres de son personnel le souci de dispenser des services de qualité et les associer à l'atteinte des résultats fixés.

2002, c. 76, art. 14

161.3 Plan stratégique — La Commission doit établir un plan stratégique couvrant une période de plus d'une année.

2002, c. 76, art. 14

161.4 Contenu — Le plan stratégique doit comporter :

1º une description de la mission de la Commission;

2º le contexte dans lequel la Commission évolue et les principaux enjeux auxquels elle fait face;

3º les orientations stratégiques, les objectifs et les axes d'intervention retenus;

4º les résultats visés au terme de la période couverte par le plan;

5º les indicateurs de performance utilisés pour mesurer l'atteinte des résultats.

2002, c. 76, art. 14

161.5 Transmission et dépôt du plan — La Commission transmet son plan stratégique au ministre qui le dépose à l'Assemblée nationale.

2002, c. 76, art. 14

SECTION I.2 — REDDITION DE COMPTES

162. Exercice financier — L'exercice financier de la Commission se termine le 31 décembre de chaque année.

1979, c. 63, art. 162

162.1. Prévisions financières — Le président du conseil d'administration et chef de la direction soumet chaque année au ministre les prévisions financières de la Commission en matière d'équité salariale pour l'exercice financier suivant, selon la forme, la teneur et à la date déterminées par ce dernier. Ces prévisions, qui doivent pourvoir au maintien des activités et de la mission de la Commission en matière d'équité salariale, sont soumises à l'approbation du ministre.

2015, c. 15, art. 214

163. Rapport — La Commission doit, avant le 30 juin de chaque année, faire au ministre un rapport présentant les résultats obtenus au regard des objectifs prévus par son plan stratégique visé à l'article 161.4.

Contenu — Ce rapport doit en outre faire état :

1º des mandats qui lui sont confiés;

2º de la déclaration de services visée à l'article 161.1;

3º des programmes qu'elle est chargée d'administrer;

4º de l'évolution de ses effectifs;

5º d'une déclaration du président du conseil d'administration et chef de la direction attestant la fiabilité des renseignements contenus au rapport et des contrôles afférents.

Dépôt devant l'Assemblée nationale — Le ministre doit, sans délai, déposer ce rapport devant l'Assemblée nationale, si elle est en session ou, si elle ne l'est pas, dans les quinze jours de l'ouverture de la session suivante ou de la reprise des travaux, selon le cas.

1979, c. 63, art. 163; 1985, c. 6, art. 539; 2002, c. 76, art. 15

163.1 Imputabilité — Le président du conseil d'administration et chef de la direction est, conformément à la loi, notamment au regard de l'autorité et des pouvoirs du ministre de qui il relève, imputable devant l'Assemblée nationale de sa gestion administrative.

Commission parlementaire — La commission parlementaire compétente de l'Assemblée nationale doit entendre au moins une fois par année le ministre, si celui-ci le juge opportun, et, selon le cas, le président du conseil d'administration et chef de la direction afin de discuter de leur gestion administrative.

Pouvoirs — La commission parlementaire peut notamment discuter :

1° de la déclaration de services aux citoyens et des résultats obtenus par rapport aux aspects administratifs du plan stratégique;

2° des résultats obtenus par rapport aux objectifs d'un programme d'accès à l'égalité ou d'un plan d'embauche pour les personnes handicapées applicable à la Commission;

3° de toute autre matière de nature administrative relevant de la Commission et signalée dans un rapport du vérificateur général ou du Protecteur du citoyen.

2002, c. 76, art. 16

164. Renseignement au ministre — Sous réserve de l'article 174, la Commission doit fournir au ministre tout renseignement qu'il peut requérir.

1979, c. 63, art. 164

165. Vérification des livres — Les livres et les comptes de la Commission sont vérifiés annuellement par le vérificateur général et, en outre, chaque fois que le décrète le gouvernement; le certificat du vérificateur général doit accompagner le rapport annuel de la Commission.

1979, c. 63, art. 165

SECTION II — LES FONCTIONS DE LA COMMISSION

166. Fonctions — La Commission a pour fonctions d'élaborer, de proposer et de mettre en œuvre des politiques relatives à la santé et à la sécurité des travailleurs de façon à assurer une meilleure qualité des milieux de travail.

1979, c. 63, art. 166

167. Fonctions — En outre des autres fonctions qui lui sont attribuées par la présente loi, les règlements ou toute autre loi ou règlement, la Commission exerce notamment les fonctions suivantes :

1° établir les priorités d'intervention en matière de santé et de sécurité des travailleurs;

2° accorder son concours technique aux comités de santé et de sécurité et son aide technique et financière aux associations sectorielles;

3° élaborer et mettre en œuvre un programme d'aide à l'implantation et au fonctionnement des mécanismes de participation des employeurs et des travailleurs dans le domaine de la santé et de la sécurité du travail;

4° identifier les priorités et les besoins de la recherche en matière de santé et de sécurité du travail;

5° effectuer ou faire effectuer des études et des recherches dans les domaines visés dans les lois et règlements qu'elle administre, particulièrement en vue d'éliminer à la source même les dangers pour la santé, la sécurité et l'intégrité physique des travailleurs;

6º accorder annuellement une subvention à l'Institut de recherche en santé et en sécurité du travail du Québec;

7º recueillir des informations dans les domaines visés dans les lois et règlements qu'elle administre;

8º maintenir un système d'information et de gestion comprenant des données statistiques dans les domaines visés dans les lois et règlements qu'elle administre;

9º analyser en collaboration, s'il y a lieu, avec le ministre de la Santé et des Services sociaux, les données recueillies par les différents organismes et personnes œuvrant dans le domaine de la santé et de la sécurité du travail et en extraire des statistiques;

10º établir et tenir à jour un répertoire toxicologique;

11º évaluer l'efficacité des interventions dans le domaine de la santé et de la sécurité du travail;

12º concevoir et réaliser, en collaboration, le cas échéant, avec le ministre de la Santé et des Services sociaux, des campagnes d'information visant la protection de la santé, de la sécurité et de l'intégrité physique des travailleurs;

13º en collaboration, le cas échéant, avec le ministre de l'Éducation, du Loisir et du Sport ou le ministre de l'Enseignement supérieur, de la Recherche, de la Science et de la Technologie concevoir des programmes de formation et d'information dans les domaines visés dans les lois et règlements qu'elle administre, s'assurer de leur réalisation et participer, s'il y a lieu, à leur financement;

14º soumettre des recommandations au ministre de l'Éducation, du Loisir et du Sport ou au ministre de l'Enseignement supérieur, de la Recherche, de la Science et de la Technologie afin d'intégrer dans l'enseignement des programmes de formation et d'information sur la santé et la sécurité du travail;

15º accorder une aide financière à une association vouée à la formation ou à l'information de ses membres en matière de santé et de sécurité du travail ou qui a comme fonction de promouvoir la santé et la sécurité du travail;

16º soumettre des recommandations au ministre de la Santé et des Services sociaux afin qu'il coordonne la réalisation des programmes de santé et s'assure de la qualité du personnel employé, de l'équipement et des locaux utilisés aux fins des services de santé du travail;

17º coopérer avec les organismes qui poursuivent hors du Québec un objectif semblable au sien.

1979, c. 63, art. 167; 1985, c. 6, art. 540; 1985, c. 21, art. 82; 1985, c. 23, art. 24; 1988, c. 41, art. 88; 1993, c. 51, art. 50; 1994, c. 16, art. 50; 2005, c. 28, art. 195; 2013, c. 28, art. 203(7º)

167.1 (*Abrogé*).

2002, c. 76, art. 17; 2006, c. 29, art. 40; 2011, c. 19, art. 37

167.2 (*Abrogé*).

2002, c. 76, art. 17; 2006, c. 29, art. 40; 2015, c. 15, art. 215

168. Contrat de recherche — La Commission ne peut, sans l'approbation écrite du ministre de la Santé et des Services sociaux, accorder un contrat de recherche dans le domaine de la santé du travail nécessitant l'engagement de personnel additionnel ou l'implantation d'équipements nouveaux dans une installation maintenue par un établissement au sens de la *Loi sur les services de santé et les services sociaux* (chapitre S-4.2) ou au sens de la *Loi sur les services* *de santé et les services sociaux pour les autochtones cris* (chapitre S-5).

1979, c. 63, art. 168; 1985, c. 23, art. 24; 1992, c. 21, art. 330; 1994, c. 23, art. 23

169. Organisme de recherche — Le gouvernement peut, sur la recommandation du ministre, constituer un organisme ayant comme fonction la recherche en santé et en sécurité du travail.

Membres — La nomination des membres de cet organisme, la durée de leur mandat et leur traitement, honoraires ou allocations sont déterminés par le gouvernement.

1979, c. 63, art. 169

170. Ententes avec un ministère — La Commission peut conclure des ententes conformément à la loi avec un ministère ou un organisme du gouvernement, un autre gouvernement ou l'un de ses ministères ou organismes en vue de l'application des lois et des règlements qu'elle administre.

Effet — Malgré toute autre disposition législative ou réglementaire, lorsqu'une telle entente étend les bénéfices découlant de ces lois ou de ces règlements à toute personne visée dans cette entente, la Commission peut, par règlement, pour lui donner effet, prendre les mesures nécessaires à son application.

Dépôt devant l'Assemblée nationale — Ce règlement et cette entente sont immédiatement déposés à l'Assemblée nationale, si elle est en session ou, si elle ne l'est pas, dans les quinze jours de l'ouverture de la session suivante ou de la reprise des travaux, selon le cas.

1979, c. 63, art. 170; 1985, c. 30, art. 146

170.1 Entente — Malgré les articles 176.0.1 et 176.0.2, la Commission peut conclure avec le gouvernement, un de ses ministères ou un de ses organismes une entente lui permettant d'obtenir des ressources ou services dont bénéficient le gouvernement, ce ministère ou cet organisme en vertu des lois visées à ces articles.

2002, c. 76, art. 18

171. (*Abrogé*).

1979, c. 63, art. 171; 1985, c. 6, art. 541

172. Délégation de pouvoirs — La Commission peut déléguer, généralement ou spécialement, au président du conseil d'administration et chef de la direction, au comité administratif, à ses vice-présidents, à ses fonctionnaires ou à une personne qu'elle désigne ses pouvoirs pour examiner et décider une question que les lois et les règlements qu'elle administre déclarent être de sa compétence.

Pouvoirs d'examen — Pour les fins de l'examen d'une question, les personnes et les membres du comité administratif visés dans le premier alinéa sont investis des pouvoirs et de l'immunité des commissaires nommés en vertu de la *Loi sur les commissions d'enquête* (chapitre C-37), sauf de celui d'imposer l'emprisonnement.

Frais d'examen — Lors de l'examen d'une question, la Commission, les personnes et les membres du comité administratif visés dans le premier alinéa peuvent ordonner à une partie d'acquitter certains frais ou de les mettre à la charge de la Commission; la nature de ces frais, leur montant, ainsi que les cas ou circonstances dans lesquels ils peuvent être adjugés sont déterminés par règlement.

1979, c. 63, art. 172; 1985, c. 6, art. 542; 1992, c. 11, art. 64; 1997, c. 27, art. 40; 2002, c. 76, art. 19

172.1. Délégation de pouvoir — La Commission peut autoriser, généralement ou spécialement, une personne à exercer les pouvoirs qui lui sont conférés par la *Loi sur l'équité salariale* (chapitre E-12.001) et par la *Loi sur les normes du travail* (chapitre N-1.1).

Application — Le deuxième alinéa de l'article 172 s'applique à une personne visée au premier alinéa.

2015, c. 15, art. 216

173. Demande de renseignements — La Commission peut exiger de toute personne les renseignements ou informations dont elle a besoin pour l'application des lois et des règlements qu'elle administre.

1979, c. 63, art. 173

174. Renseignements confidentiels — La Commission assure le caractère confidentiel des renseignements et informations qu'elle obtient; seules des analyses dépersonnalisées peuvent être divulguées.

Communication de renseignements — Malgré le premier alinéa, la Commission peut communiquer à la Régie du bâtiment du Québec tout renseignement nécessaire à l'application de la *Loi sur le bâtiment* (chapitre B-1.1). De même, elle peut communiquer à la Commission de la construction du Québec tout renseignement nécessaire à l'application de la *Loi sur les relations du travail, la formation professionnelle et la gestion de la main-d'œuvre dans l'industrie de la construction* (chapitre R-20). Elle peut également communiquer au ministre de l'Emploi et de la Solidarité sociale tout renseignement relatif à une indemnité ou à un paiement d'assistance médicale qu'elle verse ou qu'elle est susceptible de verser à une personne et qui est nécessaire à l'application de la *Loi sur l'aide aux personnes et aux familles* (chapitre A-13.1.1).

1979, c. 63, art. 174; 1990, c. 31, art. 8; 1992, c. 44, art. 81; 1994, c. 12, art. 67; 1997, c. 63, art. 128; 1998, c. 36, art. 193; 2001, c. 44, art. 30; 2005, c. 15, art. 172; 2012, c. 25, art. 76

174.1 Communication de renseignements — La Commission et le ministre de l'Emploi et de la Solidarité sociale prennent entente pour la communication des renseignements nécessaires à l'application de la présente loi et de la *Loi sur l'assurance parentale* (chapitre A-29.011).

2001, c. 9, art. 142 [inopérant]; 2005, c. 13, art. 92

174.2 Communication de renseignements — La Commission doit communiquer à la Régie du bâtiment du Québec tout renseignement relatif à une déclaration de culpabilité concernant une infraction prévue à l'un des articles de la présente loi, dans la mesure où le renseignement est nécessaire à l'application des dispositions de la *Loi sur le bâtiment* (chapitre B-1.1) concernant la délivrance, la modification, la suspension ou l'annulation d'une licence.

2012, c. 25, art. 77

174.3. Respect des normes déontologiques — La Commission doit s'assurer que des mesures soient mises en place pour assurer le respect, par ses employés membres d'un ordre professionnel régi par le *Code des professions* (chapitre C-26), des normes déontologiques qui leur sont applicables.

2015, c. 15, art. 217

175. Renseignements pour fins d'étude — Malgré l'article 174, un professionnel peut prendre connaissance des renseignements et des informations que la Commission détient aux fins d'étude, d'enseignement ou de recherche, avec, malgré le paragraphe 5° du deuxième alinéa de l'article 59 de la *Loi sur l'accès aux documents des organismes publics et sur la protection des renseignements personnels* (chapitre A-2.1), l'autorisation de celle-ci.

Critères d'autorisation — Cette autorisation est accordée conformément aux critères établis à l'article 125 de cette loi.

1979, c. 63, art. 175; 1987, c. 68, art. 110

176. Compétence exclusive de la Commission — La Commission a compétence exclusive pour examiner et décider toute question au sujet de laquelle un pouvoir, une autorité ou une discrétion lui est conféré.

1979, c. 63, art. 176; 1997, c. 27, art. 41

SECTION III — DISPOSITIONS NON APPLICABLES

176.0.1 Lois non applicables — La *Loi sur l'administration financière* (chapitre A-6.001) et l'article 10 de la *Loi sur le Centre de services partagés du Québec* (chapitre C-8.1.1) lorsqu'il s'agit de l'exécution d'un service autre qu'en matière de ressources informationnelles ne s'appliquent pas à la Commission.

2002, c. 76, art. 20; 2005, c. 7, art. 73; 2011, c. 19, art. 38; 2013, c. 23, art. 140

176.0.2 Exception — La *Loi sur l'administration publique* (chapitre A-6.01) ne s'applique pas à la Commission, sauf les articles 30 à 40 et, relativement à la gestion des ressources humaines, l'article 78.

2002, c. 76, art. 20; 2014, c. 17, art. 32

176.0.3 (*Abrogé*).

2006, c. 29, art. 41; 2015, c.15, art. 215

Chapitre IX.1 — Les bureaux de révision (*Abrogé*)

176.1.–176.20. (*Abrogés*).

1997, c. 27, art. 42

Chapitre X — Inspection

177. Inspecteurs — Aux fins de l'application de la présente loi et des règlements, des inspecteurs sont nommés suivant la *Loi sur la fonction publique* (chapitre F-3.1.1) et ils sont des fonctionnaires de la Commission.

1979, c. 63, art. 177; 1983, c. 55, art. 161; 1985, c. 6, art. 544; 2000, c. 8, art. 242

178. Dispositions applicables — Les articles 160 et 161 s'appliquent à un inspecteur nommé en vertu de l'article 177.

1979, c. 63, art. 178; 1985, c. 6, art. 544

179. Accès dans un lieu — Un inspecteur peut, dans l'exercice de ses fonctions, pénétrer à toute heure raisonnable du jour ou de la nuit dans un lieu où sont exercées des activités dans les domaines visés dans la présente loi et les règlements, et l'inspecter.

Accès aux livres — Un inspecteur a alors accès à tous les livres, registres et dossiers d'un employeur, d'un maître d'œuvre, d'un fournisseur ou de toute autre personne qui exerce une activité dans les domaines visés dans la présente loi et les règlements. Une personne qui a la garde, la possession ou le contrôle de ces livres, registres ou dossiers doit en donner communication à l'inspecteur et lui en faciliter l'examen.

Identification — Un inspecteur doit, s'il en est requis, exhiber un certificat attestant sa qualité.

1979, c. 63, art. 179; 1986, c. 95, art. 302

180. Pouvoirs — En outre des pouvoirs généraux qui lui sont dévolus, l'inspecteur peut :

1° enquêter sur toute matière relevant de sa compétence;

2° exiger de l'employeur ou du maître d'œuvre, selon le cas, le plan des installations et de l'aménagement du matériel;

3° prélever, sans frais, à des fins d'analyse, des échantillons de toute nature notamment à même les objets utilisés par les travailleurs; il doit alors en informer l'employeur et lui retourner, après analyse, l'objet ou les échantillons prélevés lorsque c'est possible de le faire;

4° faire des essais et prendre des photographies ou enregistrements sur un lieu de travail;

5° exiger de l'employeur, du maître d'œuvre ou du propriétaire, pour s'assurer de la solidité d'un bâtiment, d'une structure ou d'un ouvrage de génie civil, une attestation de solidité signée par un ingénieur ou un architecte ou une attestation prévue par l'article 54;

6° installer, dans les cas qu'il détermine, un appareil de mesure sur un lieu de travail ou sur un travailleur si ce dernier y consent par écrit ou ordonner à l'employeur d'installer un tel appareil et ce, dans un délai et dans un endroit qu'il désigne, et obliger l'employeur à transmettre les données recueillies selon les modalités qu'il détermine;

7° se faire accompagner par une ou des personnes de son choix dans l'exercice de ses fonctions.

1979, c. 63, art. 180

181. Avis d'enquête — À son arrivée sur un lieu de travail, l'inspecteur doit, avant d'entreprendre une enquête ou une inspection, prendre les mesures raisonnables pour aviser l'employeur, l'association accréditée et le représentant à la prévention. Sur un chantier de construction, il avise le maître d'œuvre et le représentant à la prévention.

1979, c. 63, art. 181

182. Avis de correction — L'inspecteur peut, s'il l'estime opportun, émettre un avis de correction enjoignant une personne de se conformer à la présente loi ou aux règlements et fixer un délai pour y parvenir.

1979, c. 63, art. 182

183. Résultat d'enquête — L'inspecteur communique le résultat de son enquête ou de son inspection à l'employeur, à l'association accréditée, au comité de chantier, au comité de santé et de sécurité, au représentant à la prévention et au directeur de santé publique; il leur transmet, le cas échéant, copie de l'avis de correction. Lorsqu'il n'existe pas de comité, l'employeur doit afficher une copie de l'avis de correction dans autant d'endroits visibles et facilement accessibles aux travailleurs qu'il est raisonnablement nécessaire pour assurer leur information.

1979, c. 63, art. 183; 1992, c. 21, art. 331; 2001, c. 60, art. 167

184. Suite à l'avis de correction — La personne à qui un inspecteur a adressé un avis de correction doit y donner suite dans le délai imparti; elle doit, en outre, informer dans les plus brefs délais l'association accréditée, le comité de santé et de sécurité, le représentant à la prévention et l'inspecteur des mesures précises qu'il entend prendre.

1979, c. 63, art. 184; 1992, c. 21, art. 309; 2015, c. 13, art. 11

185. Entrave — Il est interdit d'entraver un inspecteur dans l'exercice de ses fonctions, de le tromper ou de tenter de le tromper par des réticences ou par des déclarations fausses ou mensongères, de refuser de lui déclarer ses nom et adresse ou de négliger d'obéir à un ordre qu'il peut donner en vertu de la présente loi ou des règlements.

1979, c. 63, art. 185

186. Suspension des travaux — Un inspecteur peut ordonner la suspension des travaux ou la fermeture, en tout ou en partie, d'un lieu de travail et, s'il y a lieu, apposer les scellés lorsqu'il juge qu'il y a danger pour la santé, la sécurité ou l'intégrité physique des travailleurs.

Décision — Il doit alors motiver sa décision par écrit dans les plus brefs délais et indiquer les mesures à prendre pour éliminer le danger.

Disposition applicable — L'article 183 s'applique, compte tenu des adaptations nécessaires, à cet ordre de l'inspecteur.

1979, c. 63, art. 186

187. Présomption — Pendant que dure une suspension des travaux ou une fermeture, les travailleurs sont réputés être au travail et ont ainsi droit à leur salaire et aux avantages liés à leur emploi.

1979, c. 63, art. 187

188. Lieu de travail fermé — Personne ne peut être admis sur un lieu de travail fermé par un inspecteur sauf, avec l'autorisation de l'inspecteur, les personnes qui exécutent les travaux nécessaires pour éliminer le danger.

Conservation des biens — Toutefois, l'application du premier alinéa ne peut avoir pour effet d'empêcher un employeur, un maître d'œuvre ou un propriétaire de prendre les moyens de conservation nécessaires pour éviter la destruction ou la détérioration grave de biens qui s'y trouvent.

1979, c. 63, art. 188; 1999, c. 40, art. 261

189. Reprise du travail — Les travaux ne peuvent reprendre ou le lieu de travail être réouvert avant que l'inspecteur ne l'ait autorisé.

Disposition applicable — L'article 183 s'applique, compte tenu des adaptations nécessaires, à l'autorisation de l'inspecteur.

1979, c. 63, art. 189

190. Ordonnance — L'inspecteur peut, lorsqu'une personne enfreint la présente loi ou les règlements, ordonner qu'elle cesse de fabriquer, fournir, vendre, louer, distribuer ou installer le produit, le procédé, l'équipement, le matériel, le contaminant ou la matière dangereuse concerné et apposer les scellés ou confisquer ces biens et ordonner qu'elle cesse toute activité susceptible de causer l'émission du contaminant concerné.

Décision motivée — Il doit alors motiver sa décision par écrit en indiquant, le cas échéant, les mesures à prendre pour que le produit, le procédé, l'équipement, le matériel, le contaminant ou la matière dangereuse ou que l'activité susceptible de causer l'émission du contaminant soit rendu conforme à la loi et aux règlements.

Reprise du travail — La fabrication, la fourniture, la vente, la location, la distribution ou l'installation du produit, du procédé, de l'équipement, du matériel, du contaminant ou de la matière dangereuse ou l'activité susceptible de causer l'émission d'un contaminant ne peut reprendre avant que l'inspecteur ne l'ait autorisée.

Disposition applicable — L'article 183 s'applique, compte tenu des adaptations nécessaires, à un ordre ou une autorisation de l'inspecteur.

1979, c. 63, art. 190

191. Effet d'une décision — Un ordre ou une décision d'un inspecteur a effet immédiatement, malgré une demande de révision.

1979, c. 63, art. 191; 1985, c. 6, art. 545

191.1 Demande de révision — Une personne qui se croit lésée par un ordre ou une décision d'un inspecteur peut, dans les 10 jours de sa notification, en demander la révision par la Commission conformément aux articles 358.1 à 358.5 de la *Loi sur les accidents du travail et les maladies professionnelles* (chapitre A-3.001).

1985, c. 6, art. 545; 1997, c. 27, art. 43

191.2 Procédure urgente — Lorsque la révision porte sur la fermeture, en tout ou en partie, d'un lieu de travail ou sur l'exercice du droit de refus, la Commission doit procéder d'urgence.

1985, c. 6, art. 545; 1997, c. 27, art. 44

192. Effet immédiat — Une décision rendue par la Commission à la suite d'une demande faite en vertu de l'article 191.1 a effet immédiatement, malgré la contestation devant le Tribunal administratif du travail.

1979, c. 63, art. 192; 1985, c. 6, art. 545; 1997, c. 27, art. 45; 2015, c. 15, art. 237

193. Contestation — Une personne qui se croit lésée par une décision rendue par la Commission à la suite d'une demande faite en vertu de l'article 191.1 peut, dans les 10 jours de sa notification, la contester devant le Tribunal administratif du travail.

Recours — Le recours formé en vertu du présent article est instruit et décidé d'urgence.

1979, c. 63, art. 193; 1985, c. 6, art. 545; 1992, c. 11, art. 76; 1997, c. 27, art. 46; 2015, c. 15, art. 218

Chapitre XI — Dispositions particulières relatives aux chantiers de construction

Section I — Définitions et application

194. Interprétation — Aux fins du présent chapitre, on entend par :

1° « association représentative » : une association représentative au sens de la *Loi sur les relations du travail, la formation professionnelle et la gestion de la main-d'œuvre dans l'industrie de la construction* (chapitre R-20);

2° « employeur » : un employeur au sens de la loi visée dans le paragraphe 1°;

3° « représentant à la prévention » : une personne désignée en vertu de l'article 209;

4° « travailleur de la construction » : un salarié au sens de la loi visé dans le paragraphe 1° y compris un étudiant dans les cas déterminés par règlement.

1979, c. 63, art. 194; 1986, c. 89, art. 50

195. Dispositions applicables — Les autres chapitres de la présente loi s'appliquent, compte tenu des adaptations nécessaires, aux employeurs et aux travailleurs de la construction sauf dans la mesure où ils sont modifiés par le présent chapitre.

1979, c. 63, art. 195

Section II — Le maître d'œuvre et l'employeur

196. Obligations — Le maître d'œuvre doit respecter au même titre que l'employeur les obligations imposées à l'employeur par la présente loi et les règlements notamment prendre les mesures nécessaires pour protéger la santé et assurer la sécurité et l'intégrité physique du travailleur de la construction.

1979, c. 63, art. 196

197. Avis d'ouverture ou de fermeture du chantier — Au début et à la fin des activités sur un chantier de construction, le maître d'œuvre doit, selon le cas, transmettre à la Commission un avis d'ouverture ou de fermeture du chantier dans les délais et selon les modalités prévus par règlement.

1979, c. 63, art. 197

198. Programme de prévention — Lorsqu'il est prévu que les activités sur un chantier de construction occuperont simultanément au moins dix travailleurs de la construction, à un moment donné des travaux, le maître d'œuvre doit, avant le début des travaux, faire en sorte que soit élaboré un programme de prévention. Cette élaboration doit être faite conjointement avec les employeurs. Copie du programme de prévention doit être transmise au représentant à la prévention et à l'association sectorielle paritaire de la construction visée dans l'article 99.

1979, c. 63, art. 198

199. Objectif — Le programme de prévention a pour objectif d'éliminer à la source même les dangers pour la santé, la sécurité et l'intégrité physique des travailleurs de la construction. Il doit notamment contenir tout élément prescrit par règlement.

1979, c. 63, art. 199

200. Programme transmis à la Commission — Le programme de prévention doit être transmis à la Commission avant le début des travaux :

1° lorsqu'il est prévu que les activités sur un chantier de construction occuperont simultanément au moins vingt-cinq travailleurs de la construction à un moment donné des travaux;

2° lorsqu'il s'agit de la construction d'un ou de plusieurs bâtiments sur un chantier dont la superficie totale des planchers est de 10 000 mètres carrés ou plus; ou

3° lorsque le chantier de construction présente un risque élevé d'accident tel que défini par règlement.

1979, c. 63, art. 200

201. Programme modifié — La Commission peut ordonner que le contenu d'un programme de prévention soit modifié ou qu'un nouveau programme lui soit soumis dans le délai qu'elle détermine.

1979, c. 63, art. 201

202. Respect du programme — Le maître d'œuvre doit faire en sorte qu'un employeur œuvrant sur un chantier de construction où un programme de prévention est mis en application s'engage par écrit à le faire respecter.

1979, c. 63, art. 202

203. Incompatibilité — En cas d'incompatibilité, le programme de prévention du maître d'œuvre a préséance sur celui de l'employeur.

1979, c. 63, art. 203

Dispositions non en vigueur — 204-215

SECTION III — LE COMITÉ DE CHANTIER

204. Comité de chantier — Lorsqu'il est prévu que les activités sur un chantier de construction occuperont simultanément au moins vingt-cinq travailleurs de la construction à un moment donné des travaux, le maître d'œuvre doit former, dès le début des travaux, un comité de chantier.

1979, c. 63, art. 204 [Non en vigueur à la date de publication.]

205. Composition — Le comité de chantier est composé des personnes suivantes au fur et à mesure de leur présence sur le chantier de construction :

1° au moins un représentant du maître d'œuvre;

2° un représentant de chacun des employeurs;

3° un représentant de la personne qui est chargée de la conception et, le cas échéant, de la surveillance des travaux;

4º un représentant de chaque association représentative dont au moins un membre d'une de leurs unions, syndicats ou associations travaille sur le chantier de construction.

1979, c. 63, art. 205 [Non en vigueur à la date de publication.]

206. Fonctions — Les fonctions du comité de chantier sont :

1º de surveiller l'application du programme de prévention;

2º de surveiller, eu égard à la sécurité des travailleurs de la construction, la mise en place et le fonctionnement des mécanismes de coordination des activités des employeurs qui se trouvent simultanément sur le chantier de construction;

3º de recevoir les suggestions et les plaintes des travailleurs de la construction, d'une union, syndicat ou association, des employeurs et du maître d'œuvre relatives à la santé et la sécurité du travail;

4º de recevoir copie des avis d'accidents et de soumettre les recommandations appropriées au maître d'œuvre, à l'employeur ou à la Commission;

5º de recevoir et d'étudier les rapports d'inspections effectuées sur le chantier de construction;

6º de recevoir et d'étudier les informations statistiques produites par l'agence ou la Commission;

7º de transmettre à la Commission les informations que celle-ci requiert conformément aux règlements.

1979, c. 63, art. 206 [Non en vigueur à la date de publication.]; 1992, c. 21, art. 332; 2005, c. 32, art. 308

207. Réunion — Un comité de chantier se réunit au moins une fois toutes les deux semaines, sous réserve des règlements.

Réunion — Les réunions se tiennent durant les heures régulières de travail sauf en cas de décision contraire du comité.

Règles de fonctionnement — À défaut par le comité d'établir ses propres règles de fonctionnement, il doit appliquer celles qui sont établies par règlement.

1979, c. 63, art. 207 [Non en vigueur à la date de publication.]

208. Dispositions applicables — Les articles 76, 77 et 81 s'appliquent, compte tenu des adaptations nécessaires, aux représentants des associations représentatives qui font partie du comité de chantier.

1979, c. 63, art. 208 [Non en vigueur à la date de publication.]

SECTION IV — LE REPRÉSENTANT À LA PRÉVENTION

209. Représentant à la prévention — Une association représentative peut désigner une ou des personnes pour exercer les fonctions de représentant à la prévention sur un chantier de construction où travaille un travailleur de la construction membre d'une union, d'un syndicat ou d'une association de salariés qui lui y est affilié.

Désignation — Ces personnes doivent être désignées parmi les travailleurs de la construction qui travaillent sur le chantier de construction.

1979, c. 63, art. 209 [Non en vigueur à la date de publication.]

210. Fonctions — Le représentant à la prévention a pour fonctions :

1º de faire l'inspection des lieux de travail;

2º de recevoir copie des avis d'accidents et d'enquêter sur les événements qui ont causé ou auraient été susceptibles de causer un accident;

3° d'identifier les situations qui peuvent être source de danger pour les travailleurs de la construction;

4° de faire les recommandations qu'il juge opportunes au comité de chantier ou, à défaut, aux travailleurs de la construction ou à leur union, syndicat ou association et à l'employeur;

5° d'assister les travailleurs de la construction dans l'exercice des droits qui leur sont reconnus par la présente loi et les règlements;

6° d'accompagner l'inspecteur à l'occasion des visites d'inspection;

7° d'intervenir dans les cas où le travailleur exerce son droit de refus;

8° de porter plainte à la Commission.

1979, c. 63, art. 210 [Non en vigueur à la date de publication.]; 1985, c. 6, art. 546

211. Participation aux programmes de prévention — Le représentant à la prévention doit participer aux programmes de formation dont le contenu et la durée sont déterminés par règlement.

Absence du travail — Il peut s'absenter, sans perte de salaire, le temps nécessaire pour participer à ces programmes.

Frais de séjour — Les frais d'inscription, de déplacement et de séjour sont assumés par la Commission conformément aux règlements.

1979, c. 63, art. 211 [Non en vigueur à la date de publication.]

212. Absence du travail — Le représentant à la prévention peut s'absenter de son travail le temps nécessaire pour exercer les fonctions visées dans les paragraphes 2°, 6° et 7° de l'article 210.

Exercice des fonctions — La Commission détermine par règlement, selon les catégories de chantiers de construction, le temps que le représentant à la prévention peut consacrer à l'exercice de ses autres fonctions.

1979, c. 63, art. 212 [Non en vigueur à la date de publication.]

213. Dispositions applicables — Les articles 93, 94, 95 et 97 s'appliquent, compte tenu des adaptations nécessaires, au représentant à la prévention.

1979, c. 63, art. 213 [Non en vigueur à la date de publication.]

214. Présomption — Le représentant à la prévention est réputé être au travail lorsqu'il exerce ses fonctions.

1979, c. 63, art. 214 [Non en vigueur à la date de publication.]

215. Disposition applicable — L'article 26 de la *Loi sur les relations du travail, la formation professionnelle et la gestion de la main-d'œuvre dans l'industrie de la construction* (chapitre R-20) s'applique, compte tenu des adaptations nécessaires, au représentant à la prévention.

1979, c. 63, art. 215 [Non en vigueur à la date de publication.]; 1986, c. 89, art. 50

SECTION V — L'INSPECTION

216. Conditions d'inspection — Les conditions et modalités selon lesquelles les inspecteurs exercent leurs fonctions sur les chantiers de construction sont établies par règlement.

Inspecteur permanent — Les règlements déterminent, en outre, selon la catégorie à laquelle appartient un chantier de construction, les cas dans lesquels un ou plusieurs inspecteurs doivent y être présents en permanence.

1979, c. 63, art. 216

217. Ordonnance — Lorsqu'un inspecteur constate que les lieux de travail, les outils, les appareils ou machines utilisés ne sont pas conformes aux règlements, au programme de prévention, s'il y en a un, ou à une autre norme de sécurité et qu'il en résulte un danger pour la sécurité, la santé ou l'intégrité physique des travailleurs de la construction, il doit ordonner au maître d'œuvre de prendre les mesures appropriées.

1979, c. 63, art. 217

218. Arrêt de travail — L'inspecteur peut ordonner l'arrêt de tel appareil ou machine qu'il désigne et même l'arrêt complet des travaux. Ses ordres sont exécutoires.

1979, c. 63, art. 218

219. Reprise du travail — Lorsque la situation est rétablie à sa satisfaction, l'inspecteur peut autoriser la reprise des travaux ou la remise en marche de l'appareil ou de la machine.

1979, c. 63, art. 219

SECTION VI — LES CHANTIERS DE CONSTRUCTION DE GRANDE IMPORTANCE

220. Avis à la Commission — Nul ne peut entreprendre un chantier de construction qui constituera vraisemblablement un chantier de grande importance au sens des règlements à moins d'en avoir avisé la Commission par écrit au moins 180 jours avant le début des travaux.

Renseignements — Lorsqu'elle est ainsi avisée, la Commission convoque et rencontre le maître d'œuvre et chaque association représentative. Le maître d'œuvre doit fournir à la Commission tous les renseignements que celle-ci requiert à propos du chantier de construction projeté.

1979, c. 63, art. 220

221. Dispositions applicables — La Commission détermine les dispositions qui doivent s'appliquer sur le chantier de construction pendant la durée des travaux de construction. Ces dispositions déterminent notamment le rôle respectif en matière de santé et de sécurité du maître d'œuvre, des employeurs, des associations représentatives, du comité de chantier, du représentant à la prévention, des inspecteurs et des travailleurs de la construction.

1979, c. 63, art. 221

222. Communication des dispositions — La Commission communique ces dispositions au maître d'œuvre et aux associations représentatives.

1979, c. 63, art. 222

Chapitre XII — Règlements

223. Réglementation de la Commission — La Commission peut faire des règlements pour :

1° établir des catégories d'établissements en fonction des activités exercées, du nombre d'employés, des dangers pour la santé et la sécurité des travailleurs ou de la fréquence et de la gravité des accidents et des maladies professionnelles;

2° déterminer les autres travaux qui peuvent être compris dans la définition des mots « chantier de construction » à l'article 1;

3° dresser une liste des contaminants ou des matières dangereuses, les classer en catégories notamment en identifiant les agents biologiques et chimiques et déterminer, pour chaque catégorie ou chaque contaminant, une quantité ou une concentration maximale permissible d'émission, de dépôt, de dégagement ou de rejet dans un lieu de travail, en prohiber ou restreindre l'utilisation ou en interdire toute émission, dépôt, dégagement ou rejet;

4° préciser les propriétés d'une matière qui en font une matière dangereuse;

5° déterminer les cas où un étudiant est réputé être un travailleur ou un travailleur de la construction au sens de la présente loi;

6° identifier les contaminants à l'égard desquels un travailleur peut exercer le droit que lui reconnaît l'article 32, déterminer les critères d'altération à la santé associés à chacun de ces contaminants et permettant l'exercice de ce droit, préciser les critères du retrait d'un travailleur de son poste de travail et de sa réintégration, et déterminer la forme et la teneur du certificat visé dans les articles 32, 40 et 46;

7° prescrire les mesures de surveillance de la qualité du milieu de travail et les normes applicables à tout établissement ou chantier de construction de manière à assurer la santé, la sécurité et l'intégrité physique des travailleurs notamment quant à l'organisation du travail, à l'éclairage, au chauffage, aux installations sanitaires, à la qualité de l'alimentation, au bruit, à la ventilation, aux contraintes thermiques, à la qualité de l'air, à l'accès à l'établissement, aux moyens de transports utilisés par les travailleurs, aux locaux pour prendre les repas et à la propreté sur un lieu de travail et déterminer les normes d'hygiène et de sécurité que doit respecter l'employeur lorsqu'il met des locaux à la disposition des travailleurs à des fins d'hébergement, de services d'alimentation ou de loisirs;

8° déterminer les mesures de sécurité contre l'incendie que doit prendre l'employeur ou le maître d'œuvre;

9° déterminer, en fonction des catégories d'établissements ou de chantiers de construction, les moyens et équipements de protection individuels ou collectifs que l'employeur doit fournir gratuitement au travailleur;

10° déterminer le contenu des registres que l'employeur doit dresser et maintenir à jour conformément à l'article 52;

11° fixer l'âge minimum qu'un travailleur doit avoir atteint pour exécuter un travail qu'elle identifie;

12° déterminer, dans les cas ou circonstances qu'elle indique, le nombre d'heures maximum, par jour ou par semaine, qui peut être consacré à un travail, selon la nature de celui-ci, le lieu où il est exécuté et la capacité physique du travailleur et prévoir la distribution de ces heures ainsi qu'une période minimum de repos ou de repas;

13° exiger, dans les circonstances qu'elle indique, un examen de santé de pré-embauche ou des examens de santé en cours d'emploi, déterminer le contenu et les normes de ces examens, leur époque ou fréquence et la forme et la teneur du certificat de santé qui s'y rapporte, et exiger pour le travail qu'elle indique, un certificat de santé ainsi que la forme et la teneur de ce certificat;

14° indiquer dans quels cas ou circonstances une construction nouvelle ou une modification à des installations existantes ne peut être entreprise sans transmission préalable à la Commission des plans et devis d'architecte ou d'ingénieur et indiquer les délais et les modalités selon lesquels cette transmission doit être faite, et prescrire des normes de construction, d'aménagement, d'entretien et de démolition;

15° préciser la forme, le contenu ainsi que le délai et les modalités de transmission de l'avis d'ouverture ou de fermeture d'un établissement ou d'un chantier de construction;

16° déterminer les cas et circonstances dans lesquels un établissement ou un chantier de construction doit être considéré comme éloigné et déterminer les conditions de vie que l'employeur doit y maintenir au bénéfice des travailleurs;

17° déterminer les catégories d'établissements pour lesquelles un programme de prévention doit être mis en application, déterminer le contenu minimum obligatoire de ce programme de prévention, selon la catégorie à laquelle appartient un établissement ou un chantier de construction et déterminer les modalités et les délais selon lesquels le programme de prévention et sa mise à jour doivent être transmis à la Commission;

18° déterminer la forme et le contenu du rapport qu'un employeur doit donner en vertu de l'article 62;

19° prescrire des normes relatives à la sécurité des produits, procédés, équipements, matériels, contaminants ou matières dangereuses qu'elle identifie, en indiquer les modes d'utilisation, d'entretien et de réparation et en prohiber ou restreindre l'utilisation;

20° déterminer les délais et les modalités de la transmission de l'avis visé dans l'article 64, la forme et les renseignements qu'il doit contenir;

21° déterminer dans quels cas ou circonstances une étiquette ou une affiche doit indiquer les dangers inhérents à un contaminant ou une matière dangereuse et les précautions à prendre pour sa manutention et son utilisation;

21.1° définir et identifier les produits dangereux, en établir une classification et déterminer des critères ou modes de classement de ces produits dans les catégories de produits identifiées dans cette classification;

21.2° exclure des produits de l'application de la sous-section 5 de la section II du chapitre III de la loi ou de certaines de ses dispositions;

21.3° (*paragraphe supprimé*);

21.4° déterminer les normes d'étiquetage et d'affichage des produits dangereux présents ou fabriqués sur un lieu de travail, notamment :

a) les informations que doit contenir une étiquette ou une affiche;

b) la forme de l'étiquette ou de l'affiche;

c) des mesures pour la mise à jour de l'étiquette ou de l'affiche, leur renouvellement et leur remplacement en cas de perte, destruction ou détérioration;

d) les cas où l'étiquette peut être remplacée par une affiche ou par un autre mode d'information qu'identifie le règlement;

21.5° déterminer des normes applicables aux fiches de données de sécurité des produits dangereux présents ou fabriqués sur un lieu de travail, notamment :

a) les informations qu'elles doivent contenir;

b) leur forme et des modes de reproduction pour en faciliter l'accès;

c) leur mise à jour, leur communication, leur conservation et leur remplacement;

21.6° déterminer le contenu minimum d'un programme de formation et d'information visé à l'article 62.5, les modalités de sa mise à jour, ainsi que celles relatives à l'acquisition des compétences requises par les travailleurs;

21.6.1° déterminer les renseignements qui peuvent faire l'objet d'une demande d'exemption en vertu de l'article 62.7;

21.6.2° déterminer les renseignements qui doivent apparaître sur une étiquette ou sur une fiche de données de sécurité lorsque des renseignements font l'objet d'une exemption;

21.7º (*paragraphe supprimé*);

22º déterminer les catégories d'établissements au sein desquels un comité de santé et de sécurité peut être formé et fixer, selon les catégories, le nombre minimum et maximum de membres d'un comité, et établir les règles de fonctionnement des comités et déterminer les procédures et les modalités de désignation des membres représentant les travailleurs dans les cas prévus par l'article 72;

23º fixer, pour les comités de santé et de sécurité appartenant à certaines catégories d'établissements qu'elle identifie, un nombre minimum de réunions différent de celui que prévoit la présente loi, et indiquer quelles informations un comité doit lui transmettre ainsi que les procédures et modalités de transmission de ces informations et du rapport annuel d'activités;

24º déterminer, en fonction des catégories d'établissements, le temps qu'un représentant à la prévention peut consacrer à l'exercice de ses fonctions, déterminer selon les catégories d'établissements ou de chantiers de construction les instruments ou appareils nécessaires à l'exercice des fonctions du représentant à la prévention, et déterminer les frais d'inscription, de déplacement et de séjour qu'elle assume en vertu des articles 91 et 211;

25º délimiter les secteurs d'activités, indiquer les établissements, employeurs, travailleurs, associations syndicales ou catégories d'entre eux qui font partie d'un secteur d'activités donné au sens de l'article 98;

26º prescrire le contenu minimum obligatoire des ententes visées dans les articles 98 et 99;

27º déterminer les conditions et critères selon lesquels une subvention est accordée à une association sectorielle en application de l'article 100, et indiquer quelles informations une association sectorielle doit lui transmettre ainsi que les procédures et modalités de transmission de ces informations et du rapport annuel d'activités;

28º déterminer, en fonction des catégories d'établissements ou de chantiers de construction, les cas où des services de santé doivent être fournis aux travailleurs;

29º établir des catégories de chantiers de construction, en fonction de la durée prévue du chantier, du nombre prévu de travailleurs de la construction qui doivent simultanément y œuvrer et des risques d'accident et de maladie professionnelle;

30º définir ce que constitue un chantier de construction qui présente un risque élevé;

31º établir les règles de fonctionnement des comités de chantier, fixer, pour les comités formés au sein de chantiers de construction appartenant à certaines catégories qu'elle identifie, un nombre minimum de réunions différent de celui que prévoit la présente loi, et indiquer quelles informations un comité de chantier doit lui transmettre ainsi que les procédures et modalités de transmission de ces informations;

32º déterminer, en fonction des catégories de chantiers de construction, le temps que le représentant à la prévention peut consacrer à l'exercice de ses fonctions, et déterminer le contenu et la durée des programmes de formation auxquels doit participer le représentant à la prévention visé dans l'article 211;

33º établir les conditions et modalités selon lesquelles les inspecteur exercent leurs fonctions sur un chantier de construction, et déterminer, selon la catégorie à laquelle appartient un chantier de construction, les cas dans lesquels un ou plusieurs inspecteurs doivent être présents en permanence;

34° déterminer ce qui constitue un chantier de construction de grande importance;

35° déterminer les cas où un appareil de mesure peut être installé sur un lieu de travail ou sur un travailleur lorsque ce dernier y consent par écrit;

36° établir des règlements de régie interne;

37° édicter les règles applicables à l'examen et à la décision des questions sur lesquelles un inspecteur ou la Commission ont compétence ou sur lesquelles des personnes ou le comité administratif ont compétence en vertu de l'article 172;

38° (*paragraphe abrogé*);

39° prendre les mesures nécessaires à l'application d'une entente conclue en vertu de l'article 170;

40° déterminer les cas ou circonstances où une partie a droit au remboursement des frais occasionnés par l'examen d'une question fait en vertu de l'article 172, en préciser la nature et en établir les montants;

40.1° (*paragraphe abrogé*);

41° exempter de l'application de la présente loi ou de certaines de ses dispositions, des catégories de personnes, de travailleurs, d'employeurs, de lieux de travail, d'établissements ou de chantiers de construction;

42° généralement prescrire toute autre mesure utile à la mise en application de la présente loi.

Contenu des règlements — Le contenu des règlements peut varier selon les catégories de personnes, de travailleurs, d'employeurs, de lieux de travail, d'établissements ou de chantiers de construction auxquelles ils s'appliquent. Les règlements peuvent, en outre, prévoir des délais de mise en application qui peuvent varier selon l'objet et la portée de chaque règlement.

Règlement — Un règlement peut référer à une approbation, une certification ou une homologation du Bureau de normalisation du Québec ou d'un autre organisme de normalisation.

1979, c. 63, art. 223; 1985, c. 6, art. 547; 1988, c. 61, art. 3; 1997, c. 27, art. 47; 2015, c. 13, art. 12

223.1 Réglementation — Le gouvernement peut, par règlement :

1° déterminer les modalités de présentation d'une demande d'exemption faite en vertu de l'article 62.8 ou d'une contestation formée conformément à l'article 62.15 ainsi que les renseignements, documents et le montant des frais qui doivent l'accompagner;

2° fixer les critères d'appréciation d'une demande d'exemption;

3° déterminer la procédure d'examen d'une demande d'exemption faite en vertu de l'article 62.8;

4° déterminer les règles de procédure applicables à l'organisme visé à l'article 62.14 et le délai à l'intérieur duquel une contestation peut être formée.

1988, c. 61, art. 4; 1997, c. 27, art. 48

223.2 (*Abrogé*)

1988, c. 61, art. 4; 2015, c. 13, art. 13

224. Approbation — Un projet de règlement que la Commission adopte en vertu de l'article 223 est soumis pour approbation au gouvernement.

1979, c. 63, art. 224; 1985, c. 6, art. 548; 2002, c. 76, art. 21

225. Règlement du gouvernement — Le gouvernement peut adopter lui- même un règlement à défaut par la Commission de l'adopter dans un délai qu'il juge raisonnable.

Publication — Le gouvernement publie alors à la *Gazette officielle du Québec* le projet de règlement qu'il désire adopter avec avis qu'à l'expiration des 60 jours suivant cet avis, il sera adopté par le gouvernement avec ou sans modification.

Publication non requise — Cette publication n'est pas requise si la Commission a déjà fait publier ce projet à la *Gazette officielle du Québec* et qu'aucune modification n'y est apportée par le gouvernement.

Entrée en vigueur — Ce règlement entre en vigueur le dixième jour qui suit celui de la publication à la *Gazette officielle du Québec* de son texte définitif avec le décret qui l'a adopté ou à toute date ultérieure fixée dans ce décret.

1979, c. 63, art. 225; 1985, c. 6, art. 548

226. (*Abrogé*).

1979, c. 63, art. 226; 1985, c. 6, art. 548; 2002, c. 76, art. 22

Chapitre XIII — Recours

227. Procédure de griefs ou plainte — Le travailleur qui croit avoir été l'objet d'un congédiement, d'une suspension, d'un déplacement, de mesures discriminatoires ou de représailles ou de toute autre sanction à cause de l'exercice d'un droit ou d'une fonction qui lui résulte de la présente loi ou des règlements, peut recourir à la procédure de griefs prévue par la convention collective qui lui est applicable ou, à son choix, soumettre une plainte par écrit à la Commission dans les 30 jours de la sanction ou de la mesure dont il se plaint.

1979, c. 63, art. 227; 1985, c. 6, art. 548

228. Dispositions applicables — La section III du chapitre VII de la *Loi sur les accidents du travail et les maladies professionnelles* (chapitre A-3.001) s'appliquent, compte tenu des adaptations nécessaires, à une plainte soumise en vertu de l'article 227 comme s'il s'agissait d'une plainte soumise en vertu de l'article 32 de cette loi.

Contestation — La décision de la Commission peut faire l'objet d'une contestation devant le Tribunal administratif du travail conformément à l'article 359.1 de la *Loi sur les accidents du travail et les maladies professionnelles*.

1979, c. 63, art. 228; 1985, c. 6, art. 548; 1997, c. 27, art. 49; 2015, c. 15, art. 237

228.1. Fonds — La Commission contribue au Fonds du Tribunal administratif du travail, visé à l'article 97 de la *Loi instituant le Tribunal administratif du travail* (chapitre T-15.1), pour pourvoir aux dépenses engagées par ce tribunal relativement aux recours instruits devant lui en vertu de la présente loi.

Montant et modalités de versement — Le montant et les modalités de versement de la contribution de la Commission sont déterminés par le gouvernement, après consultation de la Commission par le ministre.

2015, c. 15, art. 219

229. (*Remplacé*).

1979, c. 63, art. 229; 1985, c. 6, art. 548

230. (*Remplacé*).

1979, c. 63, art. 230; 1985, c. 6, art. 548

231. (*Remplacé*).

1979, c. 63, art. 231; 1985, c. 6, art. 548

232. (*Remplacé*).

1979, c. 63, art. 232; 1985, c. 6, art. 548

233. (*Remplacé*).

1979, c. 63, art. 233; 1985, c. 6, art. 548

Chapitre XIV — Dispositions pénales

234. Infraction — Sous réserve du deuxième alinéa de l'article 160, commet une infraction quiconque révèle ou divulgue, de quelque manière que ce soit, un secret ou un procédé de fabrication ou d'exploitation dont il prend connaissance à l'occasion de l'exercice des fonctions qui lui sont dévolues par la présente loi et les règlements.

1979, c. 63, art. 234

235. Infraction — Commet une infraction quiconque fait une fausse déclaration ou néglige ou refuse de fournir les informations requises en application de la présente loi ou des règlements.

1979, c. 63, art. 235

236. Infraction et peine — Quiconque contrevient à la présente loi ou aux règlements ou refuse de se conformer à une décision ou à un ordre rendu en vertu de la présente loi ou des règlements ou incite une personne à ne pas s'y conformer commet une infraction et est passible :

1º dans le cas d'une personne physique, d'une amende d'au moins 600 $ et d'au plus 1 500 $ dans le cas d'une première infraction, d'une amende d'au moins 1 500 $ et d'au plus 3 000 $ dans le cas d'une récidive et d'une amende d'au moins 3 000 $ et d'au plus 6 000 $ pour toute récidive additionnelle;

2º dans le cas d'une personne morale, d'une amende d'au moins 1 500 $ et d'au plus 3 000 $ dans le cas d'une première infraction, d'une amende d'au moins 3 000 $ et d'au plus 6 000 $ dans le cas d'une récidive et d'une amende d'au moins 6 000 $ et d'au plus 12 000 $ pour toute récidive additionnelle.

1979, c. 63, art. 236; 1990, c. 4, art. 798; 1999, c. 40, art. 261; 2009, c. 19, art. 21

237. Infraction et peine — Quiconque, par action ou par omission, agit de manière à compromettre directement et sérieusement la santé, la sécurité ou l'intégrité physique d'un travailleur commet une infraction et est passible :

1º dans le cas d'une personne physique, d'une amende d'au moins 1 500 $ et d'au plus 3 000 $ dans le cas d'une première infraction, d'une amende d'au moins 3 000 $ et d'au plus 6 000 $ dans le cas d'une récidive et d'une amende d'au moins 6 000 $ et d'au plus 12 000 $ pour toute récidive additionnelle;

2º dans le cas d'une personne morale, d'une amende d'au moins 15 000 $ et d'au plus 60 000 $ dans le cas d'une première infraction, d'une amende d'au moins 30 000 $ et d'au plus 150 000 $ dans le cas d'une récidive et d'une amende d'au moins 60 000 $ et d'au plus 300 000 $ pour toute récidive additionnelle.

1979, c. 63, art. 237; 1990, c. 4, art. 799; 1999, c. 40, art. 261; 2009, c. 19, art. 21

237.1 Amende — Les amendes prévues aux articles 236 et 237 sont revalorisées le 1er janvier de chaque année selon la méthode prévue aux articles 119 à 123 de la *Loi sur les accidents du travail et les maladies professionnelles* (chapitre A-3.001).

2009, c. 19, art. 21

238. Ordonnance du tribunal — Le tribunal peut, sur demande du poursuivant, ordonner à la personne déclarée coupable d'une infraction à une disposition de l'article 236 ou 237 de se conformer aux exigences de la loi ou des règlements dans le délai qu'il fixe ou d'exécuter une mesure qu'il juge susceptible de contribuer à la prévention des accidents du travail ou des maladies professionnelles.

Préavis — Un préavis de la demande d'ordonnance doit être donné par le poursuivant au défendeur, sauf si ces parties sont en présence du juge.

1979, c. 63, art. 238; 1990, c. 4, art. 800; 1992, c. 61, art. 546

239. Infraction d'un représentant d'un employeur — Dans une poursuite visée dans le présent chapitre, la preuve qu'une infraction a été commise par un représentant, un mandataire ou un travailleur à l'emploi d'un employeur suffit à établir qu'elle a été commise par cet employeur à moins qu'il n'établisse que cette infraction a été commise à son insu, sans son consentement et malgré les dispositions prises pour prévenir sa commission.

1979, c. 63, art. 239

240. Responsabilité du travailleur — Lorsqu'un travailleur est poursuivi pour une infraction à la présente loi ou aux règlements, la preuve que cette infraction a été commise à la suite d'instructions formelles de son employeur et malgré le désaccord du travailleur suffit à le dégager de sa responsabilité.

1979, c. 63, art. 240

241. Personne morale — Lorsqu'une personne morale a commis une infraction, tout administrateur, dirigeant, employé ou représentant de cette personne morale qui a prescrit ou autorisé l'accomplissement de l'acte ou de l'omission qui constitue l'infraction ou qui y a consenti est réputé avoir participé à l'infraction et est passible de la même peine qu'une personne physique, que la personne morale ait ou non été poursuivie ou déclarée coupable.

1979, c. 63, art. 241; 1999, c. 40, art. 261

242. Poursuite pénale — Une poursuite pénale pour une infraction à une disposition de la présente loi peut être intentée par la Commission.

Association accréditée — Une association accréditée peut, conformément à l'article 10 du *Code de procédure pénale* (chapitre C-25.1), intenter une poursuite pénale pour une infraction à une disposition de la présente loi.

1979, c. 63, art. 242; 1985, c. 6, art. 549; 1992, c. 61, art. 547

243. (*Abrogé*).

1979, c. 63, art. 243; 1985, c. 6, art. 549; 1992, c. 61, art. 548

243.1 (*Abrogé*).

1985, c. 6, art. 549; 1992, c. 61, art. 548

243.2 (*Abrogé*).

1985, c. 6, art. 549; 1992, c. 61, art. 548

244. (*Abrogé*).

1979, c. 63, art. 244; 1985, c. 6, art. 549; 1990, c. 4, art. 801; 2001, c. 26, art. 169

245. (*Abrogé*).

1979, c. 63, art. 245; 1992, c. 61, art. 549

246. Propriété des amendes — Les amendes appartiennent au Fonds, sauf lorsque le procureur général ou le directeur des poursuites criminelles et pénales a intenté la poursuite pénale.

Frais — Il en est de même des frais qui sont transmis à la Commission avec le plaidoyer du défendeur.

1979, c. 63, art. 246; 1992, c. 61, art. 550; 2002, c. 76, art. 23; 2005, c. 34, art. 86

Chapitre XV — Financement

247. Perception des sommes requises — La Commission perçoit des employeurs les sommes requises pour défrayer tous les coûts qui découlent de l'application de la présente loi et des règlements.

Pouvoirs et devoirs — Elle exerce à cette fin tous les pouvoirs et devoirs que lui reconnaît la *Loi sur les accidents du travail et les maladies professionnelles* (chapitre A-3.001).

1979, c. 63, art. 247; 1996, c. 70, art. 47; 1999, c. 89, art. 53; 2002, c. 76, art. 24

248. Remboursement — La Commission rembourse à la Régie de l'assurance maladie du Québec les sommes déboursées pour l'application du chapitre VIII.

1979, c. 63, art. 248; 1985, c. 6, art. 477; 2002, c. 76, art. 25

249. (*Abrogé*).

1979, c. 63, art. 249; 1996, c. 70, art. 48

250. (*Abrogé*).

1979, c. 63, art. 250; 2002, c. 76, art. 26

Chapitre XVI — Dispositions transitoires

251.–253. (*Omis*).

254. (*Abrogé*).

1979, c. 63, art. 254; 1985, c. 6, art. 550

255.–285. (*Omis*).

286. Règlements en vigueur — Les règlements adoptés en vertu de la *Loi sur les établissements industriels et commerciaux* (chapitre E-15) demeurent en vigueur, dans la mesure où ils sont conciliables avec la présente loi, jusqu'à ce qu'ils soient modifiés, remplacés ou abrogés par un règlement adopté en vertu de la présente loi.

Règlements — Ces règlements constituent alors des règlements adoptés en vertu de la présente loi.

1979, c. 63, art. 286

287.–293. (*Omis*).

294. Règlements en vigueur — Les règlements adoptés en vertu de l'article 289 et des paragraphes m et o de l'article 296 de la *Loi sur les mines* (chapitre M-13) demeurent en vigueur dans la mesure où ils sont conciliables avec la présente loi, jusqu'à ce qu'ils soient modifiés, remplacés ou abrogés par un règlement adopté en vertu de la présente loi.

Règlements — Ces règlements constituent alors des règlements adoptés en vertu de la présente loi.

1979, c. 63, art. 294

295.–299. (*Omis*).

300. Règlements en vigueur — Les règlements adoptés en vertu des paragraphes o, p, q et r du premier alinéa de l'article 69 de la *Loi sur la protection de la santé publique* (chapitre P-35) demeurent en vigueur, dans la mesure où ils sont conciliables avec la présente loi, jusqu'à ce qu'ils soient modifiés, remplacés ou abrogés par un règlement adopté en vertu de la présente loi.

Règlements — Ces règlements constituent alors des règlements adoptés en vertu de la présente loi.

1979, c. 63, art. 300

301.–309. (*Omis*).

310. Règlements en vigueur — Les règlements adoptés en vertu de la *Loi sur la qualité de l'environnement* (chapitre Q-2) concernant la santé, la sécurité ou l'intégrité physique des travailleurs et le chapitre XI des règlements adoptés par l'arrêté en conseil 479 du 12 février 1944 demeurent en vigueur dans la mesure où ils sont conciliables avec la présente loi, jusqu'à ce qu'ils soient modifiés, remplacés ou abrogés par un règlement adopté en vertu de la présente loi.

Règlements — Ces règlements de même que le chapitre XI des règlements adoptés par l'arrêté en conseil 479 du 12 février 1944 constituent alors des règlements adoptés en vertu de la présente loi.

1979, c. 63, art. 310; 1980, c. 11, art. 128

311.–326. (*Omis*).

327. Comité de santé et de sécurité — Un comité paritaire de santé et de sécurité ou l'équivalent formé en vertu de la *Loi sur les établissements industriels et commerciaux* (chapitre E-15) ou d'une convention collective devient, à compter du 22 octobre 1983, un comité de santé et de sécurité formé en vertu de la présente loi lorsque :

1° l'établissement dans lequel il a été formé groupe plus de vingt travailleurs;

2° l'établissement appartient à une catégorie d'établissements identifiée par règlement en vertu du paragraphe 22° de l'article 223, au sein desquels un comité de santé et de sécurité peut être formé; et

3° une demande est faite selon l'article 69.

Droits et obligations — Un tel comité jouit dès lors des droits et est assujetti aux mêmes obligations qu'un comité de santé et de sécurité formé en vertu de la présente loi, en outre de tout droit, pouvoir ou obligation, prévus dans la convention collective, qui sont plus avantageux pour la santé, la sécurité et l'intégrité physique du travailleur.

1979, c. 63, art. 327

328. Droits et obligations de la Commission — La Commission est substituée à la Commission des accidents du travail du Québec et, en cette qualité, elle en assume les pouvoirs et les obligations et en acquiert les droits.

Partie à toute instance — La Commission devient, sans reprise d'instance, partie à toute instance intentée par ou contre la Commission des accidents du travail du Québec.

Affaires pendantes — Les affaires pendantes devant un bureau de révision constitué en vertu du paragraphe 5 de l'article 63 de la *Loi sur les accidents du travail* (chapitre A-3) sont continuées et décidées par un bureau de révision constitué en vertu de l'article 171.

1979, c. 63, art. 328

329. (*Omis*).

1979, c. 63, art. 329

330. Fonctionnaires de la Commission — Les fonctionnaires de la Commission des accidents du travail du Québec qui sont en fonction le 13 mars 1980, deviennent les fonctionnaires de la Commission de la santé et de la sécurité du travail.

1979, c. 63, art. 330

331. Commissaire — Le gouvernement peut nommer l'un ou l'autre des commissaires de la Commission des accidents du travail du Québec qui sont en fonction le 13 mars 1980, à un poste à l'intérieur de la Commission, et attribuer à ce commissaire un classement approprié.

Lois applicables — À la date où il est nommé, la *Loi sur la fonction publique* (chapitre F-3.1.1) lui devient alors applicable sans autre formalité. Les droits et privilèges dont il bénéficie en vertu de la *Loi sur le régime de retraite des fonctionnaires* (chapitre R-12) sont maintenus.

1979, c. 63, art. 331; 1983, c. 55, art. 161

332. Dossiers et archives de la Commission — Les dossiers et archives de la Commission des accidents du travail du Québec deviennent les dossiers et archives de la Commission de la santé et de la sécurité du travail.

1979, c. 63, art. 332

333. Renvoi — Tout renvoi dans une loi, règlement, proclamation, arrêté en conseil, contrat ou document à la *Loi sur les établissements industriels et commerciaux* (chapitre E-15) est un renvoi aux dispositions correspondantes de la présente loi.

1979, c. 63, art. 333

334. (*Abrogé*).

1979, c. 63, art. 334; 1985, c. 6, art. 550

335. Sommes requises — Les sommes requises pour la mise en application de la présente loi sont prises, jusqu'au 31 décembre 1980, à même le fonds consolidé du revenu.

1979, c. 63, art. 335

Chapitre XVII — Dispositions finales

336. Ministre responsable — Le gouvernement désigne un ministre qui est responsable de l'application de la présente loi.

1979, c. 63, art. 336

337. (*Omis*).

1979, c. 63, art. 337

338. (*Cet article a cessé d'avoir effet le 17 avril 1987*).

1982, R.-U., c. 11, *ann.* B, *ptie* I, art. 33; 1982, c. 21, art. 1

Dispositions transitoires

— *Loi instituant le Tribunal administratif du travail*, RLRQ, c. T-15.1, art. 237-277 : voir [QUE-19].

[QUE-15.1]
TABLE DES MATIÈRES
RÈGLEMENT SUR LES ASSOCIATIONS SECTORIELLES PARITAIRES DE SANTÉ ET DE SÉCURITÉ DU TRAVAIL

[QUE-15.1]
RÈGLEMENT SUR LES ASSOCIATIONS SECTORIELLES PARITAIRES DE SANTÉ ET DE SÉCURITÉ DU TRAVAIL

édicté en vertu de la *Loi sur la santé et la sécurité du travail* (RLRQ, c. S-2.1, art. 223)

RLRQ, c. S-2.1, r. 2, tel que modifié par D. 517-82, R.R.Q., 1981, Suppl., p. 1163; D. 47-83, (1983) 115 G.O. II, 1003; D. 582-83, (1983) 115 G.O. II, 1729; D. 1405-83, (1983) 115 G.O. II, 3259; D. 1406-83, (1983) 115 G.O. II, 3261; D. 1606-84, (1984) 116 G.O. II, 3679; D. 2487-84, (1984) 116 G.O. II, 5675; D. 687-85, (1985) 117 G.O. II, 2301; D. 1712-92, (1992) 124 G.O. II, 7031; D. 448-2009, (2009) 141 G.O. II, 2082; L.Q. 2015, c. 15, art. 237; D. 920-2015, (2015) 147 G.O. II, 4166; D. 186-2017, (2017) 149 G.O. II, 912.

SECTION I — DÉFINITIONS ET INTERPRÉTATION

1. Dans le présent règlement, à moins que le contexte n'indique un sens différent, on entend par :

« **entente** » : l'entente visée à l'article 98 de la Loi;

« **exercice financier** » : la période s'étendant du 1er janvier au 31 décembre;

« **Loi** » : la *Loi sur la santé et la sécurité du travail* (chapitre S-2.1);

« **programme d'activités** » : l'ensemble des projets élaborés par une association sectorielle ou dont celle-ci fait la promotion afin d'atteindre les objectifs définis à l'article 101 de la Loi;

« **secteur d'activités donné** » : un secteur d'activités donné au sens de l'article 98 de la Loi;

« **signataires** » : le ou les signataires-employeurs et le ou les signataires syndicaux;

« **signataire-employeur** » : la ou les associations d'employeurs visés à l'article 98 de la Loi qui ont conclu une entente ou y ont adhéré;

« **signataire syndical** » : la ou les associations syndicales visées à l'article 98 de la Loi qui ont conclu une entente ou y ont adhéré;

« **voyage** » : un déplacement autorisé, effectué par un employé dans l'exercice de ses fonctions, et au cours duquel il encourt des frais de transport, de logement ou de subsistance.

SECTION II — SECTEURS D'ACTIVITÉS

2. Les secteurs d'activités pour lesquels une seule association sectorielle peut être constituée sont ceux décrits à l'annexe A.

3. Les employeurs, travailleurs, associations d'employeurs et associations syndicales œuvrant dans un secteur d'activités donné en font partie et y appartiennent.

4. (*Abrogé*).

D. 1606-84, art. 1

SECTION III — ÉLÉMENTS DE L'ENTENTE

5. Les signataires conviennent des éléments de l'entente prescrits dans la présente section.

6. Le nom de l'association sectorielle commence par l'expression « Association paritaire pour la santé et la sécurité du travail du secteur de ... » à laquelle on ajoute l'expression descriptive prescrite pour le secteur d'activités qu'elle représente. Toute autre dénomination doit être approuvée par la Commission des normes, de l'équité, de la santé et de la sécurité du travail.

2015, c. 15, art. 237

7. Le siège de l'association sectorielle est situé dans une localité du Québec.

8. L'association sectorielle a deux catégories de membres : le signataire-employeur et le signataire syndical.

9. Les signataires se réunissent une première fois dans les cinq mois qui suivent l'approbation de l'entente par la Commission et par la suite, annuellement, dans les cinq mois qui suivent la fin de l'exercice financier.

Les signataires qui ont tenu leur première réunion, suite à l'approbation de l'entente par la Commission, au cours des quatre derniers mois d'un exercice financier, sont exemptés de tenir une réunion annuelle lors de l'exercice financier subséquent.

D. 2487-84, art. 1

10. Le conseil d'administration se compose d'au moins 6 membres dont la moitié est élue par le signataire-employeur et l'autre moitié par le signataire syndical.

Les administrateurs peuvent être nommés, de la même manière, si les signataires en conviennent ainsi dans l'entente.

11. L'éligibilité au poste d'administrateur comprend les qualités :

1° d'employeur, de dirigeant d'un employeur ou de membre du personnel d'un employeur :

a) membre d'un groupement d'employeurs qui a conclu l'entente ou y a adhéré, et qui agit comme représentant de ce groupement auprès de l'association sectorielle; ou

b) membre d'un groupement d'employeurs, lui-même membre d'une association de groupements d'employeurs qui a conclu l'entente ou y a adhéré, et qui agit comme représentant de cette association auprès de l'association sectorielle; ou

c) membre d'une association regroupant des employeurs et des groupements d'employeurs qui a conclu l'entente ou y a adhéré et qui agit comme représentant de cette association auprès de l'association sectorielle; ou

d) membre d'un groupement d'employeurs, lui-même membre d'une association regroupant des employeurs et des groupements d'employeurs qui a conclu l'entente ou y a adhéré, et qui agit comme représentant de cette association auprès de l'association sectorielle; ou

2° de travailleur :

a) membre d'un groupement de travailleurs constitué en syndicat professionnel, union, fraternité ou autrement qui a conclu l'entente ou y a adhéré et qui agit comme représentant d'un tel groupement auprès de l'association sectorielle; ou

b) membre d'un groupement de travailleurs, lui-même membre d'un groupement de syndicats, unions, fraternités ou autres groupements de travailleurs constitués autrement qui a conclu l'entente ou y a adhéré, et qui agit comme représentant auprès de l'association sectorielle de ce groupement de syndicats, unions, fraternités ou autres groupements de travailleurs constitués autrement.

12. Les administrateurs sont élus lors de la réunion annuelle ou nommés, pour un terme d'un an ou de 2 ans. Lorsque le terme est de 2 ans, celui d'un nombre d'administrateurs, le plus près de la moitié, élus lors de la première réunion ou nommés par chacun des signataires, est d'un an. Le sort détermine ceux des administrateurs dont le terme est d'un an.

13. Si à une époque quelconque, une élection ou une nomination d'administrateurs n'est pas faite, ou si elle n'est pas faite au temps fixé, l'association sectorielle est en défaut.

Il y est remédié en tenant une élection à une réunion subséquente des signataires convoqués à cette fin ou en procédant à cette nomination. Les administrateurs sortant de charge restent en fonction jusqu'à ce que leurs successeurs soient élus ou nommés.

Le terme de ces derniers expire au moment où il aurait expiré s'ils avaient été élus ou nommés selon les règles.

14. Toute vacance au sein du conseil d'administration est comblée conformément aux règles régissant l'élection ou la nomination au poste vacant.

15. Le conseil d'administration se réunit au moins quatre fois par année.

16. Dans le cas d'égalité des votes à une réunion des signataires, à une réunion du conseil d'administration ou, s'il y a lieu, à une réunion du comité administratif, nul n'a droit à un second vote ou vote prépondérant.

17. Une association d'employeurs ou une association syndicale appartenant à un secteur d'activités représenté par une association paritaire sectorielle peut adhérer à l'entente.

18. Sous réserve des éléments de l'entente prescrits par le présent règlement, les signataires peuvent convenir de résilier, de modifier ou de remplacer, en tout ou en partie, l'entente, notamment à l'occasion d'une adhésion.

La modification, le remplacement ou la résiliation entre en vigueur sur approbation de la Commission.

19. Dans le cas de résiliation, les biens de l'association sectorielle restant après paiement des dettes, sont dévolus à la Commission.

20. La procédure de résolution des désaccords comprend la résolution de ceux existant entre les signataires de l'entente.

21. (*Abrogé*).

D. 1712-92, art. 1

22. Les signataires peuvent convenir d'un renvoi aux dispositions de la présente section. Dans ce cas, l'entente est réputée contenir, comme si elles y étaient récitées au long, les règles prévues dans la présente section.

SECTION IV — CONDITIONS ET CRITÈRES DE SUBVENTION

23. La Commission accorde à une association sectorielle qui lui en fait la demande une subvention annuelle selon les conditions et critères déterminés dans la présente section.

24. Les signataires et l'association sectorielle doivent s'être conformés aux termes de l'entente et en avoir exécuté les obligations.

Les versements périodiques de la subvention sont aussi conditionnels à cette absence de défaut. La Commission ne peut, toutefois, suspendre le versement d'une subvention qu'après avoir donné un préavis de trois mois à l'association en défaut.

25. Une association sectorielle s'engage envers la Commission :

1° à poursuivre ses objectifs et à réaliser, dans la mesure de ses possibilités, son programme d'activités;

2° sous réserve du deuxième alinéa de l'article 28, à n'utiliser le montant de la subvention qu'aux fins pour lesquelles celle-ci a été accordée.

26. La demande de subvention est envoyée à la Commission, par poste recommandée, au plus tard le 30 septembre de chaque année. Elle fait état, notamment :

1° des objectifs généraux que l'association sectorielle entend poursuivre au cours du prochain exercice financier;

2° du programme d'activités qu'elle se propose de réaliser au cours du prochain exercice financier;

3° de ses prévisions budgétaires pour le prochain exercice financier;

4° de son plan d'organisation qui comprend les renseignements suivants :

a) une représentation schématique des divers services de l'association et leurs rapports mutuels;

b) le nombre d'employés et leur occupation;

c) une description sommaire des tâches et responsabilités assignées à chacun des employés.

N.I. 2016-01-01 (NCPC)

27. Pour obtenir une subvention, une association sectorielle s'engage :

1° à payer ses employés selon les politiques salariales établies par la Commission pour les associations sectorielles;

2° à indemniser les frais de voyage encourus par ses employés selon les politiques établies par la Commission pour les associations sectorielles.

28. Le budget est établi en fonction des programmes suivants : formation et information, recherche, conseil et soutien administratif.

Une association sectorielle ne peut procéder, au cours d'un exercice financier, au transfert de ressources financières d'un programme à un autre que si elle a préalablement obtenu, pour ce faire, l'autorisation écrite de la Commission.

29. Un déficit budgétaire encouru sans la permission de la Commission demeure la responsabilité de l'association sectorielle et en aucun temps tel déficit n'est comblé par la Commission.

30. La Commission procède à l'évaluation de la demande de subvention qui lui est soumise par une association sectorielle dans les délais prévus au présent règlement, eu égard aux critères suivants :

1° le nombre d'établissements ainsi que le nombre de travailleurs appartenant au secteur d'activités qu'elle représente;

2° la nature des risques inhérents au secteur d'activités qu'elle représente et le nombre de travailleurs qui y sont directement exposés;

3° la pertinence des objectifs poursuivis par l'association eu égard à ceux définis à l'article 101 de la Loi;

4° l'adéquation entre le programme d'activités de l'association et les objectifs prioritaires qu'entend poursuivre la Commission au cours du prochain exercice financier;

5° l'étude des informations et des rapports annuels d'activités transmis à la Commission conformément au présent règlement.

SECTION V — INFORMATION ET RAPPORT ANNUEL D'ACTIVITÉS

31. Une association sectorielle transmet à la Commission avant le 1er juin de chaque année une description de son programme d'activités en cours et une évaluation des résultats obtenus au 30 avril eu égard aux objectifs fixés.

32. Une association sectorielle fait parvenir à la Commission avant le 31 mars de chaque année un rapport annuel d'activités contenant les informations suivantes :

1° le nom des signataires;

2° le nom des membres du conseil d'administration;

3° le nom des membres du comité administratif, s'il y a lieu;

4° le nombre de représentants que chacun des signataires est autorisé à déléguer à une réunion des signataires;

5° le nombre de réunions tenues par le conseil d'administration au cours de la dernière année;

6° s'il y a lieu, le nombre de réunions tenues par le comité administratif au cours de la dernière année;

7° la description sommaire des objectifs généraux qu'elle s'était fixés pour le dernier exercice financier;

8° le programme d'activités réalisé au cours du dernier exercice financier de même que les facteurs positifs ou négatifs ayant eu un impact sur sa réalisation;

9° l'évaluation du programme d'activités réalisé eu égard aux objectifs généraux poursuivis au cours du dernier exercice financier;

10° le nombre de comités de santé et de sécurité dans le secteur concerné et le nombre de comités de santé et de sécurité auprès desquels l'association est intervenue.

D. 1712-92, art. 2. 1; D. 687-85, art. 1; D. 1712-92, art. 3

ANNEXE A

(*articles 2; 4*)

Les secteurs d'activités pour lesquels une seule association sectorielle peut être constituée sont :

1º le secteur des affaires sociales dont font partie les catégories d'établissements qui suivent :

a) hôpitaux : établissements (le plus souvent des institutions) dont l'activité principale est d'assurer des soins médicaux, chirurgicaux et (ou) obstétriques à des malades hospitalisés, et qui ont été autorisés ou agréés en tant qu'hôpitaux par l'administration publique fédérale, par l'administration publique provinciale ou par les deux. Cette catégorie comprend les hôpitaux généraux et spécialisés, les hôpitaux psychiatriques, les hôpitaux pour tuberculeux et les autres hôpitaux, mais exclut les institutions qui assurent uniquement des soins infirmiers personnels et l'hébergement, comprises au sous-paragraphe b (établissements annexes de soins sanitaires). Sont également exclues les institutions qui assurent uniquement des services courants de garde ou de soins domestiques, comprises au sous-paragraphe h (organismes de bien-être);

b) établissements annexes de soins sanitaires : établissements dans le genre des maisons de soins et des infirmeries dont l'activité principale est d'assurer à leurs pensionnaires des soins infirmiers et l'hébergement. Les institutions qui assurent uniquement des services courants de garde ou de soins domestiques, comme c'est le cas des foyers pour vieillards et pour aveugles, sont classés au sous-paragraphe h (organismes de bien-être);

c) cabinets de médecins et de chirurgiens : établissements constitués par les cabinets de médecins et de chirurgiens diplômés et autorisés dont l'activité principale est l'exercice privé de la médecine générale ou spécialisée, à titre individuel ou collectif. Cette catégorie comprend les cabinets de psychiatres, d'obstétriciens, de médecins radiologistes, de médecins biologistes, d'ophtalmologistes, de médecins anesthésistes, etc. Elle ne comprend pas les cabinets de psychologues, d'optométristes, d'ostéopathes, de chiropracteurs et de dentistes classés aux sous-paragraphes d et e. Les cabinets d'opticiens sont exclus;

d) cabinets de praticiens paramédicaux : établissements constitués par les cabinets de professionnels diplômés et autorisés dont l'activité principale est d'assurer des services sanitaires et similaires, à titre individuel ou collectif. Cette catégorie comprend les établissements d'ostéopathes, de chiropracteurs, d'optométristes, d'infirmières autorisées, de sages-femmes, d'infirmières auxiliaires, etc. Elle ne comprend ni les cabinets de médecins et de chirurgiens, ni les cabinets de dentistes, ni les cabinets de guérisseurs. Ne sont pas compris non plus les services de diagnostic et de thérapie non classés ailleurs, ni les laboratoires médicaux;

e) cabinets de dentistes : établissements constitués par les cabinets de dentistes dont l'activité principale est de pratiquer l'art dentaire, à titre individuel ou collectif. Sont exclus les établissements des mécaniciens-dentistes;

f) services de diagnostic et de soins, n.c.a. : établissements dont l'activité principale est d'assurer des services de diagnostic et de traitement non compris ailleurs. Cette catégorie comprend les organisations telles que l'Ordre des infirmières de Victoria, les centres de transfusion sanguine de la Croix-Rouge et l'Association ambulancière Saint-Jean, ainsi que les laboratoires (dentaires, médicaux, radiologiques, etc.) qui fournissent des services spécialisés d'analyse, de diagnostic ou de soins aux professions médicales ou dentaires, ou aux malades sur ordonnance délivrée par un médecin ou un dentiste. Elle comprend également les associations qui œuvrent dans le domaine de la santé, sauf celles qui assurent leurs membres contre la maladie qui sont exclus;

g) services de santé divers : établissements plus connus sous le nom d'associations bénévoles de santé, dont l'activité principale est de favoriser la santé et les services sanitaires autres que ceux qui concernent le diagnostic et le traitement, et comprenant par exemple l'Association des hôpitaux du Canada, l'Association canadienne d'hygiène publique, l'Institut national du cancer, etc. Sont exclus les associations professionnelles telles que l'Association médicale du Canada ou l'Association des infirmières du Canada ainsi que les établissements qui assurent contre la maladie et garantissent à leurs adhérents, moyennant paiement d'une cotisation préalable, les services sanitaires prodigués par des médecins indépendants ou des hôpitaux conventionnés;

h) organismes de bien-être : établissements dont l'activité principale est de fournir exclusivement des services courants de soins domestiques (sans aucun traitement ni soins infirmiers personnels), tels que les foyers pour vieillards ou pour aveugles, les pensions pour vieillards, les garderies, les asiles, etc. Cette catégorie comprend également les organisations bénévoles de bienfaisance telles que l'Institut national canadien pour les aveugles, le Conseil canadien du bien-être et la Fédération des œuvres. Sont exclues les institutions de détention pour délinquants et criminels telles que les établissements de corrections;

2º le secteur du textile et de la bonneterie dont font partie les catégories d'établissements qui suivent :

a) filature et tissage du coton : établissements dont l'activité principale consiste à filer, retordre, enrouler ou bobiner du fil de coton, et à fabriquer des tissus entièrement ou principalement en coton, tels que du coutil, de la toile pour draps, des imprimés, du tissu éponge, des étoffes pour dessus de lit et pour linge de table, du tissu à rideaux et du tissu d'ameublement;

b) filature et tissage de la laine : établissements dont l'activité principale consiste à filer et à retordre des fibres à base de laine destinées à être vendues en l'état, et établissements dont l'activité principale est le tissage de lainages et de laine peignée pour complets, pardessus et articles d'habillement; le tissage de flanelles et de couvertures, ainsi que d'autres lainages et tissus en laine peignée. Cette catégorie comprend les établissements dont l'activité principale est le tissage de feutres de papeterie, quelle qu'en soit la matière. Les établissements dont la principale fabrication consiste en produits tricotés sont classés au sous-paragraphe k (bonneterie, sauf fabrication de bas et chaussettes);

c) fabrication de fibres, filés et tissus artificiels et synthétiques : établissements dont l'activité principale est la fabrication de fibres textiles artificielles et synthétiques (y compris en fibre de verre), de filés de fils ainsi que de tissus larges. Cette catégorie comprend les établissements dont l'activité principale est l'extrusion de fibres synthétiques et artificielles à partir de résines achetées. Les établissements dont l'activité principale est la production de matières brutes synthétiques sous forme de liquides, de granules, de poudre ou de flocons sont exclus;

d) corderie et ficellerie (fabrication) : établissements dont l'activité principale est la fabrication de cordes, de câbles, de cordages, de filets, de ficelle et de produits similaires à partir de chanvre, de jute, de coton, de papier, de lin et d'autres fibres;

e) industrie du feutre et du traitement des fibres : établissements dont l'activité principale est la fabrication de feutre pressé à partir de fibres de toutes sortes par chauffage, humidification et pressage; la fabrication de feutre aéré destiné à la confection de tapis, coussins et autres produits à partir de poils, de jute, de laine ou d'autres fibres; la préparation de fibres à filer (à l'exclusion des fibres synthétiques et artificielles); la fabrication d'ouate, de bourre, de matelassure et de rembourrure à capitonnage; ou la transformation de fibres de déchet et de bourre. Cette catégorie comprend les établissements dont l'activité principale est le désuintage, le carbonisage, le peignage, la tonture du drap et la transformation de la tontisse. Les établissements dont l'activité principale est la fabrication de feutres de papeterie sont classés au sous-paragraphe b (filature et tissage de la laine). Les établissements dont l'activité principale est la fabrication d'autres feutres tissés sont exclus;

f) industrie des tapis, des carpettes et de la moquette : établissements dont l'activité principale est la fabrication de tapis et de moquette de laine, de coton ou de tissu synthétique, de paillassons et de nattes de jute et de coco, ainsi que de catalognes. La fabrication de nattes en caoutchouc est exclue;

g) fabricants des articles en grosse toile et des sacs de coton et de jute : établissements dont l'activité principale est la fabrication d'auvents, de tentes, de voiles, de bâches, de marquises et de sacs à partir de grosse toile, de jute, de canevas et d'autres tissus;

h) industrie des accessoires en tissu pour l'automobile : établissements dont l'activité principale est la fabrication de tissus pour le capitonnage et la garniture intérieure d'automobiles, pour les sièges et dossiers, les ceintures de sécurité et autres accessoires en tissu utilisés dans l'automobile;

i) industries textiles diverses : établissements dont l'activité principale est la fabrication de fils destinés à la couture, au travail au crochet, au reprisage, au tricot à la main, à la broderie et à des travaux similaires; de tissus étroits tels que rubans, bandes et galons, cordons élastiques, lacets, tissus à sangles, élastiques ou non, et tuyaux d'incendie, d'articles d'ameublement tels que voilages, rideaux et couvre-lits; de tissus de fil et de jute; de garnitures et broderies mécaniques (au métier Schiffli); de bandes, de gaze, de pansements chirurgicaux et de bandes hygiéniques; de sacs de couchage matelassés et d'autres produits textiles non compris ailleurs. Les établissements dont l'activité principale est la teinture, le décatissage et le finissage de drap et de tissus en laine peignée en coton, en fil, en soie et en fibre synthétique sont classés dans cette catégorie;

j) industrie des bas et chaussettes : établissements dont l'activité principale est le tricotage de bas et chaussettes diminuées ou sans couture ou de bas-culottes. Les établissements dont l'activité principale est la teinture et le finissage à façon de bas, de chaussettes et d'autres textiles sont classés au sous-paragraphe i (industries textiles diverses);

k) bonneteries (sauf fabrication de bas et chaussettes) : établissements dont l'activité principale est la fabrication de vêtements en tricot, de sous-vêtements, de gants et d'autres articles en tricot, sauf les bas et chaussettes;

3° le secteur d'activités des services-automobiles dont font partie les catégories d'établissements qui suivent :

a) grossistes en véhicules automobiles et accessoires : établissements dont l'activité principale est la vente en gros de véhicules automobiles et d'accessoires et de pièces de rechange pour l'automobile, y compris de pneus. Cette catégorie comprend les établissements dont l'activité principale est la vente en gros de matériel pour garages et stations-service. Les établissements dont l'activité principale est la remise à neuf de pompes à essence, de pompes à eau, de garnitures de freins, d'embrayages, de bobines et de régulateurs de tension, ou l'entretien des postes de distribution d'essence et d'autre matériel de station-service sont également classés dans cette catégorie de même que les établissements dont l'activité principale est la remise à neuf, le rechapage, la réfection de bandes de roulement et la vulcanisation de pneus;

b) détaillants en pneus, accumulateurs et accessoires : établissements dont l'activité principale est la vente au détail, à l'état neuf ou usagé, de pneus, chambres à air, accumulateurs, autoradios et autres pièces et accessoires pour l'automobile. Certains de ces établissements sont des magasins de fournitures pour la maison et l'automobile. Ils assurent parfois l'installation, la réparation et le remplacement de pièces, mais les établissements dont l'activité principale est la réparation d'automobiles sont classés au sous-paragraphe e (ateliers de réparation de véhicules automobiles), et ceux dont l'activité principale est la réfection des bandes de roulement, le rechapage, la réfection ou la vulcanisation de pneus sont classés au sous-paragraphe a (grossistes en véhicules automobiles et accessoires);

c) stations-service et postes d'essence : établissements dont l'activité principale est la vente au détail d'essence, d'huiles et de graisses lubrifiantes. Ces établissements portent parfois le nom de postes d'essence ou de stations-service. Ils font parfois certaines réparations. Cette catégorie comprend les établissements dont l'activité principale est le lavage et le polissage de voitures, de même que les établissements dont l'activité principale est le remorquage de voitures;

d) détaillants en véhicules automobiles : établissements dont l'activité principale est la vente au détail, à l'état neuf ou usagé, de voitures et de camions. Les établissements de ce genre ont habituellement un service qui s'occupe de la réparation de véhicules automobiles, et souvent une station-service. Les établissements dont l'activité principale est la réparation de véhicules automobiles sont classés au sous-paragraphe e (ateliers de réparation de véhicules automobiles), et ceux dont l'activité principale est l'exploitation d'une station-service sont classés au sous-paragraphe c (stations-service et postes d'essence);

e) ateliers de réparation de véhicules automobiles : établissements dont l'activité principale est la réparation de véhicules automobiles; le travail de carrosserie et de peinture, ainsi que les travaux spécialisés tels que la mise au point de l'allumage, de la carburation, du parallélisme; le redressement de châssis, la remise en état de système d'échappement et la réfection de freins. Les ateliers de réparation que des entreprises exploitent pour leurs propres besoins sans en offrir les services au grand public ne doivent pas être classés ici, mais dans la même catégorie que l'activité principale dont ils relèvent. Les établissements (postes d'essence et stations-service) dont l'activité principale est la vente au détail d'essence et d'huile sont classés au sous-paragraphe c (stations-service et postes d'essence). Les établissements dont l'activité principale est la réparation de tracteurs agricoles et d'instruments aratoires sont exclus.

4º le secteur d'activités des transports et de l'entreposage dont font partie les catégories d'établissement qui suivent :

a) **Déménagement et entreposage de biens usagés** — Établissements dont l'activité principale est l'emballage, le transport et l'entreposage de meubles usagés et de tout autre service auxiliaire se rattachant à cette fonction. Sont compris ici le transport local et interurbain de meubles usagés, ainsi que leur entreposage à cette occasion, quelle qu'en soit la durée.

b) **Autre camionnage** — Établissements dont l'activité principale consiste à assurer le camionnage local et interurbain, à l'exception des établissements dont l'activité principale est le transport de biens usagés. Ce sous-paragraphe comprend les camionneurs travaillant sur contrat, même lorsque le matériel qu'ils mettent en œuvre est très spécialisé.

c) **Transports interurbains et ruraux par autocar** — Établissements dont l'activité principale est l'exploitation de réseaux interurbains et ruraux d'autocars. Ce sous-paragraphe comprend également les établissements dont l'activité principale est l'exploitation de gares routières utilisées par plusieurs lignes.

d) **Exploitation de taxis** — Établissements dont l'activité principale consiste à assurer le transport des voyageurs par véhicules automobiles ne suivant aucun itinéraire régulier et n'ayant pas d'arrêt fixe. Ce sous-paragraphe ne comprend pas les établissements dont l'activité principale consiste à fournir des services aux propriétaires de taxis tels des services de radiotéléphonie et de téléphonie ainsi que l'entretien et la réparation pour le bénéfice des adhérents. Les établissements dont l'activité principale est la location de voitures avec chauffeur ou l'exploitation d'un service de limousines aux aéroports ou aux gares sont classés au sous- paragraphe f (Autres transports).

e) **Services divers auxiliaires des transports** — Établissements dont l'activité principale consiste à assurer des services auxiliaires des transports, tels que les agences de voyages, les services d'expédition, d'emballage en caisses et en cadres, et les services d'inspection et de pesage. Ce sous-paragraphe comprend les établissements dont l'activité principale est l'exploitation de parcs de stationnement et de garages où les automobiles stationnent en état de fonctionnement pour une durée limitée. Le stockage prolongé de voitures est classé au sous-paragraphe h (Autres entrepôts). Les organismes de tourisme gouvernementaux sont exclus.

f) **Autres transports** — Établissements dont l'activité principale consiste à fournir des services de transport non classés ailleurs. Ce sous-paragraphe comprend les établissements dont l'activité principale est l'exploitation de véhicules à coussin d'air, de cars, de bateaux ou d'aéronefs d'excursion : la location d'automobiles avec chauffeur, les services de limousines aux aéroports et aux gares, les services d'ambulances, le ramassage scolaire et la location de véhicules à traction animale pour transport de voyageurs ou de marchandises. Sont également inclus les établissements dont l'activité principale est de fournir les services d'un chauffeur sans location d'automobile.

g) **Location d'automobiles et de camions** — Établissements dont l'activité principale est la location d'automobiles de tourisme ou de camions sans chauffeur.

h) **Autres entrepôts** — Établissements dont l'activité principale est l'exploitation d'entrepôts pour marchandises diverses, d'installations frigorifiques et d'autres installations pour l'entreposage de marchandises autres que des meubles usagés. Les installations d'entreposage exploitées à titre accessoire par des établissements dont l'activité principale relève d'un autre domaine ne sont pas classées dans ce sous-paragraphe mais dans la rubrique qui se rapporte à l'activité principale de l'établissement en question. Les établissements dont l'activité principale est le transport et l'entreposage de meubles usagés sont classés au sous-paragraphe a (Déménagement et entreposage de biens usagés).

i) **Autres services d'utilité publique (n.c.a.)** — Établissements dont l'activité principale est l'enlèvement des ordures ménagères ou des déchets.

5° (*paragraphe supprimé*);

6° le secteur d'activités de l'administration provinciale dont font partie les établissements relevant de l'administration provinciale et dont l'activité principale a trait à l'administration publique. Ce secteur regroupe le gouvernement, ses ministères et les organismes dont le personnel est, au 13 avril 2017 ou postérieurement, nommé suivant la *Loi sur la fonction publique* (chapitre F-3.1.1).

Font également partie de ce secteur d'activités: la Sûreté du Québec, la Commission des droits de la personne et des droits de la jeunesse, la Régie des installations olympiques, la Commission des services juridiques, les centres d'aide juridique, l'Institut national de santé publique du Québec, la Commission de la capitale nationale du Québec, le Conseil des arts et des lettres du Québec, ainsi que le Protecteur du citoyen.

7° le secteur d'activités de l'imprimerie et de ses activités connexes, de la fabrication de produits en métal, de la fabrication de produits électriques et des industries de l'habillement dont font partie les catégories d'établissements qui suivent :

a) imprimerie commerciale : établissements dont l'activité principale est l'impression commerciale et (ou) des travaux de ville, par toute méthode et par tout procédé d'impression (typographie, y compris par flexographie, planographie et lithographie, chalcographie ou gravure; impression au pochoir ou sérigraphie, etc.). On trouvera ci-après une liste, certes incomplète, des principaux imprimés : journaux, périodiques, livres, cartes et tous autres travaux d'impression effectués sous forme de travaux de ville ou sous contrat pour le compte de particuliers ou d'entreprises; impression de papeterie de bureau à en-tête et de formules, de liasses détachables (comportant du papier carbone, ou liasses de papier autographique), formules en continu, calendriers, cartes de vœux, cartes postales, cartes à jouer, papier d'emballage, billets, enveloppes, fiches, sceaux, étiquettes, timbres (postaux, fiscaux, timbres-primes, etc.), papier à lettre gravé, billets de banque, actions et obligations, catalogues, imprimés publicitaires, etc.

Les établissements dont l'activité principale est l'édition sont classés au sous-paragraphe c (Édition seulement) chaque fois que l'éditeur n'imprime pas ses publications, ou au sous-paragraphe d (Édition et impression), lorsque l'éditeur imprime ses propres publications.

Les établissements dont l'activité principale est le tirage de bleus et d'autres services de polycopie analogues sont exclus.

b) industrie du clichage, de la composition et de la reliure commerciale : établissements (ateliers spécialisés) dont l'activité principale consiste à fournir des services spécialisés aux entreprises de l'industrie de l'imprimerie et de l'édition, aux agences de publicité ou à d'autres : reproduction sur films photographiques, sur plaques et sur clichés d'imprimerie de tous genres; composition; confection de reliures ou de couvertures, reliure à la main ou à la machine et transformation ou finissage annexe de documents imprimés.

Les établissements dont l'activité principale est la gravure sur bijoux et les établissements dont l'activité principale est la gravure sur métaux communs à d'autres fins qu'à l'imprimerie sont exclus.

c) édition seulement : établissements dont l'activité principale est l'édition seulement et qui ne s'occupent pas d'imprimerie. L'« édition » telle qu'on l'entend ici comprend l'édition de livres, de journaux, de périodiques, d'almanachs, de cartes géographiques, de guides et de produits analogues.

d) édition et impression : établissements dont l'activité principale est l'impression et l'édition de journaux, de périodiques, de livres, d'almanachs, de cartes géographiques, de guides et d'autres publications de ce genre. Les établissements dont l'activité principale est l'impression de journaux, de revues et de livres pour le compte d'un éditeur sont classés au sous-paragraphe a (Imprimerie commerciale). Les établissements s'occupant uniquement d'édition et non d'imprimerie sont classés au sous-paragraphe c (Édition seulement).

e) fabricants de cartons pliants et de boîtes montées : établissements dont l'activité principale est la fabrication de cartons pliants et de boîtes montées. Les établissements dont l'activité principale est la fabrication de boîtes ou caisses d'emballage en carton-fibre ondulé ou compact de même que les établissements dont l'activité principale est la fabrication de sacs en papier ou en plastique sont exclus.

f) photographie commerciale : établissements dont l'activité principale est la photographie commerciale, le développement et le tirage de films. Les studios de photographie ainsi que les établissements dont l'activité principale est le développement et le tirage de films cinématographiques professionnels sont exclus.

g) industrie des chaudières et des plaques : établissements dont l'activité principale est la fabrication de chaudières de chauffage et énergétiques (à l'exception des chaudières de chauffage en fonte par éléments), de réservoirs de stockage, de réservoirs sous pression, de cheminées en tôle forte et d'autres produits analogues de chaudronnerie. Les chaudières de chauffage en fonte par éléments sont classées au sous-paragraphe *m* (fabricants d'appareils de chauffage).

Certains établissements de cette industrie s'occupent à la fois de fabrication et d'installation de leurs produits. Chaque fois que tel est le cas, l'établissement est classé d'après son activité principale, c'est-à-dire, selon qu'il s'occupe surtout de fabrication, ou surtout de montage. Les établissements qui installent surtout des produits de fabrication propre sont considérés comme s'occupant principalement de fabrication et sont classés à cette rubrique, alors que les établissements qui s'occupent surtout du montage de chaudières et de cheminées achetées en tôle pour usines sont exclus. Les établissements dont l'activité principale est la fabrication et l'installation de gros réservoirs de stockage devant être montés sur place sont compris au sous-paragraphe *h* (fabrication d'éléments de charpente métallique), et les établissements dont l'activité principale est la fabrication de réservoirs en tôle mince sont classés au sous-paragraphe *j* (industrie de l'emboutissage, du matriçage et du revêtement des métaux);

h) fabrication d'éléments de charpente métallique : établissements dont l'activité principale est la fabrication de gros éléments de charpente en acier ou autre métal ou alliage. Les produits de cette industrie comprennent les profilés pour ponts, bâtiments, pylônes de distribution, grands réservoirs et autres ouvrages semblables. Les établissements de cette industrie peuvent ériger des bâtiments, des ponts et des grands réservoirs en plus d'en fabriquer les éléments métalliques, mais leur activité dominante consiste en la fabrication. Les établissements dont l'activité principale est l'érection de bâtiments, ponts et grands réservoirs avec des éléments métalliques achetés sont exclus;

i) industrie des produits métalliques d'architecture et d'ornement : établissements dont l'activité principale est la fabrication d'ornements métalliques, d'escaliers de sauvetage ou autres, de grilles, de balustrades, de fenêtres métalliques (hermétiquement scellées et autres), de portes et cadres métalliques et de cloisons métalliques. Les établissements de cette catégorie peuvent faire l'installation de leurs propres produits, mais la fabrication constitue leur activité dominante. Les établissements dont l'activité principale est l'érection ou l'installation d'ouvrages en métal achetés sont exclus;

j) industrie de l'emboutissage, du matriçage et du revêtement des métaux : établissements dont l'activité principale est la fabrication d'articles en tôle mince tels que capsules de bouteilles, protecteurs de talon, lattes et boîte métalliques. Cette catégorie comprend également les établissements dont l'activité principale est de fabriquer par emboutissage des produits tels que des ustensiles de cuisine ou d'hôpital, et d'autres ustensiles et contenants. Cette catégorie comprend aussi les établissements dont l'activité principale est le revêtement des métaux et articles en métal tel que l'émaillage, la galvanisation et la galvanoplastie. Elle comprend également les établissements dont l'activité principale est la fabrication de boîtes en fer blanc et d'autres articles de ferblanterie ou de tôlerie tels qu'auvents métalliques, canalisations de chauffage, produits de couverture et gouttières. Le travail de ferblanterie et celui de tôlerie dans les chantiers du bâtiment sont exclus. Les établissements dont l'activité principale est la fabrication d'articles émaillés pour salles de bain tels que baignoires et lavabos sont classés au sous-paragraphe *o* (fabrication de produits métalliques divers);

k) industrie du fil métallique et de ses produits : établissements dont l'activité principale est l'étirage de baguettes pour en faire du fil, ainsi que la fabrication de clous, chevilles, crampons, boulons, écrous, rivets, vis, rondelles, clôtures métalliques, grillages, toiles métalliques, fils barbelés, chaînes pour pneus, fils et câbles non isolés, articles de cuisine et autres en fil métallique. Les établissements dont l'activité principale est la fabrication de fils ou de câbles isolés sont classés au sous-paragraphe *v* (fabricants de fils et de câbles électriques);

l) fabricants de quincaillerie, d'outillage et de coutellerie : établissements dont l'activité principale est la fabrication de taillanderie, d'outillage à main, de coutellerie et de quincaillerie. Les principaux produits de cette catégorie sont les haches, les burins, les matrices, y compris les moules pour l'extrusion, et d'autres outils pour le travail des métaux; les marteaux, pelles, houes, râteaux, limes, scies, les fournitures de quincaillerie pour le bâtiment et la navigation, les rasoirs mécaniques et les lames, la coutellerie de table et de cuisine et divers autres articles ordinairement considérés comme « quincaillerie » et non classés ailleurs. Cette catégorie comprend également les établissements dont l'activité principale est la fabrication de mèches, forets (sauf pour percer le roc), ainsi que d'autres outils de coupe pour machines ou pour outils portatifs à moteur. Les établissements dont l'activité principale est la fabrication de coutellerie en argent massif, la fabrication de machines-outils ou d'outils portatifs à moteur ou la fabrication d'instruments de mesure de précision à l'usage des mécaniciens sont exclus;

m) fabricants d'appareils de chauffage : établissements s'occupant principalement de la fabrication de matériel commercial pour la cuisson et de gros appareils de chauffage tels que calorifères, brûleurs à mazout, à gaz, appareils de chauffage à la vapeur et à l'eau chaude et équipement de chauffage non classés ailleurs. Cette catégorie comprend les établissements qui s'occupent principalement de la fabrication de chaudières de chauffage en fonte par éléments, de radiateurs en fonte ou chauffant par convection. Les établissements qui s'occupent surtout de la fabrication de matériel ménager pour la cuisson, électrique ou non, sont classés au sous-paragraphe *q* (fabricants de gros appareils, électriques ou non);

n) ateliers d'usinage : ateliers d'usinage dont l'activité principale est la fabrication de pièces et de matériel mécaniques, autres que des machines complètes, pour l'industrie. Cette catégorie comprend les ateliers d'usinage qui font des travaux à façon et des réparations. Les établissements dont l'activité principale est la remise à neuf de moteurs, de boîtes de vitesse et d'arbres pour automobiles sont classés dans cette catégorie. Les établissements dont l'activité principale est la remise à neuf ou la réparation de génératrices, de moteurs de démarreurs et d'alternateurs pour automobiles sont exclus. Il en est de même des établissements dont l'activité principale est la remise à neuf de pièces d'automobiles telles que pompes à essence, pompes à eau, sabots de frein, embrayages, bobines et régulateurs de tension;

o) fabrication de produits métalliques divers : établissements dont l'activité principale est la fabrication de produits en métal non classés ailleurs tels que bourrelets, fusils, tubes repliables, pièces de machines, articles de plomberie, y compris émaillés, coffres-forts, chambres fortes et pièces forgées telles que chaînes (sauf pour pneus, voir le sous-paragraphe *k*, industrie du fil métallique et de ses produits), ancres et essieux. Sont également compris les établissements dont l'activité principale est la fabrication de barres et de baguettes pour le béton armé, ainsi que ceux dont l'activité principale est le traitement à chaud des métaux;

p) fabricants de petits appareils électriques : établissements dont l'activité principale est la fabrication de petits appareils électriques tels qu'aspirateurs, ventilateurs, grille-pains, fers à repasser et chauffe-eaux. Les établissements dont l'activité principale est la fabrication de réfrigérateurs ménagers et de congélateurs agricoles et ménagers, de cuisinières et de fourneaux, de machines à laver et de machines à coudre sont classés au sous-paragraphe *q* (fabricants de gros appareils, électriques ou non);

q) fabricants de gros appareils, électriques ou non : établissements dont l'activité principale est la fabrication de machines et d'appareils ménagers tels que fourneaux, réfrigérateurs, congélateurs ménagers et agricoles, climatiseurs de fenêtre, machines à laver et machines à coudre. Les établissements dont l'activité principale est la fabrication de petits appareils électroménagers sont classés au sous-paragraphe *p* (fabricants de petits appareils électriques);

r) fabricants d'appareils d'éclairage : établissements dont l'activité principale est la fabrication d'appareils électriques d'éclairage. Les établissements dont l'activité principale est la fabrication de lampes et de lampes à pied électriques et d'abat-jour sont exclus;

s) fabricants de récepteurs de radio et de téléviseurs ménagers : établissements dont l'activité principale est la fabrication de récepteurs de radio et de télévision. Cette industrie comprend également les établissements dont l'activité principale est la fabrication d'appareils et de pièces servant à l'enregistrement et à la reproduction par disques et par bandes. Les établissements dont l'activité principale est la fabrication de disques, de bandes et d'autres supports destinés à l'enregistrement de la voix ou de musique instrumentale sont exclus;

t) fabricants d'équipement de télécommunication : établissements dont l'activité principale est la fabrication d'émetteurs de radio et de télévision, de matériel radar, de matériel de télévision en circuit fermé, d'aides électroniques à la navigation, de matériel de sonorisation extérieure, ainsi que des pièces et du matériel qui s'y rapportent. Les établissements dont l'activité principale est la fabrication de matériel et de pièces pour la téléphonie et la télégraphie ou pour des appareils électriques ou électroniques de signalisation sont compris dans cette rubrique. Sont également compris les établissements dont l'activité principale est la fabrication de tableaux électroniques de commande et de dispositifs similaires. La réparation et la révision de matériel électronique (sauf à usage ménager) sont classés dans ce sous-paragraphe;

u) fabricants d'équipement électronique industriel : établissements dont l'activité principale est la fabrication de moteurs, de génératrices et autre matériel électrique destinés à la production, au transport et à la mise en œvre d'énergie électrique. Les principaux produits de cette industrie sont : les turbines génératrices à vapeur, les moteurs électriques (sauf pour locomotives, automobiles et avions), les génératrices, les transformateurs, les appareils de commutation, les accessoires de lignes aériennes, les appareils à souder électriques et les compteurs électriques. Les établissements dont l'activité principale est la fabrication de fils et de câbles électriques sont classés au sous-paragraphe *v* (fabricants de fils et de câbles électriques);

v) fabricants de fils et de câbles électriques : établissements dont l'activité principale est la fabrication de fils et de câbles électriques isolés ou armés et non isolés. Les établissements dont l'activité principale est la fabrication de fil métallique non électrique et de ses produits sont classés au sous-paragraphe *k* (industrie du fil métallique et de ses produits);

w) fabricants de produits électriques divers : établissements dont l'activité principale est la fabrication de produits électriques non classés ailleurs tel que, lampes, ampoules et tubes de toutes sortes pour l'éclairage, lampes à filament, à vapeur, fluorescentes, lampes-éclair et projecteurs pour la prise de vues, accessoires de câblage, tableaux (distribution, éclairage et habitation), tableaux de commutation à basse tension, électrodes en carbone ou graphite, conduites et raccords. Les établissements dont l'activité est la fabrication d'accumulateurs et de piles humides ou sèches sont classés à cette rubrique. Les établissements dont l'activité principale est la fabrication de calculatrices électroniques, d'ordinateurs et de dispositifs de contrôle s'y rapportant sont exclus et ceux dont l'activité principale est la fabrication d'appareils d'éclairage sont classés au sous-paragraphe *r* (fabricants d'appareils d'éclairage);

x) industries des vêtements pour hommes et garçons : établissements dont l'activité principale est la confection de vêtements pour hommes et garçons, notamment la confection de manteaux, de pardessus, de paletots, d'imperméables, de complets, de vestons, de pantalons, de chemises, de tee-shirts, de vêtements de nuit et de sous-vêtements, de vêtements de sport tels que les coupe-vent et bermudas, de vêtements de sports d'hiver, de jeans et de vestes en jean, y compris la confection à forfait de vêtements pour hommes et garçons. Cette catégorie exclut la confection de vêtements en tricot, en cuir, en fourrure ou en caoutchouc vulcanisé;

y) industries des vêtements pour femmes et jeunes filles : établissements dont l'activité principale est la confection de vêtements pour femmes et jeunes filles, notamment la confection de manteaux, de vestes, de blousons, de vêtements de ski, de jeans, de jupes et de vestes en jean, de tee-shirts, de vêtements de sport, de robes, de blouses et de chemisiers en tissu naturel ou synthétique, de sous-vêtements et de vêtements de nuit, de vêtements de mariage et de vêtements de maternité, y compris la confection à forfait de vêtements pour femmes et jeunes filles. Cette catégorie exclut la confection de vêtements en tricot, en cuir, en fourrure ou en caoutchouc vulcanisé;

z) industries des vêtements pour enfants et bébés : établissements dont l'activité principale est la confection de vêtements pour enfants et bébés, notamment la confection de sous-vêtements et de vêtements de nuit, y compris la confection à forfait de vêtements pour enfants et bébés. Cette catégorie exclut la confection de vêtements en tricot, en cuir, en fourrure ou en caoutchouc vulcanisé. Cette catégorie exclut également les établissements dont l'activité principale est la confection de vêtements pour garçonnets qui sont classés dans l'une ou l'autre des catégories de la confection pour hommes et garçons et ceux dont l'activité principale est la confection de vêtements pour fillettes qui sont classés dans l'une ou l'autre des catégories de la confection pour femmes et jeunes filles;

aa) autres industries de l'habillement : établissements dont l'activité principale est la confection, pour hommes, femmes et enfants, de chandails, sauf en tricot. Cette catégorie comprend également les établissements dont l'activité principale est la confection de vêtements de travail, de vêtements professionnels, d'uniformes et de pièces, quel que soit le tissu utilisé, à l'exclusion du caoutchouc vulcanisé ou du cuir, lesquels comprennent, notamment, les établissements dont l'activité principale est la confection de bleus, de salopettes, de combinaisons de travail et d'uniformes militaires. Cette catégorie comprend également les établissements dont l'activité principale est la confection d'uniformes pour équipes sportives, à l'exclusion des uniformes en tricot, en cuir ou en caoutchouc vulcanisé. Elle comprend également les établissements dont l'activité principale est la confection pour hommes, femmes et enfants, de gants, mitaines, moufles, sauf en tricot, les établissements dont l'activité principale est la confection de garnitures en fourrure (poignets, collets, etc.) pour hommes, femmes et enfants, de vêtements de base, à l'exclusion des vêtements de base en tricot, de chapeaux en cuir, laine, étoffe ou toute autre matière, à l'exclusion des chapeaux en fourrure ou en tricot et les établissements dont l'activité principale est la confection, sauf en tricot, d'articles vestimentaires non classés ailleurs, comme les ceintures, les cravates ou les vêtements de plage.

8º le secteur de la fabrication d'équipement de transport et de machines (sauf les machines électriques) dont font partie les catégories d'établissements qui suivent :

a) fabricants d'aéronefs et de pièces : établissements dont l'activité principale est la fabrication d'avions, de planeurs, de dirigeables, et de pièces d'aéronefs, telles que moteurs, hélices et flotteurs. La réparation est comprise dans cette rubrique, de même que les établissements dont l'activité principale est la fabrication de pièces pour missiles guidés et véhicules spéciaux. Les fabricants de véhicules à coussin d'air sont classés au sous-paragraphe h (Fabricants de véhicules divers). La fabrication d'instruments aéronautiques est exclue;

b) fabricants de véhicules automobiles : établissements dont l'activité principale est la construction et le montage de véhicules automobiles complets, tels que voitures particulières, voitures utilitaires, autobus, autocars, camions et véhicules automobiles à usages spéciaux tels qu'ambulances et taxis;

c) fabricants de carrosseries de camions et remorques : établissements dont l'activité principale est la construction de carrosseries de camions, d'autobus et d'autocars, mais non la construction de camions, d'autobus et d'autocars complets. Cette industrie comprend les établissements dont l'activité principale est la construction de remorques pour camions, pour voitures particulières et pour le transport de voyageurs;

d) fabricants de pièces et accessoires d'automobiles : établissements dont l'activité principale est la fabrication de pièces détachées d'automobile (sauf carrosseries de camions, d'autobus et autocars) et d'accessoires d'automobiles, tels que moteurs, freins, embrayages, essieux, boîtes de vitesse, transmissions, roues, châssis, radiateurs, ressorts, quincaillerie d'automobiles, chauffage, klaxons et miroirs. La fabrication de pneus et chambres à air, la fabrication de glaces d'automobiles, la fabrication d'accessoires en tissu pour l'automobile et la fabrication d'accumulateurs sont exclues;

e) fabricants de matériel ferroviaire roulant : établissements dont l'activité principale est la construction et la réparation de locomotives de tous genres et écartements, ainsi que de voitures et de wagons (y compris les châssis et pièces) pour le transport des personnes et des marchandises;

f) construction et réparation de navires : établissements dont l'activité principale est la construction et la réparation de tous genres de navires jaugeant plus de 5 tonnes;

g) construction et réparation d'embarcations : établissements dont l'activité principale est la construction et la réparation d'embarcations de tous genres. Cette industrie s'occupe en majeure partie de petites embarcations, telles que bateaux à moteur, à voile, à rames, chaloupes de sauvetage et canots;

h) fabricants de véhicules divers : établissements dont l'activité principale est la construction de matériel de transport non classé ailleurs, ce qui comprend les motoneiges, les véhicules à coussin d'air, et les véhicules à traction animale, à l'inclusion des traîneaux, ainsi que les pièces de ces mêmes véhicules;

i) fabricants d'instruments aratoires : établissements dont l'activité principale est la fabrication de matériel agricole tel que charrues, batteuses, lieuses, épandeuses d'engrais, trayeuses et faucheuses. Cette industrie comprend également les établissements dont l'activité principale est la fabrication de tracteurs. Les établissements dont l'activité principale est la fabrication de tracteurs routiers sont classés au sous-paragraphe b (fabricants de véhicules automobiles). Les établissements dont l'activité principale est la fabrication de tracteurs industriels de manutention utilisés dans les usines, les entrepôts et les ports sont classés au sous-paragraphe j (fabricants de machines et d'équipement divers). Les établissements dont l'activité principale est la fabrication d'outils à bras tels que houes, râteaux et pelles sont exclus;

j) fabricants de machines et équipement divers : établissements dont l'activité principale est la fabrication de machines et de matériels spéciaux pour le bâtiment et pour l'extraction minière, y compris les machines et le matériel de terrassement et le matériel de creusage et de forage de la terre et du roc à l'inclusion de forets pour percer le roc; établissements dont l'activité principale est la fabrication d'autres machines propres à une industrie, sauf les machines agricoles, comme par exemple des machines et appareils pour les industries textiles, pour l'industrie de la pâte et du papier, pour l'imprimerie et pour les industries alimentaires; établissements dont l'activité principale est la fabrication de machines et de matériel non destinés à une industrie particulière ni classés ailleurs, comme, par exemple, des moteurs de marine, des moteurs à usage général, du matériel de pompage, du matériel de transmission d'énergie mécanique, du matériel de ventilation, d'aération et de dépoussiérage, des convoyeurs, des ascenseurs et des machines de levage et de hissage.

Cette industrie comprend les établissements dont l'activité principale est la fabrication de tracteurs industriels de manutention devant servir dans les usines, les entrepôts, et les ports. Les établissements dont l'activité principale est la fabrication de machines servant au travail du bois et de machines-outils mues par un moteur et munies d'un instrument tranchant pour le travail des métaux sont compris dans cette rubrique. Les établissements dont l'activité principale est la fabrication de mèches, de forets et d'autres outils tranchants pour les machines ou pour les outils portatifs à moteur sont exclus;

k) fabricants d'équipement commercial de réfrigération et de climatisation : établissements dont l'activité principale est la fabrication de matériel frigorifique commercial, électrique ou non, tel que vitrines, comptoirs et armoires pour la conservation de produits congelés, ainsi que des groupes réfrigérants pour installations particulières ou incorporées. Cette industrie comprend également les établissements dont l'activité principale est la fabrication de groupes autonomes de climatisation (sauf les climatiseurs d'appartement) et le matériel de climatisation pour installations particulières ou incorporées;

l) fabricants de machines pour le bureau et le commerce : établissements dont l'activité principale est la fabrication de machines pour le bureau et le commerce telles que machines à écrire, caisses enregistreuses, distributeurs automatiques, machines à calculer et balances. Les établissements dont l'activité principale est la fabrication de calculatrices électroniques, d'ordinateurs et de dispositifs de contrôle s'y rapportant sont classés à cette rubrique.

9º le secteur de la sylviculture et des scieries dont font partie les catégories d'établissements qui suivent :

a) exploitation forestière : établissements dont l'activité principale est l'abattage et le tronçonnage, l'empilage, le cubage, l'expédition et le chargement de grumes, et établissements dont l'activité principale est la récupération des billes perdues, y compris des billes immergées. Les établissements dont l'activité principale est le transport du bois par camions grumiers, ainsi que le flottage, le guidage, le tri, le flottage en trains et le remorquage du bois sont également inclus (sauf s'il s'agit d'établissements titulaires d'une licence de transporteur public), de même que les entreprises d'écorçage qui s'occupent de la production de bois complètement ou partiellement écorcé;

b) services forestiers : établissements privés ou publics, dont l'activité principale consiste à patrouiller les forêts, à les inspecter en vue de la prévention des incendies, à lutter contre les incendies, et à s'occuper de pépinières forestières, de reboisement et d'autres services forestiers. Les conseillers forestiers sont exclus.

c) scieries, ateliers de rabotage et usines de bardeaux : établissements dont l'activité principale est la production de sciages (planches, poutres, bois de dimension), bois à bobines, bois de déroulage et autres produits du façonnage du bois tels que bardeaux, bois de tonnellerie et planchettes pour la confection de caisses à partir de billes ou de grumes; du rabotage et du travail des sciages en vue de leur transformation en produits standard, rainés ou de dimension. Les établissements dont l'activité principale est la fabrication de produits destinés à la confection de parquets en bois dur et de produits autres que des sciages sont exclus. Les usines d'écorçage du bois sont comprises dans le sous-paragraphe a (Exploitation forestière);

10º le secteur d'activités de l'industrie du papier et de ses activités connexes dont font partie les catégories d'établissements qui suivent :

a) usines de pâtes et papiers : fabriques de pâtes chimiques ou mécaniques, ainsi que les usines fabriquant à la fois de la pâte et du papier, du papier journal, du papier d'imprimerie et du papier à écrire, du papier d'emballage Kraft et du carton ou des panneaux pour le bâtiment et pour l'isolation. Les établissements dont l'activité principale est la transformation du papier et la fabrication d'articles en papier sont classés au sous-paragraphe c (Fabricants de boîtes en carton et de sacs en papier) ou au sous-paragraphe d (Transformations diverses du papier);

b) fabricants de papier de couverture asphalté : établissements dont l'activité principale est la fabrication de bardeaux et feuilles saturés d'asphalte, de feutres et revêtements de toiture et de rouleaux de papier-toiture à surface lisse ou minéralisée;

c) fabricants de boîtes en carton et de sacs en papier : établissements dont l'activité principale est la fabrication de boîtes ou caisses d'emballage en carton-fibre ondulé ou compact; de sacs en papier et de contenants en papier ou en carton non classés ailleurs. De nombreux établissements dans cette industrie fabriquent des sacs et autres contenants en matières synthétiques et en papier métallique. Les établissements dont l'activité principale est la fabrication de cartons pliants et de boîtes montées sont exclus;

d) transformations diverses du papier : établissements dont l'activité principale est le couchage, le traitement, le façonnage et toute autre transformation du papier et du carton. De nombreux établissements dans cette industrie se servent également de matières synthétiques et de papier métallique pour fabriquer des articles semblables à ceux qui sont fabriqués en papier ou carton. Les principaux produits des établissements classés dans ce sous-paragraphe sont le papier paraffiné, le papier crêpé, les serviettes en papier, les enveloppes et articles de correspondance, le papier gommé, le papier-teinture, les assiettes et tasses en papier et les tubes d'expédition par la poste;

11° le secteur d'activités du bois et du meuble dont font partie les catégories d'établissements qui suivent :

a) fabriques de placages et de contre-plaqués : établissements dont l'activité principale est la production de placages et de contre-plaqués;

b) industrie des portes, châssis et autres bois ouvrés: établissements dont l'activité principale est la fabrication de produits façonnés tels que châssis, portes, cadres de portes et de fenêtres, boiseries, moulures, et parquets en bois dur. Cette industrie comprend également les établissements dont l'activité principale est la production de maisons préfabriquées à charpente en bois ou de panneaux préfabriquées à charpente en bois ou de panneaux préfabriqués pour le bâtiment, ou la fabrication d'éléments de charpente ou de structure lamellés. Les établissements dont l'activité principale est la production de sciages bruts, rabotés ou travaillés, sont exclus. Les établissements dont l'activité principale est la production de contre-plaqués ou de plaçages sont classés au sous-paragraphe a (Fabriques de placages et de contre-plaqués);

c) fabriques de boîtes en bois : établissements dont l'activité principale est la fabrication de boîtes, de palettes, de caisses et de paniers à fruits et à légumes, en bois. Cette industrie comprend la fabrication de planchettes pour boîtes à partir de sciages;

d) industrie des cercueils : établissements dont l'activité principale est la fabrication de cercueils et d'autres articles funéraires;

e) industries diverses du bois : établissements dont l'activité principale est le traitement protecteur du bois, le tournage sur bois et la fabrication d'articles en bois non classés ailleurs, y compris de sciure et de briquettes. Les principaux produits fabriqués sont les fournitures d'apiculture et d'aviculture, la laine de bois, les articles de ménage en bois (épingles à linge, planches à laver, escabeaux, seaux et baquets), l'ébénisterie sanitaire et les panneaux agglomérés. Cette industrie comprend la tonnellerie ou fabrication des barils, fûts, tonneaux et autres contenants faits de douves. Les établissements dont l'activité principale est la préparation du bois de tonnellerie sans fabrication de tonnellerie sont exclus;

f) industrie des meubles de maison : établissements dont l'activité principale est la fabrication des meubles de ménage de toutes sortes et de toutes matières. Cette industrie comprend aussi les ateliers de capitonnage, d'ébénisterie et de réparation de meubles;

g) industrie des meubles de bureau : établissements dont l'activité principale est la fabrication de meubles de bureau tels que pupitres, chaises, tables, classeurs, de toutes sortes et de toutes matières;

h) industrie des articles d'ameublement divers : établissements dont l'activité principale est la fabrication de mobilier et d'articles d'ameublement de toutes sortes et de toutes matières pour magasins, pour édifices publics et pour certaines professions. Cette industrie comprend aussi les établissements dont l'activité principale est la fabrication de matelas et sommiers. La fabrication des meubles en pierre est exclue;

i) industrie des lampes électriques et des abat-jour : établissements dont l'activité principale est la fabrication de lampes et lampes à pied électriques et d'abat-jour de tous genres et de toutes matières. Les établissements dont l'activité principale est la fabrication d'appareillage électrique sont exclus;

12° le secteur des mines (y compris le broyage) et des services miniers, à l'exclusion des carrières et sablières, dont font partie les catégories d'établissements qui suivent :

a) mines d'or : établissements dont l'activité principale est l'exploitation de filons d'or et de minerais dans lesquels l'or est habituellement la partie économique la plus importante. Cette catégorie comprend également la préparation et l'enrichissement du minerai et la production de lingots à la mine même;

b) mines de cuivre : établissements dont l'activité principale est l'exploitation de filons de cuivre et de minerais dans lesquels le cuivre est habituellement la partie économique la plus importante. Cette catégorie regroupe les étapes de la préparation des minerais (concassages, broyages, débourbages, criblages, classification), de la concentration des espèces minérales de valeur, du séchage, de l'expédition des concentrés, du smeltage ainsi que de l'évacuation des résidus;

c) mines de zinc : établissements dont l'activité principale est l'exploitation d'une mine où le zinc est la partie économique la plus importante. Cette catégorie regroupe les étapes de la préparation des minerais, de la concentration des espèces minérales de valeur, du séchage et de l'expédition des concentrés, ainsi que de l'évacuation des résidus;

d) mines de fer : établissements dont l'activité principale consiste à extraire, préparer et enrichir du minerai de fer ainsi que les activités de transport et de manutention qui dépendent directement de ces établissements;

e) autres mines de métaux : établissements dont l'activité principale consiste à extraire, préparer et enrichir des minerais métalliques autres que l'or, le cuivre, le zinc et le fer;

f) mines d'amiante : établissements dont l'activité principale est l'extraction et le traitement des fibres d'amiante;

g) mines de feldspath et quartz : établissements dont l'activité principale est l'extraction et le traitement de minerais de feldspath et de quartz;

h) mines de sel : établissements dont l'activité principale est l'extraction de sel, le raffinage et la manutention de sel;

i) mines de talc : établissements dont l'activité principale est l'extraction de talc;

j) autres mines de minerais non métalliques : établissements dont l'activité principale est l'extraction et le traitement de minerais non métalliques autres que l'amiante, le feldspath, le quartz, le sel et le talc. Les établissements dont l'activité principale est l'extraction et le traitement de la tourbe sont exclus;

k) forage à forfait et prospection : établissements dont l'activité principale est le forage à forfait pour des matières autres que l'eau, le pétrole et le gaz. Est également comprise dans la présente catégorie la prospection de type traditionnel. Les établissements dont l'activité principale est de fournir des services d'exploration géophysiques sont exclus;

l) services relatifs à l'exploitation, la mise en valeur et à l'extraction minière : établissements dont l'activité principale est de fournir des services à forfait aux sociétés minières tels que le forage, le fonçage des puits et galeries, l'enlèvement des morts-terrains, le drainage, le pompage et tous autres travaux reliés à l'exploration, la mise en valeur et l'extraction minière;

13º le secteur d'activités des affaires municipales dont font partie les établissements dont l'activité principale est l'administration publique locale ou régionale, y compris les établissements de tout organisme agissant pour le compte d'une municipalité au sein duquel celle-ci peut être représentée, qu'elle peut superviser, ou dont elle peut contrôler le budget ou exiger des comptes;

14º (*paragraphe abrogé*).

D. 517-82, art. 1, 3; D. 47-83, art. 1; D. 582-83, art. 1; D. 1405-83, art. 1; D. 1406-83, art. 1; D. 1606-84, art. 1; D. 687-85, art. 1; D. 1712-92, art. 3; L.Q. 1997, c. 43, art. 875; D. 448-2009, art. 1; D. 920-2015, art. 1; D. 186-2017, art. 1

[QUE-15.2]
RÈGLEMENT SUR LE CERTIFICAT DÉLIVRÉ POUR LE RETRAIT PRÉVENTIF ET L'AFFECTATION DE LA TRAVAILLEUSE ENCEINTE OU QUI ALLAITE

édicté en vertu de la *Loi sur la santé et la sécurité du travail* (RLRQ, c. S-2.1, art. 40, 46 et 223, par. 6)

D. 806-92, (1992) 124 G.O. II, 3916 [S-2.1, r. 3]

1. La forme et la teneur du certificat délivré pour le retrait préventif et l'affectation de la travailleuse enceinte ou qui allaite doivent être conformes à la formule prévue à l'annexe I.

2. Le présent règlement remplace le *Règlement sur le certificat délivré pour le retrait préventif de la travailleuse enceinte ou qui allaite* (R.R.Q. 1981, c. S-2.1, r. 2), remplacé par le *Règlement sur le certificat délivré pour le retrait préventif de la travailleuse enceinte ou qui allaite* (Décision 81-12-17) (Suppl. p. 1165).

3. (*Omis*).

ANNEXE I

CSST Commission de la santé et de la sécurité du travail du Québec

Certificat visant le retrait préventif et l'affectation de la travailleuse enceinte ou qui allaite

N° de dossier à la CSST

A - Identification de la travailleuse et objet de la consultation

Nom et prénom à la naissance

N° d'assurance-maladie

Adresse

N° d'assurance sociale

Code postal

Ind. rég. N° de téléphone

Catégorie de la demande ☐ Grossesse | Date prévue de l'accouchement | Année Mois Jour ☐ Allaitement | Date de naissance de l'enfant allaité | Année Mois Jour

Décrivez

Nature des dangers appréhendés par la travailleuse

Signature de la travailleuse

B - Identification du lieu de travail et description de l'emploi de la travailleuse

Raison sociale de l'employeur

Adresse du lieu de travail | Code postal

Poste de travail et département où la travailleuse exécute ses tâches | Titre de l'emploi

Nom et fonction de la personne avec qui l'on peut communiquer dans l'entreprise | Ind. rég. N° de téléphone

C - Consultation obligatoire en vertu de la loi

(Le médecin responsable des services de santé de l'établissement n'a pas à remplir cette section s'il émet le certificat.)

Nom du médecin consulté | En qualité de : ☐ médecin responsable de l'établissement ☐ chef du DSC ☐ médecin désigné

Nom du département de santé communautaire | Ind. rég. N° de téléphone

Réception du Rapport de consultation ☐ par téléphone ou ☐ par écrit | Date | Année Mois Jour

D - Rapport médical

Selon vous, quelles sont les conditions de travail comportant des dangers physiques pour l'enfant à naître ou allaité ou pour la travailleuse à cause de son état de grossesse?

Indiquer, s'il y a lieu, les problèmes de santé pouvant être aggravés par ces conditions de travail.

Est-ce que la travailleuse est apte médicalement à faire un travail? ☐ Oui ☐ Non

IMPORTANT Pour bénéficier d'un retrait préventif ou d'une affectation, la travailleuse doit être apte à un travail.

E - Attestation

☐ **J'atteste que les conditions de travail de la travailleuse comportent des dangers physiques pour elle-même, à cause de son état de grossesse, ou pour l'enfant à naître ou allaité.**

Pour les cas de grossesse seulement

Indiquer le nombre de semaines de grossesse à la date du retrait préventif ou de l'affectation.

Date du retrait préventif ou de l'affectation | Année Mois Jour

☐ Médecin traitant ☐ Médecin responsable de l'établissement | Nom du médecin (en lettres moulées) | N° de corporation | Ind. rég. N° de téléphone

Signature | Date | Année Mois Jour | Date de remise du certificat à la travailleuse | Année Mois Jour

Suggestion(s) à l'employeur pour faciliter l'affectation (conditions de travail et tâches à modifier).

La travailleuse doit remettre ce certificat dûment rempli à son employeur. Toutefois, l'absence de suggestions faites à l'employeur n'invalide pas le certificat.

166 (93-03)

Travailleuse - Voir renseignements au verso

[QUE-15.3]
TABLE DES MATIÈRES
RÈGLEMENT SUR LES COMITÉS DE SANTÉ ET DE SÉCURITÉ DU TRAVAIL

[QUE-15.3]
RÈGLEMENT SUR LES COMITÉS DE SANTÉ ET DE SÉCURITÉ DU TRAVAIL

édicté en vertu de la *Loi sur la santé et la sécurité du travail* (RLRQ, c. S-2.1, art. 223, 1°, 22°, 23° et 42°)

D. 2025-83, (1983) 115 G.O. II, 4209 [c. S-2.1, r. 5], tel que modifié par : L.Q. 2015, c. 15, art. 237.

SECTION I — CHAMP D'APPLICATION

1. Dans les sections II et V, on entend par **« comité »**, un comité de santé et de sécurité du travail formé en vertu des articles 68, 69 ou 82 de la *Loi sur la santé et la sécurité du travail* (chapitre S-2.1).

2. Dans les sections III, IV et VI, on entend par « comité », un comité de santé et de sécurité du travail formé en vertu des articles 68 ou 69 de la Loi.

SECTION II — CATÉGORIES D'ÉTABLISSEMENTS

3. Les catégories d'établissements au sein desquels un comité peut être formé sont celles décrites à l'annexe 1.

SECTION III — COMPOSITION DU COMITÉ

4. Le nombre de membres qui représentent les travailleurs au sein d'un comité est déterminé par entente entre l'employeur et l'association accréditée ou les associations accréditées qui représentent des travailleurs au sein de l'établissement ou, à défaut, l'ensemble des travailleurs de l'établissement. Ce nombre comprend tant les personnes qui sont membres du comité en leur qualité de représentants des travailleurs que celles qui sont membres du comité en leur qualité de représentants à la prévention. S'il y a mésentente quant au nombre total de membres qui représentent les travailleurs au sein d'un comité, ce nombre est le suivant :

1° 2, lorsque l'établissement au sein duquel a été formé le comité groupe 50 travailleurs ou moins, sauf lorsque cet établissement comprend un groupe de travailleurs non représentés par une association accréditée ayant désigné, suivant l'article 13, un membre du comité, auquel cas le nombre est porté de 2 à 3;

2° 3, lorsque l'établissement au sein duquel a été formé le comité groupe au moins 51 travailleurs et au plus 150;

3° 5, lorsque l'établissement au sein duquel a été formé le comité groupe au moins 151 travailleurs et au plus 500;

4° 7, lorsque l'établissement au sein duquel a été formé le comité groupe au moins 501 travailleurs et au plus 1000;

5° 9, lorsque l'établissement au sein duquel a été formé le comité groupe au moins 1001 travailleurs et au plus 1500;

6º 11, lorsque l'établissement au sein duquel a été formé le comité groupe plus de 1500 travailleurs.

5. Le nombre minimal de membres représentant l'employeur au sein d'un comité est de 1.

6. Le nombre maximal de membres qui représentent les travailleurs au sein d'un comité est de 11.

7. L'employeur peut désigner autant de membres au sein du comité qu'on y compte de membres qui représentent les travailleurs.

8. Le comité révise le nombre de ses membres à chaque année, à l'anniversaire de la transmission de l'avis visé à l'article 69 de la Loi, ou dès que survient une variation de plus de 20 % dans le nombre de travailleurs que groupe l'établissement.

9. Un comité n'est pas dissout du fait que l'établissement au sein duquel il a été formé groupe 20 travailleurs ou moins.

Un tel comité peut, toutefois, être dissout sur avis transmis à la Commission des normes, de l'équité, de la santé et de la sécurité du travail par l'employeur, une association accréditée ou, s'il n'y en a pas, par au moins quatre travailleurs, lorsque l'établissement au sein duquel il a été formé groupe 20 travailleurs ou moins depuis plus de 12 mois consécutifs.

2015, c. 15, art. 237

SECTION IV — MODALITÉS DE DÉSIGNATION

10. Lorsque plusieurs associations accréditées représentant l'ensemble des travailleurs d'un établissement ne s'entendent pas sur la désignation des travailleurs au sein du comité, ceux-ci sont désignés selon les modalités suivantes :

1º l'association accréditée qui, le cas échéant, représente la majorité absolue des travailleurs désigne la majorité absolue des représentants des travailleurs au sein du comité;

2º

a) sous réserve des dispositions contenues au sous-paragraphe b, les associations accréditées non visées par le paragraphe 1º désignent, le cas échéant, leurs représentants au sein du comité conformément aux procédures suivantes :

i. l'association accréditée qui représente le pourcentage le plus élevé de travailleurs au sein de l'établissement désigne un représentant;

ii. le pourcentage de l'association accréditée ayant procédé à la dernière désignation est réduit de moitié;

iii. l'association accréditée qui représente alors le pourcentage le plus élevé de travailleurs désigne un autre représentant;

iv. la procédure décrite en ii et iii est réitérée jusqu'à épuisement des désignations.

Une association accréditée peut se regrouper avec une ou plusieurs autres associations accréditées aux fins de l'application du présent sous-paragraphe. Le pourcentage global de travailleurs que représente le regroupement au sein de l'établissement est, alors, celui qui est pris en considération.

Lorsqu'il y a égalité entre deux ou plusieurs associations ou regroupements d'associations, le représentant est désigné par tirage au sort, chacun de ceux-ci ayant mis au sort le nom d'un candidat. L'association ou le regroupement d'associations dont le nom du candidat est tiré au sort est, alors, réputé avoir désigné ce représentant.

b) S'il résulte de l'application des modalités de désignation décrites au sous-paragraphe a qu'une association accréditée ou qu'un regroupement d'associations accréditées n'a pu désigner de représentant au sein du comité, le dernier représentant à être désigné est, nonobstant le sous-paragraphe a, désigné par tirage au sort entre les associations accréditées ou les regroupements d'associations accréditées qui n'ont pas désigné de représentant au sein du comité.

Une association accréditée habilitée à désigner un représentant des travailleurs au sein du comité qui ne procède pas à cette désignation au plus tard 30 jours après qu'un défaut d'entente ait été constaté est réputée avoir refusé ou négligé de désigner son représentant au sein du comité.

11. Lorsqu'une seule association accréditée représente des travailleurs d'un établissement sans les représenter tous, cette association accréditée désigne la majorité des représentants des travailleurs au sein du comité. Les autres représentants des travailleurs au sein du comité sont désignés par le groupe des travailleurs non représentés par l'association accréditée.

12. Lorsque plusieurs associations accréditées représentent des travailleurs d'un établissement sans les représenter tous, les représentants des travailleurs au sein du comité sont désignés conformément à l'article 10.

Les travailleurs non représentés par une association accréditée sont alors réputés constituer un groupe participant auquel s'appliquent, en les adaptant, les dispositions contenues au paragraphe 2° du premier alinéa de l'article 10. Ce groupe ne peut, toutefois, désigner plus de représentants des travailleurs au sein du comité que l'ensemble des associations accréditées.

13. Lorsqu'il résulte de l'application des modalités de désignation prévues aux articles 11 et 12 que le groupe des travailleurs non représentés par une association accréditée est habilité à désigner un représentant au sein du comité, celui-ci est désigné par scrutin lors d'une assemblée convoquée à cette fin par les représentants des travailleurs et de l'employeur qui sont déjà membres du comité.

Avis du scrutin et de l'assemblée de mise en candidature doivent être affichés dans l'établissement au moins 5 jours avant leur tenue afin de permettre à tous les travailleurs visés d'y prendre part.

Celui qui, parmi les travailleurs candidats, obtient le plus de votes est désigné comme représentant.

14. Lorsqu'au sein d'un établissement, le groupe des travailleurs non représentés par une association accréditée ou une association accréditée refuse ou néglige de désigner son représentant au sein du comité, le poste ainsi laissé vacant est comblé conformément aux articles 10, 11 ou 12, suivant le cas, tant et aussi longtemps que subsiste le défaut de désignation.

15. Lorsque les travailleurs d'un établissement ne sont représentés par aucune association accréditée, les représentants des travailleurs au sein du comité sont désignés par scrutin, lors d'une assemblée convoquée à cette fin par un travailleur de l'établissement.

Avis du scrutin et de l'assemblée de mise en candidature doivent être affichés dans l'établissement au moins 5 jours avant leur tenue afin de permettre à tous les travailleurs d'y prendre part.

Ceux qui, parmi les travailleurs candidats, obtiennent le plus de votes sont désignés comme représentants.

16. Nul ne doit entraver la tenue d'un scrutin prescrit par le présent règlement.

L'employeur doit permettre l'affichage des avis de scrutin et de l'assemblée de mise en candidature prescrit aux articles 13 et 15.

17. La répartition des représentants des travailleurs au sein du comité est révisée annuellement, à l'anniversaire de la transmission de l'avis visé à l'article 69 de la Loi, ou dès que survient une variation de plus de 20 pour cent dans le nombre de travailleurs que représente une association accréditée au sein de l'établissement.

SECTION V — RÈGLES DE FONCTIONNEMENT

18. Le comité tient sa première réunion dans les 30 jours qui suivent la désignation de ses membres.

19. Le comité se réunit dans les 3 jours ouvrables suivant la demande de l'un de ses membres, s'il survient l'un des événements décrits au premier alinéa de l'article 62 de la loi.

20. Le comité d'un établissement groupant moins de 25 travailleurs se réunit au moins une fois par 3 mois. Le comité d'un établissement groupant de 25 à 100 travailleurs au moins une fois par 2 mois. Le comité d'un établissement groupant plus de 100 travailleurs se réunit au moins une fois par mois.

21. Le comité désigne 2 coprésidents parmi ses membres : l'un représente les travailleurs et est choisi par les membres qui représentent les travailleurs au sein du comité; l'autre représente l'employeur et est choisi par les représentants de l'employeur au sein du comité.

22. Les réunions du comité sont présidées en alternance par chacun des coprésidents.

Le comité détermine celui des coprésidents qui préside la première réunion. En cas de désaccord, celui-ci est déterminé par tirage au sort.

23. En cas d'absence du coprésident qui devait présider une réunion, le groupe dont il fait partie désigne parmi ses membres le président de cette réunion.

24. Toute vacance à la coprésidence du comité est comblée conformément à l'article 21, au plus tard 10 jours après que le comité en a été avisé.

25. L'ordre du jour d'une réunion est déterminé par les coprésidents.

L'avis de convocation à une réunion fait mention des objets qui doivent être pris en considération. Cet avis est donné par celui des coprésidents qui doit présider la réunion.

Tout membre du comité peut proposer des points additionnels à l'ordre du jour, au début de la réunion et, s'il a l'accord des autres membres, ces points doivent aussi être pris en considération au cours de la réunion.

26. Une réunion ne peut être tenue que si au moins la moitié des membres qui représentent les travailleurs et au moins un membre représentant l'employeur au sein du comité y prennent part.

27. Si, lors d'une réunion, il y a absence d'unanimité parmi les représentants de l'employeur quant à la position à adopter relativement à une question donnée, la position de cette partie est celle ayant recueilli, lors d'un vote, la majorité des voix des représentants de l'employeur présents à la réunion.

28. Si, lors d'une réunion, il y a absence d'unanimité parmi les membres du comité qui représentent les travailleurs quant à la position à adopter relativement à une question donnée, la position de cette partie est celle ayant recueilli, lors d'un vote, la majorité des voix de ces membres présents à la réunion.

29. Les représentants des travailleurs et de l'employeur au sein du comité y exercent leurs fonctions tant et aussi longtemps que l'employeur, l'association accréditée ou le groupe des travailleurs non représentés par une association accréditée ayant procédé à leur désignation reste habilité à ce faire et qu'ils n'ont pas été relevés de leurs fonctions par celui-ci.

30. Toute vacance au sein du comité doit, au plus tard 30 jours après que le comité en a été avisé, être comblée par l'association accréditée, le groupe des travailleurs non représentés par une association accréditée ou l'employeur ayant désigné le membre du comité à qui est imputable la vacance.

Lorsqu'une association accréditée ou le groupe des travailleurs non représentés par une association accréditée ne comble pas une vacance à l'intérieur du délai imparti, le poste ainsi laissé vacant est comblé conformément aux articles 10, 11 ou 12, suivant le cas, tant et aussi longtemps que subsiste le défaut de désignation.

31. À chacune des réunions, le comité doit adopter le procès-verbal de sa réunion précédente. Les procès-verbaux ainsi adoptés doivent être conservés par l'employeur pendant une période d'au moins 5 ans.

32. Le comité doit consigner dans un registre prévu à cette fin les procès-verbaux de ses réunions. Ledit registre est conservé dans un endroit déterminé par le comité.

33. Les membres du comité peuvent, sur demande, obtenir copie des procès-verbaux du comité.

SECTION VI — RAPPORT ANNUEL D'ACTIVITÉS

34. Tout comité doit, avant le 31 mars de chaque année, faire parvenir à la Commission un rapport annuel d'activités. Ce rapport couvre la période du 1er janvier au 31 décembre et contient les informations suivantes :

1° l'identification des associations accréditées représentées au sein du comité;

2° le nombre de travailleurs au sein de l'établissement;

3° la liste des membres du comité et leur fonction au sein de l'établissement;

4° la fréquence des réunions et le taux de participation annuel moyen à ces réunions;

5° le nom du médecin responsable des services de santé de l'établissement;

6° les modifications apportées au programme de prévention suite aux recommandations du comité;

7° le nombre et la nature des plaintes reçues;

8° le nombre d'enquêtes effectuées en vertu du paragraphe 9° de l'article 78 de la loi, en identifiant les événements qui ont causé un accident du travail ou une maladie professionnelle.

SECTION VII — DISPOSITION FINALE

35. (*Omis*).

ANNEXE 1

Groupe 1

A) — Bâtiment et travaux publics

1) — Entrepreneurs généraux

Cette catégorie comprend les entreprises générales de construction, dont l'activité principale est la construction de bâtiments, routes et grands ouvrages d'art tels que les installations maritimes et fluviales, les barrages et les centrales hydro-électriques. Les établissements qui s'occupent accessoirement de construction mais dont l'activité économique dominante s'exerce dans un autre domaine, telle que l'exploitation d'un service d'utilité publique, la fabrication, ou l'extraction minière, sont exclus.

a) — Bâtiment

Entreprises générales de construction, dont l'activité principale est la construction ou la rénovation et la réparation de bâtiments, maisons, bâtiments de ferme et édifices publics, industriels et commerciaux. Cette catégorie comprend également les entreprises générales de construction, dont l'activité principale est la construction de bâtiments dans un but de spéculation.

b) — Construction de ponts et de voies publiques

Entreprises générales de construction, dont l'activité principale est la construction et la réparation de routes, d'échangeurs routiers, rues, ponts, viaducs et aéroports. Les entreprises générales de construction, ainsi que les chantiers de construction où elles œuvrent, dont l'activité principale est l'entretien de routes et de rues (asphalte, arrosage, comblement de nids de poule, déneigement) sont exclus.

c) — Autres travaux de construction

Entreprises générales de construction, dont l'activité principale consiste en travaux d'adduction d'eau, de construction, de canalisations de gaz, égouts, centrales hydroélectriques, lignes de transport d'énergie, lignes téléphoniques, canalisations électriques, barrages, digues, ports et canaux (y compris le dragage), quais et môles, dans la réalisation d'autres travaux maritimes et fluviaux, la construction de pylônes de radio, voies ferrées et ouvrages ferroviaires, et d'autres ouvrages d'art non classés ailleurs.

2) — Entrepreneurs spécialisés

Cette catégorie comprend les entreprises spécialisées de construction. Les entrepreneurs spécialisés exécutent seulement une partie des travaux habituellement exécutés par un entrepreneur général au titre d'un marché. Tout sous-traitant qui participe aux travaux d'entreprise générale est classé dans cette catégorie, de même que les travaux à forfait exécutés directement pour le compte des propriétaires. Les entrepreneurs spécialisés font souvent sur place des travaux de réparation et d'entretien de bâtiments de tous genres. Cependant, les travaux d'entretien ou de réparation exécutés par le personnel même de l'établissement où s'effectuent ces travaux ne sont pas compris dans cette catégorie. Les établissements qui s'occupent principalement d'une autre activité telle que la fabrication d'éléments de charpente en acier, mais qui assurent également le montage au chantier sont exclus. Les entreprises spécialisées de construction classées dans cette catégorie, comprennent celles qui s'occupent des domaines suivants : briquetage, menuiserie-charpente, travail du ciment, installation électrique, lattage, plâtrage, crépissage, peinture, décoration, plomberie, chauffage, installation de climatisation, toiture, pose de terrazzo, montage de charpente d'acier, excavation, plancheiage, pose de vitres, de matériaux isolants, de bourrelets isolants, démolition de bâtiments, forage de puits d'eau, tôlerie, pose de moquette, pose de carrelages, pose de marbre et de pierre.

B) — Industrie chimique

1) — Fabricants d'engrais composés

Établissements dont l'activité principale est la fabrication d'engrais composés, y compris à façon. Les établissements dont l'activité principale est la fabrication de produits chimiques pouvant non seulement servir d'engrais mais ayant également d'autres possibilités importantes d'utilisation industrielle, comme c'est le cas pour le nitrate d'ammonium, sont classés au paragraphe 7.

2) — Fabricants de matières plastiques et de résines synthétiques

Établissements dont l'activité principale est soit la fabrication de résines synthétiques sous forme par exemple de poudre, de granules, de flocons, ou sous forme liquide, soit la combinaison de résines synthétiques dans le but de les rendre susceptibles de moulage. Ces établissements fabriquent parfois des pellicules et des feuilles de matières plastiques, des produits obtenus par extrusion et d'autres produits du même genre, à partir des résines de leur propre fabrication. Les établissements dont l'activité principale est le moulage, l'extrusion et d'autres types de façonnage de matières plastiques ou d'articles à partir de résines fabriquées par d'autres sont classés au paragraphe G2. Les établissements dont l'activité principale est la fabrication de produits chimiques entrant dans la composition des résines synthétiques sont classés au paragraphe 7. Les établissements dont l'activité principale est l'extrusion de filaments textiles sont exclus.

3) — Fabricants de produits pharmaceutiques et de médicaments

Établissements dont l'activité principale est la fabrication de drogues et de médicaments. Cette catégorie comprend les fabricants de médicaments brevetés et de spécialités pharmaceutiques, d'huile de foie de morue, de produits biologiques tels que les antitoxines, les cultures bactériennes, les sérums et les vaccins, ainsi que les établissements dont l'activité principale est la fabrication d'antibiotiques. Les établissements dont l'activité principale est le broyage de médicaments et d'herbes médicinales sont également compris dans cette catégorie.

4) — Fabricants de peintures et vernis

Établissements dont l'activité principale est la fabrication de peintures, vernis, laques, émaux et gommes-laques. Cette catégorie comprend également les établissements dont l'activité principale est la fabrication de mastic, de matières de charge, de couleurs à l'huile et de diluant.

5) — Fabricants de savon et de produits de nettoyage

Établissements dont l'activité principale est la fabrication de savon sous toutes ses formes, de détersifs synthétiques, de produits de récurage, de poudre à laver et de produits de nettoyage, y compris de poudre à récurer et de produits pour le nettoyage des mains. Cette catégorie comprend également les établissements dont l'activité principale est la fabrication de produits ménagers de blanchiment et d'azurage.

6) — Fabricants de produits de toilette

Établissements dont l'activité principale est la fabrication de parfums, cosmétiques, lotions, préparations capillaires, pâtes dentifrices et autres préparations pour la toilette.

7) — Fabricants de produits chimiques industriels

Établissements dont l'activité principale est la fabrication de produits chimiques inorganiques de base à usage industriel, tels que des acides, des alcalis, des sels, des gaz comprimés et d'autres composés inorganiques, ou la fabrication, par un procédé chimique, de produits chimiques organiques à usage industriel. Cette catégorie comprend les établissements dont l'activité principale est la fabrication de couleurs sèches, de pigments, de céruse, d'oxydes de plomb, d'oxydes de fer, d'anhydrite titanique et de teintures. Sont également compris les établissements dont l'activité principale est la fabrication de caoutchouc synthétique, de superphosphates et de gaz organiques comprimés, à l'exclusion de gaz de pétrole. Les établissements dont l'activité principale est la fabrication de coke sont classés au paragraphe I1. Les établissements dont l'activité principale est la fabrication de résines synthétiques sont classés au paragraphe 2 et les établissements dont l'activité principale est la fabrication d'engrais composés sont classés au paragraphe 1. Les raffineries de pétrole sont exclues.

8) — Fabricants de produits chimiques divers

Établissements dont l'activité principale est la fabrication de produits chimiques non classés ailleurs, tels que les explosifs, les munitions, les insecticides, les germicides, les encres, les allumettes, les adhésifs et les substances servant au polissage et à l'apprêt. Cette catégorie comprend aussi les établissements dont l'activité principale est la distillation du goudron et du bois. Sont également compris les établissements dont l'activité principale est la fabrication de désodorisants et de désinfectants à usage ménager, collectif ou industriel; de produits de balayage, et de solutions pour le nettoyage à sec.

C) — Forêt et scierie

1) — Exploitation forestière

Établissements dont l'activité principale est l'abattage et le tronçonnage, l'empilage, le cubage, l'expédition et le chargement de grumes et établissements dont l'activité principale est la récupération des billes perdues, y compris des billes immergées. Les établissements dont l'activité principale est le transport du bois pour camions grumiers, ainsi que le flottage, le guidage, le tri, le flottage en trains et le remorquage du bois entrent également dans cette catégorie (sauf s'il s'agit d'établissements étant titulaire d'une licence de transporteur public), de même que les établissements dont l'activité principale est l'écorçage, qui s'occupent de la production de bois à pâte complètement ou partiellement écorcée.

2) — Services forestiers

Établissements privés ou publics, dont l'activité principale consiste à patrouiller les forêts, à les inspecter en vue de la prévention des incendies, à lutter contre les incendies, et à s'occuper de pépinières forestières, de reboisement et d'autres services forestiers. Les établissements dont l'activité principale est de fournir des services de conseil forestier sont exclus.

3) — Scieries, ateliers de rabotage et usines de bardeaux

Établissements dont l'activité principale est la production de sciages (planches, poutres, bois de dimension), bois à bobines, bois de déroulage et autres produits de façonnage du bois tels que bardeaux, bois de tonnellerie et planchettes pour la confection de caisses à partir de billes ou de grumes, du rabotage et du travail des sciages en vue de leur transformation en produits standard, rainés ou de dimension. Les établissements dont l'activité principale est la fabrication de produits destinés à la confection de parquets en bois dur et de produits autres que des sciages sont classés au paragraphe F2. Les établissements dont l'activité principale est l'écorçage du bois à pâte sont classés au paragraphe 1.

D) — Mines, carrières et puits de pétrole

1) — Mines métalliques

a) — Placers d'or

Établissements dont l'activité principale est l'extraction d'or alluvionnaire par traitement hydraulique ou par d'autres procédés. Cette catégorie comprend également les établissements dont l'activité principale est la préparation et l'enrichissement du minerai et la production de lingots à la mine même.

b) — Mines de quartz aurifère

Établissements dont l'activité principale est l'exploitation de mines d'or filonien. Cette catégorie comprend également les établissements dont l'activité principale est la préparation et l'enrichissement du minerai et la production de lingots à la mine même.

c) — Mines d'uranium

Établissements dont l'activité principale est l'extraction de minerais d'uranium ou de radium, ainsi que la préparation et l'enrichissement de ces minerais.

d) — Mines de fer

Établissements dont l'activité principale est l'extraction de minerais de fer, ainsi que la préparation et l'enrichissement de ces minerais.

e) — Mines métalliques diverses

Établissements dont l'activité principale est l'extraction de minerais métalliques non catégorisés ailleurs, ainsi que la préparation et l'enrichissement de ces minerais. Entrent dans cette catégorie les mines d'argent, de cuivre-or-argent, de nickel-cuivre, d'argent-cobalt, d'argent-plomb-zinc, de molybdénite, de chromite, de manganèse, de mercure, de tungstène, de titane, de cérium, de terres rares, de colombium, de tantale, d'antimoine, de magnésium et de béryllium.

2) — Combustible minéraux

a) — Mines de charbon

Établissements dont l'activité principale est l'extraction du charbon (anthracite, charbon bitumineux ou lignite). Cette catégorie comprend les établissements où l'on broie, lave, trie ou prépare le charbon pour qu'il soit propre à servir de combustible, que ces établissements soient exploités par une entreprise de charbonnage ou qu'ils soient exploités sous contrat.

b) — Industries du pétrole brut et du gaz naturel

Établissements dont l'activité principale est l'exploitation de puits de pétrole ou de gaz naturel, ou de schistes pétrolifères et de sables bitumineux de surface. Les établissements dont l'activité principale est la récupération de naphte contenu dans le gaz naturel entrent aussi dans cette catégorie. Ces établissements produisent du pentane et d'autres hydrocarbures liquides plus lourds et des gaz de pétrole liquéfiés tels que du butane, du propane et des mélanges butane-propane. Dans certains cas, ils obtiennent également du soufre élémentaire. Les établissements dont l'activité principale est la fabrication de gaz de houille, lorsqu'ils ne sont pas exploités conjointement avec un haut fourneau ou une usine de produits chimiques sont exclus de même que les établissements dont l'activité principale est la distribution de gaz manufacturé ou naturel aux consommateurs par un réseau de canalisations.

3) — Mines non métalliques (sauf mines de charbon)

a) — Mines d'amiante

Établissements dont l'activité principale est l'extraction et le traitement des fibres d'amiante.

b) — Tourbières

Établissements dont l'activité principale est la récupération et le traitement de la tourbe.

c) — Mines de gypse

Établissements dont l'activité principale est l'extraction du gypse. Les établissements dont l'activité principale est la fabrication de produits du gypse et qui extraient aussi du gypse sont classés au paragraphe J9.

d) — Mines non métalliques diverses

Établissements dont l'activité principale est l'extraction et le traitement de minerais non métalliques non classés ailleurs. Entrent dans cette catégorie, les mines de stéatique et de talc, de barytine, de terre à diatomées, de mica, d'ocre et d'oxyde de fer, de feldspath, de syénite néphélinique, de quartz, de silice, de spathfluor, de sel, de potasse, de sulfate de sodium, de lithine, de magnésite, de brucite, de gemmes, de pierre ponce, de poussières volcaniques, de blanc d'Espagne, de pouzzolane, de cyanite, de natronalum, de carbonate de sodium, de sulfate de magnesium, d'actinote, de serpentine, de strontium, de graphite, de phosphate et de pyrite.

4) — Carrières et sablières

a) — Carrières

Établissements dont l'activité principale est l'extraction et le broyage de roches ignées (telles que le granit), et de roches sédimentaires (pierre à chaux, marbre, schiste, ardoise et grès). Les établissements dont l'activité principale est la taille, le façonnage et le polissage de la pierre sont exclus.

b) — Sablières et gravières

Établissements dont l'activité principale est l'extraction, le broyage et le criblage du sable et du gravier des sablières ou des gravières.

5) — Services miniers

a) — Forage de puits de pétrole à forfait

Établissements dont l'activité principale est le forage à forfait de puits de pétrole ou de gaz. Cette catégorie comprend les établissements qui se spécialisent dans le commencement du forage des puits et dans le montage, la réparation et le démontage des installations de forage.

b) — Autre forage à forfait

Établissements dont l'activité principale est le forage au diamant à forfait.

c) — Services miniers divers

Établissements dont l'activité principale consiste à fournir les services nécessaires à l'exploitation des gisements de pétrole et de gaz, tels que : descendre, couper et retirer les tuyaux, le tubage et les tiges; cimenter les puits; dynamiter les puits; perforer le tubage; effectuer des traitements à l'acide ou à d'autres produits chimiques; nettoyer, vider et pomper à vide les puits; forer des puits pour l'injection d'eau. Cette catégorie comprend également les établissements dont l'activité principale consiste à fournir des services aux exploitants de mines métalliques et de mines non métalliques, comme le traçage, y compris l'enlèvement du mort-terrain et le fonçage des puits. On classe dans cette catégorie la prospection du type traditionnel, mais les relevés géophysiques, les levés par gravimétrie et les levés sismographiques sont exclus.

E) — Fabrication de produits en métal

1) — Industrie des chaudières et des plaques

Établissements dont l'activité principale est la fabrication de chaudières de chauffage et énergétiques (à l'exception des chaudières de chauffage en fonte par éléments), de réservoirs de stockage, de réservoirs sous pression, de cheminées en tôle pour usines, d'ouvrages en tôle forte et d'autres produits analogues de chaudronnerie. Les chaudières de chauffage en fonte par éléments sont classées au paragraphe 7.

Certains établissements de cette catégorie s'occupent à la fois de fabrication et d'installation de leurs produits. Chaque fois que tel est le cas, l'établissement est classé d'après son activité principale, c'est-à-dire, selon qu'il s'occupe surtout de fabrication, ou surtout de montage. Les établissements qui installent surtout des produits de fabrication propre sont considérés comme s'occupant principalement de fabrication et sont classés dans cette catégorie, alors que les établissements qui s'occupent surtout du montage de chaudières et de cheminées achetées en tôle pour usines sont classés au paragraphe A1 c. Les établissements dont l'activité principale est la fabrication et l'installation de gros réservoirs de stockage devant être montés sur place sont classés au paragraphe 2 et les établissements dont l'activité principale est la fabrication de réservoirs en tôle mince sont classés au paragraphe 4.

2) — Fabrication d'éléments de charpente métallique

Établissements dont l'activité principale est la fabrication de gros éléments de charpente en acier ou autre métal ou alliage. Les produits de cette catégorie comprennent les profilés pour ponts, bâtiments, pylônes de distribution, grands réservoirs et autres ouvrages semblables. Les établissements de cette catégorie peuvent ériger des bâtiments, des ponts et des grands réservoirs en plus d'en fabriquer les éléments métalliques, mais leur activité dominante consiste en la fabrication. Les établissements dont l'activité principale est l'érection de bâtiments, ponts et grands réservoirs avec des éléments métalliques achetés sont exclus.

3) — Industrie des produits métalliques d'architecture et d'ornement

Établissements dont l'activité principale est la fabrication d'ornements métalliques, d'escaliers de sauvetage ou autres, de grilles, de balustrades, de fenêtres métalliques (hermétiquement scellées et autres), portes et cadres métalliques et de cloisons métalliques. Les établissements de cette catégorie peuvent faire l'installation de leurs propres produits, mais la fabrication constitue leur activité dominante. Les établissements dont l'activité principale est l'érection ou l'installation d'ouvrages en métal achetés sont exclus.

4) — Industrie de l'emboutissage, du matriçage et du revêtement des métaux

Établissements dont l'activité principale est la fabrication d'articles en tôle mince tels que capsules de bouteilles, protecteurs de talon, lattes et boîtes métalliques. Cette catégorie comprend également les établissements dont l'activité principale est de fabriquer par emboutissage des produits tels que des ustensiles de cuisine ou d'hôpital, et d'autres ustensiles et contenants. Cette catégorie comprend aussi les établissements dont l'activité principale est le revêtement des métaux et articles, en métal tel que l'émaillage, la galvanisation et la galvanoplastie, sauf le revêtement en métal précieux. Elle comprend également les établissements dont l'activité principale est la fabrication de boîtes en fer-blanc et d'autres articles de ferblanterie ou de tôlerie tels qu'auvents métalliques, canalisations de chauffage, produits de couverture et gouttières. Le travail de ferblanterie et de tôlerie dans les chantiers du bâtiment sont exclus. Les établissements dont l'activité principale est la fabrication d'articles émaillés pour salles de bain tels que baignoires et lavabos sont classés au paragraphe 9.

5) — Industrie du fil métallique et de ses produits

Établissements dont l'activité principale est l'étirage de baguettes pour en faire du fil, ainsi que la fabrication de clous, chevilles, crampons, boulons, écrous, rivets, vis, rondelles, clôture métallique, grillage toile métallique, fil barbelé, chaînes pour pneus, fils et câbles non isolés, articles de cuisine et autres en fil métallique. Les établissements dont l'activité principale est la fabrication de fil ou de câble isolé sont exclus.

6) — Fabricants de quincaillerie, d'outillage et de coutellerie

Établissements dont l'activité principale est la fabrication de taillanderie, d'outillage à main, de coutellerie et de quincaillerie. Les principaux produits de cette catégorie sont les haches; les burins; les matrices y compris les moules pour l'extrusion, et d'autres outils pour le travail des métaux; les marteaux, pelles, houes, râteaux, limes, scies, les fournitures de quincaillerie pour le bâtiment et la navigation, les rasoirs mécaniques et les lames, la coutellerie de table et de cuisine et divers autres articles ordinairement considérés comme quincaillerie et non classés ailleurs. Cette catégorie comprend également les établissements dont l'activité principale est la fabrication de mèches, forets (sauf pour percer le roc qui sont exclus), ainsi que d'autres outils de coupe pour machines ou pour outils portatifs à moteur. Les établissements dont l'activité principale est la fabrication de coutellerie en argent massif ou plaqué sont exclus de même que ceux dont l'activité principale est la fabrication de machines-outils ou d'outils portatifs à moteur et ceux dont l'activité principale est la fabrication d'instruments de mesure de précision à l'usage des mécaniciens.

7) — Fabricants d'appareils de chauffage

Établissements s'occupant principalement de la fabrication de matériel commercial pour la cuisson et de gros appareils de chauffage tels que calorifères, brûleurs à mazout, à gaz, appareils de chauffage à la vapeur et à l'eau chaude et équipement de chauffage non classés ailleurs. Cette catégorie comprend les établissements qui s'occupent principalement de la fabrication de chaudières de chauffage en fonte par éléments, de radiateurs en fonte ou chauffant par convection. Les établissements qui s'occupent surtout de la fabrication de matériel ménager pour la cuisson, électrique ou non, sont exclus.

8) — Ateliers d'usinage

Ateliers d'usinage dont l'activité principale est la fabrication de pièces et de matériel mécaniques, autres que des machines complètes, pour l'industrie. Cette catégorie comprend les ateliers d'usinage qui font des travaux à façon et des réparations. Les établissements dont l'activité principale est la remise à neuf de moteurs, de boîtes de vitesse et d'arbres pour automobiles sont classés dans cette catégorie. Les établissements dont l'activité principale est la remise à neuf ou la réparation de génératrices, de moteurs de démarreurs et d'alternateurs pour automobiles et les établissements dont l'activité principale est la remise à neuf de pièces d'automobiles telles que pompes à essence, pompes à eau, sabots de frein, embrayages, bobines et régulateurs de tension sont exclus.

9) — Fabrication de produits métalliques divers

Établissements dont l'activité principale est la fabrication de produits en métal non classés ailleurs tels que bourrelets, fusils, tubes repliables, pièces de machines, articles de plomberie (y compris émaillés), coffres-forts, chambres fortes et pièces forgées telles que chaînes (sauf pour pneus, qui sont classés au paragraphe 5), ancres et essieux. Cette catégorie comprend également les établissements dont l'activité principale est la fabrication de barres et de baguettes pour le béton armé, ainsi que ceux dont l'activité principale est le traitement à chaud des métaux.

Groupe 2

F) — Industrie du bois (sans les scieries classées au paragraphe C3)

1) — Fabriques de placages et de contre-plaqués

Établissements dont l'activité principale est la production de placages et de contre-plaqués.

2) — Industrie des portes, châssis et autres bois ouvrés

Établissements dont l'activité principale est la fabrication de produits façonnés tels que châssis, portes, cadres de portes et de fenêtres, boiseries, moulures, et parquets en bois dur. Cette catégorie comprend également les établissements dont l'activité principale est la production de maisons préfabriquées à charpente en bois ou de panneaux préfabriqués pour le bâtiment, ou la fabrication d'éléments de charpente ou de structure lamellés. Les établissements dont l'activité principale est la production de sciages bruts, rabotés ou travaillés, sont classés au paragraphe C3. Les établissements dont l'activité principale est la production de contre-plaqués ou de placages sont classés au paragraphe 1.

3) — Fabrique de boîtes en bois

Établissements dont l'activité principale est la fabrication de boîtes, de palettes, de caisses et de paniers à fruits et à légumes, en bois. Cette catégorie comprend la fabrication de planchettes pour boîtes à partir de sciages.

4) — Industrie des cercueils

Établissements dont l'activité principale est la fabrication de cercueils et d'autres articles funéraires.

5) — Industries diverses du bois

Établissements dont l'activité principale est le traitement protecteur du bois, le tournage sur bois et la fabrication d'articles en bois non classés ailleurs, y compris de sciure et de briquettes. Les principaux produits fabriqués sont les fournitures d'apiculture et d'aviculture, la laine de bois, les articles de ménage en bois (épingles à linge, planches à laver, escabeaux, seaux et baquets), l'ébénisterie sanitaire et les panneaux agglomérés. Cette catégorie comprend la tonnellerie ou fabrication des barils, fûts, tonneaux et autres contenants faits de douves. Les établissements dont l'activité principale est la réparation du bois de tonnellerie sans fabrication de tonnellerie sont classés au paragraphe C3.

G) — Industrie du caoutchouc et des produits en matière plastique

1) — Industrie des produits en caoutchouc

Établissements dont l'activité principale est la fabrication des marchandises en caoutchouc, tels que pneus et chambres à air pour automobiles, machines et matériel; chaussures et bottes entièrement en caoutchouc, bottes de bûcherons, couvre-chaussures en matière plastique avec ou sans revêtement intérieur de tontisse, et chaussures ou bottes à semelle moulée, en caoutchouc ou en matière plastique et tige de toile; tissus caoutchoutés, articles en caoutchouc à usage mécanique, couvre-sol en caoutchouc, et articles divers en caoutchouc. Cette catégorie comprend également les établissements dont l'activité principale est la fabrication de rubans adhésifs, y compris en cellulose. Les établissements dont l'activité principale est la production de caoutchouc synthétique sont classés au paragraphe B7. Les établissements dont l'activité principale est la fabrication de vêtements caoutchoutés sont exclus.

2) — Fabrication d'articles en matière plastique, n.c.a.

Établissements dont l'activité principale est la transformation de résines synthétiques produites ailleurs par moulage, extrusion ou tout autre moyen (qui leur donne l'apparence et la forme de base de matières plastiques) ou d'articles de cette matière pouvant difficilement être classés dans une autre catégorie, à l'inclusion des boyaux synthétiques à saucisse, de bouteilles et des conteneurs en matière plastique, ainsi que des auvents en matière plastique et en fibre de verre. Parmi les établissements classés à cette catégorie, un grand nombre fabriquent des pièces spéciales en matière plastique destinées, à l'automobile, aux appareils ménagers, etc. Les établissements dont l'activité principale est la fabrication d'articles en matière plastique tels que jouets, boutons, brosses à dents et tous les autres articles spécifiquement mentionnés dans une autre catégorie doivent être classés à la catégorie appropriée. Les établissements dont l'activité principale est la fabrication de produits tels que des pellicules et des feuilles plastiques et des articles obtenus par extrusion ou d'une manière analogue à partir des résines de leur propre fabrication sont classés au paragraphe B2.

H) — Fabrication d'équipement de transport

1) — Fabricants d'aéronefs et de pièces

Établissements dont l'activité principale est la fabrication d'avions, de planeurs, de dirigeables, et de pièces d'aéronefs, telles que moteurs, hélices et flotteurs. La réparation est comprise dans cette catégorie, de même que les établissements dont l'activité principale est la fabrication de pièces pour missiles guidés et véhicules spéciaux. La fabrication d'instruments aéronautiques y compris celle d'instruments électroniques de navigation est exclue. Les fabricants de véhicules à coussin d'air sont classés au paragraphe 8.

2) — Fabricants de véhicules automobiles

Établissements dont l'activité principale est la construction et le montage de véhicules complets, tels que voitures particulières, voitures utilitaires, autobus, autocars, camions et véhicules automobiles à usages spéciaux tels qu'ambulances et taxis.

3) — Fabricants de carrosseries de camions et remorques

Établissements dont l'activité principale est la construction de carrosseries de camions, d'autobus, et d'autocars, mais non la construction de camions, d'autobus et d'autocars complets. Cette catégorie comprend les établissements dont l'activité principale est la construction de remorques pour camions, pour voitures particulières et pour le transport de voyageurs.

4) — Fabricants de pièces et accessoires d'automobiles

Établissements dont l'activité principale est la fabrication de pièces détachées d'automobiles (sauf carrosseries de camions, d'autobus et autocars) et d'accessoires d'automobiles, tels que moteurs, freins, embrayages, essieux, boîtes de vitesse, transmissions, roues, châssis, radiateurs, ressorts, quincaillerie d'automobiles, chauffage, klaxons et miroirs. La fabrication de pneus et chambres à air est classée au paragraphe G1; la fabrication de glaces d'automobiles, au paragraphe J6; la fabrication d'accessoires en tissu pour l'automobile ainsi que la fabrication d'accumulateurs sont exclues.

5) — Fabricants de matériel ferroviaire roulant

Établissements dont l'activité principale est la construction et la réparation de locomotives de tous genres et écartements, ainsi que de voitures et de wagons (y compris les châssis et pièces) pour le transport des personnes et des marchandises.

6) — Construction et réparation de navires

Établissements dont l'activité principale est la construction et la réparation de tous genres de navires jaugeant plus de 5 tonnes.

7) — Construction et réparation d'embarcations

Établissements dont l'activité principale est la construction et la réparation d'embarcations de tous genres. Cette catégorie s'occupe en majeure partie de petites embarcations, telles que bateaux à moteur, à voiles, à rames, chaloupes de sauvetage et canots.

8) — Fabricants de véhicules divers

Établissements dont l'activité principale est la construction de matériel de transport non classé ailleurs, ce qui comprend les motoneiges, les véhicules à coussin d'air, et les véhicules à traction animale, à l'inclusion des traîneaux, ainsi que les pièces de ces mêmes véhicules.

I) — Première transformation des métaux

1) — Sidérurgie

Quatre grandes catégories d'établissements sont classées ici : 1° ceux dont l'activité principale est la fabrication de saumons de fonte et de ferro-alliages, 2° les aciéries qui fabriquent surtout des lingots et des pièces moulées et font le coulage de l'acier continu, 3° les laminoirs dont l'activité principale est le laminage à chaud ou à froid de l'acier pour en faire des profilés primaires, 4° les cokeries associées à de hauts fourneaux. Dans certains cas, le haut fourneau, l'aciérie, la laminerie et la cokerie sont associés par groupe de deux ou plus formant un ensemble intégré où la transformation peut s'effectuer au-delà du laminage.

2) — Fabriques de tubes et tuyaux d'acier

Établissements dont l'activité principale est la fabrication de tubes et tuyaux soudés ou sans soudure. Les établissements dont l'activité principale est la fabrication de tuyaux rivés sont classés au paragraphe E2; la fabrication de tuyaux en fonte est classée au paragraphe 3 et les établissements dont l'activité principale est la fabrication de ponceaux en métal sont classés au paragraphe E4.

3) — Fonderies de fer

Établissements dont l'activité principale est la fabrication de pièces moulées en fer et de tuyaux et raccords en fonte moulée.

4) — Fonte et affinage

Établissements dont l'activité principale est la fonte de minerais de métaux non ferreux et l'affinage de ces métaux. Dans le cas de mines d'or, la production de lingots d'or sur le carreau de la mine est classée au paragraphe D1 a ou b.

5) — Laminage, moulage et extrusion de l'aluminium

Établissements dont l'activité principale est la fabrication de profilés en aluminium, tels que barres, baguettes, plaques, tôles et pièces moulées, ou de fabrication de poudre d'aluminium. Le moulage sous pression de l'aluminium est classé au paragraphe 7 et l'extraction de l'aluminium du minerai est classée au paragraphe 4.

6) — Laminage, moulage et extrusion du cuivre et de ses alliages

Établissements dont l'activité principale est la fabrication de profilés en cuivre ou alliages de cuivre tels que barres, baguettes, plaques, tôles et pièces moulées ou de la fabrication de poudre de bronze. Le moulage sous pression des alliages de cuivre est classé au paragraphe 7 et l'extraction du cuivre du minerai est classé au paragraphe 4.

7) — Laminage, moulage et extrusion des métaux, n.c.a.

Établissements dont l'activité principale est la fabrication de métaux non ferreux tels que zinc, étain, plomb, nickel et titane et leurs alliages sous forme de barres, baguettes, plaques, tôles et pièces moulées. En plus, cette catégorie comprend les établissements dont l'activité principale est le moulage sous pression de tous les métaux non ferreux et de leurs alliages et la récupération des déchets de métaux non ferreux.

J) — Fabrication de produits minéraux non métalliques

1) — Fabricants de produits en argile

Établissements dont l'activité principale est la fabrication de briques d'argile; de dalles et de carreaux de céramique pour le revêtement des sols et des parois; de tuyaux d'égout, ainsi que d'autres matériaux de construction en argile. Les établissements dont l'activité principale est la fabrication de produits en argile tels que poterie, vaisselle et isolateurs en porcelaine sont également compris dans cette catégorie. Les établissements dont l'activité principale est la fabrication de produits réfractaires en argile sont classés au paragraphe 9.

2) — Fabricants de ciment

Établissements dont l'activité principale est la fabrication de ciment hydraulique, y compris de ciment Portland, de ciment naturel et de pouzzolane.

3) — Fabricants de produits en pierre

Établissements dont l'activité principale est la taille, le façonnage et le polissage de la pierre pour le bâtiment et pour d'autres usages. Parmi les principaux produits de cette catégorie, on trouve les monuments et les pierres tombales, les pierres de taille pour le bâtiment, les tableaux en ardoise et les meubles en pierre. Les établissements qui extraient de la pierre dont ils assurent parfois le façonnage et le polissage sont classés au paragraphe D4 a. Les établissements dont l'activité principale est l'achat et la vente de monuments et de pierres tombales, même lorsqu'ils se chargent d'inscriptions et de polissages, sont exclus.

4) — Fabricants de produits en béton

Établissements dont l'activité principale est la fabrication de produits en béton tels que blocs, agglomérés, tuyaux d'égout, réservoirs, poteaux, fosses septiques. Les établissements dont l'activité principale est la fabrication de blocs et de briques silicocalcaires sont compris dans cette catégorie. Les établissements s'occupant de la construction d'ouvrages en béton sont classés dans la section A et les établissements dont l'activité principale est la fabrication et la livraison de béton préparé sont classés au paragraphe 5.

5) — Fabricants de béton préparé

Établissements dont l'activité principale est la fabrication et la livraison de béton préparé.

6) — Fabricants de verre et d'articles en verre

Établissements dont l'activité principale est la fabrication de verre plat; de glaces, de récipients en verre; d'articles en verre; de verrerie culinaire à feu; de briques en verre, d'articles en fibre de verre (sauf isolants et tissus); de miroirs; de verre coloré, vitraux, ornements en verre; verroterie et autres articles en verre. Cette catégorie comprend les établissements dont l'activité principale est la gravure et la peinture sur verre ou verrerie. Les établissements dont l'activité principale est la fabrication de lentilles d'optique et de verres correcteurs ainsi que les établissements dont l'activité principale est la filature et le tissage de fibres de verre sont exclus.

7) — Fabricants d'abrasifs

Établissements dont l'activité principale est la fabrication de meules à l'émeri, au carborundum et à d'autres abrasifs naturels ou artificiels; d'affiloirs, de pierres à affûter, de papier et de tissu abrasifs et de meules à polir. Cette catégorie comprend la fabrication d'abrasifs primaires tels que l'alumine fondue et le carbure de silicium.

8) — Fabricants de chaux

Établissements dont l'activité principale est la fabrication de chaux vive et de chaux hydratée.

9) — Industrie des produits minéraux non métalliques divers

Établissements dont l'activité principale est la fabrication de produits minéraux non métalliques divers non classés ailleurs, tels que les produits réfractaires en argile et autres; les produits du gypse; les produits en laine minérale; les produits en amiante; les produits en mica; les produits vermiculite expansés, les produits en perlite expansés, le gravillon de couverture, ainsi que la dolomie frittée. Les établissements dont l'activité principale est la fabrication de produits dérivés du pétrole et du charbon sont exclus.

[QUE-15.4]
TABLE DES MATIÈRES
RÈGLEMENT INTÉRIEUR DE LA COMMISSION DES NORMES, DE L'ÉQUITÉ, DE LA SANTÉ ET DE LA SÉCURITÉ DU TRAVAIL

[QUE-15.4]
RÈGLEMENT INTÉRIEUR DE LA COMMISSION DES NORMES, DE L'ÉQUITÉ, DE LA SANTÉ ET DE LA SÉCURITÉ DU TRAVAIL

édicté en vertu de la *Loi sur la santé et la sécurité du travail* (RLRQ, c. S-2.1, art. 223, 1er al., par. 36)

RLRQ, c. S-2.1, r. 11.1, édicté par : D. 606-2015, (2015) 147 G.O. II, 2178. Tel que modifié par : L.Q. 2015, c. 15, art. 237.

SECTION I — LE CONSEIL D'ADMINISTRATION

§1 — Fonctions du conseil d'administration

1. Le conseil d'administration de la Commission des normes, de l'équité, de la santé et de la sécurité du travail, ci-après « la Commission », veille à la performance de l'organisation et est imputable de ses décisions. Il exerce notamment les fonctions suivantes :

1° établir les orientations stratégiques de la Commission, s'assurer de leur mise en application et s'enquérir de toute question qu'il estime importante;

2° adopter le plan stratégique et en surveiller l'évolution;

3° administrer, à titre de fiduciaire, le Fonds de la santé et de la sécurité du travail, ci-après « le Fonds », dans le meilleur intérêt du but poursuivi par le Fonds;

4° approuver :

a) le budget, et en surveiller l'évolution;

b) les états financiers et le rapport annuel de la Commission et du Fonds;

c) les règles de gouvernance de la Commission;

d) le code d'éthique et de déontologie applicable aux membres du conseil d'administration et aux vice-présidents, sous réserve d'un règlement pris en vertu des articles 3.0.1 et 3.0.2 de la *Loi sur le ministère du Conseil exécutif* (chapitre M-30);

e) les critères d'évaluation du fonctionnement du conseil d'administration;

f) la programmation annuelle des projets et des activités en ressources informationnelles de la Commission, requise en vertu de la *Loi sur la gouvernance et la gestion des ressources informationnelles des organismes publics et des entreprises du gouvernement* (chapitre G-1.03), et autoriser tout projet en ressources informationnelles au sens de cette loi;

g) une politique de gestion des risques, une politique de vérification interne et une politique de divulgation financière;

5º adopter :

a) les règlements de la Commission;

b) la politique de placement et la politique de capitalisation du Fonds;

c) la politique des commandites et les règles d'octroi de subventions et d'aide financière;

6º surveiller l'intégrité des contrôles internes, des contrôles de la divulgation de l'information ainsi que des systèmes d'information;

7º déterminer les délégations d'autorité, incluant celles relatives aux engagements financiers;

8º outre les comités stratégiques prévus à la Section V du présent règlement, constituer tout comité pour l'étude de questions particulières ou pour faciliter le fonctionnement de la Commission, lui attribuer les pouvoirs nécessaires à l'exercice de son mandat, nommer ses membres et déterminer ses règles de fonctionnement;

9º s'assurer que les comités stratégiques et les autres comités qu'il constitue exercent adéquatement leurs fonctions;

10º nommer le président du comité de vérification;

11º fixer le taux moyen de cotisation des employeurs pour un exercice fi nancier;

12º soumettre des recommandations au ministre responsable et celles que la Commission peut, en application de la *Loi sur la santé et la sécurité du travail* (chapitre S-2.1), soumettre à d'autres ministres;

13º autoriser la négociation d'ententes avec un autre gouvernement ou l'un de ses ministères ou organismes en vue de l'application des lois et des règlements que la Commission administre;

14º s'assurer de la mise en œuvre du programme d'accueil et de formation continue de ses membres.

2015, c. 15, art. 237

§2 — Séances du conseil d'administration

2. Le conseil d'administration de la Commission tient ses séances au siège de la Commission ou à tout autre endroit indiqué dans l'avis de convocation. Les membres du conseil d'administration peuvent également participer à une séance à l'aide de moyens permettant à tous les participants de communiquer immédiatement entre eux.

3. Les séances du conseil d'administration ont lieu aussi souvent que l'intérêt de la Commission l'exige, mais au moins sept fois par année.

4. Les séances du conseil d'administration sont convoquées par le secrétaire, à la demande du président du conseil d'administration et chef de la direction.

Le président du conseil d'administration et chef de la direction doit requérir la convocation d'une séance sur demande écrite d'au moins quatre membres. Cette demande doit indiquer les sujets à être inscrits à l'ordre du jour.

Si la convocation n'est pas faite dans les 48 heures de la réception de cette demande, ces membres peuvent demander au secrétaire de convoquer cette séance.

5. Le secrétaire transmet, au moins cinq jours ouvrables avant une séance, à chaque membre du conseil, à sa dernière adresse déclarée, un avis écrit des date, heure et lieu de la séance. Cet avis indique en outre où il peut prendre connaissance de l'ordre du jour et des documents s'y rapportant.

En cas d'urgence, le délai de transmission de cet avis est réduit à 24 heures et l'ordre du jour est le seul document requis. Les discussions doivent alors porter exclusivement sur les sujets inscrits à l'ordre du jour.

6. Il peut être dérogé aux formalités et au délai de convocation si tous les membres y consentent.

7. Les décisions du conseil d'administration sont prises à la majorité des voix des membres qui participent à la séance.

Le vote se fait verbalement ou par tout autre moyen d'expression individuel préalablement convenu ou, sur demande du président du conseil d'administration et chef de la direction ou de deux membres du conseil, au scrutin secret.

La déclaration par le président de la séance qu'une décision a été prise fait preuve, à moins d'être réfutée.

Une décision est exécutoire à compter du moment où elle est prise, à moins que le conseil d'administration n'en décide autrement.

Si des faits nouveaux sont portés à la connaissance du président du conseil d'administration et chef de la direction après la séance du conseil d'administration, il peut suspendre l'exécution d'une décision jusqu'à la prochaine séance du conseil d'administration, au cours de laquelle ces faits nouveaux seront présentés aux membres du conseil d'administration.

8. Une séance du conseil d'administration peut être ajournée à un moment ou à une date ultérieure sans qu'un nouvel avis de convocation ne soit requis.

Cet ajournement est consigné au procès-verbal de la séance.

9. Une décision du conseil d'administration prise hors d'une séance ordinaire et signée par tous les membres, en application des dispositions de l'article 159 de la *Loi sur la santé et la sécurité du travail*, doit être consignée au procès-verbal de la séance qui suit la date de sa signature.

SECTION II — LE PRÉSIDENT DU CONSEIL D'ADMINISTRATION ET CHEF DE LA DIRECTION

10. Le président du conseil d'administration et chef de la direction, à titre de président du conseil d'administration, est chargé de la direction du conseil d'administration de la Commission. Il exerce notamment les fonctions suivantes :

1° préparer et convoquer les séances du conseil d'administration;

2° établir l'ordre du jour et le calendrier annuel des séances du conseil d'administration, du comité administratif et des comités stratégiques, avec le concours du comité administratif et du secrétaire;

3° voir au bon fonctionnement du conseil d'administration, du comité administratif et des comités stratégiques;

4° s'assurer :

a) du respect du code d'éthique et de déontologie applicable aux membres du conseil d'administration et aux vice-présidents;

b) que les décisions du conseil d'administration sont mises en œuvre;

c) que le conseil d'administration dispose de toute l'information nécessaire à l'exercice de ses fonctions et qu'il s'en acquitte conformément aux lois, aux règlements et aux politiques de la Commission.

Il exerce, en outre, toute autre fonction que lui confie le conseil d'administration ou le comité administratif.

11. Le président du conseil d'administration et chef de la direction, à titre de président du conseil d'administration, est chargé de la direction du conseil d'administration de la Commission. Il exerce notamment les fonctions suivantes :

1° maintenir un contrôle global sur les activités de la Commission et informer périodiquement le conseil d'administration;

2° proposer au conseil d'administration les orientations stratégiques et assurer la réalisation de celles que le conseil établit;

3° soumettre au conseil d'administration tous les documents qu'il doit approuver, autoriser ou adopter;

4° voir à la préparation du budget, des états financiers et du rapport annuel de la Commission et du Fonds;

5° assurer la mise en œuvre des décisions du conseil d'administration;

6° attribuer les fonctions qui incombent aux vice-présidents et en évaluer le rendement;

7° exercer les pouvoirs et assumer les responsabilités qui lui sont dévolus par la *Loi sur la fonction publique* (chapitre F-3.1.1);

8° exercer les pouvoirs et assumer les responsabilités qui lui sont dévolus par la *Loi sur l'accès aux documents des organismes publics et sur la protection des renseignements personnels* (chapitre A-2.1), qu'il peut déléguer;

9° voir à l'organisation administrative interne de la Commission;

10° veiller à l'application des lois et des règlements que la Commission administre;

11° approuver les politiques générales de la Commission;

12° approuver les ententes de la Commission avec un ministère ou un organisme du gouvernement en vue de l'application des lois et des règlements qu'elle administre;

13° remplir les fonctions, exercer les pouvoirs et rendre les décisions qui ne sont pas de la compétence exclusive du conseil d'administration.

Il exerce, en outre, toute autre fonction que lui confie le conseil d'administration ou le comité administratif.

SECTION III — COMITÉ ADMINISTRATIF

§1 — Fonctions du comité administratif

12. Le comité administratif assiste le président du conseil d'administration et chef de la direction dans la préparation des séances du conseil d'administration en vue d'assurer son bon fonctionnement. Il exerce les fonctions suivantes :

1° assurer une vigie aux fins de déterminer les dossiers et les orientations stratégiques qui doivent être portés à l'attention du conseil d'administration et déterminer ceux qui doivent être soumis préalablement à un comité stratégique;

2° prendre connaissance de rapports ou d'enjeux d'importance qui ne sont pas soumis aux comités stratégiques en raison de leur objet et faire ses recommandations au conseil d'administration;

3° assister le président du conseil d'administration et chef de la direction dans la préparation de l'ordre du jour des séances du conseil d'administration;

4º s'assurer que le conseil d'administration dispose, en vue de l'exercice de ses fonctions et de celles des comités stratégiques, de ressources humaines, matérielles et financières adéquates;

5º présenter au conseil d'administration des recommandations qui pourraient être soumises au ministre responsable et celles que la Commission peut, en application de la Loi sur la santé et la sécurité du travail, soumettre à d'autres ministres.

Il exerce, en outre, toute autre fonction que lui confie le conseil d'administration.

§2 — Séances du comité administratif

13. Le comité administratif de la Commission tient ses séances au siège de la Commission ou à tout autre endroit indiqué dans l'avis de convocation.

Les membres du comité administratif peuvent également participer à une séance à l'aide de moyens permettant à tous les participants de communiquer immédiatement entre eux.

14. Les séances du comité administratif ont lieu aussi souvent que l'intérêt de la Commission l'exige, mais au moins sept fois par année.

15. Les séances du comité administratif sont convoquées par le secrétaire, à la demande du président du conseil d'administration et chef de la direction ou de l'un ou l'autre des membres du comité.

16. Le secrétaire transmet, au moins cinq jours ouvrables avant une séance, à chaque membre du comité administratif, à sa dernière adresse déclarée, un avis écrit des date, heure et lieu de la séance. Cet avis indique en outre où il peut prendre connaissance de l'ordre du jour et des documents s'y rapportant.

En cas d'urgence, le délai de transmission de cet avis est réduit à 24 heures et l'ordre du jour est le seul document requis. Les discussions doivent alors porter exclusivement sur les sujets inscrits à l'ordre du jour.

17. Il peut être dérogé aux formalités et au délai de convocation si tous les membres y consentent.

18. En cas d'absence ou d'empêchement du représentant des travailleurs ou des employeurs, le membre substitut désigné par les autres représentants du groupe concerné est convoqué à la séance du comité administratif.

19. Le quorum du comité administratif est de 3 membres.

20. Le président du conseil d'administration et chef de la direction préside les séances du comité administratif.

21. Les décisions du comité administratif sont prises à la majorité des voix.

Le vote se fait verbalement ou par tout autre moyen d'expression individuel préalablement convenu ou, sur demande d'un membre du comité, au scrutin secret.

La déclaration par le président du conseil d'administration et chef de la direction qu'une décision a été prise fait preuve, à moins d'être réfutée.

Une décision est exécutoire à compter du moment où elle est prise, à moins que le comité administratif n'en décide autrement.

Si des faits nouveaux sont portés à la connaissance du président du conseil d'administration et chef de la direction après la séance du comité administratif, il peut suspendre l'exécution d'une décision jusqu'à la prochaine séance du comité administratif, au cours de laquelle ces faits nouveaux seront présentés aux membres du comité administratif.

22. En cas d'égalité des voix, le président du conseil d'administration et chef de la direction a un vote prépondérant sur toute question soumise au comité administratif.

23. Une séance du comité administratif peut être ajournée à un moment ou à une date ultérieure sans qu'un nouvel avis de convocation ne soit requis.

Cet ajournement est consigné au procès-verbal de la séance.

24. Une décision du comité administratif prise hors d'une séance ordinaire et signée par tous les membres, en application des dispositions de l'article 159 de la *Loi sur la santé et la sécurité du travail*, doit être consignée au procès-verbal de la séance qui suit la date de sa signature.

SECTION IV — SECRÉTARIAT

25. Le secrétaire exerce toutes les fonctions généralement afférentes à cette charge ainsi que celles que lui confie le président du conseil d'administration et chef de la direction. Il exerce notamment les fonctions suivantes :

1° préparer l'ordre du jour et les avis de convocation des séances du conseil d'administration, du comité administratif et des comités stratégiques;

2° tenir le registre des déclarations d'intérêts des membres du conseil d'administration et des vice-présidents, conformément aux exigences de leur code d'éthique et de déontologie;

3° rédiger les procès-verbaux après chaque séance du conseil d'administration, du comité administratif et des comités stratégiques;

4° conserver les archives et les documents officiels de la Commission;

5° rédiger les résolutions du conseil d'administration et du comité administratif;

6° certifier les procès-verbaux et les résolutions des séances du conseil d'administration, du comité administratif et les procès-verbaux des comités stratégiques;

7° agir d'office à titre de secrétaire du comité administratif et des comités stratégiques;

8° assurer, conformément au *Règlement sur la diffusion de l'information et sur la protection des renseignements personnels* (chapitre A-2.1, r. 2), la diffusion des projets de règlement relatifs au régime de santé et de sécurité du travail et la diffusion des lois et des règlements que la Commission administre;

9° recueillir les informations à inscrire au rapport annuel de la Commission en ce qui concerne le conseil d'administration, le comité administratif et les comités stratégiques.

26. Le secrétaire adjoint assiste le secrétaire et exerce ses fonctions en cas d'absence ou d'empêchement de ce dernier, ou à sa demande.

SECTION V — COMITÉS STRATÉGIQUES

§1 — Dispositions générales

27. Un comité stratégique peut faire toute recommandation au conseil d'administration ou lui présenter tout rapport qu'il estime utile sur toute matière qui le concerne. Il exerce, en outre, toute fonction que lui confie le conseil d'administration.

Dans l'exercice de ses fonctions, chaque comité stratégique veille au respect des devoirs fiduciaires de la Commission.

28. Chaque comité stratégique doit produire, au conseil d'administration, un sommaire de ses activités qui doit être inclus dans le rapport annuel de la Commission.

29. Chaque comité stratégique est, à l'exception du comité de vérification, composé du président du conseil d'administration et chef de la direction et d'au moins quatre membres nommés par le conseil d'administration, selon ce qui suit :

1º au moins deux personnes désignées par les représentants des travailleurs au sein du conseil d'administration et choisies parmi ces représentants;

2º au moins deux personnes désignées par les représentants des employeurs au sein du conseil d'administration et choisies parmi ces représentants;

Le président du conseil d'administration et chef de la direction préside chaque comité, à l'exception du comité de vérification.

Le comité de vérification est composé d'au moins quatre membres, y compris le président du comité, nommés par le conseil d'administration parmi les représentants prévus aux paragraphes 1º et 2º du premier alinéa. La présidence de ce comité alterne annuellement entre un membre nommé selon le paragraphe 1º et un membre nommé selon le paragraphe 2º.

30. La constitution d'un comité stratégique peut comprendre la désignation de membres substituts.

En cas d'absence du président d'un comité, les membres présents peuvent désigner l'un d'eux pour présider la séance.

31. Les membres d'un comité stratégique cessent d'en faire partie dès qu'ils perdent leur qualité de membre du conseil d'administration.

32. Les séances d'un comité stratégique sont convoquées par le secrétaire, à la demande du président du comité.

Le président d'un comité doit requérir la convocation d'une séance sur demande écrite d'au moins deux membres. Cette demande doit indiquer les sujets à être inscrits à l'ordre du jour.

Si la convocation n'est pas faite dans les 48 heures de la réception de cette demande, ces membres peuvent demander au secrétaire de convoquer cette séance.

33. Le secrétaire transmet, au moins cinq jours ouvrables avant une séance, à chaque membre du comité, à sa dernière adresse déclarée, un avis écrit des date, heure et lieu de la séance. Cet avis indique en outre où chacun peut prendre connaissance de l'ordre du jour et des documents s'y rapportant.

En cas d'urgence, le délai de transmission de cet avis est réduit à 24 heures et l'ordre du jour est le seul document requis. Les discussions doivent alors porter exclusivement sur les sujets inscrits à l'ordre du jour.

34. Il peut être dérogé aux formalités et au délai de convocation si tous les membres y consentent.

35. Le quorum d'un comité stratégique est à la majorité de ses membres, incluant au moins un membre désigné conformément au paragraphe 1º de l'article 29 et un autre, conformément au paragraphe 2º de cet article.

36. Chaque comité stratégique tient ses séances au siège de la Commission ou à tout autre endroit fixé dans l'avis de convocation.

Les membres d'un comité peuvent également participer à une séance à l'aide de moyens permettant à tous les participants de communiquer immédiatement entre eux.

37. Les séances d'un comité stratégique ont lieu aussi souvent que l'intérêt de la Commission l'exige, mais au moins une fois par année.

38. Une séance d'un comité stratégique peut être ajournée à un moment ou à une date ultérieure sans qu'un nouvel avis de convocation ne soit requis.

Cet ajournement est consigné au procès-verbal de la séance.

39. Un comité stratégique peut retenir les services d'un expert externe pour le soutenir dans l'exercice de ses fonctions.

§2 — Comité de gouvernance et d'éthique

40. Un comité de gouvernance et d'éthique est constitué. Ce comité exerce notamment les fonctions suivantes :

1º exercer une vigie à l'égard des meilleures pratiques en matière de gouvernance;

2º veiller à l'application du présent règlement et assurer sa mise à jour;

3º élaborer des règles de gouvernance de la Commission, y compris celles des comités constitués par le conseil d'administration en vertu du paragraphe 8º de l'article 1;

4º élaborer un code d'éthique pour la conduite des affaires de la Commission;

5º élaborer un code d'éthique et de déontologie applicable aux membres du conseil d'administration et aux vice-présidents, sous réserve d'un règlement pris en vertu des articles 3.0.1 et 3.0.2 de la *Loi sur le ministère du Conseil exécutif*;

6º élaborer des critères pour l'évaluation du fonctionnement du conseil d'administration;

7º analyser les travaux de planification stratégique de la Commission;

8º examiner et recommander au conseil d'administration l'approbation du rapport annuel de la Commission et du Fonds;

9º recommander au conseil d'administration la composition des comités stratégiques à l'exception de leur président, sauf celui du comité de vérification;

10º élaborer un programme d'accueil et de formation continue pour les membres du conseil d'administration favorisant notamment la mobilisation des compétences qu'ils doivent mettre au service de la Commission.

Le comité effectue l'évaluation visée au paragraphe 6º conformément aux critères approuvés par le conseil d'administration et produit un sommaire de cette évaluation qui doit être inclus dans le sommaire de ses activités prévu à l'article 28.

§3 — Comité de vérification

41. Un comité de vérification est constitué. Ce comité exerce notamment les fonctions suivantes :

1º approuver les plans annuel et pluriannuel de vérification interne et en assurer le suivi;

2º veiller à ce que des mécanismes de contrôle interne de la Commission soient mis en place et s'assurer qu'ils soient adéquats et efficaces;

3º recommander au conseil d'administration l'approbation d'une politique de vérification interne, d'une politique de divulgation financière ainsi que d'une politique de gestion des risques;

4º s'assurer que soit mis en place un processus de gestion des risques et en assurer le suivi;

5º réviser toute activité susceptible de nuire à la bonne situation financière de la Commission et du Fonds, et qui est portée à son attention;

6º examiner les états financiers de la Commission et du Fonds avec le vérificateur général;

7º recommander au conseil d'administration l'approbation des états financiers de la Commission et du Fonds;

8º aviser par écrit le conseil d'administration dès qu'il découvre des opérations ou des pratiques de gestion qui ne sont pas saines ou qui ne sont pas conformes aux lois, aux règlements ou aux politiques de la Commission;

9º s'assurer du suivi des recommandations de la Direction de la vérification interne et de celles du vérificateur général applicables à la Commission;

10º s'assurer du respect des devoirs fiduciaires de la Commission, dont celui d'agir dans le meilleur intérêt du but poursuivi par le Fonds.

42. Les activités de la Direction de la vérification interne s'exercent sous l'autorité du comité de vérification.

Le responsable de la vérification interne relève administrativement du président du conseil d'administration et chef de la direction.

§4 — Comité sur les ressources informationnelles

43. Un comité sur les ressources informationnelles est constitué. Ce comité exerce notamment les fonctions suivante :

1º évaluer les stratégies et les orientations générales en matière de ressources informationnelles et en assurer le suivi;

2º évaluer la pertinence des projets en ressources informationnelles et en assurer le suivi;

3º recommander au conseil d'administration :

a) l'approbation de la programmation annuelle des projets et des activités en ressources informationnelles requise en vertu de la *Loi sur la gouvernance et la gestion des ressources informationnelles des organismes publics et des entreprises du gouvernement*;

b) l'autorisation de tout projet en ressources informationnelles au sens de cette loi;

4º soumettre au conseil d'administration le bilan annuel des réalisations et des bénéfices en matière de ressources informationnelles;

5º évaluer les politiques et les procédures en matière de sécurité des ressources informationnelles ainsi que l'efficacité du plan de relève, de concert avec le comité de vérification.

§5 — Comité de placement

44. Un comité de placement est constitué. Ce comité exerce notamment les fonctions suivantes :

1º recommander au conseil d'administration l'approbation de l'entente de service avec la Caisse de dépôt et placement du Québec et en assurer le suivi;

2º élaborer la politique de placement des sommes du Fonds déposées auprès de la Caisse de dépôt et placement du Québec et en recommander l'adoption au conseil d'administration;

3º assurer le suivi de l'application de la politique de placement par la Caisse de dépôt et placement du Québec et faire rapport au conseil d'administration de l'atteinte des objectifs de placement et de toute autre question concernant cette politique.

§6 — Comité de capitalisation

45. Un comité de capitalisation est constitué. Ce comité exerce notamment les fonctions suivantes :

1º recommander au conseil d'administration l'adoption de la politique de capitalisation du Fonds et en assurer le suivi;

2º établir annuellement les paramètres d'application de la politique de capitalisation et en recommander l'approbation au conseil d'administration.

§7 — Comité du budget et des ressources humaines

46. Un comité du budget et des ressources humaines est constitué. Ce comité exerce notamment les fonctions suivantes :

1º veiller à ce que les politiques concernant les ressources humaines favorisent l'efficience de la Commission;

2º examiner les prévisions budgétaires de la Commission et du Fonds en vue de l'approbation des budgets par le conseil d'administration, notamment en s'assurant que le budget alloué aux ressources humaines est en adéquation avec les effectifs de la Commission;

3º recommander au conseil d'administration l'approbation des budgets de la Commission et du Fonds;

4º examiner les résultats de fin d'année financière des dépenses de frais d'administration en les comparant avec les budgets approuvés en cette matière par le conseil d'administration.

SECTION VI — DISPOSITIONS FINALES

47. Le présent règlement remplace le *Règlement de régie interne de la Commission de la santé et de la sécurité du travail* (R.R.Q., 1981, c. S-2.1, r. 16) et ses modifications.

48. *(Omis).*

[QUE-15.5]
TABLE DES MATIÈRES
RÈGLEMENT INTÉRIEUR DE LA COMMISSION DES NORMES, DE L'ÉQUITÉ, DE LA SANTÉ ET DE LA SÉCURITÉ DU TRAVAIL RELATIF AUX DÉCISIONS INDIVIDUELLES EN APPLICATION DE LA LOI SUR L'ÉQUITÉ SALARIALE

[QUE-15.5]
RÈGLEMENT INTÉRIEUR DE LA COMMISSION DES NORMES, DE L'ÉQUITÉ, DE LA SANTÉ ET DE LA SÉCURITÉ DU TRAVAIL RELATIF AUX DÉCISIONS INDIVIDUELLES EN APPLICATION DE LA LOI SUR L'ÉQUITÉ SALARIALE

édicté en vertu de la *Loi sur la santé et la sécurité du travail* (RLRQ, c. S-2.1, art. 223, 1er al., par. 36°)

RLRQ, c. S-2.1, r. 11.2, édicté par : D. 851-2016, (2016) 148 G.O. II, 5603.

SECTION I — DÉCISIONS INDIVIDUELLES EN MATIÈRE D'ÉQUITÉ SALARIALE

1. Les décisions individuelles découlant de l'application de la *Loi sur l'équité salariale* (chapitre E-12.001) sont prises par la personne nommée à la vice-présidence chargée des questions relatives à la *Loi sur l'équité salariale* (la personne nommée à la vice-présidence à l'équité salariale) en application de l'article 142 de la *Loi sur la santé et la sécurité du travail* (chapitre S-2.1) et par les personnes nommées commissaires en vertu de cette loi.

§I.I — Séances

2. Les décisions sont prises, par résolution, lors de séances auxquelles participent la personne nommée à la vice-présidence à l'équité salariale et les commissaires, sous réserve des autres modalités prévues à la *Loi sur la santé et la sécurité du travail* (chapitre S-2.1) et au présent règlement.

3. Les séances sont présidées par la personne nommée à la vice-présidence à l'équité salariale. Cette dernière soumet, au début de chaque séance, l'ordre du jour qui peut être adopté avec ou sans modifications.

4. Les décisions sont prises à la majorité des voix. En cas d'égalité, la voix de la personne nommée à la vice-présidence à l'équité salariale est prépondérante (art. 161.0.5 de la *Loi sur la santé et la sécurité du travail* (chapitre S-2.1)). La personne nommée à la vice-présidence à l'équité salariale de même qu'un ou une commissaire peut toutefois faire inscrire sa dissidence au procès-verbal et joindre ses motifs à ceux de la décision majoritaire.

5. Une décision signée par la personne nommée à la vice-présidence à l'équité salariale et les commissaires a la même valeur et le même effet que si elle avait été adoptée en séance. Une telle décision est portée au procès-verbal de la séance qui suit la date de sa signature.

6. Le quorum des séances est constitué de la personne nommée à la vice-présidence à l'équité salariale et d'un ou d'une commissaire (art. 161.0.5 de la *Loi sur la santé et la sécurité du travail* (chapitre S-2.1)).

Lorsque, en raison d'un conflit d'intérêts réel ou apparent, la personne nommée à la vice-présidence à l'équité salariale ne peut participer à la prise d'une décision, elle assigne, en application de l'article 161.0.5 de la *Loi sur la santé et la sécurité du travail*, le dossier en cause à la personne qui, parmi les commissaires disponibles, compte le plus d'expérience dans cette fonction, afin qu'elle rende seule cette décision.

Lorsque l'expérience ne permet pas d'identifier une seule personne, le dossier est attribué à celle dont le nom de famille se présente en premier, selon l'ordre alphabétique croissant, parmi les commissaires disponibles comptant le plus d'expérience dans cette fonction. Si la première lettre du nom de famille ne permet pas de désigner une seule personne parmi celles-ci, le même critère est appliqué aux lettres suivantes jusqu'à ce qu'une seule personne soit ainsi désignée.

À moins qu'elle ne soit la seule personne disponible, un ou une commissaire ne peut, en application des critères de désignation prévus au présent article, se voir assigner un tel dossier deux fois de suite. Les critères de désignation sont alors appliqués aux autres commissaires en fonction.

7. À l'exception de la désignation prévue à l'article 6, les règles prévues à la présente sous-section ne s'appliquent pas aux décisions rendues par une personne seule.

§I.II — Personne exerçant seule le pouvoir de rendre une décision individuelle en matière d'équité salariale

8. La personne nommée à la vice-présidence à l'équité salariale peut, lorsqu'elle le juge approprié, rendre seule, ou désigner une personne parmi les commissaires pour qu'elle rende seule une décision en vertu de la section I du chapitre VI de la *Loi sur l'équité salariale* (chapitre E-12001) .

9. Cette personne rédige la décision, la signe et la transmet le plus rapidement possible à la personne responsable du greffe à la vice-présidence à l'équité salariale. Cette décision est portée au procès-verbal de la séance qui suit la date de sa signature.

10. Une personne désignée pour rendre seule une décision peut, si elle le juge souhaitable aux fins de l'application de la *Loi sur l'équité salariale* (chapitre E-12001) et avant que sa décision ne soit rendue, retourner le dossier à la personne nommée à la vice-présidence à l'équité salariale afin que le dossier soit inscrit à l'ordre du jour d'une séance et qu'une décision soit prise conformément aux règles énoncées à la sous-section I.I.

11. La personne nommée à la vice-présidence à l'équité salariale peut, si elle le juge souhaitable aux fins de l'application de la *Loi sur l'équité salariale* (chapitre E-12001) et avant qu'une décision ne soit rendue, inscrire un dossier assigné à elle-même ou à un ou une commissaire à l'ordre du jour d'une séance afin qu'une décision soit prise conformément aux règles énoncées à la sous-section I.I.

SECTION II — CONVOCATION ET PARTICIPATION AUX SÉANCES

12. Les séances sont convoquées par la personne nommée à la vice-présidence à l'équité salariale ou, à sa demande, par toute personne qu'elle désigne. Elles se tiennent à l'endroit qu'elle détermine et ont lieu aussi souvent qu'elle le juge utile, mais au moins 12 fois par année.

13. La personne nommée à la vice-présidence à l'équité salariale transmet, au moins trois jours ouvrables avant une séance, un avis écrit aux commissaires des date, heure et lieu de la séance. Cet avis indique en outre où il est possible de prendre connaissance de l'ordre du jour et des documents s'y rapportant si ceux-ci ne sont pas joints à l'avis.

Il peut être dérogé aux formalités prévues au premier alinéa si les commissaires y consentent.

14. En cas d'urgence, le délai de convocation d'une séance est réduit à 24 heures et l'ordre du jour est le seul document requis.

15. La personne nommée à la vice-présidence à l'équité salariale et les commissaires peuvent participer à une séance à l'aide de moyens leur permettant de communiquer immédiatement entre elles, notamment par téléphone ou par visioconférence.

16. Une séance peut être ajournée à un moment ou à une date ultérieure. L'ajournement est consigné au procès-verbal de la séance. Un nouvel avis de convocation n'est pas requis pour la poursuite de la séance ajournée.

SECTION III — CERTIFICATION DES DÉCISIONS ET PROCÈS-VERBAUX

17. La personne nommée à la vice-présidence à l'équité salariale, de même que toute personne qu'elle désigne, peuvent certifier les décisions rendues et les procès-verbaux des séances.

SECTION IV — DISPOSITION FINALE

18. *(Omis).*

[QUE-15.6]
RÈGLEMENT SUR LA MISE EN ŒUVRE DE L'ENTENTE RELATIVE À TOUT PROGRAMME DU MINISTÈRE DE LA SANTÉ ET DES SERVICES SOCIAUX

édicté en vertu de la *Loi sur la santé et la sécurité du travail* (RLRQ, c. S-2.1, art. 223)

D. 1198-2010, (2010) 142 G.O. II, 5490B [c. S-2.1, r. 29], tel que modifié par : Erratum, (2011) 143 G.O. II, 1737; L.Q. 2015, c. 15, art. 237.

1. La *Loi sur les accidents du travail et les maladies professionnelles* (chapitre A-3.001) s'applique aux personnes qui participent à tout programme du ministère de la Santé et des Services sociaux dans la mesure et aux conditions fixées dans l'entente conclue entre le Ministre de la Santé et des Services sociaux et la Commission des normes, de l'équité, de la santé et de la sécurité du travail apparaissant à l'annexe I.

2015, c. 15, art. 237

2. Le présent règlement remplace le *Règlement sur la mise en œuvre de l'entente relative à tout programme du ministère de la Santé et des Services sociaux* (D. 966-2002).

3. (*Omis*).

ANNEXE I — ENTENTE ENTRE LE MINISTRE DE LA SANTÉ ET DES SERVICES SOCIAUX ET LA COMMISSION DE LA SANTÉ ET DE LA SÉCURITÉ DU TRAVAIL

ATTENDU QUE le ministre de la Santé et des Services sociaux est, en vertu de l'article 1 de la *Loi sur le ministère de la Santé et des Services sociaux* (chapitre M-19.2), chargé de la direction et de l'administration du ministère de la Santé et des Services sociaux et de l'application des lois et des règlements relatifs à la santé et aux services sociaux;

ATTENDU QUE le Ministre doit plus particulièrement, en vertu du paragraphe *h* de l'article 3 de la même loi, promouvoir le développement et la mise en œuvre de programmes et de services en fonction des besoins des individus, des familles et des autres groupes;

ATTENDU QUE le Ministre peut, en vertu de l'article 10 de la même loi, conclure des ententes avec tout gouvernement, l'un de ses ministères, une organisation internationale ou un organisme de ce gouvernement ou de cette organisation pour l'application de cette loi ou d'une autre loi relevant de sa compétence;

ATTENDU QUE la Commission est, en vertu de l'article 138 de la *Loi sur la santé et la sécurité du travail* (chapitre S-2.1), une personne morale au sens du *Code civil du Québec* (L.Q. 1991, c. 64) et qu'elle est investie des pouvoirs généraux d'une telle personne morale et des pouvoirs particuliers que cette loi lui confère;

ATTENDU QUE la Commission peut, en vertu de l'article 170 de la même Loi, conclure des ententes conformément à la Loi avec un ministère ou un organisme du gouvernement, un autre gouvernement ou l'un de ses ministères ou organismes en vue de l'application des lois et des règlements qu'elle administre;

ATTENDU QUE le Ministre demande que la *Loi sur les accidents du travail et les maladies professionnelles* (chapitre A-3.001) soit applicable aux travailleurs visés par la présente entente et qu'il entend assumer les obligations prévues pour un employeur;

ATTENDU QUE l'article 16 de la même loi édicte qu'une personne qui accomplit un travail dans le cadre d'un projet d'un gouvernement, qu'elle soit ou non un travailleur, peut être considérée un travailleur à l'emploi de ce gouvernement, d'un organisme ou d'une personne morale, aux conditions et dans la mesure prévues par une entente conclue entre la Commission et le gouvernement, l'organisme ou la personne morale concernée;

ATTENDU QUE l'article 16 de la même loi prévoit que le deuxième alinéa de l'article 170 de la *Loi sur la santé et la sécurité du travail* s'applique à une telle entente, à savoir que la Commission doit procéder par règlement pour donner effet à une entente qui étend le bénéfice des lois et des règlements qu'elle administre;

EN CONSÉQUENCE LES PARTIES CONVIENNENT DE CE QUI SUIT :

Chapitre 1.00 — Disposition habilitante

1.01 Disposition habilitante — La présente entente est conclue en vertu de l'article 16 de la *Loi sur les accidents du travail et les maladies professionnelles* (chapitre A-3.001).

Chapitre 2.00 — Objets

2.01 Objets — La présente entente a pour objets de prévoir, aux conditions et dans la mesure de la présente, l'application de la *Loi sur les accidents du travail et les maladies professionnelles* aux travailleurs visés et de déterminer les obligations respectives du Ministre et de la Commission.

Chapitre 3.00 — Définitions

3.01 Aux fins de la présente entente, on entend par :

a) chèque emploi-service : la modalité de paiement pour les services dispensés par un travailleur, modalité administrée par les services de paie Desjardins ou par toute autre organisation appelée à assurer cette fonction;

b) Commission : la Commission de la santé et de la sécurité du travail;

c) lésion professionnelle : une blessure ou une maladie qui survient par le fait ou à l'occasion d'un accident du travail, ou d'une maladie professionnelle, y compris la récidive, la rechute ou l'aggravation, au sens de la *Loi*;

d) Loi : la *Loi sur les accidents du travail et les maladies professionnelles* (chapitre A-3.001);

e) Ministre : le ministre de la Santé et des Services sociaux;

f) travailleur : la personne qui dispense des services à un usager, notamment dans le cadre du programme prévu à l'annexe 1, et dont la rémunération est assurée au moyen du chèque emploi-service;

g) usager : l'usager visé par la *Loi sur les services de santé et les services sociaux* (chapitre S-4.2) et qui utilise les services d'un travailleur au sens de la présente entente.

Chapitre 4.00 — Obligations du ministre

4.01 Employeur — Le Ministre est réputé être l'employeur de tout travailleur visé par la présente entente.

Restrictions — Toutefois, cette relation employeur-employé n'est reconnue que pour fins d'indemnisation, de cotisation et d'imputation du coût des prestations en vertu de la Loi et ne doit pas être considérée comme une admission d'état de fait pouvant prêter à interprétation dans d'autres champs d'activités.

Exclusions — Il demeure entendu que les travailleurs visés par la présente entente ne sont pas des employés, des fonctionnaires ou des préposés du gouvernement du Québec, dont notamment le ministère de la Santé et des Services sociaux, ni d'un établissement d'une catégorie mentionnée à la *Loi sur les services de santé et les services sociaux*, ni d'une agence régionale instituée sous l'autorité de cette loi.

4.02 Obligations générales — À titre d'employeur, le Ministre est, avec les adaptations qui s'imposent, tenu à toutes les obligations prévues par la Loi, lesquelles comprennent notamment l'obligation de tenir un registre des accidents du travail survenus au domicile des usagers.

Registre des accidents — Néanmoins, dans le cas du registre des accidents du travail visé par le premier alinéa, le Ministre n'est tenu de mettre ce registre qu'à la disposition de la Commission.

Informations — Sur demande de la Commission, le Ministre transmet une description des tâches ou des activités effectuées par le travailleur au moment où se manifeste la lésion professionnelle.

4.03 Exceptions — Malgré l'article 4.02, l'article 32 de la Loi relatif au congédiement, à la suspension ou au déplacement d'un travailleur, à l'exercice de mesures discriminatoires ou de représailles de même que le chapitre VII ayant trait au droit au retour au travail ne sont pas applicables au Ministre.

Premiers secours — Le Ministre doit veiller à ce que les premiers secours soient dispensés à un travailleur victime d'une lésion professionnelle, conformément aux articles 190 et 191 de la Loi, et assumer les coûts afférents.

4.04 Paiement de la cotisation — Le Ministre s'engage à payer la cotisation calculée par la Commission conformément à la Loi et à ses règlements ainsi que les frais fixes d'administration propres à chaque dossier financier.

Aux fins de la présente entente, le Ministre est en outre tenu de faire des versements périodiques, conformément à l'article 315.1 de la Loi.

4.05 Cotisation — Pour les fins de la cotisation, le Ministre est réputé verser un salaire qui correspond au revenu brut annuel d'emploi versé au travailleur au moyen du chèque emploi-service.

4.06 État annuel — Le Ministre transmet chaque année à la Commission, avant le 15 mars, un état qui indique notamment le montant des salaires bruts annuels versés aux travailleurs visés par la présente entente au cours de l'année civile précédente.

4.07 Registre — Le Ministre tient un registre détaillé des noms et adresses des travailleurs et, à la demande de la Commission, lui transmet les renseignements et les informations dont elle a besoin pour l'application de la présente entente.

4.08 Description des programmes — Le Ministre achemine à la Commission, lors de l'entrée en vigueur de la présente entente, une description de tout programme apparaissant à l'annexe 1.

Nouveau programme ou modification — Tout nouveau programme ou toute modification subséquente à un programme apparaissant à l'annexe 1 fait l'objet d'un envoi permettant d'apprécier son inclusion ou son maintien dans la présente entente.

Chapitre 5.00 — Obligations de la Commission

5.01 Statut de travailleur — La Commission considère un travailleur visé par la présente entente à titre de travailleur au sens de la Loi.

5.02 Indemnité — Le travailleur victime d'une lésion professionnelle a droit à une indemnité de remplacement du revenu à compter du premier jour suivant le début de son incapacité d'exercer son emploi en raison de la lésion.

Versement — Malgré le premier alinéa de l'article 124 de la Loi, le Ministre verse à ce travailleur, à compter du quinzième jour complet suivant le début de son incapacité d'exercer son emploi et pour toute la durée de cette incapacité, l'indemnité de remplacement du revenu déterminée par la Commission, conformément à la Loi.

Avance — Toutefois, en cas de refus de la réclamation du travailleur par la Commission, la somme versée par le Ministre constitue une avance eu égard à la rémunération assurée au moyen du chèque emploi-service.

5.03 Remboursement — La Commission rembourse au Ministre l'indemnité de remplacement du revenu qu'elle verse à compter du quinzième jour complet suivant le début de l'incapacité du travailleur d'exercer son emploi et pour toute la durée de cette incapacité, conformément au deuxième alinéa de l'article 5.02, dans la mesure où la Commission reconnaît le droit du travailleur au paiement de cette indemnité.

5.04 Dossier financier — La Commission accorde, à la demande du Ministre, un dossier financier particulier à chaque programme visé par la présente entente.

Programme visé — Dans le cas du programme visé à l'annexe 1, celui-ci est classé dans l'unité d'activités « Services d'entretien d'immeubles » (77020) ou, à la suite de modifications à cette unité d'activités subséquentes à la signature de la présente entente, dans une unité correspondant à ces activités.

Autres programmes — Le cas échéant, la Commission peut accorder à chacun des nouveaux programmes inclus dans la présente entente un dossier financier classé selon le taux d'une unité correspondant aux activités prévues dans ce nouveau programme.

5.05 Régime applicable — La Commission fixe pour le programme prévu au deuxième alinéa de l'article 5.04 soit le taux particulier de cotisation de l'unité, soit un taux personnalisé de cotisation, sous réserve que le Ministre, dans ce dernier cas, satisfasse aux conditions d'assujettissement déterminées par la Loi et ses règlements et ce, pour chaque année de cotisation.

Autres programmes — Il en est de même pour tout nouveau programme inclus dans la présente entente.

Régime rétrospectif — La Commission procède également à l'ajustement rétrospectif de la cotisation annuelle applicable au Ministre, sous réserve qu'elle satisfasse, pour l'année de cotisation, aux conditions d'assujettissement déterminées par la Loi et ses règlements.

Chapitre 6.00 — Dispositions diverses

6.01 Suivi de l'entente — Tant la Commission que le Ministre désignent, dans les 15 jours suivant l'entrée en vigueur de la présente entente, un responsable qui est chargé du suivi de cette entente.

6.02 Adresses des avis — Aux fins de la transmission d'un avis prescrit par la présente entente, la Commission et le Ministre ont respectivement les adresses suivantes :

a)

Le Secrétaire de la Commission
Commission de la santé et de la sécurité du travail
1199, rue de Bleury, 14e étage
Montréal (Québec)
H3C 4E1

b)

Le Secrétaire du ministère
Ministère de la Santé et des Services sociaux
1075, chemin Sainte-Foy
Québec (Québec)
G1S 2M1

Chapitre 7.00 — Mise en vigueur, durée et résiliation

7.01 Prise d'effet — La présente entente prend effet à la date d'entrée en vigueur du règlement adopté à cet effet par la Commission en vertu de l'article 170 de la *Loi sur la santé et la sécurité du travail*.

Durée — Elle demeure en vigueur jusqu'au 31 décembre 2011.

7.02 Reconduction tacite — Elle est par la suite reconduite tacitement d'une année civile à l'autre, sauf si l'une des parties transmet à l'autre partie, par courrier recommandé ou certifié au moins 90 jours avant l'avènement du terme, un avis écrit indiquant qu'elle entend y mettre fin ou y apporter des modifications.

7.03 Modifications — Dans ce dernier cas, l'avis doit comporter les modifications que la partie désire apporter.

Renouvellement — La transmission d'un tel avis n'empêche pas le renouvellement de la présente entente par tacite reconduction pour une période d'un an. Si les parties ne s'entendent pas sur les modifications à apporter à l'entente, celle-ci prend fin, sans autre avis, au terme de cette période de reconduction.

Erratum, (2011) 143 *G.O.* II, 1737

Chapitre 8.00 — Résiliation de l'entente

8.01 Défaut — La Commission peut, si le Ministre fait défaut de respecter l'une ou l'autre de ses obligations, lui demander de corriger, dans un délai qu'elle fixe, le défaut. En l'absence de correction dans le délai fixé, la Commission peut unilatéralement résilier la présente entente, sur avis écrit.

8.02 Date — L'entente est alors résiliée à la date de l'envoi écrit.

8.03 Ajustements financiers — En cas de résiliation, la Commission procède aux ajustements financiers en tenant compte des montants exigibles en vertu de la présente entente.

Somme due — Toute somme due à la suite de ces ajustements financiers est payable à la date d'échéance apparaissant à l'avis de cotisation.

8.04 Commun accord — Les parties peuvent, en tout temps, d'un commun accord, résilier la présente entente.

8.05 Dommages — En cas de résiliation, une partie ne peut être tenue de payer des dommages, intérêts ou quelque autre forme d'indemnité ou de frais à l'autre partie.

EN FOI DE QUOI, LES PARTIES ONT SIGNÉ

À..........

ce..........

( ) jour de.........2010..........

....

Jacques Cotton, *sous-ministre Ministère de la Santé et des Services sociaux*

À..........

ce..........

( ) jour de.........2010..........

....

Luc Meunier, *président du conseil d'administration et chef de la direction Commission de la santé et de la sécurité du travail*

Annexe 1 de l'entente — Programme assujetti à l'entente

Programme d'allocation directe services à domicile.

(Non reproduite).

[QUE-16]
TABLE DES MATIÈRES
LOI SUR LE STATUT PROFESSIONNEL DES ARTISTES DES ARTS VISUELS, DES MÉTIERS D'ART ET DE LA LITTÉRATURE ET SUR LEURS CONTRATS AVEC LES DIFFUSEURS

[QUE-16]
Loi sur le statut professionnel des artistes des arts visuels, des métiers d'art et de la littérature et sur leurs contrats avec les diffuseurs

RLRQ, c. S-32.01, telle que modifiée par L.Q. 1990, c. 4, art. 958; 1992, c. 61, art. 593; 1992, c. 65, art. 43; 1994, c. 14, art. 34; 1997, c. 26, art. 36-38; 1999, c. 40, art. 309; 2004, c. 16, art. 1-5; 2009, c. 32, art. 29-33; 2015, c. 15, art. 224, 237.

Chapitre I — Champ d'application et définitions

1. Domaines artistiques visés — La présente loi s'applique aux artistes qui créent des oeuvres à leur propre compte dans les domaines des arts visuels, des métiers d'art et de la littérature ainsi qu'aux diffuseurs de ces oeuvres.

1988, c. 69, art. 1

2. Pratiques artistiques — Pour l'application de la présente loi, les domaines comprennent respectivement les pratiques artistiques suivantes :

1° **« arts visuels »** : la production d'oeuvres originales de recherche ou d'expression, uniques ou d'un nombre limité d'exemplaires, exprimées par la peinture, la sculpture, l'estampe, le dessin, l'illustration, la photographie, les arts textiles, l'installation, la performance, la vidéo d'art ou toute autre forme d'expression de même nature;

2° **« métiers d'art »** : la production d'oeuvres originales, uniques ou en multiples exemplaires, destinées à une fonction utilitaire, décorative ou d'expression et exprimées par l'exercice d'un métier relié à la transformation du bois, du cuir, des textiles, des métaux, des silicates ou de toute autre matière;

3° **« littérature »** : la création et la traduction d'oeuvres littéraires originales, exprimées par le roman, le conte, la nouvelle, l'oeuvre dramatique, la poésie, l'essai ou toute oeuvre écrite de même nature.

1988, c. 69, art. 2

3. Interprétation — Dans la présente loi, à moins que le contexte n'indique un sens différent, on entend par :

« association » : un groupement d'artistes d'un même domaine ou, si elle fait partie d'un regroupement, d'une même pratique, constitué en personne morale à des fins non lucratives et ayant pour objet la défense des intérêts professionnels et socio-économiques de ses membres;

« **Commission** » : (*paragraphe supprimé*);

« diffuseur » : personne, organisme ou société qui, à titre d'activité principale ou secondaire, opère à des fins lucratives ou non une entreprise de diffusion et qui contracte avec des artistes;

« diffusion » : la vente, le prêt, la location, l'échange, le dépôt, l'exposition, l'édition, la représentation en public, la publication ou toute autre utilisation de l'oeuvre d'un artiste;

« **regroupement** » : groupement d'associations d'artistes d'un même domaine.

« **Tribunal** » : le Tribunal administratif du travail.

1988, c. 69, art. 3; 2009, c. 32, art. 29; 2015, c. 15, art. 224

4. Personne morale — Le fait pour un artiste d'offrir ses oeuvres au moyen d'une personne morale dont il a le contrôle, ne fait pas obstacle à l'application de la présente loi.

1988, c. 69, art. 4

5. Disposition non applicable — La présente loi ne s'applique pas à un artiste lorsque ses services sont retenus par un diffuseur comme salarié au sens du *Code du travail* (chapitre C-27).

1988, c. 69, art. 5

6. Application — La présente loi s'applique au gouvernement et à ses ministères, organismes et autres mandataires de l'État lorsqu'ils contractent avec des artistes relativement à leurs oeuvres.

1988, c. 69, art. 6; 1999, c. 40, art. 309

Chapitre II — Reconnaissance des artistes professionnels

Section I — Statut d'artiste professionnel

7. Exigences requises — A le statut d'artiste professionnel, le créateur du domaine des arts visuels, des métiers d'art ou de la littérature qui satisfait aux conditions suivantes :

1° il se déclare artiste professionnel;

2° il crée des oeuvres pour son propre compte;

3° ses oeuvres sont exposées, produites, publiées, représentées en public ou mises en marché par un diffuseur;

4° il a reçu de ses pairs des témoignages de reconnaissance comme professionnel, par une mention d'honneur, une récompense, un prix, une bourse, une nomination à un jury, la sélection à un salon ou tout autre moyen de même nature.

1988, c. 69, art. 7

8. Artiste professionnel — L'artiste qui est membre à titre professionnel d'une association reconnue ou faisant partie d'un regroupement reconnu en application de l'article 10, est présumé artiste professionnel.

1988, c. 69, art. 8

9. Liberté d'association — L'artiste professionnel a la liberté d'adhérer à une association, de participer à la formation d'une telle association, à ses activités et à son administration.

1988, c. 69, art. 9

Section II — Reconnaissance des associations professionnelles

§1 — Droit à la reconnaissance

10. Domaines visés — La reconnaissance est accordée par le Tribunal à une seule association ou à un seul regroupement dans chacun des domaines suivants :

1° les arts visuels;

2° les métiers d'art;

3° la littérature.

1988, c. 69, art. 10; 1997, c. 26, art. 36; 2009, c. 32, art. 30; 2015, c. 15, art. 237

10.1 Oeuvres dramatiques — Dans le domaine de la littérature, le Tribunal peut aussi accorder la reconnaissance à une association d'artistes professionnels qui créent des oeuvres dramatiques. Cette reconnaissance ne couvre que la représentation en public d'oeuvres déjà créées, qu'elles aient ou non déjà été produites en public.

2004, c. 16, art. 1; 2015, c. 15, art. 237

11. Association représentative — Le Tribunal accorde la reconnaissance à l'association ou au regroupement qui est le plus représentatif de l'ensemble des artistes professionnels oeuvrant dans un domaine.

Détermination de l'association — L'association la plus représentative est celle qui, de l'avis du Tribunal, groupe le plus grand nombre d'artistes professionnels du domaine visé et dont les membres sont le mieux répartis parmi le plus grand nombre de pratiques artistiques et sur la plus grande partie du territoire du Québec.

Regroupement représentatif — Le regroupement le plus représentatif est celui qui de l'avis du Tribunal regroupe les associations les plus représentatives du plus grand nombre de pratiques artistiques du domaine.

1988, c. 69, art. 11; 2015, c. 15, art. 237

12. Reconnaissance d'une association — Une association ne peut être reconnue que si ses règlements :

1° prévoient des conditions d'admissibilité fondées sur l'autonomie et sur des exigences professionnelles propres aux artistes de la pratique ou du domaine visé;

2° prescrivent des règles d'éthique imposant à ses membres des obligations envers le public;

3° confèrent aux membres le droit de participer aux assemblées de l'association et le droit de voter;

4° prescrivent l'obligation de soumettre à l'approbation des membres concernés toute décision sur les conditions d'admissibilité des artistes auxquels s'applique la présente loi;

5° reconnaissent aux membres concernés le droit de se prononcer par scrutin secret sur la teneur de toute entente que l'association peut négocier avec les diffuseurs;

6° exigent la convocation d'une assemblée générale ou la tenue d'une consultation auprès des membres auxquels s'applique la présente loi lorsque 10 % d'entre eux en font la demande.

1988, c. 69, art. 12

13. Reconnaissance d'un regroupement — Un regroupement ne peut être reconnu que s'il satisfait aux exigences suivantes :

1° il a été constitué pour la réalisation, dans un domaine, des objets de l'article 25;

2° il a adopté un règlement déterminant, pour l'application de la présente loi, les fonctions assumées par ses instances et celles assumées par les associations qui en font partie;

3° seuls les membres à titre professionnel des associations qui en font partie ont la qualité de membre à titre professionnel du regroupement;

4° ses règlements ou les règlements des associations qui en font partie, selon la détermination faite en application du paragraphe 2°, sont conformes aux exigences de l'article 12.

1988, c. 69, art. 13

14. Restriction — Une association ne peut être reconnue si ses règlements empêchent injustement un artiste oeuvrant dans le domaine visé de faire partie de l'association; il en est de même d'un regroupement si ses règlements ou ceux de l'une ou l'autre des associations regroupées empêchent injustement un artiste oeuvrant dans le domaine visé de faire partie d'une association regroupée.

1988, c. 69, art. 14

§2 — Demande de reconnaissance

15. Demande au Tribunal — La reconnaissance est demandée par une association ou un regroupement au moyen d'un écrit adressé au Tribunal.

Résolution de l'association — La demande doit être autorisée par résolution de l'association ou du regroupement et signée par des représentants spécialement mandatés à cette fin.

1988, c. 69, art. 15; 2015, c. 15, art. 237

16. Documents requis — La demande de reconnaissance doit être accompagnée d'une copie certifiée conforme des règlements de l'association ou du regroupement et de la liste de leurs membres.

1988, c. 69, art. 16

17. Période de la demande — La reconnaissance peut être demandée :

1° en tout temps à l'égard d'un domaine où aucune association ni regroupement n'est reconnu;

2° dans les trois mois précédant chaque troisième anniversaire d'une prise d'effet d'une reconnaissance.

1988, c. 69, art. 17

18. Référendum — Lorsqu'il est saisi d'une demande de reconnaissance, le Tribunal peut prendre toute mesure qu'il juge nécessaire pour déterminer la représentativité de l'association ou du regroupement. Il peut notamment tenir un référendum.

Avis dans quotidiens — Le Tribunal doit donner avis au moins deux fois, dans au moins deux quotidiens distribués au Québec, de son intention de procéder à une détermination de la représentativité de l'association ou du regroupement et des mesures qu'il juge nécessaires de prendre à cette fin.

1988, c. 69, art. 18; 2015, c. 15, art. 237

19. Intervenants — Lors d'une demande de reconnaissance, seuls les artistes et les associations d'artistes du domaine visé peuvent intervenir sur le caractère représentatif de l'association ou du regroupement requérant.

1988, c. 69, art. 19

20. Reconnaissance d'une association — La reconnaissance d'une association prend effet à la date de la décision du Tribunal.

1988, c. 69, art. 20; 2009, c. 32, art. 31; 2015, c. 15, art. 237

§3 — Annulation de la reconnaissance

21. Vérification — Sur demande d'un nombre d'artistes professionnels du domaine où une reconnaissance a été accordée équivalant à 25 % des effectifs de l'association ou du regroupement reconnu ou sur demande d'une association de diffuseurs, le Tribunal doit vérifier la représentativité de l'association ou du regroupement reconnu.

Période — Une demande de vérification ne peut être faite qu'à la période visée au paragraphe 2° de l'article 17.

Annulation — Le Tribunal annule la reconnaissance d'une association ou d'un regroupement s'il estime que celui-ci n'est plus représentatif des artistes professionnels du domaine.

1988, c. 69, art. 21; 2015, c. 15, art. 237

22. Annulation — La reconnaissance d'une association ou d'un regroupement annule la reconnaissance de tout autre association ou regroupement dans le domaine visé par la nouvelle reconnaissance.

1988, c. 69, art. 22

23. Décision du Tribunal — Le Tribunal peut en tout temps, sur demande d'une partie intéressée, annuler une reconnaissance s'il est établi que les règlements de l'association ou du regroupement ou, compte tenu du paragraphe 2° de l'article 13, d'une association faisant partie du regroupement, ne sont plus conformes aux exigences de la présente loi ou ne sont pas appliqués de manière à leur donner effet.

1988, c. 69, art. 23; 2015, c. 15, art. 237

24. Annulation d'une reconnaissance — L'annulation d'une reconnaissance prend effet à la date de la décision du Tribunal.

1988, c. 69, art. 24; 2009, c. 32, art. 32; 2015, c. 15, art. 237

§4 — Effets de la reconnaissance

25. Fonctions — Dans le domaine visé, l'association ou le regroupement reconnu exerce les fonctions suivantes :

1° veiller au maintien de l'honneur de la profession artistique et à la liberté de son exercice;

2° promouvoir la réalisation de conditions favorisant la création et la diffusion des oeuvres;

3° défendre et promouvoir les intérêts économiques, sociaux, moraux et professionnels des artistes professionnels;

4° représenter les artistes professionnels chaque fois qu'il est d'intérêt général de le faire.

1988, c. 69, art. 25

26. Fonctions — Pour l'exercice de ses fonctions, l'association ou le regroupement reconnu peut notamment :

1° faire des recherches et des études sur le développement de nouveaux marchés et sur toute matière susceptible d'affecter les conditions économiques et sociales des artistes professionnels;

2° représenter ses membres aux fins de la négociation et de l'exécution de leurs contrats avec les diffuseurs;

3° imposer et percevoir des cotisations;

4° percevoir, à la demande d'un artiste qu'il représente, les sommes qui sont dues à ce dernier et lui en faire remise;

5° établir et administrer des caisses spéciales de retraite;

6° dispenser des services d'assistance technique aux artistes professionnels;

7° organiser des activités de perfectionnement;

8° élaborer des contrats types de diffusion des oeuvres des artistes professionnels et en proposer l'utilisation aux diffuseurs.

Caisses spéciales de retraite — Les articles 14 et 16 à 18 de la *Loi sur les syndicats professionnels* (chapitre S-40) s'appliquent, compte tenu des adaptations nécessaires, aux caisses spéciales de retraite qu'une association ou un regroupement reconnu peut établir et administrer.

1988, c. 69, art. 26; 2004, c. 16, art. 2

27. Regroupement reconnu — Lorsqu'il s'agit d'un regroupement reconnu, une association en faisant partie peut, par règlement, être chargée de fonctions et investie de pouvoirs prévus aux articles 25 et 26 à l'égard d'une pratique artistique.

1988, c. 69, art. 27

28. Liste des membres — L'association ou le regroupement reconnu doit, sur demande du Tribunal et en la forme que celui-ci détermine, lui transmettre la liste de ses membres.

Modifications aux règlements — L'association ou le regroupement doit également transmettre copie au Tribunal de toute modification à ses règlements et dans le cas d'un regroupement, de toute modification aux règlements des associations qui en font partie.

1988, c. 69, art. 28; 2015, c. 15, art. 237

29. Exercice de recours — L'association et le regroupement reconnus peuvent exercer pour un artiste qu'ils représentent tout recours résultant pour ce dernier de l'application de la présente loi ou d'une entente liant l'association ou le regroupement avec un diffuseur ou une association de diffuseurs, sans avoir à justifier de mandat ni de cession de créance de l'intéressé.

1988, c. 69, art. 29

Chapitre III — Contrats entre artistes et diffuseurs

Section I — Contrats individuels

30. Application — La présente section s'applique à tout contrat entre un artiste et un diffuseur ayant pour objet une oeuvre de l'artiste.

Application — Elle s'applique également à tout contrat entre un diffuseur et une personne non visée par les chapitres I et II et ayant pour objet la publication d'un livre.

1988, c. 69, art. 30

31. Contenu du contrat — Le contrat doit être constaté par un écrit rédigé en double exemplaire et identifiant clairement :

1° la nature du contrat;

2° l'oeuvre ou l'ensemble d'oeuvres qui en est l'objet;

3° toute cession de droit et tout octroi de licence consentis par l'artiste, les fins, la durée ou le mode de détermination de la durée et l'étendue territoriale pour lesquelles le droit est cédé et la licence octroyée, ainsi que toute cession de droit de propriété ou d'utilisation de l'oeuvre;

4° la transférabilité ou la non transférabilité à des tiers de toute licence octroyée au diffuseur;

5° la contrepartie monétaire due à l'artiste ainsi que les délais et autres modalités de paiement;

6° la périodicité selon laquelle le diffuseur rend compte à l'artiste des opérations relatives à toute oeuvre visée par le contrat et à l'égard de laquelle une contrepartie monétaire demeure due après la signature du contrat.

1988, c. 69, art. 31

32. Formation — Le contrat est formé lorsque les parties l'ont signé.

Responsabilité de l'artiste — L'artiste n'est tenu à l'exécution de ses obligations qu'à compter du moment où il est en possession d'un exemplaire du contrat.

1988, c. 69, art. 32

33. Stipulations au contrat — Toute entente entre un diffuseur et un artiste relativement à une oeuvre de ce dernier doit être énoncée dans un contrat formé et prenant effet conformément à l'article 31 et comportant des stipulations sur les objets qui doivent être identifiés en vertu de l'article 31.

1988, c. 69, art. 33

34. Exigences relatives à l'entente — Toute entente entre un diffuseur et un artiste réservant au diffuseur l'exclusivité d'une oeuvre future de l'artiste ou lui reconnaissant le droit de décider de sa diffusion doit, en plus de se conformer aux exigences de l'article 31 :

1° porter sur une oeuvre définie au moins quant à sa nature;

2° être résiliable à la demande de l'artiste à l'expiration d'un délai d'une durée convenue entre les parties ou après la création d'un nombre d'oeuvres déterminées par celles-ci;

3° prévoir que l'exclusivité cesse de s'appliquer à l'égard d'une oeuvre réservée lorsque, après l'expiration d'un délai de réflexion, le diffuseur, bien que mis en demeure, n'en fait pas la diffusion;

4° indiquer le délai de réflexion convenu entre les parties pour l'application du paragraphe 3°.

1988, c. 69, art. 34

35. Interdiction au diffuseur — Un diffuseur ne peut, sans le consentement de l'artiste, donner en garantie les droits qu'il obtient par contrat de ce dernier ni consentir une sûreté sur une oeuvre faisant l'objet d'un contrat et dont l'artiste demeure propriétaire.

1988, c. 69, art. 35

36. Acte de faillite — Le contrat est résilié si le diffuseur commet un acte de faillite ou est l'objet d'une ordonnance de séquestre en application de la *Loi sur la faillite et l'insolvabilité* (L.R.C. (1985), ch. B-3), si ses biens font l'objet d'une prise de possession en vertu de la loi ou, dans le cas d'une personne morale, si elle est l'objet d'une liquidation.

1988, c. 69, art. 36

37. Arbitre — Sauf renonciation expresse, tout différend sur l'interprétation du contrat est soumis, à la demande d'une partie, à un arbitre.

Choix de l'arbitre — Les parties désignent l'arbitre et lui soumettent leur litige selon les modalités qu'ils peuvent prévoir au contrat. Les dispositions du Titre II du livre VII du *Code de procédure civile* (chapitre C-25.01) s'appliquent à cet arbitrage compte tenu des adaptations nécessaires.

1988, c. 69, art. 37; N.I. 2016-01-01 (NCPC)

38. Compte distinct — Pour chaque contrat le liant à un artiste, le diffuseur doit tenir dans ses livres un compte distinct dans lequel il inscrit dès réception, en regard de chaque oeuvre ou de l'ensemble d'oeuvres qui en est l'objet :

1° tout paiement reçu d'un tiers de même qu'une indication permettant d'identifier ce dernier;

2° le nombre et la nature de toutes les opérations faites qui correspondent aux paiements inscrits et, le cas échéant, le tirage et le nombre d'exemplaires vendus.

Compte rendu des opérations — Dans les cas où une contrepartie monétaire demeure due à l'artiste après la signature du contrat, il doit, selon une périodicité convenue entre les parties d'au plus un an, rendre compte par écrit à l'artiste des opérations et des perceptions relatives à son oeuvre.

1988, c. 69, art. 38

39. Examen des livres — L'artiste peut, après en avoir avisé par écrit le diffuseur, faire examiner par un expert de son choix, à ses frais, toute donnée comptable le concernant dans les livres du diffuseur.

1988, c. 69, art. 39

40. Mise à jour du registre — Le diffuseur doit tenir à jour à son principal établissement, un registre relatif aux oeuvres des artistes des domaines des métiers d'art et des arts visuels qu'il a en sa possession et dont il n'est pas propriétaire.

Contenu — Ce registre doit comporter :

1º le nom du titulaire du droit de propriété de chaque oeuvre;

2º une mention permettant d'identifier l'oeuvre;

3º la nature du contrat en vertu duquel le diffuseur en a la possession.

Consultation — Ces inscriptions doivent être conservées dans le registre du diffuseur tant qu'il assume la responsabilité des oeuvres en application d'un contrat. L'artiste lié par contrat avec le diffuseur peut consulter ce registre en tout temps pendant les heures normales d'ouverture des services administratifs.

1988, c. 69, art. 40; 1997, c. 26, art. 37

41. Lieux loués — Toute oeuvre visée par un contrat et se trouvant sur des lieux loués par le diffuseur est présumée s'y trouver provisoirement dans tous les cas où il n'en est pas propriétaire.

1988, c. 69, art. 41

42. Interdiction — Sous réserve des articles 35 et 37, on ne peut renoncer à l'application d'une disposition du présent chapitre.

1988, c. 69, art. 42

SECTION II — ENTENTE GÉNÉRALE CONCERNANT LES CONTRATS DE DIFFUSION

43. Conclusion d'entente — Une association ou un regroupement reconnu et une association de diffuseurs ou un diffuseur ne faisant pas partie d'une telle association peuvent conclure une entente générale prévoyant, outre les mentions et exigences déjà prescrites à la section I du chapitre III de la présente loi, d'autres mentions obligatoires dans un contrat de diffusion des oeuvres des artistes représentés par l'association ou le regroupement reconnu.

Bonne foi — La bonne foi et la diligence doivent gouverner la conduite et les rapports des parties au regard d'une telle entente.

Contrats types — Cette entente peut porter sur l'utilisation de contrats types ou contenir toute autre stipulation non contraire à l'ordre public ni prohibée par la loi.

1988, c. 69, art. 43; 2004, c. 16, art. 4

44. Durée — La durée d'une entente est d'au plus trois ans.

1988, c. 69, art. 44

45. Personnes liées — Une entente entre une association ou un regroupement reconnu et une association de diffuseurs lie chaque personne qui est membre de l'une ou l'autre de ces associations ou de ce regroupement, au moment de sa signature, ou qui le devient par la suite, même si cette personne cesse de faire partie de l'association ou du regroupement qui a conclu l'entente, ou si celui-ci est dissout.

1988, c. 69, art. 45

45.1 Règlement — Le gouvernement peut, par règlement :

1º prévoir des mentions obligatoires dans les contrats de diffusion des oeuvres des artistes représentés par une association ou un regroupement reconnu, à conclure entre ces derniers et les diffuseurs;

2º établir des formulaires obligatoires de contrats de diffusion des oeuvres de ces artistes.

Mentions et formulaires — Les mentions et les formulaires prescrits par règlement peuvent varier selon les domaines, les pratiques artistiques et la nature des contrats de diffusion.

2004, c. 16, art. 5

Chapitre IV — Dispositions pénales et diverses

46. Fausse inscription — Quiconque pour éluder le paiement d'une somme due à un artiste omet une inscription prévue au premier alinéa de l'article 38 ou fait dans le compte distinct une inscription fausse ou inexacte, commet une infraction et est passible d'une amende maximum de 5 000 $ et en cas de récidive d'une amende maximum de 10 000 $.

1988, c. 69, art. 46; 1990, c. 4, art. 958

47. Faux renseignements — Le diffuseur qui contrevient à une disposition de l'article 40 ou dont le registre comporte des renseignements qu'il sait faux ou inexacts commet une infraction et est passible d'une amende maximum de 5 000 $ et, en cas de récidive, d'une amende maximum de 10 000 $.

1988, c. 69, art. 47; 1992, c. 61, art. 593

48. Pouvoirs du Tribunal — Le Tribunal exerce, pour l'application du chapitre II, les pouvoirs que lui confère la *Loi sur le statut professionnel et les conditions d'engagement des artistes de la scène, du disque et du cinéma* (chapitre S-32.1).

1988, c. 69, art. 48; 1997, c. 26, art. 38; 2009, c. 32, art. 33; 2015, c. 15, art. 237

49. Ministre responsable — Le ministre de la Culture et des Communications est responsable de l'application de la présente loi.

1988, c. 69, art. 49; 1992, c. 65, art. 43; 1994, c. 14, art. 34

50.–57. (*Omis*).

Dispositions transitoires

— *Loi instituant le Tribunal administratif du travail*, RLRQ, c. T-15.1, art. 237-277 : voir [QUE-19].

[QUE-17]
TABLE DES MATIÈRES
LOI SUR LE STATUT PROFESSIONNEL ET LES CONDITIONS D'ENGAGEMENT DES ARTISTES DE LA SCÈNE, DU DISQUE ET DU CINÉMA

[QUE-17]
Loi sur le statut professionnel et les conditions d'engagement des artistes de la scène, du disque et du cinéma

RLRQ, c. S-32.1, telle que modifiée par L.Q. 1988, c. 69, art. 51-56; 1990, c. 4, art. 839-840; 1992, c. 61, art. 594; 1992, c. 65, art. 43; 1994, c. 14, art. 34; 1997, c. 26, art. 1-34; 1999, c. 40, art. 310; 2000, c. 8, art. 220; 2000, c. 56, art. 219; 2004, c. 16, art. 6-11; 2009, c. 32, art. 1-23; 2015, c. 15, art. 225-227, 237.

Chapitre I — Champ d'application et définitions

1. Application — La présente loi s'applique aux artistes et aux producteurs qui retiennent leurs services professionnels dans les domaines de production artistique suivants : la scène y compris le théâtre, le théâtre lyrique, la musique, la danse et les variétés, le multimédia, le film, le disque et les autres modes d'enregistrement du son, le doublage et l'enregistrement d'annonces publicitaires.

1987, c. 72, art. 1; 2004, c. 16, art. 6

1.1 « artiste » — Pour l'application de la présente loi, un artiste s'entend d'une personne physique qui pratique un art à son propre compte et qui offre ses services, moyennant rémunération, à titre de créateur ou d'interprète, dans un domaine visé à l'article 1.

2009, c. 32, art. 1

1.2 Fonctions — Dans le cadre d'une production audiovisuelle mentionnée à l'annexe I, est assimilée à un artiste, qu'elle puisse ou non être visée par l'article 1.1, la personne physique qui exerce à son propre compte l'une des fonctions suivantes ou une fonction jugée analogue par le Tribunal, et qui offre ses services moyennant rémunération :

1° les fonctions liées à la conception, la planification, la mise en place ou à la réalisation de costumes, de coiffures, de prothèses ou de maquillages, de marionnettes, de scènes, de décors, d'éclairages, d'images, de prises de vues, de sons, d'effets visuels ou sonores, d'effets spéciaux et celles liées à l'enregistrement;

2° les fonctions liées à la réalisation de montages et d'enchaînements, sur les plans sonore et visuel;

3° les fonctions de scripte, de recherche de lieux de tournage et les fonctions liées à la régie ou à la logistique d'un tournage efficace et sécuritaire, à l'extérieur comme à l'intérieur, dont le transport et la manipulation d'équipements ou d'accessoires;

4° les fonctions d'apprenti, de chef d'équipe et d'assistance auprès de personnes exerçant des fonctions visées par le présent article ou par l'article 1.1.

Exception — Ne sont toutefois pas visées par le présent article les fonctions qui relèvent de services de comptabilité, de vérification, de représentation ou de gestion, de services juridiques, de services publicitaires et tout autre travail administratif similaire dont l'apport ou l'intérêt n'est que périphérique dans la création de l'œuvre.

2009, c. 32, art. 1; 2015, c. 15, art. 237

2. Interprétation — Dans la présente loi, à moins que le contexte n'indique un sens différent, on entend par :

« **artiste** » : (*définition abrogée*);

« **Commission** » : (*paragraphe supprimé*);

« **film** » : une œuvre produite à l'aide d'un moyen technique et ayant comme résultat un effet cinématographique, quel qu'en soit le support, y compris le vidéo;

« **producteur** » : une personne ou une société qui retient les services d'artistes en vue de produire ou de représenter en public une œuvre artistique dans un domaine visé à l'article 1;

« **Tribunal** » : le Tribunal administratif du travail.

1987, c. 72, art. 2; 2009, c. 32, art. 2; 2015, c. 15, art. 225

3. Société ou personne morale — Le fait pour un artiste de fournir ses services personnels au moyen d'une société ou d'une personne morale ne fait pas obstacle à l'application de la présente loi.

1987, c. 72, art. 3; 1997, c. 26, art. 1

4. Gouvernement lié — La présente loi lie le gouvernement, ses ministères et organismes.

1987, c. 72, art. 4; 1997, c. 26, art. 2

5. Restriction — La présente loi ne s'applique pas à une personne dont les services sont retenus pour une occupation visée par une accréditation accordée en vertu du *Code du travail* (chapitre C-27) ou par un décret adopté en vertu de la *Loi sur les décrets de convention collective* (chapitre D-2).

1987, c. 72, art. 5

Chapitre II — Statut professionnel de l'artiste

6. Artiste à son compte — Pour l'application de la présente loi, l'artiste qui s'oblige habituellement envers un ou plusieurs producteurs au moyen de contrats portant sur des prestations déterminées, est réputé pratiquer un art ou exercer une fonction visée à l'article 1.2, à son propre compte.

1987, c. 72, art. 6; 2009, c. 32, art. 3

7. Association — L'artiste a la liberté d'adhérer à une association d'artistes, de participer à la formation d'une telle association, à ses activités et à son administration.

1987, c. 72, art. 7

8. Conditions d'engagement — L'artiste a la liberté de négocier et d'agréer les conditions de son engagement par un producteur. L'artiste et le producteur liés par une même entente collective, ne peuvent toutefois stipuler une condition moins avantageuse pour l'artiste qu'une condition prévue par cette entente.

1987, c. 72, art. 8

Chapitre III — Reconnaissance d'une association d'artistes

Section I — Droit à la reconnaissance

9. Exigences préalables — A droit à la reconnaissance, l'association d'artistes qui satisfait aux conditions suivantes :

1° elle est un syndicat professionnel ou une association dont l'objet est similaire à celui d'un syndicat professionnel au sens de la *Loi sur les syndicats professionnels* (chapitre S-40);

2° elle rassemble la majorité des artistes d'un secteur de négociation défini par le Tribunal administratif du travail.

1987, c. 72, art. 9; 1997, c. 26, art. 3; 2009, c. 32, art. 4; 2015, c. 15, art. 237

10. Règlements — Une association ne peut être reconnue que si elle a adopté des règlements :

1° établissant des conditions d'admissibilité fondées sur des exigences de pratique professionnelle propres aux artistes;

2° établissant des catégories de membres dont elle détermine les droits, notamment le droit de participer aux assemblées et le droit de voter;

3° conférant aux membres visés par un projet d'entente collective le droit de se prononcer par scrutin secret sur sa teneur lorsque ce projet comporte une modification aux taux de rémunération prévus à une entente liant déjà l'association envers une association de producteurs ou un autre producteur du même secteur;

4° prescrivant l'obligation de soumettre à l'approbation des membres qualifiés toute décision sur les conditions d'admissibilité à l'association;

5° prescrivant la convocation obligatoire d'une assemblée générale ou la tenue d'une consultation auprès des membres lorsque 10 % d'entre eux en font la demande.

1987, c. 72, art. 10; 1997, c. 26, art. 4

11. Interdiction — Les règlements d'une association d'artistes ne doivent contenir aucune disposition ayant pour effet d'empêcher injustement un artiste d'adhérer ou de maintenir son adhésion à l'association d'artistes ou de se qualifier comme membre de celle-ci.

1987, c. 72, art. 11

11.1 Interdiction — Aucun artiste, ni aucune personne agissant pour un artiste ou pour une association reconnue d'artistes ne peut chercher à dominer, entraver ou financer la formation ou les activités d'une association de producteurs, ni empêcher quiconque d'y participer.

Interdiction — Aucun producteur, ni aucune personne agissant pour un producteur ou pour une association de producteurs ne peut chercher à dominer, entraver ou financer la formation ou les activités d'une association reconnue d'artistes, ni empêcher quiconque d'y participer.

1997, c. 26, art. 5

11.2 Interdiction — Nul ne peut user d'intimidation ou de menaces pour amener quiconque à devenir membre, à s'abstenir de devenir membre ou à cesser d'être membre d'une association d'artistes ou d'une association de producteurs.

1997, c. 26, art. 5

SECTION II — PROCÉDURE DE RECONNAISSANCE

12. Demande au Tribunal — La reconnaissance est demandée par une association d'artistes au moyen d'un écrit adressé au Tribunal.

Autorisation — La demande doit être autorisée par résolution de l'association et signée par des représentants spécialement mandatés à cette fin.

1987, c. 72, art. 12; 2015, c. 15, art. 237

13. Secteurs de négociation — Une association peut demander à être reconnue pour un ou plusieurs secteurs de négociation.

1987, c. 72, art. 13

14. Période de la demande — Une reconnaissance peut être demandée :

1º en tout temps à l'égard d'un secteur pour lequel aucune association n'est reconnue;

2º dans les trois mois précédant chaque cinquième anniversaire de la date d'une prise d'effet d'une reconnaissance.

Demande de reconnaissance — Toutefois, lorsque le Tribunal a déjà été saisi, par une association d'artistes, d'une demande de reconnaissance pour un secteur, une autre association ne peut présenter une demande pour ce même secteur ou partie de celui-ci, que dans les 20 jours suivant la publication de l'avis visé à l'article 16.

1987, c. 72, art. 14; 1988, c. 69, art. 51; 1997, c. 26, art. 6; 2015, c. 15, art. 237

15. Copie des règlements — La demande de reconnaissance doit être accompagnée d'une copie certifiée conforme des règlements de l'association et de la liste de ses membres.

1987, c. 72, art. 15

16. Détermination de la représentativité — Lorsqu'il est saisi d'une demande de reconnaissance, le Tribunal peut prendre toute mesure qu'il juge nécessaire pour déterminer si les effectifs de l'association constituent la majorité des artistes du secteur visé. Elle peut notamment tenir un référendum.

Avis dans deux quotidiens — Le Tribunal doit donner avis dans au moins deux quotidiens de circulation générale au Québec du dépôt d'une demande de reconnaissance. Il doit pareillement donner avis de son intention de procéder à une détermination de la représentativité de l'association et des mesures qu'il juge nécessaires de prendre à cette fin. Il doit indiquer, dans l'avis, la date limite pour présenter une demande de reconnaissance pour le secteur visé ou partie de ce secteur ou pour intervenir en vertu de l'article 17.

Territoire visé — Lorsque la reconnaissance porte sur un secteur de négociation défini pour une partie seulement du territoire du Québec, un avis prévu au deuxième alinéa peut être donné une fois dans un quotidien de circulation générale au Québec et une fois dans un quotidien circulant dans la partie du territoire visé par la reconnaissance.

1987, c. 72, art. 16; 1988, c. 69, art. 52; 1997, c. 26, art. 7; 2015, c. 15, art. 237

17. Intervention — Lors d'une demande de reconnaissance, les artistes et les associations d'artistes de même que tout producteur et toute association de producteurs peuvent intervenir devant le Tribunal sur la définition du secteur de négociation.

Parties intéressées — Toutefois, seuls les artistes et les associations d'artistes du secteur ainsi défini sont parties intéressées en ce qui a trait au caractère majoritaire des adhérents à l'association requérante.

Délai de présentation — Ces interventions doivent être présentées au Tribunal dans les 20 jours suivant la publication de l'avis prévu à l'article 16.

1987, c. 72, art. 17; 1997, c. 26, art. 8; 2015, c. 15, art. 237

18. Acceptation du Tribunal — S'il constate que l'association rassemble la majorité des artistes du secteur et s'il estime que ses règlements satisfont aux exigences de la présente loi, le Tribunal accorde la reconnaissance.

1987, c. 72, art. 18; 2015, c. 15, art. 237

18.1 Médiateur — Lorsque le Tribunal a été saisi d'une demande de reconnaissance pour un secteur et qu'une autre association présente une demande pour ce même secteur ou partie de celui-ci, les parties peuvent conjointement demander au Tribunal de désigner une personne pour tenter de les amener à s'entendre.

Dispositions applicables — Les dispositions des articles 68.3 et 68.4 s'appliquent, compte tenu des adaptations nécessaires.

1997, c. 26, art. 9; 2009, c. 32, art. 5; 2015, c. 15, art. 237

19. Prise d'effet — La reconnaissance d'une association prend effet à la date de la décision du Tribunal.

1987, c. 72, art. 19; 2009, c. 32, art. 6; 2015, c. 15, art. 237

SECTION III — ANNULATION DE LA RECONNAISSANCE

20. Vérification — Sur demande d'au moins 25 % des artistes du secteur dans lequel une association a été reconnue ou sur demande d'une association de producteurs visée par la reconnaissance, le Tribunal doit vérifier si cette association rassemble la majorité des artistes du secteur.

Périodes — Une demande de vérification ne peut être faite qu'aux périodes visées au paragraphe 2º de l'article 14.

Annulation — Le Tribunal annule la reconnaissance d'une association s'il estime que celle-ci ne rassemble plus la majorité des artistes du secteur.

1987, c. 72, art. 20; 2015, c. 15, art. 237

21. Effet de la reconnaissance — La reconnaissance d'une association d'artistes annule la reconnaissance de toute autre association d'artistes dans le secteur de négociation visé par la nouvelle reconnaissance.

1987, c. 72, art. 21

22. Causes d'une annulation — Le Tribunal peut en tout temps, sur demande d'une partie intéressée, annuler une reconnaissance s'il est établi que les règlements de l'association ne sont plus conformes aux exigences de la présente loi ou ne sont pas appliqués de manière à leur donner effet.

1987, c. 72, art. 22; 2015, c. 15, art. 237

23. Annulation — L'annulation d'une reconnaissance prend effet à la date de la décision du Tribunal.

1987, c. 72, art. 23; 2009, c. 32, art. 7; 2015, c. 15, art. 237

SECTION IV — EFFETS DE LA RECONNAISSANCE

24. Droits et pouvoirs — Dans le secteur de négociation qui y est défini, la reconnaissance confère à l'association d'artistes les droits et pouvoirs suivants :

1º défendre et promouvoir les intérêts économiques, sociaux, moraux et professionnels des artistes;

2º représenter les artistes chaque fois qu'il est d'intérêt général de le faire et coopérer à cette fin avec tout organisme poursuivant des intérêts similaires;

3º faire des recherches et des études sur le développement de nouveaux marchés et sur toute matière susceptible d'affecter les conditions économiques et sociales des artistes;

4º fixer le montant qui peut être exigé d'un membre ou d'un non-membre de l'association;

5º percevoir, le cas échéant, les sommes dues aux artistes qu'elle représente et leur en faire remise;

6º élaborer des contrats-types pour la prestation de services et convenir avec les producteurs de leur utilisation lorsqu'il n'y a pas d'entente collective;

7° négocier une entente collective, laquelle doit prévoir un contrat-type pour la prestation de services par les artistes.

1987, c. 72, art. 24; 1997, c. 26, art. 10

25. Liste des membres — L'association reconnue doit sur demande du Tribunal et en la forme que celui-ci détermine, lui transmettre la liste de ses membres.

Modification aux règlements — Elle doit également transmettre copie au Tribunal de toute modification à ses règlements.

1987, c. 72, art. 25; 2015, c. 15, art. 237

26. Association de producteurs — Toute association de producteurs et tout producteur ne faisant pas partie d'une association de producteurs doivent, aux fins de la négociation d'une entente collective, reconnaître l'association reconnue d'artistes par le Tribunal comme le seul représentant des artistes dans le secteur de négociation en cause.

1987, c. 72, art. 26; 1997, c. 26, art. 11; 2015, c. 15, art. 237

26.1 Rétention sur rémunération — À compter du moment où l'avis de négociation prévu à l'article 28 a été transmis, une association reconnue d'artistes et une association de producteurs ou un producteur ne faisant pas partie d'une association de producteurs peuvent convenir par écrit qu'un producteur devra retenir, sur la rémunération qu'il verse à un artiste, le montant visé au paragraphe 4° de l'article 24.

Versement à l'association — Dans le cas où une entente écrite est conclue entre les parties ou qu'une décision est rendue par un arbitre en vertu du troisième alinéa, le producteur est tenu de remettre à l'association reconnue d'artistes, selon la périodicité établie, les montants ainsi retenus avec un état indiquant le montant prélevé pour chaque artiste.

Défaut d'entente — Un an après la transmission de l'avis prévu à l'article 28, à défaut d'entente sur la retenue ou d'entente collective, l'une des parties peut demander au ministre de désigner un arbitre qui fixe le montant et détermine les modalités d'application de la retenue. Les dispositions du titre II du livre VII du *Code de procédure civile* (chapitre C-25.01) s'appliquent à cet arbitrage, compte tenu des adaptations nécessaires.

Frais de l'arbitre — Les parties assument les frais et la rémunération de l'arbitre.

1997, c. 26, art. 12; 2009, c. 32, art. 8; N.I. 2016-01-01 (NCPC),

26.2 Aliénation de l'entreprise — L'aliénation de l'entreprise d'un producteur ou la modification de sa structure juridique par fusion ou autrement ne met pas fin au contrat de l'artiste.

Personnes liées — Ce contrat lie l'ayant cause du producteur. Celui-ci est lié, notamment, par la rémunération qui peut devenir due à tout artiste qui a initialement contracté avec le producteur, si les productions visées par ces contrats sont transférées au nouveau producteur.

1997, c. 26, art. 12

SECTION V — ENTENTE COLLECTIVE

27. Négociation d'une entente — Dans un secteur de négociation, l'association reconnue d'artistes et une association non reconnue de producteurs ou un producteur ne faisant pas partie d'une telle association peuvent négocier et agréer une entente collective fixant des conditions minimales pour l'engagement des artistes. Lorsqu'il existe une association reconnue de producteurs pour un champ d'activités, l'association reconnue d'artistes ne peut négocier et agréer une entente collective qu'avec cette association.

Prise en considération — En négociant une entente collective, les parties doivent prendre en considération l'objectif de faciliter l'intégration des artistes de la relève ainsi que les conditions économiques particulières des petites entreprises de production.

1987, c. 72, art. 27; 1997, c. 26, art. 13

28. Initiative de négociation — L'association reconnue d'artistes de même que l'association de producteurs ou le producteur ne faisant pas partie d'une association de producteurs selon le cas peuvent prendre l'initiative de la négociation d'une entente collective en donnant à l'autre partie un avis écrit d'au moins dix jours l'invitant à une rencontre en vue de la conclusion d'une entente collective.

Avis — Lorsque les parties sont déjà liées par une entente collective, l'association reconnue d'artistes, l'association de producteurs ou le producteur ne faisant pas partie d'une association de producteurs peut donner cet avis dans les 120 jours précédant l'expiration de l'entente.

1987, c. 72, art. 28; 1997, c. 26, art. 14

29. Copie au ministre — La partie qui donne l'avis prévu à l'article 28 doit en transmettre copie le même jour au ministre par poste recommandée. Cette dernière informe les parties de la date où elle a reçu copie de cet avis.

1987, c. 72, art. 29; 2009, c. 32, art. 8; N.I. 2016-01-01 (NCPC)

30. Négociations — À compter du moment fixé dans l'avis prévu à l'article 28, les parties doivent commencer les négociations et les poursuivre avec diligence et de bonne foi.

1987, c. 72, art. 30

31. Médiateur — Une partie peut, à toute phase des négociations, demander au ministre de désigner un médiateur.

Frais du médiateur — Le ministre assume les frais et la rémunération du médiateur.

1987, c. 72, art. 31; 1997, c. 26, art. 15; 2009, c. 32, art. 8

32. Convocation — Le médiateur désigné par le ministre convoque les parties intéressées et tente de les amener à un accord.

Assistance aux réunions — Les parties sont tenues d'assister à toute réunion où le médiateur les convoque.

Recommandations — Le médiateur peut faire des recommandations aux parties sur les conditions d'engagement des artistes. Il doit remettre son rapport au ministre et aux parties.

1987, c. 72, art. 32; 1997, c. 26, art. 16; 2009, c. 32, art. 8

33. Choix d'un arbitre — Lors de la négociation d'une première entente collective, une partie peut demander au ministre de désigner un arbitre si l'intervention du médiateur s'est avérée infructueuse.

Demande conjointe — Pour la négociation des ententes collectives subséquentes, la demande de désignation d'un arbitre doit être faite conjointement par les parties à l'entente antérieure.

Décision arbitrale — La décision arbitrale a le même effet qu'une entente collective.

Frais de l'arbitre — Le ministre assume les frais et la rémunération de l'arbitre.

1987, c. 72, art. 33; 1997, c. 26, art. 17; 2009, c. 32, art. 8

33.1 Dispositions applicables — Les articles 76 et 78, le premier alinéa de l'article 79, les articles 80 à 91.1 et les articles 93 et 93.7 du *Code du travail* (chapitre C-27) s'appliquent, compte tenu des adaptations nécessaires, à l'arbitrage prévu à l'article 33.

1997, c. 26, art. 17; 2004, c. 16, art. 7

34. Action concertée — À moins qu'une entente n'ait été conclue ou que les parties n'aient soumis leur différend à l'arbitrage, l'association reconnue d'artistes peut, après l'expiration du trentième jour de la date de réception par le ministre de l'avis prévu à l'article 28, déclencher, à l'égard de l'autre partie, une action concertée en vue de l'amener à conclure une entente collective.

Délai — Après l'expiration du même délai, l'association de producteurs et le cas échéant le producteur ne faisant pas partie d'une association de producteurs peuvent déclencher à l'égard de l'association reconnue d'artistes une action concertée en vue de l'amener à conclure une entente collective.

1987, c. 72, art. 34; 1997, c. 26, art. 18; 2009, c. 32, art. 8

35. Transmission de l'entente collective — Une copie conforme de l'entente collective et les annexes de celle-ci doivent être transmises au ministre du Travail dans les 60 jours de sa signature. Il en est de même de toute modification qui est apportée par la suite à cette entente collective.

Effet rétroactif — L'entente collective déposée a effet rétroactivement à la date qui y est prévue pour son entrée en vigueur ou, à défaut, à la date de sa signature.

Avis — La partie qui dépose l'entente collective en avise l'autre partie.

1987, c. 72, art. 35; 1997, c. 26, art. 19; 2009, c. 32, art. 9

35.1 Procédure d'arbitrage — L'entente collective doit prévoir une procédure d'arbitrage de griefs.

L'article 101 du *Code du travail*, y compris l'article 129 auquel il renvoie, s'applique, compte tenu des adaptations nécessaires, aux sentences arbitrales rendues dans le cadre de cette procédure.

Reconduction des conditions d'engagement — L'entente collective peut aussi prévoir que, à la date de son expiration, les conditions minimales pour l'engagement des artistes contenues dans cette dernière continuent de s'appliquer jusqu'à la signature d'une nouvelle entente.

1997, c. 26, art. 19; 2004, c. 16, art. 8; 2009, c. 32, art. 10

35.2 Mésentente — En cas d'arbitrage de griefs, lorsque les parties ne s'entendent pas sur la nomination d'un arbitre ou que l'entente collective ne pourvoit pas à sa nomination, l'une des parties peut en demander la nomination au ministre.

1997, c. 26, art. 19; 2009, c. 32, art. 8

36. Durée d'une première convention — La durée d'une première entente collective est d'au plus trois ans. Si la première entente collective résulte d'une décision arbitrale, sa durée est d'au plus deux ans.

1987, c. 72, art. 36; 1997, c. 26, art. 19

37. Association remplacée — Une association nouvellement reconnue remplace l'association qui était reconnue dans le même secteur ou, selon le cas, dans le même champ d'activités à l'égard de tous les droits et obligations résultant d'une entente collective en vigueur conclue par cette dernière.

Annulation — L'annulation d'une reconnaissance faite sans qu'une nouvelle association ne soit reconnue, met fin à toute entente collective conclue par l'association privée de sa reconnaissance. Toutefois, les conditions minimales de travail contenues dans l'entente collective continuent de s'appliquer jusqu'à la date d'expiration de l'entente collective ou jusqu'à la signature d'une nouvelle entente collective avec une autre association qui se fait reconnaître dans le même secteur ou, selon le cas, dans le même champ d'activités.

1987, c. 72, art. 37; 1997, c. 26, art. 20

37.1 Avis préalable — Une association reconnue d'artistes doit, avant d'exercer une action concertée, donner un avis préalable de cinq jours au producteur visé ainsi que, le cas échéant, à l'association dont est membre ce producteur.

Avis à l'association — L'association de producteurs et le producteur qui n'est pas membre d'une association doivent, de la même manière, donner semblable avis à l'association reconnue dont sont membres les artistes visés.

1997, c. 26, art. 21

38. Interdiction — Pendant la durée d'une entente collective ou d'une décision arbitrale, il est interdit :

1° à une association reconnue et aux artistes qu'elle représente de boycotter ou de conseiller ou d'enjoindre à des artistes de boycotter un producteur ou une association de producteurs lié par cette entente ou décision ou d'exercer à l'égard de ces derniers un moyen de pression de même nature;

2° à un producteur d'exercer tout moyen de pression ayant pour effet de priver de travail les artistes liés par cette entente ou cette décision.

1987, c. 72, art. 38

39. Moyen de pression — Il est interdit à une association reconnue et aux artistes qu'elle représente d'exercer sur une personne un moyen de pression ayant pour objet d'empêcher un producteur avec lequel l'association est liée par une entente collective de produire ou de représenter en public une œuvre artistique, ou ayant pour objet d'amener un tiers à faire pression sur un producteur ou sur une association de producteurs pour conclure une entente collective.

1987, c. 72, art. 39; 1997, c. 26, art. 22

40. Parties liées — L'entente collective lie le producteur et tous les artistes du secteur de négociation qu'il engage. Dans le cas d'une entente conclue avec une association non reconnue de producteurs, l'entente collective lie chaque producteur membre de cette association au moment de sa signature ou qui le devient par la suite, même s'il cesse de faire partie de l'association ou si celle-ci est dissoute.

Producteurs liés — Dans le cas d'une entente conclue avec une association reconnue de producteurs, l'entente collective lie chaque producteur membre de l'association reconnue, de même que tout autre producteur œuvrant dans le champ d'activités de l'association reconnue, même si l'association est dissoute.

1987, c. 72, art. 40; 1997, c. 26, art. 23

41. Recours — L'association reconnue peut exercer les recours que l'entente collective accorde aux artistes qu'elle représente sans avoir à justifier une cession de créance de l'intéressé.

1987, c. 72, art. 41

42. Refus d'engagement — Il est interdit à un producteur de refuser d'engager un artiste à cause de l'exercice par ce dernier d'un droit lui résultant de la présente loi.

1987, c. 72, art. 42

Chapitre III.1 — Reconnaissance d'une association de producteurs

42.1 Conditions préalables — A droit à la reconnaissance, l'association de producteurs qui satisfait aux conditions suivantes :

1° elle est une association qui a pour objet l'étude, la défense et le développement des intérêts de ses membres;

2° elle est, de l'avis du Tribunal, la plus représentative en ce qui a trait à l'importance des activités économiques des producteurs et au nombre de membres qu'elle rassemble œuvrant dans le champ d'activités défini par le Tribunal.

1997, c. 26, art. 24; 2015, c. 15, art. 237

42.2 Champ d'action — Le producteur a la liberté d'adhérer à une association de producteurs, de participer à la formation d'une telle association, à ses activités et à son administration.

1997, c. 26, art. 24

42.3 Reconnaissance — Une association de producteurs peut demander à être reconnue pour un ou plusieurs champs d'activités.

1997, c. 26, art. 24

42.4 Exigences préalables — Une association de producteurs ne peut être reconnue que si elle a adopté des règlements :

1° établissant des conditions d'admissibilité fondées sur l'exercice par les producteurs d'une activité correspondant au champ d'activités pour lequel l'association demande à être reconnue;

2° établissant des catégories de membres dont elle détermine les droits, notamment le droit de participer aux assemblées de l'association et le droit de voter;

3° conférant aux membres visés par un projet d'entente collective le droit de se prononcer par scrutin secret sur sa teneur lorsque ce projet comporte une modification aux taux de rémunération prévus à une entente liant déjà l'association envers une association d'artistes;

4° prescrivant l'obligation de soumettre à l'approbation des membres qualifiés toute décision sur les conditions d'admissibilité à l'association;

5° prescrivant la convocation obligatoire d'une assemblée générale ou la tenue d'une consultation auprès des membres lorsque 10 % d'entre eux en font la demande.

1997, c. 26, art. 24

42.5 Dispositions applicables — Les articles 11, 12, 14 à 23, les paragraphes 1° à 4° et 7° de l'article 24 et l'article 25 s'appliquent à une association de producteurs, compte tenu des adaptations nécessaires.

Pourcentage applicable — Néanmoins, le pourcentage requis pour la demande visée à l'article 20 s'applique à la fois au nombre de producteurs du champ d'activités pour lequel une association a été reconnue et à l'ensemble des activités économiques réalisées par les producteurs de ce champ d'activités au cours de l'année qui précède la demande.

1997, c. 26, art. 24

Chapitre IV — Fonctions et pouvoirs du Tribunal administratif du travail

43. (*Abrogé*).

1987, c. 72, art. 43; 1997, c. 26, art. 26; 2009, c. 32, art. 12

44. (*Abrogé*).

1987, c. 72, art. 44; 2004, c. 16, art. 9; 2009, c. 32, art. 12

45. (*Abrogé*).

1987, c. 72, art. 45; 2009, c. 32, art. 12

46. (*Abrogé*).
1987, c. 72, art. 46; 2000, c. 8, art. 220; 2009, c. 32, art. 12

47. (*Abrogé*).
1987, c. 72, art. 47; 2009, c. 32, art. 12

47.1 (*Abrogé*).
1988, c. 69, art. 53; 2009, c. 32, art. 12

47.2 (*Abrogé*).
2004, c. 16, art. 10; 2009, c. 32, art. 12

48. (*Abrogé*).
1987, c. 72, art. 48; 2000, c. 56, art. 219; 2009, c. 32, art. 12

49. (*Abrogé*).
1987, c. 72, art. 49; 1997, c. 26, art. 27; 2009, c. 32, art. 12

50. (*Abrogé*).
1987, c. 72, art. 50; 2009, c. 32, art. 12

51. (*Abrogé*).
1987, c. 72, art. 51; 2009, c. 32, art. 12

52. (*Abrogé*).
1987, c. 72, art. 52; 2009, c. 32, art. 12

53. (*Abrogé*).
1987, c. 72, art. 53; 2009, c. 32, art. 12

54. (*Abrogé*).
1987, c. 72, art. 54; 2009, c. 32, art. 12

55. (*Abrogé*).
1987, c. 72, art. 55; 2009, c. 32, art. 12

56. Fonctions — Aux fins de l'application de la présente loi, le Tribunal a pour fonctions :

1º de décider de toute demande relative à la reconnaissance d'une association d'artistes ou d'une association de producteurs;

2º de statuer sur la conformité à la présente loi des conditions d'admissibilité prévues par les règlements d'une association reconnue, ainsi que sur le respect de ces conditions dans le cadre de leur application.

1987, c. 72, art. 56; 1988, c. 69, art. 54; 1997, c. 26, art. 28; 2009, c. 32, art. 14; 2015, c. 15, art. 237

57. Secteurs de négociation ou champs d'activités — Le Tribunal peut, sur demande, définir des secteurs de négociation ou, selon le cas, les champs d'activités pour lesquels une reconnaissance peut être accordée.

1987, c. 72, art. 57; 1997, c. 26, art. 29; 2015, c. 15, art. 237

58. Décision du Tribunal — Le Tribunal peut, de sa propre initiative, lors d'une demande de reconnaissance et en tout temps sur requête d'une personne intéressée, décider si une personne est comprise dans un secteur de négociation ou, selon le cas, dans un champ d'activités et de toutes autres questions relatives à la reconnaissance, dont la qualité d'artiste ou de producteur au sens de la présente loi.

1987, c. 72, art. 58; 1997, c. 26, art. 30; 2009, c. 32, art. 15; 2015, c. 15, art. 237

59. Prise en considération — A Aux fins de l'application des articles 57 et 58, le Tribunal doit prendre notamment en considération la communauté d'intérêts des artistes ou, selon le cas, des producteurs en cause et l'historique de leurs relations en matière de négociation d'ententes collectives.

Regroupement de producteurs — Le Tribunal prend aussi en considération l'intérêt pour les producteurs de se regrouper selon les particularités communes de leurs activités.

1987, c. 72, art. 59; 1997, c. 26, art. 31; 2015, c. 15, art. 237

59.1 Accréditation — Le Tribunal peut régler toute difficulté découlant de l'application des dispositions de la présente loi et de celles du *Code du travail* (chapitre C-27). À cette fin, il peut notamment préciser la portée respective d'une accréditation et d'une reconnaissance accordées en vertu de ces dispositions, refuser d'en délivrer une ou, dans le cadre du pouvoir prévu au paragraphe 1° du deuxième alinéa de l'article 9 de la *Loi instituant le Tribunal administratif du travail* (chapitre T-15.1), rejeter sommairement toute demande faite dans le but principal de contourner des dispositions de la présente loi ou de superposer une accréditation ou une reconnaissance à une reconnaissance ou une accréditation déjà accordée.

2009, c. 32, art. 16; 2015, c. 15, art. 226

60. Renseignement — Le Tribunal peut exiger des associations d'artistes, des associations de producteurs et des producteurs tout renseignement et examiner tout document nécessaires à l'exercice de ses fonctions.

1987, c. 72, art. 60; 1997, c. 26, art. 32; 2015, c. 15, art. 237

61. (*Abrogé*).

1987, c. 72, art. 61; 2009, c. 32, art. 17

62. Ordonnance provisoire — Le Tribunal peut décider en partie seulement d'une demande.

Suspension des négociations — À la suite d'une demande de reconnaissance, ou d'une demande d'annulation de reconnaissance ou d'une demande de vérification de la représentativité d'une association reconnue, le Tribunal peut ordonner la suspension des négociations et du délai pour déclencher une action concertée et empêcher le renouvellement d'une entente collective. En ce cas, les conditions minimales prévues dans l'entente collective demeurent en vigueur et l'article 38 s'applique jusqu'à la décision du Tribunal sur la demande dont il est saisi.

1987, c. 72, art. 62; 1988, c. 69, art. 55; 2009, c. 32, art. 18; 2015, c. 15, art. 237

63. Audition — Le Tribunal doit, avant de rendre une décision sur une demande de reconnaissance ou d'annulation de reconnaissance donner à l'association concernée l'occasion de faire valoir son point de vue.

Audition — Dans le cas d'une requête portant sur l'appartenance d'une personne à un secteur de négociation ou à un champ d'activités, Le Tribunal doit donner à tout producteur et à toute association intéressée qui interviennent au dossier, l'occasion de faire valoir leur point de vue.

1987, c. 72, art. 63; 1997, c. 26, art. 33; 2009, c. 32, art. 19; 2015, c. 15, art. 237

63.1 (*Abrogé*).

2004, c. 16, art. 11; 2009, c. 32, art. 20

64. Dispositions applicables — Les dispositions du *Code du travail* (chapitre C-27) et de la *Loi instituant le Tribunal administratif du travail* (chapitre T-15.1) relatives au Tribunal administratif du travail, à ses membres et à ses agents de relations du travail s'appliquent au regard de toute demande relevant de la compétence du Tribunal en vertu de la présente loi, compte tenu des adaptations nécessaires. Il en est de même des dispositions pertinentes des règles de preuve et de procédure prévues par ce code, cette loi et les règlements pris en vertu de ceux-ci au regard des demandes dont le Tribunal peut être saisi.

1987, c. 72, art. 64; 2009, c. 32, art. 21; 2015, c. 15, art. 227

65. Décision rendue — Toute décision rendue par le Tribunal en vertu de la présente loi doit être transmise au ministre.

1987, c. 72, art. 65; 2009, c. 32, art. 21; 2015, c. 15, art. 237

66. (*Remplacé*).

1987, c. 72, art. 66; 2009, c. 32, art. 21

67. (*Remplacé*).
1987, c. 72, art. 67; 1988, c. 69, art. 56; 2009, c. 32, art. 21

68. (*Remplacé*).
1987, c. 72, art. 68; 2009, c. 32, art. 21

Chapitre IV.1 — Enquête et autres mesures administratives

68.1 Enquête — Le ministre peut désigner toute personne pour faire enquête sur toute question relative à l'application de la présente loi.

Pouvoirs et immunité — Cette personne est investie, aux fins d'une telle enquête, des pouvoirs et de l'immunité des commissaires nommés en vertu de la *Loi sur les commissions d'enquête* (chapitre C-37), sauf du pouvoir d'imposer l'emprisonnement.
2009, c. 32, art. 22

68.2 Liste de médiateurs et d'arbitres — Le ministre dresse annuellement une liste de médiateurs et d'arbitres qui peuvent agir en vertu de la présente loi, après consultation des associations reconnues d'artistes et des associations de producteurs.

Désignation du conciliateur ou médiateur — Il peut aussi, avec le consentement des parties concernées, désigner comme médiateur un conciliateur ou un médiateur du ministère du Travail identifié par le ministre du Travail.
2009, c. 32, art. 22

68.3 Irrecevabilité — À moins que les parties à la médiation n'y consentent, rien de ce qui a été dit ou écrit au cours d'une séance de médiation n'est recevable en preuve, devant un tribunal judiciaire ou devant une personne ou un organisme de l'ordre administratif lorsqu'il exerce des fonctions juridictionnelles.
2009, c. 32, art. 22

68.4 Médiateur non contraignable — Le médiateur ne peut être contraint de divulguer ce qui lui a été révélé ou ce dont il a eu connaissance dans l'exercice de ses fonctions, ni de produire un document confectionné ou obtenu dans cet exercice devant un tribunal judiciaire ou devant une personne ou un organisme de l'ordre administratif lorsqu'il exerce des fonctions juridictionnelles.

Accès interdit — Malgré l'article 9 de la *Loi sur l'accès aux documents des organismes publics et sur la protection des renseignements personnels* (chapitre A-2.1), nul n'a droit d'accès à un document contenu dans le dossier de médiation.
2009, c. 32, art. 22

Chapitre V — Dispositions pénales

69. Infraction et peine — Quiconque contrevient à une disposition de l'un des articles 26, 30 et 42 commet une infraction et est passible d'une amende de 100 $ à 1 000 $.
1987, c. 72, art. 69; 1990, c. 4, art. 839

70. Infraction et peine — Quiconque contrevient à une disposition de l'un des articles 11.1, 11.2, du deuxième alinéa de l'article 26.1, 38 ou 39 commet une infraction et est passible d'une amende :

1º de 50 $ à 200 $ s'il s'agit d'un artiste ou d'une personne agissant en son nom;

2º de 500 $ à 5 000 $ s'il s'agit d'un dirigeant ou d'un employé d'une association d'artistes ou d'une association de producteurs, d'un administrateur, d'une personne agissant au nom d'une association d'artistes, d'un producteur ou d'une association de producteurs, ou d'un conseiller de l'un d'eux;

3º de 2 500 $ à 25 000 $ s'il s'agit d'un producteur, d'une association d'artistes, d'une association de producteurs ou d'une union, fédération, confédération ou centrale à laquelle est affiliée ou appartient une association d'artistes ou une association de producteurs.

1987, c. 72, art. 70; 1990, c. 4, art. 839; 1997, c. 26, art. 34

71. (*Abrogé*).

1987, c. 72, art. 71; 1990, c. 4, art. 840; 1992, c. 61, art. 594

Chapitre VI — Dispositions transitoires et finales

72. Dépôt d'une entente — Une association d'artistes liée à une association de producteurs par une entente collective portant sur les conditions d'engagement d'artistes, en vigueur le 12 novembre 1987, peut déposer cette entente auprès de la Commission avant le 1er juin 1988.

Dépôt des règlements — Une telle association peut, avant le 1er juin 1988, déposer auprès de la Commission copie de ses règlements et, par la suite, copie de toute modification à ces règlements.

1987, c. 72, art. 72

73. Présomption — Une association d'artistes qui se conforme à l'article 72 est réputée avoir été reconnue en vertu de la présente loi le 1er avril 1988 pour le secteur de négociation correspondant au champ d'application de l'entente collective déposée.

Effet de la reconnaissance — Pour l'application de l'article 14, cette date constitue la date de la prise d'effet de la reconnaissance.

1987, c. 72, art. 73; 1999, c. 40, art. 310

74. Entente présumée — Toute entente collective liant une association d'artistes reconnue par l'effet de l'article 73 et une association de producteurs est réputée avoir été conclue en vertu de la présente loi.

Application des articles 38 à 41 — Les articles 38 à 41 s'appliquent aux associations de producteurs, aux producteurs, aux associations d'artistes et aux artistes visés par cette entente, à compter de la date de son dépôt à la Commission.

1987, c. 72, art. 74

75. Litige — La Commission peut, à la demande d'une partie liée par une entente collective visée à l'article 74, décider de tout litige sur la définition du secteur de négociation correspondant au champ d'application de cette entente collective, à moins que cette entente ne prévoit la possibilité de soumettre le litige à l'arbitrage.

1987, c. 72, art. 75

76. Ministre responsable — Le ministre de la Culture et des Communications est responsable de l'application de la présente loi.

1987, c. 72, art. 76; 1992, c. 65, art. 43; 1994, c. 14, art. 34

77. (*Omis*).

1987, c. 72, art. 77

ANNEXE I — PRODUCTIONS AUDIOVISUELLES DES DOMAINES DU FILM ET DE L'ENREGISTREMENT D'ANNONCES PUBLICITAIRES

(*article 1.2*)

« productions cinématographiques et télévisuelles » : les productions cinématographiques et télévisuelles, y compris les pilotes, dont le premier marché est la diffusion au public, par le biais de la diffusion en salle, la télédiffusion, le visionnement domestique, la diffusion par Internet ou par tout autre moyen de diffusion au public. Une production cinématographique ou télévisuelle s'entend d'une production audiovisuelle qui se qualifie comme un film au sens de la présente loi et qui n'est pas un « film publicitaire » ni un « vidéoclip »;

« film publicitaire » : les annonces publicitaires audiovisuelles, quel qu'en soit le support, dont le premier marché est la télédiffusion ou la diffusion en salle;

« vidéoclip » :

1° tout vidéoclip, quel qu'en soit le support et peu importe le marché de diffusion auquel il est destiné;

2° toute captation, totale ou partielle, d'un spectacle musical, humoristique ou de variétés, quel qu'en soit le support, sauf la captation dont le premier marché est la diffusion en salle ou la télédiffusion.

2009, c. 32, art. 23

Dispositions transitoires

— Loi modifiant la Loi sur le statut professionnel et les conditions d'engagement des artistes de la scène, du disque et du cinéma et d'autres dispositions législative, L.Q. 2009, c. 32, art. 34-50 :

34. Pour l'application de la *Loi sur le statut professionnel et les conditions d'engagement des artistes de la scène, du disque et du cinéma* (chapitre S-32.1), malgré toute décision antérieure, dans le cadre des productions audiovisuelles mentionnées à l'annexe I de cette loi, les secteurs de négociation applicables et les reconnaissances des associations d'artistes sont, en regard des fonctions visées à l'article 1.2, ceux établis par les articles 35 et 36 de la présente loi, sous réserve des mesures prévues par les articles 39 à 44.

Dans le cadre de ces dispositions, on entend par :

AIEST : l'Alliance internationale des employés de scène, de théâtre, techniciens de l'image, artistes et métiers connexes des États-Unis, ses territoires et du Canada. La référence à l'AIEST est une référence à la section locale 514 ou à la section locale 667 de l'Alliance, selon leur champ de représentation respectif;

AQTIS : l'Alliance québécoise des techniciens de l'image et du son;

ARRQ : l'Association des réalisateurs et réalisatrices du Québec;

CQGCR : le Conseil du Québec de la Guilde canadienne des réalisateurs ;

« secteur 1 », « secteur 2 », « secteur 3 » ou « secteur 4 » : les secteurs que prévoit l'entente du 24 septembre 2008 conclue entre l'AQTIS et l'AIEST. La description des secteurs 3 et 4 doit se lire de concert avec les barèmes des budgets de production précisés dans les lettres du 17 septembre 2008 adressées à ces associations par la sous-ministre de la Culture, des Communications et de la Condition féminine. Sont toutefois exclues de ces secteurs les productions audiovisuelles de types « film publicitaire » et « vidéoclip » décrites à l'annexe I de la *Loi sur le statut professionnel et les conditions d'engagement des artistes de la scène, du disque et du cinéma.* Les définitions et les autres dispositions de cette entente qui contribuent à préciser la portée de ces secteurs et à faciliter l'identification de leur sphère d'application respective ne peuvent être invoquées ou utilisées qu'à ces fins.

Cette entente et ces lettres ont été déposées comme documents sessionnels n° 137-20090401, n° 138-20090401 et n° 139-20090401. Le ministre de la Culture, des Communications et de la Condition féminine peut également prendre les moyens qu'il juge appropriés pour les rendre accessibles aux personnes concernées.

35. Dans le cas des productions audiovisuelles de type « productions cinématographiques et télévisuelles » décrites à l'annexe I de la *Loi sur le statut professionnel et les conditions d'engagement des artistes de la scène, du disque et du cinéma*, les huit secteurs de négociation et les reconnaissances des associations d'artistes sont établis comme suit :

1° Secteurs de négociation et associations reconnues :

a) Secteurs 1 : Secteur 1 — Vidéo (support magnétoscopique et autres supports) et Secteur 1 — Film :

ARRQ : fonction de réalisateur (production de langue autre qu'anglaise);

CQGCR : fonctions de réalisateur (production de langue anglaise), concepteur artistique et directeur artistique;

AQTIS : fonctions suivantes :

– les fonctions qui, en vertu du paragraphe 2° du présent article, sont réputées visées par l'article 1.2 de la *Loi sur le statut professionnel et les conditions d'engagement des artistes de la scène, du disque et du cinéma*, sauf celles de dessinateur et de chef dessinateur;

– les autres fonctions qui sont visées par l'article 1.2 de cette loi pour les productions de ce secteur;

b) Secteurs 2 : Secteur 2 — Vidéo (support magnétoscopique et autres supports) et Secteur 2 — Film :

CQGCR : fonctions suivantes :

–réalisateur (production de langue anglaise), 1er assistant réalisateur, 2e assistant réalisateur, 3e assistant réalisateur, concepteur artistique, directeur artistique, assistant-directeur artistique, coordonnateur département artistique, assistant coordonnateur département artistique;

AQTIS : fonctions suivantes :

– régisseur d'extérieurs, assistant régisseur d'extérieurs, recherchiste de lieux de tournage;

AIEST : fonctions suivantes :

– les autres fonctions qui, en vertu du paragraphe 2° du présent article, sont réputées visées par l'article 1.2 de la *Loi sur le statut professionnel et les conditions d'engagement des artistes de la scène, du disque et du cinéma*, sauf celles de dessinateur et de chef dessinateur;

– les autres fonctions qui sont visées par l'article 1.2 de cette loi pour les productions de ce secteur;

c) Secteurs 3 : Secteur 3 — Vidéo (support magnétoscopique et autres supports) et Secteur 3 — Film :

CQGCR : fonctions suivantes :

– réalisateur (production de langue anglaise), 1er assistant réalisateur, 2e assistant réalisateur, 3e assistant réalisateur, concepteur artistique, directeur artistique, assistant-directeur artistique;

AQTIS : fonctions suivantes :

– les autres fonctions qui, en vertu du paragraphe 2° du présent article, sont réputées visées par l'article 1.2 de la *Loi sur le statut professionnel et les conditions d'engagement des artistes de la scène, du disque et du cinéma*, sauf celles de dessinateur et de chef dessinateur;

– les autres fonctions qui sont visées par l'article 1.2 de cette loi pour les productions de ce secteur;

d) Secteurs 4 : Secteur 4 — Vidéo (support magnétoscopique et autres supports) et Secteur 4 — Film :

CQGCR : fonctions suivantes :

– réalisateur (production de langue anglaise), 1er assistant réalisateur, 2e assistant réalisateur, 3e assistant réalisateur, concepteur artistique, directeur artistique, assistant-directeur artistique, coordonnateur département artistique, assistant coordonnateur département artistique;

AQTIS : – régisseur d'extérieurs, assistant régisseur d'extérieurs, recherchiste de lieux de tournage;

AIEST : fonctions suivantes :

– les autres fonctions qui, en vertu du paragraphe 2° du présent article, sont réputées visées par l'article 1.2 de la *Loi sur le statut professionnel et les conditions d'engagement des artistes de la scène, du disque et du cinéma*, sauf celles de dessinateur et de chef dessinateur;

– les autres fonctions qui sont visées par l'article 1.2 de cette loi pour les productions de ce secteur.

Pour l'application du présent article, les subdivisions « Vidéo (support magnétoscopique et autres supports) » et « Film » doivent s'entendre de celles résultant des secteurs de reconnaissance établis par la Commission de reconnaissance des associations d'artistes et des associations de producteurs.

2° Fonctions réputées :

Sont réputées visées par l'article 1.2 de la *Loi sur le statut professionnel et les conditions d'engagement des artistes de la scène, du disque et du cinéma*, les fonctions de chef dessinateur, de dessinateur, de même que les fonctions auxquelles s'appliquent les ententes collectives du 15 octobre 2001, du 1er juillet 2005 et du 17 juin 2007, auxquelles est partie l'Association des producteurs de films et de télévision du Québec, déposées comme document sessionnel nº 140-20090401. Le ministre de la Culture, des Communications et de la Condition féminine peut prendre les moyens qu'il juge appropriés pour rendre ces textes accessibles.

Les tâches et les responsabilités relevant de ces fonctions peuvent continuer de varier selon les caractéristiques des productions en cause ou selon la nature de leur support ou de leur moyen de diffusion. Les types de fonctions pertinentes à la réalisation des productions audiovisuelles étant également variables selon le contexte, les ententes collectives qui concernent différents types de productions audiovisuelles peuvent continuer de différer dans leur portée, aucune exigence d'uniformité ou d'exhaustivité des fonctions visées n'étant imposée par le premier alinéa du paragraphe 2°.

36. Les productions audiovisuelles de type « film publicitaire » et de type « vidéoclip » décrites à l'annexe I de la *Loi sur le statut professionnel et les conditions d'engagement des artistes de la scène, du disque et du cinéma* constituent pour l'application de cette loi des secteurs de négociation distincts.

En regard des fonctions visées à l'article 1.2 de cette loi, sont reconnues pour ces secteurs les associations d'artistes suivantes :

ARRQ : fonction de réalisateur (production de langue autre qu'anglaise) ;

CQGCR : fonctions de réalisateur (production de langue anglaise), concepteur artistique et directeur artistique;

AQTIS : autres fonctions visées par l'article 1.2 de cette loi.

Malgré les descriptions de fonctions contenues aux paragraphes 1° à 4° du premier alinéa de l'article 1.2 de cette loi, la première liste de fonctions applicables dans le cadre de la reconnaissance d'AQTIS au regard de chacun de ces types de productions audiovisuelles doit être établie en se fondant sur les listes de fonctions suivantes, en ajustant et retranchant si nécessaire celles considérées inadaptées dans le cadre de ces productions :

1° dans le cas des productions de type « film publicitaire », les fonctions visées par l'entente collective du 17 juin 2007, qui fait partie du document sessionnel nº 140-20090401;

2° dans le cas des productions de type « vidéoclip », les fonctions visées par les ententes du 15 octobre 2001 et du 1er juillet 2005, qui font partie du document sessionnel nº 140-20090401.

Le deuxième alinéa du paragraphe 2° de l'article 35 de la présente loi s'applique, compte tenu des adaptations nécessaires, en regard des fonctions qui pourront être précisées par la Commission.

Aucune demande ne peut être présentée à la Commission avant le 1er juillet 2010 en vue de faire préciser, dans le cadre de la reconnaissance d'AQTIS, les autres fonctions auxquelles réfère le deuxième alinéa. À la demande d'une association intéressée, le ministre peut prolonger la durée de cette période, laquelle ne peut toutefois, par les prolongations accordées, excéder le 1er janvier 2011. Le ministre avise par écrit les associations concernées de la prolongation accordée.

37. À la demande d'AQTIS ou de toute association de producteurs intéressée, le ministre peut, tant qu'une demande n'est pas adressée à la Commission, désigner un médiateur en vue d'aider les associations concernées à préciser la liste des fonctions applicables pour chacun des types de productions visés à l'article 36. Le ministre assume les frais et la rémunération du médiateur qu'il désigne.

38. Un avis de négociation peut être adressé en vertu de l'article 28 de la *Loi sur le statut professionnel et les conditions d'engagement des artistes de la scène, du disque et du cinéma*, sans attendre l'expiration de la période prévue à l'article 36, sauf dans le cas où une entente lie les parties.

Une demande d'arbitrage ne peut toutefois être adressée en vertu de l'article 33 de la *Loi sur le statut professionnel et les conditions d'engagement des artistes de la scène, du disque et du cinéma* qu'à l'expiration de la période prévue à l'article 36 de la présente loi.

La date de réception de tout avis de négociation envoyé durant cette période est réputée être, pour l'application de l'article 34 de la *Loi sur le statut professionnel et les conditions d'engagement des artistes de la scène, du disque et du cinéma*, le lendemain de la date d'expiration de cette période.

39. Les reconnaissances de l'AQTIS, de l'ARRQ et du CQGCR que prévoit la présente loi doivent être interprétées de manière à ne pas restreindre les reconnaissances que détenaient respectivement ces associations le 1er juillet 2009.

De plus, en conformité avec les règles de succession établies par l'article 37 de la *Loi sur le statut professionnel et les conditions d'engagement des artistes de la scène, du disque et du cinéma*, les reconnaissances établies par la présente loi n'ont pas pour effet d'affecter la continuité d'application de toute entente collective ou de toute sentence arbitrale tenant lieu d'entente collective qui liait l'une ou l'autre de ces associations, ni d'en permettre la renégociation.

40. Les reconnaissances prévues par les articles 35 et 36 de la présente loi doivent être interprétées de manière à ne pas empiéter sur la reconnaissance que détient l'Association des professionnels des arts de la scène du Québec (APASQ) ou une autre association d'artistes reconnue en vertu de la *Loi sur le statut professionnel et les conditions d'engagement des artistes de la scène, du disque et du cinéma*.

41. L'AIEST est tenue de déposer à la Commission des relations du travail au plus tard le 31 juillet 2009 une copie certifiée conforme de ses règlements.

42. La reconnaissance d'une association d'artistes représentative pour les fonctions de dessinateur et de chef dessinateur dans le cadre des productions audiovisuelles décrites à l'annexe I de la *Loi sur le statut professionnel et les conditions d'engagement des artistes de la scène, du disque et du cinéma* s'établit en conformité avec les dispositions de cette loi.

43. Les secteurs de négociation prévus par les articles 35 et 36 de la présente loi s'appliquent jusqu'à ce que la Commission des relations du travail les modifie ou leur en substitue de nouveaux. Toutefois, ces secteurs de négociation ne peuvent faire l'objet d'une modification ou d'une substitution avant le 1er juillet 2014.

Le délai prévu au premier alinéa ne fait toutefois pas obstacle à la présentation à la Commission des relations du travail d'une demande pour revoir la subdivision des secteurs de négociation prévue à l'article 35 en lien avec les supports des productions audiovisuelles, si la demande est formulée conjointement par l'association d'artistes reconnue pour le secteur et par une association de producteurs concernée. Elles peuvent notamment lui demander d'entériner tout accord intervenu en lien avec la subdivision du secteur.

Sur demande ou de sa propre initiative, le ministre peut désigner un médiateur en vue d'aider à résoudre rapidement une difficulté liée à l'interprétation ou à l'application des secteurs de négociation prévus à l'article 35 de la présente loi au regard d'une production. Le ministre assume les frais et la rémunération du médiateur qu'il désigne. Les parties sont tenues d'assister à toute réunion à laquelle le médiateur les convoque.

44. La date de prise d'effet des reconnaissances des associations d'artistes établies par les articles 35 et 36 de la présente loi, notamment pour les fins du paragraphe 2° de l'article 14 et du premier alinéa de l'article 37 de la *Loi sur le statut professionnel et les conditions d'engagement des artistes de la scène, du disque et du cinéma*, est le 1er juillet 2009.

Sauf dans le cas d'une négociation impliquant l'ARRQ, la première négociation qui survient dans un secteur de négociation visé par les articles 35 et 36 à la suite de la prise d'effet d'une reconnaissance établie par ces articles constitue une négociation d'une première entente collective au sens de la *Loi sur le statut professionnel et les conditions d'engagement des artistes de la scène, du disque et du cinéma*.

45. La vice-présidente de la Commission de reconnaissance des associations d'artistes et des associations de producteurs devient, pour la durée non écoulée de son mandat, commissaire de la Commission des relations du travail, affectée à la division des relations du travail. Elle doit, avant le 30 août 2009, prêter le serment prévu à l'article 137.32 du *Code du travail* (chapitre C-27).

Son mandat peut être renouvelé conformément à la procédure prévue aux articles 137.19 et 137.20 de ce code.

L'article 137.12 de ce code ne s'applique pas à l'égard de cette personne, même lors d'un renouvellement subséquent, aussi longtemps qu'elle demeure commissaire.

Le *Règlement sur la rémunération et les autres conditions de travail des commissaires de la Commission des relations du travail*édicté par le décret n° 1193-2002 (2002, *G.O.* II, 7175) s'applique à la nouvelle commissaire.

46. Le mandat du membre à temps partiel et ceux des membres additionnels à titre temporaire de la Commission de reconnaissance des associations d'artistes et des associations de producteurs prennent fin le 1er juillet 2009.

Un membre peut toutefois, aux mêmes conditions, avec l'autorisation du président de la Commission des relations du travail et pour la période que celui-ci détermine, continuer à exercer ses fonctions pour terminer les affaires qu'il a déjà commencé à entendre ou sur lesquelles il n'a pas encore statué.

47. Les membres du personnel de la Commission de reconnaissance des associations d'artistes et des associations de producteurs en fonction le 30 juin 2009 sont réputés avoir été nommés conformément à la *Loi sur la fonction publique* (chapitre F-3.1.1).

Le Conseil du trésor détermine leur affectation, leur rémunération, leur classement et toute autre condition de travail qui leur est applicable. La décision du Conseil du trésor ne peut entraîner une diminution du traitement régulier auquel ces personnes avaient droit comme membres du personnel de la Commission.

48. Les affaires en cours devant la Commission de reconnaissance des associations d'artistes et des associations de producteurs le 30 juin 2009 sont continuées devant la Commission des relations du travail.

À moins que le président de la Commission des relations du travail n'en décide autrement, ces affaires sont continuées par l'une des personnes qui faisaient partie de la formation de la Commission de reconnaissance des associations d'artistes et des associations de producteurs qui a entendu les parties.

Toutefois, le dossier nº R-124-08, entre l'Union des artistes, le Festival international de jazz de Montréal et d'autres parties, en cours devant la Commission de reconnaissance des associations d'artistes et des associations de producteurs, est continué par la formation ayant commencé à entendre les parties.

Dans le cas où une audition a été entreprise avant le 1er juillet 2009 mais que l'affaire est continuée devant une personne autre que l'une de celles qui a entendu les parties, la Commission peut, si les parties y consentent, s'en tenir, quant à la preuve testimoniale, aux notes et au procès-verbal de l'audience ou, le cas échéant, aux notes sténographiques ou à l'enregistrement de l'audition, sous réserve, dans le cas où elle les juge insuffisants, de rappeler un témoin ou de requérir toute autre preuve. Il en est de même pour les affaires dont l'audition s'est terminée avant cette date mais pour lesquelles aucune décision n'a encore été rendue.

49. Sauf en ce qui concerne le traitement des affaires en cours devant la Commission de reconnaissance des associations d'artistes et des associations de producteurs, le ministre de la Culture, des Communications et de la Condition féminine est substitué à celle-ci ; il en acquiert les droits et en assume les obligations.

50. Les dossiers, documents et archives de la Commission de reconnaissance des associations d'artistes et des associations de producteurs deviennent respectivement, selon les nouvelles fonctions qui leur sont dévolues par la présente loi, ceux de la Commission des relations du travail et ceux du ministre de la Culture, des Communications et de la Condition féminine.

Toutefois, le ministre du Travail devient le dépositaire des ententes collectives et des décisions arbitrales tenant lieu d'ententes déposées à la Commission de reconnaissance des associations d'artistes et des associations de producteurs avant le 1er juillet 2009.

— *Loi instituant le Tribunal administratif du travail*, RLRQ, c. T-15.1, art. 237-277 : voir [QUE-19].

[QUE-18]
TABLE DES MATIÈRES
LOI SUR LES SYNDICATS PROFESSIONNELS

[QUE-18]
LOI SUR LES SYNDICATS PROFESSIONNELS

RLRQ, c. S-40, telle que modifiée par L.Q. 1965 (1re sess.), c. 51, art. 1-4; 1966-67, c. 51, art. 1-2; 1968, c. 23, art. 8; 1968, c. 43, art. 17; 1969, c. 26, art. 115; 1971, c. 81, art. 45; 1972, c. 62, art. 1-2; 1972, c. 63, art. 1-2; 1975, c. 76, art. 11; 1976, c. 26, art. 1; 1981, c. 9, art. 24, 34; 1982, c. 52, art. 257-263; 1982, c. 53, art. 56; 1987, c. 59, art. 1-6; 1989, c. 38, art. 277-281; 1989, c. 54, art. 199; 1993, c. 48, art. 509-513; 1994, c. 12, art. 66; 1996, c. 2, art. 944; 1996, c. 29, art. 43; 1999, c. 40, art. 312; ; 2002, c. 45, art. 617-619; 620 (en vigueur en partie); 2003, c. 29, art. 170; 2004, c. 37, art. 90; 2005, c. 44, art. 53; 2006, c. 8, art. 31; 2006, c. 58, art. 69; 2006, c. 38, art. 85; 2015, c. 15, art. 228; 2016, c. 29, art. 26(18º).

SECTION I — CONSTITUTION ET POUVOIRS

1. 1. **Constitution** — Quinze personnes ou plus, citoyens canadiens, exerçant la même profession, le même emploi, des métiers similaires, se livrant à des travaux connexes concourant à l'établissement de produits déterminés, peuvent faire et signer une déclaration constatant leur intention de se constituer en association ou syndicat professionnel.

2. **Déclaration** — Cette déclaration doit indiquer :

a) le nom de l'association;

b) son objet;

c) les noms, nationalité et adresses des premiers directeurs ou administrateurs au nombre de trois au moins et de quinze au plus, et les noms, nationalité et adresses des personnes qui doivent en être le premier président et le premier secrétaire;

d) l'adresse où sera situé son siège.

2.1 **Conformité** — Le nom d'une association ou d'un syndicat doit être conforme à l'article 9.1 de la *Loi sur les compagnies* (chapitre C-38).

3. **Requête** — Il est loisible au registraire des entreprises, sur requête accompagnée de la déclaration de l'association, d'autoriser la constitution, en association ou syndicat professionnel, des personnes qui ont signé la déclaration et de celles qui seront par la suite admises à faire partie de l'association ou du syndicat.

4. **Nom non conforme** — Le registraire des entreprises refuse d'autoriser la constitution d'une association ou d'un syndicat dont la déclaration contient un nom non conforme à l'un des paragraphes 1º à 6º de l'article 9.1 de la *Loi sur les compagnies*.

5. **Avis de constitution** — Le registraire des entreprises autorise la constitution d'une association ou d'un syndicat en dressant un avis à cet effet qu'il dépose au registre constitué en vertu de la *Loi sur la publicité légale des entreprises individuelles, des sociétés et des personnes morales* (chapitre P-45).

6. **Date d'existence** — À compter de la date de ce dépôt, l'association ou le syndicat est constitué en personne morale.

S.R.Q. 1964, c. 146, art. 1; 1965 (1re sess.), c. 51, art. 1; 1968, c. 23, art. 8; 1969, c. 26, art. 115;

1975, c. 76, art. 11; 1981, c. 9, art. 24; 1982, c. 52, art. 257; 262; 1987, c. 59, art. 1; 1993, c. 48, art. 509; 1999, c. 40, art. 312; 2002, c. 45, art. 619

2. Droit d'entrée — Les règlements du syndicat doivent prévoir le nombre, qui doit être d'au moins 3 directeurs ou administrateurs à élire, ainsi que le montant du droit d'entrée et de la cotisation payables par les membres. Le droit d'entrée doit être de 1 $ ou plus et la cotisation ne doit pas être moindre de 1 $ par mois.

Cotisation — Dans le cas de syndicats groupant des exploitants ou producteurs agricoles, la cotisation ne doit pas être moindre de 6 $ par année.

Paiement suspendu — Les règlements peuvent néanmoins prévoir que le paiement de la cotisation est suspendu lorsque le salarié est en chômage ou n'est pas employé à son occupation habituelle.

S.R.Q. 1964, c. 146, art. 2; 1965 (1re sess.), c. 51, art. 2; 1966-67, c. 51, art. 1; 1969, c. 26, art. 115; 1975, c. 76, art. 11; 1981, c. 9, art. 24; 1982, c. 52, art. 262; 1987, c. 59, art. 2

3. Suspension — Un membre tenu de payer la cotisation et ayant trois mois d'arriérés est de plein droit suspendu. Il peut néanmoins être relevé de cette suspension, sans effet rétroactif, aux conditions fixées par les règlements.

S.R.Q. 1964, c. 146, art. 3

4. Réglementation — Un syndicat peut en tout temps modifier ses règlements et en adopter de nouveaux.

S.R.Q. 1964, c. 146, art. 4; 1969, c. 26, art. 115; 1975, c. 76, art. 11; 1981, c. 9, art. 24; 1982, c. 52, art. 262; 1987, c. 59, art. 3

5. Registres — Tout syndicat doit tenir un ou plusieurs registres, contenant :

a) les procès-verbaux des assemblées des membres et du conseil d'administration;

b) les nom, nationalité, adresse et occupation de chaque membre, en indiquant la date de son admission et, s'il y a lieu, celle de son retrait ou de ses suspensions;

c) les recettes et déboursés, l'actif et le passif du syndicat.

S.R.Q. 1964, c. 146, art. 5

6. Objet — Les syndicats professionnels ont exclusivement pour objet l'étude, la défense et le développement des intérêts économiques, sociaux et moraux de leurs membres.

S.R.Q. 1964, c. 146, art. 6

7. Mineur — Le mineur âgé de seize ans peut faire partie d'un syndicat professionnel.

S.R.Q. 1964, c. 146, art. 7; 1976, c. 26, art. 1

8. Nationalité — Seuls les citoyens canadiens peuvent être membres du conseil d'administration d'un syndicat ou faire partie de son personnel.

Personnes morales peuvent être membres — Les personnes morales peuvent être membres d'un syndicat d'employeurs. Elles sont autorisées à désigner un de leurs directeurs, membres ou employés pour les représenter aux assemblées du syndicat et y voter en leur nom; ces représentants peuvent être élus membres du conseil d'administration du syndicat.

S.R.Q. 1964, c. 146, art. 8; 1999, c. 40, art. 312

9. Pouvoirs — Les syndicats professionnels ont le droit d'ester en justice et d'acquérir, à titre gratuit ou à titre onéreux, les biens propres à leurs fins particulières.

Sujet aux lois en vigueur, ils jouissent de tous les pouvoirs nécessaires à la poursuite de leur objet et ils peuvent notamment :

1° Établir et administrer des caisses spéciales d'indemnités aux héritiers ou bénéficiaires des membres défunts, ou aux membres au décès de leurs conjoints, des caisses spéciales de secours en cas de maladie, de chômage, ou autres caisses de même nature, qui doivent être régies exclusivement par les statuts approuvés par l'Autorité des marchés financiers;

2º Établir et administrer un régime de retraite auquel peuvent cotiser les membres ou leur employeur;

3º Affecter une partie de leurs ressources à la création d'habitations à bon marché et à l'acquisition de terrains pour jardins ouvriers, éducation physique et hygiène;

4º Créer et administrer des bureaux de renseignements pour les offres et les demandes de travail;

5º Créer, administrer et subventionner des œuvres professionnelles, telles que institutions professionnelles de prévoyance, laboratoires, champs d'expérience, œuvres d'éducation scientifique, agricole et sociale, cours et publications intéressant la profession;

6º Subventionner et aider des sociétés coopératives de production et de consommation;

7º Acheter pour les revendre, louer, prêter ou répartir entre leurs membres, tous les objets nécessaires au soutien de leur famille, à l'exercice de leur profession, matières premières, outils, instruments, machines, engrais, semences, plants, animaux et matières alimentaires;

8º Prêter leur entremise pour la vente des produits provenant exclusivement du travail personnel ou des exploitations syndiquées; faciliter cette vente par expositions, annonces, groupement de commandes et d'expédition;

9º Déposer leur marque ou label;

10º Passer avec tous autres syndicats, sociétés, entreprises ou personnes les contrats ou conventions relatives à la poursuite de leur objet et spécialement ceux visant les conditions collectives du travail;

11º Exercer devant toutes cours de justice tous les droits appartenant à leurs membres, relativement aux faits portant un préjudice direct ou indirect à l'intérêt collectif de la profession qu'ils représentent.

S.R.Q. 1964, c. 146, art. 9; 1965 (1re sess.), c. 51, art. 3; 1972, c. 62, art. 1; 1975, c. 76, art. 11; 1981, c. 9, art. 24; 1982, c. 52, art. 258; 1989, c. 38, art. 277; 1999, c. 40, art. 312; 2002, c. 45, art. 617; 2004, c. 37, art. 90

10. Changement de nom — Lorsqu'un syndicat désire changer son nom, le registraire des entreprises, sur preuve jugée par lui suffisante, que cette demande de changement de nom n'est pas faite dans un but illégitime, peut autoriser le changement de nom demandé dans la requête qui lui est adressée par le syndicat.

S.R.Q. 1964, c. 146, art. 10; 1969, c. 26, art. 115; 1975, c. 76, art. 11; 1981, c. 9, art. 24; 1982, c. 52, art. 262; 2002, c. 45, art. 619

11. Avis — Le registraire des entreprises, aussitôt l'autorisation accordée, dresse un avis à cet effet qu'il dépose au registre. Sujet à ce dépôt, mais à compter de la date de l'autorisation, le syndicat est désigné sous le nouveau nom mentionné dans cette autorisation.

S.R.Q. 1964, c. 146, art. 11; 1968, c. 23, art. 8; 1969, c. 26, art. 115; 1975, c. 76, art. 11; 1981, c. 9, art. 24; 1982, c. 52, art. 262; 1993, c. 48, art. 510; 2002, c. 45, art. 619

12. Effet — Aucun changement de nom fait en vertu des articles 10 et 11 n'apporte de modification aux droits et obligations du syndicat; et les procédures qui auraient pu être commencées ou continuées par ou contre le syndicat sous son premier nom peuvent l'être par ou contre lui sous son nouveau nom.

S.R.Q. 1964, c. 146, art. 12

12.1 Recours — Le recours prévu à l'article 123.27.1 de la *Loi sur les compagnies* (chapitre C-38) peut être exercé, compte tenu des adaptations nécessaires, à l'encontre du nom d'une association ou d'un syndicat.

1993, c. 48, art. 511

13. Comptabilité et caisses spéciales — Les syndicats, établis en vertu de la présente loi, doivent tenir et diviser leur comptabilité de manière que chaque genre de services et avantages accordés aux sociétaires puisse être administré séparément et faire l'objet de caisses ou fonds distincts.

S.R.Q. 1964, c. 146, art. 13

14. Loi applicable — Un régime de retraite visé au paragraphe 2° du deuxième alinéa de l'article 9 est régi par la *Loi sur les régimes complémentaires de retraite* (chapitre R-15.1) et les règles édictées par cette loi relativement aux régimes interentreprises s'appliquent à tout régime établi pour les membres de plusieurs syndicats professionnels, compte tenu des adaptations nécessaires.

Caisse spéciale — Pour l'application de la présente loi, la caisse de retraite d'un tel régime est une caisse spéciale.

1965 (1re sess.), c. 51, art. 4; 1972, c. 62, art. 2; 1989, c. 38, art. 278

15. Fonds général — Outre les caisses spéciales, il doit être établi une caisse pour les frais généraux du syndicat.

S.R.Q. 1964, c. 146, art. 14

16. Liquidation des caisses spéciales — Chaque fois qu'une caisse spéciale cesse de se supporter, elle peut être liquidée volontairement ou en justice sans affecter la personnalité juridique du syndicat.

S.R.Q. 1964, c. 146, art. 15; 1999, c. 40, art. 312

17. Dettes des caisses spéciales — À l'égard des sociétaires entre eux les caisses spéciales ne sont tenues qu'à leurs propres dettes, sauf dans le cas de liquidation générale, alors que toutes les caisses, leurs dettes particulières étant payées, sont, sous réserve de la *Loi sur les régimes complémentaires de retraite* (chapitre R-15.1), versées au fonds général du syndicat.

S.R.Q. 1964, c. 146, art. 16; 1989, c. 38, art. 279

18. Insaisissabilité — Sont insaisissables les fonds des caisses spéciales de secours mutuels et de retraite, sauf pour le paiement des rentes et secours auxquels peut avoir droit un membre du syndicat.

S.R.Q. 1964, c. 146, art. 17

19. Unions et fédérations — Les syndicats, constitués ou non en vertu de la présente loi, au nombre de trois et plus, peuvent se concerter pour l'étude et la défense de leurs intérêts économiques, sociaux et moraux, et, à cette fin, être constitués en union ou fédération en suivant les dispositions de l'article 1 de la présente loi en autant qu'elles sont susceptibles d'application. La demande à cette fin est accompagnée d'une résolution de chacun des syndicats adhérents.

Règlements. Non-responsabilité — Les règlements de l'union ou de la fédération doivent déterminer les règles selon lesquelles les syndicats adhérant à l'union ou à la fédération seront représentés dans le conseil d'administration ou dans les assemblées générales. Les syndicats formant partie d'une union ou d'une fédération, ne sont pas responsables des dettes de cette union ou fédération.

S.R.Q. 1964, c. 146, art. 18; 1972, c. 63, art. 1; 1987, c. 59, art. 4

20. Confédérations — Les syndicats, constitués ou non en vertu de la présente loi, les unions et fédérations de syndicats peuvent se constituer en confédération, en observant les procédures prescrites par l'article 19; cette confédération jouit, dès sa constitution, des droits reconnus, par l'article 21, aux unions et fédérations de syndicats.

Caisses d'assurances — L'approbation par l'Autorité des marchés financiers, des statuts régissant une caisse d'assurance ou d'indemnités établie par une confédération, confère à cette caisse la personnalité juridique; elle est, dès lors, administrée par un comité composé d'au moins 10 personnes nommées par le conseil d'administration de la confédération.

S.R.Q. 1964, c. 146, art. 19; 1969, c. 26, art. 115; 1972, c. 63, art. 2; 1975, c. 76, art. 11; 1981, c. 9, art. 24; 1982, c. 52, art. 259; 1999, c. 40, art. 312; 2002, c. 45, art. 618; 2004. c. 37, art. 90

21. Pouvoirs des unions et fédérations — Les unions et fédérations de syndicats professionnels jouissent, dans leur sphère propre, de tous les droits et pouvoirs conférés par la présente loi aux syndicats professionnels et notamment de ceux prévus à l'article 20. Elles peuvent également établir et administrer une caisse spéciale ou un régime de retraite respectivement prévu aux paragraphes 1° et 2° du deuxième alinéa de l'article 9, au bénéfice des membres des syndicats adhérents, de leurs héritiers ou bénéficiaires, si ces syndicats y consentent, soit qu'ils adhèrent directement à cette union ou fédération ou qu'ils soient membres d'une union ou fédération affiliée.

Conseils de conciliation — Elles peuvent en outre instituer des conseils de conciliation et d'arbitrage entre les syndicats, qui prononcent, à la demande des parties intéressées, des sentences sur les litiges qui leur sont soumis. Telles sentences sont soumises à la Cour supérieure pour homologation et, à partir du jugement qui les confirme, elles ont force de chose jugée et sont exécutoires en la manière prévue pour l'exécution des jugements de ladite cour.

S.R.Q. 1964, c. 146, art. 20; 1989, c. 38, art. 280

22. Retrait des membres — Les membres d'un syndicat professionnel peuvent se retirer à volonté, sans préjudice du droit pour le syndicat de réclamer la cotisation afférente aux trois mois qui suivent le retrait d'adhésion.

Non-responsabilité — Ils ne sont pas responsables personnellement des dettes du syndicat.

Réclamation limitée — Le syndicat ne peut réclamer du membre qui cesse d'y adhérer une cotisation de plus de trois mois.

S.R.Q. 1964, c. 146, art. 21

23. Salaire stipulé — Si dans un contrat il est stipulé que des ouvriers ou des membres d'un syndicat, d'une union ou d'une confédération de syndicats recevront un salaire déterminé, ces ouvriers et ces membres, bien qu'ils ne soient pas partie au contrat, ont droit à la quotité du salaire qui y est déterminé, nonobstant toute renonciation à ce contraire consentie postérieurement par eux, que cette renonciation soit expresse ou implicite.

S.R.Q. 1964, c. 146, art. 22

24. (*Abrogé*).

S.R.Q. 1964, c. 146, art. 23; 1996, c. 2, art. 944

SECTION II — DE LA LIQUIDATION

25. Liquidateur — En cas de dissolution volontaire ou prononcée en justice, un ou trois liquidateurs sont nommés par l'assemblée générale qui est réputée continuer d'exister pour les fins de la liquidation.

Rémunération — Les fonctions du ou des liquidateurs sont gratuites à moins que leur rémunération n'ait été établie au préalable par l'assemblée générale.

Distribution des biens — Les biens du syndicat sont dévolus comme suit :

a) Il est d'abord pourvu au paiement des frais de liquidation et des dettes du syndicat;

b) Les biens provenant de dons ou legs font retour, suivant les dispositions de l'acte constitutif de la libéralité, au donateur ou aux représentants légaux du donateur ou du testateur. À défaut de telles dispositions ils sont attribués à une ou plusieurs œuvres similaires ou connexes désignées par les règlements ou, à défaut, par une décision de l'assemblée générale;

c) Il est ensuite pourvu au maintien et à l'administration, en fiducie, des caisses spéciales d'indemnités ou de retraite établies en conformité avec l'article 9 ou 14;

d) Le solde de l'actif doit être affecté à une ou des œuvres similaires désignées par le ministre du Travail.

S.R.Q. 1964, c. 146, art. 24; 1968, c. 43, art. 17; 1969, c. 26, art. 115; 1975, c. 76, art. 11; 1981, c. 9, art. 24; 34; 1982, c. 52, art. 260; 1982, c. 53, art. 56; 1987, c. 59, art. 5; 1989, c. 38, art. 281; 1994, c. 12, art. 66; 1996, c. 29, art. 43

26. Existence terminée — L'existence de tout syndicat, union, fédération ou confédération prend fin lorsque le registraire des entreprises l'ordonne, après s'être rendu compte

(a) qu'ils ont cessé d'exercer leurs pouvoirs; ou

(b) que le nombre de leurs membres citoyens canadiens et en règle est réduit à moins de 15 s'il s'agit d'un syndicat et à moins de trois s'il s'agit d'une union, fédération ou confédération; ou

(c) s'il s'agit d'un syndicat, lorsque plus d'un tiers de ses membres ne sont pas des citoyens canadiens.

Prise d'effet — Le registraire des entreprises dépose l'ordonnance au registre. Cette ordonnance prend effet à compter de la date de ce dépôt.

S.R.Q. 1964, c. 146, art. 25; 1966-67, c. 51, art. 2; 1968, c. 23, art. 8; 1969, c. 26, art. 115; 1975, c. 76, art. 11; 1981, c. 9, art. 24; 1982, c. 52, art. 261; 1993, c. 48, art. 512; 1999, c. 40, art. 312; 2002, c. 45, art. 619

27. Liquidateur d'office — Le ministre du Revenu est d'office le liquidateur de tout syndicat, union, fédération ou confédération dont l'existence a pris fin suivant l'article 26 ou dont la dissolution a été prononcée en vertu du deuxième alinéa de l'article 14.0.1 du *Code du travail* (chapitre C-27).

Pouvoirs — À ces fins, le ministre du Revenu exerce les pouvoirs reconnus à un liquidateur par l'article 25 et est tenu aux obligations qui y sont prescrites.

Déboursés, honoraires — Il peut prélever sur l'actif résultant de la liquidation ses déboursés et les honoraires établis par le tarif pour les cas de curatelle.

S.R.Q. 1964, c. 146, art. 26; 1971, c. 81, art. 45; 1989, c. 54, art. 199; 1999, c. 40, art. 312; 2005, c. 44, art. 53; 2006, c. 58, art. 69; 2015, c. 15, art. 228

SECTION III — DISPOSITIONS PARTICULIÈRES

28. (*Cet article a cessé d'avoir effet le 17 avril 1987*).

1982, R.-U., c. 11, *ann.* B, *ptie* I, art. 33; 1982, c. 21, art. 1

29. Approbation non requise — Malgré toute disposition législative à l'effet contraire, les associations, syndicats, unions, fédérations ou confédérations de telles associations ou syndicats, régis par la présente loi, ne sont pas tenus, à compter du 23 juin 1987, de faire approuver leurs statuts et règlements, à l'exception des statuts établissant une caisse spéciale d'indemnités, une caisse spéciale de secours ou toute autre caisse de même nature.

1987, c. 59, art. 6

30. Ministres responsables — Le gouvernement désigne le ministre responsable de l'application des dispositions de la présente loi sauf de celles relatives aux responsabilités confiées au registraire des entreprises qui relèvent du ministre de l'Emploi et de la Solidarité sociale.

2002, c. 45, art. 620; 2006, c. 38, art. 85; 2016, c. 29, art. 26(18°)

Ajout proposé — 31

31. Ministre responsable — Le ministre du Développement économique, de l'Innovation et de l'Exportation est chargé de l'application de la présente loi.

2002, c. 45, art. 620 [Non en vigueur à la date de publication.]; 2003, c. 29, art. 170; 2006, c. 8, art. 31

Formule 1

(Abrogée).

S.R.Q. 1964, c. 146, formule 1; 1969, c. 26, art. 115; 1975, c. 76, art. 11; 1981, c. 9, art. 24; 1982, c. 52, art. 263; 1993, c. 48, art. 513

Formule 2

(Abrogée).

S.R.Q. 1964, c. 146, formule 2; 1969, c. 26, art. 115; 1975, c. 76, art. 11; 1981, c. 9, art. 24; 1982, c. 52, art. 263; 1993, c. 48, art. 513

Dispositions transitoires

— *Loi instituant le Tribunal administratif du travail*, RLRQ, c. T-15.1, art. 237-277 : voir [QUE-19].

[QUE-19]
TABLE DES MATIÈRES
LOI INSTITUANT LE TRIBUNAL ADMINISTRATIF DU TRAVAIL

Annexe I

[QUE-19]
LOI INSTITUANT LE TRIBUNAL ADMINISTRATIF DU TRAVAIL

RLRQ, c. T-15.1, telle que modifiée par 2016, c. 8, art. 120.

Chapitre I — Le Tribunal administratif du travail

SECTION I — INSTITUTION ET COMPÉTENCE

1. Constitution — Est institué le « Tribunal administratif du travail ».

Fonctions du tribunal — Le Tribunal a pour fonction de statuer sur les affaires formées en vertu des dispositions visées aux articles 5 à 8 de la présente loi. Sauf disposition contraire de la loi, il exerce sa compétence à l'exclusion de tout autre tribunal ou organisme juridictionnel.

Fonctions du tribunal — Le Tribunal est aussi chargé d'assurer l'application diligente et efficace du *Code du travail* (chapitre C-27) et d'exercer les autres fonctions que ce code et toute autre loi lui attribuent.

Affaires — Dans la présente loi, à moins que le contexte ne s'y oppose, le mot « affaires » comprend également toute demande, plainte, contestation ou requête de même que tout recours qui relèvent de la compétence du Tribunal.

2015, c. 15, art. 1

2. Composition du tribunal — Le Tribunal est composé de membres nommés par le gouvernement, après consultation du Comité consultatif du travail et de la main-d'œuvre visé à l'article 12.1 de la *Loi sur le ministère du Travail* (chapitre M-32.2).

Composition du tribunal — Le Tribunal est également composé des membres de son personnel chargés de rendre des décisions en son nom.

2015, c. 15, art. 2

3. Siège du tribunal — Le siège du Tribunal est situé sur le territoire de la Ville de Québec, à l'endroit déterminé par le gouvernement. Un avis de l'adresse du siège ou de tout changement de cette adresse est publié à la *Gazette officielle du Québec*.

Bureau — Le Tribunal a un bureau à Montréal. Il peut aussi avoir un bureau dans d'autres régions administratives si le nombre d'affaires le justifie.

2015, c. 15, art. 3

4. Divisions — Le Tribunal comporte quatre divisions :

- la division des relations du travail;
- la division de la santé et de la sécurité du travail;
- la division des services essentiels;
- la division de la construction et de la qualification professionnelle.

2015, c. 15, art. 4

5. Instruction et décision — Sont instruites et décidées par la division des relations du travail, les affaires découlant de l'application du *Code du travail* ou d'une disposition d'une autre loi visée à l'annexe I, à l'exception de celles prévues aux chapitres V.1 et IX de ce code.

2015, c. 15, art. 5

6. Instruction et décision — Sont instruites et décidées par la division de la santé et de la sécurité du travail :

1° les affaires découlant de l'application de l'article 359, 359.1, 450 ou 451 de la *Loi sur les accidents du travail et les maladies professionnelles* (chapitre A-3.001);

2° les affaires découlant de l'application de l'article 37.3 ou 193 de la *Loi sur la santé et la sécurité du travail* (chapitre S-2.1).

2015, c. 15, art. 6

7. Instruction et décision — Sont instruites et décidées par la division des services essentiels :

1° les affaires découlant de l'application du chapitre V.1 du *Code du travail*;

2° les affaires découlant de l'application de l'article 50 de la *Loi sur l'Agence du revenu du Québec* (chapitre A-7.003);

3° les affaires découlant de l'application de l'article 53 de la *Loi sur la représentation des ressources de type familial et de certaines ressources intermédiaires et sur le régime de négociation d'une entente collective les concernant* (chapitre R-24.0.2).

2015, c. 15, art. 7

8. Instruction et décision — Sont instruites et décidées par la division de la construction et de la qualification professionnelle :

1° les affaires découlant de l'application de l'article 11.1 ou 164.1 de la *Loi sur le bâtiment* (chapitre B-1.1);

2° les affaires découlant de l'application de l'article 41.1 de la *Loi sur la formation et la qualification professionnelles de la main-d'œuvre* (chapitre F-5);

3° les affaires découlant de l'application de l'article 9.3 de la *Loi sur les mécaniciens de machines fixes* (chapitre M-6);

4° les affaires découlant de l'application du premier alinéa de l'article 7.7, de l'article 21, du troisième alinéa de l'article 27, de l'article 58.1, du premier alinéa de l'article 61.4, du premier alinéa de l'article 65, du deuxième alinéa de l'article 74, du deuxième alinéa de l'article 75, du premier alinéa de l'article 80.1, du premier alinéa de l'article 80.2, de l'article 80.3, des deuxième et troisième alinéas de l'article 93, de l'article 105 ou d'un règlement pris en application du paragraphe 8.7° du premier alinéa de l'article 123 de la *Loi sur les relations du travail, la formation professionnelle et la gestion de la main-d'œuvre dans l'industrie de la construction* (chapitre R-20).

2015, c. 15, art. 8

9. Pouvoir du tribunal — Le Tribunal a le pouvoir de décider de toute question de droit ou de fait nécessaire à l'exercice de sa compétence.

Pouvoir du tribunal — En outre des pouvoirs que lui attribue la loi, le Tribunal peut :

1° rejeter sommairement ou assujettir à certaines conditions toute affaire qu'il juge abusive ou dilatoire;

2° refuser de statuer sur le mérite d'une plainte portée en vertu du *Code du travail* ou de la *Loi sur les normes du travail* (chapitre N-1.1) lorsqu'il estime que celle-ci peut être réglée par une sentence arbitrale disposant d'un grief, sauf s'il s'agit d'une plainte visée à l'article 16 du *Code du travail* ou aux articles 123 et 123.1 de la *Loi sur les normes du travail*;

3° rendre toute ordonnance, y compris une ordonnance provisoire, qu'il estime propre à sauvegarder les droits des parties;

4º confirmer, modifier ou infirmer la décision, l'ordre ou l'ordonnance contesté et, s'il y a lieu, rendre la décision, l'ordre ou l'ordonnance qui, à son avis, aurait dû être rendu en premier lieu;

5º rendre toute décision qu'il juge appropriée;

6º entériner un accord, s'il est conforme à la loi;

7º omettre le nom des personnes impliquées lorsqu'il estime qu'une décision contient des renseignements d'un caractère confidentiel dont la divulgation pourrait être préjudiciable à ces personnes.

2015, c. 15, art. 9

10. Pouvoirs et immunités — Le Tribunal et ses membres sont investis des pouvoirs et de l'immunité des commissaires nommés en vertu de la *Loi sur les commissions d'enquête* (chapitre C-37), sauf du pouvoir d'ordonner l'emprisonnement.

2015, c. 15, art. 10

SECTION II — PROCÉDURE

§1 — Introduction

11. Acte introductif — Toute affaire est introduite par un acte de procédure, appelé acte introductif, déposé à l'un des bureaux du Tribunal.

Dépôt de l'acte — L'acte introductif mettant en cause un travailleur est déposé au bureau du Tribunal qui dessert la région où est situé le domicile du travailleur ou, si le travailleur est domicilié hors du Québec, d'une région où l'employeur a un établissement.

Dépôt de l'acte — Lorsque aucun travailleur n'est partie à une affaire, l'acte introductif est déposé au bureau du Tribunal qui dessert une région où l'employeur a un établissement.

Acte de procédure — Dans la présente loi, à moins que le contexte ne s'y oppose, l'expression « acte de procédure » comprend également tout écrit conçu pour présenter une demande ou pour appuyer les prétentions d'une partie.

2015, c. 15, art. 11

12. Contenu de l'acte. — L'acte introductif précise les conclusions recherchées et expose les motifs invoqués au soutien de celles-ci.

Contenu de l'acte. — Il contient de plus tout autre renseignement exigé par les règles de preuve et de procédure du Tribunal.

2015, c. 15, art. 12

13. Copie de l'acte — Sur réception d'un acte introductif dans une affaire relevant de la division de la santé et de la sécurité du travail, le Tribunal en délivre une copie aux autres parties et à la Commission des normes, de l'équité, de la santé et de la sécurité du travail. Cette dernière transmet alors au Tribunal et à chacune des parties, dans les 20 jours de la réception de la copie de cet acte, une copie du dossier qu'elle possède relativement à la décision contestée.

Accès au dossier — Le Tribunal a un droit d'accès au dossier que la Commission des normes, de l'équité, de la santé et de la sécurité du travail possède relativement à une affaire relevant de la division de la santé et de la sécurité du travail.

Intervention — La Commission des normes, de l'équité, de la santé et de la sécurité du travail peut intervenir devant cette division à tout moment jusqu'à la fin de l'enquête et de l'audition. Lorsqu'elle désire intervenir, elle transmet un avis à cet effet à chacune des parties et au Tribunal; elle est alors considérée partie à la contestation.

2015, c. 15, art. 13

14. Vice de forme ou irrégularité — Le Tribunal peut accepter un acte de procédure même s'il est entaché d'un vice de forme ou d'une irrégularité.

2015, c. 15, art. 14

15. Prolongation du délai — Le Tribunal peut prolonger un délai ou relever une personne des conséquences de son défaut de le respecter, s'il est démontré que celle-ci n'a 11 pu respecter le délai prescrit pour un motif raisonnable et si, de l'avis du Tribunal, aucune autre partie n'en subit de préjudice grave.

2015, c. 15, art. 15

16. Application — Les règles relatives aux avis prévus par les articles 76 et 77 du *Code de procédure civile* (chapitre C-25.01) s'appliquent, compte tenu des adaptations nécessaires, à une affaire portée devant le Tribunal.

2015, c. 15, art. 16; N.I. 2016-10-01

17. Notification — La notification des actes de procédure est faite conformément aux règles établies par le Tribunal.

2015, c. 15, art. 17

18. Suspension de l'instance — Lorsque le Tribunal constate, à l'examen d'une affaire relevant de la division de la santé et de la sécurité du travail, que la Commission des normes, de l'équité, de la santé et de la sécurité du travail a omis de prendre position sur certaines questions alors que la loi l'obligeait à le faire, il peut, si la date de l'audience n'est pas fixée, suspendre l'instance pour une période qu'il fixe afin que la Commission puisse agir.

Expiration du délai — Si, à l'expiration du délai, la contestation est maintenue, le Tribunal l'entend comme s'il s'agissait de la contestation sur la décision originale.

2015, c. 15, art. 18

19. Affaires jointes — Plusieurs affaires dans lesquelles les questions en litige sont en substance les mêmes ou dont les matières pourraient être convenablement réunies, qu'elles soient mues ou non entre les mêmes parties, peuvent être jointes par ordre du président du Tribunal ou d'une personne désignée par celui-ci dans les conditions qu'il fixe.

Révocation de l'ordonnance — Le Tribunal peut, de sa propre initiative ou à la demande d'une partie lorsqu'il entend l'affaire, révoquer cette ordonnance s'il est d'avis que les fins de la justice seront ainsi mieux servies.

2015, c. 15, art. 19

20. Représentant — Les parties peuvent se faire représenter par une personne de leur choix à l'exception d'un professionnel radié, déclaré inhabile à exercer sa profession ou dont le droit d'exercer des activités professionnelles a été limité ou suspendu en application du *Code des professions* (chapitre C-26) ou d'une loi professionnelle.

2015, c. 15, art. 20

§2 — Conciliation prédécisionnelle et accords

21. Accord — Si les parties à une affaire y consentent, le président du Tribunal, ou encore un membre du Tribunal ou un membre du personnel désigné par le président, peut charger un conciliateur de les rencontrer et de tenter d'en arriver à un accord.

2015, c. 15, art. 21

22. Preuve — À moins que les parties n'y consentent, rien de ce qui a été dit ou écrit au cours d'une séance de conciliation n'est recevable en preuve.

2015, c. 15, art. 22

23. Contenu de l'accord — Tout accord est constaté par écrit et les documents auxquels il fait référence y sont annexés, s'il en est. Il est signé par les parties et, le cas échéant, par le conciliateur et lie les parties.

Approbation du tribunal — Cet accord peut être soumis à l'approbation du Tribunal à la demande de l'une ou l'autre des parties. Si aucune demande d'approbation n'est soumise au Tribunal dans un délai de 12 mois à compter de la date de l'accord, il est mis fin à l'affaire.

Accord entériné — Malgré le deuxième alinéa, tout accord dans une affaire portée devant la division de la santé et de la sécurité du travail doit être entériné par un membre du Tribunal, dans la mesure où il est conforme à la loi. L'accord entériné met fin à l'affaire et constitue alors la décision du Tribunal.

2015, c. 15, art. 23

24. Audition — Lorsqu'il n'y a pas d'accord ou que le Tribunal refuse de l'entériner, celui-ci tient une audition dans les meilleurs délais.

2015, c. 15, art. 24

25. Confidentialité — Une personne désignée par le Tribunal afin de tenter d'amener les parties à s'entendre ne peut divulguer ni être contrainte de divulguer ce qui lui a été révélé ou ce dont elle a eu connaissance dans l'exercice de ses fonctions, ni produire des notes personnelles ou un document fait ou obtenu dans cet exercice devant un tribunal, un organisme ou une personne exerçant des fonctions judiciaires ou quasi judiciaires.

Accès aux documents — Malgré l'article 9 de la *Loi sur l'accès aux documents des organismes publics et sur la protection des renseignements personnels* (chapitre A-2.1), nul n'a droit d'accès à un tel document, à moins que ce document ne serve à motiver l'accord et la décision qui l'entérine.

2015, c. 15, art. 25

§3 — Conférence préparatoire

26. Conférence préparatoire — Le Tribunal peut convoquer les parties à une conférence préparatoire.

2015, c. 15, art. 26

27. Objet — La conférence préparatoire est tenue par un membre du Tribunal. Celle-ci a pour objet :

1° de définir les questions à débattre lors de l'audience;

2° d'évaluer l'opportunité de clarifier et de préciser les prétentions des parties ainsi que les conclusions recherchées;

3° d'assurer l'échange entre les parties de toute preuve documentaire;

4° de planifier le déroulement de la procédure et de la preuve lors de l'audience;

5° d'examiner la possibilité pour les parties d'admettre certains faits ou d'en faire la preuve par déclaration sous serment;

6° d'examiner toute autre question pouvant simplifier ou accélérer le déroulement de l'audience.

Entente — La conférence préparatoire peut également permettre aux parties d'en arriver à une entente et de terminer ainsi une affaire.

2015, c. 15, art. 27

28. Procès-verbal — Le membre consigne au procès-verbal de la conférence préparatoire les points sur lesquels les parties s'entendent, les faits admis et les décisions qu'il prend. Le procès-verbal est versé au dossier et une copie en est transmise aux parties.

Déroulement de l'instance — Les ententes, admissions et décisions qui y sont rapportées gouvernent pour autant le déroulement de l'instance, à moins que le Tribunal, lorsqu'il entend l'affaire, ne permette d'y déroger pour prévenir une injustice.

2015, c. 15, art. 28

§4 — Instruction

29. Exception — Toute affaire est instruite par un membre du Tribunal, sauf au regard d'une accréditation accordée en application de l'article 28 du *Code du travail*.

Assignation — Le président peut, lorsqu'il le juge approprié, assigner une affaire à une formation de trois membres.

2015, c. 15, art. 29

30. Assesseurs — Le président peut, s'il l'estime utile, adjoindre à un membre siégeant dans la division de la santé et de la sécurité du travail un ou plusieurs assesseurs nommés en vertu de l'article 84.

2015, c. 15, art. 30

31. Urgence ou prioritaire — Le président peut déterminer, pour une saine administration de la justice, qu'une affaire doit être instruite et décidée d'urgence ou en priorité.

2015, c. 15, art. 31

32. Récusation — Tout membre qui connaît en sa personne une cause valable de récusation est tenu de la déclarer dans un écrit versé au dossier et d'en aviser les parties.

2015, c. 15, art. 32

33. Récusation — Toute partie peut, à tout moment avant la décision et à la condition d'agir avec diligence, demander la récusation d'un membre saisi de l'affaire si elle a des motifs sérieux de croire qu'il existe une cause de récusation.

Récusation — La demande de récusation est adressée au président. Sauf si le membre se récuse, la demande est décidée par le président, ou par un membre désigné par celui-ci

2015, c. 15, art. 33

34. Enquête — Lorsqu'une enquête a été effectuée par le Tribunal, le rapport d'enquête produit est versé au dossier de cette affaire et une copie en est transmise à toutes les parties intéressées.

Décideurs — Dans un tel cas, le président et les vice-présidents ne peuvent entendre ni décider seuls de cette affaire.

2015, c. 15, art. 34

35. Audition des parties — Avant de rendre une décision, le Tribunal permet aux parties de se faire entendre par tout moyen prévu à ses règles de preuve et de procédure. Il peut toutefois procéder sur dossier s'il le juge approprié et si les parties y consentent.

2015, c. 15, art. 35

36. Endroit où le tribunal peut siéger — Le Tribunal peut siéger à tout endroit du Québec, même un jour férié. Lorsqu'il tient une audience dans une localité où siège un tribunal judiciaire, le greffier de ce tribunal accorde au Tribunal l'usage gratuit d'un local destiné aux tribunaux judiciaires, à moins qu'il ne soit occupé par des séances de ces tribunaux.

2015, c. 15, art. 36

37. Avis — Un avis est transmis aux parties dans un délai raisonnable avant l'audience mentionnant :

1° l'objet, la date, l'heure et le lieu de l'audience;

2° le droit des parties d'y être assistées ou représentées;

3° le pouvoir du Tribunal de procéder, sans autre avis ni délai, malgré le défaut d'une partie de se présenter au temps et au lieu fixés, s'il n'est pas justifié valablement.

2015, c. 15, art. 37

38. Absence — Si une partie dûment avisée ne se présente pas au temps fixé pour l'audition et qu'elle n'a pas fait connaître un motif valable justifiant son absence ou refuse de se faire entendre, le Tribunal peut procéder à l'instruction de l'affaire et rendre une décision.

2015, c. 15, art. 38

39. Preuve et procédure — Une partie qui désire faire entendre des témoins et produire des documents procède en la manière prévue aux règles de preuve et de procédure.

2015, c. 15, art. 39

40. Indemnité des témoins — Sauf devant la division de la santé et de la sécurité du travail, toute personne citée à comparaître pour témoigner devant le Tribunal a droit à la même indemnité que les témoins en Cour supérieure et au remboursement de ses frais de déplacement et de séjour.

Indemnité — Cette indemnité est payable par la partie qui a proposé la citation à comparaître, mais la personne qui bénéficie de son salaire durant cette période n'a droit qu'au remboursement des frais de déplacement et de séjour.

Indemnité — Lorsqu'une personne est dûment citée à comparaître à l'initiative du Tribunal, cette indemnité est payable par le Tribunal.

2015, c. 15, art. 40; N.I. 2016-01-01 (NCPC)

41. Visite des lieux — Un membre peut visiter les lieux ou ordonner une expertise par une personne qualifiée qu'il désigne pour l'examen et l'appréciation des faits relatifs à l'affaire dont il est saisi.

Accès aux lieux — Le propriétaire, le locataire et l'occupant des lieux que désire visiter un membre sont tenus de lui en faciliter l'accès.

2015, c. 15, art. 41

42. Poursuite de l'audition — Lorsque, par suite d'un empêchement, un membre ne peut poursuivre une audition, un autre membre désigné par le président peut, avec le consentement des parties, poursuivre cette audition et s'en tenir, quant à la preuve testimoniale, aux notes et au procès-verbal de l'audience ou, le cas échéant, aux notes sténographiques ou à l'enregistrement de l'audition, sous réserve, dans le cas où il les juge insuffisants, de rappeler un témoin ou de requérir toute autre preuve.

Poursuite de l'audition — La même règle s'applique pour la poursuite d'une audition après la cessation de fonction d'un membre siégeant à l'audience et pour toute affaire entendue par un membre et sur laquelle il n'a pas encore statué au moment où il est dessaisi.

Poursuite de l'audition — Si une affaire est entendue par plus d'un membre, celle-ci est poursuivie par les autres membres.

2015, c.15, art. 42

43. Dispositions applicables — En l'absence de dispositions applicables à un cas particulier, le Tribunal peut y suppléer par toute procédure compatible avec la présente loi et ses règles de preuve et de procédure.

2015, c. 15, art. 43

§5 — Décision

44. Décision — L'affaire est décidée par le membre qui l'a instruite.

Décision — Lorsqu'une affaire est instruite par plus d'un membre, la décision est prise à la majorité de ceux-ci.

Décision partagée — Lorsqu'une affaire est poursuivie par deux membres en application du troisième alinéa de l'article 42 et que les opinions se partagent également sur une question, celle-ci est déférée au président ou à un membre désigné par celui-ci pour qu'il en décide selon la loi. Dans ce cas, le président ou le membre qu'il a désigné peut, avec le consentement des parties, s'en tenir, quant à la preuve testimoniale, aux notes et au procès-verbal de l'audience ou, le cas échéant, aux notes sténographiques ou à l'enregistrement de l'audition, sous réserve, dans le cas où il les juge insuffisants, de rappeler un témoin ou de requérir toute autre preuve.

2015, c. 15, art. 44

45. Délai pour rendre une décision — Sous réserve d'une règle particulière prévue dans une loi, le Tribunal doit rendre sa décision dans les trois mois de la prise en délibéré de l'affaire et, dans le cas de la division de la santé et de la sécurité du travail, dans les neuf mois qui suivent le dépôt de l'acte introductif.

Prolongation du délai — Le président peut prolonger tout délai prévu par la présente loi ou par une loi particulière pour rendre une décision. Il doit, auparavant, tenir compte des circonstances et de l'intérêt des personnes ou des parties intéressées.

2015, c. 15, art. 45

46. Défaut — Le défaut par le Tribunal d'observer un délai n'a pas pour effet de dessaisir le membre, ni d'invalider la décision, l'ordre ou l'ordonnance que celui-ci rend après l'expiration de ce délai.

Défaut d'un membre — Toutefois, lorsqu'un membre saisi d'une affaire ne rend pas sa décision dans le délai applicable, le président peut, d'office ou sur demande d'une des parties, dessaisir ce membre de cette affaire.

Circonstance et intérêt — Avant de procéder ainsi, le président doit tenir compte des circonstances et de l'intérêt des parties.

2015, c. 15, art. 46

47. Décision claire et concise — Toute décision du Tribunal doit être communiquée en termes clairs et concis.

Décision notifiée — Toute décision qui, à l'égard d'une personne, termine une affaire doit être écrite, motivée, signée et notifiée aux personnes ou aux parties intéressées. Elle est également notifiée à la Commission des normes, de l'équité, de la santé et de la sécurité du travail lorsqu'elle est rendue par la division de la santé et de la sécurité du travail.

2015, c. 15, art. 47

48. Rectification d'une erreur — La décision entachée d'une erreur d'écriture ou de calcul ou de quelque autre erreur matérielle peut être rectifiée, sur dossier et sans autre formalité, par la personne qui l'a rendue.

Rectification de la décision — Si la personne est empêchée ou a cessé d'exercer ses fonctions, un autre agent de relations du travail ou un autre membre du Tribunal, selon le cas, désigné par le président peut rectifier la décision.

2015, c. 15, art. 48

49. Révision ou révocation — Le Tribunal peut, sur demande, réviser ou révoquer une décision, un ordre ou une ordonnance qu'il a rendu :

1º lorsque est découvert un fait nouveau qui, s'il avait été connu en temps utile, aurait pu justifier une décision différente;

2º lorsqu'une partie intéressée n'a pu, pour des raisons jugées suffisantes, présenter ses observations ou se faire entendre;

3° lorsqu'un vice de fond ou de procédure est de nature à l'invalider.

Exception — Dans le cas visé au paragraphe 3° du premier alinéa, la décision, l'ordre ou l'ordonnance ne peut être révisé ou révoqué par le membre qui l'a rendu.

2015, c. 15, art. 49

50. Requête — La demande de révision ou de révocation est formée par requête déposée au Tribunal, dans un délai raisonnable à partir de la décision visée ou de la connaissance du fait nouveau susceptible de justifier une décision différente. La requête indique la décision visée et les motifs invoqués à son soutien. Elle contient tout autre renseignement exigé par les règles de preuve et de procédure.

Transmission de la requête — Sous réserve de l'article 17, la partie requérante transmet une copie de la requête aux autres parties qui peuvent y répondre, par écrit, dans un délai de 30 jours de sa réception ou, s'il s'agit d'une décision rendue en application d'une disposition du chapitre V.1 du *Code du travail*, dans le délai qu'indique le président.

Procédure sur dossier — Le Tribunal procède sur dossier, sauf si l'une des parties demande d'être entendue ou si, de sa propre initiative, il juge approprié de les entendre.

2015, c. 15, art. 50

51. Décision sans appel — La décision du Tribunal est sans appel et toute personne visée doit s'y conformer sans délai.

Décision exécutoire — Elle est exécutoire suivant les conditions et modalités qui y sont indiquées pourvu que les parties en aient reçu copie ou en aient autrement été avisées.

Exécution forcée — L'exécution forcée d'une telle décision se fait par le dépôt de celle-ci au greffe de la Cour supérieure du district où l'affaire a été introduite et selon les règles prévues au *Code de procédure civile*.

Outrage au tribunal — Si cette décision contient une ordonnance de faire ou de ne pas faire, toute personne nommée ou désignée dans cette décision qui la transgresse ou refuse d'y obéir, de même que toute personne non désignée qui y contrevient sciemment, se rend coupable d'outrage au tribunal et peut être condamnée par le tribunal compétent, selon la procédure prévue aux articles 53 à 54 du *Code de procédure civile*, à une amende n'excédant pas 50 000 $ avec ou sans emprisonnement pour une durée d'au plus un an. Ces pénalités peuvent être infligées de nouveau jusqu'à ce que le contrevenant se soit conformé à la décision. La règle particulière prévue au présent alinéa ne s'applique pas à une affaire relevant de la division de la santé et de la sécurité du travail.

2015, c. 15, art. 51

SECTION III — MEMBRES DU TRIBUNAL

§1 — Recrutement et sélection

52. Qualification du membre — Seule peut être membre du Tribunal la personne qui possède une connaissance de la législation applicable et une expérience pertinente de 10 ans à l'exercice des fonctions du Tribunal.

2015, c. 15, art. 52

53. Sélection des membres — Les membres sont choisis parmi les personnes déclarées aptes suivant la procédure de recrutement et de sélection établie par règlement du gouvernement.

Procédure de recrutement — Le règlement prévoyant la procédure de recrutement et de sélection des membres doit notamment :

1° déterminer la publicité qui doit être faite pour procéder au recrutement, ainsi que les éléments qu'elle doit contenir;

2° déterminer la procédure à suivre pour se porter candidat;

3° autoriser la formation de comités de sélection chargés d'évaluer l'aptitude des candidats et de fournir un avis sur eux;

4° fixer la composition des comités et le mode de nomination de leurs membres;

5° déterminer les critères de sélection dont le comité tient compte;

6° déterminer les renseignements que le comité peut requérir d'un candidat et les consultations qu'il peut effectuer.

2015, c. 15, art. 53

54. Registre — Le nom des personnes déclarées aptes est consigné dans un registre au ministère du Conseil exécutif.

2015, c. 15, art. 54

55. Déclaration d'aptitude — La déclaration d'aptitude est valide pour une période de 18 mois ou pour toute autre période fixée par règlement du gouvernement.

2015, c. 15, art. 55

56. Rémunération — Les membres d'un comité de sélection ne sont pas rémunérés, sauf dans les cas, aux conditions et dans la mesure que peut déterminer le gouvernement.

Remboursement des dépenses — Ils ont cependant droit au remboursement des dépenses faites dans l'exercice de leurs fonctions, aux conditions et dans la mesure que détermine le gouvernement.

2015, c. 15, art. 56

§2 — Durée et renouvellement d'un mandat

57. Durée du mandat — La durée du mandat d'un membre est de cinq ans.

Exception — Toutefois, le gouvernement peut prévoir un mandat d'une durée fixe moindre, indiquée dans l'acte de nomination d'un membre, lorsque le candidat en fait la demande pour des motifs sérieux ou lorsque des circonstances particulières indiquées dans l'acte de nomination l'exigent.

2015, c. 15, art. 57

58. Renouvellement d'un mandat — Le mandat d'un membre est, selon la procédure établie en vertu de l'article 59, renouvelé pour cinq ans :

1° à moins qu'un avis contraire ne soit notifié au membre au moins trois mois avant l'expiration de son mandat par l'agent habilité à cette fin par le gouvernement;

2° à moins que le membre ne demande qu'il en soit autrement et qu'il notifie sa décision au ministre au plus tard trois mois avant l'expiration de son mandat.

Durée de la dérogation — Une dérogation à la durée du mandat ne peut valoir que pour une durée fixe de moins de cinq ans déterminée par l'acte de renouvellement et, hormis le cas où le membre en fait la demande pour des motifs sérieux, que lorsque des circonstances particulières indiquées dans l'acte de renouvellement l'exigent.

2015, c. 15, art. 58

59. Renouvellement d'un mandat — Le renouvellement d'un mandat est examiné suivant la procédure établie par règlement du gouvernement. Un tel règlement peut, notamment :

1° autoriser la formation de comités;

2º fixer la composition des comités et le mode de nomination de leurs membres, lesquels ne doivent pas faire partie de l'Administration gouvernementale au sens de la *Loi sur l'administration publique* (chapitre A-6.01), ni la représenter;

3º déterminer les critères dont un comité tient compte;

4º déterminer les renseignements qu'un comité peut requérir d'un membre du Tribunal et les consultations qu'il peut effectuer.

Recommandation défavorable — Un comité d'examen ne peut faire une recommandation défavorable au renouvellement du mandat d'un membre sans, au préalable, informer ce dernier de son intention et des motifs sur lesquels elle se fonde et sans lui avoir donné l'occasion de présenter ses observations.

Bonne foi — Les membres d'un comité d'examen ne peuvent être poursuivis en justice en raison d'actes accomplis de bonne foi dans l'exercice de leurs fonctions.

2015, c. 15, art. 59

60. Rémunération — Les membres d'un comité d'examen ne sont pas rémunérés, sauf dans les cas et aux conditions que peut déterminer le gouvernement.

Dépenses — Ils ont cependant droit au remboursement des dépenses faites dans l'exercice de leurs fonctions, aux conditions que détermine le gouvernement.

2015, c. 15, art. 60

§3 — Rémunération et autres conditions de travail

61. Règlement du gouvernement — Le gouvernement détermine par règlement :

1º le mode, les normes et barèmes de la rémunération des membres ainsi que la façon d'établir le pourcentage annuel de la progression du traitement des membres jusqu'au maximum de l'échelle salariale et de l'ajustement de la rémunération des membres dont le traitement est égal à ce maximum;

2º les conditions et la mesure dans lesquelles les dépenses faites par un membre dans l'exercice de ses fonctions lui sont remboursées.

Conditions de travail — Il peut pareillement déterminer d'autres conditions de travail pour tous les membres ou pour certains d'entre eux, y compris leurs avantages sociaux autres que le régime de retraite.

Dispositions réglementaires — Les dispositions réglementaires peuvent varier selon que le membre exerce ou non un mandat administratif au sein du Tribunal.

Entrée en vigueur — Les règlements entrent en vigueur le quinzième jour qui suit la date de leur publication à la *Gazette officielle du Québec* ou à une date ultérieure qui y est indiquée.

2015, c. 15, art. 61

62. Rémunération — Le gouvernement fixe, conformément au règlement, la rémunération, les avantages sociaux et les autres conditions de travail des membres.

2015, c. 15, art. 62

63. Réduction de la rémunération — La rémunération d'un membre ne peut être réduite une fois fixée.

Exception — Néanmoins, la cessation d'exercice d'un mandat administratif au sein du Tribunal entraîne la suppression de la rémunération additionnelle afférente à ce mandat.

2015, c. 15, art. 63

64. Régime de retraite — Le régime de retraite des membres est déterminé en application de la *Loi sur le régime de retraite du personnel d'encadrement* (chapitre R-12.1) ou de la *Loi sur le régime de retraite des fonctionnaires* (chapitre R-12), selon le cas.

2015, c. 15, art. 64

65. Congé sans solde — Le fonctionnaire nommé membre du Tribunal cesse d'être assujetti à la *Loi sur la fonction publique* (chapitre F-3.1.1) pour tout ce qui concerne sa fonction de membre; il est, pour la durée de son mandat et dans le but d'accomplir les devoirs de sa fonction, en congé sans solde total.

2015, c. 15, art. 65

§4 — Déontologie et impartialité

66. Serment — Avant d'entrer en fonction, le membre prête serment en affirmant solennellement ce qui suit : « Je (...) déclare sous serment que j'exercerai et accomplirai impartialement et honnêtement, au meilleur de ma capacité et de mes connaissances, les pouvoirs et les devoirs de ma charge. ».

Serment — Cette obligation est exécutée devant le président du Tribunal. Ce dernier doit prêter serment devant un juge de la Cour du Québec.

Transmission au ministre — L'écrit constatant le serment est transmis au ministre.

2015, c. 15, art. 66

67. Code de déontologie — Le gouvernement édicte, après consultation du président, un code de déontologie applicable aux membres.

Code de déontologie — Le Tribunal doit rendre ce code public.

2015, c. 15, art. 67

68. Contenu du code — Le code de déontologie énonce les règles de conduite et les devoirs des membres envers le public, les parties, leurs témoins et les personnes qui les représentent; il indique, notamment, les comportements dérogatoires à l'honneur, à la dignité ou à l'intégrité des membres. Il peut en outre déterminer les activités ou situations incompatibles avec la charge qu'ils occupent, leurs obligations concernant la révélation de leurs intérêts ainsi que les fonctions qu'ils peuvent exercer à titre gratuit.

2015, c. 15, art. 68

69. Conflit d'intérêts — Un membre ne peut, sous peine de déchéance de sa charge, avoir un intérêt direct ou indirect dans une entreprise susceptible de mettre en conflit son intérêt personnel et les devoirs de sa charge, sauf si un tel intérêt lui échoit par succession ou donation pourvu qu'il y renonce ou en dispose avec diligence.

2015, c. 15, art. 69

70. Conflit d'intérêts — Outre le respect des prescriptions relatives aux conflits d'intérêts ainsi que des règles de conduite et des devoirs imposés par le code de déontologie pris en application de la présente loi, un membre ne peut poursuivre une activité ou se placer dans une situation incompatible, au sens de ce code, avec l'exercice de ses fonctions.

2015, c. 15, art. 70

71. Exceptions — Les membres à temps plein sont tenus à l'exercice exclusif de leurs fonctions mais peuvent, avec le consentement écrit du président, exercer des activités didactiques pour lesquelles ils peuvent être rémunérés. Ils peuvent également exécuter tout mandat que leur confie le gouvernement après consultation du président.

2015, c. 15, art. 71

§5 — Fin de mandat et suspension

72. Fin du mandat — Le mandat d'un membre ne peut prendre fin avant terme que par son admission à la retraite ou sa démission, ou s'il est destitué ou autrement démis de ses fonctions dans les conditions visées à la présente sous-section.

2015, c. 15, art. 72

73. Démission — Pour démissionner, le membre doit donner au ministre un préavis écrit dans un délai raisonnable et en transmettre copie au président.

2015, c. 15, art. 73

74. Destitution — Le gouvernement peut destituer un membre lorsque le Conseil de la justice administrative le recommande, après enquête tenue à la suite d'une plainte pour un manquement au code de déontologie, à un devoir imposé par la présente loi ou aux prescriptions relatives aux conflits d'intérêts ou aux fonctions incompatibles. Il peut également suspendre le membre ou lui imposer une réprimande.

Plainte — La plainte doit être écrite et exposer sommairement les motifs sur lesquels elle s'appuie. Elle est transmise au siège du Conseil.

Examen de la plainte — Le Conseil, lorsqu'il procède à l'examen d'une plainte formulée contre un membre, agit conformément aux dispositions des articles 184 à 192 de la *Loi sur la justice administrative* (chapitre J-3), compte tenu des adaptations nécessaires.

Constitution du conseil — Toutefois, lorsque, en application de l'article 186 de cette loi, le Conseil constitue un comité d'enquête, deux des membres qui le composent sont choisis parmi les membres du Conseil visés aux paragraphes 1°, 2° et 7° à 9° de l'article 167 de cette loi, dont l'un au moins n'exerce pas une profession juridique et n'est pas membre de l'un des organismes de l'Administration dont le président est membre du Conseil. Le troisième est le membre du Conseil visé au paragraphe 4° de cet article ou choisi à partir d'une liste établie par le président du Tribunal après consultation de l'ensemble de ses membres. En ce dernier cas, si le comité juge la plainte fondée, ce membre participe également aux délibérations du Conseil pour déterminer la sanction.

2015, c. 15, art. 74

75. Incapacité d'un membre — Le gouvernement peut démettre un membre pour perte d'une qualité requise par la loi pour exercer ses fonctions ou s'il est d'avis que son incapacité permanente l'empêche de remplir de manière satisfaisante les devoirs de sa charge. L'incapacité permanente est établie par le Conseil de la justice administrative, après enquête faite sur demande du ministre ou du président.

Enquête — Le Conseil, lorsqu'il fait enquête pour déterminer si un membre est atteint d'une incapacité permanente, agit conformément aux dispositions des articles 193 à 197 de la *Loi sur la justice administrative*, compte tenu des adaptations nécessaires; toutefois, la formation du comité d'enquête obéit aux règles prévues au quatrième alinéa de l'article 74.

2015, c. 15, art. 75

76. Membre en surnombre — Tout membre peut, à la fin de son mandat, avec l'autorisation du président et pour la période que celui-ci détermine, continuer à exercer ses fonctions pour terminer les affaires qu'il a déjà commencé à entendre et sur lesquelles il n'a pas encore statué; il est alors, pendant la période nécessaire, un membre en surnombre.

Application — Le premier alinéa ne s'applique pas au membre destitué ou autrement démis de ses fonctions.

2015, c. 15, art. 76

Section IV — Conduite des affaires du Tribunal

§1 — Mandat administratif

77. Président et vice-président — Le gouvernement désigne un président et des vice-présidents.

Président et vice-président — Ces personnes doivent remplir les exigences prévues à l'article 52 et sont désignées après consultation du Comité consultatif du travail et de la main-d'œuvre visé à l'article 12.1 de la *Loi sur le ministère du Travail*. Elles deviennent, à compter de leur nomination, membres du Tribunal avec charge administrative.

2015, c. 15, art. 77

78. Suppléance — Le ministre désigne le vice-président chargé d'assurer la suppléance du président ou d'un vice-président.

Suppléance — Si ce vice-président est lui-même absent ou empêché, le ministre charge un autre vice-président de la suppléance.

2015, c. 15, art. 78

79. Durée du mandat — Le mandat administratif du président et des vice-présidents est d'une durée fixe d'au plus cinq ans déterminée par l'acte de désignation ou de renouvellement.

2015, c. 15, art. 79

80. Fin du mandat — Le mandat administratif du président ou d'un vice-président ne peut prendre fin avant terme que si le membre renonce à cette charge administrative, si sa fonction de membre prend fin ou s'il est révoqué ou autrement démis de sa charge administrative dans les conditions visées à l'article 81.

2015, c. 15, art. 80

81. Perte de qualité — Le gouvernement peut démettre le président ou un vice-président de sa charge administrative pour perte d'une qualité requise par la loi pour exercer cette charge.

Manquement — Le gouvernement peut également révoquer ceux-ci de leur charge administrative lorsque le Conseil de la justice administrative le recommande, après enquête faite sur demande du ministre pour un manquement ne concernant que l'exercice de leurs attributions administratives. Le Conseil agit conformément aux dispositions des articles 193 à 197 de la *Loi sur la justice administrative*, compte tenu des adaptations nécessaires; toutefois, la formation du comité d'enquête obéit aux règles prévues au quatrième alinéa de l'article 74.

2015, c. 15, art. 81

§2 — Direction et administration

82. Fonctions du président — Outre les attributions qui peuvent lui être dévolues par ailleurs, le président est chargé de l'administration et de la direction générale du Tribunal.

Fonctions du président — Il a notamment pour fonctions :

1° de diriger le personnel du Tribunal et de voir à ce que celui-ci exécute ses fonctions;

2° de favoriser la participation des membres à l'élaboration d'orientations générales du Tribunal en vue de maintenir un niveau élevé de qualité et de cohérence des décisions;

3° de désigner un membre pour agir comme responsable de l'administration d'un bureau du Tribunal;

4° de coordonner et de répartir le travail des membres du Tribunal qui, à cet égard, doivent se soumettre à ses ordres et directives;

5° de veiller au respect de la déontologie;

6° de promouvoir le perfectionnement des membres et du personnel du Tribunal quant à l'exercice de leurs fonctions.

2015, c. 15, art. 82

83. Affectation d'un membre — Dès la nomination d'un membre, le président l'affecte à l'une ou à plusieurs des divisions du Tribunal, ainsi qu'à une ou plusieurs régions.

Changement d'affectation — Le président peut, pour la bonne expédition des affaires du Tribunal, changer une affectation ou affecter temporairement un membre auprès d'une autre division ou région.

Connaissances et expérience — Dans la répartition du travail des membres, le président tient compte des connaissances et de l'expérience spécifique de ces derniers.

Avocat ou notaire — Seul un avocat ou un notaire peut être affecté, de façon permanente ou temporaire, à la division de la santé et de la sécurité du travail.

2015, c. 15, art. 83

84. Assesseurs — Le président nomme des assesseurs à temps plein, affectés à la division de la santé et de la sécurité du travail.

Fonctions — Les assesseurs ont pour fonctions de siéger auprès d'un membre et de le conseiller sur toute question de nature médicale, professionnelle ou technique.

Assesseurs — Le président peut aussi, pour la bonne expédition des affaires de cette division, nommer des personnes qui ne sont pas membres du personnel pour agir comme assesseur à vacation ou à titre temporaire, et déterminer leurs honoraires.

2015, c. 15, art. 84

85. Conciliateurs — Le président nomme des conciliateurs, qui ont pour fonctions de rencontrer les parties et de tenter d'en arriver à un accord.

2015, c. 15, art. 85

86. Agents de relations du travail — Le président nomme des agents de relations du travail pour l'exercice des fonctions, devoirs et pouvoirs que le *Code du travail* attribue au Tribunal. Ils sont chargés :

1° de tenter d'amener les parties à s'entendre;

2° de s'assurer du caractère représentatif d'une association de salariés ou de son droit à l'accréditation;

3° d'effectuer, à la demande du président ou de leur propre initiative dans les affaires dont ils sont saisis, une enquête sur une contravention appréhendée à l'article 12 de ce code, de même qu'un sondage ou une recherche sur toute question relative à l'accréditation et à la protection ou à l'exercice du droit d'association.

2015, c. 15, art. 86

87. Enquête et aide — Le président nomme des personnes pour faire enquête ou pour aider les parties à conclure une entente pour l'application du chapitre V.1 du *Code du travail*.

2015, c. 15, art. 87

88. Fonctions cumulées — Les fonctions visées aux articles 85 à 87 peuvent être cumulées. Les personnes qui exercent ces fonctions sont également chargées d'exercer toute autre fonction qui leur est confiée par le président.

2015, c. 15, art. 88

89. Code de déontologie — Le président doit édicter un code de déontologie applicable aux assesseurs, aux conciliateurs, aux agents de relations du travail et aux enquêteurs et veiller à son respect.

Code de déontologie — Le Tribunal doit rendre ce code public.

2015, c. 15, art. 89

90. Délégation — Le président peut déléguer tout ou partie de ses attributions aux vice-présidents ou à un membre responsable de l'administration d'un bureau régional.

2015, c. 15, art. 90

91. Fonctions des vice-présidents — Outre les attributions qui peuvent leur être dévolues par ailleurs ou déléguées par le président, les vice-présidents assistent et conseillent le président dans l'exercice de ses fonctions et exercent leurs fonctions administratives sous l'autorité de ce dernier.

2015, c. 15, art. 91

92. Entente — Le Tribunal peut conclure une entente avec toute personne, association, société ou organisme ainsi qu'avec le gouvernement, l'un de ses ministères ou organismes.

Entente — Il peut également, conformément à la loi, conclure une entente avec un autre gouvernement ou une organisation internationale, ou un organisme de ce gouvernement ou de cette organisation.

2015, c. 15, art. 92

§3 — Personnel et ressources matérielles et financières

93. Nomination — Le secrétaire et les autres membres du personnel du Tribunal sont nommés suivant la *Loi sur la fonction publique*.

2015, c. 15, art. 93

94. Garde des dossiers — Le secrétaire a la garde des dossiers du Tribunal.

2015, c. 15, art. 94

95. Documents authentiques ou copies certifiées — Les documents émanant du Tribunal sont authentiques lorsqu'ils sont signés ou, s'il s'agit de copies, lorsqu'elles sont certifiées conformes par le président, un vice-président, le secrétaire ou, le cas échéant, la personne désignée par le président pour exercer cette fonction.

2015, c. 15, art. 95

96. Pièces et documents — Les parties doivent reprendre possession des pièces qu'elles ont produites et des documents qu'elles ont transmis une fois l'affaire terminée.

Destruction des pièces et documents — À défaut, ces pièces et documents peuvent être détruits à l'expiration d'un délai d'un an après la date de la décision définitive du Tribunal ou de l'acte mettant fin à l'affaire, à moins que le président n'en décide autrement.

2015, c. 15, art. 96

97. Institution du Fonds — Est institué le Fonds du Tribunal administratif du travail.

Affectation du Fonds — Ce fonds est affecté au financement des activités du Tribunal.

2015, c. 15, art. 97

98. Sommes versées au Fonds — Les sommes suivantes sont portées au crédit du Fonds :

1° les sommes virées par le ministre sur les crédits alloués à cette fin par le Parlement;

2° les sommes versées par la Commission des normes, de l'équité, de la santé et de la sécurité du travail en vertu de l'article 366.1 de la *Loi sur les accidents du travail et les maladies professionnelles*, de l'article 28.1 de la *Loi sur les normes du travail* et de l'article 228.1 de la *Loi sur la santé et la sécurité du travail*;

3° les sommes versées par la Commission de la construction du Québec en vertu de l'article 8.1 de la *Loi sur les relations du travail, la formation professionnelle et la gestion de la main-d'œuvre dans l'industrie de la construction*, par une Corporation mandataire et par la Régie du bâtiment du Québec en vertu des articles 129.11.1 et 152.1 de la *Loi sur le bâtiment*;

4° les sommes virées par le ministre pour l'application de l'article 41.1 de la *Loi sur la formation et la qualification professionnelles de la main-d'œuvre*;

5° les sommes perçues en application du tarif des droits, honoraires et autres frais afférents aux affaires, aux actes de procédure ou aux autres documents déposés auprès du Tribunal ou aux services rendus par celui-ci;

6° les sommes virées par le ministre des Finances en application du premier alinéa de l'article 54 de la *Loi sur l'administration financière* (chapitre A-6.001).

Comptabilité du Fonds — Malgré l'article 51 de la *Loi sur l'administration financière*, la comptabilité du Fonds du Tribunal administratif du travail n'a pas à être distinctement tenue des livres et des comptes de ce dernier. De plus, l'article 53, le deuxième alinéa de l'article 54 et l'article 56 de cette loi ne s'appliquent pas au Fonds.

2015, c. 15, art. 98

99. Sommes pour fins d'activités — Sont portées au débit du Fonds, les sommes requises aux fins des activités du Tribunal.

2015, c. 15, art. 99

100. Fin de l'exercice financier — L'exercice financier du Tribunal se termine le 31 mars.

2015, c. 15, art. 100

101. Prévisions budgétaires — Le président soumet chaque année au ministre les prévisions budgétaires du Tribunal pour l'exercice financier suivant, selon la forme, la teneur et à l'époque déterminées par ce dernier.

Approbation — Ces prévisions sont soumises à l'approbation du gouvernement.

Contenu des prévisions — Les prévisions budgétaires du Tribunal présentent, relativement au Fonds du Tribunal administratif du travail, les éléments mentionnés aux paragraphes 1° à 5° du deuxième alinéa de l'article 47 de la *Loi sur l'administration financière* et, le cas échéant, l'excédent visé à l'article 52 de cette loi.

Préparation des précisions — Malgré le troisième alinéa de l'article 47 de la *Loi sur l'administration financière*, les prévisions budgétaires du Tribunal n'ont pas à être préparées conjointement avec le ministre des Finances et le président du Conseil du trésor.

Transmission des prévisions — Les prévisions budgétaires du Tribunal, approuvées par le gouvernement, sont transmises au ministre des Finances, qui intègre les éléments relatifs au Fonds du Tribunal administratif du travail au budget des fonds spéciaux.

2015, c. 15, art. 101

102. Vérifications des livres et comptes — Les livres et comptes du Tribunal sont vérifiés chaque année par le vérificateur général et chaque fois que le décrète le gouvernement.

2015, c. 15, art. 102

103. Rapport — Le Tribunal doit, avant le 30 juin de chaque année, faire au ministre un rapport portant sur ses activités et sur sa gouvernance. Ce rapport doit contenir tous les renseignements que le ministre requiert.

Rapport — Le rapport ne doit nommément désigner aucune personne visée dans les affaires portées devant le Tribunal. Le Tribunal peut y faire des recommandations sur les lois, les règlements, les politiques, les programmes et les pratiques administratives qui relèvent de sa compétence.

Dépôt du rapport — Le ministre doit, sans délai, déposer ce rapport devant l'Assemblée nationale ou, si elle ne siège pas, dans les 15 jours de la reprise de ses travaux.

2015, c. 15, art. 103

104. Plan — Chaque année, le président présente au ministre un plan dans lequel il expose ses objectifs de gestion pour assurer l'accessibilité au Tribunal ainsi que la qualité et la célérité de son processus décisionnel et fait état des résultats obtenus dans l'année antérieure.

2015, c. 15, art. 104

§4 — Réglementation

105. Règles de preuves et procédures — Le Tribunal peut, par règlement adopté à la majorité de ses membres, édicter des règles de preuve et de procédure précisant les modalités d'application des règles établies par la présente loi ou par les lois dont découlent les affaires qu'il entend ainsi que des exceptions dans l'application des règles établies par la loi concernant un recours ou une division du Tribunal.

Règles de preuves et procédures — Le Tribunal peut également établir les règles que doivent suivre les parties dans la conclusion d'une entente ou la détermination d'une liste en application du chapitre V.1 du *Code du travail*.

Approbation — Ces règlements sont soumis pour approbation au gouvernement.

2015, c. 15, art. 105

106. Tarif, honoraire et frais — Sauf devant la division de la santé et de la sécurité du travail, le gouvernement peut, par règlement, déterminer le tarif des droits, honoraires ou frais afférents à des affaires, à des actes de procédure ou à d'autres documents déposés auprès du Tribunal ou à des services rendus par celui-ci, ainsi que les modalités de paiement de ces droits, honoraires ou frais.

2015, c. 15, art. 106

§5 — Immunité et recours

107. Bonne foi — Le Tribunal, ses membres et les membres de son personnel ne peuvent être poursuivis en justice en raison d'un acte accompli de bonne foi dans l'exercice de leurs fonctions.

2015, c. 15, art. 107

108. Immunité — Sauf sur une question de compétence, aucun pourvoi en contrôle judiciaire prévu au *Code de procédure civile* (chapitre C-25.01) ne peut être exercé, ni aucune injonction accordée contre le Tribunal, l'un de ses membres ou un agent de relations du travail agissant en sa qualité officielle.

Décision annulée — Un juge de la Cour d'appel peut, sur demande, annuler sommairement une décision, une ordonnance ou une injonction rendue ou prononcée à l'encontre du présent article.

2015, c. 15, art. 108; N.I. 2016-01-01 (NCPC)

109. Recours — Aucun recours ne peut être intenté en raison ou en conséquence d'un rapport fait ou d'une ordonnance rendue par le Tribunal en vertu du chapitre V.1 du *Code du travail* ou des publications s'y rapportant, le cas échéant.

2015, c. 15, art. 109

Chapitre II — Dispositions modificatives, transitoires et finales

Section I — Dispositions modificatives

110.–238. (*Omis*).

2015, c. 15, art. 110-238

Section II — Dispositions transitoires et finales

§1 — Dispositions transitoires relatives à la Commission des normes, de l'équité, de la santé et de la sécurité du travail

239. Substitution — La Commission des normes, de l'équité, de la santé et de la sécurité du travail est substituée à la Commission de l'équité salariale et à la Commission des normes du travail; elle en acquiert les droits et en assume les obligations.

2015, c. 15, art. 239

240. Surplus — Les surplus accumulés par la Commission des normes du travail sont versés au fonds consolidé du revenu.

Surplus — Ces surplus sont portés au crédit du Fonds des générations comme s'ils étaient visés à l'article 4 de la *Loi sur la réduction de la dette et instituant le Fonds des générations* (chapitre R-2.2.0.1).

2015, c. 15, art. 240

241. Appel d'offres — Les procédures d'appel d'offres entreprises par la Commission de la santé et de la sécurité du travail avant le 1er janvier 2016 se poursuivent conformément aux dispositions applicables à la date du début de ces procédures.

2015, c. 15, art. 241

242. Contrat en cours — Tout contrat en cours le 1er janvier 2016 est continué conformément aux dispositions applicables à la Commission des normes, de l'équité, de la santé et de la sécurité du travail. En cas d'incompatibilité avec une disposition du contrat, les dispositions applicables à la Commission prévalent.

2015, c. 15, art. 242

243. Affaires en cours — Les affaires en cours devant la Commission de l'équité salariale sont continuées devant la Commission des normes, de l'équité, de la santé et de la sécurité du travail.

2015, c. 15, art. 243

244. Partie — La Commission des normes, de l'équité, de la santé et de la sécurité du travail devient, sans reprise d'instance, partie à toute procédure à laquelle étaient parties la Commission de l'équité salariale et la Commission des normes du travail.

2015, c. 15, art. 244

245. Règlementation — Un règlement pris par la Commission de l'équité salariale ou par la Commission des normes du travail, autre qu'un règlement intérieur, est réputé être un règlement pris par la Commission des normes, de l'équité, de la santé et de la sécurité du travail.

2015, c. 15, art. 245

246. Fin du mandat — Le mandat des membres du conseil d'administration de la Commission de la santé et de la sécurité du travail prend fin le 31 décembre 2015.

2015, c. 15, art. 246

247. Fin du mandat — Le mandat du président du conseil d'administration et chef de la direction de la Commission de la santé et de la sécurité du travail prend fin le 31 décembre 2015, sans autre indemnité que l'allocation prévue à son acte de nomination.

2015, c. 15, art. 247

248. Fin du mandat — Le mandat des vice-présidents de la Commission de la santé et de la sécurité du travail prend fin le 31 décembre 2015, sans autre indemnité que l'allocation prévue à leur acte de nomination.

Réintégrations — Les vice-présidents sont réintégrés au sein de la fonction publique aux conditions prévues à leur acte de nomination en cas de retour au sein de la fonction publique.

2015, c. 15, art. 248

249. Application — Le deuxième alinéa de l'article 141 de la *Loi sur la santé et la sécurité du travail* (chapitre S-2.1) ne s'applique pas à la nomination du président de la Commission des normes, de l'équité, de la santé et de la sécurité du travail devant entrer en fonction le 1er janvier 2016.

2015, c. 15, art. 249

250. Fin du mandat — Le mandat des membres du conseil d'administration de la Commission des normes du travail prend fin le 31 décembre 2015.

2015, c. 15, art. 250

251. Fin du mandat — Le mandat du président et directeur général de la Commission des normes du travail prend fin le 31 décembre 2015, aux conditions prévues à son acte de nomination.

2015, c. 15, art. 251

252. Fin du mandat — Le mandat des vice-présidents et de la vice-présidente de la Commission des normes du travail prend fin le 31 décembre 2015, sans autre indemnité que l'allocation prévue à leur acte de nomination.

2015, c. 15, art. 252

253. Fin du mandat — Le mandat de la présidente de la Commission de l'équité salariale prend fin le 31 décembre 2015.

Réintégration — La présidente est réintégrée au sein de la fonction publique aux conditions prévues à son acte de nomination en cas de retour à la fonction publique.

2015, c. 15, art. 253

254. Fin du mandat — Le mandat des membres de la Commission de l'équité salariale, autres que la présidente, prend fin le 31 décembre 2015, sans autre indemnité que l'allocation prévue à leur acte de nomination.

2015, c. 15, art. 254

§2 — Dispositions transitoires relatives au Tribunal administratif du travail

255. Substitution — Le Tribunal administratif du travail est substitué à la Commission des lésions professionnelles et à la Commission des relations du travail; il en acquiert les droits et en assume les obligations.

2015, c. 15, art. 255

256. Transfert des actifs — Les actifs et les passifs du fonds de la Commission des lésions professionnelles visé à l'article 429.12 de la *Loi sur les accidents du travail et les maladies professionnelles* (chapitre A-3.001), abrogé par l'article 116 de la présente loi, et ceux du fonds de la Commission des relations du travail visé 57 à l'article 137.62 du *Code du travail* (chapitre C-27), abrogé par l'article 138 de la présente loi, sont transférés au Fonds du Tribunal administratif du travail institué par l'article 97 de la présente loi.

2015, c. 15, art. 256

257. Prévisions de dépenses et investissements — À moins que les prévisions de dépenses et d'investissements du Fonds du Tribunal administratif du travail n'aient déjà été approuvées par le Parlement pour l'année financière en cours le 1er janvier 2016, les prévisions de dépenses et d'investissements qui sont approuvées pour ce fonds, pour cette année financière, correspondent à la somme des soldes disponibles des dépenses et des investissements approuvés, pour cette même année financière, du fonds de la Commission des lésions professionnelles visé à l'article 429.12 de la *Loi sur les accidents du travail et les maladies professionnelles*, abrogé par l'article 116 de la présente loi, et du fonds de la Commission des relations du travail visé à l'article 137.62 du *Code du travail*, abrogé par l'article 138 de la présente loi.

2015, c. 15, art. 257

258. Durée non écoulée — Le mandat des commissaires de la Commission des lésions professionnelles et de la Commission des relations du travail est, pour la durée non écoulée de celui-ci, poursuivi à titre de membre du Tribunal administratif du travail.

Qualités requise — Les qualités requises par la loi pour devenir membre du Tribunal administratif du travail, notamment celles concernant l'expérience pertinente de 10 ans à l'exercice des fonctions du Tribunal administratif du travail, ne sont pas exigées des personnes qui deviennent membres de ce tribunal par application du premier alinéa, même lors d'un renouvellement subséquent, aussi longtemps qu'elles en demeurent membres. Il en est de même de la qualité d'avocat ou de notaire requise pour être affecté à la division de la santé et de la sécurité du travail en ce qui concerne les commissaires de la Commission des lésions professionnelles qui deviennent membres de ce Tribunal par application du premier alinéa.

2015, c. 15, art. 258

259. Fin du mandat — Le mandat administratif des présidents et des vice-présidents de la Commission des lésions professionnelles et de la Commission des relations du travail prend fin le 31 décembre 2015.

2015, c. 15, art. 259

260. Fin du mandat — Le mandat des membres de la Commission des lésions professionnelles, autres que des commissaires, nommés conformément au quatrième ou au cinquième alinéa de l'article 385 de la *Loi sur les accidents du travail et les maladies professionnelles*, abrogé par l'article 116 de la présente loi, prend fin le 31 décembre 2015.

Affaires commencées — Ces membres ne terminent pas les affaires qu'ils avaient commencées.

2015, c. 15, art. 260

261. Affaire pendante — Toute affaire pendante devant la Commission des relations du travail ou devant la Commission des lésions professionnelles est continuée devant la division compétente du Tribunal administratif du travail.

Affaire commencée — Les affaires dont l'audition avait déjà été entreprise ou qui sont prises en délibéré sont continuées et décidées par le même commissaire devenu membre du Tribunal administratif du travail en application de l'article 258. Il en va de même des affaires confiées à une formation de trois commissaires devenus membres du Tribunal.

2015, c. 15, art. 261

262. Preuve et procédure — Les règles de preuve et de procédure prévues par la présente loi pour s'appliquer devant le Tribunal administratif du travail, notamment les dispositions sur l'introduction d'une affaire, sur la conciliation, sur la conférence préparatoire et sur l'audience, s'appliquent selon l'état du dossier aux affaires pendantes qui sont continuées devant le Tribunal administratif du travail.

Exception — Toutefois, le Tribunal peut écarter l'application de ces règles et appliquer les règles pertinentes anciennes s'il considère que les dispositions de la présente loi causent préjudice à une partie.

Affaire pendante — Les règles pertinentes anciennes de preuve, de procédure et de pratique le demeurent à l'égard des affaires pendantes pour lesquelles l'audition a été entreprise.

2015, c. 15, art. 262

263. Règles applicables — Jusqu'à l'adoption du règlement sur les règles de preuve et de procédure prévu au premier alinéa de l'article 105 de la présente loi, les règles qui étaient applicables devant la Commission des lésions professionnelles et devant la Commission des relations du travail demeurent, selon le cas, applicables à titre supplétif, mais dans la seule mesure où elles sont compatibles avec la présente loi.

2015, c. 15, art. 263

264. Serment — Le serment prêté en application de l'article 412 de la *Loi sur les accidents du travail et les maladies professionnelles*, abrogé par l'article 116 de la présente loi, ou de l'article 137.32 du *Code du travail*, abrogé par l'article 138 de la présente loi, par un commissaire qui devient membre du Tribunal administratif du travail en vertu de l'article 258 de la présente loi est réputé avoir été prêté conformément aux dispositions de l'article 66 de la présente loi et en tient lieu.

2015, c. 15, art. 264

265. Affectation — L'affectation d'un commissaire à une division ou à une région par les autorités compétentes de l'organisme d'où il provient tient lieu d'affectation à la division correspondante du Tribunal administratif du travail, jusqu'à ce qu'il en soit autrement décidé par le président.

2015, c. 15, art. 265

266. Rémunération — Les commissaires qui deviennent membres du Tribunal administratif du travail par application de l'article 258 conservent la rémunération qu'ils recevaient le 31 décembre 2015; ils conservent cette rémunération malgré l'entrée en vigueur du règlement sur la rémunération et les autres conditions de travail, si la rémunération qu'ils reçoivent est plus avantageuse, jusqu'à ce que cette rémunération soit égale à celle prévue par le règlement.

Rémunération — Jusqu'à l'entrée en vigueur du règlement prévu à l'article 61 de la présente loi, la rémunération et les autres conditions de travail des personnes qui deviennent membres du Tribunal administratif du travail après son institution sont fixées par le gouvernement.

Rémunération additionnelle — Le premier alinéa ne s'applique pas à la rémunération additionnelle que recevait un commissaire visé à l'article 258 pour l'exercice de son mandat administratif.

2015, c. 15, art. 266

267. Avantages sociaux et autres conditions de travail — Les avantages sociaux et les autres conditions de travail des commissaires, tels qu'ils existaient avant l'entrée en vigueur de la présente loi, demeurent applicables aux personnes qui deviennent membres du Tribunal administratif du travail en application de l'article 258 jusqu'à l'entrée en vigueur du règlement sur la rémunération et les autres conditions de travail.

2015, c. 15, art. 267

268. Code de déontologie — Jusqu'à ce que le code de déontologie applicable aux membres du Tribunal administratif du travail soit édicté conformément à l'article 67 de la présente loi, les membres du Tribunal sont tenus de respecter le code de déontologie qui leur était applicable au sein de l'organisme d'où ils proviennent.

2015, c. 15, art. 268

269. Code de déontologie — Le *Code de déontologie des assesseurs et des conciliateurs de la Commission des lésions professionnelles* (chapitre A-3.001, r. 3), tel qu'il se lisait le 31 décembre 2015, continue de s'appliquer, compte tenu des adaptations nécessaires, jusqu'à ce que le code de déontologie prévu à l'article 89 de la présente loi entre en vigueur.

2015, c. 15, art. 269

270. Rapports — Les derniers rapports d'activité de la Commission des relations du travail et de la Commission des lésions professionnelles sont produits et transmis au ministre par le Tribunal administratif du travail au plus tard le 1er juillet 2016.

Période d'activité visée — Ces rapports visent toute la période d'activité non couverte par les derniers rapports d'activité transmis par ces commissions au ministre.

Dépôt du rapport — Le ministre dépose ces rapports devant l'Assemblée nationale dans les 30 jours de leur réception ou, si elle ne siège pas, dans les 30 jours de la reprise de ses travaux.

Rapport — De tels rapports ne doivent nommément désigner aucune personne visée dans les affaires portées devant la commission visée.

2015, c. 15, art. 270

271. Fin du mandat — Le mandat des membres du Conseil de la justice administrative issus de la Commission des relations du travail ou de la Commission des lésions professionnelles prend fin le 31 décembre 2015. Ils peuvent toutefois terminer les affaires dont ils sont saisis à cette date.

2015, c. 15, art. 271

§3 — Autres dispositions transitoires

272. Directive — Le ministre peut prendre à l'égard d'une commission visée par la présente loi toute directive sur la gestion de ses ressources humaines, budgétaires, matérielles ou informationnelles en vue de favoriser la mise en place des organismes prévus par la présente loi. Une directive peut également prévoir les renseignements qui doivent être transmis au ministre et les délais pour ce faire. Toute directive lie la commission concernée et elle est tenue de s'y conformer.

2015, c. 15, art. 272

273. Annulation d'une décision — Le ministre peut annuler toute décision d'une commission visée par la présente loi ayant une incidence sur ses ressources humaines, budgétaires, matérielles ou informationnelles qu'il juge contraire aux intérêts futurs des organismes visés par la présente loi.

Décision visée — Une telle annulation peut viser toute décision prise entre le 15 avril 2015 et la date du début des activités de la Commission des normes, de l'équité, de la santé et de la sécurité du travail ou du Tribunal administratif du travail, selon le cas. Elle doit être prononcée dans les 60 jours de la décision et a effet à compter de la date à laquelle elle est prononcée. Toutefois, une décision prise avant le 12 juin 2015 peut être annulée dans les 60 jours qui suivent cette dernière date.

2015, c. 15, art. 273

274. Comités — Le ministre peut, aux fins des articles 272 et 273, constituer des comités pour lui formuler des avis sur toute question qu'il leur soumet.

2015, c. 15, art. 274

275. Mesures favorisant l'application de la loi — Le gouvernement peut, par règlement, prendre avant le 12 décembre 2016 toute mesure nécessaire ou utile à l'application de la présente loi ou à la réalisation efficace de son objet.

Application — Un tel règlement peut, s'il en dispose ainsi, s'appliquer à compter de toute date non antérieure au 12 juin 2015.

2015, c. 15, art. 275

§4 — Dispositions finales

276. Rapport — Le ministre doit, au plus tard le 12 juin 2020, et par la suite tous les 10 ans, faire au gouvernement un rapport sur l'application de la présente loi et sur l'opportunité de la modifier.

Dépôt du rapport — Ce rapport est déposé par le ministre dans les 30 jours suivants à l'Assemblée nationale ou, si elle ne siège pas, dans les 30 jours de la reprise de ses travaux.

2015, c. 15, art. 276

277. Ministre responsable — Le ministre du Travail, de l'Emploi et de la Solidarité sociale est responsable de l'application de la présente loi. Sa responsabilité en regard du Tribunal administratif du travail concerne également l'exercice des fonctions de ce tribunal prévues par toute autre loi.

2015, c. 15, art. 277

278. (*Omis*)

2015, c. 15, art. 278

ANNEXE I —

(*article 5*)

En plus des affaires découlant de l'application du *Code du travail* autres que celles de la section V.1 de ce code, la division des relations du travail connaît et dispose des affaires découlant :

1° du deuxième alinéa des articles 45 et 46 et du troisième alinéa de l'article 137.1 de la *Charte de la langue française* (chapitre C-11);

2° du deuxième alinéa de l'article 72 de la *Loi sur les cités et villes* (chapitre C-19);

3° du deuxième alinéa de l'article 267.0.2 et du troisième alinéa de l'article 678.0.2.6 du *Code municipal du Québec* (chapitre C-27.1);

4° du quatrième alinéa du paragraphe *g* de l'article 48 de la *Loi sur la Commission municipale* (chapitre C-35);

5° du deuxième alinéa de l'article 73 de la *Loi sur la Communauté métropolitaine de Montréal* (chapitre C-37.01);

6° du deuxième alinéa de l'article 64 de la *Loi sur la Communauté métropolitaine de Québec* (chapitre C-37.02);

7° du premier alinéa de l'article 30.1 de la *Loi sur les décrets de convention collective* (chapitre D-2);

8° du deuxième alinéa de l'article 88.1 et du premier alinéa de l'article 356 de la *Loi sur les élections et les référendums dans les municipalités* (chapitre E-2.2);

9° de l'article 205 de la *Loi sur les élections scolaires* (chapitre E-2.3);

10° du deuxième alinéa de l'article 144 et du premier alinéa de l'article 255 de la *Loi électorale* (chapitre E-3.3);

11° des articles 104 à 107, du deuxième alinéa de l'article 109, de l'article 110, du troisième alinéa de l'article 111 et des articles 112 et 121 de la *Loi sur l'équité salariale* (chapitre E-12.001);

12° de l'article 17.1 de la *Loi sur la fête nationale* (chapitre F-1.1);

13° de l'article 20 et du deuxième alinéa de l'article 200 de la *Loi sur la fiscalité municipale* (chapitre F-2.1);

14° du deuxième alinéa de l'article 65, du quatrième alinéa de l'article 66 et du troisième alinéa de l'article 67 de la *Loi sur la fonction publique* (chapitre F-3.1.1);

15° du deuxième alinéa de l'article 47 de la *Loi sur les jurés* (chapitre J-2);

16° des articles 86.1, 123.4, 123.9, 123.12 et 126 de la *Loi sur les normes du travail* (chapitre N-1.1);

17° des articles 176.1, 176.6, 176.7 et 176.11 de la *Loi sur l'organisation territoriale municipale* (chapitre O-9);

18° de l'article 19 de la *Loi sur le processus de détermination de la rémunération des procureurs aux poursuites criminelles et pénales et sur leur régime de négociation collective* (chapitre P-27.1);

19º des articles 7, 8, 21, 24, 27, 29, 55 et 104 de la *Loi sur la représentation de certaines personnes responsables d'un service de garde en milieu familial et sur le régime de négociation d'une entente collective les concernant* (chapitre R-24.0.1);

20º des articles 9, 10, 23, 26, 29, 31, 54 et 127 de la *Loi sur la représentation des ressources de type familial et de certaines ressources intermédiaires et sur le régime de négociation d'une entente collective les concernant* (chapitre R-24.0.2);

21° du deuxième alinéa de l'article 129 de la *Loi sur la sécurité civile* (chapitre S-2.3);

22º du deuxième alinéa de l'article 154 de la *Loi sur la sécurité incendie* (chapitre S-3.4);

23º du troisième alinéa de l'article 43 de la *Loi sur les services préhospitaliers d'urgence* (chapitre S-6.2);

24º du deuxième alinéa de l'article 73 de la *Loi sur les sociétés de transport en commun* (chapitre S-30.01);

25º des articles 15, 21 et 23 de la *Loi sur le statut professionnel des artistes des arts visuels, des métiers d'art et de la littérature et sur leurs contrats avec les diffuseurs* (chapitre S-32.01);

26º des articles 12, 20, 22, 42.5, 56, 57, 58 et 59.1 de la *Loi sur le statut professionnel et les conditions d'engagement des artistes de la scène, du disque et du cinéma* (chapitre S-32.1);

27º du deuxième alinéa de l'article 5.2 de la *Loi sur les tribunaux judiciaires* (chapitre T-16);

28º des articles 10 et 17, du deuxième alinéa de l'article 23, des articles 32 et 76 et du deuxième alinéa de l'article 82 de la *Loi concernant les unités de négociation dans le secteur des affaires sociales* (chapitre U-0.1);

29º du sixième alinéa de l'article 57 de la *Loi modifiant diverses dispositions législatives concernant les municipalités régionales de comté* (2002, chapitre 68);

30º de l'article 75 de la Loi modifiant la *Loi sur l'aménagement durable du territoire forestier et d'autres dispositions législatives* (2013, chapitre 2);

31° de l'article 122 de la *Loi sur l'Autorité régionale de transport métropolitain* (2016, chapitre 8, article 3);

32° de l'article 86 de la *Loi sur le Réseau de transport métropolitain* (2016, chapitre 8, article 4).

2015, c. 15, annexe I; 2016, c. 8, art. 120

[QUE-19.1]

TABLE DES MATIÈRES

CODE DE DÉONTOLOGIE DES MEMBRES DU TRIBUNAL ADMINISTRATIF DU TRAVAIL

[QUE-19.1]

CODE DE DÉONTOLOGIE DES MEMBRES DU TRIBUNAL ADMINISTRATIF DU TRAVAIL

édicté en vertu de la *Loi instituant le Tribunal administratif du travail* (RLRQ, c. T-15.1, art. 67)

RLRQ, c. T-15.1, r. 0.1, édicté par : D. 382-2017, (2017) 149 G.O. II, 1407.

SECTION I — DISPOSITIONS GÉNÉRALES

1. Le présent code a pour objet d'assurer et de promouvoir la confi ance du public dans l'intégrité et l'impartialité du Tribunal en privilégiant, pour ses membres nommés par le gouvernement, des normes élevées de conduite.

2. Le membre rend justice dans le cadre des règles de droit applicables.

SECTION II — RÈGLES DE CONDUITE ET DEVOIRS DES MEMBRES

3. Le membre exerce ses fonctions avec honneur, dignité et intégrité, en considérant l'importance des valeurs d'accessibilité et de célérité qui caractérisent le Tribunal.

4. Le membre exerce ses fonctions sans discrimination

5. Le membre fait preuve de respect et de courtoisie à l'égard des personnes qui se présentent devant lui, tout en exerçant l'autorité requise pour la bonne conduite de l'audience.

6. Le membre préserve l'intégrité du Tribunal et en défend l'indépendance dans l'intérêt supérieur de la justice.

7. Le membre se rend disponible pour s'acquitter consciencieusement, avec soin et de façon diligente de ses devoirs.

8. Le membre prend les mesures requises pour maintenir à jour et améliorer les connaissances et habiletés nécessaires à l'exercice de ses fonctions.

9. Le membre est tenu à la discrétion sur ce dont il a connaissance dans l'exercice de ses fonctions et il évite de divulguer toute information qui a un caractère confidentiel.

10. Le membre respecte le secret du délibéré.

11. Le membre doit, de façon manifeste, être impartial et objectif.

12. Le membre exerce ses fonctions en toute indépendance et hors de toute ingérence.

13. Le membre fait preuve de réserve et de prudence dans son comportement public, notamment dans l'utilisation des technologies de l'information et des communications.

14. Le membre divulgue au président tout intérêt direct ou indirect qu'il a dans une entreprise et qui est susceptible de mettre en conflit son intérêt personnel et les obligations de ses fonctions.

15. Le membre fait preuve de neutralité politique dans l'exercice de ses fonctions.

16. Le membre peut exercer à titre gratuit une fonction au sein d'un ordre professionnel ou d'un organisme sans but lucratif. Le cas échéant, il divulgue son intention au président.

La fonction que le membre veut ainsi exercer ne doit pas compromettre l'exercice utile de ses fonctions de membre, son impartialité ou son indépendance ou celles du Tribunal.

Section III — Situations et activités incompatibles

17. Le membre s'abstient de se livrer à une activité ou de se placer dans une situation susceptible de porter atteinte à l'honneur, à la dignité, à l'intégrité ou à l'indépendance de ses fonctions, ou de discréditer le Tribunal.

18. Sont incompatibles avec l'exercice de ses fonctions :

1° le fait de solliciter ou de recueillir des dons, sauf s'il s'agit d'activités à caractère communautaire, scolaire, religieux ou familial, qui ne compromettent pas les autres devoirs imposés par le présent code, ou le fait d'associer son statut de membre du Tribunal à de telles activités;

2° le fait de participer à des oeuvres ou à des organisations susceptibles d'être impliquées dans une affaire devant le Tribunal;

3° le fait de donner des conseils relatifs aux matières relevant de la compétence du Tribunal, sauf si de tels conseils ne risquent pas de compromettre l'impartialité ou l'intégrité du membre ou celles du Tribunal;

4° le fait de s'impliquer dans une cause ou de participer à un groupe de pression dont les objectifs ou les activités concernent des matières qui relèvent de la compétence du Tribunal.

19. Le membre ne se livre à aucune activité ou participation politique partisane aux niveaux fédéral, provincial, municipal et scolaire.

Section IV — Disposition finale

20. (*Omis*).

[QUE-19.2]
TABLE DES MATIÈRES
RÈGLES DE PREUVE ET DE PROCÉDURE DU TRIBUNAL ADMINISTRATIF DU TRAVAIL

[QUE-19.2]
RÈGLES DE PREUVE ET DE PROCÉDURE DU TRIBUNAL ADMINISTRATIF DU TRAVAIL

édicté en vertu de la *Loi instituant le Tribunal administratif du travail* (RLRQ, c. T-15.1, art. 105)

RLRQ, c. T-15.1, r. 1.1, édicté par D. 385-2017, (2017) 149 G.O. II, 1408; Erratum, (2017) 149 G.O. II, 1659.

Chapitre I — Dispositions générales

SECTION I — DISPOSITIONS PRÉLIMINAIRES

1. Les présentes règles s'appliquent à toutes les affaires introduites devant le Tribunal.

Elles visent à ce que les demandes soient traitées de façon simple, souple et avec célérité, notamment par la collaboration des parties et des représentants et l'utilisation des moyens technologiques disponibles tant pour les parties que pour le Tribunal, et ce, dans le respect des règles de justice naturelle et de l'égalité des parties.

2. Les actes de procédure et la présentation de la preuve, à toute étape du déroulement d'une affaire, doivent être proportionnés à sa nature et à sa complexité.

SECTION II — RÈGLES RELATIVES AUX ACTES DE PROCÉDURE

3. L'acte introductif d'une affaire est fait par écrit et doit permettre l'identification de son auteur par sa signature ou par ce qui en tient lieu.

Il contient les renseignements suivants :

1° le nom du demandeur, son adresse, celle de son courrier électronique, et ses numéros de téléphone et de télécopieur;

2° si le demandeur est représenté, le nom du représentant, son adresse, celle de son courrier électronique, et ses numéros de téléphone et de télécopieur;

3° le nom des autres parties, leur adresse, celle de leur courrier électronique, et leurs numéros de téléphone et de télécopieur;

4° l'identification de la décision contestée;

5° tout autre renseignement exigé en vertu de la disposition légale sur laquelle la demande est fondée, des présentes règles, ou par le Tribunal.

Tout changement à ces renseignements est confirmé par écrit, sans délai, au Tribunal.

L'acte introductif est accompagné d'un exposé sommaire des faits et des conclusions recherchées et de la décision contestée, lorsqu'elle est requise par le Tribunal.

4. Toute communication écrite ultérieure indique le numéro de dossier attribué par le Tribunal à chacun des dossiers auxquels elle se rapporte.

5. Le dépôt d'un acte introductif, d'une demande ou de tout autre document peut se faire par tout moyen compatible avec l'environnement technologique du Tribunal.

Le Tribunal diffuse sur son site Internet la liste de ces moyens et les modalités techniques particulières afférentes à leur utilisation.

6. Le Tribunal peut exiger d'une partie qu'elle expose ou précise ses prétentions par écrit ou qu'elle dépose tout document ou tout élément de preuve dans le délai qu'il détermine.

Il peut aussi exiger d'une partie la liste des témoins qu'elle veut faire entendre, ainsi qu'un exposé sommaire de leur témoignage.

7. Si la partie ne se soumet pas à l'une des exigences prévues à l'article 6 dans le délai fixé, le Tribunal peut, selon les circonstances :

1° refuser le dépôt du document ou de l'élément de preuve;

2° refuser de recevoir toute preuve se rapportant à un renseignement, à un document ou à un élément de preuve exigés;

3° rendre sa décision en conséquence sans autre avis ni délai.

8. Le désistement d'un acte introductif d'une affaire ou de tout autre acte de procédure se fait par le dépôt au Tribunal d'un avis écrit de la partie qui se désiste ou de son représentant. L'avis doit permettre l'identification de son auteur par sa signature ou par ce qui en tient lieu.

Un désistement peut aussi être exprimé verbalement à l'audience.

SECTION III — REPRÉSENTATION

9. La personne qui accepte de représenter une partie après le dépôt de l'acte introductif le confirme par écrit au Tribunal en indiquant le numéro de chaque dossier pour lequel elle est autorisée à agir. Cette autorisation vaut pour toutes les étapes du déroulement de l'affaire.

Tout changement de représentant est confirmé par écrit, sans délai, au Tribunal.

SECTION IV — COMMUNICATION DES ACTES DE PROCÉDURE ET DES ÉLÉMENTS DE PREUVE

10. Pour les affaires relevant de la division de la santé et de la sécurité du travail, le Tribunal transmet aux autres parties à l'affaire les actes de procédure et les éléments de preuve qu'une partie dépose au Tribunal plus de 15 jours avant la date fixée pour la tenue de l'audience.

Une partie qui dépose au Tribunal un acte de procédure ou un élément de preuve dans un délai plus court le porte à la connaissance des autres parties dès que possible avant l'audience.

11. Pour les affaires relevant de la division des relations du travail, de la division des services essentiels ou de la division de la construction et de la qualification professionnelle, la partie qui dépose au Tribunal un acte de procédure ou tout autre document le porte à la connaissance des autres parties et s'assure qu'il comporte l'indication de sa notification et du mode utilisé à cette fin.

Si, pour certaines affaires visées au premier alinéa, l'environnement technologique du Tribunal lui permet d'assumer la responsabilité qui incombe aux parties, il diffuse la liste de ces affaires sur son site Internet.

12. Lorsqu'une partie est représentée, les communications sont transmises à son représentant.

Toutefois, dans la division de la santé et de la sécurité du travail, lorsqu'une partie est représentée, le Tribunal transmet également à la partie les actes de procédure qui ont un impact sur la poursuite ou la fin de l'affaire ou sur la tenue de l'audience.

13. Si la reproduction par le Tribunal d'un élément de preuve qu'il doit transmettre aux parties présente des difficultés techniques, il peut exiger de la partie qui l'a déposé qu'elle le reproduise et qu'elle le notifie aux autres parties dans le délai et aux conditions qu'il détermine.

14. Lorsqu'en raison de sa nature ou de ses caractéristiques un élément de preuve déposé au dossier par une partie ne peut être transmis aux autres parties par le Tribunal, ce dernier les avise de son dépôt et leur indique qu'il peut être examiné au bureau du Tribunal où il a été déposé.

15. Un rapport d'expert est déposé au dossier du Tribunal au moins 30 jours avant la date fixée pour la tenue de l'audience.

Le Tribunal peut toutefois autoriser le dépôt d'un tel rapport dans tout autre délai et aux conditions qu'il détermine.

16. Une partie qui dépose un écrit lors de l'audience en fournit une copie aux autres parties et au Tribunal.

17. Un élément de preuve ne peut être retiré du dossier avant sa fermeture, sauf sur permission du Tribunal et aux conditions qu'il détermine.

SECTION V — CITATION À COMPARAÎTRE

18. Une partie qui veut qu'un témoin soit tenu de comparaître à une audience ou d'y produire des documents utilise le formulaire prévu à ces fins par le Tribunal.

La citation à comparaître est délivrée par le Tribunal ou par l'avocat qui représente cette partie.

19. La citation à comparaître est notifiée au moins 10 jours avant la comparution.

Le Tribunal peut toutefois réduire ce délai dans l'intérêt de la justice. La citation à comparaître doit mentionner cette décision.

20. Le témoin requis de fournir des documents relatifs à l'état de santé d'une personne doit prendre les mesures nécessaires pour protéger le caractère confidentiel des renseignements qu'ils contiennent.

21. Une partie qui prévoit faire témoigner un professionnel sur l'état de santé d'une personne ou celle qui prévoit faire entendre un témoin à titre d'expert en informe le Tribunal dès que possible.

La partie indique alors au Tribunal le nom du témoin et sa profession.

SECTION VI — AUDIENCE

22. L'audience portant sur une affaire relevant de la division de la santé et de la sécurité du travail se tient dans la région identifiée par le Tribunal où se trouve le lieu du domicile du travailleur.

Celle portant sur une affaire relevant d'une autre division du Tribunal se tient dans la région identifiée par le Tribunal où se trouve l'établissement de l'employeur où les faits de l'affaire ont pris naissance.

Pour toute affaire, le Tribunal peut déterminer un autre lieu dans l'intérêt de la justice.

23. Une partie qui est d'avis que le Tribunal doit prévoir plus d'une journée d'audience en fait la demande dès que possible. Elle indique alors au Tribunal la durée d'audience souhaitée et les motifs qui la justifient.

24. Toute demande de remise d'une audience doit être faite par écrit dès que possible.

Cette demande est accompagnée des pièces justificatives, notifiée aux autres parties et contient les renseignements suivants :

1° les motifs invoqués;

2° le consentement des autres parties, le cas échéant;

3° la durée probable de l'audience;

4° la nécessité d'une preuve d'expert et la présence d'un expert lors de l'audience;

5° les dates rapprochées de disponibilité de chacune des parties et de leurs représentants et témoins, incluant les experts.

25. Une audience n'est remise que si les motifs invoqués sont sérieux et si les fins de la justice le requièrent.

Le consentement des parties n'est pas, en soi, un motif suffisant pour accorder une remise.

26. Le Tribunal peut refuser une demande de remise, notamment en raison de la nature de l'affaire, de l'impossibilité de fixer de nouveau l'audience à une date suffisamment rapprochée, de l'obligation de respecter un délai prévu dans une loi ou de la conduite de la partie qui fait la demande.

27. Lorsque la demande de remise est motivée par la nécessité de recourir à un expert ou par sa non-disponibilité pour la tenue de l'audience, le Tribunal peut demander à la partie qui soumet la demande de confirmer, selon le cas, que l'expert accepte le mandat ou qu'il sera disponible pour témoigner à la prochaine date à être fixée.

28. Les personnes qui assistent à l'audience doivent observer une attitude digne et respectueuse et s'abstenir de nuire à son bon fonctionnement.

29. Le Tribunal peut faire un enregistrement sonore de l'audience. Il peut aussi recueillir les témoignages et les plaidoiries par visioconférence, conférence téléphonique ou par tout autre moyen qu'il juge approprié.

Une autorisation du Tribunal est requise pour tout autre enregistrement sonore.

30. La diffusion de tout ou partie d'un enregistrement sonore et la captation d'images d'une audience sont interdites.

31. Le Tribunal peut ordonner l'exclusion des témoins.

32. La personne appelée à témoigner prête serment de dire la vérité. Elle déclare par la suite ses nom, adresse et occupation, à moins que le Tribunal en décide autrement.

33. Le témoin expert doit, de plus, prêter le serment que son témoignage sera respectueux de son devoir premier d'éclairer le Tribunal et que son opinion sera objective, impartiale, rigoureuse et fondée sur les connaissances les plus à jour sur les sujets pour lesquels son opinion est requise.

34. Lorsque le déroulement de l'audience rend nécessaire le recours à un interprète, celui-ci prête serment qu'il fera cette traduction fidèlement.

35. Le Tribunal peut interdire ou restreindre la divulgation, la publication ou la diffusion de témoignages, de renseignements ou de documents qu'il indique, lorsque cela lui paraît nécessaire pour préserver l'ordre public ou si le respect de leur caractère confidentiel le requiert pour assurer la bonne administration de la justice.

36. Le Tribunal prend connaissance d'office des faits généralement reconnus, des opinions et des renseignements qui relèvent de sa spécialisation.

37. La preuve faite dans un dossier peut être versée dans un autre dossier du Tribunal s'il l'autorise et aux conditions qu'il détermine.

38. Lorsqu'une visite des lieux est ordonnée, le Tribunal détermine les règles qui lui sont applicables.

39. Le procès-verbal de l'audience indique les renseignements suivants :

1º le nom du membre et celui de l'assesseur;

2º la date, le lieu, l'heure du début et l'heure de la fin de l'audience;

3º le nom et l'adresse de chacune des parties et ceux de son représentant;

4º le nom des témoins;

5º le nom de l'interprète;

6º l'identification et la cote des éléments de preuve produits;

7º l'indication que l'audience est enregistrée;

8º les admissions d'importance pour le déroulement de l'audience ou la décision à rendre;

9º les ordonnances du Tribunal et les décisions rendues en cours d'audience, sauf celles relatives à la preuve;

10º la date de prise en délibéré de l'affaire;

11º toute autre mention utile au suivi du dossier.

SECTION VII — RÉCUSATION

40. Si un membre du Tribunal se récuse, l'audience est suspendue jusqu'à ce qu'un autre membre soit désigné ou qu'une nouvelle formation soit constituée.

41. Une demande de récusation d'un membre du Tribunal adressée au président contient un exposé écrit des faits et des motifs sur lesquels elle est fondée.

Cette demande suspend l'affaire dès son dépôt au dossier. La suspension a effet jusqu'à ce que le président ou le membre qu'il désigne à cette fin décide de la demande.

42. Le membre visé par la demande de récusation peut déposer au dossier une déclaration contenant sa position sur la véracité des faits allégués au soutien de cette demande.

La déclaration du membre ne peut être contredite que par une preuve écrite.

43. La demande peut être instruite sur-le-champ, sinon, elle est décidée sur dossier, à moins que le président ou le membre qu'il désigne estime nécessaire de convoquer les parties à une audience.

L'audience se tient hors la présence du membre visé par la demande.

Section VIII — Calcul d'un délai prévu aux présentes règles

44. Le jour qui marque le point de départ n'est pas compté, mais celui de l'échéance l'est.

Un délai expire le dernier jour à 24 h 00; celui qui expirerait normalement un jour férié est prolongé au premier jour ouvrable qui suit.

Les jours fériés sont les suivants :

1° les samedis et dimanches;

2° les 1er et 2 janvier;

3° le Vendredi saint;

4° le lundi de Pâques;

5° le 24 juin, jour de la fête nationale;

6° le 1er juillet, anniversaire de la Confédération, ou le 2 juillet si le 1er tombe un dimanche;

7° le premier lundi de septembre, fête du Travail;

8° le deuxième lundi d'octobre;

9° les 25 et 26 décembre;

10° le jour fixé par proclamation du gouverneur général pour marquer l'anniversaire du Souverain;

11° tout autre jour fixé par proclamation ou décret du gouvernement comme jour de fête publique ou d'action de grâces.

45. Un document expédié par la poste est présumé déposé au Tribunal le jour de l'oblitération postale.

Le document expédié par télécopieur est présumé déposé au Tribunal à la date, à l'heure et à la minute indiquées au rapport de réception produit par le télécopieur du Tribunal vers lequel la communication a été transmise.

Le message expédié par courrier électronique est présumé déposé au Tribunal à la date de réception apparaissant à son serveur.

Chapitre II — Dispositions particulières applicables à la division des relations du travail, à la division des services essentiels et à la division de la construction et de la qualification professionnelle

46. Une partie qui veut qu'une affaire introduite devant le Tribunal, dont une demande d'ordonnance provisoire, soit instruite et décidée d'urgence dépose un écrit contenant les motifs au soutien de la demande principale et les conclusions recherchées, ainsi que les motifs soutenant la demande pour procéder d'urgence.

Sauf si le Tribunal convoque lui-même les parties, la demande contient aussi un avis indiquant la date, l'heure et l'endroit où la demande sera instruite. Ces informations auront été validées par le Tribunal au préalable.

Une demande d'ordonnance provisoire est accompagnée d'une déclaration sous serment attestant la véracité des faits allégués à la demande et des documents invoqués à son soutien.

47. Une personne qui prétend avoir un intérêt dans une affaire peut déposer une demande d'intervention au Tribunal au moyen d'un écrit contenant les renseignements prévus à l'article 3 des présentes règles et un exposé sommaire des motifs justifiant son intérêt.

48. Une opposition à une demande d'intervention doit être motivée et faite au moyen d'un écrit déposé au Tribunal sans délai à la suite de la notification de la demande.

Chapitre III — Dispositions particulières applicables à la division des relations du travail

49. Une demande relative à une modification du statut de salarié prévue à l'article 20.0.1 du *Code du travail* (chapitre C-27) est accompagnée de l'avis donné par l'employeur en vertu du premier alinéa de cet article.

50. Une requête en accréditation est soumise au moyen du formulaire fourni par le Tribunal. Ce formulaire contient notamment les renseignements suivants :

1° le nom de l'association requérante, son adresse, celle de son courrier électronique, et ses numéros de téléphone et de télécopieur;

2° le nom de l'employeur, son adresse, celle de son courrier électronique, et ses numéros de téléphone et de télécopieur;

3° l'adresse de l'établissement visé et ses numéros de téléphone et de télécopieur;

4° s'il existe déjà une accréditation, le nom de toute association accréditée, son adresse, celle de son courrier électronique, et ses numéros de téléphone et de télécopieur.

La requête est accompagnée de la résolution qui l'autorise et de tout autre document exigé par le *Code du travail* (chapitre C-27).

Le Tribunal transmet la requête à l'employeur et, le cas échéant, aux associations déjà accréditées pour représenter les salariés visés par la requête ainsi qu'aux autres parties.

51. Une demande de reconnaissance d'une association de personnes responsables d'un service de garde en milieu familial est soumise au moyen du formulaire fourni par le Tribunal. Ce formulaire contient notamment les renseignements suivants :

1° le nom de l'association requérante, son adresse, celle de son courrier électronique, et ses numéros de téléphone et de télécopieur;

2° le nom de l'association affiliée, son adresse, celle de son courrier électronique, et ses numéros de téléphone et de télécopieur;

3° l'adresse de l'établissement visé et ses numéros de téléphone et de télécopieur;

4° s'il existe déjà une reconnaissance, le nom de toute association reconnue, son adresse, celle de son courrier électronique, et ses numéros de téléphone et de télécopieur.

La demande est accompagnée de la résolution qui l'autorise et de tout autre document exigé par la *Loi sur la représentation de certaines personnes responsables d'un service de garde en milieu familial et sur le régime de négociation d'une entente collective les concernant* (chapitre R-24.0.1).

Le Tribunal transmet la demande au ministre et, le cas échéant, aux associations déjà reconnues pour représenter les personnes responsables visées par la demande ainsi qu'aux autres parties.

52. Une demande de reconnaissance d'une association de ressources de type familial et de certaines ressources intermédiaires est soumise au moyen du formulaire fourni par le Tribunal. Ce formulaire contient notamment les renseignements suivants :

1° le nom de l'association requérante, son adresse, celle de son courrier électronique, et ses numéros de téléphone et de télécopieur;

2° le nom de l'association affiliée, son adresse, celle de son courrier électronique, et ses numéros de téléphone et de télécopieur;

3° l'adresse de l'établissement visé et ses numéros de téléphone et de télécopieur;

4° s'il existe déjà une reconnaissance, le nom de toute association reconnue, son adresse, celle de son courrier électronique, et ses numéros de téléphone et de télécopieur.

La demande est accompagnée de la résolution qui l'autorise et de tout autre document exigé par la *Loi sur la représentation des ressources de type familial et de certaines ressources intermédiaires et sur le régime de négociation d'une entente collective les concernant* (chapitre R-24.0.2).

Le Tribunal transmet la demande au ministre et à l'établissement concerné de même que, le cas échéant, aux associations déjà reconnues pour représenter les ressources visées par la demande ainsi qu'aux autres parties.

53. Une demande d'ordonnance relative à la tenue d'un scrutin secret prévue à l'article 58.2 du *Code du travail* (chapitre C-27) est accompagnée des dernières offres de l'employeur.

54. Une requête en fixation d'une indemnité faisant suite à une décision du Tribunal est accompagnée d'un état détaillé de la réclamation.

55. La partie visée par la requête indique dans les 30 jours de sa notification quels éléments de la réclamation elle conteste, les motifs de la contestation et, le cas échéant, les montants qui devraient être accordés par le Tribunal.

Chapitre IV — Dispositions particulières applicables à la division de la santé et de la sécurité du travail

56. La contestation d'une décision qui refuse de reconnaître l'existence d'une maladie professionnelle est accompagnée de la liste des noms des employeurs pour qui a été exercé un travail de nature à engendrer la maladie.

57. Le Tribunal transmet un formulaire d'état des revenus et dépenses à la partie qui, pour un motif d'ordre économique, lui demande de rendre l'ordonnance de surseoir prévue à l'article 359 de la *Loi sur les accidents du travail et les maladies professionnelles* (chapitre A-3.001).

La demande d'ordonnance de surseoir est traitée à compter du dépôt du formulaire dûment rempli.

58. Une partie à la décision rendue en vertu de l'article 193 de la *Loi sur la santé et la sécurité du travail* (chapitre S-2.1), autre que celle qui la conteste devant le Tribunal, qui veut prendre part à l'affaire dépose un écrit à cette fin dans les 10 jours de la date à laquelle l'acte introductif lui a été transmis par le Tribunal. Cet écrit contient notamment les renseignements exigés d'un demandeur aux paragraphes 1° et 2° de l'alinéa 2 de l'article 3.

Les demandes, documents et avis qui s'ajoutent au dossier par la suite sont transmis par le Tribunal ou notifiés par une partie, selon ce que prévoit l'article 10, aux seules personnes ayant déposé l'écrit mentionné à l'alinéa précédent.

Chapitre V — Disposition particulière applicable à la division des services essentiels

59. L'avis de grève prévu à l'article 111.0.23 et celui prévu à l'article 111.11 du *Code du travail* (chapitre C-27) précisent l'heure du début et, le cas échéant, celle de la fin de la grève, le nom et l'adresse de l'établissement en cause et le numéro de dossier de l'unité de négociation visée par l'avis.

Chapitre VI — Dispositions particulières applicables à la division de la construction et de la qualification professionnelle

60. Une demande prévue à l'article 21 de la *Loi sur les relations du travail, la formation professionnelle et la gestion de la main-d'œuvre dans l'industrie de la construction* (chapitre R-20) est notifiée au propriétaire du chantier et à l'entrepreneur visés par le conflit ou par la difficulté d'interprétation ou d'application, à chacune des associations d'entrepreneurs énumérées au paragraphe c.1 de l'article 1 de cette loi, ainsi qu'à chacune des associations de salariés ayant un certificat de représentativité en vertu de l'article 34 de cette loi.

Toute partie identifiée dans la demande qui veut prendre part au débat dépose au Tribunal un écrit contenant les renseignements exigés d'un demandeur aux paragraphes 1° et 2° du deuxième alinéa de l'article 3 dans les 10 jours de la notification de la demande.

Les demandes, documents et avis qui s'ajoutent au dossier par la suite sont notifiés aux seules personnes qui ont déposé l'écrit prévu à l'alinéa précédent.

61. Pour les demandes contestant la décision d'une autorité administrative, chaque partie dépose un exposé sommaire de ses prétentions et indique les conclusions qu'elle recherche.

Un tel exposé est également requis pour les demandes prévues à l'article 21 de la *Loi sur les relations du travail, la formation professionnelle et la gestion de la maind'oeuvre dans l'industrie de la construction* (chapitre R-20) et à l'article 11.1 de la *Loi sur le bâtiment* (chapitre B-1.1) et pour celles concernant l'exercice de la liberté syndicale.

L'exposé sommaire est déposé au Tribunal dans les 30 jours de la notification de la demande.

62. Sauf si la loi qui prévoit la possibilité de contester la décision indique un délai différent, l'autorité administrative qui l'a rendue transmet au Tribunal, dans les 30 jours de la notification de la demande visée à l'article 61, une copie du dossier qu'elle possède relativement à cette décision.

63. Pour les demandes prévues à l'article 7.7 de la *Loi sur les relations du travail, la formation professionnelle et la gestion de la main-d'œuvre dans l'industrie de la construction* (chapitre R-20) et à l'article 57 du *Règlement sur le permis de service de référence de main-*

d'œuvre dans l'industrie de la construction (chapitre R-20, r. 8.1), les délais prévus aux articles 61 et 62 sont de 48 heures.

Chapitre VII — Disposition finale

64. (*Omis*).

[QUE-20]
TABLE DES MATIÈRES
LOI CONCERNANT LES UNITÉS DE NÉGOCIATION DANS LE SECTEUR DES AFFAIRES SOCIALES

[QUE-20]
LOI CONCERNANT LES UNITÉS DE NÉGOCIATION DANS LE SECTEUR DES AFFAIRES SOCIALES

RLRQ, c. U-0.1, telle que modifiée par L.Q. 2005, c. 32, art. 308; 2006, c. 58, art. 70-72; Décision, (2014) 146 G.O. II, 2691; 2015 c. 1, art. 167; 2015 c. 15, art. 237.

SECTION I — DISPOSITIONS INTRODUCTIVES

1. Régime de représentation syndicale — La présente loi introduit un régime de représentation syndicale applicable aux associations de salariés et aux établissements du secteur des affaires sociales dont le régime de négociation est celui visé à la *Loi sur le régime de négociation des conventions collectives dans les secteurs public et parapublic* (chapitre R-8.2).

Catégories de personnel, mécanisme d'accréditation, négociation — À cette fin, elle établit et limite le nombre de catégories de personnel suivant lesquelles les unités de négociation doivent être constituées. Elle prévoit également un mécanisme suivant lequel une association de salariés peut être accréditée pour représenter les salariés visés par une unité de négociation à la suite d'une intégration d'activités, d'une fusion d'établissements ou d'une cession partielle d'activités d'un établissement à un autre établissement. Elle précise enfin les modalités particulières suivant lesquelles les parties doivent entreprendre, à la suite de l'accréditation de cette nouvelle association de salariés, la négociation des matières définies comme étant l'objet de stipulations négociées et agréées à l'échelle locale ou régionale.

2003, c. 25, art. 1

2. Dispositions applicables — Les dispositions du *Code du travail* (chapitre C-27) s'appliquent, compte tenu des adaptations nécessaires, dans la mesure où elles ne sont pas inconciliables avec celles de la présente loi.

2003, c. 25, art. 2

3. Pouvoirs du Tribunal administratif du travail — Le Tribunal administratif du travail saisi d'une requête peut, aux fins de la décision qu'il est appelé à rendre, trancher toute question relative à l'application de la présente loi et du *Code du travail* (chapitre C-27). Il peut désigner un agent de relations du travail pour exécuter toute fonction que la présente loi lui attribue, aux conditions qu'il détermine.

2003, c. 25, art. 3; 2015, c. 15, art. 237

SECTION II — RÉGIME DE REPRÉSENTATION SYNDICALE

§1 — *Règles générales*

4. Catégories de personnel — Au sein d'un établissement du secteur des affaires sociales, les seules unités de négociation qui peuvent être constituées doivent l'être suivant les catégories de personnel suivantes :

1° catégorie du personnel en soins infirmiers et cardio-respiratoires définie à l'article 5;

2º catégorie du personnel paratechnique, des services auxiliaires et de métiers définie à l'article 6;

3º catégorie du personnel de bureau, des techniciens et des professionnels de l'administration définie à l'article 7;

4º catégorie des techniciens et des professionnels de la santé et des services sociaux définie à l'article 8.

2003, c. 25, art. 4

5. Personnel en soins infirmiers et cardio-respiratoires — La catégorie du personnel en soins infirmiers et cardio-respiratoires comprend les salariés dont la pratique est régie par la *Loi sur les infirmières et les infirmiers* (chapitre I-8), les salariés membres de l'Ordre professionnel des infirmières et infirmiers auxiliaires du Québec ainsi que les salariés affectés aux soins infirmiers ou cardio-respiratoires et qui occupent un emploi visé par un des titres d'emploi énumérés à la liste prévue à l'annexe 1.

2003, c. 25, art. 5

6. Personnel paratechnique, de services auxiliaires et de métiers — La catégorie du personnel paratechnique, des services auxiliaires et de métiers comprend les salariés dont l'emploi est caractérisé par l'exécution de tâches semi-spécialisées pour apporter un support fonctionnel généralement à des professionnels ou à des techniciens de la santé et des services sociaux de même que les salariés dont l'emploi vise les services auxiliaires de type manuel ainsi que les métiers spécialisés ou non spécialisés pouvant requérir un certificat de qualification et qui occupent un emploi visé par un des titres d'emploi énumérés à la liste prévue à l'annexe 2.

2003, c. 25, art. 6

7. Personnel de bureau, techniciens et professionnels de l'administration — La catégorie du personnel de bureau, des techniciens et des professionnels de l'administration comprend les salariés dont l'emploi est caractérisé par l'exécution d'un ensemble de travaux administratifs, professionnels, techniques ou courants et qui occupent un emploi visé par un des titres d'emploi énumérés à la liste prévue à l'annexe 3.

2003, c. 25, art. 7

8. Techniciens et professionnels de la santé et des services sociaux — La catégorie des techniciens et des professionnels de la santé et des services sociaux comprend les salariés dont l'emploi est caractérisé par la dispensation de services de santé ou de services sociaux aux usagers ou par des travaux de nature professionnelle ou technique exécutés dans le cadre de tels services et qui occupent un emploi visé par un des titres d'emploi énumérés à la liste prévue à l'annexe 4.

2003, c. 25, art. 8

9. Unité de négociation — Une unité de négociation ne peut être composée de plus d'une catégorie de personnel prévue à l'article 4 et ne peut inclure que les salariés dont le port d'attache se situe dans le territoire d'une même agence.

Limite — Une seule association de salariés peut être accréditée pour représenter, au sein d'un établissement, les salariés d'une unité de négociation et une seule convention collective peut être applicable à l'ensemble des salariés de cette unité de négociation.

2003, c. 25, art. 9; 2005, c. 32, art. 308

10. Décision du Tribunal administratif du travail — Il appartient au Tribunal administratif du travail saisi d'une requête de se prononcer sur la catégorie de personnel à laquelle se rattache un titre d'emploi dont la validité a été reconnue, par entente à l'échelle nationale, entre la partie syndicale et la partie patronale et qui n'est pas énuméré à l'une ou l'autre des listes prévues aux annexes 1 à 4.

Liste des titres d'emploi — Une fois par année, le Tribunal transmet au ministre de la Santé et des Services sociaux la liste des titres d'emploi qui s'ajoutent à ceux prévus aux annexes 1 à 4, à la suite des décisions qu'il a rendues. Le ministre publie cette liste à la *Gazette officielle du Québec*. À partir de cette publication, le ministre de la Justice assure la mise à jour de la liste des titres d'emploi prévus à ces annexes dans le Recueil des lois et des règlements du Québec.

2003, c. 25, art. 10; 2015, c. 15, art. 237

11. Requête accordée — Sous réserve de l'article 94, toute requête portant sur une question relative à l'accréditation d'une association de salariés pour représenter des salariés d'un établissement du secteur des affaires sociales n'est accordée qu'en conformité aux dispositions de la présente sous-section.

2003, c. 25, art. 11

§2 — Détermination d'une nouvelle unité de négociation à la suite d'une intégration d'activités ou d'une fusion d'établissements

12. Interprétation — Aux fins de la présente sous-section, lorsque l'une des dispositions prévues à l'article 13, au paragraphe 1° de l'article 14, au paragraphe 2° de l'article 15, au paragraphe 3° du deuxième alinéa de l'article 16, au premier alinéa des articles 17, 18 et 19 fait référence à une association de salariés accréditée ou à une association de salariés qui possède une accréditation, cette référence comprend également, compte tenu des adaptations nécessaires, une association de salariés qui avait déposé, dans le délai prévu au *Code du travail* (chapitre C-27), une requête qui vise à obtenir une accréditation pour représenter des salariés et qui est toujours pendante le jour précédant la date de l'intégration ou de la fusion.

2003, c. 25, art. 12

13. Intégration d'activités ou fusion d'établissements — Lorsque le ministre constate qu'une intégration d'activités visée à l'article 330 de la *Loi sur les services de santé et les services sociaux* (chapitre S-4.2) ou une fusion d'établissements visée à l'article 323 de cette loi impliquera au moins un établissement au sein duquel une association de salariés est accréditée, il avise le Tribunal administratif du travail en lui indiquant le nom des établissements en cause et la date prévue de l'intégration ou de la fusion.

Établissement privé conventionné — Il en est de même lorsqu'un établissement privé conventionné acquiert l'entreprise d'un autre établissement privé et intègre les activités de cet autre établissement aux siennes ou fusionne avec cet autre établissement.

2003, c. 25, art. 13; 2015, c. 15, art. 237

14. État de situation — Chaque établissement en cause dresse un état de la situation de la représentation syndicale telle qu'elle existe, au sein de cet établissement, le jour précédant la date prévue de l'intégration ou de la fusion. Cet état de situation comprend les renseignements suivants :

1° la description de chacune des unités de négociation existantes et le nom de l'association de salariés accréditée pour représenter les salariés de cette unité de négociation;

2° les nom, adresse, numéro d'assurance sociale, titre et numéro du titre d'emploi de tous les salariés de l'établissement, incluant les salariés qui bénéficient d'un congé sans solde et les salariés dont le nom est inscrit sur une liste de rappel ou de disponibilité dans la mesure où ces derniers ont fourni une prestation de travail au cours des 12 mois précédant la date de l'intégration ou de la fusion, en distinguant les salariés qui :

a) sont compris dans une unité de négociation visée au paragraphe 1°;

b) ne font partie d'aucune unité de négociation, en raison de l'absence d'une association de salariés accréditée pour représenter ces salariés.

2003, c. 25, art. 14

15. Transmission de renseignements — Chaque établissement en cause transmet, le jour précédant la date prévue de l'intégration ou de la fusion :

1° au ministre, les renseignements prévus au paragraphe 1° de l'article 14;

2° à chacune des associations de salariés visées au paragraphe 1° de l'article 14, les seuls renseignements prévus au paragraphe 2° de cet article qui concernent des salariés visés par une catégorie de personnel et compris dans une unité de négociation pour laquelle l'association possède une accréditation, à l'exception de l'adresse et du numéro d'assurance sociale d'un salarié.

2003, c. 25, art. 15

16. Identification d'un nouvelle unité de négociation — L'établissement intégrant ou le nouvel établissement résultant de la fusion identifie, dans les 30 jours qui suivent la date de l'intégration ou de la fusion et à partir des renseignements visés au paragraphe 2° de l'article 14, toute nouvelle unité de négociation correspondant à une catégorie de personnel pour laquelle une association de salariés peut éventuellement être accréditée au sein de cet établissement et dresse la liste des salariés appelés à faire partie de cette unité de négociation avec leur titre d'emploi, leur adresse et leur numéro d'assurance sociale.

Devoirs de l'établissement — Au plus tard à l'expiration de ce délai de 30 jours, l'établissement :

1° affiche dans les lieux d'affichage habituels de l'établissement, pendant 20 jours, les renseignements prévus au premier alinéa ainsi qu'une copie de tous les renseignements prévus à l'article 14, à l'exception de l'adresse et du numéro d'assurance sociale d'un salarié;

2° transmet au Tribunal administratif du travail, sur un support faisant appel aux technologies de l'information que détermine le Tribunal, les renseignements prévus au premier alinéa et l'informe, par catégorie de personnel, du nombre de salariés qui sont représentés par une association de salariés accréditée, du nombre de ceux qui ne le sont pas et de la date à laquelle le délai d'affichage prend fin;

3° transmet à chaque association de salariés visée au paragraphe 1° de l'article 14 les seuls renseignements prévus au paragraphe 2° du présent alinéa et visant une catégorie de personnel pour laquelle l'association possède déjà une accréditation concernant une partie des salariés appelés à faire partie de la nouvelle unité de négociation, à l'exception de l'adresse et du numéro d'assurance sociale d'un salarié.

2003, c. 25, art. 16; 2015, c. 15, art. 237

17. Requête en accréditation — À l'égard d'une nouvelle unité de négociation au sein de l'établissement intégrant ou du nouvel établissement résultant de la fusion, une association de salariés visée au paragraphe 1° de l'article 14 peut, par requête adressée au Tribunal administratif du travail, demander l'accréditation pour représenter les salariés appelés à faire partie de cette nouvelle unité de négociation, pourvu que cette association possède déjà une accréditation concernant une partie de ces salariés.

Délai — Une telle requête en accréditation est adressée au Tribunal au plus tard le quatre-vingtième jour qui suit la date de l'intégration ou de la fusion. Toute requête déposée en dehors du délai prescrit est rejetée, à moins que le Tribunal juge que les circonstances justifient d'accorder à l'association de salariés un délai supplémentaire qui ne peut toutefois excéder 20 jours.

Copie — Une copie de la requête est notifiée à l'établissement intégrant ou au nouvel établissement résultant de la fusion, qui l'affiche aux lieux d'affichage habituels de l'établissement.

Numéro de dossier — Cette requête est adressée par une association de salariés non accréditée mais visée à l'article 12, l'association indique le numéro de dossier du Tribunal relatif à sa requête en accréditation.

2003, c. 25, art. 17; 2015, c. 15, art. 237; N.I. 2016-01-01 (NCPC)

18. Regroupement — Les associations de salariés visées au paragraphe 1° de l'article 14 peuvent former un regroupement pour demander l'accréditation pour représenter les salariés appelés à faire partie d'une nouvelle unité de négociation, pourvu que l'une de ces associations possède déjà une accréditation concernant une partie de ces salariés. L'adhésion d'un salarié à une association de salariés membre d'un tel regroupement vaut adhésion à ce regroupement.

Présomption — Pour l'application de la présente loi et du *Code du travail* (chapitre C-27), un tel regroupement est réputé être une association de salariés.

2003, c. 25, art. 18

19. Entente — Les associations de salariés visées au paragraphe 1° de l'article 14 peuvent s'entendre sur la désignation de l'une d'elles pour représenter les salariés appelés à faire partie d'une nouvelle unité de négociation, pourvu que chacune de ces associations possède déjà une accréditation concernant une partie de ces salariés.

Entente — De même, si ces associations ont déposé une requête en accréditation conformément à l'article 17, elles peuvent s'entendre afin que l'une d'elles soit accréditée pour représenter les salariés appelés à faire partie d'une nouvelle unité de négociation ou afin de se regrouper en une seule association de salariés pour représenter ces salariés.

Constatation par écrit — De telles ententes sont constatées par écrit.

Transmission — L'entente conclue en vertu du premier alinéa est transmise au Tribunal administratif du travail avant l'expiration du délai de 80 jours prescrit au deuxième alinéa de l'article 17 ou, le cas échéant, du délai supplémentaire accordé par le Tribunal en vertu de cet alinéa pour déposer une requête. Celle conclue en vertu du deuxième alinéa est transmise au plus tard dans les 10 jours qui suivent l'expiration, selon le cas, de l'un ou l'autre de ces délais.

2003, c. 25, art. 19; 2015, c. 15, art. 237

20. Décision Tribunal administratif du travail — Sur réception d'une ou de plusieurs requêtes faites en vertu de l'article 17 et sous réserve de l'article 21, le Tribunal administratif du travail procède de la façon suivante :

1° s'il en vient à la conclusion que l'association requérante est la seule à avoir déposé une requête pour représenter les salariés appelés à faire partie d'une nouvelle unité de négociation, il l'accrédite en indiquant la catégorie de personnel visée par la nouvelle unité de négociation;

2° s'il en vient à la conclusion que l'association requérante a obtenu l'accord, conformément au premier alinéa de l'article 19, de toutes les associations de salariés visées à cet alinéa pour représenter les salariés appelés à faire partie d'une nouvelle unité de négociation, il l'accrédite en indiquant la catégorie de personnel visée par la nouvelle unité de négociation;

3° s'il en vient à la conclusion que toutes les associations requérantes donnent leur accord, conformément au deuxième alinéa de l'article 19, afin que l'une des associations requérantes soit accréditée pour représenter les salariés appelés à faire partie d'une nouvelle unité de négociation, il l'accrédite en indiquant la catégorie de personnel visée par la nouvelle unité de négociation;

4° s'il en vient à la conclusion que toutes les associations requérantes donnent leur accord, conformément au deuxième alinéa de l'article 19, pour se regrouper en une seule association de salariés, il accrédite l'association de salariés résultant de ce regroupement en indiquant la catégorie de personnel visée par la nouvelle unité de négociation;

5° s'il en vient à la conclusion qu'il y a plus d'une association requérante pour représenter les salariés appelés à faire partie d'une nouvelle unité de négociation, il décrète la tenue d'un vote pour les salariés de cette unité de négociation et accrédite l'association de salariés qui obtient le plus grand nombre de voix, en indiquant la catégorie de personnel visée par la nouvelle unité de négociation.

2003, c. 25, art. 20; 2015, c. 15, art. 237

21. Vote requis — Dans tous les cas où une nouvelle unité de négociation est en voie d'être composée pour au moins 40 % de salariés qui n'étaient pas représentés, le jour précédant la date de l'intégration ou de la fusion, par une association de salariés visée au paragraphe 1° de l'article 14, le Tribunal administratif du travail s'assure, avant d'accorder l'accréditation à une association de salariés conformément à l'article 20 et par la tenue d'un vote, de la volonté des salariés appelés à faire partie d'une nouvelle unité de négociation d'être représentés par une association de salariés.

Tenue — Ce vote peut avoir lieu simultanément avec celui visé au paragraphe 5° de l'article 20.

2003, c. 25, art. 21; 2015, c. 15, art. 237

22. Participation — Seul un salarié dûment inscrit sur la liste prévue au premier alinéa de l'article 16 peut participer à un vote dont le Tribunal administratif du travail décrète la tenue en vertu du paragraphe 5° de l'article 20 ou de l'article 21, jusqu'à concurrence d'un vote par catégorie de personnel à laquelle appartient ce salarié. À cette fin, le Tribunal communique, dans les deux jours d'une demande d'une association de salariés visée au paragraphe 3° du deuxième alinéa de l'article 16, l'adresse d'un salarié appelé à faire partie d'une unité de négociation pour laquelle cette association de salariés a déposé une requête en accréditation conformément à l'article 17.

Déroulement — Les règles relatives au déroulement du vote sont uniquement celles que détermine le Tribunal pour l'application de la présente loi. Il peut procéder au vote par la poste ou de toute autre façon qu'il juge appropriée.

2003, c. 25, art. 22; 2015, c. 15, art. 237

23. Aucune requête — Si, à l'expiration du délai visé au deuxième alinéa de l'article 17, aucune requête n'a été déposée auprès du Tribunal administratif du travail par une association de salariés qui y avait droit à l'égard d'une catégorie de personnel, le Tribunal en avise l'établissement intégrant ou le nouvel établissement résultant de la fusion ainsi que le ministre.

Requête en révocation — L'établissement peut, dans les 30 jours suivant la réception de cet avis, saisir le Tribunal au moyen d'une requête visant la révocation de l'accréditation de telle association. À défaut par l'établissement d'agir dans ce délai, le ministre peut saisir le Tribunal aux mêmes fins.

2003, c. 25, art. 23; 2015, c. 15, art. 237

24. Révocation — Sur réception d'une requête faite en vertu du deuxième alinéa de l'article 23, le Tribunal administratif du travail révoque l'accréditation de l'association de salariés qui représentait les salariés compris dans une unité de négociation existante au sein de l'établissement le jour précédant la date de l'intégration ou de la fusion.

2003, c. 25, art. 24; 2015, c. 15, art. 237

25. Délai — Le Tribunal administratif du travail saisi d'une requête faite en vertu de l'article 17 rend sa décision dans les 150 jours qui suivent la date du dépôt de la requête.

Prolongation — Le président du Tribunal peut prolonger ce délai s'il estime que les circonstances le justifient.

2003, c. 25, art. 25; 2015, c. 15, art. 237

26. Transmission de la décision — La décision du Tribunal administratif du travail est transmise à l'association de salariés nouvellement accréditée en vertu de l'article 20 et, le cas échéant, à chacune des autres associations requérantes, à celle dont l'accréditation est révoquée en vertu de l'article 24, à l'établissement intégrant ou au nouvel établissement résultant de la fusion ainsi qu'au ministre.

2003, c. 25, art. 26; 2015, c. 15, art. 237

27. Subrogation — L'association de salariés nouvellement accréditée est subrogée de plein droit dans les droits et obligations résultant d'une convention collective à laquelle était partie une association de salariés accréditée qu'elle remplace.

2003, c. 25, art. 27

28. Requête pendante — Le Tribunal administratif du travail met fin au traitement de toute autre requête pendante à la date de l'intégration ou de la fusion lorsqu'il est d'avis que cette requête vise, en tout ou en partie, les salariés d'une même catégorie de personnel, a le même objet ou vise les mêmes fins que la requête déposée en vertu de l'article 17 ou du deuxième alinéa de l'article 23.

2003, c. 25, art. 28; 2015, c. 15, art. 237

§3 — Détermination d'une nouvelle unité de négociation à la suite d'une cession partielle d'activités à un autre établissement

29. Avis — Chaque établissement concerné par une cession partielle des activités d'un établissement à un autre établissement avise le Tribunal administratif du travail de la date prévue de cette cession, lorsque celle-ci implique le transfert d'au moins un salarié qui occupe un emploi dont le titre d'emploi en est un pour lequel il existe :

1° soit une association de salariés accréditée pour représenter un tel salarié, au sein de l'établissement cédant ou de l'établissement cessionnaire;

2º soit une association qui avait déposé, dans le délai prévu au *Code du travail* (chapitre C-27), une requête qui vise à obtenir une accréditation pour représenter un tel salarié au sein de l'établissement cédant ou de l'établissement cessionnaire et qui est toujours pendante.

2003, c. 25, art. 29; 2015, c. 15, art. 237

30. État de situation — Lorsque les noms des salariés transférés de l'établissement cédant à l'établissement cessionnaire sont connus, à la suite de l'application de la procédure de supplantation ou de mise à pied prévue à une convention collective, chaque établissement visé à l'article 29 dresse un état de la situation de la représentation syndicale, telle qu'elle existe au sein de cet établissement à la date de la cession partielle d'activités, à l'égard de tous les salariés de cet établissement concernés par cette cession partielle d'activités. Cet état de situation comprend les renseignements suivants :

1º la description de chacune des unités de négociation existantes visées par la cession partielle d'activités et le nom de l'association de salariés visée à l'article 29;

2º les nom, adresse, numéro d'assurance sociale, titre et numéro du titre d'emploi de tous les salariés concernés par cette cession partielle d'activités, incluant les salariés qui bénéficient d'un congé sans solde et les salariés dont le nom est inscrit sur une liste de rappel ou de disponibilité dans la mesure où ces derniers ont fourni une prestation de travail au cours des 12 mois précédant la date de la cession partielle d'activités, et qui, dans le cas de l'établissement cédant, sont transférés ou qui, dans le cas de l'établissement cessionnaire, occupent un emploi dont le titre d'emploi est rattaché à une catégorie de personnel pour laquelle les salariés transférés occupent un emploi dont le titre d'emploi est rattaché à cette même catégorie, en distinguant les salariés qui :

a) sont compris dans l'unité de négociation visée au paragraphe 1º;

b) ne font partie d'aucune unité de négociation, en raison de l'absence d'une association de salariés accréditée pour représenter les salariés de cette catégorie de personnel.

2003, c. 25, art. 30

31. Accréditation d'une association de salariés — Sous réserve du deuxième alinéa de l'article 32, lorsqu'une association de salariés visée à l'article 29 est la seule en présence, elle devient la nouvelle association de salariés accréditée au sein de l'établissement cessionnaire pour représenter les salariés appelés à faire partie d'une nouvelle unité de négociation. Il en est de même lorsque, parmi plusieurs associations de salariés visées à l'article 29, elle est l'association de salariés qui groupe la majorité absolue des salariés appelés à faire partie d'une nouvelle unité de négociation.

Vote requis — Lorsque plusieurs associations de salariés visées à l'article 29 sont en présence et qu'aucune d'elles ne groupe la majorité absolue des salariés appelés à faire partie d'une nouvelle unité de négociation, il est procédé à la tenue d'un vote pour déterminer celle qui sera accréditée.

2003, c. 25, art. 31

32. Décision du Tribunal administratif du travail — Il appartient au Tribunal administratif du travail, sur requête d'une association de salariés visée à l'article 29, de trancher toute question relative à l'application de l'article 31 et de procéder, le cas échéant, à la tenue d'un vote et d'accréditer conséquemment l'association qui obtient le plus grand nombre de voix.

Vote requis — Dans tous les cas où une nouvelle unité de négociation est en voie d'être composée pour au moins 40 % de salariés qui n'étaient pas représentés, à la date de la cession partielle d'activités, par une association de salariés visée à l'article 29, au Tribunal s'assure, avant d'accorder l'accréditation à une association de salariés conformément à l'article 31 et par la tenue d'un vote, de la volonté des salariés appelés à faire partie d'une nouvelle unité de négociation d'être représentés par une association de salariés.

Tenue — Ce vote peut avoir lieu simultanément avec celui visé au deuxième alinéa de l'article 31.

Convention collective applicable — Le Tribunal détermine la convention collective qui s'applique, au sein de l'établissement cessionnaire, à l'ensemble des salariés dorénavant représentés par l'association de salariés nouvellement accréditée.

2003, c. 25, art. 32; 2015, c. 15, art. 237

33. Ancienneté — L'ancienneté accumulée au sein d'un établissement par un salarié est reconnue jusqu'à concurrence d'une seule année par période de 12 mois et le salarié est intégré à la liste d'ancienneté selon les dispositions de la convention collective déterminée conformément au quatrième alinéa de l'article 32.

Présomption — À l'égard des salariés qui n'étaient pas représentés par une association de salariés accréditée, l'ancienneté est réputée avoir été accumulée selon les dispositions de la convention collective visée au premier alinéa.

Listes d'ancienneté — Les listes d'ancienneté en résultant sont affichées au plus tard dans les 30 jours suivant la date d'accréditation de la nouvelle association de salariés. Les périodes d'affichage et les procédures de correction de l'ancienneté prévues à la convention collective visée au premier alinéa s'appliquent.

2003, c. 25, art. 33

34. Dispositions applicables — Aux fins de la présente sous-section, les articles 15, 16, 17, 22 à 24 et 26 à 28 s'appliquent, compte tenu des adaptations nécessaires.

2003, c. 25, art. 34

SECTION III — DÉTERMINATION DES STIPULATIONS NÉGOCIÉES ET AGRÉÉES À L'ÉCHELLE LOCALE OU RÉGIONALE

35. Négociation — À compter de la date d'accréditation de la nouvelle association de salariés à la suite d'une intégration d'activités ou d'une fusion d'établissements, l'établissement intégrant ou le nouvel établissement résultant de la fusion et l'association de salariés nouvellement accréditée en vertu de l'article 20 entreprennent la négociation des matières définies comme étant l'objet de stipulations négociées et agréées à l'échelle locale ou régionale par la *Loi sur le régime de négociation des conventions collectives dans les secteurs public et parapublic* (chapitre R-8.2).

Médiateur-arbitre — Les parties disposent d'un délai de 24 mois à compter de la date d'accréditation de la nouvelle association de salariés pour s'entendre sur ces stipulations. À défaut d'entente, à l'expiration de ce délai de 24 mois, sur une matière faisant l'objet de stipulations négociées et agréées à l'échelle locale ou régionale, l'établissement doit, dans les 10 jours suivant l'expiration de ce délai, demander au ministre du Travail de nommer un médiateur-arbitre des offres finales en vue du règlement du désaccord, en informant l'association de salariés de cette demande.

Médiateur-arbitre — Toutefois, pendant les 12 premiers mois, les parties peuvent, à défaut d'entente, demander conjointement au ministre du Travail de nommer un médiateur-arbitre des offres finales en vue du règlement du désaccord. De même, à l'expiration des premiers 12 mois, l'une ou l'autre des parties peut, dans les 12 mois qui suivent, adresser pareille demande au ministre du Travail, en informant l'autre partie à cet égard.

2003, c. 25, art. 35

36. Convention collective applicable — Sauf dans le cas où l'accréditation de l'association de salariés est révoquée en vertu de l'article 24, les stipulations négociées et agréées à l'échelle nationale de la convention collective de chaque association de salariés accréditée visée au paragraphe 1° de l'article 14, en vigueur le jour précédant la date d'accréditation de la nouvelle association de salariés, et les arrangements locaux qui s'y rattachent continuent de s'appliquer à l'égard des salariés visés par ces stipulations jusqu'à la date qui suit de 30 jours celle de l'accréditation de la nouvelle association.

Date d'application — Après ce délai, les stipulations négociées et agréées à l'échelle nationale de la convention collective de l'association de salariés nouvellement accréditée et les arrangements locaux qui s'y rattachent s'appliquent à tous les salariés compris dans la nouvelle unité de négociation. Les premier, deuxième et troisième alinéas de l'article 37 s'appliquent à l'égard de ces stipulations et arrangements, compte tenu des adaptations nécessaires. Les listes d'ancienneté prévues au troisième alinéa de cet article sont affichées dans les 30 jours suivant la date de la fin de la période de paie qui comprend la date de l'entrée en vigueur de ces stipulations et arrangements.

Stipulations négociées et agréées — Les stipulations négociées et agréées à l'échelle locale ou régionale d'une convention collective de chaque association de salariés accréditée visée au paragraphe 1° de l'article 14, en vigueur le jour précédant la date d'accréditation de la nouvelle association de salariés, continuent de s'appliquer à l'égard des salariés visés par ces stipulations jusqu'à la date de l'entrée en vigueur des nouvelles stipulations négociées et agréées à l'échelle locale ou régionale. Toutefois, les parties, à l'échelle locale ou régionale, peuvent, pour la période se situant entre la date d'accréditation de la nouvelle association et l'entrée en vigueur des nouvelles stipulations négociées et agréées à l'échelle locale ou régionale, convenir d'appliquer les stipulations, ou une partie de ces stipulations, négociées et agréées à l'échelle locale ou régionale visant l'association de salariés nouvellement accréditée et qui lui étaient applicables le jour précédant la date de l'accréditation. De même, dans le cas où cette nouvelle association de salariés est accréditée conformément au paragraphe 4° de l'article 20, les parties locales peuvent, pour la même période, convenir d'appliquer les stipulations, ou une partie de ces stipulations, négociées et agréées à l'échelle locale ou régionale visant l'une des associations de salariés ayant donné son accord pour se regrouper en une seule association et qui lui étaient applicables le jour précédant la date de l'accréditation. Les trois premiers alinéas de l'article 37 s'appliquent à l'égard des stipulations visées à cette entente, compte tenu des adaptations nécessaires, et les listes d'ancienneté qui y sont relatives sont affichées au plus tard dans les 30 jours suivant la date de fin de la période de paie qui comprend la date de l'entrée en vigueur de l'entente.

Date d'application — À compter de la date de l'entrée en vigueur d'une entente relative à une matière négociée et agréée à l'échelle locale ou régionale, les stipulations correspondantes qu'elles remplacent cessent de s'appliquer. L'établissement et l'association de salariés accréditée pour représenter les salariés d'une catégorie de personnel visée par la loi peuvent convenir de mettre en vigueur les stipulations négociées et agréées à l'échelle locale ou régionale à des dates différentes.

2003, c. 25, art. 36; 2015, c. 1, art. 167

37. Ancienneté — L'ancienneté accumulée au sein d'un établissement par un salarié avant la date d'entrée en vigueur des stipulations négociées et agréées à l'échelle locale ou régionale est reconnue jusqu'à concurrence d'une seule année par période de 12 mois.

Présomption — À l'égard des salariés qui n'étaient pas représentés par une association de salariés accréditée, l'ancienneté est réputée avoir été accumulée selon les dispositions de la convention collective de l'association de salariés nouvellement accréditée.

Listes d'ancienneté — Les listes d'ancienneté en résultant sont affichées au plus tard dans les 30 jours suivant la date de fin de la période de paie qui comprend la date d'entrée en vigueur des stipulations négociées et agréées à l'échelle locale ou régionale. Les périodes d'affichage et les procédures de correction de l'ancienneté prévues à la convention collective de l'association de salariés nouvellement accréditée, déterminée suivant l'article 36, s'appliquent.

Entente — Toutefois, l'établissement et l'association de salariés nouvellement accréditée peuvent convenir d'une date d'intégration des listes d'ancienneté qui soit antérieure à celle prévue au troisième alinéa à l'égard des matières négociées et agréées à l'échelle locale ou régionale qui ont fait l'objet d'une entente.

2003, c. 25, art. 37

38. Dispositions applicables — Les articles 59, 60 et 61 de la *Loi sur le régime de négociation des conventions collectives dans les secteurs public et parapublic* (chapitre R-8.2) s'appliquent aux stipulations négociées et agréées à l'échelle locale ou régionale et aux ententes qui en découlent, compte tenu des adaptations nécessaires.

Avis au ministre — Le ministre du Travail, lorsqu'il reçoit une entente déposée conformément à l'article 61 de cette loi, en donne avis au ministre de la Santé et des Services sociaux, en indiquant le nom des parties et de l'unité de négociation concernée.

2003, c. 25, art. 38; 2006, c. 58, art. 70

39. Recommandation conjointe — Lorsque, conformément à l'article 35, une demande de nomination d'un médiateur-arbitre des offres finales est faite au ministre du Travail, les parties peuvent alors communiquer au ministre le nom d'une personne dont elles recommandent conjointement la nomination à titre de médiateur-arbitre des offres finales.

Nomination d'un médiateur-arbitre — Le ministre du Travail nomme, le plus tôt possible, la personne recommandée à titre de médiateur-arbitre des offres finales ou, à défaut de recommandation conjointe, une personne dont le nom apparaît à une liste qu'il a confectionnée à cette fin, après consultation du ministre de la Santé et des Services sociaux.

2003, c. 25, art. 39

40. Fonctions — Le médiateur-arbitre tente d'amener les parties à régler leur désaccord. À cette fin, il rencontre les parties et, en cas de défaut ou de refus de se rendre à une rencontre, leur offre l'occasion de présenter leurs observations.

2003, c. 25, art. 40

41. Décision en cas de désaccord et documents requis — Si un désaccord subsiste 60 jours après sa nomination, le médiateur-arbitre statue sur les matières qui demeurent l'objet d'un désaccord. Il demande, sans retard, à l'association de salariés et à l'établissement de lui remettre, dans un délai de 30 jours suivant sa demande et de la façon qu'il détermine, les documents suivants :

1° la liste des matières qui font l'objet d'une entente, accompagnée du libellé qu'ils proposent pour leur mise en œuvre;

2° la liste de celles qui font toujours l'objet d'un désaccord;

3° leur offre finale des matières visées au paragraphe 2°.

Libellé proposé — L'offre finale est accompagnée du libellé qui est proposé pour permettre son incorporation à la nouvelle convention collective.

Rencontre de médiation — Au terme du délai de 30 jours mentionné au premier alinéa ou dès qu'il a reçu les offres finales des parties, le médiateur-arbitre transmet à chaque partie l'offre finale qui lui a été remise par l'autre partie. Il les convoque, dans le délai qu'il fixe, à une rencontre de médiation. Si, au terme de cette rencontre, des matières font toujours l'objet d'un désaccord, il doit permettre aux parties présentes de présenter leurs observations en regard des critères prévus au deuxième alinéa de l'article 42.

2003, c. 25, art. 41

42. Choix d'une offre finale — Dans les 40 jours de la rencontre prévue au troisième alinéa de l'article 41, le médiateur-arbitre choisit, pour régler les matières qui font toujours l'objet d'un désaccord, soit l'offre finale de l'association de salariés, soit celle de l'établissement.

Critères — L'offre choisie par le médiateur-arbitre ne doit pas entraîner de coûts supplémentaires à ceux existants pour la mise en œuvre des matières visées et doit assurer la prestation des services à la clientèle.

Modification de l'offre choisie — Si, au jugement du médiateur-arbitre, aucune des offres présentées ne répond à ces critères, il modifie l'offre choisie de manière à ce qu'elle y réponde.

2003, c. 25, art. 42

43. Défaut de remettre une offre finale — Lorsque l'une des parties ne remet pas au médiateur-arbitre son offre finale conformément au paragraphe 3° du premier alinéa de l'article 41, le médiateur-arbitre choisit l'offre finale de l'autre partie.

2003, c. 25, art. 43

44. Décision du médiateur-arbitre — La décision du médiateur-arbitre est rédigée de façon à pouvoir servir de convention collective entre l'association de salariés et l'établissement. Elle comprend le libellé visé au paragraphe 1° du premier alinéa de l'article 41 et celui de l'offre finale qu'il choisit, corrigée le cas échéant, afin de répondre aux critères prévus au deuxième alinéa de l'article 42.

Dispositions applicables — Les articles 59 et 60 de la *Loi sur le régime de négociation des conventions collectives dans les secteurs public et parapublic* (chapitre R-8.2) s'appliquent, compte tenu des adaptations nécessaires, aux décisions rendues par le médiateur-arbitre en vertu du présent article.

2003, c. 25, art. 44

45. Transmission et dépôt de la décision — Le médiateur-arbitre transmet aux parties, au plus tard à la fin du délai prévu au premier alinéa de l'article 42, une copie de sa décision. Dans les cinq jours qui suivent l'expiration de ce délai, il la dépose auprès du ministre du Travail.

Avis au ministre — Sur réception de la décision du médiateur-arbitre, le ministre du Travail en donne avis au ministre de la Santé et des Services sociaux, en indiquant le nom des parties et de l'unité de négociation concernée.

2003, c. 25, art. 45; 2006, c. 58, art. 71

46. Application de la décision — La décision du médiateur-arbitre constitue, sur les matières visées, la convention collective applicable entre l'association de salariés et l'établissement. Elle entre en vigueur à compter de la date du dépôt, auprès du ministre du Travail, de deux exemplaires ou copies conformes à l'original de cette décision.

Restriction — Une telle décision ne peut faire l'objet de négociation avant l'expiration d'une période de deux ans, à moins que les parties ne décident de la modifier avant l'arrivée de ce terme.

Prise d'effet — Certaines dispositions de la décision peuvent prendre effet à une date postérieure à son entrée en vigueur; la décision précise dans chaque cas la date de prise d'effet.

2003, c. 25, art. 46; 2006, c. 58, art. 72

47. Effet de la décision — La décision du médiateur-arbitre n'a d'effet qu'à l'égard de l'association de salariés et de l'établissement en cause. Elle ne peut être invoquée à titre de précédent dans un autre arbitrage issu de la présente loi; le médiateur-arbitre rejette, dans un tel cas, à la demande d'une partie ou d'office, toute demande ou toute revendication basée sur une telle décision.

2003, c. 25, art. 47

48. Pouvoirs du médiateur-arbitre — Pour l'application de la présente loi, le médiateur-arbitre est, compte tenu des adaptations nécessaires, investi des pouvoirs que prévoient l'article 76, le premier alinéa de l'article 80 et les articles 81 à 88, 91 et 91.1 du *Code du travail* (chapitre C-27).

2003, c. 25, art. 48

49. Honoraires et frais — Les honoraires et frais engagés à l'occasion de la nomination du médiateur-arbitre et de l'exercice de ses fonctions sont assumés conjointement et à parts égales par l'établissement et l'association de salariés accréditée. Les montants de ces honoraires et frais sont établis conformément aux règles prévues à un règlement pris en vertu de l'article 103 du *Code du travail* (chapitre C-27).

2003, c. 25, art. 49

50. Dispositions applicables — Une fois que les stipulations définies comme faisant l'objet de négociation à l'échelle locale ou régionale ont été négociées et agréées ou déterminées par le médiateur-arbitre conformément aux dispositions de la présente section, la négociation du remplacement, de la modification, de l'addition ou de l'abrogation de telles stipulations doit suivre les dispositions de la *Loi sur le régime de négociation des conventions collectives dans les secteurs public et parapublic* (chapitre R-8.2).

2003, c. 25, art. 50

51. Cessation immédiate des négociations — Si, pendant la période de détermination des stipulations négociées et agréées à l'échelle locale ou régionale prévue à la présente section, un établissement est visé par une intégration d'activités ou une fusion d'établissements, les négociations de ces stipulations, la médiation ou l'arbitrage portant sur les offres finales en vue du règlement d'un désaccord doivent cesser immédiatement.

Reprise — À compter de la date d'accréditation de la nouvelle association de salariés à la suite de cette intégration ou de cette fusion, la négociation des matières définies comme faisant l'objet de stipulations négociées et agréées à l'échelle locale ou régionale est de nouveau entreprise, conformément aux dispositions de la présente section, par l'établissement intégrant ou le nouvel établissement résultant de la fusion et par la nouvelle association de salariés accréditée.

2003, c. 25, art. 51

SECTION IV — DISPOSITIONS MODIFICATIVES

52.–69. (*Omis*).

SECTION V — RÉGIME TRANSITOIRE

§1 — Application

70. Dispositions non applicables — La sous-section 2 de la présente section ne s'applique pas à un établissement au sein duquel il existe moins de quatre unités de négociation.

2003, c. 25, art. 70

71. Prise d'effet — Le ministre détermine par arrêté la date à laquelle les articles 72 à 92 prennent effet à l'égard de ceux des établissements qu'il indique. Le ministre agit de même en ce qui concerne la prise d'effet des articles 88 à 92 à l'égard d'un établissement visé à l'article 70. Ces arrêtés sont publiés à la *Gazette officielle du Québec*.

2003, c. 25, art. 71

§2 — Regroupement des unités de négociation

72. Interprétation — Aux fins de la présente sous-section, lorsque l'une des dispositions prévues au paragraphe 1° de l'article 73, au paragraphe 2° de l'article 74, au paragraphe 3° du deuxième alinéa de l'article 75, au premier alinéa des articles 76, 77 et 78 fait référence à une association de salariés accréditée ou à une association de salariés qui possède une accréditation, cette référence comprend également, compte tenu des adaptations nécessaires, une association de salariés qui avait déposé, dans le délai prévu au *Code du travail* (chapitre C-27), une requête qui vise à obtenir une accréditation pour représenter des salariés et qui est toujours pendante à la date de la prise d'effet de l'article 73 à l'égard de l'établissement en cause.

2003, c. 25, art. 72

73. État de situation — Tout établissement du secteur des affaires sociales dont le régime de représentation syndicale n'est pas conforme aux dispositions de la sous-section 1 de la section II, à la date où le présent article prend effet à son égard, dresse, dans les 30 jours suivant cette date, un état de la situation de la représentation syndicale telle qu'elle existe au sein de cet établissement à cette même date. Cet état de situation comprend les renseignements suivants :

1° la description de chacune des unités de négociation existantes et le nom de l'association de salariés accréditée pour représenter les salariés de cette unité de négociation;

2° les nom, adresse, numéro d'assurance sociale, titre et numéro du titre d'emploi de tous les salariés de l'établissement, incluant les salariés qui bénéficient d'un congé sans solde et les salariés dont le nom est inscrit sur une liste de rappel ou de disponibilité dans la mesure où ces derniers ont fourni une prestation de travail au cours des 12 mois précédant la date de la prise d'effet du présent article à l'égard de l'établissement en cause, en distinguant les salariés qui :

a) sont compris dans une unité de négociation visée au paragraphe 1°;

b) ne font partie d'aucune unité de négociation, en raison de l'absence d'une association de salariés accréditée pour représenter ces salariés.

2003, c. 25, art. 73

74. Transmission de renseignements — L'établissement transmet, au plus tard à l'expiration du délai de 30 jours prévu à l'article 73 :

1° au ministre, les renseignements prévus au paragraphe 1° de l'article 73;

2° à chacune des associations de salariés visées au paragraphe 1° de l'article 73, les seuls renseignements prévus au paragraphe 2° de cet article qui concernent des salariés dorénavant visés par une catégorie de personnel et compris dans une unité de négociation pour laquelle l'association possède déjà une accréditation, à l'exception de l'adresse et du numéro d'assurance sociale d'un salarié.

2003, c. 25, art. 74

75. Identification d'une nouvelle unité de négociation — L'établissement identifie, dans les 30 jours qui suivent l'expiration du délai de 30 jours prévu à l'article 73 et à partir des renseignements visés au paragraphe 2° de cet article, toute nouvelle unité de négociation correspondant à une catégorie de personnel pour laquelle une association de salariés peut éventuellement être accréditée au sein de cet établissement et dresse la liste des salariés appelés à faire partie de cette unité de négociation avec leur titre d'emploi, leur adresse et leur numéro d'assurance sociale.

Devoirs de l'établissement — Au plus tard à l'expiration de ce délai de 30 jours, l'établissement :

1° affiche dans les lieux d'affichage habituels de l'établissement, pendant 20 jours, les renseignements prévus au premier alinéa ainsi qu'une copie de tous les renseignements prévus à l'article 73, à l'exception de l'adresse et du numéro d'assurance sociale d'un salarié;

2° transmet au Tribunal administratif du travail, sur un support faisant appel aux technologies de l'information que détermine le Tribunal, les renseignements prévus au premier alinéa et l'informe, par catégorie de personnel, du nombre de salariés qui sont représentés par une association de salariés accréditée, du nombre de ceux qui ne le sont pas et de la date à laquelle le délai d'affichage prend fin;

3° transmet à chaque association de salariés visée au paragraphe 1° de l'article 73 les seuls renseignements prévus au paragraphe 2° du présent alinéa et visant une catégorie de personnel pour laquelle l'association possède déjà une accréditation concernant une partie des salariés appelés à faire partie de la nouvelle unité de négociation, à l'exception de l'adresse et du numéro d'assurance sociale d'un salarié.

2003, c. 25, art. 75; 2015, c. 15, art. 237

76. Requête en accréditation — À l'égard d'une nouvelle unité de négociation au sein de l'établissement, une association de salariés visée au paragraphe 1° de l'article 73 peut, par requête adressée au Tribunal administratif du travail, demander l'accréditation pour représenter les salariés appelés à faire partie de cette nouvelle unité de négociation, pourvu que cette association possède déjà une accréditation concernant une partie de ces salariés.

Délai — Une telle requête en accréditation est adressée au Tribunal au plus tard le cent dixième jour qui suit la date de la prise d'effet de l'article 73 à l'égard de cet établissement. Toute requête déposée en dehors du délai prescrit est rejetée, à moins que le Tribunal juge que les circonstances justifient d'accorder à l'association de salariés un délai supplémentaire qui ne peut toutefois excéder 20 jours.

Copie — Une copie de la requête est notifiée à l'établissement, qui l'affiche aux lieux d'affichage habituels de l'établissement.

Numéro de dossier — Lorsque cette requête est adressée par une association de salariés non accréditée mais visée à l'article 72, l'association indique le numéro de dossier du Tribunal relatif à sa requête en accréditation.

2003, c. 25, art. 76; 2015, c. 15, art. 237; N.I. 2016-01-01 (NCPC)

77. Regroupement — Les associations de salariés visées au paragraphe 1° de l'article 73 peuvent former un regroupement pour demander l'accréditation pour représenter les salariés appelés à faire partie d'une nouvelle unité de négociation, pourvu que l'une de ces associations possède déjà une accréditation concernant une partie de ces salariés. L'adhésion d'un salarié à une association de salariés membre d'un tel regroupement vaut adhésion à ce regroupement.

Présomption — Pour l'application de la présente loi et du *Code du travail* (chapitre C-27), un tel regroupement est réputé être une association de salariés.

2003, c. 25, art. 77

78. Entente — Les associations de salariés visées au paragraphe 1° de l'article 73 peuvent s'entendre sur la désignation de l'une d'elles pour représenter les salariés appelés à faire partie d'une nouvelle unité de négociation, pourvu que chacune de ces associations possède déjà une accréditation concernant une partie de ces salariés.

Entente — De même, si ces associations ont déposé une requête en accréditation conformément à l'article 76, elles peuvent s'entendre afin que l'une d'elles soit accréditée pour représenter les salariés appelés à faire partie d'une nouvelle unité de négociation ou afin de se regrouper en une seule association de salariés pour représenter ces salariés.

Constatation par écrit — De telles ententes sont constatées par écrit.

Transmission — L'entente conclue en vertu du premier alinéa est transmise au Tribunal administratif du travail avant l'expiration du délai de 110 jours prescrit au deuxième alinéa de l'article 76 ou, le cas échéant, du délai supplémentaire accordé par le Tribunal en vertu de cet alinéa pour déposer une requête. Celle conclue en vertu du deuxième alinéa est transmise au plus tard dans les 10 jours qui suivent l'expiration, selon le cas, de l'un ou l'autre de ces délais.

2003, c. 25, art. 78; 2015, c. 15, art. 237

79. Décision du Tribunal — Sur réception d'une ou de plusieurs requêtes faites en vertu de l'article 76 et sous réserve de l'article 80, le Tribunal administratif du travail procède de la façon suivante :

1° s'il en vient à la conclusion que l'association requérante est la seule à avoir déposé une requête pour représenter les salariés appelés à faire partie d'une nouvelle unité de négociation, il l'accrédite en indiquant la catégorie de personnel visée par la nouvelle unité de négociation;

2° s'il en vient à la conclusion que l'association requérante a obtenu l'accord, conformément au premier alinéa de l'article 78, de toutes les associations de salariés visées à cet alinéa pour représenter les salariés appelés à faire partie d'une nouvelle unité de négociation, il l'accrédite en indiquant la catégorie de personnel visée par la nouvelle unité de négociation;

3° s'il en vient à la conclusion que toutes les associations requérantes donnent leur accord, conformément au deuxième alinéa de l'article 78, afin que l'une des associations requérantes soit accréditée pour représenter les salariés appelés à faire partie d'une nouvelle unité de négociation, il l'accrédite en indiquant la catégorie de personnel visée par la nouvelle unité de négociation;

4° s'il en vient à la conclusion que toutes les associations requérantes donnent leur accord, conformément au deuxième alinéa de l'article 78, pour se regrouper en une seule association de salariés, il accrédite l'association de salariés résultant de ce regroupement en indiquant la catégorie de personnel visée par la nouvelle unité de négociation;

5° s'il en vient à la conclusion qu'il y a plus d'une association requérante pour représenter les salariés appelés à faire partie d'une nouvelle unité de négociation, il décrète la tenue d'un vote pour les salariés de cette unité de négociation et accrédite l'association de salariés qui obtient le plus grand nombre de voix, en indiquant la catégorie de personnel visée par la nouvelle unité de négociation.

2003, c. 25, art. 79; 2015, c. 15, art. 237

80. Vote requis — Dans tous les cas où une nouvelle unité de négociation est en voie d'être composée pour au moins 40 % de salariés qui n'étaient pas représentés, à la date de la prise d'effet de l'article 73 à l'égard de l'établissement en cause, par une association de salariés visée au paragraphe 1° de l'article 73, le Tribunal administratif du travail s'assure, avant d'accorder l'accréditation à une association de salariés conformément à l'article 79 et par la tenue d'un vote, de la volonté des salariés appelés à faire partie d'une nouvelle unité de négociation d'être représentés par une association de salariés.

Tenue — Ce vote peut avoir lieu simultanément avec celui visé au paragraphe 5° de l'article 79.

2003, c. 25, art. 80; 2015, c. 15, art. 237

81. Participation — Seul un salarié dûment inscrit sur la liste prévue au premier alinéa de l'article 75 peut participer à un vote dont le Tribunal administratif du travail décrète la tenue en vertu du paragraphe 5° de l'article 79 ou de l'article 80, jusqu'à concurrence d'un vote par catégorie de personnel à laquelle appartient ce salarié. À cette fin, le Tribunal communique, dans les deux jours d'une demande d'une association de salariés visée au paragraphe 3° du deuxième alinéa de l'article 75, l'adresse d'un salarié appelé à faire partie d'une unité de négociation pour laquelle cette association de salariés a déposé une requête en accréditation conformément à l'article 76.

Déroulement — Les règles relatives au déroulement du vote sont uniquement celles que détermine le Tribunal pour l'application de la présente loi. Il peut procéder au vote par la poste ou de toute autre façon qu'il juge appropriée.

2003, c. 25, art. 81; 2015, c. 15, art. 237

82. Aucune requête — Si, à l'expiration du délai visé au deuxième alinéa de l'article 76, aucune requête n'a été déposée auprès du Tribunal administratif du travail par une association de salariés qui y avait droit à l'égard d'une catégorie de personnel, le Tribunal en avise l'établissement en cause ainsi que le ministre.

Requête en révocation — L'établissement peut, dans les 30 jours suivant la réception de cet avis, saisir le Tribunal au moyen d'une requête visant la révocation de l'accréditation de telle association. À défaut par l'établissement d'agir dans ce délai, le ministre peut saisir le Tribunal aux mêmes fins.

2003, c. 25, art. 82; 2015, c. 15, art. 237

83. Révocation — Sur réception d'une requête faite en vertu du deuxième alinéa de l'article 82, le Tribunal administratif du travail révoque l'accréditation de l'association de salariés qui représentait les salariés compris dans une unité de négociation existante au sein de l'établissement en cause à la date de la prise d'effet de l'article 73 à l'égard de celuici.

2003, c. 25, art. 83; 2015, c. 15, art. 237

84. Délai — Le Tribunal administratif du travail saisi d'une requête faite en vertu de l'article 76 rend sa décision dans les 150 jours qui suivent la date du dépôt de la requête.

Prolongation — Le président du Tribunal peut prolonger ce délai s'il estime que les circonstances le justifient.

2003, c. 25, art. 84; 2015, c. 15, art. 237

85. Transmission de la décision — La décision du Tribunal administratif du travail est transmise à l'association de salariés nouvellement accréditée en vertu de l'article 79 et, le cas échéant, à chacune des autres associations requérantes, à celle dont l'accréditation est révoquée en vertu de l'article 83, à l'établissement en cause ainsi qu'au ministre.

2003, c. 25, art. 85; 2015, c. 15, art. 237

86. Subrogation — L'association de salariés nouvellement accréditée est subrogée de plein droit dans les droits et obligations résultant d'une convention collective à laquelle était partie une association de salariés accréditée qu'elle remplace.

2003, c. 25, art. 86

87. Requête pendante — Le Tribunal administratif du travail met fin au traitement de toute autre requête pendante à la date de la prise d'effet de l'article 73 à l'égard de l'établissement en cause lorsqu'il est d'avis que cette requête vise, en tout ou en partie, les salariés d'une même catégorie de personnel, a le même objet ou vise les mêmes fins que la requête déposée en vertu de l'article 76 ou du deuxième alinéa de l'article 82.

2003, c. 25, art. 87; 2015, c. 15, art. 237

§3 — Détermination des premières stipulations négociées et agréées à l'échelle locale ou régionale

88. Négociation — À compter de la date d'accréditation de la nouvelle association de salariés, l'établissement en cause et l'association de salariés nouvellement accréditée en vertu de l'article 79 entreprennent la négociation des matières définies comme étant l'objet de stipulations négociées et agréées à l'échelle locale ou régionale par la *Loi sur le régime de négociation des conventions collectives dans les secteurs public et parapublic* (chapitre R-8.2).

Médiateur-arbitre — Les parties disposent d'un délai de 24 mois à compter de la date d'accréditation de la nouvelle association de salariés pour s'entendre sur ces stipulations. À défaut d'entente, à l'expiration de ce délai de 24 mois, sur une matière faisant l'objet de stipulations négociées et agréées à l'échelle locale ou régionale, l'établissement doit, dans les 10 jours suivant l'expiration de ce délai, demander au ministre du Travail de nommer un médiateur-arbitre des offres finales en vue du règlement du désaccord, en informant l'association de salariés de cette demande.

Médiateur-arbitre — Toutefois, pendant les 12 premiers mois, les parties peuvent, à défaut d'entente, demander conjointement au ministre du Travail de nommer un méditeur-arbitre des offres finales en vue du règlement du désaccord. De même, à l'expiration des premiers 12 mois, l'une ou l'autre des parties peut, dans les 12 mois qui suivent, adresser pareille demande au ministre du Travail, en informant l'autre partie à cet égard.

2003, c. 25, art. 88

89. Convention collective applicable — Sauf dans le cas où l'accréditation de l'association de salariés est révoquée en vertu de l'article 83 et malgré les dispositions de l'article 9, la convention collective de chaque association de salariés accréditée visée au paragraphe 1° de l'article 73, en vigueur le jour précédant la date d'accréditation de la nouvelle association de salariés, et les arrangements locaux qui s'y rattachent continuent à s'appliquer à l'égard des salariés visés par chacune de ces conventions collectives. L'établissement intégrant ou le nouvel établissement résultant de la fusion et l'association de salariés nouvellement accréditée peuvent toutefois convenir d'appliquer, à tous les salariés compris dans la nouvelle unité de négociation, la convention collective de l'association de salariés nouvellement accréditée et les arrangements locaux qui s'y rattachent.

Date d'application — La convention collective de l'association de salariés nouvellement accréditée et les arrangements locaux qui s'y rattachent s'appliquent, dès la date d'accréditation de la nouvelle association de salariés, aux salariés qui n'étaient pas représentés par une association de salariés accréditée le jour précédant la date de l'intégration ou de la fusion.

Stipulations négociées et agréées — À compter de la date d'entrée en vigueur d'une entente relative à une matière négociée et agréée à l'échelle locale ou régionale, les stipulations qui avaient été négociées et agréées à l'échelle nationale et les arrangements locaux portant sur cette matière cessent de s'appliquer. L'établissement et l'association de salariés nouvellement accréditée peuvent convenir de mettre en vigueur les stipulations négociées et agréées à l'échelle locale ou régionale à des dates différentes.

Application — Les nouvelles stipulations négociées et agréées à l'échelle nationale, après la date d'accréditation de la nouvelle association de salariés, prennent effet à la date prévue à ces stipulations. Les arrangements locaux relatifs aux stipulations de la convention collective antérieure, que ces nouvelles stipulations remplacent, cessent de s'appliquer à cette date.

2003, c. 25, art. 89

90. Ancienneté — L'ancienneté accumulée au sein de l'établissement en cause par un salarié avant la date d'entrée en vigueur des stipulations négociées et agréées à l'échelle locale ou régionale est reconnue jusqu'à concurrence d'une seule année par période de 12 mois.

Présomption — À l'égard des salariés qui n'étaient pas représentés par une association de salariés accréditée, l'ancienneté est réputée avoir été accumulée selon les dispositions de la convention collective de l'association de salariés nouvellement accréditée.

Listes d'ancienneté — Les listes d'ancienneté en résultant sont affichées au plus tard dans les 30 jours suivant la date de fin de la période de paie qui comprend la date d'entrée en vigueur des stipulations négociées et agréées à l'échelle locale ou régionale. Les périodes d'affichage et les procédures de correction de l'ancienneté prévues à la convention collective de l'association de salariés nouvellement accréditée, déterminée suivant l'article 89, s'appliquent.

Entente — Toutefois, l'établissement et l'association de salariés nouvellement accréditée peuvent convenir d'une date d'intégration des listes d'ancienneté qui soit antérieure à celle prévue au troisième alinéa à l'égard des matières négociées et agréées à l'échelle locale ou régionale qui ont fait l'objet d'une entente.

2003, c. 25, art. 90

91. Recommandation conjointe — Lorsque, conformément à l'article 88, une demande de nomination d'un médiateur-arbitre des offres finales est faite au ministre du Travail, les parties peuvent alors communiquer au ministre le nom d'une personne dont elles recommandent conjointement la nomination à titre de médiateur-arbitre des offres finales.

Nomination d'un médiateur-arbitre — Le ministre du Travail nomme, le plus tôt possible, la personne recommandée à titre de médiateur-arbitre des offres finales ou, à défaut de recommandation conjointe, une personne dont le nom apparaît à une liste qu'il a confectionnée à cette fin, après consultation du ministre de la Santé et des Services sociaux.

2003, c. 25, art. 91

92. Dispositions applicables — Aux fins de la présente sous-section, les dispositions des articles 38 et 40 à 51 s'appliquent, compte tenu des adaptations nécessaires.

Interprétation — Dans le cas d'un établissement visé à l'article 70, lorsqu'une disposition prévue à l'un ou l'autre des articles 88, 89 et 91 fait référence à la date d'accréditation de la nouvelle association de salariés, cette disposition doit être lue comme faisant référence à la date de la prise d'effet indiquée dans l'arrêté du ministre pris en vertu de l'article 71. De même, lorsqu'une disposition prévue à l'un ou l'autre des articles 88 à 91 fait référence à la nouvelle association de salariés, cette disposition doit être lue comme faisant référence à l'association de salariés qui existe au sein de l'établissement le jour précédant la date de prise d'effet de ces articles.

2003, c. 25, art. 92

SECTION VI — DISPOSITIONS FINALES

93. Interdiction — Les matières visées à l'annexe A.1 de la *Loi sur le régime de négociation des conventions collectives dans les secteurs public et parapublic* (chapitre R-8.2), édictée par l'article 67 de la présente loi, et définies comme étant l'objet de stipulations négociées et agréées à l'échelle locale ou régionale ne peuvent plus, à compter du 18 décembre 2003, faire l'objet de stipulations négociées et agréées à l'échelle nationale.

2003, c. 25, art. 93

94. Loi non applicable — La présente loi ne s'applique pas à un pharmacien, à un biochimiste clinique ou à un physicien médical visé à l'article 3 de la *Loi sur l'assurance-hospitalisation* (chapitre A-28) ou à l'article 432 de la *Loi sur les services de santé et les services sociaux* (chapitre S-4.2), ni à un résident en médecine visé à l'article 19.1 de la *Loi sur l'assurance maladie* (chapitre A-29). Elle ne s'applique pas non plus à une personne recrutée par un chercheur ou un organisme voué à la recherche et dont la rémunération provient d'un fonds de recherche.

2003, c. 25, art. 94

95. Ministre responsable — Le ministre de la Santé et des Services sociaux est responsable de l'application de la présente loi.

2003, c. 25, art. 95

96. (*Omis*).

2003, c. 25, art. 96

ANNEXE 1 — CATÉGORIE DU PERSONNEL EN SOINS INFIRMIERS ET CARDIO-RESPIRATOIRES

TITRE D'EMPLOI	NUMÉRO
Assistant-chef inhalothérapeute, assistante-chef inhalothérapeute	2248
Assistant-infirmier-chef, assistante-infirmière-chef, assistant du supérieur immédiat, assistante du supérieur immédiat	2489
Candidat à l'exercice de la profession d'infirmier, candidate à l'exercice de la profession d'infirmière	2490
Candidat infirmier praticien spécialisé, candidate infirmière praticienne spécialisée	1914
Chargé ou chargée de l'enseignement clinique (inhalothérapie)	2247
Conseiller ou conseillère en soins infirmiers	1913
Coordonnateur ou coordonnatrice technique (inhalothérapie)	2475, 2476
Candidat ou candidate admissible par équivalence, infirmier ou infirmière	2246
Externe en inhalothérapie	4002
Externe en soins infirmiers	4001
Infirmier auxiliaire assistant-chef d'équipe, infirmière auxiliaire assistante chef d'équipe	3446
Infirmier clinicien assistant infirmier-chef, infirmière clinicienne assistante infirmière-chef, infirmier clinicien assistant du supérieur immédiat, infirmière clinicienne assistante du supérieur immédiat	1912
Infirmier clinicien ou infirmière clinicienne	1911
Infirmier clinicien ou infirmière clinicienne (Institut Pinel)	1907
Infirmier clinicien spécialisé, infirmière clinicienne spécialisée	1917
Infirmier moniteur ou infirmière monitrice	2462
Infirmier ou infirmière	2471
Infirmier ou infirmière (Institut Pinel)	2473
Infirmier ou infirmière auxiliaire	3455
Infirmier ou infirmière auxiliaire chef d'équipe	3445
Infirmier ou infirmière auxiliaire en stage d'actualisation	3529
Infirmier ou infirmière-chef d'équipe	2459
Infirmier ou infirmière en dispensaire	2491
Infirmier ou infirmière en stage d'actualisation	2485

TITRE D'EMPLOI	NUMÉRO
Infirmier praticien spécialisé, infirmière praticienne spécialisée	1915
Infirmier premier assistant en chirurgie, infirmière première assistante en chirurgie	1916
Inhalothérapeute	2244
Perfusionniste clinique	2287
Puéricultrice / garde-bébé	3461

2003, c. 25, annexe 1; Décision, (2014) 146 G.O. II, 2691

ANNEXE 2 — CATÉGORIE DU PERSONNEL PARATECHNIQUE, DES SERVICES AUXILIAIRES ET DE MÉTIERS

TITRE D'EMPLOI	NUMÉRO
Agent ou agente d'intervention	3545
Agent ou agente d'intervention (Institut Pinel)	6436
Agent ou agente d'intervention en milieu médico-légal	3544
Agent ou agente d'intervention en milieu psychiatrique	3543
Agent (e) communautaire surveillant (e) (Institut Pinel)	3458
Aide de service	3244
Aide général en établissement nordique ou aide générale en établissement nordique	6415
Aide général ou aide générale	6414
Aide-cuisinier, aide-cuisinière	6299
Aide-mécanicien de machines fixes, aide-mécanicienne de machines fixes	6387
Apprenti ou apprentie de métier	6375
Assistant ou assistante en réadaptation	3462
Assistant ou assistante technique au laboratoire ou en radio-logie	3205
Assistant ou assistante technique aux soins de la santé	3201
Assistant ou assistante technique en médecine dentaire	3218
Assistant ou assistante technique en pharmacie	3212
Assistant ou assistante technique senior en pharmacie	3215
Auxiliaire aux services de santé et sociaux	3588
Boucher ou bouchère	6303
Brancardier ou brancardière	3485
Buandier ou buandière	6320
Caissier ou caissière à la cafétéria	6312
Calorifugeur ou calorifugeuse	6395
Coiffeur ou coiffeuse	6340
Conducteur ou conductrice de véhicules	6336
Conducteur ou conductrice de véhicules lourds	6355
Cordonnier ou cordonnière	6374
Couturier ou couturière	6327
Cuisinier ou cuisinière	6301
Dessinateur ou dessinatrice	6409
Ébéniste	6365

TITRE D'EMPLOI	NUMÉRO
Électricien ou électricienne	6354
Électromécanicien ou électromécanicienne	6423
Électronicien ou électronicienne	6370
Ferblantier ou ferblantière	6369
Garde (Institut Pinel)	6346
Gardien ou gardienne	6438
Gardien ou gardienne de résidence	6349
Instructeur ou instructrice aux ateliers industriels	3585
Instructeur ou instructrice métier artisanal ou occupation thérapeutique	3598
Instructeur (trice) d'atelier (Institut Pinel)	3684
Journalier ou journalière	6363
Machiniste (mécanicien ajusteur), machiniste (mécanicienne ajusteuse)	6353
Maître-électricien, maître-électricienne	6356
Maître-mécanicien de machines frigorifiques, maître-mécanicienne de machines frigorifiques	6366
Maître-plombier, maître-plombière	6357
Mécanicien ou mécanicienne de garage	6380
Mécanicien ou mécanicienne de machines fixes	6383
Mécanicien ou mécanicienne de machines frigorifiques	6352
Mécanicien ou mécanicienne d'entretien (Millwright)	6360
Mécanicien ou mécanicienne en orthèse et/ou prothèse	3262
Menuisier ou menuisière	6364
Moniteur ou monitrice en éducation	3687
Moniteur ou monitrice en loisirs	3699
Nettoyeur ou nettoyeuse	6407
Ouvrier ou ouvrière de maintenance	6373
Ouvrier ou ouvrière d'entretien général	6388
Pâtissier-boulanger, pâtissière-boulangère	6302
Peintre	6362
Plâtrier ou plâtrière	6368
Plombier et/ou mécanicien en tuyauterie, plombière et/ou mécanicienne en tuyauterie	6359
Porteur ou porteuse	6344
Portier ou portière	6341
Préposé ou préposée (certifié A) aux bénéficiaires	3459
Préposé ou préposée à la buanderie	6398
Préposé ou préposée à la centrale des messagers	3259
Préposé ou préposée à la peinture et à la maintenance	6262

TITRE D'EMPLOI	NUMÉRO
Préposé ou préposée à la stérilisation	3481
Préposé ou préposée à l'entretien ménager (travaux légers)	6335
Préposé ou préposée à l'entretien ménager (travaux lourds)	6334
Préposé ou préposée à l'unité et/ou au pavillon	3685
Préposé ou préposée au matériel et équipement thérapeutique	3467
Préposé ou préposée au service alimentaire	6386
Préposé ou préposée au transport	3204
Préposé ou préposée au transport des bénéficiaires handicapés physiques	6418
Préposé ou préposée aux ascenseurs	6347
Préposé ou préposée aux autopsies	3203
Préposé ou préposée aux bénéficiaires	3480
Préposé ou préposée aux soins des animaux	3241
Préposé ou préposée en établissement nordique	3505
Préposé ou préposée en ophtalmologie	3208
Préposé ou préposée en orthopédie	3247
Préposé ou préposée en physiothérapie et/ou ergothérapie	3223
Préposé ou préposée en réadaptation ou occupation industrielle (établissements psychiatriques)	3495
Préposé ou préposée en salle d'opération	3449
Préposé ou préposée senior en orthopédie	3229
Presseur ou presseuse	6325
Rembourreur ou rembourreuse	6382
Serrurier ou serrurière	6367
Soudeur ou soudeuse	6361
Surveillant ou surveillante en établissement	6422
Surveillant-sauveteur, surveillante-sauvetrice	3679
Technicien ou technicienne classe B	3224
Technicien ou technicienne en alimentation	6317
Travailleur ou travailleuse de quartier ou de secteur	3465

2003, c. 25, annexe 2; Décision, (2014) 146 G.O. II, 2691

Annexe 3 — Catégorie du personnel de bureau, des techniciens et des professionnels de l'administration

TITRE D'EMPLOI	NUMÉRO
Acheteur ou acheteuse	5324
Adjoint ou adjointe à la direction	5313
Adjoint ou adjointe à l'enseignement universitaire	5320
Agent administratif, classe 1 - secteur secrétariat, agente administrative, classe 1 - secteur secrétariat	5311
Agent administratif, classe 1 - secteur administration, agente administrative, classe 1 - secteur administration	5312
Agent administratif, classe 2 - secteur secrétariat, agente administrative, classe 2 - secteur secrétariat	5314
Agent administratif, classe 2 - secteur administration, agente administrative, classe 2 - secteur administration	5315
Agent administratif, classe 3 - secteur administration, agente administrative, classe 3 - secteur administration	5317
Agent administratif, classe 3 - secteur secrétariat, agente administrative, classe 3 - secteur secrétariat	5316
Agent administratif, classe 4 - secteur administration, agente administrative, classe 4 - secteur administration	5319
Agent administratif, classe 4 - secteur secrétariat, agente administrative, classe 4 - secteur secrétariat	5318
Agent ou agente d'approvisionnement	1104
Agent ou agente de formation	1533
Agent ou agente de la gestion du personnel	1101
Agent ou agente de la gestion financière	1105
Agent ou agente d'information	1244
Analyste en informatique	1123
Analyste spécialisé ou analyste spécialisée en informatique	1124
Assistant ou assistante de recherche	5187
Auxiliaire en bibliothèque	5289
Bibliothécaire	1206
Chargé ou chargée de production	2106
Commis surveillant d'unité (Institut Pinel)	5323
Conseiller ou conseillère aux établissements	1106
Conseiller ou conseillère en bâtiment	1115
Magasinier ou magasinière	5141
Opérateur ou opératrice de duplicateur offset	5119

TITRE D'EMPLOI	NUMÉRO
Opérateur ou opératrice en informatique, classe I	5108
Opérateur ou opératrice en informatique, classe II	5111
Opérateur ou opératrice en système de production braille	5130
Préposé ou préposée à l'accueil	3251
Préposé ou préposée à l'audiovisuel	3245
Préposé ou préposée aux magasins	5117
Relieur ou relieuse	5345
Secrétaire juridique	5321
Secrétaire médicale	5322
Spécialiste en audiovisuel	1661
Spécialiste en procédés administratifs	1109
Technicien ou technicienne aux contributions	2102
Technicien ou technicienne en administration	2101
Technicien ou technicienne en arts graphiques	2333
Technicien ou technicienne en audiovisuel	2258
Technicien ou technicienne en bâtiment	2374
Technicien ou technicienne en communication	2275
Technicien ou technicienne en documentation	2356
Technicien ou technicienne en électricité industrielle	2370
Technicien ou technicienne en électromécanique	2371
Technicien ou technicienne en électronique	2369
Technicien ou technicienne en fabrication mécanique	2377
Technicien ou technicienne en informatique	2123
Technicien ou technicienne en instrumentation et contrôle	2379
Technicien spécialisé en informatique, technicienne spécialisée en informatique	2124
Traducteur ou traductrice	1241

2003, c. 25, annexe 3; 2005, c. 32, art. 308; Décision, (2014) 146 G. O. II, 2691

Annexe 4 — Catégorie des techniciens et des professionnels de la santé et des services sociaux

TITRE D'EMPLOI	NUMÉRO
Agent ou agente de formation dans le domaine de la déficience auditive	1534
Agent ou agente de modification du comportement	1559
Agent ou agente de planification, de programmation et de recherche	1565
Agent ou agente de relations humaines	1553
Agent ou agente d'intégration	2688
Agent ou agente en techniques éducatives	1651
Aide social ou aide sociale	2588
Archiviste médical ou archiviste médicale (chef d'équipe)	2282
Archiviste médical, archiviste médicale	2251
Assistant ou assistante en pathologie	2203
Assistant-chef du service des archives, assistante-chef du service des archives	2242
Assistant-chef physiothérapeute, assistante-chef physiothérapeute	1236
Assistant-chef technicien en diététique, assistante-chef technicienne en diététique	2240
Assistant-chef technicien en électrophysiologie médicale, assistante-chef technicienne en électrophysiologie médicale	2236
Assistant-chef technologiste médical, assistante-chef technologiste médicale, assistant-chef techniciende laboratoire médical diplômé, assistante-chef technicienne de laboratoire médical diplômée	2234
Assistant-chef technologue en radiologie, assistante-chef technologue en radiologie	2219
Audiologiste	1254
Audiologiste-orthophoniste	1204
Avocat ou avocate	1114
Bactériologiste	1200
Biochimiste	1202
Candidat ou candidate admissible par équivalence (physiothérapie)	1238
Chargé ou chargée clinique de sécurité transfusionnelle	2290

TITRE D'EMPLOI	NUMÉRO
Chargé ou chargée de l'assurance qualité et de la formation aux services préhospitaliers d'urgence	2466
Chargé ou chargée de l'enseignement clinique (physiothérapie)	1234
Chargé ou chargée technique de sécurité transfusionnelle	2291
Chef de module	2699
Conseiller d'orientation professionnelle, conseiller de la relation d'aide, conseillère d'orientation professionnelle, conseillère de la relation d'aide (T.R.)	1701
Conseiller ou conseillère en adaptation au travail	1703
Conseiller ou conseillère en enfance inadaptée	1543
Conseiller ou conseillère en éthique	1538
Conseiller ou conseillère en génétique	1539
Conseiller ou conseillère en promotion de la santé	1121
Coordonnateur ou coordonnatrice technique (laboratoire)	2227
Coordonnateur ou coordonnatrice technique (radiologie)	2213
Coordonnateur ou coordonnatrice technique en électrophysiologie médicale	2276
Coordonnateur ou coordonnatrice technique en génie biomédical	2277
Criminologue	1544
Cytologiste	2271
Diététiste-nutritionniste	1219
Éducateur ou éducatrice	2691
Éducateur ou éducatrice physique / kinésiologue	1228
Ergothérapeute	1230
Externe en technologie médicale	4003
Génagogue	1540
Hygiéniste dentaire, technicien ou technicienne en hygiène dentaire	2261
Hygiéniste du travail	1702
Illustrateur médical, illustratrice médicale	2253
Ingénieur biomédical, ingénieure biomédicale	1205
Instituteur ou institutrice clinique (laboratoire)	2232
Instituteur ou institutrice clinique (radiologie)	2214
Intervenant ou intervenante en soins spirituels	1552
Jardinier ou jardinière d'enfants	1660
Opticien ou opticienne d'ordonnances	2363
Organisateur ou organisatrice communautaire	1551
Orthopédagogue	1656

TITRE D'EMPLOI	NUMÉRO
Orthophoniste	1255
Orthoptiste	2259
Photographe médical ou photographe médicale	2254
Physiothérapeute	1233
Psychoéducateur spécialiste en réadaptation psychosociale, psychoéducatrice spécialiste en réadaptation psychosociale	1652
Psychologue, thérapeute du comportement humain (T.R.)	1546
Psycho-technicien ou psycho-technicienne	2273
Récréologue	1658
Responsable d'unité de vie et/ou de réadaptation	2694
Réviseur ou réviseure	1570
Sexologue	1572
Sexologue clinicien, sexologue clinicienne	1573
Sociologue	1554
Sociothérapeute (Institut Pinel)	2697
Spécialiste clinique en biologie médicale	1291
Spécialiste en activités cliniques	1407
Spécialiste en évaluation des soins	1521
Spécialiste en orientation et en mobilité	1557
Spécialiste en réadaptation en déficience visuelle	1560
Spécialiste en sciences biologiques et physiques sanitaires	1207
Technicien de laboratoire médical diplômé, technicienne de laboratoire médical diplômée	2224
Technicien ou technicienne de braille	2360
Technicien ou technicienne dentaire	2262
Technicien ou technicienne en assistance sociale	2586
Technicien ou technicienne en cytogénétique clinique	2284
Technicien ou technicienne en diététique	2257
Technicien ou technicienne en éducation spécialisée	2686
Technicien ou technicienne en électrodynamique	2381
Technicien ou technicienne en électro-encéphalographie (E.E.G.)	2241
Technicien ou technicienne en électrophysiologie médicale	2286
Technicien ou technicienne en génie biomédical	2367
Technicien ou technicienne en gérontologie	2285
Technicien ou technicienne en horticulture	2280
Technicien ou technicienne en hygiène du travail	2702
Technicien ou technicienne en loisirs	2696
Technicien ou technicienne en orthèse-prothèse	2362
Technicien ou technicienne en physiologie cardiorespiratoire	2270

TITRE D'EMPLOI	NUMÉRO
Technicien ou technicienne en prévention	2368
Technicien ou technicienne en recherche psychosociale	2584
Technologiste en hémodynamique ou technologue en hémodynamique	2278
Technologiste médical ou technologiste médicale	2223
Technologue en médecine nucléaire	2208
Technologue en radiodiagnostic	2205
Technologue en radiologie (Système d'information et imagerie numérique)	2222
Technologue en radio-oncologie	2207
Technologue spécialisé ou technologue spécialisée en radiologie	2212
Thérapeute en réadaptation physique	2295
Thérapeute par l'art	1258
Travailleur ou travailleuse communautaire	2375
Travailleur social professionnel, agent d'intervention en service social, travailleuse sociale professionnelle, agente d'intervention en service social (T.R.)	1550

2003, c. 25, annexe 4; Décision, (2014) 146 G. O. II, 2691

Lois et règlements du Canada

TABLE DES MATIÈRES
LOIS ET RÈGLEMENTS DU CANADA

[CAN-1]
TABLE DES MATIÈRES
LOI CANADIENNE SUR LES DROITS DE LA PERSONNE

[CAN-1]
LOI CANADIENNE SUR LES DROITS DE LA PERSONNE

Loi visant à compléter la législation canadienne en matière de discrimination

L.R.C. (1985), ch. H-6, telle que modifiée par L.R.C. (1985), ch. 31 (1er suppl.), art. 62–67; L.R.C. (1985), ch. 32 (2e suppl.), art. 41 (ann., no 3); L.C. 1992, ch. 22, art. 13; 1993, ch. 28, art. 78 (ann. III, art. 68–70); 1994, ch. 26, art. 34; 1995, ch. 44, art. 47–50; 1996, ch. 11, art. 61; 1996, ch. 14; 1998, ch. 9, art. 9–12, 13 (A.), 14–31(3), (4) (A.), (5), 32; 2001, ch. 41, art. 45, 88; 2002, ch. 7, art. 126–128; 2003, ch. 22, art. 137 (A.), 224z.6) (A.); 2005, ch. 34, art. 79b); 2008, ch. 30; 2009, ch. 2, art. 399 [Non en vigueur à la date de publication.]; 2011, ch. 24, art. 165, 166; 2012, ch. 1, art. 137 (A.), 138 (A.), 139(1) (A.), (2), (3) (A.); 2012, ch. 16, art. 83; 2013, ch. 37; 2013, ch. 40, art. 237(1)d), 340 [art. 340 non en vigueur à la date de publication.]; 2014, ch. 2, art. 11; 2014, ch. 20, art. 414, 415; 2017, ch. 3, art. 9–11; 2017, ch. 9, art. 68(4), (5) [Conditions non remplies.]; 2017, ch. 13, art. 1, 2.

TITRE ABRÉGÉ

1. Titre abrégé — *Loi canadienne sur les droits de la personne.*

OBJET

2. Objet — La présente loi a pour objet de compléter la législation canadienne en donnant effet, dans le champ de compétence du Parlement du Canada, au principe suivant : le droit de tous les individus, dans la mesure compatible avec leurs devoirs et obligations au sein de la société, à l'égalité des chances d'épanouissement et à la prise de mesures visant à la satisfaction de leurs besoins, indépendamment des considérations fondées sur la race, l'origine nationale ou ethnique, la couleur, la religion, l'âge, le sexe, l'orientation sexuelle, l'identité ou l'expression de genre, l'état matrimonial, la situation de famille, les caractéristiques génétiques, la déficience ou l'état de personne graciée.

1996, ch. 14, art. 1; 1998, ch. 9, art. 9; 2017, ch. 3, art. 9, 11(2); 2017, ch. 13, art. 1

PARTIE I — MOTIFS DE DISTINCTION ILLICITE (ART. 3–25)

Dispositions générales

3. (1) Motifs de distinction illicite — Pour l'application de la présente loi, les motifs de distinction illicite sont ceux qui sont fondés sur la race, l'origine nationale ou ethnique, la couleur, la religion, l'âge, le sexe, l'orientation sexuelle, l'identité ou l'expression de genre, l'état matrimonial, la situation de famille, les caractéristiques génétiques, l'état de personne graciée ou la déficience.

(2) Idem — Une distinction fondée sur la grossesse ou l'accouchement est réputée être fondée sur le sexe.

(3) Idem — Une distinction fondée sur le refus d'une personne, à la suite d'une demande, de subir un test génétique, de communiquer les résultats d'un tel test ou d'autoriser la communication de ces résultats est réputée être de la discrimination fondée sur les caractéristiques génétiques.

1996, ch. 14, art. 2; 2017, ch. 3, art. 10, 11(3); 2017, ch. 13, art. 2

3.1 Multiplicité des motifs — Il est entendu que les actes discriminatoires comprennent les actes fondés sur un ou plusieurs motifs de distinction illicite ou l'effet combiné de plusieurs motifs.

1998, ch. 9, art. 11

4. Ordonnances relatives aux actes discriminatoires — Les actes discriminatoires prévus aux articles 5 à 14.1 peuvent faire l'objet d'une plainte en vertu de la partie III et toute personne reconnue coupable de ces actes peut faire l'objet des ordonnances prévues à l'article 53.

1998, ch. 9, art. 11; 2013, ch. 37, art. 1

Actes discriminatoires

5. Refus de biens, de services, d'installations ou d'hébergement — Constitue un acte discriminatoire, s'il est fondé sur un motif de distinction illicite, le fait, pour le fournisseur de biens, de services, d'installations ou de moyens d'hébergement destinés au public :

a) d'en priver un individu;

b) de le défavoriser à l'occasion de leur fourniture.

6. Refus de locaux commerciaux ou de logements — Constitue un acte discriminatoire, s'il est fondé sur un motif de distinction illicite, le fait, pour le fournisseur de locaux commerciaux ou de logements :

a) de priver un individu de leur occupation;

b) de le défavoriser à l'occasion de leur fourniture.

7. Emploi — Constitue un acte discriminatoire, s'il est fondé sur un motif de distinction illicite, le fait, par des moyens directs ou indirects :

a) de refuser d'employer ou de continuer d'employer un individu;

b) de le défavoriser en cours d'emploi.

8. Demandes d'emploi, publicité — Constitue un acte discriminatoire, quand y sont exprimées ou suggérées des restrictions, conditions ou préférences fondées sur un motif de distinction illicite :

a) l'utilisation ou la diffusion d'un formulaire de demande d'emploi;

b) la publication d'une annonce ou la tenue d'une enquête, oralement ou par écrit, au sujet d'un emploi présent ou éventuel.

9. (1) Organisations syndicales — Constitue un acte discriminatoire, s'il est fondé sur un motif de distinction illicite, le fait, pour une organisation syndicale :

a) d'empêcher l'adhésion pleine et entière d'un individu;

b) d'expulser ou de suspendre un adhérent;

c) d'établir, à l'endroit d'un adhérent ou d'un individu à l'égard de qui elle a des obligations aux termes d'une convention collective, que celui-ci fasse ou non partie de l'organisation, des restrictions, des différences ou des catégories ou de prendre toutes autres mesures susceptibles soit de le priver de ses chances d'emploi ou d'avancement, soit de limiter ses chances d'emploi ou d'avancement, ou, d'une façon générale, de nuire à sa situation.

(2) [Abrogé, 2011, ch. 24, art. 165.]

(3) [Abrogé, 1998, ch. 9, art. 12.]

1998, ch. 9, art. 12; 2011, ch. 24, art. 165

10. Lignes de conduite discriminatoires — Constitue un acte discriminatoire, s'il est fondé sur un motif de distinction illicite et s'il est susceptible d'annihiler les chances d'emploi ou d'avancement d'un individu ou d'une catégorie d'individus, le fait, pour l'employeur, l'association patronale ou l'organisation syndicale :

a) de fixer ou d'appliquer des lignes de conduite;

b) de conclure des ententes touchant le recrutement, les mises en rapport, l'engagement, les promotions, la formation, l'apprentissage, les mutations ou tout autre aspect d'un emploi présent ou éventuel.

11. (1) Disparité salariale discriminatoire — Constitue un acte discriminatoire le fait pour l'employeur d'instaurer ou de pratiquer la disparité salariale entre les hommes et les femmes qui exécutent, dans le même établissement, des fonctions équivalentes.

(2) Critère — Le critère permettant d'établir l'équivalence des fonctions exécutées par des salariés dans le même établissement est le dosage de qualifications, d'efforts et de responsabilités nécessaire pour leur exécution, compte tenu des conditions de travail.

(3) Établissements distincts — Les établissements distincts qu'un employeur aménage ou maintient dans le but principal de justifier une disparité salariale entre hommes et femmes sont réputés, pour l'application du présent article, ne constituer qu'un seul et même établissement.

(4) Disparité salariale non discriminatoire — Ne constitue pas un acte discriminatoire au sens du paragraphe (1) la disparité salariale entre hommes et femmes fondée sur un facteur reconnu comme raisonnable par une ordonnance de la Commission canadienne des droits de la personne en vertu du paragraphe 27(2).

(5) Idem — Des considérations fondées sur le sexe ne sauraient motiver la disparité salariale.

(6) Diminutions de salaire interdites — Il est interdit à l'employeur de procéder à des diminutions salariales pour mettre fin aux actes discriminatoires visés au présent article.

(7) Définition de « salaire » — Pour l'application du présent article, « salaire » s'entend de toute forme de rémunération payable à un individu en contrepartie de son travail et, notamment :

a) des traitements, commissions, indemnités de vacances ou de licenciement et des primes;

b) de la juste valeur des prestations en repas, loyers, logement et hébergement;

c) des rétributions en nature;

d) des cotisations de l'employeur aux caisses ou régimes de pension, aux régimes d'assurance contre l'invalidité prolongée et aux régimes d'assurance-maladie de toute nature;

e) des autres avantages reçus directement ou indirectement de l'employeur.

12. Divulgation de faits discriminatoires, etc. — Constitue un acte discriminatoire le fait de publier ou d'exposer en public, ou de faire publier ou exposer en public des affiches, des écriteaux, des insignes, des emblèmes, des symboles ou autres représentations qui, selon le cas :

a) expriment ou suggèrent des actes discriminatoires au sens des articles 5 à 11 ou de l'article 14 ou des intentions de commettre de tels actes;

b) en encouragent ou visent à en encourager l'accomplissement.

13. [Abrogé, 2013, ch. 37, art. 2.]

14. (1) Harcèlement — Constitue un acte discriminatoire, s'il est fondé sur un motif de distinction illicite, le fait de harceler un individu :

a) lors de la fourniture de biens, de services, d'installations ou de moyens d'hébergement destinés au public;

b) lors de la fourniture de locaux commerciaux ou de logements;

c) en matière d'emploi.

(2) Harcèlement sexuel — Pour l'application du paragraphe (1) et sans qu'en soit limitée la portée générale, le harcèlement sexuel est réputé être un harcèlement fondé sur un motif de distinction illicite.

14.1 Représailles — Constitue un acte discriminatoire le fait, pour la personne visée par une plainte déposée au titre de la partie III, ou pour celle qui agit en son nom, d'exercer ou de menacer d'exercer des représailles contre le plaignant ou la victime présumée.

1998, ch. 9, art. 14

15. (1) Exceptions — Ne constituent pas des actes discriminatoires :

a) les refus, exclusions, expulsions, suspensions, restrictions, conditions ou préférences de l'employeur qui démontre qu'ils découlent d'exigences professionnelles justifiées;

b) le fait de refuser ou de cesser d'employer un individu qui n'a pas atteint l'âge minimal ou qui a atteint l'âge maximal prévu, dans l'un ou l'autre cas, pour l'emploi en question par la loi ou les règlements que peut prendre le gouverneur en conseil pour l'application du présent alinéa;

c) [Abrogé, 2011, ch. 24, art. 166.]

d) le fait que les conditions et modalités d'une caisse ou d'un régime de retraite constitués par l'employeur, l'organisation patronale ou l'organisation syndicale prévoient la dévolution ou le blocage obligatoires des cotisations à des âges déterminés ou déterminables conformément aux articles 17 et 18 de la *Loi de 1985 sur les normes de prestation de pension*;

d.1) le fait que les modalités d'un régime de pension agréé collectif prévoient le versement de paiements variables ou le transfert de fonds à des âges déterminés conformément aux articles 48 et 55 respectivement de la *Loi sur les régimes de pension agréés collectifs*;

e) le fait qu'un individu soit l'objet d'une distinction fondée sur un motif illicite, si celle-ci est reconnue comme raisonnable par une ordonnance de la Commission canadienne des droits de la personne rendue en vertu du paragraphe 27(2);

f) le fait pour un employeur, une organisation patronale ou une organisation syndicale d'accorder à une employée un congé ou des avantages spéciaux liés à sa grossesse ou à son accouchement, ou d'accorder à ses employés un congé ou des avantages spéciaux leur permettant de prendre soin de leurs enfants;

g) le fait qu'un fournisseur de biens, de services, d'installations ou de moyens d'hébergement destinés au public, ou de locaux commerciaux ou de logements en prive un individu ou le défavorise lors de leur fourniture pour un motif de distinction illicite, s'il a un motif justifiable de le faire.

(2) **Besoins des individus** — Les faits prévus à l'alinéa (1)a) sont des exigences professionnelles justifiées ou un motif justifiable, au sens de l'alinéa (1)g), s'il est démontré que les mesures destinées à répondre aux besoins d'une personne ou d'une catégorie de personnes visées constituent, pour la personne qui doit les prendre, une contrainte excessive en matière de coûts, de santé et de sécurité.

(3) **Règlement** — Le gouverneur en conseil peut, par règlement, déterminer les critères d'évaluation d'une contrainte excessive.

(4) **Prépublication** — Les projets de règlement d'application du paragraphe (3) sont publiés dans la *Gazette du Canada*, les intéressés se voyant accorder la possibilité de présenter leurs observations à cet égard.

(5) **Consultations** — La Commission des droits de la personne tient des consultations publiques concernant tout projet de règlement publié au titre du paragraphe (4) et fait rapport au gouverneur en conseil dans les meilleurs délais.

(6) **Modification** — La modification du projet de règlement n'entraîne pas une nouvelle publication.

(7) **Prise du règlement** — Faute par la Commission de lui remettre son rapport dans les six mois qui suivent la publication du projet de règlement, le gouverneur en conseil peut procéder à la prise du règlement.

(8) **Application** — Le présent article s'applique à tout fait, qu'il ait pour résultat la discrimination directe ou la discrimination par suite d'un effet préjudiciable.

(9) **Universalité du service au sein des Forces canadiennes** — Le paragraphe (2) s'applique sous réserve de l'obligation de service imposée aux membres des Forces canadiennes, c'est-à-dire celle d'accomplir en permanence et en toutes circonstances les fonctions auxquelles ils peuvent être tenus.

L.R.C. (1985), ch. 32 (2e suppl.), art. 41; 1998, ch. 9, art. 10, 15; 2011, ch. 24, art. 166; 2012, ch. 16, art. 83

16. (1) Programmes de promotion sociale — Ne constitue pas un acte discriminatoire le fait d'adopter ou de mettre en oeuvre des programmes, des plans ou des arrangements spéciaux destinés à supprimer, diminuer ou prévenir les désavantages que subit ou peut vraisemblablement subir un groupe d'individus pour des motifs fondés, directement ou indirectement, sur un motif de distinction illicite en améliorant leurs chances d'emploi ou d'avancement ou en leur facilitant l'accès à des biens, à des services, à des installations ou à des moyens d'hébergement.

(2) **Concours** — La Commission canadienne des droits de la personne peut :

a) faire des recommandations d'ordre général, relatives aux objectifs souhaitables pour les programmes, biens ou arrangements visés au paragraphe (1);

b) sur demande, prêter son concours à l'adoption ou à la mise en oeuvre des programmes, plans ou arrangements visés au paragraphe (1).

(3) Renseignements relatifs à un motif de distinction illicite — Ne constitue pas un acte discriminatoire le fait de recueillir des renseignements relatifs à un motif de distinction illicite s'ils sont destinés à servir lors de l'adoption ou de la mise en oeuvre des programmes, plans ou arrangements visés au paragraphe (1).

1998, ch. 9, art. 16

17. (1) Programme d'adaptation — La personne qui entend mettre en oeuvre un programme prévoyant l'adaptation de services, d'installations, de locaux, d'activités ou de matériel aux besoins particuliers des personnes atteintes d'une déficience peut en demander l'approbation à la Commission canadienne des droits de la personne.

(2) Approbation du programme — La Commission peut, par avis écrit à l'auteur de la demande visée au paragraphe (1), approuver le programme si elle estime que celui-ci convient aux besoins particuliers des personnes atteintes d'une déficience.

(3) Conséquence de l'approbation — Dans le cas où des services, des installations, des locaux, des activités ou du matériel ont été adaptés conformément à un programme approuvé en vertu du paragraphe (2), les questions auxquelles celui-ci pourvoit ne peuvent servir de fondement à une plainte déposée en vertu de la partie III portant sur une déficience visée par le programme.

(4) Avis de refus — Dans le cas où elle décide de refuser la demande présentée en vertu du paragraphe (1), la Commission envoie à son auteur un avis exposant les motifs du refus.

18. (1) Annulation de l'approbation — La Commission canadienne des droits de la personne peut, par avis écrit à la personne qui entend adapter les services, les installations, les locaux, les activités ou le matériel conformément à un programme approuvé en vertu du paragraphe 17(2), en annuler l'approbation, en tout ou en partie, si elle estime que, vu les circonstances nouvelles, celui-ci ne convient plus aux besoins particuliers des personnes atteintes d'une déficience.

(2) Conséquence de l'annulation — Le paragraphe 17(3) ne s'applique pas à un programme, dans la mesure où celui-ci est annulé en vertu du paragraphe (1), si l'acte discriminatoire dénoncé par la plainte est postérieur à l'annulation.

(3) Motifs de l'annulation — Dans le cas où elle annule l'approbation d'un programme en vertu du paragraphe (1), la Commission indique dans l'avis y mentionné les motifs de l'annulation.

19. (1) Possibilité de présenter des observations — Avant de rendre une décision en vertu des paragraphes 17(2) ou 18(1), la Commission canadienne des droits de la personne donne aux intéressés la possibilité de présenter des observations à son sujet.

(2) Réserve — Pour l'application des articles 17 et 18, un programme n'est pas inadapté aux besoins particuliers des personnes atteintes d'une déficience du seul fait qu'il est incompatible avec les normes établies en vertu de l'article 24.

20. Dispositions non discriminatoires — Les dispositions des caisses ou régimes de pension et des régimes ou fonds d'assurance protégeant les droits acquis avant le 1er mars 1978 ou maintenant le droit aux prestations de pension ou autres accumulées avant cette date ne peuvent servir de fondement à une plainte déposée au titre de la partie III pour actes discriminatoires commis par l'employeur, l'organisation patronale ou l'organisation syndicale.

1998, ch. 9, art. 17

21. Caisses ou régimes — La constitution de caisses ou de régimes de pension distincts pour différents groupes d'employés ne peut servir de fondement à une plainte déposée au titre de la partie III pour actes discriminatoires commis par l'employeur, l'organisation patronale ou l'organisation syndicale, lorsque ces groupes ne sont pas établis par suite de distinctions illicites.

1998, ch. 9, art. 17

22. Règlements — Outre les cas prévus aux articles 20 et 21, le gouverneur en conseil peut, par règlement, déterminer quelles dispositions des caisses ou régimes de pension et des régimes ou fonds d'assurance ne peuvent servir de fondement à une plainte déposée au titre de la partie III pour actes discriminatoires commis par l'employeur, l'organisation patronale ou l'organisation syndicale.

1998, ch. 9, art. 17

23. Règlements — Le gouverneur en conseil peut, par règlement, assortir les contrats, permis, licences ou subventions accordés par Sa Majesté du chef du Canada, de conditions et modalités prévoyant :

a) l'interdiction des actes discriminatoires visés aux articles 5 à 14.1;

b) le règlement, conformément à la procédure de la partie III, des plaintes relatives aux actes discriminatoires ainsi interdits.

1998, ch. 9, art. 18

24. (1) Établissement de normes d'accès — Le gouverneur en conseil peut, par règlement, établir au profit des personnes atteintes d'une déficience des normes d'accès aux services, aux installations ou aux locaux.

(2) Conséquence du respect des normes — Dans le cas où l'accès aux services, aux installations ou aux locaux est assuré conformément aux normes établies en vertu du paragraphe (1), l'accès à ceux-ci ne peut servir de fondement à une plainte déposée en vertu de la partie III portant sur une déficience visée par les normes.

(3) Publication des projets de règlements — Sous réserve du paragraphe (4), les projets de règlements d'application du présent article sont publiés dans la *Gazette du Canada*, les intéressés se voyant accorder la possibilité de présenter leurs observations à cet égard.

(4) Exception — Ne sont pas visés les projets de règlement déjà publiés dans les conditions prévues au paragraphe (3), qu'ils aient été modifiés ou non à la suite d'observations présentées conformément à ce paragraphe.

(5) Incompatibilité — L'incompatibilité avec les normes établies en vertu du paragraphe (1) ne peut être assimilée à un acte discriminatoire.

25. Définitions — Les définitions qui suivent s'appliquent à la présente loi.

« déficience » Déficience physique ou mentale, qu'elle soit présente ou passée, y compris le défigurement ainsi que la dépendance, présente ou passée, envers l'alcool ou la drogue. *(« disability »)*

« emploi » Y est assimilé le contrat conclu avec un particulier pour la fourniture de services par celui-ci. *(« employment »)*

« état de personne graciée » État d'une personne physique qui a obtenu un pardon accordé en vertu de la prérogative royale de clémence que possède Sa Majesté ou de l'article 748 du *Code criminel* ou une suspension du casier au titre de la *Loi sur le casier judiciaire*, qui n'a pas été révoqué ni annulé. *(« conviction for an offence for which a pardon has been granted or in respect of which a record suspension has been ordered »)*

« **organisation patronale** » Groupement d'employeurs ayant notamment pour objet de réglementer les relations entre employeurs et employés. *(« employer organization »)*

« **organisation syndicale** » Syndicat ou autre groupement d'employés, y compris ses sections locales, chargé notamment de négocier les conditions de travail des employés au nom de ceux-ci. *(« employee organization »)*

« **Tribunal** » Le Tribunal canadien des droits de la personne constitué par l'article 48.1. *(« Tribunal »)*

1992, ch. 22, art. 13; 1998, ch. 9, art. 19; 2012, ch. 1, art. 139(2)

PARTIE II — COMMISSION CANADIENNE DES DROITS DE LA PERSONNE (ART. 26–38)

26. (1) Constitution de la Commission — Est constituée la Commission canadienne des droits de la personne, appelée, dans la présente loi, la « Commission », composée de cinq à huit membres, ou commissaires, dont le président et le vice-président, nommés par le gouverneur en conseil.

(2) **Commissaires** — Le président et le vice-président sont nommés à temps plein et les autres commissaires, à temps plein ou à temps partiel.

(3) **Durée du mandat** — La durée maximale du mandat des commissaires à temps plein est de sept ans et celle du mandat des commissaires à temps partiel, de trois ans.

(4) **Occupation du poste** — Les commissaires occupent leur poste à titre inamovible, sous réserve de révocation par le gouverneur en conseil sur adresse du Sénat et de la Chambre des communes.

(5) **Nouveau mandat** — Les commissaires peuvent recevoir un nouveau mandat, aux fonctions identiques ou non.

Pouvoirs et fonctions

27. (1) Pouvoirs et fonctions — Outre les fonctions prévues par la partie III au titre des plaintes fondées sur des actes discriminatoires et l'application générale de la présente partie et des parties I et III, la Commission :

a) élabore et exécute des programmes de sensibilisation publique touchant le principe énoncé à l'article 2, la présente loi et le rôle et les activités que celle-ci lui confère;

b) entreprend ou patronne des programmes de recherche dans les domaines qui ressortissent à ses objets aux termes de la présente loi ou au principe énoncé à l'article 2;

c) se tient en liaison étroite avec les organismes ou les autorités provinciales de même nature pour favoriser l'adoption de lignes de conduite communes et éviter les conflits dans l'instruction des plaintes en cas de chevauchement de compétence;

d) exécute les fonctions que lui attribuent les accords conclus conformément au paragraphe 28(2);

e) peut étudier les recommandations, propositions et requêtes qu'elle reçoit en matière de droits et libertés de la personne, ainsi que les mentionner et les commenter dans le rapport visé à l'article 61 dans les cas où elle le juge opportun;

f) fait ou fait faire les études sur les droits et libertés de la personne que lui demande le ministre de la Justice et inclut, dans chaque cas, ses conclusions et recommandations dans le rapport visé à l'article 61;

g) peut examiner les règlements, règles, décrets, arrêtés et autres textes établis en vertu d'une loi fédérale, ainsi que les mentionner et les commenter dans le rapport visé à l'article 61 dans les cas où elle les juge incompatibles avec le principe énoncé à l'article 2;

h) dans la mesure du possible et sans transgresser la partie III, tente, par tous les moyens qu'elle estime indiqués, d'empêcher la perpétration des actes discriminatoires visés aux articles 5 à 14.1.

(2) **Directives** — Dans une catégorie de cas donnés, la Commission peut, sur demande ou de sa propre initiative, décider de préciser, par ordonnance, les limites et les modalités de l'application de la présente loi.

(3) **Effet obligatoire** — Les ordonnances prises en vertu du paragraphe (2) lient, jusqu'à ce qu'elles soient abrogées ou modifiées, la Commission et le membre instructeur désigné en vertu du paragraphe 49(2) lors du règlement des plaintes déposées conformément à la partie III.

(4) **Publication** — Les ordonnances prises en vertu du paragraphe (2) et portant sur les modalités d'application de certaines dispositions de la présente loi à certaines catégories de cas sont publiées dans la partie II de la *Gazette du Canada*.

1998, ch. 9, art. 20

28. (1) **Délégation de fonctions** — Sur recommandation de la Commission, le gouverneur en conseil peut, par décret, déléguer à des personnes ou catégories de personnes données travaillant pour le ministère de l'Emploi et du Développement social certaines fonctions de la Commission, qui y sont précisées, concernant les actes discriminatoires en matière d'emploi à l'extérieur de l'administration publique fédérale.

(2) **Délégations réciproques** — Sous réserve de l'autorisation du gouverneur en conseil, la Commission peut conclure avec les organismes ou les autorités provinciales de même nature des accords portant, à charge de réciprocité éventuelle, délégation de fonctions déterminées.

1996, ch. 11, art. 61; 2005, ch. 34, art. 79b); 2013, ch. 40, art. 237(1)d)

29. **Règlements** — Sur recommandation de la Commission, le gouverneur en conseil peut lui accorder par règlement, outre les pouvoirs et les fonctions prévus par la présente loi, ceux qui sont nécessaires à l'application de la présente partie et des parties I et III.

Rétribution

30. (1) **Traitements et rémunération** — Les commissaires à temps plein reçoivent le traitement que fixe le gouverneur en conseil. Les commissaires à temps partiel reçoivent la rémunération fixée par règlement administratif lorsque le président requiert leur présence aux réunions tant de la Commission que de ses sections ou comités.

(2) **Rémunération supplémentaire** — Les commissaires à temps partiel reçoivent la rémunération supplémentaire fixée par règlement administratif à l'occasion des missions extraordinaires qu'ils accomplissent pour le compte de la Commission avec l'approbation du président.

(3) **Frais de déplacement et de séjour** — Les commissaires sont indemnisés, conformément au règlement administratif, des frais de déplacement et

de séjour engagés dans l'exercice des fonctions qui leur sont confiées en application de la présente loi.

Dirigeants et personnel

31. (1) Président — Le président est le premier dirigeant de la Commission; à ce titre, il en assure la direction, préside ses réunions et contrôle la gestion de son personnel.

(2) Absence ou empêchement — En cas d'absence ou d'empêchement du président ou de vacance de son poste, la présidence est assumée par le vice-président.

(3) Idem — En cas d'absence ou d'empêchement du président et du vice-président ou de vacance de leurs postes, la présidence est assumée par le commissaire à temps plein ayant le plus d'ancienneté dans son poste.

32. (1) Personnel — Le personnel nécessaire à l'exécution des travaux de la Commission est nommé conformément à la *Loi sur l'emploi dans la fonction publique*.

(2) Assistance contractuelle — La Commission peut, pour des travaux déterminés, engager à contrat des experts compétents dans des domaines relevant de son champ d'activité et leur verser à cette occasion la rémunération et les indemnités fixées par règlement administratif.

33. (1) Respect des normes de sécurité — Les commissaires et les agents de la Commission appelés à recevoir ou à recueillir des renseignements dans le cadre des enquêtes prévues par la présente loi doivent, quant à l'accès à ces renseignements et à leur utilisation, respecter les normes de sécurité applicables et prêter les serments imposés à leurs usagers habituels.

(2) Divulgation — Les commissaires et les agents de la Commission prennent toutes précautions raisonnables pour éviter de dévoiler des renseignements dont la révélation serait susceptible :

a) de nuire aux relations internationales, à la défense ou à la sécurité nationales ou aux relations fédéro-provinciales;

b) de violer le secret attaché aux travaux du Conseil privé de la Reine pour le Canada;

c) d'entraîner la divulgation de renseignements obtenus par un organisme d'enquête du gouvernement du Canada :

(i) soit sur la sécurité nationale,

(ii) soit au cours d'enquêtes sur la détection ou la prévention du crime en général,

(iii) soit au cours d'enquêtes sur des infractions précises aux lois fédérales;

d) dans le cas d'un individu condamné pour infraction à une loi fédérale :

(i) soit d'avoir de graves conséquences sur son régime pénitentiaire, sa libération conditionnelle ou sa surveillance obligatoire,

(ii) soit d'entraîner la divulgation de renseignements qui, à l'origine, ont été obtenus expressément ou implicitement sous le sceau du secret,

(iii) soit de causer, à lui ou à quiconque, des dommages, corporels ou autres;

e) d'entraver le fonctionnement d'un tribunal judiciaire ou quasi judiciaire, ou le déroulement d'une enquête instituée en vertu de la *Loi sur les enquêtes*;

f) d'entraîner la divulgation de consultations juridiques données à un ministère ou à un organisme gouvernemental ou de violer le secret professionnel existant entre l'avocat et son client à propos d'une affaire touchant à l'administration publique.

34. (1) Siège — Le siège de la Commission est fixé dans la région de la capitale nationale définie à l'annexe de la *Loi sur la capitale nationale*.

(2) Bureaux régionaux ou locaux — La Commission peut créer, jusqu'à concurrence de douze, les bureaux régionaux ou locaux dont elle estime la création nécessaire à l'exercice de ses pouvoirs et fonctions dans le cadre de la présente loi.

(3) Réunions — La Commission tient ses réunions aux date, heure et lieu choisis par le président selon les besoins.

35. Décisions à la majorité des voix — La Commission prend ses décisions, sous réserve du quorum, à la majorité des voix des commissaires présents.

36. (1) Constitution de sections — Le président peut constituer au sein de la Commission des sections qui peuvent exercer, conformément aux instructions de la Commission, tout ou partie des pouvoirs et fonctions de celle-ci, à l'exception du pouvoir de prendre des règlements administratifs.

(2) Désignation du président de section — Le président peut choisir le président d'une section parmi les commissaires qui la composent.

37. (1) Règlements administratifs — La Commission peut, par règlement administratif, régir son activité et, notamment, prévoir :

a) la convocation de ses réunions et de celles des sections, ainsi que la fixation de leur quorum;

b) le déroulement de ses réunions et de celles des sections;

c) la constitution de comités, la délégation de pouvoirs et fonctions aux comités et la fixation de leur quorum;

d) la procédure relative aux plaintes déposées sous le régime de la partie III et ayant leur origine au Yukon, dans les Territoires du Nord-Ouest ou au Nunavut;

e) le barème de rémunération des commissaires à temps partiel et des personnes visées au paragraphe 32(2);

f) le barème des frais de déplacement et de séjour payables aux commissaires et aux personnes visées au paragraphe 32(2).

(2) Approbation du Conseil du Trésor — Les règlements administratifs pris sous le régime des alinéas (1)e) ou f) sont inopérants tant qu'ils n'ont pas été approuvés par le Conseil du Trésor.

1993, ch. 28, art. 78; 1998, ch. 9, art. 21; 2002, ch. 7, art. 126

38. Pensions de retraite, etc. — Les commissaires à temps plein sont réputés appartenir à la fonction publique pour l'application de la *Loi sur la pension de la fonction publique* et appartenir à l'administration publique fédérale pour l'application de la *Loi sur l'indemnisation des agents de l'État* et des règlements pris en vertu de l'article 9 de la *Loi sur l'aéronautique*.

PARTIE III — ACTES DISCRIMINATOIRES ET DISPOSITIONS GÉNÉRALES (ART. 39–65)

39. Définition de« acte discriminatoire » — Pour l'application de la présente partie, « acte discriminatoire » s'entend d'un acte visé aux articles 5 à 14.1.

1998, ch. 9, art. 22

40. (1) Plaintes — Sous réserve des paragraphes (5) et (7), un individu ou un groupe d'individus ayant des motifs raisonnables de croire qu'une personne a commis un acte discriminatoire peut déposer une plainte devant la Commission en la forme acceptable pour cette dernière.

(2) Consentement de la victime — La Commission peut assujettir la recevabilité d'une plainte au consentement préalable de l'individu présenté comme la victime de l'acte discriminatoire.

(3) Autosaisine de la Commission — La Commission peut prendre l'initiative de la plainte dans les cas où elle a des motifs raisonnables de croire qu'une personne a commis un acte discriminatoire.

(3.1) Restriction — La Commission ne peut prendre l'initiative d'une plainte qui serait fondée sur des renseignements qu'elle aurait obtenus dans le cadre de l'application de la *Loi sur l'équité en matière d'emploi*.

(4) Jonctions de plaintes — En cas de dépôt, conjoint ou distinct, par plusieurs individus ou groupes de plaintes dénonçant la perpétration par une personne donnée d'actes discriminatoires ou d'une série d'actes discriminatoires de même nature, la Commission peut, pour l'application de la présente partie, joindre celles qui, à son avis, soulèvent pour l'essentiel les mêmes questions de fait et de droit et demander au président du Tribunal d'ordonner, conformément à l'article 49, une instruction commune.

(5) Recevabilité — Pour l'application de la présente partie, la Commission n'est validement saisie d'une plainte que si l'acte discriminatoire :

a) a eu lieu au Canada alors que la victime y était légalement présente ou qu'elle avait le droit d'y revenir;

b) a eu lieu au Canada sans qu'il soit possible d'en identifier la victime, mais tombe sous le coup des articles 5, 8, 10 ou 12;

c) a eu lieu à l'étranger alors que la victime était un citoyen canadien ou qu'elle avait été légalement admise au Canada à titre de résident permanent.

(6) Renvoi au ministre compétent — En cas de doute sur la situation d'un individu par rapport à une plainte dans les cas prévus au paragraphe (5), la Commission renvoie la question au ministre compétent et elle ne peut procéder à l'instruction de la plainte que si la question est tranchée en faveur du plaignant.

(7) Cas d'irrecevabilité — La Commission ne peut connaître, au titre du paragraphe (1), d'une plainte qui porte sur les conditions et les modalités d'une caisse ou d'un régime de pensions, lorsque le redressement demandé aurait pour effet de priver un participant de droits acquis avant le 1er mars 1978 ou de prestations de pension ou autres accumulées jusqu'à cette date, notamment :

a) de droits ou de prestations attachés à un âge déterminé de retraite;

b) de prestations de réversion.

L.R.C. (1985), ch. 31 (1er suppl.), art. 62; 1995, ch. 44, art. 47; 1998, ch. 9, art. 23; 2013, ch. 37, art. 3

40.1 (1) Définitions — Les définitions qui suivent s'appliquent au présent article.

« employeur » Toute personne ou organisation chargée de l'exécution des obligations de l'employeur prévues par la *Loi sur l'équité en matière d'emploi*. *(« employer »)*

« groupes désignés » S'entend au sens de l'article 3 de la *Loi sur l'équité en matière d'emploi*. *(« designated groups »)*

(2) Exception à la compétence — La Commission ne peut se fonder sur l'article 40 pour connaître des plaintes qui, à la fois, sont :

a) faites contre un employeur et dénonçant la perpétration d'actes discriminatoires visés à l'article 7 ou à l'alinéa 10a);

b) fondées uniquement sur des données statistiques qui tendent à établir la sous-représentation des membres des groupes désignés dans l'effectif de l'employeur.

Ajout proposé — 40.1(3), (4)

(3) Loi sur les relations de travail dans la fonction publique — La Commission ne peut se fonder sur l'article 40 pour connaître des plaintes qui émanent d'un fonctionnaire, au sens du paragraphe 206(1) de la *Loi sur les relations de travail dans la fonction publique*, sont déposées contre son employeur, au sens du paragraphe 2(1) de cette loi, et qui dénoncent la perpétration d'un acte discriminatoire prévu aux articles 7, 8, 10 ou 14.

Modification proposée — Modification conditionnelle — 40.1(3), (3.1)

Si la date d'entrée en vigueur de L.C. 2017, ch. 9, art. 40(2) [En vigueur le 8 juin 2017.] précède la date publiée par le Conseil du Trésor dans la *Gazette du Canada* en vertu du paragraphe 86(1) de la *Loi visant à accroître la responsabilité de la Gendarmerie royale du Canada* [Non encore publiée.] et que celle-ci précède la date d'entrée en vigueur de L.C. 2013, ch. 40, art. 340 [Non en vigueur à la date de publication.], cet article 340 est modifié par remplacement du paragraphe 40.1(3) qui y est édicté par les paragraphes 40.1(3) et (3.1) figurant à l'article 68(2) de L.C. 2017, ch. 9 :

(3) **Loi sur les relations de travail dans le secteur public fédéral, fonctionnaires** — La Commission ne peut se fonder sur l'article 40 pour connaître des plaintes qui émanent d'un fonctionnaire, au sens du paragraphe 206(1) de la *Loi sur les relations de travail dans le secteur public fédéral*, autre qu'un membre de la GRC, au sens du paragraphe 2(1) de cette loi, qui sont déposées contre son employeur, au sens de ce paragraphe 2(1), et qui dénoncent la perpétration d'un acte discriminatoire prévu aux articles 7, 8, 10 ou 14.

(3.1) **Loi sur les relations de travail dans le secteur public fédéral, membres de la GRC** — La Commission ne peut se fonder sur l'article 40 pour connaître des plaintes qui émanent soit d'un fonctionnaire, au sens du paragraphe 206(1) de la *Loi sur les relations de travail dans le secteur public fédéral*, membre de la GRC, au sens du paragraphe 2(1) de cette loi, soit d'un agent négociateur pour l'unité de négociation définie à l'article 238.14 de cette loi, qui portent sur l'interprétation ou l'application à l'égard de ce fonctionnaire ou des membres de l'unité de négociation, selon le cas, de toute disposition d'une convention collective ou d'une décision arbitrale, qui sont déposées contre l'employeur, au sens de ce paragraphe 2(1), et qui dénoncent la perpétration d'un acte discriminatoire prévu aux articles 7, 8, 10 ou 14.

2017, ch. 9, art. 68(4) [Conditions non remplies.]

Modification proposée — Modification conditionnelle — 40.1(3), (3.1)

Si L.C. 2017, ch. 9, art. 40(2) [En vigueur le 8 juin 2017.] entre en vigueur avant L.C. 2013, ch. 40, art. 340 [Non en vigueur à la date de publication.] et que cet article 340 entre en vigueur avant la date publiée par le Conseil du Trésor dans la *Gazette du Canada* en vertu du paragraphe 86(1) de la *Loi visant à accroître la responsabilité de la Gendarmerie royale du Canada* [Non encore publiée.], le paragraphe 40.1(3) de la *Loi canadienne sur les droits de la personne* est remplacé par ce qui suit :

(3) Loi sur les relations de travail dans le secteur public fédéral, fonctionnaires — La Commission ne peut se fonder sur l'article 40 pour connaître des plaintes qui émanent d'un fonctionnaire, au sens du paragraphe 206(1) de la *Loi sur les relations de travail dans le secteur public fédéral*, autre qu'un membre de la GRC, au sens du paragraphe 238.01(2) de cette loi, qui sont déposées contre son employeur, au sens du paragraphe 2(1) de cette loi, et qui dénoncent la perpétration d'un acte discriminatoire prévu aux articles 7, 8, 10 ou 14.

(3.1) Loi sur les relations de travail dans le secteur public fédéral, membres de la GRC — La Commission ne peut se fonder sur l'article 40 pour connaître des plaintes qui émanent soit d'un fonctionnaire, au sens du paragraphe 206(1) de la *Loi sur les relations de travail dans le secteur public fédéral*, membre de la GRC, au sens du paragraphe 238.01(2) de cette loi, soit d'un agent négociateur pour l'unité de négociation définie à l'article 238.14 de cette loi, qui portent sur l'interprétation ou l'application à l'égard de ce fonctionnaire ou des membres de l'unité de négociation, selon le cas, de toute disposition d'une convention collective ou d'une décision arbitrale, qui sont déposées contre l'employeur, au sens du paragraphe 2(1) de cette loi, et qui dénoncent la perpétration d'un acte discriminatoire prévu aux articles 7, 8, 10 ou 14.

2017, ch. 9, art. 68(5)a) [Conditions non remplies.]

Modification proposée — Modification conditionnelle — 40.1(3), (3.1)

Si L.C. 2017, ch. 9, art. 40(2) [En vigueur le 8 juin 2017.] entre en vigueur avant L.C. 2013, ch. 40, art. 340 [Non en vigueur à la date de publication.] et que cet article 340 entre en vigueur avant la date publiée par le Conseil du Trésor dans la *Gazette du Canada* en vertu du paragraphe 86(1) de la *Loi visant à accroître la responsabilité de la Gendarmerie royale du Canada* [Non encore publiée.], à la date publiée, les paragraphes 40.1(3) et (3.1) de la *Loi canadienne sur les droits de la personne* sont remplacés par les paragraphes 40.1(3) et (3.1) figurant à l'article 68(2) de L.C. 2017, ch. 9 :

(3) Loi sur les relations de travail dans le secteur public fédéral, fonctionnaires — La Commission ne peut se fonder sur l'article 40 pour connaître des plaintes qui émanent d'un fonctionnaire, au sens du paragraphe 206(1) de la *Loi sur les relations de travail dans le secteur public fédéral*, autre qu'un membre de la GRC, au sens du paragraphe 2(1) de cette loi, qui sont déposées contre son employeur, au sens de ce paragraphe 2(1), et qui dénoncent la perpétration d'un acte discriminatoire prévu aux articles 7, 8, 10 ou 14.

(3.1) Loi sur les relations de travail dans le secteur public fédéral, membres de la GRC — La Commission ne peut se fonder sur l'article 40 pour connaître des plaintes qui émanent soit d'un fonctionnaire, au sens du paragraphe 206(1) de la *Loi sur les relations de travail dans le secteur public fédéral*, membre de la GRC, au sens du paragraphe 2(1) de cette loi, soit d'un agent négociateur pour l'unité de négociation définie à l'article 238.14 de cette loi, qui portent sur l'interprétation ou l'application à l'égard de ce fonctionnaire ou des membres de l'unité de négociation, selon le cas, de toute disposition d'une convention collective ou d'une décision arbitrale, qui sont déposées contre l'employeur, au sens de ce paragraphe 2(1), et qui dénoncent la perpétration d'un acte discriminatoire prévu aux articles 7, 8, 10 ou 14.

2017, ch. 9, art. 68(5)b) [Conditions non remplies.]

(4) Loi sur l'emploi dans la fonction publique — La Commission ne peut se fonder sur l'article 40 pour connaître des plaintes qui émanent d'une personne, qui sont déposées contre la Commission de la fonction publique ou l'administrateur général, au sens du paragraphe 2(1) de la *Loi sur l'emploi dans la fonction publique*, et qui dénoncent la perpétration d'un acte discriminatoire prévu aux articles 7, 8, 10 ou 14 relativement à :

a) une proposition de nomination ou une nomination dans le cadre d'un processus de nomination interne sous le régime de cette loi;

b) la révocation d'une nomination au titre de cette loi;

c) la mise en disponibilité des fonctionnaires au titre de cette loi.

2013, ch. 40, art. 340 [Non en vigueur à la date de publication.]

1995, ch. 44, art. 48

Ajout proposé — 40.2

40.2 Non-application des articles 7, 10 et 11 — La Commission n'a pas compétence pour connaître des plaintes faites contre un employeur, au sens de ce terme dans la *Loi sur l'équité dans la rémunération du secteur public*, et dénonçant :

a) soit la perpétration d'actes discriminatoires visés aux articles 7 et 10 dans le cas où la plainte porte sur la disparité salariale entre les hommes et les femmes instaurée ou pratiquée par l'employeur;

b) soit la perpétration d'actes discriminatoires visés à l'article 11.

2009, ch. 2, art. 399 [Non en vigueur à la date de publication.]

41. (1) Irrecevabilité — Sous réserve de l'article 40, la Commission statue sur toute plainte dont elle est saisie à moins qu'elle estime celle-ci irrecevable pour un des motifs suivants :

a) la victime présumée de l'acte discriminatoire devrait épuiser d'abord les recours internes ou les procédures d'appel ou de règlement des griefs qui lui sont normalement ouverts;

b) la plainte pourrait avantageusement être instruite, dans un premier temps ou à toutes les étapes, selon des procédures prévues par une autre loi fédérale;

c) la plainte n'est pas de sa compétence;

d) la plainte est frivole, vexatoire ou entachée de mauvaise foi;

e) la plainte a été déposée après l'expiration d'un délai d'un an après le dernier des faits sur lesquels elle est fondée, ou de tout délai supérieur que la Commission estime indiqué dans les circonstances.

(2) Refus d'examen — La Commission peut refuser d'examiner une plainte de discrimination fondée sur l'alinéa 10a) et dirigée contre un employeur si elle estime que l'objet de la plainte est traité de façon adéquate dans le plan d'équité en matière d'emploi que l'employeur prépare en conformité avec l'article 10 de la *Loi sur l'équité en matière d'emploi*.

(3) Définition de « employeur » — Au présent article, « **employeur** » désigne toute personne ou organisation chargée de l'exécution des obligations de l'employeur prévues par la *Loi sur l'équité en matière d'emploi*.

1994, ch. 26, art. 34; 1995, ch. 44, art. 49

42. (1) Avis — Sous réserve du paragraphe (2), la Commission motive par écrit sa décision auprès du plaignant dans les cas où elle décide que la plainte est irrecevable.

(2) Imputabilité du défaut — Avant de décider qu'une plainte est irrecevable pour le motif que les recours ou procédures mentionnés à l'alinéa 41a) n'ont pas été épuisés, la Commission s'assure que le défaut est exclusivement imputable au plaignant.

Enquête

43. (1) Nomination de l'enquêteur — La Commission peut charger une personne, appelée, dans la présente loi, « l'enquêteur », d'enquêter sur une plainte.

(2) Procédure d'enquête — L'enquêteur doit respecter la procédure d'enquête prévue aux règlements pris en vertu du paragraphe (4).

(2.1) Pouvoir de visite — Sous réserve des restrictions que le gouverneur en conseil peut imposer dans l'intérêt de la défense nationale ou de la sécurité, l'enquêteur muni du mandat visé au paragraphe (2.2) peut, à toute heure convenable, pénétrer dans tous locaux et y perquisitionner, pour y procéder aux investigations justifiées par l'enquête.

(2.2) Délivrance du mandat — Sur demande *ex parte*, un juge de la Cour fédérale peut, s'il est convaincu, sur la foi d'une dénonciation sous serment, qu'il y a des motifs raisonnables de croire à la présence dans des locaux d'éléments de preuve utiles à l'enquête, signer un mandat autorisant, sous réserve des conditions éventuellement fixées, l'enquêteur qui y est nommé à perquisitionner dans ces locaux.

(2.3) Usage de la force — L'enquêteur ne peut recourir à la force dans l'exécution du mandat que si celui-ci en autorise expressément l'usage et que si lui-même est accompagné d'un agent de la paix.

(2.4) Examen des livres — L'enquêteur peut obliger toute personne se trouvant sur les lieux visés au présent article à communiquer, pour examen, ou reproduction totale ou partielle, les livres et documents qui contiennent des renseignements utiles à l'enquête.

(3) Entraves — Il est interdit d'entraver l'action de l'enquêteur.

(4) Règlements — Le gouverneur en conseil peut fixer, par règlement :

a) la procédure à suivre par les enquêteurs;

b) les modalités d'enquête sur les plaintes dont ils sont saisis au titre de la présente partie;

c) les restrictions nécessaires à l'application du paragraphe (2.1).

L.R.C. (1985), ch. 31 (1er suppl.), art. 63

44. (1) Rapport — L'enquêteur présente son rapport à la Commission le plus tôt possible après la fin de l'enquête.

(2) Suite à donner au rapport — La Commission renvoie le plaignant à l'autorité compétente dans les cas où, sur réception du rapport, elle est convaincue, selon le cas :

a) que le plaignant devrait épuiser les recours internes ou les procédures d'appel ou de règlement des griefs qui lui sont normalement ouverts;

b) que la plainte pourrait avantageusement être instruite, dans un premier temps ou à toutes les étapes, selon des procédures prévues par une autre loi fédérale.

(3) **Idem** — Sur réception du rapport d'enquête prévu au paragraphe (1), la Commission :

a) peut demander au président du Tribunal de désigner, en application de l'article 49, un membre pour instruire la plainte visée par le rapport, si elle est convaincue :

(i) d'une part, que, compte tenu des circonstances relatives à la plainte, l'examen de celle-ci est justifié,

(ii) d'autre part, qu'il n'y a pas lieu de renvoyer la plainte en application du paragraphe (2) ni de la rejeter aux termes des alinéas 41c) à e);

b) rejette la plainte, si elle est convaincue :

(i) soit que, compte tenu des circonstances relatives à la plainte, l'examen de celle-ci n'est pas justifié,

(ii) soit que la plainte doit être rejetée pour l'un des motifs énoncés aux alinéas 41c) à e).

(4) **Avis** — Après réception du rapport, la Commission :

a) informe par écrit les parties à la plainte de la décision qu'elle a prise en vertu des paragraphes (2) ou (3);

b) peut informer toute autre personne, de la manière qu'elle juge indiquée, de la décision qu'elle a prise en vertu des paragraphes (2) ou (3).

L.R.C. (1985), ch. 31 (1er suppl.), art. 64; 1998, ch. 9, art. 24

45. (1) Définition de « comité de surveillance » — Au présent article et à l'article 46, « comité de surveillance » s'entend au sens de la *Loi sur le Service canadien du renseignement de sécurité*.

(2) **Plainte mettant en cause la sécurité** — Si, à toute étape entre le dépôt d'une plainte et le début d'une audience à ce sujet devant un membre instructeur, la Commission reçoit un avis écrit d'un ministre fédéral l'informant que les actes qui font l'objet de la plainte mettent en cause la sécurité du Canada, elle peut :

a) soit rejeter la plainte;

b) soit transmettre l'affaire au comité de surveillance.

(3) **Avis** — Sur réception de l'avis mentionné au paragraphe (2), la Commission :

a) informe par écrit les parties à la plainte de la décision qu'elle a prise en vertu des alinéas (2)a) ou b);

b) peut informer toute autre personne, de la manière qu'elle juge indiquée, de la décision qu'elle a prise en vertu des alinéas (2)a) ou b).

(4) **Suspension des procédures** — Lorsqu'elle a transmis une affaire au comité de surveillance en vertu de l'alinéa (2)b), la Commission ne peut poursuivre l'étude d'une plainte avant que celui-ci ne lui ait remis son rapport à cet égard en vertu du paragraphe 46(1).

(5) **Application de la Loi sur le Service canadien du renseignement de sécurité** — Lorsqu'une affaire est transmise au comité de surveillance en vertu de l'alinéa (2)b), les paragraphes 39(2) et (3) et les articles 43, 44 et 47 à 51 de la *Loi sur le Service canadien du renseignement de sécurité* s'appliquent, compte tenu des adaptations de circonstance, à cette affaire comme s'il s'agissait d'une plainte présentée en vertu de l'article 42 de

cette loi, sauf qu'un renvoi dans l'une de ces dispositions à l'administrateur général vaut renvoi au ministre visé au paragraphe (2).

(6) **Résumé envoyé à la personne visée** — Afin de permettre au plaignant d'être informé de la façon la plus complète possible des circonstances qui ont donné lieu à la transmission de l'affaire en vertu de l'alinéa (2)b), le comité de surveillance lui envoie, dans les plus brefs délais possible après la transmission, un résumé des informations dont il dispose à ce sujet.

1998, ch. 9, art. 25

46. (1) Rapport — À l'issue de son enquête et au plus tard quarante-cinq jours après qu'une affaire lui a été transmise en vertu de l'alinéa 45(2)b), le comité de surveillance remet à la Commission, au ministre visé au paragraphe 45(2) et au directeur un rapport contenant ses conclusions.

(2) **Conséquences du rapport** — Après examen du rapport remis en vertu du paragraphe (1), la Commission :

a) peut rejeter la plainte ou, si elle ne la rejette pas, doit continuer à l'étudier en conformité avec la présente partie;

b) doit informer par écrit les parties à la plainte de la décision qu'elle a prise en vertu de l'alinéa a) et peut informer toute autre personne, de la manière qu'elle juge indiquée, de cette décision.

Conciliation

47. (1) Nomination du conciliateur — Sous réserve du paragraphe (2), la Commission peut charger un conciliateur d'en arriver à un règlement de la plainte, soit dès le dépôt de celle-ci, soit ultérieurement dans l'un des cas suivants :

a) l'enquête ne mène pas à un règlement;

b) la plainte n'est pas renvoyée ni rejetée en vertu des paragraphes 44(2) ou (3) ou des alinéas 45(2)a) ou 46(2)a);

c) la plainte n'est pas réglée après réception par les parties de l'avis prévu au paragraphe 44(4).

(2) **Incompatibilité** — Pour une plainte donnée, les fonctions d'enquêteur et de conciliateur sont incompatibles.

(3) **Renseignements confidentiels** — Les renseignements recueillis par le conciliateur sont confidentiels et ne peuvent être divulgués sans le consentement de la personne qui les a fournis.

Règlement

48. (1) Présentation des conditions de règlement à la Commission — Les parties qui conviennent d'un règlement à toute étape postérieure au dépôt de la plainte, mais avant le début de l'audience d'un tribunal des droits de la personne, en présentent les conditions à l'approbation de la Commission.

(2) **Certificat** — Dans le cas prévu au paragraphe (1), la Commission certifie sa décision et la communique aux parties.

(3) **Exécution du règlement** — Le règlement approuvé par la Commission peut, par requête d'une partie ou de la Commission à la Cour fédérale, être assimilé à une ordonnance de cette juridiction et être exécuté comme telle.

1998, ch. 9, art. 26

Tribunal canadien des droits de la personne

[Intertitre ajouté, L.R.C. (1985), ch. 31 (1er suppl.), art. 65. Modifié, 1998, ch. 9, art. 27.]

48.1 (1) Constitution du Tribunal — Est constitué le Tribunal canadien des droits de la personne composé, sous réserve du paragraphe (6), d'au plus quinze membres, dont le président et le vice-président, nommés par le gouverneur en conseil.

(2) Choix des membres — Les membres doivent avoir une expérience et des compétences dans le domaine des droits de la personne, y être sensibilisés et avoir un intérêt marqué pour ce domaine.

(3) Exigences pour certains membres — Outre le président et le vice-président, qui doivent l'être depuis au moins dix ans, au moins deux autres membres du Tribunal doivent être membres en règle du barreau d'une province ou de la Chambre des notaires du Québec.

(4) Représentation des régions — Le gouverneur en conseil procède aux nominations avec le souci d'assurer une bonne représentation des régions.

(5) Membres nommés à titre provisoire — Malgré le paragraphe (1), le gouverneur en conseil peut, en cas d'empêchement ou d'absence d'un membre, lui nommer un remplaçant à titre provisoire.

(6) Vacataires — Le gouverneur en conseil peut nommer des vacataires pour un mandat maximal de trois ans lorsqu'il estime que la charge de travail du Tribunal le justifie.

L.R.C. (1985), ch. 31 (1er suppl.), art. 65; 1998, ch. 9, art. 27

48.2 (1) Durée du mandat — Le président et le vice-président du Tribunal sont nommés à titre inamovible pour un mandat maximal de sept ans et les autres membres le sont pour un mandat maximal de cinq ans, sous réserve, quant au président, de la révocation motivée que prononce le gouverneur en conseil et, quant aux autres membres, des mesures correctives ou disciplinaires prévues à l'article 48.3.

(2) Prolongation du mandat — Le membre dont le mandat est échu peut, avec l'agrément du président, terminer les affaires dont il est saisi. Il est alors réputé être un membre à temps partiel pour l'application des articles 48.3, 48.6, 50 et 52 à 58.

(3) Nouveau mandat — Le président, le vice-président ou tout autre membre peut recevoir un nouveau mandat, aux fonctions identiques ou non.

L.R.C. (1985), ch. 31 (1er suppl.), art. 65; 1998, ch. 9, art. 27

48.3 (1) Mesures correctives et disciplinaires — Le président du Tribunal peut demander au ministre de la Justice de décider si des mesures correctives ou disciplinaires s'imposent à l'égard d'un membre pour tout motif énoncé aux alinéas (13)a) à d).

(2) Mesures — Sur réception de la demande, le ministre peut prendre une ou plusieurs des mesures suivantes :

a) obtenir de façon expéditive et sans formalisme les renseignements qu'il estime nécessaires;

b) soumettre la question à la médiation s'il estime qu'elle peut ainsi être réglée de façon satisfaisante;

c) demander au gouverneur en conseil la tenue de l'enquête prévue au paragraphe (3);

d) informer le président qu'il n'estime pas nécessaire de prendre d'autres mesures au titre de la présente loi.

(3) **Nomination d'un enquêteur** — Saisi de la demande prévue à l'alinéa (2)c), le gouverneur en conseil peut, sur recommandation du ministre, nommer à titre d'enquêteur un juge d'une juridiction supérieure.

(4) **Pouvoirs d'enquête** — L'enquêteur a alors les attributions d'une juridiction supérieure; il peut notamment :

a) par citation adressée aux personnes ayant connaissance des faits se rapportant à l'affaire dont il est saisi, leur enjoindre de comparaître comme témoins aux date, heure et lieu indiqués et de produire tous documents ou autres pièces, utiles à l'affaire, dont elles ont la possession ou la responsabilité;

b) faire prêter serment et interroger sous serment.

(5) **Personnel** — L'enquêteur peut retenir les services des experts, avocats ou autres personnes dont il estime le concours utile pour l'enquête, définir leurs fonctions et leurs conditions d'emploi et, avec l'approbation du Conseil du Trésor, fixer et payer leur rémunération et leurs frais.

(6) **Enquête publique** — Sous réserve des paragraphes (7) et (8), l'enquête est publique.

(7) **Confidentialité de l'enquête** — L'enquêteur peut, sur demande en ce sens, prendre toute mesure ou rendre toute ordonnance pour assurer la confidentialité de l'enquête s'il est convaincu, après examen de toutes les solutions de rechange à sa disposition, que, selon le cas :

a) il y a un risque sérieux de divulgation de questions touchant la sécurité publique;

b) il y a un risque sérieux d'atteinte au droit à une enquête équitable de sorte que la nécessité d'empêcher la divulgation de renseignements l'emporte sur l'intérêt qu'a la société à ce que l'enquête soit publique;

c) il y a une sérieuse possibilité que la vie, la liberté ou la sécurité d'une personne puisse être mise en danger par la publicité des débats.

(8) **Confidentialité de la demande** — L'enquêteur peut, s'il l'estime indiqué, prendre toute mesure ou rendre toute ordonnance qu'il juge nécessaire pour assurer la confidentialité de la demande.

(9) **Règles de preuve** — L'enquêteur n'est pas lié par les règles juridiques ou techniques de présentation de la preuve. Il peut recevoir les éléments qu'il juge crédibles ou dignes de foi en l'occurrence et fonder sur eux ses conclusions.

(10) **Intervenant** — L'enquêteur peut, par ordonnance, accorder à tout intervenant la qualité pour agir à l'enquête, selon les modalités qu'il estime indiquées.

(11) **Avis de l'audience** — Le membre en cause doit être informé, suffisamment à l'avance, de l'objet de l'enquête, ainsi que des date, heure et lieu de l'audience, et avoir la possibilité de se faire entendre, de contre-interroger les témoins et de présenter tous éléments de preuve utiles à sa décharge, personnellement ou par procureur.

(12) **Rapport au ministre** — À l'issue de l'enquête, l'enquêteur présente au ministre un rapport faisant état de ses conclusions.

(13) **Recommandations** — L'enquêteur peut, dans son rapport, recommander la révocation, la suspension sans traitement ou toute autre mesure disciplinaire ou toute mesure corrective s'il

est d'avis que le membre en cause, selon le cas :

a) n'est plus en état de s'acquitter efficacement de ses fonctions pour cause d'invalidité;

b) s'est rendu coupable de manquement à l'honneur ou à la dignité;

c) a manqué aux devoirs de sa charge;

d) s'est placé en situation d'incompatibilité, par sa propre faute ou pour toute autre cause.

(14) **Transmission du dossier au gouverneur en conseil** — Le cas échéant, le ministre transmet le rapport au gouverneur en conseil qui peut, s'il l'estime indiqué, révoquer le membre en cause, le suspendre sans traitement ou imposer à son égard toute autre mesure disciplinaire ou toute mesure corrective.

L.R.C. (1985), ch. 31 (1er suppl.), art. 65; 1998, ch. 9, art. 27

48.4 (1) Statut des membres — Le président et le vice-président sont nommés à temps plein et les autres membres le sont à temps plein ou à temps partiel.

(2) **Fonctions du président** — Le président assure la direction du Tribunal et en contrôle les activités, notamment en ce qui a trait à la répartition des tâches entre les membres et à la gestion de ses affaires internes.

(3) **Fonctions du vice-président** — Le vice-président assiste le président dans ses fonctions et, en cas d'absence ou d'empêchement du président ou de vacance de son poste, assume la présidence.

(4) **Empêchement du vice-président** — En cas d'absence, d'empêchement ou de vacance du président et du vice-président, le gouverneur en conseil peut désigner un autre membre pour assumer la présidence.

L.R.C. (1985), ch. 31 (1er suppl.), art. 65; 1998, ch. 9, art. 27; 2014, ch. 20, art. 414

48.5 Lieu de résidence — Les membres à temps plein doivent résider dans la région de la capitale nationale définie à l'annexe de la *Loi sur la capitale nationale* ou dans une zone périphérique de quarante kilomètres.

L.R.C. (1985), ch. 31 (1er suppl.), art. 65; 1998, ch. 9, art. 27

48.6 (1) Rémunération — Les membres du Tribunal reçoivent la rémunération que fixe le gouverneur en conseil.

(2) **Frais de déplacement** — Ils ont droit aux frais de déplacement et de subsistance entraînés par l'accomplissement, hors du lieu de leur résidence habituelle, des fonctions qui leur sont confiées en application de la présente loi, sous réserve des montants maximaux que les instructions du Conseil du Trésor fixent en semblable matière pour les fonctionnaires du gouvernement du Canada.

(3) **Statut** — Ils sont réputés rattachés à l'administration publique fédérale pour l'application de la *Loi sur l'indemnisation des agents de l'État* et des règlements pris sous le régime de l'article 9 de la *Loi sur l'aéronautique*.

1998, ch. 9, art. 27

48.7 Siège — Le siège du Tribunal est fixé dans la région de la capitale nationale définie à l'annexe de la *Loi sur la capitale nationale*.

1998, ch. 9, art. 27

48.8 [Abrogé, 2014, ch. 20, art. 415.]

48.9 (1) Fonctionnement — L'instruction des plaintes se fait sans formalisme et de façon expéditive dans le respect des principes de justice naturelle et des règles de pratique.

(2) **Règles de pratique** — Le président du Tribunal peut établir des règles de pratique régissant, notamment :

a) l'envoi des avis aux parties;

b) l'adjonction de parties ou d'intervenants à l'affaire;

c) l'assignation des témoins;

d) la production et la signification de documents;

e) les enquêtes préalables;

f) les conférences préparatoires;

g) la présentation des éléments de preuve;

h) le délai d'audition et le délai pour rendre les décisions;

i) l'adjudication des intérêts.

(3) **Publication préalable** — Sous réserve du paragraphe (4), ces règles sont publiées avant leur établissement dans la *Gazette du Canada* et il doit être donné aux intéressés la possibilité de présenter des observations à leur sujet.

(4) **Modification** — La modification des règles proposées n'entraîne pas une nouvelle publication.

1998, ch. 9, art. 27

Instruction des plaintes

[Intertitre modifié, 1998, ch. 9, art. 27.]

49. (1) Instruction — La Commission peut, à toute étape postérieure au dépôt de la plainte, demander au président du Tribunal de désigner un membre pour instruire la plainte, si elle est convaincue, compte tenu des circonstances relatives à celle-ci, que l'instruction est justifiée.

(2) **Formation** — Sur réception de la demande, le président désigne un membre pour instruire la plainte. Il peut, s'il estime que la difficulté de l'affaire le justifie, désigner trois membres, auxquels dès lors les articles 50 à 58 s'appliquent.

(3) **Présidence** — Le président assume lui-même la présidence de la formation collégiale ou, lorsqu'il n'en fait pas partie, la délègue à l'un des membres instructeurs.

(4) **Exemplaire aux parties** — Le président met à la disposition des parties un exemplaire des règles de pratique.

(5) **Avocat ou notaire** — Dans le cas où la plainte met en cause la compatibilité d'une disposition d'une autre loi fédérale ou de ses règlements d'application avec la présente loi ou ses règlements d'application, le membre instructeur ou celui qui préside l'instruction, lorsqu'elle est collégiale, doit être membre du barreau d'une province ou de la Chambre des notaires du Québec.

(6) **Argument présenté en cours d'instruction** — Le fait qu'une partie à l'enquête soulève la question de la compatibilité visée au paragraphe (5) en cours d'instruction n'a pas pour effet de dessaisir le ou les membres désignés pour entendre l'affaire et qui ne seraient pas autrement qualifiés pour l'entendre.

L.R.C. (1985), ch. 31 (1er suppl.), art. 66; 1998, ch. 9, art. 27

50. (1) Fonctions — Le membre instructeur, après avis conforme à la Commission, aux parties et, à son appréciation, à tout intéressé, instruit la plainte pour laquelle il a été désigné; il donne à ceux-ci la possibilité pleine et entière de comparaître et de présenter, en personne ou par l'intermédiaire d'un avocat, des éléments de preuve ainsi que leurs observations.

(2) **Questions de droit et de fait** — Il tranche les questions de droit et les

questions de fait dans les affaires dont il est saisi en vertu de la présente partie.

(3) **Pouvoirs** — Pour la tenue de ses audiences, le membre instructeur a le pouvoir :

a) d'assigner et de contraindre les témoins à comparaître, à déposer verbalement ou par écrit sous la foi du serment et à produire les pièces qu'il juge indispensables à l'examen complet de la plainte, au même titre qu'une cour supérieure d'archives;

b) de faire prêter serment;

c) de recevoir, sous réserve des paragraphes (4) et (5), des éléments de preuve ou des renseignements par déclaration verbale ou écrite sous serment ou par tout autre moyen qu'il estime indiqué, indépendamment de leur admissibilité devant un tribunal judiciaire;

d) de modifier les délais prévus par les règles de pratique;

e) de trancher toute question de procédure ou de preuve.

(4) **Restriction** — Il ne peut admettre en preuve les éléments qui, dans le droit de la preuve, sont confidentiels devant les tribunaux judiciaires.

(5) **Le conciliateur n'est ni compétent ni contraignable** — Le conciliateur n'est un témoin ni compétent ni contraignable à l'instruction.

(6) **Frais des témoins** — Les témoins assignés à comparaître en vertu du présent article peuvent, à l'appréciation du membre instructeur, recevoir les frais et indemnités accordés aux témoins assignés devant la Cour fédérale.

1998, ch. 9, art. 27

51. **Obligations de la Commission** — En comparaissant devant le membre instructeur et en présentant ses éléments de preuve et ses observations, la Commission adopte l'attitude la plus proche, à son avis, de l'intérêt public, compte tenu de la nature de la plainte.

1998, ch. 9, art. 27

52. (1) **Instruction en principe publique** — L'instruction est publique, mais le membre instructeur peut, sur demande en ce sens, prendre toute mesure ou rendre toute ordonnance pour assurer la confidentialité de l'instruction s'il est convaincu que, selon le cas :

a) il y a un risque sérieux de divulgation de questions touchant la sécurité publique;

b) il y a un risque sérieux d'atteinte au droit à une instruction équitable de sorte que la nécessité d'empêcher la divulgation de renseignements l'emporte sur l'intérêt qu'a la société à ce que l'instruction soit publique;

c) il y a un risque sérieux de divulgation de questions personnelles ou autres de sorte que la nécessité d'empêcher leur divulgation dans l'intérêt des personnes concernées ou dans l'intérêt public l'emporte sur l'intérêt qu'a la société à ce que l'instruction soit publique;

d) il y a une sérieuse possibilité que la vie, la liberté ou la sécurité d'une personne puisse être mise en danger par la publicité des débats.

(2) **Confidentialité** — Le membre instructeur peut, s'il l'estime indiqué, prendre toute mesure ou rendre toute ordonnance qu'il juge nécessaire pour assurer la confidentialité de la demande visée au paragraphe (1).

1998, ch. 9, art. 27

53. (1) **Rejet de la plainte** — À l'issue de l'instruction, le membre instructeur rejette la plainte qu'il juge non fondée.

(2) Plainte jugée fondée — À l'issue de l'instruction, le membre instructeur qui juge la plainte fondée, peut, sous réserve de l'article 54, ordonner, selon les circonstances, à la personne trouvée coupable d'un acte discriminatoire :

a) de mettre fin à l'acte et de prendre, en consultation avec la Commission relativement à leurs objectifs généraux, des mesures de redressement ou des mesures destinées à prévenir des actes semblables, notamment :

(i) d'adopter un programme, un plan ou un arrangement visés au paragraphe 16(1),

(ii) de présenter une demande d'approbation et de mettre en oeuvre un programme prévus à l'article 17;

b) d'accorder à la victime, dès que les circonstances le permettent, les droits, chances ou avantages dont l'acte l'a privée;

c) d'indemniser la victime de la totalité, ou de la fraction des pertes de salaire et des dépenses entraînées par l'acte;

d) d'indemniser la victime de la totalité, ou de la fraction des frais supplémentaires occasionnés par le recours à d'autres biens, services, installations ou moyens d'hébergement, et des dépenses entraînées par l'acte;

e) d'indemniser jusqu'à concurrence de 20 000 $ la victime qui a souffert un préjudice moral.

(3) Indemnité spéciale — Outre les pouvoirs que lui confère le paragraphe (2), le membre instructeur peut ordonner à l'auteur d'un acte discriminatoire de payer à la victime une indemnité maximale de 20 000 $, s'il en vient à la conclusion que l'acte a été délibéré ou inconsidéré.

(4) Intérêts — Sous réserve des règles visées à l'article 48.9, le membre instructeur peut accorder des intérêts sur l'indemnité au taux et pour la période qu'il estime justifiés.

1998, ch. 9, art. 27

54. Restriction — L'ordonnance prévue au paragraphe 53(2) ne peut exiger :

a) le retrait d'un employé d'un poste qu'il a accepté de bonne foi;

b) l'expulsion de l'occupant de bonne foi de locaux, moyens d'hébergement ou logements.

1998, ch. 9, art. 28; 2013, ch. 37, art. 4

54.1 (1) Définitions — Les définitions qui suivent s'appliquent au présent article.

« employeur » Toute personne ou organisation chargée de l'exécution des obligations de l'employeur prévues par la *Loi sur l'équité en matière d'emploi*. *(« employer »)*

« groupes désignés » S'entend au sens de l'article 3 de la *Loi sur l'équité en matière d'emploi*. *(« designated groups »)*

(2) Restriction — Le tribunal qui juge fondée une plainte contre un employeur ne peut lui ordonner, malgré le sous-alinéa 53(2)a)(i), d'adopter un programme, plan ou arrangement comportant des règles et usages positifs destinés à corriger la sous-représentation des membres des groupes désignés dans son effectif ou des objectifs et calendriers à cet effet.

(3) Précision — Il est entendu que le paragraphe (2) n'a pas pour effet de restreindre le pouvoir conféré au tribunal par l'alinéa 53(2)a) d'ordonner à un employeur de mettre fin à un acte discriminatoire ou d'y remédier de toute autre manière.

1995, ch. 44, art. 50

55. [Abrogé, 1998, ch. 9, art. 29.]

56. [Abrogé, 1998, ch. 9, art. 29.]

57. Exécution des ordonnances — Aux fins d'exécution, les ordonnances rendues en vertu de l'article 53 peuvent, selon la procédure habituelle ou dès que la Commission en dépose au greffe de la Cour fédérale une copie certifiée conforme, être assimilées aux ordonnances rendues par celle-ci.

1998, ch. 9, art. 29; 2013, ch. 37, art. 5

58. (1) Divulgation de renseignements — Sous réserve du paragraphe (2), dans le cas où un ministre fédéral ou une autre personne intéressée s'oppose à la divulgation de renseignements demandée par l'enquêteur ou le membre instructeur, la Commission peut demander à la Cour fédérale de statuer sur la question et celle-ci peut prendre les mesures qu'elle juge indiquées.

(2) Loi sur la preuve au Canada — Il est disposé de l'opposition à divulgation en conformité avec la *Loi sur la preuve au Canada* dans les cas suivants :

a) le ministre fédéral ou un fonctionnaire porte son opposition au titre du paragraphe (1) dans le cadre des articles 37 à 37.3 ou 39 de cette loi;

b) dans les quatre-vingt-dix jours suivant la demande de la Commission à la Cour fédérale, le ministre fédéral ou un fonctionnaire s'oppose à la divulgation dans le cadre des articles 37 à 37.3 ou 39 de cette loi;

c) en tout état de cause, l'opposition à divulgation est portée, ou un certificat est délivré, en conformité avec les articles 38 à 38.13 de cette loi.

(3) [Abrogé, 2001, ch. 41, art. 45.]

1998, ch. 9, art. 30; 2001, ch. 41, art. 45

59. Intimidation ou discrimination — Est interdite toute menace, intimidation ou discrimination contre l'individu qui dépose une plainte, témoigne ou participe de quelque façon que ce soit au dépôt d'une plainte, au procès ou aux autres procédures que prévoit la présente partie, ou qui se propose d'agir de la sorte.

Infractions et peines

60. (1) Infraction — Commet une infraction quiconque, selon le cas :

a) [Abrogé, 1998, ch. 9, art. 31.]

b) entrave l'action du membre instructeur dans l'exercice des fonctions que lui confère la présente partie;

c) enfreint les paragraphes 11(6) ou 43(3) ou l'article 59.

(2) Peine — Quiconque commet une infraction prévue au paragraphe (1) encourt, sur déclaration de culpabilité par procédure sommaire, une amende maximale de 50 000 $.

(3) Poursuites d'associations patronales et d'organisations syndicales — Les poursuites fondées sur les infractions prévues au présent article peuvent être intentées contre ou au nom d'une association patronale ou d'une organisation syndicale; à cette fin, l'association ou l'organisation est considérée comme une personne et toute action ou omission de ses dirigeants ou mandataires dans le cadre de leurs pouvoirs d'agir pour le compte de l'association est réputée être une action ou omission de l'association.

(4) Consentement du procureur général — Les poursuites fondées sur les infractions prévues au présent article ne peuvent être intentées que par le procureur général du Canada ou qu'avec son consentement.

(5) Prescription — Les poursuites pour infraction au présent article se prescrivent par un an à compter du fait en cause.

1998, ch. 9, art. 31

Rapports

61. (1) Rapport annuel — Dans les trois mois qui suivent la fin de l'année civile, la Commission présente au Parlement un rapport sur l'application de la présente partie et de la partie II au cours de cette année, y mentionnant et commentant tout point visé aux alinéas 27(1)e) ou g) qu'elle juge pertinent.

(2) Rapports spéciaux — La Commission peut, à tout moment, présenter au Parlement un rapport spécial mentionnant et commentant toute question relevant de ses pouvoirs et fonctions d'une urgence ou d'une importance telles qu'il ne saurait attendre la présentation du prochain rapport annuel visé au paragraphe (1).

(3) Dépôt devant le Parlement — Dans les trois mois qui suivent la fin de l'année civile, le Tribunal présente au Parlement un rapport sur l'application de la présente loi au cours de cette année.

(4) Remise aux présidents — Les rapports prévus au présent article sont remis au président de chaque chambre du Parlement pour dépôt devant celle-ci.

1998, ch. 9, art. 32

Ministre responsable

[Intertitre ajouté, 1998, ch. 9, art. 32.]

61.1 Ministre de la Justice — Le gouverneur en conseil prend les règlements autorisés par la présente loi, sauf ceux visés à l'article 29, sur la recommandation du ministre de la Justice, responsable de l'application de la présente loi.

1998, ch. 9, art. 32

Application

62. (1) Restriction — La présente partie et les parties I et II ne s'appliquent, ni directement ni indirectement, aux régimes ou caisses de retraite constitués par une loi fédérale antérieure au 1er mars 1978.

(2) Examen des lois visées au par. (1) — La Commission examine les lois fédérales, antérieures au 1er mars 1978, établissant des régimes ou caisses de retraite; dans les cas où elle le juge approprié, elle peut mentionner et commenter dans le rapport visé à l'article 61 toute disposition de ces lois qu'elle estime incompatible avec le principe énoncé à l'article 2.

63. Application dans les territoires — Les plaintes déposées sous le régime de la présente partie qui portent sur des actions ou des omissions survenues au Yukon, dans les Territoires du Nord-Ouest ou au Nunavut ne sont recevables sous ce régime que dans la mesure où elles le seraient dans les provinces.

1993, ch. 28, art. 78; 2002, ch. 7, art. 127

64. Forces canadiennes et Gendarmerie royale du Canada — Pour l'application de la présente partie et des parties I et II, les personnels des Forces canadiennes et de la Gendarmerie royale du Canada sont réputés être employés par la Couronne.

65. (1) Présomption — Sous réserve du paragraphe (2), les actes ou omissions commis par un employé, un mandataire, un administrateur ou un dirigeant dans le cadre de son emploi sont réputés, pour l'application de la présente loi, avoir été commis par la personne, l'organisme ou l'association qui l'emploie.

(2) **Réserve** — La personne, l'organisme ou l'association visé au paragraphe (1) peut se soustraire à son application s'il établit que l'acte ou l'omission a eu lieu sans son consentement, qu'il avait pris toutes les mesures nécessaires pour l'empêcher et que, par la suite, il a tenté d'en atténuer ou d'en annuler les effets.

PARTIE IV — APPLICATION (ART. 66, 67)

66. (1) Obligation de Sa Majesté La présente loi lie Sa Majesté du chef du Canada sauf en ce qui concerne les gouvernements du Yukon, des Territoires du Nord-Ouest et du Nunavut.

(2) [Abrogé, 2002, ch. 7, art. 128.]

(3) [Abrogé, 2014, ch. 2, art. 11.]

(4) **Idem** — L'exception prévue au paragraphe (1) entre en vigueur à l'égard du gouvernement du territoire du Nunavut à la date fixée par décret du gouverneur en conseil.

1993, ch. 28, art. 78; 2002, ch. 7, art. 128; 2014, ch. 2, art. 11

67. [Abrogé, 2008, ch. 30, art. 1.]

Dispositions connexes

— L.R.C. (1985), ch. 31 (1er suppl.), art. 68 :

68. Disposition transitoire — Les dispositions de la présente partie n'ont aucun effet sur les tribunaux constitués avant l'entrée en vigueur de la présente loi.

— 1998, ch. 9, art. 33, 34 :

33. (1) Définition de « entrée en vigueur » — Pour l'application du présent article, « entrée en vigueur » s'entend de l'entrée en vigueur de celui-ci.

(2) Cessation des fonctions des membres — Sous réserve des paragraphes (3), (4) et (5), le mandat des membres du Comité du tribunal des droits de la personne prend fin à la date d'entrée en vigueur.

(3) Maintien des pouvoirs — Les membres du tribunal des droits de la personne constitué en vertu de la *Loi canadienne sur les droits de la personne* avant la date d'entrée en vigueur conservent leurs pouvoirs à l'égard de la plainte qu'ils ont été chargés d'examiner.

(4) Tribunal d'appel — Les membres du tribunal d'appel constitué en vertu de la *Loi canadienne sur les droits de la personne* avant la date d'entrée en vigueur conservent leurs pouvoirs à l'égard de l'appel dont ils sont saisis.

(5) Maintien des pouvoirs — Les membres du tribunal constitué en vertu de l'article 28 ou 39 de la *Loi sur l'équité en matière d'emploi* avant la date d'entrée en vigueur conservent leurs pouvoirs à l'égard de l'affaire dont ils ont été saisis en vertu de cette loi.

(6) Autorité du président — Dans l'exercice des pouvoirs prévus aux paragraphes (3), (4) et (5), les membres agissent sous l'autorité du président du Tribunal canadien des droits de la personne.

(7) Rémunération — Les membres reçoivent, pour l'exercice des pouvoirs prévus aux paragraphes (3), (4) et (5), la rémunération fixée par le gouverneur en conseil, sauf s'ils sont nommés membres à temps plein du tribunal.

(8) Frais de déplacement — Les membres ont droit aux frais de déplacement et de subsistance entraînés par l'accomplissement, hors du lieu de leur résidence habituelle, des fonctions qui leur sont confiées en application de la présente loi, sous réserve des montants maximaux que les instructions du Conseil du Trésor fixent en semblable matière pour les fonctionnaires du gouvernement du Canada.

34. (1) Postes — La présente loi ne change rien à la situation des fonctionnaires qui, à la date d'entrée en vigueur du présent paragraphe, occupaient un poste au sein de la Commission canadienne des droits de la personne dont les fonctions étaient rattachées au Comité du tribunal des droits de la personne à la différence près que, à compter de cette date, ils l'occupent au Tribunal canadien des droits de la personne.

(2) Définition de « fonctionnaire » — Pour l'application du présent article, « fonctionnaire » s'entend au sens du paragraphe 2(1) de la *Loi sur l'emploi dans la fonction publique*.

— 2008, ch. 30, art. 1.1, 1.2 :

1.1 Droits des autochtones — Il est entendu que l'abrogation de l'article 67 de la *Loi canadienne sur les droits de la personne* ne porte pas atteinte à la protection des droits existants — ancestraux ou issus de traités — des peuples autochtones du Canada découlant de leur reconnaissance et de leur confirmation au titre de l'article 35 de la *Loi constitutionnelle de 1982*.

1.2 Prise en compte des traditions juridiques et des règles de droit coutumier — Dans le cas d'une plainte déposée au titre de la *Loi canadienne sur les droits de la personne* à l'encontre du gouvernement d'une première nation, y compris un conseil de bande, un conseil tribal ou une autorité gouvernementale qui offre ou administre des programmes et des services sous le régime de la *Loi sur les Indiens*, la présente loi doit être interprétée et appliquée de manière à tenir compte des traditions juridiques et des règles de droit coutumier des Premières Nations et, en particulier, de l'équilibre entre les droits et intérêts individuels et les droits et intérêts collectifs, dans la mesure où ces traditions et règles sont compatibles avec le principe de l'égalité entre les sexes.

Examen et rapport

— 2008, ch. 30, art. 2 :

2. (1) Examen approfondi — Dans les cinq ans qui suivent la date de sanction de la présente loi, un examen approfondi des effets de l'abrogation de l'article 67 de la *Loi canadienne sur les droits de la personne* est entrepris conjointement par le gouvernement du Canada et les organismes que le ministre des Affaires indiennes et du Nord canadien désigne comme représentant, collectivement, les intérêts des peuples des Premières Nations de l'ensemble du Canada.

(2) Rapport — Un rapport sur l'examen visé au paragraphe (1) est présenté aux deux chambres du Parlement dans l'année qui suit le début de cet examen.

Dispositions transitoires

— 2008, ch. 30, art. 3, 4 :

3. Délai de grâce — Malgré l'article 1, les actes ou omissions du gouvernement d'une première nation — y compris un conseil de bande, un conseil tribal ou une autorité gouvernementale qui offre ou administre des programmes ou des services sous le régime de la *Loi sur les Indiens* — qui sont accomplis dans l'exercice des attributions prévues par cette loi ou sous son régime ne peuvent servir de fondement à une plainte déposée au titre de la partie III de la *Loi canadienne sur les droits de la personne* s'ils sont accomplis dans les trente-six mois suivant la date de sanction de la présente loi.

4. Étude à entreprendre — Le gouvernement du Canada, de concert avec les organismes compétents représentant les peuples des Premières Nations du Canada, entreprend au cours de la période visée à l'article 3 une étude visant à définir l'ampleur des préparatifs, des capacités et des ressources fiscales et humaines nécessaires pour que les collectivités et les organismes des Premières Nations se conforment à la *Loi canadienne sur les droits de la personne*. Le gouvernement du Canada présente un rapport des conclusions de l'étude aux deux chambres du Parlement avant la fin de cette période.

— 2009, ch. 2, art. 395–398 :

395. Terminologie — Sauf indication contraire du contexte, les termes des articles 396 et 397 s'entendent au sens de la *Loi sur l'équité dans la rémunération du secteur public*.

396. (1) Plaintes devant la Commission canadienne des droits de la personne — Les plaintes ci-après qui concernent des employés et dont la Commission canadienne des droits de la personne est saisie à la date de sanction de la présente loi, ou qui ont été déposées devant elle pendant la période commençant à cette date et se terminant à la date d'entrée en vigueur de l'article 399, sont, malgré l'article 44 de la *Loi canadienne sur les droits de la personne*, renvoyées sans délai par la Commission canadienne des droits de la personne devant la Commission :

a) les plaintes fondées sur les articles 7 ou 10 de cette loi, dans le cas où celles-ci portent sur la disparité salariale entre les hommes et les femmes instaurée ou pratiquée par l'employeur;

b) les plaintes fondées sur l'article 11 de la même loi.

(2) Application du présent article — La Commission statue sur les plaintes conformément au présent article.

(3) Pouvoirs de la Commission — La Commission dispose, pour statuer sur les plaintes, en plus des pouvoirs que lui confère la *Loi sur les relations de travail dans la fonction publique*, du pouvoir d'interpréter et d'appliquer les articles 7, 10 et 11 de la *Loi canadienne sur les droits de la personne* et l'*Ordonnance de 1986 sur la parité salariale*, même après l'entrée en vigueur de l'article 399.

(4) Examen sommaire — La Commission procède à un examen sommaire de la plainte et la renvoie à l'employeur qui en fait l'objet ou à celui-ci et à l'agent négociateur des employés qui l'ont déposée, selon ce qu'elle estime indiqué, à moins qu'elle ne l'estime irrecevable pour le motif qu'elle est futile ou vexatoire ou entachée de mauvaise foi.

(5) Assistance — La Commission peut aider l'employeur ou l'employeur et l'agent négociateur, selon le cas, à qui elle a renvoyé la plainte au titre du paragraphe (4) à régler les questions en litige de la façon qu'elle juge indiquée.

(6) Audition — Si l'employeur ou l'employeur et l'agent négociateur, selon le cas, ne règlent pas les questions en litige dans les cent quatre-vingts jours suivant la date à laquelle la plainte leur a été renvoyée ou dans le délai supérieur précisé par la Commission, celle-ci fixe une date pour l'audition de la plainte.

(7) Procédure — La Commission établit sa propre procédure; elle est toutefois tenue de donner à l'employeur ou à l'employeur et à l'agent négociateur, selon le cas, toute possibilité de lui présenter des éléments de preuve et leurs arguments.

(8) Décision de la Commission — La Commission rend une décision écrite et motivée sur la plainte et en envoie copie à l'employeur ou à l'employeur et à l'agent négociateur, selon le cas, et aux employés.

(9) Réserve — La Commission peut, à l'égard des plaintes visées au présent article, rendre toute ordonnance que le membre instructeur est habilité à rendre au titre de l'article 53 de la *Loi canadienne sur les droits de la personne* mais elle ne peut accorder de réparation pécuniaire que sous la forme d'une somme forfaitaire et que pour une période antérieure à l'entrée en vigueur de l'article 394.

397. (1) Plaintes devant le Tribunal canadien des droits de la personne — Sous réserve des paragraphes (2) et (3), le Tribunal canadien des droits de la personne instruit les plaintes ci-après qui concernent des employés et dont il est saisi à la date de sanction de la présente loi :

a) les plaintes fondées sur les articles 7 ou 10 de la *Loi canadienne sur les droits de la personne*, dans le cas où celles-ci portent sur la disparité salariale entre les hommes et les femmes instaurée ou pratiquée par l'employeur;

b) les plaintes fondées sur l'article 11 de cette loi.

(2) Pouvoirs du Tribunal — Si l'article 399 est en vigueur au moment de l'instruction :

a) il est statué sur les plaintes visées à l'alinéa (1)a) comme si les articles 7 et 10 de la *Loi canadienne sur les droits de la personne* s'appliquaient toujours aux employés;

b) il est statué sur les plaintes visées à l'alinéa (1)b) comme si l'article 11 de cette loi et l'*Ordonnance de 1986 sur la parité salariale* s'appliquaient toujours aux employés.

(3) Réserve — Le Tribunal canadien des droits de la personne ne peut accorder de réparation pécuniaire à l'égard des plaintes visées au paragraphe (1) que sous la forme d'une somme forfaitaire et que pour une période antérieure à l'entrée en vigueur de l'article 394.

398. Application — Les articles 30 et 33 de la *Loi sur l'équité dans la rémunération du secteur public* et les articles 396 et 397 s'appliquent malgré la *Loi sur le contrôle des dépenses*.

— 2012, ch. 1, art. 165a) :

165. Mention : autres lois — Dans les dispositions ci-après, édictées par la présente partie, la mention de la suspension du casier vaut aussi mention de la réhabilitation octroyée ou délivrée en vertu de la *Loi sur le casier judiciaire* :

a) la définition de « état de personne graciée » à l'article 25 de la *Loi canadienne sur les droits de la personne*;

— 2013, ch. 40, art. 341 :

341. Plainte — Les dispositions de la *Loi canadienne sur les droits de la personne*, dans sa version antérieure à la date d'entrée en vigueur de l'article 340, continuent de s'appliquer à toute plainte déposée devant la Commission canadienne des droits de la personne avant cette date ou dont celle-ci a pris l'initiative avant cette date.

[CAN-2] TABLE DES MATIÈRES
CODE CANADIEN DU TRAVAIL

[CAN-2]
CODE CANADIEN DU TRAVAIL

Loi assemblant diverses lois relatives au travail

L.R.C. (1985), ch. L-2, telle que modifiée par L.R.C. (1985), ch. 9 (1er suppl.), art. 1–21; L.R.C. (1985), ch. 27 (1er suppl.), art. 203; L.R.C. (1985), ch. 32 (2e suppl.), art. 41 (ann., no 1); L.R.C. (1985), ch. 24 (3e suppl.), art. 3–8; L.R.C. (1985), ch. 43 (3e suppl.); L.R.C. (1985), ch. 26 (4e suppl.), art. 1–5; L.C. 1989, ch. 3, art. 45; 1990, ch. 8, art. 56, 57; 1990, ch. 44, art. 17; 1991, ch. 39, art. 1–3; 1992, ch. 1, art. 93; 1993, ch. 28, art. 78 (ann. III, art. 89, 90); 1993, ch. 38, art. 88–90; 1993, ch. 42, art. 1–14(1), 14(2) (A.), 14(3)–28(1), 28(2) (A.), 29–41; 1994, ch. 10, art. 29; 1994, ch. 41, art. 37(1)p); 1996, ch. 10, art. 234, 235; 1996, ch. 11, art. 65–68, 99e); 1996, ch. 12, art. 1–4; 1996, ch. 18, art. 8–10; 1996, ch. 31, art. 89; 1996, ch. 32; 1997, ch. 9, art. 125(1)a)–f); 1998, ch. 10, art. 182; 1998, ch. 20, art. 29; 1998, ch. 26, art. 1–15(1), 15(2) (A.), 16–34, 35 (A.), 36–58, 59–61 (A.); 1999, ch. 28, art. 169; 1999, ch. 31, art. 149–155 (A.), 156, 157–162 (A.), 241, 246j); 2000, ch. 14, art. 42, 43 [Conditions non remplies.] [Modifié par 2002, ch. 9, art. 18.], 44; 2000, ch. 20, art. 1–15, 16 (A.), 17–21, 23 (A.), 24 (A.), 30; 2001, ch. 26, art. 305; 2001, ch. 27, art. 215; 2001, ch. 34, art. 18–23; 2002, ch. 7, art. 97 (A.), 98 (A.); 2002, ch. 8, art. 120, 182(1)e); 2002, ch. 9, art. 17; 2003, ch. 15, art. 26–29; 2003, ch. 22, art. 107, 108, 109(1) (A.), (2), 110, 111 (A.), 112, 223a) (A.), 224o) (A.), 225f) (A.); 2005, ch. 34, art. 62, 79a), 80b); 2005, ch. 47, art. 136; 2007, ch. 19, art. 60; 2008, ch. 15, art. 1; 2009, ch. 33, art. 30; 2010, ch. 12, art. 2172–2177 [Non en vigueur à la date de publication.]; 2011, ch. 24, art. 167; 2012, ch. 19, art. 432–436(1), (2) (A.), (3)–(5), (6) (A.), 437 [art. 432, 433 non en vigueur à la date de publication.]; 2012, ch. 27, art. 2–12, 34, 35 [art. 35 conditions non remplies.]; 2012, ch. 31, art. 219(1), (2) (A.), 220–229; 2013, ch. 40, art. 176–181(2), (3) (A.), (4), 182–191(1), (2) (A.), (3) (A.), (4), (5) (A.), (6), 192–195(1), (2) (A.), (3), (4) (A.), (5) (A.), (6)–(8), 196–198, 236(1)a), 237(1)a), 238(1)a); 2014, ch. 13, art. 94, 95, 120; 2014, ch. 20, art. 139–142, 160, 242–245(1), (2) (A.), (3), 246, 416–420; 2014, ch. 40, art. 2–5; 2015, ch. 3, art. 15; 2015, ch. 36, art. 73, 87–92 [art. 88–92 non en vigueur à la date de publication.]; 2017, ch. 3, art. 8; 2017, ch. 9, art. 55(1); 2017, ch. 12, art. 1–4, 14; 2017, ch. 20, art. 321, 324(1).

TITRE ABRÉGÉ

1. Titre abrégé — *Code canadien du travail.*

DÉFINITIONS

2. Définitions — Les définitions qui suivent s'appliquent à la présente loi.

« **entreprises fédérales** » Les installations, ouvrages, entreprises ou secteurs d'activité qui relèvent de la compétence législative du Parlement, notamment :

a) ceux qui se rapportent à la navigation et aux transports par eau, entre autres à ce qui touche l'exploitation de navires et le transport par navire partout au Canada;

b) les installations ou ouvrages, entre autres, chemins de fer, canaux ou liaisons télégraphiques, reliant une province à une ou plusieurs autres, ou débordant les limites d'une province, et les entreprises correspondantes;

c) les lignes de transport par bateaux à vapeur ou autres navires, reliant une province à une ou plusieurs autres, ou débordant les limites d'une province;

d) les passages par eaux entre deux provinces ou entre une province et un pays étranger;

e) les aéroports, aéronefs ou lignes de transport aérien;

f) les stations de radiodiffusion;

g) les banques et les banques étrangères autorisées, au sens de l'article 2 de la *Loi sur les banques*;

h) les ouvrages ou entreprises qui, bien qu'entièrement situés dans une province, sont, avant ou après leur réalisation, déclarés par le Parlement être à l'avantage général du Canada ou de plusieurs provinces;

i) les installations, ouvrages, entreprises ou secteurs d'activité ne ressortissant pas au pouvoir législatif exclusif des législatures provinciales;

j) les entreprises auxquelles les lois fédérales, au sens de l'article 2 de la *Loi sur les océans*, s'appliquent en vertu de l'article 20 de cette loi et des règlements d'application de l'alinéa 26(1)k) de la même loi.

(« federal work, undertaking or business »)

« **ministre** » Le ministre du Travail. *(« Minister »)*

1990, ch. 44, art. 17; 1996, ch. 31, art. 89; 1999, ch. 28, art. 169

PARTIE I — RELATIONS DU TRAVAIL (ART. 3–121.5)

Préambule

Attendu :

qu'il est depuis longtemps dans la tradition canadienne que la législation et la politique du travail soient conçues de façon à favoriser le bien-être de tous par l'encouragement de la pratique des libres négociations collectives et du règlement positif des différends;

que les travailleurs, syndicats et employeurs du Canada reconnaissent et soutiennent que la liberté syndicale et la pratique des libres négociations collectives sont les fondements de relations du travail fructueuses permettant d'établir de bonnes conditions de travail et de saines relations entre travailleurs et employeurs;

que le gouvernement du Canada a ratifié la Convention n° 87 de l'Organisation internationale du travail concernant la liberté syndicale et la protection du droit syndical et qu'il s'est engagé à cet égard à présenter des rapports à cette organisation;

que le Parlement du Canada désire continuer et accentuer son appui aux efforts conjugués des travailleurs et du patronat pour établir de bonnes relations et des méthodes de règlement positif des différends, et qu'il estime que l'établissement de bonnes relations du travail sert l'intérêt véritable du Canada en assurant à tous une juste part des fruits du progrès,

Sa Majesté, sur l'avis et avec le consentement du Sénat et de la Chambre des communes du Canada, édicte :

Définitions et interprétation

3. (1) Définitions — Les définitions qui suivent s'appliquent à la présente partie.

« **agent de police privé** » Personne nommée à titre d'agent de police aux termes de la partie IV.1 de la *Loi sur la sécurité ferroviaire*. *(« private constable »)*

« **agent négociateur** »

a) Syndicat accrédité par le Conseil et représentant à ce titre une unité de négociation, et dont l'accréditation n'a pas été révoquée;

b) tout autre syndicat ayant conclu, pour le compte des employés d'une unité de négociation, une convention collective :

(i) soit qui n'est pas expirée,

(ii) soit à l'égard de laquelle il a transmis à l'employeur, en application du paragraphe 49(1), un avis de négociation collective.

(« bargaining agent »)

« **arbitre** » Arbitre unique choisi par les parties à une convention collective ou nommé par le ministre en application de la présente partie. *(« arbitrator »)*

« **commissaire-conciliateur** » Personne nommée par le ministre en application de l'alinéa 72(1)b). *(« conciliation commissioner »)*

« **commission de conciliation** » Commission de conciliation constituée par le ministre en vertu de l'alinéa 72(1)c). *(« conciliation board »)*

« **conciliateur** » Personne nommée par le ministre en application de l'alinéa 72(1)a). *(« conciliation officer »)*

« **Conseil** » Le Conseil canadien des relations industrielles constitué par l'article 9. *(« Board »)*

« **conseil d'arbitrage** » Conseil d'arbitrage constitué aux termes d'une convention collective ou d'un accord intervenu entre les parties à une convention collective, y compris celui dont le président est nommé par le ministre en application de la présente partie. *(« arbitration board »)*

« **convention collective** » Convention écrite conclue entre un employeur et un agent négociateur et renfermant des dispositions relatives aux conditions d'emploi et à des questions connexes. *(« collective agreement »)*

« **différend** » Différend survenant à l'occasion de la conclusion, du renouvellement ou de la révision d'une convention collective et pouvant faire l'objet de l'avis prévu à l'article 71. *(« dispute »)*

« **employé** » Personne travaillant pour un employeur; y sont assimilés les entrepreneurs dépendants et les agents de police privés. Sont exclues du champ d'application de la présente définition les personnes occupant un poste de direction ou un poste de confiance comportant l'accès à des renseignements confidentiels en matière de relations du travail. *(« employee »)*

« **employeur** » Quiconque :

a) emploie un ou plusieurs employés;

b) dans le cas d'un entrepreneur dépendant, a avec celui-ci des liens tels, selon le Conseil, que les modalités de l'entente aux termes de laquelle celui-ci lui fournit ses services pourrait faire l'objet d'une négociation collective.

(« employer »)

« entrepreneur dépendant » Selon le cas :

a) le propriétaire, l'acheteur ou le locataire d'un véhicule destiné au transport, sauf par voie ferrée, du bétail, de liquides ou de tous autres produits ou marchandises qui est partie à un contrat, verbal ou écrit, aux termes duquel :

(i) il est tenu de fournir le véhicule servant à son exécution et de s'en servir dans les conditions qui y sont prévues,

(ii) il a droit de garder pour son usage personnel le montant qui lui reste une fois déduits ses frais sur la somme qui lui est versée pour son exécution;

b) le pêcheur qui a droit, dans le cadre d'une entente à laquelle il est partie, à un pourcentage ou à une fraction du produit d'exploitation d'une entreprise commune de pêche à laquelle il participe;

c) la personne qui exécute, qu'elle soit employée ou non en vertu d'un contrat de travail, un ouvrage ou des services pour le compte d'une autre personne selon des modalités telles qu'elle est placée sous la dépendance économique de cette dernière et dans l'obligation d'accomplir des tâches pour elle.

(« dependent contractor »)

« grève » S'entend notamment d'un arrêt du travail ou du refus de travailler, par des employés agissant conjointement, de concert ou de connivence; lui sont assimilés le ralentissement du travail ou toute autre activité concertée, de la part des employés, ayant pour objet la diminution ou la limitation du rendement et relative au travail de ceux-ci. *(« strike »)*

« lock-out » S'entend notamment d'une mesure — fermeture du lieu de travail, suspension du travail ou refus de continuer à employer un certain nombre des employés — prise par l'employeur pour contraindre ses employés, ou aider un autre employeur à contraindre ses employés, à accepter des conditions d'emploi. *(« lockout »)*

« membre de profession libérale » Employé qui :

a) d'une part, dans le cadre de son emploi, utilise un savoir spécialisé normalement acquis après des études menant à un diplôme universitaire ou délivré par un établissement du même genre;

b) d'autre part, est membre ou a qualité pour être membre d'une organisation professionnelle habilitée par la loi à définir les conditions d'admission en son sein.

(« professional employee »)

« organisation patronale » Groupement d'employeurs ayant notamment pour objet de réglementer les relations entre employeurs et employés. *(« employers' organization »)*

« parties »

a) Dans les cas de conclusion, renouvellement ou révision d'une convention collective, ou de différend, l'employeur et l'agent négociateur qui représente les employés de celui-ci;

b) en cas de désaccord sur l'interprétation, le champ d'application, la mise en oeuvre ou la prétendue violation d'une convention collective, l'employeur et l'agent négociateur;

c) dans le cas d'une plainte déposée devant le Conseil aux termes de la présente partie, le plaignant et la personne ou l'organisation visée par la plainte.

(« parties »)

« **syndicat** » Association — y compris toute subdivision ou section locale de celle-ci — regroupant des employés en vue notamment de la réglementation des relations entre employeurs et employés. *(« trade union »)*

« **unité** » Groupe d'au moins deux employés. *(« unit »)*

« **unité de négociation** » Unité :

a) soit déclarée par le Conseil habile à négocier collectivement;

b) soit régie par une convention collective.

(« bargaining unit »)

(2) **Conservation du statut d'employé** — Pour l'application de la présente partie, l'employé ne perd pas son statut du seul fait d'avoir cessé de travailler par suite d'un lock-out ou d'une grève ou du seul fait d'avoir été congédié en contravention avec la présente partie.

1996, ch. 10, art. 234; 1998, ch. 10, art. 182; 1998, ch. 26, art. 1; 2007, ch. 19, art. 60; 2015, ch. 3, art. 15

Champ d'application

4. Entreprises fédérales — La présente partie s'applique aux employés dans le cadre d'une entreprise fédérale et à leurs syndicats, ainsi qu'à leurs employeurs et aux organisations patronales regroupant ceux-ci.

5. (1) Sociétés d'État — Sauf exclusion par le gouverneur en conseil, la présente partie s'applique aux personnes morales constituées en vue de l'exécution d'une mission pour le compte de l'État canadien ainsi qu'à leurs employés.

(2) **Restriction** — Le gouverneur en conseil ne peut exclure de l'application de la présente partie que les personnes morales pour lesquelles les conditions d'emploi du personnel peuvent être, en tout ou en partie, déterminées ou approuvées par lui-même, un ministre ou le Conseil du Trésor.

(3) **Adjonction du nom aux annexes IV ou V** — Le gouverneur en conseil ajoute, par décret, le nom de toute personne morale exclue de l'application de la présente partie aux annexes IV ou V de la *Loi sur la gestion des finances publiques*.

2003, ch. 22, art. 107

5.1 Entreprises canadiennes — La présente partie s'applique à une entreprise canadienne, au sens de la *Loi sur les télécommunications*, qui est mandataire de Sa Majesté du chef d'une province ainsi qu'à ses employés.

1993, ch. 38, art. 88

6. Agents de l'État — Sauf cas prévus à l'article 5, la présente partie ne s'applique pas aux employés qui sont au service de Sa Majesté du chef du Canada.

Grands travaux

7. Grands travaux — La présente partie n'a pas pour effet d'empêcher la conclusion de conventions dans le cadre de travaux déterminés; si toutes les parties en situation de négociation lui font savoir qu'elles prennent part à une opération qu'il classe parmi les grands travaux, le ministre, de même que le Conseil, s'efforce au maximum d'accélérer et de faciliter les négociations collectives entre elles.

SECTION I — LIBERTÉS FONDAMENTALES

8. (1) **Libertés de l'employé** — L'employé est libre d'adhérer au syndicat de son choix et de participer à ses activités licites.

(2) **Libertés de l'employeur** — L'employeur est libre d'adhérer à l'organisation patronale de son choix et de participer à ses activités licites.

SECTION II — CONSEIL CANADIEN DES RELATIONS INDUSTRIELLES

[Intertitre modifié, 1998, ch. 26, art. 2.]

Constitution et organisation

[Intertitre modifié, 1998, ch. 26, art. 2.]

9. (1) **Constitution du Conseil** — Est constitué le Conseil canadien des relations industrielles.

(2) **Composition du Conseil** — Le Conseil se compose :

a) du président, nommé à temps plein;

b) d'au moins deux vice-présidents, nommés à temps plein, et des autres vice-présidents, nommés à temps partiel, que le gouverneur en conseil estime nécessaires pour permettre au Conseil de s'acquitter de ses fonctions;

c) d'un maximum de six autres membres nommés à temps plein dont trois représentent les employés et trois les employeurs;

d) des membres à temps partiel représentant, à nombre égal, les employés et les employeurs, que le gouverneur en conseil estime nécessaires pour permettre au Conseil de s'acquitter de ses fonctions;

e) des membres à temps partiel que le gouverneur en conseil estime nécessaires pour assister le Conseil dans l'exercice des fonctions que lui confère la partie II.

1998, ch. 26, art. 2

10. (1) **Nomination du président et des vice-présidents** — Sur recommandation du ministre, le gouverneur en conseil nomme le président et les vice-présidents à titre inamovible, pour un mandat maximal de cinq ans, sous réserve de révocation motivée de sa part.

(2) **Nomination des autres membres** — Sous réserve du paragraphe (3), le gouverneur en conseil nomme à titre inamovible les membres autres que le président et les vice-présidents, sur recommandation du ministre après consultation par celui-ci des organisations représentant des employés ou des employeurs qu'il estime indiquées, pour un mandat maximal de trois ans, sous réserve de révocation motivée de sa part.

(3) **Exception** — Sur recommandation du ministre, le gouverneur en conseil nomme à titre inamovible les membres du Conseil visés à l'alinéa 9(2)e) pour un mandat maximal de trois ans, sous réserve de révocation motivée de sa part.

(4) **Condition de nomination** — Les membres doivent être des citoyens canadiens ou des résidents permanents au sens du paragraphe 2(1) de la *Loi sur l'immigration et la protection des réfugiés*.

(5) **Président et vice-présidents** — Le président et les vice-présidents doivent avoir une expérience et des compétences dans le domaine des relations industrielles.

1998, ch. 26, art. 2; 2001, ch. 27, art. 215

10.1 (1) Résidence — Les membres à temps plein résident dans la région de la capitale nationale définie à l'annexe de la *Loi sur la capitale nationale* ou dans la périphérie de cette région définie par le gouverneur en conseil.

(2) Exemption — Le gouverneur en conseil peut, par décret, exempter un membre, aux conditions qu'il fixe, de l'exigence prévue au paragraphe (1).

1998, ch. 26, art. 2; 2017, ch. 20, art. 321

11. (1) Interdiction de cumul : membres à temps plein — Les membres à temps plein ne peuvent exercer un autre emploi ou une autre charge rémunérés.

(2) Interdiction de cumul : vice-présidents à temps partiel — Les vice-présidents à temps partiel et les membres visés à l'alinéa 9(2)e) ne peuvent exercer un autre emploi ou une autre charge rémunérés qui seraient incompatibles avec l'exercice des attributions que leur confère la présente loi.

1998, ch. 26, art. 2

12. (1) Reconduction du mandat — Les membres sortants peuvent recevoir un nouveau mandat, à des fonctions identiques ou non.

(2) Conclusion des affaires en cours — Le membre qui, pour tout motif autre que la révocation, cesse de faire partie du Conseil peut, à la demande du président, malgré les autres dispositions de la présente partie, s'acquitter intégralement des fonctions ou responsabilités qui auraient été alors les siennes en ce qui concerne toute affaire soumise au Conseil avant qu'il ne cesse d'y siéger et ayant déjà fait l'objet d'une procédure à laquelle il a participé en sa qualité de membre.

1998, ch. 26, art. 2

12.01 (1) Fonctions du président — Le président assure la direction du Conseil et en contrôle les activités, notamment en ce qui a trait à :

a) l'assignation et la réassignation aux formations des affaires dont le Conseil est saisi;

b) la composition des formations et la désignation des vice-présidents chargés de les présider;

c) la fixation des dates, heures et lieux des audiences;

d) la conduite des travaux du Conseil;

e) la gestion de ses affaires internes;

f) [Abrogé, 2014, ch. 20, art. 416(2).]

(2) Délégation — Le président peut déléguer à un vice-président tous pouvoirs ou fonctions prévus au paragraphe (1).

(3) [Abrogé, 2014, ch. 20, art. 416(3).]

1998, ch. 26, art. 2; 2014, ch. 20, art. 416

12.02 (1) Réunions — Le président convoque et préside les réunions que tient le Conseil pour la prise des règlements prévus à l'article 15.

(2) Quorum — Le quorum du Conseil lors des réunions visées au paragraphe (1) est constitué de cinq membres : le président, deux vice-présidents et deux autres membres représentant respectivement les employés et les employeurs.

(3) Représentation égale — Si, lors des réunions visées au paragraphe (1), le nombre de membres représentant les employés n'est pas égal à celui des membres représentant les employeurs, le président désigne un nombre de membres — dont la moitié représente les employés et la moitié les employeurs — qui seront autorisés à voter.

1998, ch. 26, art. 2

12.03 Absence ou empêchement du président — En cas d'absence ou d'empêchement du président ou de vacance de son poste, la présidence est assumée par le vice-président désigné par le ministre.

1998, ch. 26, art. 2

12.04 (1) Rémunération et honoraires — Les membres à temps plein reçoivent la rémunération et les indemnités, et les membres à temps partiel et ceux qui s'acquittent des fonctions ou responsabilités prévues au paragraphe 12(2), les honoraires et les indemnités, que peut fixer le gouverneur en conseil.

(2) Frais de déplacement et de séjour — Les membres sont indemnisés des frais de déplacement et de séjour entraînés par l'accomplissement de leurs fonctions hors de leur lieu habituel soit de travail, s'ils sont à temps plein, soit de résidence, s'ils sont à temps partiel ou s'acquittent des fonctions ou responsabilités prévues au paragraphe 12(2).

1998, ch. 26, art. 2

12.05 Indemnisation — Les membres sont réputés être des agents de l'État pour l'application de la *Loi sur l'indemnisation des agents de l'État* et appartenir à l'administration publique fédérale pour l'application des règlements pris en vertu de l'article 9 de la *Loi sur l'aéronautique*.

1998, ch. 26, art. 2

12.051 Immunité — Le président, les vice-présidents et les autres membres bénéficient de l'immunité en matière civile et pénale pour les actes ou omissions faits de bonne foi dans l'exercice effectif ou censé tel des attributions qui leur sont conférées en vertu de la présente loi.

2017, ch. 20, art. 324(1)

12.06 Enquête — Le président peut demander au ministre de déterminer si des mesures correctives ou disciplinaires s'imposent à l'égard d'un membre du Conseil pour tout motif énoncé aux alinéas 12.14(2)a) à d).

1998, ch. 26, art. 2

12.07 Mesures — Sur réception de la demande, le ministre peut prendre une ou plusieurs des mesures suivantes :

a) obtenir de façon expéditive et sans formalités les renseignements qu'il estime nécessaires;

b) soumettre la question à la médiation s'il estime que celle-ci peut ainsi être réglée de façon satisfaisante;

c) demander au gouverneur en conseil la tenue de l'enquête prévue à l'article 12.08;

d) informer le président qu'il n'estime pas nécessaire de prendre de mesure au titre du présent article.

1998, ch. 26, art. 2

12.08 Nomination de l'enquêteur — Saisi de la demande prévue à l'alinéa 12.07c), le gouverneur en conseil peut, sur recommandation du ministre de la Justice, nommer à titre d'enquêteur un juge d'une juridiction supérieure.

1998, ch. 26, art. 2

12.09 Pouvoirs d'enquête — L'enquêteur a alors les attributions d'une cour supérieure; il peut notamment :

a) par citation adressée aux personnes ayant connaissance des faits se rapportant à l'affaire dont il est saisi, leur enjoindre de comparaître comme témoins aux date, heure et lieu indiqués et d'apporter et de produire tous documents ou autres pièces, utiles à l'affaire, dont elles ont la possession ou la responsabilité;

b) faire prêter serment et interroger sous serment.

1998, ch. 26, art. 2

12.10 Personnel — L'enquêteur peut retenir les services des experts, avocats ou autres personnes dont il estime le concours utile pour l'enquête, définir leurs fonctions et leurs conditions d'emploi et, avec l'approbation du Conseil du Trésor, fixer et payer leur rémunération et leurs frais.

1998, ch. 26, art. 2

12.11 (1) Enquête publique — Sous réserve des paragraphes (2) et (3), l'enquête est publique.

(2) Confidentialité de l'enquête — L'enquêteur peut, sur demande en ce sens, prendre toute mesure ou rendre toute ordonnance pour assurer la confidentialité de l'enquête s'il est convaincu, après examen de toutes les solutions de rechange à sa disposition, que, selon le cas :

a) il y a un risque sérieux de divulgation de questions touchant la sécurité publique;

b) il y a un risque sérieux d'atteinte au droit à une enquête équitable de sorte que la nécessité d'empêcher la divulgation de renseignements l'emporte sur l'intérêt qu'a la société à ce que l'enquête soit publique;

c) il y a une sérieuse possibilité que la vie, la liberté ou la sécurité d'une personne puisse être mise en danger par la publicité des débats.

(3) Confidentialité de la demande — L'enquêteur peut, s'il l'estime indiqué, prendre toute mesure ou rendre toute ordonnance qu'il juge nécessaire pour assurer la confidentialité de la demande qui lui est présentée en vertu du paragraphe (2).

1998, ch. 26, art. 2

12.12 (1) Règles de preuve — L'enquêteur n'est pas lié par les règles juridiques ou techniques de présentation de la preuve. Il peut recevoir les éléments qu'il juge crédibles ou dignes de foi en l'occurrence et fonder sur eux ses conclusions.

(2) Intervenant — L'enquêteur peut, par ordonnance, accorder à tout intervenant la qualité pour agir à l'enquête, selon les modalités qu'il estime indiquées.

1998, ch. 26, art. 2

12.13 Avis de l'audition — Le membre en cause doit être informé, suffisamment à l'avance, de l'objet de l'enquête, ainsi que des date, heure et lieu de l'audition, et avoir la possibilité de se faire entendre, de contre-interroger les témoins et de présenter tous éléments de preuves utiles à sa décharge, personnellement ou par procureur.

1998, ch. 26, art. 2

12.14 (1) Rapport au ministre — À l'issue de l'enquête, l'enquêteur présente au ministre un rapport faisant état de ses conclusions.

(2) Recommandations — L'enquêteur peut, dans son rapport, recommander la révocation, la suspension sans traitement ou toute mesure disciplinaire ou mesure corrective s'il est d'avis que le membre en cause, selon le cas :

a) n'est plus en mesure d'effectuer efficacement ses fonctions en raison d'invalidité;

b) s'est rendu coupable de manquement à l'honneur ou à la dignité;

c) a manqué aux devoirs de sa charge;

d) se trouve en situation d'incompatibilité, par sa propre faute ou pour toute autre cause.

1998, ch. 26, art. 2

12.15 Transmission du dossier au gouverneur en conseil — Le ministre transmet le rapport au gouverneur en conseil qui peut, s'il l'estime indiqué, révoquer le membre en cause, le suspendre sans traitement ou imposer à son égard toute autre mesure disciplinaire ou toute mesure corrective.

1998, ch. 26, art. 2

13. Siège — Le siège du Conseil est fixé dans la région de la capitale nationale, délimitée à l'annexe de la *Loi sur la capitale nationale*.

1998, ch. 26, art. 2; 2014, ch. 20, art. 417

13.1 [Abrogé, 2014, ch. 20, art. 417.]

14. (1) Formations — Sous réserve du paragraphe (3), une formation d'au moins trois membres dont le président ou au moins un vice-président fait obligatoirement partie peut connaître de toute affaire dont est saisi le Conseil dans le cadre de la présente partie.

(2) Représentation égale — Si elle comprend un ou des membres représentant des employés, la formation comprend obligatoirement un nombre égal de membres représentant des employeurs et vice-versa.

(3) Formation d'un seul membre — Le président ou un vice-président peut être saisi seul de toute affaire dont le Conseil est lui-même saisi sous le régime de la présente partie et qui est liée à :

a) une demande ou une question non contestées;

b) une question énumérée à l'alinéa 16p);

c) une plainte présentée en vertu du paragraphe 97(1) faisant état d'une violation des articles 37 ou 69 ou de l'un des alinéas 95f) à i);

d) une demande de prorogation de délai applicable à la présentation d'une demande;

e) une procédure préliminaire;

f) toute autre question, si le président juge indiqué de procéder ainsi pour éviter la possibilité qu'une partie subisse un préjudice, notamment un retard injustifié, ou si les parties consentent à ce que l'affaire soit tranchée de cette façon.

(4) Formation d'un seul membre — Le président ou le vice-président qui est saisi d'une question en vertu du paragraphe (3) est réputé constituer une formation au sens de la présente partie.

(5) Attributions — La formation exerce, relativement à l'affaire dont elle est saisie, toutes les attributions que la présente partie confère au Conseil.

(6) Président de la formation — Le président du Conseil préside la formation s'il en fait partie; sinon, il en désigne un vice-président comme président de la formation.

1998, ch. 26, art. 2

14.1 Décès ou empêchement — En cas de décès ou d'empêchement d'un membre représentant des employés ou des employeurs, le président de la formation peut trancher seul l'affaire dont la formation était saisie, sa décision étant réputée être celle de la formation.

1998, ch. 26, art. 2

14.2 (1) Valeur de la décision — La décision rendue par la majorité des membres d'une formation ou, à défaut, celle du président de la formation est une décision du Conseil.

(2) Délai — La formation rend sa décision et en notifie les parties dans les quatre-vingt-dix jours suivant la prise en délibéré ou dans le délai supérieur précisé par le président du Conseil.

1998, ch. 26, art. 2

Pouvoirs et fonctions

15. Règlements — Le Conseil peut prendre des règlements d'application générale concernant :

a) l'établissement de règles de procédure applicables aux procédures préparatoires et à ses audiences;

a.1) l'utilisation des moyens de télécommunication qui permettent aux parties et au Conseil ou à ses membres de communiquer les uns avec les autres simultanément lors des conférences préparatoires, des audiences et des réunions du Conseil;

b) la détermination des unités habiles à négocier collectivement;

c) l'accréditation des syndicats à titre d'agents négociateurs d'unités de négociation;

d) la tenue de scrutins de représentation;

e) le délai qui doit s'écouler avant qu'il puisse recevoir une nouvelle demande d'accréditation de la part d'un syndicat à qui il a déjà refusé l'accréditation pour la même unité ou une unité essentiellement similaire;

f) le délai qui doit s'écouler avant qu'il puisse recevoir de la part d'un employé une demande de révocation d'accréditation d'un syndicat à titre d'agent négociateur alors qu'il a déjà refusé une demande de révocation pour la même unité;

g) l'audition ou le règlement des demandes, plaintes, questions, différends ou désaccords dont il peut être saisi;

g.1) l'établissement d'une procédure expéditive et la détermination des affaires auxquelles elle peut s'appliquer;

h) les formulaires de procédure se rapportant aux affaires dont il peut être saisi;

i) les cas d'exercice des pouvoirs prévus à l'article 18 et les délais applicables en l'occurrence;

j) les enquêtes prévues au paragraphe 34(2);

k) les modalités et délais de présentation des éléments de preuve et renseignements qui peuvent lui être fournis dans le cadre des procédures engagées devant lui;

l) la spécification du délai d'envoi des avis et autres documents, de leurs destinataires, ainsi que des cas où le Conseil lui-même, une partie ou une personne sont réputés les avoir donnés ou reçus;

m) les modalités — forme et délai — de présentation des éléments de preuve concernant :

(i) l'adhésion d'employés à un syndicat,

(ii) l'opposition d'employés à l'accréditation d'un syndicat,

(iii) la volonté d'employés de ne plus être représentés par un syndicat;

n) les critères servant à déterminer si un employé adhère à un syndicat;

o) les circonstances lui permettant de recevoir les éléments visés à l'alinéa m) comme preuve de la volonté d'employés d'être représentés ou non par un syndicat donné à titre d'agent négociateur, ainsi que les cas où il ne peut rendre ces éléments publics;

o.1) les conditions de validité des votes de grève ou de lock-out;

p) la délégation de ses fonctions et les pouvoirs et obligations des délégataires, notamment la délégation de ses fonctions aux membres du personnel du Service canadien d'appui aux tribunaux administratifs à l'égard de la détermination des demandes ou questions non contestées;

q) toute mesure utile ou connexe à l'exécution de la mission qui lui est confiée par la présente partie.

1998, ch. 26, art. 3; 2014, ch. 20, art. 418

15.1 (1) Pouvoir général d'aider les parties — Le Conseil ou l'un de ses membres — ou un membre du personnel du Service canadien d'appui aux tribunaux administratifs autorisé par le Conseil — peut, en tout état de cause et avec le consentement des parties, aider les parties à régler les questions en litige de la façon que le Conseil juge indiquée sans qu'il soit porté atteinte à la compétence du Conseil de trancher les questions qui n'auront pas été réglées.

(2) Avis déclaratoires — Le Conseil, à la demande d'un employeur ou d'un syndicat, peut donner des avis déclaratoires.

1998, ch. 26, art. 4; 2014, ch. 20, art. 419

16. Pouvoirs du Conseil — Le Conseil peut, dans le cadre de toute affaire dont il connaît :

a) convoquer des témoins et les contraindre à comparaître et à déposer sous serment, oralement ou par écrit, ainsi qu'à produire les documents et pièces qu'il estime nécessaires pour mener à bien ses enquêtes et examens sur les questions de sa compétence;

a.1) ordonner des procédures préparatoires, notamment la tenue de conférences préparatoires à huis clos, et en fixer les date, heure et lieu;

a.2) ordonner l'utilisation des moyens de télécommunication qui permettent aux parties et au Conseil de communiquer les uns avec les autres simultanément lors des audiences et des conférences préparatoires;

b) faire prêter serment et recevoir des affirmations solennelles;

c) accepter sous serment, par voie d'affidavit ou sous une autre forme, tous témoignages et renseignements qu'à son appréciation, il juge indiqués, qu'ils soient admissibles ou non en justice;

d) en conformité avec ses règlements, examiner les éléments de preuve qui lui sont présentés sur l'adhésion des employés au syndicat sollicitant l'accréditation;

e) examiner les documents constitutifs ou les statuts ainsi que tout document connexe :

(i) du syndicat ou du regroupement de syndicats sollicitant l'accréditation,

(ii) de tout syndicat membre du regroupement sollicitant l'accréditation;

f) procéder, s'il le juge nécessaire, à l'examen de dossiers ou registres et à la tenue d'enquêtes;

f.1) obliger, en tout état de cause, toute personne à fournir les renseignements ou à produire les documents ou pièces qui peuvent être liés à une question dont il est saisi, après avoir donné aux parties la possibilité de présenter des arguments;

g) obliger un employeur à afficher, en permanence et aux endroits appropriés, ou à transmettre par tout moyen électronique que le Conseil juge indiqué, les avis qu'il estime nécessaire de porter à l'attention d'employés sur toute question dont il est saisi;

h) sous réserve des restrictions que le gouverneur en conseil peut imposer par règlement en matière de défense ou de sécurité, pénétrer dans des locaux ou terrains de l'employeur où des employés exécutent ou ont exécuté un travail, procéder à l'examen de tout ouvrage, outillage, appareil ou objet s'y trouvant ou travail s'y effectuant, et interroger toute personne sur toute question dont il est saisi;

i) ordonner à tout moment, avant d'y apporter une conclusion définitive :

(i) que soit tenu un scrutin de représentation, ou un scrutin de représentation supplémentaire, au sein des employés concernés par la procédure s'il estime qu'une telle mesure l'aiderait à trancher un point soulevé, ou susceptible de l'être, qu'un tel scrutin de représentation soit ou non prévu pour le cas dans la présente partie,

(ii) que les bulletins de vote déposés au cours d'un scrutin de représentation tenu aux termes du sous-alinéa (i) ou d'une autre disposition de la présente partie soient conservés dans des urnes scellées et ne soient dépouillés que sur son ordre;

j) pénétrer dans les locaux ou terrains d'un employeur pour y tenir des scrutins de représentation pendant les heures de travail;

k) déléguer à quiconque les pouvoirs qu'il détient aux termes des alinéas a) à h), j) ou m) en exigeant, s'il y a lieu, un rapport de la part du délégataire;

l) suspendre ou remettre la procédure à tout moment;

l.1) reporter à plus tard sa décision sur une question, lorsqu'il estime qu'elle pourrait être réglée par arbitrage ou par tout autre mode de règlement;

m) abréger ou proroger les délais applicables à l'accomplissement d'un acte, au dépôt d'un document ou à la présentation d'éléments de preuve;

m.1) proroger les délais fixés par la présente partie pour la présentation d'une demande;

n) modifier tout document produit ou en permettre la modification;

o) mettre une autre partie en cause à toute étape;

o.1) de façon sommaire, refuser d'entendre ou rejeter toute affaire pour motif de manque de preuve ou d'absence de compétence;

p) trancher, dans le cadre de la présente partie, toute question qui peut se poser à l'occasion de la procédure, et notamment déterminer :

(i) si une personne est un employeur ou un employé,

(ii) si une personne occupe un poste de direction ou un poste de confiance comportant l'accès à des renseignements confidentiels en matière de relations de travail,

(iii) si une personne adhère à un syndicat,

(iv) si une organisation est une organisation patronale, un syndicat ou un regroupement de syndicats,

(v) si un groupe d'employés constitue une unité habile à négocier collectivement,

(vi) si une convention collective a été conclue,

(vii) si une personne ou une organisation est partie à une

convention collective ou est liée par celle-ci,

(viii) si une convention collective est en vigueur.

1998, ch. 26, art. 5

16.1 Décision sans audience — Le Conseil peut trancher toute affaire ou question dont il est saisi sans tenir d'audience.

1998, ch. 26, art. 6

17. Détermination de la volonté de la majorité des employés — S'il lui faut déterminer la volonté de la majorité des employés d'une unité dans le cadre d'une demande prévue à la présente partie, le Conseil doit la déterminer à la date du dépôt de la demande ou à toute autre date qu'il estime indiquée.

18. Réexamen ou modification des ordonnances — Le Conseil peut réexaminer, annuler ou modifier ses décisions ou ordonnances et réinstruire une demande avant de rendre une ordonnance à son sujet.

18.1 (1) Révision de la structure des unités de négociation — Sur demande de l'employeur ou d'un agent négociateur, le Conseil peut réviser la structure des unités de négociation s'il est convaincu que les unités ne sont plus habiles à négocier collectivement.

(2) Ententes entre les parties — Dans le cas où, en vertu du paragraphe (1) ou des articles 35 ou 45, le Conseil révise la structure des unités de négociation :

a) il donne aux parties la possibilité de s'entendre, dans le délai qu'il juge raisonnable, sur la détermination des unités de négociation et le règlement des questions liées à la révision;

b) il peut rendre les ordonnances qu'il juge indiquées pour mettre en oeuvre l'entente.

(3) Ordonnances — Si le Conseil est d'avis que l'entente conclue par les parties ne permet pas d'établir des unités habiles à négocier collectivement ou si certaines questions ne sont pas réglées avant l'expiration du délai qu'il juge raisonnable, il lui appartient de trancher toute question en suspens et de rendre les ordonnances qu'il estime indiquées dans les circonstances.

(4) Contenu des ordonnances — Pour l'application du paragraphe (3), le Conseil peut :

a) déterminer quel syndicat sera l'agent négociateur des employés de chacune des unités de négociation définies à l'issue de la révision;

b) modifier l'ordonnance d'accréditation ou la description d'une unité de négociation dans une convention collective;

c) si plusieurs conventions collectives s'appliquent aux employés d'une unité de négociation, déterminer laquelle reste en vigueur;

d) apporter les modifications qu'il estime nécessaires aux dispositions de la convention collective qui portent sur la date d'expiration ou les droits d'ancienneté ou à toute autre disposition de même nature;

e) si les conditions visées aux alinéas 89(1)a) à d) ont été remplies à l'égard de certains des employés d'une unité de négociation, décider quelles conditions de travail leur sont applicables jusqu'à ce que l'unité devienne régie par une convention collective ou jusqu'à ce que les conditions visées à ces alinéas soient remplies à l'égard de l'unité;

f) autoriser l'une des parties à une convention collective à donner à l'autre partie un avis de négociation collective.

1998, ch. 26, art. 7

19. Champ d'application des ordonnances — Dans le cadre de la présente partie, les ordonnances ou décisions du Conseil, ainsi que les conditions ou mesures qu'il impose à des personnes ou organisations, peuvent être de portée générale ou ne viser qu'un cas ou groupe de cas.

19.1 Ordonnances provisoires — Dans le cadre de toute affaire dont il connaît, le Conseil peut, sur demande d'un syndicat, d'un employeur ou d'un employé concerné, rendre les ordonnances provisoires qu'il juge indiquées afin d'assurer la réalisation des objectifs de la présente partie.

1998, ch. 26, art. 8

20. (1) Décisions partielles — Dans les cas où, pour statuer de façon définitive sur une demande ou une plainte, il est nécessaire de trancher auparavant plusieurs points litigieux, le Conseil peut, s'il est convaincu de pouvoir le faire sans porter atteinte aux droits des parties en cause, rendre une décision ne réglant que l'un ou certains des points litigieux et différer sa décision sur les autres points.

(2) Caractère définitif — Toute décision visée au paragraphe (1) est définitive, sauf stipulation du Conseil à l'effet contraire.

(3) Définition de « décisions » — Sont comprises parmi les décisions, pour l'application du présent article, les ordonnances, les déterminations et les déclarations.

21. Exercice de pouvoirs et fonctions — Le Conseil exerce les pouvoirs et fonctions que lui confère la présente partie ou qu'implique la réalisation de ses objets, notamment en rendant des ordonnances enjoignant de se conformer à la présente partie, à ses règlements et d'exécuter les décisions qu'il rend sur les questions qui lui sont soumises.

Révision et exécution des ordonnances

22. (1) Impossibilité de révision par un tribunal — Sous réserve des autres dispositions de la présente partie, les ordonnances ou les décisions du Conseil sont définitives et ne sont susceptibles de contestation ou de révision par voie judiciaire que pour les motifs visés aux alinéas 18.1(4)a), b) ou e) de la *Loi sur les Cours fédérales* et dans le cadre de cette loi.

(1.1) Qualité du Conseil — Le Conseil a qualité pour comparaître dans les procédures visées au paragraphe (1) pour présenter ses observations à l'égard de la norme de contrôle judiciaire applicable à ses décisions ou à l'égard de sa compétence, de ses procédures et de ses politiques.

(2) Interdiction de recours extraordinaire — Sauf exception prévue au paragraphe (1), l'action — décision, ordonnance ou procédure — du Conseil, dans la mesure où elle est censée s'exercer dans le cadre de la présente partie, ne peut, pour quelque motif, y compris celui de l'excès de pouvoir ou de l'incompétence à une étape quelconque de la procédure :

a) être contestée, révisée, empêchée ou limitée;

b) faire l'objet d'un recours judiciaire, notamment par voie d'injonction, de *certiorari*, de prohibition ou de *quo warranto*.

1990, ch. 8, art. 56; 1998, ch. 26, art. 9; 2002, ch. 8, art. 182(1)e)

23. (1) Dépôt à la Cour fédérale — Sur demande écrite de la personne ou de l'organisation intéressée, le Conseil dépose à la Cour fédérale une copie du dispositif de la décision ou de l'ordonnance sauf si, à son avis :

a) ou bien rien ne laisse croire qu'elle n'a pas été exécutée ou ne le sera pas;

b) ou bien, pour d'autres motifs valables, le dépôt ne serait d'aucune utilité.

(2) Enregistrement — Lorsqu'il dépose la copie du dispositif de l'ordonnance ou de la décision, le Conseil doit préciser par écrit qu'il le fait conformément au paragraphe (1); la Cour fédérale reçoit ensuite la copie pour dépôt et procède à son enregistrement, sans plus de formalité.

(3) Effet de l'enregistrement — L'enregistrement conforme au paragraphe (2) confère à la décision ou à l'ordonnance la valeur d'un jugement de la Cour fédérale; dès lors et sous réserve de la *Loi sur les Cours fédérales* et des autres dispositions du présent article, toute personne ou organisation en cause peut engager toute procédure ultérieure comme s'il s'agissait d'un jugement de ce tribunal.

1990, ch. 8, art. 57; 2002, ch. 8, art. 182(1)e)

23.1 Dépôt des ordonnances auprès de la cour supérieure d'une province — Sur demande écrite de la personne ou de l'organisation intéressée, le Conseil peut déposer auprès de la cour supérieure d'une province une copie du dispositif de la décision ou de l'ordonnance, l'article 23 s'appliquant, avec les modifications nécessaires, au document ainsi déposé.

1998, ch. 26, art. 10

SECTION III — ACQUISITION ET EXTINCTION DES DROITS DE NÉGOCIATION

Demande d'accréditation

24. (1) Demande d'accréditation — Sous réserve des autres dispositions du présent article et des règlements d'application de l'alinéa 15e), un syndicat peut solliciter l'accréditation à titre d'agent négociateur d'une unité qu'il juge habile à négocier collectivement.

(2) Périodes de présentation des demandes — Sous réserve du paragraphe (3), la demande d'accréditation d'un syndicat à titre d'agent négociateur d'une unité peut être présentée :

a) à tout moment, si l'unité n'est ni régie par une convention collective en vigueur ni représentée par un syndicat accrédité à titre d'agent négociateur aux termes de la présente partie;

b) si l'unité est représentée par un syndicat sans être régie par une convention collective, après l'expiration des douze mois qui suivent la date d'accréditation ou dans le délai plus court autorisé par le Conseil;

c) si l'unité est régie par une convention collective d'une durée maximale de trois ans, uniquement après le début des trois derniers mois d'application de la convention;

d) si la durée de la convention collective régissant l'unité est de plus de trois ans, uniquement au cours des trois derniers mois de la troisième année d'application de la convention et, par la suite, uniquement :

(i) au cours des trois derniers mois de chacune des années d'application suivantes,

(ii) après le début des trois derniers mois d'application.

(3) Présentation en cas de grève ou de lock-out — La demande d'accréditation ne peut, sans le consentement du Conseil, être présentée pendant une grève ou un lock-out non interdits par la présente partie et touchant des employés faisant partie de l'unité en cause.

(4) Maintien des conditions d'emploi — Après notification de la demande d'accréditation, l'employeur ne peut modifier ni les taux des salaires, ni les autres conditions d'emploi, ni les droits ou avantages des employés de l'unité visée, sauf si les modifications se font conformément à une convention collective ou sont approuvées par le Conseil. Cette interdiction s'applique, selon le cas :

a) jusqu'au retrait de la demande par le syndicat ou au rejet de celle-ci par le Conseil;

b) jusqu'à l'expiration des trente jours suivant l'accréditation du syndicat.

1993, ch. 42, art. 1; 1998, ch. 26, art. 11

24.1 Exception — Le syndicat non accrédité ayant conclu une convention collective qui n'est pas expirée peut, par dérogation aux alinéas 24(2)c) et d), présenter en tout temps une demande d'accréditation à l'égard de l'unité régie par la convention collective ou une unité essentiellement similaire.

1998, ch. 26, art. 12

25. (1) Cas où l'accréditation est interdite — Malgré toute autre disposition de la présente partie, le Conseil ne peut accorder l'accréditation s'il est convaincu qu'un syndicat est dominé ou influencé par l'employeur au point que son aptitude à représenter les employés dans le cadre des négociations collectives est compromise; le cas échéant, toute convention collective qui aurait été conclue par le syndicat et l'employeur pour s'appliquer aux employés ou à certains d'entre eux est tenue pour inexistante dans le cadre de la présente partie.

(2) Autre cas de refus — Malgré toute autre disposition de la présente partie, le Conseil ne peut non plus accorder l'accréditation s'il est convaincu que le syndicat refuse l'adhésion à quelque employé ou catégorie d'employés faisant partie d'une unité de négociation en vertu d'usages ou de principes régissant l'admission; le cas échéant, toute convention collective qui aurait été conclue par le syndicat et l'employeur pour s'appliquer aux employés de l'unité de négociation est tenue pour inexistante dans le cadre de la présente partie.

26. Interdiction — Un syndicat ne peut agir comme agent négociateur à la fois d'une unité de négociation regroupant des agents de police privés et d'une unité de négociation formée en tout ou en partie d'autres employés qui sont au service du même employeur. Le Conseil ne peut accréditer un syndicat qui représenterait les deux unités.

Détermination des unités de négociation

27. (1) Détermination de l'unité habile à négocier — Saisi par un syndicat, dans le cadre de l'article 24, d'une demande d'accréditation pour une unité que celui-ci juge habile à négocier collectivement, le Conseil doit déterminer l'unité qui, à son avis, est habile à négocier collectivement.

(2) **Idem** — Dans sa détermination de l'unité habile à négocier collectivement, le Conseil peut ajouter des employés à l'unité proposée par le syndicat ou en retrancher.

(3) **Membres de profession libérale** — Si l'unité proposée par le syndicat regroupe ou comprend des membres de profession libérale, le Conseil doit, sous réserve des paragraphes (2) et (4), déterminer que l'unité habile à négocier collectivement est celle qui ne regroupe que des membres de profession libérale, sauf si l'unité n'est pas par ailleurs habile à négocier collectivement.

(4) **Idem** — Dans sa détermination, dans le cadre du paragraphe (3), de l'unité habile à négocier collectivement, le Conseil peut incorporer dans l'unité :

a) des membres de professions libérales différentes;

b) des employés qui, sans en avoir les qualifications, exercent les fonctions d'un membre de profession libérale.

(5) **Surveillance** — Le Conseil peut, sous réserve du paragraphe (2), décider qu'une unité proposée par le syndicat et regroupant ou comprenant des employés dont les tâches consistent entre autres à surveiller d'autres employés est habile à négocier collectivement.

(6) **Agents de police privés** — Le Conseil ne peut incorporer un agent de police privé dans une unité groupant d'autres employés.

Accréditation des agents négociateurs et questions connexes

28. **Accréditation d'un syndicat** — Sous réserve des autres dispositions de la présente partie, le Conseil accrédite un syndicat lorsque les conditions suivantes sont remplies :

a) il a été saisi par le syndicat d'une demande d'accréditation;

b) il a défini l'unité de négociation habile à négocier collectivement;

c) il est convaincu qu'à la date du dépôt de la demande, ou à celle qu'il estime indiquée, la majorité des employés de l'unité désiraient que le syndicat les représente à titre d'agent négociateur.

2014, ch. 40, art. 2; 2017, ch. 12, art. 1

29. (1) **Scrutin de représentation** — Le Conseil peut, pour chaque cas dont il est saisi, ordonner la tenue d'un scrutin afin de s'assurer que les employés d'une unité désirent être représentés par un syndicat déterminé à titre d'agent négociateur.

(1.1) **Employés exclus de l'unité** — La personne qui n'était pas un employé de l'unité de négociation à la date à laquelle l'avis de négociation collective a été donné et qui a été par la suite engagée ou désignée pour accomplir la totalité ou une partie des tâches d'un employé d'une unité visée par une grève ou un lock-out n'est pas un employé de l'unité.

(2) **Scrutin obligatoire** — Le scrutin de représentation est obligatoire dans le cas où l'unité n'est représentée par aucun syndicat et où le Conseil est convaincu que de trente-cinq pour cent à cinquante pour cent inclusivement des employés de l'unité adhèrent au syndicat qui sollicite l'accréditation.

(3) **Adhésion** — Pour trancher la question de l'adhésion au syndicat, le Conseil peut ne pas tenir compte des conditions d'admissibilité prévues dans la charte, les statuts ou les règlements administratifs de celui-ci, s'il est convaincu que le syndicat admet habituelle-

ment des adhérents sans égard à ces conditions.

1998, ch. 26, art. 13; 2014, ch. 40, art. 3; 2017, ch. 12, art. 2

30. (1) Tenue du scrutin — Lorsqu'il ordonne la tenue d'un scrutin de représentation au sein d'une unité, le Conseil est tenu :

a) de déterminer quels sont les employés qui ont droit de voter;

b) de prendre les mesures et donner les instructions qui lui semblent nécessaires en vue de la régularité du scrutin, notamment en ce qui concerne la préparation des bulletins de vote, les modes de scrutin et de dépouillement, et la garde et le scellage des urnes.

(2) Choix — Dans le cas où il ordonne la tenue d'un scrutin de représentation alors que l'unité en cause n'est représentée par aucun syndicat, le Conseil doit veiller à ce que les bulletins de vote permettent aux employés d'y indiquer leur désir de n'être pas représentés par le ou les syndicats qui y sont mentionnés.

(3) Exception — Le Conseil n'est toutefois plus tenu à l'obligation visée au paragraphe (2) pour le ou les scrutins supplémentaires nécessités par le fait qu'aucun des syndicats participant au premier scrutin de représentation n'a obtenu la majorité, si le pourcentage des votes en faveur des syndicats dans leur ensemble était supérieur à cinquante pour cent.

1998, ch. 26, art. 14

31. (1) Résultat — Sous réserve du paragraphe (2), le Conseil doit déterminer le résultat du scrutin de représentation d'après le vote de la majorité des employés qui y ont participé.

(2) Participation minimale — S'il constate que le taux de participation du vote est inférieur à trente-cinq pour cent, le Conseil tient le scrutin de représentation pour nul.

(3) Majorité — L'opinion exprimée par la majorité des employés ayant participé au scrutin de représentation constitue celle de la majorité des employés de l'unité faisant l'objet du scrutin.

32. (1) Regroupement de syndicats — Le regroupement formé par plusieurs syndicats peut, tout comme un syndicat, solliciter l'accréditation à titre d'agent négociateur d'une unité.

(2) Accréditation du regroupement de syndicats — Le Conseil peut accréditer le regroupement de syndicats à titre d'agent négociateur d'une unité de négociation lorsqu'il est convaincu que les conditions d'accréditation fixées sous le régime de la présente partie ont été remplies.

(3) Adhésion au regroupement de syndicats — L'adhésion à un syndicat membre d'un regroupement de syndicats vaut adhésion au regroupement.

(4) Assujettissement du regroupement de syndicats à la convention — L'accréditation d'un regroupement de syndicats à titre d'agent négociateur d'une unité de négociation a, pour lui et ses syndicats membres, les effets suivants :

a) tous les syndicats membres sont comme lui liés par toute convention collective qu'il conclut avec l'employeur;

b) sauf disposition contraire, la présente partie s'applique comme si le regroupement était un syndicat.

33. (1) Désignation d'une organisation patronale comme employeur — Dans les cas où l'unité qui fait l'objet de la demande d'accréditation groupe des employés de plusieurs employeurs formant une organisation patronale, le Conseil peut attribuer la qualité d'employeur à celle-ci s'il est convaincu qu'elle a été investie par chacun des employeurs membres des pouvoirs nécessaires à l'exécution des obligations imposées à l'employeur par la présente partie.

(1.1) **Nouveaux membres** — Le Conseil peut, à la demande de l'organisation patronale, étendre la portée de la désignation visée au paragraphe (1) à l'égard de tout employeur qui devient membre de l'organisation patronale s'il est convaincu que cette dernière a été investie par l'employeur des pouvoirs nécessaires à l'exécution des obligations imposées à l'employeur et qu'une telle modification permettrait d'assurer la réalisation des objectifs de la présente partie.

(2) **Présomption** — La désignation de l'organisation patronale comme employeur a, pour elle et ses membres, les effets suivants :

a) tous les employeurs membres sont comme elle liés par toute convention collective qu'elle conclut avec le syndicat;

b) sauf disposition contraire, la présente partie s'applique comme si l'organisation était un employeur.

(3) **Retrait de l'organisation** — L'employeur qui cesse de faire partie d'une organisation patronale ou retire à celle-ci les pouvoirs qu'il lui avait conférés :

a) reste lié par toute convention collective conclue par l'organisation patronale et applicable à ses employés;

b) peut être obligé d'entamer des négociations collectives conformément à l'article 48.

1998, ch. 26, art. 15

34. (1) Accréditation dans des secteurs particuliers — Le Conseil peut décider que les employés de plusieurs employeurs véritablement actifs dans le secteur en cause, dans la région en question, constituent une unité habile à négocier collectivement et, sous réserve des autres dispositions de la présente partie, accréditer un syndicat à titre d'agent négociateur de l'unité, dans le cas des employés qui travaillent :

a) dans le secteur du débardage;

b) dans les secteurs d'activité et régions désignés par règlement du gouverneur en conseil sur sa recommandation.

(2) **Recommandation du Conseil** — Avant de faire la recommandation prévue à l'alinéa (1)b), le Conseil doit s'assurer, par une enquête, que les employeurs véritablement actifs dans le secteur en cause, dans la région en question, recrutent leurs employés au sein du même groupe et que ceux-ci sont engagés, à un moment ou à un autre, par ces employeurs ou certains d'entre eux.

(3) **Représentant** — Lorsqu'il accorde l'accréditation visée au paragraphe (1), le Conseil, par ordonnance :

a) enjoint aux employeurs des employés de l'unité de négociation de choisir collectivement un représentant et d'informer le Conseil de leur choix avant l'expiration du délai qu'il fixe;

b) désigne le représentant ainsi choisi à titre de représentant patronal de ces employeurs.

(4) **Pouvoirs du Conseil** — Si les employeurs ne se conforment pas à l'ordonnance que rend le Conseil en vertu de l'alinéa (3)a), le Conseil procède lui-même, par ordonnance, à la désignation d'un représentant patronal. Il est tenu, avant de rendre celle-ci, de donner aux employeurs la possibilité de présenter des arguments.

(4.1) Nouveau représentant — Sur demande présentée par un ou plusieurs employeurs des employés de l'unité de négociation, le Conseil peut, s'il est convaincu que le représentant patronal n'est plus apte à l'être, annuler sa désignation et en désigner un nouveau.

(5) Statut du représentant patronal — Pour l'application de la présente partie, le représentant patronal est assimilé à un employeur; il est tenu d'exécuter, au nom des employeurs des employés de l'unité de négociation, toutes les obligations imposées à l'employeur par la présente partie et est investi à cette fin, en raison de sa désignation sous le régime du présent article, des pouvoirs nécessaires; il peut notamment conclure en leur nom une convention collective.

(5.1) Participation financière — Le représentant patronal peut exiger de chacun des employeurs des employés de l'unité de négociation qu'il lui verse sa quote-part des dépenses que le représentant patronal a engagées ou prévoit engager dans l'exécution de ses obligations sous le régime de la présente partie et celui de la convention collective.

(6) Obligation du représentant patronal — Dans l'exécution de ces obligations, il est interdit au représentant patronal ainsi qu'aux personnes qui agissent en son nom d'agir de manière arbitraire ou discriminatoire ou de mauvaise foi à l'égard des employeurs qu'il représente.

(7) Questions à trancher par le Conseil — Pour l'application du présent article, il appartient au Conseil de trancher toute question qui se pose, notamment à l'égard du choix et de la désignation du représentant patronal.

1991, ch. 39, art. 1; 1998, ch. 26, art. 16

35. (1) Déclaration d'employeur unique par le Conseil — Sur demande d'un syndicat ou d'un employeur concernés, le Conseil peut, par ordonnance, déclarer que, pour l'application de la présente partie, les entreprises fédérales associées ou connexes qui, selon lui, sont exploitées par plusieurs employeurs en assurant en commun le contrôle ou la direction constituent une entreprise unique et que ces employeurs constituent eux-mêmes un employeur unique. Il est tenu, avant de rendre l'ordonnance, de donner aux employeurs et aux syndicats concernés la possibilité de présenter des arguments.

(2) Révision d'unités — Lorsqu'il rend une ordonnance en vertu du paragraphe (1), le Conseil peut décider si les employés en cause constituent une ou plusieurs unités habiles à négocier collectivement.

1998, ch. 26, art. 17

36. (1) Effet de l'accréditation — L'accréditation d'un syndicat à titre d'agent négociateur emporte :

a) droit exclusif de négocier collectivement au nom des employés de l'unité de négociation représentée;

b) révocation, en ce qui touche les employés de l'unité de négociation, de l'accréditation de tout syndicat antérieurement accrédité;

c) substitution du syndicat — en qualité de partie à toute convention collective s'appliquant à des employés de l'unité de négociation, mais pour ces employés seulement — à l'agent négociateur nommément désigné dans la convention collective ou à tout successeur de celui-ci;

d) assimilation du syndicat à l'agent négociateur, pour l'application de l'alinéa 50b).

(2) Avis de négocier — Dans le cas d'application de l'alinéa (1)c), le syndicat substitué à l'autre peut, dans les trois mois suivant la date d'accréditation, exiger de l'employeur lié par la convention collective d'entamer des négociations collectives en vue du renouvellement ou de la révision de celle-ci ou de la conclusion d'une nouvelle convention collective.

(3) Exception — Le paragraphe (2) ne s'applique pas au syndicat qui est accrédité à la suite d'une demande présentée en vertu de l'article 24.1.

1998, ch. 26, art. 18

36.1 (1) Congédiement justifié — Au cours de la période qui commence le jour de l'accréditation et se termine le jour de la conclusion de la première convention collective, l'employeur ne peut congédier un employé de l'unité de négociation — ou prendre des mesures disciplinaires à son égard — sans motif valable.

(2) Arbitrage — En cas de litige entre un employeur et un agent négociateur sur un congédiement ou des mesures disciplinaires qui surviennent pendant la période visée au paragraphe (1), l'agent peut soumettre le litige à un arbitre pour règlement définitif comme s'il s'agissait d'un désaccord, les articles 57 à 66 s'appliquant alors avec les adaptations nécessaires.

1998, ch. 26, art. 19

37. Représentation — Il est interdit au syndicat, ainsi qu'à ses représentants, d'agir de manière arbitraire ou discriminatoire ou de mauvaise foi à l'égard des employés de l'unité de négociation dans l'exercice des droits reconnus à ceux-ci par la convention collective.

Révocation de l'accréditation et questions connexes

38. (1) Demande de révocation — Tout employé prétendant représenter la majorité des employés d'une unité de négociation peut, sous réserve du paragraphe (5), demander au Conseil de révoquer par ordonnance l'accréditation du syndicat à titre d'agent négociateur de l'unité.

(2) Dates de présentation — La demande visée au paragraphe (1) peut être présentée :

a) si l'unité de négociation est régie par une convention collective, seulement au cours de la période pendant laquelle il est permis, aux termes de l'article 24, de solliciter l'accréditation, sauf consentement du Conseil pour un autre moment;

b) en l'absence de convention collective, à l'expiration du délai d'un an suivant l'accréditation.

(3) Demande d'ordonnance mettant fin à la représentativité d'un agent négociateur — Dans les cas où l'agent négociateur partie à une convention collective n'a pas été accrédité par le Conseil, tout employé prétendant représenter la majorité des employés de l'unité de négociation régie par la convention peut, sous réserve du paragraphe (5), demander au Conseil de rendre une ordonnance déclarant que l'agent négociateur n'a pas qualité pour représenter les employés de cette unité.

(4) Dates de présentation — La demande visée au paragraphe (3) peut être présentée :

a) si la convention collective en vigueur est la première conclue par l'employeur et l'agent négociateur :

(i) à tout moment au cours de la première année d'application de la convention,

(ii) par la suite, sauf consentement du Conseil à l'effet contraire, seulement au cours de la période pendant laquelle il est permis, aux termes de l'article 24, de solliciter l'accréditation;

b) dans les autres cas, sauf consentement du Conseil à l'effet contraire, seulement au cours de la période pendant laquelle il est permis, aux termes de l'article 24, de solliciter l'accréditation.

(5) **Cas de grève ou de lock-out** — Sauf consentement du Conseil à l'effet contraire, les demandes prévues aux paragraphes (1) ou (3) ne peuvent être présentées au cours d'une grève ou d'un lock-out — non interdits par la présente partie — des employés de l'unité de négociation représentée par l'agent négociateur.

1998, ch. 26, art. 20; 2014, ch. 40, art. 4; 2017, ch. 12, art. 3

39. (1) Révocation d'accréditation et perte de la qualité d'agent négociateur — Si, à l'issue de l'enquête qu'il estime indiquée — tenue sous forme d'un scrutin de représentation ou sous une autre forme —, il est convaincu que la majorité des employés de l'unité de négociation visée par la demande ne désirent plus être représentés par leur agent négociateur, le Conseil rend une ordonnance par laquelle :

a) dans le cas de la demande prévue au paragraphe 38(1), il révoque l'accréditation du syndicat à titre d'agent négociateur de l'unité;

b) dans le cas de la demande prévue au paragraphe 38(3), il déclare que l'agent négociateur n'a pas qualité pour représenter les employés de l'unité.

(2) **Restriction** — En l'absence de convention collective applicable à l'unité de négociation, l'ordonnance visée à l'alinéa (1)a) ne peut être rendue par le Conseil que s'il est convaincu que l'agent négociateur n'a pas fait d'effort raisonnable en vue de sa conclusion.

2014, ch. 40, art. 5; 2017, ch. 12, art. 4

Lorsqu'il est saisi d'une demande présentée en vertu des paragraphes 38(1) ou (3), le Conseil rend l'ordonnance visée par la demande s'il est convaincu, à la fois :

a) sur le fondement d'une preuve documentaire, qu'à la date du dépôt de la demande, au moins quarante pour cent des employés de l'unité de négociation ne désiraient plus être représentés par leur agent négociateur;

b) sur le fondement des résultats d'un scrutin de représentation secret, que la majorité des employés de l'unité de négociation qui ont participé au scrutin ne désirent plus être représentés par leur agent négociateur.

40. (1) Demande en cas de fraude — Le Conseil peut être saisi à tout moment d'une demande de révocation d'accréditation d'un syndicat au motif que celle-ci a été obtenue frauduleusement. Ont qualité pour présenter cette demande :

a) tout employé de l'unité de négociation représentée par le syndicat;

b) l'employeur des employés de cette unité;

c) tout syndicat ayant comparu devant le Conseil au cours de la procédure d'accréditation.

(2) **Révocation pour fraude** — Saisi de la demande visée au paragraphe (1), le Conseil révoque, par ordonnance, l'accréditation du syndicat s'il est convaincu que les éléments de preuve à l'appui :

a) d'une part, n'auraient pu, même avec la diligence normale, lui être présentés au cours de la procédure d'accréditation;

b) d'autre part, l'auraient amené à refuser l'accréditation s'ils lui avaient été alors présentés.

41. (1) **Cas des regroupements de syndicats** — Un regroupement de syndicats accrédité à titre d'agent négociateur d'une unité de négociation peut faire l'objet d'une demande de révocation d'accréditation pour les raisons applicables aux syndicats aux termes de l'article 38 ou du paragraphe 40(1) et, en outre, au motif qu'il ne remplit plus les conditions d'accréditation applicables aux regroupements de syndicats. Dans ce dernier cas, la demande peut être présentée par tout employé de l'unité de négociation, l'employeur des employés de celle-ci ou un syndicat membre du regroupement.

(2) **Révocation** — Le Conseil peut, par ordonnance, révoquer l'accréditation du regroupement de syndicats visé par la demande de révocation s'il est d'avis que celui-ci ne remplit plus les conditions d'accréditation applicables aux regroupements de syndicats.

(3) **Dates de présentation** — Les dates de présentation des demandes visées au paragraphe (1) sont celles qui sont prévues pour les demandes présentées aux termes de l'article 38.

42. **Effets de la révocation** — Toute ordonnance rendue en application des articles 39 ou 41 ou du paragraphe 40(2) emporte :

a) cessation d'effet, à compter de sa date ou de la date ultérieure que le Conseil estime indiquée, de toute convention collective conclue entre le syndicat ou le regroupement de syndicats et l'employeur applicable à l'unité de négociation en cause;

b) interdiction pour l'employeur de négocier collectivement et de conclure une convention collective avec le syndicat ou le regroupement de syndicats pendant l'année qui suit la date de l'ordonnance, sauf si, pendant cette période, le Conseil accrédite, au titre de la présente partie, le syndicat ou le regroupement de syndicats à titre d'agent négociateur d'une unité de négociation groupant des employés de cet employeur.

Droits et obligations du successeur

43. (1) **Fusions de syndicats et transferts de compétence** — Dans les cas de fusion de syndicats ou de transfert de compétence entre eux, le syndicat qui succède à un autre syndicat ayant qualité d'agent négociateur au moment de l'opération est réputé subrogé dans les droits, privilèges et obligations de ce dernier, que ceux-ci découlent d'une convention collective ou d'une autre source.

(2) **Questions en suspens** — Si l'opération visée au paragraphe (1) soulève des questions quant aux droits, privilèges et obligations qu'aurait un syndicat, dans le cadre de la présente partie ou d'une convention collective, à l'égard d'une unité de négociation ou d'un employé qui en fait partie, le Conseil détermine, à la demande d'un syndicat touché par l'opération, les droits,

privilèges et obligations acquis ou conservés aux termes de celle-ci.

(3) **Enquête et scrutin** — En vue de la détermination prévue au paragraphe (2), le Conseil peut procéder à la tenue des enquêtes et scrutins de représentation qu'il estime nécessaires.

44. (1) Définitions — Les définitions qui suivent s'appliquent au présent article et aux articles 45 à 47.1.

« entreprise » Entreprise fédérale, y compris toute partie de celle-ci. *(« business »)*

« entreprise provinciale » Installations, ouvrages, entreprises — ou parties d'installations, d'ouvrages ou d'entreprises — dont les relations de travail sont régies par les lois d'une province. *(« provincial business »)*

« vente » S'entend notamment, relativement à une entreprise, du transfert et de toute autre forme de disposition de celle-ci, la location étant, pour l'application de la présente définition, assimilée à une vente. *(« sell »)*

(2) **Vente de l'entreprise** — Les dispositions suivantes s'appliquent dans les cas où l'employeur vend son entreprise :

a) l'agent négociateur des employés travaillant dans l'entreprise reste le même;

b) le syndicat qui, avant la date de la vente, avait présenté une demande d'accréditation pour des employés travaillant dans l'entreprise peut, sous réserve des autres dispositions de la présente partie, être accrédité par le Conseil à titre d'agent négociateur de ceux-ci;

c) toute convention collective applicable, à la date de la vente, aux employés travaillant dans l'entreprise lie l'acquéreur;

d) l'acquéreur devient partie à toute procédure engagée dans le cadre de la présente partie et en cours à la date de la vente, et touchant les employés travaillant dans l'entreprise ou leur agent négociateur.

(3) **Changements opérationnels ou vente d'une entreprise provinciale** — Si, en raison de changements opérationnels, une entreprise provinciale devient régie par la présente partie ou si elle est vendue à un employeur qui est régi par la présente partie :

a) le syndicat qui, en vertu des lois de la province, est l'agent négociateur des employés de l'entreprise provinciale en cause demeure l'agent négociateur pour l'application de la présente partie;

b) une convention collective applicable à des employés de l'entreprise provinciale à la date des changements opérationnels ou de la vente continue d'avoir effet ou lie l'acquéreur;

c) les procédures engagées dans le cadre des lois de la province en cause et qui, à la date des changements opérationnels ou de la vente, étaient en instance devant une commission provinciale des relations de travail ou tout autre organisme ou personne compétents deviennent des procédures engagées sous le régime de la présente partie, avec les adaptations nécessaires, l'acquéreur devenant partie aux procédures s'il y a lieu;

d) les griefs qui étaient en instance devant un arbitre ou un conseil d'arbitrage à la date des changements opérationnels ou de la vente sont tranchés sous le régime de la présente partie, avec les adaptations nécessaires, l'acquéreur devenant partie aux procédures s'il y a lieu.

1996, ch. 18, art. 8; 1998, ch. 26, art. 21

45. Révision d'unités — Dans les cas de vente ou de changements opérationnels visés à l'article 44, le Conseil peut, sur demande de l'employeur ou de tout syndicat touché décider si les employés en cause constituent une ou plusieurs unités habiles à négocier collectivement.

1998, ch. 26, art. 22

46. Questions à trancher par le Conseil — Il appartient au Conseil de trancher, pour l'application de l'article 44, toute question qui se pose, notamment quant à la survenance d'une vente d'entreprise, à l'existence des changements opérationnels et à l'identité de l'acquéreur.

1998, ch. 26, art. 22

47. (1) Administration publique fédérale — La convention collective ou la décision arbitrale applicable aux employés d'un secteur de l'administration publique fédérale qui, par radiation de son nom de l'une des annexes I, IV ou V de la *Loi sur la gestion des finances publiques* ou par sa séparation d'un secteur mentionné à l'une ou l'autre de ces annexes, devient régi par la présente partie en tant que personne morale ou entreprise ou est intégré à une personne morale ou à une entreprise régie par la présente partie :

a) continue d'avoir effet, sous réserve des paragraphes (3) à (7), jusqu'à la date d'expiration qui y est fixée;

b) reste totalement assujettie, quant à son interprétation et à son application, à la *Loi sur les relations de travail dans le secteur public fédéral*.

(2) Demande d'accréditation — Un syndicat peut demander au Conseil son accréditation à titre d'agent négociateur des employés régis par la convention collective ou la décision arbitrale mentionnée au paragraphe (1); il ne peut toutefois le faire qu'au cours de la période pendant laquelle il est permis, aux termes de l'article 24, de solliciter l'accréditation.

(3) Demande d'ordonnance — Dans les cas de transfert visés au paragraphe (1) où les employés sont régis par une convention collective ou une décision arbitrale, la personne morale ou l'entreprise qui devient l'employeur, ou tout agent négociateur touché par ce changement, peut, au moins cent vingt jours et au plus cent cinquante jours après celui-ci, demander au Conseil de statuer par ordonnance sur les questions mentionnées au paragraphe (4).

(4) Prise de décision — Saisi de la demande visée au paragraphe (3), le Conseil doit rendre une ordonnance par laquelle il décide :

a) si les employés de la personne morale ou de l'entreprise qui sont liés par la convention collective ou la décision arbitrale constituent une ou plusieurs unités habiles à négocier collectivement;

b) quel syndicat sera l'agent négociateur des employés de chacune de ces unités;

c) si chaque convention collective ou décision arbitrale qui s'applique à ces employés :

(i) restera en vigueur,

(ii) si oui, le restera jusqu'à la date d'expiration qui y est stipulée ou jusqu'à la date antérieure qu'il fixe.

(5) Demande d'autorisation de signifier un avis de négociation collective — Si, en application de l'alinéa (4)c), le Conseil décide qu'une convention collective ou une décision arbitrale restera en vigueur, l'une des parties à celle-ci peut lui demander, dans les soixante jours qui suivent, de lui permettre, par ordonnance, de signifier à l'autre partie un avis de négociation collective.

(6) **Demande d'autorisation de signifier un avis de négociation collective** — À défaut de présentation de la demande visée au paragraphe (3) dans le délai fixé, la personne morale ou l'entreprise ou tout agent négociateur lié par une convention collective ou une décision arbitrale qui est maintenue en vigueur aux termes du paragraphe (1) peut, au cours de la période commençant le cent cinquante et unième jour et se terminant le deux cent dixième jour suivant la date du transfert, demander au Conseil de lui permettre, par ordonnance, de signifier à l'autre partie un avis de négociation collective.

(7) **Effet de l'ordonnance** — L'ordonnance du Conseil rendue en application de l'alinéa (4)c) a pour effet d'assujettir à la présente partie l'interprétation et l'application de toute convention collective ou décision arbitrale qui en fait l'objet.

(8) **Présomption** — Pour l'application de l'article 49, la décision arbitrale maintenue en vigueur en vertu du paragraphe (1) est réputée faire partie de la convention collective de l'unité de négociation visée par la décision ou constituer la convention collective de celle-ci si elle n'a pas de convention collective; la présente partie — à l'exception de l'article 80 — s'applique au renouvellement ou à la révision de la convention ou à la conclusion d'une nouvelle convention.

1996, ch. 18, art. 9; 2003, ch. 22, art. 108; 2017, ch. 9, art. 55(1)

47.1 Cas où un avis de négociation collective avait été donné — Si, avant la radiation ou la séparation visées au paragraphe 47(1), un avis de négociation collective avait été donné à l'égard d'une convention collective ou d'une sentence arbitrale liant les employés d'une personne morale ou d'une entreprise qui, immédiatement avant la radiation ou la séparation, faisait partie de l'administration publique fédérale :

a) les conditions d'emploi figurant dans la convention collective ou la décision arbitrale maintenues en vigueur par l'effet de l'article 107 de la *Loi sur les relations de travail dans le secteur public fédéral* continuent de lier — ou lient de nouveau si l'article 107 avait cessé d'avoir effet — la personne morale ou l'entreprise, l'agent négociateur et les employés, sauf entente à l'effet contraire entre l'employeur et l'agent négociateur, tant que les conditions des alinéas 89(1)a) à d) n'ont pas été remplies;

b) les conditions d'emploi visées à l'alinéa a) restent totalement assujetties, quant à leur interprétation et à leur application, à la *Loi sur les relations de travail dans le secteur public fédéral*;

c) sur demande de la personne morale ou de l'entreprise qui devient l'employeur, ou de l'agent négociateur touché par le changement, présentée au moins cent vingt jours et au plus cent cinquante jours après celui-ci, le Conseil décide par ordonnance :

(i) si les employés de la personne morale ou de l'entreprise qui sont représentés par l'agent négociateur constituent une ou plusieurs unités habiles à négocier collectivement,

(ii) quel syndicat sera l'agent négociateur des employés de chacune de ces unités;

d) dans les cas où le Conseil rend une ordonnance dans le cadre de l'alinéa c), la personne morale ou l'entreprise qui devient l'employeur ou l'agent négociateur peut transmettre à l'autre partie un avis de négociation collective en vue de la conclusion d'une convention collective;

e) la présente partie, à l'exception de l'article 80, s'applique à l'avis prévu à l'alinéa d).

1996, ch. 18, art. 9; 1998, ch. 26, art. 23; 2003, ch. 22, art. 109(2); 2017, ch. 9, art. 55(1)

47.2 Exclusion — Le gouverneur en conseil peut par décret, sur recommandation du ministre faite après consultation par celui-ci du Conseil du Trésor et du ministre responsable du secteur en cause, soustraire un secteur de l'administration publique fédérale qui fait l'objet de l'opération visée au paragraphe 47(1) de l'application des articles 47 et 47.1 dans les cas où il estime que cette mesure sert l'intérêt public.

1996, ch. 18, art. 9

Contrats successifs de fourniture de services

[Intertitre ajouté, 1998, ch. 26, art. 24.]

47.3 (1) Définition de « fournisseur précédent » — Au présent article, « **fournisseur précédent** » s'entend de l'employeur qui, en vertu d'un contrat ou de toute autre forme d'entente qui n'est plus en vigueur, fournissait :

a) soit des services de sécurité à l'embarquement à un autre employeur ou à une personne agissant en son nom dans un secteur d'activités visé à l'alinéa e) de la définition de « **entreprise fédérale** » à l'article 2;

b) soit des services réglementaires à un autre employeur ou à une personne agissant en son nom dans tout secteur d'activités réglementaire, les règlements étant pris par le gouverneur en conseil sur recommandation du ministre.

(2) Rémunération égale — L'employeur qui remplace un fournisseur précédent à titre de fournisseur de services, au titre d'un contrat ou de toute autre forme d'entente, est tenu de verser aux employés qui fournissent les services en question une rémunération au moins égale à celle à laquelle les employés du fournisseur précédent qui fournissaient les mêmes services ou des services essentiellement similaires avaient droit en vertu d'une convention collective à laquelle la présente partie s'appliquait.

1996, ch. 18, art. 9; 1998, ch. 26, art. 24

SECTION IV — NÉGOCIATIONS COLLECTIVES ET CONVENTIONS COLLECTIVES

Obligation de négocier collectivement

48. Avis de négociation à la suite de l'accréditation — Une fois accrédité pour une unité de négociation et en l'absence de convention collective applicable aux employés de cette unité, l'agent négociateur de celle-ci — ou l'employeur — peut transmettre à l'autre partie un avis de négociation collective en vue de la conclusion d'une convention collective.

49. (1) Avis de négociation : conclusion de nouvelle convention, renouvellement ou révision — Toute partie à une convention collective peut, au cours des quatre mois précédant sa date d'expiration, ou au cours de la période plus longue fixée par la convention, transmettre à l'autre partie un avis de négociation collective en vue du renouvellement ou de la révision de la convention ou de la conclusion d'une nouvelle convention.

(2) Révision avant échéance — Si la convention collective prévoit la possibilité de révision d'une de ses dispositions avant l'échéance, toute partie qui y est habilitée à ce faire peut transmettre à l'autre partie un avis de négociation collective en vue de la révision en cause.

1998, ch. 26, art. 25

50. Obligation de négocier et de ne pas modifier les modalités — Une fois l'avis de négociation collective donné aux termes de la présente partie, les règles suivantes s'appliquent :

a) sans retard et, en tout état de cause, dans les vingt jours qui suivent ou dans le délai éventuellement convenu par les parties, l'agent négociateur et l'employeur doivent :

(i) se rencontrer et entamer des négociations collectives de bonne foi ou charger leurs représentants autorisés de le faire en leur nom;

(ii) faire tout effort raisonnable pour conclure une convention collective;

b) tant que les conditions des alinéas 89(1)a) à d) n'ont pas été remplies, l'employeur ne peut modifier ni les taux des salaires ni les autres conditions d'emploi, ni les droits ou avantages des employés de l'unité de négociation ou de l'agent négociateur, sans le consentement de ce dernier.

Changement technologique

51. (1) Définition de « changement technologique » — Au présent article ainsi qu'aux articles 52 à 55, **« changement technologique »** s'entend à la fois de :

a) l'adoption par l'employeur, dans son entreprise, ses activités ou ses ouvrages, d'équipement ou de matériels différents, par leur nature ou leur mode d'opération, de ceux qu'il y utilisait antérieurement;

b) tout changement dans le mode d'exploitation de l'entreprise directement rattaché à cette adoption.

(2) Application des art. 52, 54 et 55 — Les articles 52, 54 et 55 ne s'appliquent pas à l'employeur et à l'agent négociateur qui sont liés par une convention collective dans l'un ou l'autre des cas suivants :

a) l'employeur a donné à l'agent négociateur un avis écrit du changement technologique qui est pour l'essentiel conforme à l'avis décrit au paragraphe 52(2) :

(i) soit avant la date de conclusion de la convention collective, si cette conclusion fait suite à un avis de négociation collective donné conformément à l'article 48,

(ii) soit, dans le cas d'application du paragraphe 49(1), au plus tard le dernier jour où l'avis de négociation collective en vue de la conclusion de la convention collective aurait pu être donné aux parties conformément à ce paragraphe;

b) la convention énonce des modalités de négociation et de règlement définitif des problèmes relatifs aux conditions ou à la sécurité d'emploi que risque de soulever un changement technologique pendant sa durée d'application;

c) la convention renferme des dispositions :

(i) d'une part destinées à aider les employés touchés par un changement technologique à s'adapter aux effets de ce changement,

(ii) d'autre part stipulant que les articles 52, 54 et 55 ne s'appliquent pas pendant sa durée d'application à l'employeur et à l'agent négociateur.

52. (1) Avis de changement technologique — L'employeur lié par une convention collective et qui se propose d'effectuer un changement technologique de nature à influer sur les conditions ou la sécurité d'emploi d'un nombre appréciable des employés régis par la convention est tenu d'en donner avis à l'agent négociateur partie à la convention au moins cent vingt jours avant la date prévue pour le changement.

(2) Teneur de l'avis — L'avis prévu au paragraphe (1) doit être donné par écrit et contenir les éléments suivants :

a) la nature du changement technologique;

b) la date à laquelle l'employeur se propose de l'effectuer;

c) le nombre approximatif et la catégorie des employés risquant d'être touchés;

d) l'effet que le changement est susceptible d'avoir sur les conditions ou la sécurité d'emploi de ces employés;

e) les renseignements réglementaires visés au paragraphe (4).

(3) Détails du changement proposé — L'employeur ayant donné l'avis fournit, à la demande de l'agent négociateur, une déclaration écrite :

a) exposant en détail la nature du changement technologique proposé;

b) indiquant le nom des employés risquant d'être les premiers touchés;

c) donnant la justification du changement.

(4) Règlements — Sur recommandation du Conseil, le gouverneur en conseil peut, par règlement :

a) préciser ce qui, dans le cadre de l'application des paragraphes (1) et 54(2), constitue, pour une entreprise fédérale quelconque, un nombre appréciable d'employés, ou spécifier le mode de détermination de ce nombre;

b) exiger,aux fins de l'avis de changement technologique, la fourniture de renseignements autres que ceux prévus au paragraphe (2).

53. (1) Demande d'ordonnance concernant un changement technologique — S'il estime que les articles 52, 54 et 55 s'appliquent à l'employeur et que celui-ci ne s'est pas conformé à l'article 52, l'agent négociateur peut, dans les trente jours qui suivent la date à laquelle il a pris ou, selon le Conseil, aurait dû prendre connaissance du défaut en question, demander à celui-ci de statuer par ordonnance en l'espèce.

(2) Ordonnance — Après avoir donné aux parties la possibilité de présenter des arguments sur la demande visée au paragraphe (1), le Conseil peut, par ordonnance, décider :

a) soit que l'employeur n'était pas assujetti à l'application des articles 52, 54 et 55;

b) soit qu'au contraire il était assujetti à cette application et ne s'est pas conformé à l'article 52.

(3) Teneur — Le Conseil peut, dans toute ordonnance qu'il rend soit en application de l'alinéa (2)b) soit après consultation avec les parties en attendant de rendre la décision visée au paragraphe (2), enjoindre à l'employeur :

a) de suspendre la mise en oeuvre du changement technologique en question pendant le délai, de cent vingt jours au maximum, que le Conseil juge approprié;

b) de réintégrer dans ses fonctions tout employé déplacé par suite du changement technologique;

c) d'indemniser les employés réintégrés de toute perte de salaire subie par suite du déplacement.

(4) **Présomption d'avis** — L'ordonnance que rend le Conseil en application de l'alinéa (2)b) est réputée constituer un avis de changement technologique donné par l'employeur en application de l'article 52. Simultanément, le Conseil donne, par ordonnance, l'autorisation à l'agent négociateur de signifier à l'employeur un avis de négociation collective pour la fin visée au paragraphe 54(1).

1998, ch. 26, art. 26

54. (1) Demande d'autorisation de signifier un avis de négociation — Dans les trente jours suivant la date de la réception de l'avis de changement technologique visé à l'article 52, l'agent négociateur peut, afin d'aider les employés touchés par le changement à s'adapter aux effets de celui-ci, demander au Conseil de lui donner, par ordonnance, l'autorisation de signifier à l'employeur un avis de négociation collective en vue :

a) soit de la révision des dispositions de la convention collective traitant des conditions ou de la sécurité d'emploi;

b) soit de l'incorporation dans la convention de nouvelles dispositions concernant ces questions.

(2) **Ordonnance d'autorisation** — Le Conseil peut, par ordonnance, donner l'autorisation demandée aux termes du paragraphe (1) s'il est convaincu que le changement technologique en question aura vraisemblablement des répercussions notables et défavorables sur les conditions ou la sécurité d'emploi d'un nombre appréciable des employés liés par la convention collective conclue entre l'agent négociateur et l'employeur.

55. Conditions préalables au changement technologique — L'employeur visé par la demande présentée aux termes du paragraphe 54(1) ne peut pas procéder au changement technologique en question :

a) tant que le Conseil n'a pas rendu d'ordonnance refusant à l'agent négociateur l'autorisation demandée;

b) si le Conseil accorde l'autorisation, avant :

(i) soit la conclusion d'un accord au terme des négociations collectives,

(ii) soit l'accomplissement des conditions énoncées aux alinéas 89(1)a) à d).

Contenu et interprétation des conventions collectives

56. Effet de la convention collective — Pour l'application de la présente partie et sous réserve des dispositions contraires de celle-ci, la convention collective conclue entre l'agent négociateur et l'employeur lie l'agent négociateur, les employés de l'unité de négociation régie par la convention et l'employeur.

57. (1) Clause de règlement définitif sans arrêt de travail — Est obligatoire dans la convention collective la présence d'une clause prévoyant le mode — par arbitrage ou toute autre voie — de règlement définitif, sans arrêt de travail, des désaccords qui pourraient survenir entre les parties ou les employés qu'elle régit, quant à son interprétation, son application ou sa prétendue violation.

(2) **Nomination d'un arbitre** — En l'absence de cette clause, tout désaccord entre les parties à la convention collective est, malgré toute disposition de la convention collective, obligatoirement soumis par elles, pour règlement définitif :

a) soit à un arbitre de leur choix;

b) soit, en cas d'impossibilité d'entente sur ce choix et sur demande écrite de nomination présentée par l'une ou l'autre partie au ministre, à l'arbitre que désigne celui-ci, après enquête, s'il le juge nécessaire.

(3) **Idem** — Lorsque la convention prévoit, comme mécanisme de règlement, le renvoi à un conseil d'arbitrage, tout désaccord est, malgré toute disposition de la convention collective, obligatoirement soumis à un arbitre conformément aux alinéas (2)a) et b) dans les cas où l'une ou l'autre des parties omet de désigner son représentant au conseil.

(4) **Demande au ministre** — Lorsque la convention collective prévoit le règlement définitif des désaccords par le renvoi à un arbitre ou un conseil d'arbitrage et que les parties ne peuvent s'entendre sur le choix d'un arbitre — ou dans le cas de leurs représentants au conseil d'arbitrage, sur le choix d'un président — , l'une ou l'autre des parties — ou un représentant — peut, malgré toute disposition de la convention collective, demander par écrit au ministre de nommer un arbitre ou un président, selon le cas.

(5) **Nomination par le ministre** — Le ministre procède à la nomination demandée aux termes du paragraphe (4), après enquête, s'il le juge nécessaire.

(6) **Présomption** — L'arbitre ou le président nommé ou choisi en vertu des paragraphes (2), (3) ou (5) est réputé, pour l'application de la présente partie, avoir été nommé aux termes de la convention collective.

58. (1) Caractère définitif des décisions — Les ordonnances ou décisions d'un conseil d'arbitrage ou d'un arbitre sont définitives et ne peuvent être ni contestées ni révisées par voie judiciaire.

(2) **Interdiction de recours extraordinaires** — Il n'est admis aucun recours ou décision judiciaire — notamment par voie d'injonction, de *certiorari*, de prohibition ou de *quo warranto* — visant à contester, réviser, empêcher ou limiter l'action d'un arbitre ou d'un conseil d'arbitrage exercée dans le cadre de la présente partie.

(3) **Statut** — Pour l'application de la *Loi sur les Cours fédérales*, l'arbitre nommé en application d'une convention collective et le conseil d'arbitrage ne constituent pas un office fédéral au sens de cette loi.

2002, ch. 8, art. 182(1)e)

59. Transmission et publicité des décisions — L'arbitre ou le président du conseil d'arbitrage transmet au ministre copie de ses décisions ou ordonnances; une copie doit aussi être accessible au public selon les modalités fixées par le gouverneur en conseil.

60. (1) Pouvoirs des arbitres — L'arbitre ou le conseil d'arbitrage a les pouvoirs suivants :

a) ceux qui sont conférés au Conseil par les alinéas 16a), b), c) et f.1);

a.1) celui d'interpréter et d'appliquer les lois relatives à l'emploi et de rendre les ordonnances qu'elles prévoient, même dans les cas où elles entrent en conflit avec la convention collective;

a.2) celui de rendre les ordonnances provisoires qu'il juge indiquées;

a.3) celui de tenir compte des observations présentées sous une forme qu'il juge indiquée ou que les parties acceptent;

a.4) celui de rendre les ordonnances ou de donner les directives qu'il juge indiquées pour accélérer les procédures ou prévenir le recours abusif à l'arbitrage;

b) celui de décider si l'affaire qui lui est soumise est susceptible d'arbitrage.

(1.1) Prorogation des délais — L'arbitre ou le conseil d'arbitrage peut proroger tout délai — même expiré — applicable aux procédures de grief ou à l'arbitrage prévu par la convention collective s'il est d'avis que la prorogation est justifiée et ne porte pas atteinte indûment aux droits de l'autre partie.

(1.2) Médiation — En tout état de cause, l'arbitre ou le conseil d'arbitrage peut, avec le consentement des parties, les aider à régler tout désaccord entre elles, sans qu'il soit porté atteinte à sa compétence à titre d'arbitre ou de conseil d'arbitrage chargé de trancher les questions qui n'auront pas été réglées.

(2) Idem — Dans les cas de congédiement ou de mesures disciplinaires justifiés, et en l'absence, dans la convention collective, de sanction particulière pour la faute reprochée à l'employé en cause, l'arbitre ou le conseil d'arbitrage a en outre le pouvoir de substituer à la décision de l'employeur toute autre sanction qui lui paraît juste et raisonnable dans les circonstances.

1998, ch. 26, art. 27

61. Procédure — L'arbitre ou le conseil d'arbitrage établit sa propre procédure; il est toutefois tenu de donner aux parties toute possibilité de lui présenter des éléments de preuve et leurs arguments.

62. Décisions du conseil d'arbitrage — Pour les désaccords visés au paragraphe 57(1), la décision du conseil d'arbitrage se prend à la majorité des membres; à défaut de majorité, elle appartient au président.

63. Frais de l'arbitrage — En matière d'arbitrage des désaccords visés au paragraphe 57(1) et sauf stipulation contraire de la convention collective ou entente entre elles à l'effet contraire, chacune des parties supporte :

a) ses propres frais ainsi que la rétribution et les indemnités du membre du conseil d'arbitrage qu'elle a nommé;

b) une part égale de la rétribution et des indemnités de l'arbitre ou du président du conseil d'arbitrage, que celui-ci ait été choisi par elles ou leurs représentants, ou nommé par le ministre.

64. (1) Délai pour rendre une décision — L'arbitre ou le conseil d'arbitrage rend ses ordonnances ou décisions dans les soixante jours suivant sa nomination ou la nomination du président du conseil d'arbitrage, dans le cas du second, sauf :

a) soit stipulation contraire de la convention collective ou entente à l'effet contraire entre les parties;

b) soit circonstances indépendantes de sa volonté rendant impossible l'observation du délai.

(2) Calcul du délai — Les jours pendant lesquels la procédure d'arbitrage est suspendue en vertu du paragraphe 65(2) ne sont pas pris en compte dans le calcul du délai prévu au paragraphe (1).

(3) Cas d'inobservation — L'inobservation du délai n'a pas pour effet de dessaisir l'arbitre ou le conseil d'arbitrage, ni d'invalider les ordonnances ou décisions que celui-ci rend après l'expiration du délai.

65. (1) Renvoi au Conseil — Toute question soulevée dans une affaire d'arbitrage et se rapportant à l'existence d'une convention collective ou à l'identité des parties ou des employés qu'elle lie peut être renvoyée au Conseil, pour décision, par l'arbitre, le conseil d'arbitrage, le ministre ou toute prétendue partie.

(2) Poursuite de la procédure d'arbitrage — Le renvoi visé au paragraphe (1) ne suspend la procédure engagée devant l'arbitre ou le conseil d'arbitrage que si l'un ou l'autre décide que la nature de la question le justifie ou que le Conseil lui-même ordonne la suspension.

1998, ch. 26, art. 28

66. (1) Exécution des décisions — La personne ou l'organisation touchée par l'ordonnance ou la décision de l'arbitre ou du conseil d'arbitrage peut, après un délai de quatorze jours suivant la date de l'ordonnance ou de la décision ou après la date d'exécution qui y est fixée, si celle-ci est postérieure, déposer à la Cour fédérale une copie du dispositif de l'ordonnance ou de la décision.

(2) Idem — L'ordonnance ou la décision d'un arbitre ou d'un conseil d'arbitrage déposée aux termes du paragraphe (1) est enregistrée à la Cour fédérale; l'enregistrement lui confère la valeur des autres jugements de ce tribunal et ouvre droit aux mêmes procédures ultérieures que ceux-ci.

67. (1) Durée de la convention collective — La convention collective qui ne stipule pas sa durée ou qui est conclue pour une durée inférieure à un an est réputée avoir été établie pour une durée stipulée d'un an à compter du jour où elle entre en vigueur; les parties ne peuvent y mettre fin avant l'expiration de l'année qu'avec le consentement du Conseil ou que dans le cas prévu au paragraphe 36(2).

(2) Révision de la convention collective — La présente partie n'a pas pour effet d'empêcher les parties à une convention collective de prévoir la révision de toute disposition de celle-ci ne portant pas sur sa durée.

(3) Changement de la date d'expiration — Le Conseil peut, sur demande conjointe des deux parties à une convention collective, modifier, par ordonnance, la date d'expiration de la convention afin de la faire coïncider avec celle d'autres conventions collectives auxquelles l'employeur est partie.

(4) Règlement des désaccords — Malgré toute disposition contraire de la convention collective, la clause obligatoire visée au paragraphe 57(1) demeure en vigueur après l'expiration de la convention tant que n'ont pas été remplies les conditions énoncées aux alinéas 89(1)a) à d).

(5) Pouvoirs de l'arbitre à l'expiration de la convention — Les cas de désaccords portant sur une disposition de la convention collective et survenant dans l'intervalle qui sépare l'expiration de celle-ci et l'accomplissement des conditions énoncées aux alinéas 89(1)a) à d) :

a) peuvent être soumis à un arbitre ou un conseil d'arbitrage;

b) sont assujettis, pour leur règlement, aux articles 57 à 66.

(6) Pouvoirs de l'arbitre lorsque les conditions énoncées aux alinéas 89(1)a) à d) ont été remplies — Lorsque survient un litige concernant le congédiement d'un employé de l'unité de négociation — ou la prise de mesures disciplinaires à son égard — au cours de la période qui commence à la date à laquelle les conditions énoncées aux alinéas 89(1)a) à d) sont remplies et se termine le jour de la conclusion d'une nouvelle convention collective ou d'une convention collective révisée, l'agent négociateur peut soumettre le litige pour règlement définitif en conformité avec les dispositions de la convention collective antérieure qui porte sur le règlement des désaccords. Les dispositions pertinentes de la convention collective et les articles 57 à 66 s'appliquent au règlement du litige, avec les modifications nécessaires.

(7) **Révision de la convention collective** — Par dérogation au paragraphe (2), si l'avis de négociations collectives visé au paragraphe 65.12(1) de la *Loi sur la faillite et l'insolvabilité* a été donné, les parties peuvent convenir de réviser la convention collective sans le consentement du Conseil.

(8) **Révision de la convention collective** — Par dérogation au paragraphe (2), si l'avis de négociations collectives visé au paragraphe 33(2) de la *Loi sur les arrangements avec les créanciers des compagnies* a été donné, les parties peuvent convenir de réviser la convention collective sans le consentement du Conseil.

1998, ch. 26, art. 29; 2005, ch. 47, art. 136

68. Clauses autorisées — La présente partie n'a pas pour effet d'empêcher les parties à une convention collective d'y inclure une disposition qui :

a) soit impose, comme condition d'emploi, l'adhésion à un syndicat déterminé;

b) soit donne la préférence, en matière d'emploi, aux adhérents d'un syndicat déterminé.

69. (1) Sens de « placement » — Pour l'application du présent article, sont compris dans le placement l'affectation, la désignation, la sélection, la répartition du travail et l'établissement des horaires.

(2) **Bureau d'embauchage** — Le syndicat qui, aux termes d'une convention collective, s'occupe du placement de demandeurs d'emploi pour l'employeur est tenu d'établir des règles à cette fin et de les appliquer de façon juste et non discriminatoire.

(3) **Affichage des règles** — Les règles visées au paragraphe (2) doivent être affichées bien en vue dans tout local du syndicat où se réunissent habituellement des personnes qui se présentent en vue du placement.

Précompte obligatoire des cotisations

70. (1) Retenue de la cotisation syndicale — À la demande du syndicat qui est l'agent négociateur des employés d'une unité de négociation, la convention collective conclue avec l'employeur doit contenir une disposition obligeant ce dernier à prélever sur le salaire versé à chaque employé régi par la convention, que celui-ci adhère ou non au syndicat, le montant de la cotisation syndicale normale et à le remettre sans délai au syndicat.

(2) **Objection d'ordre religieux** — S'il est convaincu que le refus d'un employé de faire partie d'un syndicat ou de lui verser la cotisation syndicale normale est fondé sur ses croyances ou convictions religieuses, le Conseil peut, par ordonnance, exempter l'employé des dispositions de la convention collective exigeant soit l'adhésion syndicale comme condition d'emploi, soit le versement de la cotisation syndicale normale à un syndicat. L'intéressé est alors

tenu de verser, soit directement, soit par prélèvement sur son salaire, un montant équivalent à la cotisation syndicale normale à un organisme de bienfaisance enregistré agréé à la fois par l'employé et le syndicat.

(3) Désignation par le Conseil — Faute d'entente entre l'employé et le syndicat sur l'organisme de bienfaisance enregistré, le Conseil peut désigner lui-même celui-ci.

(4) Définitions — Les définitions qui suivent s'appliquent au présent article.

« cotisation syndicale normale »

a) Dans le cas de l'employé adhérent, la somme versée régulièrement en montants égaux par les adhérents du syndicat conformément aux statuts et aux règlements administratifs du syndicat;

b) dans le cas du non-adhérent, la cotisation visée à l'alinéa a) à l'exclusion de toute somme prélevée au titre de la pension, de la retraite ou de l'assurance-maladie ou de tous autres avantages réservés aux seuls adhérents du syndicat.

(« regular union dues »)

« organisme de bienfaisance enregistré » S'entend au sens de la *Loi de l'impôt sur le revenu. (« registered charity »)*

« organisme de charité enregistré » [Abrogée, 1999, ch. 31, art. 241.]

1999, ch. 31, art. 241, 246

Section V — Conciliation et première convention

Service fédéral de médiation et de conciliation

[Intertitre ajouté, 1998, ch. 26, art. 30.]

70.1 (1) Service fédéral de médiation et de conciliation — Le Service fédéral de médiation et de conciliation, composé de fonctionnaires du ministère de l'Emploi et du Développement social, conseille le ministre du Travail en matière de questions liées aux relations industrielles et est chargé de favoriser l'établissement de relations harmonieuses entre les syndicats et les employeurs en offrant son aide dans le cadre de la négociation et du renouvellement des conventions collectives et de la gestion des relations qui découlent de leur mise en oeuvre.

(2) Directeur du Service — Le directeur du Service est responsable envers le ministre de l'exécution de ses fonctions liées au règlement des différends.

1998, ch. 26, art. 30; 2005, ch. 34, art. 79a)(i); 2013, ch. 40, art. 237(1)a)(i)

Procédures de conciliation

71. (1) Notification du différend — Une fois donné l'avis de négociation collective, l'une des parties peut faire savoir au ministre, en lui faisant parvenir un avis de différend, qu'elles n'ont pas réussi à conclure, renouveler ou réviser une convention collective dans l'un ou l'autre des cas suivants :

a) les négociations collectives n'ont pas commencé dans le délai fixé par la présente partie;

b) les parties ont négocié collectivement mais n'ont pu parvenir à un accord.

(2) **Remise à l'autre partie** — La partie qui envoie l'avis de différend en fait parvenir sans délai une copie à l'autre partie.

1998, ch. 26, art. 30

72. (1) Options du ministre — Dans les quinze jours suivant la réception de l'avis qui lui a été donné aux termes de l'article 71, le ministre prend l'une ou l'autre des mesures suivantes :

a) nomination d'un conciliateur;

b) nomination d'un commissaire-conciliateur;

c) constitution d'une commission de conciliation en application de l'article 82;

d) notification aux parties, par écrit, de son intention de ne procéder à aucune des mesures visées aux alinéas a), b) et c).

(2) **Idem** — Même sans avoir reçu l'avis prévu à l'article 71, le ministre peut prendre toute mesure visée aux alinéas (1)a), b) ou c) s'il l'estime opportun pour aider les parties à conclure ou à réviser une convention collective.

(3) **Limite** — Le ministre ne peut prendre qu'une des mesures que prévoit le présent article à l'égard d'un différend visant une unité de négociation collective.

1998, ch. 26, art. 31

73. (1) Remise de l'avis au conciliateur — Dès qu'un conciliateur est nommé en application du paragraphe 72(1), le ministre lui remet une copie de l'avis mentionné à l'article 71.

(2) **Fonctions du conciliateur** — Il incombe ensuite au conciliateur :

a) de rencontrer sans délai les parties et de les aider à conclure ou réviser la convention collective;

b) dans les quatorze jours qui suivent la date de sa nomination ou dans le délai supérieur dont conviennent les parties ou que fixe le ministre, de faire rapport à celui-ci des résultats de son intervention.

1998, ch. 26, art. 32

74. (1) Remise de l'avis — Le ministre remet une copie de l'avis de différend mentionné à l'article 71 au commissaire-conciliateur ou aux membres de la commission de conciliation immédiatement après sa nomination ou la constitution de la commission, selon le cas; il peut également, jusqu'à ce que leur rapport ait été remis, leur soumettre d'autres questions.

(2) **Mission du commissaire-conciliateur ou de la commission de conciliation** — Il incombe au commissaire-conciliateur ou à la commission de conciliation :

a) de mettre immédiatement tout en oeuvre pour que les parties au différend parviennent à conclure ou à réviser la convention collective;

b) dans les quatorze jours qui suivent la date de sa nomination ou de sa constitution ou dans le délai supérieur dont conviennent les parties ou que fixe le ministre, de remettre au ministre un rapport exposant les résultats de son intervention ainsi que ses conclusions et recommandations.

(3) **Rapport de la commission** — Le rapport présenté par la majorité des membres de la commission de conciliation — ou, s'il n'y a pas majorité, celui

du président — vaut rapport de la commission.

1998, ch. 26, art. 33

75. (1) Délai maximal — Sauf si les parties y consentent, le ministre ne peut prolonger le délai avant l'expiration duquel le conciliateur est tenu de lui faire rapport des résultats de son intervention ni le délai de remise du rapport d'un commissaire-conciliateur ou d'une commission de conciliation au-delà du soixantième jour suivant la date de la nomination ou de la constitution.

(2) Présomption — Sauf s'il fait effectivement rapport plus tôt, le conciliateur est réputé avoir fait rapport au ministre le soixantième jour suivant la date de sa nomination ou à l'expiration du délai supérieur dont conviennent les parties.

(3) Présomption — Sauf si le rapport lui est effectivement remis plus tôt, le ministre est réputé l'avoir reçu le soixantième jour suivant la date de la nomination du commissaire-conciliateur ou de la constitution de la commission, ou à l'expiration du délai supérieur dont conviennent les parties.

1998, ch. 26, art. 33

76. Réexamen du rapport — Le ministre peut enjoindre au commissaire-conciliateur ou à la commission de conciliation, selon le cas, de réexaminer et de clarifier ou développer toute partie de son rapport.

1998, ch. 26, art. 33

77. Communication du rapport — Après avoir reçu le rapport du commissaire-conciliateur ou de la commission de conciliation, le ministre :

a) en met sans délai une copie à la disposition des parties au différend;

b) peut le rendre public de la manière qui lui paraît opportune.

1998, ch. 26, art. 33

78. Accord des parties — Tant que le commissaire-conciliateur ou la commission de conciliation n'a pas remis son rapport, les parties peuvent convenir par écrit qu'elles seront liées par ses recommandations. Dans ce cas, elles sont tenues de donner immédiatement suite aux recommandations présentées.

1998, ch. 26, art. 33

79. (1) Entente — Par dérogation aux autres dispositions de la présente partie, l'employeur et l'agent négociateur peuvent convenir par écrit, notamment dans une convention collective, de soumettre toute question liée au renouvellement ou à la révision d'une convention collective, ou à la conclusion d'une nouvelle convention collective à une personne ou un organisme pour décision définitive et exécutoire.

(2) Conséquence de l'entente — L'entente suspend le droit de grève ou de lock-out et constitue l'engagement de mettre en oeuvre la décision.

1998, ch. 26, art. 33

Première convention collective

80. (1) Renvoi au Conseil — Si l'avis de négociation collective visé à l'article 48 se rapporte à la première convention collective à conclure entre les parties quant à l'unité de négociation pour laquelle l'agent négociateur a été accrédité et que les conditions énoncées aux alinéas 89(1)a) à d) ont été remplies, le ministre peut, s'il le juge utile, ordonner au Conseil de faire enquête sur le différend et, si celui-ci l'estime indiqué, de fixer les modalités de la première convention collective entre les parties.

(2) **Établissement de la première convention par le Conseil** — Le Conseil doit se conformer aux instructions que le ministre lui donne aux termes du paragraphe (1); s'il fixe les modalités de la première convention collective, celles-ci constituent la convention et lient les parties et les employés de l'unité de négociation tant qu'elles ne sont pas modifiées par consentement mutuel écrit des parties.

(3) **Fixation des modalités** — En fixant les modalités de la première convention collective, le Conseil doit donner aux parties la possibilité de présenter des éléments de preuve et leurs arguments. Il peut tenir compte des points suivants :

a) la mesure dans laquelle les parties ont négocié de bonne foi pour tenter de conclure la convention;

b) les conditions d'emploi ayant fait l'objet d'éventuelles négociations collectives pour des employés exerçant des fonctions identiques ou analogues, dans des circonstances identiques ou analogues, à celles des employés de l'unité de négociation;

c) toutes autres questions susceptibles d'aider à en arriver à des conditions justes et raisonnables dans les circonstances.

(4) **Durée de la convention** — La première convention collective est en vigueur pendant les deux ans qui suivent la date de la fixation de ses modalités par le Conseil.

1998, ch. 26, art. 34

Constitution des commissions de conciliation

81. (1) Composition — La commission de conciliation se compose de trois membres nommés de la manière prévue à l'article 82.

(2) **Incompatibilité** — Ne peut être nommée à la commission de conciliation la personne dont les intérêts financiers sont susceptibles d'être directement touchés par l'affaire portée devant celle-ci.

82. (1) Désignation par les parties — En prévision de la constitution d'une commission de conciliation, le ministre adresse sans délai à chacune des parties un avis lui demandant de proposer, dans les sept jours suivant la réception, un candidat pour cette commission et nomme les candidats proposés dans le délai.

(2) **Absence de désignation** — Si l'une des parties omet de proposer un candidat dans le délai prévu au paragraphe (1), le ministre nomme membre de la commission de conciliation une personne qu'il estime apte à occuper cette charge. Cette personne est alors réputée avoir été nommée sur proposition de cette partie.

(3) **Nomination du président** — Dans les cinq jours qui suivent la date de nomination du second d'entre eux, les deux membres nommés en application des paragraphes (1) ou (2) proposent, pour le poste de président de la commission de conciliation, le nom d'une troisième personne disposée à agir en cette qualité. Le ministre entérine leur choix en nommant cette personne président de la commission.

(4) **Absence de candidature** — Faute de candidature proposée dans les conditions fixées au paragraphe (3), le ministre nomme immédiatement au poste de président de la commission de conciliation une personne qu'il estime apte à occuper cette charge.

83. Avis de constitution — Dès que les membres de la commission de conciliation ont été nommés, le ministre en communique les noms aux parties. La communication établit de façon irréfutable que la commission a été constituée en conformité avec la présente partie, à la date de la communication.

Dispositions générales

84. Pouvoirs du commissaire et de la commission — Le commissaire-conciliateur ou la commission de conciliation peuvent :

a) fixer chacun leur propre procédure;

b) exercer, pour toute affaire dont ils sont saisis, les pouvoirs conférés au Conseil, pour ses propres affaires, par les alinéas 16a), b), c), f) et h);

c) déléguer à quiconque les pouvoirs visés aux alinéas 16b) ou f) en exigeant, s'il y a lieu, un rapport de la part du délégataire.

1999, ch. 31, art. 156

85. (1) Séances — Le président de la commission de conciliation :

a) fixe les dates, heures et lieux des séances de la commission, après consultation des autres membres;

b) en donne avis aux parties;

c) à la fin des séances, en transmet au ministre un compte rendu détaillé, certifié par lui et comportant les noms des membres et témoins présents à chaque séance.

(2) Quorum — Le quorum est constitué par le président de la commission de conciliation et un autre membre, à condition toutefois que le membre absent ait été averti suffisamment à l'avance de la tenue de la séance.

(3) Remplaçant — Si le poste d'un membre devient vacant avant que la commission de conciliation ait terminé ses travaux, il y est pourvu par la nomination d'un remplaçant selon les modalités fixées à l'article 82.

86. Impossibilité de recours judiciaires — Il n'est admis aucun recours ou décision judiciaire visant à :

a) soit contester la nomination d'un conciliateur ou d'un commissaire-conciliateur ou la constitution d'une commission de conciliation, ou le refus d'y procéder;

b) soit réviser, empêcher ou limiter l'action d'un conciliateur, d'un commissaire-conciliateur ou d'une commission.

1998, ch. 26, art. 36

87. Inadmissibilité en justice — Les rapports ou les comptes rendus de délibérations de commissaires-conciliateurs ou de commissions de conciliation ne sont pas, sauf en cas de poursuite pour parjure, admissibles en justice, non plus que les témoignages recueillis par ceux-ci.

SECTION V.1 — OBLIGATIONS EN MATIÈRE DE GRÈVES ET DE LOCK-OUT

[Intertitre ajouté, 1998, ch. 26, art. 37.]

87.1 Définitions — Les définitions qui suivent s'appliquent à la présente section.

« employeur » S'entend également d'une organisation patronale. *(« employer »)*

« syndicat » S'entend également d'un regroupement de syndicats. *(« trade union »)*

1998, ch. 26, art. 37

87.2 (1) Préavis de grève — Sauf si un lock-out non interdit par la présente partie a été déclenché, le syndicat est tenu de donner un préavis d'au moins soixante-douze heures à l'employeur pour l'informer de la date à laquelle la grève sera déclenchée; il est également tenu de faire parvenir une copie du préavis au ministre.

(2) Préavis de lock-out — Sauf si une grève non interdite par la présente partie a été déclenchée, l'employeur est tenu de donner un préavis d'au moins soixante-douze heures au syndicat pour l'informer de la date à laquelle le lock-out sera déclenché; il est également tenu de faire parvenir une copie du préavis au ministre.

(3) Nouveau préavis — Sauf si les parties en conviennent autrement par écrit, si la grève ou le lock-out n'est pas déclenché à la date mentionnée dans le préavis donné en vertu des paragraphes (1) ou (2), le syndicat ou l'employeur qui désire déclencher une grève ou un lock-out est tenu de donner un nouveau préavis d'au moins soixante-douze heures.

1998, ch. 26, art. 37

87.3 (1) Scrutin secret — grève — Sauf si un lock-out non interdit par la présente partie a été déclenché, le syndicat ne peut déclarer ou autoriser une grève sans avoir tenu, dans les soixante jours précédents ou au cours de la période plus longue dont conviennent par écrit le syndicat et l'employeur, un vote au scrutin secret auquel tous les employés de l'unité ont eu le droit de participer et sans que la grève ait été approuvée par la majorité des votants.

(2) Scrutin secret — lock-out — Sauf si une grève non interdite par la présente partie a été déclenchée, l'organisation patronale ne peut déclarer ou provoquer un lock-out sans avoir tenu, dans les soixante jours précédents ou au cours de la période plus longue dont conviennent par écrit le syndicat et l'organisation patronale, un vote au scrutin secret auquel tous les employeurs membres de l'organisation ont eu le droit de participer et sans que le lock-out ait été approuvé par la majorité des votants.

(3) Déroulement du scrutin — Le scrutin tenu en conformité avec les paragraphes (1) ou (2) se déroule de façon à ce que tous les employés ou tous les employeurs qui ont droit de vote aient la possibilité de participer et d'être informés des résultats.

(4) Demande de déclaration d'invalidité du vote — L'employé membre de l'unité de négociation visée par un vote de grève qui prétend que le déroulement du scrutin a été entaché d'irrégularités peut, dans les dix jours suivant la date à laquelle les résultats du vote sont annoncés, demander au Conseil de déclarer le vote invalide.

(5) Demande de déclaration d'invalidité — L'employeur membre d'une organisation patronale ayant tenu un vote de lock-out qui prétend que le déroulement du scrutin a été entaché d'irrégularités peut, dans les dix jours suivant la date à laquelle les résultats du vote sont annoncés, demander au Conseil de déclarer le vote invalide.

(6) Procédure sommaire — Le Conseil peut rejeter de façon sommaire une demande de déclaration d'invalidité du vote s'il est convaincu que les allégations qu'elle comporte n'auraient eu, si elles étaient prouvées, aucune incidence sur le résultat du vote.

(7) Déclaration d'invalidité — S'il prononce l'invalidité du vote, le Conseil peut en ordonner un nouveau en conformité avec les modalités qu'il fixe dans l'ordonnance.

1998, ch. 26, art. 37

87.4 (1) Maintien de certaines activités — Au cours d'une grève ou d'un lock-out non interdits par la présente partie, l'employeur, le syndicat et les employés de l'unité de négociation sont tenus de maintenir certaines activités — prestation de services, fonctionnement d'installations ou production d'articles — dans la mesure nécessaire pour prévenir des risques imminents et graves pour la sécurité ou la santé du public.

(2) Avis à l'autre partie — L'employeur ou le syndicat peut, au plus tard le quinzième jour suivant la remise de l'avis de négociation collective, transmettre à l'autre partie un avis pour l'informer des activités dont il estime le maintien nécessaire pour se conformer au paragraphe (1) en cas de grève ou de lock-out et du nombre approximatif d'employés de l'unité de négociation nécessaire au maintien de ces activités.

(3) Entente entre les parties — Si, après remise de l'avis mentionné au paragraphe (2), les parties s'entendent sur la façon de se conformer au paragraphe (1), l'une ou l'autre partie peut déposer une copie de l'entente auprès du Conseil. L'entente, une fois déposée, est assimilée à une ordonnance du Conseil.

(4) Absence d'entente — Si, après remise de l'avis mentionné au paragraphe (2), les parties ne s'entendent pas sur la façon de se conformer au paragraphe (1), le Conseil, sur demande de l'une ou l'autre partie présentée au plus tard le quinzième jour suivant l'envoi de l'avis de différend, tranche toute question liée à l'application du paragraphe (1).

(5) Renvoi ministériel — En tout temps après la remise de l'avis de différend, le ministre peut renvoyer au Conseil toute question portant sur l'application du paragraphe (1) ou sur la capacité de toute entente conclue par les parties de satisfaire aux exigences de ce paragraphe.

(6) Ordonnance du Conseil — Saisi d'une demande présentée en vertu du paragraphe (4) ou d'un renvoi en vertu du paragraphe (5), le Conseil, s'il est d'avis qu'une grève ou un lock-out pourrait constituer un risque imminent et grave pour la sécurité ou la santé du public, peut — après avoir accordé aux parties la possibilité de s'entendre — rendre une ordonnance :

a) désignant les activités dont il estime le maintien nécessaire en vue de prévenir ce risque;

b) précisant de quelle manière et dans quelle mesure l'employeur, le syndicat et les employés membres de l'unité de négociation doivent maintenir ces activités;

c) prévoyant la prise de toute mesure qu'il estime indiquée à l'application du présent article.

(7) Révision de l'ordonnance — Sur demande présentée par le syndicat ou l'employeur, ou sur renvoi fait par le ministre, au cours d'une grève ou d'un lock-out non interdits par la présente partie, le Conseil peut, s'il estime que les circonstances le justifient, réexaminer et confirmer, modifier ou annuler une entente, une décision ou une ordonnance visées au présent article. Le Conseil peut en outre rendre les ordonnances qu'il juge indiquées dans les circonstances.

(8) Règlement du différend — Sur demande présentée par le syndicat ou l'employeur, le Conseil, s'il est convaincu que le niveau d'activité à maintenir est tel qu'il rend inefficace le recours à la grève ou au lock-out, peut, pour permettre le règlement du différend, ordonner l'application d'une méthode exécutoire de règlement des questions qui font toujours l'objet d'un différend.

1998, ch. 26, art. 37

87.5 (1) Maintien des droits — Si une demande est présentée au Conseil en vertu du paragraphe 87.4(4) ou un renvoi est fait au Conseil en vertu du paragraphe 87.4(5), l'employeur ne peut modifier ni les taux de salaire ni les autres conditions d'emploi, ni les droits ou avantages des employés de l'unité de négociation ou de l'agent négociateur, sans le consentement de ce dernier tant que le Conseil n'a pas rendu sa décision ou que les conditions prévues aux alinéas 89(1)a) à d) n'ont pas été remplies, la dernière de ces éventualités à survenir étant retenue.

(2) Maintien des droits — Sauf accord contraire entre les parties, les taux de salaire ou les autres conditions d'emploi, ainsi que les droits, obligations ou avantages des employés, de l'employeur ou du syndicat en vigueur avant que les conditions prévues aux alinéas 89(1)a) à d) soient remplies demeurent en vigueur à l'égard des employés de l'unité de négociation affectés au maintien de certaines activités en conformité avec l'article 87.4.

(3) Continuation de la grève ou du lock-out — Le renvoi prévu au paragraphe 87.4(5) — fait au cours d'une grève ou d'un lock-out non interdits par la présente partie — ou la demande ou le renvoi prévus au paragraphe 87.4(7) n'ont pas pour effet de suspendre la grève ou le lock-out.

1998, ch. 26, art. 37

87.6 Réintégration des employés après une grève ou un lock-out — À la fin d'une grève ou d'un lock-out non interdits par la présente partie, l'employeur est tenu de réintégrer les employés de l'unité de négociation qui ont participé à la grève ou ont été visés par le lock-out, de préférence à toute autre personne qui n'était pas un employé de l'unité de négociation à la date à laquelle l'avis de négociation collective a été donné et qui a été par la suite engagée ou désignée pour exécuter la totalité ou une partie des tâches d'un employé de l'unité affectée par la grève ou le lock-out.

1998, ch. 26, art. 37

87.7 (1) Services aux navires céréaliers — Pendant une grève ou un lock-out non interdits par la présente partie, l'employeur du secteur du débardage ou d'un autre secteur d'activités visé à l'alinéa a) de la définition de **« entreprise fédérale »** à l'article 2, ses employés et leur agent négociateur sont tenus de maintenir leurs activités liées à l'amarrage et à l'appareillage des navires céréaliers aux installations terminales ou de transbordement agréées, ainsi qu'à leur chargement, et à leur entrée dans un port et leur sortie d'un port.

(2) Maintien des droits — Sauf accord contraire entre les parties, les taux de salaire ou les autres conditions d'emploi, ainsi que les droits, obligations ou avantages des employés, de l'employeur ou du syndicat en vigueur avant que les conditions prévues aux alinéas 89(1)a) à d) soient remplies demeurent en vigueur à l'égard des employés de l'unité de négociation affectés au maintien de certaines activités en conformité avec le paragraphe (1).

(3) Ordonnance du Conseil — Sur demande présentée par un employeur ou un syndicat concerné ou sur renvoi fait par le ministre, le Conseil peut trancher toute question liée à l'application du paragraphe (1) et rendre les ordonnances qu'il estime indiquées pour en assurer la mise en oeuvre.

1998, ch. 26, art. 37

SECTION VI — INTERDICTIONS ET RECOURS

Grèves et lock-out

88. Définitions — Les définitions qui suivent s'appliquent à la présente section.

« employeur » Y est assimilée l'organisation patronale. *(« employer »)*

« syndicat » Y est assimilé le regroupement de syndicats. *(« trade union »)*

88.1 Interdiction de grève ou de lock-out pendant une convention collective — Les grèves et les lock-out sont interdits pendant la durée d'une convention collective sauf si, à la fois :

a) l'avis de négociation collective a été donné en conformité avec la présente partie, compte non tenu du paragraphe 49(1);

b) les conditions prévues par le paragraphe 89(1) ont été remplies.

1998, ch. 26, art. 38

89. (1) Conditions relatives aux grèves et lock-out — Il est interdit à l'employeur de déclarer ou de provoquer un lock-out et au syndicat de déclarer ou d'autoriser une grève si les conditions suivantes ne sont pas remplies :

a) l'un ou l'autre a adressé un avis de négociation collective en application de la présente partie;

b) les deux :

(i) soit n'ont pas négocié collectivement dans le délai spécifié à l'alinéa 50a),

(ii) soit ont négocié collectivement conformément à l'article 50, sans parvenir à conclure ou réviser la convention collective;

c) le ministre a :

(i) soit reçu l'avis mentionné à l'article 71 et l'informant que les parties n'ont pas réussi à conclure ou à réviser la convention collective,

(ii) soit pris l'une des mesures prévues par le paragraphe 72(2);

d) vingt et un jours se sont écoulés depuis la date à laquelle le ministre, selon le cas :

(i) a notifié aux termes du paragraphe 72(1) son intention de ne pas nommer de conciliateur ou de commissaire-conciliateur, ni de constituer de commission de conciliation,

(ii) a notifié aux parties le fait que le conciliateur nommé aux termes du paragraphe 72(1) lui a fait rapport des résultats de son intervention,

(iii) a mis à la disposition des parties, conformément à l'alinéa 77a), une copie du rapport qui lui a été remis,

(iv) est réputé avoir été informé par le conciliateur des résultats de son intervention, en application du paragraphe 75(2), ou avoir reçu le rapport, en application du paragraphe 75(3);

e) le Conseil a tranché une demande présentée en vertu du paragraphe 87.4(4) ou a statué sur un renvoi fait en vertu du paragraphe 87.4(5);

f) les conditions prévues aux articles 87.2 et 87.3 ont été remplies.

(2) **Participation d'employés à une grève** — Il est interdit à l'employé de participer à une grève sauf si :

a) d'une part, il est membre d'une unité de négociation pour laquelle un avis de négociation collective a été adressé en vertu de la présente partie;

b) d'autre part, les conditions énoncées au paragraphe (1) ont été remplies pour cette unité de négociation.

1998, ch. 26, art. 39

90. (1) Suspension de la grève ou du lock-out — S'il estime qu'une grève ou un lock-out qui a été déclenché ou risque de l'être au cours de l'intervalle qui sépare la date de dissolution du Parlement et celle fixée pour le retour des brefs lors des élections générales consécutives est ou serait, bien que conforme à la présente partie, préjudiciable à l'intérêt national, le gouverneur en conseil peut, par décret pris pendant cet intervalle, empêcher le déclenchement de la grève ou du lock-out au cours de la période commençant à la date du décret et se terminant le vingt et unième jour suivant la fin de l'intervalle.

(2) **Rapport du ministre** — Le ministre est tenu de déposer devant le Parlement, dans les dix premiers jours de séance de la session qui suit, un rapport exposant les raisons qui ont motivé la prise du décret visé au paragraphe (1).

Déclarations relatives aux grèves et lock-out

91. (1) Demande de déclaration d'illégalité d'une grève — S'il estime soit qu'un syndicat a déclaré ou autorisé une grève qui a eu, a ou aurait pour effet de placer un employé en situation de contravention à la présente partie, soit que des employés ont participé, participent ou participeront vraisemblablement à une telle grève, l'employeur peut demander au Conseil de déclarer la grève illégale.

(2) **Déclaration d'illégalité** — Saisi de la demande visée au paragraphe (1), le Conseil peut, après avoir donné au syndicat ou aux employés la possibilité de présenter des arguments, déclarer la grève illégale et, à la demande de l'employeur, rendre une ordonnance pour :

a) enjoindre au syndicat d'annuler sa décision de déclarer ou d'autoriser une grève, et d'en informer immédiatement les employés concernés;

b) interdire à tout employé de participer à la grève;

c) ordonner à tout employé qui participe à la grève de reprendre son travail;

d) sommer tout syndicat dont font partie les employés touchés par l'ordonnance visée aux alinéas b) ou c), ainsi que les dirigeants ou représentants du syndicat, de porter immédiatement cette ordonnance à la connaissance des intéressés.

1998, ch. 26, art. 40

92. Déclaration d'illégalité et interdiction de lock-out — À la demande du syndicat qui prétend qu'un employeur a déclaré ou provoqué un lock-out en violation de la présente partie ou est sur le point de le faire, le Conseil peut, après avoir donné à l'employeur la possibilité de présenter des arguments, déclarer le lock-out illégal et, à la demande du syndicat, rendre une ordonnance enjoignant à l'employeur :

a) ainsi qu'à toute personne agissant pour son compte, de s'abstenir de déclarer ou provoquer le lock-out;

b) ainsi qu'à toute personne agissant pour son compte, de mettre fin au lock-out et de permettre aux employés concernés de reprendre leur travail;

c) de porter immédiatement à la connaissance des employés visés par le lock-out, réel ou potentiel, les ordonnances rendues en application des alinéas a) ou b).

1998, ch. 26, art. 41

93. (1) Teneur et durée des ordonnances — Les ordonnances rendues en application des articles 91 ou 92 :

a) renferment les dispositions que le Conseil juge indiquées en l'occurrence;

b) sous réserve du paragraphe (2), sont en vigueur pour la durée qui y est fixée.

(2) Prorogation ou révocation des ordonnances — À la demande de l'employeur ou du syndicat qui était le demandeur dans le cas visé à l'article 91 ou 92 ou des autres intéressés — notamment employeurs, syndicats ou employés — et à condition qu'un avis de présentation de la demande ait été donné aux parties nommées dans l'ordonnance, le Conseil peut, par une ordonnance supplémentaire :

a) soit proroger la première, pour la période précisée, sous une forme modifiée s'il y a lieu;

b) soit la révoquer.

Pratiques déloyales

94. (1) Intervention de l'employeur dans les affaires syndicales — Il est interdit à tout employeur et à quiconque agit pour son compte :

a) de participer à la formation ou à l'administration d'un syndicat ou d'intervenir dans l'une ou l'autre ou dans la représentation des employés par celui-ci;

b) de fournir une aide financière ou autre à un syndicat.

(2) Exception — Ne constitue pas une violation du paragraphe (1) le seul fait pour l'employeur :

a) soit de prendre l'une ou l'autre des mesures suivantes en faveur d'un syndicat qui est l'agent négociateur d'une unité de négociation groupant ou comprenant des employés travaillant pour lui :

(i) permettre à un employé ou à un représentant syndical de conférer avec lui ou de s'occuper des affaires du syndicat pendant les heures de travail, sans retenue sur le salaire ni réduction du temps de travail effectué pour lui,

(ii) assurer gratuitement le transport des représentants syndicaux dans le cadre des négociations collectives, de l'application d'une convention collective et des questions connexes,

(iii) permettre l'utilisation de ses locaux pour les besoins du syndicat;

b) soit de cotiser à un fonds de prévoyance géré en fiducie et destiné uniquement à procurer aux employés des avantages, notamment en matière de retraite ou d'assurance-maladie;

c) soit d'exprimer son point de vue, pourvu qu'il n'ait pas indûment usé de son influence, fait des promesses ou recouru à la coercition, à l'intimidation ou à la menace.

(2.1) Interdiction relative aux travailleurs de remplacement — Il est interdit à tout employeur ou quiconque agit pour son compte d'utiliser, dans le but établi de miner la capacité de représentation d'un syndicat plutôt que pour atteindre des objectifs légitimes de négociation, les services de toute personne qui n'était pas un employé de l'unité de négociation à la date de remise de l'avis de négociation collective et qui a été par la suite engagée ou désignée pour exécuter la totalité ou une partie des tâches d'un employé de l'unité de négociation visée par une grève ou un lock-out.

(3) Autres interdictions relatives aux employeurs — Il est interdit à tout employeur et à quiconque agit pour son compte :

a) de refuser d'employer ou de continuer à employer une personne, ou encore de la suspendre, muter ou mettre à pied, ou de faire à son égard des distinctions injustes en matière d'emploi, de salaire ou d'autres conditions d'emploi, de l'intimider, de la menacer ou de prendre d'autres mesures disciplinaires à son encontre pour l'un ou l'autre des motifs suivants :

(i) elle adhère à un syndicat ou en est un dirigeant ou représentant — ou se propose de le faire ou de le devenir, ou incite une autre personne à le faire ou à le devenir —, ou contribue à la formation, la promotion ou l'administration d'un syndicat,

(ii) elle a été expulsée d'un syndicat ou suspendue pour une raison autre que le défaut de paiement des cotisations périodiques, droits d'adhésion et autres paiements qui incombent sans distinction à tous ceux qui veulent adhérer au syndicat ou y adhèrent déjà,

(iii) elle a participé, à titre de témoin ou autrement, à une procédure prévue par la présente partie, ou peut le faire,

(iv) elle a révélé — ou est sur le point de le faire — des renseignements en exécution ou prévision de l'obligation qui lui est imposée à cet effet dans le cadre d'une procédure prévue par la présente partie,

(v) elle a présenté une demande ou déposé une plainte sous le régime de la présente partie,

(vi) elle a participé à une grève qui n'est pas interdite par la présente partie ou exercé un droit quelconque prévu par cette dernière;

b) d'imposer, dans un contrat de travail, une condition visant à empêcher ou ayant pour effet d'empêcher un employé d'exercer un droit que lui reconnaît la présente partie;

c) de suspendre ou congédier un employé, de lui imposer des sanctions pécuniaires ou autres, ou de prendre à son encontre d'autres mesures disciplinaires, parce qu'il a refusé de s'acquitter de tout ou partie des fonctions et responsabilités d'un autre employé qui participe à une grève ou est victime d'un lock-out non interdits par la présente partie;

d) de priver un employé des droits à pension ou des prestations de retraite auxquels il aurait eu droit s'il n'avait pas :

(i) soit cessé de travailler par suite d'un lock-out ou d'une grève non interdits par la présente partie,

(ii) soit été congédié en violation de la présente partie;

d.1) une fois que les conditions prévues aux alinéas 89(1)a) à d) ont été remplies, d'annuler ou de menacer d'annuler une police d'assurance invalidité, d'assurance médicale, d'assurance de soins dentaires, d'assurance-vie ou autre régime d'assurance dont les employés sont bénéficiaires — que la police soit administrée par l'employeur ou par un tiers — à la condition que l'agent négociateur lui ait remis ou ait tenté de lui remettre les primes ou autres sommes dont le versement est nécessaire pour que la police d'assurance en question demeure valide;

d.2) une fois que les conditions prévues aux alinéas 89(1)a) à d) ont été remplies et que l'agent négociateur lui a remis ou a tenté de lui remettre les primes ou autres sommes dont le versement est nécessaire pour que la police d'assurance mentionnée à l'alinéa d.1) demeure valide, de refuser ou de menacer de refuser à un employé des avantages prévus par la police et auxquels l'employé avait droit avant que ces conditions ne soient remplies;

e) de chercher, notamment par intimidation, par menace de congédiement ou par l'imposition de sanctions pécuniaires ou autres, à obliger une personne soit à s'abstenir ou à cesser d'adhérer à un syndicat ou d'occuper un poste de dirigeant ou de représentant syndical, soit à s'abstenir :

(i) de participer à une procédure prévue par la présente partie, à titre de témoin ou autrement,

(ii) de révéler des renseignements qu'elle peut être requise de divulguer dans le cadre d'une procédure prévue par la présente partie,

(iii) de présenter une demande ou de déposer une plainte sous le régime de la présente partie;

f) de suspendre ou congédier une personne qui travaille pour lui, de lui imposer des sanctions pécuniaires ou autres, ou de prendre à son encontre d'autres mesures disciplinaires, parce qu'elle a refusé d'accomplir un acte interdit par la présente partie;

g) de négocier collectivement en vue de conclure une convention collective ou de conclure une telle convention avec un syndicat autre que celui qui est l'agent négociateur de l'unité de négociation en cause.

1998, ch. 26, art. 42

95. Interdictions relatives aux syndicats — Il est interdit à tout syndicat et à quiconque agit pour son compte :

a) de chercher à obliger un employeur à négocier collectivement avec lui alors qu'il n'a pas qualité d'agent négociateur pour quelque unité de négociation comprenant des employés de cet employeur;

b) de négocier collectivement en vue de conclure une convention collective ou de conclure une telle convention pour une unité de négociation qu'il sait ou, selon le Conseil, devrait savoir représentée à titre d'agent négociateur par un autre syndicat;

c) de participer à la formation ou à l'administration d'une organisation patronale ou d'intervenir dans l'une ou l'autre;

d) sans consentement de l'employeur, de tenter, sur le lieu de travail d'un employé et pendant les heures de travail de celui-ci, de l'amener à adhérer ou à s'abstenir ou à cesser d'adhérer à un syndicat;

e) d'exiger d'un employeur qu'il mette fin à l'emploi d'un employé parce que celui-ci a été expulsé du syndicat ou suspendu pour une raison autre que le défaut de paiement des cotisations périodiques, droits d'adhésion et autres paiements qui incombent sans distinction à tous ceux qui veulent adhérer au syndicat ou y adhèrent déjà;

f) d'expulser un employé du syndicat ou de le suspendre, ou de lui refuser l'adhésion, en lui appliquant d'une manière discriminatoire les règles du syndicat relatives à l'adhésion;

g) de prendre des mesures disciplinaires contre un employé ou de lui imposer une sanction quelconque en lui appliquant d'une manière discriminatoire les normes de discipline du syndicat;

h) d'expulser un employé du syndicat, ou de le suspendre, ou prendre contre lui des mesures disciplinaires ou de lui imposer une sanction quelconque parce qu'il a refusé d'accomplir un acte contraire à la présente partie;

i) de faire des distinctions injustes à l'égard d'une personne en matière d'emploi, de condition d'emploi ou d'adhésion à un syndicat, d'user de menaces ou de coercition à son encontre ou de lui imposer une sanction pécuniaire ou autre, pour l'un ou l'autre des motifs suivants :

(i) elle a participé, à titre de témoin ou autrement, à une procédure prévue par la présente partie, ou peut le faire,

(ii) elle a révélé — ou est sur le point de le faire — des renseignements en exécution ou prévision de l'obligation qui lui est imposée à cet effet dans le cadre d'une procédure prévue par la présente partie,

(iii) elle a présenté une demande ou déposé une plainte sous le régime de la présente partie.

96. Interdiction générale — Il est interdit à quiconque de chercher, par des menaces ou des mesures coercitives, à obliger une personne à adhérer ou à s'abstenir ou cesser d'adhérer à un syndicat.

97. (1) Plaintes au Conseil — Sous réserve des paragraphes (2) à (5), toute personne ou organisation peut adresser au Conseil, par écrit, une plainte reprochant :

a) soit à un employeur, à quiconque agit pour le compte de celui-ci, à un syndicat, à quiconque agit pour le compte de celui-ci ou à un employé d'avoir manqué ou contrevenu aux paragraphes 24(4) ou 34(6), aux articles 37, 47.3, 50, 69, 87.5 ou 87.6, au paragraphe 87.7(2) ou aux articles 94 ou 95;

b) soit à une personne d'avoir contrevenu à l'article 96.

(2) Délai de présentation — Sous réserve des paragraphes (4) et (5), les plaintes prévues au paragraphe (1) doivent être présentées dans les quatre-vingt-dix jours qui suivent la date à laquelle le plaignant a eu — ou, selon le Conseil, aurait dû avoir — connaissance des mesures ou des circonstances ayant donné lieu à la plainte.

(3) [Abrogé, 1998, ch. 26, art. 43.]

(4) Restriction relative aux plaintes contre les syndicats — Sous réserve du paragraphe (5), la plainte reprochant à un syndicat ou à une personne agissant pour son compte d'avoir violé les alinéas 95f) ou g) ne peut être présentée que si les conditions suivantes ont été observées :

a) le plaignant a suivi la procédure — présentation de grief ou appel — établie par le syndicat et à laquelle il a pu facilement recourir;

b) le syndicat a :

(i) soit statué sur le grief ou l'appel d'une manière que le plaignant estime inacceptable,

(ii) soit omis de statuer, dans les six mois qui suivent la date de première présentation du grief ou de l'appel;

c) la plainte est adressée au Conseil dans les quatre-vingt-dix jours suivant la date où le plaignant était habilité au plus tôt à le faire conformément aux alinéas a) et b).

(5) **Exception** — Le Conseil peut, sur demande, statuer sur les plaintes visées au paragraphe (4) bien qu'elles n'aient pas fait l'objet du recours prévu s'il est convaincu :

a) soit que les faits donnant lieu à la plainte sont tels qu'il devrait être statué sur la plainte sans retard;

b) soit que le syndicat n'a pas donné au plaignant la possibilité de recourir facilement à une procédure de grief ou d'appel.

1991, ch. 39, art. 2; 1998, ch. 26, art. 43

98. (1) Fonctions et pouvoirs du Conseil — Sous réserve du paragraphe (3), le Conseil peut, sur réception d'une plainte présentée au titre de l'article 97, aider les parties à régler le point en litige; s'il décide de ne pas le faire ou si les parties ne sont pas parvenues à régler l'affaire dans le délai qu'il juge raisonnable dans les circonstances, il statue lui-même sur la plainte.

(2) [Abrogé, 1998, ch. 26, art. 44.]

(3) **Refus de statuer sur certaines plaintes** — Le Conseil peut refuser de statuer sur la plainte s'il estime que le plaignant pourrait porter le cas, aux termes d'une convention collective, devant un arbitre ou un conseil d'arbitrage.

(4) **Charge de la preuve** — Dans toute plainte faisant état d'une violation, par l'employeur ou une personne agissant pour son compte, du paragraphe 94(3), la présentation même d'une plainte écrite constitue une preuve de la violation; il incombe dès lors à la partie qui nie celle-ci de prouver le contraire.

1998, ch. 26, art. 44

99. (1) Ordonnances du Conseil — S'il décide qu'il y a eu violation des paragraphes 24(4) ou 34(6), des articles 37, 47.3, 50 ou 69, des paragraphes 87.5(1) ou (2), de l'article 87.6, du paragraphe 87.7(2) ou des articles 94, 95 ou 96, le Conseil peut, par ordonnance, enjoindre à la partie visée par la plainte de cesser de contrevenir à ces dispositions ou de s'y conformer et en outre :

a) dans le cas du paragraphe 24(4), de l'article 47.3, de l'alinéa 50b) ou des paragraphes 87.5(1) ou (2) ou 87.7(2), enjoindre par ordonnance à l'employeur de payer à un employé une indemnité équivalant au plus, à son avis, à la rémunération qui aurait été payée par l'employeur à l'employé s'il n'y avait pas eu violation;

a.1) dans le cas du paragraphe 34(6), enjoindre, par ordonnance, au représentant patronal d'exercer, au nom de l'employeur, les droits et recours que, selon lui, il aurait dû exercer ou d'aider l'employeur à les exercer lui-même dans les cas où il aurait dû le faire;

b) dans le cas de l'article 37, enjoindre au syndicat d'exercer, au nom de l'employé, les droits et recours que, selon lui, il aurait dû exercer ou d'aider l'employé à les exercer lui-même dans les cas où il aurait dû le faire;

b.1) dans le cas de l'alinéa 50a), enjoindre, par ordonnance, à l'employeur ou au syndicat d'inclure ou de retirer des conditions spécifiques de sa position de négociation ou ordonner l'application d'une méthode exécutoire de règlement des points en litige, s'il est d'avis que ces mesures sont nécessaires pour remédier aux effets de la violation;

b.2) dans le cas de l'article 87.6, enjoindre, par ordonnance, à l'employeur de réintégrer l'employé conformément à cet article et de lui payer une indemnité équivalant au plus, à son avis, à la rémunération qui lui aurait été payée par l'employeur s'il n'y avait pas eu violation;

b.3) dans le cas du paragraphe 94(2.1), enjoindre, par ordonnance, à l'employeur de cesser d'utiliser pendant la durée du différend les services de toute personne qui n'était pas un employé de l'unité de négociation à la date à laquelle l'avis de négociation collective a été donné et qui a été par la suite engagée ou désignée pour exécuter la totalité ou une partie des tâches d'un employé de l'unité visée par la grève ou le lock-out;

c) dans le cas des alinéas 94(3)a), c) ou f), enjoindre, par ordonnance, à l'employeur :

(i) d'embaucher, de continuer à employer ou de reprendre à son service l'employé ou toute autre personne, selon le cas, qui a fait l'objet d'une mesure interdite par ces alinéas,

(ii) de payer à toute personne touchée par la violation une indemnité équivalant au plus, à son avis, à la rémunération qui lui aurait été payée par l'employeur s'il n'y avait pas eu violation,

(iii) d'annuler les mesures disciplinaires prises et de payer à l'intéressé une indemnité équivalant au plus, à son avis, à l'éventuelle sanction pécuniaire ou autre imposée à l'employé par l'employeur;

c.1) dans le cas des alinéas 94(3)d.1) et d.2), enjoindre, par ordonnance, à l'employeur de rétablir une police d'assurance invalidité, d'assurance médicale, d'assurance de soins dentaires, d'assurance-vie ou autre régime d'assurance ou de verser à un employé les avantages prévus par une telle police et auxquels l'employé avait droit avant que les conditions prévues aux alinéas 89(1)a) à d) ne soient remplies;

d) dans le cas de l'alinéa 94(3)e), enjoindre, par ordonnance, à l'employeur d'annuler toute mesure prise et de payer à l'intéressé une indemnité équivalant au plus, à son avis, à l'éventuelle sanction pécuniaire ou autre imposée à l'employé par l'employeur;

e) dans le cas des alinéas 95f) ou h), enjoindre, par ordonnance, au syndicat d'admettre ou de réadmettre l'employé;

f) dans le cas des alinéas 95g), h) ou i), enjoindre, par ordonnance, au syndicat d'annuler toute mesure disciplinaire prise et de payer à l'intéressé une indemnité équivalant au plus, à son avis, à l'éventuelle sanction pécuniaire ou autre imposée à l'employé par le syndicat.

(2) Autres ordonnances — Afin d'assurer la réalisation des objectifs de la présente partie, le Conseil peut rendre, en plus ou au lieu de toute ordonnance visée au paragraphe (1), une ordonnance qu'il est juste de rendre en l'occurrence et obligeant l'employeur ou le syndicat à prendre des mesures qui sont de nature à remédier ou à parer aux effets de la violation néfastes à la réalisation de ces objectifs.

1991, ch. 39, art. 3; 1998, ch. 26, art. 45

99.1 Accréditation — Le Conseil est autorisé à accorder l'accréditation même sans preuve de l'appui de la majorité des employés de l'unité si l'employeur a contrevenu à l'article 94 dans des circonstances telles que le Conseil est d'avis que, n'eût été la pratique déloyale ayant donné lieu à la contravention, le syndicat aurait vraisemblablement obtenu l'appui de la majorité des employés de l'unité.

1998, ch. 26, art. 46

Infractions et peines

100. (1) Lock-out illégal — Tout employeur qui déclare ou provoque un lock-out en violation de la présente partie commet une infraction et encourt, sur déclaration de culpabilité par procédure sommaire, une amende maximale de mille dollars pour chacun des jours où se poursuit le lock-out.

(2) Idem — Quiconque, pour le compte d'un employeur, déclare ou provoque un lock-out en violation de la présente partie commet une infraction et encourt, sur déclaration de culpabilité par procédure sommaire, une amende maximale de dix mille dollars.

(3) Grève illégale — Tout syndicat qui déclare ou autorise une grève en violation de la présente partie commet une infraction et encourt, sur déclaration de culpabilité par procédure sommaire, une amende maximale de mille dollars pour chacun des jours où se poursuit la grève.

(4) Idem — Tout dirigeant ou représentant syndical qui déclare ou autorise une grève en violation de la présente partie commet une infraction et encourt, sur déclaration de culpabilité par procédure sommaire, une amende maximale de dix mille dollars.

101. (1) Cas généraux — Sous réserve de l'article 100, quiconque — à l'exception d'un employeur ou d'un syndicat — contrevient à une disposition de la présente partie autre que les articles 50, 94 et 95 commet une infraction et encourt, sur déclaration de culpabilité par procédure sommaire, une amende maximale de mille dollars.

(2) Cas des employeurs ou syndicats — Sous réserve de l'article 100, tout employeur ou syndicat qui contrevient à une disposition de la présente partie autre que les articles 50, 94 et 95 commet une infraction et encourt, sur déclaration de culpabilité par procédure sommaire, une amende maximale de dix mille dollars.

102. Témoins défaillants — Commet une infraction et encourt, sur déclaration de culpabilité par procédure sommaire, une amende maximale de quatre cents dollars quiconque :

a) ayant été cité comme témoin aux termes de l'alinéa 16a), n'a aucune excuse valable pour justifier son défaut de comparaître;

b) ne produit pas les documents ou pièces en sa possession ou sous sa responsabilité malgré un ordre en ce sens formulé en application de l'alinéa 16a);

c) refuse de prêter serment ou de faire une affirmation solennelle, bien qu'ayant été requis de le faire en application de l'alinéa 16a);

d) refuse de répondre à une question qui lui est régulièrement posée en application de l'alinéa 16a) par le Conseil, une commission de conciliation, un commissaire-conciliateur, un arbitre ou un conseil d'arbitrage.

103. (1) Poursuites — Les poursuites visant une infraction à la présente partie peuvent être intentées contre une organisation patronale, un syndicat ou un regroupement de syndicats et en leur nom.

(2) Idem — Dans le cadre des poursuites prévues par le paragraphe (1) :

a) les organisations patronales, les syndicats ou les regroupements de syndicats sont réputés être des personnes;

b) les actes ou omissions des dirigeants ou des mandataires de ces groupements dans la mesure où ils ont le pouvoir d'agir en leur nom sont réputés être le fait de ces groupements.

104. Consentement du Conseil — Il ne peut être engagé de poursuites pour infraction à la présente partie sans le consentement écrit du Conseil.

SECTION VII — DISPOSITIONS GÉNÉRALES

Règlement pacifique des conflits de travail

104.1 Tables rondes — Le ministre invite à l'occasion des représentants des employeurs et des syndicats et des spécialistes en relations industrielles à participer à une table ronde afin de discuter de questions liées aux relations industrielles.

1998, ch. 26, art. 47

105. (1) Médiateurs — Pour les cas où il le juge à propos, le ministre peut à tout moment, sur demande ou de sa propre initiative, nommer un médiateur chargé de conférer avec les parties à un désaccord ou différend et de favoriser entre eux un règlement à l'amiable.

(2) Recommandation — À la demande des parties ou du ministre, un médiateur nommé en vertu du paragraphe (1) peut faire des recommandations en vue du règlement du différend ou du désaccord.

1998, ch. 26, art. 48

106. Enquêtes relatives aux problèmes du travail — De la même façon, le ministre peut procéder aux enquêtes qu'il juge utiles sur toute question susceptible d'influer sur les relations de travail.

107. Pouvoirs supplémentaires — Le ministre peut prendre les mesures qu'il estime de nature à favoriser la bonne entente dans le monde du travail et à susciter des conditions favorables au règlement des désaccords ou différends qui y surgissent; à ces fins il peut déférer au Conseil toute question ou lui ordonner de prendre les mesures qu'il juge nécessaires.

108. (1) Commissions d'enquête — Dans le cadre de l'article 106 ou dans les cas où un désaccord ou un différend a surgi ou risque de surgir entre l'employeur et ses employés dans un secteur d'activité quelconque, le ministre peut nommer une commission d'enquête appelée « commission d'enquête sur les relations du travail » et chargée d'examiner les questions en jeu et de lui faire rapport.

(2) Idem — Lorsqu'il saisit la commission visée au paragraphe (1), le ministre :

a) lui fournit un relevé des questions sur lesquelles l'enquête doit porter;

b) le cas échéant, notifie sa nomination aux personnes ou organisations intéressées.

(3) Composition — La commission d'enquête se compose du ou des membres nommés par le ministre.

(4) Fonctions — En exécution de son mandat, la commission d'enquête :

a) fait enquête sans délai sur les questions qui lui sont déférées par le ministre;

b) si sa mission, dans le cas d'un désaccord ou d'un différend entre un employeur et ses employés, se solde par un échec, présente son rapport et ses recommandations au ministre dans les quatorze jours de sa nomination ou dans le délai plus long accordé par celui-ci.

(5) Diffusion et publication du rapport — Sur réception du rapport visé au paragraphe (4), le ministre :

a) d'une part, en fournit une copie à tous les employeurs et syndicats parties au désaccord ou au différend;

b) d'autre part, le publie selon les modalités qu'il juge indiquées.

(6) Pouvoirs de la commission — Les commissions d'enquête sont investies des pouvoirs des commissaires nommés en application de la partie I de la *Loi sur les enquêtes*.

Scrutin sur les offres de l'employeur

[Intertitre ajouté, 1993, ch. 42, art. 2.]

108.1 (1) Scrutin ordonné par le ministre — Une fois l'avis de négociation collective donné aux termes de la présente partie, le ministre peut, s'il estime d'intérêt public de donner aux employés qui font partie de l'unité de négociation visée l'occasion d'accepter ou de rejeter les dernières offres que l'employeur a faites au syndicat sur toutes les questions faisant toujours l'objet d'un différend entre les parties :

a) ordonner la tenue, dans les meilleurs délais possible et en conformité avec les modalités qu'il estime indiquées, d'un scrutin parmi ces employés sur l'acceptation ou le rejet des offres;

b) charger le Conseil — ou la personne ou l'organisme qu'il désigne — de la tenue du scrutin.

(2) Conséquence sur les autres délais — L'ordre de tenir un scrutin ou la tenue du scrutin n'ont aucun effet sur les délais prévus par la présente partie, notamment ceux qui s'appliquent à l'acquisition du droit de lock-out ou de grève visés à l'article 89.

(3) Conséquence d'un vote favorable — En cas de vote favorable de la majorité des employés ayant participé au scrutin, les parties sont liées par les dernières offres de l'employeur et sont tenues de conclure sans délai une convention collective incorporant ces dernières offres; de plus, tout lock-out ou toute grève non interdits par la présente partie et en cours lorsque le Conseil — ou la personne ou l'organisme chargé de la tenue du scrutin — informe les parties par écrit de l'acceptation des employés se termine immédiatement.

(4) **Pouvoirs à l'égard du scrutin** — Pour l'application du présent article, le Conseil — ou la personne ou l'organisme chargé de la tenue du scrutin — tranche toute question qui se pose, notamment à l'égard de la tenue du scrutin et de la détermination de son résultat.

1993, ch. 42, art. 2

Accès aux employés

[Intertitre modifié, 1998, ch. 26, art. 49.]

109. (1) Demande d'ordonnance d'accès — Sur demande d'un syndicat, le Conseil peut, par ordonnance, accorder à un représentant autorisé de celui-ci nommément désigné l'accès à des employés vivant dans un lieu isolé, dans des locaux — également précisés — appartenant à leur employeur ou à une autre personne, ou placés sous leur responsabilité, s'il en vient à la conclusion que cet accès :

- a) d'une part, serait pratiquement impossible ailleurs;
- b) d'autre part, se justifie dans le cadre d'une campagne de recrutement ou en vue de la négociation ou de l'application d'une convention collective, du règlement d'un grief ou de la prestation de services syndicaux aux employés.

(2) **Teneur de l'ordonnance** — L'ordonnance visée au paragraphe (1) doit préciser le mode d'accès, les moments où il sera permis et sa durée.

109.1 (1) Communications avec les travailleurs à distance — Sur demande d'un syndicat, le Conseil peut, par ordonnance, exiger de l'employeur qu'il lui remette ou qu'il remette à un représentant autorisé du syndicat nommément désigné les noms et adresses des employés dont le lieu de travail habituel ne fait pas partie des locaux appartenant à leur employeur ou placés sous sa responsabilité et autoriser le syndicat à communiquer avec eux, notamment par un moyen électronique, s'il est d'avis que de telles communications se justifient dans le cadre d'une campagne de recrutement ou en vue de la négociation ou de l'application d'une convention collective, du règlement d'un grief ou de la prestation de services syndicaux aux employés.

(2) **Teneur de l'ordonnance** — L'ordonnance visée au paragraphe (1) :

- a) doit préciser le mode de communication, les heures où les communications seront permises et la période pendant laquelle elles le seront ainsi que les conditions à respecter de manière à assurer la protection de la vie privée et la sécurité des employés concernés et à empêcher l'utilisation abusive des renseignements;
- b) peut exiger de l'employeur qu'il transmette, en conformité avec les modalités que le Conseil fixe, les renseignements que le syndicat désire communiquer aux employés, au moyen du système de communication électronique qu'il utilise lui-même pour communiquer avec ses employés.

(3) **Transmission du Conseil** — S'il est d'avis que la protection de la vie privée et la sécurité des employés ne peuvent être assurées autrement, le Conseil peut :

- a) soit fournir à tout employé l'occasion de refuser la transmission de son nom et de son adresse au représentant du syndicat qu'il autorise et, en l'absence d'un tel refus, transmettre au représentant ces renseignements;
- b) soit transmettre les renseignements que le syndicat désire

communiquer aux employés de la manière qu'il juge indiquée.

(4) **Protection des noms et adresses** — Les noms et adresses des employés remis en vertu du paragraphe (1) ne peuvent être utilisés qu'à des fins justifiées par le présent article.

1998, ch. 26, art. 50

Communication des états financiers

110. (1) **États financiers d'un syndicat et d'une organisation patronale** — Les syndicats et les organisations patronales sont tenus, sur demande d'un de leurs adhérents, de fournir gratuitement à celui-ci une copie de leurs états financiers à la date de clôture du dernier exercice, certifiée conforme par le président ainsi que par le trésorier ou tout autre dirigeant chargé de l'administration et de la gestion de leurs finances.

(2) **Teneur** — Les états financiers doivent être suffisamment détaillés pour donner une image fidèle des opérations et de la situation financières du syndicat ou de l'organisation patronale.

(3) **Plainte** — Saisi d'une plainte d'un adhérent accusant son syndicat ou son organisation patronale d'avoir violé le paragraphe (1), le Conseil peut, par ordonnance, enjoindre au syndicat ou à l'organisation patronale de lui transmettre des états financiers, dans le délai et en la forme qu'il fixe.

(4) **Ordonnance** — Le Conseil peut en outre rendre une ordonnance enjoignant au syndicat ou à l'organisation patronale de fournir une copie des états financiers qui lui ont été transmis aux termes du paragraphe (3) à ceux de ses adhérents qu'il désigne.

Règlements

111. **Règlements** — Le gouverneur en conseil peut, par règlement :

a) préciser à qui — et par qui — les avis, demandes, requêtes ou rapports destinés au ministre peuvent être donnés ou présentés et fixer les modalités selon lesquelles ils doivent l'être ou être reçus par le ministre;

b) déterminer la forme et les modalités de transmission des avis ou rapports du ministre, d'un commissaire-conciliateur, d'une commission de conciliation ou d'une commission d'enquête sur les relations du travail et préciser la formalité qui aura valeur de signification suffisante de ces avis ou rapports à leurs destinataires;

c) désigner le fonctionnaire habilité à donner ou transmettre au nom du ministre tel avis ou telle demande qui relèvent de celui-ci;

d) prescrire la forme et la teneur de l'avis de négociation collective;

e) déterminer la forme et le contenu de l'avis prévu à l'article 71 et préciser les renseignements supplémentaires à fournir à ce propos;

Modification proposée — 111e)

e) déterminer la forme et le contenu de l'avis prévu à l'article 71 et préciser les renseignements supplémentaires et les documents à fournir à ce propos;

2012, ch. 19, art. 432(1) [Non en vigueur à la date de publication.]

f) déterminer la forme et le contenu du préavis prévu à l'article 87.2 et préciser les renseignements supplémentaires à fournir à ce propos;

Modification proposée — 111f)

f) déterminer la forme et le contenu du préavis prévu à l'article 87.2 et préciser les renseignements supplémentaires et les documents à fournir à ce propos;

2012, ch. 19, art. 432(1) [Non en vigueur à la date de publication.]

g) [Abrogé, 1998, ch. 26, art. 51.]

h) [Abrogé, 1998, ch. 26, art. 51.]

i) déterminer la forme et le contenu des demandes prévues aux paragraphes 57(2) ou (4) et préciser tous renseignements supplémentaires à fournir à ce propos;

Modification proposée — 111i)

i) déterminer la forme et le contenu des demandes prévues aux paragraphes 57(2) ou (4) et préciser les renseignements supplémentaires et les documents à fournir à ce propos;

2012, ch. 19, art. 432(2) [Non en vigueur à la date de publication.]

j) fixer les modalités de dépôt auprès du ministre d'une copie des ordonnances ou décisions visées à l'article 59, notamment en ce qui concerne les délais;

k) préciser les cas dans lesquels le public peut consulter les copies des ordonnances et décisions transmises au ministre en application de l'article 59, et fixer les éventuels droits à payer pour leur reproduction;

l) prévoir les modalités d'application de l'alinéa 77a).

Ajout proposé — 111m)–p)

m) déterminer la forme et les modalités de dépôt auprès du ministre, en application du paragraphe 115(1), d'une copie de la convention collective et préciser les renseignements supplémentaires et les documents à fournir lors du dépôt;

n) préciser les renseignements et les documents que le ministre est tenu de fournir aux parties à une convention collective après réception d'une copie de celle-ci;

o) préciser les cas dans lesquels les parties à une convention collective sont soustraites à l'obligation de déposer, auprès du ministre, une copie de celle-ci de même que les conditions afférentes;

p) préciser les cas dans lesquels une convention collective peut entrer en vigueur même si aucune copie de celle-ci n'a été déposée par les parties auprès du ministre de même que les conditions afférentes.

2012, ch. 19, art. 432(3) [Non en vigueur à la date de publication.]

1998, ch. 26, art. 51

111.1 Délégation — Le ministre peut déléguer au chef du Service fédéral de médiation et de conciliation les pouvoirs de nomination que lui confère la présente loi.

1998, ch. 26, art. 52

Dispositions diverses

112. (1) Preuve — Tout document censé contenir ou constituer une copie d'une ordonnance ou d'une décision du Conseil et être signé par un membre de celui-ci est admissible comme preuve en justice sans qu'il soit nécessaire de prouver l'authenticité de la signature qui y est apposée ou la qualité officielle du signataire, ni de présenter d'autres éléments de preuve.

(2) Certificat du ministre — Le certificat censé signé par le ministre ou un fonctionnaire du Service fédéral de médiation et de conciliation et attestant la réception ou la transmission — avec la date — , ou au contraire la non-réception ou la non-transmission, par le ministre des rapports, demandes, requêtes ou avis prévus par la présente partie est admissible comme preuve en justice sans qu'il soit nécessaire de prouver l'authenticité de la signature qui y est apposée ou la qualité officielle du signataire, ni de présenter d'autres éléments de preuve.

1998, ch. 26, art. 53

113. Retard — Le fait, de la part d'un conciliateur, d'un commissaire-conciliateur ou d'une commission de conciliation, de ne pas faire rapport au ministre dans le délai fixé par la présente partie n'a pas pour effet d'invalider la procédure en cause ni de mettre fin à son mandat.

114. Vice de forme ou de procédure — Les procédures prévues par la présente partie ne sont pas susceptibles d'invalidation pour vice de forme ou de procédure.

115. Dépôt des conventions collectives — Les parties à une convention collective sont tenues, dès la signature de celle-ci, d'en déposer une copie auprès du ministre.

Modification proposée — 115

115. (1) Dépôt des conventions collectives — Sous réserve des règlements pris en vertu de l'alinéa 111o), chacune des parties à une convention collective est tenue, dès la conclusion, le renouvellement ou la révision de celle-ci, d'en déposer une copie auprès du ministre.

(2) Entrée en vigueur conditionnelle au dépôt — Sous réserve des règlements pris en vertu de l'alinéa 111p), la convention collective ne peut entrer en vigueur que si au moins une des parties en a déposé une copie auprès du ministre.

(3) Entrée en vigueur des dispositions — Une fois la copie déposée, les dispositions de la convention collective entrent en vigueur à la date ou aux dates auxquelles elles seraient entrées en vigueur n'eût été l'exigence prévue au paragraphe (2), même si ces dates sont antérieures à celle du dépôt.

2012, ch. 19, art. 433 [Non en vigueur à la date de publication.]

116. Rémunération et indemnités — Les membres d'une commission d'enquête sur les relations du travail ou d'une commission de conciliation, ainsi que les personnes choisies par le ministre en dehors de l'administration publique fédérale pour exercer les attributions prévues par la présente partie, à l'exception de celles d'arbitre ou de président d'un conseil d'arbitrage, reçoivent la rémunération et les indemnités fixées par règlement ou décret du gouverneur en conseil.

117. Exclusion de la fonction publique — Sauf décision contraire du gouverneur en conseil dans un cas ou une catégorie de cas, les personnes nommées en vertu de la présente partie sont réputées ne pas faire partie de la fonction publique pour l'application de la *Loi sur la pension de la fonction publique*.

118. Indemnités des témoins — Il est alloué à tout témoin qui se rend à la convocation du Conseil, d'une commission de conciliation, d'un commissaire-conciliateur ou d'une commission d'enquête sur les relations du travail, dans le cadre des procédures dont ces autorités sont saisies aux termes de la présente partie, la rétribution et les indemnités en vigueur pour les témoins en matière civile à la cour supérieure de la province où se déroulent les procédures.

119. (1) Dépositions en justice — Les membres du Conseil ou d'une commission de conciliation, les conciliateurs, les commissaires-conciliateurs, les fonctionnaires ou autres personnes faisant partie de l'administration publique fédérale ainsi que toutes les personnes nommées par le Conseil ou le ministre aux termes de la présente partie ne sont pas tenus de déposer dans une action — ou toute autre procédure — au civil, relativement à des renseignements obtenus dans l'exercice des fonctions qui leur sont confiées en application de la présente partie.

(2) Administrateur en chef et personnel — L'administrateur en chef et les membres du personnel du Service canadien d'appui aux tribunaux administratifs ne sont pas tenus de déposer dans une action — ou toute autre procédure — au civil, relativement à des renseignements obtenus dans l'exercice de leurs fonctions dans le cadre de la prestation de services au Conseil.

2014, ch. 20, art. 420

119.1 Non-communication — Il est entendu que les documents ci-après ne peuvent être communiqués sans le consentement de leur auteur :

a) les notes, les avant-projets d'ordonnance ou de décision du Conseil ou d'un de ses membres, ou d'un arbitre ou d'un président de conseil d'arbitrage nommés par le ministre en vertu de la présente partie;

b) les notes ou les avant-projets de rapports de personnes nommées par le ministre en vertu de la présente partie pour aider au règlement des désaccords ou des différends, ou de personnes autorisées ou désignées par le Conseil pour aider à régler des plaintes ou des questions en litige devant le Conseil.

1998, ch. 26, art. 54

Accords avec les provinces

120. (1) Délégation — Le ministre peut, au nom du gouvernement fédéral et avec l'approbation du gouverneur en conseil, conclure avec le gouvernement d'une province ayant sensiblement la même législation que la présente partie un accord prévoyant la mise en oeuvre de cette législation par les fonctionnaires ou autres personnes faisant partie de l'administration publique fédérale.

(2) Teneur de l'accord — L'accord visé au paragraphe (1) peut prévoir :

a) la mise en oeuvre, par le gouvernement fédéral, de la législation provinciale à l'égard d'entreprises, ouvrages ou secteurs d'activités déterminés;

b) la délégation au ministre des pouvoirs ou fonctions attribués aux termes de la législation provinciale;

c) la délégation aux membres du Conseil, ou à des fonctionnaires ou autres personnes faisant partie de l'administration publique fédérale, de pouvoirs ou fonctions prévus dans la législation provinciale;

d) l'indemnisation du gouvernement fédéral, par celui de la province, des frais engagés pour la mise en oeuvre de la législation provinciale.

(3) Pouvoirs ou fonctions conférés par la législation provinciale — En cas de conclusion de l'accord visé au paragraphe (1), le ministre, les membres du Conseil et les fonctionnaires ou autres personnes faisant partie de l'administration publique fédérale peuvent, si le gouverneur en conseil l'ordonne et si la législation provinciale le prévoit, exercer les pouvoirs et fonctions prévus dans la législation ou l'accord.

Rapports annuels

121. (1) Rapport annuel du Conseil — Au plus tard le 31 janvier qui suit la fin de chaque exercice, le Conseil présente au ministre son rapport d'activité pour l'exercice précédent. Ce dernier le fait déposer devant le Parlement dans les quinze jours suivant sa réception ou, si le Parlement ne siège pas, dans les quinze premiers jours de séance ultérieurs de l'une ou l'autre chambre.

(2) [Abrogé, 1996, ch. 11, art. 65.]

1996, ch. 11, art. 65

Application de lois provinciales

[Intertitre ajouté, 1996, ch. 12, art. 1.]

121.1 Sociétés d'État provinciales — Le gouverneur en conseil peut, par règlement, assujettir à l'application de la présente partie l'emploi — ou des catégories d'emploi — dans le cadre des ouvrages ou entreprises désignés par lui qui sont des personnes morales mandataires de Sa Majesté du chef d'une province ou sont associés à une telle personne et dont les activités sont, en tout ou en partie, régies par la *Loi sur la sûreté et la réglementation nucléaires.*

1996, ch. 12, art. 1; 1997, ch. 9, art. 125(1)a)

121.2 (1) Exclusion — Le gouverneur en conseil peut, par règlement, soustraire, en tout ou en partie, à l'application de toute disposition de la présente partie l'emploi — ou des catégories d'emploi — dans le cadre des ouvrages ou entreprises désignés par lui dont les activités sont, en tout ou en partie, régies par la *Loi sur la sûreté et la réglementation nucléaires.*

(2) Règlements — Le gouverneur en conseil peut, sur recommandation du ministre, prendre des règlements sur toute question relative aux relations du travail, y compris la prévention des arrêts de travail ou la continuité ou la reprise des opérations, et relatifs à l'emploi visé par un règlement pris en vertu du paragraphe (1).

(3) Incorporation d'un texte provincial — Le règlement pris en vertu du paragraphe (2) qui incorpore par renvoi tout ou partie d'un texte — loi ou texte d'application de celle-ci — provincial peut prévoir que celui-ci est incorporé soit avec ses modifications successives jusqu'à une date donnée, soit avec toutes ses modifications successives.

(4) Champ d'application — Le règlement pris en vertu du paragraphe (2) peut s'appliquer :

a) soit, d'une façon générale, à l'emploi visé par un règlement pris en vertu du paragraphe (1);

b) soit à une ou plusieurs catégories d'emploi visé par un règlement pris en vertu du paragraphe (1).

(5) Application — Le règlement pris en vertu du paragraphe (2) qui incorpore le texte est, après consultation par le ministre du ministre provincial intéressé, mis en application par la personne ou l'autorité qui est responsable de l'application du texte.

(6) Infraction et peine — Sous réserve du paragraphe (7), quiconque enfreint un règlement pris en vertu du paragraphe (2) en violant une disposition du texte incorporé commet une infraction à la présente loi et encourt, le cas échéant, la peine prévue par les lois de la province en cas d'infraction à la disposition.

(7) Défense — Nul ne peut être déclaré coupable de l'infraction définie au paragraphe (6) à moins qu'il ne soit prouvé que, au moment du fait reproché, soit le contrevenant avait facilement accès au texte incorporé, soit des mesures raisonnables avaient été prises pour que les intéressés puissent avoir accès à ce texte ou soit celui-ci avait été publié dans le journal officiel de la province ou de toute autre façon autorisée par la législature de cette province.

(8) **Procédure** — Les poursuites relatives à l'infraction définie au paragraphe (6) sont intentées par le procureur général de la province où l'infraction est commise.

1996, ch. 12, art. 1; 1997, ch. 9, art. 125(1)b)

121.3 Loi sur les textes réglementaires — Sont soustraits à l'application du paragraphe 5(1) de la *Loi sur les textes réglementaires* les règlements pris en vertu des articles 121.1 ou 121.2.

1996, ch. 12, art. 1

121.4 (1) **Définition de « règlement »** — Au présent article, **« règlement »** s'entend d'un règlement pris en vertu du paragraphe 121.2(2).

(2) **Agents négociateurs** — L'agent négociateur qui représentait une unité de négociation lors de la prise d'un règlement applicable aux employés qui la composent continue à la représenter pour l'application du règlement.

(3) **Continuation des conventions collectives** — La convention collective en vigueur lors de la prise d'un règlement applicable aux employés qu'elle régit continue d'être en vigueur sous le régime du règlement jusqu'à la date prévue pour son expiration.

(4) **Avis de négociation collective** — L'avis de négociation collective donné au titre de la présente partie est réputé, à compter de la prise du règlement applicable aux employés touchés par l'avis, avoir été donné au titre du règlement à la date où il a effectivement été donné.

(5) **Transfert des droits et obligations** — Les droits, avantages ou obligations acquis au titre de la présente partie par l'unité de négociation, l'agent négociateur, l'employeur ou les employés avant la prise du règlement sont réputés avoir été acquis au titre du règlement à la date de leur acquisition.

(6) **Questions en suspens** — La personne ou l'autorité compétente aux termes d'une loi provinciale pour trancher une question relevant du présent article relativement à une disposition d'un texte provincial peut, à la demande de l'employeur, de l'agent négociateur ou, lorsqu'elle l'estime indiqué, d'un employé, trancher toute question relevant du présent article relativement au règlement qui incorpore la disposition.

1996, ch. 12, art. 1

121.5 Règlements — Par dérogation à l'article 121.4, le gouverneur en conseil peut prendre des règlements sur toute question visant cet article relativement au règlement pris en vertu du paragraphe 121.2(2).

1996, ch. 12, art. 1

PARTIE II — SANTÉ ET SÉCURITÉ AU TRAVAIL (ART. 122–165)

[Intertitre modifié, L.R.C. (1985), ch. 9 (1er suppl.), art. 1; 2000, ch. 20, art. 1.]

Définitions et interprétation

[Intertitre modifié, L.R.C. (1985), ch. 9 (1er suppl.), art. 1.]

122. (1) **Définitions** — Les définitions qui suivent s'appliquent à la présente partie.

« agent d'appel » Personne désignée à ce titre en vertu de l'article 145.1. *(« appeals officer »)*

Modification proposée — 122(1) « agent d'appel »

« agent d'appel » Personne nommée à ce titre en vertu de l'article 145.1. *(« appeals officer »)*

2010, ch. 12, art. 2172 [Non en vigueur à la date de publication.]

« agent de santé et de sécurité » [Abrogée, 2013, ch. 40, art. 176(1).]

« agent de sécurité » [Abrogée, 2000, ch. 20, art. 2(1).]

« agent régional de santé et de sécurité » [Abrogée, 2013, ch. 40, art. 176(1).]

« agent régional de sécurité » [Abrogée, 2000, ch. 20, art. 2(1).]

« comité de sécurité et de santé » [Abrogée, 2000, ch. 20, art. 2(1).]

« comité d'orientation » Comité d'orientation en matière de santé et de sécurité constitué en application de l'article 134.1. *(« policy committee »)*

« comité local » Comité de santé et de sécurité constitué pour un lieu de travail en application de l'article 135. *(« work place committee »)*

« Conseil » Le Conseil canadien des relations industrielles constitué par l'article 9. *(« Board »)*

« convention collective » S'entend au sens de l'article 166. *(« collective agreement »)*

« danger » Situation, tâche ou risque qui pourrait vraisemblablement présenter une menace imminente ou sérieuse pour la vie ou pour la santé de la personne qui y est exposée avant que, selon le cas, la situation soit corrigée, la tâche modifiée ou le risque écarté. *(« danger »)*

« employé » Personne au service d'un employeur. *(« employee »)*

« employeur » Personne qui emploie un ou plusieurs employés — ou quiconque agissant pour son compte — ainsi que toute organisation patronale. *(« employer »)*

« lieu de travail » Tout lieu où l'employé exécute un travail pour le compte de son employeur. *(« work place »)*

« règlement » Règlement pris par le gouverneur en conseil ou disposition déterminée en conformité avec des règles prévues par un règlement pris par le gouverneur en conseil. *(« prescribe »)*

« représentant » Personne nommée à titre de représentant en matière de santé et de sécurité en application de l'article 136. *(« health and safety representative »)*

« représentant en matière de sécurité et de santé » [Abrogée, 2000, ch. 20, art. 2(1).]

« sécurité » Protection contre les dangers liés au travail. *(« safety »)*

« substance dangereuse » Sont assimilés à des substances dangereuses les agents chimiques, biologiques ou physiques dont une propriété présente un risque pour la santé ou la sécurité de quiconque y est exposé, ainsi que les produits dangereux. *(« hazardous substance »)*

« substance hasardeuse » [Abrogée, 2000, ch. 20, art. 2(2).]

(2) Définitions — Dans la présente partie, **« étiquette »**, **« fiche de données de sécurité »** et **« produit dangereux »** s'entendent au sens de l'article 2 de la *Loi sur les produits dangereux*.

(3) Idem — Sauf indication contraire dans la présente partie, les autres mots et expressions s'entendent au sens de la partie I.

L.R.C. (1985), ch. 9 (1er suppl.), art. 1; L.R.C. (1985), ch. 24 (3e suppl.), art. 3; 1993, ch. 42, art. 3; 1998, ch. 26, art. 55; 2000, ch. 20, art. 2; 2013, ch. 40, art. 176; 2014, ch. 20, art. 139

Objet

[Intertitre ajouté, L.R.C. (1985), ch. 9 (1er suppl.), art. 1.]

122.1 Prévention des accidents et des maladies — La présente partie a pour objet de prévenir les accidents et les maladies liés à l'occupation d'un emploi régi par ses dispositions.

L.R.C. (1985), ch. 9 (1er suppl.), art. 1

122.2 Ordre de priorité — La prévention devrait consister avant tout dans l'élimination des risques, puis dans leur réduction, et enfin dans la fourniture de matériel, d'équipement, de dispositifs ou de vêtements de protection, en vue d'assurer la santé et la sécurité des employés.

2000, ch. 20, art. 3

Modes de communication

[Intertitre ajouté, 2000, ch. 20, art. 3.]

122.3 (1) Droits de l'employé — L'employé ayant des besoins spéciaux est en droit de recevoir, selon un mode de communication lui permettant d'en prendre effectivement connaissance — notamment le braille, les gros caractères, les bandes audio, les disquettes, le langage gestuel et la communication verbale —, les instructions, avis, formation et renseignements requis par la présente partie.

(2) Définition de « besoins spéciaux » — Pour l'application du présent article, a des besoins spéciaux l'employé dont l'état nuit à la capacité de recevoir, selon les modes de communication par ailleurs acceptables dans le cadre de la présente partie, des instructions, avis, formation et renseignements requis par celle-ci.

2000, ch. 20, art. 3

Champ d'application

123. (1) Champ d'application de la présente partie — Malgré les autres lois fédérales et leurs règlements, la présente partie s'applique à l'emploi :

a) dans le cadre d'une entreprise fédérale, à l'exception d'une entreprise de nature locale ou privée au Yukon, dans les Territoires du Nord-Ouest ou au Nunavut;

b) par une personne morale constituée en vue de l'exécution d'une mission pour le compte de l'État canadien;

c) par une entreprise canadienne, au sens de la *Loi sur les télécommunications*, qui est mandataire de Sa Majesté du chef d'une province.

(2) Administration publique fédérale — La présente partie s'applique à l'administration publique fédérale et aux personnes qui y sont employées, dans la mesure prévue à la partie 3 de la *Loi sur les relations de travail dans le secteur public fédéral.*

(3) Application : autres personnes — La présente partie s'applique à une personne qui n'est pas un employé et qui exerce pour un employeur auquel s'applique la présente partie des activités qui visent principalement à permettre à la personne d'acquérir des connaissances ou de l'expérience, ainsi qu'à l'employeur, comme si la personne était un employé de celui-ci et les dispositions de la présente partie doivent être interprétées en conséquence.

L.R.C. (1985), ch. 9 (1er suppl.), art. 2; 1993, ch. 28, art. 78; 1993, ch. 38, art. 89; 2000, ch. 20, art. 4; 2003, ch. 22, art. 110; 2015; ch. 36, art. 87; 2017, ch. 9, art. 55(1)

123.1 [Abrogé, 1996, ch. 12, art. 2.]

Obligations des employeurs

[Intertitre modifié, L.R.C. (1985), ch. 9 (1er suppl.), art. 4.]

124. Obligation générale — L'employeur veille à la protection de ses employés en matière de santé et de sécurité au travail.

L.R.C. (1985), ch. 9 (1er suppl.), art. 4; 2000, ch. 20, art. 5

125. (1) Obligations spécifiques — Dans le cadre de l'obligation générale définie à l'article 124, l'employeur est tenu, en ce qui concerne tout lieu de travail placé sous son entière autorité ainsi que toute tâche accomplie par un employé dans un lieu de travail ne relevant pas de son autorité, dans la mesure où cette tâche, elle, en relève:

a) de veiller à ce que tous les ouvrages et bâtiments permanents et temporaires soient conformes aux normes réglementaires;

b) d'installer des dispositifs protecteurs, garde-fous, barrières et clôtures conformes aux normes réglementaires;

c) selon les modalités réglementaires, d'enquêter sur tous les accidents, toutes les maladies professionnelles et autres situations comportant des risques dont il a connaissance, de les enregistrer et de les signaler aux autorités désignées par les règlements;

d) d'afficher à un endroit bien en vue, accessible à tous les employés :

(i) le texte de la présente partie,

(ii) l'énoncé de ses consignes générales en matière de santé et de sécurité au travail,

(iii) les imprimés réglementaires concernant la santé et la sécurité et ceux que précise le ministre;

e) de mettre à la disposition des employés, de façon que ceux-ci puissent y avoir effectivement accès sur support électronique ou sur support papier une copie des règlements d'application de la présente partie qui sont applicables au lieu de travail;

f) lorsque les règlements d'application de la présente partie sont mis à la disposition des employés sur support électronique, de veiller à ce que ceux-ci reçoivent la formation nécessaire pour être en mesure de les consulter et de mettre à leur disposition, sur demande, une version sur support papier;

g) de tenir, selon les modalités réglementaires, des dossiers de santé et de sécurité;

h) de fournir les installations de premiers soins et les services de santé réglementaires;

i) de fournir les installations sanitaires et personnelles réglementaires;

j) de fournir, conformément aux normes réglementaires, de l'eau potable;

k) de veiller à ce que les véhicules et l'équipement mobile que ses employés utilisent pour leur travail soient conformes aux normes réglementaires;

l) de fournir le matériel, l'équipement, les dispositifs et les vêtements de sécurité réglementaires à toute personne à qui il permet l'accès du lieu de travail;

m) de veiller à ce que soient conformes aux normes réglementaires l'utilisation, le fonctionnement et l'entretien:

(i) des chaudières et des réservoirs sous pression,

(ii) des escaliers mécaniques, ascenseurs et autres dispositifs destinés au transport des personnes ou du matériel,

(iii) de l'équipement servant à la production, à la distribution ou à l'utilisation de l'électricité,

(iv) des brûleurs à gaz ou à pétrole ou autres appareils générateurs de chaleur,

(v) des systèmes de chauffage, de ventilation et de conditionnement de l'air;

n) de veiller à ce que l'aération, l'éclairage, la température, l'humidité, le bruit et les vibrations soient conformes aux normes réglementaires;

o) de se conformer aux normes réglementaires en matière de prévention des incendies et de mesures d'urgence;

p) de veiller, selon les modalités réglementaires, à ce que les employés puissent entrer dans le lieu de travail, en sortir et y demeurer en sécurité;

q) d'offrir à chaque employé, selon les modalités réglementaires, l'information, la formation, l'entraînement et la surveillance nécessaires pour assurer sa santé et sa sécurité;

r) d'entretenir, conformément aux normes réglementaires, les dispositifs protecteurs, garde-fous, barrières et clôtures qui y sont installés;

s) de veiller à ce que soient portés à l'attention de chaque employé les risques connus ou prévisibles que présente pour sa santé et sa sécurité l'endroit où il travaille;

t) de veiller à ce que l'équipement — machines, appareils et outils — utilisé par ses employés pour leur travail soit conforme aux normes réglementaires de santé, de sécurité et d'ergonomie, et sécuritaire dans tous les usages auxquels il est destiné;

u) de veiller à ce que le lieu de travail, les postes de travail et les méthodes de travail soient conformes aux normes réglementaires d'ergonomie;

v) d'adopter et de mettre en oeuvre les normes et codes de sécurité réglementaires;

w) de veiller à ce que toute personne admise dans le lieu de travail connaisse et utilise selon les modalités réglementaires le matériel, l'équipement, les dispositifs et les vêtements de sécurité réglementaires;

x) de se conformer aux instructions verbales ou écrites qui lui sont données par le ministre ou l'agent d'appel en matière de santé et de sécurité des employés;

y) de veiller à ce que la santé et la sécurité des employés ne soient pas mises en danger par les activités de quelque personne admise dans le lieu de travail;

z) de veiller à ce que les employés qui exercent des fonctions de direction ou de gestion reçoivent une formation adéquate en matière de santé et de sécurité, et soient informés des responsabilités qui leur incombent sous le régime de la présente partie dans la mesure où ils agissent pour le compte de l'employeur;

z.01) de veiller à ce que les membres du comité d'orientation, ainsi que les membres du comité local ou le représentant, reçoivent la formation réglementaire en matière de santé et de sécurité, et soient informés des responsabilités qui leur incombent sous le régime de la présente partie;

z.02) de répondre sans délai à tout rapport fait au titre de l'alinéa 126(1)g);

z.03) en consultation avec le comité d'orientation ou, à défaut, le comité local ou le représentant, d'élaborer et de mettre en oeuvre un programme réglementaire de prévention des risques professionnels — en fonction de la taille du lieu de travail et de la nature des risques qui s'y posent — , y compris la formation des employés en matière de santé et de sécurité, et d'en contrôler l'application;

z.04) relativement aux risques propres à un lieu de travail et non couverts par un programme visé à l'alinéa z.03), en consultation avec le comité d'orientation ou, à défaut, le comité local ou le représentant, d'élaborer et de mettre en oeuvre un programme réglementaire de prévention de ces risques, y compris la formation des employés en matière de santé et de sécurité relativement à ces risques, et d'en contrôler l'application;

z.05) de consulter le comité d'orientation ou, à défaut, le comité local ou le représentant, en vue de planifier la mise en oeuvre des changements qui peuvent avoir une incidence sur la santé et la sécurité au travail, notamment sur le plan des procédés et des méthodes de travail;

z.06) de consulter le comité local ou le représentant pour la mise en oeuvre des changements qui peuvent avoir une incidence sur la santé et la sécurité au travail, notamment sur le plan des procédés et des méthodes de travail;

z.07) de mettre à la disposition du comité d'orientation et du comité local les installations, le matériel et le personnel dont ils ont besoin dans le lieu de travail;

z.08) de collaborer avec le comité d'orientation et le comité local ou le représentant pour l'exécution des responsabilités qui leur incombent sous le régime de la présente partie;

z.09) en consultation avec le comité d'orientation ou, à défaut, le comité local ou le représentant, d'élaborer des orientations et des programmes en matière de santé et de sécurité;

z.10) de répondre par écrit aux recommandations du comité d'orientation, du comité local ou du représentant dans les trente jours suivant leur réception, avec mention, le cas échéant, des mesures qui seront prises et des délais prévus à cet égard;

z.11) de fournir au comité d'orientation, ainsi qu'au comité local ou au représentant, copie de tout rapport sur les risques dans le lieu de travail, notamment sur leur appréciation;

z.12) de veiller à ce que le comité local ou le représentant inspecte chaque mois tout ou partie du lieu de travail, de façon que celui-ci soit inspecté au complet au moins une fois par année;

z.13) selon les besoins, d'élaborer et de mettre en oeuvre, en consultation — sauf en cas d'urgence — avec le comité d'orientation ou, à défaut, le comité local ou le représentant, un programme de fourniture de matériel, d'équipement, de dispositifs ou de vêtements de protection personnels, et d'en contrôler l'application;

z.14) de prendre toutes les précautions nécessaires pour que soient portés à l'attention de toute personne — autre qu'un de ses employés — admise dans le lieu de travail les risques connus ou prévisibles auxquels sa santé et sa sécurité peuvent être exposées;

z.15) de tenir au besoin avec le représentant des réunions ayant pour objet la santé et la sécurité au travail;

z.16) de prendre les mesures prévues par les règlements pour prévenir et réprimer la violence dans le lieu de travail;

z.17) d'afficher en permanence dans un ou plusieurs endroits bien en vue et fréquentés par ses employés les nom, numéro de téléphone au travail et lieu de travail des membres des comités locaux et des représentants;

z.18) de fournir, dans les trente jours qui suivent une demande à cet effet ou dès que possible par la suite, les renseignements exigés soit par un comité d'orientation en vertu des paragraphes 134.1(5) ou (6), soit par un comité local en vertu des paragraphes 135(8) ou (9), soit par un représentant en vertu des paragraphes 136(6) ou (7);

z.19) de consulter le comité local ou le représentant pour la mise en oeuvre et le contrôle d'application des programmes élaborés en consultation avec le comité d'orientation.

(2) Exception — L'alinéa (1)z.17) ne s'applique pas à l'employeur qui n'a sous son entière autorité qu'un seul lieu de travail qui:

a) soit occupe habituellement moins de vingt employés — y compris le représentant — travaillant tous normalement en même temps et au même endroit;

b) soit n'occupe habituellement qu'un seul employé.

L.R.C. (1985), ch. 9 (1er suppl.), art. 4; L.R.C. (1985), ch. 24 (3e suppl.), art. 4; 1993, ch. 42, art. 4; 2000, ch. 20, art. 5; 2013, ch. 40, art. 177

125.1 Autres obligations spécifiques — Dans le cadre de l'obligation générale définie à l'article 124 et des obligations spécifiques prévues à l'article 125, mais sous réserve des exceptions qui peuvent être prévues par règlement, l'employeur est tenu, en ce qui concerne tout lieu de travail placé sous son entière autorité ainsi que toute tâche accomplie par un employé dans un lieu de travail ne relevant pas de son autorité, dans la mesure où cette tâche, elle, en relève:

a) de veiller à ce que les concentrations des substances dangereuses se trouvant dans le lieu de travail soient contrôlées conformément aux normes réglementaires;

b) de veiller à ce que les substances dangereuses se trouvant dans le lieu de travail soient entreposées et manipulées conformément aux règlements;

c) de veiller à ce que les substances dangereuses, à l'exclusion des produits dangereux, se trouvant dans le lieu de travail soient identifiées conformément aux règlements;

d) sous réserve de la *Loi sur le contrôle des renseignements relatifs aux matières dangereuses*, de veiller à ce qu'une étiquette conforme aux exigences prévues par règlement soit apposée, imprimée, écrite, fixée ou autrement appliquée sur chaque produit dangereux se trouvant dans un lieu de travail ou sur le contenant qui le renferme;

e) sous réserve de la *Loi sur le contrôle des renseignements relatifs aux matières dangereuses*, de mettre à la disposition de chacun de ses employés, conformément aux règlements, une fiche de données de sécurité qui est conforme aux exigences des règlements pris en vertu du paragraphe 15(1) de la *Loi sur les produits dangereux* pour chaque produit dangereux auquel l'employé peut être exposé;

f) dans les cas où les employés peuvent être exposés à des substances dangereuses, d'enquêter sur cette exposition et d'apprécier celle-ci selon les modalités réglementaires et avec l'aide du comité local ou du représentant;

g) de veiller à la tenue, en conformité avec les règlements, de dossiers sur l'exposition des employés à des substances dangereuses et de faire en sorte que chacun d'eux puisse avoir accès aux renseignements le concernant à cet égard.

L.R.C. (1985), ch. 24 (3e suppl.), art. 5; 1993, ch. 42, art. 5; 2000, ch. 20, art. 6; 2014, ch. 20, art. 140

125.2 (1) Obligation de fournir des renseignements — L'employeur est tenu, en ce qui concerne tout lieu de travail placé sous son entière autorité, ainsi que toute tâche accomplie par un employé dans un lieu de travail ne relevant pas de son autorité, dans la mesure où cette tâche, elle, en relève, de fournir, relativement à tout produit dangereux auquel l'employé peut être exposé, aussitôt que possible dans les circonstances, les renseignements figurant sur la fiche de données de sécurité en sa possession concernant ce produit au médecin, ou à tout autre professionnel de la santé désigné par règlement, qui lui en fait la demande afin de poser un diagnostic médical à l'égard d'un employé qui se trouve dans une situation d'urgence, ou afin de traiter celui-ci.

(2) Protection des renseignements — Le médecin, ou tout autre professionnel de la santé désigné par règlement, à qui l'employeur fournit des renseignements conformément au paragraphe (1) est tenu de tenir confidentiels ceux que l'employeur désigne comme tels, sauf en ce qui concerne les fins pour lesquelles ils sont communiqués.

L.R.C. (1985), ch. 24 (3e suppl.), art. 5; 2000, ch. 20, art. 7; 2014, ch. 20, art. 141

125.3 (1) Mines de charbon — L'employeur d'employés travaillant dans une mine de charbon :

a) se conforme aux conditions qui lui sont imposées en vertu des alinéas 137.2(2)b) ou (3)a);

b) se conforme aux dispositions substituées à son égard aux dispositions des règlements conformément à l'alinéa 137.2(3)b);

c) permet qu'on procède, au nom des employés, à l'inspection et à la vérification de la mine et des machines et appareils qui s'y trouvent, de la manière et aux intervalles maximums réglementaires;

d) soumet pour approbation à la Commission de la sécurité dans les mines, selon les modalités réglementaires de temps et autres, et préalablement à l'exercice des activités, les plans et procédures qui ont trait à ces activités et dont l'approbation est requise par règlement; une fois l'approbation accordée, il agit conformément à ceux-ci.

(2) Méthodes, machines et appareils — Aucun employeur ne peut exiger ni permettre l'utilisation dans une mine de charbon de méthodes, de machines ou d'appareils miniers ne faisant l'objet d'aucune norme de sécurité réglementaire, sauf si leur utilisation a été approuvée conformément à l'alinéa 137.2(2)a).

(3) Fouille des employés — Les employeurs d'employés travaillant dans une mine de charbon sont tenus d'exiger, aux intervalles maximums réglementaires, afin d'y prévenir l'introduction de spiritueux, d'articles pour fumer ou de drogues, à l'exception de celles exemptées par règlement, que :

a) les personnes qui pénètrent dans les parties souterraines de la mine, à l'exception de celles qui y sont employées, se soumettent à des fouilles faites en conformité avec les règlements;

b) la proportion minimale d'employés, prévue par règlement, travaillant dans la partie souterraine de la mine se soumette à des fouilles faites en conformité avec les règlements.

(4) Définition de « mine de charbon » — Pour l'application du présent article et de l'article 137.2, sont assimilés à la mine de charbon les lieux de travail hors terre destinés à l'exploitation de celle-ci et placés sous l'entière autorité de l'employeur des employés de la mine.

L.R. (1985), ch. 26 (4e suppl.), art. 1

Obligations des employés

[Intertitre ajouté, L.R.C. (1985), ch. 9 (1er suppl.), art. 4.]

126. (1) Santé et sécurité — L'employé au travail est tenu:

a) d'utiliser le matériel, l'équipement, les dispositifs et les vêtements de sécurité que lui fournit son employeur ou que prévoient les règlements pour assurer sa protection;

b) de se plier aux consignes réglementaires en matière de santé et de sécurité au travail;

c) de prendre les mesures nécessaires pour assurer sa propre santé et sa propre sécurité, ainsi que celles de ses compagnons de travail et de quiconque risque de subir les conséquences de ses actes ou omissions;

d) de se conformer aux consignes de l'employeur en matière de santé et de sécurité au travail;

e) de collaborer avec quiconque s'acquitte d'une obligation qui lui incombe sous le régime de la présente partie;

f) de collaborer avec le comité d'orientation et le comité local ou le représentant;

g) de signaler à son employeur tout objet ou toute circonstance qui, dans un lieu de travail, présente un risque pour sa santé ou sa sécurité ou pour celles de ses compagnons de travail ou des autres personnes à qui l'employeur en permet l'accès;

h) de signaler, selon les modalités réglementaires, tout accident ou autre fait ayant causé, dans le cadre de son travail, une blessure à lui-même ou à une autre personne;

i) de se conformer aux instructions verbales ou écrites du ministre ou de l'agent d'appel en matière de santé et de sécurité des employés;

j) de signaler à son employeur toute situation qu'il croit de nature à constituer, de la part de tout compagnon de travail ou de toute autre personne — y compris l'employeur —, une contravention à la présente partie.

(2) **Maintien des obligations de l'employeur** — Le paragraphe (1) n'a pas pour effet de relever l'employeur des obligations qui lui incombent sous le régime de la présente partie.

(3) **Immunité** — L'employé n'encourt aucune responsabilité personnelle pour les actes — actions ou omissions — qu'il accomplit de bonne foi à la demande de l'employeur en vue de l'exécution des obligations qui incombent à ce dernier en matière de premiers soins et de mesures d'urgence sous le régime de la présente partie.

L.R.C. (1985), ch. 9 (1er suppl.), art. 4; 1993, ch. 42, art. 6; 2000, ch. 20, art. 8; 2013, ch. 40, art. 178

Sécurité au travail

[Intertitre ajouté, L.R.C. (1985), ch. 9 (1er suppl.), art. 4.]

127. (1) Interdictions en cas d'accident — Dans le cas où un employé est tué ou grièvement blessé dans son lieu de travail, il est interdit à quiconque, sans l'autorisation du ministre, de toucher aux débris ou objets se rapportant à l'événement, notamment en les déplaçant, sauf dans la mesure nécessaire pour :

a) procéder à des opérations de sauvetage ou de secours ou prévenir les blessures sur les lieux ou dans le voisinage;

b) maintenir un service public essentiel;

c) empêcher que des biens ne soient détruits ou subissent des dommages inutiles.

(2) **Exception** — L'autorisation visée au paragraphe (1) n'est toutefois pas requise dans les cas où un employé est tué ou grièvement blessé dans un accident ou un incident mettant en cause :

a) un aéronef, un bâtiment, du matériel roulant ou un pipeline, si l'accident ou l'incident fait l'objet d'une enquête menée dans le cadre de la *Loi sur l'aéronautique*, de la *Loi de 2001 sur la marine marchande du Canada* ou de la *Loi sur le Bureau canadien d'enquête sur les accidents de transport et de la sécurité des transports*;

b) un véhicule à moteur sur la voie publique.

L.R. (1985), ch. 9 (1er suppl.), art. 4; 1989, ch. 3, art. 45; 1996, ch. 10, art. 235; 1998, ch. 20, art. 29; 2000, ch. 20, art. 9; 2001, ch. 26, art. 305; 2013, ch. 40, art. 179

Processus de règlement interne des plaintes

[Intertitre ajouté, 2000, ch. 20, art. 10.]

127.1 (1) Plainte au supérieur hiérarchique — Avant de pouvoir exercer les recours prévus par la présente partie — à l'exclusion des droits prévus aux articles 128, 129 et 132 —, l'employé qui croit, pour des motifs raisonnables, à l'existence d'une situation constituant une contravention à la présente partie ou dont sont susceptibles de résulter un accident ou une maladie liés à l'occupation d'un emploi doit adresser une plainte à cet égard à son supérieur hiérarchique.

(2) Tentative de règlement — L'employé et son supérieur hiérarchique doivent tenter de régler la plainte à l'amiable dans les meilleurs délais.

(3) Enquête — En l'absence de règlement, la plainte peut être renvoyée à l'un des présidents du comité local ou au représentant par l'une ou l'autre des parties. Elle fait alors l'objet d'une enquête tenue conjointement, selon le cas:

a) par deux membres du comité local, l'un ayant été désigné par les employés — ou en leur nom — et l'autre par l'employeur;

b) par le représentant et une personne désignée par l'employeur.

(4) Avis — Les personnes chargées de l'enquête informent, par écrit et selon les modalités éventuellement prévues par règlement, l'employeur et l'employé des résultats de l'enquête.

(5) Recommandations — Les personnes chargées de l'enquête peuvent, quels que soient les résultats de celle-ci, recommander des mesures à prendre par l'employeur relativement à la situation faisant l'objet de la plainte.

(6) Obligation de l'employeur — Lorsque les personnes chargées de l'enquête concluent au bien-fondé de la plainte, l'employeur, dès qu'il en est informé, prend les mesures qui s'imposent pour remédier à la situation; il en avise au préalable et par écrit les personnes chargées de l'enquête, avec mention des délais prévus pour la mise à exécution de ces mesures.

(7) [Abrogé, 2013, ch. 40, art. 180(1).]

(8) Renvoi au ministre — La plainte fondée sur l'existence d'une situation constituant une contravention à la présente partie peut être renvoyée par l'employeur ou l'employé au ministre dans les cas suivants :

a) l'employeur conteste les résultats de l'enquête;

b) l'employeur a omis de prendre les mesures nécessaires pour remédier à la situation faisant l'objet de la plainte dans les délais prévus ou d'en informer les personnes chargées de l'enquête;

c) les personnes chargées de l'enquête ne s'entendent pas sur le bien-fondé de la plainte.

(9) Enquête — Le ministre fait enquête sur la plainte visée au paragraphe (8).

(10) Pouvoirs du ministre — Au terme de l'enquête, le ministre :

a) peut donner à l'employeur ou à l'employé toute instruction prévue au paragraphe 145(1);

b) peut, s'il l'estime opportun, recommander que l'employeur et l'employé règlent à l'amiable la situation faisant l'objet de la plainte;

c) s'il conclut à l'existence de l'une ou l'autre des situations mentionnées au paragraphe 128(1), donne des instructions en conformité avec le paragraphe 145(2).

(11) Précision — Il est entendu que les dispositions du présent article ne portent pas atteinte aux pouvoirs conférés au ministre sous le régime de l'article 145.

2000, ch. 20, art. 10; 2013, ch. 40, art. 180(1)–(4), (6)

128. (1) Refus de travailler en cas de danger — Sous réserve des autres dispositions du présent article, l'employé au travail peut refuser d'utiliser ou de faire fonctionner une machine ou une chose, de travailler dans un lieu ou d'accomplir une tâche s'il a des motifs raisonnables de croire que, selon le cas:

a) l'utilisation ou le fonctionnement de la machine ou de la chose constitue un danger pour lui-même ou un autre employé;

b) il est dangereux pour lui de travailler dans le lieu;

c) l'accomplissement de la tâche constitue un danger pour lui-même ou un autre employé.

(2) Exception — L'employé ne peut invoquer le présent article pour refuser d'utiliser ou de faire fonctionner une machine ou une chose, de travailler dans un lieu ou d'accomplir une tâche lorsque, selon le cas:

a) son refus met directement en danger la vie, la santé ou la sécurité d'une autre personne;

b) le danger visé au paragraphe (1) constitue une condition normale de son emploi.

(3) Navires et aéronefs — L'employé se trouvant à bord d'un navire ou d'un aéronef en service avise sans délai le responsable du moyen de transport du danger en cause s'il a des motifs raisonnables de croire:

a) soit que l'utilisation ou le fonctionnement d'une machine ou d'une chose à bord constitue un danger pour lui-même ou un autre employé;

b) soit qu'il est dangereux pour lui de travailler à bord;

c) soit que l'accomplissement d'une tâche à bord constitue un danger pour lui-même ou un autre employé.

Le responsable doit aussitôt que possible, sans toutefois compromettre le fonctionnement du navire ou de l'aéronef, décider si l'employé peut cesser d'utiliser ou de faire fonctionner la machine ou la chose en question, de travailler dans ce lieu ou d'accomplir la tâche, et informer l'employé de sa décision.

(4) Interdiction du refus — L'employé qui, en application du paragraphe (3), est informé qu'il ne peut cesser d'utiliser ou de faire fonctionner la machine ou la chose, de travailler dans le lieu ou d'accomplir la tâche, ne peut, pendant que le navire ou l'aéronef où il travaille est en service, se prévaloir du droit de refus prévu au présent article.

(5) Définition de « en service » — Pour l'application des paragraphes (3) et (4), un navire ou un aéronef sont en service, respectivement:

a) entre le démarrage du quai d'un port canadien ou étranger et l'amarrage subséquent à un quai canadien;

b) entre le moment où il se déplace par ses propres moyens en vue de décoller d'un point donné, au Canada ou à l'étranger, et celui où il s'immobilise une fois arrivé à sa première destination canadienne.

(6) Rapport à l'employeur — L'employé qui se prévaut des dispositions du paragraphe (1) ou qui en est empêché en vertu du paragraphe (4) fait sans délai rapport sur la question à son employeur.

(7) Option de l'employé — L'employé informe alors l'employeur, selon les modalités — de temps et autres — éventuellement prévues par règlement, de son intention de se prévaloir du présent article ou des dispositions d'une convention collective traitant du refus de travailler en cas de danger. Le choix de l'employé est, sauf accord à l'effet contraire avec l'employeur, irrévocable.

(7.1) Enquête par l'employeur — Saisi du rapport fait en application du paragraphe (6), l'employeur fait enquête sans délai en présence de l'employé. Dès qu'il l'a terminée, il rédige un rapport dans lequel figurent les résultats de son enquête.

(8) Mesures à prendre par l'employeur — Si, à la suite de son enquête, l'employeur reconnaît l'existence du danger, il prend sans délai les mesures qui s'imposent pour protéger les employés; il informe le comité local ou le représentant de la situation et des mesures prises.

(9) Maintien du refus — En l'absence de règlement de la situation au titre du paragraphe (8), l'employé, s'il y est fondé aux termes du présent article, peut maintenir son refus; il présente sans délai à l'employeur et au comité local ou au représentant un rapport circonstancié à cet effet.

(10) Enquête sur le maintien du refus — Si le rapport prévu au paragraphe (9) est présenté au comité local, ce dernier désigne deux de ses membres — l'un, parmi ceux choisis au titre de l'alinéa 135.1(1)b), représentant les employés, l'autre, parmi ceux n'ayant pas été ainsi choisis, représentant l'employeur — pour faire enquête à ce sujet sans délai et en présence de l'employé; si ce rapport est présenté au représentant, celui-ci fait enquête sans délai en présence de l'employé et d'une personne désignée par l'employeur.

(10.1) Rapport — Une fois que leur enquête est terminée, les membres du comité local désignés en vertu du paragraphe (10) ou le représentant présentent sans délai un rapport écrit à l'employeur dans lequel figurent les résultats de leur enquête et, s'il y a lieu, leurs recommandations.

(10.2) Renseignements complémentaires — Après avoir reçu un rapport au titre du paragraphe (10.1) ou du présent paragraphe, l'employeur peut fournir à son auteur des renseignements complémentaires et lui demander de réviser son rapport en les prenant en considération. Si l'auteur du rapport l'estime approprié, il peut alors lui présenter un rapport révisé à la lumière de ces renseignements.

(11) Rapports multiples — Lorsque plusieurs employés ont présenté à leur employeur des rapports au même effet, ils peuvent désigner l'un d'entre eux pour agir en leur nom dans le cadre de l'enquête.

(12) Absence de l'employé — L'employeur, les membres du comité local ou le représentant peuvent poursuivre leur enquête en l'absence de l'employé lorsque ce dernier ou celui qui a été désigné au titre du paragraphe (11) décide de ne pas y assister.

(13) Décision de l'employeur — Après avoir reçu un rapport au titre des paragraphes (10.1) ou (10.2) et tenu compte des recommandations, l'employeur, s'il n'a pas l'intention de fournir des renseignements complémentaires en vertu du paragraphe (10.2), prend l'une ou l'autre des décisions suivantes :

a) il reconnaît l'existence du danger;

b) il reconnaît l'existence du danger mais considère que les circonstances prévues aux alinéas (2)a) ou b) sont applicables;

c) il conclut à l'absence de danger.

(14) Décision — alinéa (13)a) — S'il reconnaît l'existence du danger en vertu de l'alinéa (13)a), l'employeur prend sans délai les mesures qui s'imposent pour protéger les employés; il informe le comité local ou le représentant de la situation et des mesures prises.

(15) Décision — alinéas (13)b) ou c) — S'il prend la décision visée aux alinéas (13)b) ou c), l'employeur en informe l'employé par écrit. L'employé qui est en désaccord avec cette décision peut maintenir son refus, sous réserve des paragraphes 129(1.2), (1.3), (6) et (7).

(16) Information au ministre — Si l'employé maintient son refus en vertu du paragraphe (15), l'employeur informe immédiatement le ministre et le comité local ou le représentant de sa décision et du maintien du refus. Il fait également parvenir au ministre une copie du rapport qu'il a rédigé en application du paragraphe (7.1) ainsi que de tout rapport visé aux paragraphes (10.1) ou (10.2).

L.R.C. (1985), ch. 9 (1er suppl.), art. 4; 2000, ch. 20, art. 10; 2013, ch. 40, art. 181(1), (2), (4)

128.1 (1) Autres employés touchés — Sous réserve des dispositions de toute convention collective ou de tout autre accord applicable, en cas d'arrêt du travail découlant de l'application des articles 127.1, 128 ou 129 ou du paragraphe 145(2), les employés touchés sont réputés, pour le calcul de leur salaire et des avantages qui y sont rattachés, être au travail jusqu'à l'expiration de leur quart normal de travail ou, si elle survient avant, la reprise du travail.

(2) Quarts de travail subséquents — Sous réserve des dispositions de toute convention collective ou de tout autre accord applicable, et à moins d'avoir été avertis, au moins une heure avant le début de leur quart de travail, de ne pas se présenter au travail, les employés censés travailler pendant un quart de travail postérieur à celui où a eu lieu l'arrêt du travail sont réputés, pour le calcul de leur salaire et des avantages qui y sont rattachés, être au travail pendant leur quart normal de travail.

(3) Affectation à d'autres tâches — L'employeur peut affecter à d'autres tâches convenables les employés réputés être au travail par application des paragraphes (1) ou (2).

(4) Remboursement — Sous réserve des dispositions de toute convention collective ou de tout autre accord applicable, l'employé qui a touché son salaire et les avantages qui y sont rattachés dans les circonstances visées aux paragraphes (1) ou (2) peut être tenu de les rembourser à son employeur s'il est établi, après épuisement de tous les recours de l'employé qui s'est prévalu des droits prévus aux articles 128 ou 129, que celui-ci savait que les circonstances ne le justifiaient pas.

2000, ch. 20, art. 10

129. (1) Enquête du ministre — Le ministre, s'il est informé de la décision de l'employeur et du maintien du refus en application du paragraphe 128(16), effectue une enquête sur la question sauf s'il est d'avis :

a) soit que l'affaire pourrait avantageusement être traitée, dans un premier temps ou à toutes les étapes, dans le cadre de procédures prévues aux parties I ou III ou sous le régime d'une autre loi fédérale;

b) soit que l'affaire est futile, frivole ou vexatoire;

c) soit que le maintien du refus de l'employé en vertu du paragraphe 128(15) est entaché de mauvaise foi.

(1.1) Avis de décision de ne pas enquêter — Si le ministre ne procède pas à une enquête, il en informe l'employeur et l'employé, par écrit, aussitôt que possible. L'employeur en informe alors par écrit, selon le cas, les membres du comité local désignés en application du paragraphe 128(10) ou le représentant et la personne désignée par l'employeur en application de ce paragraphe.

(1.2) Retour au travail — Une fois qu'il est informé de la décision du ministre de ne pas effectuer une enquête, l'employé n'est plus fondé à maintenir son refus en vertu du paragraphe 128(15).

(1.3) **Refus de travailler durant l'enquête** — Si le ministre procède à une enquête, l'employé peut continuer de refuser, pour la durée de celle-ci, d'utiliser ou de faire fonctionner la machine ou la chose, de travailler dans le lieu ou d'accomplir la tâche qui pourrait présenter un danger.

(1.4) **Personnes présentes durant l'enquête** — Lorsqu'il procède à une enquête, le ministre peut le faire en présence de l'employeur, de l'employé et d'un membre du comité local ayant été choisi par les employés ou du représentant, selon le cas, ou, à défaut, de tout employé du même lieu de travail que désigne l'employé intéressé.

(2) **Rapports multiples** — Si l'enquête touche plusieurs employés, ceux-ci peuvent désigner l'un d'entre eux pour agir en leur nom dans le cadre de l'enquête.

(3) **Absence volontaire** — Le ministre peut procéder à l'enquête en l'absence de toute personne mentionnée aux paragraphes (1.4) ou (2) qui décide de ne pas y assister.

(3.1) **Précédents** — Dans le cadre de son enquête, le ministre vérifie l'existence d'enquêtes, passées ou en cours, touchant le même employeur et portant pour l'essentiel sur les même questions. Il peut :

a) se baser sur les conclusions des enquêtes précédentes pour décider de l'existence ou non d'un danger;

b) procéder à la fusion des enquêtes en cours et rendre une seule décision.

(4) **Décision du ministre** — Au terme de l'enquête, le ministre prend l'une ou l'autre des décisions visées aux alinéas 128(13)a) à c) et informe aussitôt par écrit l'employeur et l'employé de sa décision.

(5) **Continuation du travail** — Si l'employé s'est prévalu du droit prévu au paragraphe (1.3), l'employeur peut, durant l'enquête et tant que le ministre n'a pas rendu sa décision, exiger la présence de cet employé en un lieu sûr près du lieu en cause ou affecter celui-ci à d'autres tâches convenables. Il ne peut toutefois affecter un autre employé au poste du premier que si les conditions suivantes sont réunies :

a) cet employé a les compétences voulues;

b) il a fait part à cet employé du refus de son prédécesseur et des motifs du refus;

c) il croit, pour des motifs raisonnables, que le remplacement ne constitue pas un danger pour cet employé.

(6) **Instructions du ministre** — S'il prend la décision visée à l'alinéa 128(13)a), le ministre donne, en application du paragraphe 145(2), les instructions qu'il juge indiquées. L'employé peut maintenir son refus jusqu'à l'exécution des instructions ou leur modification ou annulation dans le cadre de la présente partie.

(7) **Appel** — Si le ministre prend la décision visée aux alinéas 128(13)b) ou c), l'employé ne peut se prévaloir de l'article 128 ou du présent article pour maintenir son refus; il peut toutefois — personnellement ou par l'entremise de la personne qu'il désigne à cette fin — appeler par écrit de la décision à un agent d'appel dans un délai de dix jours à compter de la réception de celle-ci.

Modification proposée — 129(7)

(7) **Appel** — Si l'agent conclut à l'absence de danger, l'employé ne peut se prévaloir de l'article 128 ou du présent

article pour maintenir son refus; il peut toutefois — personnellement ou par l'entremise de la personne qu'il désigne à cette fin — appeler de la décision en déposant un avis d'appel auprès du ministre dans les dix jours qui suivent la date où il reçoit celle-ci.

2010, ch. 12, art. 2173 [Non en vigueur à la date de publication.]

L.R.C. (1985), ch. 9 (1er suppl.), art. 4; 1993, ch. 42, art. 7; 2000, ch. 20, art. 10; 2013, ch. 40, art. 182

130. Primauté éventuelle de la convention collective — Sur demande conjointe des parties à une convention collective, le ministre peut, s'il est convaincu que les dispositions de cette convention sont au moins aussi efficaces que celles des articles 128 et 129 pour protéger la santé et la sécurité des employés contre tout danger, soustraire ceux-ci à l'application de ces articles pendant la période de validité de la convention collective.

L.R. (1985), ch. 9 (1er suppl.), art. 4; 2000, ch. 20, art. 10

[Intertitre abrogé, L.R.C. (1985), ch. 9 (1er suppl.), art. 4.]

131. Maintien des autres recours — Le fait qu'un employeur ou un employé se soit conformé ou non à quelque disposition de la présente partie n'a pas pour effet de porter atteinte au droit de l'employé de se faire indemniser aux termes d'une loi portant sur l'indemnisation des employés en cas de maladie professionnelle ou d'accident du travail, ni de modifier la responsabilité ou les obligations qui incombent à l'employeur ou à l'employé aux termes d'une telle loi.

L.R.C. (1985), ch. 9 (1er suppl.), art. 4; 2000, ch. 20, art. 10

[Intertitre abrogé, L.R.C. (1985), ch. 9 (1er suppl.), art. 4.]

Employées enceintes ou allaitantes

[Intertitre ajouté, 2000, ch. 20, art. 10.]

132. (1) Cessation des tâches — Sans préjudice des droits conférés par l'article 128 et sous réserve des autres dispositions du présent article, l'employée enceinte ou allaitant un enfant peut cesser d'exercer ses fonctions courantes si elle croit que la poursuite de tout ou partie de celles-ci peut, en raison de sa grossesse ou de l'allaitement, constituer un risque pour sa santé ou celle du foetus ou de l'enfant. Une fois qu'il est informé de la cessation, et avec le consentement de l'employée, l'employeur en informe le comité local ou le représentant.

(2) Consultation d'un médecin — L'employée doit, dans les meilleurs délais, faire établir l'existence du risque par le médecin — au sens de l'article 166 — de son choix.

(3) Disposition non applicable — Sans préjudice des droits prévus par les autres dispositions de la présente loi, les dispositions de toute convention collective ou de tout autre accord ou les conditions d'emploi applicables, l'employée ne peut plus se prévaloir du paragraphe (1) dès lors que le médecin en vient à une décision concernant l'existence ou l'absence du risque.

(4) Réaffectation — Pendant la période où l'employée se prévaut du paragraphe (1), l'employeur peut, en consultation avec l'employée, affecter celle-ci à un autre poste ne présentant pas le risque mentionné à ce paragraphe.

(5) Statut de l'employée — Qu'elle ait ou non été affectée à un autre poste, l'employée est, pendant cette période, réputée continuer à occuper son poste et à en exercer les fonctions, et continue de recevoir le salaire et de bénéficier des avantages qui y sont rattachés.

L.R. (1985), ch. 9 (1er suppl.), art. 4; 2000, ch. 20, art. 10

Plaintes découlant de mesures disciplinaires

[Intertitre ajouté, L.R.C. (1985), ch. 9 (1er suppl.), art. 4. Modifié, 2000, ch. 20, art. 10.]

133. (1) Plainte au Conseil — L'employé — ou la personne qu'il désigne à cette fin — peut, sous réserve du paragraphe (3), présenter une plainte écrite au Conseil au motif que son employeur a pris, à son endroit, des mesures contraires à l'article 147.

(2) Délai relatif à la plainte — La plainte est adressée au Conseil dans les quatre-vingt-dix jours suivant la date où le plaignant a eu connaissance — ou, selon le Conseil, aurait dû avoir connaissance — de l'acte ou des circonstances y ayant donné lieu.

(3) Restriction — Dans les cas où la plainte découle de l'exercice par l'employé des droits prévus aux articles 128 ou 129, sa présentation est subordonnée, selon le cas, à l'observation du paragraphe 128(6) par l'employé ou à la réception par le ministre des rapports visés au paragraphe 128(16).

(4) Exclusion de l'arbitrage — Malgré toute règle de droit ou toute convention à l'effet contraire, l'employé ne peut déférer sa plainte à l'arbitrage.

(5) Fonctions et pouvoirs du Conseil — Sur réception de la plainte, le Conseil peut aider les parties à régler le point en litige; s'il décide de ne pas le faire ou si les parties ne sont pas parvenues à régler l'affaire dans le délai qu'il juge raisonnable dans les circonstances, il l'instruit lui-même.

(6) Charge de la preuve — Dans les cas où la plainte découle de l'exercice par l'employé des droits prévus aux articles 128 ou 129, sa seule présentation constitue une preuve de la contravention; il incombe dès lors à la partie qui nie celle-ci de prouver le contraire.

L.R. (1985), ch. 9 (1er suppl.), art. 4; 2000, ch. 20, art. 10; 2013, ch. 40, art. 183

134. Ordonnances du Conseil — S'il décide que l'employeur a contrevenu à l'article 147, le Conseil peut, par ordonnance, lui enjoindre de mettre fin à la contravention et en outre, s'il y a lieu:

a) de permettre à tout employé touché par la contravention de reprendre son travail;

b) de réintégrer dans son emploi tout ancien employé touché par la contravention;

c) de verser à tout employé ou ancien employé touché par la contravention une indemnité équivalant au plus, à son avis, à la rémunération qui lui aurait été payée s'il n'y avait pas eu contravention;

d) d'annuler toute mesure disciplinaire prise à l'encontre d'un employé touché par la contravention et de payer à celui-ci une indemnité équivalant au plus, à son avis, à la sanction pécuniaire ou autre qui lui a été imposée par l'employeur.

L.R. (1985), ch. 9 (1er suppl.), art. 4; 2000, ch. 20, art. 10

Comités d'orientation en matière de santé et de sécurité

[Intertitre ajouté, 2000, ch. 20, art. 10.]

134.1 (1) Constitution obligatoire — L'employeur qui compte habituellement trois cents employés directs ou plus constitue un comité d'orientation chargé d'examiner les questions qui concernent l'entreprise de l'employeur en matière de santé et de sécurité; il en choisit et nomme les membres sous réserve de l'article 135.1.

(2) **Exception** — L'employeur qui compte normalement plus de vingt mais moins de trois cents employés directs peut aussi constituer un comité d'orientation.

(3) **Comités multiples** — L'employeur peut constituer plusieurs comités d'orientation avec l'accord:

a) d'une part, de tout syndicat représentant les employés visés;

b) d'autre part, des employés visés qui ne sont pas représentés par un syndicat.

(4) **Attributions** — Le comité d'orientation:

a) participe à l'élaboration d'orientations et de programmes en matière de santé et de sécurité;

b) étudie et tranche rapidement les questions en matière de santé et de sécurité que soulèvent ses membres ou qui lui sont présentées par un comité local ou un représentant;

c) participe à l'élaboration et au contrôle d'application du programme de prévention des risques professionnels, y compris la formation des employés en matière de santé et de sécurité;

d) participe, dans la mesure où il l'estime nécessaire, aux enquêtes, études et inspections en matière de santé et de sécurité au travail;

e) participe à l'élaboration et au contrôle d'application du programme de fourniture de matériel, d'équipement, de dispositifs et de vêtements de protection personnelle;

f) collabore avec le ministre;

g) contrôle les données sur les accidents du travail, les blessures et les risques pour la santé;

h) participe à la planification de la mise en oeuvre et à la mise en oeuvre effective des changements qui peuvent avoir une incidence sur la santé et la sécurité au travail, notamment sur le plan des procédés et des méthodes de travail.

(5) **Renseignements** — Le comité d'orientation peut exiger de l'employeur les renseignements qu'il juge nécessaires afin de recenser les risques réels ou potentiels que peuvent présenter dans tout lieu de travail relevant de l'employeur les matériaux, les méthodes de travail ou l'équipement qui y sont utilisés ou les tâches qui s'y accomplissent.

(6) **Accès** — Le comité d'orientation a accès sans restriction aux rapports, études et analyses de l'État et de l'employeur sur la santé et la sécurité des employés, ou aux parties de ces documents concernant la santé et la sécurité des employés, l'accès aux dossiers médicaux étant toutefois subordonné au consentement de l'intéressé.

(7) **Réunions** — Le comité d'orientation se réunit au moins une fois tous les trois mois pendant les heures ouvrables, et au besoin — même en dehors des heures ouvrables — en cas d'urgence ou de situation exceptionnelle.

2000, ch. 20, art. 10; 2013, ch. 40, art. 184

Comités locaux de santé et de sécurité

[Intertitre ajouté, L.R.C. (1985), ch. 9 (1er suppl.), art. 4. Modifié, 2000, ch. 20, art. 10.]

135. (1) Constitution obligatoire — Sous réserve des autres dispositions du présent article, l'employeur constitue, pour chaque lieu de travail placé sous son entière autorité et occupant habituellement au moins vingt employés, un comité local chargé d'examiner les questions qui concernent le lieu de travail en matière de santé et de sécurité; il en choisit et nomme les membres sous réserve de l'article 135.1.

(2) **Exception** — L'obligation de l'employeur prévue au paragraphe (1) ne vise pas, dans le cas d'un navire, les employés basés sur celui-ci.

(3) **Exemption autorisée par le ministre** — S'il est convaincu, sur la base des facteurs énumérés au paragraphe (4), que la nature du travail exécuté par les employés présente peu de risques pour la santé et la sécurité, le ministre peut, sur demande présentée par un employeur selon les modalités — de forme et autres — éventuellement prévues par règlement, par arrêté et selon les modalités qui y sont spécifiées, exempter celui-ci de l'application du paragraphe (1) quant au lieu de travail en cause.

(4) **Facteurs** — Les facteurs dont il est question au paragraphe (3) sont les suivants:

a) les risques de blessure ou de maladie professionnelle causée par l'exposition à des substances dangereuses ou à d'autres conditions notoirement associées au genre d'activités exercées dans ce type de lieu de travail;

b) la question de savoir si la nature de l'activité en cause, de même que les méthodes et l'équipement utilisés, comportent relativement peu de risques pour la santé et la sécurité, comparativement à d'autres activités, méthodes et équipements du même genre;

c) l'organisation hiérarchique et matérielle du lieu de travail, notamment le nombre d'employés et les différentes catégories de tâches qui s'y accomplissent;

d) pour l'année civile en cours et les deux années civiles précédentes:

(i) le nombre de blessures invalidantes en fonction du nombre d'heures travaillées,

(ii) la survenance d'événements ayant une incidence grave sur la santé et la sécurité,

(iii) toute instruction donnée par suite de la contravention des alinéas 125(1)c), z.10) ou z.11), ou encore de la contravention d'autres dispositions de la présente partie ayant eu des conséquences graves quant au lieu de travail.

(5) **Affichage de la demande** — La demande d'exemption doit être affichée, en un ou plusieurs endroits bien en vue et fréquentés par les employés, jusqu' à ce que ceux-ci aient été informés de la décision du ministre à cet égard.

(6) **Convention collective** — Si, aux termes d'une convention collective ou d'un autre accord conclu entre l'employeur et ses employés, il existe déjà un comité qui, selon le ministre, s'occupe suffisamment des questions de santé et de sécurité dans le lieu de travail en cause pour qu'il soit inutile de constituer un comité local, les dispositions suivantes s'appliquent :

a) le ministre peut, par écrit, exempter l'employeur de l'application du paragraphe (1) quant à ce lieu de travail;

b) le comité existant est investi, en plus des droits, fonctions, pouvoirs, privilèges et obligations prévus dans la convention ou l'accord, de ceux qui sont prévus par la présente partie;

c) ce comité est, pour l'application de la présente partie, réputé constitué en vertu du paragraphe (1), les dispositions de la présente partie relatives au comité local et aux droits et obligations des employeurs et des employés à son égard s'y appliquant, avec les adaptations nécessaires.

(7) **Attributions du comité** — Le comité local, pour ce qui concerne le lieu de travail pour lequel il a été constitué:

a) étudie et tranche rapidement les plaintes relatives à la santé et à la sécurité des employés;

b) participe à la mise en oeuvre et au contrôle d'application du programme mentionné à l'alinéa 134.1(4)c);

c) en ce qui touche les risques professionnels propres au lieu de travail et non visés par le programme mentionné à l'alinéa 134.1(4)c), participe à l'élaboration, à la mise en oeuvre et au contrôle d'application d'un programme de prévention de ces risques, y compris la formation des employés en matière de santé et de sécurité concernant ces risques;

d) en l'absence de comité d'orientation, participe à l'élaboration, à la mise en oeuvre et au contrôle d'application du programme de prévention des risques professionnels, y compris la formation des employés en matière de santé et de sécurité;

e) participe à toutes les enquêtes, études et inspections en matière de santé et de sécurité des employés, et fait appel, en cas de besoin, au concours de personnes professionnellement ou techniquement qualifiées pour le conseiller;

f) participe à la mise en oeuvre et au contrôle d'application du programme de fourniture de matériel, d'équipement, de dispositifs ou de vêtements de protection personnelle et, en l'absence de comité d'orientation, à son élaboration;

g) veille à ce que soient tenus des dossiers suffisants sur les accidents du travail, les blessures et les risques pour la santé, et vérifie régulièrement les données qui s'y rapportent;

h) collabore avec le ministre;

i) participe à la mise en oeuvre des changements qui peuvent avoir une incidence sur la santé et la sécurité au travail, notamment sur le plan des procédés et des méthodes de travail et, en l'absence de comité d'orientation, à la planification de la mise en oeuvre de ces changements;

j) aide l'employeur à enquêter sur l'exposition des employés à des substances dangereuses et à apprécier cette exposition;

k) inspecte chaque mois tout ou partie du lieu de travail, de façon que celui-ci soit inspecté au complet au moins une fois par année;

l) en l'absence de comité d'orientation, participe à l'élaboration d'orientations et de programmes en matière de santé et de sécurité.

(8) **Renseignements** — Le comité local, pour ce qui concerne le lieu de travail pour lequel il a été constitué, peut exiger de l'employeur les renseignements qu'il juge nécessaires afin de recenser les risques réels ou potentiels que peuvent présenter les matériaux, les méthodes de travail ou l'équipement qui y sont utilisés ou les tâches qui s'y accomplissent.

(9) **Accès** — Le comité local, pour ce qui concerne le lieu de travail pour lequel il a été constitué, a accès sans restriction aux rapports, études et analyses de l'État et de l'employeur sur la santé et la sécurité des employés, ou aux parties de ces documents concernant la

santé et la sécurité des employés, l'accès aux dossiers médicaux étant toutefois subordonné au consentement de l'intéressé.

(10) Réunions du comité — Le comité local se réunit au moins neuf fois par année à intervalles réguliers pendant les heures ouvrables, et au besoin — même en dehors des heures ouvrables — en cas d'urgence ou de situation exceptionnelle.

L.R.C. (1985), ch. 9 (1er suppl.), art. 4; L.R.C. (1985), ch. 26 (4e suppl.), art. 2; 1993, ch. 42, art. 8; 2000, ch. 20, art. 10; 2013, ch. 40, art. 185

Règles communes aux comités d'orientation et aux comités locaux

[Intertitre ajouté, 2000, ch. 20, art. 10.]

135.1 (1) Nomination des membres — Sous réserve des autres dispositions du présent article, le comité d'orientation et le comité local sont composés d'au moins deux personnes. Au moins la moitié des membres doivent être des employés qui:

a) d'une part, n'exercent pas de fonctions de direction;

b) d'autre part, sous réserve des règlements pris en vertu du paragraphe 135.2(1), ont été choisis:

(i) soit par les employés s'ils ne sont pas représentés par un syndicat,

(ii) soit par le syndicat représentant les employés, en consultation avec les employés non représentés par un syndicat.

(2) Exception: comité d'orientation — Par dérogation au paragraphe (1), le comité d'orientation peut, lorsque cela est prévu par les dispositions d'une convention collective ou d'un autre accord, compter parmi ses membres des personnes qui ne sont pas des employés.

(3) Exception: comité local — En l'absence de comité d'orientation, le comité local peut, en vue de traiter une question relevant normalement de la compétence d'un comité d'orientation, s'adjoindre deux membres supplémentaires dont l'un doit, sauf disposition à l'effet contraire d'une convention collective ou d'un autre accord, être un employé répondant aux critères prévus aux alinéas (1)a) et b).

(4) Mise en demeure — Faute par le syndicat de faire la désignation prévue par le sous-alinéa (1)b)(ii), le ministre peut informer par écrit la section locale du syndicat, avec copie à l'employeur et aux bureaux nationaux ou internationaux du syndicat, que le comité ne peut être constitué tant que la désignation n'a pas été faite.

(5) Absence de désignation — Faute par les employés ou le syndicat de faire la désignation prévue à l'alinéa (1)b), les fonctions du comité sont exercées par l'employeur jusqu' à ce que le comité soit constitué.

(6) Membres suppléants — Tant l'employeur que les employés peuvent désigner des suppléants chargés de remplacer, en cas d'empêchement, les membres désignés par eux; les suppléants des membres désignés par les employés ou en leur nom doivent répondre aux critères prévus aux alinéas (1)a) et b).

(7) Présidence — La présidence du comité est assurée par deux personnes choisies parmi les membres, l'une par les membres désignés par les employés ou en leur nom, l'autre par les membres désignés par l'employeur.

(8) Assignation des fonctions — Les fonctions qui incombent au comité sous le régime de la présente partie sont assignées aux membres conjointement par les deux présidents conformément aux règles suivantes:

a) lorsqu'une fonction est assumée par plusieurs membres, au moins la moitié doivent avoir été désignés par les employés ou en leur nom;

b) lorsqu'une fonction est assumée par un seul membre, celui-ci doit avoir été désigné par les employés ou en leur nom.

(9) **Registres** — Le comité veille à la tenue d'un registre précis des questions dont il est saisi ainsi que de procès-verbaux de ses réunions; il les met à la disposition du ministre sur demande de celui-ci.

(10) **Temps nécessaire à l'exercice des fonctions** — Les membres du comité peuvent consacrer, sur leurs heures de travail, le temps nécessaire:

a) à l'exercice de leurs fonctions au comité, notamment pour assister aux réunions;

b) aux fins de préparation et de déplacement, dans la mesure autorisée par les deux présidents.

(11) **Droit au salaire** — Pour le total des heures qu'il consacre à ces activités, l'employé a le droit d'être rémunéré par l'employeur au taux régulier ou majoré selon ce que prévoit la convention collective ou, à défaut, la politique de l'employeur.

(12) **Salaire des suppléants** — Les paragraphes (10) et (11) ne s'appliquent au membre suppléant que dans la mesure où il remplace effectivement un membre du comité.

(13) **Immunité** — La personne qui agit comme membre d'un comité est dégagée de toute responsabilité personnelle en ce qui concerne les actes ou omissions faits de bonne foi dans l'exercice effectif ou censé tel des pouvoirs qui lui sont conférés sous le régime de la présente partie.

(14) **Règles du comité** — Sous réserve des paragraphes 134.1(7) et 135(10) et des règlements pris en vertu du paragraphe 135.2(1), le comité établit ses propres règles quant à la durée du mandat de ses membres — au maximum deux ans —, ainsi qu'à la date, au lieu et à la périodicité de ses réunions; il peut en outre établir toute autre règle qu'il estime utile à son fonctionnement.

2000, ch. 20, art. 10; 2013, ch. 40, art. 186

135.2 (1) **Règlements** — Le gouverneur en conseil peut, par règlement, préciser:

a) les qualités requises des membres du comité et la durée de leur mandat;

b) la date et le lieu des réunions ordinaires du comité;

c) le mode de sélection des membres désignés par les employés non représentés par un syndicat;

d) le mode de sélection et la durée du mandat des présidents du comité;

e) les règles qu'il estime utiles au fonctionnement du comité;

f) les personnes qui doivent fournir et recevoir copie des procès-verbaux des réunions du comité;

g) la personne à qui le comité doit présenter, en la forme et dans le délai réglementaires, son rapport d'activité annuel;

h) les modalités d'exercice des attributions du comité.

(2) **Application générale ou particulière** — Les règlements pris en vertu du paragraphe (1) peuvent être d'application générale ou viser plus spécifique-

ment un ou plusieurs comités, ou encore une ou plusieurs catégories d'entre eux.

2000, ch. 20, art. 10

Représentants en matière de santé et de sécurité

[Intertitre ajouté, 2000, ch. 20, art. 10.]

136. (1) Nomination — L'employeur nomme un représentant pour chaque lieu de travail placé sous son entière autorité et occupant habituellement moins de vingt employés ou pour lequel il n'est pas tenu de constituer un comité local.

(2) Sélection — Le représentant est choisi, en leur sein:

a) soit par les employés du lieu de travail qui n'exercent pas de fonctions de direction;

b) soit, s'ils sont représentés par un syndicat, par celui-ci après consultation des employés qui ne sont pas représentés et sous réserve des règlements pris en vertu du paragraphe (9).

Les employés ou le syndicat, selon le cas, communiquent par écrit à l'employeur le nom de la personne choisie.

(3) Mise en demeure — Faute par le syndicat de faire la désignation prévue au paragraphe (2), le ministre peut en informer par écrit la section locale du syndicat, avec copie à l'employeur et aux bureaux nationaux ou internationaux du syndicat.

(4) Absence de désignation — Les fonctions du représentant sont exercées par l'employeur jusqu'à ce que soit faite la désignation prévue au paragraphe (2).

(5) Fonctions d'un représentant — Le représentant, pour ce qui concerne le lieu de travail pour lequel il est nommé:

a) étudie et tranche rapidement les plaintes relatives à la santé et à la sécurité des employés;

b) veille à ce que soient tenus des dossiers suffisants sur les accidents du travail, les blessures et les risques pour la santé, ainsi que sur le sort des plaintes des employés en matière de santé et de sécurité, et vérifie régulièrement les données qui s'y rapportent;

c) tient au besoin avec l'employeur des réunions ayant pour objet la santé et la sécurité au travail;

d) participe à la mise en oeuvre et au contrôle d'application du programme mentionné à l'alinéa 134.1(4)c);

e) en ce qui touche les risques professionnels propres au lieu de travail et non visés par le programme mentionné à l'alinéa 134.1(4)c), participe à l'élaboration, à la mise en oeuvre et au contrôle d'application d'un programme de prévention de ces risques, y compris la formation des employés en matière de santé et de sécurité concernant ces risques;

f) en l'absence de comité d'orientation, participe à l'élaboration, à la mise en oeuvre et au contrôle d'application du programme de prévention des risques professionnels, y compris la formation des employés en matière de santé et de sécurité;

g) participe à toutes les enquêtes, études et inspections en matière de santé et de sécurité des employés et fait appel, en cas de besoin, au concours de personnes professionnellement ou techniquement qualifiées pour le conseiller;

h) collabore avec le ministre;

i) participe à la mise en oeuvre des changements qui peuvent avoir une incidence sur la santé et la sécurité au travail, notamment sur le plan des procédés et des méthodes de travail et, en l'absence de comité d'orientation, à la planification de la mise en oeuvre de ces changements;

j) inspecte chaque mois tout ou partie du lieu de travail, de façon que celui-ci soit inspecté au complet au moins une fois par année;

k) participe à l'élaboration d'orientations et de programmes en matière de santé et de sécurité;

l) aide l'employeur à enquêter sur l'exposition des employés à des substances dangereuses et à apprécier cette exposition;

m) participe à la mise en oeuvre et au contrôle d'application du programme de fourniture de matériel, d'équipement, de dispositifs ou de vêtements de protection personnelle et, en l'absence de comité d'orientation, à son élaboration.

(6) **Renseignements** — Le représentant, pour ce qui concerne le lieu de travail pour lequel il a été nommé, peut exiger de l'employeur les renseignements qu'il juge nécessaires afin de recenser les risques réels ou potentiels que peuvent présenter les matériaux, les méthodes de travail ou l'équipement qui y sont utilisés ou les tâches qui s'y accomplissent.

(7) **Accès** — Le représentant, pour ce qui concerne le lieu de travail pour lequel il a été nommé, a accès sans restriction aux rapports, études et analyses de l'État et de l'employeur sur la santé et la sécurité des employés, ou aux parties de ces documents concernant la santé et la sécurité des employés, l'accès aux dossiers médicaux étant toutefois subordonné au consentement de l'intéressé.

(8) **Temps nécessaire à l'exercice des fonctions** — Le représentant peut consacrer, sur ses heures de travail, le temps nécessaire:

a) à l'exercice de ses fonctions à ce titre;

b) aux fins de préparation et de déplacement, dans la mesure autorisée par les deux présidents du comité d'orientation ou, à défaut, par l'employeur.

(9) **Droit au salaire** — Pour le total des heures qu'il consacre à ces activités, le représentant a le droit d'être rémunéré par l'employeur au taux régulier ou majoré selon ce que prévoit la convention collective ou, à défaut, la politique de l'employeur.

(10) **Immunité** — Le représentant est dégagé de toute responsabilité personnelle en ce qui concerne les actes ou omissions faits de bonne foi dans l'exercice effectif ou censé tel des pouvoirs que lui confère le présent article.

(11) **Règlements** — Le gouverneur en conseil peut, par règlement, préciser:

a) les qualités requises du représentant et la durée de son mandat;

b) son mode de sélection dans les cas où les employés ne sont pas représentés par un syndicat;

c) les modalités d'exercice de ses attributions.

L.R.C. (1985), ch. 9 (1er suppl.), art. 4; 2000, ch. 20, art. 10; 2013, ch. 40, art. 187

137. Comités ou représentants pour certains lieux de travail — S'il exerce une entière autorité sur plusieurs lieux de travail ou si la taille ou la nature de son exploitation ou du lieu de travail sont telles qu'un seul comité local ou un seul représentant, selon le cas, ne peut suffire à la tâche, l'employeur, avec l'approbation du ministre ou sur ses instructions, constitue un comité local ou nomme un représentant, en conformité avec les articles 135 ou 136, selon le cas, pour les lieux de travail visés par l'approbation ou les instructions.

L.R.C. (1985), ch. 9 (1er suppl.), art. 4; 2000, ch. 20, art. 10; 2013, ch. 40, art. 188

Commission de la sécurité dans les mines de charbon

[Intertitre ajouté, L.R.C. (1985), ch. 26 (4e suppl.), art. 3.]

137.1 (1) Constitution de la Commission — Est constituée la Commission de la sécurité dans les mines de charbon, ci-après dénommée la « Commission », composée, sous réserve du paragraphe (2.1), d'au plus cinq commissaires nommés à titre amovible par le ministre.

(2) Commissaires — L'un des commissaires est nommé président par le ministre et les autres représentent, en nombre égal, d'une part, les employés des mines de charbon n'exerçant pas de fonctions de surveillance et, d'autre part, leurs employeurs.

(2.1) Président suppléant — Le ministre peut par arrêté, aux conditions qui y sont fixées, nommer un président suppléant chargé d'agir en cas d'absence ou d'empêchement du président; le suppléant est, lorsqu'il est en fonction, investi des attributions — notamment en matière d'immunité — du président.

(3) Mandat et sélection — La durée du mandat des commissaires et leur mode de sélection, à l'exception de celui du président et du président suppléant, peuvent être fixés par règlement.

(4) Quorum — Le quorum de la Commission est constitué par le président — ou le président suppléant —, un commissaire représentant les employés visés au paragraphe (2) et un commissaire représentant les employeurs.

(5) Fonctions incompatibles — Aucune personne à qui des attributions ont été déléguées par le ministre en vertu du paragraphe 140(1) ou d'un accord conclu en vertu du paragraphe 140(2) ne peut exercer la charge de commissaire, celle de président suppléant visée au paragraphe (2.1) ou celle de délégué visée aux paragraphes 137.2(1) ou (2).

(6) Rémunération — Les commissaires — y compris le président suppléant — reçoivent la rémunération qui peut être fixée par le gouverneur en conseil et ont droit, sous réserve de l'approbation du Conseil du Trésor, aux frais de déplacement et de séjour entraînés par l'accomplissement de leurs fonctions hors du lieu de leur résidence habituelle.

(7) Règlement administratif — La Commission peut, avec l'approbation du ministre et par règlement administratif, régir la conduite de ses travaux.

(8) Assistance — Le ministre peut, à la demande de la Commission, mettre à la disposition de cette dernière le personnel et l'assistance nécessaires à l'exercice de ses activités.

(9) Rapport annuel — La Commission, dans les soixante premiers jours de chaque année civile, présente au ministre son rapport d'activité pour l'année précédente.

(10) Immunité — Les commissaires et les personnes déléguées en vertu des paragraphes 137.2(1) ou (2) ne peuvent être tenus responsables pour leurs actes ou omissions accomplis de bonne foi en vertu de l'article 137.2.

L.R.C. (1985), ch. 26 (4e suppl.), art. 3; 2000, ch. 20, art. 11(1); 2013, ch. 40, art. 189

137.2 Approbation des plans et procédures — **(1)** La Commission ou toute personne qu'elle délègue à cette fin peut approuver par écrit, avec ou sans modifications, les plans ou procédures visés à l'alinéa 125.3(1)d).

(2) **Approbation des méthodes, machines ou appareils miniers** — La Commission ou toute personne qu'elle délègue à cette fin peut, sur demande de l'employeur et si elle estime que la santé et la sécurité des employés n'en seront pas pour autant compromises :

a) donner, par écrit, son approbation à l'utilisation par l'employeur dans des mines de charbon de méthodes, de machines ou d'appareils miniers auxquels aucune norme de sécurité réglementaire n'est applicable;

b) par dérogation à la présente partie, donner, par écrit, son approbation à l'utilisation par l'employeur dans des mines de charbon, pour une période et sous réserve de conditions déterminées, de méthodes, de machines ou d'appareils miniers qui ne satisfont pas aux normes de sécurité réglementaires applicables.

(3) **Exemption de l'application des règlements** — La Commission peut, par ordonnance, sur demande de l'employeur et si elle estime que la santé et la sécurité des employés n'en seront pas pour autant compromises :

a) dispenser, sous réserve des conditions spécifiées dans l'ordonnance, l'employeur de l'observation des dispositions des règlements dans l'exploitation des mines de charbon placées sous son entière responsabilité;

b) substituer à une disposition des règlements, dans la mesure où elle a trait à des mines de charbon placées sous l'entière responsabilité de l'employeur, une autre disposition ayant sensiblement les mêmes objet et effet.

(4) **Proposition de modifications des règlements** — La Commission peut faire au ministre des propositions de modification ou d'abrogation de dispositions des règlements applicables aux mines de charbon ou d'adjonction de dispositions à ceux-ci.

L.R.C. (1985), ch. 26 (4e suppl.), art. 3; 2000, ch. 20, art. 12

Exécution

138. (1) **Comités spéciaux** — Le ministre peut constituer des comités chargés de l'aider ou de le conseiller sur les questions qu'il juge utiles et qui touchent la santé et la sécurité au travail dans le cadre des emplois régis par la présente partie.

(1.1) **Rémunération et frais** — Les membres de ces comités peuvent, à la discrétion du ministre, recevoir la rémunération qui peut être fixée par celui-ci, de même que, sous réserve des lignes directrices du Conseil du Trésor, les frais de déplacement et de séjour entraînés par l'accomplissement de leurs fonctions hors du lieu de leur résidence habituelle.

(2) **Enquêtes** — Le ministre peut faire procéder à une enquête en matière de santé et de sécurité dans le cadre des emplois régis par la présente partie et peut nommer la ou les personnes qui en seront chargées.

(3) **Pouvoirs d'enquête** — La personne nommée conformément au paragraphe (2) est investie des pouvoirs d'un commissaire nommé en application de la partie I de la *Loi sur les enquêtes*.

(4) **Recherche** — Le ministre peut effectuer des recherches sur la cause des accidents du travail et des maladies professionnelles ainsi que sur les moyens de les prévenir, et ce en collaboration,

s'il le juge utile, avec les ministères ou organismes fédéraux, avec les provinces ou certaines d'entre elles, ou encore avec tout organisme effectuant des recherches analogues.

(5) Publication des renseignements — Le ministre peut publier les résultats des recherches visées au paragraphe (4), et compiler, traiter et diffuser des renseignements sur la santé ou la sécurité au travail en découlant ou obtenus autrement.

(6) Programmes de sécurité et de santé au travail — Le ministre peut mettre en oeuvre des programmes en vue de diminuer ou de prévenir les accidents du travail et les maladies professionnelles, et ce en collaboration, s'il le juge utile, avec les ministères ou organismes fédéraux, avec les provinces ou certaines d'entre elles, ou encore avec tout organisme mettant en oeuvre des programmes analogues.

L.R.C. (1985), ch. 9 (1er suppl.), art. 4; 2000, ch. 20, art. 13

[Intertitre abrogé, 2000, ch. 20, art. 14.]

139. (1) Programmes de surveillance médicale — Le ministre peut mettre sur pied des programmes de surveillance médicale et d'examens médicaux en matière de santé et de sécurité au travail, notamment, s'il le juge utile, en collaboration avec les ministères ou organismes fédéraux, avec les provinces ou certaines d'entre elles, ou encore avec tout organisme engagé dans la mise en oeuvre de programmes analogues.

(2) Nomination de médecins — Il peut affecter tout médecin spécialisé en médecine professionnelle à la réalisation de ces programmes.

L.R.C. (1985), ch. 9 (1er suppl.), art. 4; 2000, ch. 20, art. 14

Exercice des pouvoirs du ministre en matière de santé et de sécurité

[Intertitre ajouté, L.R.C. (1985), ch. 9 (1er suppl.), art. 4. Modifié, 2000, ch. 20, art. 14; 2013, ch. 40, art. 190.]

140. (1) Délégation — Le ministre peut, aux conditions et selon les modalités qu'il précise, déléguer à toute personne compétente ou toute catégorie de personnes compétentes les attributions qu'il est autorisé à exercer pour l'application de la présente partie.

(2) Recours aux services des fonctionnaires provinciaux — Sous réserve du paragraphe (3), le ministre peut, avec l'approbation du gouverneur en conseil, conclure avec une province ou un organisme provincial un accord aux termes duquel il peut déléguer à des personnes employées par cette province ou cet organisme, aux conditions qui y sont prévues, les attributions qu'il est autorisé à exercer pour l'application de la présente partie.

(3) Exception — Ne peuvent toutefois faire l'objet de l'accord visé au paragraphe (2) les attributions du ministre qui sont prévues à l'article 130, aux paragraphes 135(3), 137.1(1) à (2.1) et (7) à (9), 137.2(4), 138(1) à (2) et (4) à (6), 140(1), (2) et (4), 144(1) et 149(1), aux articles 152 et 155 et aux paragraphes 156.1(1), 157(3) et 159(2).

(4) Certificat — Le ministre peut remettre à toute personne à qui il a délégué des attributions en vertu du paragraphe (1) ou d'un accord conclu en vertu du paragraphe (2) un certificat attestant sa qualité, que celle-ci présente, lorsqu'elle exerce ces attributions, à toute personne qui lui en fait la demande.

(5) **Immunité** — Toute personne à qui des attributions ont été déléguées par le ministre en vertu du paragraphe (1) ou d'un accord conclu en vertu du paragraphe (2) est dégagée de toute responsabilité personnelle en ce qui concerne les actes ou omissions faits de bonne foi dans l'exercice effectif ou censé tel de ces attributions.

(6) **Responsabilité de Sa Majesté** — Il est toutefois entendu que le paragraphe (5) n'a pas pour effet de dégager Sa Majesté du chef du Canada de la responsabilité civile qu'elle pourrait par ailleurs encourir.

L.R.C. (1985), ch. 9 (1er suppl.), art. 4; 2000, ch. 20, art. 14; 2013, ch. 40, art. 190

141. (1) **Pouvoirs accessoires** — Dans l'exercice de ses fonctions et sous réserve de l'article 143.2, le ministre peut, à toute heure convenable, entrer dans tout lieu de travail placé sous l'entière autorité d'un employeur. En ce qui concerne tout lieu de travail, il peut :

a) effectuer des examens, essais, enquêtes et inspections ou ordonner à l'employeur de les effectuer;

b) procéder, aux fins d'analyse, à des prélèvements de matériaux ou substances ou de tout agent biologique, chimique ou physique;

c) apporter le matériel et se faire accompagner ou assister par les personnes qu'il estime nécessaires;

d) emporter, aux fins d'essais ou d'analyses, toute pièce de matériel ou d'équipement lorsque les essais ou analyses ne peuvent raisonnablement être réalisés sur place;

e) prendre des photographies et faire des croquis;

f) ordonner à l'employeur de faire en sorte que tel endroit ou tel objet ne soit pas dérangé pendant un délai raisonnable en attendant l'examen, l'essai, l'enquête ou l'inspection qui s'y rapporte;

g) ordonner à toute personne de ne pas déranger tel endroit ou tel objet pendant un délai raisonnable en attendant l'examen, l'essai, l'enquête ou l'inspection qui s'y rapporte;

h) ordonner à l'employeur de produire des documents et des renseignements afférents à la santé et à la sécurité de ses employés ou à la sûreté du lieu lui-même et de lui permettre de les examiner et de les reproduire totalement ou partiellement;

i) ordonner à l'employeur ou à un employé de faire ou de fournir des déclarations — en la forme et selon les modalités qu'il peut préciser — à propos des conditions de travail, du matériel et de l'équipement influant sur la santé ou la sécurité des employés;

j) ordonner à l'employeur ou à un employé, ou à la personne que désigne l'un ou l'autre, selon le cas, de l'accompagner lorsqu'il se trouve dans le lieu de travail;

k) avoir des entretiens privés avec toute personne, celle-ci pouvant, à son choix, être accompagnée d'un représentant syndical ou d'un conseiller juridique.

(2) **Instructions données à distance** — Le ministre peut donner les ordres prévus au paragraphe (1) même s'il ne se trouve pas physiquement dans le lieu de travail.

(3) **Remise du matériel et de l'équipement** — Le matériel ou l'équipement emporté en vertu de l'alinéa (1)d) est remis sur demande à l'intéressé dès que les essais ou analyses sont terminés, à moins qu'il ne soit requis dans le cadre de poursuites engagées sous le régime de la présente partie.

(4) **Enquête : mortalité** — Le ministre fait enquête sur tout décès d'employé

qui survient dans le lieu de travail ou pendant que l'employé était au travail ou qui résulte de blessures subies dans les mêmes circonstances.

(5) **Enquête : accident sur la voie publique** — Lorsque le décès résulte d'un accident survenu sur la voie publique et impliquant un véhicule automobile, le ministre doit notamment obtenir dans les meilleurs délais des autorités policières compétentes une copie de tout rapport de police s'y rapportant.

(6) **Rapport** — Dans les dix jours qui suivent l'achèvement du rapport écrit faisant suite à toute enquête qu'il effectue, le ministre en transmet copie à l'employeur et au comité local ou au représentant.

(7) [Abrogé, 2013, ch. 40, art. 191(6).]

(8) [Abrogé, 2013, ch. 40, art. 191(6).]

(9) [Abrogé, 2013, ch. 40, art. 191(6).]

L.R.C. (1985), ch. 9 (1er suppl.), art. 4; 2000, ch. 20, art. 14; 2013, ch. 40, art. 191(1), (4), (6)

141.1 (1) **Inspections** — Les inspections du lieu de travail faites par le ministre doivent, si elles sont effectuées sur le lieu de travail, être faites en présence :

a) soit de deux membres du comité local, l'un ayant été désigné par les employés ou en leur nom et l'autre par l'employeur;

b) soit du représentant et d'une personne désignée par l'employeur.

(2) **Absence des personnes désignées** — Le ministre peut procéder à l'inspection en l'absence de toute personne visée au paragraphe (1) qui décide de ne pas y assister.

2000, ch. 20, art. 14; 2013, ch. 40, art. 192

Généralités

[Intertitre ajouté, 2000, ch. 20, art. 14.]

142. **Obligation d'assistance** — Le responsable du lieu de travail visité ainsi que tous ceux qui y sont employés ou dont l'emploi a un lien avec ce lieu sont tenus de prêter toute l'assistance possible :

a) à l'agent d'appel et au ministre dans l'exercice des fonctions que leur confère la présente partie;

b) à toute personne à qui des attributions ont été déléguées en vertu du paragraphe 140(1) ou d'un accord conclu en vertu du paragraphe 140(2) dans l'exercice de ces attributions.

L.R.C. (1985), ch. 9 (1er suppl.), art. 4; 2000, ch. 20, art. 14; 2013, ch. 40, art. 193

143. **Entrave et fausses déclarations** — Il est interdit de gêner ou d'entraver l'action de l'une ou l'autre des personnes ci-après ou de leur faire, oralement ou par écrit, une déclaration fausse ou trompeuse :

a) l'agent d'appel ou le ministre dans l'exercice des fonctions que leur confère la présente partie;

b) toute personne à qui des attributions ont été déléguées en vertu du paragraphe 140(1) ou d'un accord conclu en vertu du paragraphe 140(2) dans l'exercice de ces attributions.

L.R.C. (1985), ch. 9 (1er suppl.), art. 4; 2000, ch. 20, art. 14; 2013, ch. 40, art. 193

143.1 **Divulgation de renseignements** — Il est interdit d'empêcher un employé de fournir des renseignements à :

a) l'agent d'appel ou au ministre dans l'exercice des fonctions que leur confère la présente partie;

b) toute personne à qui des attributions ont été déléguées en vertu du paragraphe 140(1) ou d'un accord conclu en vertu du paragraphe 140(2) dans l'exercice de ces attributions.

2000, ch. 20, art. 14; 2013, ch. 40, art. 193

143.2 Local d'habitation — Il est interdit à quiconque exerce une fonction qui lui est conférée sous le régime de la présente partie de pénétrer dans un lieu de travail situé dans un local servant d'habitation à un employé sans le consentement de ce dernier.

2000, ch. 20, art. 14

[Intertitre abrogé, L.R.C. (1985), ch. 9 (1er suppl.), art. 4.]

144. (1) Non contraignable — procédure civile ou administrative — Ni la personne à qui des attributions ont été déléguées en vertu du paragraphe 140(1) ou d'un accord conclu en vertu du paragraphe 140(2) ni la personne qui l'accompagne ou l'assiste dans l'exercice de ces attributions ne peuvent être contraintes à témoigner dans une procédure civile ou administrative — autre que celle prévue sous le régime de la présente partie — au sujet des renseignements qu'elles ont obtenus dans l'exercice de ces attributions, sauf avec l'autorisation écrite du ministre, auquel cas l'interdiction prévue au paragraphe (5) ne s'applique pas.

(1.1) Ministre non contraignable — procédure civile ou administrative — Le ministre ne peut être contraint à témoigner dans une procédure civile ou administrative — autre que celle prévue sous le régime de la présente partie — au sujet des renseignements qu'il a obtenus dans l'exercice des attributions qu'il est autorisé à exercer pour l'application de la présente partie, à l'exception de celles qui ne peuvent faire l'objet de l'accord visé au paragraphe 140(2).

(2) Agent d'appel — Ni l'agent d'appel ni la personne qui l'accompagne ou l'assiste dans ses fonctions ne peuvent être contraints à déposer en justice au sujet des renseignements qu'ils ont obtenus dans l'exercice des fonctions qui leur sont conférées sous le régime de la présente partie.

(3) Divulgation interdite — Sous réserve du paragraphe (4), il est interdit au ministre ou à l'agent d'appel qui a été admis dans un lieu de travail en vertu des pouvoirs conférés par l'article 141 — ou à la personne ainsi admise en vertu de tels pouvoirs, lesquels lui ont été délégués en vertu du paragraphe 140(1) ou d'un accord conclu en vertu du paragraphe 140(2) —, ainsi qu'à quiconque l'accompagne, de communiquer à qui que ce soit les renseignements qu'ils y ont obtenus au sujet d'un secret de fabrication ou de commerce, sauf pour l'application de la présente partie ou en exécution d'une obligation légale.

(4) Renseignements confidentiels — Les renseignements pour lesquels un employeur est soustrait, en application de la *Loi sur le contrôle des renseignements relatifs aux matières dangereuses*, à l'obligation de communication prévue dans la présente loi ou la *Loi sur les produits dangereux* et qui sont obtenus sous le régime de l'article 141 dans un lieu de travail sont protégés et ne peuvent, malgré la *Loi sur l'accès à l'information* ou toute autre règle de droit, être communiqués à qui que ce soit, sauf pour l'application de la présente partie.

(5) Interdiction de publication — Sauf pour l'application de la présente partie ou dans le cadre d'une poursuite s'y rapportant, ou si le ministre est convaincu qu'il y va de l'intérêt de la santé et de la sécurité au travail ou de l'intérêt public, il est interdit de publier ou de révéler tout renseignement obtenu dans l'exercice des activités prévues à l'article 141.

(5.01) Facteurs à considérer par le ministre — Le ministre peut notamment être convaincu qu'il y va de l'intérêt de la santé et de la sécurité au travail ou de l'intérêt public lorsque la publication ou la révélation des renseignements est nécessaire pour une enquête de coroner, l'exécution et le contrôle d'application d'une loi fédérale ou provinciale ou l'application d'une loi étrangère ou d'une entente internationale.

(5.1) Renseignements personnels — Si les renseignements visés au paragraphe (5) sont des renseignements au sens de la partie 4 de la *Loi sur le ministère de l'Emploi et du Développement social*, leur communication est régie par cette partie 4.

(6) Communications confidentielles — Les personnes à qui sont communiqués confidentiellement des renseignements obtenus en application de l'article 141 ne peuvent en révéler la source que pour l'application de la présente partie; elles ne peuvent la révéler devant un tribunal judiciaire ou autre, ni y être contraintes.

L.R.C. (1985), ch. 9 (1er suppl.), art. 4; L.R.C. (1985), ch. 24 (3e suppl.), art. 6; 2000, ch. 20, art. 14; 2005, ch. 34, art. 62; 2013, ch. 40, art. 194, 236(1)a); 2014, ch. 13, art. 94, 120; 2014, ch. 20, art. 142, 160

Mesures spéciales de sécurité

145. (1) Cessation d'une contravention — S'il est d'avis qu'une contravention à la présente partie vient d'être commise ou est en train de l'être, le ministre peut donner à l'employeur ou à l'employé en cause l'instruction :

a) d'y mettre fin dans le délai qu'il précise;

b) de prendre, dans les délais précisés, les mesures qu'il précise pour empêcher la continuation de la contravention ou sa répétition.

(1.1) Confirmation par écrit — Il confirme par écrit toute instruction verbale:

a) avant de quitter le lieu de travail si l'instruction y a été donnée;

b) dans les meilleurs délais par courrier ou par fac-similé ou autre mode de communication électronique dans tout autre cas.

(2) Situations dangereuses — S'il estime que l'utilisation d'une machine ou d'une chose, qu'une situation existant dans un lieu ou que l'accomplissement d'une tâche constitue un danger pour un employé au travail, le ministre :

a) en avertit l'employeur et lui enjoint, par instruction écrite, de procéder, immédiatement ou dans le délai qu'il précise, à la prise de mesures propres:

(i) soit à écarter le risque, à corriger la situation ou à modifier la tâche,

(ii) soit à protéger les personnes contre ce danger;

b) peut en outre, s'il estime qu'il est impossible dans l'immédiat de prendre les mesures prévues à l'alinéa a), interdire, par instruction écrite donnée à l'employeur, l'utilisation du lieu, de la machine ou de la chose ou l'accomplissement de la tâche en cause jusqu'à ce que ses instructions aient été exécutées, le présent alinéa n'ayant toutefois pas pour effet d'empêcher toute mesure nécessaire à la mise en oeuvre des instructions.

(2.1) Situation dangereuse : instructions à l'employé — S'il estime que l'utilisation d'une machine ou d'une chose par un employé, qu'une situation existant dans un lieu ou que l'accomplissement d'une tâche par un employé constitue un danger pour cet employé ou pour d'autres employés, le ministre interdit à cet employé, par instruction écrite, en plus de toute instruction donnée en application de l'alinéa (2)a), d'utiliser la machine ou la chose, de travailler dans ce lieu ou d'accomplir la tâche en cause jusqu'à ce que l'employeur se soit conformé aux instructions données en application de cet alinéa.

(3) **Affichage d'un avis de danger** — S'il formule des instructions en application de l'alinéa (2)a), le ministre appose ou fait apposer dans le lieu, sur la machine ou sur la chose en cause, ou à proximité de ceux-ci ou à l'endroit où s'accomplit la tâche visée, un avis de danger en la forme et la teneur qu'il peut préciser. Il est interdit d'enlever l'avis sans l'autorisation du ministre.

(4) **Cessation d'utilisation** — Dans le cas visé à l'alinéa (2)b), l'employeur doit faire cesser l'utilisation du lieu, de la machine ou de la chose en cause, ou l'accomplissement de la tâche visée, et il est interdit à quiconque de s'y livrer tant que les mesures ordonnées par le ministre n'ont pas été prises.

(5) **Copies des instructions et des rapports** — Dès que le ministre donne les instructions écrites visées aux paragraphes (1) ou (2) ou adresse un rapport écrit à un employeur sur un sujet quelconque dans le cadre de la présente partie, l'employeur est tenu :

a) d'en faire afficher une ou plusieurs copies à un endroit bien en vue, accessible à tous les employés;

b) d'en transmettre copie au comité d'orientation et au comité local ou au représentant, selon le cas.

(6) **Transmission au plaignant** — Aussitôt après avoir donné les instructions visées aux paragraphes (1), (2) ou (2.1), ou avoir rédigé le rapport visé au paragraphe (5) en ce qui concerne une enquête qu'il a menée à la suite d'une plainte, le ministre en transmet copie aux personnes dont la plainte est à l'origine de l'enquête.

(7) **Copie à l'employeur** — Aussitôt après avoir donné à un employé les instructions visées aux paragraphes (1) ou (2.1), le ministre en transmet copie à l'employeur.

(8) **Réponse** — Le ministre peut exiger que l'employeur ou l'employé auquel il adresse des instructions en vertu des paragraphes (1), (2) ou (2.1), ou à l'égard duquel il établit le rapport visé au paragraphe (5), y réponde par écrit dans le délai qu'il précise; copie de la réponse est transmise par l'employeur ou l'employé au comité d'orientation et au comité local ou au représentant, selon le cas.

L.R. (1985), ch. 9 (1er suppl.), art. 4; 1993, ch. 42, art. 9; 2000, ch. 20, art. 14; 2013, ch. 40, art. 195(1), (3), (6)–(8)

Appel des décisions et instructions

[Intertitre ajouté, 2000, ch. 20, art. 14.]

145.1 (1) Nomination — Le ministre peut désigner toute personne compétente à titre d'agent d'appel pour l'application de la présente partie.

Modification proposée — 145.1(1)

(1) **Nomination** — Sur réception d'un avis d'appel, le ministre nomme toute personne compétente à titre d'agent d'appel pour mener une enquête et rendre une décision sur l'appel.

2010, ch. 12, art. 2174 [Non en vigueur à la date de publication.]

(2) **Attributions** — Pour l'application des articles 146 à 146.5, l'agent d'appel est investi des mêmes attributions que le ministre sous le régime de la présente partie, à l'exception de celles prévues au paragraphe (1), à l'article 130, aux paragraphes 135(3), 137.1(1) à (2.1) et (7) à (9), 137.2(4), 138(1) à (2) et (4) à (6), 140(1), (2) et (4), 144(1) et 149(1), aux articles 152 et 155 et aux paragraphes 156.1(1), 157(3) et 159(2).

(3) **Immunité** — L'agent d'appel est dégagé de toute responsabilité personnelle en ce qui concerne les actes ou omissions faits de bonne foi dans l'exercice effectif ou censé tel des attributions que lui confère la présente partie.

2000, ch. 20, art. 14; 2013, ch. 40, art. 196

146. (1) **Procédure** — Tout employeur, employé ou syndicat qui se sent lésé par des instructions données par le ministre sous le régime de la présente partie peut, dans les trente jours qui suivent la date où les instructions sont données ou confirmées par écrit, interjeter appel de celles-ci par écrit à un agent d'appel.

Modification proposée — 146(1)

(1) **Procédure** — Tout employeur, employé ou syndicat qui se sent lésé par des instructions données par l'agent de santé et de sécurité en vertu de la présente partie peut, dans les trente jours qui suivent la date où les instructions sont données ou confirmées par écrit, interjeter appel de celles-ci par dépôt d'un avis d'appel auprès du ministre.

2010, ch. 12, art. 2175 [Non en vigueur à la date de publication.]

(2) **Absence de suspension** — À moins que l'agent d'appel n'en ordonne autrement à la demande de l'employeur, de l'employé ou du syndicat, l'appel n'a pas pour effet de suspendre la mise en oeuvre des instructions.

L.R.C. (1985), ch. 9 (1er suppl.), art. 4; 2000, ch. 20, art. 14; 2013, ch. 40, art. 197

146.1 (1) **Enquête** — Saisi d'un appel formé en vertu du paragraphe 129(7) ou de l'article 146, l'agent d'appel mène sans délai une enquête sommaire sur les circonstances ayant donné lieu à la décision ou aux instructions, selon le cas, et sur la justification de celles-ci. Il peut:

Modification proposée — 146.1(1), partie

(1) **Enquête** — Saisi d'un appel formé en vertu du paragraphe 129(7) ou de l'article 146, l'agent d'appel mène sans délai une enquête sommaire sur les circonstances ayant donné lieu à la décision ou aux instructions, selon le cas. Il peut :

2010, ch. 12, art. 2176(1) [Non en vigueur à la date de publication.]

a) soit modifier, annuler ou confirmer la décision ou les instructions;

b) soit donner, dans le cadre des paragraphes 145(2) ou (2.1), les instructions qu'il juge indiquées.

(2) **Décision, motifs et instructions** — Il avise par écrit de sa décision, de ses motifs et des instructions qui en découlent l'employeur, l'employé ou le syndicat en cause; l'employeur en transmet copie sans délai au comité local ou au représentant.

Modification proposée — 146.1(2)

(2) **Décision, motifs et instructions** — Il avise par écrit de sa décision, de ses motifs et des instructions qui en découlent l'employeur, l'employé ou le syndicat en cause dans les quatre-vingt-dix jours qui suivent la clôture de l'enquête menée au titre du paragraphe (1). L'employeur en transmet co-

pie sans délai au comité local ou au représentant.

2010, ch. 12, art. 2176(2) [Non en vigueur à la date de publication.]

(3) **Affichage d'un avis** — Dans le cas visé à l'alinéa (1)b), l'employeur appose ou fait apposer sans délai dans le lieu, sur la machine ou sur la chose en cause, ou à proximité de ceux-ci, un avis en la forme et la teneur précisées par l'agent d'appel. Il est interdit d'enlever l'avis sans l'autorisation de celui-ci.

(4) **Utilisation interdite** — L'interdiction — utilisation d'une machine ou d'une chose, présence dans un lieu ou accomplissement d'une tâche — éventuellement prononcée par l'agent d'appel aux termes de l'alinéa (1)b) reste en vigueur jusqu'à exécution des instructions dont elle est assortie; le présent paragraphe n'a toutefois pas pour effet de faire obstacle à la prise des mesures nécessaires à cette exécution.

2000, ch. 20, art. 14

146.2 Pouvoirs — Dans le cadre de la procédure prévue au paragraphe 146.1(1), l'agent d'appel peut:

Modification proposée — 146.2, partie

146.2 (1) Pouvoirs — Pour les besoins de la procédure prévue au paragraphe 146.1(1), l'agent d'appel peut, sous réserve de tout règlement pris en vertu du paragraphe (2) :

2010, ch. 12, art. 2177(1) [Non en vigueur à la date de publication.]

a) convoquer des témoins et les contraindre à comparaître et à déposer sous serment, oralement ou par écrit, ainsi qu'à produire les documents et les pièces qu'il estime nécessaires pour lui permettre de rendre sa décision;

b) faire prêter serment et recevoir des affirmations solennelles;

c) recevoir sous serment, par voie d'affidavit ou sous une autre forme, tous témoignages et renseignements qu'il juge indiqués, qu'ils soient admissibles ou non en justice;

d) procéder, s'il le juge nécessaire, à l'examen de dossiers ou registres et à la tenue d'enquêtes;

e) suspendre ou remettre la procédure à tout moment;

f) abréger ou proroger les délais applicables à l'introduction de la procédure, à l'accomplissement d'un acte, au dépôt d'un document ou à la présentation d'éléments de preuve;

g) en tout état de cause, accorder le statut de partie à toute personne ou tout groupe qui, à son avis, a essentiellement les mêmes intérêts qu'une des parties et pourrait être concerné par la décision;

h) fixer lui-même sa procédure, sous réserve de la double obligation de donner à chaque partie la possibilité de lui présenter des éléments de preuve et des observations, d'une part, et de tenir compte de l'information contenue dans le dossier, d'autre part;

i) trancher toute affaire ou question sans tenir d'audience;

j) ordonner l'utilisation de modes de télécommunications permettant aux parties et à lui-même de communiquer les uns avec les autres simultanément.

Ajout proposé — 146.2(2)

(2) **Règlements** — Le gouverneur en conseil peut, pour les besoins des procédures prévues au paragraphe 146.1(1), prendre des règlements régissant :

a) leur durée et les règles de pratique et de procédure à suivre;

b) l'imposition de restrictions aux pouvoirs que l'agent d'appel peut exercer en vertu du paragraphe (1);

c) toute question relative à l'efficacité du déroulement des procédures.

2010, ch. 12, art. 2177(2) [Non en vigueur à la date de publication.]

2000, ch. 20, art. 14

146.3 Caractère définitif des décisions — Les décisions de l'agent d'appel sont définitives et non susceptibles de recours judiciaires.

2000, ch. 20, art. 14

146.4 Interdiction de recours extraordinaires — Il n'est admis aucun recours ou décision judiciaire — notamment par voie d'injonction, de *certiorari*, de prohibition ou de *quo warranto* — visant à contester, réviser, empêcher ou limiter l'action de l'agent d'appel exercée dans le cadre de la présente partie.

2000, ch. 20, art. 14

146.5 Salaire — L'employé qui assiste au déroulement d'une procédure engagée en vertu du paragraphe 146.1(1) à titre de partie ou de témoin cité à comparaître a le droit d'être rémunéré par l'employeur à son taux de salaire régulier pour les heures qu'il y consacre et qu'il aurait autrement passées au travail.

2000, ch. 20, art. 14

Mesures disciplinaires

[Intertitre ajouté, 2000, ch. 20, art. 14.]

147. Interdiction générale à l'employeur — Il est interdit à l'employeur de congédier, suspendre, mettre à pied ou rétrograder un employé ou de lui imposer une sanction pécuniaire ou autre ou de refuser de lui verser la rémunération afférente à la période au cours de laquelle il aurait travaillé s'il ne s'était pas prévalu des droits prévus par la présente partie, ou de prendre — ou menacer de prendre — des mesures disciplinaires contre lui parce que:

a) soit il a témoigné — ou est sur le point de le faire — dans une poursuite intentée ou une enquête tenue sous le régime de la présente partie;

b) soit il a fourni à une personne agissant dans l'exercice de fonctions attribuées par la présente partie un renseignement relatif aux conditions de travail touchant sa santé ou sa sécurité ou celles de ses compagnons de travail;

c) soit il a observé les dispositions de la présente partie ou cherché à les faire appliquer.

L.R.C. (1985), ch. 9 (1er suppl.), art. 4; 2000, ch. 20, art. 14

147.1 (1) Abus de droits — À l'issue des processus d'enquête et d'appel prévus aux articles 128 et 129, l'employeur peut prendre des mesures disciplinaires à l'égard de l'employé qui s'est prévalu des droits prévus à ces articles s'il peut prouver que celui-ci a délibérément exercé ces droits de façon abusive.

(2) Motifs écrits — L'employeur doit fournir à l'employé, dans les quinze jours ouvrables suivant une demande à cet effet, les motifs des mesures prises à son égard.

2000, ch. 20, art. 14

Infractions et peines

[Intertitre modifié, L.R.C. (1985), ch. 9 (1er suppl.), art. 4.]

148. (1) Infraction générale — Sous réserve des autres dispositions du présent article, quiconque contrevient à la présente partie commet une infraction et encourt, sur déclaration de culpabilité:

a) par mise en accusation, une amende maximale de 1 000 000 $ et un emprisonnement maximal de deux ans, ou l'une de ces peines;

b) par procédure sommaire, une amende maximale de 100 000 $.

(2) **Cas de mort ou de blessures** — Quiconque, en contrevenant à une disposition de la présente partie, cause directement la mort, une maladie grave ou des blessures graves à un employé commet une infraction et encourt, sur déclaration de culpabilité:

a) par mise en accusation, une amende maximale de 1 000 000 $ et un emprisonnement maximal de deux ans, ou l'une de ces peines;

b) par procédure sommaire, une amende maximale de 1 000 000 $.

(3) **Cas de risque de mort ou de blessures** — Quiconque contrevient délibérément à une disposition de la présente partie tout en sachant qu'il en résultera probablement la mort, une maladie grave ou des blessures graves pour un employé commet une infraction et encourt, sur déclaration de culpabilité:

a) par mise en accusation, une amende maximale de 1 000 000 $ et un emprisonnement maximal de deux ans, ou l'une de ces peines;

b) par procédure sommaire, une amende maximale de 1 000 000 $.

(4) **Moyen de défense** — Dans les poursuites pour infraction aux dispositions de la présente partie — à l'exclusion des alinéas 125(1)c), z.10) et z.11), l'emprisonnement étant exclu en cas de contravention de ces dispositions —, l'accusé peut se disculper en prouvant qu'il a pris les mesures nécessaires pour éviter l'infraction.

(5) **Présomption** — Pour l'application du présent article, sont réputées réglementées en vertu de l'alinéa des articles 125 à 126 qui en traite les questions de santé ou de sécurité à l'égard desquelles des règlements sont pris en vertu du paragraphe 157(1.1).

L.R.C. (1985), ch. 9 (1er suppl.), art. 4; L.R.C. (1985), ch. 24 (3e suppl.), art. 7; ch. 26 (4e suppl.), art. 4; 1993, ch. 42, art. 10; 2000, ch. 20, art. 14

149. (1) Consentement du ministre — Les poursuites des infractions à la présente partie sont subordonnées au consentement du ministre ou de toute personne que désigne celui-ci.

(2) **Dirigeants, fonctionnaires, etc.** — En cas de perpétration d'une infraction à la présente partie par une personne morale, ceux de ses dirigeants, administrateurs, cadres ou mandataires qui l'ont ordonnée ou autorisée, ou qui y ont consenti ou participé, sont considérés comme des coauteurs de l'infraction et encourent, sur déclaration de culpabilité, la peine prévue, que la personne morale ait été ou non poursuivie ou déclarée coupable. Il en va de même des cadres supérieurs ou fonctionnaires exerçant des fonctions de gestion ou de surveillance pour les infractions perpétrées par les ministères ou secteurs de l'administration publique fédérale auxquels s'applique la présente partie.

(3) **Preuve des instructions** — Dans les poursuites pour infraction à la présente partie, une copie du texte des instructions censées données et signées en application de la présente partie par la personne habilitée à les donner fait foi de la teneur de celles-ci sans qu'il soit nécessaire de prouver l'authenticité de la signature ou l'autorité du signataire.

(4) **Prescription** — Les poursuites visant une infraction à la présente partie se prescrivent par deux ans à compter de la date du fait en cause.

L.R.C. (1985), ch. 9 (1er suppl.), art. 4; 2000, ch. 20, art. 15; 2014, ch. 13, art. 95

150. Tribunal compétent — Le juge de la cour provinciale ou le juge de paix dans le ressort duquel l'accusé réside ou exerce ses activités est compétent pour connaître de toute plainte ou dénonciation en matière d'infraction à la présente partie, indépendamment du lieu de perpétration.

L.R.C. (1985), ch. 9 (1er suppl.), art. 4; L.R.C. (1985), ch. 27 (1er suppl.), art. 203

[Intertitre abrogé, L.R.C. (1985), ch. 9 (1er suppl.), art. 4.]

151. Dénonciation — Toute dénonciation faite sous le régime de la présente partie peut viser plusieurs infractions commises par la même personne, ces infractions pouvant être instruites concurremment et faire l'objet d'une condamnation soit globalement soit pour l'une ou plusieurs d'entre elles.

L.R.C. (1985), ch. 9 (1er suppl.), art. 4

152. Procédure d'injonction — Le ministre peut demander ou faire demander à un juge d'une juridiction supérieure une ordonnance interdisant toute contravention à la présente partie — que des poursuites aient été engagées ou non sous le régime de celle-ci — ou visant à faire cesser l'acte ou le défaut ayant donné lieu à l'infraction pour laquelle il y a eu déclaration de culpabilité en application de la présente partie.

L.R.C. (1985), ch. 9 (1er suppl.), art. 4; 2002, ch. 8, art. 120

153. Injonction — Le juge du tribunal saisi de la demande ministérielle peut, à son appréciation, y accéder ou non, l'ordonnance pouvant être enregistrée et exécutée de la même manière qu'une autre ordonnance ou un autre jugement du tribunal.

L.R.C. (1985), ch. 9 (1er suppl.), art. 4

154. (1) Exclusion de l'emprisonnement — La peine d'emprisonnement est exclue en cas de défaut de paiement de l'amende imposée pour une infraction prévue à la présente partie sur déclaration de culpabilité par procédure sommaire.

(2) Recouvrement des amendes — En cas de défaut de paiement de l'amende imposée pour une infraction prévue à la présente partie, le poursuivant peut, en déposant la déclaration de culpabilité auprès d'une juridiction supérieure de la province où le procès a eu lieu, faire assimiler la décision relative à l'amende, y compris les frais éventuels, à un jugement de cette juridiction; l'exécution se fait dès lors comme s'il s'agissait d'un jugement rendu contre l'intéressé par la même juridiction en matière civile.

L.R.C. (1985), ch. 9 (1er suppl.), art. 4; L.R.C. (1985), ch. 24 (3e suppl.), art. 8; 2000, ch. 20, art. 17

Communication de renseignements

[Intertitre modifié, L.R.C. (1985), ch. 9 (1er suppl.), art. 4.]

155. (1) Avis — Le ministre peut, par un avis signifié à personne ou adressé sous pli recommandé à la dernière adresse connue du destinataire, exiger la communication — dans le délai raisonnable qui y est spécifié — de renseignements à fournir dans le cadre de la présente partie.

(2) Preuve de non-communication — Fait foi de son contenu, sans qu'il soit nécessaire de prouver l'authenticité de la signature qui y est apposée ou la qualité officielle du signataire, le certificat signé par le ministre, ou par une personne qu'il a autorisée à cet effet, et qui à la fois atteste :

a) qu'un avis a été envoyé sous pli recommandé à son destinataire, une copie certifiée conforme de l'avis et le récépissé de recommandation postale y étant joints;

b) que les renseignements exigés par l'avis n'ont pas été communiqués.

L.R.C. (1985), ch. 9 (1er suppl.), art. 4

Pouvoirs du Conseil canadien des relations industrielles

156. (1) Plaintes au Conseil — Par dérogation au paragraphe 14(1), le président ou un vice-président du Conseil ou un membre du Conseil nommé en vertu de l'alinéa 9(2)e) peut, dans le cadre de la présente partie, statuer sur une plainte présentée au Conseil. Ce faisant, il est :

a) investi des pouvoirs, droits et immunités conférés par la présente loi au Conseil, à l'exception du pouvoir de réglementation prévu par l'article 15;

b) assujetti à toutes les obligations et les restrictions que la présente loi impose au Conseil.

(2) Application des dispositions de la partie I — Les dispositions correspondantes de la partie I s'appliquent aux ordonnances et décisions que rendent le Conseil ou l'un de ses membres dans le cadre de la présente partie ou aux procédures dont ils sont saisis sous le régime de celle-ci.

L.R.C. (1985), ch. 9 (1er suppl.), art. 4; 1998, ch. 26, art. 57; 2000, ch. 20, art. 18

Facturation

[Intertitre ajouté, 2000, ch. 20, art. 19.]

156.1 (1) Facturation des services, installations, etc. — Le gouverneur en conseil peut, sur la recommandation du Conseil du Trésor, fixer le prix à payer pour la fourniture, par le ministre, de services, d'installations ou de produits dans le cadre de l'objet de la présente partie.

(2) Montant — Les prix fixés au titre du paragraphe (1) ne peuvent dépasser, dans l'ensemble, le montant des frais faits par Sa Majesté du chef du Canada à cet égard.

2000, ch. 20, art. 19

Règlements

157. (1) Gouverneur en conseil — Sous réserve des autres dispositions du présent article, le gouverneur en conseil peut, par règlement :

a) prendre toute mesure d'ordre réglementaire prévue par la présente partie;

a.1) restreindre ou interdire toute activité ou chose à l'égard de laquelle la présente partie prévoit la prise d'un règlement;

b) prendre toute autre mesure d'application de la présente partie.

(1.1) Pouvoirs du gouverneur en conseil — Le gouverneur en conseil peut, par règlement, pour réglementer ce qui doit l'être aux termes de l'un des alinéas des articles 125 à 126, régir de la manière qu'il estime justifiée dans les circonstances les questions de santé et de sécurité visées à cet alinéa, que ses motifs soient ou non signalés lors de la prise des règlements.

(2) [Abrogé, 1993, ch. 42, art. 11.]

(2.1) [Abrogé, 1993, ch. 42, art. 11.]

(2) [Abrogé, 1993, ch. 42, art. 11]

(3) Recommandations ministérielles dans certains cas — Les règlements du gouverneur en conseil prévus par les paragraphes (1) ou (1.1) en matière de sécurité et de santé au travail se prennent :

a) dans le cas d'employés travaillant à bord de navires, d'aéronefs ou de trains, en service, sur la double recommandation des ministres du Travail et des Transports;

b) dans le cas d'employés travaillant dans les secteurs de l'exploration et du forage pour la recherche de pétrole et de gaz sur les terres domaniales — au sens de la *Loi fédérale sur les hydrocarbures* — ou de la production, de la conservation, du traitement ou du transport de ce pétrole ou gaz, sur la recommandation :

(i) d'une part, du ministre et du ministre des Affaires indiennes et du Nord canadien,

(ii) d'autre part, du ministre des Ressources naturelles, celui-ci devant tenir compte des éventuelles recommandations de l'Office national de l'énergie à leur égard.

(4) **Portée générale ou restreinte** — Les règlements prévus au présent article peuvent être d'application générale ou viser spécifiquement soit une ou plusieurs catégories d'emploi, soit un ou plusieurs lieux de travail.

(5) **Incorporation de normes** — Les règlements prévus au présent article et qui incorporent des normes par renvoi peuvent prévoir qu'elles sont incorporées soit dans leur version à une date donnée, soit avec leurs modifications successives jusqu'à une date donnée, soit avec toutes leurs modifications successives.

(6) **Conformité** — Les règlements prévus au présent article qui prescrivent ou incorporent des normes et prévoient leur observation dans les seuls cas où celle-ci est soit simplement possible, soit possible dans la pratique, peuvent exiger que l'employeur indique au ministre les raisons pour lesquelles elles ne sont pas observées dans des circonstances particulières.

L.R.C. (1985), ch. 9 (1er suppl.), art. 4; L.R.C. (1985), ch. 26 (4e suppl.), art. 5; 1992, ch. 1, art. 93; 1993, ch. 42, art. 11; 1994, ch. 10, art. 29; 1994, ch. 41, art. 37; 2000, ch. 20, art. 20; 2013, ch. 40, art. 198

[Intertitre abrogé, 2000, ch. 20, art. 21.]

158. Sociétés d'État provinciales — Le gouverneur en conseil peut, par règlement, assujettir à l'application de la présente partie l'emploi — ou des catégories d'emploi — dans le cadre d'entreprises fédérales désignées par lui qui sont des personnes morales mandataires de Sa Majesté du chef d'une province ou sont associées à une telle personne, notamment celles dont les activités sont, en tout ou en partie, régies par la *Loi sur la sûreté et la réglementation nucléaires*.

1996, ch. 12, art. 3; 1997, ch. 9, art. 125(1)c); 2000, ch. 20, art. 21, 30

159. (1) Exclusion — Le gouverneur en conseil peut, par règlement, soustraire, en tout ou en partie, à l'application de toute disposition de la présente partie l'emploi — ou des catégories d'emploi — dans le cadre des ouvrages ou entreprises désignés par lui dont les activités sont, en tout ou en partie, régies par la *Loi sur la sûreté et la réglementation nucléaires*.

(2) **Règlements** — Le gouverneur en conseil peut, sur recommandation du ministre et après consultation de la Commission canadienne de sûreté nucléaire, prendre des règlements sur toute question relative à la santé et à la sécurité au travail et touchant l'emploi visé par un règlement pris en vertu du paragraphe (1).

1996, ch. 12, art. 3; 1997, ch. 9, art. 125(1)d)

160. Application de certaines dispositions — Les paragraphes 121.2(3) à (8) s'appliquent, avec les adaptations nécessaires, au règlement pris en vertu du paragraphe 159(2), la mention « paragraphe (2) » aux paragraphes 121.2(3) à (6) valant mention du paragraphe 159(2).

1996, ch. 12, art. 3

161. [Abrogé, L.R.C. (1985), ch. 9 (1er suppl.), art. 4.]

162. [Abrogé, L.R.C. (1985), ch. 9 (1er suppl.), art. 4.]

163. [Abrogé, L.R.C. (1985), ch. 9 (1er suppl.), art. 4.]

[Intertitre abrogé, L.R.C. (1985), ch. 9 (1er suppl.), art. 4.]

164. [Abrogé, L.R.C. (1985), ch. 9 (1er suppl.), art. 4.]

[Intertitre abrogé, L.R.C. (1985), ch. 9 (1er suppl.), art. 4.]

165. [Abrogé, L.R.C. (1985), ch. 9 (1er suppl.), art. 4.]

PARTIE III — DURÉE NORMALE DU TRAVAIL, SALAIRE, CONGÉS ET JOURS FÉRIÉS (ART. 166–267)

Définitions

166. Définitions — Les définitions qui suivent s'appliquent à la présente partie.

« arrêté » Arrêté pris par le ministre aux termes de la présente partie ou de ses règlements. *(« order »)*

« convention collective » Convention écrite renfermant des dispositions relatives aux conditions d'emploi, notamment en matière de rémunération, de durée du travail et de règlement par une tierce partie des désaccords qui peuvent survenir au cours de son application, et conclue entre :

a) d'une part, un employeur ou une organisation patronale le représentant;

b) d'autre part, un syndicat représentant des employés dans le cadre de négociations collectives ou en qualité de partie à une convention conclue avec l'employeur ou l'organisation patronale.

(« collective agreement »)

« directeur régional » Le responsable d'un bureau régional du ministère de l'Emploi et du Développement social ou son représentant désigné. *(« regional director »)*

« durée normale du travail » La durée de travail fixée sous le régime des articles 169 ou 170, ou par les règlements d'application de l'article 175. *(« standard hours of work »)*

« employeur » Personne employant un ou plusieurs employés. *(« employer »)*

« établissement » L'entreprise fédérale elle-même ou la succursale, section ou autre division de celle-ci que le règlement d'application de l'alinéa 264b) définit comme tel. *(« industrial establishment »)*

Modification proposée — 166 « établissement »

« établissement » L'entreprise fédérale elle-même ou la succursale, section ou autre division de celle-ci que le règlement d'application de l'alinéa 264(1)b) définit comme tel. *(« industrial establishment »)*

2015, ch. 36, art. 88 [Non en vigueur à la date de publication.]

« heures supplémentaires » Heures de travail effectuées au-delà de la durée normale du travail. *(« overtime »)*

« **inspecteur** » Personne désignée à ce titre conformément à l'article 249. *(« inspector »)*

« **jour** » Période de vingt-quatre heures consécutives. *(« day »)*

« **jours fériés** » Le 1er janvier, le vendredi saint, la fête de Victoria, la fête du Canada, la fête du Travail, le jour de l'Action de grâces, le jour du Souvenir, le jour de Noël et le lendemain de Noël; s'entend également de tout jour de substitution fixé dans le cadre de l'article 195. *(« general holiday »)*

« **médecin** » ou « **médecin qualifié** » Personne qui, en vertu des lois d'une province, est autorisée à exercer la médecine. *(« qualified medical practitioner »)*

« **salaire** » S'entend notamment de toute forme de rémunération reçue pour prix d'un travail, à l'exclusion des pourboires et autres gratifications. *(« wages »)*

« **semaine** » Dans le cadre de la section I, période commençant à zéro heure le dimanche et s'achevant à vingt-quatre heures le samedi suivant. *(« week »)*

« **syndicat** » Organisation regroupant des employés en vue notamment de la réglementation des relations entre employeurs et employés. *(« trade union »)*

1993, ch. 42, art. 12; 1996, ch. 11, art. 66; 2005, ch. 34, art. 79a)(ii); 2013, ch. 40, art. 237(1)a)(ii)

Champ d'application

167. (1) Application de la présente partie — La présente partie s'applique :

a) à l'emploi dans le cadre d'une entreprise fédérale, à l'exception d'une entreprise de nature locale ou privée au Yukon, dans les Territoires du Nord-Ouest ou au Nunavut;

b) aux employés qui travaillent dans une telle entreprise;

c) aux employeurs qui engagent ces employés;

d) aux personnes morales constituées en vue de l'exercice de certaines attributions pour le compte de l'État canadien, à l'exception d'un ministère au sens de la *Loi sur la gestion des finances publiques*;

e) à une entreprise canadienne, au sens de la *Loi sur les télécommunications*, qui est mandataire de Sa Majesté du chef d'une province.

Ajout proposé — 167(1.1), (1.2)

(1.1) Application : autres personnes — Sous réserve du paragraphe (1.2), la présente partie s'applique à une personne qui n'est pas un employé et qui exerce pour un employeur auquel s'applique la présente partie des activités qui visent principalement à permettre à la personne d'acquérir des connaissances ou de l'expérience, ainsi qu'à l'employeur, comme si la personne était un employé de celui-ci et les dispositions de la présente partie doivent être interprétées en conséquence.

(1.2) Exceptions — Sauf dans la mesure prévue par rè- glement, la présente partie ne s'applique ni à la personne ni à l'employeur à son égard dans les cas suivants :

a) la personne exerce les activités pour satisfaire aux exigences d'un programme d'études offert par un établissement d'enseignement secondaire, postsecondaire ou professionnel, ou un établissement équivalent situé à l'extérieur du Canada, prévu par règlement;

b) les conditions ci-après sont remplies :

(i) sous réserve des règlements, la personne exerce les activités, selon le cas :

(A) au cours d'une période d'au plus quatre mois consécutifs, à compter de la date où elle commence à les exercer,

(B) pour un nombre d'heures qui ne dépasse pas celui prévu par règlement, au cours d'une période de plus de quatre mois consécutifs mais d'au plus douze mois consécutifs, à compter de la date où elle commence à les exercer,

(ii) les avantages découlant des activités profitent principalement à la personne qui les exerce,

(iii) l'employeur supervise la personne et les activités qu'elle exerce,

(iv) les activités que la personne exerce ne constituent pas une condition préalable à l'obtention d'un emploi auprès de l'employeur et celui-ci n'est pas tenu de lui offrir un emploi,

(v) la personne ne remplace pas un employé,

(vi) avant que la personne ne commence à exercer les activités, l'employeur l'avise par écrit qu'elle ne sera pas rémunérée.

2015, ch. 36, art. 89 [Non en vigueur à la date de publication.]

(2) Exceptions : section I — La section I ne s'applique pas aux employés suivants :

a) ceux qui occupent un poste de directeur ou de chef, ou qui exercent des fonctions de direction;

b) ceux qui exercent une profession soustraite par règlement à son application.

(3) Exception : section XIV — La section XIV ne s'applique pas aux employés qui occupent le poste de directeur.

L.R.C. (1985), ch. 9 (1er suppl.), art. 5; 1993, ch. 28, art. 78; 1993, ch. 38, art. 90

168. (1) Sauvegarde des dispositions plus favorables — La présente partie, règlements d'application compris, l'emporte sur les règles de droit, usages, contrats ou arrangements incompatibles mais n'a pas pour effet de porter atteinte aux droits ou avantages acquis par un employé sous leur régime et plus favorables que ceux que lui accorde la présente partie.

(1.1) Application exclusive de la convention — Les sections II, IV, V et VIII ne s'appliquent pas à l'employeur et aux employés liés par une convention collective qui accorde aux employés des droits et avantages au moins égaux à ceux que prévoient ces sections au titre de la durée des congés, des taux de salaire et des périodes ouvrant droit aux avantages qu'elles prévoient; la convention collective s'applique de façon exclusive — dans le cas des employés admissibles au régime de règlement par une tierce partie des désaccords qu'elle prévoit — au règlement de tout désaccord qui porte sur les questions que ces sections visent.

(2) Travail dominical — La présente partie n'a pas pour effet d'autoriser l'exercice d'une activité dominicale légalement interdite.

1993, ch. 42, art. 13

SECTION I — DURÉE DU TRAVAIL

169. (1) Règle générale — Sauf disposition contraire prévue sous le régime de la présente section :

a) la durée normale du travail est de huit heures par jour et de quarante heures par semaine;

b) il est interdit à l'employeur de faire ou laisser travailler un employé au-delà de cette durée.

(2) Moyenne — Pour les établissements où la nature du travail nécessite une répartition irrégulière des heures de travail, les horaires journaliers et hebdomadaires sont établis, conformément aux règlements, de manière que leur moyenne sur deux semaines ou plus corresponde à la durée normale journalière ou hebdomadaire.

(2.1) Durée — Les horaires journaliers ou hebdomadaires calculés à titre de moyenne conformément au paragraphe (2) demeurent en vigueur :

a) dans le cas où l'employeur et le syndicat s'entendent par écrit sur le calcul de la moyenne, jusqu'à l'expiration de l'entente ou de la période plus courte qu'ils fixent;

b) dans le cas contraire, pendant trois ans au maximum.

(3) Jours fériés — Pour les semaines comprenant un ou plusieurs jours fériés, la durée hebdomadaire du travail de l'employé qui a droit en vertu de la section V à des congés payés se trouve réduite de la durée normale du travail pour chacun d'eux; pour le calcul des heures de travail fournies au cours de ces semaines, il n'est pas tenu compte, pour l'application du présent paragraphe, du temps de travail effectif ou mis à la disposition de l'employeur pendant ces jours fériés.

1993, ch. 42, art. 14

170. (1) Modification de l'horaire de travail — L'employeur peut fixer, modifier ou annuler un horaire de travail qui est applicable à des employés liés par une convention collective et dont la durée est supérieure à la durée normale du travail, si les conditions suivantes sont réunies :

a) la moyenne hebdomadaire, calculée sur deux semaines ou plus, n'excède pas quarante heures;

b) il s'entend par écrit avec le syndicat sur l'horaire, sa modification ou son annulation.

(2) Idem — Sous réserve du paragraphe (3), l'employeur peut fixer, modifier ou annuler un horaire de travail qui est applicable à des employés non liés par une convention collective et dont la durée est supérieure à la durée normale du travail, si les conditions suivantes sont réunies :

a) la moyenne hebdomadaire, calculée sur deux semaines ou plus, n'excède pas quarante heures;

b) l'horaire, sa modification ou son annulation a été approuvé par au moins soixante-dix pour cent des employés concernés.

(3) Affichage — Dans le cas visé au paragraphe (2), l'employeur est tenu d'afficher dans des endroits facilement accessibles où les employés pourront le consulter un avis de l'adoption du nouvel horaire, de sa modification ou de son annulation pendant au moins trente jours avant leur prise d'effet.

1993, ch. 42, art. 15

171. (1) Durée maximale du travail — L'employé peut être employé au-delà de la durée normale du travail. Toutefois, sous réserve des articles 172, 176 et 177 et des règlements d'application de l'article 175, le nombre d'heures qu'il peut travailler au cours d'une semaine ne doit pas dépasser quarante-huit ou le nombre inférieur fixé par règlement pour l'établissement où il est employé.

(2) **Moyenne** — Le paragraphe 169(2) s'applique au calcul de la durée maximale hebdomadaire qui peut être fixée aux termes du présent article.

172. (1) **Durée maximale du travail** — L'employeur peut fixer, modifier ou annuler un horaire de travail qui est applicable à des employés liés par une convention collective et dont la durée est supérieure à la durée maximale du travail prévue à l'article 171 ou dans les règlements d'application de l'article 175, si les conditions suivantes sont réunies :

a) la moyenne hebdomadaire, calculée sur deux semaines ou plus, n'excède pas quarante-huit heures;

b) il s'entend par écrit avec le syndicat sur l'horaire, sa modification ou son annulation.

(2) **Idem** — Sous réserve du paragraphe (3), l'employeur peut fixer, modifier ou annuler un horaire de travail qui est applicable à des employés non liés par une convention collective et dont la durée est supérieure à la durée maximale du travail prévue à l'article 171 ou dans les règlements d'application de l'article 175, si les conditions suivantes sont réunies :

a) la moyenne hebdomadaire, calculée sur deux semaines ou plus, n'excède pas quarante-huit heures;

b) l'horaire, sa modification ou son annulation a été approuvé par au moins soixante-dix pour cent des employés concernés.

(3) **Affichage** — Dans le cas visé au paragraphe (2), l'employeur est tenu d'afficher dans des endroits facilement accessibles où les employés pourront le consulter un avis de l'adoption du nouvel horaire, de sa modification ou de son annulation pendant au moins trente jours avant leur prise d'effet.

1993, ch. 42, art. 16

172.1 (1) **Scrutin** — Dans le cas où un horaire est fixé, modifié ou annulé en vertu du paragraphe 170(2) ou 172(2), un employé concerné peut, avant l'expiration d'un délai de quatre-vingt-dix jours suivant la prise d'effet du nouvel horaire, de sa modification ou de son annulation, demander à un inspecteur la tenue d'un scrutin pour déterminer si soixante-dix pour cent des employés concernés sont en faveur de cette mesure.

(2) **Rôle de l'inspecteur** — L'inspecteur tient un scrutin secret pour déterminer le pourcentage des employés concernés qui sont en faveur du nouvel horaire, de la modification ou de l'annulation.

(3) **Caractère confidentiel des documents** — La demande de tenue d'un scrutin, les bulletins de scrutin et tous les documents qui les concernent sont confidentiels et ne sont pas remis à l'employeur.

(4) **Dépouillement** — L'inspecteur procède au dépouillement en présence de deux représentants choisis l'un par les employés concernés et l'autre par l'employeur.

(5) **Rapport et avis** — L'inspecteur fait rapport au directeur régional du résultat du scrutin et le directeur régional en informe par écrit l'employeur.

(6) **Conséquence de l'absence d'approbation** — Si le résultat du scrutin démontre que moins de soixante-dix pour cent des employés concernés sont en faveur de l'horaire modifié, de la modification ou de l'annulation, l'employeur est tenu dans les trente jours suivant la date de l'avis que lui envoie le directeur régional de se conformer aux résultats du scrutin.

(7) **Règlements** — Le gouverneur en conseil peut, par règlement, régir le déroulement du scrutin.

(8) **Non-application de la Loi sur les textes réglementaires** — La *Loi sur les textes réglementaires* ne s'applique pas à l'avis écrit que transmet le directeur régional à l'employeur en vertu du paragraphe (5).

1993, ch. 42, art. 16

172.2 (1) Durée — L'horaire de travail fixé ou modifié conformément aux paragraphes 170(1) ou 172(1) demeure en vigueur jusqu'à l'expiration de la période dont l'employeur et le syndicat sont convenus par écrit.

(2) **Idem** — L'horaire de travail fixé ou modifié conformément aux paragraphes 170(2) ou 172(2) demeure en vigueur pendant trois ans ou jusqu'à l'expiration de la période plus courte sur laquelle les parties s'entendent.

1993, ch. 42, art. 16

173. Horaires de travail — Sauf disposition contraire des règlements, l'horaire de travail est établi de manière que chaque employé ait au moins un jour complet de repos par semaine, si possible le dimanche.

174. Majoration pour heures supplémentaires — Sous réserve des règlements d'application de l'article 175, les heures supplémentaires effectuées par l'employé, sur demande ou autorisation, donnent lieu à une majoration de salaire d'au moins cinquante pour cent.

175. (1) Règlements — Le gouverneur en conseil peut, par règlement :

a) adapter les dispositions des articles 169 et 171 au cas de certaines catégories d'employés exécutant un travail lié à l'exploitation de certains établissements s'il estime qu'en leur état actuel, l'application de ces articles :

(i) soit porte — ou porterait — atteinte aux intérêts des employés de ces catégories,

(ii) soit cause — ou causerait — un grave préjudice au fonctionnement de ces établissements;

b) soustraire des catégories d'employés à l'application des articles 169, 171 et 174, ou de l'un ou l'autre, s'il est convaincu qu'elle ne se justifie pas dans leur cas;

c) prévoir que l'article 174 ne s'applique pas dans les cas où, à son avis, certains usages en matière de régime de travail — mentionnés dans le règlement — n'en justifient pas l'application ou font qu'elle serait inéquitable;

d) fixer le mode de calcul de la durée du travail des employés de certaines catégories travaillant dans certains établissements ou certaines catégories d'établissements.

(2) **Enquêtes** — La prise de règlements d'application de l'alinéa (1)a) ou b) est subordonnée à la tenue d'une enquête — sur le travail d'employés susceptibles d'être touchés par ses dispositions — demandée, aux termes de l'article 248, par le ministre, ainsi qu'à la réception par celui-ci du rapport en découlant.

176. (1) Dérogation — dépassement de la durée maximale — À la demande d'un employeur ou d'une organisation patronale, le ministre peut, eu égard aux conditions d'emploi de l'établissement et au bien-être des employés qui y travaillent, accorder par écrit une dérogation permettant, pour une catégorie d'employés déterminée, le dépassement de la durée maximale fixée soit sous le régime des articles 171 ou 172, soit par les règlements d'application de l'article 175.

(2) **Justification par le demandeur** — Le ministre ne délivre la dérogation visée au paragraphe (1) que sur justification à ses yeux de la demande par des circonstances exceptionnelles et que si le demandeur lui montre qu'il a affiché, dans des endroits facilement accessibles où les employés de la catégorie visée pouvaient le consulter, un avis de sa demande de dérogation pendant au moins trente jours avant la date prévue de sa prise d'effet et, si ces employés sont représentés par un syndicat, qu'il a avisé celui-ci par écrit de la demande.

(3) **Validité de la dérogation** — La durée de validité de la dérogation ne peut dépasser la durée prévue des circonstances exceptionnelles la justifiant.

(4) **Précision du nombre d'heures de dépassement** — La dérogation peut spécifier :

a) soit la durée totale du dépassement permis;

b) soit la durée journalière ou hebdomadaire du dépassement au cours de la période pour laquelle elle est accordée.

(5) **Rapport au ministre** — L'employeur bénéficiaire de la dérogation adresse au ministre, dans les quinze jours qui suivent l'expiration de celle-ci ou à la date que le ministre y a spécifiée, un rapport écrit indiquant le nombre d'employés ayant dépassé la durée maximale hebdomadaire fixée aux termes de l'article 171 ou des règlements d'application de l'article 175, ainsi que le nombre d'heures excédentaires faites par chacun d'eux.

1993, ch. 42, art. 17

177. (1) **Travaux urgents** — La durée maximale hebdomadaire fixée soit sous le régime des articles 171 ou 172, soit par les règlements d'application de l'article 175, peut être dépassée — mais seulement dans la mesure nécessaire pour ne pas compromettre le fonctionnement normal de l'établissement en cause — dans l'un ou l'autre des cas suivants :

a) accident mécanique ou humain;

b) travaux urgents et indispensables à effectuer sur l'équipement;

c) autres circonstances imprévues ou inévitables.

(2) **Rapport** — Dans les cas de dépassement visés au paragraphe (1), l'employeur adresse au directeur régional, ainsi qu'au syndicat si les employés concernés sont liés par une convention collective, dans les quinze jours qui suivent la fin du mois au cours duquel le dépassement a eu lieu, un rapport précisant la nature des circonstances, le nombre d'employés ayant dépassé la durée maximale et le nombre d'heures excédentaires faites par chacun d'eux.

1993, ch. 42, art. 18

SECTION II — SALAIRE MINIMUM

178. (1) **Salaire minimum** — Sauf disposition contraire de la présente section, l'employeur doit payer à chaque employé au moins :

a) soit le salaire horaire minimum au taux fixé et éventuellement modifié en vertu de la loi de la province où l'employé exerce habituellement ses fonctions, et applicable de façon générale, indépendamment de la profession, du statut ou de l'expérience de travail;

b) soit l'équivalent de ce taux en fonction du temps travaillé, quand la base de calcul du salaire n'est pas l'heure.

(2) **Cas particulier** — Pour l'application de l'alinéa (1)a), dans les cas où le salaire horaire minimum fixé par la province varie en fonction de l'âge, c'est le taux le plus élevé qui s'applique.

(3) **Modification ou fixation du salaire minimum** — Le gouverneur en conseil peut par décret, pour l'application de l'alinéa (1)a), remplacer le salaire horaire minimum fixé par la loi de la province ou en fixer un si aucun n'a été fixé.

(4) **Autres modes de rémunération que le salaire au temps** — Pour les salaires qui ne sont pas calculés et payés en fonction du temps ou le sont partiellement seulement, le ministre peut, par arrêté, fixer :

a) d'une part, une norme autre que le temps comme base du salaire minimum;

b) d'autre part, un taux minimum qui, selon lui, équivaut à celui établi au titre du paragraphe (1).

(5) **Obligation** — Dans les cas où le ministre fixe un salaire minimum en application du paragraphe (4), l'employeur est tenu, sauf disposition contraire de la présente section, de verser aux employés concernés un salaire au moins égal à celui qui est fixé sous le régime de ce paragraphe.

1996, ch. 32, art. 1

179. Emploi de jeunes de moins de 17 ans — L'employeur ne peut engager une personne de moins de dix-sept ans :

a) qu'aux activités prévues par règlement;

b) qu'aux conditions d'emploi fixées par règlement pour l'activité en cause.

1996, ch. 32, art. 2

180. [Abrogé, L.R.C. (1985), ch. 9 (1er suppl.), art. 6.]

181. Règlements applicables à la présente section — Le gouverneur en conseil peut prendre les règlements nécessaires à l'application de la présente section, notamment en vue :

a) d'obliger l'employeur à payer aux employés qui se présentent au travail à sa demande le nombre minimum d'heures fixé, même s'il ne les fait pas travailler ensuite;

b) de fixer le tarif maximal exigible pour les repas fournis à l'employé par l'employeur ou en son nom, ou le montant maximal qui peut être prélevé à ce titre sur le salaire;

c) de fixer le tarif maximal exigible pour le logement permanent ou temporaire fourni à l'employé par l'employeur ou en son nom, que le local ainsi affecté soit indépendant ou non et que l'employeur en conserve ou non, dans l'ensemble, la possession ou la garde, ou le montant maximal qui peut être prélevé à ce titre sur le salaire;

d) de régir la question des frais ou prélèvements relatifs à la fourniture des uniformes ou autres articles vestimentaires dont l'employeur peut exiger le port ou d'obliger celui-ci, dans des circonstances données, à les fournir, entretenir ou blanchir;

e) de régir la question des frais ou prélèvements relatifs à la fourniture des outils ou du matériel dont l'usage est imposé à l'employé, ainsi que des frais d'entretien et de réparation afférents;

f) de préciser, pour l'application de l'article 179, les activités pour lesquelles des personnes de moins de dix-sept ans peuvent être engagées dans un établissement et de fixer les conditions d'emploi correspondantes;

g) d'exempter, aux conditions et pour les périodes jugées appropriées, les employeurs de l'application de l'article 178 à l'égard des catégories d'employés recevant une formation en cours d'emploi, si les moyens mis en oeuvre à cette fin par l'employeur sont de nature à assurer un programme de formation qui accroîtra les qualifications ou la compétence professionnelle des employés.

1996, ch. 32, art. 3

SECTION III — ÉGALITÉ DES SALAIRES

182. (1) Actes discriminatoires — Les articles 249, 250, 252, 253, 254, 255 et 264 s'appliquent, compte tenu des adaptations de circonstance, à la recherche et à la constatation des actes discriminatoires définis à l'article 11 de la *Loi canadienne sur les droits de la personne*, comme si ces actes étaient expressément interdits par la présente partie.

(2) Saisine de la Commission — L'inspecteur qui a des motifs raisonnables de soupçonner un employeur d'avoir commis l'un des actes discriminatoires visés au paragraphe (1) peut en aviser la Commission canadienne des droits de la personne ou déposer une plainte devant celle-ci conformément à l'article 40 de la *Loi canadienne sur les droits de la personne*.

SECTION IV — CONGÉS ANNUELS

183. Définitions — Les définitions qui suivent s'appliquent à la présente section.

« année de service » Période d'emploi ininterrompu par le même employeur :

a) soit de douze mois à compter de la date d'engagement ou du jour anniversaire de celui-ci;

b) soit — année civile ou autre — déterminée par l'employeur, en conformité avec les règlements, pour un établissement.

(« year of employment »)

« indemnité de congé annuel » Indemnité égale à quatre pour cent — six pour cent, après six années consécutives au service du même employeur — du salaire gagné au cours de l'année de service donnant droit aux congés annuels. *(« vacation pay »)*

1993, ch. 42, art. 19

184. Congés annuels payés — Sauf disposition contraire de la présente section, tout employé a droit, par année de service accomplie, à au moins deux semaines de congés payés, et au moins trois semaines après six années de service.

185. Congés annuels payés — Une fois que l'employé a, aux termes de la présente section, acquis le droit à des congés annuels payés, l'employeur est tenu :

a) de lui accorder ces congés dans les dix mois qui suivent la fin de l'année de service qui y donne droit;

b) en outre, de lui verser, à la date fixée par règlement, l'indemnité de congé annuel à laquelle il a droit.

186. Assimilation à salaire — L'indemnité de congé annuel est assimilée à un salaire.

187. Jour férié en cours de congé — L'employé peut prolonger son congé annuel d'autant de jours qu'il y a eu de jours fériés au cours de celui-ci, et l'employeur doit lui verser, outre l'indemnité de congé annuel, le salaire auquel il a droit pour ces jours fériés.

188. Cessation d'emploi en cours d'année — En cas de cessation d'emploi, l'employeur verse à l'employé, dans les trente jours qui suivent la date de la cessation :

a) toute indemnité de congé annuel due pour une année de service antérieure;

b) en outre, un montant égal à quatre pour cent ou, si l'employé travaille pour lui depuis au moins six ans, six pour cent du salaire gagné par celui-ci pendant la fraction d'année de service en cours pour laquelle il n'a pas reçu d'indemnité de congé annuel.

2012, ch. 31, art. 219(1)

189. (1) Cession de l'entreprise — En cas de cession d'un employeur à un autre — notamment par vente, bail ou fusion — de tout ou partie de l'entreprise fédérale où elle travaille, la personne employée auprès de l'un et l'autre est, pour l'application de la présente section, réputée n'avoir pas cessé de travailler pour un seul employeur.

(2) Assimilation — Pour l'application du paragraphe (1), est assimilé à une entreprise fédérale tout secteur de l'administration publique fédérale qui, par radiation de son nom de l'une des annexes I, IV ou V de la *Loi sur la gestion des finances publiques* ou par sa séparation d'un secteur mentionné à l'une ou l'autre de ces annexes, devient régi par la présente partie en tant que personne morale ou qu'entreprise fédérale ou est intégré à une personne morale ou à une entreprise fédérale régie par la présente partie.

L.R.C. (1985), ch. 9 (1er suppl.), art. 7; 1996, ch. 18, art. 10; 2003, ch. 22, art. 112

190. Règlements — Le gouverneur en conseil peut prendre les règlements nécessaires à l'application de la présente section, notamment en vue :

a) de définir les circonstances et conditions dans lesquelles il peut y avoir renonciation aux droits de l'employé prévus à la présente section ou report de leur jouissance;

b) de préciser les avis à donner aux employés quant aux dates de leur congé annuel;

c) de déterminer la date de versement de l'indemnité de congé annuel;

d) de préciser les cas d'absence qui seront réputés ne pas avoir interrompu la continuité de l'emploi;

e) de régir le mode de détermination, par l'employeur, d'une période constituant une année de service pour un établissement donné;

f) d'établir le mode de détermination de la longueur du congé annuel et de calcul de l'indemnité de congé annuel correspondante dans le cas d'employés saisonniers ou temporaires ou dans d'autres cas appropriés;

g) de prévoir l'attribution du congé annuel ou le versement de l'indemnité de congé annuel dans le cas d'une cessation temporaire d'emploi;

h) de prévoir l'application de la présente section aux cas d'absence forcée de l'employé, par suite de maladie ou pour toute autre cause.

1993, ch. 42, art. 20

SECTION V — JOURS FÉRIÉS

191. Définitions — Les définitions qui suivent s'appliquent à la présente section.

« congé payé » Congé pour lequel l'employé a droit à l'indemnité de congé. *(« holiday with pay »)*

« indemnité de congé » L'indemnité calculée conformément à l'article 196. *(« holiday pay »)*

« occupé à un travail ininterrompu » Qualifie l'employé, selon le cas :

a) qui travaille dans un établissement où, au cours de chaque période de sept jours, les travaux, une fois normalement commencés dans le cadre du programme régulier prévu pour cette période, se poursuivent sans arrêt jusqu'à leur achèvement;

b) dont le travail a trait au fonctionnement de véhicules, notamment trains, avions, navires ou camions, que ce soit ou non dans le cadre d'un programme régulier;

c) qui travaille dans les communications : téléphone, radio, télévision, télégraphe ou autres moyens;

d) qui travaille dans un secteur qui fonctionne normalement sans qu'il soit tenu compte des dimanches ou des jours fériés.

(« employed in a continuous operation »)

2012, ch. 31, art. 220

192. Droit aux congés — Sous réserve des autres dispositions de la présente section, chaque employé a droit à un congé payé lors de chacun des jours fériés tombant au cours de toute période d'emploi.

193. (1) Jour férié coïncidant avec un jour normalement chômé — Sauf disposition contraire de la présente section et sous réserve du paragraphe (2), quand un jour férié coïncide avec un jour normalement chômé par lui, l'employé a droit à un congé payé; il peut soit l'ajouter à son congé annuel, soit le prendre à une date convenable pour lui et son employeur.

(2) Jours fériés tombant un samedi ou un dimanche — Sous réserve des autres dispositions de la présente section, l'employé a droit à un congé payé le jour ouvrable précédant ou suivant le 1er janvier, la fête du Canada, le jour du Souvenir, le jour de Noël ou le lendemain de Noël quand ces jours fériés tombent un dimanche ou un samedi chômé.

194. Exemption — L'article 193 ne s'applique pas aux employés régis par une convention collective leur donnant droit, chaque année, à au moins neuf jours de congé payé, en plus du congé annuel.

195. (1) Substitution — L'employeur peut, à l'égard des employés liés par une convention collective, remplacer les jours fériés prévus par la présente partie — les jours de congé qui leur sont substitués ayant dès lors, pour ces employés, valeur de jours fériés — à la condition de s'entendre par écrit sur la substitution avec le syndicat.

(2) Idem — Sous réserve du paragraphe (3), l'employeur peut, à l'égard des employés non liés par une convention collective, remplacer les jours fériés prévus par la présente partie — les jours de congé qui leur sont substitués ayant dès lors, pour ces employés, valeur de jours fériés — si la substitution est approuvée par au moins soixante-dix pour cent des employés concernés.

(3) Affichage — Dans le cas visé au paragraphe (2), l'employeur est tenu d'afficher dans des endroits facilement accessibles où les employés pourront le consulter un avis de substitution de jour férié pendant au moins trente jours avant sa date de prise d'effet.

1993, ch. 42, art. 21

195.1 Scrutin — Les articles 172.1 et 172.2 s'appliquent, avec les adaptations nécessaires, à la substitution de jour férié effectuée en vertu de la présente section.

1993, ch. 42, art. 21

196. (1) Indemnité de congé — Sous réserve des paragraphes (2) à (4), l'employé reçoit, pour chaque jour férié, une indemnité de congé correspondant à au moins un vingtième du salaire gagné durant les quatre semaines précédant la semaine comprenant le jour férié, compte non tenu des heures supplémentaires.

(2) Employé payé à la commission — L'employé payé en tout ou en partie à la commission qui a accompli au moins douze semaines de service continu auprès d'un employeur reçoit, pour chaque jour férié, une indemnité de congé correspondant à au moins un soixantième du salaire gagné durant les douze semaines précédant la semaine comprenant le jour férié, compte non tenu des heures supplémentaires.

(3) Jour férié pendant les 30 premiers jours de service — L'employé n'a pas droit à l'indemnité de congé pour le jour férié qui tombe dans ses trente premiers jours de service pour un employeur.

(4) Absence de l'employé occupé à un travail ininterrompu — L'employé occupé à un travail ininterrompu n'a pas droit à l'indemnité de congé pour le jour férié où, selon le cas :

a) il ne se présente pas au travail après y avoir été appelé;

b) il fait en sorte de ne pas être disponible pour travailler alors qu'en vertu des conditions d'emploi dans l'établissement où il travaille :

(i) soit il serait tenu de se rendre ainsi disponible,

(ii) soit il peut choisir de ne pas être ainsi disponible.

(5) Sens de « service » — Pour l'application du paragraphe (3), une personne est réputée être au service d'une autre lorsqu'elle est à sa disposition, même si elle ne travaille pas effectivement.

2012, ch. 31, art. 221

197. (1) Majoration pour travail effectué — L'employé qui est tenu de travailler un jour pour lequel il a droit à une indemnité de congé reçoit celle-ci ainsi que la somme additionnelle correspondant à au moins une fois et demie son salaire normal pour les heures de travail fournies ce jour-là.

(2) Employé occupé à un travail ininterrompu — L'employé occupé à un travail ininterrompu qui est tenu de travailler un jour pour lequel il a droit à une indemnité de congé :

a) soit est rémunéré conformément au paragraphe (1);

b) soit a droit à un congé payé qu'il peut ou bien ajouter à son congé annuel, ou bien prendre à une date convenable pour lui et son employeur;

c) soit, lorsque la convention collective qui le régit le prévoit, reçoit une indemnité de congé pour le premier jour où il ne travaille pas par la suite.

(3) Employé n'ayant pas droit à l'indemnité de congé — L'employé qui n'a pas droit à l'indemnité de congé au titre du paragraphe 196(3) et qui est tenu de travailler un jour férié reçoit, pour les heures de travail fournies, la somme correspondant à au moins une fois et demie son salaire normal. Toutefois, dans le cas où il est occupé à un travail ininterrompu, il a seulement droit à son salaire normal pour les heures fournies ce jour-là.

1993, ch. 42, art. 22; 2001, ch. 34, art. 18; 2012, ch. 31, art. 221

198. [Abrogé, 2012, ch. 31, art. 221.]

199. Directeurs travaillant un jour de congé — Malgré l'article 197, l'employé qui, tout en étant exclu, aux termes du paragraphe 167(2), du champ d'application de la section I, est tenu de travailler un jour pour lequel il a droit à une indemnité de congé a droit à un congé payé à un autre moment; il peut soit l'ajouter à son congé annuel, soit le prendre à une date convenable pour lui et son employeur.

2012, ch. 31, art. 222

200. Indemnité de congé : présomption de salaire — L'indemnité de congé accordée à un employé est assimilée à un salaire.

2012, ch. 31, art. 222

201. Application de l'article 189 — L'article 189 s'applique dans le cadre de la présente section.

L.R.C. (1985), ch. 9 (1er suppl.), art. 8; 1993, ch. 42, art. 24; 2012, ch. 31, art. 222

201.1 [Abrogé, 2012, ch. 31, art. 222.]

202. [Abrogé, 2012, ch. 31, art. 222.]

SECTION VI — EMPLOYEURS MULTIPLES

203. (1) Définition de « travail au service de plusieurs employeurs » — Dans la présente section, **« travail au service de plusieurs employeurs »** s'entend de l'emploi dans un secteur d'activité où il est d'usage que les employés, ou certains d'entre eux, travaillent au cours du même mois pour plusieurs employeurs. La présente définition peut être précisée par règlement.

(2) Règlements — Le gouverneur en conseil peut, par règlement :

a) préciser le sens de « travail au service de plusieurs employeurs »;

b) apporter aux dispositions des sections IV, V, VII, VIII, X, XI, XIII ou XIV les modifications qu'il estime nécessaires pour garantir aux employés qui sont au service de plusieurs employeurs des droits et indemnités équivalents dans la mesure du possible à ceux dont ils bénéficieraient, aux termes de la section en cause, s'ils travaillaient pour un seul employeur.

(3) Application — Les règlements prévus au paragraphe (2) peuvent être d'application générale ou viser spécifiquement une ou plusieurs entreprises fédérales ou certaines catégories d'entre elles, ou encore certaines catégories de leurs employés.

L.R.C. (1985), ch. L-2, art. 203; L.R. (1985), ch. 9 (1er suppl.), art. 9

SECTION VII — RÉAFFECTATION, CONGÉ DE MATERNITÉ, CONGÉ PARENTAL, CONGÉ DE SOIGNANT, CONGÉ EN CAS DE MALADIE GRAVE ET CONGÉ EN CAS DE DÉCÈS OU DE DISPARITION

[Intertitre ajouté, 1993, ch. 42, art. 26. Modifié, 2003, ch. 15, art. 26; 2012, ch. 27, art. 2, 34.]

Réaffectation et congé liés à la maternité

[Intertitre ajouté, 1993, ch. 42, art. 26.]

204. (1) Réaffectation et modification des tâches — L'employée enceinte ou allaitant un enfant peut, pendant la période qui va du début de la grossesse à la fin de la vingt-quatrième semaine qui suit l'accouchement, demander à son employeur de modifier ses tâches ou de la réaffecter à un autre poste si, en raison de sa grossesse ou de l'allaitement, la poursuite de ses activités professionnelles courantes peut constituer un risque pour sa santé, celle du foetus ou celle de l'enfant.

(2) Certificat médical — La demande est accompagnée d'un certificat signé par un médecin choisi par l'employée faisant état de la durée prévue du risque possible et des activités ou conditions à éviter pour l'éliminer.

1993, ch. 42, art. 26

205. (1) Obligations de l'employeur — L'employeur étudie la demande en consultation avec l'employée et, dans la mesure du possible, modifie ses tâches ou la réaffecte.

(2) Droits de l'employée — L'employée peut poursuivre ses activités professionnelles courantes pendant que l'employeur étudie sa demande; toutefois, si le risque que représentent ses activités professionnelles l'exige, l'employée a droit à un congé payé, à son taux régulier de salaire jusqu'à ce que l'employeur modifie ses tâches, la réaffecte ou l'informe par écrit qu'il est difficilement réalisable de prendre de telles mesures, la rémunération qui lui est alors versée étant assimilée à un salaire.

(3) Charge de la preuve — Il incombe à l'employeur de prouver qu'il est difficilement réalisable de modifier les tâches de l'employée ou de la réaffecter de façon à éviter les activités ou les conditions mentionnées dans le certificat médical.

(4) Avis de la décision de l'employeur — L'employeur qui conclut qu'il est difficilement réalisable de modifier les tâches de l'employée ou de la réaffecter de façon à éviter les activités ou les conditions mentionnées dans le certificat médical l'en informe par écrit.

(5) Statut de l'employée — L'employée dont les tâches sont modifiées ou qui est réaffectée est réputée toujours occuper le poste qu'elle avait au moment où elle a présenté sa demande et continue de recevoir le salaire et de bénéficier des avantages qui y sont attachés.

(6) Choix de l'employée — L'employée qui est informée qu'une modification de ses tâches ou qu'une réaffectation sont difficilement réalisables a droit à un congé pendant la période mentionnée au certificat médical qu'elle avait présenté avec sa demande.

1993, ch. 42, art. 26

205.1 Droit de l'employée de prendre un congé — L'employée enceinte ou allaitant un enfant a droit à un congé pendant la période qui va du début de la grossesse à la fin de la vingt-quatrième semaine qui suit l'accouchement si elle remet à l'employeur un certificat signé par un médecin choisi par elle indiquant qu'elle est incapable de travailler en raison de sa grossesse ou de l'allaitement et donnant la durée prévue de cette incapacité.

1993, ch. 42, art. 26

205.2 Obligation de l'employée d'informer l'employeur — Sauf exception valable, l'employée qui bénéficie d'une modification de tâches, d'une réaffectation ou d'un congé est tenue de remettre un préavis écrit d'au moins deux semaines à son employeur de tout changement de la durée prévue du risque ou de l'incapacité que mentionne le certificat médical d'origine et de lui présenter un nouveau certificat médical à l'appui.

1993, ch. 42, art. 26

Congé de maternité

[Intertitre modifié, L.R.C. (1985), ch. 9 (1er suppl.), art. 10; 1993, ch. 42, art. 26.]

206. (1) Modalités d'attribution — L'employée qui travaille pour un employeur sans interruption depuis au moins six mois a droit à un congé de maternité maximal de dix-sept semaines commençant au plus tôt onze semaines avant la date prévue pour l'accouchement et se terminant au plus tard dix-sept semaines après la date effective de celui-ci à la condition de fournir à son employeur le certificat d'un médecin attestant qu'elle est enceinte.

(2) Prolongation de la période — hospitalisation de l'enfant — Si, au cours de la période de dix-sept semaines commençant après la date de l'accouchement, l'enfant qui vient de naître est hospitalisé, la période est prolongée du nombre de semaines que dure l'hospitalisation.

(3) Restriction — Aucune prolongation au titre du paragraphe (2) ne peut avoir pour effet de porter la durée de la période à plus de cinquante-deux semaines.

L.R.C. (1985), ch. 9 (1er suppl.), art. 10; 1993, ch. 42, art. 26; 2012, ch. 27, art. 3

Congé parental

[Intertitre ajouté, 1993, ch. 42, art. 26.]

206.1 (1) Modalités d'attribution — Sous réserve des paragraphes (2) et (3), a droit à un congé d'au plus trente-sept semaines l'employé qui travaille pour un employeur sans interruption depuis au moins six mois et qui doit prendre soin de son nouveau-né ou d'un enfant qui lui est confié en vue de son adoption en conformité avec les lois régissant l'adoption dans la province où il réside.

(2) Période de congé — Le droit au congé ne peut être exercé qu'au cours des cinquante-deux semaines qui suivent :

a) s'agissant d'une naissance, soit le jour de celle-ci, soit le jour où l'employé commence effectivement à prendre soin de l'enfant, au choix de l'employé;

b) s'agissant d'une adoption, le jour où l'enfant est effectivement confié à l'employé.

(2.1) Prolongation de la période — La période prévue au paragraphe (2) est prolongée du nombre de semaines au cours desquelles l'employé est en congé au titre de l'un des articles 206.3 à 206.5, est absent pour l'une des raisons mentionnées aux paragraphes 239(1) ou 239.1(1) ou est en congé au titre de l'un des alinéas 247.5(1)a), b) et d) à g).

(2.2) Prolongation de la période — hospitalisation — Si le nouveau-né ou l'enfant visé au paragraphe (1) est hospitalisé au cours de la période prévue au paragraphe (2), celle-ci est prolongée du nombre de semaines que dure l'hospitalisation.

(2.3) **Restriction** — Aucune prolongation au titre des paragraphes (2.1) ou (2.2) ne peut avoir pour effet de porter la durée de la période à plus de cent quatre semaines.

(2.4) **Interruption** — L'employé peut interrompre le congé visé au paragraphe (1) afin de lui permettre de prendre congé au titre de l'un des articles 206.3 à 206.5, de s'absenter pour l'une des raisons mentionnées aux paragraphes 239(1) ou 239.1(1) ou de prendre congé au titre de l'un des alinéas 247.5(1)a), b) et d) à g).

(2.5) **Reprise** — Le congé visé au paragraphe (1) se poursuit dès que l'interruption prend fin.

(3) **Durée maximale du congé: deux employés** — La durée maximale de l'ensemble des congés que peuvent prendre deux employés en vertu du présent article à l'occasion de la naissance ou de l'adoption d'un enfant est de trente-sept semaines.

(4) **Exception — congé de maladie** — Sauf dans la mesure où il est incompatible avec le paragraphe 239(1.1), l'article 209.1 s'applique à l'employé qui a interrompu le congé visé au paragraphe (1) afin de s'absenter pour l'une des raisons mentionnées au paragraphe 239(1).

(5) **Exception — accidents et maladies professionnels** — Sauf dans la mesure où il est incompatible avec les paragraphes 239.1(3) et (4), l'article 209.1 s'applique à l'employé qui a interrompu le congé visé au paragraphe (1) afin de s'absenter pour l'une des raisons mentionnées au paragraphe 239.1(1).

(6) **Exception — membres de la force de réserve** — Malgré l'article 209.1, les articles 247.93 à 247.95 s'appliquent à l'employé qui a interrompu le congé visé au paragraphe (1) afin de prendre congé au titre de l'un des alinéas 247.5(1)a), b) et d) à g).

Modification proposée — Modification conditionnelle — 206.1

En cas de sanction du projet de loi C-23, déposé au cours de la 2e session de la 36e législature et intitulé *Loi sur la modernisation de certains régimes d'avantages et d'obligations* [L.C. 2000, ch. 12 a été sanctionnée le 29 juin 2000.], à l'entrée en vigueur de l'article 107 de cette loi [Non en vigueur à la date de publication.] ou à celle de 2000, ch. 14, art. 42 [En vigueur le 31 décembre 2000.], la dernière en date étant à retenir, l'article 206.1 du *Code canadien du travail* est remplacé par ce qui suit :

> 206.1 (1) Modalités d'attribution — Sous réserve des paragraphes (2) et (3), a droit à un congé d'au plus trente-sept semaines l'employé qui travaille pour un employeur sans interruption depuis au moins six mois et qui doit prendre soin :
>
> a) soit de son nouveau-né;
>
> b) soit d'un enfant qui lui est confié en vue de son adoption en conformité avec les lois régissant l'adoption dans la province où il réside;
>
> c) soit d'un enfant à l'égard de qui il répond 15 aux exigences visées à l'alinéa 23(1)c) de la *Loi sur l'assurance-emploi*.
>
> (2) Période de congé — Le droit au congé ne peut être exercé qu'au cours des cinquante-deux semaines qui suivent :
>
> a) dans le cas prévu à l'alinéa (1)a), soit le jour de la naissance de l'enfant, soit celui où l'employé commence effectivement à prendre soin de l'enfant, au choix de l'employé;
>
> b) dans le cas prévu à l'alinéa (1)b), le jour où l'enfant est effectivement confié à l'employé;

c) dans le cas prévu à l'alinéa (1)c), le jour où l'employé répond aux exigences qui y sont visées.

(3) Durée maximale du congé : deux employés — La durée maximale des congés que peuvent prendre deux employés en vertu du présent article à l'égard d'un même événement prévu à l'un ou l'autre des alinéas (1)a) à c) est de trente-sept semaines.

2000, ch. 14, art. 43 [Conditions non remplies.] [Modifié par 2002, ch. 9, art. 18.]

Modification proposée — Modification conditionnelle — 206.1

Dès le premier jour où 2000, ch. 14, art. 43 [Conditions non remplies.] produit ses effets, l'article 206.1 est remplacé par ce qui suit :

206.1 (1) Modalités d'attribution — Sous réserve des paragraphes (2) et (3), a droit à un congé d'au plus trente-sept semaines l'employé qui travaille pour un employeur sans interruption depuis au moins six mois et qui doit prendre soin :

a) soit de son nouveau-né;

b) soit d'un enfant qui lui est confié en vue de son adoption en conformité avec les lois régissant l'adoption dans la province où il réside;

c) soit d'un enfant à l'égard de qui il répond aux exigences visées à l'alinéa 23(1)c) de la *Loi sur l'assurance-emploi*.

(2) Période de congé — Le droit au congé ne peut être exercé qu'au cours des cinquante-deux semaines qui suivent :

a) dans le cas prévu à l'alinéa (1)a), soit le jour de la naissance de l'enfant, soit celui où l'employé commence effectivement à prendre soin de l'enfant, au choix de l'employé;

b) dans le cas prévu à l'alinéa (1)b), le jour où l'enfant est effectivement confié à l'employé;

c) dans le cas prévu à l'alinéa (1)c), le jour où l'employé répond aux exigences qui y sont visées.

(2.1) Prolongation de la période — La période prévue au paragraphe (2) est prolongée du nombre de semaines au cours desquelles l'employé est en congé au titre de l'un des articles 206.3 à 206.5, est absent pour l'une des raisons mentionnées aux paragraphes 239(1) ou 239.1(1) ou est en congé au titre de l'un des alinéas 247.5(1)a), b) et d) à g).

(2.2) Prolongation de la période — hospitalisation — Si le nouveau-né ou l'enfant visé au paragraphe (1) est hospitalisé au cours de la période prévue au paragraphe (2), celle-ci est prolongée du nombre de semaines que dure l'hospitalisation.

(2.3) Restriction — Aucune prolongation au titre des paragraphes (2.1) ou (2.2) ne peut avoir pour effet de porter la durée de la période à plus de cent quatre semaines.

(2.4) Interruption — L'employé peut interrompre le congé visé au paragraphe (1) afin de lui permettre de prendre congé au titre de l'un des articles 206.3 à 206.5, de s'absenter pour l'une des raisons mentionnées aux paragraphes 239(1) ou 239.1(1) ou de prendre congé au titre de l'un des alinéas 247.5(1)a), b) et d) à g).

(2.5) Reprise — Le congé visé au paragraphe (1) se poursuit dès que l'interruption prend fin.

(3) Durée maximale du congé : deux employés — La durée maximale des congés que peuvent prendre deux employés en vertu du présent article à l'égard d'un même événement prévu à l'un ou l'autre des alinéas (1)a) à c) est de trente-sept semaines.

(4) Exception — congé de maladie — Sauf dans la mesure où il est incompatible avec le paragraphe 239(1.1), l'article 209.1 s'applique à l'employé qui a interrompu le congé visé au paragraphe (1) afin de s'absenter pour l'une des raisons mentionnées au paragraphe 239(1).

(5) Exception — accidents et maladies professionnels — Sauf dans la mesure où il est incompatible avec les paragraphes 239.1(3) et (4), l'article 209.1 s'applique à l'employé qui a interrompu le congé visé au paragraphe (1) afin de s'absenter pour l'une des raisons mentionnées au paragraphe 239.1(1).

(6) Exception — membres de la force de réserve — Malgré l'article 209.1, les articles 247.93 à 247.95 s'appliquent à l'employé qui a interrompu le congé visé au paragraphe (1) afin de prendre congé au titre de l'un des alinéas 247.5(1)a), b) et d) à g).

2012, ch. 27, art. 35 [Conditions non remplies.]

1993, ch. 42, art. 26; 2000, ch. 14, art. 42; 2002, ch. 9, art. 17; 2012, ch. 27, art. 4

206.2 Cumul des congés: durée maximale — La durée maximale de l'ensemble des congés que peuvent prendre un ou deux employés en vertu des articles 206 et 206.1 à l'occasion de la naissance d'un enfant est de cinquante-deux semaines.

2000, ch. 14, art. 42

Congé de soignant

[Intertitre ajouté, 2003, ch. 15, art. 27.]

206.3 (1) Définitions — Les définitions qui suivent s'appliquent au présent article.

« conjoint de fait » La personne qui vit avec la personne en cause dans une relation conjugale depuis au moins un an. *(« common-law partner »)*

« membre de la famille » S'entend, relativement à l'employé en cause :

a) de son époux ou conjoint de fait;

b) de son enfant ou de l'enfant de son époux ou conjoint de fait;

c) de son père ou de sa mère ou de l'époux ou du conjoint de fait de ceux-ci;

d) de toute autre personne faisant partie d'une catégorie de personnes précisée par règlement pour l'application de la présente définition ou de la définition de « membre de la famille » aux paragraphes 23.1(1) ou 152.01(1) de la *Loi sur l'assurance-emploi.*

(« family member »)

« médecin qualifié Personne autorisée à exercer la médecine en vertu des lois du territoire où des soins ou des traitements médicaux sont prodigués au membre de la famille en cause. Est visée par la présente définition la personne faisant partie d'une catégorie de spécialistes de la santé prévue par règlement pour l'application des paragraphes 23.1(3) ou 152.06(2) de la *Loi sur l'assurance-emploi. (« qualified medical practitioner »)*

« semaine » Période commençant à zéro heure le dimanche et se terminant à vingt-quatre heures le samedi suivant. *(« week »)*

(2) Modalités d'attribution — Sous réserve des paragraphes (3) à (8), l'employé a droit à un congé d'au plus vingt-huit semaines pour offrir des soins ou du soutien à un membre de la famille dans le cas où un médecin qualifié délivre un certificat attestant que ce membre de la famille est gravement malade et que le risque de décès est important au cours des vingt-six semaines suivant :

a) soit le jour de la délivrance du certificat;

b) soit, si le congé commence avant le jour de la délivrance du certificat, le jour du début du congé.

(3) Période de congé — Le droit au congé ne peut être exercé qu'au cours de la période :

a) qui commence au début de la semaine suivant :

(i) soit celle au cours de laquelle le certificat est délivré,

(ii) soit, si le congé commence avant le jour de la délivrance du certificat, celle au cours de laquelle commence le congé si le certificat est valide à partir de cette semaine;

b) qui se termine à la fin de la semaine au cours de laquelle un des événements suivants se produit :

(i) le membre de la famille décède,

(ii) la période de cinquante-deux semaines qui suit le début de la semaine visée à l'alinéa a) prend fin.

(3.1) Certificat non nécessaire — Sous réserve du paragraphe (3), il est entendu que le congé prévu au présent article peut être pris après l'expiration de la période de vingt-six semaines prévue au paragraphe (2) sans que ne soit délivré un autre certificat au titre de ce paragraphe.

(4) Période plus courte — Dans le cas où une période plus courte est prévue par règlement pour l'application de l'article 23.1 ou du paragraphe 152.06(4) de la *Loi sur l'assurance-emploi* :

a) le certificat visé au paragraphe (2) doit attester que le membre de la famille est gravement malade et que le risque de décès au cours de cette période est important;

b) cette période s'applique dans le cadre du sous-alinéa (3)b)(ii).

(5) Fin de la période plus courte — Dans le cas où une période plus courte visée au paragraphe (4) prend fin relativement à un membre de la famille, le nombre de semaines prévu pour l'application du paragraphe 12(4.3) ou 152.14(7) de la *Loi sur l'assurance-emploi* doit s'écouler avant qu'un employé puisse prendre un autre congé relativement à ce membre de la famille aux termes du présent article.

(6) [Abrogé, 2014, ch. 20, art. 242.]

(7) Durée maximale du congé — plusieurs employés — La durée maximale de l'ensemble des congés que peuvent prendre aux termes du présent article plusieurs employés pour le même membre de la famille pendant la période visée au paragraphe (3) est de vingt-huit semaines.

(8) Copie du certificat — L'employé fournit à l'employeur, sur demande par écrit présentée à cet effet par celui-ci dans les quinze jours qui suivent le retour au travail, une copie du certificat prévu au paragraphe (2).

(9) Application — Les renvois dans le présent article à des dispositions de la partie VII.1 de la *Loi sur l'assurance-emploi* ne s'appliquent que relativement aux employés qui sont des travailleurs indépendants mentionnés à l'alinéa b) de la définition de « travailleur indépendant » au paragraphe 152.01(1) de cette loi.

2003, ch. 15, art. 27; 2009, ch. 33, art. 30; 2014, ch. 20, art. 242; 2015, ch. 36, art. 73

Congé en cas de maladie grave

[Intertitre ajouté, 2012, ch. 27, art. 5.]

206.4 (1) Définitions — Pour l'application du présent article, les expressions **« enfant gravement malade »**, **« médecin spécialiste »** et **« parent »** s'entendent au sens des règlements pris en vertu de la *Loi sur l'assurance-emploi* et **« semaine »** s'entend au sens du paragraphe 206.3(1).

(2) Congé : trente-sept semaines — L'employé qui travaille pour un employeur sans interruption depuis au moins six mois et qui est le parent d'un enfant gravement malade a droit à un congé d'au plus trente-sept semaines pour prendre soin de l'enfant ou lui fournir du soutien si un médecin spécialiste délivre un certificat :

a) attestant que l'enfant est un enfant gravement malade et qu'il requiert les soins ou le soutien d'un ou plusieurs de ses parents;

b) précisant la période pendant laquelle il requiert les soins ou le soutien.

(3) **Spécialiste de la santé** — Dans les circonstances prévues sous le régime de la *Loi sur l'assurance-emploi*, le certificat visé au paragraphe (2) peut être délivré par une personne faisant partie d'une catégorie de spécialistes de la santé prévue par règlement pris en vertu de cette loi.

(4) **Période de congé — un seul enfant** — La période au cours de laquelle l'employé peut prendre congé :

a) commence au début de la semaine au cours de laquelle tombe un des jours suivants :

(i) le jour de la délivrance du premier certificat à l'égard de l'enfant qui satisfait aux conditions du paragraphe (2),

(ii) si le congé commence avant le jour de la délivrance du certificat, le jour où le médecin spécialiste atteste que l'enfant est gravement malade;

b) se termine à la fin de la semaine au cours de laquelle se produit un des événements suivants :

(i) l'enfant décède,

(ii) la période de cinquante-deux semaines qui suit le début de la semaine visée à l'alinéa a) prend fin.

(5) **Période de congé — plus d'un enfant** — Si plus d'un enfant de l'employé est gravement malade par suite du même événement, la période au cours de laquelle l'employé peut prendre congé :

a) commence au début de la semaine au cours de laquelle tombe un des jours suivants :

(i) le jour de la délivrance du premier certificat à l'égard de l'un des enfants qui satisfait aux conditions du paragraphe (2),

(ii) si le congé commence avant le jour de la délivrance du certificat, le premier jour où le médecin spécialiste atteste que l'un des enfants est gravement malade;

b) se termine à la fin de la semaine au cours de laquelle se produit un des événements suivants :

(i) le dernier des enfants décède,

(ii) la période de cinquante-deux semaines qui suit le début de la semaine visée à l'alinéa a) prend fin.

(6) **Durée maximale du congé : employés** — La durée maximale de l'ensemble des congés que peuvent prendre des employés au titre du présent article relativement au même enfant ou aux mêmes enfants gravement malades par suite du même événement est de trente-sept semaines durant la période visée aux paragraphes (4) ou (5), selon le cas.

2012, ch. 27, art. 5

Congé en cas de décès ou de disparition

[Intertitre ajouté, 2012, ch. 27, art. 6.]

206.5 (1) Définitions — Les définitions qui suivent s'appliquent au présent article.

« **crime** » S'entend de toute infraction prévue au *Code criminel*, sauf celle exclue par règlement. *(« crime »)*

« **enfant** » Personne âgée de moins de dix-huit ans. *(« child »)*

« **parent** » À l'égard d'un enfant, personne qui, en droit, est son père ou sa mère — notamment adoptif —, s'en est vu confier la garde ou, au Québec, est titulaire de l'autorité parentale sur lui ou en est le tuteur à la personne, ou à qui il est confié en vue de son adoption en conformité avec les lois régissant l'adoption dans la province où elle réside. *(« parent »)*

(2) **Congé : cent quatre semaines** — L'employé qui travaille pour un employeur sans interruption depuis au moins six mois a droit à un congé d'au plus cent quatre semaines s'il est le parent d'un enfant décédé et que les circonstances du décès permettent de tenir pour probable qu'il résulte de la perpétration d'un crime.

(3) **Congé : cinquante-deux semaines** — L'employé qui travaille pour un employeur sans interruption depuis au moins six mois a droit à un congé d'au plus cinquante-deux semaines s'il est le parent d'un enfant disparu et que les circonstances de la disparition permettent de tenir pour probable qu'elle résulte de la perpétration d'un crime.

(4) **Exception** — L'employé n'a pas droit au congé s'il est accusé du crime ou si les circonstances permettent de tenir pour probable que l'enfant a pris part au crime.

(5) **Période de congé** — La période au cours de laquelle l'employé peut prendre congé :

a) commence à la date où le décès ou la disparition, selon le cas, survient;

b) se termine :

(i) dans le cas du congé prévu au paragraphe (2), cent quatre semaines après la date du décès,

(ii) dans le cas du congé prévu au paragraphe (3), cinquante-deux semaines après la date de la disparition.

(6) **Disparition** — Malgré l'alinéa (5)b), si l'enfant disparu est retrouvé, la période prévue au paragraphe (5) se termine :

a) le quatorzième jour suivant celui où il est retrouvé mais au plus tard la cinquante-deuxième semaine, s'il est retrouvé pendant la période de cinquante-deux semaines;

b) cent quatre semaines après la date de la disparition si le paragraphe (2) s'applique à l'enfant.

(7) **Précision** — Il est entendu que le congé se termine le jour où les circonstances ne permettent plus de tenir pour probable que le décès ou la disparition résulte de la perpétration d'un crime.

(8) **Durée maximale du congé : employés** — La durée maximale de l'ensemble des congés que peuvent prendre des employés au titre du présent article à l'occasion du décès ou de la disparition d'un même enfant ou à l'égard des mêmes enfants décédés ou disparus par suite du même événement est de cent quatre semaines dans le cas d'un décès, et de cinquante-deux semaines dans le cas d'une disparition.

2012, ch. 27, art. 6

Dispositions générales

[Intertitre ajouté, 1993, ch. 42, art. 27.]

207. (1) Préavis à l'employeur — L'employé qui entend prendre l'un des congés prévus aux articles 206 et 206.1 :

a) en informe son employeur par un préavis écrit d'au moins quatre semaines, sauf exception valable;

b) informe l'employeur par écrit de la durée du congé qu'il entend prendre.

(2) Avis de modification de la durée du congé — De même et sauf exception valable, toute modification de la durée de ce congé est portée à l'attention de l'employeur par un préavis écrit d'au moins quatre semaines.

L.R.C. (1985), ch. 9 (1er suppl.), art. 10; 1993, ch. 42, art. 28

207.01 Durée minimale d'une période — Sous réserve des règlements, le droit au congé visé à l'un des articles 206.3 à 206.5 peut être exercé en une ou plusieurs périodes d'une durée minimale d'une semaine chacune.

2014, ch. 20, art. 243

207.02 (1) Interruption — L'employé peut interrompre l'un des congés prévus aux articles 206.3 à 206.5 afin de s'absenter pour l'une des raisons mentionnées aux paragraphes 239(1) ou 239.1(1).

(2) Reprise — Le congé interrompu se poursuit dès que l'interruption prend fin.

(3) Exception — congé de maladie — Sauf dans la mesure où il est incompatible avec le paragraphe 239(1.1), l'article 209.1 s'applique à l'employé qui a interrompu le congé afin de s'absenter pour l'une des raisons mentionnées au paragraphe 239(1).

(4) Exception — accidents et maladies professionnels — Sauf dans la mesure où il est incompatible avec les paragraphes 239.1(3) et (4), l'article 209.1 s'applique à l'employé qui a interrompu le congé afin de s'absenter pour l'une des raisons mentionnées au paragraphe 239.1(1).

2014, ch. 20, art. 243

207.1 (1) Avis à l'employeur — interruption du congé — L'employé qui entend interrompre son congé en vertu des paragraphes 206.1(2.4) ou 207.02(1) en informe l'employeur par écrit avant l'interruption ou dès que possible après le début de celle-ci.

(2) Avis à l'employeur — poursuite du congé — L'employé informe l'employeur par écrit de la date à laquelle il poursuit son congé avant cette date ou dès que possible après celle-ci.

2012, ch. 27, art. 7; 2014, ch. 20, art. 244

207.2 (1) Préavis à l'employeur — interruption pour l'hospitalisation de l'enfant — L'employé qui entend interrompre son congé de maternité ou son congé parental en raison de l'hospitalisation de son enfant pour retourner au travail en informe dès que possible l'employeur par un préavis écrit.

(2) Décision de l'employeur — L'employeur avise l'employé par écrit, dans un délai d'une semaine suivant la réception du préavis, de sa décision d'accepter ou de refuser le retour au travail de l'employé.

(3) Refus — Si l'employeur refuse que l'employé interrompe son congé ou qu'il ne l'avise pas dans le délai prévu au paragraphe (2), le congé prévu aux articles 206 ou 206.1 est prolongé du nombre de semaines que dure l'hospitalisation. La durée maximale de l'ensemble des congés prévue au paragraphe 206.1(3) et à l'article 206.2 est prolongée du même nombre de semaines.

(4) **Certificat médical** — L'employeur peut exiger par écrit, au plus tard quinze jours suivant le retour au travail de l'employé, un certificat délivré par un médecin qualifié, au sens du paragraphe 206.3(1), attestant l'hospitalisation de l'enfant.

(5) **Fin de l'interruption** — L'employé qui entend poursuivre son congé de maternité ou son congé parental à la suite d'une interruption en informe dès que possible l'employeur par un préavis écrit précisant la date à laquelle le congé de maternité ou le congé parental se poursuivra.

(6) **Limite** — La prolongation prévue au paragraphe (3) ne s'applique qu'une seule fois à l'égard d'un même enfant.

2012, ch. 27, art. 7

207.3 (1) **Avis à l'employeur** — L'employé qui prend l'un des congés prévus aux articles 206.3 à 206.5 informe dès que possible l'employeur par écrit des raisons et de la durée du congé qu'il entend prendre.

(2) **Préavis de modification de la durée du congé** — Toute modification de la durée prévue du congé est portée dès que possible à l'attention de l'employeur par un préavis écrit.

(3) **Délai pour préavis** — Sauf exception valable, le préavis doit être d'au moins quatre semaines si le congé pris en vertu des articles 206.4 ou 206.5 est de plus de quatre semaines.

(4) **Documents** — L'employeur peut exiger de l'employé qu'il fournisse des documents justificatifs concernant les raisons du congé pris en vertu des articles 206.4 ou 206.5 ou la modification de sa durée.

(5) **Report de la date de retour au travail** — Si l'employé qui a pris un congé en vertu des articles 206.4 ou 206.5 de plus de quatre semaines désire en raccourcir la durée mais omet de fournir le préavis exigé au paragraphe (3), l'employeur peut retarder le retour au travail d'une période d'au plus quatre semaines suivant le jour où l'employé l'informe de la nouvelle date de la fin du congé. Si l'employeur avise l'employé que le retour au travail est retardé, l'employé ne peut retourner au travail avant la date précisée.

(6) **Période incluse** — La période d'attente qui précède le retour au travail est réputée faire partie du congé.

2012, ch. 27, art. 8; 2014, ch. 20, art. 245(1), (3)

208. (1) **Interdiction** — L'employeur ne peut obliger une employée à prendre un congé pour cause de grossesse.

(2) **Exception** — L'employeur peut toutefois imposer le congé à une employée enceinte qui n'est plus en mesure de remplir une fonction essentielle de son poste et à qui aucun autre poste approprié ne peut être offert.

(3) **Durée du congé** — Le cas échéant, le congé ne dure que le temps où l'employée enceinte n'est pas en mesure de remplir la fonction en question.

(4) **Charge de la preuve** — Il incombe à l'employeur de prouver que l'employée enceinte n'est pas en mesure de remplir une fonction essentielle de son poste.

L.R.C. (1985), ch. 9 (1er suppl.), art. 10

208.1 **Application** — Les droits et obligations prévus aux articles 204 et 205 ont préséance sur ceux que prévoit le paragraphe 208(2), indépendamment de la date de présentation d'une demande en vertu de l'article 204.

1993, ch. 42, art. 29

209. **Information quant aux possibilités d'emploi** — Les employés qui prennent, de leur plein gré ou non, un congé aux termes de la présente section ont le droit, sur demande écrite, d'être informés par écrit de toutes les possibilités d'emploi, d'avancement et de formation qui surviennent pendant leur congé et en rapport avec leurs qualifications professionnelles, l'employeur étant tenu de fournir l'information.

L.R.C. (1985), ch. 9 (1er suppl.), art. 10

209.1 (1) Reprise de l'emploi — Les employés ont le droit de reprendre l'emploi qu'ils ont quitté pour prendre leur congé, l'employeur étant tenu de les y réintégrer à la fin du congé.

(2) Emploi comparable — Faute — pour un motif valable — de pouvoir réintégrer l'employé dans son poste antérieur, l'employeur lui fournit un emploi comparable, au même endroit, au même salaire et avec les mêmes avantages.

(3) Modifications consécutives à une réorganisation — Si, pendant sa période de congé, le salaire et les avantages du groupe dont il fait partie sont modifiés dans le cadre de la réorganisation de l'établissement où ce groupe travaille, l'employé, à sa reprise du travail, a droit au salaire et aux avantages afférents à l'emploi qu'il réoccupe comme s'il avait travaillé au moment de la réorganisation.

(4) Avis de modification — Dans le cas visé au paragraphe (3), l'employeur avise par écrit l'employé en congé de la modification du salaire et des avantages de son poste et ce dans les meilleurs délais.

L.R.C. (1985), ch. 9 (1er suppl.), art. 10

209.2 (1) Calcul des prestations — Les périodes pendant lesquelles l'employé se trouve être en congé sous le régime de la présente section sont prises en compte pour le calcul des prestations de retraite, de maladie et d'invalidité et pour la détermination de l'ancienneté.

(2) Versement des cotisations de l'employé — Il incombe à l'employé, quand il est normalement responsable du versement des cotisations ouvrant droit à ces prestations, de les payer dans un délai raisonnable sauf si, avant de prendre le congé ou dans un délai raisonnable, il avise son employeur de son intention de cesser les versements pendant le congé.

(2.1) Versement des cotisations de l'employeur — L'employeur qui verse des cotisations pour que l'employé ait droit aux prestations doit, pendant le congé, poursuivre ses versements dans au moins la même proportion que si l'employé n'était pas en congé, sauf si ce dernier ne verse pas dans un délai raisonnable les cotisations qui lui incombent.

(3) Défaut de versement — Pour le calcul des prestations, en cas de défaut de versement des cotisations visées aux paragraphes (2) et (2.1), la durée de l'emploi est réputée ne pas avoir été interrompue, la période de congé n'étant toutefois pas prise en compte.

(4) Continuité d'emploi — Pour le calcul des avantages — autres que les prestations citées au paragraphe (1) — de l'employé en situation de congé sous le régime de la présente section, la durée de l'emploi est réputée ne pas avoir été interrompue, la période de congé n'étant toutefois pas prise en compte.

L.R.C. (1985), ch. 9 (1er suppl.), art. 10; L.R.C. (1985), ch. 43 (3e suppl.), art. 1; 2001, ch. 34, art. 21

209.21 Conséquence du congé — Par dérogation aux dispositions du régime de remplacement de revenu ou du régime d'assurance en vigueur à son lieu de travail, l'employé qui prend un congé en vertu de la présente section est admissible aux avantages que le régime prévoit aux mêmes conditions que tout employé qui s'absente par cause de maladie et qui y est admissible.

1993, ch. 42, art. 30

209.22 Valeur du certificat — Un certificat médical remis sous le régime de la présente section fait foi de façon concluante de son contenu.

1993, ch. 42, art. 30

209.3 (1) Interdiction — L'employeur ne peut invoquer la grossesse d'une employée pour la congédier, la suspendre, la mettre à pied, la rétrograder ou prendre des mesures disciplinaires contre elle, ni en tenir compte dans ses décisions en matière d'avancement ou de formation. Cette interdiction vaut également dans le cas des employés de l'un ou l'autre sexe qui ont présenté une demande de congé aux termes de la présente section ou qui ont l'intention de prendre un tel congé.

(2) Interdiction — L'interdiction visée au paragraphe (1) vaut également dans le cas d'un employé qui a pris un congé au titre de l'un des articles 206.3 à 206.5.

L.R.C. (1985), ch. 9 (1er suppl.), art. 10; 2003, ch. 15, art. 28; 2012, ch. 27, art. 9

209.4 Règlements — Le gouverneur en conseil peut, par règlement :

a) pour l'application des articles 206, 206.1, 206.4 et 206.5, préciser les absences qui sont réputées ne pas interrompre la continuité de l'emploi;

a.1) pour l'application de l'alinéa d) de la définition de « membre de la famille » au paragraphe 206.3(1), préciser les catégories de personnes;

a.2) préciser le nombre maximal de périodes de congé que peut prendre un employé en vertu de l'un des articles 206.3 à 206.5;

b) pour l'application de l'article 208, préciser ce qui constitue, ou non, une fonction essentielle;

c) pour l'application du paragraphe 209.1(2), préciser ce qui ne constitue pas un motif valable pour ne pas réintégrer un employé dans son poste antérieur;

d) élargir le sens du terme « enfant gravement malade » au paragraphe 206.4(1) et préciser les autres personnes visées respectivement par les termes « médecin spécialiste » et « parent » à ce paragraphe;

e) définir ou déterminer ce qui constitue un même événement aux paragraphes 206.4(5) et (6);

f) préciser les infractions qui sont exclues de la définition de « crime » au paragraphe 206.5(1) et préciser les autres personnes visées à la définition de « parent » à ce paragraphe;

g) pour l'application des paragraphes 206.4(2) et 206.5(2) et (3), préciser des périodes plus courtes de travail sans interruption;

h) préciser les cas, autres que ceux mentionnés au paragraphe 206.5(4), où l'employé n'a pas droit au congé et les cas où il y a droit même s'il est accusé du crime;

i) préciser les documents que peut exiger l'employeur au titre du paragraphe 207.3(4);

j) préciser les cas où tout congé prévu par la présente section peut être interrompu;

k) prolonger la période au cours de laquelle peut être pris tout congé prévu par la présente section.

L.R.C. (1985), ch. 9 (1er suppl.), art. 10; 1993, ch. 42, art. 31; 2003, ch. 15, art. 29; 2012, ch. 27, art. 10; 2014, ch. 20, art. 246

209.5 Application de l'art. 189 — L'article 189 s'applique dans le cadre de la présente section.

L.R.C. (1985), ch. 9 (1er suppl.), art. 10

SECTION VIII — CONGÉS DE DÉCÈS

210. (1) Droit — En cas de décès d'un proche parent, l'employé a droit à un congé pendant les jours ouvrables compris dans les trois jours qui suivent celui du décès.

(2) Rémunération — Le congé de décès est payé aux employés ayant accompli au moins trois mois de service continu chez un même employeur, au taux régulier de salaire pour une journée normale de travail; il est assimilé à un salaire.

(3) Règlements — Le gouverneur en conseil peut, par règlement, préciser :

a) le sens de « proche parent », pour l'application du paragraphe (1);

b) le sens de « taux régulier de salaire » et de « journée normale de travail », pour l'application du paragraphe (2);

c) pour l'application de la présente section, les cas d'absence qui n'ont pas pour effet d'interrompre le service chez un employeur.

(4) Application de l'art. 189 — L'article 189 s'applique dans le cadre de la présente section.

SECTION IX — LICENCIEMENTS COLLECTIFS

211. Définitions — Les définitions qui suivent s'appliquent à la présente section.

« comité mixte » Le comité mixte de planification constitué aux termes de l'article 214. *(« joint planning committee »)*

« surnuméraire » Employé visé par l'avis prévu à l'article 212. *(« redundant employee »)*

« syndicat » Le syndicat qui est accrédité sous le régime de la partie I et représente des surnuméraires, ou qui est reconnu par l'employeur à titre d'agent négociateur de surnuméraires. *(« trade union »)*

212. (1) Avis de licenciement collectif — Avant de procéder au licenciement simultané, ou échelonné sur au plus quatre semaines, de cinquante ou plus — ou le nombre inférieur applicable à l'employeur et fixé par règlement d'application de l'alinéa 227b) — employés d'un même établissement, l'employeur doit en donner avis au ministre par écrit au moins seize semaines avant la date du premier licenciement prévu. La transmission de cet avis ne dispense pas de l'obligation de donner le préavis mentionné à l'article 230.

(2) Transmission de l'avis — Copie de l'avis donné au ministre est transmise immédiatement par l'employeur au ministre de l'Emploi et du Développement social, à la Commission de l'assurance-emploi du Canada et à tous les syndicats représentant les surnuméraires en cause; en l'absence de représentation syndicale, l'employeur doit, sans délai, remettre une copie au surnuméraire ou l'afficher dans un endroit bien en vue à l'intérieur de l'établissement où celui-ci travaille.

(3) Teneur de l'avis — L'avis prévu au paragraphe (1) doit comporter les mentions suivantes :

a) la date ou le calendrier des licenciements;

b) le nombre estimatif d'employés à licencier, ventilé par catégorie professionnelle;

c) les autres renseignements réglementaires.

(4) **Assimilation** — Sauf disposition contraire d'un règlement, la mise à pied est, pour l'application de la présente section, assimilée au licenciement.

1996, ch. 11, art. 67; 2005, ch. 34, art. 80b); 2013, ch. 40, art. 238(1)a)

213. (1) Coopération avec la Commission — L'employeur qui donne au ministre l'avis prévu par l'article 212 et le ou les syndicats à qui copie en est transmise doivent fournir à la Commission de l'assurance-emploi du Canada tous les renseignements que celle-ci demande afin d'aider les surnuméraires et coopérer avec elle pour faciliter leur réemploi.

(2) **Relevé des prestations** — L'employeur remet en outre à chaque surnuméraire, dans les meilleurs délais suivant la transmission au ministre de l'avis et, au plus tard, deux semaines avant la date de licenciement, un bulletin indiquant les indemnités de congé annuel, le salaire, les indemnités de départ et les autres prestations auxquelles lui donne droit son emploi, à la date du bulletin.

1996, ch. 11, art. 99

214. (1) Constitution d'un comité mixte de planification — Aussitôt après avoir transmis l'avis au ministre, l'employeur procède à la constitution d'un comité mixte de planification conformément au présent article et aux articles 215 et 217.

(2) **Composition** — Le comité mixte de planification est composé d'au moins quatre membres.

(3) **Représentation** — Le comité mixte doit être formé, pour au moins la moitié, de représentants des surnuméraires nommés conformément aux paragraphes 215(1), (2) et (3), le reste consistant en représentants de l'employeur, nommés conformément au paragraphe 215(5).

215. (1) Représentants des surnuméraires — Lorsque tous les surnuméraires sont représentés par syndicat, le ou chacun des syndicats peut nommer, au comité mixte, un membre à titre de représentant des surnuméraires qu'il représente.

(2) **Idem** — En l'absence de représentation syndicale, les surnuméraires peuvent nommer tous les membres du comité mixte qui seront leurs représentants.

(3) **Idem** — En cas de représentation syndicale partielle, les nominations se font de la façon suivante :

a) chaque syndicat peut nommer au moins un membre du comité mixte à titre de représentant des surnuméraires qu'il représente;

b) les employés non représentés par un syndicat peuvent nommer au moins un membre du comité mixte à titre de représentant.

(4) **Élection** — Les membres du comité mixte visés au paragraphe (2) ou à l'alinéa (3)b) sont élus par les surnuméraires habilités à les nommer.

(5) **Représentants de l'employeur** — L'employeur peut nommer au comité mixte un nombre de membres égal à celui des membres nommés au titre des paragraphes (1), (2) et (3).

216. Délai — Les membres du comité mixte doivent être nommés et tenir leur première réunion dans les deux semaines de la date de l'avis donné au ministre conformément à l'article 212.

217. Défaut — Faute de nomination par un syndicat ou un groupe de surnuméraires, le ministre peut, à la demande d'un surnuméraire, se substituer à eux et faire la nomination lui-même; le membre nommé est alors le représentant du syndicat ou du groupe, selon le cas.

218. Avis de la nomination des membres — Une fois le comité mixte constitué, l'employeur affiche le nom des membres nommés en un endroit bien en vue dans l'établissement où travaillent les surnuméraires.

219. (1) Procédure — Sous réserve des autres dispositions de la présente section, le comité mixte fixe lui-même sa procédure.

(2) **Coprésidents** — Les deux coprésidents du comité mixte sont respectivement choisis par les représentants des surnuméraires et par ceux de l'employeur.

(3) **Séances** — Les coprésidents du comité mixte peuvent, après consultation des autres membres, fixer les date, heure et lieu des réunions; il leur incombe alors d'en aviser les autres membres.

(4) **Quorum** — Le quorum du comité mixte est constitué par la majorité des membres dont au moins la moitié sont des représentants des surnuméraires, à condition toutefois que tout membre absent ait été averti suffisamment à l'avance de la tenue de la réunion.

(5) **Vacance** — Il doit être pourvu sans délai à toute vacance au sein du comité mixte survenant avant la fin de ses travaux, le mode de sélection du remplaçant étant le même que celui ayant déterminé le choix du premier titulaire.

(6) **Idem** — Une vacance en son sein n'invalide pas le comité mixte et n'entrave pas son fonctionnement tant que le nombre des membres en fonctions n'est pas inférieur au quorum.

(7) **Décision** — La décision ou mesure prise par la majorité des membres du comité mixte vaut, si les membres présents constituent un quorum, décision ou mesure de l'ensemble du comité.

220. Salaire — Les membres du comité mixte peuvent s'absenter de leur travail pour exercer leurs fonctions à titre de membre, notamment pour assister aux réunions du comité; les heures qu'ils y consacrent sont assimilées, pour le calcul du salaire qui leur est dû, à des heures de travail.

221. (1) Mission du comité mixte — Le comité mixte a pour mission d'élaborer un programme d'adaptation visant :

a) soit à éliminer la nécessité des licenciements;

b) soit à minimiser les conséquences de cette mesure pour les surnuméraires et aider ces derniers à trouver un autre travail.

(2) **Champ d'action** — Le comité mixte n'est compétent, sauf accord de ses membres à l'effet contraire, que pour les questions du ressort normal des conventions collectives en matière de licenciements.

(3) **Coopération des membres** — Les membres du comité mixte doivent, en toute coopération, faire leur possible pour élaborer le programme d'adaptation dans les meilleurs délais.

(4) **Coopération extérieure** — L'employeur et les syndicats ou les surnuméraires qui ont nommé les membres du comité mixte doivent coopérer avec celui-ci à l'élaboration du programme d'adaptation.

222. (1) Renseignements — L'employeur et les syndicats ou les surnuméraires qui ont nommé les membres du comité mixte doivent, à la demande d'un membre, fournir sans délai au comité, sur tout surnuméraire, les renseignements personnels que le comité est normalement en droit de demander dans le cadre de ses travaux.

(2) **Inspecteur** — Un inspecteur peut :

a) surveiller la constitution et le fonctionnement du comité mixte et fournir en cette matière l'aide qu'on pourrait lui demander;

b) assister aux réunions du comité à titre d'observateur.

223. (1) **Demande d'arbitrage** — Une fois que six semaines se sont écoulées depuis la date de l'avis prévu à l'article 212, les membres du comité mixte qui représentent les surnuméraires, ou ceux qui représentent l'employeur, peuvent, pourvu que dans chaque cas il y ait consentement unanime et que la demande soit conjointe, demander au ministre la nomination d'un arbitre si, selon le cas :

a) le comité n'a pas encore élaboré un programme d'adaptation;

b) ils ne sont pas satisfaits, en tout ou en partie, du programme élaboré.

(2) **Forme et contenu de la demande** — La demande prévue au paragraphe (1) doit être signée par tous les membres qui la présentent et énoncer, s'il y a lieu, les points du programme d'adaptation qui sont contestés.

224. (1) **Nomination d'un arbitre** — S'il acquiesce à la demande, le ministre nomme un arbitre chargé d'aider le comité mixte à élaborer le programme d'adaptation et à régler éventuellement les points de désaccord.

(2) **Liste des points de désaccord** — S'il nomme un arbitre, le ministre :

a) communique sans délai sa décision au comité mixte en lui faisant savoir le nom de l'arbitre;

b) transmet au comité et à l'arbitre l'éventuelle liste des points de désaccord que ce dernier aura à régler.

(3) **Restrictions** — La liste prévue au paragraphe (2) doit se limiter aux points énoncés dans la demande et que le ministre estime pertinents, et qui sont normalement du ressort des conventions collectives.

(4) **Mission de l'arbitre** — L'arbitre aide le comité mixte à élaborer un programme d'adaptation; si le ministre lui a transmis la liste visée au paragraphe (2), il doit en outre, dans les quatre semaines de sa réception ou dans le délai ultérieur fixé par le ministre :

a) étudier les points mentionnés dans la liste;

b) rendre sa décision;

c) communiquer celle-ci, motifs à l'appui, au comité mixte et au ministre.

(5) **Réserve** — L'arbitre n'a pas le pouvoir de :

a) réviser la décision d'un employeur de licencier des surnuméraires;

b) retarder l'exécution de la mesure de licenciement.

(6) **Pouvoirs de l'arbitre** — L'arbitre peut, dans le cadre des affaires dont il est saisi au titre du présent article :

a) fixer lui-même sa procédure;

b) faire prêter serment et recevoir des affirmations solennelles;

c) accepter, sous serment, par voie d'affidavit ou sous une autre forme, les témoignages et renseignements qu'il juge indiqués, qu'ils soient admissibles ou non en justice;

d) procéder, s'il le juge nécessaire, à l'examen de documents contenant des renseignements personnels sur un surnuméraire et à des enquêtes sur celui-ci;

e) obliger l'employeur à afficher, en permanence et aux endroits appropriés, les avis qu'il estime nécessaire de porter à l'attention des surnuméraires au sujet de toute question dont il est saisi;

f) déléguer les pouvoirs mentionnés aux alinéas b) ou d), en exigeant éventuellement un rapport sur l'exercice d'une telle délégation.

225. Dispositions applicables — Les articles 58 et 66 s'appliquent, compte tenu des adaptations de circonstance, à la décision de l'arbitre nommé en vertu de l'article 224.

226. Mise en oeuvre du programme d'adaptation — Une fois le programme d'adaptation mis au point, l'employeur le met en oeuvre, avec l'assistance du comité mixte et des syndicats ou surnuméraires qui ont nommé les membres de celui-ci.

227. Règlements — Le gouverneur en conseil peut prendre les règlements nécessaires à l'application de la présente section, notamment en vue :

a) d'exempter des employeurs de l'application de la présente section en ce qui concerne le licenciement d'employés travaillant sur une base saisonnière ou irrégulière;

b) d'obliger les employeurs ayant à leur service des employés d'une catégorie professionnelle particulière, dans un secteur d'activité particulier ou dans un établissement situé dans une zone ou région donnée à se conformer à la présente section pour les licenciements d'un nombre d'employés inférieur à cinquante mais supérieur au nombre fixé dans le règlement;

c) de préciser les renseignements à énoncer dans l'avis prévu au paragraphe 212(1);

d) de préciser les cas où la mise à pied n'est pas assimilée au licenciement.

228. Exemption de l'application de la présente section — Sur demande, le ministre peut, par arrêté et aux conditions fixées dans celui-ci, soustraire à l'application de la présente section ou de l'une de ses dispositions un établissement particulier ou une catégorie particulière d'employés qui y travaille, s'il lui est démontré que cette application :

a) soit porte — ou porterait — atteinte aux intérêts de ces employés ou de cette catégorie d'employés;

b) soit porte — ou porterait — atteinte aux intérêts de l'employeur;

c) soit cause — ou causerait — un grave préjudice au fonctionnement de l'établissement;

d) soit n'est pas nécessaire parce qu'aux termes d'une convention collective ou pour toute autre raison, l'établissement dispose de mécanismes d'aide aux surnuméraires qui sont essentiellement semblables à ceux prévus par la présente section ou l'une de ses dispositions ou qui visent les mêmes effets.

229. (1) Non-application des art. 214 à 226 — Les articles 214 à 226 ne s'appliquent pas aux surnuméraires qui sont représentés par un syndicat signataire d'une convention collective qui :

a) d'une part, prévoit :

(i) soit des mécanismes de négociation et de règlement définitif en matière de licenciement dans l'établissement où ces employés travaillent,

(ii) soit des mesures visant à minimiser les conséquences du licenciement pour ces employés et à les aider à trouver un autre travail;

b) d'autre part, soustrait ces employés à leur application.

(2) **Idem** — Les articles 214 à 226 ne s'appliquent pas aux surnuméraires représentés par un syndicat dans le cas où les licenciements sont provoqués par des changements technologiques — au sens du paragraphe 51(1) — et où le syndicat et l'employeur sont assujettis à l'application des articles 52, 54 et 55, ou le seraient en l'absence du paragraphe 51(2).

SECTION X — LICENCIEMENTS INDIVIDUELS

230. (1) Préavis ou indemnité — Sauf cas prévu au paragraphe (2) et sauf s'il s'agit d'un congédiement justifié, l'employeur qui licencie un employé qui travaille pour lui sans interruption depuis au moins trois mois est tenu :

a) soit de donner à l'employé un préavis de licenciement écrit d'au moins deux semaines;

b) soit de verser, en guise et lieu de préavis, une indemnité égale à deux semaines de salaire au taux régulier pour le nombre d'heures de travail normal.

(2) **Préavis au syndicat** — En cas de suppression d'un poste, l'employeur lié par une convention collective autorisant un employé ainsi devenu surnuméraire à supplanter un autre employé ayant moins d'ancienneté que lui est tenu :

a) soit de donner au syndicat signataire de la convention collective et à l'employé un préavis de suppression de poste, d'au moins deux semaines, et de placer une copie du préavis dans un endroit bien en vue à l'intérieur de l'établissement où l'employé travaille;

b) soit de verser à l'employé licencié en raison de la suppression du poste deux semaines de salaire au taux régulier.

(3) **Assimilation** — Sauf disposition contraire d'un règlement, la mise à pied est, pour l'application de la présente section, assimilée au licenciement.

231. Conditions d'emploi — L'employeur qui donne le préavis prévu au paragraphe 230(1) :

a) ne peut, par la suite, diminuer le taux de salaire ni modifier une autre condition d'emploi de l'employé en cause qu'avec le consentement écrit de celui-ci;

b) continue, dans l'intervalle qui sépare la date du préavis de celle qui y est fixée pour le licenciement, à payer à l'employé son salaire régulier pour le nombre d'heures de travail normal.

232. Expiration du délai de préavis — Si l'employé reste à son service plus de deux semaines après la date de licenciement fixée dans le préavis visé au paragraphe 230(1), l'employeur ne peut le licencier qu'en se conformant de nouveau à ce paragraphe, sauf consentement écrit de l'employé à l'effet contraire ou cas de congédiement justifié.

233. Règlements — Le gouverneur en conseil peut, par règlement :

a) préciser les cas où la mise à pied n'est pas assimilée au licenciement;

b) [Abrogé, L.R.C. (1985), ch. 9 (1er suppl.), art. 11.]

c) préciser, pour l'application de la présente section, les cas d'absence qui n'ont pas pour effet d'interrompre le service chez un employeur et le sens de « nombre d'heures de travail normal ».

L.R.C. (1985), ch. 9 (1er suppl.), art. 11

234. Application de l'art. 189 — L'article 189 s'applique dans le cadre de la présente section.

SECTION XI — INDEMNITÉ DE DÉPART

235. (1) Minimum — L'employeur qui licencie un employé qui travaille pour lui sans interruption depuis au moins douze mois est tenu, sauf en cas de congédiement justifié, de verser à celui-ci le plus élevé des montants suivants :

a) deux jours de salaire, au taux régulier et pour le nombre d'heures de travail normal, pour chaque année de service;

b) cinq jours de salaire, au taux régulier et pour le nombre d'heures de travail normal.

(2) Présomptions — Pour l'application de la présente section :

a) sauf disposition contraire d'un règlement, la mise à pied est assimilée au licenciement;

b) [Abrogé, 2011, ch. 24, art. 167.]

L.R.C. (1985), ch. 32 (2e suppl.), art. 41; 2011, ch. 24, art. 167

236. Règlements — Le gouverneur en conseil peut, par règlement :

a) préciser, pour l'application de la présente section, les cas où la mise à pied n'est pas assimilée au licenciement;

b) [Abrogé, L.R.C. (1985), ch. 9 (1er suppl.), art. 12.]

c) mettre au point des méthodes visant à déterminer si les indemnités de départ accordées à un employé aux termes d'un régime établi par l'employeur sont équivalentes à celles qui sont prévues dans la présente section;

d) préciser, pour l'application de la présente section, les cas d'absence qui n'ont pas pour effet d'interrompre le service chez un employeur et le sens de « nombre d'heures de travail normal ».

L.R.C. (1985), ch. 9 (1er suppl.), art. 12

237. Application de l'art. 189 — L'article 189 s'applique dans le cadre de la présente section.

SECTION XII — SAISIE-ARRÊT

238. Interdiction — L'employeur ne peut congédier, suspendre, mettre à pied ni rétrograder un employé, ni prendre des mesures disciplinaires contre lui, pour la seule raison que celui-ci est visé par des procédures de saisie-arrêt ou est susceptible de l'être.

L.R.C. (1985), ch. 9 (1er suppl.), art. 13

SECTION XIII — CONGÉS DE MALADIE

239. (1) Interdiction — Sous réserve du paragraphe (1.1), l'employeur ne peut congédier, suspendre, mettre à pied ni rétrograder un employé, ni prendre des mesures disciplinaires contre lui, pour absence en raison de maladie ou d'accident si celui-ci remplit par ailleurs les conditions suivantes :

a) il travaille sans interruption pour lui depuis au moins trois mois;

b) il n'est pas absent pendant plus de dix-sept semaines;

c) il fournit à l'employeur, sur demande de celui-ci présentée par écrit dans les quinze jours du retour au travail, un certificat d'un médecin qualifié attestant qu'il était, pour cause de maladie ou d'accident, incapable de travailler pendant la période qui y est précisée, celle-ci devant correspondre à celle de l'absence.

(1.1) **Exception** — L'employeur peut affecter à un poste différent, comportant des conditions d'emploi différentes, l'employé qui, à son retour d'un congé pour maladie ou accident, n'est plus en mesure de remplir les fonctions qu'il occupait auparavant.

(2) [Abrogé, 1993, ch. 42, art. 32.]

(2.1) **Avantages ininterrompus** — Les périodes pendant lesquelles l'employé s'absente de son travail en raison de maladie ou d'accident sont prises en compte pour le calcul des prestations de retraite, de maladie et d'invalidité et pour la détermination de l'ancienneté, si les conditions prévues au paragraphe (1) sont respectées.

(2.2) **Versement des cotisations de l'employé** — Il incombe à l'employé, quand il est normalement responsable du versement des cotisations ouvrant droit à ces prestations, de les payer dans un délai raisonnable sauf si, au début du congé ou dans un délai raisonnable, il avise son employeur de son intention de cesser les versements pendant le congé.

(2.3) **Versement des cotisations de l'employeur** — L'employeur qui verse des cotisations pour que l'employé ait droit aux prestations doit, pendant le congé, poursuivre ses versements dans au moins la même proportion que si l'employé n'était pas en congé, sauf si ce dernier ne verse pas dans un délai raisonnable les cotisations qui lui incombent.

(3) **Défaut de versement** — Pour le calcul des prestations, en cas de défaut de versement des cotisations visées aux paragraphes (2.2) et (2.3), la durée de l'emploi est réputée ne pas avoir été interrompue, la période de congé n'étant toutefois pas prise en compte.

(3.1) **Présomption d'emploi ininterrompu** — Pour le calcul des avantages — autres que les prestations citées au paragraphe (2.1) — de l'employé qui s'absente en raison de maladie ou d'accident et qui remplit les conditions du paragraphe (1), la durée de l'emploi est réputée ne pas avoir été interrompue, la période de congé n'étant toutefois pas prise en compte.

(4) **Règlements** — Le gouverneur en conseil peut, par règlement, préciser, pour l'application de la présente section, les cas d'absence qui n'ont pas pour effet d'interrompre le service chez un employeur.

(5) **Application de l'art. 189** — L'article 189 s'applique dans le cadre de la présente section.

L.R.C. (1985), ch. 9 (1er suppl.), art. 14; L.R.C. (1985), ch. 43 (3e suppl.), art. 2; 1993, ch. 42, art. 32; 2001, ch. 34, art. 22; 2012, ch. 27, art. 11

SECTION XIII.1 — ACCIDENTS ET MALADIES PROFESSIONNELS

[Intertitre ajouté, 1993, ch. 42, art. 33.]

239.1 (1) **Interdiction** — Sous réserve des règlements d'application de la présente section et du paragraphe (4), l'employeur ne peut congédier, suspendre, mettre à pied ni rétrograder un employé, ni prendre des mesures disciplinaires contre lui, pour absence en raison d'un accident ou d'une maladie professionnels.

(2) **Obligation de l'employeur** — L'employeur est tenu d'adhérer à un régime dont les modalités prévoient, à l'égard de l'employé qui s'absente du travail en raison d'un accident ou d'une maladie professionnels, le remplacement du salaire payable à un taux équivalent à celui prévu aux termes de la loi sur les accidents du travail en vigueur dans la province de résidence permanente de l'employé.

(3) **Rappel au travail** — Sous réserve des règlements d'application de la présente loi, l'employeur rappelle l'employé au travail, dans la mesure du possible, après une absence de l'employé en raison d'un accident ou d'une maladie professionnels.

(4) **Exception** — L'employeur peut affecter à un poste différent, comportant des conditions d'emploi différentes, l'employé qui, à son retour d'un congé pour maladie ou accident professionnels, n'est plus en mesure de remplir les fonctions qu'il occupait auparavant.

(5) **Avantages ininterrompus** — Les périodes pendant lesquelles l'employé s'absente de son travail en raison d'un accident ou d'une maladie professionnels sont prises en compte pour le calcul des prestations de retraite, de maladie et d'invalidité et pour la détermination de l'ancienneté.

(6) **Versement des cotisations de l'employé** — Il incombe à l'employé, quand il est normalement responsable du versement des cotisations ouvrant droit à ces prestations, de les payer dans un délai raisonnable sauf si, au début de la période d'absence ou dans un délai raisonnable, il avise son employeur de son intention de cesser les versements pendant l'absence.

(7) **Versement des cotisations de l'employeur** — L'employeur qui verse des cotisations pour que l'employé ait droit aux prestations doit, pendant la période d'absence, poursuivre ses versements dans au moins la même proportion que si l'employé n'était pas absent, sauf si ce dernier ne verse pas dans un délai raisonnable les cotisations qui lui incombent.

(8) **Défaut de versement** — Pour le calcul des prestations, en cas de défaut de versement des cotisations visées aux paragraphes (6) et (7), la durée de l'emploi est réputée ne pas avoir été interrompue, la période d'absence n'étant toutefois pas prise en compte.

(9) **Présomption d'emploi ininterrompu** — Pour le calcul des avantages — autres que les prestations citées au paragraphe (5) — de l'employé qui s'absente en raison d'un accident ou d'une maladie professionnels, la durée de l'emploi est réputée ne pas avoir été interrompue, la période de congé n'étant toutefois pas prise en compte.

(10) **Règlements** — Le gouverneur en conseil peut, par règlement, prendre les mesures nécessaires à l'application de la présente section, notamment pour :

a) déterminer la durée de l'obligation que le paragraphe (3) impose à l'employeur;

b) prévoir les modalités applicables à l'employeur, dans les cas prévus aux paragraphes (1) et (3), lorsque surviennent dans un établissement des licenciements, des mises à pied ou des suppressions de poste;

c) prévoir toutes autres modalités concernant le rappel de l'employé au travail.

(11) Application de l'article 189 — L'article 189 s'applique dans le cadre de la présente section.

1993, ch. 42, art. 33; 2001, ch. 34, art. 23

SECTION XIII.2 — RÉGIMES D'INVALIDITÉ DE LONGUE DURÉE

[Intertitre ajouté, 2012, ch. 19, art. 434.]

239.2 (1) Obligation de l'employeur — L'employeur qui offre à ses employés des avantages au titre d'un régime d'invalidité de longue durée est tenu d'assurer celui-ci par l'entremise d'une entité qui est, en vertu du droit provincial, titulaire d'un permis ou d'une licence d'assurance.

(2) Exception — Il peut toutefois, dans les circonstances et aux conditions prévues par règlement, offrir ces avantages au titre d'un régime d'invalidité de longue durée qui n'est pas assuré.

2012, ch. 19, art. 434

239.3 Règlements — Le gouverneur en conseil peut prendre des règlements concernant les régimes d'invalidité de longue durée, notamment pour :

a) préciser ce qui constitue un régime d'invalidité de longue durée;

b) préciser les circonstances et les conditions visées au paragraphe 239.2(2).

2012, ch. 19, art. 434

SECTION XIV — CONGÉDIEMENT INJUSTE

240. (1) Plainte — Sous réserve des paragraphes (2) et 242(3.1), toute personne qui se croit injustement congédiée peut déposer une plainte écrite auprès d'un inspecteur si :

a) d'une part, elle travaille sans interruption depuis au moins douze mois pour le même employeur;

b) d'autre part, elle ne fait pas partie d'un groupe d'employés régis par une convention collective.

(2) Délai — Sous réserve du paragraphe (3), la plainte doit être déposée dans les quatre-vingt-dix jours qui suivent la date du congédiement.

(3) Prorogation du délai — Le ministre peut proroger le délai fixé au paragraphe (2) dans les cas où il est convaincu que l'intéressé a déposé sa plainte à temps mais auprès d'un fonctionnaire qu'il croyait, à tort, habilité à la recevoir.

L.R.C. (1985), ch. 9 (1er suppl.), art. 15

241. (1) Motifs du congédiement — La personne congédiée visée au paragraphe 240(1) ou tout inspecteur peut demander par écrit à l'employeur de lui faire connaître les motifs du congédiement; le cas échéant, l'employeur est tenu de lui fournir une déclaration écrite à cet effet dans les quinze jours qui suivent la demande.

(2) Conciliation par l'inspecteur — Dès réception de la plainte, l'inspecteur s'efforce de concilier les parties ou confie cette tâche à un autre inspecteur.

(3) Cas d'échec — Si la conciliation n'aboutit pas dans un délai qu'il estime raisonnable en l'occurrence, l'inspecteur, sur demande écrite du plaignant à l'effet de saisir un arbitre du cas :

a) fait rapport au ministre de l'échec de son intervention;

b) transmet au ministre la plainte, l'éventuelle déclaration de l'employeur sur les motifs du congédiement et tous autres déclarations ou documents relatifs à la plainte.

242. (1) Renvoi à un arbitre — Sur réception du rapport visé au paragraphe 241(3), le ministre peut désigner en qualité d'arbitre la personne qu'il juge qualifiée pour entendre et trancher l'affaire et lui transmettre la plainte ainsi que l'éventuelle déclaration de l'employeur sur les motifs du congédiement.

(2) Pouvoirs de l'arbitre — Pour l'examen du cas dont il est saisi, l'arbitre :

a) dispose du délai fixé par règlement du gouverneur en conseil;

b) fixe lui-même sa procédure, sous réserve de la double obligation de donner à chaque partie toute possibilité de lui présenter des éléments de preuve et des observations, d'une part, et de tenir compte de l'information contenue dans le dossier, d'autre part;

c) est investi des pouvoirs conférés au Conseil canadien des relations industrielles par les alinéas 16a), b) et c).

(3) Décision de l'arbitre — Sous réserve du paragraphe (3.1), l'arbitre :

a) décide si le congédiement était injuste;

b) transmet une copie de sa décision, motifs à l'appui, à chaque partie ainsi qu'au ministre.

(3.1) Restriction — L'arbitre ne peut procéder à l'instruction de la plainte dans l'un ou l'autre des cas suivants :

a) le plaignant a été licencié en raison du manque de travail ou de la suppression d'un poste;

b) la présente loi ou une autre loi fédérale prévoit un autre recours.

(4) Cas de congédiement injuste — S'il décide que le congédiement était injuste, l'arbitre peut, par ordonnance, enjoindre à l'employeur :

a) de payer au plaignant une indemnité équivalant, au maximum, au salaire qu'il aurait normalement gagné s'il n'avait pas été congédié;

b) de réintégrer le plaignant dans son emploi;

c) de prendre toute autre mesure qu'il juge équitable de lui imposer et de nature à contrebalancer les effets du congédiement ou à y remédier.

L.R. (1985), ch. 9 (1er suppl.), art. 16; 1998, ch. 26, art. 58

243. (1) Caractère définitif des décisions — Les ordonnances de l'arbitre désigné en vertu du paragraphe 242(1) sont définitives et non susceptibles de recours judiciaires.

(2) Interdiction de recours extraordinaires — Il n'est admis aucun recours ou décision judiciaire — notamment par voie d'injonction, de *certiorari*, de prohibition ou de *quo warranto* — visant à contester, réviser, empêcher ou limiter l'action d'un arbitre exercée dans le cadre de l'article 242.

244. (1) Exécution des ordonnances — La personne intéressée par l'ordonnance d'un arbitre visée au paragraphe 242(4), ou le ministre, sur demande de celle-ci, peut, après l'expiration d'un délai de quatorze jours suivant la date de l'ordonnance ou la date d'exécution qui y est fixée, si celle-ci est postérieure, déposer à la Cour fédérale une copie du dispositif de l'ordonnance.

(2) Enregistrement — Dès le dépôt de l'ordonnance de l'arbitre, la Cour fédérale procède à l'enregistrement de celle-ci; l'enregistrement confère à l'ordonnance valeur de jugement de ce tribunal et, dès lors, toutes les procédures d'exécution applicables à un tel jugement peuvent être engagées à son égard.

1993, ch. 42, art. 34

245. Règlements — Le gouverneur en conseil peut, par règlement, préciser, pour l'application de la présente section, les cas d'absence qui n'ont pas pour effet d'interrompre le service chez l'employeur.

246. (1) Recours — Les articles 240 à 245 n'ont pas pour effet de suspendre ou de modifier le recours civil que l'employé peut exercer contre son employeur.

(2) Application de l'art. 189 — L'article 189 s'applique dans le cadre de la présente section.

SECTION XV — PAIEMENT DU SALAIRE

247. Jour de paye — Sauf disposition contraire de la présente partie, l'employeur est tenu :

a) de verser à l'employé le salaire qui lui est dû, aux jours de paye réguliers correspondant à l'usage établi par lui-même;

b) d'effectuer le versement du salaire, ou de toute autre indemnité prévue à la présente partie, dans les trente jours qui suivent la date où il devient exigible.

SECTION XV.1 — HARCÈLEMENT SEXUEL

[Intertitre ajouté, L.R.C. (1985), ch. 9 (1er suppl.), art. 17.]

247.1 Définition de « harcèlement sexuel » — Pour l'application de la présente section, « **harcèlement sexuel** » s'entend de tout comportement, propos, geste ou contact qui, sur le plan sexuel :

a) soit est de nature à offenser ou humilier un employé;

b) soit peut, pour des motifs raisonnables, être interprété par celui-ci comme subordonnant son emploi ou une possibilité de formation ou d'avancement à des conditions à caractère sexuel.

L.R.C. (1985), ch. 9 (1er suppl.), art. 17

247.2 Droit de l'employé — Tout employé a droit à un milieu de travail exempt de harcèlement sexuel.

L.R.C. (1985), ch. 9 (1er suppl.), art. 17

247.3 Responsabilité de l'employeur — L'employeur veille, dans toute la mesure du possible, à ce qu'aucun employé ne fasse l'objet de harcèlement sexuel.

L.R.C. (1985), ch. 9 (1er suppl.), art. 17

247.4 (1) Déclaration de l'employeur — Après consultation des employés ou de leurs représentants, le cas échéant, l'employeur diffuse une déclaration en matière de harcèlement sexuel.

(2) Contenu de la déclaration — L'employeur peut établir la déclaration dans les termes qu'il estime indiqués, pourvu qu'elle soit compatible avec la présente section et contienne les éléments suivants :

a) une définition du harcèlement sexuel qui soit pour l'essentiel identique à celle de l'article 247.1;

b) l'affirmation du droit de tout employé à un milieu de travail exempt de harcèlement sexuel;

c) l'affirmation de la responsabilité de l'employeur, telle que précisée à l'article 247.3;

d) son engagement de prendre les mesures disciplinaires qu'il jugera indiquées contre ceux de ses subordonnés qui se seront rendus coupables de harcèlement sexuel envers un employé;

e) les modalités à suivre pour le saisir des plaintes de harcèlement sexuel;

f) son engagement de ne pas révéler le nom d'un plaignant ni les circonstances à l'origine de la plainte, sauf lorsque cela s'avère nécessaire pour son enquête ou pour prendre les mesures disciplinaires justifiées en l'occurrence;

g) l'affirmation du droit des employés victimes d'actes discriminatoires d'exercer les recours prévus par la *Loi canadienne sur les droits de la personne* en matière de harcèlement sexuel.

(3) Information du personnel — L'employeur porte la déclaration à la connaissance de tous ses subordonnés.

L.R.C. (1985), ch. 9 (1er suppl.), art. 17

SECTION XV.2 — CONGÉ POUR LES MEMBRES DE LA FORCE DE RÉSERVE

[Intertitre ajouté, 2008, ch. 15, art. 1.]

247.5 (1) Droit à un congé — L'employé qui est membre de la force de réserve et qui travaille pour un employeur sans interruption depuis au moins six mois ou toute période plus courte prévue par règlement pour une catégorie d'employés à laquelle il appartient a droit à un congé afin :

a) de prendre part à une opération au Canada ou à l'étranger — y compris la préparation, l'entraînement, le repos et le déplacement à partir du lieu de sa résidence ou vers ce lieu — désignée par le ministre de la Défense nationale;

b) de prendre part à une activité réglementaire;

c) de prendre part à l'entraînement annuel durant la période prévue par règlement ou, à défaut, durant une période d'au plus quinze jours;

d) de recevoir l'instruction à laquelle il est astreint en application de l'alinéa 33(2)a) de la *Loi sur la défense nationale*;

e) de se soumettre à l'obligation de service légitime en application de l'alinéa 33(2)b) de la *Loi sur la défense nationale*;

f) de se soumettre à l'obligation de prêter main-forte au pouvoir civil en application de l'article 275 de la *Loi sur la défense nationale*;

g) de suivre des traitements ou un programme de réadaptation ou se rétablir relativement à un problème de santé physique ou mentale qui découle de l'accomplissement de son service dans le cadre des opérations ou des activités réglementaires ou autres visées au présent paragraphe.

(2) Désignation d'opération — Le ministre de la Défense nationale peut, en consultation avec le ministre, désigner une opération pour l'application de l'alinéa (1)a) ou autoriser toute autre personne à le faire.

(3) Effet — La désignation prend effet à la date où elle est faite ou à la date antérieure ou postérieure que le ministre de la Défense nationale ou l'autre personne précise. Le ministre de la Défense nationale ou l'autre personne peut prévoir sa date de cessation d'effet.

(4) Exception — Par dérogation au paragraphe (1), l'employé n'a pas droit au congé si le ministre est d'avis que le fait pour l'employé, à titre individuel ou au titre de son appartenance à une catégorie d'employés, de prendre congé causerait un préjudice injustifié à l'employeur ou aurait des conséquences néfastes pour la santé ou la sécurité publiques.

2008, ch. 15, art. 1

247.6 (1) Préavis à l'employeur — L'employé qui prend un congé en vertu de la présente section :

a) donne à son employeur un préavis d'au moins quatre semaines, sauf motif valable;

b) informe celui-ci de la durée du congé.

(2) Exception — motif valable — S'il existe un motif valable pour lequel il ne peut donner un préavis conformément à l'alinéa (1)a), l'employé est tenu d'aviser son employeur dans les meilleurs délais qu'il prend un congé.

(3) Modification de la durée du congé — Sauf motif valable, l'employé avise son employeur de toute modification de la durée de ce congé au moins quatre semaines, selon le cas :

a) avant la nouvelle date de la fin du congé, s'il en abrège la durée;

b) avant la date de la fin du congé indiquée en dernier lieu, s'il en prolonge la durée.

(4) Avis écrit — Sauf motif valable, l'employé communique par écrit tout préavis, avis ou renseignement à communiquer à l'employeur au titre du présent article.

2008, ch. 15, art. 1

247.7 (1) Preuve du congé — Sur demande de l'employeur, l'employé lui fournit le document réglementaire — ou, à défaut, tout document approuvé par le chef d'état-major de la défense nommé en vertu du paragraphe 18(1) de la *Loi sur la défense nationale* — confirmant qu'il prend un congé en vertu de la présente section.

(2) Document du commandant — À défaut de document réglementaire ou de document approuvé par le chef d'état-major de la défense, l'employé fournit, sur demande, à l'employeur un document de son commandant portant qu'il prend part à une opération ou à une activité visées aux alinéas 247.5(1)a) à g).

(3) Délai — Sauf motif valable, le document visé aux paragraphes (1) ou (2) est fourni dans les trois semaines suivant la date où commence le congé.

2008, ch. 15, art. 1

247.8 (1) Report de la date de retour au travail — Faute par l'employé de fournir un préavis d'au moins quatre semaines de la date à laquelle le congé qu'il a pris en vertu de la présente section prend fin, l'employeur peut retarder le retour au travail de l'employé pour une période d'au plus quatre semaines à compter du moment où celui-ci l'informe de la date de la fin du congé. Le cas échéant, l'employeur en avise l'employé et celui-ci ne peut retourner au travail avant la date fixée.

(2) Exception — Le paragraphe (1) ne s'applique pas si l'employé informe son employeur conformément à l'alinéa 247.6(1)b) avant le début de son congé et que la durée du congé n'est pas modifiée après le jour où il a commencé.

(3) Présomption — La période visée au paragraphe (1) qui précède la date de retour au travail est réputée faire partie du congé.

2008, ch. 15, art. 1

247.9 Report de congés annuels — Malgré toute condition d'emploi, l'employé peut reporter ses congés annuels jusqu'à la fin du congé pris en vertu de la présente section ou, le cas échéant, jusqu'à la fin du congé prévu à l'article 206.1 si celui-ci a été interrompu par un congé prévu à l'un des alinéas 247.5(1)a), b) et d) à g).

2008, ch. 15, art. 1; 2012, ch. 27, art. 12

247.91 (1) Continuité d'emploi — Pour le calcul des avantages de l'employé en situation de congé sous le régime de la présente section, la durée de l'emploi est réputée ne pas avoir été interrompue, la période de congé n'étant toutefois pas prise en compte.

(2) Ancienneté — Les périodes pendant lesquelles l'employé se trouve être en congé sous le régime de la présente section sont prises en compte pour la détermination de l'ancienneté.

2008, ch. 15, art. 1

247.92 Application de l'art. 189 — L'article 189 s'applique dans le cadre de la présente section.

2008, ch. 15, art. 1

247.93 (1) Reprise de l'emploi — L'employeur est tenu de réintégrer l'employé dans son poste antérieur à la fin du congé pris en vertu de la présente section.

(2) Poste comparable — Faute — pour un motif valable — de pouvoir réintégrer l'employé dans son poste antérieur, l'employeur lui fournit un poste comparable, au même endroit, au même salaire et avec les mêmes avantages.

2008, ch. 15, art. 1

247.94 Poste différent — Sous réserve des règlements, l'employeur peut affecter à un poste différent, comportant des conditions d'emploi différentes, l'employé qui n'est pas en mesure de remplir les fonctions liées au poste antérieur ou au poste comparable visés à l'article 247.93.

2008, ch. 15, art. 1

247.95 (1) Modifications consécutives à une réorganisation — Si, pendant la période du congé qu'il prend en vertu de la présente section, le salaire et les avantages du groupe dont il fait partie sont modifiés dans le cadre de la réorganisation de l'établissement où ce groupe travaille, l'employé, à sa reprise du travail, a droit au salaire et aux avantages afférents à l'emploi qu'il réoccupe comme s'il avait travaillé au moment de la réorganisation.

(2) Avis de modification — Dans le cas visé au paragraphe (1), l'employeur avise l'employé en congé de la modification du salaire et des avantages de son poste; dans les meilleurs délais, il lui envoie un avis à cet effet à sa dernière adresse connue.

2008, ch. 15, art. 1

247.96 (1) Interdiction : employé actuel — L'employeur ne peut invoquer le fait que l'employé est membre de la force de réserve pour le congédier, le suspendre, le mettre à pied, le rétrograder ou prendre des mesures disciplinaires contre lui, ni en tenir compte dans ses décisions en matière d'avancement ou de formation. Cette interdiction vaut également dans le cas de l'employé qui a l'intention de prendre ou qui a pris un congé en vertu de la présente section.

(2) Autre interdiction : employé futur — Il est interdit de refuser d'employer une personne parce qu'elle est membre de la force de réserve.

2008, ch. 15, art. 1

247.97 Règlements — Le gouverneur en conseil peut prendre les règlements nécessaires à l'application de la présente section, notamment pour :

a) préciser les cas d'absence qui n'ont pas pour effet d'interrompre le service chez un employeur pour l'application du paragraphe 247.5(1);

b) préciser ce qui constitue ou non une opération pour l'application de l'alinéa 247.5(1)a);

c) prévoir des activités pour l'application de l'alinéa 247.5(1)b);

d) définir le terme « entraînement annuel » pour l'application de l'alinéa 247.5(1)c);

e) limiter la durée des traitements, de la réadaptation ou du rétablissement visés à l'alinéa 247.5(1)g) ou prévoir les conditions d'application de cet alinéa;

f) préciser ce qui constitue ou non un préjudice injustifié pour l'application du paragraphe 247.5(4);

g) préciser ce qui constitue ou non un motif valable pour l'application des paragraphes 247.6(1), (2), (3) ou (4), 247.7(3) ou 247.93(2);

h) préciser les cas où l'article 247.7, le paragraphe 247.8(1), l'article 247.9 ou le paragraphe 247.91(2) ne s'appliquent pas;

i) préciser les cas où l'employeur ne peut s'autoriser de l'article 247.94 pour affecter l'employé à un poste différent, comportant des conditions d'emploi différentes;

j) préciser la durée maximale d'un congé pris en vertu de la présente section;

k) préciser le nombre et la durée maximale des congés qui peuvent être pris au titre de la présente section à l'intérieur d'une période donnée;

l) prévoir les catégories d'employés qui ne peuvent se prévaloir du droit au congé prévu par la présente section, s'il est convaincu que l'exercice de ce droit par les employés de celles-ci aurait des conséquences déraisonnables;

m) prévoir les circonstances dans lesquelles des catégories d'employés ne peuvent se prévaloir du droit au congé prévu par la présente section.

2008, ch. 15, art. 1

SECTION XV.3 — TESTS GÉNÉTIQUES

[Intertitre ajouté, 2017, ch. 3, art. 8.]

247.98 (1) Définitions — Les définitions qui suivent s'appliquent à la présente section.

« communiquer » Est assimilé à l'acte de communiquer le fait d'autoriser la communication. *(« disclose »)*

« test génétique » Test visant l'analyse de l'ADN, de l'ARN ou des chromosomes de l'employé à des fins telles la prédiction de maladies ou de risques de transmission verticale, ou la surveillance, le diagnostic ou le pronostic. *(« genetic test »)*

(2) Test génétique — Tout employé a le droit de refuser de subir un test génétique, et nul ne peut l'obliger à en subir un.

(3) Communication des résultats — Tout employé a le droit de ne pas communiquer les résultats d'un test génétique, et nul ne peut l'obliger à les communiquer.

(4) Mesures disciplinaires interdites — Il est interdit à l'employeur de congédier, suspendre, mettre à pied ou rétrograder un employé ou de lui imposer une sanction pécuniaire ou autre ou de refuser de lui verser la rémunération afférente à la période au cours de laquelle il aurait travaillé s'il ne s'était pas prévalu des droits prévus par la présente section, ou de prendre — ou menacer de prendre — des mesures disciplinaires contre lui pour l'un ou l'autre des motifs suivants :

a) son refus de subir un test génétique à la demande de l'employeur;

b) son refus de communiquer les résultats d'un test génétique;

c) les résultats d'un test génétique qu'il a subi.

(5) **Communication par un tiers** — Nul ne peut communiquer à l'employeur le fait qu'un employé a subi un test génétique ou les résultats d'un tel test sans le consentement écrit de l'employé.

(6) **Collecte ou utilisation** — Il est interdit à l'employeur de recueillir ou d'utiliser les résultats d'un test génétique subi par un employé sans le consentement écrit de celui-ci.

247.99 (1) Plainte à un inspecteur — L'employé peut déposer une plainte écrite auprès d'un inspecteur au motif que son employeur a pris, à son endroit, des mesures contraires au paragraphe 247.98(4).

(2) **Délai** — Sous réserve du paragraphe (3), la plainte est déposée auprès de l'inspecteur dans les quatre-vingt-dix jours suivant la date où le plaignant a eu connaissance — ou, selon l'inspecteur, aurait dû avoir connaissance — de l'acte ou des circonstances y ayant donné lieu.

(3) **Prorogation du délai** — Le ministre peut proroger le délai fixé au paragraphe (2) dans les cas où il est convaincu que l'intéressé a déposé sa plainte à temps mais auprès d'un fonctionnaire qu'il croyait, à tort, habilité à la recevoir.

(4) **Conciliation par l'inspecteur** — Dès réception de la plainte, l'inspecteur s'efforce de concilier les parties ou confie cette tâche à un autre inspecteur.

(5) **Cas d'échec** — Si la conciliation n'aboutit pas dans un délai qu'il estime raisonnable en l'occurrence, l'inspecteur, sur demande écrite du plaignant de renvoyer le cas à un arbitre conformément au paragraphe (6) :

a) fait rapport au ministre de l'échec de son intervention;

b) transmet au ministre la plainte accompagnée des autres déclarations ou documents s'y rapportant.

(6) **Renvoi à un arbitre** — Sur réception du rapport visé au paragraphe (5), le ministre peut désigner en qualité d'arbitre la personne qu'il juge qualifiée pour entendre et trancher l'affaire et lui transmettre la plainte.

(7) **Décision de l'arbitre** — Pour l'examen du cas dont il est saisi, l'arbitre :

a) détermine si l'employeur a contrevenu au paragraphe 247.98(4) et rend une décision sur la question;

b) transmet une copie de sa décision, motifs à l'appui, à chaque partie ainsi qu'au ministre.

(8) **Ordonnances** — S'il détermine, conformément au paragraphe (7), que l'employeur a contrevenu au paragraphe 247.98(4), l'arbitre peut, par ordonnance, enjoindre à celui-ci de cesser d'y contrevenir et en outre, s'il y a lieu :

a) de permettre à l'employé de reprendre son travail;

b) de réintégrer dans son emploi l'ancien employé;

c) de verser à l'employé ou à l'ancien employé une indemnité équivalant au plus, à son avis, à la rémunération qui lui aurait été payée s'il n'y avait pas eu contravention;

d) d'annuler toute mesure disciplinaire prise à l'encontre de l'employé et de payer à celui-ci une indemnité équivalant au plus, à son avis, à la sanction pécuniaire ou autre qui lui a été imposée par l'employeur;

e) de prendre toute autre mesure qui soit équitable et de nature à remédier ou à parer aux effets de la contravention.

(9) **Application des dispositions** — Le paragraphe 242(2) s'applique, avec les adaptations nécessaires, à la plainte renvoyée à un arbitre conformément au paragraphe (6); les articles 243 et 244 s'appliquent, avec les adaptations nécessaires, à l'ordonnance de l'arbitre visée au paragraphe (8); et le paragraphe 246(1) s'applique, avec les adaptations nécessaires, à l'employé qui dépose une plainte en vertu du paragraphe (1).

SECTION XVI — APPLICATION ET DISPOSITIONS GÉNÉRALES

Enquêtes

248. (1) **Enquêtes** — Le ministre peut, dans le cadre de la présente partie :

a) faire procéder à une enquête sur toute question concernant l'emploi dans un établissement;

b) nommer la ou les personnes qui en seront chargées.

(2) **Pouvoirs lors d'une enquête** — Toute personne nommée conformément au paragraphe (1) est investie des pouvoirs conférés aux commissaires aux termes de la partie I de la *Loi sur les enquêtes*.

Inspections

249. (1) **Inspecteurs** — Le ministre peut désigner quiconque à titre d'inspecteur pour l'application de la présente partie.

(2) **Pouvoirs des inspecteurs** — Pour l'application de la présente partie et de ses règlements, l'inspecteur peut :

a) examiner les livres, feuilles de paie et autres documents de l'employeur ayant trait au salaire, à la durée du travail ou aux conditions d'emploi de tout employé;

b) reproduire ces documents en tout ou en partie;

c) obliger l'employeur à fournir des renseignements complets et exacts, oralement ou par écrit et en la forme demandée, sur les salaires payés à tous ses employés ou à l'un d'entre eux, sur la durée de leur travail et sur leurs conditions d'emploi;

c.1) obliger l'employeur qui offre à ses employés des avantages au titre d'un régime d'invalidité de longue durée qui doit être assuré conformément au paragraphe 239.2(1) à lui fournir la preuve de cette assurance;

d) obliger l'employé à lui communiquer les documents — ou leurs copies — ainsi que les autres renseignements oraux ou écrits en sa possession ou son pouvoir qui, de quelque façon, ont trait à son salaire, à la durée de son travail ou aux conditions de son emploi;

e) obliger les parties à une plainte déposée en application du paragraphe 240(1) à fournir des renseignements complets et exacts, oralement ou par écrit et en la forme demandée, sur les circonstances du congédiement qui fait l'objet de la plainte.

(3) **Droit de pénétrer sur les lieux** — L'inspecteur peut, à toute heure convenable, pénétrer dans tout lieu où est exploitée une entreprise fédérale afin d'y procéder à une visite dans le cadre du paragraphe (2) et, à cette fin, interroger tout employé hors de la présence de son employeur.

(4) **Assistance à l'inspecteur** — Le responsable de l'entreprise fédérale et ceux qui y travaillent ou dont l'emploi est lié à l'entreprise sont tenus de prêter à l'inspecteur toute l'assistance possible dans l'exercice des fonctions que la pré-

sente partie ou ses règlements lui confèrent.

(5) **Certificat de désignation** — Le ministre remet à chaque inspecteur un certificat attestant sa qualité, que celui-ci présente, sur demande, au responsable de l'entreprise fédérale où il pénètre.

(6) **Aide** — L'inspecteur peut, dans l'exercice de ses fonctions, se faire accompagner ou assister par les personnes dont il estime le concours nécessaire.

(7) **Déposition en matière civile** — Ni l'inspecteur ni les personnes qui l'accompagnent ou l'assistent dans ses fonctions ne peuvent être contraints, sans l'autorisation écrite du ministre, à témoigner dans un procès civil, dans des procédures civiles ou dans les procédures visées à l'article 242 au sujet des renseignements qu'ils ont obtenus à cette occasion.

(8) **Immunité** — L'inspecteur est dégagé de toute responsabilité personnelle en ce qui concerne les faits — actes ou omissions — accomplis de bonne foi dans l'exercice effectif ou censé tel des pouvoirs que lui confère la présente partie.

1993, ch. 42, art. 35; 2012, ch. 19, art. 435

250. Pouvoir de faire prêter serment — L'inspecteur peut, dans le cadre du paragraphe 249(2), faire prêter serment et recevoir des affidavits et déclarations solennelles, et en donner attestation.

251. (1) Constatation de l'insuffisance des paiements — S'il constate que l'employeur n'a pas versé à l'employé le salaire ou une autre indemnité auxquels celui-ci a droit sous le régime de cette partie, l'inspecteur peut déterminer lui-même la différence entre le montant exigible et celui qui a été effectivement versé.

(2) **Cas d'entente sur le montant** — Si l'employé et l'employeur s'entendent par écrit sur le montant de la différence déterminé par l'inspecteur, l'employeur est tenu, dans les cinq jours suivant la date de l'accord, de verser ce montant :

a) soit à l'employé sur ordre de l'inspecteur;

b) soit au ministre.

(3) **Remise par le ministre** — Si le montant visé au paragraphe (2) lui est versé, le ministre le remet sans délai à l'employé qui y a droit.

(4) **Consentement à poursuite** — L'employeur qui a versé le montant visé au paragraphe (2) ne peut faire l'objet d'une poursuite pour défaut de paiement de l'intégralité du salaire ou de toute autre indemnité auxquels l'employé a droit sous le régime de la présente partie qu'avec le consentement écrit du ministre.

L.R.C. (1985), ch. L-2, art. 251; 1993, ch. 42, art. 36

Plaintes

[Intertitre ajouté, 2012, ch. 31, art. 223.]

251.01 (1) Dépôt de la plainte — Tout employé peut déposer une plainte écrite auprès d'un inspecteur s'il croit que l'employeur :

a) a contrevenu à une disposition de la présente partie ou des règlements pris en vertu de celle-ci;

b) ne se conforme pas à un arrêté.

(2) **Délai** — La plainte doit être déposée dans les six mois qui suivent l'une ou l'autre des dates suivantes :

a) s'agissant d'une plainte portant que l'employeur n'a pas versé à l'employé le salaire ou une autre indemnité auxquels celui-ci a droit sous le régime de la présente partie, la dernière date à laquelle l'employeur est tenu de verser le salaire ou l'autre indemnité sous le régime de cette partie;

b) s'agissant de toute autre plainte, la date à laquelle l'objet de la plainte a pris naissance.

(3) **Prorogation du délai** — Le ministre peut, sous réserve des règlements, proroger le délai fixé au paragraphe (2) :

a) dans le cas où il est convaincu que l'intéressé a déposé sa plainte à temps mais auprès d'un fonctionnaire qu'il croyait à tort habilité à la recevoir;

b) dans tout cas prévu par règlement;

c) aux conditions prévues par règlement.

(4) **Restriction** — Un employé ne peut se prévaloir du paragraphe (1) pour déposer une plainte au motif qu'il se croit injustement congédié.

(5) **Précision** — Il est entendu qu'une plainte ne peut être déposée en vertu du présent article si elle porte sur un désaccord dont le règlement est assujetti exclusivement à une convention collective au titre du paragraphe 168(1.1).

2012, ch. 31, art. 223

251.02 (1) Suspension de la plainte — S'il est convaincu que l'employé doit prendre des mesures avant qu'une plainte déposée en vertu de l'article 251.01 ne soit examinée, l'inspecteur peut suspendre, en tout ou en partie, l'examen de la plainte.

(2) **Avis** — Le cas échéant, il en avise par écrit l'employé et précise, dans l'avis :

a) les mesures que celui-ci doit prendre;

b) le délai dont il dispose pour les prendre.

(3) **Prorogation du délai** — Il peut, sur demande, proroger le délai précisé dans l'avis.

(4) **Fin de la suspension** — La suspension prend fin lorsque l'inspecteur estime que les mesures précisées dans l'avis ont été prises.

2012, ch. 31, art. 223

251.03 Aide de l'inspecteur — Après réception de la plainte, l'inspecteur peut aider les parties à régler la plainte ou confier cette tâche à un autre inspecteur.

2012, ch. 31, art. 223

251.04 (1) Cas d'entente sur la somme due — Si l'employeur et l'employé qui a déposé une plainte portant que celui-ci ne lui a pas versé le salaire ou une autre indemnité auxquels il a droit sous le régime de la présente partie s'entendent par écrit sur le salaire ou l'autre indemnité à verser, l'employeur peut verser ce salaire ou cette indemnité soit à l'employé, soit au ministre.

(2) **Remise par le ministre** — Si le salaire ou l'indemnité lui est versé, le ministre le remet sans délai à l'employé qui y a droit.

(3) **Consentement à poursuite** — L'employeur qui a versé à l'employé ou au ministre le salaire ou l'indemnité visés au paragraphe (1) ne peut faire l'objet d'une poursuite pour défaut de paiement du salaire ou de l'autre indemnité visés par la plainte qu'avec le consentement écrit du ministre.

2012, ch. 31, art. 223

251.05 (1) Rejet de la plainte — L'inspecteur peut rejeter, en tout ou en partie, une plainte déposée en vertu de l'article 251.01 :

a) s'il est convaincu que, selon le cas :

(i) la plainte ne relève pas de sa compétence,

(ii) la plainte est futile, vexatoire ou entachée de mauvaise foi,

(iii) la plainte a fait l'objet d'un règlement,

(iv) l'employé dispose d'autres moyens de régler l'objet de la plainte et devrait faire appel à ces moyens,

(v) l'objet de la plainte a été instruit comme il se doit dans le cadre d'un recours devant un tribunal judiciaire ou administratif ou un arbitre,

(vi) s'agissant d'une plainte autre qu'une plainte portant que l'employeur n'a pas versé à l'employé le salaire ou une autre indemnité auxquels celui-ci a droit sous le régime de la présente partie, il n'y a pas de preuve suffisante pour justifier la plainte,

(vii) s'agissant d'une plainte déposée par un employé lié par une convention collective, celle-ci couvre l'objet de la plainte et prévoit un mécanisme de règlement des différends par une tierce partie;

b) si l'examen de la plainte a été suspendu en vertu du paragraphe 251.02(1) et s'il est d'avis que les mesures précisées dans l'avis visé au paragraphe 251.02(2) n'ont pas été prises dans le délai qui y est précisé.

(2) Avis du rejet de la plainte — S'il rejette la plainte, l'inspecteur en avise par écrit l'employé, motifs à l'appui.

(3) Demande de révision — L'employé peut, dans les quinze jours suivant la date où il est ainsi avisé, demander au ministre par écrit, motifs à l'appui, de réviser la décision de l'inspecteur.

(4) Révision — Le ministre peut soit confirmer la décision de l'inspecteur, soit l'annuler et charger un inspecteur d'examiner la plainte.

(5) Avis de la décision du ministre — Il avise par écrit l'employé de sa décision.

(6) Caractère définitif de la révision — Toute confirmation ou annulation de la décision par le ministre est définitive et non susceptible d'appel ou de révision en justice.

2012, ch. 31, art. 223

Recouvrement du salaire

[Intertitre ajouté, 1993, ch. 42, art. 37.]

251.1 (1) Ordre de paiement — L'inspecteur qui constate que l'employeur n'a pas versé à l'employé le salaire ou une autre indemnité auxquels celui-ci a droit sous le régime de la présente partie peut ordonner par écrit à l'employeur ou, sous réserve de l'article 251.18, à un administrateur d'une personne morale visé à cet article de verser le salaire ou l'indemnité en question; il est alors tenu de faire parvenir une copie de l'ordre de paiement à l'employé à la dernière adresse connue de celui-ci.

(1.1) Restriction — L'ordre de paiement ne peut viser le salaire ou une autre indemnité auxquels l'employé a droit pour la période antérieure :

a) dans le cas où l'employé a déposé une plainte en vertu du paragraphe 251.01(1) qui n'a pas été rejetée en vertu du paragraphe 251.05(1), aux douze mois précédant le dépôt de la plainte ou, s'il y a eu cessation d'emploi avant ce dépôt, aux douze mois précédant celle-ci;

b) dans les autres cas, aux douze mois précédant le début de l'inspection faite au titre de la présente partie dans le cadre de laquelle l'inspecteur a fait la constatation visée au paragraphe (1).

(1.2) **Indemnité de congé annuel** — S'agissant de l'indemnité de congé annuel, la mention de la période de douze mois visée au paragraphe (1.1) vaut mention d'une période de vingt-quatre mois.

(2) **Plainte non fondée** — L'inspecteur saisi d'une plainte portant que l'employeur n'a pas versé à l'employé le salaire ou une autre indemnité auxquels celui-ci a droit sous le régime de la présente partie avise l'employé par écrit du fait que sa plainte est non fondée s'il conclut que l'employeur a versé à l'employé tout salaire et autre indemnité auxquels celui-ci a droit sous le régime de cette partie pour la période de six mois visée à l'alinéa 251.01(2)a) ou la période prorogée en vertu du paragraphe 251.01(3).

(3) **Signification** — L'ordre de paiement ou sa copie ainsi que l'avis de plainte non fondée sont signifiés à personne ou par courrier recommandé ou certifié; en cas de signification par courrier, ils sont réputés avoir été reçus par le destinataire le septième jour qui suit leur mise à la poste.

(4) **Preuve de signification** — Le certificat censé signé par le ministre attestant l'envoi par courrier recommandé ou certifié soit de l'ordre de paiement ou de sa copie, soit de l'avis de plainte non fondée, à son destinataire, et accompagné d'une copie certifiée conforme du document et du récépissé de recommandation ou de certification postale est admissible en preuve et fait foi de son contenu sans qu'il soit nécessaire de prouver l'authenticité de la signature qui y est apposée ou la qualité officielle du signataire.

1993, ch. 42, art. 37; 2012, ch. 31, art. 224

251.101 (1) Demande de révision — Toute personne concernée par un ordre de paiement ou un avis de plainte non fondée peut demander au ministre, par écrit, motifs à l'appui, de réviser la décision de l'inspecteur dans les quinze jours suivant la signification de l'ordre ou de sa copie, ou de l'avis.

(2) **Consignation de la somme visée** — L'employeur et l'administrateur de personne morale ne peuvent présenter une demande de révision qu'à la condition de remettre au ministre la somme fixée par l'ordre, l'administrateur ne pouvant toutefois être tenu de remettre une somme excédant la somme maximale visée à l'article 251.18.

(3) **Révision** — Le ministre saisi d'une demande de révision peut confirmer, annuler ou modifier par écrit — en totalité ou en partie — l'ordre de paiement ou l'avis de plainte non fondée en cause et, s'il annule l'avis, il charge un inspecteur de réexaminer la plainte.

(4) **Signification** — La décision prise en vertu du paragraphe (3) est signifiée à personne ou par courrier recommandé ou certifié à toute personne concernée par l'ordre de paiement ou l'avis de plainte non fondée; en cas de signification par courrier, elle est réputée avoir été reçue par le destinataire le septième jour qui suit sa mise à la poste.

(5) **Preuve de signification** — Le certificat paraissant signé par le ministre qui atteste l'envoi par courrier recommandé ou certifié de la décision, à son destinataire, et qui est accompagné d'une copie certifiée conforme de la décision et du récépissé de recommanda-

tion ou de certification postale est admissible en preuve et fait foi de son contenu sans qu'il soit nécessaire de prouver l'authenticité de la signature qui y est apposée ou la qualité officielle du signataire.

(6) **Caractère définitif de la révision** — Sous réserve du droit d'appel prévu à l'article 251.11, la décision prise en vertu du paragraphe (3) est définitive et non susceptible d'appel et de révision en justice.

(7) **Demande traitée en tant que demande d'appel** — Le ministre peut, s'il l'estime indiqué dans les circonstances, traiter la demande de révision comme une demande d'appel de la décision de l'inspecteur; le cas échéant, il en informe toute personne concernée par l'ordre de paiement ou l'avis de plainte non fondée et il est considéré comme saisi d'un appel pour l'application de l'article 251.12.

2012, ch. 31, art. 225

251.11 (1) Appel — Toute personne concernée par la décision prise en vertu du paragraphe 251.101(3) — autre que celle d'annuler l'avis de plainte non fondée — peut, par écrit, dans les quinze jours suivant la signification de la décision, interjeter appel de celle-ci auprès du ministre, mais ce uniquement sur une question de droit ou de compétence.

(2) **Moyens d'appel** — La demande d'appel comporte un exposé des moyens d'appel.

(3) **Consignation du montant visé** — L'employeur et l'administrateur de personne morale ne peuvent interjeter appel de la décision qu'à la condition de remettre au ministre :

a) si aucune somme n'a été remise au titre du paragraphe 251.101(2), la somme fixée par l'ordre de paiement en cause ou, si la décision a modifié cette somme, la somme fixée dans la décision;

b) si une somme a été remise au titre de ce paragraphe, mais est inférieure à celle fixée dans la décision, la somme correspondant à l'excédent de la somme fixée sur la somme remise.

(4) **Restriction** — Dans le cas de l'administrateur, le paragraphe (3) s'applique sous réserve du fait que celui-ci ne peut être tenu de remettre une somme excédant la somme maximale visée à l'article 251.18.

1993, ch. 42, art. 37; 2012, ch. 31, art. 225

251.12 (1) Nomination d'un arbitre — Le ministre, saisi d'un appel, désigne en qualité d'arbitre la personne qu'il juge qualifiée pour entendre et trancher l'appel et lui transmet la décision faisant l'objet de l'appel ainsi que la demande d'appel ou, en cas d'application du paragraphe 251.101(7), la demande de révision présentée en vertu du paragraphe 251.101(1).

(2) **Pouvoirs de l'arbitre** — Dans le cadre des appels que lui transmet le ministre, l'arbitre peut :

a) convoquer des témoins et les contraindre à comparaître et à déposer sous serment, oralement ou par écrit, ainsi qu'à produire les documents et les pièces qu'il estime nécessaires pour lui permettre de rendre sa décision;

b) faire prêter serment et recevoir des affirmations solennelles;

c) accepter sous serment, par voie d'affidavit ou sous une autre forme, tous témoignages et renseignements qu'à son appréciation il juge indiqués, qu'ils soient admissibles ou non en justice;

d) fixer lui-même sa procédure, sous réserve de la double obligation de donner à chaque partie toute possibilité de lui présenter des éléments de preuve et des observations, d'une part, et de tenir compte de l'information contenue dans le dossier, d'autre part;

e) accorder le statut de partie à toute personne ou tout groupe qui, à son avis, a essentiellement les mêmes intérêts qu'une des parties et pourrait être concerné par la décision.

(3) **Délai** — Dans le cadre des appels que lui transmet le ministre, l'arbitre dispose du délai fixé par règlement du gouverneur en conseil pour procéder à l'examen du cas dont il est saisi ou rendre sa décision.

(4) **Décision de l'arbitre** — L'arbitre peut rendre toutes les ordonnances nécessaires à la mise en oeuvre de sa décision et peut notamment, par ordonnance :

a) confirmer, annuler ou modifier — en totalité ou en partie — la décision faisant l'objet de l'appel;

b) ordonner le versement, à la personne qu'il désigne, de la somme consignée auprès du receveur général du Canada;

c) adjuger les dépens.

(5) **Remise de la décision** — L'arbitre transmet une copie de sa décision sur un appel, motifs à l'appui, à chaque partie ainsi qu'au ministre.

(6) **Caractère définitif des décisions** — Les ordonnances de l'arbitre sont définitives et non susceptibles de recours judiciaires.

(7) **Interdiction de recours extraordinaires** — Il n'est admis aucun recours ou décision judiciaire — notamment par voie d'injonction, de *certiorari*, de prohibition ou de *quo warranto* — visant à contester, réviser, empêcher ou limiter l'action d'un arbitre exercée dans le cadre du présent article.

1993, ch. 42, art. 37; 2012, ch. 31, art. 226

251.13 (1) Ordre de versement donné aux débiteurs — Le directeur régional peut ordonner par écrit aux débiteurs, actuels ou éventuels, de l'employeur auquel l'inspecteur a remis un ordre de paiement en vertu du paragraphe 251.1(1) de remettre au ministre, dans les quinze jours qui suivent, le montant de leur dette en exécution de l'ordre de paiement, jusqu'à concurrence de la somme mentionnée dans l'ordre.

(2) **Assimilation** — Pour l'application du présent article, la banque ou toute autre institution financière qui possède en dépôt des sommes appartenant à l'employeur sont assimilées aux débiteurs de celui-ci.

1993, ch. 42, art. 37

251.14 (1) Dépôt — Le ministre dépose les sommes qui lui sont remises au titre de la présente section, au crédit du receveur général du Canada dans le compte appelé « Compte d'ordre du Code du travail (Normes) » ou dans tout autre compte spécial créé pour l'application du présent article et peut autoriser le paiement de sommes, sur ce compte, à l'employé bénéficiaire ou à toute autre personne y ayant droit.

(2) **Registre** — Le ministre tient un registre détaillé de toutes les opérations portant sur les sommes déposées au compte.

1993, ch. 42, art. 37; 2012, ch. 31, art. 227

251.15 (1) Exécution des ordres de paiement et des ordonnances — Toute personne concernée par un ordre de paiement donné en vertu du paragraphe 251.1(1) ou confirmé ou modifié en vertu du paragraphe 251.101(3) ou par une ordonnance rendue en vertu du paragraphe 251.12(4), ou le ministre sur demande d'une telle personne, peut, après l'expiration d'un délai de quinze jours suivant la date où l'ordre a été donné, confirmé ou modifié ou l'ordonnance a été rendue, ou la date d'exécution qui y est fixée si celle-ci est postérieure, déposer à la Cour fédérale une copie de l'ordre de paiement ou du dispositif de l'ordonnance.

(1.1) Restriction — L'ordre de paiement ne peut toutefois être déposé tant qu'il peut faire ou fait l'objet d'une révision au titre du paragraphe 251.101(1) ou d'un appel au titre du paragraphe 251.101(7) ou de l'article 251.11 ou si une ordonnance est rendue en vertu de l'alinéa 251.12(4)a) à son sujet.

(2) Idem — Le directeur régional peut déposer à la Cour fédérale une copie de l'ordre de versement donné aux débiteurs de l'employeur, après l'expiration du délai de quinze jours qui y est mentionné.

(3) Enregistrement — La Cour fédérale procède à l'enregistrement de l'ordre de paiement, de l'ordonnance ou de l'ordre de versement dès leur dépôt; l'enregistrement leur confère valeur de jugement de ce tribunal et, dès lors, toutes les procédures d'exécution applicables à un tel jugement peuvent être engagées à leur égard.

1993, ch. 42, art. 37; 2012, ch. 31, art. 228

251.16 Règlements — Le gouverneur en conseil peut prendre des mesures d'ordre réglementaire concernant l'application des articles 251.1 à 251.15.

1993, ch. 42, art. 37

251.17 Non-application de la Loi sur les textes réglementaires — La *Loi sur les textes réglementaires* ne s'applique pas aux ordres de paiement, aux avis de plainte non fondée et aux ordres de versement adressés aux débiteurs.

1993, ch. 42, art. 37

251.18 Responsabilité civile des administrateurs — Les administrateurs d'une personne morale sont, jusqu'à concurrence d'une somme équivalant à six mois de salaire, solidairement responsables du salaire et des autres indemnités auxquels l'employé a droit sous le régime de la présente partie, dans la mesure où la créance de l'employé a pris naissance au cours de leur mandat et à la condition que le recouvrement de la créance auprès de la personne morale soit impossible ou peu probable.

1993, ch. 42, art. 37

251.19 Coopératives — Pour l'application de l'article 251.18 et du paragraphe 257(3), les coopératives sont assimilées aux personnes morales.

1993, ch. 42, art. 37

Renseignements et déclarations

252. (1) Obligation — L'employeur est tenu, en matière de salaires, durée et conditions de travail, congés annuels et jours fériés, de produire les renseignements et déclarations que le ministre peut exiger.

(2) Registres obligatoires — L'employeur tient les registres prévus par règlement d'application de l'alinéa 264a) et les conserve pendant au moins trente-six mois après l'exécution du travail, pour examen éventuel, à toute heure convenable, par l'inspecteur.

Modification proposée — 252(2)

(2) Registres obligatoires — L'employeur tient les registres prévus par règlement d'application de l'alinéa 264(1)a) et les conserve pendant au moins trente-six mois après l'exécution du travail, pour examen éventuel, à toute heure convenable, par l'inspecteur.

2015, ch. 36, art. 90 [Non en vigueur à la date de publication.]

(3) **Exception** — Les paragraphes (1) et (2) ne s'appliquent pas aux heures de travail effectuées par les employés qui sont :

a) soit soustraits à l'application de la section I en vertu du paragraphe 167(2);

b) soit soustraits à l'application des articles 169 et 171 au titre des règlements pris en vertu de l'alinéa 175(1)b).

L.R.C. (1985), ch. 9 (1er suppl.), art. 18; 1993, ch. 42, art. 38

253. (1) **Demande de renseignements** — Le ministre peut, dans le cadre de la présente partie ou de ses règlements, exiger certains renseignements au moyen d'un avis signifié à personne ou par courrier recommandé ou certifié à la dernière adresse connue du destinataire; en cas de signification par courrier, l'avis est réputé avoir été reçu par le destinataire le septième jour qui suit celui de sa mise à la poste; le destinataire est tenu de s'y conformer dans le délai raisonnable qui y est fixé.

(2) **Preuve de signification** — Le certificat censé signé par le ministre attestant l'envoi par courrier recommandé ou certifié de l'avis à son destinataire et accompagné d'une copie certifiée conforme de celui-ci et du récépissé de recommandation ou de certification postale est admissible en preuve et fait foi de son contenu sans qu'il soit nécessaire de prouver l'authenticité de la signature qui y est apposée ou la qualité officielle du signataire.

(3) **Preuve du défaut de production** — Le certificat du ministre attestant le défaut de production des renseignements demandés aux termes de la présente partie ou de ses règlements est admissible en preuve et, sauf preuve contraire, fait foi de son contenu.

(4) **Preuve de documents** — Tout certificat du ministre attestant que le document qui y est joint a été établi par lui ou en son nom — ou est une copie conforme d'un tel document — est admissible en preuve et a la même valeur et le même effet que si le processus de preuve avait suivi son cours normal.

(5) **Preuve d'autorité** — Les certificats prévus par le présent article, signés ou censés signés par le ministre, sont admissibles en preuve, sans qu'il soit nécessaire de prouver la nomination du ministre ou l'authenticité de sa signature.

1993, ch. 42, art. 39

254. (1) **Bulletin de paie** — L'employeur est tenu, en versant son salaire à un employé, de lui fournir un bulletin de paie indiquant :

a) la période de rémunération;

b) le nombre d'heures rémunérées;

c) le taux du salaire;

d) dans le détail, les retenues opérées sur le salaire;

e) le montant net reçu par l'employé.

(2) **Exemption** — Le ministre peut, par arrêté, exempter un employeur de tout ou partie des obligations énoncées au paragraphe (1).

Retenues

[Intertitre ajouté, 1993, ch. 42, art. 40.]

254.1 (1) **Règle générale** — L'employeur ne peut retenir sur le salaire et les autres sommes dues à un employé que les sommes autorisées sous le régime du présent article.

(2) **Retenues autorisées** — Les retenues autorisées sont les suivantes :

a) celles que prévoient les lois fédérales et provinciales et leurs règlements d'application;

b) celles qu'autorisent une ordonnance judiciaire, ou une convention collective ou un autre document signés par un syndicat pour le compte de l'employé;

c) celles que l'employé autorise par écrit;

d) les sommes versées en trop par l'employeur au titre du salaire;

e) les autres sommes prévues par règlement.

(3) **Dommages et pertes** — Par dérogation à l'alinéa (2)c), l'employeur ne peut effectuer une retenue pour régler la dette de l'employé à son égard au titre des dommages causés à ses biens ou de la perte d'une somme d'argent ou d'un bien si une autre personne que l'employé avait accès aux biens ou à l'argent en question.

(4) **Règlements** — Le gouverneur en conseil peut, par règlement, prévoir :

a) les autres retenues que l'employeur peut faire sur le salaire de l'employé ou sur les autres sommes qui lui sont dues;

b) la façon dont l'employeur peut effectuer les retenues prévues au présent article.

1993, ch. 42, art. 40

Fusion d'entreprises fédérales

255. (1) **Déclaration ministérielle de fusion** — Dans le cas d'entreprises fédérales associées ou connexes exploitées par plusieurs employeurs en assurant en commun le contrôle ou la direction, le ministre peut, après avoir donné à ces derniers la possibilité de présenter des observations, déclarer par arrêté que, pour l'application de la présente partie, ces employeurs ainsi que les entreprises fédérales mentionnées constituent, respectivement, un seul employeur et une seule entreprise fédérale.

(2) **Effet de l'arrêté** — L'arrêté pris aux termes du paragraphe (1) a pour effet de rendre les employeurs auxquels il s'applique solidairement responsables, envers les employés travaillant dans les entreprises fédérales mentionnées, du paiement des heures supplémentaires, des indemnités de congé annuel et de jour férié et de tout autre salaire ou toute autre prestation auxquels ceux-ci ont droit aux termes de la présente partie.

Infractions et peines

256. (1) **Infractions** — Commet une infraction quiconque :

a) contrevient à une disposition de la présente partie ou de ses règlements, exception faite de la section IX, des paragraphes 239.1(2), 239.2(1) ou 252(2) ou d'un règlement pris en vertu de l'article 227 ou de l'alinéa 264a);

Modification proposée — 256(1)a)

a) contrevient à une disposition de la présente partie ou de ses règlements, exception faite de la section IX, des paragraphes 239.1(2), 239.2(1) ou 252(2) ou d'un règlement pris en vertu de l'article 227 ou des alinéas 264(1)a) ou a.1);

2015, ch. 36, art. 91(1) [Non en vigueur à la date de publication.]

b) ne se conforme pas à un arrêté;

c) renvoie ou menace de renvoyer une personne, ou la désavantage de quelque autre façon par rapport à d'autres, parce que celle-ci :

(i) soit a témoigné — ou est sur le point de le faire —

dans une poursuite intentée ou une enquête tenue sous le régime de la présente partie,

(ii) soit a fourni au ministre ou à un inspecteur des renseignements sur le salaire, la durée du travail, les congés annuels ou les conditions de travail d'un employé.

(1.1) **Peines** — Quiconque commet l'infraction prévue au paragraphe (1) encourt, sur déclaration de culpabilité par procédure sommaire :

a) dans le cas d'un employeur qui est une personne morale :

(i) pour une première infraction, une amende maximale de 50 000 $,

(ii) pour une deuxième infraction, une amende maximale de 100 000 $,

(iii) pour chaque récidive subséquente, une amende maximale de 250 000 $;

b) dans tout autre cas :

(i) pour une première infraction, une amende maximale de 10 000 $,

(ii) pour une deuxième infraction, une amende maximale de 20 000 $,

(iii) pour chaque récidive subséquente, une amende maximale de 50 000 $;

(1.2) **Récidive** — Afin de décider, pour l'application du paragraphe (1.1), s'il s'agit d'une deuxième infraction ou d'une récidive subséquente, il n'est tenu compte que des condamnations survenues durant la période de cinq ans qui précède la date de la condamnation à l'égard de laquelle la peine doit être déterminée.

(2) **Infraction : employeur** — L'employeur qui contrevient à une disposition de la section IX, aux paragraphes 239.1(2) ou 239.2(1), ou à un règlement pris en vertu de l'article 227 commet une infraction et encourt, sur déclaration de culpabilité par procédure sommaire, une amende maximale de 250 000 $.

(3) **Autre infraction** — Commet une infraction et encourt, sur déclaration de culpabilité par procédure sommaire, une amende maximale de mille dollars pour chacun des jours au cours desquels se continue l'infraction l'employeur qui :

a) soit omet de tenir l'un des registres visés par le paragraphe 252(2) ou un règlement pris en vertu de l'alinéa 264a);

Modification proposée — 256(3)a)

a) soit omet de tenir l'un des registres visés par le paragraphe 252(2) ou un règlement pris en vertu des alinéas 264(1)a) ou a.1);

2015, ch. 36, art. 91(2) [Non en vigueur à la date de publication.]

b) soit refuse de le laisser examiner, à une heure convenable, par l'inspecteur.

L.R.C. (1985), ch. 9 (1er suppl.), art. 19; 2012, ch. 19, art. 436(1), (3)–(5)

257. (1) **Procédure** — Toute plainte ou dénonciation faite sous le régime de la présente partie peut viser une ou plusieurs infractions reprochées à un employeur à l'égard d'un ou de plusieurs de ses employés.

(2) **Prescription** — Les poursuites visant une infraction à la présente partie se prescrivent par trois ans à compter de sa perpétration.

(3) **Consentement préalable du ministre** — La poursuite des infractions à la présente partie reprochées aux administrateurs d'une personne morale est

subordonnée au consentement du ministre.

1993, ch. 42, art. 41

258. (1) Ordonnance de paiement — Sur déclaration de culpabilité pour infraction à la présente partie à l'endroit d'un employé, le tribunal, en sus de toute autre peine, doit ordonner à l'employeur en cause de verser à l'employé le salaire et les prestations — notamment heures supplémentaires, indemnité de congé annuel ou de jour férié — auxquels celui-ci a droit aux termes de la présente partie et dont le défaut de paiement a constitué l'infraction.

(2) Ordonnance de réintégration — Si l'infraction dont l'employeur a été déclaré coupable se rapporte au renvoi d'un employé, le tribunal peut, en sus de toute autre peine, lui ordonner de :

a) verser à l'employé, pour la perte de son emploi, une indemnité équivalant au plus, à son avis, au salaire que celui-ci aurait gagné jusqu'à la date de la déclaration de culpabilité;

b) réintégrer en outre l'employé dans son emploi à la date qu'il estime, en l'occurrence, juste et indiquée, et au poste que ce dernier aurait occupé s'il n'avait pas été renvoyé.

(3) Registres inexacts — Si, en déterminant le montant du salaire ou des heures supplémentaires dans le cadre de l'application du paragraphe (1), le tribunal constate que l'employeur n'a pas satisfait à l'obligation de tenir les registres exacts qu'imposent la présente partie ou ses règlements, l'employé en cause est irréfutablement présumé avoir travaillé pendant le maximum d'heures par semaine autorisé par la présente partie et avoir droit au plein salaire hebdomadaire correspondant.

259. Défaut de se conformer à une ordonnance — L'employeur qui omet de se conformer à une ordonnance rendue aux termes de l'article 258 commet une infraction et encourt, sur déclaration de culpabilité par procédure sommaire, une amende maximale de mille dollars pour chacun des jours au cours desquels se continue l'infraction.

L.R.C. (1985), ch. 9 (1er suppl.), art. 20; 2012, ch. 19, art. 437

259.1 (1) Exclusion de l'emprisonnement — La peine d'emprisonnement est exclue dans le cas d'une infraction prévue à la présente partie et punissable sur déclaration de culpabilité par procédure sommaire ou en cas de défaut de paiement de l'amende imposée pour une telle infraction.

(2) Recouvrement des amendes — En cas de défaut de paiement de l'amende imposée pour une infraction prévue à la présente partie, le poursuivant peut, en déposant la déclaration de culpabilité auprès d'une juridiction supérieure de la province où le procès a eu lieu, faire assimiler la décision relative à l'amende, y compris les frais éventuels, à un jugement de cette juridiction; l'exécution se fait dès lors comme s'il s'agissait d'un jugement rendu contre l'intéressé par la même juridiction en matière civile.

260. Identité des plaignants — Le ministre et son personnel doivent accéder à la demande du plaignant qui s'oppose à ce que son identité soit révélée, sauf lorsque cette révélation est nécessaire dans le cadre de poursuites ou si le ministre l'estime dans l'intérêt public.

261. Recours civil — La présente partie n'a pas pour effet de suspendre ou de modifier le recours civil que l'employé peut exercer contre son employeur pour des arriérés de salaire.

Arrêtés ministériels

262. Champ d'application — Les arrêtés que la présente partie ou ses règlements autorisent le ministre à prendre peuvent être d'application générale ou restreinte ou applicables à certaines catégories d'employés ou d'établissements.

[Intertitre abrogé, 1996, ch. 11, art. 68.]

263. [Abrogé, 1996, ch. 11, art. 68.]

Règlements

264. Règlements — Le gouverneur en conseil peut prendre les règlements nécessaires à l'application de la présente partie, notamment en vue :

a) d'enjoindre aux employeurs de tenir des registres des salaires, congés annuels, jours fériés et heures supplémentaires des employés, ainsi que de tous autres renseignements relatifs à l'application de la présente partie ou de l'une de ses sections;

Ajout proposé — 264a.1)–a.9)

a.1) d'enjoindre aux employeurs de tenir des registres relatifs à l'application de la présente partie aux personnes qui sont exclues, aux termes du paragraphe 167(1.2), de l'application de tout ou partie de la présente partie;

a.2) de régir les renseignements que l'employeur doit fournir au ministre pour établir que l'exercice des activités visées à l'alinéa 167(1.2)a) satisfait aux exigences d'un programme visé à cet alinéa, ainsi que les cas où il doit les fournir;

a.3) de préciser les cas où la personne qui exerce les activités visées à l'alinéa 167(1.2)a) doit fournir à un employeur les renseignements visés à l'alinéa a.2);

a.4) pour l'application de l'alinéa 167(1.2)a), de prévoir les établissements d'enseignement secondaire, postsecondaire ou professionnel, ou les établissements d'enseignement équivalents situés à l'extérieur du Canada;

a.5) pour l'application de la division 167(1.2)b)(i)(B), de prévoir le nombre d'heures qui ne peut être inférieur à 640 heures ni supérieur à 768 heures;

a.6) de prévoir que la personne à l'égard de qui les conditions énoncées à l'alinéa 167(1.2)b) ont déjà été remplies ne remplit pas la condition énoncée aux divisions 167(1.2)b)(i)(A) ou (B), selon le cas, à l'égard d'activités exercées pour le même employeur si elle les exerce avant l'expiration de la période qui est précisée par règlement;

a.7) pour l'application du sous-alinéa 167(1.2)b)(ii), de régir les cas où les activités sont réputées profiter principalement à la personne qui les exerce;

a.8) pour l'application du sous-alinéa 167(1.2)b)(iii), de régir ce qui constitue la supervision;

a.9) de régir les mesures qui doivent être prises par l'employeur pour veiller à ce que les conditions énoncées à l'alinéa 167(1.2)b) soient remplies ou pour établir qu'elles l'ont été, les renseignements qu'il doit fournir au ministre pour établir que ces mesures ont été prises, ainsi que les cas où il doit les fournir;

2015, ch. 36, art. 92(1) [Non en vigueur à la date de publication.]

b) de donner la désignation d'établissement à toute succursale, section ou autre division d'une entreprise fédérale pour l'application de la présente partie ou de l'une de ses sections;

c) de régir la production et l'inspection des registres que doivent tenir les employeurs;

d) de fixer le mode de calcul et de détermination du salaire reçu par un employé, y compris l'équivalent en argent de la rémunération versée autrement qu'en espèces et, pour l'application d'une ou de certaines dispositions de la présente partie, le taux régulier de salaire des employés;

e) de fixer le mode de calcul et de détermination, sur une base horaire, du taux régulier de salaire des employés payés soit au temps, sur une autre base que l'heure, soit partiellement au temps;

e.1) de fixer le mode de calcul et de paiement du salaire et des autres montants auxquels a droit, en vertu des sections V, VIII, X et XI, l'employé payé à la commission ou touchant un salaire et des commissions ou non payé au temps;

f) de fixer le nombre maximal d'heures qui peut s'écouler entre le commencement et la fin d'une journée de travail d'un employé;

g) de fixer la période minimale que peut allouer l'employeur pour les repas et la période maximale durant laquelle il peut obliger ou autoriser un employé à travailler ou à être à sa disposition sans interruption pour le repas;

h) d'obliger l'employeur, dans tout établissement, à diffuser auprès des employés, par les avis prévus et selon les modalités fixées, l'information suivante :

(i) les dispositions de la présente partie ou de quelque règlement ou arrêté pris sous son régime,

(ii) les heures particulières de travail, notamment les heures de relève des équipes,

(iii) les périodes de repos et de repas,

(iv) toute autre question concernant la durée et les conditions de travail;

i) de prévoir le versement, au ministre ou à quelqu'un d'autre, du salaire d'un employé, si ce dernier est introuvable ou en tout autre cas;

Ajout proposé — 264i.1)

i.1) de prévoir l'application de toute disposition de la présente partie ou des règlements pris en vertu de celle-ci aux personnes et aux employeurs à leur égard qui sont par ailleurs exclus, aux termes du paragraphe 167(1.2), de l'application de la présente partie et d'adapter la disposition pour son application à ces personnes et à ces employeurs;

2015, ch. 36, art. 92(2) [Non en vigueur à la date de publication.]

j) de prévoir la création de comités consultatifs chargés de conseiller le ministre sur toutes questions relatives à l'application de la présente partie;

j.1) de prévoir des cas et des conditions pour l'application du paragraphe 251.01(3);

k) de prendre toute autre mesure d'ordre réglementaire prévue par la présente partie.

Modification proposée — 264

264. (1) Règlements — Le gouverneur en conseil peut prendre les règlements nécessaires à l'application de la présente partie, notamment en vue :

a) d'enjoindre aux employeurs de tenir des registres des salaires, congés annuels, jours fériés et heures supplémentaires des employés, ainsi que de tous autres renseignements relatifs à l'application de la présente partie ou de l'une de ses sections;

Ajout proposé — 264a.1)–a.9)

a.1) d'enjoindre aux employeurs de tenir des registres relatifs à l'application de la présente partie aux personnes qui sont exclues, aux termes du paragraphe 167(1.2), de l'application de tout ou partie de la présente partie;

a.2) de régir les renseignements que l'employeur doit fournir au ministre pour établir que l'exercice des activités visées à l'alinéa 167(1.2)a) satisfait aux exigences d'un programme visé à cet alinéa, ainsi que les cas où il doit les fournir;

a.3) de préciser les cas où la personne qui exerce les activités visées à l'alinéa 167(1.2)a) doit fournir à un employeur les renseignements visés à l'alinéa a.2);

a.4) pour l'application de l'alinéa 167(1.2)a), de prévoir les établissements d'enseignement secondaire, postsecondaire ou professionnel, ou les établissements d'enseignement équivalents situés à l'extérieur du Canada;

a.5) pour l'application de la division 167(1.2)b)(i)(B), de prévoir le nombre d'heures qui ne peut être inférieur à 640 heures ni supérieur à 768 heures;

a.6) de prévoir que la personne à l'égard de qui les conditions énoncées à l'alinéa 167(1.2)b) ont déjà été remplies ne remplit pas la condition énoncée aux divisions 167(1.2)b)(i)(A) ou (B), selon le cas, à l'égard d'activités exercées pour le même employeur si elle les exerce avant l'expiration de la période qui est précisée par règlement;

a.7) pour l'application du sous-alinéa 167(1.2)b)(ii), de régir les cas où les activités sont réputées profiter principalement à la personne qui les exerce;

a.8) pour l'application du sous-alinéa 167(1.2)b)(iii), de régir ce qui constitue la supervision;

a.9) de régir les mesures qui doivent être prises par l'employeur pour veiller à ce que les conditions énoncées à l'alinéa 167(1.2)b) soient remplies ou pour établir qu'elles l'ont été, les renseignements qu'il doit fournir au ministre pour établir que ces mesures ont été prises, ainsi que les cas où il doit les fournir;

2015, ch. 36, art. 92(1) [Non en vigueur à la date de publication.]

b) de donner la désignation d'établissement à toute succursale, section ou autre division d'une entreprise fédérale pour l'application de la présente partie ou de l'une de ses sections;

c) de régir la production et l'inspection des registres que doivent tenir les employeurs;

d) de fixer le mode de calcul et de détermination du salaire reçu par un employé, y compris l'équivalent en argent de la rémunération versée autrement qu'en espèces et, pour l'application d'une ou de certaines dispositions de la présente partie, le taux régulier de salaire des employés;

e) de fixer le mode de calcul et de détermination, sur une base horaire, du taux régulier de salaire des employés payés soit au temps, sur une autre base que l'heure, soit partiellement au temps;

e.1) de fixer le mode de calcul et de paiement du salaire et des autres montants auxquels a droit, en vertu des sections V, VIII, X et XI, l'employé payé à la commission ou touchant un salaire et des commissions ou non payé au temps;

f) de fixer le nombre maximal d'heures qui peut s'écouler entre le commencement et la fin d'une journée de travail d'un employé;

g) de fixer la période minimale que peut allouer l'employeur pour les repas et la période maximale durant laquelle il peut obliger ou autoriser un employé à travailler ou à être à sa disposition sans interruption pour le repas;

h) d'obliger l'employeur, dans tout établissement, à diffuser auprès des employés, par les avis prévus et selon les modalités fixées, l'information suivante :

(i) les dispositions de la présente partie ou de quelque règlement ou arrêté pris sous son régime,

(ii) les heures particulières de travail, notamment les heures de relève des équipes,

(iii) les périodes de repos et de repas,

(iv) toute autre question concernant la durée et les conditions de travail;

i) de prévoir le versement, au ministre ou à quelqu'un d'autre, du salaire d'un employé, si ce dernier est introuvable ou en tout autre cas;

Ajout proposé — 264i.1)

i.1) de prévoir l'application de toute disposition de la présente partie ou des règlements pris en vertu de celle-ci aux personnes et aux employeurs à leur égard qui sont par ailleurs exclus, aux termes du paragraphe 167(1.2), de l'application de la présente partie et d'adapter la disposition pour son application à ces personnes et à ces employeurs;

2015, ch. 36, art. 92(2) [Non en vigueur à la date de publication.]

j) de prévoir la création de comités consultatifs chargés de conseiller le ministre sur toutes questions relatives à l'application de la présente partie;

j.1) de prévoir des cas et des conditions pour l'application du paragraphe 251.01(3);

k) de prendre toute autre mesure d'ordre réglementaire prévue par la présente partie.

(2) Incorporation de documents — Le règlement pris en vertu de l'alinéa (1)a.4) qui incorpore par renvoi tout ou partie de documents, indépendamment de leur source, peut prévoir que ceux-ci sont incorporés soit dans leur version à une date donnée, soit avec leurs modifications successives jusqu'à une date donnée, soit avec toutes leurs modifications successives.

2015, ch. 36, art. 92(3) [Non en vigueur à la date de publication.]

L.R.C. (1985), ch. 9 (1er suppl.), art. 21; 2012, ch. 31, art. 229

Application de lois provinciales

[Intertitre ajouté, 1996, ch. 12, art. 4.]

265. Sociétés d'État provinciales — Le gouverneur en conseil peut, par règlement, assujettir à l'application de la présente partie l'emploi — ou des catégories d'emploi — dans le cadre des ouvrages ou entreprises désignés par lui qui sont des personnes morales mandataires de Sa Majesté du chef d'une province ou sont associés à une telle personne et dont les activités sont, en tout ou en partie, régies par la *Loi sur la sûreté et la réglementation nucléaires*.

1996, ch. 12, art. 4; 1997, ch. 9, art. 125(1)e)

266. (1) Exclusion — Le gouverneur en conseil peut, par règlement, soustraire, en tout ou en partie, à l'application de toute disposition de la présente partie l'emploi — ou des catégories d'emploi — dans le cadre des ouvrages ou entreprises désignés par lui dont les activités sont, en tout ou en partie, régies par la *Loi sur la sûreté et la réglementation nucléaires*.

(2) Règlements — Le gouverneur en conseil peut, sur recommandation du ministre, prendre des règlements sur toute question relative aux normes du travail et touchant l'emploi visé par un règlement pris en vertu du paragraphe (1).

1996, ch. 12, art. 4; 1997, ch. 9, art. 125(1)f)

267. Application de certaines dispositions — Les paragraphes 121.2(3) à (8) s'appliquent, avec les adaptations nécessaires, au règlement pris en vertu du paragraphe 266(2), la mention « paragraphe (2) » aux paragraphes 121.2(3) à (6) valant mention du paragraphe 266(2).

1996, ch. 12, art. 4

Dispositions transitoires

— 2012, ch. 19, art. 438, 439 :

438. Prestations ou demandes en cours — Si, avant l'entrée en vigueur de l'article 239.2 du *Code canadien du travail*, édicté par l'article 434, l'employeur offre à ses employés des avantages au titre d'un régime d'invalidité de longue durée qui n'est pas assuré par l'entremise d'une entité qui est, en vertu du droit provincial, titulaire d'un permis ou d'une licence d'assurance, et soit des prestations d'invalidité de longue durée sont versées à l'un de ces employés au titre du régime, soit une demande de prestations au titre du régime a été présentée par l'un de ces employés, il n'est pas tenu, à l'entrée en vigueur de cet article 239.2, d'assurer le régime conformément à cet article et peut continuer à offrir les avantages au titre du régime mais seulement à l'employé à qui sont versées les prestations ou à celui qui a présenté la demande.

439. Restrictions : condamnations antérieures — Malgré le paragraphe 256(1.2) du *Code canadien du travail*, édicté par l'article 436, afin de décider s'il s'agit d'une deuxième infraction ou d'une récidive subséquente pour l'application du paragraphe 256(1.1) de cette loi, édicté par cet article, il n'est pas tenu compte des condamnations antérieures à la date d'entrée en vigueur du même article.

— 2012, ch. 27, art. 31 :

31. Décès ou disparition — L'article 206.5 du *Code canadien du travail*, édicté par l'article 6, ne s'applique qu'à l'égard des décès et disparitions survenus après l'entrée en vigueur de l'article 6.

— 2012, ch. 31, art. 230, 231 :

230. Plaintes, avis et ordres de paiement — Le *Code canadien du travail*, dans sa version antérieure à la date d'entrée en vigueur du présent article, s'applique :

a) aux plaintes qui portent qu'un employeur a contrevenu à une disposition de la partie III de cette loi ou des règlements pris en vertu de cette partie ou ne se conforme pas à un arrêté au sens de cette partie et qui ont été reçues par le ministre du Travail avant cette date;

b) aux avis de plainte non fondée donnés au titre du paragraphe 251.1(2) de cette loi et relatifs aux plaintes visées à l'alinéa a);

c) aux ordres de paiement donnés au titre du paragraphe 251.1(1) de cette loi :

(i) soit avant cette date,

(ii) soit à cette date ou après celle-ci, si l'inspecteur a fait la constatation ayant donné lieu à l'ordre dans le cadre soit d'une inspection faite au titre de la partie III de cette loi qui a débuté avant cette date, soit de l'examen d'une plainte visée à l'alinéa a).

231. Ordres de paiement et avis — Le *Code canadien du travail*, dans sa version antérieure à la date d'entrée en vigueur du présent article, s'applique aux ordres de paiement et avis de plainte non fondée donnés au titre de l'article 251.1 de cette loi avant cette date.

Dispositions connexes

— L.R.C. (1985), ch. 26 (4e suppl.), art. 6 :

6. Validation des exemptions et approbations — Les exemptions ou approbations censées accordées en vertu des règlements pris sous le régime de la partie II du *Code canadien du travail* avant l'entrée en vigueur des articles 1 et 3 de la présente loi, qui seraient accordées par la Commission de la sécurité dans les mines de charbon après cette date, en vertu de l'article 137.2 de cette loi, ont le même effet que si elles avaient été accordées par celle-ci alors que cet article était en vigueur.

— 1991, ch. 39, art. 4 :

4. **Disposition transitoire** — Les mandataires désignés sous le régime de l'article 34 du *Code canadien du travail*, dans sa version antérieure à l'entrée en vigueur de la présente loi, sont réputés être des représentants patronaux désignés sous le régime de cet article, dans sa version modifiée par l'article 1 de la présente loi.

— 1993, ch. 38, art. 132, 133 :

132. **Mandataires de Sa Majesté du chef du Manitoba** — Malgré la fixation d'une date d'entrée en vigueur des articles 3, 88, 89 ou 90, ceux-ci ne s'appliquent à une entreprise canadienne mandataire de Sa Majesté du chef du Manitoba qu'à compter soit du 31 décembre 1993, soit de la date antérieure fixée par le gouverneur en conseil sur demande écrite du gouvernement du Manitoba.

133. **Mandataires de Sa Majesté du chef de la Saskatchewan** — Malgré la fixation d'une date d'entrée en vigueur des articles 3, 88, 89 ou 90, ceux-ci ne s'appliquent à une entreprise canadienne mandataire de Sa Majesté du chef de la Saskatchewan qu'à compter soit de la date fixée à cette fin par le gouverneur en conseil cinq ans après l'entrée en vigueur de l'article en question, soit de la date antérieure fixée par le gouverneur en conseil sur demande écrite du gouvernement de la Saskatchewan.

— 1993, ch. 42, art. 15(2) :

(2) **Disposition transitoire** — Les dérogations accordées en vertu de l'article 170 de la même loi, dans sa version antérieure à l'entrée en vigueur du présent article, demeurent en vigueur jusqu'à la date d'expiration des trois ans qui suivent cette entrée en vigueur, la date prévue de leur expiration ou la date d'entrée en vigueur d'un horaire de travail fixé sous le régime de cet article, dans sa version modifiée par le présent article, la première en date étant retenue.

— 1993, ch. 42, art. 16(2) :

(2) **Disposition transitoire** — Les autorisations accordées en vertu de l'article 172 de la même loi, dans sa version antérieure à l'entrée en vigueur du présent article, demeurent en vigueur jusqu'à la date d'expiration des trois ans qui suivent cette entrée en vigueur, la date prévue de leur expiration ou la date d'entrée en vigueur d'un horaire de travail fixé sous le régime de cet article, dans sa version modifiée par le présent article, la première en date étant retenue.

— 1993, ch. 42, art. 19(2) :

(2) **Disposition transitoire** — Les approbations accordées par le ministre en vertu de l'alinéa b) de la définition de « année de service » à l'article 183 de la même loi, dans sa version antérieure à l'entrée en vigueur du présent article, demeurent en vigueur jusqu'à la date d'expiration des trois ans qui suivent cette entrée en vigueur, la date prévue de leur expiration ou la date d'entrée en vigueur de la nouvelle période d'emploi ininterrompu déterminée par l'employeur en vertu de cet alinéa, dans sa version modifiée par le présent article, la première en date étant retenue.

— 1993, ch. 42, art. 21(2) :

(2) **Disposition transitoire** — Les approbations de substitution accordées par le ministre en vertu de l'alinéa 195b) de la même loi, dans sa version antérieure à l'entrée en vigueur du présent article, demeurent en vigueur jusqu'à la date d'expiration des trois ans qui suivent cette entrée en vigueur, la date prévue de leur expiration ou la date d'entrée en vigueur du remplacement d'un jour férié sous le régime de cet alinéa, dans sa version modifiée par le présent article, la première en date étant retenue.

— 1998, ch. 26, art. 86–96 :

86. **Définitions** — Les définitions qui suivent s'appliquent au présent article et aux articles 87 à 94.

« ancien Conseil » Le Conseil canadien des relations du travail maintenu par l'article 9 de l'ancienne loi. *(« former Board »)*

« ancienne loi » Le *Code canadien du travail* dans sa version antérieure à la date de référence. *(« former Act »)*

« date de référence » Date de l'entrée en vigueur du présent article et des articles 87 à 94. *(« commencement day »)*

« nouveau Conseil » Le Conseil canadien des relations industrielles constitué par l'article 9 de la nouvelle loi. *(« new Board »)*

« nouvelle loi » Le *Code canadien du travail* dans sa version modifiée par la présente loi. *(« new Act »)*

« président » Le président du nouveau Conseil, nommé en vertu du paragraphe 10(1) de la nouvelle loi. *(« Chairperson »)*

87. Cessation des fonctions des membres — Le mandat des membres de l'ancien Conseil prend fin à la date de référence.

88. (1) Transfert des pouvoirs de l'ancien Conseil — Sous réserve du paragraphe (2), les affaires dont l'ancien Conseil était saisi la veille de la date de référence se poursuivent devant le nouveau Conseil qui en dispose selon la nouvelle loi.

(2) Conclusion des causes en instance — Un membre de l'ancien Conseil peut, à la demande du président, continuer l'audition de toute affaire qui lui a été soumise avant la date de référence et a déjà fait l'objet d'une procédure à laquelle il a participé en sa qualité de membre.

(3) Dessaisissement — En cas de refus d'un membre d'une formation de continuer l'audition d'une affaire visée au paragraphe (1), le président de la formation peut la continuer seul ou le président peut en dessaisir la formation et s'en charger lui-même ou la confier à un vice-président ou à une formation du nouveau Conseil selon les modalités et aux conditions qu'il fixe dans l'intérêt des parties.

(4) Pouvoirs — Pour l'application du paragraphe (2), les membres de l'ancien Conseil jouissent des pouvoirs du nouveau Conseil.

(5) Autorité du président — Dans l'exercice des pouvoirs mentionnés au paragraphe (4), les membres agissent sous l'autorité du président du nouveau Conseil.

89. (1) Honoraires — Les membres de l'ancien Conseil reçoivent, pour l'audition des affaires visées au paragraphe 88(2), les honoraires que peut fixer le gouverneur en conseil.

(2) Frais de déplacement et de séjour — Les membres de l'ancien Conseil sont indemnisés des frais de déplacement et de séjour entraînés par l'accomplissement de leurs fonctions au titre du paragraphe 88(4) hors de leur lieu habituel de résidence.

90. Date limite — Le président peut dessaisir les membres de l'ancien Conseil de toute affaire visée au paragraphe 88(2) qui n'est pas réglée dans l'année qui suit la date de référence et se charger lui-même de son audition ou la confier à un vice-président ou à une formation du nouveau Conseil selon les modalités et aux conditions qu'il fixe dans l'intérêt des parties.

91. Maintien des décisions — Les décisions — notamment les ordonnances, déterminations ou déclarations — rendues par l'ancien Conseil sont réputées l'avoir été par le nouveau Conseil.

92. (1) Personnel — La présente loi ne change rien à la situation des fonctionnaires qui, à la date de référence, occupaient un poste à l'ancien Conseil, à la différence près qu'à compter de cette date, ils occupent un poste au nouveau Conseil sous la direction du président.

(2) Définition de « fonctionnaire » — Au présent article, « fonctionnaire » s'entend au sens du paragraphe 2(1) de la *Loi sur l'emploi dans la fonction publique*.

93. (1) Transfert des droits et obligations — Les droits et biens de l'ancien Conseil, ceux qui sont détenus en son nom ou en fiducie pour lui, ainsi que ses obligations et engagements, sont réputés être ceux du nouveau Conseil.

(2) Renvois — Sauf indication contraire du contexte, dans tous les contrats, actes et documents signés par l'ancien Conseil sous son nom, les renvois à l'ancien Conseil valent renvois au nouveau Conseil.

(3) Transfert de crédits — Les sommes affectées — et non engagées —, pour l'exercice en cours à la date de référence, par toute loi de crédits consécutive aux prévisions budgétaires de cet

exercice, aux frais et dépenses d'administration publique de l'ancien Conseil sont réputées être affectées aux dépenses d'administration publique du nouveau Conseil.

94. Procédures judiciaires en cours — Le nouveau Conseil prend la suite de l'ancien Conseil, au même titre et dans les mêmes conditions que celui-ci, comme partie aux procédures judiciaires en cours à la date de référence et auxquelles l'ancien Conseil est partie.

95. Application de certaines dispositions — Les paragraphes 71(1) et (2), 72(3) et 73(2), les articles 74 à 79, le paragraphe 82(1), les articles 86, 87.1, 87.2 et 87.3 et les alinéas 89(1)d) et f) du *Code canadien du travail*, édictés par la présente loi, ne s'appliquent qu'aux différends qui surviennent dans les cas où l'avis de négociation collective a été remis après leur entrée en vigueur.

96. Application de l'alinéa 94(3)d.2) du Code canadien du travail — L'alinéa 94(3)d.2) du *Code canadien du travail*, édicté par le paragraphe 42(3) de la présente loi, ne s'applique qu'aux grèves et aux lock-out qui sont déclenchés après son entrée en vigueur.

— 2000, ch. 20, art. 11(2) :

(2) Occupation du poste — Il est entendu que les commissaires en fonction à la date d'entrée en vigueur du présent article continuent d'occuper leur poste à titre inamovible jusqu'à l'expiration de leur mandat, sauf révocation motivée de la part du ministre.

— 2000, ch. 20, art. 22 :

22. Procédures — Les procédures intentées en vertu des articles 130, 133 ou 146 du *Code canadien du travail* avant l'entrée en vigueur du présent article se poursuivent en conformité avec cette loi comme si la présente loi n'était pas en vigueur.

Dispositions transitoires

— 2010, ch. 12, art. 2178 :

2178. Nomination — Tout agent d'appel, au sens du paragraphe 122(1) du *Code canadien du travail*, qui, avant la date d'entrée en vigueur de l'article 2174, est saisi d'un appel en vertu de cette loi, est réputé, à cette date, avoir été nommé à titre d'agent d'appel en vertu du paragraphe 145.1(1) de la même loi, dans sa version édictée par l'article 2174, uniquement pour l'exercice de ses fonctions au titre de l'article 146.1 de cette même loi dans le cadre de cet appel.

— 2013, ch. 40, art. 199 :

199. (1) Procédures pendantes — Le *Code canadien du travail*, dans sa version antérieure à l'entrée en vigueur du présent article, s'applique à :

a) toute procédure — commencée avant cette entrée en vigueur — à l'égard de laquelle un agent de santé et de sécurité ou un agent régional de santé et de sécurité peut, sous le régime de la partie II de cette loi dans sa version antérieure à cette entrée en vigueur, exercer des attributions;

b) toute procédure — commencée avant cette entrée en vigueur — relative à un refus de travail sous le régime des articles 128 à 129 de la même loi, dans sa version antérieure à cette entrée en vigueur.

(2) Appel — S'agissant d'instructions données par l'agent de santé et de sécurité en vertu de la partie II du *Code canadien du travail*, tout employeur, employé ou syndicat qui se sent lésé par ces instructions peut, dans les trente jours qui suivent la date où les instructions sont données ou confirmées par écrit, interjeter appel de celles-ci par écrit à un agent d'appel. L'appel est réputé avoir été formé en vertu du paragraphe 146(1) de cette loi.

(3) Agents de santé et de sécurité — Pour l'application du paragraphe (1), les agents de santé et de sécurité ou les agents régionaux de santé et de sécurité désignés en vertu du paragraphe 140(1) du *Code canadien du travail*, dans sa version antérieure à l'entrée en vigueur du présent article, continuent respectivement d'agir à titre d'agents de santé et de sécurité ou d'agents régionaux de santé et de sécurité.

— 2014, ch. 20, art. 143–145 :

143. Alinéas 125.1c) à e) du *Code canadien du travail* — Les alinéas 125.1c) à e) du *Code canadien du travail* ne s'appliquent pas à l'employeur qui, à la date d'entrée en vigueur de l'article 140, ou par la suite, mais avant la date fixée par décret pour l'application du présent article, respecte les exigences prévues à ces alinéas dans leur version antérieure à la date d'entrée en vigueur de l'article 140 comme si ceux-ci étaient toujours en vigueur.

[Note de l'éditeur : Selon DORS/2015-15, la date d'application de l'article 143 de 2014, ch. 20 est fixée au 1er décembre 2018.]

144. Produits dans le lieu de travail — À la date fixée par décret pour l'application de l'article 143, ou par la suite, mais avant la date fixée par décret pour l'application du présent article, les alinéas 125.1c) à e) du *Code canadien du travail* ne s'appliquent pas à l'employeur — en ce qui a trait aux produits dangereux se trouvant dans le lieu de travail à la date fixée par décret pour l'application de l'article 143 — s'il respecte les exigences prévues à ces alinéas dans leur version antérieure à la date d'entrée en vigueur de l'article 140 comme si ceux-ci étaient toujours en vigueur.

[Note de l'éditeur : Selon DORS/2015-16, la date d'application de l'article 144 de 2014, ch. 20 est fixée au 1er juin 2019.]

145. (1) Terminologie — Sauf indication contraire, les termes des articles 143 et 144 s'entendent au sens de l'article 122 du *Code canadien du travail.*

(2) Mentions — Pour l'application des articles 143 et 144 :

a) les termes « étiquette », « fiche signalétique », « liste de divulgation des ingrédients », « produit contrôlé » et « signal de danger » aux alinéas 125.1c) à e) du *Code canadien du travail* dans sa version antérieure à la date d'entrée en vigueur de l'article 140 s'entendent au sens de la *Loi sur les produits dangereux* dans sa version antérieure à la date d'entrée en vigueur de l'article 114;

b) toute mention de la liste de divulgation des ingrédients à l'alinéa 125.1e) du *Code canadien du travail* dans sa version antérieure à la date d'entrée en vigueur de l'article 140 vaut mention de la liste de divulgation des ingrédients dans sa version antérieure à la date d'entrée en vigueur de l'article 114;

c) toute mention de règlements, de renseignements réglementaires ou de signaux de danger réglementaires aux alinéas 125.1c) à e) du *Code canadien du travail* dans sa version antérieure à la date d'entrée en vigueur de l'article 140 vaut mention de règlements, de renseignements réglementaires ou de signaux de danger réglementaires dans leur version antérieure à la date d'entrée en vigueur de l'article 140.

— 2017, ch. 12, art. 14 :

14. Demandes en instance — Est régie par le *Code canadien du travail* dans sa version antérieure à la date d'entrée en vigueur de l'article 1 toute demande prévue à l'alinéa 28(2)a) de cette loi ou présentée en vertu des paragraphes 38(1) ou (3) de celle-ci dont le Conseil canadien des relations industrielles est saisi pendant la période qui commence le 16 juin 2015 et qui se termine à l'expiration du jour précédant cette date d'entrée en vigueur et dont il n'a pas été décidé définitivement avant cette date d'entrée en vigueur.

[CAN-2.1]
TABLE DES MATIÈRES
RÈGLEMENT DE 2012 SUR LE CONSEIL CANADIEN DES RELATIONS INDUSTRIELLES

[CAN-2.1]
RÈGLEMENT DE 2012 SUR LE CONSEIL CANADIEN DES RELATIONS INDUSTRIELLES

édicté en vertu du *Code canadien du travail*, L.R.C. (1985), ch. L-2

DORS/2001-520, (2001) 135 Gaz. Can. II, 2794, tel que modifié par : DORS/2011-109, (2011) 145 Gaz. Can. II, 1089; DORS/2012-305, (2012) 147 Gaz. Can. II, 229; DORS/2014-243, (2014) 148 Gaz. Can. II, 2689.

PARTIE 1 — DISPOSITIONS GÉNÉRALES

Définitions

1. Les définitions qui suivent s'appliquent au présent règlement.

« **affidavit** » Déclaration écrite et certifiée par serment ou affirmation solennelle. *(« affidavit »)*

« **Code** » Le *Code canadien du travail. (« Code »)*

« **demande** » Sont assimilés à une demande toute plainte, toute question et tout différend au sens de l'article 3 du Code dont le Conseil est saisi par écrit aux termes du Code. *(« application »)*

« **directeur du scrutin** » Particulier nommé par le Conseil pour tenir un scrutin de représentation.

« **greffier** » Membre du personnel du Service canadien d'appui aux tribunaux administratifs que le Conseil a autorisé, par écrit, à agir en son nom. (*Registrar*)

« **intervenant** » Personne à qui une demande d'intervention présentée en vertu de l'article 12.1 est accordée.

« **jour** » Jour civil.

« **partie** » Désigne tout demandeur, intimé et intervenant.

« **personne** » S'entend notamment d'un employeur, d'une organisation patronale, d'un syndicat, d'un regroupement de syndicats, d'un employé ou d'un groupe d'employés.

« **plainte** » S'entend notamment de la plainte écrite déposée auprès du Conseil aux termes des paragraphes 97(1), 110(3) ou 133(1) du Code.

« **réplique** » Le document par lequel le demandeur réplique par écrit à la réponse et qui constitue l'étape finale dans le processus d'une demande.

« **réponse** » Le document par lequel l'intimé répond par écrit à la demande.

DORS/2011-109, art. 1; DORS/2014-243, art. 1

Ordonnances

2. (1) Seul le président, un vice-président ou un autre membre du Conseil peut signer les décisions ou les ordonnances de celui-ci, un greffier pouvant par ailleurs signer les décisions visées à l'article 3.

(2) (*Paragraphe abrogé*).

DORS/2011-109, art. 2

Greffier

3. En plus de régler toute question au nom du Conseil, un greffier peut rendre des décisions exécutoires sur des demandes non contestées concernant :

a) les modifications d'ordonnances d'accréditation effectuées sous le régime de l'article 18 du Code, résultant d'un changement de nom d'une partie;

b) les demandes d'accréditation sous le régime de l'article 24 du Code;

c) les droits, privilèges et obligations sous le régime de l'article 43 du Code;

d) le changement du nom de l'employeur successeur résultant de demandes faites sous le régime des articles 44 à 46 du Code;

e) le retrait de toute plainte ou demande avant son renvoi à une formation par le président.

PARTIE 2 — RÈGLES DE PROCÉDURE

Introduction de l'instance

4. Toute instance est engagée devant le Conseil par le dépôt d'un document écrit conformément au présent règlement.

DORS/2012-305, art. 2

Formulaires

5. L'usage des formulaires fournis par le Conseil n'est pas obligatoire, mais encouragé.

DORS/2012-305, art. 2

Signatures et autorisations

6. (1) Sont habilités à signer toute demande, réponse, réplique ou demande d'intervention déposée auprès du Conseil :

a) lorsqu'elle émane d'un syndicat, d'un regroupement de syndicats ou d'une organisation patronale, le président ou le secrétaire, deux autres dirigeants ou toute autre personne physique autorisée par l'une de ces entités;

b) lorsqu'elle émane d'un employeur, l'employeur lui-même, son directeur général, son premier dirigeant ou toute autre personne physique autorisée par l'employeur;

c) lorsqu'elle émane d'un employé, l'employé lui-même ou toute autre personne physique autorisée par l'employé.

(2) Pour l'application du paragraphe (1), le Conseil peut exiger le dépôt d'autorisations écrites.

Dépôt et signification de documents

7. (1) Lorsqu'une demande, une réponse, une réplique, une demande d'intervention ou tout autre document doit être déposé auprès du Conseil ou signifié à une personne, auquel cas il peut l'être à cette personne ou à son conseiller juridique ou son représentant, la signification ou le dépôt se fait de l'une des façons suivantes :

a) remise en mains propres du document;

b) envoi par courrier à l'adresse de signification au sens du paragraphe (2);

c) envoi par télécopieur fournissant une preuve de la réception;

d) toute autre façon autorisée par le Conseil.

(2) Pour l'application du paragraphe (1), l'adresse de signification s'entend :

a) dans le cas du Conseil, de l'adresse d'un des bureaux du Service canadien d'appui aux tribunaux administratifs désigné comme un bureau du Conseil;

b) dans le cas de toute autre personne, de l'adresse qui figure sur tout avis délivré par le Conseil dans le cadre de l'instance en cause ou, à défaut, de sa dernière adresse connue.

(3) Tout document transmis par télécopieur comporte les renseignements suivants :

a) les nom, adresse et numéros de téléphone et de télécopieur de la personne qui transmet le document;

b) les nom, adresse et numéros de téléphone et de télécopieur du destinataire;

c) la date et l'heure de la transmission;

d) le nombre total de pages transmises.

DORS/2011-109, art. 3; DORS/2012-305, art. 3, 26; DORS/2014-243, art. 2

Date de dépôt

8. La date de dépôt auprès du Conseil d'une demande, d'une réponse, d'une réplique, d'une demande d'intervention ou de tout autre document est :

a) dans le cas d'un envoi par courrier recommandé, la date de sa mise à la poste;

b) dans tout autre cas, la date de sa réception.

Computation des délais

9. Si l'échéance d'un délai fixé pour la réalisation d'une tâche ou le dépôt d'un document tombe un samedi ou un jour férié au sens du paragraphe 35(1) de la *Loi d'interprétation*, elle est reportée au jour suivant.

DORS/2012-305, art. 4

Demandes

10. Toute demande déposée auprès du Conseil, sauf les demandes assujetties aux articles 12.1, 33, 34, 36, 37, 40 à 43 et 45, comporte les renseignements suivants :

a) les nom, adresses postale et électronique et numéros de téléphone et de télécopieur du demandeur et de son conseiller juridique ou de son représentant, le cas échéant;

b) les nom, adresses postale et électronique et numéros de téléphone et de télécopieur de l'intimé;

c) la disposition du Code en vertu de laquelle la demande est faite;

d) un exposé détaillé des faits, des dates pertinentes et des moyens invoqués à l'appui de la demande;

e) une copie des documents déposés à l'appui de la demande;

f) la date et le détail de toute ordonnance ou décision du Conseil qui a trait à la demande;

g) la mention qu'une audience est demandée et, le cas échéant, les motifs en justifiant la tenue;

h) le détail de l'ordonnance ou de la décision demandée.

DORS/2011-109, art. 4; DORS/2012-305, art. 26

Avis de demande

11. (1) Sous réserve du paragraphe (2), le Conseil, sur réception d'une demande et dans la mesure du possible, en avise par écrit toute personne dont les droits sont directement touchés par la demande.

(2) Dans les cas où les droits des employés pourraient être touchés par une demande, le Conseil peut exiger par écrit de l'employeur ou du syndicat qu'il prenne l'une des mesures suivantes ou les deux :

a) afficher sans délai les avis de la demande fournis par le Conseil, pour la période raisonnable qu'il prescrit, aux endroits les plus susceptibles d'attirer l'attention des employés pouvant être touchés par celle-ci;

b) aviser les employés pouvant être touchés par la demande de toute autre manière fixée par le Conseil propre à leur assurer une notification efficace de la demande.

(3) L'employeur ou le syndicat, le cas échéant, confirme par écrit auprès du Conseil qu'il s'est conformé aux exigences du paragraphe (2).

(4) La date à laquelle les employés sont réputés avoir reçu l'avis de demande est la première des dates suivantes :

a) la date de l'avis adressé par le Conseil au titre du paragraphe (1);

b) la date de l'affichage de l'avis, conformément à l'alinéa (2)a);

c) la date à laquelle les employés ont été notifiés de la demande conformément à l'alinéa (2)b).

Réponse et réplique

12. (1) Toute réponse ou réplique comporte les renseignements suivants :

a) les nom, adresses postale et électronique et numéros de téléphone et de télécopieur de l'intimé et de son conseiller juridique ou de son représentant, le cas échéant;

b) le numéro de dossier que le Conseil a attribué à la demande;

c) un exposé détaillé des faits, des dates pertinentes et des moyens invoqués à l'appui de la réponse ou de la réplique;

d) une copie des documents déposés à l'appui de la réponse ou de la réplique;

e) la position du demandeur ou de l'intimé relativement à l'ordonnance ou à la décision demandée par la partie adverse, selon le cas;

f) la mention qu'une audience est demandée et, le cas échéant, les motifs en justifiant la tenue;

g) le détail de l'ordonnance ou de la décision demandée.

(2) La réponse est déposée :

a) dans les dix jours de la réception d'un avis d'une demande d'accréditation;

b) dans les 15 jours de la réception d'un avis de toute autre demande.

(3) La réplique est déposée dans les dix jours du dépôt de la réponse.

(4) La demande de prorogation du délai pour déposer une réponse ou une réplique est faite au Conseil par écrit et est motivée.

DORS/2011-109, art. 5; DORS/2012-305, art. 5, 26

Demande d'intervention

12.1 **(1)** Toute demande d'intervention est présentée par écrit et comporte les renseignements suivants :

a) les nom, adresses postale et électronique et numéros de téléphone et de télécopieur du demandeur et de son conseiller juridique ou représentant;

b) un exposé de la nature de l'intérêt du demandeur dans l'affaire et du préjudice qu'il subirait en cas de rejet de sa demande et un exposé des divergences d'intérêt par rapport à toute autre partie à l'instance;

c) des précisions quant à la façon dont l'intervention aidera le Conseil à promouvoir les objectifs du Code.

(2) La demande d'intervention est déposée:

a) dans les dix jours de la réception d'un avis d'une demande d'accréditation;

b) dans les 15 jours de la réception d'un avis de toute autre demande.

(3) La réponse à la demande d'intervention est déposée dans les dix jours du dépôt de celle-ci.

(4) La réplique est déposée dans les cinq jours du dépôt de la réponse.

(5) Si la demande d'intervention est accordée, l'intervenant dépose par écrit auprès du Conseil, dans les dix jours de la réception de l'avis d'autorisation, ses observations sur le fond de l'affaire, accompagnées des renseignements suivants:

a) le numéro de dossier que le Conseil a attribué à la demande;

b) un exposé détaillé des faits, des dates pertinentes et des motifs invoqués à l'appui de ses observations;

c) une copie des documents à l'appui de ses observations;

d) la position de l'intervenant relativement à toute ordonnance ou décision recherchée;

e) la mention selon laquelle une audience est ou non demandée et, le cas échéant, les motifs à l'appui;

f) le détail de l'ordonnance ou de la décision recherchée.

(6) La réponse aux observations de l'intervenant sur le fond de l'affaire est déposée dans les dix jours du dépôt de celles-ci.

(7) (*abrogé*).

(8) Toute demande de prorogation du délai pour déposer un document en vertu du présent article est faite par écrit au Conseil et est motivée.

DORS/2011-109, art. 5; DORS/2012-305, art. 6; DORS/2014-243, art. 3

Délai pour répondre ou répliquer

13. (*Abrogé*).

DORS/2011-109, art. 7; DORS/2012-305, art. 7

Délai pour demander d'intervenir

13.1 (*Abrogé*).

DORS/2011-109, art. 8; DORS/2012-305, art. 7

Procédure expéditive

14. La procédure expéditive s'applique aux affaires suivantes :

a) les demandes d'ordonnance provisoire présentées aux termes de l'article 19.1 du Code;

b) les demandes de dépôt d'une décision ou d'une ordonnance du

Conseil auprès de la Cour fédérale ou de la Cour supérieure d'une province présentées aux termes des articles 23 ou 23.1 du Code;

c) les renvois au Conseil ordonnés par le ministre sous le régime de l'article 80, du paragraphe 87.4(5) ou de l'article 107 du Code;

d) les demandes de déclaration d'invalidité du vote de grève ou de lock-out présentées aux termes des paragraphes 87.3(4) et (5) du Code;

e) les demandes de déclaration de grève illégale ou de lock-out illégal présentées aux termes des articles 91 et 92 du Code;

f) les plaintes de pratiques déloyales concernant l'utilisation de travailleurs de remplacement et le congédiement pour activités syndicales visés aux paragraphes 94(2.1) et (3) du Code;

g) les plaintes concernant un congédiement présentées en vertu de l'article 133 du Code.

DORS/2012-305, art. 8

15. **(1)** La demande visée par la procédure expéditive doit être signifiée à l'intimé en même temps qu'elle est déposée auprès du Conseil.

(2) La signification de la demande à l'intimé conformément au paragraphe (1) tient lieu d'avis d'audience, celle-ci pouvant alors être tenue dès communication de la date et du lieu par le Conseil.

DORS/2011-109, art. 10

16. La réponse, la réplique ou la demande d'intervention relative à une demande à laquelle la procédure expéditive s'applique est déposée dans les cinq jours suivant la date de réception de la demande ou, le cas échéant, de la réponse.

17. (*Abrogé*).

DORS/2012-305, art. 9

Ordonnances provisoires

18. **(1)** Sous réserve du paragraphe (2), la demande d'ordonnance provisoire présentée en vertu de l'article 19.1 du Code est accompagnée de la déclaration faite sous la foi de l'affidavit d'une personne physique ayant une connaissance personnelle des faits allégués.

(2) Si la personne n'a pas une connaissance personnelle des faits allégués, la déclaration doit faire état de la source d'information du déposant et de ses raisons de croire cette source.

(3) Le Conseil peut spécifier les conditions du contre-interrogatoire du déposant et celles de sa réplique.

(4) À moins d'indication contraire du Conseil, l'ordonnance provisoire demeure en vigueur jusqu'à ce que la question soit définitivement tranchée par celui-ci.

Vérification de la preuve

19. Le Conseil peut exiger en tout temps que la personne qui dépose auprès de lui une demande, une réponse, une réplique, une demande d'intervention ou tout autre document en confirme le contenu par un affidavit dans le délai raisonnable qu'il prescrit.

Réunion d'instances

20. Le Conseil peut ordonner que deux ou plusieurs instances soient réunies, instruites ensemble ou instruites consécutivement.

DORS/2011-109, art. 11

Communication

21. **(1)** La partie qui veut obtenir la communication de documents pertinents en fait la demande par écrit directement aux autres partie avant de demander au Conseil d'en ordonner la communication.

(2) (*Paragraphe abrogé*).

(3) Si les parties concluent un accord quant à la communication, le Conseil peut ordonner qu'elles en déposent une copie auprès de lui.

(4) (*Paragraphe abrogé*).

(5) (*Paragraphe abrogé*).
DORS/2011-109, art. 12; DORS/2012-305, art. 10

Confidentialité des documents

22. **(1)** Sous réserve du paragraphe (2), le Conseil verse au dossier public les documents pertinents à l'instance.

(2) Le Conseil peut, de sa propre initiative ou sur demande d'une partie, déclarer qu'un document est confidentiel.

(3) Afin de déterminer si un document est confidentiel, le Conseil évalue si sa communication causerait un préjudice direct à une personne et si ce préjudice l'emporterait sur l'intérêt public.

(4) Si le Conseil déclare qu'un document est confidentiel, il peut, selon le cas:

a) ordonner que le document ou une partie de celui-ci ne soit pas versé au dossier public;

b) ordonner qu'une version ou une partie du document ne contenant pas de renseignements confidentiels soit versée au dossier public;

c) ordonner que toute partie d'une audience — y compris les plaidoiries, les interrogatoires et les contre-interrogatoires — qui porte sur un document confidentiel soit tenue à huis clos;

d) ordonner que tout ou partie du document soit fourni aux parties ou à leurs conseillers juridiques ou représentants seulement, et que le document ne soit pas versé au dossier public;

e) rendre tout autre ordonnance qu'il juge indiquée.

DORS/2011-109, art. 13; DORS/2012-305, art. 11

22. Le Conseil peut, de sa propre initiative ou à la demande d'une partie, déclarer qu'un document déposé auprès de lui sera traité de manière confidentielle et en limiter l'accès aux personnes qu'il désigne.

Échange de documents

23. Sous réserve des articles 15, 22 et 34, quiconque dépose auprès du Conseil un document dans le cadre d'une procédure signifie sans délai copie du document aux parties et à toute autre personne nommée dans tout avis qu'il a reçu et informe le Conseil du moment et du mode de signification.

Assignations

24. **(1)** Toute personne physique qui est délégataire du Conseil en vertu de l'alinéa 16 k) du Code peut signer, dans le cadre de toute affaire dont il est saisi, les assignations à comparaître, à déposer sous serment ainsi qu'à produire des documents et des pièces.

(2) Sauf en ce qui a trait aux affaires auxquelles la procédure expéditive s'applique ou avec le consentement du Conseil, les assignations visées au paragraphe (1) sont signifiées au plus tard cinq jours avant l'audience.
DORS/2011-109, art. 13; DORS/2012-305, art. 12

Procédures relatives aux audiences

[Intertitre remplacé, DORS/2012-305, art. 13.]

25. (*Abrogé*).
DORS/2011-109, art. 14; DORS/2012-305, art. 14

26. (*Abrogé*).
DORS/2011-109, art. 15

27. (1) La partie qui entend présenter une preuve dépose six exemplaires des documents ci-après auprès du Conseil ou selon le nombre exigé par celui-ci :

a) tous les documents qu'elle entend produire en preuve, notamment tous les documents déposés avec la demande, la réponse ou la réplique, le cas échéant, reliés dans un ou plusieurs cahiers et séparés par des onglets;

b) la liste des témoins cités — noms et professions — accompagnée d'un sommaire de l'information que chacun d'eux est censé fournir sur les questions soulevées par la demande, la réponse ou la réplique.

(2) Les documents visés au paragraphe (1) doivent être déposés, selon le cas :

a) au plus tard dix jours avant la date prévue pour l'audience, dans le cas du demandeur;

b) au plus tard huit jours avant cette date, dans le cas de l'intimé et de l'intervenant.

(3) Les documents visés au paragraphe (1) doivent être signifiés à toutes les parties dans le délai applicable prévu au paragraphe (2).

(4) Le Conseil peut refuser de considérer tout document ou témoignage invoqué par la partie qui a négligé de se conformer aux paragraphes (1), (2) ou (3).

(5) Le Conseil peut ordonner à une partie de lui soumettre par écrit avant l'audience son argumentation ainsi que la jurisprudence, la doctrine et les textes législatifs sur lesquelles elle se fonde.
DORS/2012-305, art. 15

Avis d'audience

28. Sous réserve des dispositions du paragraphe 15(2) concernant la procédure expéditive, le Conseil donne un préavis d'audience d'au moins quinze jours aux parties, à moins que celles-ci ne consentent à un préavis plus court.

Annulation, suspension et remise des audiences

29. (1) En plus de son pouvoir de suspendre ou de remettre une audience conformément à l'alinéa 16 l) du Code, le Conseil peut annuler une audience.

(2) S'il s'est écoulé six mois depuis la suspension d'une procédure sans qu'une date pour une audience ultérieure n'ait été fixée, le Conseil informe les parties que la procédure sera tenue pour périmée à l'expiration d'un délai de quinze jours après la réception de l'avis.

(3) Dans les quinze jours suivant la réception de l'avis, une partie peut présenter au Conseil une demande motivée par écrit de reprise de la procédure.
DORS/2011-109, art. 17

29.1 Si l'affaire est en veilleuse depuis plus de 12 mois, le Conseil peut envoyer un avis à chacune des parties leur demandant une justification du fait que l'affaire ne devrait pas être tenue pour abandonnée, et à défaut de réponse dans le délai déterminé par le Conseil, la considérer comme abandonnée.
DORS/2012-305, art. 16

PARTIE 3 — DEMANDES CONCERNANT LES DROITS DE NÉGOCIATION

Preuve de la volonté des employés

30. Pour toute demande concernant l'accréditation d'un agent négociateur :

a) l'adhésion de l'employé à un syndicat constitue la preuve de sa volonté d'être représenté par ce syndicat à titre d'agent négociateur;

b) l'adhésion à un syndicat de la majorité des employés faisant partie d'une unité habile à négocier collectivement constitue la preuve de la volonté de la majorité des employés de cette unité d'être représentés par ce syndicat à titre d'agent négociateur.

DORS/2012-305, art. 17

Preuve d'adhésion syndicale

31. (1) Pour toute demande concernant les droits de négociation, le Conseil peut accepter comme preuve d'adhésion d'une personne à un syndicat, à la fois :

a) le dépôt d'une demande d'adhésion au syndicat revêtue de sa signature;

b) la preuve qu'elle a versé au syndicat une somme d'au moins cinq dollars, à l'égard ou au cours de la période de six mois précédant la date de dépôt de la demande.

(2) Pour une demande relative à l'alinéa 44(3)c) du Code, le Conseil peut accepter, comme preuve d'adhésion d'une personne à un syndicat, la même preuve qui est exigée par les lois ou règlements de la province d'où origine la demande.

DORS/2011-109, art. 18

Scrutins de représentation

[Intertitre remplacé, DORS/2012-305, art. 18.]

32. (1) Lorsque le Conseil ordonne la tenue d'un scrutin de représentation, il nomme un directeur du scrutin.

(2) Le directeur du scrutin peut donner toute directive qui permet d'assurer le bon déroulement du scrutin et il rend compte des résultats de celui-ci au Conseil.

(3) Le directeur du scrutin peut désigner un ou plusieurs membres du personnel du Service canadien d'appui aux tribunaux administratifs pour le seconder.

DORS/2014-243, art. 4

Demandes relatives aux droits de négociation

33. La demande relative aux droits de négociation comporte les renseignements suivants :

a) les nom, adresses postale et électronique et numéros de téléphone et de télécopieur du demandeur et de son conseiller juridique ou de son représentant, le cas échéant;

b) les nom, adresses postale et électronique et numéros de téléphone et de télécopieur de l'intimé;

c) une description générale de l'entreprise de l'employeur;

d) l'adresse des établissements de l'employeur touchés par la demande;

e) la disposition du Code en vertu de laquelle la demande est faite;

f) un exposé détaillé des faits, des dates pertinentes et des moyens invoqués à l'appui de la demande;

g) une copie des documents déposés à l'appui de la demande;

h) la date et le détail de toute ordonnance ou décision du Conseil qui a trait à la demande;

i) la description des unités de négociation existantes qui peuvent être touchées par la demande et la description de toute ordonnance d'accréditation;

j) les nom, adresses postale et électronique et numéros de téléphone et de télécopieur de tout syndicat ou regroupement de syndicats qui est l'agent négociateur de ces unités ou qui est autrement touché par la demande;

k) le cas échéant, les dates d'entrée en vigueur et d'expiration des conventions collectives en vigueur ou expirées qui s'appliquent aux employés faisant partie de l'unité de négociation existante;

l) la description de l'unité de négociation proposée;

m) le nombre d'employés faisant partie de l'unité de négociation existante ou proposée;

n) la mention qu'une audience est demandée et, le cas échéant, les motifs en justifiant la tenue;

o) le détail de l'ordonnance ou de la décision demandée.

DORS/2011-109, art. 19; DORS/2012-305, art. 26

Demandes d'accréditation

34. En plus de comporter les renseignements exigés pour toute demande présentée aux termes de l'article 33, la demande d'accréditation est accompagnée d'une déclaration confidentielle distincte qui précise le nombre d'employés compris dans l'unité de négociation proposée que le demandeur prétend représenter comme membres du syndicat ou du regroupement de syndicats.

DORS/2011-109, art. 19; DORS/2012-305, art. 19

Confidentialité de la volonté des employés

35. Le Conseil ou un membre du personnel du Service canadien d'appui aux tribunaux administratifs autorisé à agir au nom du Conseil ne peut communiquer des éléments de preuve susceptibles de révéler l'adhésion à un syndicat, l'opposition à l'accréditation d'un syndicat ou la volonté de tout employé d'être ou de ne pas être représenté par un syndicat, sauf si la communication de ces éléments contribuerait à la réalisation des objectifs du Code.

DORS/2014-243, art. 5

Demandes de révocation des droits de négociation et questions connexes

36. **(1)** En plus des renseignements exigés pour toute demande présentée aux termes de l'article 33, la demande présentée par un employé sous le régime de l'article 38 du Code est accompagnée d'une déclaration confidentielle distincte signée par chacun des employés que le demandeur prétend représenter, portant qu'ils ne souhaitent pas être représentés par l'agent négociateur et qu'ils autorisent le demandeur à agir en leur nom.

(2) La déclaration visée au paragraphe (1) indique le nom, la date de la signature de chaque employé, laquelle ne peut être antérieure de plus de six mois à la date de dépôt de la demande.

DORS/2011-109, art. 20

Demandes de révocation pour fraude

37. La demande présentée sous le régime du paragraphe 40(1) du Code comporte les renseignements suivants

a) les nom, adresses postale et électronique et numéros de téléphone et de télécopieur du demandeur et de son conseiller juridique ou de son représentant, le cas échéant;

b) les nom, adresses postale et électronique et numéros de téléphone et de télécopieur de tout employeur ou syndicat que la demande peut intéresser;

c) un exposé détaillé des faits, des dates pertinentes et des moyens invoqués à l'appui de la demande;

d) une copie des documents déposés à l'appui de la demande;

e) la date et le détail de toute ordonnance ou décision du Conseil qui a trait à la demande;

f) la mention qu'une audience est demandée et, le cas échéant, les motifs en justifiant la tenue;

g) le détail de l'ordonnance ou de la décision demandée;

h) un exposé détaillé des actes constitutifs de la fraude présumée, y compris le moment et la manière dont le demandeur en a eu connaissance.

DORS/2011-109, art. 21; DORS/2012-305, art. 26

Demandes subséquentes d'accréditation ou de révocation

38. Le syndicat ou regroupement de syndicats qui s'est vu refuser une demande d'accréditation doit attendre six mois suivant la date du rejet avant de présenter une nouvelle demande concernant la même unité de négociation ou une unité de négociation essentiellement similaire.

DORS/2011-109, art. 22

39. Tout employé qui s'est vu refuser une demande de révocation d'accréditation doit attendre six mois suivant la date du rejet avant de présenter une nouvelle demande concernant la même unité de négociation.

DORS/2011-109, art. 22

PARTIE 4 — PLAINTES CONCERNANT LES PRATIQUES DÉLOYALES

40. (1) La plainte comporte les renseignements suivants :

a) les nom, adresses postale et électronique et numéros de téléphone et de télécopieur du demandeur et de son conseiller juridique ou de son représentant, le cas échéant;

b) les nom, adresses postale et électronique et numéros de téléphone et de télécopieur de toute personne que la plainte peut intéresser;

c) la disposition du Code en vertu de laquelle la plainte est faite;

d) un exposé détaillé des faits, des dates pertinentes et des moyens invoqués à l'appui de la plainte;

e) une copie des documents déposés à l'appui de la plainte;

f) la date et le détail de toute ordonnance ou décision du Conseil qui a trait à la plainte;

g) la mention qu'une audience est demandée et, le cas échéant, les motifs en justifiant la tenue;

h) le détail de l'ordonnance ou de la décision demandée;

i) la date à laquelle le plaignant a eu connaissance des mesures ou des circonstances ayant donné lieu à la plainte;

j) s'il y a lieu, un exposé des mesures prises en vue de soumettre la plainte à l'arbitrage selon la convention collective, ou les raisons pour lesquelles un arbitrage n'a pas eu lieu.

(2) Toute plainte alléguant la violation des alinéas 95*f)* ou *g)* du Code précise la façon dont les conditions prévues au paragraphe 97(4) du Code ont été observées.

DORS/2011-109, art. 23; DORS/2012-305, art. 26

PARTIE 5 — DEMANDES DE DÉCLARATION D'INVALIDITÉ DU VOTE

41. La demande de déclaration d'invalidité du vote de grève ou de lock-out présentée aux termes des paragraphes 87.3(4) ou (5) du Code comporte les renseignements suivants :

a) les nom, adresses postale et électronique et numéros de téléphone et de télécopieur du demandeur et de son conseiller juridique ou de son représentant, le cas échéant;

b) les nom, adresses postale et électronique et numéros de téléphone et de télécopieur de l'intimé;

c) la disposition du Code en vertu de laquelle la demande est faite;

d) un exposé détaillé des faits, des dates pertinentes et des moyens invoqués à l'appui de la demande;

e) un exposé détaillé des prétendues irrégularités dans le déroulement du vote qui ont eu une incidence sur le résultat de celui-ci;

f) la date à laquelle les résultats du vote ont été annoncés;

g) une copie des documents déposés à l'appui de la demande;

h) la date et le détail de toute ordonnance ou décision du Conseil qui a trait à la demande;

i) la mention qu'une audience est demandée et, le cas échéant, les motifs en justifiant la tenue;

j) le détail de l'ordonnance ou de la décision demandée.

DORS/2011-109, art. 24; DORS/2014-243, art. 6

PARTIE 5.1 — MAINTIEN DE CERTAINES ACTIVITÉS

[Intertitre ajouté, DORS/2012-305, art. 20.]

41.1 Toute demande visée à l'article 87.4 du Code comporte les renseignements suivants :

a) les nom, adresses postale et électronique et numéros de téléphone et de télécopieur du demandeur et de son conseiller juridique ou représentant;

b) les nom, adresses postale et électronique et numéros de téléphone et de télécopieur de l'intimé;

c) l'adresse des établissements de l'employeur touchés par la demande;

d) un exposé détaillé des faits, des dates pertinentes et des moyens pris par les parties afin de régler la question, le cas échéant;

e) une copie de l'avis de négociation;

f) une copie de l'avis de différend;

g) une copie de la dernière entente ou de la dernière ordonnance sur la question des services essentiels visant les parties, le cas échéant;

h) la date d'entrée en vigueur et la date d'expiration de toute convention collective, en vigueur ou expirée, visant les employés de l'unité de négociation touchée par la demande;

i) le nombre d'employés dans l'unité;

j) les nom, adresses postale et électronique et numéros de téléphone et de télécopieur de tout syndicat ou regroupement de syndicats qui est l'agent négociateur pour les autres unités de négociation qui pourraient être touchées par la demande;

k) la description des services qui, selon le demandeur, sont requis ainsi que des risques imminents et graves pour la sécurité ou la santé du public qui, selon lui, pourraient survenir si le Conseil n'accorde pas la demande;

l) la mention selon laquelle une audience est ou non demandée et les motifs à l'appui;

m) des précisions quant à l'ordonnance ou la décision recherchée.

DORS/2012-305, art. 20

PARTIE 6 — GRÈVES ET LOCK-OUT ILLÉGAUX

Demandes de déclaration de grève illégale

42. **(1)** La demande de déclaration de grève illégale présentée par un employeur sous le régime de l'article 91 du Code comporte les renseignements suivants :

a) les nom, adresses postale et électronique et numéros de téléphone et de télécopieur du demandeur et de son conseiller juridique ou de son représentant, le cas échéant;

b) les nom, adresses postale et électronique et numéros de téléphone et de télécopieur de tout syndicat et, le cas échéant, de tout employé à l'égard duquel une ordonnance est nommément demandée, et les désigne comme intimés;

c) la description des unités de négociation existantes qui peuvent être touchées par la demande et la description de toute ordonnance d'accréditation;

d) une description générale de l'entreprise de l'employeur;

e) l'adresse des établissements de l'employeur touchés par la demande;

f) un exposé détaillé des faits, des dates pertinentes et des moyens invoqués à l'appui de la demande;

g) une copie des documents déposés à l'appui de la demande;

h) la date et le détail de toute ordonnance ou décision du Conseil qui a trait à la demande;

i) le cas échéant, les dates d'entrée en vigueur et d'expiration des conventions collectives en vigueur ou expirées qui s'appliquent aux employés faisant partie de l'unité de négociation existante;

j) le nombre d'employés faisant partie de l'unité de négociation existante;

k) la mention qu'une audience est demandée et, le cas échéant, les motifs en justifiant la tenue;

l) le détail de l'ordonnance ou de la décision demandée.

(2) La signification, à l'agent négociateur ou à l'un de ses dirigeants, de l'avis de la demande visée au paragraphe (1) ou de l'avis de l'audience relative à la demande vaut signification de l'avis aux employés faisant partie de l'unité de négociation autres que ceux à l'égard desquels une ordonnance est nommément demandée.

DORS/2011-109, art. 25; DORS/2012-305, art. 26

Demandes de déclaration de lock-out illégal

43. La demande de déclaration de lock-out illégal présentée par un syndicat sous le régime de l'article 92 du Code comporte les renseignements suivants :

a) les nom, adresses postale et électronique et numéros de téléphone et de télécopieur du demandeur et de son conseiller juridique ou de son représentant, le cas échéant;

b) les nom, adresses postale et électronique et numéros de téléphone et de télécopieur de l'employeur des employés visés par le lock-out et, le cas échéant, des personnes agissant pour son compte à l'égard desquels une ordonnance est nommément demandée, et les désigne comme intimés;

c) la description des unités de négociation existantes qui peuvent être touchées par la demande et la description de toute ordonnance d'accréditation;

d) une description générale de l'entreprise de l'employeur;

e) l'adresse des établissements de l'employeur touchés par la demande;

f) un exposé détaillé des faits, des dates pertinentes et des moyens invoqués à l'appui de la demande;

g) une copie des documents déposés à l'appui de la demande;

h) la date et le détail de toute ordonnance ou décision du Conseil qui a trait à la demande;

i) le cas échéant, les dates d'entrée en vigueur et d'expiration des conventions collectives en vigueur ou expirées qui s'appliquent aux employés faisant partie de l'unité de négociation existante;

j) le nombre d'employés faisant partie de l'unité de négociation existante;

k) la mention qu'une audience est demandée et, le cas échéant, les motifs en justifiant la tenue;

l) le détail de l'ordonnance ou de la décision demandée.

DORS/2011-109, art. 26; DORS/2012-305, art. 26

PARTIE 7 — DEMANDES DE RÉEXAMEN

44. (*Abrogé*).

DORS/2012-305, art. 22

45. (1) La demande de réexamen d'une décision ou d'une ordonnance du Conseil comporte les renseignements suivants :

a) les nom, adresses postale et électronique et numéros de téléphone et de télécopieur du demandeur et de son conseiller juridique ou de son représentant, le cas échéant;

b) les nom, adresses postale et électronique et numéros de téléphone et de télécopieur de tout employeur ou syndicat que la demande peut intéresser;

c) la décision ou l'ordonnance du Conseil qui fait l'objet de la demande de réexamen;

d) un exposé détaillé des faits, des dates pertinentes et des moyens invoqués à l'appui de la demande;

e) une copie des documents déposés à l'appui de la demande;

f) la date et le détail de toute ordonnance ou décision du Conseil qui a trait à la demande;

g) la mention qu'une audience est demandée et, le cas échéant, les motifs en justifiant la tenue;

h) le détail de l'ordonnance ou de la décision demandée.

(2) La demande est déposée dans les 30 jours suivant la date où les motifs écrits de la décision ou de l'ordonnance réexaminée sont rendus.

(3) La demande et les documents à l'appui doivent être signifiés aux personnes qui étaient des parties à l'instance ayant donné lieu à la décision ou à l'ordonnance réexaminée.

DORS/2011-109, art. 27; DORS/2012-305, art. 23, 26

PARTIE 8 — POUVOIRS GÉNÉRAUX

46. Le Conseil peut, dans une instance, modifier toute règle de procédure prévue au présent règlement ou dispenser une personne de l'observation de celle-ci — notamment à l'égard d'un délai qui y est prévu et des exigences relatives à la procédure expéditive — si la modification ou la dispense est nécessaire à la bonne administration du Code.

47. (1) Si une partie ne se conforme pas à une règle de procédure prévue au présent règlement après que le Conseil lui a laissé l'opportunité de s'y conformer, celui-ci peut :

a) de façon sommaire, refuser d'entendre la demande ou la rejeter, si la partie en défaut est le demandeur;

b) décider de la demande sans autre avis, si la partie en défaut est l'intimé.

(2) Si une partie ne se présente pas à une audience ou à une conférence préparatoire après avoir été avisée de sa tenue, le Conseil peut décider de la question en son absence.

DORS/2011-109, art. 28; DORS/2012-305, art. 24

47.1 Lorsque le Conseil considère qu'une audience est nécessaire, il peut donner avis par tout moyen disponible, notamment par téléphone ou par télécopieur, par la publication dans les quotidiens ou par affichage.

DORS/2012-305, art. 25

PARTIE 9 — ABROGATION, DISPOSITION TRANSITOIRE ET ENTRÉE EN VIGUEUR

Abrogation

48. (*Omis*).

Disposition transitoire

49. (1) Le présent règlement s'applique dès son entrée en vigueur à toutes les affaires en cours devant le Conseil.

(2) Les procédures engagées ou les documents déposés conformément au *Règlement de 1992 du Conseil canadien des relations industrielles* avant l'entrée en vigueur du présent règlement ne peuvent être déclarés invalides du seul fait qu'ils ne sont pas conformes au présent règlement.

Entrée en vigueur

50. (*Omis*).

[CAN-2.2]
TABLE DES MATIÈRES
RÈGLEMENT DU CANADA SUR LES NORMES DU TRAVAIL

salaire d'au moins cinquante pour cent du taux régulier avant la fin de la période de calcul de la moyenne.

(7) Sous réserve du paragraphe (8), la durée normale du travail et la durée maximale du travail calculées conformément au paragraphe (6) doivent être réduites de huit heures pour toute journée, au cours de la période de calcul de la moyenne, qui représente pour l'employé l'un des jours suivants :

a) un jour de congé de décès payé;

b) un jour de congé annuel payé;

c) un jour de congé payé visé au paragraphe 205(2) de la Loi;

d) un jour férié ou autre jour de congé payé;

e) normalement un jour ouvrable à l'égard duquel il n'a pas droit à son salaire normal.

(8) La durée normale du travail et la durée maximale du travail calculées conformément au paragraphe (6) ne peuvent être réduites de plus de 40 heures pour toute semaine, au cours de la période de calcul de la moyenne, qui représente pour l'employé l'une des semaines suivantes :

a) une semaine de congé annuel payé;

b) une semaine de congé payé visé au paragraphe 205(2) de la Loi;

c) normalement une semaine ouvrable à l'égard duquel il n'a pas droit à son salaire normal.

(9) La durée normale du travail et la durée maximale du travail calculées conformément au paragraphe (6) doivent être réduites de 40 heures pour chaque période de sept jours consécutifs, comprise dans la période de calcul de la moyenne, durant laquelle l'employé n'a pas droit à son salaire normal.

(10) Dans le cas d'un employé dont les heures de travail sont assujetties au calcul de la moyenne conformément au paragraphe (1) et qui cesse son emploi durant la période de calcul de la moyenne, l'employeur doit rémunérer celui-ci à son taux régulier de salaire pour les heures de travail effectuées pendant la partie écoulée de cette période.

(11) L'employeur qui licencie ou met à pied, durant la période de calcul de la moyenne, un employé dont les heures de travail sont assujetties au calcul de la moyenne conformément au paragraphe (1) doit rémunérer celui-ci au taux de rémunération des heures supplémentaires prévu à l'article 174 de la Loi pour les heures de travail effectuées, mais non rémunérées, qui sont en sus de 40 fois le nombre de semaines que compte la partie écoulée de la période de calcul de la moyenne.

(12) L'employeur qui a adopté une période de calcul de la moyenne en vertu du paragraphe (1) ne peut en modifier le nombre de semaines ou cesser de calculer la moyenne des heures de travail des employés que si, au moins 30 jours avant de prendre une telle mesure :

a) il a affiché un avis à cet effet;

b) il a transmis une copie de l'avis au directeur régional et à tout syndicat représentant les employés concernés qui sont liés par une convention collective.

(13) L'employeur qui modifie le nombre de semaines servant au calcul de la moyenne ou qui cesse de calculer la moyenne des heures de travail d'employés avant la fin de la période de calcul doit rémunérer les employés dont les heures de travail sont assujetties au calcul de la moyenne, au taux de rémunération des heures supplémentaires prévu à l'article 174 de la Loi pour les heures de travail effectuées qui sont en sus de 40 fois le nombre de semaines que compte la partie écoulée de la période de calcul de la moyenne.

DORS/91-461, art. 6; DORS/94-668, art. 3; DORS/2002-113, art. 1

7. Malgré les exigences du présent règlement, l'article 174 de la Loi ne s'applique pas lorsque le régime de travail établi :

a) oblige ou autorise l'employé à travailler au-delà de la durée normale du travail à des fins de changement de poste;

b) autorise l'employé à faire valoir ses droits d'ancienneté pour travailler au-delà de la durée normale du travail, conformément à une convention collective; ou

c) autorise un employé à travailler au-delà de la durée normale de son travail, suite à un échange de poste avec un autre employé.

DORS/91-461, art. 7

Repos hebdomadaire

8. (1) Lorsque le dépassement de la durée maximale du travail prévue à l'article 171 de la Loi est convenu par écrit conformément à l'article 172 de la Loi, l'horaire de travail doit compter un nombre de jours de repos au moins égal au nombre de semaines qu'il compte.

(2) Lorsque le dépassement de la durée maximale du travail prévue à l'article 171 de la Loi est autorisé en vertu de l'article 176 de la Loi, le ministre peut préciser dans la dérogation dont il est fait mention à cet article que l'horaire de travail hebdomadaire ne doit pas nécessairement être établi en conformité avec l'article 173 de la Loi au cours de la période visée par la dérogation et peut, eu égard aux conditions d'emploi de l'établissement et au bien-être des employés qui y travaillent, prévoir dans la dérogation d'autres jours de repos à respecter.

DORS/91-461, art. 8; DORS/94-668, art. 4

9. Au cours d'une période de calcul de la moyenne, les horaires de travail peuvent être établis et les heures de travail effectuées sans égard à l'article 173 de la Loi.

DORS/91-461, art. 8

Employés de moins de 17 ans

10. (1) L'employeur peut employer une personne âgée de moins de 17 ans dans tout bureau, établissement, service ou dans toute entreprise de transport, de communication, de construction, d'entretien ou de réparation ou à d'autres travaux dans le cas d'une entreprise, d'un ouvrage ou d'une affaire de compétence fédérale, si

a) cette personne n'est pas tenue de fréquenter l'école en vertu de la loi de la province dans laquelle elle habite ordinairement; et si

b) le travail auquel elle doit être affectée

(i) n'est pas un travail souterrain dans une mine,

(ii) ne l'amène pas à être employée ou à entrer dans un endroit où il lui est interdit de pénétrer en vertu du *Règlement sur les explosifs*,

(iii) n'est pas un travail d'un travailleur du secteur nucléaire au sens de la *Loi sur la sûreté et la réglementation nucléaires*,

(iv) n'est pas un travail qui lui est interdit par la *Loi sur la marine marchande du Canada*, en raison de son âge, ou

(v) ne comporte pas de danger pour sa santé ou sa sécurité.

(2) L'employeur ne doit pas obliger ni autoriser un employé âgé de moins de 17 ans à travailler entre 11 heures du soir et six heures le lendemain matin.

(3) (*paragraphe abrogé*).

(4) (*paragraphe abrogé*).

DORS/80-687, art. 1; DORS/81-284, art. 1; DORS/86-477, art. 1; DORS/91-461, art. 9; 10; DORS/96-167, art. 1; DORS/99-337, art. 1; DORS/2002-113, art. 2

APPRENTISSAGE

11. L'employeur est exempté de l'application de l'article 178 de la Loi à l'égard de tout employé qui reçoit une formation en cours d'emploi, si cet employé est un apprenti inscrit sous le régime d'une loi provinciale sur l'apprentissage et est rémunéré suivant une échelle de taux établie en vertu de cette loi.

DORS/91-461, art. 11; DORS/2002-113, art. 3

INDEMNITÉ DE PRÉSENCE

11.1 L'employeur doit payer à l'employé qui se présente au travail à sa demande au moins trois heures de salaire, selon son taux régulier, même s'il ne le fait pas travailler ensuite.

DORS/91-461, art. 12

CONGÉ ANNUEL

12. L'employeur doit, au moins 30 jours avant de déterminer une année de service conformément à l'alinéa b) de la définition de « année de service » à l'article 183 de la Loi, transmettre par écrit aux employés concernés les renseignements suivants :

a) les dates du début et de la fin de l'année de service;

b) la méthode de calcul de la durée des congés annuels et de l'indemnité de congé annuel pour une période d'emploi inférieure à 12 mois consécutifs.

DORS/94-668, art. 5

13. (1) L'employeur qui détermine une année de service conformément à l'alinéa b) de la définition de « année de service » à l'article 183 de la Loi est tenu, dans les dix mois qui suivent le début de cette année de service ou chaque jour anniversaire subséquent, selon le cas, d'accorder un congé payé à tout employé qui a effectué moins de 12 mois d'emploi ininterrompu à cette date.

(2) La durée du congé accordé à un employé conformément au paragraphe (1) est égale à $^1/_{12}$ du nombre de semaines applicable prévu à l'article 184 de la Loi pour chaque mois d'emploi à compter :

a) soit de la date du début de l'emploi, dans le cas d'un employé dont l'emploi a commencé après le début de l'année de service visée à ce paragraphe;

b) soit de la date du début de l'année de service préalablement en vigueur, dans le cas des autres employés.

(3) L'employeur doit donner à chacun de ses employés qui a droit à un congé annuel un préavis d'au moins deux semaines l'informant de la date du début de son congé annuel, à moins qu'ils n'aient déjà convenu d'une date.

(4) L'employeur doit verser à l'employé qui a acquis le droit à un congé annuel payé l'indemnité de congé à laquelle il a droit :

a) soit dans les 14 jours qui précèdent le début du congé;

b) soit le jour normal de paie durant le congé ou immédiatement après celui-ci, lorsqu'il est impossible de se conformer à l'alinéa a) ou lorsqu'il est d'usage, dans l'établissement où l'employé travaille, de verser l'indemnité de congé annuel le jour normal de paie durant ou immédiatement après le congé annuel.

DORS/94-668, art. 5; DORS/2014-305, art. 1

14. **(1)** L'employé qui a droit à un congé annuel relativement à une année de service particulière peut y renoncer ou le reporter moyennant une entente écrite avec l'employeur.

(2) L'employeur doit, dans les dix mois suivant la fin de l'année de service en cause, verser l'indemnité de congé annuel à l'employé qui a renoncé à un congé annuel conformément au paragraphe (1).

DORS/91-461, art. 13; DORS/94-668, art. 5

JOURS FÉRIÉS

15. **(1)** L'avis de substitution de jour férié dont l'affichage est exigé par le paragraphe 195(3) de la Loi doit contenir les renseignements suivants :

a) le nom de l'employeur;

b) l'identité des employés concernés;

c) l'adresse ou l'emplacement du lieu de travail;

d) les dates du jour férié et du jour qui y est substitué;

e) les dates de la prise d'effet et de la cessation d'effet de la substitution;

f) la date d'affichage;

g) une déclaration portant que la substitution du jour férié doit être approuvée par au moins 70 pour cent des employés concernés avant de prendre effet.

(2) L'avis mentionné au paragraphe (1) doit être affiché pendant toute la durée de la substitution.

DORS/91-461, art. 14; DORS/94-668, art. 5

16. Lorsque les parties à une convention collective s'entendent par écrit pour substituer conformément au paragraphe 195(1) de la Loi un jour de congé à un jour férié, l'entente écrite doit renfermer les renseignements visés aux alinéas 15(1)a) à e).

DORS/94-668, art. 5

TAUX RÉGULIER DE SALAIRE POUR LES JOURS FÉRIÉS ET LES CONGÉS DE DÉCÈS

17. Pour l'application du paragraphe 210(2) de la Loi, le taux régulier du salaire d'un employé dont la durée du travail varie d'un jour à l'autre ou dont le salaire est calculé autrement qu'en fonction du temps est égal :

a) soit à la moyenne de ses gains journaliers, exclusion faite de sa rémunération pour des heures supplémentaires fournies pendant les 20 jours où il a travaillé immédiatement avant le premier jour d'un congé de décès;

b) soit au montant calculé suivant une méthode convenue selon les dispositions de la convention collective liant l'employeur et l'employé.

DORS/79-309, art. 1; DORS/91-461, art. 15; DORS/2014-305, art. 2

18. Pour l'application de l'article 197 de la Loi, lorsque la durée du travail d'un employé rémunéré à la journée ou à l'heure varie d'un jour à l'autre ou que son salaire est calculé autrement qu'en fonction du temps, le salaire normal pour un jour férié est :

a) la moyenne de ses gains journaliers, déduction faite de sa rémunération pour des heures supplémentaires, pendant les 20 jours où il a travaillé immédiatement avant un jour férié;

ou

b) un montant calculé suivant une méthode convenue, selon les dispositions d'une convention collective liant l'employeur et l'employé.

DORS/79-309, art. 2; DORS/91-461, art. 16; DORS/2014-305, art. 3

TRAVAIL AU SERVICE DE PLUSIEURS EMPLOYEURS

19. (1) Dans le présent article,

« emploi au débardage » : signifie l'emploi au chargement ou au déchargement de cargaisons et à des travaux se rattachant au chargement ou au déchargement des cargaisons;

« emploi par plusieurs employeurs » : (*définition abrogée*).

« employé » : désigne un employé au service de plusieurs employeurs;

« employeur » : désigne l'employeur d'un employé;

« groupe de plusieurs employeurs » : désigne une association d'employeurs désignée par le ministre à titre de groupe de plusieurs employeurs;

« taux de salaire de base » : désigne le taux horaire de salaire de base d'un employé, à l'exclusion de toute prime ou gratification versée dans toute condition déterminée de son emploi.

« travail au service de plusieurs employeurs » : Emploi au débardage dans tout port au Canada où, selon la coutume, les employés affectés à un tel emploi seraient, dans le cours normal d'un mois ouvrable, habituellement employés par plus d'un employeur.

(2) Lorsqu'un employé au service d'un employeur qui est membre d'un groupe de plusieurs employeurs a droit au salaire applicable à l'emploi par plusieurs employeurs, l'employé a le droit d'obtenir, et il doit lui être payé par le groupe de plusieurs employeurs, un montant équivalent à son taux de salaire de base multiplié par un vingtième des heures travaillées durant les quatre semaines qui précèdent immédiatement la semaine comprenant un jour férié, exclusion faite de ses heures supplémentaires.

(3) Lorsqu'un employé est au service d'un employeur qui n'est pas membre d'un groupe d'employeurs, il doit lui être payé, en remplacement des jours fériés, à chaque paie et pour la période de paie correspondante, un montant égal à trois et demi pour cent de son salaire de base multiplié par le nombre d'heures de travail qu'il a faites pendant cette période.

(4) En plus de tout montant auquel un employé a droit en vertu des paragraphes (2) et (3), l'employé qui est tenu par l'employeur de travailler un jour férié doit être rémunéré, pour les heures de travail effectuées par lui ce jour-là, à un taux au moins égal à son taux de salaire de base majoré de 50 pour cent.

(5) Le ministre peut, au moyen d'une ordonnance, désigner une association d'employeurs à titre de groupe de plusieurs employeurs à l'égard de tout port ou de tous ports, si

a) l'association a institué et administre un bureau central de paie chargé de conserver les dossiers d'emploi des employés au service des employeurs qui sont membres de l'association et de verser le salaire auxdits employés au nom de leurs employeurs; et si

b) le ministre est convaincu que le bureau central de paie ainsi institué par l'association d'employeurs est autorisé à recueillir de chacun de ses membres et à verser en leur nom à leurs employés le salaire qu'ils sont tenus de leur verser conformément au présent article.

(6) Pour l'application de l'alinéa 206(1)a), des paragraphes 206.1(1), 206.4(2), 206.5(2) et (3), 210(2), 230(1) et 235(1), des alinéas 239(1)a) et 240(1)a) et du paragraphe 247.5(1) de la Loi, l'employé au service de plusieurs employeurs est réputé travailler sans interruption.

DORS/78-560, art. 3; DORS/81-473, art. 1; DORS/91-461, art. 17, 18; DORS/2002-113, art. 5; DORS/2009-194, art. 1; DORS/2014-305, art. 4

DÉTERMINATION DU TAUX HORAIRE DE SALAIRE

20. (1) Sous réserve des paragraphes (2) et (3), aux fins du calcul et de la détermination du taux horaire régulier de salaire des employés payés au temps, sur une autre base que l'heure, l'employeur doit diviser le salaire versé pour le travail effectué par le nombre d'heures requis pour exécuter le travail.

(2) Pour l'application des articles 174 et des paragraphes 197(1) et (3) et 205(2) de la Loi, le taux horaire régulier de salaire peut être le taux convenu selon les dispositions de la convention collective liant l'employeur et l'employé.

(3) Pour l'application du paragraphe (1) :

a) le salaire versé ne comprend pas l'indemnité de congé annuel, la rémunération applicable aux jours fériés, aux congés de décès et aux autres congés, ni le salaire versé pour les heures supplémentaires;

b) le nombre d'heures requis ne comprend pas les heures pour lesquelles a été payé le taux de salaire applicable aux heures supplémentaires.

DORS/79-309, art. 3; DORS/91-461, art. 19; DORS/2014-305, art. 5

REPAS, LOGEMENT ET AUTRES FORMES DE RÉMUNÉRATION

21. Lorsque les repas ou le logement ou les deux sont fournis à l'employé par l'employeur ou en son nom aux termes d'une entente à laquelle a consenti l'employé, le montant de la réduction du salaire de l'employé qui peut être effectuée pour toute période de paie, ramenant ainsi ce salaire à un taux inférieur au salaire horaire minimum établi conformément à l'article 178 de la Loi, soit par voie de prélèvement sur le salaire, soit par voie de paiement versé à ce titre à l'employeur par l'employé, ne peut dépasser :

a) 0,50 $ par repas fourni;

b) 0,60 $ par jour où le logement est fourni.

DORS/91-461, art. 19; DORS/94-668, art. 6

22. Aux fins du calcul et de la détermination du salaire, la valeur monétaire du logement, de la pension ou de toute forme de rémunération autre que la rémunération en espèces, dont bénéficie un employé à l'égard de son emploi, est le montant au sujet duquel l'employeur et l'employé se seront entendus ou, à défaut d'une telle entente ou lorsque le montant convenu diminue trop le salaire de l'employé, le montant que peut déterminer le ministre.

VERSEMENT DU SALAIRE, DE L'INDEMNITÉ DE CONGÉ ANNUEL OU DE JOUR FÉRIÉ OU DE TOUTE AUTRE FORME DE RÉMUNÉRATION, LORSQUE L'EMPLOYÉ EST INTROUVABLE

23. (1) Lorsqu'un employeur est tenu de payer un salaire à un employé ou lorsqu'un employé a droit au paiement d'un salaire par l'employeur et qu'il est impossible de trouver l'employé pour le payer, l'employeur doit, dans un délai d'au plus six mois à compter de la date à laquelle le salaire est dû et payable, verser le salaire au ministre, et ce paiement est censé être un paiement fait à l'employé.

(1.1) Avant de verser au ministre en vertu du paragraphe (1) le salaire d'un employé, l'employeur doit, au plus tard deux mois après l'échéance du salaire, faire livrer par porteur ou expédier par courrier recommandé un avis écrit à l'employé à sa dernière adresse connue, l'informant du salaire auquel il a droit.

(2) Le ministre dépose tout montant reçu en vertu du paragraphe (1) au crédit du Receveur général dans un compte appelé « Compte d'ordre du *Code du travail* (Normes) » et il peut autoriser des paiements à même le compte en question à l'égard de tout employé dont le salaire se trouve gardé à ce compte.

(3) Le ministre tient un registre des recettes et des déboursés en rapport avec le Compte d'ordre du *Code du travail* (Normes).

DORS/91-461, art. 20

TENUE DE REGISTRES

24. (1) Chaque employeur doit tenir un registre des dates d'entrée en fonction et de départ de chacun de ses employés; ces renseignements doivent, pour chaque employé, être conservés pendant au moins trois ans.

(2) Chaque employeur doit conserver, durant au moins trois ans après qu'un employé a exécuté un travail, les renseignements suivants :

a) le nom au complet, l'adresse, le numéro d'assurance sociale, l'âge, s'il est âgé de moins de 17 ans, et le sexe de cet employé, ainsi que la catégorie d'emploi;

b) le salaire, avec mention précise du mode de calcul, c'est-à-dire à l'heure, à la semaine, au mois ou d'une autre façon, ainsi que la date et les détails de tout changement de salaire;

c) le mode de calcul (détaillé) utilisé quand le salaire est calculé autrement qu'au temps ou qu'il est établi à la fois au temps et d'une autre façon;

d) les heures de travail fournies chaque jour, sauf dans le cas où l'employé est :

(i) soit exclu de l'application de la section I de la Loi conformément au paragraphe 167(2) de la Loi,

(ii) soit soustrait à l'application des articles 169 et 171 de la Loi conformément au règlement pris en vertu de l'alinéa 175(1)b) de la Loi;

e) les gains effectifs, avec mention du montant versé chaque jour de paie et des sommes versées pour les heures supplémentaires de travail et en indemnités de congé annuel, de jour férié, de congé de décès, de cessation d'emploi et de départ;

f) les sommes versées chaque jour de paie, une fois les déductions effectuées, avec les détails précis sur les déductions effectuées;

g) les dates de début et de fin des congés annuels et l'année d'emploi à l'égard de laquelle chacun d'eux a été accordé;

g.1) toute entente écrite conclue entre l'employeur et l'employé aux termes du paragraphe 14(1), selon laquelle l'employé renonce à son congé annuel ou le reporte;

g.2) tout avis transmis aux employés conformément à l'article 12 lorsque l'employeur détermine une année de service conformément à l'alinéa b) de la définition de « année de service » à l'article 183 de la Loi;

h) à l'égard de tout congé accordé à l'employé en vertu de la section VII de la Loi :

(i) les dates du début et de la fin de ce congé et de toute interruption de celui-ci,

(ii) un exemplaire de tout préavis de congé ou d'interruption de celui-ci,

(iii) un exemplaire de tout certificat médical produit par l'employé relativement au congé ou à son interruption;

h.1) les dates du début et de la fin de toute modification des tâches ou réaffectation de l'employé accordée en vertu de la section VII de la Loi et un exemplaire de tout préavis produit par l'employeur relativement à cette modification des tâches ou réaffectation;

i) tout jour férié ou autre jour de congé payé accordé à l'employé en vertu de la section V de la Loi, tout avis de substitution de jour férié dont l'affichage est exigé par l'article 195 de la Loi et la preuve, en ce qui concerne les employés non liés par une convention collective, qu'au moins 70 pour cent des employés concernés approuvent la substitution du jour férié;

j) dans les cas où le calcul de la moyenne des heures de travail est pratiqué en vertu de l'article 6, tout avis relatif au calcul de la moyenne des heures de travail, le détail des réductions apportées à la durée normale du travail et à la durée maximale du travail en vertu des paragraphes 6(7), (8) et (9), et le nombre d'heures pour lesquelles l'employé avait le droit d'être rémunéré au taux applicable aux heures supplémentaires prévu à l'article 174 de la Loi;

k) les périodes de paie adoptées par l'employeur;

l) un exemplaire de chaque certificat médical fourni à l'égard d'un congé de maladie et de chaque demande de certificat présentée par l'employeur conformément à l'alinéa 239(1)c) de la Loi, et tout avis ou préavis de licenciement donné conformément aux sections IX ou X de la Loi,

m) la date de tout congé de décès accordé à l'employé en vertu de la section VIII de la Loi;

n) tout avis concernant un horaire de travail dont l'affichage est exigé par les paragraphes 170(3) ou 172(3) de la Loi et la preuve de l'approbation de cet horaire par au moins 70 pour cent des employés concernés.

o) à l'égard de tout congé accordé à l'employé membre de la force de réserve aux termes de la section XV.2 de la Loi :

(i) la date de début et de fin du congé et un exemplaire de tout avis relatif au congé,

(ii) un exemplaire de tout certificat médical fourni par

l'employé à l'égard du congé,

(iii) un exemplaire de tout document fourni conformément à l'article 247.7 de la Loi,

(iv) un exemplaire de tout avis donné aux termes des paragraphes 247.8(1) ou 247.95(2) de la Loi.

(3) Tout mode de déclaration des absences du travail ou des heures de travail supplémentaires qui permet d'obtenir les détails requis au paragraphe (2), y compris les heures normales de travail par jour, répond aux exigences du présent règlement en matière de tenue de registres.

(4) Chaque employeur doit conserver, pendant au moins trois ans après l'extinction de l'obligation que lui impose le paragraphe 239.1(3) de la Loi, les renseignements suivants :

a) le détail des motifs de l'absence d'un employé en raison d'un accident ou d'une maladie professionnels;

b) un exemplaire de tout certificat d'un médecin qualifié attestant que l'employé est apte à retourner au travail;

c) la date du retour de l'employé au travail, ou un exemplaire de l'avis de l'employeur informant l'employé et le syndicat le représentant de l'impossibilité de le réintégrer, motifs à l'appui.

(5) (*Abrogé*)

DORS/78-560, art. 4; DORS/91-461, art. 21; DORS/94-668, art. 7; DORS/2009-194, art. 1; DORS/2014-305, art. 6

AFFICHAGE D'AVIS

25. (1) Lorsque le ministre accorde une dérogation conformément à l'article 176 de la Loi, l'employeur doit en afficher des copies.

(2) L'employeur doit afficher des avis contenant les renseignements indiqués à l'annexe II.

(3) L'employeur doit afficher des copies de la déclaration visée à l'article 247.4 de la Loi.

DORS/91-461, art. 22; DORS/94-668, art. 8

AVIS DE LICENCIEMENT COLLECTIF

26. En plus des mentions prévues aux alinéas 212(3)a) et b) de la Loi, l'avis de licenciement donné conformément au paragraphe 212(1) de la Loi doit indiquer :

a) le nom de l'employeur;

b) l'endroit où la cessation d'emploi doit se produire;

c) la nature de l'industrie exploitée par l'employeur;

d) le nom de tout syndicat accrédité pour représenter tout employé du groupe d'employés dont l'emploi doit prendre fin ou reconnu par l'employeur comme agent négociateur de l'un quelconque de ces employés; et

e) le motif de la cessation d'emploi.

DORS/91-461, art. 23, 24

ÉTABLISSEMENT AUX FINS DU LICENCIEMENT COLLECTIF

27. Pour l'application de la section IX de la Loi, sont désignées établissements :

a) les succursales, sections ou autres divisions des entreprises fédérales qui sont situées dans une région identifiée en vertu de l'alinéa

54w) de la *Loi sur l'assurance-emploi*;

b) les succursales, sections ou autres divisions figurant à l'annexe I.

DORS/79-309, art. 4; DORS/86-628, art. 1; DORS/91-461, art. 25(F), 26; DORS/2002-113, art. 6

Exemption du licenciement collectif

28. Les employeurs sont exemptés de l'application de la section IX de la Loi dans le cas du licenciement :

a) des employés saisonniers; ou

b) des employés occasionnels engagés en vertu d'une entente selon laquelle ces derniers sont libres d'accepter ou non de travailler lorsqu'on leur demande de le faire.

DORS/91-461, art. 27(F), 28

Continuité d'emploi (congés annuels, congé de maternité et congé parental, congé de décès, licenciement individuel, indemnité de départ, congés de maladie et congédiement injuste)

29. Pour l'application des sections IV, VII, VIII, X, XI, XIII, XIV et XV.2 de la Loi, n'est pas réputée avoir interrompu la continuité de l'emploi l'absence d'un employé qui est :

a) soit attribuable à une mise à pied qui n'est pas un licenciement aux termes du présent règlement;

b) soit autorisée ou acceptée par l'employeur.

DORS/91-461, art. 29; DORS/2009-194, art. 1

Mises à pied qui ne sont pas des licenciements aux fins de l'indemnité de départ, licenciements collectifs et licenciements individuels

30. (1) Pour l'application des sections IX, X et XI de la Loi et sous réserve du paragraphe (2), la mise à pied d'un employé n'est pas assimilée au licenciement par l'employeur lorsque :

a) la mise à pied découle d'une grève ou d'un lock-out;

b) la mise à pied est d'une durée égale ou inférieure à 12 mois et est obligatoire à cause d'une garantie de durée de travail minimale prévue par la convention collective;

c) la durée de la mise à pied est de trois mois ou moins;

d) la durée de la mise à pied est de plus de trois mois et que l'employeur

(i) avertit l'employé, par écrit, au moment de la mise à pied ou avant, qu'il sera rappelé au travail à une date déterminée ou dans un délai déterminé, cette date et ce délai ne devant pas dépasser six mois à compter de la date de la mise à pied, et

(ii) rappelle l'employé à son travail conformément au sous-alinéa (i);

e) la durée de la mise à pied est de plus de trois mois et que

(i) l'employé continue de recevoir de son employeur, durant la période de mise à pied, des paiements dont le montant a été convenu entre l'employeur et l'employé,

(ii) l'employeur continue de verser, à l'égard de l'employé, des cotisations à un régime de pension enregistré conformément à la *Loi sur les normes des prestations de pension* ou à un régime d'assurance des employés ou d'assurance collective,

(iii) l'employé touche des prestations supplémentaires de chômage, ou que

(iv) l'employé aurait droit à des prestations supplémentaires de chômage mais est exclu du bénéfice de ces prestations sous le régime de la *Loi sur l'assurance-emploi*; ou que

f) la durée de la mise à pied est de plus de trois mois mais moins de 12 mois et que l'employé, pendant la durée de la mise à pied, maintient des droits de rappel en vertu d'une convention collective.

(2) Il n'est pas tenu compte, dans le calcul de la durée d'une mise à pied aux fins des alinéas (1)c), d) et f), d'une période de retour au travail inférieure à deux semaines.

DORS/82-747, art. 1; DORS/86-628, art. 2(F); DORS/91-461, art. 30(F), 31; DORS/2006-231, art. 2

HEURES NORMALES DE TRAVAIL (INDEMNITÉ DE DÉPART ET LICENCIEMENTS INDIVIDUELS)

31. (1) Pour l'application de la section X de la Loi, le nombre d'heures de travail normal par semaine d'un employé dont les heures de travail ne sont pas calculées selon un régime de calcul de la moyenne est égal au quart du nombre d'heures de travail fournies par lui, exclusion faite de ses heures supplémentaires, pendant les quatre semaines complètes qui ont précédé son licenciement.

(2) Pour l'application de la section XI de la Loi, le nombre d'heures de travail normal par jour d'un employé dont les heures de travail ne sont pas calculées selon un régime de calcul de la moyenne est égal à un vingtième du nombre d'heures de travail fournies par lui, exclusion faite de ses heures supplémentaires, pendant les quatre semaines complètes qui ont précédé son licenciement.

(3) Aux fins de l'application des paragraphes (1) et (2), une semaine complète s'entend d'une semaine au cours de laquelle

a) ne tombe aucun jour férié;

b) l'employé ne prend aucun jour de congé annuel; et

c) l'employé ne s'absente pas du travail pour quelque autre motif.

DORS/79-309, art. 5; DORS/91-461, art. 32(F), 33

32. (1) Pour l'application de la section X de la Loi, le nombre d'heures de travail normal par semaine d'un employé dont les heures de travail sont calculées selon un régime de calcul de la moyenne est de 40.

(2) Pour l'application de la section XI de la Loi, le nombre d'heures de travail normal par jour d'un employé dont les heures de travail sont calculées selon un régime de calcul de la moyenne est de 8.

DORS/79-309, art. 6; DORS/86-628, art. 3(A); DORS/91-461, art. 32(F), 34; DORS/94-668, art. 10

PROCHE PARENT

33. (1) Pour l'application du paragraphe 210(1) de la Loi, « **proche parent** » de l'employé s'entend :

a) de son époux ou conjoint de fait;

b) de son père ou de sa mère ou de leur époux ou conjoint de fait;

c) de ses enfants ou de ceux de son époux ou conjoint de fait;

d) de ses petits-enfants;

e) de ses frères et sœurs;

f) de ses grands-parents;

g) du père ou de la mère de l'époux ou du conjoint de fait de l'employé, ou de leur époux ou conjoint de fait;

h) de tout parent ou allié qui réside de façon permanente chez l'employé ou chez qui l'employé réside de façon permanente.

(2) Pour l'application du présent article, **« conjoint de fait »** s'entend de la personne qui vit avec le particulier dans une relation conjugale depuis au moins un an, ou qui vivait ainsi avec lui depuis au moins un an au moment du décès du particulier.

DORS/78-560, art. 5; DORS/91-461, art. 35; DORS/2001-149, art. 1

ACCIDENTS ET MALADIES PROFESSIONNELLES

34. (1) La durée de l'obligation que le paragraphe 239.1(3) de la Loi impose à l'employeur est de 18 mois à partir de la date, inscrite sur le certificat du médecin qualifié agréé par le régime auquel l'employeur adhère conformément au paragraphe 239.1(2) de la Loi, à laquelle l'employé est apte à retourner au travail, avec ou sans restrictions.

(2) L'employeur qui licencie ou met à pied un employé ou qui supprime son poste au cours des neuf mois qui suivent son rappel au travail conformément au paragraphe 239.1(3) de la Loi doit démontrer à l'inspecteur que le motif de la mesure prise à l'endroit de l'employé n'est pas l'absence en raison d'un accident ou d'une maladie professionnels.

(3) L'employeur qui ne peut pas rappeler un employé au travail dans les 21 jours suivant la date de réception du certificat mentionné au paragraphe (1) doit fournir dans ce délai un avis écrit à l'employé et, si celui-ci est lié par une convention collective, au syndicat le représentant, indiquant s'il lui est possible de rappeler l'employé au travail et, dans le cas contraire, ses motifs.

DORS/94-668, art. 11

ANNEXE I

(*article 27*)

I — Canadien pacifique limitée

Établissements industriels

1.

Bureau du Groupe central
Gulf Canada Square
Calgary (Alberta)
Bureau du président et directeur général
Secrétaire
Vice-président exécutif et chef de l'exploitation
Vice-président exécutif et chef des finances
Vice-président principal, Exploitation
Vice-président principal, Commercialisation et ventes
Vice-président, Stratégie et contentieux et secrétaire de direction
Vice-président, Transport et exploitation sur le terrain
Vice-président, Communications et affaires publiques
Vice-président, Ressources humaines et relations industrielles
Vice-président, Services d'information
Vice-président, Développement de l'entreprise et planification
Vice-président, Services à la clientèle
Vice-président, Services des approvisionnements
Vice-président, Transport intermodal et routier
Vice-président, Envoi par wagon
Vice-président, Envoi en vrac
Vice-président, Biens immobiliers
Vice-président adjoint, Exploitation mécanique
Vice-président adjoint, Exploitation — Ingénierie
Directeur des services environnementaux
Directeur général, Agents des réclamations
Directeur, Exploitation intermodale — Ouest
Services d'hygiène du travail et du milieu
Services de police
Services administratifs
Tronicus

2.

Directeur général, Commerce international
Montréal (Québec)

3.

150 Henry Avenue
Winnipeg (Manitoba)
Ingénierie
Services de police
Sécurité et affaires réglementaires

Service des approvisionnements
Formation
Ressources humaines
Administration

4.

Bureau général - Gare de triage
Triage Alyth
Calgary (Alberta)
Directeur de secteur
Exploitation sur le terrain
Directeur de secteur
Mécanique
Sécurité et affaires réglementaires
Transport
Administration

5.

Bureau général - Gare de triage
Exploitation de Port Coquitlam
Port Coquitlam (Colombie-Britannique)
Directeur de secteur
Exploitation sur le terrain
Mécanique
Sécurité et affaires réglementaires
Commercial
Administration

6.

Secteur du Manitoba
Exploitation de Winnipeg
Winnipeg (Manitoba)
Directeur de secteur
Directeur du service routier
Directeur, Manoeuvres de triage
Exploitation sur le terrain
Mécanique
Ingénierie

7.

Secteur du Manitoba
Exploitation de Brandon
Brandon (Manitoba)
Directeur du service routier
Exploitation sur le terrain
Mécanique
Ingénierie

8.

Secteur du nord de l'Ontario
Exploitation de Thunder Bay
Thunder Bay (Ontario)

Directeur du service routier
Exploitation sur le terrain
Mécanique
Ingénierie
Sécurité et affaires réglementaires
Commercial

9.

Secteur du sud de l'Ontario
Exploitation de Sudbury
Sudbury (Ontario)
Directeur du service routier
Exploitation sur le terrain
Mécanique
Ingénierie

10.

Commercial
Secteur du Manitoba
Exploitation de Kenora
Kenora (Ontario)
Directeur du service routier
Exploitation sur le terrain
Ingénierie

11.

Secteur du nord de l'Ontario
Exploitation de Thunder Bay
Thunder Bay (Ontario)
Directeur du secteur
Exploitation sur le terrain
Mécanique
Ingénierie

12.

Secteur du nord de l'Ontario
Exploitation de Schreiber
Schreiber (Ontario)
Directeur du service routier
Exploitation sur le terrain
Ingénierie

13.

Secteur du nord de l'Ontario
Exploitation de Chapleau
Chapleau (Ontario)
Directeur du service routier
Exploitation sur le terrain
Mécanique
Ingénierie

14.

Office du grain
Winnipeg (Manitoba)
Directeur général
Commercial

15.

Équipe du service à la clientèle
Winnipeg (Manitoba)
Directeur
Ressources humaines

16.

Secteur de la Saskatchewan
Exploitation de Moose Jaw
Moose Jaw (Saskatchewan)
Directeur de secteur
Directeur, Manoeuvres de triage et service routier
Mécanique
Ingénierie
Sécurité et affaires réglementaires

17.

Secteur de la Saskatchewan
Exploitation de Saskatoon
Saskatoon (Saskatchewan)
Directeur du service routier
Exploitation sur le terrain
Mécanique
Ingénierie
Commercial

18.

Secteur de l'Alberta
Exploitation de Lethbridge
Calgary (Alberta)
Directeur du service routier
Exploitation sur le terrain
Mécanique

19.

Secteur de l'Alberta
Exploitation de Medicine Hat
Medicine Hat (Alberta)
Directeur du service routier
Exploitation sur le terrain
Mécanique

20.

Secteur de l'Alberta
Exploitation d'Edmonton
Edmonton (Alberta)

Directeur du service routier
Mécanique
Commercial

21.

Secteur de l'Alberta
Triage Alyth
Calgary (Alberta)
Directeur du service routier
Directeur, Manoeuvres de triage
Exploitation sur le terrain

22.

Bâtiment de l'ingénierie
Triage Alyth
Calgary (Alberta)
Directeur de secteur

23.

Secteur de l'Intérieur de la Colombie-Britannique
Exploitation de Revelstoke
Revelstoke (Colombie-Britannique)
Directeur de secteur
Exploitation sur le terrain
Mécanique
Ingénierie
Administration

24.

Secteur de Vancouver
Exploitation de Port Coquitlam
Port Coquitlam (Colombie-Britannique)
Directeur de secteur
Directeur, Manoeuvres de triage et service routier
Exploitation sur le terrain

25.

Secteur de Vancouver
Consolidated Fastfrate
Exploitation de Port Coquitlam
Port Coquitlam (Colombie-Britannique)
Directeur de secteur
Ingénierie
Sécurité et affaires réglementaires
Affaires environnementales
Administration

26.

Installations de soudage de Surrey
(Chemetron Railway Products)
Surrey (Colombie-Britannique)
Ingénierie

27.

Secteur de l'Intérieur de la Colombie-Britannique
Exploitation de chemin de fer de la vallée de Kootenay
Nelson (Colombie-Britannique)
Directeur
Exploitation sur le terrain
Mécanique
Ingénierie

28.

Secteur de Vancouver
Exploitation de Kamloops
Kamloops (Colombie-Britannique)
Directeur du service routier
Exploitation sur le terrain
Ingénierie
Commercial
Administration

29.

Secteur de l'Intérieur de la Colombie-Britannique
Exploitation de Cranbrook
Cranbrook (Colombie-Britannique)
Directeur du service routier
Exploitation sur le terrain
Mécanique
Ingénierie
Administration

30.

Secteur de Vancouver
Exploitation de Roberts Bank
Exploitation sur le terrain
Mécanique

31.

Bureaux des Finances et comptabilité
Calgary (Alberta)
Vice-président et contrôleur
Vice-président et trésorier
Vice-président, Relations avec les investisseurs
Vice-président adjoint, Impôt
Directeur, Vérification interne
Directeur, Comptabilité et projets spéciaux
Directeur, Dépenses et comptabilité générale
Directeur, Budgets et rapports de gestion
Directeur, Comptabilité générale et rapports intégrés
Directeur, Analyse financière
Directeur, Soutien au SAP
Directeur, Gestion du risque
Directeur financier

32.

Centre des services de comptabilité
Montréal (Québec)
Directeur général, Centre des services de comptabilité
Directeur, Répartition des revenus
Directeur, Comptes créditeurs et comptabilisation du matériel
Directeur, Comptes clients et règlements interréseaux
Directeur, Analyse des recettes et rapports
Directeur, Administration et perfectionnement en milieu de travail
Directeur, Répartition des revenus
Directeur, Comptes clients et crédit

33.

Réclamations - Marchandises
Toronto (Ontario)
Directeur

34.

Central Parkway
Mississauga (Ontario)
Commercial
Développement d'entreprise
Service de la planification et de l'information
Ressources humaines
Services des approvisionnements
Finances
Route express
Ingénierie
Tronicus

35.

Services intermodaux, Région de l'Est
Terminal de Lachine
Lachine (Québec)
Directeur de terminal

36.

Services intermodaux, Région de l'Est
Terminal de Vaughan
Kleinburg (Ontario)
Directeur, Exploitation intermodale — Est
Directeur de terminal

37.

Services intermodaux, Région de l'Est
Terminal à conteneurs d'Obico
Etobicoke (Ontario)
Directeur de terminal

38.

Services intermodaux, Région de l'Ouest
Terminal de Thunder Bay

Thunder Bay (Ontario)

39.

Services intermodaux, Région de l'Ouest
Terminal de Dryden
Dryden (Ontario)

40.

Services intermodaux, Région de l'Ouest
Terminal de Winnipeg
Winnipeg (Manitoba)
Directeur de terminal

41.

Services intermodaux, Région de l'Ouest
Terminal de Regina
Regina (Saskatchewan)
Directeur de terminal

42.

Services intermodaux, Région de l'Ouest
Terminal de Saskatoon
Saskatoon (Saskatchewan)
Superviseur de terminal

43.

Services intermodaux, Région de l'Ouest
Terminal de Calgary
Calgary (Alberta)
Directeur de terminal

44.

Services intermodaux, Région de l'Ouest
Terminal d'Edmonton
Edmonton (Alberta)
Superviseur de terminal

45.

Services intermodaux, Région de l'Ouest
Installations intermodales de Vancouver
Coquitlam (Colombie-Britannique)
Directeur de terminal

46.

Progress Rail
Winnipeg (Manitoba)

47.

Atelier du wagon porte-rails de Winnipeg
Winnipeg (Manitoba)
Directeur de secteur

48.

Atelier de locomotives de Winnipeg

Winnipeg (Manitoba)
Directeur de secteur

49.
Atelier de réparation du matériel de travaux de Logan
Winnipeg (Manitoba)
Directeur d'atelier

50.
Atelier de soudage de Transcona
(Chemetron Railway Products)
Winnipeg (Manitoba)
Ingénierie

51.
Ateliers d'Alstom
Calgary (Alberta)

52.
Secteur de l'Alberta
Calgary (Alberta)
Atelier diesel Alyth
Directeur de procédés
Atelier du matériel tracté Alyth
Directeur des procédures

53.
Secteur de l'Alberta
Lethbridge (Alberta)
Mécanique

54.
Secteur de l'Intérieur de la Colombie-Britannique
Golden (Colombie-Britannique)
Directeur de secteur
Mécanique
Directeur du triage
Exploitation sur le terrain
Ingénierie

55.
Secteur de Vancouver
Port Coquitlam (Colombie-Britannique)
Installations pour locomotives de Coquitlam
Directeur de secteur
Mécanique

56.
Secteur de Vancouver
Port Coquitlam (Colombie-Britannique)
Installations pour wagons porte-rails de Coquitlam
Directeur de la production
Mécanique

Ingénierie

57.

Région de l'Est
Montréal (Québec)
Services de police
Surintendant

58.

Région de l'Est
Toronto (Ontario)
Services de police
Sergent

59.

Région de l'Ouest
Winnipeg (Manitoba)
Services de police
Sergent

60.

Région de l'Ouest
Calgary (Alberta)
Services de police
Surintendant

61.

Région de l'Ouest
Vancouver (Colombie-Britannique)
Services de police
Inspecteur

62.

Granville Square
Vancouver (Colombie-Britannique)
Biens immobiliers
Réclamations - Marchandises
Services des approvisionnements
Commercial
Ressources humaines
Administration

63.

Gare Windsor
Montréal (Québec)
Vice-président, Route express
Directeur régional, Biens immobiliers
Directeur, Communications et Affaires publiques
Directeur, Installations de l'Est
Directeur, Installations et location
Services de police
Ressources humaines
Directeur général, Centre de gestion du réseau

Sécurité et affaires réglementaires
Développement commercial
Services juridiques

64.

Bureau général - gare du triage
Toronto (Ontario)
Directeur de secteur
Exploitation sur le terrain
Directeur de secteur
Services d'ingénierie
Directeur de secteur
Services mécaniques
Directeur, Programmes Track
Directeur, Signalisation et Communication
Sécurité et affaires réglementaires
Commercial
Services de police
Administration

65.

Secteur de Montréal
Montréal (Québec)
Directeur de secteur
Exploitation sur le terrain
Administration
Sécurité et affaires réglementaires

66.

Secteur de Montréal
Montréal (Québec)
Directeur de secteur
Mécanique
Administration

67.

Secteur de Montréal
Montréal (Québec)
Directeur de secteur
Ingénierie
Administration

68.

Secteur de Montréal
Smiths Falls (Ontario)
Directeur du service routier
Exploitation sur le terrain
Ingénierie
Administration

69.

Secteur du sud de l'Ontario

Toronto (Ontario)
Directeur du service routier
Directeur des manoeuvres de triage
Exploitation sur le terrain
Administration

70.

Secteur du sud de l'Ontario
Toronto (Ontario)
Atelier du wagon porte-rails
Directeur de secteur
Mécanique

71.

Secteur du sud de l'Ontario
Toronto (Ontario)
Atelier diesel
Directeur de secteur
Mécanique
Administration

72.

Secteur du sud de l'Ontario
Toronto (Ontario)
Directeur de secteur
Ingénierie
Administration

73.

Secteur du sud de l'Ontario
London (Ontario)
Directeur du service routier
Exploitation sur le terrain
Ingénierie
Administration

74.

Secteur du sud de l'Ontario
Windsor (Ontario)
Directeur du service routier
Exploitation sur le terrain
Mécanique
Ingénierie
Administration

II — Compagnie des chemins de fer nationaux du Canada

Établissements

1.

Direction générale CN, Montréal (Québec)
Président

Vice-président exécutif
Vice-président et secrétaire
Vice-président adjoint, Marketing
Vice-président, Ventes
Vice-président, Transport et entretien
Directeur général, Ventes et services Voyageurs
Vice-président, Services de cybernétique
Vice-président, Personnel et relations syndicales
Vice-président, Relations publiques
Vice-président et avocat-conseil
Médecin — chef
Directeur, Service des enquêtes

2.

Région de l'Atlantique, Moncton (Nouveau-Brunswick)
Vice-président régional
Directeur général
Surintendant, Restauration et services divers
Directeur, Recherche pour la clientèle
Directeur régional, Ventes Voyageurs
Directeur régional, Ventes Marchandises
Ingénieur régional
Surintendant général, Équipement
Surintendant général, Transport
Directeur, Réclamations Marchandises
Directeur, Service du personnel

3.

Région du Saint-Laurent, Montréal (Québec)
Vice-président régional
Directeur général
Surintendant, Restauration et services divers
Directeur, Recherche pour la clientèle
Directeur régional, Ventes Voyageurs
Directeur régional, Ventes Marchandises
Ingénieur régional
Surintendant général, Équipement
Surintendant général, Transport
Directeur, Réclamations Marchandises
Directeur, Service du personnel

4.

Région des Grands Lacs, Toronto (Ontario)
Vice-président régional
Directeur général
Surintendant, Restauration et services divers
Directeur, Recherche pour la clientèle
Directeur régional, Ventes Voyageurs
Directeur régional, Ventes Marchandises
Ingénieur régional
Surintendant général, Équipement
Surintendant général, Transport
Directeur, Réclamations Marchandises
Directeur, Service du personnel

5.

Région des Prairies, Winnipeg (Manitoba)
Vice-président régional
Directeur général
Surintendant, Restauration et services divers
Directeur, Recherche pour la clientèle
Directeur régional, Ventes Voyageurs
Directeur régional, Ventes Marchandises
Ingénieur régional
Surintendant général, Équipement
Surintendant général, Transport
Directeur, Réclamations Marchandises
Directeur, Service du personnel

6.

Région des Montagnes, Edmonton (Alberta)
Vice-président régional
Directeur général
Surintendant, Restauration et services divers
Directeur, Recherche pour la clientèle
Directeur régional, Ventes Voyageurs
Directeur régional, Ventes Marchandises
Ingénieur régional
Surintendant général, Équipement
Surintendant général, Transport
Directeur, Réclamations Marchandises
Directeur, Service du personnel

7.

Secteur Terre-Neuve, St. John's (Terre-Neuve)
Directeur du secteur
Directeur de l'exploitation
Chef du personnel
Contrôleur du secteur
Chef du Service de bureau
Directeur, Ventes Voyageurs du secteur
Directeur, Ventes Marchandises du secteur
Surintendant, Transport
Surintendant, Équipement
Ingénieur du secteur

8.

Secteur Maritime, Moncton (Nouveau-Brunswick)
Directeur du secteur
Directeur de l'exploitation
Chef du personnel
Contrôleur du secteur
Chef du Service de bureau
Directeur, Ventes Voyageurs du secteur
Directeur, Ventes Marchandises du secteur
Surintendant, Transport
Surintendant, Équipement
Ingénieur du secteur

9.

Secteur Chaleur, Campbellton (Nouveau-Brunswick)
Directeur du secteur
Directeur de l'exploitation
Chef du personnel
Contrôleur du secteur
Chef du Service de bureau
Directeur, Ventes Voyageurs du secteur
Directeur, Ventes Marchandises du secteur
Surintendant, Transport
Surintendant, Équipement
Ingénieur du secteur

10.

Secteur Québec, Québec (Québec)
Directeur du secteur

Directeur de l'exploitation
Chef du personnel
Contrôleur du secteur
Chef du Service de bureau
Directeur, Ventes Voyageurs du secteur
Directeur, Ventes Marchandises du secteur
Surintendant, Transport
Surintendant, Équipement
Ingénieur du secteur

11.

Secteur Montréal, Montréal (Québec)
Directeur du secteur
Directeur de l'exploitation
Chef du personnel
Contrôleur du secteur
Chef du Service de bureau
Directeur, Ventes Voyageurs du secteur
Directeur, Ventes Marchandises du secteur
Surintendant, Transport
Surintendant, Équipement
Ingénieur du secteur

12.

Secteur Champlain, Montréal (Québec)
Directeur du secteur
Directeur de l'exploitation
Chef du personnel
Contrôleur du secteur
Chef du Service de bureau
Directeur, Ventes Voyageurs du secteur
Directeur, Ventes Marchandises du secteur
Surintendant, Transport
Surintendant, Équipement
Ingénieur du secteur

13.

Secteur Rideau, Belleville (Ontario)
Directeur du secteur
Directeur de l'exploitation
Chef du personnel
Contrôleur du secteur

Chef du Service de bureau
Directeur, Ventes Voyageurs du secteur
Directeur, Ventes Marchandises du secteur
Surintendant, Transport
Surintendant, Équipement
Ingénieur du secteur

14.

Secteur Toronto, Toronto (Ontario)
Directeur du secteur
Directeur de l'exploitation
Chef du personnel
Contrôleur du secteur
Chef du Service de bureau
Directeur, Ventes Voyageurs du secteur
Directeur, Ventes Marchandises du secteur
Surintendant, Transport
Surintendant, Équipement
Ingénieur du secteur

15.

Secteur Sud-Ouest Ontario, London (Ontario)
Directeur du secteur
Directeur de l'exploitation
Chef du personnel
Contrôleur du secteur
Chef du Service de bureau
Directeur, Ventes Voyageurs du secteur
Directeur, Ventes Marchandises du secteur
Surintendant, Transport
Surintendant, Équipement
Ingénieur du secteur

16.

Secteur Nord Ontario, Capreol (Ontario)
Directeur du secteur
Directeur de l'exploitation
Chef du personnel
Contrôleur du secteur
Chef du Service de bureau
Directeur, Ventes Voyageurs du secteur
Directeur, Ventes Marchandises du secteur

Surintendant, Transport
Surintendant, Équipement
Ingénieur du secteur

17.

Secteur Assiniboine-Lakehead, Winnipeg (Manitoba)
Directeur du secteur
Directeur de l'exploitation
Chef du personnel
Contrôleur du secteur
Chef du Service de bureau
Directeur, Ventes Voyageurs du secteur
Directeur, Ventes Marchandises du secteur
Surintendant, Transport
Surintendant, Équipement
Ingénieur du secteur

18.

Secteur Baie d'Hudson, Dauphin (Manitoba)
Directeur du secteur
Directeur de l'exploitation
Chef du personnel
Contrôleur du secteur
Chef du Service de bureau
Directeur, Ventes Voyageurs du secteur
Directeur, Ventes Marchandises du secteur
Surintendant, Transport
Surintendant, Équipement
Ingénieur du secteur

19.

Secteur Saskatchewan, Saskatoon (Saskatchewan)
Directeur du secteur
Directeur de l'exploitation
Chef du personnel
Contrôleur du secteur
Chef du Service de bureau
Directeur, Ventes Voyageurs du secteur
Directeur, Ventes Marchandises du secteur
Surintendant, Transport
Surintendant, Équipement
Ingénieur du secteur

20.

Secteur Alberta, Edmonton (Alberta)
Directeur du secteur
Directeur de l'exploitation
Chef du personnel
Contrôleur du secteur
Chef du Service de bureau
Directeur, Ventes Voyageurs du secteur
Directeur, Ventes Marchandises du secteur
Surintendant, Transport
Surintendant, Équipement
Ingénieur du secteur

21.

Secteur Colombie-Britannique, Vancouver (Colombie-Britannique)
Directeur du secteur
Directeur de l'exploitation
Chef du personnel
Contrôleur du secteur
Chef du Service de bureau
Directeur, Ventes Voyageurs du secteur
Directeur, Ventes Marchandises du secteur
Surintendant, Transport
Surintendant, Équipement
Ingénieur du secteur

22.

Télécommunications Canadien National, Siège social, Toronto (Ontario)
Directeur général

23.

Achats et magasins, Siège social
Achats et magasins — Région de l'Atlantique
Directeur des achats
Gérant régional des stocks

24.

Achats et magasins — Région du Saint-Laurent
Directeur des achats
Gérant régional des stocks

25.

Achats et magasins — Région des Grands Lacs
Directeur des achats

Gérant régional des stocks

26.

Achats et magasins — Région des Prairies
Directeur des achats
Gérant régional des stocks

27.

Achats et magasins — Région des Montagnes
Directeur des achats
Gérant régional des stocks

28.

Ateliers principaux, Montréal (Québec)
Directeur général des ateliers
Directeur des ateliers
Directeur adjoint des ateliers, matériel remorqué
Directeur adjoint des ateliers de traction

29.

Ateliers principaux, Winnipeg (Manitoba)
Directeur général des ateliers
Directeur des ateliers
Directeur adjoint des ateliers, matériel remorqué
Directeur adjoint des ateliers de traction

30.

Comptabilité
Siège social
Vice-président, Comptabilité et finances, Montréal (Québec)
Région
Contrôleur régional

III — Via Rail Canada Inc.

Établissements

1.

Siège social
2, Place Ville-Marie
Montréal (Québec)
Bureau du président du conseil d'administration
Bureau du président-directeur général
Affaires publiques
Avocat général (dont réclamations en matière de santé et de sécurité)

Vérification interne
Bureau du secrétariat général
Marketing
Ressources humaines et Administration
Services à la clientèle
Transport
Planification et Finance (dont le contrôleur général)
Informatique
Maintenance du matériel roulant

2.

VIA Québec (y compris Ottawa (Ontario))
Affaires publiques
Avocat général (dont réclamations en matière de santé et de sécurité)
Marketing
Ressources humaines et Administration
Services à la clientèle
Transport (dont le personnel de conduite)

3.

VIA Atlantique — Nouvelle-Écosse, Nouveau-Brunswick et Île-du-Prince-Édouard
Affaires publiques
Avocat général (dont réclamations en matière de santé et de sécurité)
Marketing
Ressources humaines et Administration
Services à la clientèle
Transport (dont le personnel de conduite)

4.

VIA Ontario (à l'exclusion d'Ottawa (Ontario))
Affaires publiques
Avocat général (dont réclamations en matière de santé et de sécurité)
Marketing
Ressources humaines et Administration
Services à la clientèle
Transport (dont le personnel de conduite)

5.

VIA Ouest — Thunder Bay et ouest de Thunder Bay
Affaires publiques
Avocat général (dont réclamations en matière de santé et de sécurité)
Marketing

Ressources humaines et Administration
Services à la clientèle
Transport (dont le personnel de conduite)

6.

Maintenance — Halifax
Centre de maintenance de Halifax
Maintenance du matériel roulant
Ateliers secondaires de Gaspé et Matapédia

7.

Maintenance — Montréal
Centre de maintenance de Montréal
Maintenance du matériel roulant
Ateliers secondaires de Mont-Joli, Québec et Ottawa

8.

Maintenance — Toronto
Centre de maintenance de Toronto
Maintenance du matériel roulant
Ateliers secondaires de Windsor, Sarnia, London et de la gare Union

9.

Maintenance — Winnipeg
Centre de maintenance de Winnipeg
Maintenance du matériel roulant
Ateliers secondaires de The Pas (Manitoba) et Churchill (Manitoba)

10.

Maintenance — Vancouver
Centre de maintenance de Vancouver
Maintenance du matériel roulant
Ateliers secondaires de Prince Rupert (Colombie-Britannique) et Jasper (Alberta)

IV — Air Canada

Établissements

1.

Siège social
Président du conseil d'administration
Président général
Secrétaire général
Affaires juridiques
Finance et Planification

Marketing, Ventes et Services
Services et Exploitation
Affaires de l'entreprise et Ressources humaines
Opérations aériennes
Service en vol
Exploitation technique
Personnel de soutien administratif

2. Finances
3. Marketing et Ventes
4. Service en vol
5. Opérations aériennes
6. Informatique
7. Ventes et Service, et Fret, Région de l'Est (le Québec et l'Est, y compris Ottawa)
8. Ventes et Service, et Fret, Région centrale (l'Ontario jusqu'à Thunder Bay)
9. Ventes et Service, et Fret, Région de l'Ouest (Thunder Bay et l'Ouest)
10. Ventes et Service/Passager, Région de l'Est (le Québec et l'Est, y compris Ottawa)
11. Ventes et Service/Passager, Région centrale (l'Ontario jusqu'à Thunder Bay)
12. Ventes et Service/Passager, Région de l'Ouest (Thunder Bay et l'Ouest)
13. Maintenance — Montréal, Halifax, Québec, Ottawa
14. Maintenance — Toronto
15. Maintenance — Winnipeg
16. Maintenance — Vancouver, Calgary, Edmonton

V — Lignes Aériennes Canadien International

(*Abrogé*)

VI — Bell Canada

Établissements industriels

1.

Bell Canada
Région de l'Ontario
Centre — Indicatif régional 416 (Toronto exclu)
Techniciens (SCEP)

2.

Bell Canada
Région de l'Ontario
Centre — Indicatif régional 416 (Toronto exclu)
Employés de bureau et vendeurs (ACET)

3.

Bell Canada
Région de l'Ontario
Centre - Indicatif régional 416 (Toronto exclu)
Employés cadres

4.

Bell Canada
Région de l'Ontario
Toronto Métro — Indicatif régional 416
Techniciens (SCEP)

5.

Bell Canada
Région de l'Ontario
Toronto Métro — Indicatif régional 416
Employés de bureau et vendeurs (ACET)

6.

Bell Canada
Région de l'Ontario
Toronto Métro — Indicatif régional 416
Employés cadres

7.

Bell Canada
Région de l'Ontario
Sud-ouest — Indicatif régional 519
Techniciens (SCEP)

8.

Bell Canada Région de l'Ontario
Sud-ouest — Indicatif régional 519
Employés de bureau et vendeurs (ACET)

9.

Bell Canada
Région de l'Ontario
Sud-ouest — Indicatif régional 519
Employés cadres

10.

Bell Canada
Région de l'Ontario
Est — Indicatif régional 613
Techniciens (SCEP)

11.

Bell Canada
Région de l'Ontario
Est — Indicatif régional 613
Employés de bureau et vendeurs (ACET)

12.

Bell Canada
Région de l'Ontario
Est — Indicatif régional 613
Employés cadres

13.

Bell Canada
Région de l'Ontario
Nord — Indicatifs régionaux 705 et 807
Techniciens (SCEP)

14.

Bell Canada
Région de l'Ontario
Nord — Indicatifs régionaux 705 et 807
Employés de bureau et vendeurs (ACET)

15.

Bell Canada
Région de l'Ontario
Nord — Indicatifs régionaux 705 et 807
Employés cadres

16.

Bell Canada
Région de l'Ontario
Centre — Indicatif régional 905
Techniciens (SCEP)

17.

Bell Canada
Région de l'Ontario
Centre — Indicatif régional 905
Employés de bureau et vendeurs (ACET)

18.

Bell Canada
Région de l'Ontario
Centre — Indicatif régional 905
Employés cadres

19.

Bell Canada
Région de l'Ontario (Groupes opérationnels du Québec)
Tous les indicatifs régionaux
Techniciens (SCEP)
Employés de bureau et vendeurs (ACET)
Employés cadres

20.

Services généraux
Région de l'Ontario

Centre — Indicatif régional 416 (Toronto inclus)
Techniciens (SCEP)
Employés de bureau (ACET)
Employés cadres

21.

Services généraux
Région de l'Ontario
Sud-ouest, Est et Centre — Indicatifs régionaux 519, 613 et 905
Employés de bureau (ACET)
Employés cadres

22.

Exploitation du réseau
Région de l'Ontario
Centre — Indicatif régional 416 (Toronto inclus)
Techniciens (SCEP)

23.

Exploitation du réseau
Région de l'Ontario
Centre — Indicatif régional 416 (Toronto inclus)
Employés de bureau (ACET)

24.

Exploitation du réseau
Région de l'Ontario
Centre — Indicatif régional 416 (Toronto inclus)
Employés cadres

25.

Exploitation du réseau
Région de l'Ontario
Sud-ouest — Indicatif régional 519
Techniciens (SCEP)

26.

Exploitation du réseau
Région de l'Ontario
Sud-ouest — Indicatif régional 519
Employés de bureau (ACET)

27.

Exploitation du réseau
Région de l'Ontario
Sud-ouest — Indicatif régional 519
Employés cadres

28.

Exploitation du réseau
Région de l'Ontario
Nord — Indicatifs régionaux 705 et 807
Techniciens (SCEP)

Employés de bureau (ACET)
Employés cadres

29.

Exploitation du réseau
Région de l'Ontario
Est — Indicatif régional 613
Techniciens (SCEP)

30.

Exploitation du réseau
Région de l'Ontario
Est — Indicatif régional 613
Employés de bureau (ACET)

31.

Exploitation du réseau
Région de l'Ontario
Est — Indicatif régional 613
Employés cadres

32.

Exploitation du réseau
Région de l'Ontario
Centre — Indicatif régional 905
Techniciens (SCEP)
Employés de bureau (ACET)
Employés cadres

33.

Bell Canada
Région du Québec (Groupes opérationnels de l'Ontario)
Tous les indicatifs régionaux
Techniciens (SCEP)
Employés de bureau (ACET)
Employés cadres

34.

Bell Canada
Région du Québec
Est, Ouest et Nord — Indicatifs régionaux 819 et 418
Techniciens (SCEP)

35.

Bell Canada
Région du Québec
Est, Ouest et Nord — Indicatifs régionaux 819 et 418
Employés de bureau et vendeurs (ACET)

36.

Bell Canada
Région du Québec
Est, Ouest et Nord — Indicatifs régionaux 819 et 418

Employés cadres

37.

Bell Canada
Région du Québec
Métro (Montréal exclu) — Indicatif régional 450
Techniciens (SCEP)
Employés de bureau (ACET)
Employés cadres

38.

Bell Canada
Région du Québec
Montréal — Indicatif régional 514
Techniciens (SCEP)

39.

Bell Canada
Région du Québec
Montréal — Indicatif régional 514
Employés de bureau et vendeurs (ACET)

40.

Bell Canada
Région du Québec
Montréal — Indicatif régional 514
Employés cadres

41.

Services généraux
Région du Québec
Tous les indicatifs régionaux
Techniciens (SCEP)

42.

Employés de bureau (ACET)
Services généraux
Région du Québec
Tous les indicatifs régionaux
Employés cadres

43.

Exploitation du réseau
Région du Québec
Est, Ouest et Nord — Indicatifs régionaux 819 et 418
Techniciens (SCEP)

44.

Exploitation du réseau
Région du Québec
Est, Ouest et Nord — Indicatifs régionaux 819 et 418
Employés de bureau (ACET)
Employés cadres

45\.

Exploitation du réseau
Région du Québec
Métro (Montréal exclu) — Indicatif régional 450
Techniciens (SCEP)
Employés de bureau (ACET)
Employés cadres

46\.

Exploitation du réseau
Région du Québec
Montréal — Indicatif régional 514
Techniciens (SCEP)

47\.

Exploitation du réseau
Région du Québec
Montréal — Indicatif régional 514
Employés de bureau (ACET)

48\.

Exploitation du réseau
Région du Québec
Montréal — Indicatif régional 514
Employés cadres

49\.

Bell Canada
Région de l'Ouest
Calgary
Techniciens (SCEP)
Employés de bureau (ACET)
Employés cadres

50\.

Bell Canada
Région de l'Ouest
Vancouver
Techniciens (SCEP)
Employés de bureau (ACET)
Employés cadres

DORS/79-309, art. 7; DORS/89-118, art. 1; DORS/89-464, art. 1; DORS/91-461, art. 36; DORS/94-668, art. 12, 13; DORS/99-337, art. 2; DORS/2006-231, art. 3; 4; DORS/2014-305, art. 7-10

ANNEXE II

(*paragraphe 25(2)*)

Avis relatif à la partie III du *Code canadien du travail*

La partie III du *Code canadien du travail* prévoit les normes minimales du travail pour les employeurs et les employés des secteurs de compétence fédérale.

Ces normes visent notamment les questions suivantes :

La durée du travail
Le salaire minimum
Les jours fériés
Les congés annuels
Le travail au service de plusieurs employeurs
L'égalité des salaires
Le congé de maternité
Le congé parental
La réaffectation et le congé liés à la maternité
Les accidents et les maladies professionnels
Les congés de maladie
Les congés de décès
Le congé de soignant
Le congé en cas de maladie grave
Le congé en cas de décès ou de disparition
Les licenciements collectifs
Les licenciements individuels
L'indemnité de départ
Le congédiement injuste
Le harcèlement sexuel
La saisie-arrêt
Le paiement du salaire
Le congé pour les membres de la force de réserve

Pour de plus amples renseignements sur ces normes, veuillez communiquer avec le bureau du Programme du travail, Ministère de l'Emploi et du Développement social, ou consultez le site Web http://www.rhdcc.gc.ca/fr/passerelles/topiques/lxn-gxr.shtml.

Les demandes de renseignements seront traitées de façon confidentielle.

DORS/91-461, art. 6; DORS/94-668, art. 14; DORS/2006-231, art. 5; DORS/2009-194, art. 4; 2013, c. 40, art. 237; DORS/2014-305, art. 11

ANNEXE III

(*articles 4 et 5*)

Avis de modification de l'horaire de travail

a) Nom de l'employeur : ....

b) L'identité des employés concernés : ....

c) Adresse ou emplacement du lieu de travail : ....

d) Heures de travail journalières : ....

Heures de travail hebdomadaires : ....

(*Le nombre d'heures de travail journalières ou hebdomadaires mentionnées à l'alinéa d) peut être spécifié par adjonction de l'horaire de travail des employés concernés.*)

e) Nombre de jours de travail à l'horaire :..........

f) Nombre de semaines à l'horaire :..........

g) Nombre de jours de repos à l'horaire :..........

h) Lorsqu'il y a un jour férié ou plus dans une semaine, la durée hebdomadaire du travail est réduite de : ....

i) (*Abrogé*)

j) Durée maximale du travail :

hebdomadaire..........

à l'horaire..........

k) Méthode de calcul de l'indemnité de jour férié : ....

l) Date de prise d'effet de l'horaire de travail : ..../........../..........

m) Date d'expiration de l'horaire de travail :........../........../..........

n) Date d'affichage de l'horaire de travail :........../........../..........

Notes:

1. Les heures de travail qui sont effectuées au-delà des heures journalières énoncées à l'alinéa d) et qui excèdent la moyenne hebdomadaire de 40 heures au cours de l'horaire de travail sont payées au taux de rémunération des heures supplémentaires.

2. Cet horaire de travail est affiché conformément aux paragraphes 170 et 172 du *Code canadien du travail*. Ces dispositions exigent qu'un avis de l'horaire proposé doit être affiché pendant au moins trente jours avant sa prise d'effet et que l'employeur ainsi qu'au moins 70 % des employés concernés doivent l'approuver. Le paragraphe 5(2) du *Règlement du Canada sur les normes du travail* exige que les renseignements relatifs à l'horaire de travail modifié soient affichés en permanence durant la période de validité de cet horaire.

DORS/94-668, art. 15; DORS/2014-305, art. 12-13

Annexe IV — Avis du calcul de la moyenne des heures de travail

(*article 6*)

a) Nom de l'employeur : . . . .

b) L'identité des employés concernés : . . . .

c) Adresse ou emplacement du lieu de travail : . . . .

d) Nombre de semaines servant au calcul de la moyenne : . . . .

e) Renseignement permettant d'établir que la nature du travail dans l'établissement nécessite une répartition irrégulière des heures de travail :

. . . .

f) Raisons de la durée de la période de calcul de la moyenne : . . . .

g) Date de prise d'effet du régime de calcul de la moyenne des heures de travail :........./........./.........

h) Date de cessation d'effet de ce régime :........./........./.........

i) Date d'affichage de l'avis :........./........./.........

Notes:

Le présent avis est affiché conformément à l'article 6 du *Règlement du Canada sur les normes du travail*, qui exige que l'employeur informe les employés concernés au sujet du régime de calcul de la moyenne des heures de travail au moins 30 jours avant sa prise d'effet et que les renseignements contenus dans cet avis soient affichés en permanence pendant la durée de ce régime.

DORS/94-668, art. 15

ANNEXE V
(*paragraphe 10(3)*)

(*Abrogée*).
DORS/99-337, art. 3

[CAN-2.3]
TABLE DES MATIÈRES
RÈGLEMENT DU CANADA SUR LES RELATIONS INDUSTRIELLES

[CAN-2.3]
RÈGLEMENT DU CANADA SUR LES RELATIONS INDUSTRIELLES

édicté en vertu du *Code canadien du travail*, L.R.C. (1985), ch. L-2

DORS/2002-54, (2002) 136 Gaz. Can. II, 385

DÉFINITIONS

1. Les définitions qui suivent s'appliquent au présent règlement.

« directeur du Service » Le représentant principal du programme du travail désigné comme chef du Service. (Head of FMCS)

« directeur général » Le directeur général du Service.

« Loi » La partie I du *Code canadien du travail*.

« organisation » Personne morale ou association sans personnalité morale. La présente définition vise également un syndicat.

« Service » Le Service fédéral de médiation et de conciliation visé à l'article 70.1 de la Loi. (FMCS)

AVIS, DEMANDES ET RAPPORTS AU MINISTRE

2. (1) Sous réserve du paragraphe (2), tout avis, demande ou rapport destiné au ministre selon la Loi peut être donné ou présenté soit au directeur du Service, soit au directeur général, ou être reçu par l'un d'eux.

(2) La demande adressée au ministre en vertu des paragraphes 57(2), (3) ou (4) de la Loi peut être présentée à celui-ci ou au directeur général.

AVIS ET DEMANDES PAR LE MINISTRE

3. (1) Sous réserve du paragraphe (2), tout avis ou demande qui relève du ministre aux termes de la Loi peut être donné ou transmis en son nom soit par le directeur du Service, soit par le directeur général.

(2) Tout avis qui peut être donné ou transmis par le ministre relativement à la demande visée aux paragraphes 57(2), (3) ou (4) de la Loi peut également être donné ou transmis en son nom par le directeur général.

4. (1) Un avis ou un rapport que la Loi enjoint ou permet au ministre, à un commissaire-conciliateur, à une commission de conciliation ou à une commission d'enquête industrielle de donner à tout particulier ou organisation a valeur de signification suffisante s'il est donné ou transmis de l'une ou l'autre des façons suivantes :

a) par courrier recommandé ou par messager adressé à ce particulier ou à cette organisation, à sa dernière adresse connue, à son adresse habituelle ou à son lieu d'affaires;

b) en signifiant personnellement une copie du document :

(i) dans le cas d'un particulier, à celui-ci ou, en son absence, à un autre particulier qui semble être âgé d'au moins seize ans, à la dernière adresse connue du particulier, à son adresse habituelle ou à son lieu d'affaires,

(ii) dans le cas d'une organisation, à un dirigeant ou à un employé de celle-ci;

c) par télécopieur;

d) par courrier électronique.

(2) Malgré le paragraphe (1), un avis qui peut être donné ou transmis par le ministre ou en son nom relativement à la demande visée aux paragraphes 57(2), (3) ou (4) de la Loi peut être envoyé par courrier ordinaire.

AVIS DE NÉGOCIATION COLLECTIVE

5. (1) Un avis de négociation collective donné en vertu de la Loi doit être donné par écrit, daté et signé par la partie qui le donne ou en son nom.

(2) L'avis peut préciser l'article de la Loi qui l'autorise, ainsi que fixer un lieu et une date convenables pour le commencement des négociations collectives.

AVIS DE DIFFÉREND ET DEMANDE DE SERVICES DE CONCILIATION

6. (1) L'avis de différend destiné au ministre en application de l'article 71 de la Loi doit être donné par écrit et comporter les renseignements suivants :

a) les nom et adresse de la partie qui donne l'avis;

b) les nom et adresse de l'autre partie au différend;

c) la date à laquelle l'avis de négociation collective a été donné;

d) les mesures prises, les progrès accomplis et les difficultés éprouvées au cours des négociations collectives qui ont eu lieu après que l'avis de négociation collective a été donné;

e) les points qui restent à régler;

f) la date et le résultat de tout scrutin sur la grève ou le lock-out tenu conformément à l'article 87.3 de la Loi;

g) des précisions sur la conclusion d'une entente entre les parties, le cas échéant, concernant le maintien de certaines activités conformément à l'article 87.4 de la Loi.

(2) L'avis doit être signé par la partie qui le donne ou en son nom et être accompagné des documents suivants :

a) une copie de l'avis de négociation collective;

b) un exemplaire de la convention collective la plus récente conclue par les parties;

c) une copie de toute entente sur le maintien de certaines activités intervenue entre les parties en application de l'article 87.4 de la Loi.

PRÉAVIS DE GRÈVE OU DE LOCK-OUT

7. (1) Le préavis de grève ou de lock-out visé à l'article 87.2 de la Loi doit être signifié à l'autre partie au litige, être daté et signé par la partie qui le donne ou en son nom et comporter les renseignements suivants :

a) les nom et adresse de la partie qui donne le préavis;

b) le nombre d'employés de l'unité de négociation qui seront touchés par la grève ou le lock-out;

c) les date et heure du début de la grève ou du lock-out;

d) la mention qu'il s'agit d'un premier préavis prévu aux paragraphes 87.2(1) et (2) de la Loi ou d'un nouveau préavis prévu au paragraphe 87.2(3) de la Loi.

(2) Une copie du préavis est donnée en même temps au ministre selon les modalités prévues au paragraphe (1).

DEMANDE DE NOMINATION D'UN ARBITRE

8. (1) Une demande adressée au ministre en vue de la nomination d'un arbitre en application des paragraphes 57(2), (3) ou (4) de la Loi ou du président d'un conseil d'arbitrage visé au paragraphe 57(4) de la Loi doit comporter les renseignements suivants :

a) les nom et adresse de la partie qui présente la demande et de son représentant;

b) les nom et adresse de l'autre partie au désaccord et de son représentant;

c) les nom et adresse des représentants des parties au conseil dans les cas où un conseil d'arbitrage doit être constitué;

d) la nature du désaccord et la date où il s'est produit.

(2) La demande doit être signée par la partie qui la présente ou en son nom et être accompagnée des documents suivants :

a) une copie de la formule de grief, le cas échéant, qui est prescrite par la convention collective;

b) un exemplaire de la convention collective signée par les parties;

c) une copie de toute la correspondance pertinente échangée par les parties jusqu'à la date de la demande.

ORDONNANCES OU DÉCISIONS ARBITRALES

9. Une copie de chaque ordonnance ou décision visée à l'article 59 de la Loi doit être transmise au ministre dans les quinze jours suivant la date de l'ordonnance ou de la décision, par mise à la poste d'une copie adressée au directeur général.

ABROGATION

10. (*Omis*).

ENTRÉE EN VIGUEUR

11. (*Omis*).

[CAN-3]
CODE CRIMINEL

L.R.C. (1985), ch. C-46, extraits (art. 217, 217.1, 219, 425.1)

. . . . .

PARTIE VIII — INFRACTIONS CONTRE LA PERSONNE ET LA RÉPUTATION

. . . . .

Devoirs tendant à la conservation de la vie

217. Obligation des personnes qui s'engagent à accomplir un acte — Quiconque entreprend d'accomplir un acte est légalement tenu de l'accomplir si une omission de le faire met ou peut mettre la vie humaine en danger.

217.1 Obligation de la personne qui supervise un travail — Il incombe à quiconque dirige l'accomplissement d'un travail ou l'exécution d'une tâche ou est habilité à le faire de prendre les mesures voulues pour éviter qu'il n'en résulte de blessure corporelle pour autrui.

2003, ch. 21, art. 3

. . . . .

Négligence criminelle

219. (1) Négligence criminelle — Est coupable de négligence criminelle quiconque :

a) soit en faisant quelque chose;

b) soit en omettant de faire quelque chose qu'il est de son devoir d'accomplir,

montre une insouciance déréglée ou téméraire à l'égard de la vie ou de la sécurité d'autrui.

(2) **Définition de « devoir »** — Pour l'application du présent article, « **devoir** » désigne une obligation imposée par la loi.

. . . . .

PARTIE X — OPÉRATIONS FRAUDULEUSES EN MATIÈRE DE CONTRATS ET DE COMMERCE

Définitions

425.1 (1) Menaces et représailles — Commet une infraction quiconque, étant l'employeur ou une personne agissant au nom de l'employeur, ou une personne en situation d'autorité à l'égard d'un employé, prend des sanctions disciplinaires, rétrograde ou congédie un employé ou prend d'autres mesures portant atteinte à son emploi — ou menace de le faire :

a) soit avec l'intention de forcer l'employé à s'abstenir de fournir, à une personne dont les attributions comportent le contrôle d'application d'une loi fédérale ou provinciale, des renseignements portant sur une infraction à la présente loi, à toute autre loi fédérale ou à une loi provinciale — ou à leurs règlements — qu'il croit avoir été ou être en train d'être commise par l'employeur ou l'un de ses dirigeants ou employés ou, dans le cas d'une personne morale, l'un de ses administrateurs;

b) soit à titre de représailles parce que l'employé a fourni de tels renseignements à une telle personne.

(2) **Peine** — Quiconque commet l'infraction prévue au paragraphe (1) est coupable :

a) soit d'un acte criminel et passible d'un emprisonnement maximal de cinq ans;

b) soit d'une infraction punissable sur déclaration de culpabilité par procédure sommaire.

2004, ch. 3, art. 6

. . . . .

[CAN-4]
TABLE DES MATIÈRES
LOI SUR L'ÉQUITÉ EN MATIÈRE D'EMPLOI

[CAN-4]
LOI SUR L'ÉQUITÉ EN MATIÈRE D'EMPLOI

Loi concernant l'équité en matière d'emploi

L.C. 1995, ch. 44, telle que modifiée par L.C. 1993, ch. 28, art. 78 (ann. III, art. 46) [Modifié par 1998, ch. 15, art. 25.]; 1998, ch. 9, art. 37–41; 2001, ch. 34, art. 40; 2002, ch. 7, art. 162 (A.); 2002, ch. 8, art. 182(1)n); 2003, ch. 22, art. 163(1)–(3), (4) (A.), 164, 165(1), (2) (A.), 224z.31) (A.), 236 (A.), 237(1), (2) (A.), 238(1), (2) (A.); 2005, ch. 10, art. 34(1)i); 2012, ch. 19, art. 602; 2014, ch. 20, art. 463.

[Note de l'éditeur : Certaines dispositions de la présente Loi ont été adaptées par règlement afin que la partie II de la Loi s'applique au Service canadien du renseignement de sécurité. Pour le texte complet des dispositions adaptées pertinentes, veuillez consulter DORS/2002-423, Règlement adaptant la Loi sur l'équité en matière d'emploi à l'égard du Service canadien du renseignement de sécurité.*]*

Sa Majesté, sur l'avis et avec le consentement du Sénat et de la Chambre des communes du Canada, édicte :

TITRE ABRÉGÉ

1. Titre abrégé — *Loi sur l'équité en matière d'emploi.*

OBJET

2. Objet — La présente loi a pour objet de réaliser l'égalité en milieu de travail de façon que nul ne se voie refuser d'avantages ou de chances en matière d'emploi pour des motifs étrangers à sa compétence et, à cette fin, de corriger les désavantages subis, dans le domaine de l'emploi, par les femmes, les autochtones, les personnes handicapées et les personnes qui font partie des minorités visibles, conformément au principe selon lequel l'équité en matière d'emploi requiert, outre un traitement identique des personnes, des mesures spéciales et des aménagements adaptés aux différences.

DÉFINITIONS

3. Définitions — Les définitions qui suivent s'appliquent à la présente loi.

« agent d'application » Agent désigné à titre d'agent de vérification de la conformité à l'équité en matière d'emploi en application du paragraphe 22(3). *(« compliance officer »)*

« autochtones » Les Indiens, les Inuit et les Métis. *(« aboriginal peoples »)*

« Comité » [Abrogée, 1998, ch. 9, art. 37(1).]

« Commission » La Commission canadienne des droits de la personne constituée par l'article 26 de la *Loi canadienne sur les droits de la personne. (« Commission »)*

« employeur du secteur privé » Quiconque emploie au moins cent salariés au sein ou dans le cadre d'une entreprise fédérale au sens de l'article 2 du *Code* *canadien du travail*, ainsi que toute personne morale employant au moins cent salariés et constituée pour l'accomplissement de fonctions au nom du gouvernement du Canada, à l'exclusion :

a) d'une personne qui emploie des salariés au sein ou dans le cadre d'une entreprise, d'une affaire ou d'un ouvrage de nature locale et privée au Yukon, dans les Territoires du Nord-Ouest ou au Nunavut;

b) d'un établissement public assimilé à un ministère aux termes de la *Loi sur la gestion des finances publiques*.

(« private sector employer »)

« groupes désignés » Les femmes, les autochtones, les personnes handicapées et les personnes qui font partie des minorités visibles. *(« designated groups »)*

« ministre » Le membre du Conseil privé de la Reine pour le Canada chargé par le gouverneur en conseil de l'application de la présente loi. *(« Minister »)*

« minorités visibles » Font partie des minorités visibles les personnes, autres que les autochtones, qui ne sont pas de race blanche ou qui n'ont pas la peau blanche. *(« members of visible minorities »)*

« personnes handicapées » Les personnes qui ont une déficience durable ou récurrente soit de leurs capacités physiques, mentales ou sensorielles, soit d'ordre psychiatrique ou en matière d'apprentissage et :

a) soit considèrent qu'elles ont des aptitudes réduites pour exercer un emploi;

b) soit pensent qu'elles risquent d'être classées dans cette catégorie par leur employeur ou par d'éventuels employeurs en raison d'une telle déficience.

La présente définition vise également les personnes dont les limitations fonctionnelles liées à leur déficience font l'objet de mesures d'adaptation pour leur emploi ou dans leur lieu de travail. *(« persons with disabilities »)*

« population apte au travail » Ensemble des personnes, au Canada, en âge de travailler et capables et désireuses de le faire. *(« Canadian workforce »)*

« président » Le président du Tribunal canadien des droits de la personne. *(« Chairperson »)*

« représentants » Les personnes que les salariés ont désignées pour les représenter ou, le cas échéant, les agents négociateurs des salariés. *(« representatives »)*

« tribunal » Le Tribunal de l'équité en matière d'emploi constitué en application du paragraphe 28(1). *(« Tribunal »)*

1993, ch. 28, art. 78 (ann. III, art. 46) [Modifié par 1998, ch. 15, art. 25.]; 1998, ch. 9, art. 37

CHAMP D'APPLICATION

4. (1) Champ d'application — La présente loi s'applique à :

a) tous les employeurs du secteur privé;

b) tous les secteurs de l'administration publique fédérale mentionnés aux annexes I ou IV de la *Loi sur la gestion des finances publiques*;

c) tout secteur de l'administration publique fédérale figurant à l'annexe V de la *Loi sur la gestion des finances publiques* et comportant au moins cent salariés;

d) tout autre élément du secteur public comportant au moins cent salariés, notamment les Forces canadiennes et la Gendarmerie royale du Canada, qui est désigné par décret pris sur la recommandation du Conseil du Trésor, après consultation avec le ministre responsable de l'élément du secteur public visé par le décret.

(2) **Gendarmerie royale du Canada** — Pour l'application de la présente loi :

a) la Gendarmerie royale du Canada est réputée être composée uniquement de ses membres au sens de la définition donnée à ce terme à l'article 2 de la *Loi sur la Gendarmerie royale du Canada*;

b) la Gendarmerie royale du Canada est réputée ne pas être mentionnée à l'annexe IV de la *Loi sur la gestion des finances publiques*;

c) le personnel civil nommé ou employé conformément à l'article 10 de la *Loi sur la Gendarmerie royale du Canada* est réputé mentionné à l'annexe IV de la *Loi sur la gestion des finances publiques*.

(3) **Forces canadiennes et Gendarmerie royale du Canada** — Pour l'application de la présente loi, les membres des Forces canadiennes et de la Gendarmerie royale du Canada sont réputés être des salariés.

(4) **Obligations du Conseil du Trésor et de la Commission de la fonction publique** — Le Conseil du Trésor et la Commission de la fonction publique, chacun agissant dans les limites de ses attributions en vertu de la *Loi sur la gestion des finances publiques* et en vertu de la *Loi sur l'emploi dans la fonction publique*, sont chargés des obligations que la présente loi impose aux employeurs à l'égard des salariés qui font partie des secteurs de l'administration publique fédérale visés à l'alinéa (1)b).

(5) **Présomption** — Chaque élément du secteur public visé aux alinéas (1)c) ou d) est, pour l'application de la présente loi, réputé, à l'égard de ses salariés, être un employeur; toutefois, dans la mesure où la Commission de la fonction publique exerce à l'égard de cet élément des attributions en vertu de la *Loi sur l'emploi dans la fonction publique*, cet employeur et la Commission sont chargés des obligations que la présente loi impose aux employeurs.

(6) **Règle d'interprétation** — Dans la présente loi, un renvoi à l'employeur est, dans le cas des secteurs de l'administration publique visés à l'alinéa (1)b), réputé constituer un renvoi au Conseil du Trésor et à la Commission de la fonction publique — chacun agissant dans les limites de ses attributions en vertu de la *Loi sur la gestion des finances publiques* et de la *Loi sur l'emploi dans la fonction publique* — et, dans le cas des éléments du secteur public visés aux alinéas (1)c) et d) à l'égard desquels la Commission de la fonction publique exerce des attributions en vertu de la *Loi sur l'emploi dans la fonction publique*, réputé constituer un renvoi à ce secteur et à la Commission.

(7) **Délégation** — Pour permettre l'exercice des obligations que leur impose la présente loi à l'égard d'un secteur de l'administration publique fédérale ou élément du secteur public visés au paragraphe (1), le Conseil du Trésor et la Commission de la fonction publique peuvent déléguer au premier dirigeant ou à l'administrateur général intéressés l'exercice de celles de leurs attributions qui sont mentionnées au présent article.

(8) **Subdélégation** — Les délégataires visés au paragraphe (7) peuvent, compte tenu des conditions et modalités de la délégation, subdéléguer à une ou plusieurs autres personnes les attributions qui leur ont été ainsi conférées.

2001, ch. 34, art. 40; 2003, ch. 22, art. 163(1)–(3)

PARTIE I — ÉQUITÉ EN MATIÈRE D'EMPLOI (ART. 5–21)

Obligations de l'employeur

5. Obligations de l'employeur — L'employeur est tenu de réaliser l'équité en matière d'emploi par les actions suivantes :

a) détermination et suppression des obstacles à la carrière des membres des groupes désignés découlant de ses systèmes, règles et usages en matière d'emploi non autorisés par une règle de droit;

b) instauration de règles et d'usages positifs et prise de mesures raisonnables d'adaptation pour que le nombre de membres de ces groupes dans chaque catégorie professionnelle de son effectif reflète leur représentation :

(i) au sein de la population apte au travail,

(ii) dans les secteurs de la population apte au travail susceptibles d'être distingués en fonction de critères de compétence, d'admissibilité ou d'ordre géographique où il serait fondé à choisir ses salariés.

6. Portée de l'obligation de l'employeur — L'obligation de mise en oeuvre de l'équité en matière d'emploi n'oblige pas l'employeur :

a) à prendre des mesures susceptibles de lui causer un préjudice injustifié;

b) à engager ou promouvoir des personnes qui ne possèdent pas les qualifications essentielles pour le travail à accomplir;

c) en ce qui concerne le secteur public, à engager ou promouvoir des personnes sans égard au mérite, dans les cas où la *Loi sur l'emploi dans la fonction publique* exige que la sélection soit faite au mérite;

d) à créer de nouveaux postes.

2003, ch. 22, art. 237(1)

7. Emploi des autochtones — Par dérogation aux autres dispositions de la présente loi, l'employeur du secteur privé dont les activités sont principalement axées sur la promotion des intérêts des autochtones peut n'employer que des autochtones ou leur donner la préférence à l'embauche sauf si cette pratique est jugée discriminatoire sous le régime de la *Loi canadienne sur les droits de la personne*.

8. (1) Présomption quant aux droits d'ancienneté — Les dispositions des conventions collectives et les pratiques établies des employeurs concernant les droits d'ancienneté des salariés à l'égard des licenciements et des rappels ne sont pas réputées constituer des obstacles à la carrière au sens de la présente loi.

(2) Politiques d'adaptation — Sont réputés ne pas constituer des obstacles à la carrière au sens de la présente loi, sauf s'ils constituent des pratiques discriminatoires au sens de la *Loi canadienne sur les droits de la personne*, les droits d'ancienneté des salariés, autres que ceux mentionnés au paragraphe (1), qui découlent notamment :

a) des politiques d'adaptation de la main-d'oeuvre mises en oeuvre par les employeurs pour réduire ou restructurer leurs effectifs;

b) d'une convention collective;

c) d'une pratique établie de l'employeur.

(3) **Modifications** — Par dérogation aux paragraphes (1) et (2), lorsqu'il est constaté, à l'occasion de l'étude effectuée en conformité avec l'alinéa 9(1)b), que l'exercice d'un droit d'ancienneté visé par ces paragraphes et prévu dans une convention collective peut avoir des effets négatifs sur les chances d'emploi de membres de groupes désignés, l'employeur et les représentants sont tenus de se consulter en vue de prendre les mesures souhaitables pour minimiser ces effets.

(4) **Secteur public** — En ce qui concerne le secteur public, ne constituent pas des obstacles à la carrière au sens de la présente loi :

a) les priorités en matière de nomination établies en vertu de la *Loi sur l'emploi dans la fonction publique* ou des règlements pris par la Commission de la fonction publique;

b) les mesures de restructuration des effectifs prises par le Conseil du Trésor, notamment celles qui figurent dans les accords portant sur le réaménagement des effectifs, et par la Commission de la fonction publique ou les autres éléments du secteur public visés aux alinéas 4(1)c) et d).

2003, ch. 22, art. 164

9. (1) Analyses — En vue de réaliser l'équité en matière d'emploi, il incombe à l'employeur :

a) conformément aux règlements, de recueillir des renseignements sur son effectif et d'effectuer des analyses sur celui-ci afin de mesurer la sous-représentation des membres des groupes désignés dans chaque catégorie professionnelle;

b) d'étudier ses systèmes, règles et usages d'emploi, conformément aux règlements, afin de déterminer les obstacles en résultant pour les membres des groupes désignés.

(2) **Auto-identification** — En vue de réaliser l'équité en matière d'emploi, seuls sont pris en compte dans les groupes correspondants les salariés qui s'identifient auprès de l'employeur, ou acceptent de l'être par lui, comme autochtones, personnes handicapées ou faisant partie des minorités visibles.

(3) **Confidentialité des renseignements** — Les renseignements recueillis par l'employeur dans le cadre de l'alinéa (1)a) sont confidentiels et ne peuvent être utilisés que pour permettre à l'employeur de remplir ses obligations dans le cadre de la présente loi.

10. (1) Plan — L'employeur est tenu d'élaborer un plan d'équité en matière d'emploi comportant les éléments suivants :

a) les règles et usages positifs à instituer à court terme d'une part en matière de recrutement, de formation, d'avancement et de maintien en fonction des membres des groupes désignés et, d'autre part, pour la prise de mesures d'adaptation raisonnables à leur égard, afin de corriger la sous-représentation constatée par l'analyse visée à l'alinéa 9(1)a);

b) les mesures à prendre à court terme en vue de la suppression des obstacles déterminés par l'étude visée à l'alinéa 9(1)b);

c) le calendrier de mise en oeuvre des mesures et des règles et usages;

d) si l'analyse révèle une sous-représentation au sein de son effectif, les objectifs quantitatifs à court terme de recrutement et d'avancement des membres des groupes désignés visant à la corriger dans chaque catégorie professionnelle où il existe une sous-représentation, de même que les mesures à prendre chaque année en vue d'atteindre ces objectifs;

e) ses objectifs à long terme en vue de l'augmentation de la représentation des membres des groupes désignés dans son effectif et sa stratégie pour atteindre ces objectifs;

f) tout autre élément prévu par règlement.

(2) **Facteurs** — Dans l'établissement des objectifs quantitatifs à court terme, l'employeur tient compte des facteurs suivants :

a) la sous-représentation des membres des groupes désignés dans chaque catégorie professionnelle de son effectif;

b) la disponibilité de membres compétents des groupes désignés dans son effectif ainsi que dans la population apte au travail;

c) l'augmentation ou la réduction prévue de son effectif au cours de la période visée par les objectifs;

d) le roulement prévu au sein de son effectif au cours de la période visée par les objectifs;

e) tout autre facteur prévu par règlement.

(3) **Définitions** — Pour l'application du présent article, le court terme s'entend d'une période comprise entre un an et trois ans, et le long terme d'une période supérieure à trois ans.

11. **Progrès raisonnables** — L'employeur est tenu de veiller à ce que la mise en oeuvre de son plan d'équité en matière d'emploi se traduise par des progrès raisonnables dans la réalisation de l'équité en matière d'emploi visée par la présente loi.

12. **Mise en oeuvre et suivi du plan** — Il incombe à l'employeur de prendre toutes les mesures raisonnables en vue de la mise en oeuvre de son plan et d'assurer le suivi régulier de celle-ci pour contrôler si des progrès raisonnables sont réalisés.

13. **Révision périodique** — Au moins une fois au cours de la période pour laquelle les objectifs quantitatifs à court terme sont fixés, l'employeur procède à la révision de son plan en lui apportant les aménagements rendus nécessaires du fait du suivi ou du changement de sa situation et en adaptant les objectifs quantitatifs, compte tenu des facteurs visés au paragraphe 10(2).

14. **Information à fournir aux salariés** — L'employeur informe ses salariés sur l'objet de l'équité en matière d'emploi et leur fait part des mesures qu'il a prises ou qu'il entend prendre pour réaliser l'équité en matière d'emploi, ainsi que des progrès qu'il a accomplis dans ce domaine.

15. (1) **Consultation des représentants des salariés** — L'employeur consulte les représentants des salariés et les invite à donner leur avis sur les questions suivantes :

a) l'assistance que les représentants pourraient apporter à l'employeur pour faciliter la réalisation de l'équité en matière d'emploi au sein de l'effectif et la communication aux salariés de questions liées à l'équité en matière d'emploi;

b) l'élaboration, la mise en oeuvre et la révision de son plan d'équité en matière d'emploi.

(2) **Obligation des représentants** — Lorsque les salariés sont représentés par des agents négociateurs, ceux-ci sont tenus de participer aux consultations.

(3) **Collaboration** — L'employeur et les représentants des salariés doivent collaborer à l'élaboration, la mise en oeuvre et la révision du plan d'équité en matière d'emploi.

(4) **Règle d'interprétation** — La consultation et la collaboration visées au présent article ne sont pas une forme de cogestion.

16. (1) **Nouveaux employeurs** — Quiconque devient un employeur après l'entrée en vigueur du présent article dispose alors de dix-huit mois pour se conformer aux articles 9 et 10.

(2) **Contrôle d'application** — Le nouvel employeur visé au paragraphe (1) ne peut faire l'objet d'un contrôle d'application avant l'expiration de deux ans à compter du jour où il devient un employeur.

Dossiers et rapports

17. **Dossiers à tenir** — L'employeur tient, conformément aux règlements, des dossiers d'équité en matière d'emploi concernant son effectif, son plan et la réalisation de l'équité en matière d'emploi.

18. (1) **Rapport de l'employeur du secteur privé** — Au plus tard le 1er juin de chaque année, l'employeur du secteur privé dépose auprès du ministre, pour l'année civile précédente, un rapport comportant les renseignements conformes aux instructions réglementaires, et établi en la forme et selon les modalités réglementaires, qui donne les renseignements suivants :

a) les branches d'activité de ses salariés, le lieu de son établissement et le lieu de travail de ses salariés, le nombre de ceux-ci et celui des membres des groupes désignés qui en font partie;

b) les catégories professionnelles qui composent son personnel et la représentation des membres de ces groupes dans chacune d'elles;

c) les échelles de rémunération de ses salariés et la représentation des membres de ces groupes figurant à chacune d'elles ou à chacun de leurs échelons réglementaires;

d) le nombre des recrutements, des avancements et des cessations de fonctions ainsi que, dans chaque cas, la représentation des membres des mêmes groupes.

(2) **Définition de « employeur »** — Pour l'application du paragraphe (1), l'employeur est l'employeur au 31 décembre de l'année visée par le rapport.

(3) **Transmission électronique** — L'employeur peut transmettre le rapport par voie électronique selon les modalités que le ministre établit par écrit; le rapport est alors réputé déposé auprès du ministre le jour où celui-ci en accuse réception.

(4) **Auto-identification** — Pour l'application du paragraphe (1), seuls sont pris en compte dans les groupes correspondants les salariés qui s'identifient auprès de l'employeur, ou acceptent de l'être par lui, comme autochtones, personnes handicapées ou faisant partie des minorités visibles.

(5) **Attestation d'exactitude** — L'exactitude des renseignements fournis dans le rapport visé au paragraphe (1) est attestée selon les modalités réglementaires. L'attestation est signée par l'employeur ou, dans le cas d'une personne morale, par son mandataire désigné par règlement.

(6) **Renseignements supplémentaires** — L'employeur ajoute dans son rapport les éléments suivants :

a) l'énoncé des mesures prises en vue de réaliser l'équité en matière d'emploi et les résultats obtenus;

b) le compte rendu des consultations tenues avec les représentants en vue de réaliser l'équité en matière d'emploi.

(7) **Employeur unique** — Pour l'application de la présente loi, le ministre peut, sur demande, autoriser les employeurs qui, à son avis, exploitent des entreprises fédérales associées ou connexes, à déposer un seul rapport à l'égard des salariés qu'ils emploient dans le cadre de ces entreprises.

(8) **Exemptions de rapport** — Le ministre peut, sur demande, exempter pour une période d'au plus un an un employeur de l'une ou l'autre des obligations prévues au présent article si, à son avis, des circonstances spéciales le justifient.

(9) **Copie aux représentants** — Dès qu'il dépose un rapport auprès du ministre, l'employeur en remet une copie aux représentants.

(10) **Copie à la Commission** — Dès qu'il reçoit un rapport, le ministre en fait parvenir une copie à la Commission.

19. (1) Rapports mis à la disposition du public — Sous réserve du paragraphe (2), le public peut consulter les rapports visés au paragraphe 18(1) aux lieux et en la forme désignés par le ministre et en obtenir un exemplaire auprès de celui-ci contre versement d'un droit réglementaire n'excédant pas le prix coûtant.

(2) **Discrétion ministérielle** — À la demande de l'employeur, le ministre peut retenir le rapport pour une période maximale d'un an si, à son avis, des circonstances spéciales justifient le report de la mise à disposition.

20. Regroupement des rapports du secteur privé à déposer devant le Parlement — Chaque année le ministre regroupe les rapports visés au paragraphe 18(1) en un rapport unique qu'il assortit d'une analyse. Il le fait déposer devant chaque chambre du Parlement dans les quinze premiers jours de séance de celle-ci suivant son achèvement.

21. (1) Rapport du Conseil du Trésor — À chaque exercice, le président du Conseil du Trésor fait déposer devant chaque chambre du Parlement un rapport sur la situation en ce qui touche l'équité en matière d'emploi au sein des secteurs de l'administration publique fédérale visés à l'alinéa 4(1)b) pour le précédent exercice.

(2) **Contenu du rapport** — Le rapport donne :

a) la présentation et l'analyse des renseignements suivants :

(i) le nombre de salariés travaillant au sein de chaque secteur de l'administration publique fédérale mentionné à l'alinéa 4(1)b) et celui des membres de chacun des groupes désignés qui en font partie,

(ii) le nombre de salariés de l'ensemble des secteurs de l'administration publique fédérale mentionnés à l'alinéa 4(1)b) dans chaque province et dans la région de la Capitale nationale, et celui des membres de chacun des groupes désignés qui en font partie,

(iii) les catégories professionnelles des salariés et la représentation des membres de chacun de ces groupes dans chacune d'elles,

(iv) les échelles de rémunération des salariés et la représentation des membres de chacun de ces groupes figurant à chacune d'elles ou à chacun de leurs échelons,

(v) le nombre des recrutements, des avancements et des cessations d'emploi ainsi que, dans chaque cas, la représentation des membres de chacun de ces groupes;

b) l'énoncé des principales mesures prises par le Conseil du Trésor en vue de réaliser l'équité en matière d'emploi et les résultats obtenus;

c) le compte rendu des consultations tenues avec les représentants en vue de réaliser l'équité en matière d'emploi;

d) les autres renseignements que le président du Conseil du Trésor juge utiles.

(3) **Obligation de fournir les renseignements** — Les éléments du secteur public visés aux alinéas 4(1)c) ou d), à l'exception du Service canadien du renseignement de sécurité, sont tenus chacun de fournir au président du Conseil du Trésor, dans les six premiers mois de chaque exercice, un rapport sur l'état de l'équité en matière d'emploi au sein de l'élément à la fin de l'exercice précédent donnant les renseignements mentionnés au paragraphe (4), le président étant tenu de les faire déposer devant chaque chambre du Parlement avec le rapport visé au paragraphe (1).

(4) **Contenu du rapport** — Le rapport donne :

a) les renseignements visés aux sous-alinéas (2)a)(i) à (v) en ce qui a trait à l'élément;

b) l'analyse de ces renseignements;

c) les renseignements visés aux alinéas (2)b) à d) en ce qui a trait à l'élément.

(5) **Obligation de fournir les renseignements** — Le Service canadien du renseignement de sécurité est tenu de fournir au président du Conseil du Trésor, dans les six premiers mois de chaque exercice, un rapport sur l'état de l'équité en matière d'emploi au sein de l'élément à la fin de l'exercice précédent donnant les renseignements mentionnés au paragraphe (6), le président étant tenu de le faire déposer devant chaque chambre du Parlement avec le rapport visé au paragraphe (1).

(6) **Contenu du rapport** — Le rapport donne :

a) le pourcentage des salariés travaillant au sein de l'élément qui sont membres de chacun des groupes désignés;

b) les catégories professionnelles des salariés de l'élément et le pourcentage des membres de chacun de ces groupes dans chacune d'elles;

c) les échelles de rémunération des salariés et le pourcentage des membres de chacun de ces groupes figurant à chacune d'elles ou à chacun de leurs échelons;

d) le pourcentage des recrutements, des avancements et des cessations d'emploi pour chacun de ces groupes;

e) l'analyse de ces renseignements;

f) les renseignements visés aux alinéas (2)b) à d) en ce qui a trait à l'élément.

(7) **Envoi d'exemplaires à la Commission** — Dans les meilleurs délais suivant le dépôt d'un rapport devant les

chambres du Parlement, le président du Conseil du Trésor en envoie un exemplaire à la Commission.

(8) Envoi d'exemplaires aux représentants — Dans les meilleurs délais suivant le dépôt d'un rapport devant les chambres du Parlement, un exemplaire de celui-ci est envoyé aux représentants :

a) dans le cas du rapport visé au paragraphe (1), par le président du Conseil du Trésor;

b) dans le cas du rapport visé au paragraphe (3), par les éléments du secteur public visés à ce paragraphe;

c) dans le cas du rapport visé au paragraphe (5), par le Service canadien du renseignement de sécurité.

2003, ch. 22, art. 165(1)

PARTIE II — APPLICATION (ART. 22–34)

[Note de l'éditeur : Certaines dispositions de la présente Loi ont été adaptées par règlement afin que la partie II de la Loi s'applique au Service canadien du renseignement de sécurité. Pour le texte complet des dispositions adaptées pertinentes, veuillez consulter DORS/2002-423, Règlement adaptant la Loi sur l'équité en matière d'emploi à l'égard du Service canadien du renseignement de sécurité.*]*

Contrôle d'application

22. (1) Contrôle d'application — La Commission est responsable de la détermination de l'observation par les employeurs des articles 5, 9 à 15 et 17.

(2) Orientation générale — Dans l'exercice de la responsabilité que lui confère le paragraphe (1), la Commission est tenue, en cas de non-observation, de mettre en oeuvre, dans toute la mesure du possible, une politique de règlement négocié en vue de l'obtention d'un engagement sous le régime du paragraphe 25(1) et de n'avoir recours aux ordres et ordonnances respectivement visés aux paragraphes 25(2) et (3) et 27(2) qu'en dernier lieu.

(3) Désignation — La Commission peut désigner toute personne, à titre individuel ou collectif, comme agent de vérification de la conformité à l'équité en matière d'emploi.

(4) Restriction — La personne chargée en vertu de l'article 43 de la *Loi canadienne sur les droits de la personne* de faire enquête sur une plainte déposée sous le régime de cette loi à l'égard d'un employeur ne peut, tant que dure l'enquête, être désignée à titre d'agent d'application à l'égard du même employeur.

(5) Délégation par la Commission — La Commission peut déléguer à ses agents qu'elle estime qualifiés l'exercice des attributions que lui confère la présente loi; les actes du délégataire sont alors réputés être ceux de la Commission.

23. (1) Attributions des agents d'application — Pour contrôler l'observation des articles mentionnés au paragraphe 22(1), l'agent d'application peut procéder à un contrôle d'application de l'employeur et :

a) à toute heure convenable, procéder à la visite de tout lieu où il croit, pour des motifs raisonnables, pouvoir trouver tout objet lié à l'application de la présente loi ou de ses règlements;

b) exiger, aux fins d'examen ou de reproduction, la communication des registres, des livres de comptes ou d'autres documents où il croit, pour des motifs raisonnables, pouvoir trouver des renseignements utiles.

(2) **Données** — Dans le cadre de sa visite, l'agent peut :

a) obtenir les documents sous forme d'imprimé ou toute autre forme intelligible à partir de tout système informatique et les emporter aux fins d'examen ou de reproduction;

b) utiliser ou faire utiliser le matériel de reprographie se trouvant sur place pour reproduire les documents.

(3) **Certificat à produire** — L'agent reçoit un certificat établi en la forme fixée par la Commission et attestant sa qualité, qu'il présente, sur demande, au responsable du lieu visité.

(4) **Assistance à donner aux agents d'application** — Le responsable du lieu visité, ainsi que toute personne qui s'y trouve, est tenu d'accorder à l'agent toute l'assistance possible dans l'exercice des pouvoirs qui lui sont conférés par le présent article et de lui fournir les renseignements qu'il peut valablement exiger pour l'application de la présente loi ou de ses règlements.

24. Respect des normes de sécurité — Les personnes — agents de la Commission ou autres personnes agissant au nom de la Commission ou sous son autorité — appelées à recevoir ou à recueillir des renseignements dans le cadre des contrôles d'application prévus par la présente loi doivent, quant à l'accès à ces renseignements et à leur utilisation, respecter les normes de sécurité applicables et prêter les serments imposés à leurs usagers habituels.

Engagement de l'employeur et ordres

25. (1) Engagement en cas de violation — L'agent d'application avise l'employeur en conséquence et tente, par la négociation, d'obtenir de lui l'engagement écrit qu'il prendra les mesures correctives nécessaires pour remédier au manquement dans les cas où il estime que l'employeur :

a) n'a pas recueilli les renseignements ou procédé aux analyses ou études visés aux alinéas 9(1)a) et b);

b) n'a pas établi de plan d'équité en matière d'emploi en conformité avec l'article 10;

c) en a établi un qui n'est pas conforme aux exigences des articles 10 et 11;

d) n'a pas pris toutes les mesures raisonnables de mise en oeuvre en conformité avec l'article 12;

e) n'a pas révisé son plan en conformité avec l'article 13;

f) n'a pas donné à ses salariés les renseignements visés à l'article 14;

g) n'a pas consulté les représentants conformément à l'article 15;

h) n'a pas tenu les dossiers que prévoit l'article 17.

(1.1) Renseignements relatifs à une apparente sous-représentation — Dans le cas d'un manquement fondé en tout ou en partie sur une apparente sous-représentation au sein de son effectif des autochtones, des personnes handicapées ou des personnes qui font partie des minorités visibles, mesurée après l'analyse visée à l'alinéa 9(1)a), l'employeur peut, s'il croit que cette apparente sous-représentation est due au défaut des salariés qui pourraient faire partie du ou des groupes désignés en question de s'identifier, ou d'accepter de l'être, comme membres du groupe conformément au paragraphe 9(2), en informer l'agent d'application.

(1.2) Prise en compte des renseignements — Si l'employeur le convainc que le manquement est dû, en tout ou en partie, au défaut des salariés qui font partie du ou des groupes désignés en question de s'identifier, ou d'accepter de l'être, et qu'il a pris les mesures raisonnables pour réaliser l'équité en matière d'emploi, l'agent d'application en tient compte dans l'exercice des pouvoirs que lui confère le présent article.

(1.3) L'employeur ne peut identifier les salariés — L'employeur ne peut, dans le but de convaincre l'agent d'application que le manquement est dû en tout ou en partie à ce défaut, identifier les salariés de son effectif qui, selon lui, font partie du groupe désigné et ne se sont pas identifiés ou n'ont pas accepté de l'être au titre du paragraphe 9(2).

(2) Ordre — S'il ne parvient pas à obtenir un engagement qui, selon lui, permettrait de remédier au manquement, l'agent informe la Commission du manquement et celle-ci peut ordonner à l'employeur, par courrier recommandé, de prendre les mesures correctives, en y précisant les faits justificatifs.

(3) Défaut de respecter un engagement — S'il estime que l'employeur ne se conforme pas à un engagement, l'agent en informe la Commission et celle-ci peut ordonner à l'employeur, par courrier recommandé, de prendre les mesures correctives.

(4) Modification — La Commission peut annuler ou modifier l'ordre si on lui présente des faits nouveaux ou si elle est convaincue qu'elle l'a donné sans avoir eu connaissance d'un fait essentiel ou en se fondant sur une erreur à l'égard d'un tel fait.

26. (1) Ordre — S'il estime qu'un employeur n'a pas accordé toute l'assistance possible ou n'a pas communiqué les documents exigés au titre du paragraphe 23(4), l'agent d'application en informe la Commission et celle-ci peut ordonner à l'employeur, par courrier recommandé, de prendre les mesures correctives, en y précisant les faits justificatifs.

(2) Modification — La Commission peut annuler ou modifier l'ordre si on lui présente des faits nouveaux ou si elle est convaincue qu'elle l'a donné sans avoir eu connaissance d'un fait essentiel ou en commettant une erreur à l'égard d'un tel fait.

Demande de révision ou d'ordonnance

27. (1) Demande de révision par l'employeur — Dans les soixante jours après avoir fait l'objet de l'ordre visé aux paragraphes 25(2) ou (3) ou dans les trente jours après avoir fait l'objet de l'ordre visé au paragraphe 26(1), l'employeur peut demander au président de procéder à la révision de l'ordre.

(2) Demande par la Commission — Si elle estime que l'employeur n'a pas exécuté l'ordre, la Commission peut demander au président une ordonnance visant à le confirmer.

(3) Restriction — La Commission ne peut toutefois procéder à une telle demande si l'employeur a exercé le recours en révision dans le délai fixé.

1998, ch. 9, art. 38

Tribunal de l'équité en matière d'emploi

28. (1) Constitution d'un tribunal — Une fois saisi de la demande de révision de l'employeur ou de la demande de confirmation de la Commission, le président constitue un tribunal de l'équité en matière d'emploi pour l'instruire.

(2) **Composition** — Le tribunal est formé d'un membre choisi parmi les membres du Tribunal canadien des droits de la personne par son président; ce dernier peut toutefois constituer un tribunal de trois membres s'il estime que la difficulté ou la valeur jurisprudentielle de l'affaire le justifie.

(3) **Qualifications** — Le président tient compte, pour la nomination des membres du tribunal, des connaissances et de l'expérience de ceux-ci dans le domaine de l'équité en matière d'emploi.

(4) **Présidence** — Si le tribunal se compose de plusieurs membres, le président désigne celui qui en assume la présidence.

(4.1) **Prolongation du mandat** — Le membre dont le mandat est échu peut, avec l'agrément du président, terminer les affaires dont il est saisi. Il est alors réputé être un membre à temps partiel pour l'application de l'article 48.3 de la *Loi canadienne sur les droits de la personne*.

(5) **Rémunération** — Les membres du tribunal reçoivent la rémunération prévue au paragraphe 48.6(1) de la *Loi canadienne sur les droits de la personne*.

(6) **Frais de déplacement** — Les membres ont droit aux frais de déplacement et autres entraînés par l'accomplissement, hors du lieu de leur résidence habituelle, des fonctions qui leur sont confiées en application de la présente loi et prévus au paragraphe 48.6(2) de la *Loi canadienne sur les droits de la personne*.

(7) [Abrogé, 2014, ch. 20, art. 463.]

(8) **Services de l'administration publique fédérale** — Pour l'exercice de ses fonctions, le tribunal utilise, s'ils sont disponibles, les services et installations des ministères et organismes fédéraux.

(9) **Règles** — Le président peut établir les règles de procédure et de pratique des tribunaux.

(10) **Respect des normes de sécurité** — Les membres du tribunal et les personnes agissant au nom du tribunal ou sous son autorité qui sont appelés à recevoir ou à recueillir des renseignements dans le cadre des demandes visées au paragraphe (1) doivent, quant à l'accès à ces renseignements et à leur utilisation, respecter les normes de sécurité applicables et prêter les serments imposés à leurs usagers habituels.

1998, ch. 9, art. 39; 2014, ch. 20, art. 463

29. (1) **Pouvoirs du tribunal** — Le tribunal a le pouvoir :

a) d'assigner et de contraindre les témoins à comparaître, à déposer verbalement ou par écrit sous la foi du serment et à produire les pièces qu'il juge indispensables en l'espèce, au même titre qu'une cour supérieure d'archives;

b) de faire prêter serment;

c) de recevoir des éléments de preuve ou des renseignements par déclaration verbale ou écrite sous serment ou par tout autre moyen qu'il estime indiqué, indépendamment de leur admissibilité en justice.

(2) **Audiences** — Dans la mesure où les circonstances, l'équité et la justice naturelle le permettent, il appartient au tribunal d'agir rapidement et sans formalité.

(3) **Audience publique** — Sous réserve du paragraphe (4), l'audience est tenue en présence du public.

(4) **Huis clos** — L'audience peut être tenue à huis clos si l'employeur démontre au tribunal que les circonstances le justifient.

(5) **Motifs** — Le tribunal donne, par écrit, aux parties les motifs de son ordonnance.

(6) **Diffusion des ordonnances** — Le tribunal remet une copie de ses ordonnances, y compris celles qui portent sur la tenue d'une audience à huis clos dans le cadre du paragraphe (4), et des motifs écrits aux personnes qui en font la demande.

30. (1) **Ordonnance du tribunal** — Le tribunal peut, au terme de l'instruction, par ordonnance, confirmer, annuler ou modifier l'ordre et prendre toute mesure corrective qu'il estime indiquée en l'espèce.

(2) **Réexamen des ordonnances** — Le tribunal peut modifier ou annuler ses ordonnances.

(3) **Effet des ordonnances** — Les ordonnances du tribunal ne sont susceptibles de révision qu'au titre de la *Loi sur les Cours fédérales.*

2002, ch. 8, art. 182(1)n)

31. (1) **Exécution des ordonnances** — Les ordonnances du tribunal peuvent être homologuées par la Cour fédérale; le cas échéant, leur exécution s'effectue selon les mêmes modalités que les ordonnances de cette juridiction.

(2) **Procédure** — L'homologation se fait soit selon les règles de pratique et de procédure de la Cour fédérale, soit par le dépôt au greffe de celle-ci d'une copie certifiée conforme.

32. Rapport d'activités — La Commission ajoute au rapport annuel qu'elle prépare en conformité avec l'article 61 de la *Loi canadienne sur les droits de la personne* un rapport de ses activités et une évaluation de ses interventions sous le régime de la présente loi au cours de l'année.

Restriction

33. (1) **Restriction** — Ni la Commission, ni le tribunal, dans l'exercice des pouvoirs qui leur sont respectivement conférés par les articles 25 ou 26 et 30, ne peuvent donner un ordre ou rendre une ordonnance qui :

a) causerait un préjudice injustifié à l'employeur;

b) l'obligerait à embaucher ou promouvoir une personne qui ne possède pas les qualifications essentielles pour le travail à accomplir;

c) en ce qui concerne le secteur public, l'obligerait à embaucher ou promouvoir des personnes sans égard à leur mérite, dans les cas où la *Loi sur l'emploi dans la fonction publique* exige que la sélection soit faite au mérite, ou obligerait la Commission de la fonction publique à utiliser son pouvoir discrétionnaire en matière de décrets d'exemption ou de règlements;

d) l'obligerait à créer de nouveaux postes;

e) lui imposerait un quota;

f) en matière d'objectifs quantitatifs à court terme, ne tient pas compte des facteurs énumérés au paragraphe 10(2).

(2) **Définition de « quota »** — Pour l'application de l'alinéa (1)e), « quota » s'entend de l'obligation d'embaucher ou de promouvoir un nombre fixe et arbitraire de personnes dans un délai donné.

(3) **Secteur public** — Dans tout ordre ou ordonnance relatifs au secteur public, la Commission et le tribunal tiennent compte des responsabilités et des rôles

respectifs d'une part que la *Loi sur la gestion des finances publiques* et la *Loi sur l'emploi dans la fonction publique* confèrent au Conseil du Trésor et à la Commission de la fonction publique, d'autre part que toute autre loi confie à un élément du secteur public visé par les alinéas 4(1)c) ou d).

2003, ch. 22, art. 238(1)

Renseignements protégés

34. (1) **Protection des renseignements** — Les renseignements obtenus par la Commission dans le cadre de la présente loi sont protégés. Nul ne peut sciemment les communiquer ou les laisser communiquer sans l'autorisation écrite de la personne dont ils proviennent.

(2) **Déposition en justice** — Il ne peut être exigé d'un commissaire ou d'un agent de la Commission qui obtient des renseignements protégés dans le cadre de la présente loi qu'il dépose en justice à leur sujet, ni qu'il produise des déclarations, écrits ou autres pièces à cet égard, sauf lors d'une instance relative à l'application de la présente loi.

(3) **Communication des renseignements** — Les renseignements protégés visés au paragraphe (1) peuvent, selon les modalités déterminées par la Commission, être communiqués à un ministre fédéral ou à un fonctionnaire ou agent de Sa Majesté du chef du Canada pour l'application de la présente loi.

(4) **Exception** — Le présent article n'empêche nullement la communication de renseignements dans le cadre d'une instance relative à l'application de la présente loi.

(5) **Utilisation interdite** — Les renseignements obtenus par la Commission ou un tribunal dans le cadre de l'application de la présente loi ne peuvent être utilisés, sans le consentement de l'employeur concerné, dans des procédures intentées en vertu d'une autre loi.

PARTIE III — SANCTIONS PÉCUNIAIRES (ART. 35–40)

Violations

35. (1) **Violation** — Commet une violation de la présente loi l'employeur du secteur privé qui :

a) contrairement à l'article 18, sans excuse légitime, ne dépose pas son rapport sur l'équité en matière d'emploi;

b) sans excuse légitime, ne porte pas au rapport les renseignements exigés en application de cet article ou des règlements;

c) y consigne des données qu'il sait fausses ou trompeuses.

(2) **Violation continue** — Il est compté une violation distincte pour chacun des jours au cours desquels se commet ou se continue la violation.

(3) **Exclusion du Code criminel** — La violation n'est pas une infraction et le *Code criminel* ne s'applique pas.

36. (1) **Avis de sanction** — Dans les deux ans suivant la date à laquelle une violation est portée à sa connaissance, le ministre peut expédier, par courrier recommandé, un avis de sanction pécuniaire à l'employeur du secteur privé.

(2) **Plafond** — Le plafond de la sanction est de dix mille dollars, et de cinquante mille dollars en cas de récidive ou de violation continue.

(3) **Facteurs** — En vue d'établir le montant de la sanction, le ministre tient compte des facteurs suivants :

a) la nature, les circonstances, la portée et la gravité de la violation;

b) l'intention de l'employeur, le caractère volontaire de ses actions et ses antécédents en matière de violations.

37. **Contenu de l'avis** — L'avis comporte les éléments suivants :

a) la caractérisation de la prétendue violation;

b) le montant de la sanction pécuniaire;

c) la mention du lieu où l'employeur peut payer la sanction.

Options

38. (1) **Options de l'employeur** — L'employeur dispose de trente jours après réception de l'avis pour soit s'y conformer, soit contester la sanction en demandant au ministre, par écrit, la révision de l'affaire par un tribunal.

(2) **Double** — Sur réception de la demande de révision, le ministre en expédie un double au président.

(3) **Défaut** — Si l'employeur n'exerce pas son choix dans le délai fixé, le ministre expédie un double de l'avis au président.

1998, ch. 9, art. 40

39. (1) **Assignation** — Sur réception du double de la demande ou de l'avis, le président constitue un tribunal composé d'un seul membre choisi parmi les membres du Tribunal canadien des droits de la personne pour réviser la sanction et :

a) assigne, par courrier recommandé, l'employeur à comparaître devant le tribunal à la date et au lieu indiqués pour y entendre les faits qui lui sont reprochés;

b) informe par écrit le ministre de la date et du lieu mentionnés dans l'assignation.

(2) **Défaut de comparution** — En cas de défaut de comparution, le tribunal examine tous les renseignements qui lui sont fournis par le ministre sur la prétendue violation.

(3) **Comparution** — Lors de la comparution, le tribunal donne à l'employeur et au ministre toute possibilité de lui présenter leurs éléments de preuve et leurs observations sur la prétendue violation, conformément aux principes de l'équité procédurale et de la justice naturelle.

(4) **Décision du tribunal** — À l'issue de l'instance, le tribunal :

a) lorsqu'il conclut à l'absence de violation, en informe immédiatement l'employeur et le ministre, nulle autre poursuite ne pouvant être intentée à cet égard;

b) dans le cas contraire, expédie immédiatement au ministre un certificat, établi en la forme réglementaire, comportant sa décision et le montant de la sanction — à concurrence du plafond prévu au paragraphe 36(2) —, qu'il fait également parvenir, par courrier recommandé, à l'employeur.

(5) **Facteurs** — Le tribunal tient compte des facteurs mentionnés au paragraphe 36(3) pour fixer le montant de la sanction.

(6) **Charge de la preuve** — Lors de l'instance, il incombe au ministre de prouver, selon la prépondérance des probabilités, que l'employeur a commis la violation.

(7) **Valeur du certificat** — Le certificat censé délivré par le tribunal fait foi

de son contenu sans qu'il soit nécessaire de prouver l'authenticité de la signature ou la qualité du signataire.

(8) Effet de décision — Les décisions du tribunal ne sont susceptibles de révision qu'au titre de la *Loi sur les Cours fédérales*.

1998, ch. 9, art. 41; 2002, ch. 8, art. 182(1)n)

Exécution des sanctions pécuniaires

40. (1) Homologation du certificat — Le certificat délivré en vertu de l'alinéa 39(4)b) peut être homologué à la Cour fédérale; dès lors, toute procédure d'exécution peut être engagée, le certificat étant assimilé à un jugement de cette juridiction obtenu par Sa Majesté du chef du Canada contre l'employeur en cause pour une dette correspondant au montant de la sanction pécuniaire indiqué.

(2) Recouvrement des frais — Tous les frais entraînés par l'homologation du certificat peuvent être recouvrés comme s'ils faisaient partie du montant indiqué sur le certificat homologué en application du paragraphe (1).

PARTIE IV — DISPOSITIONS GÉNÉRALES (ART. 41–55)

41. (1) Règlements — Le gouverneur en conseil peut, par règlement :

a) pour l'application de la présente loi, définir « rémunération », « recrutement », « avancement », « salarié », « catégorie professionnelle » et « cessation de fonctions »;

b) fixer le mode de calcul du nombre de salariés qui travaillent pour un employeur en vue de déterminer s'il emploie au moins cent salariés;

c) régir la cueillette des renseignements, ainsi que le processus des études et analyses, visés au paragraphe 9(1);

d) régir la tenue des dossiers d'équité en matière d'emploi visés à l'article 17;

e) prendre toute mesure d'ordre réglementaire prévue par la présente loi;

f) prendre toute autre mesure d'application de la présente loi.

(2) Application des règlements — Les règlements d'application du présent article peuvent être d'application générale ou ne s'appliquer qu'à un employeur ou un groupe d'employeurs.

(3) Secteur public — Lorsqu'il s'applique au secteur public, le règlement ne peut être pris qu'après consultation du Conseil du Trésor.

(4) Incompatibilité — Les termes définis en vertu de l'alinéa (1)a) ne peuvent, dans la mesure où ils s'appliquent au secteur public, avoir un sens incompatible avec celui qu'eux-mêmes ou un terme semblable ont sous le régime de la *Loi sur l'emploi dans la fonction publique*.

(5) Cas particuliers — Le gouverneur en conseil peut prendre les règlements qu'il juge nécessaires en vue d'adapter les exigences de la présente loi ou des règlements à leur application aux éléments du secteur public suivants, en tenant compte de la nécessité de leur efficacité opérationnelle :

a) le Service canadien du renseignement de sécurité;

b) les Forces canadiennes ou la Gendarmerie royale du Canada si un décret est pris en vertu de l'alinéa 4(1)d) à leur égard.

(6) Exigences — Les règlements visés au paragraphe (5) sont pris sur la recommandation du Conseil du Trésor, celle-ci ne pouvant être faite qu'après consultation :

a) du ministre de la Sécurité publique et de la Protection civile, dans le cas de la Gendarmerie royale du Canada ou du Service canadien du renseignement de sécurité;

b) du ministre de la Défense nationale, dans le cas des Forces canadiennes.

(7) Application — Les conséquences juridiques des règlements pris en vertu du paragraphe (5) à l'égard de toute question en particulier peuvent être différentes de celles de la présente loi ou des règlements concernant cette question.

2005, ch. 10, art. 34(1)i)

42. (1) Attributions du ministre — Le ministre est chargé :

a) de mettre sur pied des programmes d'information auprès du grand public destinés à lui faire mieux comprendre la présente loi et son objet;

b) d'entreprendre des recherches liées à l'objet de la présente loi;

c) de prendre les mesures qu'il estime indiquées pour la promotion de l'objet de la présente loi;

d) d'informer et de conseiller les employeurs du secteur privé et les représentants des salariés sur la mise en oeuvre de l'équité en matière d'emploi et d'établir, à leur égard, des directives susceptibles, selon lui, de les aider à se conformer à ses dispositions;

e) de mettre sur pied des programmes destinés à distinguer les employeurs du secteur privé qui se sont particulièrement signalés dans le domaine de l'équité en matière d'emploi.

(2) Responsabilité particulière — Le ministre est également chargé de l'administration du programme de contrats fédéraux pour l'équité en matière d'emploi.

(3) Information sur le marché du travail — Le ministre met à la disposition des employeurs les données qu'il possède relativement au marché du travail sur les groupes désignés au sein de la population apte au travail afin de les aider à se conformer à la présente loi.

2012, ch. 19, art. 602

43. Délégation — Le ministre peut déléguer à tout agent de l'administration publique fédérale qu'il estime compétent l'exercice des attributions que la présente loi ou ses règlements lui confèrent, l'exercice de ces attributions par le délégataire étant assimilé à leur exercice par le ministre même.

44. (1) Examen de l'application de la loi — Cinq ans après l'entrée en vigueur de la présente loi, et à la fin de chaque période ultérieure de cinq ans, un comité de la Chambre des communes désigné ou établi par elle à cette fin procède à un examen complet des dispositions et de l'application de la présente loi ainsi que de leur effet.

(2) Rapport : examen — Dans les six mois suivant la fin de l'examen, le comité désigné ou établi à cette fin présente à la Chambre des communes un rapport exposant tous les changements qu'il recommande.

Disposition transitoire

45. Disposition transitoire — Quiconque est un employeur assujetti à la *Loi sur l'équité en matière d'emploi*, L.R., ch. 23 (2e suppl.), ainsi que le

Conseil du Trésor et la Commission de la fonction publique disposent, pour se conformer aux articles 9 et 10 de la présente loi, d'un an à compter de l'entrée en vigueur du présent article.

Modifications corrélatives

Loi sur la radiodiffusion [1991, ch. 11]

46. L'article 5 de la *Loi sur la radiodiffusion* est modifié par adjonction, après le paragraphe (3), de ce qui suit :

(4) Équité en matière d'emploi — Les entreprises de radiodiffusion qui sont assujetties à la *Loi sur l'équité en matière d'emploi* ne relèvent pas des pouvoirs du Conseil pour ce qui est de la réglementation et de la surveillance du domaine de léquité en matière d'emploi.

Loi canadienne sur les droits de la personne [L.R., ch. H-6]

47. L'article 40 de la *Loi canadienne sur les droits de la personne* est modifié par adjonction, après le paragraphe (3), de ce qui suit :

(3.1) Restriction — La Commission ne peut prendre l'initiative d'une plainte qui serait fondée sur des renseignements qu'elle aurait obtenus dans le cadre de l'application de la *Loi sur l'équité en matière d'emploi.*

48. La même loi est modifiée par adjonction, après l'article 40, de ce qui suit :

40.1 (1) Définitions — Les définitions qui suivent s'appliquent au présent article.

« employeur » Toute personne ou organisation chargée de l'exécution des obligations de l'employeur prévues par la *Loi sur l'équité en matière d'emploi. (« employer »)*

« groupes désignés » S'entend au sens de l'article 3 de la *Loi sur l'équité en matière d'emploi. (« designated groups »)*

(2) Exception à la compétence — La Commission ne peut se fonder sur l'article 40 pour connaître des plaintes qui, à la fois, sont :

a) faites contre un employeur et déconçant la perpétration d'actes discriminatoires visés à l'article 7 ou à l'alinéa 10a);

b) fondées uniquement sur des données statistiques qui tendent à établir la sous-représentation des membres des groupes désignés dans l'effectif de l'employeur.

49. L'article 41 de la même loi devient le paragraphe 41(1) et est modifié par adjonction de ce qui suit :

(2) Refus d'examen — La Commission peut refuser d'examiner une plainte de discrimination fondée sur l'alinéa 10a) et dirigée contre un employeur si elle estime que l'objet de la plainte est traité de façon adéquate dans le plan d'équité en matière d'emploi que l'em-

ployeur prépare en conformité avec l'article 10 de la *Loi sur l'équité en matière d'emploi*.

(3) Définition de « employeur » — Au présent article, « employeur » désigne toute personne ou organisation chargée de l'exécution des obligations de l'employeur prévues par la *Loi sur l'équité en matière d'emploi*.

50. La même loi est modifiée par adjonction, après l'article 54, de ce qui suit :

54.1 (1) Définitions — Les définitions qui suivent s'appliquent au présent article.

« employeur » Toute personne ou organisation chargée de l'exécution des obligations de l'employeur prévues par la *Loi sur l'équité en matière d'emploi*. *(« employer »)*

« groupes désignés » S'entend au sens de l'article 3 de la *Loi sur l'équité en matière d'emploi*. *(« designated groups »)*

(2) Restriction — Le tribunal qui juge fondée une plainte contre un employeur ne peut lui ordonner, malgré le sous-alinéa 53(2)a)(i), d'adopter un programme, plan ou arrangement comportant des règles et usages postifis destinés à corriger la sous-représentation des membres des groupes désignés dans son effectif ou des objectifs et calendriers à cet effet.

(3) Précision — Il est entendu que le paragraphe (2) n'a pas pour effet de restreindre le pouvoir conféré au tribunal par l'alinéa 53(2)a) d'ordonner à un employeur de mettre fin à un acte discriminatoire ou d'y remédier de toute autre manière.

Loi sur la gestion des finances publiques [L.R., ch. F-11]

51. (1) Le paragraphe 11(2) de la *Loi sur la gestion des finances publiques* est modifié par adjonction, après l'alinéa h), de ce qui suit :

h.1) sous réserve de la *Loi sur l'équité en matière d'emploi*, fixer des orientations et établir des programmes destinés à la mise en oeuvre de l'équité en matière d'emploi dans la fonction publique;

(2) 1992, ch. 54, par. 81(2) et (3) — Les paragraphes 11(2.1) à (3) de la même loi sont remplacés par ce qui suit :

(3) Pouvoirs limités du Conseil du Trésor — Le Conseil du Trésor ne peut exercer ses pouvoirs et fonctions à l'égard des questions visées au paragraphe (2) et dans une autre loi lorsque celle-ci régit la matière expressément et non par simple attribution de pouvoirs et fonctions à une autorité ou à une personne déterminée; il ne peut non plus exercer des pouvoirs ou fonctions expressément conférés à la Commission de la fonction publique sous le régime de la *Loi sur l'emploi dans la fonction publique*, ni mettre en œuvre des méthodes de sélection du personnel dont l'application relève, sous le régime de cette loi, de la Commission.

Loi sur l'emploi dans la fonction publique [L.R., ch. P-33]

52. 1992, ch. 54, art. 5 — Le paragraphe 5.1(5) de la *Loi sur l'emploi dans la fonction publique* est remplacé par ce qui suit :

(5) **Définition de « programme d'équité en matière d'emploi »** — Au présent article, « programme d'équité en matière d'emploi » s'entend de toute orientation que le Conseil du Trésor fixe ou de tout programme qu'il établit concernant l'équité en matière d'emploi au sein de la fonction publique.

53. Le paragraphe 47(1) de la même loi est modifié par adjonction, après l'alinéa c), de ce qui suit :

d) faisant état de l'activité de la Commission au cours de cette année en matière de mise en œuvre des programmes d'équité en matière d'emploi, notamment ses activités au titre de la *Loi sur l'équité en matière d'emploi*.

Abrogation

54. Abrogation — La *Loi sur l'équité en matière d'emploi*, L.R., ch. 23 (2e suppl.), est abrogée.

Entrée en vigueur

55. Entrée en vigueur — La présente loi ou telle de ses dispositions entre en vigueur à la date ou aux dates fixées par décret.

Dispositions connexes

— 1998, ch. 9, art. 33 :

33. (1) Définition de « entrée en vigueur » — Pour l'application du présent article, « entrée en vigueur » s'entend de l'entrée en vigueur de celui-ci.

(2) Cessation des fonctions des membres — Sous réserve des paragraphes (3), (4) et (5), le mandat des membres du Comité du tribunal des droits de la personne prend fin à la date d'entrée en vigueur.

(3) Maintien des pouvoirs — Les membres du tribunal des droits de la personne constitué en vertu de la *Loi canadienne sur les droits de la personne* avant la date d'entrée en vigueur conservent leurs pouvoirs à l'égard de la plainte qu'ils ont été chargés d'examiner.

(4) Tribunal d'appel — Les membres du tribunal d'appel constitué en vertu de la *Loi canadienne sur les droits de la personne* avant la date d'entrée en vigueur conservent leurs pouvoirs à l'égard de l'appel dont ils sont saisis.

(5) Maintien des pouvoirs — Les membres du tribunal constitué en vertu de l'article 28 ou 39 de la *Loi sur l'équité en matière d'emploi* avant la date d'entrée en vigueur conservent leurs pouvoirs à l'égard de l'affaire dont ils ont été saisis en vertu de cette loi.

(6) Autorité du président — Dans l'exercice des pouvoirs prévus aux paragraphes (3), (4) et (5), les membres agissent sous l'autorité du président du Tribunal canadien des droits de la personne.

(7) Rémunération — Les membres reçoivent, pour l'exercice des pouvoirs prévus aux paragraphes (3), (4) et (5), la rémunération fixée par le gouverneur en conseil, sauf s'ils sont nommés membres à temps plein du tribunal.

(8) Frais de déplacement — Les membres ont droit aux frais de déplacement et de subsistance entraînés par l'accomplissement, hors du lieu de leur résidence habituelle, des fonctions qui leur sont confiées en application de la présente loi, sous réserve des montants maximaux que les instructions du Conseil du Trésor fixent en semblable matière pour les fonctionnaires du gouvernement du Canada.

[CAN-4.1]
TABLE DES MATIÈRES
RÈGLEMENT SUR L'ÉQUITÉ EN MATIÈRE D'EMPLOI

[CAN-4.1]
RÈGLEMENT SUR L'ÉQUITÉ EN MATIÈRE D'EMPLOI

édicté en vertu de la *Loi sur l'équité en matière d'emploi*, L.C. 1995, ch. 44

DORS/96-470, (1996) 130 Gaz. Can. II, 2970, tel que modifié par DORS/99-356, (1999) 133 Gaz. Can. II, 2193; DORS/2006-120, (2006) 140 Gaz. Can. II, 585.

DÉFINITIONS

1. (1) Les définitions qui suivent s'appliquent au présent règlement.

« ancien règlement » Le *Règlement sur l'équité en matière d'emploi* pris en vertu de la *Loi sur l'équité en matière d'emploi*, L.R., ch. 23 (2e suppl.).

« Loi » La *Loi sur l'équité en matière d'emploi.*

« période de rapport » L'année civile visée par le rapport sur l'équité en matière d'emploi.

« rapport sur l'équité en matière d'emploi » Rapport que l'employeur du secteur privé doit déposer conformément à l'article 18 de la Loi.

« RMR désignée » Région métropolitaine de recensement visée à l'annexe I et figurant dans le document intitulé *Classification géographique type, CGT 2001*, publié par Statistique Canada en mars 2002, compte tenu de ses modifications successives.

« salarié permanent à plein temps » Personne embauchée pour une période indéterminée par un employeur du secteur privé et qui travaille régulièrement le nombre d'heures normal fixé par celui-ci pour les salariés de la catégorie professionnelle dont elle fait partie.

« salarié permanent à temps partiel » Personne embauchée pour une période indéterminée par un employeur du secteur privé et qui travaille régulièrement une partie seulement du nombre d'heures normal fixé par celui-ci pour les salariés de la catégorie professionnelle dont elle fait partie.

« salarié temporaire » Personne embauchée sur une base temporaire par un employeur du secteur privé et qui travaille un nombre d'heures donné pendant une période déterminée ou des périodes totalisant 12 semaines ou plus au cours d'une année civile, à l'exclusion de la personne qui fréquente à plein temps un établissement d'enseignement secondaire ou postsecondaire et qui travaille durant les vacances scolaires.

(2) Les définitions qui suivent s'appliquent aux fins de la Loi.

« avancement »

a) Dans le cas d'un salarié employé dans un secteur de l'administration publique fédérale visé aux alinéas 4(1)b) ou c) de la Loi auquel s'applique la *Loi sur l'emploi dans la fonction publique*, s'entend au sens de « promotion » au paragraphe 2(2) du *Règlement sur l'emploi dans la fonction publique*;

b) dans le cas d'un salarié employé dans un secteur de l'administration publique fédérale visé aux alinéas 4(1)b) ou c) de la Loi auquel ne s'applique pas la *Loi sur l'emploi dans la fonction publique*, s'entend au sens normalement utilisé par ce secteur;

c) dans le cas d'un salarié employé par un employeur du secteur privé, s'entend de son déplacement permanent d'un poste ou emploi vers un autre poste ou emploi au sein de l'organisation de l'employeur qui comporte à la fois :

(i) une rémunération ou une échelle de rémunération plus élevée que celle de l'ancien poste ou emploi,

(ii) un rang plus élevé dans la hiérarchie organisationnelle de l'employeur.

S'entend en outre de la reclassification du poste ou de l'emploi du salarié au terme de laquelle le poste ou l'emploi répond aux exigences des sous-alinéas (i) et (ii).

« catégorie professionnelle »

a) Dans le cas de l'effectif d'un employeur du secteur privé ou d'un secteur de l'administration publique fédérale visé à l'alinéa 4(1)c) de la Loi, toute catégorie professionnelle mentionnée à la colonne I de l'annexe II;

b) dans le cas d'un secteur de l'administration publique fédérale visé à l'alinéa 4(1)b) de la Loi, toute catégorie professionnelle mentionnée à la colonne I de l'annexe III.

« cessation de fonctions » Le fait, pour un salarié, de cesser d'être un salarié, notamment en raison de sa retraite, sa démission, son licenciement ou son congédiement. Sont exclues de la présente définition la mise à pied temporaire et l'absence en raison d'une maladie, d'une blessure ou d'un conflit de travail.

« recrutement »

a) Dans le cas d'un employeur du secteur privé, l'embauche par lui d'une personne à titre de salarié;

b) dans le cas d'un secteur de l'administration publique fédérale visé aux alinéas 4(1)b) ou c) de la Loi auquel s'applique la *Loi sur l'emploi dans la fonction publique*, la nomination initiale d'un salarié à un poste au sein de l'administration publique fédérale conformément à cette loi;

c) dans le cas d'un secteur de l'administration publique fédérale visé aux alinéas 4(1)b) ou c) de la Loi auquel ne s'applique pas la *Loi sur l'emploi dans la fonction publique*, la nomination initiale d'une personne à titre de salarié conformément au texte législatif établissant ce secteur.

« rémunération »

a) Dans le cas d'un employeur du secteur privé, le montant, arrondi à un dollar près, versé sous forme de traitement, salaire, commissions, pourboires, primes et rémunération à la pièce pour le travail effectué par le salarié, à l'exclusion de la rémunération des heures supplémentaires;

b) dans le cas d'un secteur de l'administration publique fédérale mentionné à l'alinéa 4(1)b) de la Loi, s'entend du taux de traitement payé à un salarié aux termes d'une convention collective ou le taux de traitement approuvé par le Conseil du Trésor en vertu de toute autre habilitation applicable;

c) dans le cas d'un secteur de l'administration publique fédérale visé à l'alinéa 4(1)c) de la Loi, le taux de traitement payé à un salarié aux termes d'une convention collective ou de toute autre habilitation applicable.

« salarié »

a) Dans le cas d'un employeur du secteur privé, toute personne qui est employée par celui-ci, à l'exclusion d'une personne employée sur une base temporaire ou occasionnelle pendant moins de 12 semaines par année civile;

b) dans le cas d'un secteur de l'administration publique fédérale visé aux alinéas 4(1)b) ou c) de la Loi auquel s'applique la *Loi sur l'emploi dans la fonction publique*, toute personne nommée ou mutée à un poste dans ce secteur conformément à cette loi, à l'exclusion des personnes suivantes :

(i) celles nommées à titre occasionnel aux termes de l'article 21.2 de cette loi,

(ii) celles nommées pour une période inférieure à trois mois;

c) dans le cas d'un secteur de l'administration publique fédérale visé aux alinéas 4(1)b) ou c) de la Loi auquel ne s'applique pas la *Loi sur l'emploi dans la fonction publique*, toute personne nommée à un poste dans ce secteur conformément au texte législatif établissant ce secteur, à l'exclusion d'une personne employée sur une base temporaire ou occasionnelle pendant moins de trois mois.

DORS/2006-120, art. 1

PARTIE I — DISPOSITIONS GÉNÉRALES

Calcul du nombre de salariés

2. Le calcul servant à déterminer si l'employeur emploie au moins 100 salariés est effectué :

a) dans le cas d'un employeur du secteur privé, en fonction du nombre de salariés existant au moment où, au cours de l'année civile, il est le plus élevé;

b) dans le cas d'un secteur de l'administration publique fédérale visé à l'alinéa 4(1)c) de la Loi, en fonction du nombre de salariés dans ce secteur existant au moment, au cours de l'exercice, où il est le plus élevé.

Cueillette de renseignements sur l'effectif

3. (1) Sous réserve des paragraphes (8) et (9), avant d'établir le plan d'équité en matière d'emploi visé à l'article 10 de la Loi, l'employeur effectue une enquête auprès de son effectif en remettant à chaque salarié un questionnaire lui demandant s'il :

a) fait partie d'une minorité visible;

b) est une personne handicapée;

c) est autochtone.

(2) Le questionnaire doit contenir les définitions de **« autochtones »**, **« minorités visibles »** et **« personnes handicapées »** prévues à l'article 3 de la Loi, ou une description de ces termes qui concorde avec ces définitions, pour aider le salarié à y répondre.

(3) Est considéré comme répondant aux exigences du paragraphe (2) tout questionnaire qui contient les questions et définitions conformes en substance à celles figurant à l'annexe IV.

(4) L'employeur informe chaque salarié, soit sur le questionnaire, soit dans une note accompagnant celui-ci, qu'une personne peut faire partie de plus d'un groupe désigné.

(5) Le questionnaire peut contenir des questions supplémentaires concernant l'équité en matière d'emploi.

(6) Il doit être mentionné sur le questionnaire que :

a) les salariés répondent volontairement aux questions;

b) les renseignements recueillis sont confidentiels et ne seront utilisés ou communiqués à d'autres personnes au sein de l'organisation de l'employeur qu'aux seules fins de permettre à ce dernier de remplir ses obligations dans le cadre de la Loi.

(7) L'alinéa (6)a) n'a pas pour effet d'empêcher l'employeur d'exiger que chaque salarié lui remette le questionnaire.

(8) L'employeur n'est pas tenu d'effectuer l'enquête visée au paragraphe (1) sur la totalité ou une partie de son effectif lorsque les conditions suivantes sont réunies :

a) avant l'entrée en vigueur du présent règlement, il a déjà effectué une enquête sur la totalité ou cette partie de son effectif afin de déterminer si les salariés faisaient partie de l'un des groupes désignés mentionnés à ce paragraphe;

b) dans le cadre de cette enquête, les questions posées et le processus suivi ont donné des résultats qui sont vraisemblablement aussi exacts que ceux que permettrait d'obtenir le questionnaire prévu au présent article;

c) les salariés ont répondu volontairement aux questions posées dans le cadre de l'enquête;

d) les résultats de l'enquête ont été tenus à jour conformément à l'article 5.

(9) Lorsque l'employeur remplace son plan d'équité en matière d'emploi, il n'est pas tenu d'effectuer une nouvelle enquête si les résultats de l'enquête précédente ont été tenus à jour conformément à l'article 5.

4. L'employeur veille à ce que le questionnaire permette d'identifier, par le nom ou autrement, le salarié qui le remet.

5. L'employeur tient à jour les résultats de l'enquête sur son effectif :

a) en remettant un questionnaire :

(i) à tout nouveau salarié lors de son entrée en fonctions,

(ii) au salarié qui désire modifier les renseignements qu'il a déjà fournis sur un questionnaire,

(iii) à tout salarié qui en fait la demande;

b) en apportant les modifications nécessaires aux résultats de l'enquête pour tenir compte des réponses données sur les questionnaires visés à l'alinéa a);

c) en apportant les modifications nécessaires aux résultats de l'enquête pour tenir compte de la cessation de fonctions de membres des groupes désignés.

Analyse de l'effectif

6. (1) L'employeur fait l'analyse de son effectif en se fondant sur les renseignements recueillis aux termes des articles 3 à 5 et les renseignements pertinents figurant dans ses autres dossiers d'emploi, afin de déterminer :

a) pour chaque catégorie professionnelle de son effectif :

(i) le nombre d'autochtones,

(ii) le nombre de personnes handicapées,

(iii) le nombre de personnes faisant partie d'une minorité visible,

(iv) le nombre de femmes;

b) le degré de sous-représentation des personnes mentionnées à l'alinéa a), en comparant le nombre de membres de chaque groupe désigné dans chaque catégorie professionnelle de son effectif à leur représentation dans chaque catégorie professionnelle au sein de celui des groupes suivants qui constitue la base de référence la plus appropriée;

(i) l'ensemble de la population apte au travail,

(ii) les secteurs de la population apte au travail susceptibles d'être distingués en fonction de critères de compétence, d'admissibilité ou d'ordre géographique où l'employeur serait fondé à choisir ses salariés.

(2) Pour déterminer le degré de sous-représentation visé à l'alinéa (1)b), l'employeur utilise les données relatives au marché du travail que le ministre met à sa disposition conformément au paragraphe 42(3) de la Loi, ou les données relatives au marché du travail provenant de toute autre source que le ministre juge pertinentes, pour évaluer le nombre de travailleurs, dans la ou les régions géographiques où il serait fondé à choisir ses salariés, qui appartiennent à des groupes désignés et qui possèdent les compétences nécessaires ou sont admissibles pour occuper des emplois au sein de chaque catégorie professionnelle de son effectif.

(3) L'employeur qui a déjà fait l'analyse de la totalité ou d'une partie de son effectif avant l'entrée en vigueur du présent règlement n'est pas tenu d'effectuer une autre analyse de la totalité ou de cette partie de son effectif si les conditions suivantes sont réunies :

a) les résultats de l'analyse précédente sont à jour grâce aux révisions périodiques effectuées pour tenir compte de la mise à jour, conformément à l'article 5, des résultats de l'enquête sur l'effectif;

b) les résultats de l'analyse précédente sont vraisemblablement les mêmes que ceux que permettrait d'obtenir une analyse effectuée conformément aux paragraphes (1) et (2).

(4) Lorsque l'employeur remplace son plan d'équité en matière d'emploi, il n'est pas tenu d'effectuer une nouvelle analyse de l'effectif si les résultats de l'analyse précédente ont été tenus à jour par des révisions périodiques effectuées pour tenir compte de la mise à jour, conformément à l'article 5, des résultats de l'enquête sur l'effectif.

7. Aux fins de l'élaboration du plan d'équité en matière d'emploi, l'employeur dresse un sommaire des résultats de l'analyse de l'effectif.

Étude des systèmes, règles et usages en matière d'emploi

8. Lorsque l'analyse de l'effectif effectuée conformément à l'article 6 révèle une sous-représentation des membres de groupes désignés dans des catégories professionnelles de son effectif, l'employeur procède à l'étude de ses systèmes, règles et usages d'emploi afin de déterminer si ceux-ci constituent des obstacles à l'emploi des personnes faisant partie des groupes désignés.

9. (1) Sous réserve de l'article 10, pour déterminer si ses systèmes, règles et usages d'emploi constituent des obstacles à l'emploi aux termes de l'article 8, l'employeur étudie les systèmes, règles et usages d'emploi applicables à chacune des catégories professionnelles dans lesquelles il y a sous-représentation, quant aux questions suivantes :

a) la recherche, la sélection et le recrutement des salariés;

b) la formation et le perfectionnement des salariés;

c) l'avancement des salariés;

d) le maintien et la cessation de fonctions des salariés;

e) les mesures d'adaptation raisonnables compte tenu des besoins spéciaux des membres des groupes désignés.

(2) Si, à la suite de l'étude effectuée aux termes du paragraphe (1), l'employeur met en oeuvre de nouveaux systèmes, règles et usages d'emploi touchant les questions qui y sont mentionnées, il en fait alors l'étude relativement aux mêmes questions.

10. L'employeur qui, avant l'entrée en vigueur du présent règlement, a déjà fait l'étude de ses systèmes, règles et usages d'emploi quant aux questions mentionnées au paragraphe 9(1) pour la totalité ou une partie de son effectif n'est pas tenu de procéder à une nouvelle étude à l'égard des mêmes questions si les résultats de l'étude précédente sont vraisemblablement les mêmes que ceux que permettrait d'obtenir une étude menée en application du paragraphe 9(1).

Dossiers d'équité en matière d'emploi

11. L'employeur tient les dossiers suivants :

a) un dossier concernant l'appartenance de chaque salarié à un groupe désigné, le cas échéant;

b) un dossier concernant la classification de chaque salarié selon sa catégorie professionnelle;

c) un dossier concernant la rémunération et les augmentations de rémunération de chaque salarié;

d) un dossier concernant les promotions de chaque salarié;

e) une copie du questionnaire de l'enquête sur l'effectif remis aux salariés et des autres renseignements qu'il a utilisés pour effectuer l'analyse de son effectif;

f) le sommaire des résultats de l'analyse de l'effectif visé à l'article 7;

g) une description des mesures qu'il a prises dans le cadre de l'étude de ses systèmes d'emploi;

h) son plan d'équité en matière d'emploi;

i) un dossier concernant les mesures qu'il a prises pour assurer le suivi de la mise en œuvre du plan d'équité en matière d'emploi, conformément à l'article 12 de la Loi :

j) un dossier concernant les mesures prises par lui et les renseignements fournis aux salariés conformément à l'article 14 de la Loi.

12. (1) Dans le cas de la cessation de fonctions d'un salarié, les dossiers visés aux alinéas 11a) à d) établis à son égard sont conservés pendant les deux ans suivant la date de cessation des fonctions.

(2) Les dossiers visés aux alinéas 11e) à j) sont conservés pendant les deux ans suivant la fin de la période visée par le plan d'équité en matière d'emploi auquel ils se rapportent.

(3) L'employeur du secteur privé qui établit le rapport annuel sur l'équité en matière d'emploi visé au paragraphe 18(1) de la Loi au moyen d'un logiciel spécialisé, tel le Système informatisé de présentation des rapports d'équité en matière d'emploi (SIPREME), conserve une copie de la base de données ou tout autre enregistrement informatique utilisé à cette fin pendant les deux années suivant l'année visée par le rapport.

Certificat du tribunal

13. Le certificat du tribunal visé à l'alinéa 39(4)b) de la Loi est établi en la forme prévue à l'annexe V.

PARTIE II — RAPPORT DE L'EMPLOYEUR DU SECTEUR PRIVÉ

Application

14. La présente partie s'applique au rapport de l'employeur du secteur privé visé à l'article 18 de la Loi.

Modalités

15. (1) Sous réserve du paragraphe (2), le rapport visé au paragraphe 18(1) de la Loi est établi au moyen des formulaires 1 à 6 de l'annexe VI.

(2) Pour l'année civile 2004, le rapport mentionné au paragraphe 18(1) de la Loi est établi au moyen des formulaires 1 à 6 de l'annexe VI.

(3) L'échelon visé pour l'application de l'alinéa 18(1)c) de la Loi est un quart de l'échelle de rémunération.

DORS/2006-120, art. 2

16. (1) Le rapport sur l'équité en matière d'emploi doit contenir l'attestation suivante de l'exactitude des renseignements y figurant :

> « Moi, (*nom*), j'atteste par les présentes au nom de (*nom légal de l'employeur*) que les renseignements fournis dans les formulaires 1 à 6 du présent rapport sont, autant que je sache, vrais et exacts à tous égards.
>
> .... Date
>
> ....
>
> Signature »

(2) Dans le cas où le rapport sur l'équité en matière d'emploi est déposé au nom d'une personne morale, l'attestation visée au paragraphe (1) est signée par un cadre supérieur de celle-ci.

Instructions

Dispositions générales

17. (1) Pour l'année civile 2004, le rapport sur l'équité en matière d'emploi est établi au moyen des formulaires prévus au paragraphe 15(2) et conformément aux instructions énoncées au présent article et aux articles 9 à 16 et 18 à 20.

(2) Dans des cas autres que celui prévu au paragraphe 18(3) de la Loi, pour l'année civile 2004, le rapport sur l'équité en matière d'emploi est envoyé à l'adresse précisée par le ministre aux termes du paragraphe 19(1) et, pour l'application du paragraphe 18(1) de la Loi, le rapport est réputé déposé auprès du ministre à la date où il parvient à cette adresse.

DORS/2006-120, art. 3

18. (1) Pour les années civiles 2005 et suivantes, le rapport sur l'équité en matière d'emploi est établi :

a) au moyen des formulaires 1 à 6 de l'annexe VI, que le ministre fournit à l'employeur, ou de documents dont la forme et le contenu sont conformes à ces formulaires;

b) conformément aux instructions données aux articles 19 à 31.

(2) Dans le présent règlement, toute mention d'un formulaire vaut mention d'un document visé à l'alinéa (1)a).

DORS/2006-120, art. 4

19. (1) L'employeur envoie le rapport sur l'équité en matière d'emploi à l'adresse précisée par écrit par le ministre.

(2) Dans des cas autres que celui prévu au paragraphe 18(3) de la Loi, pour l'application du paragraphe 18(1) de la Loi, le rapport sur l'équité en matière d'emploi est réputé déposé auprès du ministre à la date où il parvient à l'adresse en question.

DORS/2006-120, art. 5

20. Lorsque les renseignements demandés sur un formulaire ne s'appliquent pas à l'employeur, celui-ci y inscrit la mention « sans objet », l'abréviation « s.o. » ou une brève explication.

21. Sur les formulaires 1 à 3 de l'annexe VI, l'employeur fournit les renseignements demandés au sujet du nombre de salariés qu'il avait :

a) dans le cas des salariés permanents à plein temps et des salariés permanents à temps partiel, au 31 décembre de l'année civile;

b) dans le cas des salariés temporaires, à la date, au cours de l'année civile, où leur nombre était le plus élevé.

22. (1) Sur les formulaires 2, 4, 5 et 6 de l'annexe VI, l'employeur indique la catégorie professionnelle de chaque salarié, telle qu'elle est désignée à la colonne I de l'annexe II, en se reportant au groupe de base de salariés mentionné à la colonne II qui correspond le mieux au travail exécuté par le salarié.

(2) Si l'employeur a des doutes quant au groupe de base auquel appartient un salarié, il se reporte aux descriptions des professions figurant dans le document intitulé *Classification nationale des professions : Descriptions des professions*, publié en 2001 par le ministère du Développement des ressources humaines Canada, avec ses modifications successives, lesquelles descriptions correspondent aux codes CNP figurant à la colonne III de l'annexe II .

DORS/2006-120, art. 6

Formulaire 1

23. (1) Sur le formulaire 1 de l'annexe VI, l'employeur inscrit la branche d'activité des salariés en choisissant la description du groupe industriel applicable figurant à la colonne II de l'annexe VII.

(2) Dans la case « branche d'activité 1 » du formulaire 1, l'employeur inscrit la branche d'activité qui compte le plus grand nombre de salariés et il indique les autres branches d'activité suivant l'ordre décroissant du nombre de salariés.

(3) Lorsque le nombre de branches d'activité des salariés est supérieur à quatre, l'employeur indique les branches d'activité supplémentaires, avec le nombre de salariés correspondant, sur une feuille distincte qu'il annexe au formulaire 1.

Formulaire 2

24. (1) Sous réserve du paragraphe (2), pour chaque branche d'activité qu'il a indiquée sur le formulaire 1 de l'annexe VI, l'employeur remplit les parties applicables du formulaire 2 de cette annexe à l'égard de tous ses salariés au

Canada, pour chacune des catégories suivantes :

a) les salariés permanents à plein temps;

b) les salariés permanents à temps partiel;

c) lorsqu'ils représentent à tout moment de la période de rapport 20 pour cent ou plus de son effectif, les salariés temporaires.

(2) Si le nombre de salariés inscrit sur le formulaire 1 dans une branche d'activité autre que la branche d'activité 1 est inférieur à 1 000, l'employeur regroupe ces salariés avec ceux de la branche d'activité 1.

25. En plus des parties prévues au paragraphe 24(1), l'employeur remplit les parties applicables du formulaire 2 à l'égard des salariés travaillant dans une branche d'activité qu'il doit indiquer séparément et à l'égard des salariés qui sont regroupés dans la branche d'activité 1 conformément au paragraphe 24(2) :

a) pour chaque province ou territoire où le nombre total de ses salariés est égal ou supérieur à 100 à tout moment de la période de rapport;

b) pour chaque RMR désignée où le nombre total de ses salariés est égal ou supérieur à 100 à tout moment de la période de rapport.

26. (1) Sous réserve des paragraphes (2) à (4), l'employeur indique sur le formulaire 2 les échelles de rémunération de ses salariés en suivant les étapes suivantes :

a) il détermine la rémunération maximale et la rémunération minimale des salariés de chaque catégorie professionnelle;

b) en se servant de la table des paliers de rémunération figurant à l'annexe VIII, il détermine les paliers de rémunération dans lesquels sont comprises la rémunération maximale et la rémunération minimale visées à l'alinéa a);

c) il inscrit l'échelle de rémunération des salariés de chaque catégorie professionnelle en utilisant, pour la rémunération maximale et la rémunération minimale, les paliers de rémunération applicables visés à l'alinéa b).

(2) Sous réserve du paragraphe (3), pour déterminer, pour l'application de l'alinéa (1)a), la rémunération maximale et la rémunération minimale des salariés permanents à plein temps ou des salariés permanents à temps partiel qui, en raison de leur recrutement ou d'absences autorisées non payées accordées à leur demande, n'ont travaillé que pendant une partie de la période de rapport, l'employeur annualise la rémunération de chacun de ces salariés de la façon suivante :

a) en divisant le montant de la rémunération versée au salarié pendant la période travaillée par le nombre de périodes de paie comprises dans celle-ci;

b) en multipliant le montant obtenu selon l'alinéa a) par le nombre de périodes de paie comprises dans la période de rapport.

(3) Pour déterminer, pour l'application de l'alinéa (1)a), la rémunération maximale et la rémunération minimale des salariés promus pendant la période de rapport, l'employeur annualise la rémunération de chacun de ces salariés de la façon suivante :

a) en divisant le montant de la rémunération versée au salarié pendant qu'il occupait le dernier poste ou emploi auquel il a été promu au cours de la période de rapport par le nombre de périodes de paie comprises dans celle-ci;

b) en multipliant le montant obtenu selon l'alinéa a) par le nombre de périodes de paie comprises dans la période de rapport.

(4) Lorsque la rémunération minimale des salariés d'une catégorie professionnelle est de 100 000 $ ou plus, l'employeur laisse en blanc sur le formulaire 2 l'espace prévu pour la rémunération maximale des salariés de cette catégorie.

27. (1) Pour remplir le formulaire 2, l'employeur détermine les quatre quarts de l'échelle de rémunération des salariés de chaque catégorie professionnelle en divisant par quatre la différence entre la rémunération maximale et la rémunération minimale des salariés de la catégorie professionnelle, déterminées conformément à l'alinéa 26(1)a) et aux paragraphes 26(2) et (3), et en arrondissant à un dollar près le résultat obtenu.

(2) Pour l'application du paragraphe (1) :

a) les limites du premier quart sont établies aux montants suivants :

(i) la limite inférieure correspond à la rémunération minimale des salariés de la catégorie professionnelle, déterminée conformément à l'alinéa 26(1)a) et aux paragraphes 26(2) et (3),

(ii) la limite supérieure correspond à la somme du montant visé au sous-alinéa (i) et du montant calculé selon le paragraphe (1);

b) les limites du second quart sont établies aux montants suivants :

(i) la limite inférieure correspond à la somme du montant calculé selon le sous-alinéa a)(ii) et de 1 $,

(ii) la limite supérieure correspond à la somme du montant calculé selon le sous-alinéa a)(ii) et du montant calculé selon le paragraphe (1);

c) les limites du troisième quart sont établies aux montants suivants :

(i) la limite inférieure correspond à la somme du montant calculé selon le sous-alinéa b)(ii) et de 1 $,

(ii) la limite supérieure correspond à la somme du montant calculé selon le sous-alinéa b)(ii) et du montant calculé selon le paragraphe (1);

d) les limites du quatrième quart sont établies aux montants suivants :

(i) la limite inférieure correspond à la somme du montant calculé selon le sous-alinéa c)(ii) et de 1 $,

(ii) la limite supérieure correspond à la rémunération maximale des salariés de cette catégorie professionnelle, déterminée conformément à l'alinéa 26(1)a) et aux paragraphes 26(2) et (3).

(3) L'employeur indique sur les parties applicables du formulaire 2 le nombre de salariés pour chacun des quarts de l'échelle de rémunération, déterminés conformément au paragraphe (1), en se fondant sur la rémunération de chaque salarié déterminée conformément à l'alinéa 26(1)a) ou, dans le cas d'un salarié visé aux paragraphes 26(2) ou (3), à la rémunération annualisée de celui-ci, établie conformément au paragraphe applicable.

Formulaire 3

28. L'employeur remplit les parties applicables du formulaire 3 de l'annexe VI selon les modalités prévues à l'article 24 et à l'alinéa 25a).

29. Aux fins d'indiquer sur le formulaire 3 la représentation des salariés dans les échelles de rémunération y figurant, l'employeur, dans le cas des salariés visés aux paragraphes 26(2) et (3), se fonde sur leur rémunération annualisée, établie conformément à ces paragraphes.

Formulaires 4, 5 et 6

30. L'employeur remplit, selon les modalités prévues à l'article 24, les parties applicables des formulaires 4, 5 et 6 de l'annexe VI à l'égard des catégories, visées aux alinéas 24(1)a) et b), des salariés travaillant dans une branche d'activité qu'il doit indiquer séparément et des salariés regroupés dans la branche d'activité 1 conformément au paragraphe 24(2), pour toute province ou tout territoire où le nombre total de ses salariés est égal ou supérieur à 100 à tout moment de la période de rapport.

31. Sur le formulaire 5, l'employeur n'inscrit les salariés promus au cours de la période de rapport que dans la catégorie professionnelle à laquelle ils ont été promus en dernier.

Abrogation

32. (*Omis*).

Entrée en vigueur

33. (*Omis*).

ANNEXE I

(*paragraphe 1(1)*)

RMR désignées

1. Calgary, (Alberta)
2. Edmonton, (Alberta)
3. Halifax, (Nouvelle-Écosse)
4. Montréal, (Québec)
5. Regina, (Saskatchewan)
6. Toronto, (Ontario)
7. Vancouver, (Colombie-Britannique)
8. Winnipeg, (Manitoba)

ANNEXE II — CATÉGORIES PROFESSIONNELLES DE L'ÉQUITÉ EN MATIÈRE D'EMPLOI — EMPLOYEURS DU SECTEUR PRIVÉ OU SECTEURS DE L'ADMINISTRATION PUBLIQUE FÉDÉRALE VISÉS À L'ALINÉA 4(1)C) DE LA LOI

(*paragraphe 1(2)*)

Catégories professionnelles de l'équité en matiére d'emploi — employeurs du secteur privé ou secteurs de l'administration publique fédérale visés à l'alinéa 4(1)c) de la loi

Article	Colonne I Catégories professionnelles de l'équité en matière d'emploi	Colonne II Groupes de base	Colonne III Codes CNP
1.	Cadres supérieurs	Membres des corps législatifs	0011
		Cadres supérieurs/cadres supérieures — administration publique	0012
		Cadres supérieurs/cadres supérieures — services financiers, communications et autres services aux entreprises	0013
		Cadres supérieurs/cadres supérieures — santé, enseignement, services communautaires et sociaux et associations mutuelles	0014
		Cadres supérieurs/cadres supérieures — commerce, radiotélédiffusion et autres services, n.c.a.	0015
		Cadres supérieurs/cadres supérieures — production de biens, services d'utilité publique, transport et construction	0016
2.	Cadres intermédiaires et autres administrateurs	Directeurs financiers/directrices financières	0111
		Directeurs/directrices des ressources humaines	0112
		Directeurs/directrices des achats	0113
		Directeurs/directrices d'autres services administratifs	0114

Article	Colonne I Catégories professionnelles de l'équité en matière d'emploi	Colonne II Groupes de base	Colonne III Codes CNP
		Directeurs/directrices des assurances, de l'immobilier et du courtage financier	0121
		Directeurs/directrices de banque, du crédit et d'autres services de placements	0122
		Directeurs/directrices d'autres services aux entreprises	0123
		Directeurs/directrices de la transmission des télécommunications	0131
		Directeurs/directrices des services postaux et de messageries	0132
		Directeurs/directrices des services de génie	0211
		Directeurs/directrices de services d'architecture et de sciences	0212
		Gestionnaires de systèmes informatiques	0213
		Directeurs/directrices des soins de santé	0311
		Administrateurs/administratrices — enseignement postsecondaire et formation professionnelle	0312
		Directeurs/directrices d'école et administrateurs/administratrices de programmes d'enseignement aux niveaux primaire et secondaire	0313
		Directeurs/directrices des services sociaux, communautaires et correctionnels	0314
		Gestionnaires de la fonction publique — élaboration de politiques et administration de programmes sociaux et de santé	0411
		Gestionnaires de la fonction publique — analyse économique, élaboration de politiques et administration de programmes	0412

Article	Colonne I Catégories professionnelles de l'équité en matière d'emploi	Colonne II Groupes de base	Colonne III Codes CNP
		Gestionnaires de la fonction publique — élaboration de politiques et administration de programmes d'enseignement	0413
		Autres gestionnaires de la fonction publique	0414
		Directeurs/directrices de bibliothèque, d'archives, de musée et de galerie d'art	0511
		Directeurs/directrices — édition, cinéma, radiotélédiffusion et arts de la scène	0512
		Directeurs/directrices de programmes et de services de sports et de loisirs	0513
		Directeurs/directrices des ventes, du marketing et de la publicité	0611
		Directeurs/directrices — commerce de détail	0621
		Directeurs/directrices de la restauration et des services alimentaires	0631
		Directeurs/directrices de services d'hébergement	0632
		Officiers/officières de direction des services de police	0641
		Chefs et officiers supérieurs/officières supérieures des services d'incendie	0642
		Officiers/officières de direction des Forces armées	0643
		Directeurs/directrices d'autres services	0651
		Directeurs/directrices de la construction	0711
		Constructeurs/constructrices et rénovateurs/ rénovatrices en construction domiciliaire	0712
		Directeurs/directrices des transports	0713

Article	Colonne I Catégories professionnelles de l'équité en matière d'emploi	Colonne II Groupes de base	Colonne III Codes CNP
		Directeurs/directrices de l'exploitation et de l'entretien d'immeubles	0721
		Directeurs/directrices de la production primaire (sauf l'agriculture)	0811
		Directeurs/directrices de la fabrication	0911
		Directeurs/directrices des services d'utilité publique	0912
3.	Professionnels	Vérificateurs/vérificatrices et comptables	1111
		Analystes financiers/analystes financières et analystes en placements	1112
		Agents/agentes en valeurs, agents/agentes en placements et négociateurs/négociatrices en valeurs	1113
		Autres agents financiers/agentes financières	1114
		Spécialistes des ressources humaines	1121
		Professionnels/professionnelles des services aux entreprises de gestion	1122
		Physiciens/physiciennes et astronomes	2111
		Chimistes	2112
		Géologues, géochimistes et géophysiciens/géophysiciennes	2113
		Météorologistes	2114
		Autres professionnels/professionnelles des sciences physiques	2115
		Biologistes et autres scientifiques	2121
		Professionnels/professionnelles des sciences forestières	2122
		Agronomes, conseillers/conseillères et spécialistes en agriculture	2123

Article	Colonne I Catégories professionnelles de l'équité en matière d'emploi	Colonne II Groupes de base	Colonne III Codes CNP
		Ingénieurs civils/ingénieures civiles	2131
		Ingénieurs mécaniciens/ingénieures mécaniciennes	2132
		Ingénieurs électriciens et électroniciens/ingénieures électriciennes et électroniciennes	2133
		Ingénieurs chimistes/ingénieures chimistes	2134
		Ingénieurs/ingénieures d'industrie et de fabrication	2141
		Ingénieurs/ingénieures métallurgistes et des matériaux	2142
		Ingénieurs miniers/ingénieures minières	2143
		Ingénieurs géologues/ingénieures géologues	2144
		Ingénieurs/ingénieures de l'extraction et du raffinage du pétrole	2145
		Ingénieurs/ingénieures en aérospatiale	2146
		Ingénieurs informaticiens/ingénieures informaticiennes (sauf ingénieurs/ingénieures en logiciel)	2147
		Autres ingénieurs/ingénieures, n.c.a.*	2148
		Architectes	2151
		Architectes paysagistes	2152
		Urbanistes et planificateurs/planificatrices de l'utilisation des sols	2153
		Arpenteurs-géomètres/arpenteuses-géomètres	2154
		Mathématiciens/mathématiciennes, statisticiens/statisticiennes et actuaires	2161
		Analystes et consultants/consultantes en informatique	2171

Article	Colonne I Catégories professionnelles de l'équité en matière d'emploi	Colonne II Groupes de base	Colonne III Codes CNP
		Analystes de bases de données et administrateurs/administratrices de données	2172
		Ingénieurs/ingénieures en logiciel	2173
		Programmeurs/programmeuses et développeurs/développeuses en médias interactifs	2174
		Concepteurs/conceptrices et développeurs/développeuses Web	2175
		Médecins spécialistes	3111
		Omnipraticiens/omnipraticiennes et médecins en médecine familiale	3112
		Dentistes	3113
		Vétérinaires	3114
		Optométristes	3121
		Chiropraticiens/chiropraticiennes	3122
		Autres professionnels/professionnelles en diagnostic et en traitement de la santé	3123
		Pharmaciens/pharmaciennes	3131
		Diététistes et nutritionnistes	3132
		Audiologistes et orthophonistes	3141
		Physiothérapeutes	3142
		Ergothérapeutes	3143
		Autres professionnels/professionnelles en thérapie et en évaluation	3144
		Infirmiers/infirmières en chef et superviseurs/superviseures	3151
		Infirmiers autorisés/infirmières autorisées	3152
		Juges	4111
		Avocats/avocates (partout au Canada) et notaires (au Québec)	4112
		Professeurs/professeures d'université	4121

Article	Colonne I Catégories professionnelles de l'équité en matière d'emploi	Colonne II Groupes de base	Colonne III Codes CNP
		Assistants/assistantes d'enseignement et de recherche au niveau postsecondaire	4122
		Enseignants/enseignantes au niveau collégial et dans les écoles de formation professionnelle	4131
		Enseignants/enseignantes au niveau secondaire	4141
		Enseignants/enseignantes aux niveaux primaire et préscolaire	4142
		Conseillers/conseillères d'orientation et conseillers/conseillères en information scolaire et professionnelle	4143
		Psychologues	4151
		Travailleurs sociaux/travailleuses sociales	4152
		Conseillers familiaux/conseillères familiales, conseillers matrimoniaux/conseillères matrimoniales et personnel assimilé	4153
		Ministres du culte	4154
		Agent/agentes de probation et de libération condionagentsnelle et personnel assimilé	4155
		Agents/agentes de programmes, recherchistes et experts-conseils/expertes-conseils en sciences naturelles et appliqées	4161
		Économistes, recherchistes et analystes des politiques économiques	4162
		Agents/agentes de développement économique, recherchistes et experts-conseils/expertes-conseils en marketing	4163
		Agents/agentes de programmes, recherchistes et experts-conseils/expertes-conseils en politiques sociales	4164

Article	Colonne I Catégories professionnelles de l'équité en matière d'emploi	Colonne II Groupes de base	Colonne III Codes CNP
		Agents/agentes de programmes, recherchistes et experts-conseils/expertes-conseils en politiques de la santé	4165
		Agents/agentes de programmes, recherchistes et experts-conseils/expertes-conseils en politiques de l'enseignement	4166
		Superviseurs/superviseures et experts-conseils/expertes-conseils en programmes de sports, de loisirs et de conditionnement physique	4167
		Agents/agentes de programme de l'administration publique	4168
		Autres professionnels/professionnelles des sciences sociales, n.c.a.*	4169
		Bibliothécaires	5111
		Restaurateurs/restauratrices et conservateurs/conservatrices	5112
		Archivistes	5113
		Auteurs/auteures, rédacteurs/rédactrices et écrivains/écrivaines	5121
		Réviseurs/réviseures, rédacteurs-réviseurs/rédactrices-réviseures et chefs du service des nouvelles	5122
		Journalistes	5123
		Professionnels/professionnelles des relations publiques et des communications	5124
		Traducteurs/traductrices, terminologues et interprètes	5125
		Producteurs/productrices, réalisateurs/réalisatrices, chorégraphes et personnel assimilé	5131
		Chefs d'orchestre, compositeurs/compositrices et arrangeurs/arrangeuses	5132

Article	Colonne I Catégories professionnelles de l'équité en matière d'emploi	Colonne II Groupes de base	Colonne III Codes CNP
		Musiciens/musiciennes et chanteurs/chanteuses	5133
		Danseurs/danseuses	5134
		Acteurs/actrices et comédiens/comédiennes	5135
		Peintres, sculpteurs/sculpteures et autres artistes des arts visuels	5136
4.	Personnel semi-professionnel et technique	Technologues et techniciens/techniciennes en chimie	2211
		Technologues et techniciens/techniciennes en géologie et en minéralogie	2212
		Techniciens/techniciennes en météorologie	2213
		Technologues et techniciens/techniciennes en biologie	2221
		Inspecteurs/inspectrices des produits agricoles et de la pêche	2222
		Technologues et techniciens/techniciennes en sciences forestières	2223
		Techniciens/techniciennes du milieu naturel et de la pêche	2224
		Techniciens/techniciennes et spécialistes de l'aménagement paysager et de l'horticulture	2225
		Techniciens/techniciennes en génie civil	2231
		Technologues et techniciens/techniciennes en génie mécanique	2232
		Technologues et techniciens/techniciennes en génie industriel et en génie de fabrication	2233
		Estimateurs/estimatrices en construction	2234
		Technologues et techniciens/techniciennes en génie électronique et électrique	2241

Article	Colonne I Catégories professionnelles de l'équité en matière d'emploi	Colonne II Groupes de base	Colonne III Codes CNP
		Électroniciens/électroniciennes d'entretien (biens de consommation)	2242
		Techniciens/techniciennes et mécaniciens/mécaniciennes d'instruments industriels	2243
		Mécaniciens/mécaniciennes, techniciens/techniciennes et contrôleurs/contrôleuses d'avionique et d'instruments et d'appareillages électriques d'aéronefs	2244
		Technologues et techniciens/techniciennes en architecture	2251
		Designers industriels/designers industrielles	2252
		Technologues et techniciens/techniciennes en dessin	2253
		Technologues et techniciens/techniciennes en arpentage et en techniques géodésiques	2254
		Technologues et techniciens/techniciennes en cartographie et personnel assimilé	2255
		Vérificateurs/vérificatrices et essayeurs/essayeuses d'essais non destructifs	2261
		Inspecteurs/inspectrices d'ingénierie et officiers/officières de réglementation	2262
		Inspecteurs/inspectrices de la santé publique, de l'environnement et de l'hygiène et de la sécurité au travail	2263
		Inspecteurs/inspectrices en construction	2264
		Pilotes, navigateurs/navigatrices et instructeurs/instructrices de pilotage du transport aérien	2271

Article	Colonne I Catégories professionnelles de l'équité en matière d'emploi	Colonne II Groupes de base	Colonne III Codes CNP
		Spécialistes du contrôle de la circulation aérienne et personnel assimilé	2272
		Officiers/officières de pont du transport par voies navigables	2273
		Officiers mécaniciens/officières mécaniciennes du transport par voies navigables	2274
		Contrôleurs/contrôleuses de la circulation ferroviaire et régulateurs/régulatrices de la circulation maritime	2275
		Opérateurs/opératrices en informatique, opérateurs/opératrices réseau et techniciens/techniciennes Web	2281
		Agents/agentes de soutien aux utilisateurs	2282
		Évaluateurs/évaluatrices de logiciels et de systèmes informatiques	2283
		Technologues médicaux/technologues médicales et assistants/assistantes en anatomopathologie	3211
		Techniciens/techniciennes de laboratoire médical	3212
		Technologues et techniciens/techniciennes en santé animale	3213
		Inhalothérapeutes et perfusionnistes cardio-vasculaires et technologues cardio-pulmonaires	3214
		Technologues en radiation médicale	3215
		Technologues en échographie	3216
		Technologues en cardiologie	3217
		Technologues en électroencéphalographie et autres technologues du diagnostic, n.c.a.*	3218

Article	Colonne I Catégories professionnelles de l'équité en matière d'emploi	Colonne II Groupes de base	Colonne III Codes CNP
		Autres technologues et techniciens/techniciennes des sciences de la santé (sauf soins dentaires)	3219
		Denturologistes	3221
		Hygiénistes et thérapeutes dentaires	3222
		Technologies et techniciens/techniciennes dentaires et auxiliaires dans les laboratoires dentaires	3223
		Opticiens/opticiennes d'ordonnances	3231
		Sages-femmes et praticiens/praticiennes des médecines douces	3232
		Infirmiers auxiliaires/infirmières auxiliaires	3233
		Ambulanciers/ambulancières et autre personnel paramédical	3234
		Autre personnel technique en thérapie et en diagnostic	3235
		Techniciens/techniciennes juridiques et personnel assimilé	4211
		Travailleurs/travailleuses des services communautaires et sociaux	4212
		Conseillers/conseillères en emploi	4213
		Éducateurs/éducatrices et aides-éducateurs/aides-éducatrices de la petite enfance	4214
		Éducateurs spécialisés/éducatrices spécialisées	4215
		Autres instructeurs/instructrices	4216
		Autre personnel relié à la religion	4217
		Techniciens/techniciennes et assistants/assistantes dans les bibliothèques et les services d'archives	5211
		Personnel technique des musées et des galeries d'art	5212
		Photographes	5221

Article	Colonne I Catégories professionnelles de l'équité en matière d'emploi	Colonne II Groupes de base	Colonne III Codes CNP
		Cadreurs/cadreuses de films et cadreurs/cadreuses vidéo	5222
		Techniciens/techniciennes en graphisme	5223
		Techniciens/techniciennes en radiotélédiffusion	5224
		Techniciens/techniciennes en enregistrement audio et vidéo	5225
		Autre personnel technique et personnel de coordination du cinéma, de la radiotélédiffusion et des arts de la scène	5226
		Personnel de soutien du cinéma, de la radiotélédiffusion et des arts de la scène	5227
		Annonceurs/annonceures et autres communicateurs/communicatrices de la radio et de la télévision	5231
		Autres artistes de spectacle	5232
		Designers graphiques et illustrateurs/illustratrices	5241
		Designers d'intérieur	5242
		Ensembliers/ensemblières de théâtre, dessinateurs/dessinatrices de mode, concepteurs/conceptrices d'expositions et autres concepteurs/conceptrices artistiques	5243
		Artisans/artisanes	5244
		Patronniers/patronnières de produits textiles, d'articles en cuir et en fourrure	5245
		Athlètes	5251
		Entraîneurs/entraîneuses	5252
		Arbitres et officiels/arbitres et officielles de sports	5253
		Animateurs/animatrices et responsables de programmes de sports et de loisirs	5254

Article	Colonne I Catégories professionnelles de l'équité en matière d'emploi	Colonne II Groupes de base	Colonne III Codes CNP
5.	Surveillants	Superviseurs/superviseures de commis de bureau et de soutien administratif	1211
		Superviseurs/superviseures de commis de finance et d'assurance	1212
		Superviseurs/superviseures de commis de bibliothèque, de correspondanciers/correspondancières et d'autres commis à l'information	1213
		Surveillants/surveillantes de services postaux et de messageries	1214
		Superviseurs/superviseures de commis à la transcription, à la distribution et aux horaires	1215
		Superviseurs/superviseures — commerce de détail	6211
		Superviseurs/superviseures des services alimentaires	6212
		Gouvernants principaux/gouvernantes principales d'hôtel ou d'établissement	6213
		Surveillants/surveillantes du blanchissage et du nettoyage à sec	6214
		Surveillants/surveillantes des services de nettoyage	6215
		Surveillants/surveillantes des autres services	6216
6.	Contremaîtres	Contremaîtres/contremaîtresses des machinistes et du personnel assimilé	7211
		Entrepreneurs/entrepreneuses et contremaîtres/contremaîtresses en électricité et en télécommunications	7212
		Entrepreneurs/entrepreneuses et contremaîtres/contremaîtresses en tuyauterie	7213

Article	Colonne I Catégories professionnelles de l'équité en matière d'emploi	Colonne II Groupes de base	Colonne III Codes CNP
		Entrepreneurs/entrepreneuses et contremaîtres/contremaîtresses du formage, façonnage et montage des métaux	7214
		Entrepreneurs/entrepreneuses et contremaîtres/contremaîtresses en charpenterie	7215
		Entrepreneurs/entrepreneuses et contremaîtres/contremaîtresses en mécanique	7216
		Entrepreneurs/entrepreneuses et contremaîtres/contremaîtresses des équipes de construction lourde	7217
		Surveillants/surveillantes de l'imprimerie et du personnel assimilé	7218
		Entrepreneurs/entrepreneuses et contremaîtres/contremaîtresses des autres métiers de la construction et des services de réparation et d'installation	7219
		Surveillants/surveillantes des opérations du transport ferroviaire	7221
		Surveillants/surveillantes du transport routier et du transport en commun	7222
		Surveillants/surveillantes de l'exploitation forestière	8211
		Surveillants/surveillantes de l'exploitation des mines et des carrières	8221
		Surveillants/surveillantes du forage et des services reliés à l'extraction de pétrole et de gaz	8222
		Exploitants/exploitantes agricoles et gestionnaires d'exploitations agricoles	8251
		Entrepreneurs/entrepreneuses et gestionnaires des services agricoles	8252

Article	Colonne I Catégories professionnelles de l'équité en matière d'emploi	Colonne II Groupes de base	Colonne III Codes CNP
		Surveillants/surveillantes d'exploitations agricoles et ouvriers spécialisés/ouvrières spécialisées dans l'élevage du bétail	8253
		Propriétaires-exploitants/propriétaires-exploitantes et gestionnaires de pépinières et de serre	8254
		Entrepreneurs/entrepreneuses et gestionnaires de l'aménagement paysager et de l'entretien des terrains	8255
		Surveillants/surveillantes de l'aménagement paysager et de l'horticulture	8256
		Propriétaires-exploitants/propriétaires-exploitantes d'entreprises aquicoles	8257
		Surveillants/surveillantes dans la transformation des métaux et des minerais	9211
		Surveillants/surveillantes dans le raffinage du pétrole, le traitement du gaz et des produits chimiques et les services d'utilité publique	9212
		Surveillants/surveillantes dans la transformation des aliments, des boissons et du tabac	9213
		Surveillants/surveillantes dans la fabrication de produits en caoutchouc et en plastique	9214
		Surveillants/surveillantes dans la transformation des produits forestiers	9215
		Surveillants/surveillantes dans la transformation des produits textiles	9216
		Surveillants/surveillantes dans la fabrication de véhicules automobiles	9221

Article	Colonne I Catégories professionnelles de l'équité en matière d'emploi	Colonne II Groupes de base	Colonne III Codes CNP
		Surveillants/surveillantes dans la fabrication du matériel électronique	9222
		Surveillants/surveillantes dans la fabrication d'appareils électriques	9223
		Surveillants/surveillantes dans la fabrication de meubles et d'accessoires	9224
		Surveillants/surveillantes dans la confection d'articles en tissu, en cuir et en fourrure	9225
		Surveillants/surveillantes dans la fabrication d'autres produits métalliques et de pièces mécaniques	9226
		Surveillants/surveillantes dans la fabrication et le montage de produits divers	9227
7.	Personnel administratif et de bureau principal	Agents/agentes d'administration	1221
		Adjoints/adjointes de direction	1222
		Agents/agentes du personnel et recruteurs/recruteuses	1223
		Agents/agentes de gestion immobilière	1224
		Agents/agentes aux achats	1225
		Planificateurs/planificatrices de congrès et d'événements	1226
		Juges de paix et officiers/officières de justice	1227
		Agents/agentes d'immigration, d'assurance-emploi et du revenu	1228
		Teneurs/teneuses de livres	1231
		Agents/agentes de prêts	1232
		Experts/expertes en sinistres et rédacteurs/rédactrices en sinistres	1233
		Assureurs/assureures	1234
		Estimateurs/estimatrices et évaluateurs/évaluatrices	1235

Article	Colonne I Catégories professionnelles de l'équité en matière d'emploi	Colonne II Groupes de base	Colonne III Codes CNP
		Courtiers/courtières en douanes, courtiers/courtières maritimes et autres courtiers/courtières	1236
		Secrétaires (sauf domaines juridique et médical)	1241
		Secrétaires juridiques	1242
		Secrétaires médicaux/secrétaires médicales	1243
		Rapporteurs/rapporteuses judiciaires et transcripteurs médicaux/transcriptrices médicales	1244
8.	Personnel spécialisé de la vente et des services	Spécialistes des ventes techniques — commerce de gros	6221
		Agents/agentes et courtiers/courtières d'assurance	6231
		Agents/agentes et vendeurs/vendeuses en immobilier	6232
		Acheteurs/acheteuses des commerces de gros et de détail	6233
		Exploitants/exploitantes de silos à grains	6234
		Chefs	6241
		Cuisiniers/cuisinières	6242
		Bouchers/bouchères et coupeurs/coupeuses de viande — commerce de gros ou de détail	6251
		Boulangers-pâtissiers/boulangères-pâtissières	6252
		Policiers/policières (sauf cadres supérieurs/cadres supérieures)	6261
		Pompiers/pompières	6262
		Coiffeurs/coiffeuses et barbiers/barbières	6271
		Directeurs/directrices de funérailles et embaumeurs/embaumeuses	6272
9.	Travailleurs qualifiés et artisans	Machinistes et vérificateurs/vérificatrices d'usinage et d'outillage	7231

Article	Colonne I Catégories professionnelles de l'équité en matière d'emploi	Colonne II Groupes de base	Colonne III Codes CNP
		Outilleurs-ajusteurs/outilleuses-ajusteuses	7232
		Électriciens/électriciennes (sauf électriciens industriels/électriciennes industrielles et de réseaux-électriques)	7241
		Électriciens industriels/électriciennes industrielles	7242
		Électriciens/électriciennes de réseaux électriques	7243
		Monteurs/monteuses de lignes électriques et de câbles	7244
		Monteurs/monteuses de lignes et de câbles de télécommunications	7245
		Installateurs/installatrices et réparateurs/réparatrices de matériel de télécommunications	7246
		Techniciens/techniciennes en montage et en entretien d'installations de câblodistribution	7247
		Plombiers/plombières	7251
		Tuyauteurs/tuyauteuses, monteurs/monteuses d'appareils de chauffage et monteurs/monteuses de gicleurs	7252
		Monteurs/monteuses d'installations au gaz	7253
		Tôliers/tôlières	7261
		Chaudronniers/chaudronnières	7262
		Assembleurs/assembleuses et ajusteurs/ajusteuses de plaques et de charpentes métalliques	7263
		Monteurs/monteuses de charpentes métalliques	7264
		Soudeurs/soudeuses et opérateurs/opératrices de machines à souder et à braser	7265
		Forgerons/forgeronnes et monteurs/monteuses de matrices	7266

Article	Colonne I Catégories professionnelles de l'équité en matière d'emploi	Colonne II Groupes de base	Colonne III Codes CNP
		Charpentiers-menuisiers/charpentières-menuisières	7271
		Ébénistes	7272
		Briqueteurs-maçons/briqueteuses-maçonnes	7281
		Finisseurs/finisseuses de béton	7282
		Carreleurs/carreleuses	7283
		Plâtriers/plâtrières, latteurs/latteuses et poseurs/poseuses de systèmes intérieurs	7284
		Couvreurs/couvreuses et poseurs/poseuses de bardeaux	7291
		Vitriers/vitrières	7292
		Calorifugeurs/calorifugeuses	7293
		Peintres et décorateurs/décoratrices	7294
		Poseurs/poseuses de revêtements d'intérieur	7295
		Mécaniciens/mécaniciennes de chantier et mécaniciens industriels/mécaniciennes industrielles (sauf l'industrie du textile)	7311
		Mécaniciens/mécaniciennes d'équipement lourd	7312
		Mécaniciens/mécaniciennes en réfrigération et en climatisation	7313
		Réparateurs/réparatrices de wagons	7314
		Mécaniciens/mécaniciennes et contrôleurs/contrôleuses d'aéronefs	7315
		Ajusteurs/ajusteuses de machines	7316
		Mécaniciens/mécaniciennes et monteurs/monteuses de machines dan l'industrie du textile	7317
		Constructeurs/constructrices et mécaniciens/mécaniciennes d'ascenseurs	7318

Article	Colonne I Catégories professionnelles de l'équité en matière d'emploi	Colonne II Groupes de base	Colonne III Codes CNP
		Mécaniciens/mécaniciennes et réparateurs/réparatrices de véhicules automobiles, de camions et d'autobus	7321
		Débosseleurs/débosseleuses et réparateurs/réparatrices de carrosserie	7322
		Installateurs/installatrices de brûleurs à l'huile et à combustibles solides	7331
		Réparateurs/réparatrices d'appareils électroménagers	7332
		Électromécaniciens/électromécaniciennes	7333
		Mécaniciens/mécaniciennes de motocyclettes et personnel assimilé	7334
		Mécaniciens/mécaniciennes de petits moteurs et autres équipements	7335
		Tapissiers-garnisseurs/tapissières-gamisseuses	7341
		Tailleurs/tailleuses, couturiers/couturières, fourreurs/fourreuses et modistes	7342
		Coidonnieis/cordonnières et fabricants/fabricantes de chaussures	7343
		Bijoutiers/bijoutières, horlogers-rhabilleurs/horlogères-rhabilleuses et personnel assimilé	7344
		Mécaniciens/mécaniciennes de machines fixes et opérateurs/opératrices de machines auxiliaires	7351
		Opérateurs/opératrices de centrales et de réseaux électriques	7352
		Mécaniciens/mécaniciennes de locomotive et de cour de triage	7361
		Chefs de train et serre-freins	7362

Article	Colonne I Catégories professionnelles de l'équité en matière d'emploi	Colonne II Groupes de base	Colonne III Codes CNP
		Grutiers/grutières	7371
		Foreurs/foreuses et dynamiteurs/dynamiteuses des mines à ciel ouvert, des carrières et des chantiers de construction	7372
		Foreurs/foreuses de puits d'eau	7373
		Opérateurs/opératrices de presse à imprimer	7381
		Scaphandriers/scaphandrières	7382
		Autre personnel spécialisé des métiers	7383
		Mineurs/mineuses d'extraction et de préparation de mines souterraines	8231
		Foreurs/foreuses et personnel de mise à l'essai et des autres services relatifs à l'extraction de pétrole et de gaz	8232
		Conducteurs/conductrices de machines d'abattage	8241
		Capitaines et officiers/officières de bateaux de pêche	8261
		Patrons/Datronnes de bateaux de pêche et pêcheurs indépendants/pêcheuses indépendantes	8262
		Opérateurs/opératrices de poste central de contrôle et de conduite de procédés industriels dans le traitement des métaux et des minerais	9231
		Opérateurs/opératrices de salle de commande centrale dans le raffinage du pétrole et le traitement du gaz et des produits chimiques	9232
		Opérateurs/opératrices au contrôle de la réduction en pâte des pâtes et papiers	9233

Article	Colonne I Catégories professionnelles de l'équité en matière d'emploi	Colonne II Groupes de base	Colonne III Codes CNP
		Opérateurs/opératrices au contrôle de la fabrication du papier et du couchage	9234
10.	Personnel de bureau	Commis de bureau généraux/commis de bureau générales	1411
		Commis au classement et à la gestion des documents	1413
		Réceptionnistes et standardistes	1414
		Commis à la saisie de données	1422
		Opérateurs/opératrices d'équipement d'éditique et personnel assimilé	1423
		Téléphonistes	1424
		Commis à la comptabilité et personnel assimilé	1431
		Commis à la paye	1432
		Représentants/représentantes au service à la clientèle — services financiers	1433
		Commis de banque, d'assurance et des autres services financiers	1434
		Agents/agentes de recouvrement	1435
		Commis de soutien administratif	1441
		Commis des services du personnel	1442
		Commis des services judiciaires	1443
		Commis de bibliothèque	1451
		Correspondanciers/correspondancières, commis aux publications et personnel assimilé	1452
		Commis aux services à la clientèle, commis à l'information et personnel assimilé	1453
		Intervieweurs/intervieweuses pour enquêtes et commis aux statistiques	1454

Article	Colonne I Catégories professionnelles de l'équité en matière d'emploi	Colonne II Groupes de base	Colonne III Codes CNP
		Commis au courrier et aux services postaux et personnel assimilé	1461
		Facteurs/factrices	1462
		Messagers/messagères et distributeurs/distributrices porte-à-porte	1463
		Expéditeurs/expéditrices et réceptionnaires	1471
		Magasiniers/magasinières et commis aux pièces	1472
		Commis à la production	1473
		Commis aux achats et à l'inventaire	1474
		Répartiteurs/répartitrices et opérateurs radio/opératrices radio	1475
		Horairistes de trajets et préposés/préposées à l'affectation des équipages	1476
11.	Personnel intermédiaire de la vente et des services	Assistants/assistantes dentaires	3411
		Aides-infirmiers/aides-infirmières, aides-soignants/aides-soignantes et préposés/préposées aux bénéficiaires	3413
		Autre personnel de soutien des services de santé	3414
		Représentants/représentantes des ventes non techniques — commerce de gros	6411
		Vendeurs/vendeuses et commis-vendeuis/commis-vendeuses — commerce de détail	6421
		Conseillers/conseillères en voyages	6431
		Commissaires et agents/agentes de bord	6432

Article	Colonne I Catégories professionnelles de l'équité en matière d'emploi	Colonne II Groupes de base	Colonne III Codes CNP
		Agents/agentes à la billetterie et aux services aériens	6433
		Agents/agentes à la billetterie et représentants/représentantes du service en matière de fret et personnel assimilé (sauf transport aérien)	6434
		Réceptionnistes d'hôtel	6435
		Guides touristiques et guides itinérants/guides itinérantes	6441
		Guides d'activités récréatives et sportives de plein air	6442
		Personnel préposé au jeu dans les casinos	6443
		Maîtres d'hôtel et hôtes/hôtesses	6451
		Barmans/barmaids	6452
		Serveurs/serveuses d'aliments et de boissons	6453
		Shérifs et huissiers/huissières de justice	6461
		Agents/agentes de services correctionnels	6462
		Agents/agentes d'application de règlements municipaux et autres agents/agentes de réglementation, n.c.a.*	6463
		Personnel exclusif aux Forces armées	6464
		Autre personnel de services de protection	6465
		Aides familiaux/aides familiales, aides de maintien à domicile et personnel assimilé	6471
		Aides-enseignants/aides-enseignantes aux niveaux primaire et secondaire	6472
		Gardiens/gardiennes d'enfants, gouvernants/ gouvernantes et aides aux parents	6474

Article	Colonne I Catégories professionnelles de l'équité en matière d'emploi	Colonne II Groupes de base	Colonne III Codes CNP
		Conseillers/conseillères imagistes, conseillers mondains/conseillères mondaines et autres conseillers/conseillères en soins personnalisés	6481
		Esthéticiens/esthéticiennes, électrolystes et personnel assimilé	6482
		Soigneurs/soigneuses d'animaux et travailleurs/travailleuses en soins des animaux	6483
		Autre personnel des soins personnalisés	6484
12.	Travailleurs manuels spécialisés	Conducteurs/conductrices de camions	7411
		Conducteurs/conductrices d'autobus et opérateurs/opératrices de métro et autres transports en commun	7412
		Chauffeurs/chauffeuses de taxi, chauffeurs/chauffeuses de limousine et chauffeurs/chauffeuses	7413
		Chauffeurs-livreurs/chauffeuses-livreuses — services de livraison et de messagerie	7414
		Conducteurs/conductrices d'équipement lourd (sauf les grues)	7421
		Conducteurs/conductrices de machinerie d'entretien public	7422
		Mécaniciens/mécaniciennes de gare de triage du transport ferroviaire	7431
		Ouvriers/ouvrières à l'entretien de la voie ferrée	7432
		Matelots de pont du transport par voies navigables	7433
		Matelots de salle des machines du transport par voies navigables	7434
		Personnel des écluses et des bacs à câble	7435

Article	Colonne I Catégories professionnelles de l'équité en matière d'emploi	Colonne II Groupes de base	Colonne III Codes CNP
		Propriétaires-exploitants/propriétaires-exploitantes de bateau à moteur	7436
		Agents/agentes de piste dans le transport aérien	7437
		Personnel d'installation, d'entretien et de réparation d'équipement résidentiel et commercial	7441
		Personnel d'entretien des canalisations d'eau et de gaz	7442
		Préposés/préposées à la pose et à l'entretien des pièces mécaniques d'automobiles	7443
		Fumigateurs/rumigatrices et préposés/préposées au contrôle de la vermine	7444
		Autres réparateurs/réparatrices	7445
		Débardeurs/débardeuses	7451
		Manutentionnaires	7452
		Personnel d'entretien et de soutien des mines souterraines	8411
		Personnel du forage et de l'entretien des puits de pétrole et de gaz	8412
		Conducteurs/conductrices de scies à chaîne et d'engins de débardage	8421
		Ouvriers/ouvrières en sylviculture et en exploitation forestière	8422
		Ouvriers/ouvrières agricoles	8431
		Ouvriers/ouvrières de pépinières et de serres	8432
		Matelots de pont sur les bateaux de pêche	8441
		Chasseurs/chasseuses et trappeurs/trappeuses	8442
		Opérateurs/opératrices de machines dans le traitement des métaux et des minerais	9411

Article	Colonne I Catégories professionnelles de l'équité en matière d'emploi	Colonne II Groupes de base	Colonne III Codes CNP
		Mouleurs/mouleuses, noyauteurs/noyauteuses et fondeurs/fondenses de métaux dans les aciéries	9412
		Opérateurs/opératrices de machines à former et à finir le verre et coupeurs/coupeuses de verre	9413
		Opérateurs/opératrices de machines dans le façonnage et la finition des produits en béton, en argile ou en pierre	9414
		Contrôleurs/contrôleuses et essayeurs/essayeuses dans la transformation des métaux et des minerais	9415
		Opérateurs/opératrices d'installations de traitement des produits chimiques	9421
		Opérateurs/opératrices de machines de traitement des matières plastiques	9422
		Opérateurs/opératrices de machines de transformation du caoutchouc et personnel assimilé	9423
		Opérateurs/opératrices d'installations de l'assainissement de l'eau et du traitement des déchets	9424
		Opérateurs/opératrices de machines à scier dans les scieries	9431
		Opérateurs/opératrices de machines dans les usines de pâte à papier	9432
		Opérateurs/opératrices de machines dans la fabrication et finition du papier	9433
		Autres opérateurs/opératrices de machines dans la transformation du bois	9434
		Opérateurs/opératrices de machines à façonner le papier	9435

Article	Colonne I Catégories professionnelles de l'équité en matière d'emploi	Colonne II Groupes de base	Colonne III Codes CNP
		Classeurs/classeases de bois d'œuvre et autres vérificateurs/vérificatrices et classeurs/classeuses dans la transformation du bois	9436
		Opérateurs/opératrices de machines de préparation de fibres textiles et de filés	9441
		Tisseurs/tisseuses, tricoteurs/tricoteuses et autres opérateurs/opératrices de machines textiles	9442
		Teinturiers/teinturières et finisseurs/finisseuses de produits textiles	9443
		Contrôleurs/contrôleuses de la qualité, trieurs/trieuses et échantillonneurs/échantillonneuses de produits textiles	9444
		Opérateurs/opératrices de machines à coudre industrielles	9451
		Coupeurs/coupeuses de tissu, de fourrure et de cuir	9452
		Ouvriers spécialisés/ouvrières spécialisées dans le traitement du cuir et des peaux	9453
		Contrôleurs/contrôleuses et essayeurs/essayeuses dans la confection d'articles en tissu, en cuir et en fourrure	9454
		Opérateurs/opératrices de machines de procédés industriels dans la transformation des aliments et des boissons	9461
		Bouchers industriels/bouchères industrielles, dépeceurs-découpeurs/dépeceuses-découpeuses de viande, préparateurs/préparatrices de volaille et personnel assimilé	9462
		Ouvriers/ouvrières dans les usines de conditionnement du poisson	9463

Article	Colonne I Catégories professionnelles de l'équité en matière d'emploi	Colonne II Groupes de base	Colonne III Codes CNP
		Opérateurs/opératrices de machines dans le traitement du tabac	9464
		Échantillonneurs/échantillonneuses et trieurs/trieuses dans la transformation des aliments et des boissons	9465
		Opérateurs/opératrices de machines à imprimer	9471
		Photograveurs-clicheurs/photograveuses-clicheuses, photograveurs-reporteurs/photograveuses-reporteuses et autre personnel de prémise en train	9472
		Opérateurs/opératrices de machines à relier et de finition	9473
		Développeurs/développeuses de films et de photographies	9474
		Monteurs/monteuses d'aéronefs et contrôleurs/contrôleuses de montage d'aéronefs	9481
		Assembleurs/assembleuses, contrôleurs/contrôleuses et vérificateurs/vérificatrices de véhicules automobiles	9482
		Assembleurs/assembleuses, monteurs/monteuses, contrôleurs/contrôleuses et vérificateurs/vérificatrices de matériel électronique	9483
		Monteurs/monteuses et contrôleurs/contrôleuses dans la fabrication de matériel, d'appareils et d'accessoires électriques	9484
		Assembleurs/assembleuses, monteurs/monteuses et contrôleurs/contrôleuses dans la fabrication de transformateurs et de moteurs électriques industriels	9485

Article	Colonne I Catégories professionnelles de l'équité en matière d'emploi	Colonne II Groupes de base	Colonne III Codes CNP
		Monteurs/monteuses et contrôleurs/contrôleuses de matériel mécanique	9486
		Opérateurs/opératrices de machines et contrôleurs/contrôleuses dans la fabrication d'appareils électriques	9487
		Monteurs/monteuses de bateaux et contrôleurs/contrôleuses de montage de bateaux	9491
		Monteurs/monteuses et contrôleurs/contrôleuses de meubles et d'accessoires	9492
		Monteurs/monteuses et contrôleurs/contrôleuses d'autres produits en bois	9493
		Vernisseurs/vernisseuses en finition et en réparation de meubles	9494
		Assembleurs/assembleuses, finisseurs/finisseuses et contrôleurs/contrôleuses de produits en plastique	9495
		Peintres et enduiseurs/enduiseuses — secteur industriel	9496
		Opérateurs/opératrices d'équipement de métallisation et de galvanisation et personnel assimilé	9497
		Autres monteurs/monteuses et contrôleurs/contrôleuses	9498
		Opérateurs/opératrices de machines d'usinage	9511
		Opérateurs/opératrices de machines de formage	9512
		Opérateurs/opératrices de machines à travailler le bois	9513
		Opérateurs/opératrices de machines à travailler les métaux légers et lourds	9514

Article	Colonne I Catégories professionnelles de l'équité en matière d'emploi	Colonne II Groupes de base	Colonne III Codes CNP
		Opérateurs/opératrices de machines à travailler d'autres produits métalliques	9516
		Opérateurs/opératrices de machines à fabriquer des produits divers	9517
13.	Autre personnel de la vente et des services	Caissiers/caissières	6611
		Préposés/préposées de stations-service	6621
		Commis d'épicerie et autres garnisseurs/garnisseuses de tablettes — commerce de détail	6622
		Autre personnel élémentaire de la vente	6623
		Serveurs/serveuses au comptoir, aides de cuisine et personnel assimilé	6641
		Gardiens/gardiennes de sécurité et personnel assimilé	6651
		Préposés/préposées à l'entretien ménager et au nettoyage — travaux légers	6661
		Nettoyeurs spécialisés/nettoyeuses spécialisées	6662
		Concierges et concierges d'immeubles	6663
		Opérateurs/opératrices et préposés/préposées aux sports, aux loisirs et dans les parcs d'attractions	6671
		Autres préposés/préposées en hébergement et en voyage	6672
		Personnel de blanchisseries et d'établissements de nettoyage à sec	6681
		Repasseurs/repasseuses, presseurs/presseuses et finisseurs/finisseuses	6682

Article	Colonne I Catégories professionnelles de l'équité en matière d'emploi	Colonne II Groupes de base	Colonne III Codes CNP
		Autre peronnel élémentaire de services peronnels	6683
14.	Autres travailleurs manuels	Aides de soutien des métiers et manœuvres en construction	7611
		Autres manœuvres et aides de soutien de métiers	7612
		Manœuvres à l'entretien des travaux publics	7621
		Manœuvres dans le transport ferroviaire et routier	7622
		Manœuvres agricoles	8611
		Manœuvres en aménagement paysager et en entretien des terrains	8612
		Manœuvres de l'aquiculture et de la mariculture	8613
		Manœuvres des mines	8614
		Manœuvres de forage et d'entretien des puits de pétrole et de gaz	8615
		Manœuvres de l'exploitation forestière	8616
		Manœuvres dans le traitement des métaux et des minerais	9611
		Manœuvres en métallurgie	9612
		Manœuvres dans le traitement des produits chimiques et les services d'utilité publique	9613
		Manœuvres dans le traitement des pâtes et papiers et la transformation du bois	9614
		Manœuvres dans la fabrication des produits en caoutchouc et en plastique	9615
		Manœuvres des produits du textile	9616
		Manœuvres dans la transformation des aliments, des boissons et du tabac	9617
		Manœuvres dans la transformation du poisson	9618

Article	Colonne I Catégories professionnelles de l'équité en matière d'emploi	Colonne II Groupes de base	Colonne III Codes CNP
		Autres manœuvres des services de transformation, de fabrication et d'utilité publique	9619

Notes:

* n.c.a. = non classé ailleurs

[DORS/2006-120, art. 7]

ANNEXE III — CATÉGORIES PROFESSIONNELLES — SECTEURS DE L'ADMINISTRATION PUBLIQUE FÉDÉRALE VISÉS À L'ALINÉA 4(1)B) DE LA LOI

(*paragraphe 1(2)*)

Article	Colonne I Catégories professionnelles	Colonne II Sous-catégories professionnelles
1.	Groupe de la direction	
2.	Scientifique et professionnelle	Actuariat
		Agriculture
		Architecture et urbanisme
		Vérification
		Sciences biologiques
		Chimie
		Art dentaire
		Service scientifique de la défense
		Enseignement
		Génie et arpentage
		Économie, sociologie et statistique
		Sciences forestières
		Sciences domestiques
		Recherche historique
		Droit
		Bibliothéconomie
		Mathématiques
		Médecine
		Météorologie
		Sciences infirmières
		Ergothérapie et physiothérapie
		Sciences physiques
		Pharmacie
		Psychologie
		Recherche scientifique
		Réglementation scientifique
		Service social
		Enseignement universitaire
		Médecine vétérinaire
3.	Administration et service extérieur	Services administratifs
		Commerce

Article	Colonne I Catégories professionnelles	Colonne II Sous-catégories professionnelles
		Gestion des systèmes informatiques
		Gestion des finances
		Service extérieur
		Service d'information
		Stagiaire en gestion / en administration
		Organisation et méthodes
		Gestion du personnel
		Achats et approvisionnement
		Administration des programmes
		Traduction
		Programmes de bien-être social
4.	Technique	Contrôle de la circulation aérienne
		Navigation aérienne
		Dessin et illustration
		Soutien technologique et scientifique
		Électronique
		Soutien de l'enseignement
		Techniciens divers
		Inspection des produits primaires
		Photographie
		Radiotélégraphie
		Soutien des sciences sociales
		Officiers de navire
		Inspection technique
5.	Soutien administratif	Communications
		Commis aux écritures et règlements
		Traitement mécanique des données
		Mécanographie
		Secrétariat, sténographie, dactylographie
6.	Exploitation	Services correctionnels
		Pompiers
		Manœuvres et hommes de métier
		Services divers
		Chauffage, force motrice et opération de machines fixes
		Services hospitaliers
		Gardiens de phare
		Services d'imprimerie
		Équipages de navires

Article	Colonne I Catégories professionnelles	Colonne II Sous-catégories professionnelles
		Réparation de navires

ANNEXE IV — QUESTIONNAIRE DE L'ENQUÊTE SUR L'EFFECTIF-QUESTIONS

(*paragraphe 3(3)*)

1. Aux fins de l'équité en matière d'emploi, « **autochtones** » s'entend des Indiens, des Inuit et des Métis.

Compte tenu de cette définition, êtes-vous un ou une autochtone ?

Oui Non

2. Aux fins de l'équité en matière d'emploi, « **personnes handicapées** » s'entend des personnes qui ont une déficience durable ou récurrente soit de leurs capacités physiques, mentales ou sensorielles, soit d'ordre psychiatrique ou en matière d'apprentissage et :

a) soit considèrent qu'elles ont des aptitudes réduites pour exercer un emploi;

b) soit pensent qu'elles risquent d'être classées dans cette catégorie par leur employeur ou par d'éventuels employeurs en raison d'une telle déficience.

Cette définition vise également les personnes dont les limitations fonctionnelles liées à leur déficience font l'objet de mesures d'adaptation pour leur emploi ou dans leur lieu de travail.

Compte tenu de cette définition, êtes-vous une personne handicapée ?

Oui Non

3. Aux fins de l'équité en matière d'emploi, « **minorités visibles** » s'entend des personnes, autres que les autochtones, qui ne sont pas de race blanche ou n'ont pas la peau blanche.

Compte tenu de cette définition, faites-vous partie d'une minorité visible ?

Oui Non

ANNEXE V — CERTIFICAT DU TRIBUNAL DE L'ÉQUITÉ EN MATIÈRE D'EMPLOI

(*article 13*)

Certificat délivré en application de l'alinéa 39(4)b) de la *Loi sur l'équité en matière d'emploi*

En ce qui concerne la violation de .... (*préciser la disposition en cause*) de (du) .... (*titre de la Loi ou du Règlement*) commise par .... (*nom de l'employeur*)

Les présentes attestent qu'après signification, conformément à l'alinéa 39(1)a) de la *Loi sur l'équité en matière d'emploi*, d'une assignation à .... (*nom de l'employeur*) indiquant la date et le lieu de l'audition de la présente affaire et qu'au terme des procédures relatives à cette violation, j'ai jugé que .... (*nom de l'employeur*) a commis une violation de .... (*préciser la disposition en cause*) de (du) .... (*titre de la Loi ou du Règlement*) le .... (*date*).

La sanction infligée pour cette violation est de .... $ (*montant*).

Fait le .... 20......

..................................(*Signature du membre ou des membres du Tribunal*)

..................................(*Adresse du Tribunal ou des membres du Tribunal*)

[DORS/2006-120, art. 8]

ANNEXE VI

(*paragraphe 15(1)*)

Formulaires 1-6

Formulaire 1

[Note de l'éditeur : Le formulaire 1 de l'annexe VI a été modifié par DORS/99-356 par adjonction de « Nunavut » après « N.W.T.-T.N.-O. », sous l'intertitre « Provinces/Territories ».]

[Note de l'éditeur : Les formulaires 1 à 6 de l'annexe VI ont été modifiés par DORS/2006-120. La mention « Développement des ressources humaines Canada » est remplacée par « Ressources humaines et Développement social Canada » ainsi que la mention « 19__ » qui est remplacée par « 20__ ».]

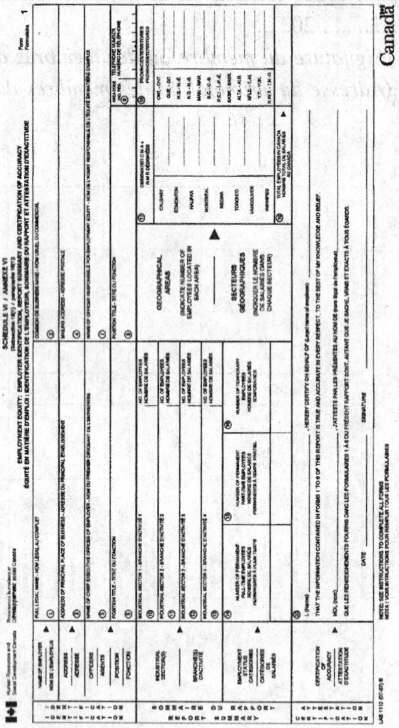
Human Resources and Social Development Canada / Ressources humaines et Développement social Canada

SCHEDULE VI / ANNEXE VI

EMPLOYMENT EQUITY: EMPLOYER IDENTIFICATION, REPORT SUMMARY AND CERTIFICATION OF ACCURACY

ÉQUITÉ EN MATIÈRE D'EMPLOI : IDENTIFICATION DE L'EMPLOYEUR, SOMMAIRE DU RAPPORT ET ATTESTATION D'EXACTITUDE

Form / Formulaire 1

IDENTIFICATION / IDENTIFICATION

NAME OF EMPLOYER / NOM DE L'EMPLOYEUR — (1) FULL LEGAL NAME - NOM LÉGAL AU COMPLET — (2) COMMON OR BUSINESS NAME - NOM USUEL OU COMMERCIAL

ADDRESS / ADRESSE — (3) ADDRESS OF PRINCIPAL PLACE OF BUSINESS - ADRESSE DU PRINCIPAL ÉTABLISSEMENT — (4) MAILING ADDRESS - ADRESSE POSTALE

OFFICERS / AGENTS — (5) NAME OF CHIEF EXECUTIVE OFFICER OF EMPLOYER - NOM DU PREMIER DIRIGEANT DE L'ENTREPRISE — (7) NAME OF OFFICER RESPONSIBLE FOR EMPLOYMENT EQUITY - NOM DE L'AGENT RESPONSABLE DE L'ÉQUITÉ EN MATIÈRE D'EMPLOI

POSITION / FONCTION — (6) POSITION TITLE - TITRE OU FONCTION — (8) POSITION TITLE - TITRE OU FONCTION — (9) AREA CODE / INDICATIF — TELEPHONE NUMBER / NUMÉRO DE TÉLÉPHONE

REPORT SUMMARY / SOMMAIRE DU RAPPORT

INDUSTRIAL SECTOR(S) / BRANCHE(S) D'ACTIVITÉ — (10) INDUSTRIAL SECTOR 1 - BRANCHE D'ACTIVITÉ 1 — NO. OF EMPLOYEES / NOMBRE DE SALARIÉS — (11) INDUSTRIAL SECTOR 2 - BRANCHE D'ACTIVITÉ 2 — NO. OF EMPLOYEES / NOMBRE DE SALARIÉS — (12) INDUSTRIAL SECTOR 3 - BRANCHE D'ACTIVITÉ 3 — NO. OF EMPLOYEES / NOMBRE DE SALARIÉS — (13) INDUSTRIAL SECTOR 4 - BRANCHE D'ACTIVITÉ 4 — NO. OF EMPLOYEES / NOMBRE DE SALARIÉS

EMPLOYMENT STATUS CATEGORIES / CATÉGORIES DE SALARIÉS — (14) NUMBER OF PERMANENT FULL-TIME EMPLOYEES / NOMBRE DE SALARIÉS PERMANENTS À PLEIN TEMPS — (15) NUMBER OF PERMANENT PART-TIME EMPLOYEES / NOMBRE DE SALARIÉS PERMANENTS À TEMPS PARTIEL — (16) NUMBER OF TEMPORARY EMPLOYEES / NOMBRE DE SALARIÉS TEMPORAIRES

GEOGRAPHICAL AREAS (INDICATE NUMBER OF EMPLOYEES LOCATED IN EACH AREA) / SECTEURS GÉOGRAPHIQUES (INDIQUER LE NOMBRE DE SALARIÉS DANS CHAQUE SECTEUR)

(17) DESIGNATED C.M.A.s / R.M.R. DÉSIGNÉES: CALGARY, EDMONTON, HALIFAX, MONTRÉAL, REGINA, TORONTO, VANCOUVER, WINNIPEG

(18) PROVINCES/TERRITORIES / PROVINCES/TERRITOIRES: ONT. - ONT., QUE. - QC, N.S. - N.-É., N.B. - N.-B., MAN. - MAN., B.C. - C.-B., P.E.I. - Î.-P.-É., SASK. - SASK., ALTA. - ALB., NFLD. - T.-N., Y.T. - YUK., N.W.T. - T.N.-O.

(19) TOTAL EMPLOYEES IN CANADA / NOMBRE TOTAL DE SALARIÉS AU CANADA

CERTIFICATION OF ACCURACY / ATTESTATION D'EXACTITUDE

(20) I, (Name) ____________, HEREBY CERTIFY ON BEHALF OF (Legal name of employer) ____________ THAT THE INFORMATION CONTAINED IN FORMS 1 TO 6 OF THIS REPORT IS TRUE AND ACCURATE IN EVERY RESPECT, TO THE BEST OF MY KNOWLEDGE AND BELIEF.

MOI, (nom) ____________, J'ATTESTE PAR LES PRÉSENTES AU NOM DE (nom légal de l'employeur) ____________ QUE LES RENSEIGNEMENTS FOURNIS DANS LES FORMULAIRES 1 À 6 DU PRÉSENT RAPPORT SONT, AUTANT QUE JE SACHE, VRAIS ET EXACTS À TOUS ÉGARDS.

DATE ____________ SIGNATURE ____________

NOTE: SEE INSTRUCTIONS TO COMPLETE ALL FORMS
NOTA : VOIR INSTRUCTIONS POUR REMPLIR TOUS LES FORMULAIRES

LAB 1112 (07-97) B

Canada

Formulaire 2

Human Resources and Social Development Canada Ressources humaines et Développement social Canada

NOTE: See instructions
NOTA : Voir instructions

OCCUPATIONAL GROUPS: PERMANENT FULL-TIME EMPLOYEES*
CATÉGORIES PROFESSIONNELLES : SALARIÉS PERMANENTS À PLEIN TEMPS*

Form / Formulaire **2** Part A / Partie A Page 1

Name of Business: / Nom de l'entreprise :	Industrial Sector: / Branche d'activité :	Reporting Period: / Période de rapport : 20 ____

Location-Endroit

☐ National (Canada) / National (Canada) ☐ Province / Territory (specify) / Province / territoire (préciser) ____ ☐ Designated CMA (specify) / RMR désignée (préciser) ____

Occupational Groups / Catégories professionnelles	Top and bottom of salary range / Maximum et minimum de l'échelle de rémunération	** Quarter / Quart	All Employees / Tous les salariés: Total Number / Nombre total	All Employees / Tous les salariés: Men / Hommes	All Employees / Tous les salariés: Women / Femmes	Aboriginal Peoples / Autochtones: Total Number / Nombre total	Aboriginal Peoples / Autochtones: Men / Hommes	Aboriginal Peoples / Autochtones: Women / Femmes	Persons with Disabilities / Personnes handicapées: Total Number / Nombre total	Persons with Disabilities / Personnes handicapées: Men / Hommes	Persons with Disabilities / Personnes handicapées: Women / Femmes	Members of Visible Minorities / Membres des minorités visibles: Total Number / Nombre total	Members of Visible Minorities / Membres des minorités visibles: Men / Hommes	Members of Visible Minorities / Membres des minorités visibles: Women / Femmes
	Col. 1		Col. 2	Col. 3	Col. 4	Col. 5	Col. 6	Col. 7	Col. 8	Col. 9	Col. 10	Col. 11	Col. 12	Col. 13
Senior Managers		4												
		3												
Cadres supérieurs		2												
		1												
Middle and Other Managers		4												
		3												
Cadres intermédiaires et autres administrateurs		2												
		1												
Professionals		4												
		3												
Professionnels		2												
		1												
Semi-Professionals and Technicians		4												
		3												
Personnel semi-professionnel et technique		2												
		1												
Supervisors		4												
		3												
Surveillants		2												
		1												
Supervisors: Crafts and Trades		4												
		3												
Contremaîtres		2												
		1												
Administrative and Senior Clerical Personnel		4												
		3												
Personnel administratif et de bureau principal		2												
		1												

LAB 1111 (07-07) P-1 B

* Use the other Parts for permanent part-time and temporary employees
Utiliser les autres parties pour les salariés permanents à temps partiel et les salariés temporaires

** 1 refers to the lowest salary quarter; 4 refers to the highest salary quarter
1 représente le quart le moins élevé de l'échelle de rémunération; 4 représente le plus élevé

Canada

Formulaire 2

Human Resources and Social Development Canada Ressources humaines et Développement social Canada

NOTE: See instructions
NOTA : Voir instructions

OCCUPATIONAL GROUPS: PERMANENT FULL-TIME EMPLOYEES*
CATÉGORIES PROFESSIONNELLES : SALARIÉS PERMANENTS À PLEIN TEMPS*

Form / Formulaire **2** Part A. / Partie A. Page 2

Occupational Groups / Catégories professionnelles	Top and bottom of salary range / Maximum et minimum de l'échelle de rémunération	**	All Employees / Tous les salariés			Aboriginal Peoples / Autochtones			Persons with Disabilities / Personnes handicapées			Members of Visible Minorities / Membres des minorités visibles		
		Quarter / Quart	Total Number / Nombre total	Men / Hommes	Women / Femmes	Total Number / Nombre total	Men / Hommes	Women / Femmes	Total Number / Nombre total	Men / Hommes	Women / Femmes	Total Number / Nombre total	Men / Hommes	Women / Femmes
	Col. 1		Col. 2	Col. 3	Col. 4	Col. 5	Col. 6	Col. 7	Col. 8	Col. 9	Col. 10	Col. 11	Col. 12	Col. 13
Skilled Sales and Service Personnel		4												
		3												
Personnel spécialisé de la vente et des services		2												
		1												
Skilled Crafts and Trades Workers		4												
		3												
Travailleurs qualifiés et artisans		2												
		1												
Clerical Personnel		4												
		3												
Personnel de bureau		2												
		1												
Intermediate Sales and Service Personnel		4												
		3												
Personnel intermédiaire de la vente et des services		2												
		1												
Semi-Skilled Manual Workers		4												
		3												
Travailleurs manuels spécialisés		2												
		1												
Other Sales and Service Personnel		4												
		3												
Autre personnel de la vente et des services		2												
		1												
Other Manual Workers		4												
		3												
Autres travailleurs manuels		2												
		1												
TOTAL NUMBER OF EMPLOYEES / NOMBRE TOTAL DE SALARIÉS														

LAB 1110 (07-97) F-2 B

* Use the other Parts for permanent part-time and temporary employees
Utiliser les autres parties pour les salariés permanents à temps partiel et les salariés temporaires

** 1 refers to the lowest salary quarter; 4 refers to the highest salary quarter
1 représente le quart le moins élevé de l'échelle de rémunération; 4 représente le plus élevé

Canada

Formulaire 2

Human Resources and Social Development Canada — Ressources humaines et Développement social Canada

NOTE: See instructions
NOTA : Voir instructions

OCCUPATIONAL GROUPS: PERMANENT PART-TIME EMPLOYEES*
CATÉGORIES PROFESSIONNELLES : SALARIÉS PERMANENTS À TEMPS PARTIEL*

Form / Formulaire 2 — Part B, / Partie B, — Page 1

Name of Business: / Nom de l'entreprise :

Industrial Sector: / Branche d'activité :

Reporting Period: / Période de rapport : 20 ____

Location-Endroit

☐ National (Canada) / National (Canada)

☐ Province / Territory (specify) / Province / territoire (préciser) ____________

☐ Designated CMA (specify) / RMR désignée (préciser) ____________

Occupational Groups / Catégories professionnelles	Top and bottom of salary range / Maximum et minimum de l'échelle de rémunération	** Quarter / Quart	All Employees / Tous les salariés: Total Number / Nombre total	All Employees: Men / Hommes	All Employees: Women / Femmes	Aboriginal Peoples / Autochtones: Total Number / Nombre total	Aboriginal Peoples: Men / Hommes	Aboriginal Peoples: Women / Femmes	Persons with Disabilities / Personnes handicapées: Total Number / Nombre total	Persons with Disabilities: Men / Hommes	Persons with Disabilities: Women / Femmes	Members of Visible Minorities / Membres des minorités visibles: Total Number / Nombre total	Members of Visible Minorities: Men / Hommes	Members of Visible Minorities: Women / Femmes
	Col. 1		Col. 2	Col. 3	Col. 4	Col. 5	Col. 6	Col. 7	Col. 8	Col. 9	Col. 10	Col. 11	Col. 12	Col. 13
Senior Managers / Cadres supérieurs		4												
		3												
		2												
		1												
Middle and Other Managers / Cadres intermédiaires et autres administrateurs		4												
		3												
		2												
		1												
Professionals / Professionnels		4												
		3												
		2												
		1												
Semi-Professionals and Technicians / Personnel semi-professionnel et technique		4												
		3												
		2												
		1												
Supervisors / Surveillants		4												
		3												
		2												
		1												
Supervisors: Crafts and Trades / Contremaîtres		4												
		3												
		2												
		1												
Administrative and Senior Clerical Personnel / Personnel administratif et de bureau principal		4												
		3												
		2												
		1												

LAB 1109 (07-07) P-1 B

* Use the other Parts for permanent full-time and temporary employees
Utiliser les autres parties pour les salariés permanents à plein temps et les salariés temporaires

** 1 refers to the lowest salary quarter; 4 refers to the highest salary quarter
1 représente le quart le moins élevé de l'échelle de rémunération; 4 représente le plus élevé

Canadä

Formulaire 2

Human Resources and Social Development Canada — Ressources humaines et Développement social Canada

OCCUPATIONAL GROUPS: PERMANENT PART-TIME EMPLOYEES*
CATÉGORIES PROFESSIONNELLES : SALARIÉS PERMANENTS À TEMPS PARTIEL*

NOTE: See instructions
NOTA : Voir instructions

Form / Formulaire 2 Part B, / Partie B, Page 2

Occupational Groups / Catégories professionnelles	Top and bottom of salary range / Maximum et minimum de l'échelle de rémunération	** Quarter / Quart	All Employees / Tous les salariés: Total Number / Nombre total	Men / Hommes	Women / Femmes	Aboriginal Peoples / Autochtones: Total Number / Nombre total	Men / Hommes	Women / Femmes	Persons with Disabilities / Personnes handicapées: Total Number / Nombre total	Men / Hommes	Women / Femmes	Members of Visible Minorities / Membres des minorités visibles: Total Number / Nombre total	Men / Hommes	Women / Femmes
	Col. 1		Col. 2	Col. 3	Col. 4	Col. 5	Col. 6	Col. 7	Col. 8	Col. 9	Col. 10	Col. 11	Col. 12	Col. 13
Skilled Sales and Service Personnel		4												
		3												
Personnel spécialisé de la vente et des services		2												
		1												
Skilled Crafts and Trades Workers		4												
		3												
Travailleurs qualifiés et artisans		2												
		1												
Clerical Personnel		4												
		3												
Personnel de bureau		2												
		1												
Intermediate Sales and Service Personnel		4												
		3												
Personnel intermédiaire de la vente et des services		2												
		1												
Semi-Skilled Manual Workers		4												
		3												
Travailleurs manuels spécialisés		2												
		1												
Other Sales and Service Personnel		4												
		3												
Autre personnel de la vente et des services		2												
		1												
Other Manual Workers		4												
		3												
Autres travailleurs manuels		2												
		1												
TOTAL NUMBER OF EMPLOYEES / NOMBRE TOTAL DE SALARIÉS														

LAB 1108 (07-07) P-2 B

* Use the other Parts for permanent full-time and temporary employees
Utiliser les autres parties pour les salariés permanents à plein temps et les salariés temporaires

** 1 refers to the lowest salary quarter; 4 refers to the highest salary quarter
1 représente le quart le moins élevé de l'échelle de rémunération; 4 représente le plus élevé

Canada

Formulaire 2

Human Resources and Social Development Canada — Ressources humaines et Développement social Canada

NOTE: See instructions
NOTA : Voir instructions

OCCUPATIONAL GROUPS: TEMPORARY EMPLOYEES*
CATÉGORIES PROFESSIONNELLES : SALARIÉS TEMPORAIRES*

Form / Formulaire 2 — Part C, / Partie C, — Page 1

Name of Business: / Nom de l'entreprise :

Industrial Sector: / Branche d'activité :

Reporting Period: / Période de rapport :

Location-Endroit

☐ National (Canada) / National (Canada)

☐ Province / Territory (specify) / Province / territoire (préciser) ____________

Occupational Groups / Catégories professionnelles	Top and bottom of salary range / Maximum et minimum de l'échelle de rémunération	** Quarter / Quart	All Employees / Tous les salariés: Total Number / Nombre total	Men / Hommes	Women / Femmes	Aboriginal Peoples / Autochtones: Total Number / Nombre total	Men / Hommes	Women / Femmes	Persons with Disabilities / Personnes handicapées: Total Number / Nombre total	Men / Hommes	Women / Femmes	Members of Visible Minorities / Membres des minorités visibles: Total Number / Nombre total	Men / Hommes	Women / Femmes
	Col. 1		Col. 2	Col. 3	Col. 4	Col. 5	Col. 6	Col. 7	Col. 8	Col. 9	Col. 10	Col. 11	Col. 12	Col. 13
Senior Managers / Cadres supérieurs		4												
		3												
		2												
		1												
Middle and Other Managers / Cadres intermédiaires et autres administrateurs		4												
		3												
		2												
		1												
Professionals / Professionnels		4												
		3												
		2												
		1												
Semi-Professionals and Technicians / Personnel semi-professionnel et technique		4												
		3												
		2												
		1												
Supervisors / Surveillants		4												
		3												
		2												
		1												
Supervisors: Crafts and Trades / Contremaîtres		4												
		3												
		2												
		1												
Administrative and Senior Clerical Personnel / Personnel administratif et de bureau principal		4												
		3												
		2												
		1												

LAB 1107 (07-97) F-1 B

* Use the other Parts for permanent full-time and permanent part-time employees
Utiliser les autres parties pour les salariés permanents à plein temps et les salariés permanents à temps partiel

** 1 refers to the lowest salary quarter; 4 refers to the highest salary quarter
1 représente le quart le moins élevé de l'échelle de rémunération; 4 représente le plus élevé

Canada

Formulaire 2

Human Resources and Social Development Canada — Ressources humaines et Développement social Canada

OCCUPATIONAL GROUPS: TEMPORARY EMPLOYEES*
CATÉGORIES PROFESSIONNELLES : SALARIÉS TEMPORAIRES*

NOTE: See instructions
NOTA : Voir instructions

Form / Formulaire 2 — Part C, / Partie C, — Page 2

Occupational Groups Catégories professionnelles	Top and bottom of salary range Maximum et minimum de l'échelle de rémunération	** Quarter Quart	All Employees Tous les salariés			Aboriginal Peoples Autochtones			Persons with Disabilities Personnes handicapées			Members of Visible Minorities Membres des minorités visibles		
			Total Number Nombre total	Men Hommes	Women Femmes	Total Number Nombre total	Men Hommes	Women Femmes	Total Number Nombre total	Men Hommes	Women Femmes	Total Number Nombre total	Men Hommes	Women Femmes
	Col. 1		Col. 2	Col. 3	Col. 4	Col. 5	Col. 6	Col. 7	Col. 8	Col. 9	Col. 10	Col. 11	Col. 12	Col. 13
Skilled Sales and Service Personnel		4												
		3												
Personnel spécialisé de la vente et des services		2												
		1												
Skilled Crafts and Trades Workers		4												
		3												
Travailleurs qualifiés et artisans		2												
		1												
Clerical Personnel		4												
		3												
Personnel de bureau		2												
		1												
Intermediate Sales and Service Personnel		4												
		3												
Personnel intermédiaire de la vente et des services		2												
		1												
Semi-Skilled Manual Workers		4												
		3												
Travailleurs manuels spécialisés		2												
		1												
Other Sales and Service Personnel		4												
		3												
Autre personnel de la vente et des services		2												
		1												
Other Manual Workers		4												
		3												
Autres travailleurs manuels		2												
		1												
TOTAL NUMBER OF EMPLOYEES NOMBRE TOTAL DE SALARIÉS														

LA3 1106 (07-97) P-2 B

* Use the other Parts for permanent full-time and permanent part-time employees
Utiliser les autres parties pour les salariés permanents à plein temps et les salariés permanents à temps partiel

** 1 refers to the lowest salary quarter; 4 refers to the highest salary quarter
1 représente le quart le moins élevé de l'échelle de rémunération; 4 représente le plus élevé

Canada

Formulaire 3

Human Resources and Social Development Canada — Ressources humaines et Développement social Canada

NOTE: See instructions
NOTA : Voir instructions

SALARY SUMMARY: PERMANENT FULL-TIME EMPLOYEES*
PROFIL SALARIAL : SALARIÉS PERMANENTS À PLEIN TEMPS*

Form / Formulaire 3 — Part A / Partie A

Name of Business: / Nom de l'entreprise :

Industrial Sector: / Branche d'activité :

Location-Endroit

☐ National (Canada) / National (Canada)

☐ Province / Territory (specify) / Province / territoire (préciser)

Reporting Period: / Période de rapport :

SALARY RANGES / ÉCHELLES DE RÉMUNÉRATION	All Employees / Tous les salariés			Aboriginal Peoples / Autochtones			Persons with Disabilities / Personnes handicapées			Members of Visible Minorities / Membres des minorités visibles		
	Total Number / Nombre total	Men / Hommes	Women / Femmes	Total Number / Nombre total	Men / Hommes	Women / Femmes	Total Number / Nombre total	Men / Hommes	Women / Femmes	Total Number / Nombre total	Men / Hommes	Women / Femmes
	Col. 1	Col. 2	Col. 3	Col. 4	Col. 5	Col. 6	Col. 7	Col. 8	Col. 9	Col. 10	Col. 11	Col. 12
Under / Moins de $15,000												
$15,000 - $19,999												
$20,000 - $24,999												
$25,000 - $29,999												
$30,000 - $34,999												
$35,000 - $37,499												
$37,500 - $39,999												
$40,000 - $44,999												
$45,000 - $49,999												
$50,000 - $59,999												
$60,000 - $69,999												
$70,000 - $84,999												
$85,000 - $99,999												
$100,000 and over / et plus												
TOTAL NUMBER OF EMPLOYEES / NOMBRE TOTAL DE SALARIÉS												

LAB 1106 (07-97) B

* Use the other Parts for permanent part-time and temporary employees
Utiliser les autres parties pour les salariés permanents à temps partiel et les salariés temporaires

Canada

Formulaire 3

Human Resources and Social Development Canada — Ressources humaines et Développement social Canada

NOTE: See instructions
NOTA : Voir instructions

SALARY SUMMARY: PERMANENT PART-TIME EMPLOYEES*
PROFIL SALARIAL : SALARIÉS PERMANENTS À TEMPS PARTIEL*

Form / Formulaire 3 — Part B / Partie B

Name of Business: / Nom de l'entreprise :

Industrial Sector: / Branche d'activité :

Location-Endroit

☐ National (Canada) / National (Canada)

☐ Province / Territory (specify) / Province / territoire (préciser)

Reporting Period: / Période de rapport :

SALARY RANGES / ÉCHELLES DE RÉMUNÉRATION	All Employees / Tous les salariés			Aboriginal Peoples / Autochtones			Persons with Disabilities / Personnes handicapées			Members of Visible Minorities / Membres des minorités visibles		
	Total Number / Nombre total	Men / Hommes	Women / Femmes	Total Number / Nombre total	Men / Hommes	Women / Femmes	Total Number / Nombre total	Men / Hommes	Women / Femmes	Total Number / Nombre total	Men / Hommes	Women / Femmes
	Col. 1	Col. 2	Col. 3	Col. 4	Col. 5	Col. 6	Col. 7	Col. 8	Col. 9	Col. 10	Col. 11	Col. 12
Under / Moins de $5,000												
$5,000 - $7,499												
$7,500 - $9,999												
$10,000 - $12,499												
$12,500 - $14,999												
$15,000 - $17,499												
$17,500 - $19,999												
$20,000 - $22,499												
$22,500 - $24,999												
$25,000 - $29,999												
$30,000 - $34,999												
$35,000 - $39,999												
$40,000 - $49,999												
$50,000 and over / et plus												
TOTAL NUMBER OF EMPLOYEES / NOMBRE TOTAL DE SALARIÉS												

LAB 1104 (07-97) B

* Use the other Parts for permanent full-time and temporary employees
Utiliser les autres parties pour les salariés permanents à plein temps et les salariés temporaires

Canada

Formulaire 3

Human Resources and Social Development Canada Ressources humaines et Développement social Canada

SALARY SUMMARY: TEMPORARY EMPLOYEES*
PROFIL SALARIAL : SALARIÉS TEMPORAIRES*

NOTE: See instructions
NOTA : Voir instructions

Form / Formulaire 3 Part C / Partie C

Name of Business: / Nom de l'entreprise :

Industrial Sector: / Branche d'activité :

Location-Endroit

☐ National (Canada) / National (Canada)

☐ Province / Territory (specify) / Province / territoire (préciser) ______

Reporting Period: / Période de rapport : ______

SALARY RANGES / ÉCHELLES DE RÉMUNÉRATION	All Employees / Tous les salariés			Aboriginal Peoples / Autochtones			Persons with Disabilities / Personnes handicapées			Members of Visible Minorities / Membres des minorités visibles		
	Total Number / Nombre total	Men / Hommes	Women / Femmes	Total Number / Nombre total	Men / Hommes	Women / Femmes	Total Number / Nombre total	Men / Hommes	Women / Femmes	Total Number / Nombre total	Men / Hommes	Women / Femmes
	Col. 1	Col. 2	Col. 3	Col. 4	Col. 5	Col. 6	Col. 7	Col. 8	Col. 9	Col. 10	Col. 11	Col. 12
Under / Moins de $5,000												
$5,000 - $7,499												
$7,500 - $9,999												
$10,000 - $12,499												
$12,500 - $14,999												
$15,000 - $17,499												
$17,500 - $19,999												
$20,000 - $22,499												
$22,500 - $24,999												
$25,000 - $29,999												
$30,000 - $34,999												
$35,000 - $39,999												
$40,000 - $49,999												
$50,000 and over / et plus												
TOTAL NUMBER OF EMPLOYEES / NOMBRE TOTAL DE SALARIÉS												

LAB 1103 (07-97) B

* Use the other Parts for permanent full-time and permanent part-time employees
Utiliser les autres parties pour les salariés permanents à plein temps et les salariés permanents à temps partiel

Canada

Formulaire 4

Human Resources and Social Development Canada   Ressources humaines et Développement social Canada

NOTE: See instructions
NOTA : Voir instructions

PERMANENT FULL-TIME EMPLOYEES HIRED *
RECRUTEMENTS : SALARIÉS PERMANENTS À PLEIN TEMPS *

Form / Formulaire **4** Part A / Partie A

Name of Business: / Nom de l'entreprise :	Industrial Sector: / Branche d'activité :
Location - Endroit ☐ National (Canada) / National (Canada) ☐ Province/Territory (specify) / Province/territoire (préciser) ______	Reporting Period: / Période de rapport : 19____

Occupational Groups / Catégories professionnelles	All Employees / Tous les salariés			Aboriginal Peoples / Autochtones			Persons with Disabilities / Personnes handicapées			Members of Visible Minorities / Membres des minorités visibles		
	Total Number / Nombre total	Men / Hommes	Women / Femmes	Total Number / Nombre total	Men / Hommes	Women / Femmes	Total Number / Nombre total	Men / Hommes	Women / Femmes	Total Number / Nombre total	Men / Hommes	Women / Femmes
	Col. 1	Col. 2	Col. 3	Col. 4	Col. 5	Col. 6	Col. 7	Col. 8	Col. 9	Col. 10	Col. 11	Col. 12
Senior Managers / Cadres supérieurs												
Middle and Other Managers / Cadres intermédiaires et autres administrateurs												
Professionals / Professionnels												
Semi-Professionals and Technicians / Personnel semi-professionnel et technique												
Supervisors / Surveillants												
Supervisors: Crafts and Trades / Contremaîtres												
Administrative and Senior Clerical Personnel / Personnel administratif et de bureau principal												
Skilled Sales and Service Personnel / Personnel spécialisé de la vente et des services												
Skilled Crafts and Trades Workers / Travailleurs qualifiés et artisans												
Clerical Personnel / Personnel de bureau												
Intermediate Sales and Service Personnel / Personnel intermédiaire de la vente et des services												
Semi-Skilled Manual Workers / Travailleurs manuels spécialisés												
Other Sales and Service Personnel / Autre personnel de la vente et des services												
Other Manual Workers / Autres travailleurs manuels												
TOTAL NUMBER OF EMPLOYEES HIRED / NOMBRE TOTAL DE RECRUTEMENTS												

LAB 1102 (-) B

* Use the other Parts for permanent part-time and temporary employees
Utiliser les autres parties pour les salariés permanents à temps partiel et les salariés temporaires

Canada

Formulaire 4

Human Resources and Social Development Canada — Ressources humaines et Développement social Canada

NOTE: See instructions
NOTA : Voir instructions

PERMANENT PART-TIME EMPLOYEES HIRED *
RECRUTEMENTS : SALARIÉS PERMANENTS À TEMPS PARTIEL *

Form / Formulaire **4** — Part B / Partie B

Name of Business / Nom de l'entreprise :	Industrial Sector / Branche d'activité :
Location - Endroit * ☐ National (Canada) / National (Canada) ☐ Province / Territory (specify) / Province / territoire (préciser) ________	Reporting Period / Période de rapport 19____

Occupational Groups / Catégories professionnelles	All Employees / Tous les salariés			Aboriginal Peoples / Autochtones			Persons with Disabilities / Personnes handicapées			Members of Visible Minorities / Membres des minorités visibles		
	Total Number / Nombre total	Men / Hommes	Women / Femmes	Total Number / Nombre total	Men / Hommes	Women / Femmes	Total Number / Nombre total	Men / Hommes	Women / Femmes	Total Number / Nombre total	Men / Hommes	Women / Femmes
	Col. 1	Col. 2	Col. 3	Col. 4	Col. 5	Col. 6	Col. 7	Col. 8	Col. 9	Col. 10	Col. 11	Col. 12
Senior Managers / Cadres supérieurs												
Middle and Other Managers / Cadres intermédiaires et autres administrateurs												
Professionals / Professionnels												
Semi-Professionals and Technicians / Personnel semi-professionnel et technique												
Supervisors / Surveillants												
Supervisors: Crafts and Trades / Contremaîtres												
Administrative and Senior Clerical Personnel / Personnel administratif et de bureau principal												
Skilled Sales and Service Personnel / Personnel spécialisé de la vente et des services												
Skilled Crafts and Trades Workers / Travailleurs qualifiés et artisans												
Clerical Personnel / Personnel de bureau												
Intermediate Sales and Service Personnel / Personnel intermédiaire de la vente et des services												
Semi-Skilled Manual Workers / Travailleurs manuels spécialisés												
Other Sales and Service Personnel / Autre personnel de la vente et des services												
Other Manual Workers / Autres travailleurs manuels												
TOTAL NUMBER OF EMPLOYEES HIRED / NOMBRE TOTAL DE RECRUTEMENTS												

LAB 1101 (-) B

* Use the other Parts for permanent full-time and temporary employees
Utiliser les autres parties pour les salariés permanents à plein temps et les salariés temporaires

Canada

Formulaire 4

Human Resources and Social Development Canada — Ressources humaines et Développement social Canada

NOTE: See instructions
NOTA : Voir instructions

TEMPORARY EMPLOYEES HIRED *
RECRUTEMENTS : SALARIÉS TEMPORAIRES *

Form / Formulaire **4** — Part C / Partie C

Name of Business: / Nom de l'entreprise :	Industrial Sector: / Branche d'activité :
Location - Endroit ☐ National (Canada) / National (Canada) ☐ Province / Territory (specify) / Province / territoire (préciser) ______	Reporting Period: / Période de rapport : 19____

Occupational Groups / Catégories professionnelles	All Employees / Tous les salariés			Aboriginal Peoples / Autochtones			Persons with Disabilities / Personnes handicapées			Members of Visible Minorities / Membres des minorités visibles		
	Total Number / Nombre total	Men / Hommes	Women / Femmes	Total Number / Nombre total	Men / Hommes	Women / Femmes	Total Number / Nombre total	Men / Hommes	Women / Femmes	Total Number / Nombre total	Men / Hommes	Women / Femmes
	Col. 1	Col. 2	Col. 3	Col. 4	Col. 5	Col. 6	Col. 7	Col. 8	Col. 9	Col. 10	Col. 11	Col. 12
Senior Managers / Cadres supérieurs												
Middle and Other Managers / Cadres intermédiaires et autres administrateurs												
Professionals / Professionnels												
Semi-Professionals and Technicians / Personnel semi-professionnel et technique												
Supervisors / Surveillants												
Supervisors: Crafts and Trades / Contremaîtres												
Administrative and Senior Clerical Personnel / Personnel administratif et de bureau principal												
Skilled Sales and Service Personnel / Personnel spécialisé de la vente et des services												
Skilled Crafts and Trades Workers / Travailleurs qualifiés et artisans												
Clerical Personnel / Personnel de bureau												
Intermediate Sales and Service Personnel / Personnel intermédiaire de la vente et des services												
Semi-Skilled Manual Workers / Travailleurs manuels spécialisés												
Other Sales and Service Personnel / Autre personnel de la vente et des services												
Other Manual Workers / Autres travailleurs manuels												
TOTAL NUMBER OF EMPLOYEES HIRED / NOMBRE TOTAL DE RECRUTEMENTS												

LAB 1100 (-) B

* Use the other Parts for permanent full-time and permanent part-time employees
Utiliser les autres parties pour les salariés permanents à plein temps et les salariés permanents à temps partiel

Canada

Formulaire 5

Human Resources and Social Development Canada — Ressources humaines et Développement social Canada

NOTE: See instructions
NOTA : Voir instructions

PERMANENT FULL-TIME EMPLOYEES PROMOTED *
AVANCEMENTS : SALARIÉS PERMANENTS À PLEIN TEMPS *

Form / Formulaire **5** Part A / Partie A

Name of Business: / Nom de l'entreprise :

Industrial Sector: / Branche d'activité :

Location - Endroit

☐ National (Canada) / National (Canada)

☐ Province / Territory (specify) / Province / territoire (préciser) ____________

Reporting Period: / Période de rapport : 19____

Occupational Groups / Catégories professionnelles	Employees promoted (Employees promoted during the year are to be reported only in the occupational groups in which or to which they have been last promoted.) / Salariés promus (Les salariés promus au cours de l'année doivent être inscrits seulement dans la catégorie professionnelle à laquelle ils ont été promus en dernier.)											
	All Employees / Tous les salariés			Aboriginal Peoples / Autochtones			Persons with Disabilities / Personnes handicapées			Members of Visible Minorities / Membres des minorités visibles		
	Total Number / Nombre total	Men / Hommes	Women / Femmes	Total Number / Nombre total	Men / Hommes	Women / Femmes	Total Number / Nombre total	Men / Hommes	Women / Femmes	Total Number / Nombre total	Men / Hommes	Women / Femmes
	Col. 1	Col. 2	Col. 3	Col. 4	Col. 5	Col. 6	Col. 7	Col. 8	Col. 9	Col. 10	Col. 11	Col. 12
Senior Managers / Cadres supérieurs												
Middle and Other Managers / Cadres intermédiaires et autres administrateurs												
Professionals / Professionnels												
Semi-Professionals and Technicians / Personnel semi-professionnel et technique												
Supervisors / Surveillants												
Supervisors: Crafts and Trades / Contremaîtres												
Administrative and Senior Clerical Personnel / Personnel administratif et de bureau principal												
Skilled Sales and Service Personnel / Personnel spécialisé de la vente et des services												
Skilled Crafts and Trades Workers / Travailleurs qualifiés et artisans												
Clerical Personnel / Personnel de bureau												
Intermediate Sales and Service Personnel / Personnel intermédiaire de la vente et des services												
Semi-Skilled Manual Workers / Travailleurs manuels spécialisés												
Other Sales and Service Personnel / Autre personnel de la vente et des services												
Other Manual Workers / Autres travailleurs manuels												
TOTAL NUMBER OF EMPLOYEES PROMOTED / NOMBRE TOTAL DE SALARIÉS PROMUS												
TOTAL NUMBER OF PROMOTIONS / NOMBRE TOTAL D'AVANCEMENTS												

LAB 1099 (-) B

* Use the other Parts for permanent part-time and temporary employees
Utiliser les autres parties pour les salariés permanents à temps partiel et les salariés temporaires

Canada

Formulaire 5

Human Resources and Social Development Canada — Ressources humaines et Développement social Canada

NOTE: See instructions
NOTA : Voir instructions

PERMANENT PART-TIME EMPLOYEES PROMOTED *
AVANCEMENTS : SALARIÉS PERMANENTS À TEMPS PARTIEL *

Form / Formulaire **5** — Part B / Partie B

Name of Business / Nom de l'entreprise : | Industrial Sector / Branche d'activité :

Location - Endroit: ☐ National (Canada) / National (Canada) ☐ Province / Territory (specify) / Province / territoire (préciser) ________ | Reporting Period: / Période de rapport : 19____

Employees promoted (Employees promoted during the year are to be reported only in the occupational groups in which or to which they have been last promoted.)
Salariés promus (Les salariés promus au cours de l'année doivent être inscrits seulement dans la catégorie professionnelle à laquelle ils ont été promus en dernier.)

Occupational Groups / Catégories professionnelles	All Employees / Tous les salariés			Aboriginal Peoples / Autochtones			Persons with Disabilities / Personnes handicapées			Members of Visible Minorities / Membres des minorités visibles		
	Total Number / Nombre total	Men / Hommes	Women / Femmes	Total Number / Nombre total	Men / Hommes	Women / Femmes	Total Number / Nombre total	Men / Hommes	Women / Femmes	Total Number / Nombre	Men / Hommes	Women / Femmes
	Col. 1	Col. 2	Col. 3	Col. 4	Col. 5	Col. 6	Col. 7	Col. 8	Col. 9	Col. 10	Col. 11	Col. 12
Senior Managers / Cadres supérieurs												
Middle and Other Managers / Cadres intermédiaires et autres administrateurs												
Professionals / Professionnels												
Semi-Professionals and Technicians / Personnel semi-professionnel et technique												
Supervisors / Surveillants												
Supervisors: Crafts and Trades / Contremaîtres												
Administrative and Senior Clerical Personnel / Personnel administratif et de bureau principal												
Skilled Sales and Service Personnel / Personnel spécialisé de la vente et des services												
Skilled Crafts and Trades Workers / Travailleurs qualifiés et artisans												
Clerical Personnel / Personnel de bureau												
Intermediate Sales and Service Personnel / Personnel intermédiaire de la vente et des services												
Semi-Skilled Manual Workers / Travailleurs manuels spécialisés												
Other Sales and Service Personnel / Autre personnel de la vente et des services												
Other Manual Workers / Autres travailleurs manuels												
TOTAL NUMBER OF EMPLOYEES PROMOTED / NOMBRE TOTAL DE SALARIÉS PROMUS												
TOTAL NUMBER OF PROMOTIONS / NOMBRE TOTAL D'AVANCEMENTS												

LAB 1098 (-) B

* Use the other Parts for permanent full-time and temporary employees
Utiliser les autres parties pour les salariés permanents à plein temps et les salariés temporaires

Canada

Formulaire 5

Human Resources and Social Development Canada — Ressources humaines et Développement social Canada

NOTE: See instructions
NOTA : Voir instructions

TEMPORARY EMPLOYEES PROMOTED *
AVANCEMENTS : SALARIÉS TEMPORAIRES *

Form / Formulaire **5** — Part C / Partie C

Name of Business / Nom de l'entreprise :	Industrial Sector: / Branche d'activité :
Location - Endroit ☐ National (Canada) / National (Canada) ☐ Province / Territory (specify) / Province / territoire (préciser) ____	Reporting Period / Période de rapport : 19____

Employees promoted (Employees promoted during the year are to be reported only in the occupational groups in which or to which they have been last promoted.)
Salariés promus (Les salariés promus au cours de l'année doivent être inscrits seulement dans la catégorie professionnelle à laquelle ils ont été promus en dernier.)

Occupational Groups / Catégories professionnelles	All Employees / Tous les salariés			Aboriginal Peoples / Autochtones			Persons with Disabilities / Personnes handicapées			Members of Visible Minorities / Membres des minorités visibles		
	Total Number / Nombre total	Men / Hommes	Women / Femmes	Total Number / Nombre total	Men / Hommes	Women / Femmes	Total Number / Nombre total	Men / Hommes	Women / Femmes	Total Number / Nombre	Men / Hommes	Women / Femmes
	Col. 1	Col. 2	Col. 3	Col. 4	Col. 5	Col. 6	Col. 7	Col. 8	Col. 9	Col. 10	Col. 11	Col. 12
Senior Managers / Cadres supérieurs												
Middle and Other Managers / Cadres intermédiaires et autres administrateurs												
Professionals / Professionnels												
Semi-Professionals and Technicians / Personnel semi-professionnel et technique												
Supervisors / Surveillants												
Supervisors: Crafts and Trades / Contremaîtres												
Administrative and Senior Clerical Personnel / Personnel administratif et de bureau principal												
Skilled Sales and Service Personnel / Personnel spécialisé de la vente et des services												
Skilled Crafts and Trades Workers / Travailleurs qualifiés et artisans												
Clerical Personnel / Personnel de bureau												
Intermediate Sales and Service Personnel / Personnel intermédiaire de la vente et des services												
Semi-Skilled Manual Workers / Travailleurs manuels spécialisés												
Other Sales and Service Personnel / Autre personnel de la vente et des services												
Other Manual Workers / Autres travailleurs manuels												
TOTAL NUMBER OF EMPLOYEES PROMOTED / NOMBRE TOTAL DE SALARIÉS PROMUS												
TOTAL NUMBER OF PROMOTIONS / NOMBRE TOTAL D'AVANCEMENTS												

LAB 1087 (-) B

* Use the other Parts for permanent full-time and permanent part-time employees
Utiliser les autres parties pour les salariés permanents à plein temps et les salariés permanents à temps partiel

Canada

Formulaire 6

Human Resources and Social Development Canada — Ressources humaines et Développement social Canada

NOTE: See instructions
NOTA : Voir instructions

PERMANENT FULL-TIME EMPLOYEES TERMINATED *
CESSATIONS DE FONCTIONS : SALARIÉS PERMANENTS À PLEIN TEMPS *

Form / Formulaire 6 — Part A / Partie A

Name of Business: / Nom de l'entreprise :	Industrial Sector: / Branche d'activité :
Location - Endroit: ☐ National (Canada) / National (Canada) ☐ Province / Territory (specify) / Province / territoire (préciser) ________	Reporting Period: / Période de rapport: 19___

Occupational Groups / Catégories professionnelles	All Employees / Tous les salariés			Aboriginal Peoples / Autochtones			Persons with Disabilities / Personnes handicapées			Members of Visible Minorities / Membres des minorités visibles		
	Total Number / Nombre total	Men / Hommes	Women / Femmes	Total Number / Nombre total	Men / Hommes	Women / Femmes	Total Number / Nombre total	Men / Hommes	Women / Femmes	Total Number / Nombre total	Men / Hommes	Women / Femmes
	Col. 1	Col. 2	Col. 3	Col. 4	Col. 5	Col. 6	Col. 7	Col. 8	Col. 9	Col. 10	Col. 11	Col. 12
Senior Managers / Cadres supérieurs												
Middle and Other Managers / Cadres intermédiaires et autres administrateurs												
Professionals / Professionnels												
Semi-Professionals and Technicians / Personnel semi-professionnel et technique												
Supervisors / Surveillants												
Supervisors: Crafts and Trades / Contremaîtres												
Administrative and Senior Clerical Personnel / Personnel administratif et de bureau principal												
Skilled Sales and Service Personnel / Personnel spécialisé de la vente et des services												
Skilled Crafts and Trades Workers / Travailleurs qualifiés et artisans												
Clerical Personnel / Personnel de bureau												
Intermediate Sales and Service Personnel / Personnel intermédiaire de la vente et des services												
Semi-Skilled Manual Workers / Travailleurs manuels spécialisés												
Other Sales and Service Personnel / Autre personnel de la vente et des services												
Other Manual Workers / Autres travailleurs manuels												
TOTAL NUMBER OF EMPLOYEES TERMINATED / NOMBRE TOTAL DE CESSATIONS DE FONCTIONS												

LAB 1096 (-) B

* Use the other Parts for permanent part-time and temporary employees
Utiliser les autres parties pour les salariés permanents à temps partiel et les salariés temporaires

Canada

Formulaire 6

Human Resources and Social Development Canada — Ressources humaines et Développement social Canada

NOTE : See instructions
NOTA : Voir instructions

PERMANENT PART-TIME EMPLOYEES TERMINATED *
CESSATIONS DE FONCTIONS : SALARIÉS PERMANENTS À TEMPS PARTIEL *

Form / Formulaire **6** — Part B / Partie B

Name of Business / Nom de l'entreprise :	Industrial Sector / Branche d'activité
Location - Endroit ☐ National (Canada) / National (Canada) ☐ Province / Territory (specify) / Province / territoire (préciser) ________	Reporting Period / Période de rapport 19____

Occupational Groups / Catégories professionnelles	All Employees / Tous les salariés			Aboriginal Peoples / Autochtones			Persons with Disabilities / Personnes handicapées			Members of Visible Minorities / Membres des minorités visibles		
	Total Number / Nombre total	Men / Hommes	Women / Femmes	Total Number / Nombre total	Men / Hommes	Women / Femmes	Total Number / Nombre total	Men / Hommes	Women / Femmes	Total Number / Nombre total	Men / Hommes	Women / Femmes
	Col. 1	Col. 2	Col. 3	Col. 4	Col. 5	Col. 6	Col. 7	Col. 8	Col. 9	Col. 10	Col. 11	Col. 12
Senior Managers / Cadres supérieurs												
Middle and Other Managers / Cadres intermédiaires et autres administrateurs												
Professionals / Professionnels												
Semi-Professionals and Technicians / Personnel semi-professionnel et technique												
Supervisors / Surveillants												
Supervisors: Crafts and Trades / Contremaîtres												
Administrative and Senior Clerical Personnel / Personnel administratif et de bureau principal												
Skilled Sales and Service Personnel / Personnel spécialisé de la vente et des services												
Skilled Crafts and Trades Workers / Travailleurs qualifiés et artisans												
Clerical Personnel / Personnel de bureau												
Intermediate Sales and Service Personnel / Personnel intermédiaire de la vente et des services												
Semi-Skilled Manual Workers / Travailleurs manuels spécialisés												
Other Sales and Service Personnel / Autre personnel de la vente et des services												
Other Manual Workers / Autres travailleurs manuels												
TOTAL NUMBER OF EMPLOYEES TERMINATED / NOMBRE TOTAL DE CESSATIONS DE FONCTIONS												

LAB 1095 (-) B

* Use the other Parts for permanent full-time and temporary employees
Utiliser les autres parties pour les salariés permanents à plein temps et les salariés temporaires

Canada

Formulaire 6

Human Resources and Social Development Canada   Ressources humaines et Développement social Canada

NOTE: See instructions
NOTA : Voir instructions

TEMPORARY EMPLOYEES TERMINATED *
CESSATIONS DE FONCTIONS : SALARIÉS TEMPORAIRES *

Form / Formulaire **6**   Part C / Partie C

Name of Business: / Nom de l'entreprise :   Industrial Sector: / Branche d'activité

Location - Endroit   ☐ National (Canada) / National (Canada)   ☐ Province / Territory (specify) / Province / territoire (préciser) ______   Reporting Period: / Période de rapport : 19____

Occupational Groups Catégories professionnelles	All Employees Tous les salariés			Aboriginal Peoples Autochtones			Persons with Disabilities Personnes handicapées			Members of Visible Minorities Membres des minorités visibles		
	Total Number Nombre total	Men Hommes	Women Femmes	Total Number Nombre total	Men Hommes	Women Femmes	Total Number Nombre total	Men Hommes	Women Femmes	Total Number Nombre total	Men Hommes	Women Femmes
	Col. 1	Col. 2	Col. 3	Col. 4	Col. 5	Col. 6	Col. 7	Col. 8	Col. 9	Col. 10	Col. 11	Col. 12
Senior Managers Cadres supérieurs												
Middle and Other Managers Cadres intermédiaires et autres administrateurs												
Professionals Professionnels												
Semi-Professionals and Technicians Personnel semi-professionnel et technique												
Supervisors Surveillants												
Supervisors: Crafts and Trades Contremaîtres												
Administrative and Senior Clerical Personnel Personnel administratif et de bureau principal												
Skilled Sales and Service Personnel Personnel spécialisé de la vente et des services												
Skilled Crafts and Trades Workers Travailleurs qualifiés et artisans												
Clerical Personnel Personnel de bureau												
Intermediate Sales and Service Personnel Personnel intermédiaire de la vente et des services												
Semi-Skilled Manual Workers Travailleurs manuels spécialisés												
Other Sales and Service Personnel Autre personnel de la vente et des services												
Other Manual Workers Autres travailleurs manuels												
TOTAL NUMBER OF EMPLOYEES TERMINATED NOMBRE TOTAL DE CESSATIONS DE FONCTIONS												

LAB 1094 (-) B

* Use the other Parts for permanent full-time and permanent part-time employees
Utiliser les autres parties pour les salariés permanents à plein temps et les salariés permanents à temps partiel

Canada

ANNEXE VII — BRANCHES D'ACTIVITÉ

(*paragraphe 23(1)*)

Branches D'activité

Article	Colonne I Classification des industries		Colonne II Description des groupes industriels
1.	Agriculture, foresterie, pêche et chasse	Cultures agricoles	Culture de céréales et de plantes oléagineuses
			Culture de légumes et de melons
			Culture de noix et de fruits
			Culture en serre et en pépinière et floriculture
			Autres cultures agricoles
		Élevage	Élevage de bovins
			Élevage de porcs
			Élevage de volailles et production d'œufs
			Élevage de moutons et de chèvres
			Aquaculture animale
			Autres types d'élevage
		Foresterie et exploitation forestière	Exploitation de terres à bois
			Pépinières forestières et récolte de produits forestiers
			Exploitation forestière
		Pêche, chasse et piégeage	Pêche
			Chasse et piégeage
		Activités de soutien à l'agriculture et à la foresterie	Activités de soutien aux cultures agricoles
			Activités de soutien à l'élevage
			Activités de soutien à la foresterie

Article	Colonne I Classification des industries		Colonne II Description des groupes industriels
2.	Extraction minière et extraction de pétrole et de gaz	Extraction de pétrole et de gaz	Extraction de pétrole et de gaz
		Extraction minière, sauf l'extraction de pétrole et de gaz	Extraction de charbon
			Extraction de minerais métalliques
			Extraction de minerais non métalliques
		Activités de soutien à l'extraction minière et à l'extraction de pétrole et de gaz	Activités de soutien à l'extraction minière et à l'extraction de pétrole et de gaz
3.	Services publics	Services publics	Production, transport et distribution d'électricité
			Distribution de gaz naturel
			Réseaux d'aqueduc et d'égout et autres
4.	Construction	Entrepreneurs principaux	Lotissement et aménagement de terrains
			Construction de bâtiments
			Travaux de génie
			Gestion de construction
		Entrepreneurs spécialisés	Préparation du terrain
			Travaux de gros œuvre
			Finition extérieure de bâtiments
			Finition intérieure de bâtiments
			Installation d'équipements techniques
			Autres entrepreneurs spécialisés
5.	Fabrication	Fabrication d'aliments	Fabrication d'aliments pour animaux

Article	Colonne I Classification des industries	Colonne II Description des groupes industriels
		Mouture de céréales et de graines oléagineuses
		Fabrication de sucre et de confiseries
		Mise en conserve de fruits et de légumes et fabrication de spécialités alimentaires
		Fabrication de produits laitiers
		Fabrication de produits de viande
		Préparation et conditionnement de poissons et de fruits de mer
		Boulangeries et fabrication de tortillas
		Fabrication d'autres aliments
	Fabrication de boissons et de produits du tabac	Fabrication de boissons
		Fabrication de tabac
	Usines de textiles	Usines de fibres, de filés et de fils
		Usines de tissus
		Finissage de textiles et de tissus et revêtement de tissus
	Usines de produits textiles	Usine de produits textiles domestiques
		Usines d'autres produits textiles
	Fabrication de vêtements	Usines de tricotage de vêtements
		Fabrication de vêtements coupés-cousus
		Fabrication d'accessoires vestimentaires et d'autres vêtements

	Colonne I	Colonne II
Article	**Classification des industries**	**Description des groupes industriels**
	Fabrication de produits en cuir et de produits analogues	Tannage et finissage du cuir et des peaux
		Fabrication de chaussures
		Fabrication d'autres produits en cuir et produits analogues
	Fabrication de produits en bois	Scieries et préservation du bois
		Fabrication de placages, de contreplaqués et de produits en bois reconstitué
		Fabrication d'autres produits en bois
	Fabrication du papier	Usines de pâte à papier, de papier et de carton
		Fabrication de produits en papier transformé
	Impression et activités connexes de soutien	Impression et activités connexes de soutien
	Fabrication de produits du pétrole et du charbon	Fabrication de produits du pétrole et du charbon
	Fabrication de produits chimiques	Fabrication de produits chimiques de base
		Fabrication de résines, de caoutchouc synthétique et de fibres et de filaments artificiels et synthétiques
		Fabrication de pesticides, d'engrais et d'autres produits chimiques agricoles
		Fabrication de produits pharmaceutiques et de médicaments

Article	Colonne I Classification des industries	Colonne II Description des groupes industriels
		Fabrication de peintures, de revêtements et d'adhésifs
		Fabrication de savons, de détachants et de produits de toilette
		Fabrication d'autres produits chimiques
	Fabrication de produits en caoutchouc et en plastique	Fabrication de produits en plastique
		Fabrication de produits en caoutchouc
	Fabrication de produits minéraux non métalliques	Fabrication de produits en argile et produits réfractaires
		Fabrication de verre et de produits en verre
		Fabrication de ciment et de produits en béton
		Fabrication de chaux et de produits en gypse
		Fabrication d'autres produits minéraux non métalliques
	Première transformation des métaux	Sidérurgie
		Fabrication de produits en acier à partir d'acier acheté
		Production et transformation d'alumine et d'aluminium
		Production et transformation de métaux non ferreux, sauf l'aluminium
		Fonderies
	Fabrication de produits métalliques	Forgeage et estampage

Colonne I		Colonne II
Article	**Classification des industries**	**Description des groupes industriels**
		Fabrication de coutellerie et d'outils à main
		Fabrication de produits d'architecture et d'éléments de charpentes métalliques
		Fabrication de chaudières, de réservoirs et de contenants d'expédition
		Fabrication d'articles de quincaillerie
		Fabrication de ressorts et de produits en fil métallique
		Ateliers d'usinage, fabrication de produits tournés, de vis, d'écrous et de boulons
		Revêtement, gravure, traitement thermique et activités analogues
		Fabrication d'autres produits métalliques
	Fabrication de machines	Fabrication de machines pour l'agriculture, la construction et l'extraction minière
		Fabrication de machines industrielles
		Fabrication de machines pour le commerce et les industries de services
		Fabrication d'appareils de chauffage, de ventilation, de climatisation et de réfrigération commerciale
		Fabrication de machines-outils pour le travail du métal

Article	Colonne I Classification des industries	Colonne II Description des groupes industriels
		Fabrication de moteurs, de turbines et de matériel de transmission de puissance
		Fabrication d'autres machines d'usage général
	Fabrication de produits informatiques et électroniques	Fabrication de matériel informatique et périphérique
		Fabrication de matériel de communication
		Fabrication de matériel audio et vidéo
		Fabrication de semiconducteurs et d'autres composants électroniques
		Fabrication d'instruments de navigation, de mesure et de commande et d'instruments médicaux
		Fabrication et reproduction de supports magnétiques et optiques
	Fabrication de matériel, d'appareils et de composants électriques	Fabrication de matériel électrique d'éclairage
		Fabrication d'appareils ménagers
		Fabrication de matériel électrique
		Fabrication d'autres types de matériel et de composants électriques
	Fabrication de matériel de transport	Fabrication de véhicules automobiles

Article	Classification des industries	Colonne I	Colonne II Description des groupes industriels
			Fabrication de carrosseries et de remorques de véhicules automobiles
			Fabrication de pièces pour véhicules automobiles
			Fabrication de produits aérospatiaux et de leurs pièces
			Fabrication de matériel ferroviaire roulant
			Construction de navires et d'embarcations
			Fabrication d'autres types de matériel de transport
		Fabrication de meubles et de produits connexes	Fabrication de meubles de maison et d'établissement institutionnel et d'armoires de cuisine
			Fabrication de meubles de bureau, y compris les articles d'ameublement
			Fabrication d'autres produits connexes aux meubles
		Activités diverses de fabrication	Fabrication de fournitures et de matériel médicaux
			Autres activités diverses de fabrication
6.	Commerce de gros	Grossistes-distributeurs de produits agricoles	Grossistes-distributeurs de produits agricoles
		Grossistes-distributeurs de produits pétroliers	Grossistes-distributeurs de produits pétroliers

Article	Colonne I Classification des industries	Colonne II Description des groupes industriels
	Grossistes-distributeurs de produits alimentaires, de boissons et de tabac	Grossistes-distributeurs de produits alimentaires
		Grossistes-distributeurs de boissons
		Grossistes-distributeurs de cigarettes et de produits du tabac
	Grossistes-distributeurs d'articles personnels et ménagers	Grossistes-distributeurs de textiles, de vêtements et de chaussures
		Grossistes-distributeurs de matériel de divertissement au foyer et d'appareils ménagers
		Grossistes-distributeurs d'accessoires de maison
		Grossistes-distributeurs d'articles personnels
		Grossistes-distributeurs de produits pharmaceutiques, d'articles de toilette, de cosmétiques et d'autres produits
	Grossistes-distributeurs de véhicules automobiles et de leurs pièces	Grossistes-distributeurs de véhicules automobiles
		Grossistes-distributeurs de pièces et d'accessoires neufs pour véhicules automobiles

Article	Colonne I Classification des industries	Colonne II Description des groupes industriels
		Grossistes-distributeurs de pièces et d'accessoires d'occasion pour véhicules automobiles
	Grossistes-distributeurs de matériaux et fournitures de construction	Grossistes-distributeurs de matériel et fournitures électriques, de plomberie, de chauffage et de climatisation
		Grossistes-distributeurs de métaux et de produits métalliques
		Grossistes-distributeurs de bois d'œuvre, de menuiseries préfabriquées, d'articles de quincaillerie et d'autres fournitures de construction
	Grossistes-distributeurs de machines, de matériel et de fournitures	Grossistes-distributeurs de machines et matériel pour l'agriculture, l'entretien des pelouses et le jardinage
		Grossistes-distributeurs de machines, matériel et fournitures industriels et pour la construction, la foresterie et l'extraction minière
		Grossistes-distributeur d'ordinateurs et de matériel de communication
		Grossistes-distributeurs d'autres machines, matériel et fournitures

Article	Colonne I Classification des industries		Colonne II Description des groupes industriels
		Grossistes-distributeurs de produits divers	Grossistes-distributeurs de matières recyclables
			Grossistes-distributeurs de papier et produits du papier et de produits en plastique jetables
			Grossistes-distributeurs de fournitures agricoles
			Grossistes-distributeurs de produits chimiques et de produits analogues, sauf les produits chimiques agricoles
			Grossistes-distributeurs d'autres produits divers
		Agents et courtiers du commerce de gros	Agents et courtiers du commerce de gros
7.	Commerce de détail	Marchands de véhicules automobiles et de leurs pièces	Marchands d'automobiles
			Marchands d'autres véhicules automobiles
			Magasins de pièces, de pneus et d'accessoires pour véhicules automobiles
		Magasins de meubles et d'accessoires de maison	Magasins de meubles
			Magasins d'accessoires de maison
		Magasins d'appareils électroniques et ménagers	Magasins d'appareils électroniques et ménagers
		Marchands de matériaux de construction et de matériel et fournitures de jardinage	Marchands de matériaux et fournitures de construction

	Colonne I	**Colonne II**
Article	**Classification des industries**	**Description des groupes industriels**
		Magasins de matériel et fournitures pour le jardinage et l'entretien des pelouses
	Magasins d'alimentation	Épiceries
		Magasins d'alimentation spécialisée
		Magasins de bière, de vin et de spiritueux
	Magasins de produits de santé et de soins personnels	Magasins de produits de santé et de soins personnels
	Stations-service	Stations-service
	Magasins de vêtements et d'accessoires vestimentaires	Magasins de vêtements
		Magasins de chaussures
		Bijouteries et magasins de bagages et de maroquinerie
	Magasins d'articles de sport, d'articles de passe-temps, d'articles de musique et de livres	Magasins d'articles de sport et de passe-temps et d'instruments de musique
		Magasins de livres, de périodiques et d'articles de musique
	Magasins d'autres fournitures de tout genre	Grands magasins
		Magasins d'autres fournitures de tout genre
	Magasins de détail divers	Fleuristes
		Magasins de fournitures de bureau, de papeterie et de cadeaux

Article	Colonne I Classification des industries		Colonne II Description des groupes industriels
			Magasins de marchandises d'occasion
			Autres magasins de détail divers
		Détaillants hors magasin	Entreprises de télémagasinage et de vente par correspondance
			Exploitants de distributeurs automatiques
			Établissements de vente directe
8.	Transport et entreposage	Transport aérien	Transport aérien régulier
			Transport aérien non régulier
		Transport ferroviaire	Transport ferroviaire
		Transport par eau	Transport hauturier, côtier et sur les Grands Lacs
			Transport sur les eaux intérieures
		Transport par camion	Transport par camion de marchandises diverses
			Transport par camion de marchandises spéciales
		Transport en commun et transport terrestre de voyageurs	Services urbains de transport en commun
			Transport interurbain et rural par autocar
			Services de taxi et de limousine
			Transport scolaire et transport d'employés par autobus
			Services d'autobus nolisés

	Colonne I	Colonne II
Article	**Classification des industries**	**Description des groupes industriels**
		Autres services de transport en commun et de transport terrestre de voyageurs
	Transport par pipeline	Transport du pétrole brut par oléoduc
		Transport du gaz naturel par gazoduc
		Autres services de transport par pipeline
	Transport de tourisme et d'agrément	Transport terrestre de tourisme et d'agrément
		Transport par eau de tourisme et d'agrément
		Autres services de transport de tourisme et d'agrément
	Activités de soutien au transport	Activités de soutien au transport aérien
		Activités de soutien au transport ferroviaire
		Activités de soutien au transport par eau
		Activités de soutien au transport routier
		Intermédiaires en transport de marchandises
		Autres activités de soutien au transport
	Services postaux	Services postaux
	Messageries et services de messagers	Messageries
		Services locaux de messagers et de livraison
	Entreposage	Entreposage

		Colonne I	Colonne II
Article	**Classification des industries**		**Description des groupes industriels**
9.	Industrie de l'information et industrie culturelle	Édition	Éditeurs de journaux, de périodiques, de livres et de bases de données
			Éditeurs de logiciels
		Industries du film et de l'enregistrement sonore	Industries du film et de la vidéo
			Industries de l'enregistrement sonore
		Radiotélévision et télécommunications	Radiodiffusion et télédiffusion
			Télévision payante et spécialisée et distribution d'émissions de télévision
			Télécommunications
		Services d'information et de traitement des données	Services d'information
			Services de traitement des données
10.	Finance et assurances	Autorités monétaires — banque centrale	Autorités monétaires — banque centrale
		Intermédiation financière et activités connexes	Intermédiation financière au moyen de dépôts
			Intermédiation financière non faite au moyen de dépôts
			Activités liées à l'intermédiation financière
		Valeurs mobilières, contrats de marchandises et autres activités d'investissement financier connexes	Intermédiation et courtage de valeurs mobilières et de contrats de marchandises
			Bourses de valeurs mobilières et de marchandises

Article	Colonne I Classification des industries		Colonne II Description des groupes industriels
			Autres activités d'investissement financier
		Sociétés d'assurance et activités connexes	Sociétés d'assurance
			Agences et courtiers d'assurance et autres activités liées à l'assurance
		Fonds et autres instruments financiers	Caisse de retraite
			Autres fonds et instruments financiers
11.	Services immobiliers et services de location et de location à bail	Services immobiliers	Bailleurs de biens immobiliers
			Bureaux d'agents et de courtiers immobiliers
			Activités liées à l'immobilier
		Services de location et de location de bail	Location et location à bail de matériel automobile
			Location de biens de consommation
			Centres de location d'articles divers
			Location et location à bail de machines et matériel d'usage commercial et industriel
		Bailleurs de biens incorporels non financiers, sauf les œuvres protégées par le droit d'auteur	Bailleurs de biens incorporels non financiers, sauf les œuvres protégées par le droit d'auteur
12.	Services professionnels, scientifiques et techniques	Services professionnels, scientifiques et techniques	Services juridiques

Article	Colonne I Classification des industries		Colonne II Description des groupes industriels
			Services de comptabilité, de préparation des déclarations de revenus, de tenue de livres et de paye
			Architecture, génie et services connexes
			Services spécialisés de design
			Conception de systèmes informatiques et services connexes
			Services de conseils en gestion et de conseils scientifiques et techniques
			Services de recherche et de développement scientifiques
			Publicité et services connexes
			Autres services professionnels, scientifiques et techniques
13.	Gestion de sociétés et d'entreprises	Gestion de sociétés et d'entreprises	Gestion de sociétés et d'entreprises
14.	Services administratifs, services de soutien, services de gestion des déchets et services d'assainissement	Services administratifs et services de soutien	Services administratifs de bureau
			Services de soutien d'installations
			Services d'emploi
			Services de soutien aux entreprises
			Services de préparation de voyages et de réservation
			Services d'enquêtes et de sécurité

Article		Colonne I Classification des industries	Colonne II Description des groupes industriels
			Services relatifs aux bâtiments et aux logements
			Autres services de soutien
		Services de gestion des déchets et d'assainissement	Collecte des déchets
			Traitement et élimination des déchets
			Services d'assainissement et autres services de gestion des déchets
15.	Services d'enseignement	Services d'enseignement	Écoles primaires et secondares
			Collèges communautaires et cégeps
			Universités
			Écoles de commerce et de formation en informatique et en gestion
			Écoles techniques et écoles de métiers
			Autres établissements d'enseignement et de formation
			Services de soutien à l'enseignement
16.	Soins de santé et assistance sociale	Services de soins ambulatoires	Cabinets de médecins
			Cabinets de dentistes
			Cabinets d'autres praticiens
			Centres de soins ambulatoires
			Laboratoires médicaux et d'analyses diagnostiques
			Services de soins de santé à domicile

Article	Colonne I Classification des industries	Colonne II Description des groupes industriels
		Autres services de soins ambulatoires
	Hôpitaux	Hôpitaux généraux et hôpitaux de soins chirurgicaux
		Hôpitaux psychiatriques et hôpitaux pour alcooliques et toxicomanes
		Hôpitaux spécialisés, sauf les hôpitaux psychiatriques et les hôpitaux pour alcooliques et toxicomanes
	Établissements de soins infirmiers et de soins pour bénéficiaires internes	Établissements de soins infirmiers
		Établissements résidentiels pour personnes ayant des handicaps liés au développement, des troubles mentaux, d'alcoolisme et de toxicomanie
		Établissements communautaires de soins pour personnes âgées
		Autres établissements de soins pour bénéficiaires internes
	Assistance sociale	Services individuels et familiaux
		Services communautaires d'alimentation et d'hébergement, services d'urgence et autres secours
		Services de réadaptation professionnelle

Article	Colonne I Classification des industries		Colonne II Description des groupes industriels
			Services de garderie
17.	Arts, spectacles et loisirs	Arts d'interprétation, sports-spectacles et activités connexes	Compagnies d'arts d'interprétation
			Sports-spectacles
			Promoteurs (diffuseurs) d'événements artistiques et sportifs et d'événements similaires
			Agents et représentants d'artistes, d'athlètes et d'autres personnalités publiques
			Artistes, auteurs et interprètes indépendants
		Établissements du patrimoine	Établissements du patrimoine
		Divertissement, loisirs et jeux de hasard et loteries	Pares d'attractions et salles de jeux électroniques
			Jeux de hasard et loteries
			Autres services de divertissement et de loisirs
18.	Hébergement et services de restauration	Services d'hébergement	Hébergement des voyageurs
			Pares pour véhicules de plaisance et camps de loisirs
			Maisons de chambres et pensions de famille
		Services de restauration et débits de boissons	Restaurants à service complet
			Établissements de restauration à service restreint
			Services de restauration spéciaux

	Colonne I		Colonne II
Article	**Classification des industries**		**Description des groupes industriels**
			Débits de boissons (alcoolisées)
19.	Autres services, sauf les administrations publiques	Réparation et entretien	Réparation et entretien de véhicules automobiles
			Réparation et entretien de matériel électronique et de matériel de précision
			Réparation et entretien de machines et de matériel d'usage commercial et industriel, sauf les véhicules automobiles et le matériel électronique
			Réparation et entretien d'articles personnels et ménagers
		Services personnels et services de blanchissage	Services de soins personnels
			Services funéraires
			Services de nettoyage à sec et de blanchissage
			Autres services personnels
		Organismes religieux, fondations, groupes de citoyens et organisations professionnelles similaires	Organismes religieux
			Fondations et organismes de charité
			Organismes d'action sociale
			Organisations civiques et amicales

Article	Classification des industries	Colonne I	Colonne II
			Description des groupes industriels
			Associations de gens d'affaires, organisations professionnelles et syndicates et autres associations de personnes
		Ménages privés	Ménages privés
20.	Administrations publiques	Administration publique fédérale	Services de défense
			Services de protection fédéraux
			Services fédéraux relatifs à la main-d'œuvre, à l'emploi et à l'immigration
			Affaires étrangères et aide internationale
			Autres services de l'administration publique fédérale
		Administrations publiques provinciales et territoriales	Services de protection provinciaux
			Services provinciaux relatifs à la main-d'œuvre et à lemploi
			Autres services des administrations publiques provinciales et territoriales
		Administrations publiques locales, municipales et régionales	Services de protection municipaux
			Autres services des administrations publiques locales, municipales et régionales
		Administrations publiques autochtones	Administrations publiques autochtones

Article	Colonne I Classification des industries	Colonne II Description des groupes industriels
	Organismes publics internationaux et autres organismes publics extra-territoriaux	Organismes publics internationaux et autres organismes publics extra-territoriaux

[DORS/2006-120, art. 10]

ANNEXE VIII — TABLE DES PALIERS DE RÉMUNÉRATION

(*alinéa 26(1)b)*)

100 000 $ et plus
95 000 $ - 99 999 $
90 000 $ – 94 999 $
85 000 $ – 89 999 $
80 000 $ – 84 999 $
75 000 $ – 79 999 $
70 000 $ – 74 999 $
65 000 $ – 69 999 $
60 000 $ – 64 999 $
55 000 $ – 59 999 $
50 000 $ – 54 999 $
45 000 $ – 49 999 $
40 000 $ – 44 999 $
35 000 $ – 39 999 $
30 000 $ – 34 999 $
25 000 $ – 29 999 $
20 000 $ – 24 999 $
15 000 $ – 19 999 $
10 000 $ – 14 999 $
5 000 $ – 9 999 $
Moins de 5 000 $

INDEX ANALYTIQUE

INDEX ANALYTIQUE

Code d'éthique et de déontologie des membres de l'Assemblée nationale **(L.Q. 2010, c. 30)**, [QUE-10] ann. II(2)

Code municipal du Québec **(chapitre C-27.1)**, [QUE-19] ann. I(3)

Code de procédure civile **(chapitre C-25)**, 51

Code de procédure civile **(chapitre C-25.01)**, [C-2] 62, 109, 113, 114, 133; [QUE-2] 350; [QUE-3] 36, 85, 100.6, 111.20, 139; [QUE-3.2] 7(a); [QUE-4] 26.9; [QUE-10] 112, 133, 156, 158; [QUE-11] 17.2; [QUE-13] 39.0.0.3; [QUE-14] 68, 91; [QUE-16] 37; [QUE-17] 26.1; [QUE-19] 16, [QUE-19] 108

Code de procédure pénale **(chapitre C-25.1)**, [C-2] 95; [QUE-2] 11(1), 11(3); [QUE-4] 52; [QUE-9] 27; [QUE-16] 5; [QUE-17] 5

Code des professions **(chapitre C-26)**, [QUE-10] 102; [QUE-15] 174.3; [QUE-19] 20

Code de la sécurité routière **(chapitre C-24.1)**, [QUE-10] 119(7), 119(8), ann. I(3), ann. IV(6)

Code du travail **(chapitre C-27)**, [C-3] 45, 46; [QUE-3.1] 1, 2, 3c); [QUE-3.2] 1, 32; [QUE-4] 11.7; [QUE-6] 2, 5, 76.10, 104; [QUE-13] 1(4), 123, 127, 157; [QUE-14] 8.1, 27, 45, 45.0.3, 62, 85, 107, 124; [QUE-15] 1; [QUE-16] 3; [QUE-17] 2, 35.1, 59.1, 64; [QUE-18] 27; [QUE-19] 1, 5, 7(1), 9 al. 2(2), 29, 50, 86, 87, 105, 109, 237(4), 256, 257, 264, ann. I; [QUE-19.2] 49-50, 53, 59; [QUE-20] 2, 3, 12, 18, 29, 48, 49, 72

Coiffeur

- Prix chargé au public, [QUE-4] 10(4)

Collège

- Convention collective, [QUE-3] 111.6
- Équité salariale, [QUE-6] 3 al. 2(3), 21.1 al. 2(3)
- Secteurs public et parapublic, [QUE-3] 111.2(1)
- Travaux de construction non régis par la Loi, [QUE-14] 19 al. 1(8)

Collège d'enseignement général et professionnel, *voir aussi* Établissement d'enseignement

- Accès à l'égalité en emploi
- • Application de la Loi, [QUE-1] 2(3)

Colon, [QUE-3] 8

Comité consultatif

- Commission des normes, de l'équité, de la santé et de la sécurité du travail, [QUE-6] 95.1–95.4
- Institution, [QUE-8] 41(d); [CAN-2] 264(j)

Comité consultatif du travail et de la main-d'œuvre, *voir aussi* Bureau d'évaluation médicale, Ministère du Travail (Québec)

- Consultation, [QUE-3] 103, 138; [QUE-4] 20, 21; [QUE-19] 2, 77
- Liste des professionnels de la santé, [QUE-2] 205; 216, 591

Comité consultatif sur les normes du travail, [QUE-13] 39.0.0.4-39.0.0.7

- Avis, [QUE-13] 39.0.0.4, 39.0.0.5, 39.0.0.7
- Composition, [QUE-13] 39.0.0.4
- Fonction, [QUE-13] 39.0.0.4
- Formation, [QUE-13] 39.0.0.4
- Modalités de consultation, [QUE-13] 39.0.0.4
- Nomination des membres, [QUE-13] 39.0.0.4
- Procès-verbaux, [QUE-13] 39.0.0.5

E

***Loi sur les infirmières et les infirmiers* (chapitre I-8)**, [QUE-20] 5

***Loi sur les installations électriques* (chapitre I-13.01)**, [QUE-14] 21

***Loi sur l'Institut de la statistique du Québec* (chapitre I-13.011)**, [QUE-3] 1(3.3), 111.8(4)

***Loi sur l'instruction publique* (chapitre I-13.3)**, [QUE-1] 2(3); [QUE-10] ann. I(3)

***Loi sur les instruments dérivés* (L.Q. 2008, c. 24)**, [QUE-13] 77(4)

***Loi sur les intermédiaires de marché* (chapitre I-15.1)**, [QUE-13] 77(5)

***Loi sur les jeunes contrevenants* (L.R.C. (1985), ch. Y-1)**, [QUE-2] 11(3)

***Loi sur les jurés* (chapitre J-2)**, [QUE-19] ann. I(15)

***Loi sur la justice administrative* (chapitre J-3)**, [QUE-19] 74, 75, 81
- Application
- • Ministre responsable, [QUE-10] 199
- Mise en œuvre
- • Rapport du ministre, [QUE-10] 200
- Mise en œuvre du délai de 180 jours
- • Rapport du ministre, [QUE-10] 200.1
- Objet, [QUE-10] 1

***Loi sur les laboratoires médicaux, la conservation des organes, des tissus, des gamètes et des embryons et la disposition des cadavres* (chapitre L-0.2)**, [QUE-2] 112(2), 113, 189(4); [QUE-10] ann. I(3)

***Loi sur les liquidations* (L.R.C. (1985), ch. W-11)**, [QUE-13] 137

***Loi concernant la lutte contre la corruption* (L.Q. 2011, c. 17)**, [QUE-3] 42; [QUE-13] 122(7); [QUE-14] 15.2, 15.7
- Congédiement interdit
- • Dénonciation par un salarié, [QUE-13] 122

Loi visant à lutter contre la maltraitance envers les aînés et toute autre personne majeure en situation de vulnérabilité, [QUE-13] 122(12)

***Loi de 2001 sur la marine marchande du Canada* (L.C. 2001, ch. 26)**, [CAN-2] 127(2)a)

***Loi sur la marine marchande* (L.R.C. (1985), ch. S-9)**, [CAN-2.2] 10(1)b)(iv)

***Loi sur les matériaux de rembourrage et les articles rembourrés* (chapitre M-5)**, [QUE-10] ann. IV(11)

***Loi sur les mécaniciens de machines fixes* (chapitre M-6)**, [QUE-14] 21; [QUE-19] 8(3)

***Loi sur les mesures de transparence dans les industries minière, pétrolière et gazière* (chapitre M-11.5)**, [QUE-10] ann. IV(32)

***Loi sur les mesureurs de bois* (chapitre M-12.1)**, [QUE-10] ann. IV(12)

***Loi sur les mines* (chapitre M-13)**, [QUE-15] 294

***Loi sur le ministère des Affaires municipales et des Régions* (chapitre M-22.1)**, [QUE-11] 38(6), (7)

***Loi sur le ministère de l'Agriculture, des Pêcheries et de l'Alimentation* (chapitre M-14)**, [QUE-10] ann. IV(13)

Loi sur le ministère de l'Emploi et de la Solidarité sociale et sur la